Le Dictionnaire PLUS

de l'idée aux mots

Le Dictionnaire PLUS

de l'idée aux mots

Sélection
du Reader's Digest

Le Dictionnaire plus, de l'idée aux mots

est une réalisation de Sélection du Reader's Digest

Nous remercions tous ceux qui ont contribué à la préparation et à la réalisation de ce livre.

CONSEILLÈRE DE LA RÉDACTION :
Anne-Marie GENDRON

POUR LA PREMIÈRE ÉDITION :
Françoise ATLANI, Patricia BARTOLI-BERTI, Céline DUMONT, Anne-Marie GENDRON, Caroline LOZANO, Patricia PASQUIOU, Serge ROSENBERG, Véronique VALDANT, Céline VEILLARD

POUR LA PRÉSENTE ÉDITION :
Patrick DE NADAI, Benjamin DEMELEMESTER, Jean-Claude DROUIN, Valérie DUHOUX, Bénédicte GAILLARD, Anne-Marie GENDRON, Valérie LECŒUR, Daphné MOREL, Isabelle THOMAS, Marie-Adélaide NIELEN, Blandine VIÉ

Nous remercions particulièrement :
Christine DELANGLE
Maître François DUBREUIL et Virginie DUBREUIL
Alain DUCROUX, chirurgien
Nicolas FONDANÈCHE, avocat
Alain COSNIER (garage Val Auto, Arcueil)
Sophie NADLER, médecin
Céline DE QUÉRAL (secrétariat de rédaction)
ALAIN LE SAUX, Laurence LEFEBVRE,
Delphine MALVEZIN (lecture-correction)
Sylvia DELPLANQUE (saisie et correction)

Et tout spécialement :
Isabelle LÉVY (Informatique éditoriale)

ILLUSTRATIONS
François BROSSE, William FRASCHINI, Michel GILLES, Jean-Benoit HÉRON, Christian KOCHER, Marc MOSNIER, Jean-Marc PARISELLE, Jean-Sylvain ROVERI, Amato SORO

CARTOGRAPHIE
EDITERRA

SÉLECTION DU READER'S DIGEST

DIRECTION ÉDITORIALE :
Gérard CHENUET

SÉCRÉTARIAT GÉNÉRAL :
Elizabeth GLACHANT

DIRECTION ARTISTIQUE :
Dominique CHARLIAT

RESPONSABLES DU PROJET :
Pour la première édition :
Rémy COTON PÉLAGIE

Pour la présente édition :
José-Antoine CILLEROS (*éditorial*)
et Françoise BOISMAL (*maquette*)

LECTURE-CORRECTION :
Béatrice ARGENTIER, Catherine DECAYEUX, Emmanuelle DUNOYER

FABRICATION :
Guillaume DUSERRE

INFORMATIQUE :
Jean-Marie JOSSE

DEUXIÈME ÉDITION
TROISIÈME TIRAGE

© 2002, Sélection du Reader's Digest, SA, 212, boulevard Saint-Germain, 75007 Paris
© 2002, Sélection du Reader's Digest, SA, 20, boulevard Paepsem, 1 070 Bruxelles
© 2002, Sélection du Reader's Digest (Canada), Limitée 1100, boulevard René-Lévesque Ouest, Montréal, Québec, H3B 5H5
© 2002, Sélection du Reader's Digest, SA, Räffelstrasse 11 « Gallusshof », 8021 Zurich

ISBN : 2-7098-1381-5

Sommaire

L'index **640**

Préface

« En vain vous me frappez d'un son mélodieux,
Si le terme est impropre ou le tour vicieux.»
BOILEAU

*Q*uatre siècles après, ces vers sonnent d'une justesse désespérante. Ils désignent implacablement l'ennemi : le mot impropre, l'infidèle qui aujourd'hui nous échappe, le traître qui insidieusement déforme notre pensée. Écrire, dire, bref communiquer, c'est en fin de compte toujours le même exercice à très haut risque, sans filet, qui commande, comme le disait encore Boileau, de dire clairement et justement ce qui se conçoit bien.

C'est parce que effectivement les mots adéquats n'arrivent pas si facilement au cerveau, que penser juste ne suffit pas si l'on ne sait pas dire clair, que le projet du *Dictionnaire Plus* s'impose aux nécessités actuelles de la communication, et donc de la vie. Pour qu'en toute circonstance la parole soit surtout précise, afin d'échapper à l'approximation, à l'à-peu-près, à l'erreur et à la confusion.

Penser juste et dire clair, donc, le *Dictionnaire Plus* le permet en poussant la porte des mots. Mots des listes, mots des tableaux, mots des illustrations ; c'est sa façon de rendre accessibles et familiers les termes des sciences, des techniques, de la nature, mais aussi de la mode ou des loisirs…

Entreprendre et réaliser un tel travail était difficile et osé, il n'y a pas de mètre étalon lexical dans ce monde, et ne dissimulons pas le caractère parfois subjectif des choix effectués. Chacun possède au fond de soi un vocabulaire à part, intime et inaliénable, fait de culture, de souvenirs, de joies et de souffrances, irréductible à tout autre et qui ne souffre pas la contradiction.

Par sa richesse, le *Dictionnaire Plus* saura s'adapter à ces rapports singuliers que chacun entretien avec le mot et le langage. Que chacun puisse y mettre et y trouver peu ou beaucoup de soi est aussi une des richesses du livre.

Penser juste, dire clair, voilà qui suffirait à faire du *Dictionnaire Plus* un ouvrage remarquable, mais il est encore un peu plus que cela : nommer justement chaque chose, n'est-ce pas en quelque sorte en être l'inventeur, le découvreur ? Et éprouver à chaque fois la même joie que celle que dut ressentir, il y a six siècles, Christophe Colomb en foulant le sol du Nouveau Monde.

L'ÉDITEUR

Fonctionnement du livre

Comment aller à la recherche des mots eux-mêmes et non plus seulement de leur sens ou de leur orthographe, ces mots d'ordinaire insaisissables que l'on a sur le bout de la langue ?

Ces mots que vous recherchez, le DICTIONNAIRE PLUS vous propose différents chemins pour y parvenir : le dictionnaire, les illustrations, les tableaux et l'index.

Le dictionnaire fonctionne comme un véritable moteur de recherche lexical : pour trouver le mot recherché, ici appelé **mot cible,** le lecteur a recours à d'autres mots, ici appelés **MOTS SOURCES,** qui sont le point de départ de sa recherche. Par exemple, vous ne vous souvenez plus du nom de ce dieu de la mythologie représenté par un enfant ailé tenant un arc. Vous cherchez à **ARC,** mot source, et vous trouvez le mot cible **Cupidon.**

Les mots sources
Les mots sources sont classés par ordre alphabétique, et c'est à partir d'eux que le lecteur voyage de l'idée qu'il a en tête au mot qu'il recherche. Sous les mots sources défilent, accompagnés de très courtes définitions-contexte, tous les mots cibles.

Les mots cibles
Ces mots cibles, ou analogies, sont ceux que le lecteur recherche. Parmi les analogies, on compte des synonymes, des antonymes, des mots sémantiquement proches, des séries. Les mots cibles sont introduits par une définition-contexte.

Les synonymes
Lorsque la similitude de sens est flagrante, le mot source est suivi, sans définition-contexte, de quelques mots proches ou synonymes.

Les définitions-contexte
Ces définitions express qui accompagnent chacun des mots cibles font l'originalité profonde du dictionnaire. Il s'agit de mises en contexte ou en situation.

A ARBUSTE — ARGENT

— Faire éclater le tronc d'un arbre **éclisser**
— Arbre préservé lors d'une coupe **laissé, marmenteau, baliveau**
— Arbre nain (par atrophie des racines et ligature des tiges et des rameaux) cultivé au Japon **bonsaï**
— Animal vivant dans les arbres **arboricole**
— En forme d'arbre **arborescence**
— Arbre mécanique **vilebrequin**
— Établir l'arbre généalogique d'une famille **lignée, ascendance, filiation**

ARBUSTE
— Exemple d'arbuste **amélanchier, bourdaine, buis, genêt, groseillier, prunellier, rhododendron**

ARC Voir illustrations p. 37 et 38
— Tendre l'arc **bander**
— Mettre la flèche à l'arc **encocher**
— Lancer un trait à l'arc **décocher**
• — Détendre l'arc **débander**
— Portée d'un arc **archée**
— Divin archer à l'arc d'amour **Éros, Cupidon**
— Oiseau en carton servant de cible pour le tir à l'arc **papegai**
— Tir à l'arc japonais **kyudo**

— Diocèse d'un archevêque **archidiocèse**
— Qui a rapport à l'archevêque **archiépiscopal**

ARCHITECTE
— Architecte d'une grande œuvre du passé **bâtisseur, constructeur, maître d'œuvre**
— Architecte contemporain **concepteur, ingénieur, entrepreneur**
— Étude réalisée par un architecte **épure, plan, projet, devis, maquette**
— Grand architecte de l'Univers **démiurge**

ARCHITECTURE Voir tableau p. 33-34
— Style d'architecture **roman, gothique**
— Architecture militaire **fortification**
— Conforme aux normes de l'architecture **architectonique**
— Admirer l'architecture d'une œuvre **structure, charpente**

ARCHIVES
— Préposé aux archives **archiviste, documentaliste, conservateur**
— Autrefois, rédacteur des archives **chroniqueur, historiographe**
— Archives civiles **état civil**
— Recueil d'archives concernant les affaires religieuses **cartulaire**
— de conservation des archives **bibliothèque**

enthousiasme, courag opiniâtreté, entrain,

ARDOISE
syn. **phyllade, schi**
— Carrière d'ardoise
— Personne qui explo doise ou y travaille a
— Point de division d **feuilletis**
— Plaque d'ardoise
— Partie d'une ard couverte **pureau**
— Avoir une ardois **crédit, dette, a**

ARDU
— Une entrepri sée, **rude, lab**

ARÈNE
voir aussi cir **rida, course**
— Art de com rène **tauron**
— Combatta **diateur, ré re, bestiai**

ARGENT
syn. **mét**
— Minera **argentit**
— Alliag **maille**

10

Les illustrations et les tableaux détaillent chacun des éléments d'un ensemble, que ce soit la médecine, les sciences physiques, la mode, les techniques, les jeux, etc. Ils peuvent être d'ordre lexical, et donner le vocabulaire précis d'un sujet, ou d'ordre encyclopédique et explicatif.

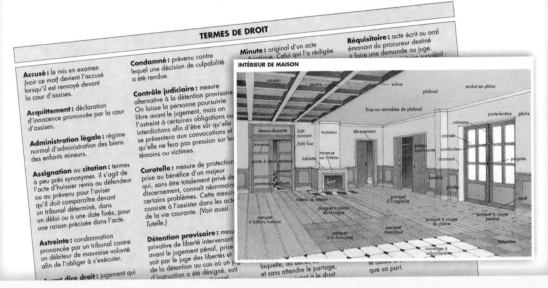

L'index concentre l'essentiel de la richesse de l'ouvrage.

MOTS SOURCES, MOTS CIBLES, mots des tableaux, mots des illustrations, tous les mots de la partie dictionnaire se retrouvent ici.

Cet index vous propose synonymes, mots approchants et antonymes, et par un jeu subtil de renvois vous aide à trouver votre chemin vers le mot juste ou l'information que vous cherchez.

Ainsi, en partant du mot **ARGENT** via le tableau **Anniversaire de mariage,** vous saurez qu'il faut 25 ans de vie commune pour fêter ses noces d'argent. Et c'est à partir d'**ANIMAL** via un renvoi au tableau **Phobies** que vous trouverez zoophobie, crainte maladive des animaux.

Le Dictionnaire

ABAISSER

voir aussi **humiliation**
– Abaisser un individu **mortifier, humilier, dégrader, avilir, outrager, rabaisser, déprécier**
– S'abaisser moralement, socialement **déchoir, ravaler (se)**
– S'abaisser à faire quelque chose **condescendre, consentir**
– Abaisser un niveau **déniveler**

ABANDON

– Abandon des traditions **renoncement, déculturation, reniement**
– Abandon d'un combat **reddition, capitulation**
– Abandon d'un poste **désertion**
– Abandon d'un emploi **démission**

ABANDONNER

– Abandonner quelqu'un **délaisser, négliger, renoncer à**
– Abandonner quelque chose **concéder, dessaisir de (se), départir de (se)**
– Abandonner le pouvoir **abdiquer, démissionner**
– Abandonner une religion **renier, abjurer, apostasier**
– Abandonner la lutte **capituler, déclarer forfait, jeter l'éponge, soumettre (se), céder**
– Abandonner un lieu **évacuer, déserter, quitter, replier (se)**

ABAQUE

– Abaque à boules **boulier**
– Abaque d'un chapiteau **tailloir**

ABASOURDI

– Il a été abasourdi par la nouvelle **frappé, décontenancé, déconcerté, troublé, éberlué, interloqué, atterré, sidéré, stupéfié, médusé**

ABASOURDIR

syn. **stupéfier, assourdir, étourdir**

ABATS

– Abats cuisinés **tripes, gras-double, amourettes**

– Commerçant qui vend des abats **tripier**
– Abats de volaille **abattis**
– Abats rouges **foie, cœur, langue, cervelle, rate, poumons, ris**
– Abats blancs **tête, pieds (ou pattes), estomac**

ABATTEMENT

– La mort de son ami l'a plongé dans un état d'abattement profond **accablement, dépression, morosité, désespoir, spleen**
– Un état d'abattement dû à la maladie **épuisement, affaiblissement, lassitude, torpeur**
– Abattement fiscal **déduction, rabais, dégrèvement**

ABATTRE

– Abattre une maison **démolir, détruire, raser**
– S'abattre sur une proie **fondre**

ABATTU

– Je le trouve très abattu ces derniers temps **accablé, découragé, anéanti, démoralisé, affligé, triste, las**
– Il est abattu par la maladie **affaibli, épuisé, terrassé**

ABBAYE

– De l'abbaye **abbatial**
– Personne qui dirige une abbaye **abbé, abbesse**
– Communauté religieuse dépendant d'une abbaye **prieuré**
– Cette abbaye ne se visite pas **monastère, couvent**

ABBÉ

– Monastère dont le supérieur est un abbé **abbaye**
– Abbé vivant dans le monde **séculier**
– Abbé qui n'est pas séculier **régulier**
– Abbé chargé de la gestion d'un patrimoine ecclésiastique **commendataire**

ABC

– L'ABC d'une technique **b.a.-ba, rudiments, apprentissage**

ABCÈS

syn. **anthrax, bubon, furoncle, orgelet, panaris, phlegmon, tumeur**
– Abcès froid d'origine tuberculeuse **écrouelles, scrofule**
– Crever un abcès **incision**

ABDOMEN

syn. **panse, ventre**
– Parties de l'abdomen **épigastre, hypogastre, péritoine, plexus solaire, région ombilicale**

ABEILLE

– Ancien nom de l'abeille **avette**
– Abeille femelle stérile **ouvrière**
– Abeille femelle reproductrice **reine**
– Lèvre supérieure de l'abeille **labre**
– Œufs d'abeille **couvain**
– Maladie des abeilles **varroase**
– Élevage d'abeilles **apiculture**
– Éleveur d'abeilles **apiculteur**
– Relatif à l'abeille **apicole**

ABÎME

syn. **abysse**
– Il y a un abîme entre nous **gouffre, monde, fossé, précipice**
– Être au fond de l'abîme **perdu, ruiné, désespéré**

ABÎMÉ

– Un objet abîmé **cassé, détérioré, endommagé, usé, déformé, détraqué**
– Un mur fort abîmé **délabré, dégradé**
– Un véhicule abîmé **cabossé, défoncé**
– Un vin abîmé **altéré, bouchonné, dénaturé, éventé**
– Un aliment abîmé **moisi, gâté, pourri, avancé**

ABÎMER

syn. **détériorer, endommager**
– Remise en état d'un objet abîmé **réfection, réhabilitation, restauration, rénovation**

ABÎMER (S')

– S'abîmer de jour en jour **se dégrader, se délabrer, se détériorer**

– S'abîmer en mer **sombrer, s'engloutir, couler, s'enfoncer**

ABLATION
– Ablation d'une partie du corps **amputation, mutilation, exérèse, excision**
– Ablation des testicules **castration, émasculation**
– Ablation de l'œil **énucléation**
– Ablation d'une partie malade en conservant la partie saine **résection**
– Personne qui a subi l'ablation d'un membre **manchot, unijambiste**
– Dispositif remplaçant un membre qui a fait l'objet d'une ablation **prothèse**

ABOLIR
– Abolir une loi **invalider, révoquer, abroger, annuler**
– Abolir des privilèges **supprimer, anéantir, détruire**

ABOMINABLE
– Un acte abominable **affreux, horrible, monstrueux, atroce, inqualifiable, barbare, détestable, exécrable**
– Sentiment suscité par un acte abominable **répulsion, horreur, effroi**
– Une vision abominable **insoutenable, terrifiante**

ABONDAMMENT
– Il pleut abondamment **à verse, beaucoup, à torrents**
– Donner abondamment **à foison, en abondance, à profusion, sans compter, à volonté**
– Il s'est abondamment reservi de ce plat **copieusement, largement, considérablement**
– Un livre abondamment illustré **richement**

ABONDANCE
– Abondance de biens **pléthore, affluence**
– Avoir en abondance **à profusion, à foison, en quantité**
– Vivre dans l'abondance **opulence, prospérité, aisance, luxe, fortune**
– Donner en abondance **combler, prodiguer**
– Terre d'abondance **pays de cocagne**
– Emblème de l'abondance **corne d'abondance**
– Qui pousse ou produit en abondance **fécond, luxuriant, florissant, fertile, fructueux**
– Abondance de paroles **logorrhée, loquacité, prolixité, volubilité**

ABONDANT
– Un repas abondant **copieux, plantureux, gargantuesque**
– Une chevelure abondante **fournie, touffue, épaisse, drue**

ACIDES

Acide acétique : c'est l'acide du vinaigre.

Acide ascorbique : c'est la vitamine C.

Acide chlorhydrique : il attaque les métaux, sauf l'or et le platine, et agit sur les bases et les alcools. Il sert notamment à décaper les métaux et à extraire l'osséine des os.

Acide citrique : triacide-alcool. Il se trouve dans les agrumes, essentiellement le citron. Il est utilisé en teinture, dans l'impression et dans la fabrication de la limonade.

Acide désoxyribonucléique (ADN) : constituant du noyau cellulaire, de la chromatine et des chromosomes, il sert à la transmission des caractères génétiques.

Acide formique : il se rencontre dans les fourmis, les orties, les aiguilles de pin, la sueur, etc. Il possède des propriétés réductrices. il peut être utilisé dans la préparation du camphre. L'aldéhyde formique donne le formol, utilisé comme conservateur et désinfectant.

Acide lactique : il se trouve dans le lait suri, le vin, l'opium…

Acide malique : il est présent dans les pommes vertes, le sureau, les groseilles, le tabac, la rhubarbe, les pommes de terre, etc.

Acide nitrique ou azotique : il possède un grand pouvoir de corrosion. Son action sur le cuivre est exploitée en gravure, où il est utilisé sous le nom d'eau-forte. Les dérivés nitrés sont des explosifs puissants.

Acide nitrique et acide chlorhydrique : ce mélange, appelé « eau régale », a le pouvoir de dissoudre l'or et le platine.

Acide nucléique : celui que l'on extrait de la levure de bière est utilisé en pharmacologie.

Acide prussique ou cyanhydrique : extrait à l'origine du bleu de Prusse, d'où son ancien nom. On le trouve dans les feuilles de certaines plantes (laurier-cerise, pêcher) et dans les amandes de certains fruits. C'est un poison violent. Les cyanures sont des sels de l'acide cyanhydrique.

Acide ribonucléique (ARN) : il intervient dans la synthèse des protéines.

Acide salicylique ou orthohydroxybenzoïque : il est présent dans diverses huiles essentielles et intervient dans la fabrication de colorants et de parfums, ainsi que dans celle de l'aspirine.

Acide sulfurique : mélangé à l'eau, il produit un grand dégagement de chaleur. Pour éviter des projections dangereuses, il faut toujours verser l'acide dans l'eau et non l'inverse. Il agit sur les sels, sur le bois, le sucre comme déshydratant et attaque tous les métaux, sauf l'or et le platine. Très important dans l'industrie, il intervient dans la fabrication d'un nombre considérable de produits, tels que les colorants, les parfums, etc. L'acide sulfurique concentré s'appelle le vitriol.

Acide tartrique : il se trouve dans de nombreux végétaux et dans la lie de vin. Il est utilisé dans la fabrication des eaux gazeuses et des sels effervescents.

Acide urique : il se rencontre dans les aliments animaux et végétaux. Excrété par les reins, il se trouve dans le sang et l'urine. L'augmentation du taux d'acide urique dans le sang peut provoquer la goutte.

Acides gras : les acides gras saturés, mono-insaturés et polyinsaturés se trouvent dans les corps gras de notre alimentation. Les acides gras saturés élèvent le taux de cholestérol. Les acides gras polyinsaturés, eux, ont un effet préventif et réparateur vis-à-vis de l'hypercholestérolémie. Les acides gras mono-insaturés sont neutres.

– Une poitrine abondante **généreuse, opulente**

ABONNEMENT
– Forme d'abonnement **souscription, forfait**
– Abonnement à un service **redevance, contrat de maintenance**

ABORDABLE
– Un texte abordable **intelligible, accessible, compréhensible**
– Une personne abordable **amène, bienveillante, affable, aimable**

ABORDER
– Aborder un navire pour l'attaquer **abordage**
– Aborder un quai **accoster**

– Aborder une personne de façon cavalière **héler, racoler, accoster, interpeller**
– Aborder la ligne droite **entamer, amorcer**
– Aborder une question **soulever, traiter, évoquer**

ABOYER
– Aboyer un ordre **éructer**
– Chien de chasse dont le rôle est d'aboyer **aboyeur, clabaud**
– Ce chien n'arrête pas d'aboyer **glapir, hurler, japper**

ABRASIF
– Matière abrasive **émeri, ponce**
– User à l'aide d'une matière abrasive **abraser, poncer, polir, râper**

ABRÉGÉ
– Abrégé d'un ouvrage ou d'un article **résumé, digest, compendium, condensé, épitomé**
– Un abrégé de grammaire **précis**

ABRÉGER
– Abréger un texte **écourter, condenser, synthétiser, raccourcir, réduire**
– Forme abrégée **esquisse, sommaire, synopsis, plan, résumé, notice, schéma, canevas, trame**
– Écriture abrégée **sténographie, sténotypie**
– Fait d'abréger les souffrances d'un malade **euthanasie**

ABREUVER
– Abreuver de paroles **soûler**
– Il nous a abreuvés de compliments **couverts, comblés**
– Abreuver quelqu'un de reproches **accabler, houspiller**
– La pluie abreuve la terre **imprègne, inonde, imbibe**

ABRÉVIATION
– Type d'abréviation **sigle, monogramme, symbole, acronyme**
– Abréviation d'un mot, d'une expression à l'oral **apocope, aphérèse**

ABRI
syn. **asile, retraite**
– Abri rudimentaire et occasionnel **refuge, gîte**
– Abri couvert **auvent, préau, véranda**
– Abri placé aux arrêts d'autobus **Abribus, aubette**
– Abri militaire **casemate, guérite, fortin, bunker, blockhaus, cagna**
– Abri utilisé en temps de guerre **tranchée, boyau**
– Abri marin **havre, rade, baie, anse** – Abri d'un animal **terrier, repaire, tanière, nid, bauge**
– Abri utilisé pour le matériel et les marchandises **entrepôt, hangar, remise, resserre**
– Abri utilisé pour la conservation des denrées comestibles **cellier, cave, chai, fruitier, fromagerie, silo**
– Abri prévu pour les plantes **serre, abrivent, brise-vent, châssis**
– Abri de verdure **tonnelle, feuillée, gloriette**
– Construire un abri de branches pour les vers à soie **cabaner**

ABRICOT
– Moitié d'abricot **oreillon**
– Marbre ayant une couleur d'abricot **abricotine**

ABRITER
– Abriter en un lieu **héberger, loger**

ABRITER (S')
– S'abriter du danger **prémunir (se), préserver (se), garantir (se), protéger (se), armer contre (s'), mettre à l'abri (se)**
– S'abriter derrière quelque chose ou quelqu'un **retrancher (se), dérober (se), dissimuler (se), cacher (se)**

ABROGER
voir aussi **abolir**
– Abroger un décret **invalider, révoquer, casser, annuler**

ABRUPTEMENT
– Il nous annonça abruptement son départ **brusquement, soudainement, brutalement, ex abrupto, subitement**

ABRUTI
– Un air abruti **stupide, hébété, ahuri**

ABRUTIR
– La débauche l'a abruti **avili, dégradé, dépravé**
– Abrutir la population **crétiniser, abêtir**
– L'alcool abrutit **engourdit, endort, assomme**
– Être abruti de travail **surmené, accablé, exténué, écrasé**

ABSENCE
– Absences fréquentes d'un lieu où il convient d'être **absentéisme**
– Absence à un procès **contumace, défaut de comparution**
– Absence de ce qui est nécessaire **pénurie, disette, carence, rareté**

ABSENT
– Elle est absente **ailleurs**
– Il a l'air absent **inattentif, distrait, absorbé, rêveur**

ABSOLU
– L'absolu au sens philosophique **substance, infini, inconditionné, l'Être**
– L'absolu pour les positivistes **l'inconnaissable**
– Un pouvoir absolu **absolutiste, despotique, totalitaire, tyrannique, hégémonique**
– Une nécessité absolue **impérieuse**
– Un caractère absolu **intransigeant, sectaire, irréductible, rigoriste, inflexible, entier, passionné**

ABSOLUMENT
– Elle est absolument seule **complètement, désespérément**
– Cela m'est absolument égal **parfaitement, totalement, entièrement, rigoureusement, radicalement**
– Seras-tu là ? – Absolument. **bien sûr, certainement, assurément, tout à fait**

ABSOLUTISME
– Gouvernement fondé sur l'absolutisme **despotisme, tyrannie, autoritarisme, autocratie, dictature, totalitarisme, monarchie de droit divin, empire**

ABSORBANT
– Du papier absorbant **buvard, essuie-tout**
– Une activité absorbante **dévorante, prenante, enivrante, captivante, passionnante**

ABSORBÉ
– Être absorbé dans une lecture **plongé**
– Être absorbé dans ses pensées **distrait, absent, méditatif, pensif, songeur**
– Absorbé par les soucis **soucieux, préoccupé, tracassé, tourmenté**

ABSORBER
syn. **pomper**
– Absorber un liquide **imbiber de (s'), imprégner de (s')**
– Absorber de la nourriture **ingérer, engloutir, ingurgiter, avaler**
– S'absorber dans la contemplation **abîmer (s'), pâmer (se), extasier (s')**

ABSORPTION
– Absorption d'une substance **prise, ingestion**
– Absorption d'un gaz **inhalation**
– Absorption par les eaux **engloutissement**
– Absorption d'une entreprise par une autre **fusion, rachat**

ABSTENIR (S')
– S'abstenir de faire quelque chose **garder de (se), refuser à (se), interdire de (s'), empêcher de (s'), retenir de (se), priver de (se), passer de (se)**

ABSTENTION
– Abstention des électeurs **non-participation, abstentionnisme**

ABSTINENCE
syn. **ascétisme, privation**
– Abstinence sexuelle **chasteté, continence**
– Abstinence alimentaire **jeûne, diète, régime**
– Période d'abstinence alimentaire et sexuelle par conviction religieuse **ramadan, carême, Yom Kippour**

ABSTRACTION
– Résultat de l'abstraction **concept, catégorie, entité, axiome, notion**
– Faire abstraction de quelque chose **exclure, omettre, négliger**

ABSTRAIT
– Art abstrait **non figuratif**

Alambic : appareil servant à la distillation. De forme biscornue – d'où le terme alambiqué –, très souvent en cuivre, il est composé d'une cucurbite (en forme de courge), où le liquide est chauffé, d'un chapiteau (en forme d'entonnoir renversé), où les vapeurs sont recueillies, d'un col-de-cygne, où elles continuent de circuler, et enfin d'un serpentin, où elles aboutissent pour être réfrigérées et redevenir liquides.

Alcool (éthylique) : liquide incolore obtenu par la distillation du vin ou d'autres boissons ou liquides fermentés (jus de fruits, lait, etc.), mais aussi de matières amylacées (grains, fécules) ou cellulosiques (bois) après transformation en glucose. Par extension, toute boisson à base de ce liquide est appelée alcool.

Alcool de consommation : alcool préparé à partir d'alcool éthylique, mais éventuellement vieilli, parfois coloré, ou agrémenté de divers ingrédients. On distingue : les apéritifs, que l'on boit avant le repas, et les digestifs, qui se prennent après.

Amers, bitters et goudrons : famille d'apéritifs obtenus par infusion de plantes amères (racines, écorces ou feuilles) dans de l'alcool neutre, celles-ci modifiant à la fois le goût et la couleur. Citons les apéritifs à la gentiane (Suze, Salers, Avèze) ou à l'écorce d'orange (Campari, Fernet-Branca). Les goudrons sont des bitters de couleur très foncée, presque noire, due à une caramélisation (amer Picon, Clacquesin, Mandarin).

Anisés : famille d'apéritifs obtenus par macération de plantes aromatiques (badiane, fenouil) et ajout d'essence d'anis vert dans de l'alcool neutre. On distingue les anis incolores, à forte proportion d'anis mais sans réglisse (Anis gras, Berger blanc), les anis colorés, à savoir le pastis (Ricard, Pastis 51, Berger, Casanis, Pec, Duval), à forte proportion de réglisse, et enfin le Pernod, avec moins de réglisse, mais plus de plantes aromatiques ainsi que du sucre. Ces apéritifs titrent 45°.

Apéritif : alcool que l'on boit avant le repas car il est censé ouvrir l'appétit. Sont considérés comme apéritifs les amers, bitters et goudrons, les anisés, les quinquinas, les vermouths, les vins doux naturels et les vins de liqueur mais aussi certaines eaux-de-vie de grain comme le whisky.

Aquavit : eau-de-vie scandinave à base de céréales ou de pommes de terre, aromatisée par l'adjonction de substances végétales diverses (carvi notamment).

Armagnac : eau-de-vie de vins blancs (onze cépages) récoltés dans le bas Armagnac, ou Armagnac noir. Les vins sont distillés, puis les eaux-de-vie (titrant entre 58° et 63°) vieillissent de 2 à 20 ans en fûts de chêne. Elles sont ensuite coupées, c'est-à-dire mélangées à des eaux-de-vie de caractères différents en vue d'obtenir un goût particulier propre à chaque maison, puis ramenées petit à petit à 40° par des ajouts d'eau distillée et d'armagnac.

Bourbon : whisky américain (spécialité du Kentucky), à base de maïs (51 % minimum), qui peut être straight (sans mélange), blended straight (mélange de plusieurs straights) ou blended (straight mélangé à de l'alcool neutre), et qui ne peut vieillir au-delà de 8 ans (bottled in bon) car il se boit plus jeune que le whisky.

Brandy : brandy signifiant eau-de-vie en Grande-Bretagne, par extension, les liqueurs dénommées brandy sont censées comporter une proportion plus importante d'eau-de-vie par rapport à la version traditionnelle. Citons par exemple le B. and B. (Bénédictine et brandy), plus fort en alcool que la simple Bénédictine.

Calvados : eau-de-vie de cidre. Il existe différents calvados en Normandie, mais celui du pays d'Auge est le seul à avoir droit à une AOC. Distillé dans un alambic de type charentais (comme pour le cognac), il doit donc subir deux chauffes, seul le cœur étant retenu.

Cognac : eau-de-vie provenant de la région des Charentes. Les vins sont distillés une première fois, puis une seconde, dite « à repasse ». On ne conserve que le cœur de l'eau-de-vie obtenue (qui titre environ 70°). Le vieillissement a lieu dans des fûts de bois en chêne dans lesquels l'eau-de-vie subit aussi une oxydation qui l'affine, lui fait perdre son amertume et la colore. La durée du vieillissement dépend exclusivement du producteur qui, en général, mêle au départ, dans un même fût, des eaux-de-vie provenant d'une même année, d'un même cru et d'un même brûleur (alambic) avec un peu de vieux cognac. Pour compenser l'évaporation, on rajoute périodiquement de l'eau-de-vie – ce qu'on appelle l'ouillage – et l'on estime que le cognac perd environ 1° par an. Toutefois, pour le ramener à 40°, il peut être nécessaire de lui ajouter du « faible » (eau-de-vie allongée d'eau distillée).

Produit essentiellement en Charente et en Charente-Maritime, le cognac se subdivise en crus qui correspondent à différentes zones de production :
– Grande Champagne (27 communes entre Cognac et Jarnac) : eaux-de-vie très fines, réputées supérieures ;
– Petite Champagne (59 communes autour de la Grande Champagne) : eaux-de-vie recherchées, presque aussi fines que les précédentes ;
– Borderies (8 communes au nord-ouest de Cognac) : eaux-de-vie très aromatisées, qui vieillissent mal ;
– Fins Bois (zone périphérique autour des précédents, assez large) : eaux-de-vie de moindre qualité, à boire jeunes ;
– Bons Bois (zone périphérique encore plus large) : eaux-de-vie assez alcoolisées, sans finesse ;
– Bois Ordinaires (à l'ouest des Bons Bois, sur le littoral et sur les îles) : cognacs très ordinaires.

ÉTIQUETAGE :
– Fine Champagne désigne un cognac de sélection supérieure (AOC), ne comportant que des crus de Grande Champagne (au moins 50 %) et de Petite Champagne ;
– la mention VS (very superior) ou *** signifie que l'eau-de-vie la plus jeune a au moins 4 ans et demi ;
– les mentions VSOP (very superior old pale), VO (very old), ou Réserve : respectivement 4 ans et demi, 5 ans et demi, 6 ans et demi ;
– les mentions Napoléon, Vieille Réserve, XO, Extra, Hors d'âge, etc. : plus de 6 ans et demi.

Cordial : tout comme le brandy, le cordial est une liqueur enrichie d'alcool, ce dernier étant censé la rendre plus stimulante.

Digestif : alcool que l'on prend après un repas et qui est présumé faciliter la digestion, d'où son nom.

Distillation : opération consistant à vaporiser partiellement et à condenser les vapeurs formées en chauffant un liquide dans un alambic afin de les séparer. On peut distiller toutes sortes de liquides – même de l'eau –, mais, quand le liquide a subi une fermentation préalable, la distillation donne de l'alcool. La distillation est dite « à repasse » quand il y a deux chauffes successives.

Eau-de-vie : alcool éthylique provenant de la distillation du vin, du marc, du cidre, du grain, etc., généralement vieilli ou coloré. On la nomme gnole, gniole, gnôle, gnaule ou niaule, et les Allemands l'appellent schnaps. En France, certaines eaux-de-vie bénéficient d'une AOC (appellation d'origine contrôlée), et d'autres d'une AOR (appellation d'origine réglementée).

Eaux-de-vie de cidre : elles sont obtenues par distillation de jus de pomme extrait de fruits écrasés ou râpés, puis fermenté naturellement pendant au moins un mois, et devant au bout de ce temps titrer au moins 4° sans qu'il y ait eu adjonction de sucre. La plus connue est le calvados.

Eaux-de-vie de fruits : on les obtient en distillant des fruits préalablement macérés jusqu'à fermentation dans des eaux-de-vie de vin. En principe, seul le cœur de chauffe est retenu. Quant au vieillissement, quoique nécessaire, il ne doit pas apporter de coloration car l'eau-de-vie doit rester blanche, ce qui implique le choix de fûts en bois très dur (frêne ou hêtre) ne communiquant pas leur tanin, voire de cuves en verre. De nombreux fruits peuvent être utilisés : abricot, alise, baie de houx, bourgeon de sapin, figue (boukha tunisienne), fruit de l'agave (tequila mexicaine), vieillie en fûts de chêne blanc), mûre, myrtille, prunelle sauvage, sorbier, sureau, etc.

Eaux-de-vie de grain : elles s'obtiennent par distillation de diverses céréales comme le blé, l'orge, le seigle, le maïs, l'avoine, le sarrasin, le riz, etc., voire d'un mélange de céréales. Les plus consommées sont le whisky et la vodka (voir ces mots), quoique cette dernière s'obtienne aussi souvent à partir de betteraves ou de pommes de terre.

Eaux-de-vie de marc : elles s'obtiennent par distillation du résidu de la vinification (que le vin soit blanc ou rouge), ce qui donne un alcool blanc que l'on fait mûrir en fûts. Parmi les plus réputées, citons le marc de Champagne, le marc de Bourgogne, le marc de Bugey et le marc de Savoie, ou encore la grappa italienne.

Eaux-de-vie de plantes : elles sont obtenues par distillation de la plante entière (par exemple certaines variétés de cactus, dont le jus fermenté donne le pulque mexicain), mais surtout de la canne à sucre, ce qui donne le rhum.

Eaux-de-vie de vin : on distingue essentiellement l'armagnac et le cognac.

Élixir : ce terme était couramment employé autrefois du fait que les formules de nombreuses liqueurs ont été inventées par des docteurs, des apothicaires ou des religieux !

(suite du tableau page suivante)

17

Éthanol : synonyme d'alcool éthylique.

Framboise : eau-de-vie à base de différentes céréales (seigle, avoine, blé, orge maltée), élaborée sans coupage et aromatisée avec des baies de genièvre.

Gin : eau-de-vie de grain d'origine anglaise, à base d'orge maltée, de seigle, d'avoine ou de maïs, et aromatisée avec des baies de genièvre, de l'angélique, de la coriandre et des écorces d'orange. Toutefois, il n'y a pas de formule type, et chaque maison a sa propre recette.

Kirsch : eau-de-vie de fruits élaborée à partir de cerises (de préférence guignes noires sucrées à petit noyau) et de merises. Les noyaux ne sont jamais broyés. Il faut environ 18 kg de cerises pour obtenir 1 litre d'eau-de-vie pure. Spécialité d'Alsace et de Franche-Comté. On distingue le kirsch pur, le kirsch du commerce (ne contenant que de 10 à 70 % de kirsch pur) et le kirsch fantaisie (alcool neutre auquel on ajoute une petite quantité de kirsch pur et de l'extrait de noyau).

Liqueur : boisson préparée sans fermentation par mélange d'eaux-de-vie aromatisées (par infusion ou macération de fruits, noyaux, fleurs, plantes, graines ou racines) et de sirop.

Mirabelle : eau-de-vie de fruits. Il faut environ 18 kg de mirabelles pour obtenir 1 litre d'eau-de-vie pure. Spécialité de Lorraine.

Mistelle : moût de raisin riche en sucre stoppé dans sa fermentation par ajout d'alcool. Elle peut être rouge ou blanche selon le raisin.

Moût : jus de raisin non fermenté.

Poire (ou williamine) : eau-de-vie de fruits. Il faut 28 kg de poires William's pour obtenir 1 litre d'eau-de-vie pure. Spécialité de Suisse.

Poiré : produit en Bretagne, en Normandie et dans le Maine, c'est une eau-de-vie semblable au calvados, mais où les poires remplacent les pommes.

Quetsche : eau-de-vie de fruits. Il faut environ 25 kg de prunes pour obtenir 1 litre d'eau-de-vie pure. Spécialité d'Alsace, mais aussi de Roumanie (tuica).

Quinquinas : famille d'apéritifs préparés à partir de mistelles blanches ou rouges, puis coupées de vin blanc ou rouge et aromatisées avec des plantes amères et toniques. Les quinquinas subissent un vieillissement plus ou moins long. Parmi les plus connus, citons Byrrh, Dubonnet et Saint-Raphaël. Ils titrent entre 16 et 17°.

Ratafia : terme synonyme de liqueur, mais surtout utilisé pour les liqueurs dites de ménage (obtenues par macération de fruits, fleurs, etc., dans de l'alcool ou un mélange de vin et d'alcool).

Rhum : originaire des Antilles. Il y a deux manières de le fabriquer :
– soit par distillation du jus même de canne à sucre, ou vesou, ce qu'on appelle alors rhum agricole, ou grappe blanche, car l'eau-de-vie obtenue est incolore ;
– soit par distillation des mélasses résiduelles des sucreries additionnées de levures, ce qui donne une eau-de-vie à laquelle on a longtemps conservé le nom de tafia (pour la différencier du rhum de vesou), mais que l'on appelle aujourd'hui rhum industriel. Localement, le rhum de vesou se consomme simplement ramené à 50° (par l'ajout d'eau pure) – c'est le rhum blanc – mais il peut être aussi vieilli en fûts de chêne pendant au moins 3 ans, ce qui lui donne le droit à l'appellation rhum vieux. Quant au rhum industriel, après avoir été ramené à 44°, il est coloré par adjonction de caramel (1 litre pour 1 000). Seules les Antilles françaises (Guadeloupe, Martinique) produisent des rhums agricoles. Enfin, on peut encore trouver :
– du rhum traditionnel : rhum industriel vieilli en fûts de chêne ou coloré au caramel, titrant 62° à 65° ;
– du rhum grand arôme : rhum de mélasse très aromatisé, surtout utilisé pour les coupages ;
– du rhum léger : rhum industriel dont on a poussé la distillation pour obtenir une eau-de-vie débarrassée des arômes secondaires, donc de goût beaucoup plus neutre.

Rye : whisky américain (très consommé dans le Maryland et en Pennsylvanie), à base de seigle (51 % minimum), qui peut être straight ou blend, et se boit encore plus jeune que le bourbon.

Spiritueux : ensemble des produits alcooliques obtenus par distillation.

Tennessee : whisky à base de maïs, d'orge et de seigle, filtré sur charbon de bois d'érable, spécialité de la marque Jack Daniel's.

Vermouths : famille d'apéritifs préparés à base de vins blancs secs ou demi-secs additionnés d'alcool neutre (pour amener au degré alcoolique voulu), d'aromates multiples macérés à froid (écorce d'orange amère, camomille, coriandre, genièvre, gentiane, girofle, hysope, origan, etc., certains restant secrets), et d'extraits de plantes. Ils sont ensuite plus ou moins sucrés selon qu'on les souhaite bianco ou dry, et colorés avec du caramel pour les vermouths rouges (rosso). Les vermouths ne subissent aucun vieillissement. Parmi les plus connus, Martini, Cinzano, Gancia et Noilly-Prat. Ils titrent entre 16 et 18°.

Vins doux naturels (VDN) : blancs ou rouges, ils doivent provenir des cépages grenache, maccabeo, malvoisie, muscat et éventuellement alicante et autres si la proportion de ces derniers ne dépasse pas 10 %. La vendange ne peut être faite si les raisins ne titrent pas déjà 14° d'alcool en puissance. La vinification est mutée, c'est-à-dire qu'à un moment donné on arrête la fermentation en ajoutant de l'alcool neutre aux moûts pour obtenir des mistelles. Une partie du sucre naturel du raisin reste donc dans le jus sans se transformer en alcool, ce qui laisse au vin son goût liquoreux. Il existe des nuances brut, sec ou dry selon la proportion de sucre naturel, mais ces vins doivent obligatoirement titrer entre 15° et 18° pour être classés VDN. Leur vieillissement – en fûts de chêne – est également réglementé : il ne peut être inférieur à 1 an, mais est souvent mené jusqu'à 3 ou 4 ans (le vin est alors dit rancio). Les vins de ce type les plus connus sont le banyuls, le maury et le rivesaltes, les muscats de Rivesaltes, Frontignan, Mireval, Lunel, Beaumes-de-Venise, etc. ; parmi les vins étrangers, le marsala sicilien, le samos ou muscat de Samos, la manzanilla et le malaga espagnols, le madère, et enfin les plus célèbres, le xérès et le porto.

Vins de liqueur (VDL) : très proches des vins doux naturels, ils en diffèrent cependant car l'alcool ajouté pour les muter n'est pas forcément neutre, mais peut être d'origine vinique (cognac par exemple). De plus, cet ajout peut se faire avant, pendant ou après la fermentation, ce qui influe sur la proportion de sucre naturel. Parmi les plus courants, citons le pineau des Charentes (muté au cognac) et la carthagène (vin de grenache muté à l'eau-de-vie de vin ou de marc).

Vodka : c'est une eau-de-vie provenant de la distillation du blé, du seigle, de l'orge ou du maïs, mais parfois aussi – localement du moins – de betteraves ou de pommes de terre, voire de riz en Sibérie. Elle a pour originalité d'être filtrée plusieurs fois de suite au charbon de bois (celui de pommier étant, selon les Russes, le plus efficace). Non vieillie et titrant généralement 40° (stolichnaya), mais parfois aussi 50° (stolovaya), la vodka est très souvent colorée ou aromatisée avec des baies, des herbes et du sucre. Citons, parmi les polonaises les plus réputées : la wyborowa (à base de seigle), la zubrowkaïa (aromatisée à l'herbe de bison), la pieprzowka (au poivre), la wisnowka (à base de cerises) et la soplica (additionnée d'eau-de-vie de cidre et d'eau-de-vie de vin).

Whiskey :
– whisky irlandais : en Irlande, la graphie est toujours whiskey.
– whisky de grain fabriqué aux États-Unis : les descendants des immigrants irlandais imposèrent l'appellation whiskey, qui n'est cependant pas obligatoire – ainsi certains bourbons ont-ils choisi la graphie écossaise.

Whisky : eau-de-vie originaire d'Irlande pour les uns, d'Écosse pour les autres. Il existe :
– le whisky dit de malt, qui provient exclusivement d'orge maltée d'Écosse ou d'Irlande (l'orge germée est séchée au four – chauffée à la tourbe dans les Highlands – puis transformée en farine) additionnée de levures, et dont il existe quatre crus, Highlands (eux-mêmes subdivisés en Highlands proprement dits et en Glenlivers), Lowlands, Campbeltown, et Islay.
– le whisky dit de grain, élaboré à partir d'une bouillie d'orge maltée et d'autres céréales (orge non maltée et maïs généralement). L'un et l'autre doivent subir un vieillissement en fûts de chêne qui peut durer jusqu'à 15 à 20 ans, durant lequel l'eau-de-vie perd sa rudesse, s'affine et se colore. Avant sa mise en bouteilles, le whisky subit un assemblage, ou blending (mélange de whiskies de différentes natures) : soit whiskies de malt avec whiskies de grain, soit whiskies de grain entre eux. Un whisky provenant d'un assemblage est dit blend. On appelle scotch un whisky dont la distillation et la mise en bouteilles ont lieu uniquement en Écosse. Un pur malt est un mélange de single malt (venant d'une seule distillerie), élaboré uniquement à partir d'orge maltée. Un scotch standard est un assemblage de whiskies de malt et de whiskies de grain.

Whisky canadien : whisky à base de bouillie d'orge et de maïs, parfois mêlée de seigle, toujours blend, et qui se boit très jeune.

– Un raisonnement abstrait et difficile à comprendre **obscur, abscons, hermétique, abstrus**
– Science abstraite **philosophie, métaphysique, logique**

ABSURDE
– Une réflexion absurde **grotesque, insane, inepte**
– Raisonnement par l'absurde **apagogie**

ABSURDITÉ
– Son discours était truffé d'absurdités **stupidités, incongruités, sottises, inepties, aberrations**
– Faire cela serait une absurdité! **erreur, bêtise, folie, extravagance**

ABUS
– Abus de confiance **escroquerie, tromperie, dissimulation**
– Abus d'aliments ou de boissons **excès, intempérance**
– Abus de plaisirs **débauche, luxure**
– Abus de langage **impropriété, barbarisme, solécisme, pléonasme, pataquès, redondance, superfétation**

ABUSER
– Abuser de quelqu'un **violer, forcer, contraindre**
– Abuser quelqu'un **duper, leurrer, berner, mystifier, tromper, trahir**

ACADÉMICIEN
syn. **disciple, membre, sociétaire**
– Les quarante académiciens **immortels**

ACADÉMIE
– Un siège à l'Académie française **fauteuil**
– Lieu qui abrite l'Académie française **Coupole**
– Membre de l'Académie française **académicien, immortel, récipiendaire**
– Attribut des membres de l'Académie française **habit vert, bicorne, épée**
– Composition du bureau qui dirige l'Académie française **directeur, chancelier, secrétaire perpétuel**
– Élève d'une académie **académiste**

ACADÉMIQUE
– Un style académique **compassé, conventionnel, guindé, conformiste**

ACARIÂTRE
– Une personne acariâtre **aigrie, grincheuse, bougonne, atrabilaire, revêche, rogue, hargneuse, acrimonieuse**

ACARIEN
– Acarien parasite et parfois vecteur de maladies **trombidion, demodex, sarcopte, tique**
– Destructeur d'acariens **acaricide**

– Larve d'acarien **aoûtat, rouget, vendangeon, lepte**
– Affection provoquée par les acariens **asthme, prurigo, allergie**

ACCABLANT
– Un témoignage accablant **irréfutable, lourd, écrasant**

ACCABLER
– Accabler de dettes **obérer, grever, endetter**
– Accabler d'injures **abreuver, agonir, cribler, couvrir**
– Être accablé de fatigue **harassé, exténué**
– Être accablé de travail **submergé, surchargé, surmené, écrasé**

ACCALMIE
– Accalmie après une tempête **embellie, éclaircie, bonace**
– Accalmie dans la douleur **apaisement, atténuation**
– Moment d'accalmie **répit, calme, trêve, pause**

ACCAPARER
– Accaparer un bien **monopoliser, approprier (s'), truster**
– Accaparer quelqu'un **retenir**
– Il est totalement accaparé par sa mission **occupé, pris, absorbé**

ACCÉDER
– Accéder à un lieu **parvenir à, atteindre**
– Accéder au désir de quelqu'un **consentir, satisfaire**

ACCÉLÉRATEUR
– Accélérateur de particules **bêtatron, bévatron, collisionneur, cyclotron, isotron**
– Accélérateur d'un engin spatial **booster**
– Pédale d'accélérateur **champignon**

ACCÉLÉRER
– Accélérer le mouvement **hâter, précipiter, presser, activer**

ACCENT
– Accent que l'on place sur une voyelle en français **aigu, grave, circonflexe**
– L'accent en est un **signe diacritique**
– Accent servant à noter la longueur d'une voyelle **apex**
– L'accent marseillais **inflexion, intonation, prononciation**
– Mot qui ne porte pas d'accent **enclitique**
– Mot dont l'accent tonique porte sur une des dernières syllabes **oxyton, paroxyton, proparoxyton**
– Mettre l'accent sur **insister sur, souligner, valoriser, appuyer sur**

ACCENTUATION
– Accentuation d'un effet **renforcement, intensification, accroissement, augmentation**
– Accentuation exagérée **caricature**

ACCEPTABLE
– Une proposition acceptable **recevable, admissible**

ACCEPTATION
– Acceptation contrainte **soumission, résignation**

ACCEPTER
syn. **admettre**
– Accepter une idéologie **adhérer à, souscrire à**
– Accepter une épreuve **résigner à (se), endurer, subir**
– Accepter une demande **consentir à, acquiescer à**

ACCÈS
– Accès à une autoroute **bretelle**
– Accès au paradis **purgatoire**
– Permet un accès privilégié **mot de passe, laissez-passer, coupe-file, sauf-conduit, code secret**
– Permet un accès illicite **passe-droit, bakchich, dessous-de-table, pot-de-vin, gratification, enveloppe**
– Accès de fièvre **poussée**
– Accès de toux **quinte**
– Accès soudain, en médecine **ictus, infarctus, attaque**
– Accès de folie **crise**

ACCESSIBLE
– Un lieu accessible **abordable**
– Un lieu accessible en hauteur **cime**
– Une idée accessible **compréhensible, concevable, simple, claire, intelligible**
– Rendre accessible au grand public **vulgariser**
– Un prix accessible **correct, abordable**
– Une personne accessible **accueillante, aimable, affable, ouverte, amène, sociable, joviale**

ACCESSOIRE
– Accessoire vestimentaire **chapeau, gants, voilette, cravate, foulard, sac à main, ceinture**

ACCIDENT
– Accident mineur **contretemps, mésaventure, péripétie, incident, anicroche, désagrément**
– Accident grave **revers, vicissitudes, malheur, calamité, infortune, coup du sort, catastrophe, désastre, cataclysme, aléas, adversité**
– Accident de terrain **plissement, aspérité, crevasse, éboulement, glissement, affaissement**

– Accident au sens philosophique **phénomène, contingence**
– S'oppose à accident au sens philosophique **essence, substance**
– Par accident **fortuitement, inopinément**

ACCIDENTEL
– Un événement accidentel **imprévu, fortuit, contingent, casuel, éventuel, occasionnel, conjoncturel, exceptionnel, extraordinaire**

ACCLAMATION
– Acclamation triomphale **ovation, vivat, bravo, applaudissement**

ACCLAMER
voir aussi **applaudir**
– Personnes rétribuées pour acclamer des comédiens **claque**

ACCOINTANCES
– Il a des accointances au ministère **relations, fréquentations, connaissances, amis**
– Avoir des accointances avec quelqu'un **liens, liaisons, relations**

ACCOMMODANT
– Un caractère accommodant **arrangeant, conciliant, compréhensif, flexible, souple, tolérant, complaisant, indulgent**

ACCOMMODER
– Accommoder un mets **apprêter, préparer, assaisonner, cuisiner**

ACCOMMODER (S')
– S'accommoder d'une situation **contenter de (se), satisfaire de (se), arranger de (s')**

ACCOMPAGNATEUR
– Accompagnatrice d'une jeune fille ou femme **suivante, chaperon, duègne, confidente, dame de compagnie**
– Accompagnateur galant **chevalier, sigisbée, soupirant, prétendant**
– Accompagnateur professionnel **garde du corps**
– Accompagnateur d'un groupe de touristes **guide, conducteur, pilote**
– Les enfants seront encadrés par trois accompagnateurs **animateurs, moniteurs**
– La chanteuse et son accompagnateur **pianiste, guitariste, musicien**

ACCOMPAGNER
– Accompagner quelqu'un pour le protéger **escorter**
– Accompagner quelqu'un pour le surveiller **chaperonner**
– Accompagner quelqu'un dans une épreuve **soutenir, assister, encourager**

– Accompagner quelque chose **assortir, agrémenter, émailler**

ACCOMPLI
– Un projet accompli **terminé, exécuté, réalisé, effectué, achevé, mené à bien**
– Un fait accompli **irréversible**
– Mission accomplie **remplie**
– Un négociateur accompli **excellent, expert, remarquable, consommé, parfait**
– Une maîtresse de maison accomplie **modèle, idéale, admirable**

ACCOMPLIR
– Accomplir une tâche, un devoir **acquitter de (s'), exécuter**
– Accomplir une mauvaise action **commettre, perpétrer**
– Accomplir un rituel **observer, suivre**

ACCORD
voir aussi **conciliation**
– Accord entre des individus **communion, affinité, convenance, complémentarité, conciliation, intelligence, assentiment**
– Passer un accord **négocier, conclure**
– Accord commercial **transaction, contrat, bail, partenariat**
– Être d'accord avec quelqu'un **approuver, abonder dans le sens de**
– Accord à l'amiable **compromis, consensus, modus vivendi**
– Accord secret **collusion, conjuration, sédition, conspiration, connivence, complot, manigance, intrigue, machination**
– Accord entre des puissances, des États **convention, alliance, protocole, traité**
– Accord entre des nuances, des motifs **association, harmonie, symétrie, homogénéité, assortiment**
– Exécution d'un accord en musique **arpégé, plaqué**
– D'un commun accord **unanimement, conjointement**

ACCORDÉON
syn. **piano à bretelles, piano du pauvre**
– Accordéon typique du tango argentin **bandonéon**
– Instrument proche de l'accordéon **concertina**
– Un bal populaire mené par l'accordéon **musette**

ACCORDER
– Accorder des choses entre elles **agencer, apparier, assortir, harmoniser**
– Accorder quelque chose à quelqu'un **adjuger, allouer, impartir, octroyer**
– Son de référence utilisé pour accorder un instrument **diapason**
– Accorder de la valeur à quelqu'un **estimer, apprécier, considérer**

– S'accorder pour **faire cause commune, agir de concert, allier (s'), entendre (s')**

ACCOSTER
– Accoster une personne **aborder**

ACCOUCHEMENT
syn. **délivrance, enfantement, mise bas, parturition**
– Phase de l'accouchement **engagement, descente, dégagement**
– Accouchement difficile **dystocie**
– Contractions douloureuses après l'accouchement **tranchées**
– Accouchement des esprits **maïeutique**

ACCOUCHER
syn. **enfanter, mettre bas**
– Femme qui accouche pour la première fois **primipare**
– Femme ayant accouché plusieurs fois **multipare**
– Femme n'ayant jamais accouché **nullipare**
– Personne qui aide les femmes à accoucher **obstétricien, gynécologue, sage-femme**

ACCOUCHEUR
syn. **gynécologue, matrone, obstétricien, sage-femme**
– Crapaud accoucheur **alyte**

ACCOUPLEMENT
syn. **coït**
voir aussi **fécondation, reproduction**
– Accouplement d'animaux **copulation, appareillade, saillie, bouquinage**
– Accouplement de mots **assemblage, mot-valise**
– Accouplement d'objets **association, combinaison, assemblage, réunion**
– Forme d'accouplement artificiel **croisement, sélection, hybridation, insémination, fivete, gift**

ACCOURIR
– Accourir rapidement **en hâte, avec empressement, précipitamment**

ACCOUTREMENT
– Je ne l'ai pas reconnu dans cet accoutrement **affublement, fagotage, attifement**
– Accoutrement de carnaval **déguisement**

ACCOUTUMANCE
– L'accoutumance à un changement de milieu **familiarisation, adaptation, acclimatement, assuétude, acclimatation**
– L'accoutumance à un médicament **insensibilisation, immunisation, insensibilité**

– L'accoutumance à une drogue **dépendance, toxicomanie**
– L'accoutumance à un poison **mithridatisation**

ACCOUTUMER
– Accoutumer quelqu'un à une pratique **entraîner, former, exercer, rompre**

ACCOUTUMER (S')
– S'accoutumer à un nouveau mode de vie **habituer à (s'), acclimater (s')**

ACCROC
– Faire un accroc à un vêtement **trouer, déchirer**
– La fête s'est passée sans aucun accroc **incident, difficulté, anicroche**

ACCROCHER
– Accrocher un objet **suspendre**
– Objet servant à accrocher **esse, patère, potence, croc**
– Accrocher un véhicule **heurter, érafler, endommager**
– Accrocher une personne **aborder, importuner**

ACCROCHER (S')
– S'accrocher pour réussir **persévérer, persister, s'acharner, s'obstiner**

ACCROISSEMENT
– Accroissement de la population **croissance**
– Accroissement d'une ville **extension**
– Accroissement des prix **flambée, inflation, hausse, montée, augmentation**
– Accroissement d'une fortune **fructification, thésaurisation**
– Accroissement de la douleur **aggravation, recrudescence**

ACCROÎTRE
syn. **amplifier, augmenter, développer, élargir, étendre**
– Accroître un sentiment **aiguiser, exacerber, exalter**
– Accroître les forces **fortifier, décupler, galvaniser**
– Un avantage accroît à une personne **échoit à, incombe à**

ACCUEIL
syn. **admission, réception**
– Accueil d'un nouvel étudiant **bizutage**

ACCUEILLANT
– Un hôte accueillant **affable, avenant, chaleureux, cordial, aimable, amène**
– Une région accueillante **hospitalière, agréable**

ACCUEILLIR
– Accueillir une personne **héberger, accorder l'hospitalité, loger**

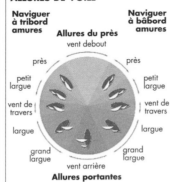

ALLURES DE VOILE

Naviguer à tribord amures
Naviguer à bâbord amures

Allures du près
vent debout

près — près
petit largue — petit largue
vent de travers — vent de travers
largue — largue
grand largue — grand largue
vent arrière

Allures portantes

– Personne que l'on accueille **hôte, convive, invité, commensal**

ACCUMULATION
– Accumulation d'objets **entassement, fatras, salmigondis, bazar, fouillis, capharnaüm**
– Accumulation de particules **accrétion, agrégat**
– Accumulation naturelle **sédimentation, congère, stratification, concrétion**
– Accumulation financière **épargne, thésaurisation, capitalisation**

ACCUMULER
– Accumuler des objets **amonceler, collectionner, entasser**
– Accumuler les prix, les récompenses **rafler, ravir, décrocher, cumuler**

ACCUSATION
syn. **anathème, grief, imputation, mercuriale, récrimination, reproche**
– Individu toujours en butte aux accusations **bouc émissaire**
– Discours d'accusation prononcé contre le prévenu lors d'un procès **réquisitoire**
– Accusation désobligeante et mensongère **diffamation, calomnie, médisance, détraction**
– Motif d'accusation **chef**

ACCUSÉ /1
– Accusé en garde à vue **mis en cause**
– Accusé renvoyé devant un juge d'instruction **mis en examen**
– Accusé renvoyé devant le tribunal correctionnel **prévenu**
– Mis en examen renvoyé devant la cour d'assises **accusé**
– Accusé déclaré innocent par la cour d'assises **acquité**
– Accusé déclaré innocent par le tribunal correctionnel **relaxé**
– Le banc des accusés **sellette**

– Accusé qui refuse de comparaître devant un tribunal **contumax**
– Un accusé reconnu non coupable peut être **acquitté, absous, innocenté, réhabilité**
– Prend la défense, assite et représente l'accusé **avocat**
– Un accusé de réception **preuve, certification, avis, notification, récépissé**

ACCUSÉ /2
– Des rides accusées **soulignées, marquées, profondes, accentuées**

ACCUSER
syn. **reprocher**
– Accuser une personne **charger, porter plainte, incriminer, vilipender**
– Accuser devant la justice **impliquer, citer, assigner, déférer, inculper, poursuivre, dénoncer**
– Dont le rôle est d'accuser devant la justice **procureur général, procureur de la république**
– Un visage accuse la fatigue **révèle, témoigne, trahit**
– La lumière accuse les contours **accentue, dessine, souligne**

ACERBE
– Le goût acerbe du citron **acide**
– Une critique acerbe **acrimonieuse, agressive, caustique, mordante, sarcastique, virulente, piquante**
– Rendre plus acerbe **exacerber**

ACÉRÉ
– Une lame acérée **tranchante, effilée, coupante, aiguisée, affilée**
– Un bec acéré **pointu**
– Des propos acérés **acerbes, mordants, piquants, incisifs**

ACHARNEMENT
syn. **ardeur**
– Travailler avec acharnement **fougue, détermination, ténacité, opiniâtreté, endurance, persévérance**

ACHARNER (S')
– S'acharner dans une épreuve **persister, persévérer, entêter (s'), escrimer (s'), obstiner (s')**
– S'acharner contre quelqu'un **harceler, tourmenter, martyriser, persécuter, talonner, torturer, poursuivre**

ACHAT
syn. **acquisition, emplette**
– Personne qui réalise des achats **acquéreur, chaland, enchérisseur, adjudicataire**

ACHETER
– Manière d'acheter **au prix fort, à réméré, à crédit, à tempérament**

– Acheter afin de faire du profit **accaparer, spéculer, monopoliser, boursicoter, truster**

– Acheter les services d'une personne **soudoyer, stipendier, corrompre, dévoyer**

ACHETEUR

voir aussi **vendeur**

– Les frais de dossier sont à la charge de l'acheteur **acquéreur, preneur, payeur, client**

– L'ensemble des acheteurs dans un magasin **clientèle, pratique, chalands**

– Acheteur dans une vente aux enchères **enchérisseur**

– Analyse du comportement des acheteurs **marketing**

ACHÈVEMENT

syn. **accomplissement, cessation**

– Achèvement du jour **crépuscule, déclin**

– Une période achevée **révolue, accomplie, à son terme**

ACHEVER

syn. **terminer**

– Achever un travail **mener à terme, parfaire, couronner, accomplir**

– Achever un discours **conclure**

– Achever un animal **coup de grâce, tuer**

ACIDE /1 *Voir tableau p. 15*

– Réaction provoquée par l'acide **fermentation, acidose, acescence**

– Type d'acide utilisé en gravure **eau-forte, eau régale**

– Propriétés de l'acide **ronger, décaper, entamer, mordre**

ACIDE /2

– Tenir des propos acides **ironiques, caustiques, acerbes, sarcastiques**

– Sensation produite par des fruits acides **agacement**

ACIDE SULFURIQUE

syn. **oléum, vitriol**

ACIER

– Secteur de l'industrie qui traite l'acier **sidérurgie, métallurgie**

– Transformation de l'acier par chauffage **austénitisation**

– Constituants de l'acier **ferrite, cémentite, austénite, martensite**

– Travailler l'acier **raffiner, couler, laminer, tréfiler, forger, marteler**

– Traitement thermique des aciers **recuit, trempe**

– Réservoir dans lequel on coule l'acier **poche, cubilot, lingotière**

ACOMPTE

– Complète l'acompte **appoint, solde**

CLASSIFICATION SIMPLIFIÉE DES ANIMAUX

				Exemples
Protozoaires :	organismes formés d'une seule cellule et pouvant se déplacer de façon autonome.			paramécies
Métazoaires :	organismes formés de plusieurs cellules.			
invertébrés				
spongiaires				éponges
cnidaires				coraux, méduses
plathelminthes (vers plats)				ténias, planaires, douves
némathelminthes				trichines, ascaris
annélides				lombrics, sangsues
mollusques				pieuvres, calmars, escargots, huîtres, moules, chitons
arthropodes	chélicérates (sans mandibules ni antennes, avec pinces minuscules)	aériens		acariens, araignées, scorpions
		marins		limules
	mandibulates (avec mandibules et antennes)	crustacés		homards, crevettes
		myriapodes		mille-pattes
		insectes		mouches, libellules
échinodermes				lis de mer, oursins, étoiles de mer
vertébrés				
agnathes (poisson sans mâchoires)				lamproies, myxines
gnathostomes (avec mâchoires articulées et membres)	poissons cartilagineux et osseux			requins, raies, truites, mérous *(voir tableau poisson, p. 472)*
	tétrapodes (terrestres, membres pairs, respiration pulmonaire)	amphibiens		grenouilles
		reptiles		serpents, tortues, lézards
		oiseaux		canards, vautours, pigeons
		mammifères		*(voir tableau p. 364)*

– Verser un acompte **arrhes, avance, provision**

– Acompte versé à un auteur **à-valoir**

– Acompte versé par les contribuables **tiers provisionnel**

ACQUÉRIR

voir aussi **cambrioler, piller, voler**

– Acquérir des objets **se procurer, troquer, hériter, acheter, gagner**

– Acquérir frauduleusement **dérober, soustraire, usurper, spolier, détourner, extorquer, détrousser, dépouiller, subtiliser, escamoter, enlever, approprier (s'), ravir, arroger (s'), accaparer (s')**

– Acquérir les faveurs d'une personne **concilier (se)**

ACQUIESCER

syn. **accepter, approuver**

– Acquiescer à la demande de quelqu'un **consentir, agréer, souscrire**

ACQUIS

– Les acquis sociaux **droits, avantages, privilèges**

– Évaluer les acquis d'un élève **savoir, connaissances, compétences**

ACQUISITION

syn. **raid, opéable**
– Acquisition par une société cotée en Bourse d'une autre entreprise déjà cotée en Bourse par rachat de leurs titres à un prix plus élevé que les derniers cours **offre publique d'achat**
– Procédure d'acquisition par une entreprise cotée en Bourse d'une autre entreprise déjà cotée en Bourse par échange de leurs titres **offre publique d'échange**

ACQUIT
syn. **décharge, quittance, reçu, reconnaissance**

ACQUITTER
– Acquitter un droit **souscrire, régler, cotiser**
– Acquitter un prévenu **absoudre, relaxer, disculper**

ÂCRE
– Une fumée âcre **empyreumatique, irritante**
– Un goût âcre **aigre, râpeux, irritant**
– Des propos âcres **mordants, corrosifs, cinglants, incisifs, acerbes, caustiques**

ACROBATE
– Acrobate du cirque **équilibriste, gymnaste, jongleur, trapéziste, funambule, bateleur, contorsionniste, voltigeur**
– C'est un acrobate de la finance **virtuose**

ACTE
– Acte réflexe **stimulus, réponse**
– Acte manqué en psychanalyse **lapsus**
– Passage à l'acte **compulsion, raptus**
– Acte de foi **contrition, pénitence, communion, confirmation**
– Acte d'état-civil **document, enregistrement, certificat, attestation**
– Un acte officiel **notarié, juridique, conservatoire, exécutoire, administratif, législatif**
– Acte médical **prescription, intervention**
– Prendre acte d'une chose **constater**

ACTEUR
syn. **comédien, interprète**
– Acteur sans talent **histrion, cabotin**
– Acteur principal **tête d'affiche**
– Acteur japonais tenant des rôles de femme **onagata**
– Être le principal acteur d'un événement **protagoniste, héros**

ACTIF
syn. **effectif, productif**
– Un remède actif **efficace, drastique**
– Une personne active **agissante, dynamique, entreprenante, diligente, zélée**

ACTION
voir aussi **besogne, tâche, valeur**

– Action d'éclat **prouesse, exploit, performance**
– Action sociale ou politique **démarche, intervention, mobilisation**
– Action répréhensible **méfait, forfait, exaction**
– Action dans la littérature ou le cinéma **intrigue, péripétie**
– Actions menées secrètement **agissements, menées, manigances**

ACTIVER
– Activer un dispositif **déclencher, allumer, lancer, mettre en œuvre**

ACTIVER (S')
– Active-toi, il est tard ! **accélère, hâte-toi, presse-toi, dépêche-toi**
– Elle s'active toute la journée **affaire (s'), agite (s')**

ACTIVITÉ
– Activité professionnelle **secteur, domaine, travail, occupation**
– Activité débordante **dynamisme, entrain, vivacité, vitalité**
– Activité ludique **distraction, divertissement, hobby, violon d'Ingres, loisir**
– Pratiquer une activité **exercer, livrer à (se)**
– Activité d'un volcan **éruption**

ACTUALITÉ
– Support traitant de l'actualité **médias, flash, scoop**
– Texte sur un sujet d'actualité dans un journal **billet, éditorial, article**
– Un problème d'actualité **actuel, récent, contemporain**
– Regarder les actualités **informations, nouvelles, journal**

ACTUEL
syn. **contemporain, effectif**

ADAPTATION
– Adaptation à une situation **accoutumance, accommodation**
– Adaptation à un milieu **assimilation, mutation, mimétisme, évolution, intégration**
– Adaptation d'une œuvre musicale **transcription, orchestration**
– Adaptation cinématographique **doublage, sous-titrage**
– Animal réputé pour ses facultés d'adaptation **caméléon**

ADAPTER
syn. **ajuster, conformer, mettre aux normes, moderniser**
– Qualité requise pour adapter entre eux des matériaux **adéquation, convenance, flexibilité, souplesse, mobilité**
– S'adapter à un pays **acclimater (s'), accoutumer (s'), familiariser avec (se)**

ADDITION
syn. **accrétion, adjonction, admixtion**
voir aussi **amalgame, calcul**
– Addition faite à un mot **préfixe, affixe, suffixe, désinence**
– Addition faite à un écrit **addenda, annexe, codicille, appendice, post-scriptum, apostille, errata, index, notes**
– Addition faite à un salaire ou à une somme d'argent **majoration, prime, pourcentage, supplément, gratification, pourboire**

ADDITIONNER
voir aussi **totaliser**
– Additionner une chose à une autre **adjoindre, compléter, ajouter**
– Additionner de l'eau et du vin **couper, mouiller, diluer, frelater, dénaturer**

ADEPTE
– Adepte d'une doctrine **disciple, tenant, fidèle, partisan, prosélyte**
– Adepte d'un parti **membre, adhérent, militant, recrue**
– Adepte fanatique **sectateur, séide, zélateur**
– C'est un adepte du cinéma **cinéphile, amateur**

ADÉQUAT
syn. **approprié, convenable**
– Le moment adéquat **opportun, idoine, propice, favorable**
– Une remarque adéquate **judicieuse, pertinente**

ADÉQUATION
– Locution exprimant l'adéquation **ad hoc**

ADHÉRENT /1
– Adhérent d'une association **membre, affilié, sociétaire**
– Adhérent d'un parti politique **militant, partisan**

ADHÉRENT /2
– Une substance adhérente **collante, adhésive**
– Le point adhérent en mathématiques **d'accumulation**

ADHÉRER
– Adhérer à une opinion ou à une idéologie **souscrire**
– Adhérer à une secte, à un parti **affilier (s'), rallier, enrôler (s'), inscrire (s')**
– Individu qui adhère à une doctrine **adepte, disciple, partisan, prosélyte, sectateur, séide, zélateur**

ADIEU
– Circonstances d'un adieu **éloignement, exil, rupture**

– Discours d'adieu prononcé lors de funérailles **oraison, éloge funèbre, panégyrique**

ADIPEUX
– Tissu adipeux **graisseux**
– Conséquence du surcroît adipeux dans le corps humain **cellulite, obésité, adipose, adipopexie, adipolyse**

ADJACENT
– Des maisons adjacentes **contiguës, juxtaposées, voisines, attenantes, proches, mitoyennes, jumelées**
– Angle formé par deux surfaces adjacentes **équerrage**

ADJECTIF
– Qualité d'un adjectif **épithète, attribut, apposé**
– Nature de l'adjectif **démonstratif, possessif, indéfini, interrogatif, exclamatif, verbal, qualificatif, substantivé, comparatif**
– Adjectif numéral **cardinal, ordinal**

ADJOINDRE
– Adjoindre un document à un dossier **joindre, ajouter, annexer, attacher**

ADJOINT
syn. **acolyte, aide, assistant, auxiliaire, collaborateur, second, suppléant**
– Adjoint exerçant une fonction religieuse **vicaire, coadjuteur**

ADJUDICATION
– Adjudication d'un bien **attribution**
– Vente par adjudication **aux enchères**
– Destinataire d'une adjudication **adjudicataire**
– Met en adjudication **adjudicateur**

ADJUVANT
– Un produit adjuvant **additif, complémentaire**
– Adjuvant permettant une prise plus rapide du mortier **accélérateur**

ADMETTRE
– Admettre une suggestion, une opinion **reconnaître, accepter, convenir, avouer, confesser**
– Admettre une critique **supporter, tolérer, souffrir, permettre**
– Admettre une personne dans un lieu **accueillir, introduire, recevoir**

ADMINISTRATEUR
– Administrateur d'un bien **gérant, régisseur, intendant, majordome**
– Administrateur des biens d'un mineur **tuteur**
– Administrateur d'un musée **conservateur**

ADMINISTRER
– Administrer un pays **gérer, diriger, gouverner, conduire, régir, régenter**
– Administrer un sacrement **conférer**
– Administrer une correction **infliger, faire subir**

ADMIRABLE
– Un comportement admirable **remarquable, surprenant, héroïque**
– Une œuvre admirable **singulière, magistrale, sublime**
– Un spectacle admirable **grandiose, accompli, éblouissant, magnifique, superbe, prodigieux, merveilleux, splendide**
– Un repas admirable **succulent, exquis, excellent, savoureux, divin, délectable, délicieux**

ADMIRATEUR
– Admirateur d'une femme **galant, soupirant, prétendant**
– Admirateur d'une œuvre ou d'un artiste **amateur, disciple, fanatique, idolâtre, thuriféraire**

ADMIRATION
syn. **émerveillement, ravissement, étonnement**
– Admiration ressentie à l'égard d'une personne **dévotion, engouement, enthousiasme, fascination**
– Avoir une admiration sans bornes **porter aux nues, porter au pinacle, vénérer**

ADMIRER
– Admirer avec réserve **apprécier, priser, goûter, estimer**
– Admirer vivement **pâmer (se), extasier (s'), révérer, aduler**

ADMISSION
voir aussi **accès, accueil**
– Admission dans un établissement médical **hospitalisation, internement**
– Admission dans un établissement pénitentiaire **incarcération**
– Admission à un rang honorifique **cooptation, intronisation**

ADOLESCENCE
voir aussi **changement, évolution, initiation, transformation, transition**
– Phénomène inhérent à l'adolescence **mue, quête d'identité, puberté, croissance, acné, menstruation, nubilité**

ADOLESCENT
voir aussi **apprenti, cadet, mineur, étudiant**
– Adolescent engagé dans la vie active **commis, arpète, mitron, groom, garçon, lad**

– Adolescent remarqué pour son exceptionnelle beauté **adonis, éphèbe, ganymède**

ADONNER (S')
– S'adonner à une activité **livrer à (se), appliquer à (s'), consacrer à (se), pratiquer, vouer à (se)**

ADOPTER
– Adopter une loi **entériner, ratifier, voter, promulguer, édicter**
– Adopter une mode, un comportement **faire sien, opter pour, préférer, afficher, choisir**

ADOPTION
– Mode d'adoption **adoption simple, adoption plénière**

ADORABLE
– Un enfant adorable **charmant, ravissant, délicieux, mignon, exquis**

ADORATION
– Adoration religieuse **culte, dévotion, latrie**
– Adoration des anges et des saints **dulie**
– Adoration pour une personne **attachement, vénération, adulation, idolâtrie**
– Adorateur d'un dieu ou d'une divinité **mystique, dévot, fétichiste, animiste**

ADORER
– Adorer un dieu **vénérer, révérer, idolâtrer, rendre un culte**

ADOUCIR
– Adoucir le goût trop vif d'un aliment **édulcorer, dulcifier, affadir**
– Adoucir une douleur **atténuer, soulager, lénifier, apaiser, calmer**
– Adoucir un caractère **modérer, tempérer, mitiger, lisser**
– Adoucir un son **assourdir, affaiblir**

ADOUCISSANT
– Type d'adoucissant **baume, émollient, onguent, liniment, embrocation, analgésique, antalgique**

ADRESSE
syn. **art, ingéniosité, maestria**
– Adresse manifestée dans le domaine pratique **dextérité, agilité, doigté, savoir-faire, habileté, maîtrise**
– Personne qui réalise des tours d'adresse **illusionniste, prestidigitateur, escamoteur, jongleur, acrobate**
– Adresse psychologique **sagacité, tact, circonspection, diplomatie, entregent**
– Adresse nominative **indication, suscription, coordonnées**
– À l'adresse de **à l'attention de, à l'endroit de, à l'égard de, à l'encontre de**

TERMES PROPRES AUX ANIMAUX

ANIMAL	GROUPE	MÂLE	FEMELLE	PETIT	ADJECTIF	HABITAT	CRI
Abeille	essaim, colonie	faux-bourdon	reine, ouvrière	larve, couvain	apiaire, abeiller, apicole	ruche, nid, rayon, alvéole, abeiller, couvain	bourdonner
Aigle				aiglon	aquilin	aire, nid	glatir
Âne	troupeau, troupe	âne	ânesse	ânon	asinien	écurie	braire
Araignée				larve	aranéeux, arachnéen	toile, cocon	
Baleine	bande			baleineau			mugir
Bœuf	troupeau	bœuf, taureau	vache, génisse, taure	veau, taurillon	bovin, taurin	étable, pré, pâturage	beugler, meugler
Buffle	troupeau, troupe	buffle	bufflonne, bufflesse	bufflon, buffletin		pâturage	beugler, souffler
Canard, halbran, colvert		canard, malart, malard	cane, canette	caneton, canardeau, halbran		mare, canardière, barbotière	cancaner, nasiller
Castor	colonie					abri, terrier	
Cerf	troupeau, harde, troupe, harpail, harpaille	cerf	biche	faon, hère (6 mois) brocard (1 an) daguet (1-2 ans)	cervin	forêt	bramer, raire, râler (faon)
Chameau, dromadaire, méhari	caravane	chameau	chamelle	chamélon, chamelet	camelin	désert	blatérer
Chat, chat haret		chat, matou	chatte	chaton	félin		miauler ronronner
Cheval	troupeau, manade, écurie	cheval, hongre, étalon	jument, pouliche	poulain	chevalin, équin	écurie, box, stalle	hennir
Chèvre	troupeau	bouc	chèvre	chevreau, cabri, biquet, bicot	caprin, hircin		bégueter, bêler, chevroter
Chevreuil	troupe	chevreuil	chevrette	chevrotin, brocard (1 an) faon, daguet (1-2 ans)			bramer, raire, réer
Chien	meute, harde	chien	chienne, lice	chiot	canin	niche, chenil	aboyer, hurler, clabauder, gronder, glapir, japper
Cigogne				cigogneau, cigognat, cigonneau	cigonien	nid	claqueter, craqueter, glottorer
Cochon, porc, pourceau		cochon, verrat	truie, coche	cochon de lait, porcelet, goret	porcin	bauge, soue	grogner
Corbeau				corbillat			croasser
Corneille				corneillard			crailler
Crocodile, alligator, caïman							vagir, lamenter, ancouler

(suite du tableau page suivante)

	TERMES PROPRES AUX ANIMAUX (suite)						
ANIMAL	**GROUPE**	**MÂLE**	**FEMELLE**	**PETIT**	**ADJECTIF**	**HABITAT**	**CRI**
Daim	troupe	daim	daine	daneau, daguet		forêt	bramer
Dindon	troupeau	dindon	dinde	dindonneau			glouglouter
Éléphant	troupeau	éléphant	éléphante	éléphanteau	éléphantin		barrir
Fourmi	société		reine, ouvrière	larve	formique	fourmilière	
Girafe				girafeau, girafon		savane	
Grenouille				têtard		mare	coasser
Hibou							huer, ululer
Hirondelle				hirondeau arondelat		nid	gazouiller, trisser
Jars		jars	oie	oison			jargonner, criailler (fem.), siffler (fem.)
Lapin		bouquet, bouquin	lapine	lapereau		gîte, terrier, rabouillère, clapier	couiner, glapir, clapir
Lièvre		bouquet, bouquin	hase	levraut, lièvreteau		gîte, forme	vagir, couiner
Lion		lion	lionne	lionceau	léonin	antre	rugir
Loup	meute, bande	loup	louve	louveteau, louvart (6 mois-1 an)		liteau, tanière, gîte	hurler
Mouton	troupeau	mouton, bélier	brebis	agneau, agnelet	ovin	bergerie	bêler blatérer (bélier)
Ours		ours	ourse	ourson			grogner
Rat		rat	rate, ratte	raton			chicoter
Renard		renard	renarde	renardeau	vulpin	terrier, renardière	glapir, japper
Rhinocéros							barrir
Sanglier	harde	sanglier	laie	marcassin		bauge, souille	grogner, grommeler
Singe		singe	guenon, singesse	guenuche (fem.)	simiesque		
Taupe						galerie, taupinière	
Tigre		tigre	tigresse				feuler, râler, rauquer

– Adresse oratoire **verve, brio, éloquence, faconde**

ADRESSER
– Adresser un objet **expédier, transmettre, destiner, envoyer**
– Adresser une personne à une autre **confier, recommander, remettre aux soins de**

– S'adresser à quelqu'un **interpeller, apostropher, héler, aborder**

ADROIT
– Un enfant adroit **dégourdi, leste, preste, agile, habile**
– Une manœuvre adroite **judicieuse, ingénieuse, astucieuse, prudente, subtile, circonspecte**

ADULTE
– État adulte **maturité, vigueur, plénitude, épanouissement**

ADULTÈRE
syn. **infidélité, trahison, tromperie, félonie, déloyauté**
– Enfant né d'un adultère **illégitime, adultérin, bâtard**

ADULTÉRER

syn. **altérer, dénaturer, pervertir, vicier**
– Adultérer une monnaie **falsifier, contrefaire**
– Adultérer un texte, des propos **tronquer, édulcorer, travestir, déformer**

ADVERBE

– Degré de signification des adverbes **manière, quantité, modalisateurs et d'opinion, relation logique, lieu, temps**
– Adverbe issu du latin **a priori, a posteriori, de visu, grosso modo, in extremis, intra-muros, gratis, in extenso, de facto, stricto sensu**

ADVERSAIRE

– Adversaire dans un conflit armé **assaillant, belligérant, ennemi**
– Adversaire dans une épreuve sportive **concurrent, rival, antagoniste**
– Adversaire lors d'un débat **contradicteur, détracteur, polémiste**
– Adversaire d'un pouvoir **opposant, rebelle, insurgé, dissident, guérillero, révolutionnaire, révolté**

ADVERSITÉ

– Il reste fort dans l'adversité **malheur, infortune, malchance, misère, épreuve, fatalité**

AÉRIEN

– Une légèreté aérienne **éthérée, vaporeuse, céleste, immatérielle**
– Qui a un aspect aérien **aériforme**
– Végétation aérienne **aéricole**
– Forces aériennes **aviation militaire**
– Attaque aérienne **bombardement**
– Acrobatie aérienne **looping, vrille, renversement, voltige**

AÉROPORT

voir aussi **avion**
– Structure d'un aéroport **aérodrome, aérogare, ateliers**
– Lieu d'arrivée et de départ dans un aéroport **terminal**
– Voie de circulation d'un aéroport **chemin de roulement, pistes d'envol et d'atterrissage**
– Aéroport réservé aux hélicoptères **héliport, hélistation**
– Aéroport destiné aux engins spatiaux **astroport**
– Petit aéroport de haute montagne **altiport**

AÉROSOL

syn. **atomiseur, bombe, nébuliseur, spray, vaporisateur**
– Aérosol en physique **brouillard**
– Aérosol utilisé pour les soins de la peau **brumisateur**

AFFABILITÉ

– Recevoir avec affabilité **courtoisie, amabilité, civilité, urbanité, aménité, obligeance, politesse**

AFFABLE

– Une personne affable **amène, avenante, accueillante, bienveillante, accorte, aimable, obligeante, polie, cordiale, sociable, plaisante**

AFFAIBLIR

syn. **amenuiser, amoindrir, amollir, atténuer, édulcorer, émousser, débiliter**
– Une personne s'affaiblit **étiole (s'), languit, décline, dépérit**
– Le vacarme s'affaiblit **assourdit (s')**

AFFAIRE

– Les affaires personnelles **vêtements, habits, effets, objets, possessions**
– Vaquer à ses affaires **travail, obligations, occupations, tâches**
– C'est une affaire de patience **question**
– Quelle affaire ! **histoire**
– L'affaire sera portée devant le tribunal **litige, querelle, dossier**
– Affaire mettant en cause un homme politique **scandale, malversation, concussion, forfaiture, exaction, prévarication, abus de biens sociaux, détournement**
– Se tirer d'affaire **difficulté, péril, danger, embarras**
– Il a fait une bonne affaire **transaction, marché**
– Il travaille dans les affaires **finance, négoce, commerce, import-export, business**
– Homme d'affaires malhonnête **affairiste, spéculateur, prévaricateur**

AFFAIRER (S')

– Elle s'affaire auprès du malade **empresse (s'), active (s')**

AFFAMÉ

– Un fauve affamé **famélique**
– Un miséreux affamé **crève-la-faim**
– Affamé de pouvoir **avide, assoiffé, altéré**

AFFECTATION

– Un comportement empreint d'affectation **artifice, maniérisme, préciosité, afféterie, mièvrerie, recherche**
– Recevoir son affectation **assignation, nomination, promotion, désignation, mutation, attribution**

AFFECTÉ

– Être affecté par un événement, une nouvelle **ému, peiné, touché, chagriné, affligé, bouleversé, attristé, navré, consterné**

– Un ton affecté **étudié, guindé, contraint, composé, grandiloquent**
– Un style affecté **ampoulé, alambiqué, compassé, pompeux, maniéré, précieux, gourmé, amphigourique**

AFFECTIF

– État affectif agréable **plaisir, satisfaction, bonheur, joie, euphorie**
– État affectif empreint de douleur morale **peine, tristesse, insatisfaction, détresse, affliction**
– État affectif empreint d'aigreur **amertume, rancœur, rancune, ressentiment, frustration**
– Lien affectif entre deux personnes **amour, amitié, affection, attachement, tendresse**
– Inhibition affective **blocage, complexe**
– Trouble affectif **névrose, angoisse, phobie**

AFFECTION

– Éprouver de l'affection **attachement, inclination, penchant, prédilection, tendresse, amitié, amour**
– Affection manifestée envers les parents **piété filiale**
– Souffrir d'une affection **mal, maladie, altération**
– Nature d'une affection **chronique, aiguë, évolutive**
– Affection cutanée **dermatose, dermatite, eczéma, impétigo, zona, herpès, varicelle, rougeole**
– En philosophie, affection du sujet considéré comme passif **haine, colère, envie**

AFFECTUEUX

syn. **aimant**
– Un enfant affectueux **tendre, caressant, câlin, enjôleur**
– Forme linguistique obtenue par l'usage d'un redoublement ou d'un diminutif et exprimant une intention affectueuse **hypocoristique**

AFFERMIR

– Affermir un sol **fortifier, consolider, renforcer, durcir, stabiliser**
– Affermir son autorité **asseoir, assurer, ancrer**
– Affermir quelqu'un dans son opinion **conforter, confirmer**

AFFICHE

– Artiste qui crée des affiches **affichiste**
– Type d'affiche **avis, placard, proclamation, manifeste, dazibao**
– Affiche de petite taille **affichette, vignette, programme**
– Texte accompagnant une affiche **slogan**
– Technique utilisée pour l'illustration des affiches **chromolithographie**
– Personne qui appose les affiches **afficheur, colleur**

AFFICHER
– Afficher un décret **publier**
– Afficher un air de mépris **arborer, affecter, faire montre de**
– Afficher son succès, sa fortune **exhiber, étaler, parader**

AFFILIATION
– Affiliation à un club **inscription, adhésion**

AFFIRMATION
syn. **allégation, assertion**
– Une affirmation peut être **tranchante, péremptoire, dogmatique, lapidaire, percutante**

AFFIRMER
– Affirmer une opinion **avancer, prétendre, soutenir, maintenir, proclamer, défendre**
– Affirmer la véracité d'un événement dont on a été témoin **garantir, certifier, attester**
– Affirmer solennellement **jurer, prêter serment**
– Affirmer sans détour **sans ambages, sans ambiguïté**

AFFLIGEANT
– Une situation affligeante **fâcheuse, funeste, désolante, pitoyable**
– Un spectacle affligeant **navrant, consternant, lamentable**

AFFLIGER
syn. **attrister, chagriner, contrister, navrer, peiner**
– Les maux qui affligent l'humanité **accablent, tourmentent, frappent**
– S'affliger **déplorer, regretter**

AFFLUENCE
– Affluence des visiteurs à l'exposition **afflux, flot, déferlement**
– On n'avait jamais vu une telle affluence **foule, multitude**
– Heure d'affluence **de pointe, cohue**

AFFOLANT
– Un doute affolant l'envahit **terrifiant, effrayant, troublant, alarmant, bouleversant, épouvantable, crucial, taraudant**
– Les prix ont augmenté, c'est affolant ! **hallucinant, démentiel, insensé, fou, effarant, déraisonnable, faramineux, incroyable, extravagant**

AFFOLEMENT
– L'affolement des victimes de l'attentat **panique, épouvante, effroi, peur, frayeur, émotion**

AFFRANCHIR
syn. **délivrer, libérer**

– S'affranchir **dégager (se), émanciper (s')**

AFFRANCHISSEMENT
– Affranchissement d'un esclave à Rome **manumission**
– Modes d'affranchissement en vigueur à Rome **cens, testament**

AFFREUX
voir aussi **hideux, horrible**
– Une vision affreuse **effroyable, épouvantable, détestable, atroce**
– Un visage affreux **hideux, repoussant, difforme, monstrueux, simiesque**
– Une femme affreuse **laideron, maritorne**
– Un affreux personnage **ignoble, vil, cruel, vicieux, cynique, abject, infâme**
– Une représentation vraiment affreuse **gargouille**
– Des vêtements affreux **oripeaux, loques, guenilles, hardes, haillons, frusques**

AFFRONT
– Subir un affront **outrage, vexation, offense, injure, humiliation, camouflet, avanie, quolibet, sarcasme, raillerie, insulte**

AFFRONTER
– Affronter un danger **braver, défier, exposer à (s'), risquer**
– S'affronter **heurter (se), rivaliser, opposer (s'), quereller (se), provoquer**

AFFÛTER
– Affûter un couteau **aiguiser, affiler**
– Personne qui affûte **coutelier, rémouleur, repasseur, affûteur**
– Outil qui sert à affûter **affûteuse, affiloir, fusil, pierre**

AGACER
syn. **énerver, ennuyer, exaspérer, excéder, fâcher, hérisser, horripiler, impatienter, irriter, taquiner**
– Agacer un animal **exciter**

ÂGE
– L'âge tendre **enfance**
– L'âge de se marier **nubilité**
– Âge à partir duquel un citoyen peut exercer ses droits civiques **majorité**
– Avoir un âge respectable **canonique**
– Retour d'âge **ménopause, andropause**
– Âge qui marque l'arrêt de l'activité des hormones sexuelles chez la femme **âge critique, climatère**
– Âge de la Lune **épacte**
– Âges de la Terre **ères**
– Âge de la pierre taillée **paléolithique**
– Âge des cavernes **mésolithique**
– Âge de la pierre polie **néolithique**
– Âge dit de raison où l'enfant à cons-

cience de la portée et de la valeur morale de ses actes **7 ans**
– Âge mental qu'il faut avoir atteint pour être considéré apte à la vie dans nos sociétés **12 ans**
– Âge ingrat auquel le préadolescent se montre indocile et remet en question les valeurs de ses parents **10-14 ans**

AGENCE
– Agence commerciale **succursale, filiale**
– Agence d'un établissement colonial **comptoir, factorerie**
– Agence notariale **étude**
– Fonction d'une agence **intendance, gérance**

AGENCEMENT
– Agencement des parties d'un tout **structure, texture, composition, organisation**
– Agencement de pièces permettant un fonctionnement d'ensemble **mécanisme, dispositif**
– Agencement d'un logement **ameublement, aménagement, arrangement**
– Agencement des pierres d'un mur **appareil**
– Agencement réussi **équilibre, harmonie, cohérence**
– Agencement des mots dans une phrase **syntaxe**

AGENDA
syn. **mémento, mémorandum**

AGENOUILLER (S')
syn. **prosterner (se), incliner (s')**
– Objet d'église conçu pour s'agenouiller **prie-Dieu, agenouilloir**

AGENT
– Un agent peut être **factotum, intendant, régisseur, gérant, mandataire, fondé de pouvoir, employé, policier**
– Agent financier **agent de change, courtier, coulissier, trader**
– Agent de commerce **représentant, démarcheur, négociateur, commissionnaire**
– Agent dont la mission est politique **délégué, émissaire, consul, ambassadeur, diplomate**
– Agent de nature obscure **suppôt**
– Agent secret **espion, taupe, sous-marin**

AGGLOMÉRATION
voir aussi **ville**
– Immense agglomération **mégalopole**
– Agglomérations autour d'une grande ville **banlieue, couronne, conurbation, périphérie**
– Groupement d'agglomérations **district urbain**

AGGLOMÉRÉ
– Ensemble de particules agglomérées **agrégat**
– Aggloméré de charbon servant de combustible **boulet, briquette, bûche, carbonite, poussier**
– Brique d'aggloméré utilisée en maçonnerie **parpaing**

AGGRAVATION
– Brusque aggravation d'une situation **crise, dégénérescence**
– On assiste à une inquiétante aggravation de la violence **accroissement, recrudescence, regain, accentuation, renforcement, intensification, redoublement**
– Aggravation de peine **augmentation, majoration**

AGGRAVER
– La situation s'aggrave **empire, dégénère, dégrade (se), détériore (se), envenime (s')**

– La douleur s'aggrave **avive (s'), intensifie (s'), exacerbe (s')**
– Aggravation du mal **complication, recrudescence**

AGILE
– Une personne agile **leste, preste, vive, souple, sémillante, alerte**

AGIR
syn. faire, œuvrer, comporter (se), conduire (se)
– Un remède agit **opère, fait effet**
– Agir auprès de quelqu'un **intercéder, influer**

AGITATEUR
– Un agitateur public **factieux, provocateur, trublion, émeutier, activiste, mutin**

AGITATION
– Agitation maritime **turbulence, remous, houle, ressac, tempête**

– Agitation de l'âme **angoisse, anxiété, émoi, tracas, tourment, inquiétude, tumulte**
– Agitation à caractère pathologique **convulsion, transe, chorée (danse de Saint-Guy), épilepsie, delirium tremens**
– Agitation politique **effervescence, insurrection, rébellion, soulèvement, sédition, révolution, révolte**
– Agitation urbaine **précipitation, affairement, trépidation, frénésie, confusion, cohue, bousculade**

AGITER
– Agiter un objet en le levant **brandir**
– Agiter un liquide **brasser**
– Agiter la fécule pour l'épurer **touiller**
– Agiter d'un mouvement semblable au tremblement **trémuler**
– S'agiter en tout sens **gesticuler, trémousser (se), dandiner (se), gigoter, démener (se), tourniconter, vibrionner**

AGONIE
– Personne à l'agonie **moribond, expirant, agonisant**
– Douleurs, angoisses propres à l'agonie **affres**
– Sacrement conféré à une personne à l'agonie **extrême-onction**
– Agonie d'une civilisation **décadence, déclin, anéantissement, effondrement, dépérissement**

AGRANDIR
– Agrandir une surface **accroître, amplifier, étendre**
– Agrandir démesurément les yeux **écarquiller**
– S'agrandir **développer (se), fructifier, prospérer, étendre (s'), croître**

AGRANDISSEMENT
syn. dilatation, distension, élargissement, extension
– Technique d'agrandissement utilisée en photographie **macrophotographie**
– Instruments propres à l'agrandissement **compte-fils, loupe, microscope**
– Agrandissement pathologique **hypertrophie, gigantisme**

AGRÉABLE
voir aussi **affable**
– Une personne agréable **amène, accommodante, avenante, cordiale, affable**
– Un physique agréable **plaisant, séduisant, attrayant, gracieux**
– Un spectacle agréable **captivant, enchanteur**

AGRÉER
– Agréer à quelqu'un **convenir, plaire, complaire, satisfaire**
– Donner son agrément à quelqu'un

ANIMAUX FABULEUX

Alcyon : oiseau marin fabuleux dont la rencontre était de bon augure chez les Anciens.

Amphisbène : serpent légendaire à deux têtes.

Bête du Gévaudan : animal légendaire monstrueux passant pour être un énorme loup et qui tua des dizaines de personnes dans le Gévaudan au XVIIIe siècle.

Centaure : cheval fabuleux à tête et torse d'homme se nourrissant de chair crue.

Cerbère : dans la mythologie grecque, nom du chien à trois têtes qui gardait les Enfers.

Chimère : dans la mythologie grecque, nom d'un monstre fabuleux à tête de lion, buste de chèvre et queue de dragon qui crachait des flammes.

Dragon : animal fabuleux doté d'ailes, de griffes et d'une queue de serpent.

Gorgones : dans la mythologique grecque, monstres ailés au visage terrifiant (énormes dents, langue pendante, yeux étincelants) et à la chevelure faite de serpents. Elles étaient trois sœurs, Méduse, Euryale et Sthéno. Seule Méduse était mortelle (celui qui voyait sa tête restait pétrifié).

Griffon : monstre fabuleux à corps de lion, à ailes et tête d'aigle.

Harpies : monstre ailé fabuleux à tête de femme et corps de vautour.

Hippocampe : animal fabuleux à corps de cheval et queue de poisson.

Hippogriffe : animal fabuleux dont la tête est celle d'un griffon et dont le corps ailé est celui d'un cheval.

Hydre : dans la mythologie grecque, nom d'un serpent fabuleux dont les sept têtes, une fois coupées, repoussaient et se multipliaient.

Kraken : dans les légendes scandinaves, monstre marin fabuleux.

Lamie : dans la mythologie grecque, monstre fabuleux à buste de femme et queue de serpent qui dévorait les enfants.

Léviathan : monstre marin de la mythologie phénicienne.

Licorne : cheval fabuleux doté d'une longue corne au milieu du front.

Minotaure : dans la mythologie grecque, le monstre mi-homme mi-taureau, était enfermé

dans le labyrinthe de Dédale, où il fut tué par Thésée.

Pégase : dans la mythologie grecque, nom du cheval ailé, jailli du sang de la Méduse.

Phénix ou **phœnix :** oiseau fabuleux de la mythologie égyptienne qui vivait plusieurs siècles et renaissait de ses cendres.

Rock : dans les légendes orientales, oiseau fabuleux de taille gigantesque.

Serpent de mer : monstre marin fabuleux.

Sirène : animal fabuleux, à tête et buste de femme et à queue de poisson, qui attirait les navigateurs sur les écueils grâce à son chant envoûtant.

Sphinx : dans la mythologie grecque, nom d'un monstre fabuleux à tête et buste de femme, ayant un corps de lion doté d'ailes qui soumettait une énigme aux voyageurs et les tuait s'ils ne la résolvaient pas.

Tarasque : dragon fabuleux des légendes provençales qui passait pour vivre dans le Rhône.

Vouivre : serpent fabuleux des légendes des campagnes jurassiennes.

assentiment, consentement, approbation, accord, suffrage, adhésion, ratification, acquiescement

AGRÉMENT
– Un lieu plein d'agrément **charme, attrait, grâce**

AGRESSIF
– Un individu agressif **belliqueux, hostile, offensif, hargneux, querelleur**
– Des propos agressifs **menaçants, vindicatifs, provocants, acrimonieux, insultants**
– Un animal agressif **féroce, sanguinaire, sauvage, brutal, cruel**
– Des couleurs agressives **violentes, criardes, clinquantes, tapageuses**

AGRESSIVITÉ
– Comportement empreint d'agressivité **animosité, violence, brusquerie, véhémence, virulence, férocité**
– L'agressivité de ses propos **âpreté, acrimonie**

AGRICOLE
syn. **agraire, agreste**
– Le monde agricole **rural**
– Terre agricole **arable**
– Communauté agricole **coopérative, kibboutz, kolkhoze**
– Grande exploitation agricole **hacienda, latifundium**
– Pratique agricole **jachère, assolement, monoculture, fumage**
– Étude des problèmes agricoles **agronomie**

AGRICULTEUR
syn. **cultivateur, exploitant, fermier, métayer, paysan, planteur**
– Sobriquet donné autrefois aux agriculteurs **jacques**
– Agriculteur peu fortuné **péon, journalier**

AGRUME
– Type d'agrume **bergamote, bigarade, cédrat, citron, clémentine, lime, mandarine, orange, pamplemousse, pomelo, kumquat, tangerine**
– Genre d'arbres produisant les agrumes *Citrus, Fortunella, Poncirus*
– Culture des agrumes **agrumiculture**

AHURISSANT
– Une situation complètement ahurissante **incroyable, insensée, inouïe, sidérante, stupéfiante, absurde**
– Un comportement ahurissant **scandaleux**

AIDE
syn. **concours, collaboration, patronage, protection, soutien**

ANNIVERSAIRES DE MARIAGE			
1 an	coton	30 ans	perle
2 ans	papier	35 ans	rubis
5 ans	bois	40 ans	émeraude
7 ans	laine	45 ans	vermeil
10 ans	étain	50 ans	or
12 ans	soie	60 ans	diamant
15 ans	porcelaine	70 ans	platine
20 ans	cristal	75 ans	albâtre
25 ans	argent	80 ans	chêne

– Personne susceptible d'apporter une aide **auxiliaire, bienfaiteur, bénévole, volontaire, mécène**
– Aide financière **subvention, subside, allocation**

AIDER
– Aider à la réalisation d'une entreprise **contribuer à, concourir à, coopérer à, collaborer à**
– Aider moralement une personne **soutenir, épauler, assister, réconforter**
– Procédé qui aide à se souvenir **mnémotechnique**

AIGLE
– Famille à laquelle se rattache l'aigle **aquilidés**
– Ordre auquel se rattache l'aigle **rapaces**
– Espèce d'aigle **circaète, pygargue, balbuzard**
– Nid de l'aigle **aire**
– Un nez en forme de bec d'aigle **aquilin**

AIGRE
– Un goût aigre **âcre, acide, mordant**
– Une cerise aigre **griotte, merise**
– Un aliment devenu aigre **ranci, suri, tourné, caillé**
– Une voix, un ton aigre **criard, aigu, perçant, glapissant, suraigu**

AIGREUR
– Avoir des aigreurs d'estomac **dyspepsie**

AIGRI
– Une personne que les déceptions ont aigrie **acariâtre, revêche, amère, désabusée, blasée, désenchantée, frustrée, amer, irritable**

AIGU
– Un bruit aigu **crissement, stridulation**
– Un cri aigu **perçant, déchirant, strident**
– Une douleur aiguë **vive, cuisante, lancinante, térébrante, taraudante**
– Un esprit aigu **pénétrant, subtil, perspicace, sagace, ingénieux**
– Triangle dont les trois angles sont aigus **acutangle**
– Plante dont l'extrémité forme une pointe aiguë **acuminée, subulée**

AIGUILLE
– Aiguille d'une boussole **index**
– Aiguille d'un cadran solaire **style**
– Aiguille utilisée pour graver **poinçon, stylet**
– Médecine utilisant les aiguilles **acupuncture**
– Sorte d'aiguille **broche**

AIGUILLON
– Insecte porteur d'aiguillon **aculéate**

AIGUISER
syn. **affiler, affûter, émorfiler, émoudre, épointer**
– Personne dont le métier est d'aiguiser **rémouleur, repasseur**
– Matériel utilisé pour aiguiser **meule, coticule, queux, potée d'émeri, tournefil**
– Aiguiser une sensation **accentuer, exacerber, stimuler**

AIL
– Parties d'une tête d'ail **gousse, caïeu**
– Piquer une viande avec de l'ail **ailler**
– Préparation culinaire à base d'ail **aillade, aïoli**
– Famille de l'ail **liliacées**
– Qui contient de l'ail **alliacé**

AILE
– Aile de moulin à vent **volant**
– Aile d'insecte **élytre**
– Insecte à deux ailes **diptère**
– Grande plume des ailes d'oiseaux **penne, rémige**

AILÉ
– Cheval ailé **Pégase**
– Homme ailé **Icare**

AILLEURS
– Nom latin du mot ailleurs **alibi**
– Par ailleurs **du reste, en outre**

AIMABLE
– Un voisin aimable **affable, avenant, amène, obligeant, prévenant, sympathique, cordial**
– Personne pour qui l'amabilité est de rigueur **altruiste, philanthrope**

AIMANT
– Action de l'aimant **attraction, magnétisme**

AIMER
– Aimer une personne **choyer, chérir, être épris de, être attaché à, affectionner, adorer, idolâtrer, amouracher (s'), éprendre (s')**
– Aimer faire quelque chose **apprécier, se plaire à, prendre plaisir à, passionner pour (se), goûter, savourer, raffoler de**

AINE
– Qui apppartient à la région de l'aine **inguinal**

AÎNÉ
– Aîné d'une famille **premier-né**
– Aîné d'un groupe **doyen**

AIR
– Avoir l'air de **paraître, manière d'être**
– Un air hautain **allure, mine, maintien, physionomie, attitude**
– Nom poétique de l'air **éther**
– Un air musical **mélodie, chant, mélopée**
– Un air d'opéra **aria**
– Masse d'air entourant le globe **atmosphère**
– Appareil de mesure du taux d'humidité de l'air **hygromètre**
– Instrument de mesure de la pression de l'air **baromètre**
– Être microscopique qui ne vit qu'en présence d'air **aérobie**
– Présence d'air dans l'estomac **aérophagie, aérogastrie**
– Donner de l'air **aérer, ventiler**
– Air conditionné **climatisation**
– Outil fonctionnant à l'air comprimé **pneumatique**

AIRE
voir aussi **géométrie, zone**
– Aire d'une figure géométrique **superficie, surface**
– Aire de jeux **terrain**
– Aire continentale **plate-forme**
– L'aire d'un aigle **nid**
– Aire de vent **rhumb**

AISANCE
– Aisance matérielle **richesse, prospérité, abondance, bien-être, confort**
– Faire quelque chose avec aisance **facilité, naturel, simplicité**
– Aisance dans l'exécution d'un ouvrage **adresse, dextérité, habileté**
– Cabinet d'aisances **toilettes, W-C, cabinets**

AISÉ
– Une famille aisée **nantie, cossue, fortunée, riche**
– Il n'est plus si aisé de se faire une place au sein d'une entreprise **facile, simple**
– Le chant aisé d'une cantatrice **naturel**

AJOUTER
– Ajouter un élément à un ensemble déjà constitué **adjoindre, additionner**
– Ajouter quelque chose à un texte **insérer, intercaler**
– Qui s'ajoute accessoirement **adventice, extrinsèque**
– Qui s'ajoute inutilement **superflu, superfétatoire**

– Produit que l'on ajoute **adjuvant**
– Ajouter de l'alcool au moût **muter, viner**

AJUSTER
– Ajuster deux pièces d'un dispositif **assembler, raccorder, joindre, réunir**
– Extrémité d'une pièce permettant de l'ajuster à une autre **tenon, mortaise**
– Ajuster à la bonne taille **régler, retoucher**
– Ajuster une cible **viser, mirer**
– Ajuster un nombre à deux chiffres après la virgule **arrondir**
– Ajuster ses actes à son discours **adapter, approprier, conformer**

ALARME
– Donner l'alarme **alerte**
– Sonnerie donnant l'alarme **tocsin**

ALBUM
syn. **livre, carnet de voyage**
– Un album de timbres **collection**
– Album d'un comédien ou d'un mannequin **press-book**
– Le chanteur vient de sortir un nouvel album **disque, CD, enregistrement, recueil**

ALCALI
– Alcali fixe **potasse, soude**
– Alcali volatil **ammoniaque**

ALCALIN
– Corps possédant ou prenant les propriétés alcalines **alcalescent**

ALCHIMIE
– Nom donné en alchimie à la production d'or **chrysopée**

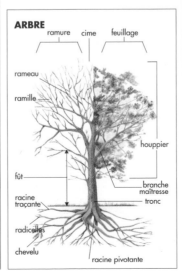

ARBRE

ramure — cime — feuillage
rameau
ramille
houppier
fût
branche maîtresse
racine traçante
tronc
radicelles
euglène
chevelu
racine pivotante

– Nom donné à la production d'argent, en alchimie **argyropée**

ALCHIMISTE
– Objet de recherche des alchimistes **panacée, pierre philosophale**
– Alchimiste célèbre **Zosime le Panopolitain, Bacon, Lulle, Paracelse, Nicolas Flamel**

ALCOOL *Voir tableau p. 17-18*
– Procédé de fabrication de l'alcool **distillation, fermentation**
– Alcool absolu **anhydre**
– Alcool naturel **eau-de-vie, marc**
– Alcool méthylique **esprit-de-bois**
– Remède fait d'alcool et de plantes **alcoolat, eau de mélisse**
– Boisson forte en alcool **spiritueux, liqueur**
– Prendre un petit verre d'alcool après le repas. **digestif, pousse-café**
– Personne distillant elle-même l'alcool **bouilleur de cru**
– Appareil permettant de distiller l'alcool **alambic**
– Les effets de l'alcool **s'enivrer, se soûler**
– Boire trop d'alcool **alcoolisme**
– Mesure du taux d'alcool dans le sang **alcoolémie, alcootest**

ALCOOLISME
syn. **dipsomanie, éthylisme, ivrognerie, œnolisme**
– Conséquences possibles de l'alcoolisme **cirrhose, hépatite C, delirium tremens**

ALERTE
voir aussi **alarme**
– Motifs d'une alerte **danger, péril, risque**
– Être en état d'alerte **attentif, vigilant, sur la défensive**
– Matelot chargé de donner l'alerte **vigie**
– Une personne encore alerte **leste, vive, agile, ingambe**

ALGÈBRE
– Procédé de calcul utilisé en algèbre **algorithme**
– Valeur des nombres utilisés en algèbre **positif, négatif**
– Mathématicien qui se consacre à l'algèbre **algébriste**

ALGUE
– Algue marine **varech, goémon, fucus**
– Algue d'eau douce **euglène**
– Étude des algues **phycologie**
– Produit minéral extrait des algues **potasse, soude, iode**

ALIBI
– Un bon alibi **excuse, prétexte, justification**

ALIGNER
– Aligner sa conduite sur un modèle **conformer à (se), suivre**

ALIMENT
syn. **denrées, nourriture, provisions de bouche, victuailles, vivres**
– Faiblesse due à la privation d'aliments **inanition**

ALIMENTATION
– Type d'alimentation **carnivore, végétarienne, végétalienne, omnivore**
– Relatif à l'alimentation **diététique**
– Science de l'alimentation **trophologie**
– Trouble de l'alimentation **boulimie, anorexie**
– Maladie causée par la sous-alimentation **cachexie**

ALIMENTER
– Alimenter une maison en électricité **fournir, approvisionner**
– S'alimenter **se sustenter, restaurer (se)**

ALLÉCHER
– Allécher quelqu'un avec des douceurs **attirer, appâter, affrioler, affriander**
– Allécher quelqu'un par une proposition **tenter, séduire**

ALLÉE
– Une allée en archéologie **alignement, couloir**
– Allée d'une église **nef, bas-côté**

ALLÉGER
– Alléger un poids **diminuer, restreindre, décharger, délester**
– Alléger une charge fiscale **dégrever, exonérer**
– Alléger les souffrances **adoucir, soulager, atténuer, apaiser**

ALLEMAND
syn. **germanique, germain, teuton**
– Qui parle allemand **germanophone**
– Suisse de langue allemande **alémanique**

ALLER
– Aller sans but précis **déambuler, baguenauder, vagabonder, errer, flâner**
– S'en aller au plus vite **filer, détaler, décamper, déguerpir, sauver (se), enfuir (s'), disparaître, éclipser (s')**

ALLERGIE
syn. **anaphylaxie, hypersensibilité**
– Qui provoque l'allergie **allergène**
– Étude des allergies **allergologie**
– Disparition d'une allergie **anergie**
– Médecin spécialiste des allergies **allergologue**

ALLIAGE
– Procédé de fabrication des alliages **fusion**
– Alliage de fer et de carbone **acier**
– Alliage de cuivre et de nickel **cupronickel**
– Alliage de plomb et d'antimoine **antifriction**

ALLIANCE
– Alliance entre des puissances ou des États **coalition, ligue, confédération**
– Convention attestant l'alliance **pacte, traité, contrat**
– Symbole de l'alliance entre le peuple juif et Dieu **arche d'alliance**

ALLIÉ
syn. **acolyte, auxiliaire, compagnon, complice**
– Un pays allié **ami**

ALLOCATION
– Recevoir une allocation **subside, pension, subvention**
– Allocation versée en cas de divorce **prestation compensatoire, pension alimentaire**
– Personne qui bénéficie d'une allocation **allocataire**

ALLONGER
syn. **déployer, étendre**
– Allonger un muscle **étirer, élonger, distendre**
– Allonger une rue **prolonger**
– Allonger la durée d'une loi **proroger**
– Allonger une sauce **liquéfier**

ALLUMAGE
– Allumage d'une charge de mines **mise à feu**
– Allumage d'un feu **embrasement**

ALLUMER
– Allumer un bûcher **enflammer**
– Allumer le désir **éveiller, susciter, provoquer, exciter, affrioler**

ALLUMETTE
– Fabrique d'allumettes **allumière**

ALLURE *Voir illustration p. 21*
– Avoir belle allure **air, apparence, prestance, maintien, mine, distinction, élégance, classe, chic**
– Avoir une drôle d'allure **comportement, conduite**
– Allure maritime **vent arrière, grand largue, petit largue, largue, au près**

ALLUSION
– Faire allusion à un événement **évoquer, rappeler**
– Faire allusion à une possibilité **insinuer, laisser entendre, suggérer**

– Allusion désobligeante **sous-entendu, soupçon**
– Du registre de l'allusion **implicite, tacite**

ALOUETTE
– Famille de l'alouette **alaudidés**
– Nom de l'alouette en ornithologie **cravate jaune**
– Filet pour attraper les alouettes **ridée**
– Alouette de mer **bécasse**
– Alouette à huppe **cochevis**
– Alouette du sud de l'Europe **calandre**
– J'entends l'alouette chanter **grisoller**
– Alouette engraissée pour être consommée **mauviette**
– Alouette sans tête **paupiette**

ALOURDIR
syn. **charger, surcharger**
– La fatigue alourdit ses membres **appesantit, engourdit**
– Alourdir les charges patronales **augmenter**
– Passage qui alourdit un texte **longueur, redite, redondance**

ALPHA
– Pas d'alpha sans **oméga**
– Particule alpha **hélion**

ALPHABET
– Alphabet utilisé en France **latin**
– Petit livre pour apprendre l'alphabet **abécédaire**
– Alphabet slave **cyrillique**
– Alphabet en relief destiné aux personnes non voyantes **braille**
– Alphabet manuel utilisé par les sourds-muets **dactylologique**
– Transcription d'un alphabet dans un autre **translittération**

ALPINISME
– Pratique de l'alpinisme **escalade, ascension, varappe**

ALTÉRATION
– Altération naturelle d'un produit ou d'un organisme **décomposition, putréfaction, dégradation, détérioration, corruption, pourrissement**
– Altération de la voix **enrouement**
– À l'origine d'une altération de l'environnement **altéragène, pollution**
– Altération d'une preuve en droit **falsification, fardage, trucage, mutilation, dissimulation**
– Altération du sens d'un mot **modification, changement, transformation, évolution**
– Altération d'une note de musique **bémol, double bémol, dièse, double dièse, bécarre**
– En musique, indication des altérations à la clé **armure**

VOCABULAIRE DE L'ARCHITECTURE

COUVREMENT

Architrave : partie inférieure de l'entablement, reposant directement sur l'abaque du chapiteau.

Coupole : face intérieure de la voûte hémisphérique d'un dôme.

Entablement : partie de l'édifice classique au-dessus des colonnes. L'entablement complet comprend l'architrave, la frise et la corniche ; ces éléments varient selon les ordres. Dans le cas où deux étages d'ordre sont superposés, l'entablement ne comprend que l'architrave et la frise.

Linteau : traverse de bois, de pierre ou de métal soutenant la construction au-dessus d'une ouverture. Le linteau de pierre peut être fait de plusieurs claveaux disposés en plate-bande, ou établi d'une seule portée. Dans ce cas, si la porte est large, le linteau est soutenu par un trumeau.

Plate-bande : couronnement d'une ouverture rectangulaire, construit en pierres taillées de façon à s'appuyer les unes sur les autres, la clef du centre bloquant le tout.

Trompe : petite voûte tronquée, établie en porte à faux à l'angle d'un bâtiment.

Voussure : épaisseur de l'intrados de plusieurs arcs accolés en voûte au-dessus d'un portail.

Voûte : maçonnerie en forme de cintre couvrant un édifice et constituée d'arcs de pierre s'appuyant les uns sur les autres.

CLAVEAU

Clef : claveau central d'un arc, décoré.

Clef de voûte : point de rencontre des sections de voûte. Plus l'ogive s'élèvera, plus la clef devra faire contrepoids. Les clefs pendantes, outre leur fonction architecturale, deviennent un élément décoratif très soigné du gothique flamboyant.

Sommier : pierre saillante qui reçoit la retombée d'un arc ou d'une voûte.

DÉCOR D'ARCHITECTURE

Acrotère : socle pour des ornements en pierre ou en terre cuite décorant les extrémités ou le sommet des frontons.

En architecture moderne, partie du mur de façade qui dépasse le niveau d'un toit en terrasse.

Archivolte : moulure ornementée des voussures d'une arcade.

Attique : construction (balustrade ou faux étage) établie au-dessus de la corniche de l'entablement pour masquer le toit.

Bandeau : saillie de pierre horizontale courant autour d'un édifice. Destiné d'abord à protéger les façades des eaux de pluie, il marque ensuite le rythme horizontal entre deux étages.

Corniche : moulures saillantes couronnant un édifice pour le protéger du ruissellement des eaux de pluie.

Frise : partie de l'entablement située entre la corniche et l'architecture. La frise change d'aspect selon les ordres.

Fronton : couronnement d'un édifice ou d'une ouverture (porte ou fenêtre). Dans l'architecture antique, les frontons triangulaires sont placés aux deux extrémités du temple, soulignant la pente du toit ; ils sont sculptés de hauts-reliefs. Au Moyen Âge, les frontons très pointus et décorés s'appellent gables. À la Renaissance, le fronton est souvent brisé ou entrecoupé. Aux XVIIe et XVIIIe s., les frontons couronnent les ouvertures sont fréquemment circulaires.

Gâble : petit fronton de pierre, ajouré et décoré de crochets ou de fleurons, servant dans l'architecture gothique à masquer les combles et à terminer les arcs d'ogive surmontant les ouvertures.

Gargouille : extrémité de gouttière dépassant de l'édifice gothique afin d'éviter que les eaux ne ruissellent sur les murs et figurant la tête d'un animal ou d'un monstre.

Glacis : couleur rendue transparente par l'adjonction d'une huile décolorée afin de laisser jouer les couleurs qu'elle recouvre.

Lambris : revêtement de pierre ou de bois des parois d'une pièce. Le lambris peut monter jusqu'à la corniche du plafond ou s'arrêter à la hauteur de la cimaise.

Lobe : découpe d'un arc en forme semi-circulaire ou ogivale. Trois lobes constituent un arc tréflé ou trèfle, quatre lobes, un arc quatre-feuilles ou quadrilobé,

et plus de quatre lobes, un arc polylobé.

Soffite : plafond à caissons ornés de rosaces.

Tympan : dans l'architecture antique et classique, partie plate et sculptée, de forme triangulaire, comprise entre les deux rampants du fronton.
Dans l'architecture médiévale, partie plate et sculptée d'un portail comprise entre le linteau et les voussures.
Si le tympan est de grande dimension, il peut être à registres.

ÉLÉMENTS DU SUPPORT VERTICAL D'UNE COLONNE

Abaque ou **tailloir :** partie supérieure du chapiteau. Sa proportion, sa forme et son décor varient selon les ordres : simple et carré pour le dorique, mouluré pour l'ionique, incurvé pour le corinthien. Sa hauteur s'étant élevée au Moyen Âge, elle égale parfois celle de la corbeille. Pour cette époque, on parle plus volontiers de tailloir.

Astragale : à la partie inférieure du chapiteau, bourrelet intermédiaire entre la corbeille et le fût de la colonne.

Chapiteau : partie supérieure de la colonne ou du pilastre supportant l'entablement ou le départ d'un arc. Il est composé de l'abaque, de la corniche (ou échine pour l'ordre dorique) et de l'astragale.

Corbeille : partie du chapiteau comprise entre l'abaque (ou tailloir) et l'astragale. Ce mot s'applique surtout au chapiteau corinthien ou au chapiteau gothique à motifs végétaux.

Échine : renflement du chapiteau dorique sous le tailloir.

Fût : partie de la colonne comprise entre la base et le chapiteau. Son rayon, calculé à la base de la colonne, sert de module. Le fût peut être, selon les ordres, lisse ou cannelé, annelé, sculpté, etc.

Stylobate : soubassement mouluré supportant des colonnes.

MOTIFS D'ORNEMENT

Acanthe : plante sauvage dont la feuille, molle ou épineuse, a servi de modèle pour un élément décoratif. Spécifique de l'ordre

corinthien, elle a aussi été utilisée à l'époque gothique.

Godron : motif d'ornementation de forme ovale et rebondie.

Gouttes : motif décoratif de l'ordre dorique placé à la base des triglyphes.

Ove : motif ornemental ayant la forme d'un œuf. Les oves sont souvent séparés par des feuilles pointues.

Postes : motif ornemental formant des vagues continues.

Rinceau : motif ornemental peint ou sculpté qui emprunte sa forme aux tiges des plantes s'enroulant en volutes.

Rocaille : motif décoratif rappelant les coquillages qui décoraient les fausses grottes depuis la Renaissance. Ce motif, animé de courbes, remporta un tel succès au début du XVIIIe s. qu'on a pu parler d'un style rocaille (jusqu'en 1760 environ).

Triglyphe : élément décoratif de la frise dorique formé de trois cannelures verticales alternant avec les métopes (intervalle séparant deux triglyphes).

MOULURES

Cimaise : moulure à hauteur d'appui, appliquée sur un mur. Ce terme désigne aussi la hauteur à laquelle se situe la première rangée de tableaux présentés dans une exposition, un musée.

Listel ou **liston :** petite moulure à section carrée sans décor.

Scotie : moulure creusée en forme de gorge, prise entre deux parties plates, le réglet inférieur étant plus long que le réglet supérieur. Elle s'oppose aux tores pour former la base des colonnes ioniques et corinthiennes.

Tore : moulure saillante qui entoure les bases des colonnes ioniques et corinthiennes.

NERVURE DE VOÛTE

Arc doubleau : arc en saillie soutenant une voûte.

Formeret : arc parallèle à l'axe de la voûte.

(suite du tableau page suivante)

VOCABULAIRE DE L'ARCHITECTURE (suite)

Lierne : nervure de la voûte du gothique flamboyant dite « en étoile » et joignant le tierceron à la clef.

Nervure : membre saillant à l'intrados d'une voûte.

Tierceron : nervure supplémentaire des voûtes du gothique flamboyant, dites « en étoile ».

OUVRAGES DE COUVREMENT

Arasement : face supérieure horizontale d'un linteau ou d'une plate-bande.

Douelle : partie intérieure ou extérieure d'une voussure. Les douelles intérieures forment l'intrados ; les douelles extérieures, l'extrados.

Écoinçon : partie de maçonnerie comprise entre deux arcs tangents et limitée en haut par un bandeau plat.

Extrados : face supérieure d'un arc ou d'une voûte.

Front : face verticale d'un linteau, d'une plate-bande ou d'un arc.

Intrados : face inférieure d'un arc ou d'une voûte.

SUPPORTS EN SURPLOMB ET ÉLÉMENTS DE STABILITÉ

Arc-boutant : arc enjambant le bas-côté et destiné, dans la construction gothique, à reporter sur la culée la poussée de la voûte.

Corbeau : élément de pierre ou de bois soutenant les corniches, les poutres et les encorbellements. Au Moyen Âge, les corbeaux étaient souvent sculptés de personnages humoristiques ou d'animaux fabuleux.

Cul-de-lampe : petit support en encorbellement destiné

à recevoir la retombée d'un arc ou à soutenir une statue. Les culs-de-lampe sont sculptés de feuillages ou de motifs allégoriques.

Culée : massif de maçonnerie qui sert à contenir la poussée d'un arc.

Modillon : ornement en forme de console aplatie, disposé à intervalles réguliers sous le larmier d'une corniche.

Pinacle : clocheton pointu, très décoré dans l'architecture gothique, servant d'amortissement au contrefort ou à la culée d'un arc-boutant.

ALTERCATION

– Altercation au cours d'un débat **dispute, querelle, prise de bec**
– Violente altercation **empoignade, coup de torchon, polémique**

ALTÉRER

voir aussi **abîmer**
– La chaleur altère la viande **corrompt, gâte**
– Vin altéré au contact de l'air **éventé**
– Altérer la vérité **falsifier, déformer**
– Cette longue marche au soleil m'a altéré **assoiffé, déshydraté**

ALTERNATIF

– Un choc alternatif **périodique, successif, régulier, cyclique**
– Instrument fonctionnant grâce au mouvement alternatif **piston, pendule**
– Mouvements alternatifs du cœur **systole, diastole**

ALTERNATIVE

syn. **disjonction**
– Être placé devant une alternative, c'est-à-dire une situation dans laquelle il n'est que deux partis possibles entre lesquel il faut absolument choisir **choix, option, dilemme**

ALTERNER

– Les saisons alternent **succèdent (se), varient, suivent (se)**
– Les coureurs alternent **relaient (se), remplacent (se)**
– Procédé consistant à faire alterner des cultures **assolement**

ALTIER

– Afficher un air altier **hautain, fier, orgueilleux, méprisant, dédaigneux, condescendant, arrogant, suffisant**
– Un port altier **noble, royal, racé**

ALTITUDE

– Appareil de mesure de l'altitude **altimètre, barographe**
– Méthode de mesure de l'altitude **altimétrie, hypsométrie**
– Sport pratiqué en altitude **alpinisme, ski, vol à voile, parachutisme, parapente**
– Trouble de l'altitude **anoxémie**

ALUMINIUM

– Roche dont on extrait l'aluminium **bauxite**
– Propriété de l'aluminium **conductibilité**
– Oxyde d'aluminium **alumine**
– Sulfate d'aluminium et de potassium **alun**
– Protection du fer par de l'aluminium **aluminiage**

AMABILITÉ

– Accueillir avec amabilité **courtoisie, politesse, affabilité, prévenance**
– Veuillez avoir l'amabilité de **obligeance, gentillesse**
– N'est pas compatible avec l'amabilité **grossièreté, rudesse, goujaterie**
– Démonstrations d'amabilité **civilités, grâces**

AMAIGRISSEMENT

voir aussi **alimentation**
– Amaigrissement extrême **émaciation**
– Amaigrissement pathologique **dépérissement, consomption, cachexie, étisie**
– Amaigrissement morbide des nouveaunés **athrepsie**
– Trouble du comportement alimentaire provoquant l'amaigrissement **anorexie**

AMALGAME

– Amalgame de métaux, de minéraux **combinaison, composé, alliage**

– Amalgame naturel **mercure argental**
– Amalgame utilisé pour les obturations dentaires **eugénate**
– Réaliser l'amalgame de troupes armées **fusion**
– Faire un amalgame d'idées, de souvenirs **mélange, confusion**

AMANDE

– Arbre produisant les amandes **amandier**
– Substance contenue dans les amandes **amandine**
– Sirop fait à base d'amandes **orgeat**
– Qui est composé d'amandes **amygdalin**
– En forme d'amande **oblong**
– Glande en forme d'amande **amygdale**

AMANDIER

– Lieu planté d'amandiers **amandaie**

AMANT

voir aussi **adultère, conquérant, don Juan, galant, soupirant**
– Amant fameux **Casanova**
– Couple d'amants célèbres **Héloïse et Abélard, Tristan et Iseut, Roméo et Juliette**
– Insecte qui dévore ses amants **mante religieuse**

AMASSER

– Amasser des objets **entasser, accumuler, amonceler, collectionner**
– Amasser une fortune **capitaliser, thésauriser**
– Amasser des témoignages **récolter, recueillir, rassembler**
– La foule s'amasse **groupe (se), agglutine (s')**

AMATEUR

syn. **connaisseur**
– Amateur de musique **mélomane**

– Amateur de belles choses **esthète**
– Amateur de bonne chère **gourmet, gastronome**
– Travailler en amateur **dilettante**

AMBASSADE
syn. **chancellerie**
– Fonction d'une ambassade **diplomatie, représentation, assistance**
– Envoyer en ambassade **mission, députation, délégation**

AMBASSADEUR
syn. **diplomate, émissaire, envoyé, plénipotentiaire**
– Ambassadeur du Saint-Siège **légat, nonce**

AMBIANCE
– Une bonne ambiance **atmosphère, climat**
– Vivre dans une ambiance favorable **environnement, milieu, entourage**

AMBIGU
– Tenir un discours ambigu **équivoque, amphibologique, évasif**
– Propos délibérément ambigu **oracle**
– Une attitude ambiguë **incertaine, indécise, ambivalente, douteuse**
– Se comporter de manière ambiguë **louvoyer, biaiser, tergiverser**

AMBITIEUX
– Une personne ambitieuse peut être **prétentieuse, présomptueuse, outrecuidante, opportuniste**
– Personne ambitieuse dénuée de scrupules **arriviste, carriériste**
– Un politicien ambitieux **déterminé, résolu, tenace, persévérant**

AMBITION
syn. **convoitise, désir, envie**
– Avoir des ambitions **idéal, aspirations, vues, visées, prétentions**
– Une ambition hors de toutes limites **mégalomanie**

ÂME
– Âme d'un peuple **esprit, conscience**
– Être l'âme d'une révolution **inspirateur, animateur**
– Rendre l'âme **mourir, expirer, trépasser**
– Âme d'une sculpture **noyau, armature**
– Nom donné autrefois à l'âme **psyché, anima**
– Croyance ou religion selon laquelle la nature est régie par des âmes ou des esprits **animisme**
– Doctrine selon laquelle l'âme est le principe de la vie **vitalisme**
– Qualité première de l'âme selon les dogmes religieux **immortalité**

– Doctrine fondée sur l'immortalité de l'âme **transmigration, métempsycose, réincarnation, résurrection, palingénésie**
– Doctrine niant l'existence de l'âme **matérialisme**
– Doctrine philosophique qui fait de l'âme un principe immatériel **spiritualisme**
– Distinction métaphysique de l'âme et du corps **dualisme**

AMÉLIORATION
– Entreprendre des améliorations dans une maison **réparations, restauration, rénovation, embellissement, travaux**
– Dépenses consacrées par un locataire à l'amélioration d'une maison **impenses**
– Amélioration des conditions de vie **progrès, réforme**
– Amélioration du sol **amendement**
– Amélioration du vin **bonification**

AMÉLIORER
– Améliorer la vue **corriger, rectifier**
– Son caractère s'améliore **amende (s')**
– Améliorer la qualité d'un texte **réécrire, remanier, retoucher, rehausser**

AMÉNAGEMENT
– Aménagement d'une ville **urbanisme**

AMÉNAGER
– Aménager un lieu **agencer, arranger, équiper**
– Personne qui aménage des espaces **designer, décorateur, paysagiste, architecte d'intérieur**

AMENDE
– Infliger une amende **peine, punition**
– Une amende pour infraction au Code de la route **contravention, procès-verbal**
– Amende donnée à un joueur **gage**
– Amende relative au sport **pénalisation, coup franc, penalty, carton**

AMENER
– Amener des marchandises à destination **acheminer**
– Amener quelqu'un dans un lieu **conduire, entraîner**
– Amener une conclusion **ménager, préparer**
– Amener les voiles **abaisser**
– Être amené à la faillite **acculé, contraint**
– Recevoir un mandat d'amener **ordre de comparution**

AMER
– Substance particulièrement amère **bile, fiel, aloès, quinine**
– Subir une amère défaite **cuisante, douloureuse, pénible**
– Une personne amère **aigrie, désabusée**
– Une onde amère **saumâtre, salée**

AMERTUME
– Éprouver de l'amertume **ressentiment, acrimonie, rancœur, dépit, aigreur, frustration**
– L'amertume de certains fruits ou légumes **amer**

AMEUBLEMENT
– Un magasin d'ameublement **mobilier, meubles**
– Mercerie pour ameublement **passementerie**
– Tissu d'ameublement **chintz, perse, reps, velours, voilages**

AMI
– Ami d'enfance **camarade, condisciple, compagnon**
– Un pays ami **allié**
– Ami de la vertu **défenseur, partisan, zélateur**

AMIABLE
– Règlement à l'amiable d'un litige **accommodement, arrangement, par voie de conciliation**
– Séparation amiable des époux **sans heurt**

AMIANTE
syn. **asbeste**
– Pouvoir de l'amiante **athermane**
– Matériau comportant de l'amiante **fibrociment, tartan**

AMICAL
syn. **affectueux, chaleureux, cordial**

AMICALE
– Fonder une amicale **association, société, fédération, club**

AMIDON
– Substance composée d'amidon **fécule, farine**
– Emploi domestique de l'amidon **empesage**

AMITIÉ
– Fondement de l'amitié **affinité**
– Éprouver de l'amitié **affection, inclination, sympathie, tendresse**
– Relation engendrée par l'amitié **camaraderie, fraternité, intimité**
– Vivre en bonne amitié **entente, accord, intelligence**

AMNISTIE
– Accorder l'amnistie **grâce, faveur, pardon**
– Bénéficier d'une amnistie **exemption, immunité**

AMOLLIR
– Rien ne saurait amollir ses résolutions **affaiblir, émousser**

AMOLLIR (S')
– Le beurre s'est amolli à la chaleur **est ramolli (s'), a fondu**
– Sa fermeté s'amollit **faiblit, fléchit, diminue, atténue (s')**

AMORTIR
– Amortir un choc **affaiblir, réduire, atténuer**
– Amortir un bruit **assourdir, étouffer, feutrer**
– Amortir l'ardeur de la jeunesse **calmer, tempérer, freiner, émousser, modérer, apaiser, attiédir, estomper**
– Amortir une dette **rembourser, éteindre, payer, acquitter de (s')**
– Amortir un achat **rentabiliser**

AMOUR
syn. **feu, passion**
– Breuvage destiné à inspirer l'amour **philtre**
– Dire du plâtre qu'il a de l'amour **onctuosité**
– Amour de soi-même **égoïsme, narcissisme**
– Amour mystique **dévotion, adoration, piété, ferveur**
– Amour du genre humain **altruisme, philanthropie**
– Amour entre deux femmes **saphisme, lesbianisme**
– Amour pour les servantes **ancillaire**
– Amour de son pays **patriotisme**
– Déesse de l'amour **Aphrodite, Vénus**
– Petit amour **amourette, passade, idylle**
– Amour-en-cage **alkékenge, coqueret**

AMOUR-PROPRE
– Être blessé dans son amour-propre **orgueil, fierté**

AMOURETTE
– Une amourette de jeunesse **caprice, flirt, passade, aventure, tocade, idylle, béguin**
– Bois d'amourette **acacia**

AMOUREUX
– Une terre amoureuse **meuble**
– Ébats amoureux **oaristys**
– Jeunes amoureux **tourtereaux**
– Le muscle amoureux **muscle oculaire**
– Un drap amoureux **soyeux**
– Un tempérament amoureux **ardent, fougueux, voluptueux, lascif**
– Un pinceau amoureux **moelleux**

AMPLE
– Un domaine de réflexion ample **vaste, étendu**
– Un vêtement ample **large, flottant**
– D'amples renseignements **abondants, nombreux**
– Voix ample **forte**
– Lent et ample en musique **largo, grave**

AMPLEUR
– Ampleur d'un vêtement **largeur, taille**
– Ampleur d'un problème **importance, gravité**
– Ampleur d'un mouvement **amplitude**
– Ampleur des connaissances **abondance, étendue, volume**

AMPLIFIER
– Réalité amplifiée et déformée par l'imagination **enjolivée, embellie, magnifiée, idéalisée**
– Dispositif servant à amplifier le son **amplificateur, porte-voix, mégaphone**

AMPLIFIER (S')
– Le phénomène s'amplifie **augmente, intensifie (s'), accroît (s'), étend (s'), développe (se)**

AMPOULE
– Ampoule utilisée en pharmacie **fiole**
– Ampoule électrique **globe, tube, néon, flamme**
– Ampoule apparaissant sur la peau **cloque, vésicule, bulle, pustule, phlyctène**
– Liquide contenu dans les ampoules **sérosité, lymphe**

AMPUTER
– Amputer un membre **mutiler**
– Amputer un texte **retrancher, tronquer, estropier, censurer, sabrer**

AMULETTE
– Il ne se sépare jamais de son amulette **fétiche, talisman, mascotte, phylactère, porte-bonheur, grigri**

AMUSANT
– Un spectacle amusant **réjouissant, divertissant, comique, distrayant**
– Vraiment très amusant **désopilant, hilarant**
– Personnage amusant **bouffon, pitre, clown**

ANALOGIE
syn. **association, correspondance, parenté, relation**
– Analogie de goût **affinité**
– Élément d'une analogie **analogon**
– Analogie mathématique **rapport, proportion**
– Raisonnement par analogie **par induction, par inférence, a pari**
– Une analogie physique ou physiologique **ressemblance, similitude**

ANALOGUE
– Une situation analogue **comparable, semblable, proche, similaire**

ANALYSE
– Analyse en logique **décomposition, division, distinction**
– Le contraire de l'analyse en logique **synthèse**
– Analyse d'un cadavre **autopsie, dissection**
– Auto-analyse **introspection**
– Analyse des textes sacrés **exégèse, glose, commentaire**
– Analyse à visée thérapeutique **cure psychanalytique**

ANARCHIE
– Anarchie au sein d'une maison ou d'une entreprise **confusion, désordre, chaos**
– Le mouvement anarchiste **libertaire**
– Emblème de l'anarchie **drapeau noir**
– Une devise de l'anarchie **ni dieu, ni maître**

ANATOMIE
– Étudier l'anatomie d'un corps **dissection, vivisection**
– Anatomie de la structure externe **morphologie**
– Anatomie des muscles **myologie**
– Anatomie des tissus **histologie**
– Anatomie des artères et des veines **angiologie**
– Anatomie des viscères **splanchnologie**
– Anatomie des os **ostéologie**
– Personne qui s'occupe d'anatomie **anatomiste**
– Préparateur des travaux d'anatomie à la faculté **prosecteur**
– Instrument utilisé pour une anatomie **scalpel**

ANCÊTRE
syn. **aïeul, ascendant**
– Les ancêtres de l'homme moderne **devanciers, prédécesseurs**
– Établir une suite d'ancêtres **filiation, généalogie**

ANCIEN /1
– Les anciens **aînés, doyens, vétérans**

ANCIEN /2
– Une coutume ancienne **séculaire, archaïque, ancestrale, en déshérence**
– Des temps très anciens **reculés, immémoriaux**
– Objets anciens **vestiges, reliques, antiquités**
– Mot ancien **suranné, désuet, obsolète**
– Science qui s'occupe des choses anciennes **archéologie**
– Science des écritures anciennes **paléographie**
– Relatif aux fossiles les plus anciens **paléozoïque**

ANCRE
– Jeter l'ancre **mouiller**

– Lever l'ancre **déraper**
– Mouiller sur deux ancres **affourcher**
– Petite ancre **grappin, chatte**
– Symbolisme de l'ancre **fermeté, tranquillité, espérance**

ÂNE
syn. **idiot, ignorant, imbécile, sot, bête**
– Âne sauvage **hémione, onagre**
– Croisement d'un âne et d'une jument **mulet**
– Croisement d'une ânesse et d'un cheval **bardot**
– Ordre auquel appartient l'âne **solipèdes**
– Relatif à l'âne **asinien**
– Le cri de l'âne **braiment**
– Un âne célèbre en philosophie médiévale qui illusttre la liberté d'indifférence **âne de Buridan**

ANÉANTIR
– Anéantir des forces ennemies **détruire, écraser, massacrer**
– Anéantir les espoirs de quelqu'un **annihiler, ruiner**
– S'anéantir dans les flots **sombrer, disparaître, abîmer (s'), couler**

ANÉANTISSEMENT
– Anéantissement d'une population **ethnocide, génocide, extermination**

ANECDOTE
syn. **échos, détail**
– Il se régale d'anecdotes **historiettes**
– Recueil d'anecdotes à propos d'une personnalité **ana**

ANÉMONE
– Famille de l'anémone **renonculacées**

– Anémone des bois **sylvie**
– Anémone de mer **actinie**

ANESTHÉSIE
– Subir une anesthésie **analgésie, insensibilisation**
– État d'une personne sous anesthésie **narcose**
– Anesthésie régionale du bassin **péridurale**
– Substance employée lors d'une anesthésie **chloroforme, éther, cocaïne, penthiobarbital, protoxyde d'azote, procaïne**

ANGE
syn. **archange**
– Ange de la première hiérarchie **séraphin, chérubin, trône**
– Ange déchu **Belzébuth, Satan, Lucifer**

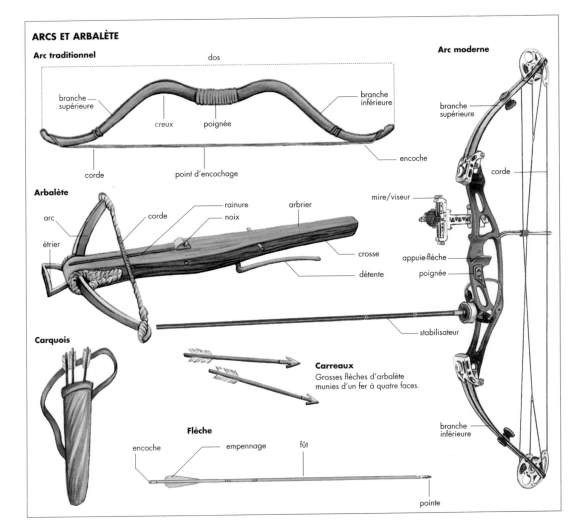

ARCS ET ARBALÈTE

Arc traditionnel
dos
branche supérieure
branche inférieure
creux
poignée
encoche
corde
point d'encochage

Arbalète
rainure
arbrier
arc
corde
noix
étrier
crosse
détente

Arc moderne
branche supérieure
corde
mire/viseur
appuie-flèche
poignée
stabilisateur
branche inférieure

Carquois

Carreaux
Grosses flèches d'arbalète munies d'un fer à quatre faces.

Flèche
encoche
empennage
fût
pointe

– Ange représenté avec trois paires d'ailes **séraphin**
– Théorie de l'origine des anges **angélogonie**
– Traité sur les anges **angélographie**
– Culte rendu aux anges **dulie**
– Enfant joufflu qui représente un ange dans la peinture italienne **putto**
– Petit ange représenté dans l'art religieux **angelot**
– Nom donné à la peau du poisson appelé ange **galuchat**

ANGÉLIQUE
– Elle est d'une nature angélique **parfaite, céleste, séraphique, sainte, douce**
– Un paquet d'angéliques **bonbons**

ANGLAIS
– Pays de langue anglaise **anglophone**
– Spécialiste de la langue anglaise **angliciste**
– Locution propre à la langue anglaise **anglicisme**

ANGLE
– Angle en architecture **arête, coin, encoignure**
– Angle formé par un astre et le méridien du point d'observation **azimut**
– Angle dont la projection sur le plan horizontal forme une ligne joignant un point visé à un observateur **site**
– Figure à angles égaux **isogone**
– Domaine d'étude des angles **géométrie, trigonométrie**
– Mesure des angles **goniométrie**
– Instrument de mesure des angles **sextant, équerre, alidade, théodolite, biveau, sauterelle, graphomètre**
– Instrument pour mesurer ou tracer les angles **té**

ANGOISSE
– Éprouver de l'angoisse **inquiétude, anxiété, tourment, appréhension**
– Angoisse propre au mourant **affres**

ANGOISSER
– Un rien l'angoisse **tourmente, oppresse, stresse, tracasse, effraie, panique**

ANGUILLE
– Anguille de mer **congre**
– Anguille électrique **gymnote**
– Larve d'anguille **leptocéphale**
– Jeune anguille **pibale, civelle**
– Vivier à anguilles **anguillière**

ANIMAL *Voir tableaux p. 22, 25-26, 29*
– Étude des animaux **zoologie**
– Animal microscopique **animalcule, protozoaire**

ARCS

Parties d'un arc

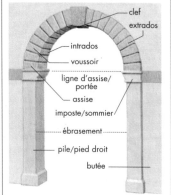

clef
extrados
intrados
voussoir
ligne d'assise/
portée
assise
imposte/sommier
ébrasement
pile/pied droit
butée

Principaux types d'arcs

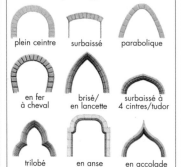

plein ceintre · surbaissé · parabolique
en fer à cheval · brisé/en lancette · surbaissé à 4 cintres/tudor
trilobé · en anse de panier · en accolade

– Ensemble des animaux d'une région **faune**
– Étude du comportement animal **éthologie**
– Amour pervers des animaux **zoophilie**
– Adoration d'animaux divinisés **zoolâtrie**
– Peur de certains animaux **zoophobie**
– Maladie transmissible par les animaux **zoonose**
– Figure représentant un animal **zoomorphe**
– Peintre, sculpteur d'animaux **animalier**
– Théorie selon laquelle les animaux n'ont pas d'âme **animaux-machines**

ANIMATEUR
– Exercer la fonction d'animateur dans un groupe **moniteur, organisateur**
– Être l'animateur d'un mouvement **inspirateur, meneur, instigateur, leader, agitateur**

ANIMATION
– S'exprimer avec animation **ardeur, passion, exaltation, entrain, fougue, chaleur, vivacité, flamme**

– Animation du centre-ville **vie, activité, mouvement, affairement, va-et-vient, agitation, passage**
– Cinéma d'animation **dessin animé**

ANIMÉ
– Un être animé **vivant**
– Une fête animée **joyeuse, réussie, gaie**
– Un débat animé **houleux, mouvementé, tumultueux, vif**

ANIMER
– Animer une réunion **conduire, diriger**
– Animer la conversation **égayer, entretenir, alimenter, nourrir**
– Le vin anime les esprits **avive, excite, échauffe, enflamme, exalte**
– Animer un bœuf **aiguillonner, exciter, stimuler**

ANIMISME
voir aussi **âme**
– Animisme religieux **culte des esprits, fétichisme, sorcellerie, magie**

ANIMOSITÉ
– Éprouver de l'animosité à l'égard de quelqu'un **hostilité, antipathie, malveillance, inimitié, haine**
– Souvenir empreint d'animosité **ressentiment, amertume, rancune**
– Avec animosité **violence, virulence, véhémence, agressivité, âpreté**

ANIS
– Famille à laquelle appartient l'anis **ombellifères**
– Anis étoilé **badiane**
– Faux anis **cumin**
– Anis bâtard **carvi**

ANNEAU
– Anneau d'une ancre **organeau**
– Anneau de renforcement **bague, virole, frette**
– Anneau de métal que l'on met au doigt **alliance, bague, chevalière, marquise, solitaire, jonc**
– Anneau reliant deux chaînes **manille**
– Matériel de gymnastique comportant des anneaux **agrès**
– Anneau d'une chaîne **maillon, chaînon**
– Moulure en forme d'anneaux **armilles**
– Anneau nasal **mouchette**
– Passer un anneau dans le groin d'un porc **anneler, boucler**
– Anneau en plomberie **bague, collier, manchon, bride**
– Anneau du pêcheur **sceau**

ANNÉE
– Année lunaire **synodique**
– Année de congé **sabbatique**
– Année de fabrication d'un vin **millésime**

– Ouvrage relatant les événements année par année **annales**

ANNEXE
– Annexe d'une demeure **dépendances, communs**
– Annexe d'un établissement **filiale, succursale**
– Annexe embryonnaire **amnios, placenta**
– Un élément annexe **accessoire, secondaire, auxiliaire, complémentaire**

ANNEXION
– Annexion d'un territoire **incorporation, rattachement, invasion, conquête, confiscation, colonisation**
– Annexion de l'Autriche par l'Allemagne **Anschluss**

ANNIVERSAIRE *Voir tableau p. 30*
– Anniversaire d'une victoire **célébration, commémoration**
– Anniversaire couronnant 50 années d'exercice dans une fonction **jubilé**

ANNONCE
– Annonce d'une vente **avis, proclamation**
– Annonce de presse **communiqué**
– Annonce officielle d'un mariage **bans, publication**
– Annonce écrite d'un décès **faire-part, avis d'obsèques**
– Annonce d'un dénouement **prémisse, signe, présage, indice**

ANNONCER
– Annoncer officiellement une décision **proclamer, édicter, promulguer, notifier**
– Annoncer ses intentions **divulguer, révéler, découvrir, communiquer, manifester, dévoiler**

ANNUEL
– Un paiement annuel **annuité**

ANNULER
– Annuler loi ou décret **abroger, abolir**
– Annuler un jugement **infirmer, invalider, casser**
– Annuler un contrat **résilier**
– Annuler une dette **éteindre**
– Deux forces s'annulent en s'opposant **neutralisent (se)**

ANOMALIE
– Anomalie en biologie **difformité, malformation, monstruosité**
– Est à l'origine d'anomalies dans l'exécution d'un programme informatique **bogue, virus**
– Ceci présente une anomalie **anormalité, bizarrerie, singularité, irrégularité, incohérence, aberration**

ANONYME
– Un auteur anonyme **inconnu**
– Un décor anonyme **impersonnel, neutre, banal**
– Auteur de lettres anonymes **corbeau, anonymographe**
– Lettres anonymes **délation, chantage**

ANORMAL
– Un comportement anormal **aberrant, insolite, inaccoutumé, singulier, excentrique, extravagant, saugrenu, déraisonnable**
– Un fonctionnement anormal **défectueux, irrégulier**
– Fait anormal **anomalie**
– Un bruit anormal **suspect, bizarre**
– Une chaleur anormale **inhabituelle, exceptionnelle**

ANTAGONISME
syn. **combat, concurrence, conflit, contradiction, inimitié, lutte, opposition, rivalité**

ANTENNE
– Antenne électromagnétique **capteur, diffuseur**
– Antenne pour le câble **parabole**
– Passer à l'antenne **radio, télévision**
– Antenne d'un commissariat **poste**

ANTÉRIORITÉ
– Faire valoir l'antériorité d'un droit **droit de préemption**
– Permet de déterminer l'antériorité d'un événement **chronologie**

ANTIBIOTIQUE
– Action des antibiotiques **bactéricide**
– Premier antibiotique découvert **pénicilline**

ANTICHAMBRE
syn. **entrée, hall, vestibule**

ANTICIPÉ
– Retraite anticipée **préretraite**

ANTICIPER
– Anticiper les désirs de quelqu'un **devancer, prévenir**
– Il faut savoir anticiper les éventuels problèmes **prévoir, imaginer**

ANTICORPS
syn. **agglutinine, antitoxine**
– Substance provoquant la formation d'anticorps **antigène**
– Rôle des anticorps **défense, immunité**

ANTIPATHIE
– Il éprouve une violente antipathie pour cet individu **aversion, répugnance, répulsion, dégoût, inimitié, froideur, hostilité**

ANTIPATHIQUE
– Une personne antipathique **déplaisante, désagréable, répugnante, repoussante, froide**

ANTIQUE
– Plutôt antique son ordinateur ! **vétuste**
– Des pratiques antiques **ancestrales, séculaires, archaïques, antédiluviennes**
– Une mode antique **révolue, désuète, surannée, périmée, obsolète, arriérée, rétrograde**

ANTISEPTIQUE
– Une substance antiseptique **désinfectante, antiputride, aseptique**
– Produit antiseptique vendu en pharmacie **bleu de méthylène, eau oxygénée, acide benzoïque, formol, eucalyptol, salol, mercurochrome**

ANUS
– Muscle de l'anus **sphincter**
– Douleur relative à l'anus **proctalgie**
– Tumeur douloureuse dans la région de l'anus **hémorroïde**
– Partie de la médecine qui traite des maladies de l'anus **proctologie**
– Relatif à l'anus **anal**
– Pratique du coït par l'anus **sodomie**

ANXIÉTÉ
– Qui provoque l'anxiété **anxiogène**
– Médicament destiné à combattre l'anxiété **anxiolytique**

ANXIEUX
– Un être anxieux **inquiet, tourmenté, angoissé**

APAISANT
– Propos apaisants **lénifiants, rassurants, réconfortants, tranquillisants, consolateurs, rassérénants**

APAISEMENT
– Remède procurant l'apaisement **émollient, baume, analgésique, sédatif**
– Apaisement d'une douleur **rémission, soulagement**
– Apaisement qui survient après une tempête **accalmie**

APAISER
– Apaiser une querelle **calmer, pacifier, mettre fin à**
– Apaiser un mal **adoucir, assoupir, endormir, soulager, guérir**
– Apaiser sa faim **assouvir, rassasier**
– Apaiser sa soif **étancher, éteindre**

APERCEVOIR
– Apercevoir un objet peu visible **deviner, distinguer, repérer, discerner, entrevoir**
– Apercevoir les finesses d'un raison-

nement **découvrir, saisir, percevoir, sentir, déceler**
– Apercevoir fugitivement **entrapercevoir, surprendre**
– S'apercevoir d'une réalité **constater, remarquer, prendre conscience de, se rendre compte de**

APERÇU
– Vous aurez ainsi un aperçu des différentes possibilités **estimation, échantillon, vue, idée**
– Il a donné un aperçu de son œuvre **avant-goût, résumé, synthèse**

APLANIR
– Aplanir un terrain **niveler, égaliser**
– Aplanir les difficultés **réduire, lever, supprimer**

APLATIR
– Aplatir un ourlet **écraser**
– Aplatir la pâte **biller**
– Aplatir une barre de métal **laminer, compresser, comprimer**
– Aplatir des cheveux rebelles **plaquer**

APLOMB
– Manifester un aplomb sans bornes **assurance, hardiesse, audace, toupet, impudence, effronterie**

APOLOGIE
voir aussi **louange**
– Faire l'apologie d'une œuvre **défense, justification, plaidoyer**
– Apologie d'une personne, d'une chose **dithyrambe, panégyrique, louange, éloge**
– Apologie de la religion chrétienne **apologétique**

APOSTROPHE
– Apostrophe dans un discours **figure de rhétorique**

APOSTROPHER
– Apostropher quelqu'un **interpeller, héler**

APÔTRE *Voir tableau Jésus (apôtres de), p. 339*
– Mission d'un apôtre **prédication, évangélisation, prosélytisme**
– Ministère des apôtres **apostolat**
– Lettre des apôtres **épître**
– Relatif aux apôtres **apostolique**

APPARAÎTRE
syn. **paraître, manifester (se), poindre, survenir, surgir**
– Apparaître au grand jour **révéler (se), découvrir (se), montrer (se), dévoiler (se), émerger**
– Apparaître à travers quelque chose **transparaître**

APPAREIL
– Appareil digestif **système**
– Appareil électrique **instrument, engin**
– Appareil d'État **dispositif, structure, machine**
– En grand appareil **apparat, cérémonial, pompe**

APPARENCE
– Raisonnement qui sous des apparences de vérité tend à tromper **captieux, fallacieux, spécieux, insidieux**
– Avoir belle apparence **allure, mine**
– Apparence destinée à masquer une réalité **façade, vernis, faux-semblant, simulacre**
– Apparence simulant le réel **trompe-l'œil**
– Préserver les apparences **convenances, bienséance**
– Apparence trompeuse **mirage, illusion, vision, hallucination**
– Apparences de la Lune **phases, aspects**

APPARENT
syn. **flagrant, patent**
– Un écart apparent **manifeste, visible, évident, perceptible**
– Témoigner une apparente politesse **superficielle, illusoire, trompeuse, fausse, feinte**

APPARITION
– Apparition d'un phénomène **manifestation**
– Apparition de boutons sur le corps **éruption, poussée, efflorescence**
– Avoir des apparitions **visions, révélations, hallucinations, mirage**
– Apparition effrayante d'un mort **spectre, fantôme, revenant, esprit**

APPARTEMENT
syn. **habitation, logement, logis**
– Appartement sur deux étages **duplex**
– Appartement constitué d'une seule pièce **studio**
– Appartement qui ne sert qu'occasionnellement **pied-à-terre, garçonnière**
– Dans un appartement, avancée qui forme un balcon **loggia, bow-window**
– Appartement d'hôtel **suite**
– Appartement autrefois réservé aux femmes **gynécée, harem**
– Regagner ses appartements **pénates**

APPARTENIR
– Appartenir à un groupe **rattacher à (se), être membre de**
– La décision appartient à **incombe à, revient à, échoit à**
– Appartenir à un domaine d'idées, de réflexions **relever de, concerner, rapporter à (se)**
– Qui appartient par essence à un être **inhérent, intrinsèque, immanent**

APPÂT
– Appât destiné au poisson **amorce, esche, boëtte**
– Appât muni de plusieurs hameçons **devon**
– Œufs de poisson utilisés comme appât **rogue**
– Appât factice muni d'un hameçon **leurre**
– Pêcher à l'aide d'appâts vivants **pêcher au vif**

APPÂTER
– Appâter des grives **affriander, attirer**
– Appâter une ligne de pêche **escher, amorcer**
– Elle ne se laissera pas appâter **séduire, allécher, tenter**

APPAUVRISSEMENT
– Appauvrissement d'un terrain cultivable **épuisement**
– Appauvrissement du sang **anémie**
– Appauvrissement des facultés intellectuelles **étiolement**
– Appauvrissement d'une nation **déclin, ruine**
– Appauvrissement de la population **paupérisation**

APPEAU
– Chasser à l'appeau **chanterelle, appelant, pipeau, courcaillet**
– Je lui ai servi d'appeau **leurre, piperie, piège**

APPEL
syn. **cri, interjection, recours**
– Appel du regard **clin d'œil, œillade**
– Appel de détresse **SOS (*Save Our Souls*, Sauvez nos âmes)**
– Appel sous les drapeaux **recrutement, incorporation, conscription**
– Appel aux armes **mobilisation**
– Publication d'un appel **déclaration, proclamation**
– Appel au calme **incitation, invitation, exhortation**
– Appel du plaisir **impulsion**
– Appel de la foi **aspiration religieuse, vocation**
– Religieux musulman qui a en charge l'appel à la prière **muezzin**
– Faire l'appel **recenser, dénombrer**
– Faire appel **recourir**
– Sans appel **définitif, rédhibitoire**
– Appel de fonds **souscription**

APPELER
syn. **baptiser, inviter, nommer, qualifier, surnommer, traiter de**
– Appeler quelqu'un en criant **héler, apostropher, interpeller**
– Appeler à l'aide par des supplications, des prières **invoquer, implorer, conjurer**

ARGOT ET LANGAGES POPULAIRES

Argot: langage crypté que les mendiants et les truands utilisaient pour qu'on ne les comprenne pas. On l'appelle aussi langue verte.

Bas-langage: langage populaire des grandes villes.

Calo: argot espagnol moderne qui comporte de nombreux mots gitans.

Chtimi ou **ch'timi:** patois du nord de la France.

Cockney: argot des quartiers populaires de Londres.

Jar ou **jars:** argot des voleurs.

Javanais: argot conventionnel où la syllabe « va » est intercalée devant les consonnes et la syllabe « av » devant les voyelles – « blessure » donnera « blavessavurave » et « madame » donnera « mavadavamave ».

Jobelin: argot des maquignons et des mendiants du XVe siècle.

Langue verte: voir Argot.

Largonji: voir Loucherbem.

Loucherbem: le loucherbem, ou largonji, est l'argot qu'utilisaient autrefois les bouchers de Paris pour qu'on ne les comprenne pas. Dans ce procédé argotique, on remplace par « l » la consonne initiale, qui sera rejetée à la fin du mot et à laquelle on ajoute un élément (é, em ou i): « boucher » donnera « loucherbem » et « jargon » donnera « largonji ».

Nouchi: argot ivoirien qui s'inspire du français.

Patois: parler local généralement employé par une population rurale et peu nombreuse.

Piglatin: argot conventionnel anglais qui s'apparente au javanais. Il s'agit principalement de mettre la consonne initiale du mot à la fin de celui-ci et d'ajouter ensuite la syllabe « ay » : « You love chocolate » donnera « Ouyay ovelay hocolatecay ».

Polari: argot homosexuel britannique des années 1950. Issu de marginaux du milieu professionnel du théâtre au XVIIIe siècle, il emprunte une part au français : « man » donnera « omee », qui est directement influencé par le français « homme ».
Les mots de polari sont principalement construits sur les formes latines : « many » donnera « multi » et « good » donnera « bona ».

Rouchi: patois picard de la région de Valenciennes.

Sabir: jargon qui mélange l'arabe, l'espagnol, l'italien et le français. On l'employait autrefois en Afrique du Nord et dans le Levant.

Slang: dialecte argotique anglais.

Verlan: argot qui consiste à énoncer les syllabes des mots à l'envers : « café » donnera « féca » et « manger » donnera « géman ».

Veul: procédé argotique qui complète le verlan – « meuf » (femme) donnera « feume », « reum » (mère) donnera « meure ». Le locuteur peut prononcer les voyelles plus ou moins bien afin de rendre les mots plus ou moins compréhensibles.

– Appeler quelqu'un auprès de soi **mander**
– Appeler à une fonction **désigner, choisir, élire**
– Appeler en justice **citer, convoquer, assigner**
– Appeler les chiens en sonnant du cor **grailler**
– Appeler un animal en le sifflant **hucher**
– Instrument utilisé pour appeler les oiseaux **appeau, pipeau, courcaillet, leurre**

APPELER (S')
– S'appeler **nommer (se), prénommer (se), intituler (s')**

APPELLATION
syn. **dénomination, désignation, nom**
– Appellation contrôlée **label, logo, marque**

APPENDICE
syn. **extrémité, prolongement**

– Appendice caudal **queue**
– Appendice sensoriel chez les insectes **antenne**
– Inflammation de l'appendice **appendicite**
– Ablation de l'appendice **appendicectomie**
– Consulter les appendices en fin d'ouvrage **addenda, annexes, additions**

APPÉTISSANT
– Un menu appétissant **alléchant**
– Une proposition appétissante **engageante, affriolante, séduisante**

APPÉTIT
syn. **désir, penchant naturel, chercher à atteindre, convoiter**
– Appétit humain **inclination, aspiration, curiosité, désir, appétence, passion, envie, convoitise, faim, soif**
– Appétit animal **besoin, instinct**
– Appétit sexuel **concupiscence**
– Appétit démesuré **voracité, avidité, gloutonnerie**

– Perte pathologique de l'appétit **anorexie**
– Chez les scolastiques, appétit où domine le désir **concupiscible**
– Chez les scolastiques, appétit où domine la colère et la haine **irascible**
– Appétit frénétique et pathologique **boulimie**
– Substance destinée à diminuer l'appétit **anorexigène**
– Boisson propre à ouvrir l'appétit **apéritif**
– Mettre en appétit **affriander, allécher**
– Appétit pathologique pour des substances non comestibles **pica**

APPLAUDIR
syn. **acclamer, approuver, encourager, louer**
voir aussi **bisser, ovationner**

APPLAUDISSEMENT
– L'artiste fut salué par des applaudissements **ovation, ban**
– Accompagne les applaudissements **bravo**
– Sert à comptabiliser les applaudissements **applaudimètre**
– Cette décision mérite nos applaudissements **approbation, compliments, éloges, louanges, félicitations**

APPLICATION
– Application d'un matériau sur une surface plane **pose, mise, placage**
– Application d'une somme à un usage **destination, affectation, utilisation**
– Application d'une théorie **mise en pratique, réalisation, concrétisation**
– Travailler avec application **sérieux, soin, assiduité, attention, minutie, contention**

APPLIQUÉ
– C'est un élève appliqué **studieux, attentif, travailleur, zélé, assidu, diligent, sérieux, concentré, soigneux**
– Linguistique appliquée **sociolinguistique, psycholinguistique, pragmatique**

APPLIQUER
– Appliquer un cachet **apposer**
– Appliquer un enduit **étendre, étaler**

APPLIQUER (S')
– S'appliquer à **convenir, concerner, intéresser**
– S'appliquer à faire quelque chose **s'attacher à, s'évertuer, s'efforcer de**

APPOINT
– Chauffage d'appoint **complémentaire, supplémentaire**
– Langue d'appoint **sabir**
– Salaire d'appoint **à-côtés**

– Siège d'appoint **strapontin, tabouret**
– Gagner grâce à l'appoint de ses alliés **aide, appui, concours**

APPOINTEMENTS

– Les appointements des salariés **rémunération, paie, rétribution, traitement, salaire**
– Appointements des domestiques **gages**
– Appointements des soldats **solde**
– Appointements des fonctionnaires **émoluments**
– Ne sont pas des appointements **honoraires, vacations, cachets, commissions, gratifications, pourboires, gains, dessous-de-table**

APPORTER

– Il nous a apporté des chocolats **offert**
– Apporter le courrier **distribuer**
– Apporter son aide à quelqu'un **donner, fournir**

APPRÉCIABLE

– Appréciable à la vue **visible, perceptible, sensible, manifeste**
– Une différence difficilement appréciable **évaluable, estimable**
– Il apporta une aide appréciable **considérable, importante, précieuse**

APPRÉCIATION

– Appréciation de la valeur d'un bijou **estimation, évaluation, expertise**
– Les appréciations d'un professeur **observations, avis**
– Appréciation favorable au baccalauréat **mention**

APPRÉCIER

– Apprécier la valeur d'un objet **estimer, évaluer**
– Apprécier des distances **appréhender, mesurer**
– Apprécier les subtilités d'une théorie **discerner, saisir**
– Apprécier la saveur d'un plat **goûter, priser, délecter de (se), déguster, savourer**

APPRÉHENSION

– Appréhension intellectuelle **perception**
– Éprouver une vive appréhension **crainte, anxiété, angoisse, inquiétude**

APPRENDRE

– Apprendre à faire quelque chose **exercer à (se), initier (s')**
– Apprendre les éléments d'une science à une personne **transmettre, enseigner, inculquer, instruire, professer**
– Apprendre une nouvelle à quelqu'un **aviser, avertir, informer, divulguer, communiquer, renseigner**
– Qui est destiné à faire apprendre plus aisément **didactique**

– Personne qui apprend seule **autodidacte**
– Apprendre par hasard **découvrir**
– Apprendre par supposition ou intuition **deviner**
– Apprendre une langue, une technique **étudier, acquérir**

APPRENTI

syn. **aide, élève, garçon, novice, petite main, stagiaire**
– Apprenti boulanger **mitron**
– Apprenti marin **mousse**
– Apprenti soldat **bleu, conscrit**
– Apprenti dans un atelier de peinture **rapin**
– Apprentie couturière **arpète, cousette, midinette**

APPRENTISSAGE

syn. **formation, initiation, instruction**
– Diplôme sanctionnant la fin d'un apprentissage **CAP**

– Faire l'apprentissage de la vie **expérience, découverte**

APPRÊTER

– Apprêter un mets **accommoder, cuisiner, préparer, assaisonner, relever**
– Apprêter un tissu **empeser, imprégner, amidonner**
– Apprêter le cuir **corroyer, hongroyer**
– Apprêter un mur avant de le peindre **enduire**

APPRÊTER (S')

– S'apprêter à partir **préparer à (se), être sur le point de, disposer à (se)**
– S'apprêter pour la cérémonie **parer (se), habiller (s'), vêtir (se)**

APPRIVOISER

– Apprivoiser un animal sauvage **dresser, dompter, domestiquer, mater**
– Apprivoiser un enfant farouche **adoucir, amadouer**
– Apprivoiser sa peur **maîtriser**

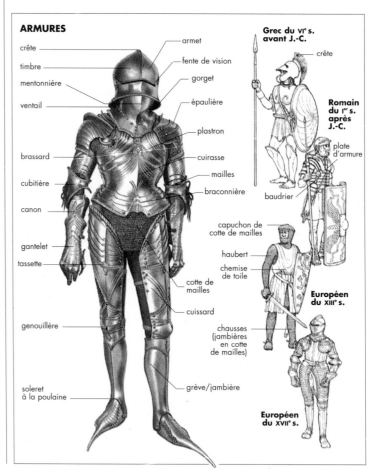

ARMURES

crête
timbre
mentonnière
ventail
brassard
cubitière
canon
gantelet
tassette
genouillère
soleret à la poulaine

armet
fente de vision
gorget
épaulière
plastron
cuirasse
mailles
braconnière
cotte de mailles
cuissard
grève/jambière

Grec du VIᵉ s. avant J.-C.
crête

Romain du Iᵉʳ s. après J.-C.
plate d'armure
baudrier

capuchon de cotte de mailles
haubert
chemise de toile

Européen du XIIIᵉ s.

chausses (jambières en cotte de mailles)

Européen du XVIIᵉ s.

APPROBATION
– Donner son approbation **consentement, acquiescement, assentiment, autorisation, adhésion**
– Approbation très marquée **éloge, compliment, félicitations, louange**

APPROCHANT
– Quelque chose d'approchant **voisin, analogue, semblable, comparable, proche**

APPROCHE
– Les approches d'une ville **abords, parages**
– Redouter l'approche d'un événement **venue, proximité**
– être d'approche facile **abord, accès**

APPROCHER
– Approcher une personne **côtoyer, fréquenter**
– Approcher de très près **effleurer, friser, frôler, raser**

APPROCHER (S')
– S'approcher de la terre **accoster**

APPROFONDIR
– Il faudrait approfondir la question **examiner, analyser, explorer**
– Toucher à tout sans approfondir **papillonner, survoler**

APPROPRIÉ
– Une remarque, un jugement approprié **pertinent, juste, adéquat, congru**
– Une solution appropriée **idoine, adaptée, convenable**
– Un moment approprié **opportun, favorable**

APPROUVER
– Approuver juridiquement un texte, un décret **ratifier, entériner, valider, confirmer, homologuer, sanctionner**
– Approuver une demande **consentir, autoriser, agréer, accepter**
– Approuver un contrat **souscrire, parapher**

APPROVISIONNEMENT
– L'approvisionnement d'un bateau **avitaillement**
– L'approvisionnement d'une armée **ravitaillement**
– Rupture des approvisionnements **fourniture des vivres, provisions, stocks, réserves**
– Approvisionnement en eau et en électricité **distribution**

APPROXIMATIF
– Ceci n'est qu'un calcul approximatif **approchant, approché, estimatif**
– Données approximatives **imprécises, vagues, floues, indéterminées, indéfinies, inexactes**

APPUI
– Appui pour s'accouder **accoudoir, accotoir, appuie-bras, repose-bras**
– Appui d'une voûte, d'un mur **étai, éperon, arc-boutant**
– Mur d'appui **mur de soutènement**
– Appui utilisé pour les charpentes **étançon, contrefort, étrésillon, étai**
– Appui utilisé en architecture **base, console, modillon**
– Appui des stalles d'église **miséricorde**
– Pièce de bois servant d'appui lors de la construction des navires **tin, billot**
– Appui utilisé en menuiserie **tasseau, équerre**
– Appui moral **réconfort, soutien, rescousse, assistance, secours, protection**
– Appui financier **subvention, subside**

APPUYER
– Appuyer un mur **maintenir, consolider, étayer, étançonner, accoter**
– Appuyer sur un bouton, un mécanisme **peser, presser, enfoncer**
– Appuyer dans une épreuve **épauler, soutenir, encourager**
– Appuyer une affirmation sur un argument, une théorie **fonder, baser**
– Appuyer les dires d'une personne **confirmer, corroborer, valider**

APRÈS-MIDI
– Représentation théâtrale donnée l'après-midi **matinée**
– Repos pris l'après-midi **sieste, méridienne**
– Quatrième partie du jour qui commence à 3 heures de l'après-midi **none**

APTITUDE
– Aptitude naturelle **disposition, penchant, prédisposition, tendance, faculté, propension, vocation, inclination**
– Aptitude pratique ou intellectuelle **habileté, adresse, capacité, compétence, talent, génie, qualité**

AQUARIUM
– Éleveur de poissons d'aquarium **aquariophile**
– Nourriture pour poissons d'aquarium **daphnies**

ARABE *Voir tableau islam, p. 331*
– Écriture arabe ancienne **coufique**
– Religion dominante des peuples arabes **islam**
– Lieu de culte dans les pays arabes **mosquée**
– Nom donné au Moyen Âge aux populations arabes **sarrasins, Maures**
– Citadelle d'un souverain arabe **casbah**
– Souverain ou dignitaire arabe **calife, émir**
– Chef de tribu arabe **cheik**
– Paysan arabe **fellah**
– Marché arabe **souk**

ARAIGNÉE
– Groupe auquel se rattache l'araignée **arachnides, aranéides**
– Toile d'araignée **arantèle**
– Araignée aquatique **argyronète, hydromètre**
– Araignée commune **épeire**
– Araignée venimeuse des régions chaudes **tarentule**
– Araignée fouisseuse très velue **mygale**
– Araignée de mer **maïa**

ARBITRAGE
– Arbitrage d'un match **contrôle, surveillance**
– Effectuer des arbitrages **opération boursière, spéculation**
– Spécialiste des arbitrages en Bourse **arbitragiste**
– Instance d'arbitrage pour les professionnels **conseil de prud'hommes**

ARBITRAIRE
– Une valeur arbitraire **relative, contingente, extrinsèque, conventionnelle**
– Être l'objet d'une décision arbitraire **abusive, injustifiée, irraisonnée**
– Individu pour lequel l'arbitraire est le mode de gouvernement **tyran, despote, dictateur**

ARBITRE
– Jugement prononcé par un arbitre **arbitral**
– Démission d'un arbitre **déport**
– Assumer le rôle d'arbitre dans un conflit **conciliateur, médiateur**

ARBRE *Voir illustration p. 31*
– Arbre fossile **dendrite, sigillaire**
– Nymphe des arbres et des bois **hamadryade, dryade**
– Culture des arbres **arboriculture, sylviculture, horticulture**
– Professionnel des arbres **pépiniériste, horticulteur, arboriculteur, sylviculteur**
– Jeune arbre greffé en pied **scion**
– Apparition des feuilles sur les arbres **frondaison, foliation, feuillaison**
– Petite branche d'arbre **rameau, ramille**
– Ensemble des branches d'un arbre **ramure, feuillage, ramée**
– Sommet d'un arbre **cime, faîte**
– Excroissance poussant sur certains arbres **loupe, broussin, nodosité**
– Couper les branches supérieures d'un arbre **écimer, étêter**

– Faire éclater le tronc d'un arbre **écuisser**
– Arbre préservé lors d'une coupe **lais, marmenteau, baliveau**
– Arbre nain (par atrophie des racines et ligature des tiges et des rameaux) cultivé au Japon **bonsaï**
– Animal vivant dans les arbres **arboricole**
– En forme d'arbre **arborescence**
– Arbre mécanique **vilebrequin**
– Établir l'arbre généalogique d'une famille **lignée, ascendance, filiation**

ARBUSTE
– Exemple d'arbuste **amélanchier, bourdaine, buis, genêt, groseillier, prunellier, rhododendron**

ARC *Voir illustrations p. 37 et 38*
– Tendre l'arc **bander**
– Mettre la flèche à l'arc **encocher**
– Lancer un trait à l'arc **décocher**
– Détendre l'arc **débander**
– Portée d'un arc **archée**
– Divin archer à l'arc d'amour **Éros, Cupidon**
– Oiseau en carton servant de cible pour le tir à l'arc **papegai**
– Tir à l'arc japonais **kyudo**
– Signe du zodiaque qui représente un centaure armé d'un arc **Sagittaire**
– Objet en forme de petit arc **arceau**
– Courbure en forme d'arc **arcure**
– Ouverture en arc **arcade**
– Voûte en forme d'arc **arche**
– Arc en forme de demi-ellipse **anse**

ARC-EN-CIEL
syn. **prisme, spectre**
– Causes de l'arc-en-ciel **réfraction, réflexion**
– Nom poétique de l'arc-en-ciel **écharpe d'Iris**

ARCHE
– Arche d'un pont **voûte**

ARCHÉOLOGIE
– Sciences auxiliaires de l'archéologie **paléographie, sigillographie, épigraphie, stratigraphie**
– Recherche en archéologie **fouilles, excavations**
– Terrain d'étude en archéologie **chantier**
– Archéologie égyptienne **égyptologie**
– Reconstruction des édifices antiques en archéologie **anastylose**

ARCHEVÊQUE
– Insigne d'un archevêque **pallium**
– Fonction d'un archevêque **archiépiscopat**
– Domaine d'autorité d'un archevêque **archevêché**

– Diocèse d'un archevêque **archidiocèse**
– Qui a rapport à l'archevêque **archiépiscopal**

ARCHITECTE
– Architecte d'une grande œuvre du passé **bâtisseur, constructeur, maître d'œuvre**
– Architecte contemporain **concepteur, ingénieur, entrepreneur**
– Étude réalisée par un architecte **épure, plan, projet, devis, maquette**
– Grand architecte de l'Univers **démiurge**

ARCHITECTURE *Voir tableau p. 33-34*
– Style d'architecture **roman, gothique**
– Architecture militaire **fortification**
– Conforme aux normes de l'architecture **architectonique**
– Admirer l'architecture d'une œuvre **structure, charpente**

ARCHIVES
– Préposé aux archives **archiviste, documentaliste, conservateur**
– Autrefois, rédacteur des archives **chroniqueur, historiographe**
– Archives civiles **état civil**
– Recueil d'archives concernant les affaires religieuses **cartulaire**
– Lieu de conservation des archives **cabinet, dépôt, réserve, bibliothèque**
– Archives reproduites sur pellicule **microfilm**

ARCHIVISTE
– École formant les archivistes-paléographes **École nationale des chartes**

ARDENT
– Des tisons ardents **embrasés, enflammés, incandescents, ignés**
– Un soleil ardent **torride, brûlant**
– Les feuillages d'automne aux couleurs ardentes **flamboyantes, lumineuses, rutilantes, éclatantes**
– Un caractère ardent **actif, bouillant, bouillonnant, effervescent, passionné, chaleureux, fougueux**
– Un amour ardent **vif, exalté, frénétique, impétueux, sensuel, volcanique**
– Un désir ardent **immodéré**
– Volonté ardente de réussir **ambition**
– Maladie des ardents **ergotisme**

ARDEUR
– Ardeur du soleil **feu, chaleur**
– Il déploie beaucoup d'ardeur au travail **activité, force, vigueur, vitalité, élan**
– Il défend ses clients avec ardeur **acharnement, exaltation, véhémence, passion, ferveur, flamme, fougue, impétuosité**
– Elle prend sa mission avec ardeur

enthousiasme, courage, cœur, énergie, opiniâtreté, entrain, zèle

ARDOISE
syn. **phyllade, schiste**
– Carrière d'ardoise **ardoisière**
– Personne qui exploite une carrière d'ardoise ou y travaille **ardoisier**
– Point de division de l'ardoise en feuilles **feuilletis**
– Plaque d'ardoise **tuile**
– Partie d'une ardoise qui n'est pas recouverte **pureau**
– Avoir une ardoise chez un commerçant **crédit, dette, note**

ARDU
– Une entreprise ardue **pénible, malaisée, rude, laborieuse, difficile**

ARÈNE
voir aussi **cirque, amphithéâtre, corrida, course de taureaux**
– Art de combattre les taureaux dans l'arène **tauromachie**
– Combattant dans les arènes à Rome **gladiateur, rétiaire, mirmillon, belluaire, bestiaire**

ARGENT
syn. **métal, monnaie**
– Minerai d'argent supérieur **argyrose, argentite**
– Alliage imitant l'argent **argentan, maillechort**
– Argent recouvert d'une dorure **vermeil**
– Ustensiles en argent **argenterie**
– Meuble destiné aux ustensiles en argent **argentier**
– Contient de l'argent **argentifère**
– Métal recouvert d'argent **ruolz**
– Incruster des filets d'argent dans un métal **damasquiner**
– Affection due aux sels d'argent **argyrisme**
– Ancienne monnaie allemande en argent **thaler**
– Grand argentier qui gère l'argent public **ministre des Finances**
– Argent public **fonds, deniers**
– Argent gagné sur un placement **intérêt, plus-value**
– Intérêt perçu sur un prêt d'argent **usure**
– Perte sèche d'argent **déficit**
– Une occupation rapportant de l'argent **lucrative, rémunératrice**
– Soucis d'argent **pécuniaires**
– Dépenser son argent sans compter **dilapider, dissiper, prodiguer**
– Individu qui se laisse acheter avec de l'argent **vénal**
– Acheter les services d'une personne avec de l'argent **corrompre, soudoyer, stipendier**
– Titre donnant droit au paiement d'une

VOCABULAIRE DE L'ASSURANCE

Accident : événement qui entraîne des dommages corporels, matériels ou immatériels.

Agent général d'assurances : personne qui représente une compagnie d'assurances dans une région donnée.

Aliénation : transfert de propriété d'un bien – par exemple, donation ou vente.

Avenant : partie complémentaire d'un contrat d'assurance précisant toute addition ou modification apportée au contrat initial.

Avis d'échéance : document indiquant la date à partir de laquelle la prime est due, ainsi que le montant de cette dernière.

Bénéficiaire : personne à qui la compagnie d'assurances verse l'indemnité ou le capital.

Bonus : réduction de la prime d'assurance automobile qui s'applique après une période sans accident responsable. *Voir Coefficient de réduction-majoration.*

Coassurance : fait pour plusieurs compagnies d'assurances de garantir un risque par un même contrat.

Coefficient de réduction-majoration (bonus/malus) : coefficient qui s'applique à la valeur de la prime de référence d'une assurance automobile et qui permet de déterminer la cotisation effectivement due par le contractant.

Constat amiable : formulaire servant de déclaration d'accident ou de dégâts des eaux et indiquant les circonstances du sinistre.

Contractant : *voir Souscripteur*

Cotisation/prime : somme versée par le preneur d'assurances, à échéance régulière, en contrepartie des garanties accordées par la compagnie d'assurances.

Courtier d'assurances : personne qui propose des contrats d'assurances de différentes sociétés.

Déchéance : perte du droit à être indemnisé (pour conduite en état d'ivresse, par exemple).

Dommage : il correspond à une destruction, une perte, une atteinte corporelle, un manque à gagner.

Échéance : date à laquelle la prime doit être payée pour que le contrat puisse continuer à exister. En cas de résiliation, cette date sert de référence pour calculer la période de préavis. Dans un contrat d'assurance-vie, l'échéance correspond à la fin de l'engagement pris entre l'assureur et l'assuré.

Exclusion : tout risque non couvert par le contrat d'assurance.

Expertise : examen de l'objet d'un sinistre, afin d'évaluer les dégâts subis en vue de déterminer la part d'indemnisation que l'assureur consent à régler à son assuré. On distingue « expertise avant sinistre », « expertise après sinistre », « expertise amiable », « expertise contradictoire » et « expertise judiciaire ».

Fonds de garantie : fonds destiné à indemniser les victimes d'accidents corporels provoqués par des véhicules, en cas de défaillance de l'auteur ou de son assureur.

Franchise : somme prévue au contrat et qui, à l'occasion du règlement d'un sinistre, reste à la charge de l'assuré.

Incapacité permanente ou **invalidité :** tout état physique ou mental d'une personne résultant d'une atteinte corporelle et mettant cette personne dans l'impossibilité d'exercer normalement une activité. Le taux d'invalidité est établi par référence à un barème annexé au contrat.

Indexation : réajustement automatique des garanties et des cotisations.

Individuelle-accident : contrat qui prévoit le versement de prestations pour des dommages corporels survenus à l'occasion d'un accident.

Malus : majoration de la prime d'assurance automobile qui s'applique après la survenue d'un accident dont le souscripteur est reconnu responsable. *Voir Coefficient de réduction-majoration.*

Médiation : procédure destinée à apporter une solution amiable aux litiges entre assureurs et assurés.

Mixte : en assurance-vie, l'assurance mixte comprend une garantie en cas de décès et une autre à reverser sous forme de pension à l'assuré à échéance du contrat.

Multirisque : contrat qui regroupe plusieurs garanties couvrant plusieurs risques.

Note de couverture : document qui confirme une garantie provisoire en attendant que la police d'assurance définitive soit établie.

Nullité du contrat : à la suite d'une faute grave, le contrat peut être considéré comme n'ayant jamais existé.

Pertes indirectes : frais accessoires garantis dans la limite d'un certain pourcentage.

Police : document matérialisant le contrat d'assurance et qui en constitue la preuve.

Prescription : perte des droits de l'assuré envers l'assureur après l'écoulement d'une certaine durée – en général, deux ans.

Protection juridique : garantie prévue dans certains contrats et qui consiste, pour l'assureur, à prendre à sa charge les frais de défense ou de représentation de l'assuré, pour un litige ou un différend l'opposant à un tiers.

Provisions techniques : provisions constituées à la fin de chaque exercice et permettant à l'assureur de régler le paiement d'un sinistre par les primes payées pour l'année où le sinistre a eu lieu.

Réassurance : une partie du risque est transférée d'un assureur à un autre, appelé réassureur ; la compagnie qui cède les risques est appelée la cédante.

Recours : réclamation qu'exerce une personne ayant subi un dommage auprès du responsable de ce dernier.

Résiliation : acte mettant un terme à un contrat établi entre un assureur et un assuré. La résiliation peut intervenir à la demande de l'une ou l'autre partie, moyennant préavis.

Responsabilité civile : obligation pour toute personne, selon le Code civil, de réparer les dommages causés à autrui. Assurance obligatoire qui couvre ce type de dommages.

Revalorisation : mesure prise pour éviter les effets de l'inflation sur le capital ou la rente.

Risque : événement contre lequel une personne désire s'assurer – exemple : vol, incendie, bris de glace, etc.

Sinistre : événement qui constitue la réalisation d'un risque prévu par le contrat d'assurance et qui fait jouer les garanties. Pour être pris en compte, tout sinistre doit faire l'objet d'une déclaration dans les délais prévus au contrat – normalement, cinq jours ; deux jours ouvrés, en cas de vol.

Souscripteur : personne qui signe le contrat d'assurance et effectue le paiement des primes, sans nécessairement être lui-même l'assuré.

Subrogation : *voir Recours*

Valeur agréée : valeur garantie dans le contrat.

Valeur de réduction ou **de rachat :** en assurance-vie, valeur d'un contrat d'assurance pour lequel le souscripteur cesse de payer les primes.

Vétusté : évaluation de l'ancienneté et de l'usure d'un bien, venant en diminution de l'indemnisation accordée par l'assureur en cas de sinistre.

---

somme d'argent **effet de commerce, traite, lettre de change, chèque, mandat**
– Soldat qui s'engage pour de l'argent **mercenaire**
– Désir effréné d'argent **cupidité, avarice, âpreté au gain**

ARGILE
syn. **glaise**
– Argile blanche **kaolin, calamite**
– Argile rougeâtre **sil, ocre**
– Argile additionné de calcaire **marne**
– Combinaison d'argile, de sable et de cailloux **boulbène**

– Combinaison d'argile et de paille **pisé, torchis, bauge**
– Emploi de l'argile **poterie, céramique, modelage**
– Argile utilisée pour la préparation des tissus **terre à foulon, argile smectique**

– Argile supportant une température élevée **réfractaire**

ARGOT *Voir tableau p. 41*

ARGUMENT

syn. **démonstration, justification, motif, preuve, raison, raisonnement**
– Argument conforme à la logique **syllogisme**
– Argument faux, spécieux, qui présente une apparence de vérité **sophisme**
– Argument en mathématiques **variable**
– Argument d'un essai, d'un discours **exposé, sommaire**
– Argument d'une œuvre théâtrale **prologue**

ARIDE

– Un terrain aride **inculte, pauvre, stérile, improductif, infécond, infertile, infructueux**
– Le sol aride du désert **sec, desséché**
– Un thème de réflexion aride **ingrat, rébarbatif, ardu, austère**

ARISTOCRATIE

syn. **noblesse**
– Aristocratie dans l'Antiquité romaine **patriciat**
– Aristocratie d'une corporation **élite, fleur**
– Aristocratie des sentiments **distinction, raffinement, élégance**

ARME

– Collection d'armes **panoplie, trophée**
– Lieu où sont entreposées des armes **arsenal**
– Commerce ou fabrique d'armes **armurerie**
– Accomplir un fait d'armes **exploit**
– Passer par les armes **fusiller, exécuter**
– Les armes en héraldique **armoirie**
– Le silence des armes **trêve, armistice, cessez-le-feu**
– Déposer les armes **capituler**
– Armes d'une ville **armoiries, blason, emblème**

ARMÉE

voir aussi **défense, militaire**
– Unité de corps d'armée **escouade, section, peloton, compagnie, escadron, bataillon, légion, phalange**
– Auxiliaire féminine dans l'armée de terre **AFAT**
– Corps d'armée **infanterie, cavalerie, artillerie, marine, aviation**
– Mouvements d'une armée en temps de paix **manœuvres**
– Loi qui permet à l'armée d'assurer le maintien de l'ordre **loi martiale**
– Art de diriger et d'entretenir une armée **logistique**
– Armée régulière **nationale**

ASTROLOGIE

VOCABULAIRE DE L'ASTROLOGIE

Ascendant : signe se trouvant à l'horizon à l'est au moment de la naissance.

Aspect zodiacal : rapport angulaire entre deux planètes. Aspects principaux : conjonction : 0,5° ; opposition : 180° ; trigone : 120° ; carré : 90° ; sextile : 60°. Aspects secondaires : sesqui-carré : 135° ; semi-carré : 45° ; semi-sextile : 30°.

Décan : division faite à l'intérieur même d'un signe du zodiaque (division de chaque signe en trois parties).

Généthliaque : relatif à l'horoscope.

Horoscope : étude astrologique d'un thème astral.

Lune noire : point fictif représenté par le second foyer de l'orbite lunaire. Elle fait le tour du zodiaque en 8 ans 311 jours et demi. Le point opposé à la lune noire est appelé « priape ».

Maison : les 12 maisons sont représentées par des fuseaux qui divisent la voûte céleste en fonction de l'heure et du lieu de naissance.

Signe : figure représentant la partie de l'écliptique traversée par le Soleil au moment de la naissance (chaque signe commence entre le 20 et le 24 du mois).

Thème astral : ensemble des données célestes existant au moment de la naissance.

Transit : passage zodiacal d'une planète à un moment donné sur un point sensible du ciel natal (planète, angle ou en aspect de ce point).

Zodiaque : bande circulaire partagée en son milieu par l'écliptique. Toutes les planètes de notre système solaire sont censées se déplacer sur cette bande. Elle est divisée en 12 parties égales, qui correspondent aux 12 signes du zodiaque.

THÉMATIQUE DES SIGNES DU ZODIAQUE

Bélier : signe de feu, impulsivité, initiative, vitalité.

Taureau : signe de terre, persévérance, solidité.

Gémeaux : signe d'air, dualité, souplesse, légèreté.

Cancer : signe d'eau, sensibilité, émotivité, rêve, fantaisie.

Lion : signe de feu, ardeur, autorité, caractère, rayonnement.

Vierge : signe de terre, raison, logique, rationalisme.

Balance : signe d'air, charme, séduction, sens artistique.

Scorpion : signe d'eau, activité, combativité, individualisme.

Sagittaire : signe de feu, idéalisme, religion, voyages.

Capricorne : signe de terre, méditation, lenteur, profondeur.

Verseau : signe d'air, originalité, inspiration, invention, altruisme.

Poissons : signe d'eau, bonté, indécision, évasion, philanthropie.

SYMBOLIQUE DES PLANÈTES

Soleil : énergie, force vitale.

Lune : instinctivité, émotivité.

Mercure : mobilité, adaptation, échange.

Vénus : beauté et amour.

Mars : violence et passion.

Jupiter : ampleur et autorité.

Saturne : gravité, épreuve.

Uranus : feu, explosion.

Neptune : extensivité, différenciation, intégration.

Pluton : ténèbres intérieures.

SIGNIFICATION DES MAISONS

Maison I : le Moi, le sujet tel qu'en lui-même, face à lui-même, la disposition de l'âme (personnalité, caractère).

Maison II : l'avoir (bien, richesses, propriétés, inspiration).

Maison III : les contacts immédiats, les relations, l'entourage.

Maison IV : la vie familiale, le foyer.

Maison V : la création, les jeux, les plaisirs, les amours, la procréation.

Maison VI : l'activité diurne (travail, problèmes domestiques) et la santé.

Maison VII : l'autre (union, collaborations, associations de cœur ou d'intérêt).

Maison VIII : les crises, la mort, les destructions, les héritages.

Maison IX : les longs voyages, les acquisitions de l'esprit et de l'âme (religion, foi, sagesse, sciences divinatoires, philosophie, songes).

Maison X : la vie en société (profession, carrière, position, honneurs).

Maison XI : amitiés (affinités, fidélité, désirs, projets).

Maison XII : les épreuves (afflictions, embûches, maladies, inimitiés cachées).

– Voir s'abattre une armée de criquets **nuée, multitude**

ARMEMENT

voir aussi **guerre**
– Vérifier l'armement d'une troupe **armes, munitions, équipement, matériel**
– Armement stratégique **nucléaire**
– Armement conventionnel **classique**

ARMER

– Le seigneur arme sa ville **fortifie**
– Le chevalier est armé par son suzerain **adoubé**
– Les marins arment le bateau pour le départ **avitaillent, équipent, gréent**
– Le maçon arme le béton pour les piliers **renforce, consolide**

ARMER (S')

– S'armer contre le terrorisme **protéger de (se), prémunir contre (se), garantir contre (se)**
– S'armer pour affronter les problèmes de la vie **blinder (se)**

ARMURE *Voir illustration p. 42*

– L'armure des chevaliers **cuirasse**
– Armure du cheval **caparaçon, barde**
– Le mépris est une armure efficace **protection, défense, rempart**
– Armure textile **tissu, tissage**

AROMATE *Voir tableau herbes et épices, p. 292-293*

syn. **condiments, épices, herbes**
– Utilisation des aromates **cuisine, cosmétologie, pharmacie**
– Thérapie fondée sur l'emploi des aromates **aromathérapie**

ARPENTAGE

– Technique de l'arpentage **mesurage, levé (ou lever) de plans, triangulation, bornage**
– Instrument servant à l'arpentage **décamètre, chaîne d'arpenteur, jalon, témoin**

ARRACHER

syn. **enlever, ôter, ravir**
– Arracher un objet de son socle **desceller**
– Arracher une souche **déraciner, essoucher**
– Arracher des mauvaises herbes **sarcler, essarter, défricher, déchaumer, désherber**
– Arracher une dent **extraire**
– Arracher des confidences à quelqu'un **soutirer, extorquer**
– Arracher une personne à un danger **soustraire**
– Arracher les racines d'un mal **extirper, éradiquer**

ARRANGEMENT

syn. **accommodement, compromis**
– Arrangement musical **orchestration, adaptation**

ARRANGER

syn. **disposer, ordonner**
– Arranger un bouquet **composer**
– Arranger une maison **agencer, aménager, installer**
– Arranger un texte **retoucher, remanier**
– Arranger une soirée **organiser**
– Arranger une rencontre **ménager**
– S'arranger d'une situation **accommoder (s'), contenter (se)**

ARRESTATION

syn. **interpellation**
– Ordre d'arrestation **mandat d'arrêt**
– Arrestation illégale **séquestration**
– Conséquences d'une arrestation **détention, garde à vue, incarcération, réclusion**

ARRÊT

– Temps d'arrêt **pause, répit, intervalle**
– Arrêt d'une séance **suspension, ajournement**
– Arrêt effectué au cours d'un voyage **étape, halte, escale**
– Arrêt d'un développement **stagnation**
– Arrêt cardiaque **syncope**
– Arrêt circulatoire **stase**
– Arrêt des fonctions cérébrales **apoplexie**
– Arrêt juridique **jugement, sentence, verdict**
– Mettre aux arrêts **consigner**

ARRÊTER

syn. **immobiliser, paralyser**
– Arrêter du courrier **intercepter**
– Arrêter un processus **entraver, interrompre, stopper**
– Arrêter un courant trop violent **freiner, endiguer**
– Arrêter un incendie **circonscrire**
– Arrêter l'évolution d'un mal **enrayer, juguler**
– Arrêter son choix **décider (se)**
– Arrêter une personne **interpeller, appréhender**
– Arrêter un marché **conclure**

ARRIVÉE

– L'arrivée de l'hiver **commencement, début**
– L'arrivée d'un parcours **fin, terme**
– Arrivée de marchandises **arrivage**
– Arrivée d'eau, de gaz **alimentation**

ARRIVER

– Le bateau arrive à quai **aborde, accoste**
– Le voilà, il arrive ! **vient, approche, apparaît, présente (se)**

– Cet accident est arrivé la semaine dernière **est survenu, est passé (s'), a eu lieu, est produit (s')**
– Son avion arrive à vingt heures **atterrit**
– Arriver à faire quelque chose **parvenir, réussir**
– L'eau arrive déjà à l'arche du pont **atteint, gagne**
– Il en arrive à douter de tout **en vient à, va jusqu'à**

ARRONDIR

– Le bateau arrondit le cap **contourne**
– Il voudrait arrondir ses fins de mois **compléter, augmenter**

ARRONDIR (S')

– Une bedaine qui s'arrondit **gonfle (se), enfle, grossit**

ARROSER

– L'horticulteur arrose ses plantes **asperge, bassine, baigne, pulvérise, vaporise**
– Se faire arroser **mouiller, doucher, tremper**
– La Seine arrose l'Île-de-France **irrigue, traverse**
– Arroser les cultures **irriguer, fertiliser**
– Arroser un baba de rhum **imbiber, humecter**
– L'aviation a copieusement arrosé les cibles **bombardé, mitraillé**
– Cette chaîne de radio arrose un vaste secteur **émet sur, couvre**

ARSENIC

syn. **anhydride arsénieux**
– Arsenic rouge **réalgar**
– Arsenic jaune utilisé en peinture **orpiment**

ART

– Amateur d'art **connaisseur, esthète**
– Protecteur des arts **mécène**
– Déesse des arts **muse**
– Lieu consacré à l'art **musée, galerie, pinacothèque, glyptothèque**
– Manifestation d'art **exposition, salon, festival**
– Professionnel de l'art **marchand, galeriste, conservateur, critique**
– Individu qui détruit ou saccage à dessein des œuvres d'art **iconoclaste**
– Manière dont est réalisée une œuvre d'art **facture**
– Arts décoratifs **broderie, tapisserie, céramique, ameublement, ébénisterie, orfèvrerie, verrerie**
– Arts plastiques **dessin, peinture, sculpture, gravure**
– Art du spectacle **théâtre, opéra, chorégraphie**
– Ensemble des arts composant le cours complet des études dans les universités médiévales **arts libéraux ou sept arts**

– Détail des arts libéraux **trivium, quadrivium**
– Philosophie de l'art **esthétique**
– Art du langage **rhétorique**
– Septième art **cinéma**

ART MARTIAL

– Arts martiaux **aïkido, jiu-jitsu, judo, karaté, kendo, kyudo**
– Salle réservée aux arts martiaux **dojo**
– Tapis ou natte couvrant le sol des endroits où l'on pratique les arts martiaux **tatami**

ARTÈRE

voir aussi **cœur**
– Étude des artères **artériologie**
– Examen radiologique des artères **artériographie**
– Paroi des artères **tunique**
– Artère principale **aorte**
– Artère permettant l'irrigation vers la tête **carotide**
– Petite artère **artériole**
– Maladie affectant les artères **artériopathie, artériosclérose**
– Obturation d'une artère **embolie**
– Altération des artères **anévrisme**
– Incision pratiquée sur une artère **artériotomie**

ARTICLE

– Un article de presse **chronique, bulletin, billet, éditorial, entrefilet, échos, brève, papier**
– Un article en comptabilité **écriture**
– Le prix de tous les articles est affiché en euros **marchandises, denrées, produits**
– Un article de loi **point, division, section, clause**
– Classe grammaticale à laquelle appartiennent les articles **déterminants**
– Personne à l'article de la mort **mourant, moribond, agonisant**

ARTICULATION

syn. **attache, jointure**
voir aussi **squelette**
– Tissu permettant l'articulation de deux os **ligament**
– Articulation mobile **diarthrose**
– Articulation peu mobile **amphiarthrose**
– Articulation immobile **synarthrose**
– Accident possible des articulations **entorse, luxation, déboîtement, ankylose**
– Liquide lubrifiant les articulations **synovie**
– Réaliser l'articulation de deux phénomènes **combinaison**
– Articulation linguistique **prononciation**
– Discipline visant à corriger les troubles de l'articulation **orthophonie**

– Maladie des articulations **goutte, rhumatisme, arthrite, coxalgie, spondylarthrite, polyarthrite**
– Système d'articulation sur un meuble **charnière**

ARTICULER

– Il parvint à articuler quelques mots **prononcer, bafouiller, balbutier, bredouiller**

ARTICULER (S')

– Tout s'articule parfaitement **structure (se), organise (s'), assemble (s')**

ARTIFICE

– Il utilise un artifice pour mieux convaincre **leurre, rouerie, ficelle, subterfuge, ruse, manœuvre, fourberie, stratagème**
– Artifice de perspective **trompe-l'œil**
– Artifice du prestidigitateur **tour**
– Artifice au service de la beauté **fard, maquillage, cosmétiques**
– Art du feu d'artifice **pyrotechnie**
– Spécialiste des feux d'artifice **artificier, pyrotechnicien**

ARTIFICIEL

syn. **fabriqué, factice**
– Fibre artificielle **synthétique**
– Colorant artificiel **chimique**
– Membre artificiel **prothèse**
– Pièce artificielle démontable **clastique**
– Phénomène artificiel **artefact**
– Chevelure artificielle **postiche, perruque, faux toupet**
– Un ton très artificiel **faux, affecté**

ARTILLERIE

voir aussi **canon**
– Tirs d'artillerie **canonnade, pilonnage, bombardement**
– Projectiles employés dans l'artillerie **obus, missile, roquette, shrapnell**
– Soldat versé dans l'artillerie **artilleur, artificier**

ARTISAN

syn. **compagnon, manuel, ouvrier**
– Artisan chargé d'exécuter un travail sans fournir le matériau **façonnier**
– Être l'artisan d'une réforme **auteur, responsable**

ASPECT

– Aspect d'un objet **forme**
– Aspect d'une personne **apparence, air, allure, physionomie**
– Ce n'est qu'un aspect de la question **côté, face**
– Vu sous cet aspect **angle, jour, perspective, rapport, point de vue**

ASPIRATION

– Aspiration mystique **élan**

– Aspiration à une vie meilleure **désir, rêve, prétention, espérance, espoir, souhait**
– Aspiration de vapeurs aromatisées dégageant les voies respiratoires **inhalation, inspiration**
– Aspiration de la graisse sous la peau **liposuccion**
– Aspiration d'un liquide au moyen d'une pompe **pompage**
– Le mouvement inverse de l'aspiration **expiration**

ASSAILLIR

syn. **agresser, attaquer, fondre sur**
– Assaillir de récriminations **harceler, presser**
– Être assailli par les soucis **accablé, tourmenté, submergé**

ASSAINIR

syn. **clarifier, épurer, purger, purifier**
– Assainir une région insalubre **assécher, drainer**
– Assainir une blessure **désinfecter, stériliser, aseptiser**
– Assainir l'eau **filtrer, décanter**
– Assainir un marché financier **équilibrer, stabiliser**

ASSEMBLAGE

– Un assemblage de différentes pièces **combinaison, assortiment, mosaïque, arrangement**
– Assemblage d'une voûte **armature, bâti, charpente**
– Assemblage par emboîtement **enfourchement**
– Assemblage de morceaux d'étoffe **patchwork**
– Assemblage hétéroclite d'un bric-à-brac **amalgame, mélange**
– Procéder à l'assemblage des pièces **montage, ajustage**
– Assemblage à réaliser soi-même **kit, prêt-à-monter**

ASSEMBLÉE

syn. **assistance, auditoire, compagnie, public, réunion**
– Assemblée de prêtres et de docteurs dans la Palestine ancienne **sanhédrin**
– Assemblée d'érudits, de spécialistes **aréopage**
– Assemblée de personnalités religieuses **consistoire, concile, conclave, synode, congrégation**
– Assemblée politique **plénum, assises, congrès**
– Assemblée nationale et Sénat, les deux organes du pouvoir législatif en France **parlement**
– Assemblée réunie pour un débat, pour résoudre une question **forum, colloque, séminaire, symposium**

– Membre d'une assemblée législative **député, parlementaire, sénateur**

ASSEMBLER

syn. **amasser, concentrer, grouper, joindre, réunir**
– Assembler des chiens de chasse en bon ordre **ameuter, rallier**
– Assembler des tons, des couleurs **marier, assortir, harmoniser**
– Assembler du mobilier **monter**
– Assembler les cahiers d'un livre **brocher, relier**
– Assembler bout à bout deux pièces de bois **enter, abouter**
– Assembler des cordages en les tressant **épisser**
– Jeu consistant à assembler des éléments épars **puzzle**

ASSEMBLER (S')

– S'assembler **attrouper (s'), agglutiner (s'), réunir (se), regrouper (se)**

ASSEOIR

– Asseoir son autorité **renforcer, affermir, fortifier**
– Asseoir une opinion sur un raisonnement **fonder en raison**

ASSIÉGER

– Assiéger un bâtiment **assaillir, cerner, investir**
– Être assiégé par le remords **obsédé, tourmenté, taraudé, rongé**
– Traite de l'art d'assiéger les villes **poliorcétique**

ASSIETTE

– Bord interne d'une assiette **marli**
– Terme désignant autrefois l'assiette **écuelle, gamelle**
– À cheval, avoir une bonne assiette **assise, position**
– L'assiette d'un navire **stabilité, équilibre**
– Contenu de l'assiette **assiettée**

ASSIGNER

– Assigner une tâche à quelqu'un **attribuer, confier, affecter**
– Assigner un prévenu **citer, convoquer**

ASSIMILATION

syn. **identification**
– Assimilation d'aliments **ingestion**
– Ensemble des phénomènes physiologiques d'assimilation **anabolisme**
– Assimilation chlorophyllienne **photosynthèse**
– Assimilation en rhétorique **paradiastole**
– Assimilation en linguistique **harmonisation, modification**
– Assimilation culturelle **adaptation, intégration, acculturation**

ASSISTANCE

voir aussi **appui**
– Assistance portée à une personne **aide, soutien, secours**

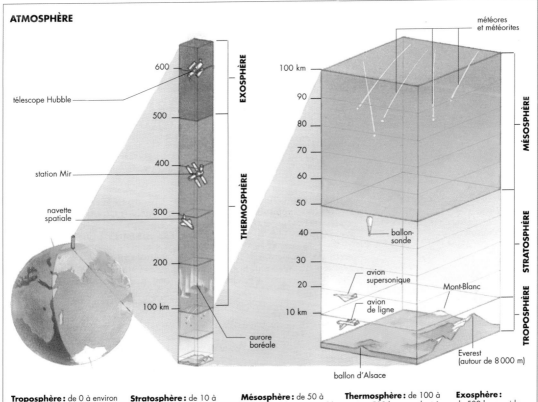

ATMOSPHÈRE

Troposphère : de 0 à environ 10 km ; la plus mince mais la plus importante pour la vie. C'est là qu'agit l'effet de serre.

Stratosphère : de 10 à environ 50 km ; se caractérise par la présence de la couche d'ozone

Mésosphère : de 50 à environ 100 km ; impossible d'y respirer ; la température y est de − 90 °C.

Thermosphère : de 100 à environ 500 km ; couche très chaude (entre 850 et 2 300 °C en fonction de l'activité solaire).

Exosphère : de 500 km au vide de l'espace.

AUTOMOBILE

ABS (de l'allemand *Antiblockiersystem*, antiblocage de sécurité) : dispositif qui empêche le blocage des roues lors du freinage afin d'éviter le dérapage du véhicule.

Aide au stationnement : dispositif qui indique la distance des obstacles pendant la manœuvre de stationnement en marche arrière grâce à des capteurs placés dans les pare-chocs (séquence de *bips* de plus en plus rapide).

Airbag frontal : coussin placé dans le volant du conducteur ou au-dessus de la boîte à gants du passager et qui se gonfle instantanément lors d'un choc frontal afin de protéger les passagers avant.

Airbag latéral : coussin placé dans la portière ou dans le dossier du siège et qui se gonfle instantanément lors d'un choc latéral afin de protéger le bassin ou la tête du passager.

Airbag rideau : coussin qui tombe le long des vitres des portières et se gonfle instantanément lors d'un choc latéral.

Antipatinage : système qui permet d'éviter le patinage des roues afin de garder le contrôle du véhicule.

Anti-sous-marinage : dispositif qui, grâce à la forme spécifique du siège, permet d'éviter que les personnes de petite taille ne

glissent sous la ceinture de sécurité lors d'un choc frontal.

Appui-tête actif : appui-tête qui s'incline légèrement vers l'avant lors d'un choc arrière afin d'éviter le coup du lapin.

Assistance au freinage : dispositif, intégré à certains systèmes ABS, qui a pour fonction d'augmenter la pression afin d'utiliser toute la puissance disponible lors du freinage.

Ceinture de sécurité adaptative : système qui permet une réponse adaptée en cas de choc grâce au limiteur d'effort *(voir ce mot)* et aux prétensionneurs *(voir ce mot)*.

Contrôle de stabilité : système qui aide le véhicule à se maintenir, car il détecte la moindre tendance au dérapage et corrige la trajectoire en agissant sur une ou plusieurs roues par l'intermédiaire du moteur ou des freins.

GPS *(global positioning system)* : système de radionavigation par satellite qui permet aux automobilistes équipés des récepteurs appropriés de connaître la position et la vitesse de leur véhicule.

Lampe au xénon : lampe qui permet d'obtenir un éclairage puissant, proche de la lumière du jour.

Limiteur d'effort : système qui

réduit la pression exercée par la ceinture de sécurité sur le thorax et l'épaule en cas de choc.

Ordinateur de bord : ordinateur qui, grâce à un microprocesseur relié à divers capteurs placés sur le véhicule, permet de calculer, d'afficher et de contrôler des paramètres tels que l'éclairage, la température extérieure, la consommation instantanée de carburant, la distance parcourue, la distance à parcourir avant la panne d'essence, etc.

Prétensionneur de ceinture : système qui plaque le conducteur contre son siège en cas de choc violent.

Radioguidage : informations sur le trafic routier transmises aux automobilistes par radio ou par téléphone.

RDS *(radio data system)* : dispositif de télécommunication sur les ondes FM qui permet l'ajustement automatique des stations de l'autoradio sur la fréquence adéquate, l'affichage du nom de la station, l'écoute de programmes spécifiques et la transmission d'informations routières.

Régulateur-limiteur de vitesse : système qui permet de sélectionner une vitesse que le véhicule maintiendra constante sans intervention du conducteur et indépendamment de l'inclinaison de la route. Le limiteur permet de fixer une vitesse maximale au-delà de laquelle la pédale d'accélérateur

devient inactive (elle se réactive par une forte pression du pied).

Régulateur de vitesse intelligent : dispositif qui calcule la bonne distance de sécurité en fonction de la vitesse grâce à un radar placé à l'avant du véhicule.

Répartiteur de freinage : dispositif intégré à certains systèmes ABS qui permet de répartir la force de freinage entre les roues avant et arrière indépendamment de la pression sur la pédale de frein ou de la charge du véhicule.

Rétroviseur intérieur électrochrome : il s'obscurcit progressivement lorsque la lumière devient trop forte afin d'éviter l'éblouissement du conducteur.

Surveillance de pression des pneus : ce système vérifie l'état des pneus et indique les éventuelles fuites lentes, crevaisons ou manque de pression. Sur certains modèles haut de gamme, ce système permet en outre d'afficher la pression par pneu.

Système de navigation : système de guidage électronique du véhicule, généralement connecté à trois capteurs : une antenne GPS, qui permet de définir la position de l'automobile, un capteur de vitesse et un gyroscope, qui mesure les changements de direction. Les informations de guidage sont données soit oralement, soit par fléchage ou carte aérienne sur un écran.

— Assistance technique **collaboration, coopération**
— Une nombreuse assistance **assemblée, public, auditoire**

ASSISTER
— Assister quelqu'un dans ses fonctions **seconder, collaborer**
— Assister un mourant **accompagner**
— Assister à un cours **suivre**
— Assister à un événement **être témoin, être spectateur, être présent**

ASSOCIATION
— Association d'idées **analogie, attraction, enchaînement, évocation, rapprochement, similitude**

ASSOURDIR
— Assourdir un son **étouffer, amortir, feutrer**
— Ce bruit nous assourdit **abasourdit, assomme, étourdit**

ASSURANCE *Voir tableau p. 45*
syn. **aisance, aplomb, confiance, fermeté, garantie, hardiesse, sang-froid, sûreté**
— Avoir l'assurance d'un événement **certitude, conviction**
— Contrat d'assurance **police**
— Ajout fait à un contrat d'assurance **avenant**
— Résiliation d'une police d'assurance maritime **ristourne**
— Réduction de la prime d'assurance **bonus**
— Majoration de la prime d'assurance **malus**
— Agent d'assurance **assureur, courtier**

ASSURER
— Assurer un édifice **étayer, consolider, assujettir, affermir**
— Assurer des biens **protéger, préserver, garantir**
— Assurer un oiseau **apprivoiser**

— Assurer quelqu'un de la véracité d'un fait **attester, certifier, affirmer**

ASSURER (S')
— S'assurer d'un fait **examiner, vérifier, contrôler**
— S'assurer contre un danger **prémunir (se), garantir (se), armer (s')**

ASTHME
— Manifestation de l'asthme **dyspnée, étouffement, suffocation**
— Personne souffrant d'asthme **asthmatique**

ASTRE
syn. **astéroïde, comète, étoile, planète, planétoïde, satellite**
— Bord d'un astre **limbe**
— Coordonnée équatoriale d'un astre **ascension, déclinaison**
— Trajet périodique effectué par un astre autour d'un autre astre **révolution**

– Phase de proximité ou d'éloignement des astres entre eux **conjonction, opposition**
– Dissimulation d'un astre par un autre **occultation, éclipse**
– Trajectoire décrite par un astre autour d'un autre astre **orbite**
– Mouvement qu'effectue un astre sur lui-même **rotation**
– Astre du jour **Soleil**
– Astre de la nuit **Lune**
– Culte des astres **astrolâtrie, sabéisme**

ASTROLOGIE *Voir tableau p. 46*
syn. **astromancie**
– Les bases de l'astrologie **signes zodiacaux, planètes, maisons, aspects majeurs**

ASTRONAUTIQUE
– Domaine d'étude de l'astronautique **espace**
– Science collaborant aux progrès de l'astronautique **astronomie, astrophysique, cosmonautique**
– Engin utilisé dans l'astronautique **fusée, satellite, sonde, vaisseau, astronef, station spatiale**
– Application technique de l'astronautique **télécommunication, météorologie**

ASTRONOMIE
syn. **cosmographie**

ASTUCIEUX
– Un gamin astucieux **rusé, fin, malin, espiègle, malicieux**
– Un procédé astucieux **ingénieux**

ATELIER
– Atelier de charité **ouvroir**
– Atelier de photographe **studio**
– Groupe d'ateliers **fabrique, manufacture**

ATHÉE
syn. **agnostique, impie, incroyant, irréligieux, mécréant, non-croyant, rationaliste**
– Athée dont l'incroyance est notoire **libertin, libre-penseur, sceptique**

ATHLÉTISME
voir aussi **sport**
– Épreuve disputée en athlétisme **sprint, relais, course de haies, lancer, saut**
– Compétition en athlétisme **pentathlon, heptathlon, décathlon, triathlon, marathon**

ATMOSPHÈRE *Voir illustration p. 49*
– Phénomène se produisant dans l'atmosphère **météore**
– Ensemble des êtres vivant dans l'atmosphère **biosphère**

– Région de l'atmosphère où prédomine l'ozone **stratosphère**

ATMOSPHÉRIQUE
– Étude des phénomènes atmosphériques **météorologie**
– Mouvements atmosphériques **vents**
– Instrument mesurant la pression atmosphérique **baromètre**
– Unité de mesure de la pression atmosphérique **pascal, bar**
– Éléments d'une égale pression atmosphérique **isobares**

ATOME
syn. **particule**
– Composition de l'atome **noyau, électron**
– Élément formant le noyau de l'atome **neutron, proton**
– Ensemble d'atomes **molécule**
– Combinaison d'atomes opérée grâce à une température très élevée **fusion**
– Fractionnement d'un noyau d'atome **fission**
– Domaine d'étude de l'atome **physique, chimie**
– Théorie fondée sur l'existence des atomes **atomistique**
– Philosophie selon laquelle l'Univers est composé d'atomes **atomisme**
– Fondateur de l'atomisme **Démocrite, Épicure, Lucrèce**

ATOMIQUE
– Éléments de même nombre atomique **isotopes**
– Énergie produite à partir de la réaction atomique **nucléaire**
– Spécialiste de physique atomique **atomiste**
– Structure dans laquelle sont produites des réactions atomiques **réacteur**
– Bombe utilisant la fusion atomique **bombe H**
– Bombe utilisant la fission atomique **bombe A**
– Conséquence d'une explosion atomique **radioactivité, irradiation**
– Première utilisation de l'arme atomique **Hiroshima, Nagasaki**

ATROCE
– Massacre atroce **horrible, abominable, effroyable, monstrueux, ignoble, barbare, odieux, cruel**
– Douleur atroce **insupportable, affreuse, intolérable, épouvantable**

ATROCITÉ
– Atrocité d'un crime **cruauté, barbarie, férocité, monstruosité**
– Exemple d'atrocité **crime, mutilation, torture, exaction, sévices, supplice**
– Les atrocités proférées par ses détracteurs **horreurs, calomnies**

ATTACHE
syn. **chaîne, courroie, lacet, lien, ruban, sangle**
– Attache réunissant des feuillets **trombone, agrafe**
– Attache d'un bijou **fermoir**
– Attache d'une plante **vrille, cirre, crampon**
– Attache du corps **cou, poignet, cheville, genou, coude, épaule, hanche**
– Avoir des attaches dans une ville, un pays **relations, racines**

ATTACHEMENT
– Forme d'attachement sentimental **affection, amitié, amour, estime, tendresse, sympathie**
– Un attachement excessif à une idée **obsession, fixation**

ATTACHER
– Attacher une embarcation **amarrer**
– Attacher solidement une personne, un objet **ligoter, arrimer, lier, enchaîner, ficeler**

ATTACHER (S')
– S'attacher à faire quelque chose **appliquer (s'), efforcer (s')**

ATTACHER
syn. **assembler, fixer, maintenir**

ATTAQUE
syn. **agression**
– Attaque militaire **offensive, assaut, charge, razzia, échauffourée, escarmouche**
– Phase d'attaque d'un combat **assaut, offensive, abordage, charge**
– Attaque brusque, violente, sournoise et préméditée **guet-apens, embuscade, attentat, traquenard**
– Attaque aérienne **raid**
– Attaque navale **abordage**
– Mener des attaques répétées **harceler**
– Attaque menée contre une communauté juive **pogrom**
– Attaque dont le motif est la vengeance **riposte, représailles**
– Attaque verbale **sortie, invective, insulte, accusation, diatribe, injure, offense**
– Attaque par voie de plume **pamphlet, factum, libelle, épigramme, satire, philippique**
– Attaque ou impulsion brusque et irrésistible qui pousse le sujet à des actes graves **accès, crise, poussée, raptus**

ATTAQUER
syn. **assaillir, combattre**
– Attaquer une décision, une politique **critiquer, contester, condamner**
– Un matériau est attaqué **altéré, entamé, rongé, corrodé**

ATTAQUER (S')
– S'attaquer à une activité **aborder, entreprendre, commencer, entamer, amorcer**

ATTEINDRE
syn. **arriver, parvenir, rejoindre**
– Être atteint par un projectile **touché, blessé**
– Être atteint d'un mal **frappé**
– Être moralement atteint **affecté, choqué, bouleversé**

ATTENDRE
syn. **demeurer, patienter, rester**
– Attendre la venue d'une personne, d'un animal **guetter**
– Attendre impatiemment **languir, morfondre (se), sécher**
– Attendre le moment opportun pour agir **temporiser, différer, surseoir, atermoyer**

ATTENDRE (S')
– S'attendre à quelque chose **prévoir, pressentir, escompter**

ATTENDRIR
– Attendrir une viande **amollir**
– Appareil servant à attendrir la viande **attendrisseur**
– Les sourires du bébé attendrissent les parents **émeuvent, touchent**

ATTENDRIR (S')
– Les bienfaiteurs s'attendrissent sur le sort d'autrui **s'apitoient**

ATTENTAT
syn. **agression, attaque, forfait**
– Statut juridique d'un attentat **délit, crime**
– Attentat commis généralement par des militaires pour s'emparer du pouvoir **coup d'État, putsch, pronunciamiento**
– Attentat à la pudeur **outrage, offense**
– Attentat à l'explosif **plasticage**

ATTENTE
syn. **délai, pause**
– Symbole de l'attente fidèle **Pénélope**
– Attente incertaine **expectative**
– Attente imposée par des règlements sanitaires **quarantaine**
– Période d'attente pour une femme enceinte **gestation, grossesse**
– Lieu d'attente **vestibule, hall, antichambre, entrée, salle d'attente**
– Solution d'attente **pis-aller**
– Satisfaire l'attente d'une personne **souhait, espoir, désir**
– Période d'attente infligée à un prévenu avant le procès **détention préventive**
– Individu faisant de l'attente une manière d'agir **attentiste**

ATTENTIF
– Un enfant attentif **sérieux, studieux, appliqué, diligent, obéissant, soigneux**
– Être attentif à un danger **prudent, vigilant, sur ses gardes**

ATTENTION
– Attention portée à une personne **prévenance, sollicitude, égards**
– Faire preuve d'une attention soutenue **contention, concentration**
– Manque d'attention **distraction, étourderie, inadvertance**
– Trouble neurologique induisant une difficulté d'attention **obtusion**
– Retenir l'attention **captiver**
– Deux formes d'attention **spontanée, volontaire/réfléchie**

ATTÉNUER
syn. **amoindrir, diminuer, assourdir, réduire**
– Atténuer une passion **modérer, tempérer**
– Atténuer la saveur d'un plat **adoucir, édulcorer**
– Atténuer la violence d'un choc **amortir**
– Des sensations atténuées **affaiblies, émoussées**

ATTERRISSAGE
voir aussi **avion**
– Dispositif permettant l'atterrissage **train d'atterrissage**
– Repères disposés sur la piste d'atterrissage **balises**
– Atterrissage forcé **crash**
– Atterrissage sur un porte-avions **appontage**
– Atterrissage sur la Lune **alunissage**

ATTIRANT
syn. **fascinant, plaisant**
voir aussi **appétissant**
– C'est une personne très attirante **séduisante, attachante, aguichante, ensorcelante, charmante**
– Une affiche attirante **attractive, attrayante, alléchante**
– Il y a quelque chose d'attirant dans cette proposition **intéressant, engageant**

ATTIRER
– Attirer un liquide **aspirer, pomper**
– Attirer un animal grâce à un appât **amorcer**
– Attirer une personne en la hélant **racoler**
– Attirer une personne au moyen d'un subterfuge **enjôler, leurrer, abuser**

ATTIRER (S')
– S'attirer les bonnes grâces de quelqu'un **gagner, obtenir**
– S'attirer la colère **déclencher, susciter, provoquer, exciter, exacerber**

ATTITUDE
syn. **maintien, position, posture, tenue**
– Attitude en chorégraphie **pose**
– Avoir une attitude face à un discours **opinion, point de vue, avis**
– Attitude psychologique **comportement, conduite, caractère**

ATTRACTION
– Attraction universelle **gravitation, pesanteur**
– Corps dont la propriété première est l'attraction **aimant**
– Attraction exercée sur une personne **attirance, séduction, fascination, magnétisme**
– Parc d'attractions **jeux, loisirs, divertissements**

ATTRAIT
– Attrait d'une vie paisible **agrément, charme, plaisir**
– Ressentir de l'attrait pour la lecture **attirance, intérêt, goût, inclination, penchant**
– Les attraits féminins **beauté, appas, charmes, grâce**

ATTRAPER
syn. **agripper, saisir, s'emparer de**
– Attraper violemment **happer**
– Attraper un malfaiteur **appréhender, capturer**
– Attraper une maladie **contracter**
– Se faire attraper par son instituteur **gronder, réprimander, sermonner**
– Se faire attraper par un bonimenteur **tromper, abuser, leurrer, duper, enjôler, séduire**

ATTRAYANT
voir aussi **attirant**

ATTRIBUER
syn. **affecter, conférer, imputer**
– Attribuer une prime, une bourse **allouer, octroyer**
– Attribuer un prix, une récompense **décerner, adjuger**
– Attribuer à quelqu'un la responsabilité d'un événement **accuser, incriminer**

ATTRIBUER (S')
– S'attribuer illicitement des prérogatives **usurper, arroger (s'), approprier (s')**

ATTRIBUT
syn. **particularité, propriété, qualité, symbole**
– Attribut de la justice **glaive, balance**
– Attribut nécessaire lors d'une représentation théâtrale **accessoire**
– Attribut représentant un métier, un parti **emblème**
– Attribut en logique **prédicat**

AVION

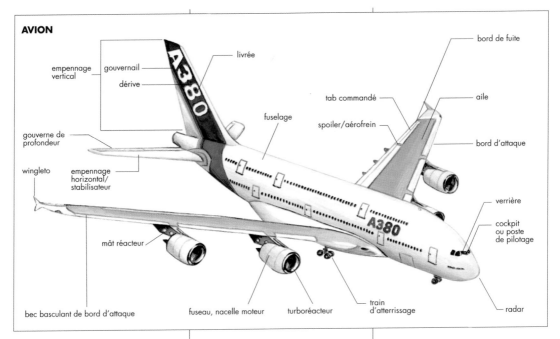

empennage vertical — gouvernail
dérive
livrée
bord de fuite
gouverne de profondeur
winglet℮
empennage horizontal/ stabilisateur
tab commandé
spoiler/aérofrein
fuselage
aile
bord d'attaque
verrière
cockpit ou poste de pilotage
radar
train d'atterrissage
mât réacteur
bec basculant de bord d'attaque
fuseau, nacelle moteur
turboréacteur

– Les attribut de Dieu qui définissent son essence **métaphysiques (omniscience), moraux (providence)**

AUBERGE
voir aussi **hôtel, restaurant**
– Prendre son repas dans une auberge **table d'hôtes, taverne**
– Auberge qui autrefois servait d'étape **relais de poste, caravansérail**
– Auberge où l'on ne trouve que ce que l'on a soi même apporté **posada, auberge espagnole**
– Client d'une auberge **hôte**

AUDACE
syn. **assurance, bravoure, courage, hardiesse, intrépidité, sang-froid**
– Audace démesurée **témérité**
– Avoir une audace certaine **aplomb, toupet, insolence, impudence**

AUDACIEUX
syn. **aventureux, fougueux, hardi, impétueux, risque-tout**
– Un style audacieux **novateur, original, révolutionnaire**

AUDITEUR
– Auditeur d'une société **contrôleur**

AUDITION
– Sens de l'audition **ouïe**
– Appareil destiné à améliorer l'audition **audiophone, sonotone**
– Passer une audition **essai, test**

– Lieu réservé aux auditions **auditorium**
– Trouble de l'audition **surdité, hypoacousie, hyperacousie**

AUGMENTATION
– Augmentation de la population **accroissement**
– Augmentation d'une douleur **intensification, accentuation, exacerbation, redoublement**
– Augmentation d'un tarif **majoration**
– Augmentation massive des prix **inflation**
– Augmentation du volume d'un corps **dilatation, distension, enflure, gonflement**
– Augmentation de l'intensité musicale **crescendo**

AUMÔNE
– Vivre d'aumônes **oboles, dons, offrandes**
– Demander l'aumône **mendier, faire la manche**
– Faire l'aumône **charité**
– Aumône à la messe **quête**

AUSCULTATION
– Méthode d'auscultation **percussion, succussion**
– Instrument servant à l'auscultation **stéthoscope**

AUSTÈRE
– Un lieu austère **sobre, dépouillé, ascétique**

– Une morale austère **rigide, rigoureuse, draconienne, sévère, rigoriste, dure**

AUSTÉRITÉ
– Individu dont l'idéal était l'austérité **spartiate, stoïcien, puritain**
– Pratique de l'austérité **ascèse, abstinence, mortification, pénitence**

AUTEL
– Autel romain **laraire**
– Autel chez les Perses **Pyrée**
– Partie basse d'un autel **prédelle**
– Élément orné situé à l'arrière d'un autel **retable**
– Autel principal d'un lieu de culte catholique **maître-autel**
– Sacrement sur l'autel **eucharistie**
– Autel utilisé lors des processions **reposoir**
– Petite armoire au milieu de l'autel renfermant le ciboire **tabernacle**
– Dais placé au-dessus d'un autel **baldaquin**
– Étoffe sacrée sur l'autel qui reçoit la patène et le calice **corporal**
– Conduire une personne à l'autel **épouser**

AUTEUR
syn. **créateur, écrivain**
– Auteur de nouvelles **nouvelliste**
– Auteur de récits en prose **romancier, essayiste, dramaturge, prosateur, écrivain**

– Auteur qui écrit pour le compte d'un autre **nègre**
– Droits exclusifs que détient l'auteur **copyright**
– L'auteur d'un morceau de musique **compositeur**
– Auteur de textes de chansons **parolier**
– Auteur d'une découverte **inventeur, découvreur**
– Auteur d'un méfait **responsable, instigateur**
– Argent que perçoit un auteur en fonction du nombre d'exemplaires vendu **droits d'auteur**
– Auteur qui paie lui même les frais d'impression **à compte d'auteur**

AUTHENTIQUE
syn. **véritable**
– Produire un document authentique **certifié, notarié, officiel**
– Un fait authentique **avéré, véridique, attesté, indubitable**

AUTOCHTONE
syn. **natif, indigène**
– Population autochtone **aborigène**
– Population autochtone des États-Unis **Indiens, Amérindiens**
– Langue des autochtones **vernaculaire**

AUTOMATIQUE
syn. **instinctif, involontaire, machinal, mécanique, spontané**
– Arme automatique **mitrailleuse**
– Science qui étudie les traitements automatiques de l'information **cybernétique**
– Technique permettant la mise en œuvre des processus automatiques **automation, automatisation**

AUTOMNE
syn. **arrière-saison**
– Chute des feuilles de nombreuses plantes en automne **défoliation**
– Couleur d'automne **automnale**

AUTOMOBILE *Voir tableau p. 50 et illustration p. 630*
syn. **break, véhicule, berline, coupé, voiture**
– Automobile décapotable **cabriolet**
– Totalité des automobiles d'un pays **parc**

AUTONOMIE
syn. **indépendance, liberté**
– Autonomie d'un État **souveraineté**
– Partisan de l'autonomie d'un territoire **séparatiste, nationaliste, sécessionniste**

AUTOPSIE
syn. **dissection, nécropsie, vivisection**
– Stade d'une autopsie **ouverture, examen histologique, étude toxicologique**
– Médecin spécialiste des autopsies **légiste**
– Autopsie en philosophie **vision, révélation**

AUTORISATION
syn. **accord, consentement**
– Autorisation de sortie **permission, laissez-passer**
– Autorisation d'exercer **droit**
– Autorisation d'exploiter un bien public **concession**
– Autorisation exceptionnelle de ne pas faire quelque chose **dispense, dérogation, exemption**

AUTORISER
syn. **permettre**
– Autoriser légalement une personne à remplir une fonction **habiliter**

AUTORITAIRE
syn. **absolu, impératif, impérieux, intransigeant**
– Un gouvernement autoritaire **absolutiste, despotique, totalitaire, dictatorial, tyrannique**

AUTORITÉ
– Autorité suprême d'un monarque **souveraineté, toute-puissance**
– Exercer son autorité sur un pays **puissance, empire, domination, pouvoir**
– Vivre sous l'autorité de **loi, férule**
– Diriger avec une autorité abusive **régenter, opprimer, tyranniser**
– Avoir de l'autorité sur quelqu'un **influence, ascendant, pouvoir**
– Un texte qui fait autorité **référence**

AUTRUCHE
– Sous-classe à laquelle appartient l'autruche **ratites**
– Autruche d'Amérique **nandou**
– Progéniture de l'autruche **autruchon**
– Lieu d'élevage des autruches **autrucherie**

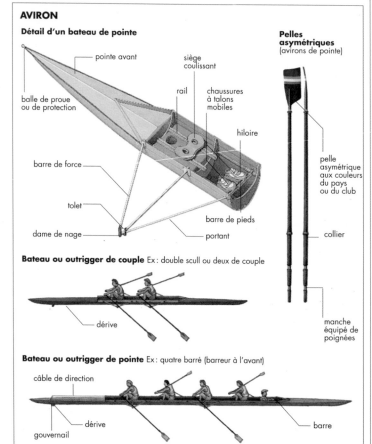

AVIRON

Détail d'un bateau de pointe

pointe avant
siège coulissant
rail
chaussures à talons mobiles
balle de proue ou de protection
hiloire
barre de force
tolet
dame de nage
barre de pieds
portant

Pelles asymétriques (avirons de pointe)

pelle asymétrique aux couleurs du pays ou du club
collier
manche équipé de poignées

Bateau ou outrigger de couple Ex : double scull ou deux de couple
dérive

Bateau ou outrigger de pointe Ex : quatre barré (barreur à l'avant)
câble de direction
dérive
gouvernail
barre

– Pratique de la politique de l'autruche **lâcheté**

AUXILIAIRE
syn. **acolyte, aide, assistant, collaborateur, coadjuteur, complice, vacataire**
– Jouer un rôle d'auxiliaire **adjoint, annexe, second**
– Auxiliaire qui accède à un poste en titre **titulaire**
– Auxiliaires qui venaient grossir les troupes romaines **auxilia, Barbares**
– Troupes auxiliaires **renfort**

AVALER
syn. **absorber, déglutir**
– Avaler des aliments **ingérer**
– Avaler goulûment **engloutir, ingurgiter, gober**

AVANCE
– Avance d'une troupe **progression**
– Avance versée pour une commande **arrhes**
– Avance sur salaire **acompte**
– Avance donnée à un homme de loi **provision**
– Avance consentie avec intérêts **prêt, crédit, escompte**
– Faire des avances à une personne **approches, propositions**

AVANCER
– Avancer la date d'un départ **anticiper, précipiter, brusquer**
– Avancer des arguments **invoquer, alléguer, affirmer**
– Avancer au sein d'une hiérarchie **monter en grade, progresser**
– Avancer par rapport à un alignement **saillir, déborder, mordre**

AVANT-GARDE
– Composition d'une avant-garde militaire **extrême pointe, pointe, tête**
– Mener un combat d'avant-garde **révolutionnaire**
– Être l'avant-garde d'un courant artistique **novateur, précurseur**

AVANTAGE
syn. **atout, dessus, profit, supériorité**
– Avantage financier accordé à un veuf ou à une veuve **préciput**
– Jouir d'avantages certains **privilèges, prérogatives**

AVANTAGEUX
syn. **précieux, utile**
– Trouver un compromis avantageux **intéressant, bénéfique, profitable, salutaire**
– Brosser un portrait avantageux **favorable, flatteur**

AVARE
syn. **chiche, cupide, pingre**
– Modèle de l'avare **Harpagon**
– Activité favorite d'un avare **lésiner, grappiller, amasser, écornifler, rogner, thésauriser**
– Se montrer avare de compliments **économe, parcimonieux**

AVENIR
syn. **futur, lendemain**
voir aussi **divination**
– Travailler pour l'avenir **postérité**
– Conscience d'un événement à venir **prémonition, prescience, précognition**
– Signe précurseur de l'avenir **présage, augure, auspices**
– Art de prédire l'avenir **divination, chiromancie, voyance, cartomancie, nécromancie**
– Personne qui prédit l'avenir **voyant, devin, diseur, chiromancien, prophète, cartomancien, nécromancien**
– Personne qui prédisait l'avenir dans l'Antiquité **aruspice, augure, pythie, pythonisse, sibylle**

AVENTURE
– Livre d'aventures **récit, histoire, épopée**
– Aventure amoureuse **intrigue, liaison**
– Aventure malheureuse **mésaventure, incident, déboires**
– Tenter l'aventure **risquer, se hasarder, oser**

AVENTURIER
syn. **audacieux, imprudent, téméraire**

AVERSE
syn. **pluie**
– Petite averse **crachin, bruine**
– Grosse averse **trombe, déluge, ondée, saucée**
– Averse de mars **giboulée**
– Averse accompagnée de rafales de vent **grain**
– Averse en Belgique **drache**

AVERTI
– Une personne avertie en vaut deux **avisée, informée, expérimentée, instruite, prévenue, renseignée, alertée, éclairée**

AVERTIR
– Avertir d'un danger **prévenir, alerter**
– Avertir d'une décision **informer, aviser, communiquer**

AVERTISSEMENT
– Bien suivre les avertissements d'une personne **conseils, recommandations**
– Avertissement ouvrant un film, un livre **avis, introduction, préliminaire,** prolégomènes, exorde, préambule, préface, avant-propos
– Avertissement réprobateur **réprimande, semonce, admonestation, remontrance**
– Infliger un avertissement **sanction, blâme**
– Avertissement de départ adressé par un salarié à son employeur **préavis**

AVEUGLE
– Une fenêtre aveugle **murée, borgne**
– Écriture en relief conçue pour les aveugles **braille**
– Mal dont les aveugles sont frappés **cécité, amaurose**
– Rendu aveugle par la passion **égaré**
– Accorder une confiance aveugle **totale, absolue, illimitée**

AVIATEUR
voir aussi **avion, navigant, pilote**
– Aviateur chargé de larguer les bombes **bombardier**

AVIDE
– Avide d'argent **cupide**
– Avide de nourriture **vorace, glouton**
– Avide de gloire **ambitieux**
– Avide de connaître **impatient, anxieux**
– Porter des regards avides sur quelqu'un **concupiscents, libidineux**

AVION *Voir illustration p. 53*
syn. **aéronef, aéroplane**
– Avion à réaction **jet**
– Avion conçu pour décoller et se poser sur l'eau **hydravion**
– Avion qui rappelle l'hélicoptère par son aspect **autogire**
– Avion destiné au transport des marchandises **avion-cargo**
– Avion utilisé pour la lutte contre l'incendie **Canadair**
– Avion loué à une compagnie **charter**
– Affréter un avion **noliser, chartériser**
– Inscription des passagers et des bagages avant de monter à bord d'un avion **enregistrement**
– Faire son premier voyage en avion **baptême de l'air**
– Carburant utilisé pour les avions **kérosène**
– Alimenter un avion en carburant **avitailler**
– Avion-suicide japonais **kamikaze**
– Avion militaire télécommandé **drone**
– Avion équipé de radars électroniques **Awacs**
– Groupe d'avions de combat **escadrille, flottille, formation**
– Avion dont la vitesse est supérieure à la vitesse du son **supersonique**
– Avion dont la vitesse est inférieure à la vitesse du son **subsonique**
– Constructeur d'avions **avionneur**

– Application de l'électronique à la construction des avions **avionique**
– Figure de voltige effectuée par un avion **piqué, vrille, renversement, looping, retournement, tonneau**

AVIRON *Voir illustration p. 54*
syn. **rame**
– Aviron situé à l'arrière d'une embarcation **godille**
– Point d'appui d'un aviron **portage**
– Bateau utilisant l'aviron **outrigger, périssoire, yole**
– Aviron de petite dimension **pagaie**
– Canot mû par un aviron court **canoë, kayak, pirogue**

AVIS
– Avis adressé à plusieurs personnes **circulaire**
– Donner son avis sur une question **point de vue, opinion, sentiment, jugement**
– Avis officiel **communiqué**
– Avis exposé sur la voie publique **placard, affiche, annonce, avertissement**

AVOCAT
syn. **conseil, défenseur, intercesseur**
– Discours prononcé par un avocat **plaidoirie, plaidoyer**
– Exposition des chefs d'accusation par l'avocat général **réquisitoire**
– Ordre des avocats **barreau**
– Représentant de l'ordre des avocats **bâtonnier**
– Tenue de l'avocat **robe, toge, épitoge, toque**

AVOINE
– Famille à laquelle appartient l'avoine **graminacées**
– Grain d'avoine **gruau**
– Terrain semé d'avoine **avenière**
– Avoine élevée **fromental**
– Une ration d'avoine **picotin**

– Préparation à base de flocons d'avoine **muesli**
– Bouillie d'avoine **porridge**

AVOIR /1
– Il a une entreprise florissante **possède, détient**
– Il a beaucoup de temps libre pour ses loisirs **dispose**
– Elle a une très bonne réputation dans la profession **bénéficie de, jouit de**
– Où avez-vous eu votre voiture ? **acheté**
– Elle a un pantalon neuf **porte**
– Elle a 10 kilos de trop pour sa taille **pèse**
– Il n'a aucune estime pour elle **éprouve, ressent**
– J'ai dû courir pour avoir mon bus **attraper**
– L'étudiant a eu son examen en juin **obtenu**
– Ils ont des amis ce soir **reçoivent**
– Elle a une femme de ménage **emploie**
– Cela n'a pas que des avantages **présente, offre**
– Nous avons à accomplir certaines tâches **devons, sommes tenus de**
– Il n'a pas eu sa cible **touché, atteint**
– Je l'ai bien eu ! **attrapé, dupé, trompé, leurré, bluffé, berné, abusé**

AVOIR /2
– Savoir gérer son avoir **biens, argent, fortune, richesses, patrimoine, possessions**
– Le doit et l'avoir d'un compte **actif, crédit**
– Un avoir fiscal **crédit d'impôt**

AVORTEMENT
syn. **fausse-couche, IVG**
– Substance provoquant l'avortement **abortive**
– Avortement observé sur les arbres frui-

tiers **coulure**
– Avortement observé sur les pieds de vigne **millerandage**
– Avortement d'un projet **échec, insuccès, faillite**
– Avortement par aspiration **méthode Karmann**

AVOUER
syn. **reconnaître, admettre, concéder**
– Avouer une faute, un délit **confesser**

AXE
– Axe en mécanique **pivot, essieu, arbre**
– Axe cérébro-spinal **névraxe**
– Vertèbre du cou jouant pour la tête le rôle d'un axe **axis**
– Éléments végétaux formant un axe **axiles**
– Axe d'une recherche **direction, orientation**

AZOTE
syn. **nitrogène**
– Élément vital principalement composé d'azote **air**
– Quantité d'azote contenue dans le sang **azotémie**
– Sel de l'acide azotique **nitrate, azotate**
– Application industrielle de l'azote **engrais, explosif, colorant**
– Technique de durcissement des alliages ferreux par l'azote **nitruration**
– Maladie provoquée par un excès de produits azotés dans l'organisme **urémie**

BABINE
– S'essuyer les babines **lèvres, badigoinces**
– S'en lécher les babines **délecter de (se), régaler de (se), raffoler de, savourer**
– Le chien retrousse les babines **grogne**

BABIOLE
– Aimer les babioles **bibelot, gadget, bricole**
– Se fâcher pour une babiole **bagatelle, futilité, broutille, rien, bêtise, sottise, vétille, misère, niaiserie**
– Babiole servant de parure **affiquet, breloque, brimborion, colifichet, fanfreluche**

BABYLONIEN
– Babylonien sémite **Amorrite**
– Écriture utilisée par les Babyloniens **cunéiforme**
– Langue parlée par les Babyloniens **akkadien, sumérien**
– Tour babylonienne **ziggourat**
– Stèle babylonienne **koudourrou**
– Tour babylonienne mythique censée atteindre le ciel **tour de Babel**
– Reine légendaire babylonienne **Sémiramis**
– Déesse babylonienne de la fécondité **Ishtar**

BAC
– Conducteur d'un bac **passeur, batelier**
– Conducteur du bac qui, dans la mythologie grecque et romaine, fait traverser aux morts l'Achéron **nocher**
– Droit payé à un conducteur de bac **batelage**
– Bac à une voile **toue**
– Bac de petites dimensions **bachot**
– Bac qui glisse le long d'un câble **pont volant, traille**
– Bac qui va alternativement d'une rive à l'autre **va-et-vient, traversier**
– Bac utilisé dans la marine **baille**
– Bac de grandes dimensions en bois ou en métal **baquet, cuve, auge, seille**
– Bac utilisé pour dessaler le poisson **cuvier**

– Bac employé pour la vendange **comporte, bouille**
– Grand bac servant à transporter du poisson **bachotte**
– Ensemble de bacs **batterie**

BACCALAURÉAT
voir aussi diplôme
– Titulaire du baccalauréat **bachelier**
– Préparation intensive au baccalauréat **bachotage**

BÂCLER
– Bâcler un travail **expédier, saboter**
– Bâcler un texte (terme désuet) **brocher**
– Ne pas bâcler un travail **soigner, fignoler, peaufiner, parfaire, ciseler**

BACTÉRIE
syn. **bacille, microbe, virus**
– Qui détruit les bactéries **antibactérien, bactéricide, antibiotique**
– Étude des bactéries **bactériologie**
– Médecin, biologiste spécialisé dans l'étude des bactéries **bactériologiste**

BADAUD
syn. **curieux, flâneur, gobe-mouche, promeneur, passant**
– Caractère ou comportement propre au badaud **badauderie, oisiveté**
– Ce que fait le badaud **musarder, muser, baguenauder, lanterner, flâner, déambuler, divaguer**

BADGE
– Badge accroché à un vêtement **insigne, broche, pin's, épinglette, macaron**
– Badge de contrôle d'accès **carte magnétique**

BADINER
– On ne badine pas avec les sentiments **plaisanter, amuser (s'), folâtrer, jouer**

BADMINTON
– Équipement de badminton **raquette, filet, volant**

BAFOUER
– Bafouer quelqu'un **ridiculiser, jouer**

de (se), railler, gausser de (se), brocarder, vilipender, outrager, persifler, blasonner
– Bafouer publiquement quelqu'un **conspuer, huer, siffler, honnir**
– Bafouer la loi, l'honneur, l'autorité **fi de (faire), fouler aux pieds, litière de (faire), braver, dédaigner, mépriser, négliger, piétiner**

BAGAGE
– Sorte de bagage **sac, malle, valise, mallette, serviette, trousse, baluchon**
– Bagage de soldat **équipement, paquetage, cantine, fourniment, barda, fourbi, équipage**
– Bagages encombrants d'une armée **impedimenta**
– Bagage de commis voyageur **marmotte**
– Employé affecté aux bagages **bagagiste, porteur**
– Plier bagage **retirer (se), déguerpir, enfuir (s'), éclipser (s'), sauver (se), décamper**
– Bagage intellectuel **connaissances, savoir, instruction, compétence, acquis, érudition, culture**

BAGARRE
syn. **mêlée, échauffourée, empoignade, affrontement**
– Bagarre violente **rixe, pugilat**
– Qui aime la bagarre **belliqueux, querelleur, pugnace, combatif, agressif**
– Bagarre verbale **altercation, querelle, polémique, démêlé, chicane**
– Bagarre entre femmes **crêpage de chignon**
– Personne qui provoque des bagarres **boutefeu**

BAGNARD
syn. **forçat, galérien**
– Bagnard, en droit anglais **convict**

BAGUE
– Tête d'une bague **chaton**
– Bague nuptiale **alliance**
– Bague à chaton allongé **marquise**
– Bague à large chaton plat destiné à être gravé **chevalière**

– Bague sans chaton **jonc**
– Bague à sept anneaux **semaine**
– Bague de l'évêque **anneau épiscopal**
– Diamant monté seul sur une bague **solitaire**
– Mettre une pierre dans le chaton d'une bague **sertir, monter, enchâsser, enchatonner**
– Partie de la bague qui maintient la pierre **sertissure**
– Meuble, coffret ou coupe à bagues **baguier**

BAGUETTE

– Baguette qui sert de canne **badine, jonc, stick**
– Baguette flexible en houx **houssine**
– Baguette utilisée pour frapper **cravache, verge, gaule**
– Frapper avec une baguette **cingler, fustiger**
– Baguette ornée servant d'attribut à un dieu dans l'Antiquité **caducée, thyrse**
– Baguette servant de support à une plante **tuteur**
– Personne qui utilise une baguette comme moyen divinatoire **sourcier, baguettisant**
– Divination au moyen d'une baguette **rhabdomancie, radiesthésie**
– En forme de baguette **rhabdoïde**
– Pain en forme de baguette **ficelle, flûte, parisien, bâtard**
– Baguette en verre utilisée en laboratoire **agitateur**
– Baguette utilisée en architecture ou en menuiserie **listel, liteau, membron, frette**

BAIE

voir aussi **littoral**
– Petite baie en bord de mer **anse, crique**
– Petite baie en Méditerranée **calanque**
– Large baie **golfe, fjord**
– Baie dans la région de Saintonge **conche**
– Large baie où les bateaux peuvent mouiller **rade**
– Baie vitrée **bow-window, oriel**
– En forme de baie **bacciforme**
– Plante qui porte des baies **baccifère**
– Baies comestibles **groseille, myrtille, raisin, tomate**

BAIGNER

voir aussi **bain**
– Baigner quelqu'un selon un rite religieux **baptiser**
– Baigner quelque chose **plonger, tremper, immerger**
– Baigner dans un certain milieu, au sens figuré **imprégné (être), pénétré (être), enveloppé (être)**

BAIL

voir aussi **location**
– Bail à long terme **emphytéose**

– Un bail rural **ferme (à)**
– Céder à bail un bien rural **affermer**
– Fin de bail **terme, expiration**
– Rupture de bail **résiliation**
– Personne qui cède à bail **bailleur, loueur**
– Personne qui prend à bail **preneur, locataire, fermier, métayer, colon**

BAILLER

– La bailler belle ou bonne à quelqu'un **accroire (en faire), tromper, moquer de (se), duper, abuser**

BÂILLER

– Une porte qui bâille **béante, entrouverte, entrebâillée**
– Un vêtement qui bâille **ajusté (non ou mal), ample, lâche**
– Acte de bâiller **bâillement**

BÂILLONNER

– Objet servant à bâillonner une personne **bandeau, tampon, bâillon**
– Bâillonner l'opinion publique, la presse, l'opposition **ôter la liberté d'expression, étouffer, censurer, garrotter, museler**

BAIN

syn. **baignade, cure thermale**
– Bain cérémoniel **baptême, ablution**
– Bain local **bain de siège, gargarisme, manuluve, pédiluve**
– Bain de boue **illutation**
– Bain de bouse **bousage**
– Un bain à la farine de moutarde **sinapisé**
– Relatif aux bains de mer **balnéaire**
– Large bac où l'on prend un bain **baignoire, sabot, tub, bain turc**
– Lieu où l'on prend un bain de vapeur **étuve, hammam, sauna**
– Bain à bulles, à remous **Jacuzzi**
– Bains publics **bains-douches, thermes**
– Partie des bains romains **frigidarium, tepidarium, caldarium, sudatorium**
– Se soigner par des bains dans un établissement spécialisé **prendre les eaux**
– Emploi thérapeutique des bains **thalassothérapie, balnéothérapie, hydrothérapie, balnéation, crénothérapie**
– Traitement médical par les bains de soleil **héliothérapie**
– Aux Antilles, un bain destiné à délivrer des sortilèges **démarré**
– Dans l'Antiquité, fourneau souterrain pour chauffer les bains **hypocauste**

BAISER

syn. **embrasser, étreindre**
– Baiser de politesse sur la main d'une femme **baisemain**
– Baiser donné à un objet sacré **baisement**
– Baiser de traître **baiser de Judas**

– Baiser en termes familiers **bise, bisou, bécot, bec**
– Couvrir de baisers **manger, dévorer**
– Prendre un baiser **cueillir, dérober, voler**

BAISSE

syn. **diminution, décroissance, déclin, régression**
– Baisse du niveau des eaux **décrue, étiage, reflux, jusant, perdant**
– Baisse de la pression atmosphérique **dépression**
– Baisse de la vitesse **décélération**
– Baisse progressive de l'intensité d'un son **decrescendo**
– Baisse sur un prix **réduction, rabais, remise, ristourne, escompte, solde**
– Baisse importante et durable des prix **déflation**
– Baisse de l'activité économique **récession, marasme**
– Baisse brutale des valeurs boursières **effondrement, krach**
– Spéculateur qui joue à la baisse **baissier**

BAISSER

voir aussi **abaisser, rabaisser**
– Baisser les bras **abandonner, abdiquer, céder, renoncer, démissionner, retirer (se)**

BAL

– Bal populaire **bal musette, bal champêtre, guinche**
– Lieu où se tiennent les bals populaires **guinguette, bastringue, dancing**
– Un bal où l'on est déguisé **masqué, costumé, travesti**
– Bal où l'on porte des masques de personnages célèbres **bal de têtes**
– Accessoire de bal masqué **domino, loup, cotillon**
– Un bal de jeunes filles **blanc**
– Lieu où anciennement se donnaient des bals **redoute**
– Bal du samedi soir en Louisiane **fais-dodo**
– Liste de ses cavaliers au bal **carnet de bal**
– Danser le premier dans un bal **ouvrir le bal**
– Mener le bal **diriger, conduire, régir, gouverner, superviser**

BALADIN

syn. **histrion, saltimbanque, paillasse, bateleur, acteur, bouffon**

BALAFRE

syn. **estafilade, taillade, cicatrice, entaille, stigmate, boutonnière**
– Boursouflure de la peau se formant sur une balafre, une cicatrice **chéloïde**
– Balafres pratiquées dans le cadre d'un rituel initiatique **scarifications**

HÉROS DE BANDE DESSINÉE

Achille Talon
1963 – Michel Regnier, alias Greg.
Quadragénaire rondouillard et suffisant, au très gros nez, souvent en conflit avec son irascible voisin, Lefuneste. Autres personnages : son père, grand buveur de bière, sa maman gâteau et sa fiancée, Virgule de Guillemet.

Adèle Blanc-Sec
1976 – Jacques Tardi.
Cette héroïne évolue dans un décor mystérieux inspiré du Paris des années 1900, où elle est confrontée à des créatures aussi étranges qu'une momie en folie, un poulpe géant ou un ptérodactyle évadé du Muséum.

Akim
1950 – Robert Renzi (scénarios) et Augusto Pedrazza (dessins).
Un justicier de la jungle qui n'est pas sans rappeler Tarzan.

Astérix et Obélix
1959 – René Goscinny (scénarios) et Albert Uderzo (dessins).
Héros d'un village d'irréductibles Gaulois résistant à l'occupation romaine. Le secret de leur invincibilité ? Une potion magique concoctée par le druide Panoramix. Quelques autres personnages : le barde Assurancetourix, le chef de la tribu Abraracourcix, Agecanonix, Bonnemine, Cetautomatix, Ordralfabétix, etc.

Agrippine
1988 – Claire Bretécher.
Portrait caustique d'une génération à travers une adolescente râleuse en proie à toutes les contradictions de son âge.

Barbarella
1962 – Jean-Claude Forest.
Jolie femme qui évolue dans des situations mêlant humour, science-fiction et érotisme.

Batman
1939 – Bill Finger (scénarios) et Bob Kane (dessins).
L'homme chauve-souris est en fait un milliardaire qui s'est juré de combattre le crime sous toutes ses formes après l'assassinat de ses parents lorsqu'il était enfant. Son compagnon : Robin.

Bécassine
1905 – Maurice Languereau, alias Caumery (scénarios), et Émile-Joseph Pinchon (dessins).
Les mésaventures d'une jeune servante maladroite et naïve, au visage lunaire orné d'un tout petit nez rond et dont le vrai nom est Annaïk Labornez.

Bibi Fricotin
1924 – Louis Forton.
Ce gamin à l'intelligence hors du commun est un orphelin évoluant dans un monde égoïste dans lequel il doit apprendre à se débrouiller seul. Créé par le père des Pieds nickelés.

Bidochon (Les)
1977 – Christian Binet.
Un couple de Français moyens soumis aux tracas de la vie, face auxquels ils font preuve d'une bêtise exemplaire.

Blake et Mortimer
1946 – Edgar-Pierre Jacobs.
BD de type fantastico-policier dans laquelle les deux compères britanniques enquêtent sur de mystérieuses affaires.

Blueberry
1963 – Jean-Michel Charlier (scénarios) et Jean Giraud, signant parfois Gir (dessins).
Lieutenant héros d'un western en BD, dans lequel il campe un personnage joueur et bagarreur évoluant dans un monde où les Indiens sont persécutés par les Blancs.

Boule et Bill
1959 – Jean Roba.
Un garçonnet et son inséparable cocker dans des aventures tendres et amusantes au quotidien.

Bugs Bunny
1941- Bob Clampett (scénarios), Ben Hardaway et Cal Dalton (dessins).
Lapin blagueur, malicieux et irrespectueux, apparu initialement en dessin animé trois ans plus tôt ; sa formule « Quoi de neuf, docteur ? » est devenue sa marque de fabrique.

Cédric
1987 – Raoul Cauvin et Laudec (dessins).
Un enfant facétieux qui, encouragé par son grand-père, préfère le jeu à l'école.

Charlie Brown
1950 – Charles Monroe Schulz.
Le brave garçon des *Peanuts*.

Comanche
1969 – Michel Regnier, alias Greg (scénarios), et Hermann Huppen, alias Hermann (dessins)
Propriétaire du ranch Triple-Six, la séduisante Comanche a sous ses ordres Red Dust (le contremaître rouquin), Toby Face sombre (le Noir), Tache de Lune (le Cheyenne), Clem dit Cheveux fous et le vieux Ten Gallons.

Corto Maltese
1967 – Hugo Pratt.
Personnage romantique aimant l'aventure et le voyage, attaché au sens de l'amitié, de la justice et de la liberté.

Cubitus
1968 – Luc Dupanloup, alias Dupa.
Ce chien au pelage blanc et à la rondeur toute sympathique mène une vie douillette auprès d'un maître jovial, Sémaphore, et de son rival, le chat noir Sénéchal.

Donald Duck
1934 – Bob Karp (scénarios) et Al Taliaferro (dessins).
Initialement partenaire de Mickey, le canard prit son autonomie quatre ans plus tard, révélant son véritable tempérament, coléreux et présomptueux. Ses compagnons de BD : sa fiancée Daisy Duck, ses trois neveux Riri, Fifi et Loulou, son oncle Picsou, les Rapetout, Gontran, Géo Trouvetou, le cousin Gus.

Dragon Ball Z
1992 – Akira Toriyama.
Un môme champion de lutte et maîtrisant des techniques de combat dont il a le secret part en quête de la sphère du Dragon.

Félix le Chat
1923 – Otto Messmer.
Personnage de dessin animé créé en 1919 par Pat Sullivan, Félix n'est devenu star de BD

qu'en 1923 : ce chat malicieux évolue dans un univers de contes de fées, à la limite du surréalisme. Plus tard, il revient accompagné de Betty Boop, dessiné par les fils de Mort Walker.

Flash Gordon
1934 – Alex Raymond.
Invincible chevalier de l'espace dont la planète Mongo, sur laquelle règne Ming le tyran, est l'élément central. Autres personnages : Dale Arden (sa fiancée) et le professeur Zarkov.

Frustrés (Les)
1973 – Claire Bretécher.
Les mœurs et coutumes du petit monde des intellectuels décrites sans complaisance.

Gai Luron
1964 – Marcel Gotlib.
Les histoires d'un sympathique chien flegmatique. Compagnons de BD : la caniche Belle-Lurette et le renard Jujube.

Garfield
1978 – Jim Davis.
Un chat aussi égocentrique qu'insupportable tant il est paresseux et goinfre. Ne rate pas une occasion de se mettre en vedette.

Gaston Lagaffe
1957 – André Franquin (dessins + textes) et Jidéhem, alias Jean de Maesmaker.
Personnage gaffeur qui sème gentiment la panique dans la rédaction d'un journal dirigé par Fantasio. Autres personnages : la fiancée, Mᵐᵉ Jeanne, de Maesmaker.

Gédéon
1923 – Benjamin Rabier.
Un canard qui préside à la vie d'une communauté organisée dans une basse-cour, où sont récompensés ceux qui travaillent, tandis que les méchants sont punis.

Hägar Dünor
1973 – Dick Browne.
Les vices et les vertus de l'époque contemporaine raillés par une tribu viking sauvage dont le guerrier Hägar est le principal représentant.

Idéfix
1959 – René Goscinny (scénarios) et Albert Uderzo (dessins).
Petit chien qui, dans les aventures d'Astérix, est le plus fidèle compagnon d'Obélix.

Iznogoud
1962 – René Goscinny (scénarios) et Jean Tabary (dessins).
Un grand vizir qui ne recule devant aucune manigances pour essayer de parvenir à ses fins : être calife à la place du calife, le débonnaire Harroun el-Poussah.

Jungle Jim
1934 – Alex Raymond.
Jim Bradley accompagné de son fidèle Kolu, lutte contre les trafiquants et des criminels. Shanghai Lil est sa compagne.

Largo Winch
1990 – Jean Van Hamme (scénarios) et Philippe Francq (dessins).
Héros de romans publiés à partir de 1977, Largo Winczlav, héritier d'une fortune colossale

(suite du tableau page suivante)

se retrouve confronté aux tribulations des milieux de la haute finance internationale et du crime.

Lucien
1979 – Frank Margerin.
Rocker aussi sympathique qu'inoffensif menant une vie tranquille entre ses deux potes Ricky et Gilou, sa moto, le bistro, la musique et les filles.

Lucky Luke
1946 – Maurice de Bevere, alias Morris.
Cow-boy solitaire au cœur pur parcourant l'Ouest américain juché sur son indispensable Jolly Jumper. À partir de 1955, René Goscinny en devient le scénariste. Autres personnages : les frères Dalton, leur mère Ma Dalton.

Mandrake
1934 – Lee Falk (scénarios)
et Phil Davis (dessins).
Toujours vêtu d'un smoking, d'une cape et d'un haut-de-forme, ce magicien doué de pouvoirs hypnotiques extraordinaires combat des ennemis à sa mesure. Compagnons de BD : la princesse Narda et le Noir chauve Lothar.

Marsupilami (Le)
1952 – André Franquin.
Rencontré par Spirou et Fantasio lors d'une de leurs aventures, cet animal à la queue interminable prend son autonomie en 1987, dessiné par Batem, alias Lus Collin, sur des scénarios de Greg, alias Michel Regnier.

Michel Vaillant
1957 – Jean Graton.
Les histoires plus ou moins fictives du pilote de formule 1 du même nom dans des décors représentant les circuits internationaux avec un réalisme extraordinaire.

Mickey Mouse
1930 – Walt Disney (scénarios)
et Ub Iwerks (dessins).
Personnage apparu en BD après avoir connu le succès en dessin animé deux ans auparavant sous la direction de Walt Disney. Dotée d'une grande intrépidité, la petite souris ne recule devant rien.

Oncle Picsou
1947 – Carl Barks.
Vieil oncle de Donald Duck, ce personnage grippe-sou et plein de vitalité est un mélange de capitaliste rusé et d'industriel entreprenant, qui veille de façon maladive sur ses richesses impressionnantes. Autres personnages : Flairsou, les Rapetout.

Peanuts
1950 – Charles Monroe Schulz.
Les personnages sont Charlie Brown, brave garçon, sa sœur Sally, Snoopy son chien philosophe et mythomane, Linus accroché à sa couverture, refuge contre cet univers oppressant, sa sœur Lucy Van Pelt, autoritaire et odieuse, Schroeder, le musicien, Woodstock, un oiseau stupide et maladroit.

Pieds nickelés (Les)
1908 – Louis Forton.
Croquignol, Ribouldingue et Filochard forment un trio de sympathiques escrocs dénués de scrupules, embarqués dans des aventures teintées d'un certain anarchisme.

Pif le chien
1948 – José Cabrero Arnal.
Sympathique chien malmené par son rival éternel, le chat Hercule. Les autres personnages sont : Tonton, Tata et leur fils Doudou. *Pif-Gadget* est édité depuis 1969.

Prince Vaillant
1937 – Harold Foster.
Noble et vertueux chevalier qui vit tantôt des scènes de violence, tantôt de douces aventures amoureuses, dans le contexte des légendes de la cour du roi Arthur.

Rahan
1969 – Roger Lécureux (scénarios)
et André Chéret (dessins).
Espèce de Tarzan reconnaissable à son collier de griffes et à son couteau d'ivoire. Il vit dans une époque préhistorique où il affronte monstres et individus terrifiants.

Ran-Tan-Plan
1960 – René Goscinny (scénarios) et Maurice de Bevere, alias Morris (dessins).
Le chien le plus stupide de l'Ouest américain, mais néanmoins sympathique, apparu dans une aventure de Lucky Luke en 1960. Il s'émancipe en 1980, dessiné par Michel Janvier et scénarisé par Xavier Fauche et Jean Léturgie.

Rapetout (Les)
1951 – Carl Barks.
Une organisation d'escrocs vêtus de façon identique dont l'unique but est de s'emparer de la fortune de l'oncle Picsou, entreposée dans son gigantesque palais coffre-fort.

Ric Hochet
1955 – André-Paul Duchâteau (scénarios)
et Gilbert Gascard, alias Tibet (dessins).
Journaliste-détective embarqué dans un univers fantastico-policier particulièrement captivant.

Schtroumpfs (Les)
1958 – Pierre Culliford, alias Peyo.
De sympathiques lutins bleus au langage un peu *schtroumpf*, évoluant dans le Pays maudit, où ils doivent faire face à l'infâme Gargamel et à son chat Azraël.

Snoopy
1950 – Charles Monroe Schulz.
Le chien philosophe et mythomane des *Peanuts*.

Spiderman l'araignée
1962 – Stan Lee (scénarios)
et Steve Ditko (dessins).
Jeune étudiant timide et complexé, Peter Parker s'est découvert de superpouvoirs après avoir été mordu par un rat radioactif.

Spirou
1938 – Robert Velter, alias Rob-Vel.
et Blanche Dumoulin, alias Davine.
Jeune groom devenu reporter, accompagné de Fantasio, son complice excentrique et râleur, Spip, un écureuil déluré, le Marsupilami, animal fabuleux. Ces personnages prennent une véritable stature sous le crayon d'André Franquin à partir de 1946.

Superman
1938 – Jerry Siegel (scénarios) et Joe Shuster (dessins).

L'histoire débute lorsque le héros, bébé, est envoyé dans l'espace par ses parents et qu'il se retrouve dans un village des États-Unis. Recueilli par les Kent, il découvre en grandissant ses superpouvoirs, qu'il utilise contre tous ceux qui menacent la quiétude de sa ville, Métropolis.

Tanguy et Laverdure
1959 – Jean-Michel Charlier (scénarios)
et Albert Uderzo (dessins).
Michel Tanguy et Ernest Laverdure sont deux jeunes pilotes engagés dans l'armée de l'air. Leurs personnalités sont aussi différentes que complémentaires : le premier est sérieux et courageux, tandis que l'autre est fanfaron et gaffeur.

Tarzan
1929 – Harold Foster.
Personnage de roman créé en 1912 par Edgar Rice Burroughs, puis adapté en BD, l'homme-singe est un orphelin qui a été élevé dans la jungle par Kala, une maman gorille.
Son agilité exceptionnelle lui permet d'évoluer dans un univers sauvage, au contact des animaux qui sont ses amis, mais où il est confronté à des tribus hostiles et victime du racisme de certains Blancs.

Théodore Poussin
1984 – Franck Le Gall.
Modeste employé d'une compagnie maritime qui, un jour de 1928, embarque pour l'Indochine, où l'attendent des péripéties extraordinaires.

Thorgal
1977 – Jean Van Hamme (scénarios)
et Gregor Rosinski (dessins).
Guerrier intelligent et humain aux origines extraterrestres qui expliquent ses incroyables pouvoirs, ce héros vit des aventures passionnantes au cœur de la civilisation viking.

Tintin et Milou
1929 – Georges Rémi, alias Hergé.
Jeune reporter intrépide qui parcourt le monde accompagné de son fidèle fox-terrier Milou. Autres personnages : capitaine Haddock, professeur Tournesol, Dupont et Dupond, la Castafiore.

XIII
1984 – Jean Van Hamme (scénarios)
et William Vance (dessins).
Un ancien espion, dont le seul indice de son identité est le « XIII » tatoué sur son bras, vit comme un fugitif, traqué par différentes instances militaires et civiles.

Tuniques Bleues (Les)
1968 – Raoul Cauvin (scénarios) et Louis Salvérius, alias Salvé (dessins).
Un western humoristique, contant les aventures de deux personnages antinomiques, le sergent Cornelius Chesterfield et le caporal Blutch, égarés en pleine guerre de Sécession.

Zig et Puce
1925 – Alain Saint-Ogan.
Jeunes et intrépides, ces deux garçons contrastés (l'un est grand et mince, l'autre petit et rondelet) voyagent autour du monde accompagnés de leur pingouin Alfred.

BALAI

voir aussi **brosse**
– Balai métallique utilisé pour le ramonage des cheminées **hérisson**
– Balai pour le plafond **tête-de-loup**
– Petit balai à poussière **plumeau, époussette**
– Petit balai à manche court **balayette**
– Balai de boulanger **écouvillon**
– Balai de houx **houssoir**
– Balai employé dans la marine **faubert, goret, vadrouille, guipon, lave-pont**
– Débris ramassés à l'aide d'un balai **balayures**
– Balai d'un moteur électrique **charbon**
– Coup de balai dans une entreprise **licenciement, congédiement, limogeage, plan social, restructuration, dégraissage, nettoyage**
– Des balais qui creusent des rides **berges, piges, printemps**
– Rôtir le balai **dilapider sa fortune**

BALANCE

voir aussi **filet, signes du zodiaque**
– Sorte de balance **Roberval, peson, bascule, romaine, pèse-bébé, pèse-personne, pèse-lettre**
– Petite balance d'orfèvre ou de changeur **pesette, trébuchet**
– Balance permettant de mesurer une pression **baroscope**
– Ancienne balance à monnaie **ajustoir**
– Partie d'une balance **fléau, couteau, plateau, bassin, tablier, bras, joug, languette, aiguille**
– Balance pour la pêche **caudrette, truble**
– Balance d'un amplificateur **potentiomètre**
– Balance comptable **bilan, actif, passif, crédit, débit**
– Mettre en balance **comparer, opposer**
– Faire pencher la balance en faveur de quelque chose ou de quelqu'un **favoriser, avantager, privilégier**

BALANCEMENT

– Balancement d'un navire **tangage, roulis**
– Balancement pathologique de la tête **nutation**

BALANCER

– Siège sur lequel on se balance **balancelle, rocking-chair, escarpolette**
– Dispositif sur lequel deux personnes se balancent **bascule, tapecul**
– Balancer la tête **hocher, dodeliner de, branler**
– Balancer doucement pour endormir ou calmer **bercer**
– Se balancer d'un pied sur l'autre **dandiner (se)**
– Balancer entre deux sentiments **vaciller, osciller, tergiverser, hésiter**

– Balancer son voisin **dénoncer, trahir, livrer, faire de la délation**

BALAYAGE

voir aussi **nettoyage**
– Balayage des détritus **déblayage, enlèvement**
– Elle s'est fait faire un balayage chez le coiffeur **décoloration, teinture, couleur, mèches**
– Balayage d'un écran vidéo **ligne, trame**

BALAYER

– Machine balayant la voie publique **balayeuse**
– Cette tornade balaie tout sur son passage **rase, détruit, emporte**
– Balayer un ennemi **supprimer, éradiquer**
– Balayer ses soucis, ses préjugés **chasser, débarrasser de (se), rejeter, écarter, repousser**
– Balayer du regard **passer en revue, survoler, parcourir**

BALBUTIEMENT

– Balbutiement d'un bègue **bégaiement**
– Balbutiement d'un enfant **babil, ânonnement**
– Balbutiements d'un projet **prémices, commencement, débuts, tâtonnements**

BALBUTIER

– Balbutier un remerciement, une excuse **bredouiller, bafouiller**
– Balbutier à voix basse **marmonner, marmotter**
– Se plaindre en balbutiant **bougonner, grommeler, maugréer**
– Balbutier en lisant à haute voix **ânonner, bégayer**

BALCON

– Partie d'un balcon **balustrade, encorbellement, appui, garde-corps**
– Balcon de salle de spectacle **galerie, mezzanine, corbeille, paradis**
– Balcon couvert **loggia**
– Balcon grillagé dans les pays arabes **moucharabieh**

BALEINE *Voir tableau classification des mammifères, p. 364*

voir aussi **cachalot, dauphin**
– Classe des baleines **mammifères**
– Ordre des baleines **cétacés**
– Sous-ordre des baleines à fanons **mysticètes**
– Sous-ordre des baleines à dents **odontocètes**
– Baleine bleue **rorqual, baleinoptère**
– Baleine blanche **bélouga**
– Baleine à bosse **jubarte, mégaptère**
– Lames cornées fixées sur la mâchoire de certaines baleines **fanons**

– Blanc de baleine **spermaceti**
– Nourriture des baleines à fanons **krill, plancton**
– Crustacés se fixant sur le dos des baleines **bernacles**
– La plus illustre des baleines en littérature **Moby Dick**
– Monstre biblique semblable à la baleine **Léviathan**
– Célèbres ports baleiniers du siècle dernier **New Bedfort, Nantucket**

BALIVERNE

– Dire des balivernes **billevesées, calembredaines, sottises, fadaises, fariboles, sornettes, coquecigrues**

BALLE

– Balle de certaines graines ou fleurs **glume, glumelle, périanthe**
– Petite balle de paume **éteuf**
– Pousser la balle au hockey **crosser**
– Obus à balles **shrapnell**
– Différent type de balle servant à charger une arme **cartouche, munition, projectile, plomb**
– Balle de gros calibre **chevrotine**
– Sports de balle **base-ball, cricket, hockey sur gazon, polo, golf, tennis, tennis de table, squash, pelote basque**

BALLET

– Compositeur de ballets **chorégraphe**
– Danseur de ballet **ballerine, coryphée, étoile**
– Ensemble des danseurs d'un ballet **corps de ballet**
– Personne qui dirige un corps de ballet **maître de ballet**
– Enfant qui apprend l'art du ballet **petit rat**
– Amateur de ballets **ballettomane**
– Partie d'un ballet **entrée, adage, coda, final**
– Ballet au sens figuré **valse, rotation, renouvellement, turn-over**

BALLON

– Jeu de ballon rond **football, basket-ball, handball, volley-ball, water-polo**
– Jeu de ballon ovale **rugby, football américain**
– Ballon en aéronautique **aérostat, montgolfière, dirigeable, zeppelin**
– Pilote d'un ballon dirigeable **aéronaute**

BALLOTTER

– Être ballotté dans tous les sens **balancé, secoué, agité, remué**
– Être ballotté en voiture **cahoter, bringuebaler**
– Être ballotté entre deux situations ou sentiments **tiraillé, écartelé, indécis**

BALOURDISE

– Cet homme est d'une balourdise !

gaucherie, maladresse, lourdeur, indélicatesse, goujaterie, rusticité
– Propos empreints de balourdise stupidité, grossièreté, sottise
– Contraire de la balourdise délicatesse,
finesse, adresse, raffinement, subtilité, spiritualité, tact

BALUSTRADE
– Partie de la balustrade appui, balustre
– Partie bombée de l'appui d'une balus-
trade bahut
– Balustrade qui empêche de tomber
garde-corps, garde-fou, barrière
– Balustrade d'une passerelle de navire
rambarde
– Balustrade d'un pont parapet
– Balustrade d'un escalier rampe

BAMBOU
– Plantation de bambous bambouseraie
– Papier à base de bambou chine
– Flûte en bambou pipeau

BANAL
syn. courant, ordinaire, commun,
facile, sans intérêt
– Un individu banal insignifiant, quelconque, falot, fade
– Des propos banals rebattus, conventionnels, convenus, bateau, plats, usés
– Un style banal impersonnel, incolore,
insipide
– Qui n'est pas banal exceptionnel,
extraordinaire, inaccoutumé, incomparable, inédit, sans précédent, original, pittoresque, singulier
– Qui n'est pas banal et qui étonne truculent, extravagant, déconcertant,
insolite
– Solution banale en mathématiques
triviale

BANALISER
– Banaliser des idées vulgariser, diffuser,
propager, répandre, populariser

BANALITÉ
syn. lieu commun, platitude
– Banalité dans l'expression littéraire cliché, poncif

BANANE
– Sorte de banane banane douce, ba-
nane plantain
– Grappe de bananes régime
– Dessert à base de banane banana split
– Cargo affecté au transport des bananes
bananier
– Plante qui produit les bananes bana-
nier

BANANIER
– Plantation de bananiers bananeraie
– Fleur de bananier utilisée dans la cui-
sine créole baba figue

– Matière textile issue du bananier abaca,
tagal, chanvre de Manille

BANC
– Banc rembourré banquette
– Banc dans un amphithéâtre gradin
– Banc à trois pieds escabelle
– Ancien banc long et étroit bancelle
– Banc de menuisier, tourneur établi,
table, chevalet
– Banc en géologie assise, lit, strate,
couche
– Banc de roches, de coraux récif
– Banc de sable, de vase écueil
– Banc de glaces banquise
– Banc d'huîtres huîtrière
– Banc d'essai test, épreuve

BANCAL
syn. contrefait
– Un individu bancal boiteux, claudicant, bancroche, éclopé
– Une chaise bancale branlante
– Un raisonnement bancal contestable,
incohérent, illogique

BANDAGE
– Bandage du menton mentonnière
– Bandage pour les plaies à la tête mitre
d'Hippocrate
– Bandage soutenant le scrotum suspen-
soir
– Bandage rigide destiné à maintenir le
cou minerve
– Bandage croisé qui s'applique à la
racine d'un membre spica

BANDE
voir aussi clan
– Bande de tissu ou de cuir ruban, lé,
ceinture, courroie, lanière, obi
– Large bande de toile, de cuir sangle
– Bande portée en écharpe soutenant une
épée baudrier, bandoulière
– Bande de laine portée autour du mollet
bande molletière
– Bande d'étoffe pourpre que portaient
les sénateurs romains laticlave
– Bande de cuir supportant le battant
d'une cloche brayer
– Bande de personnes équipe, groupe,
troupe, clique, tribu
– Bande de personnes partageant des intérêts coterie, caste, chapelle, clan,
secte
– Bande qui agit contre un personnage
important cabale, faction, ligue,
camarilla
– Bande organisée de criminels mafia,
gang
– Bande d'animaux meute, horde, troupeau, banc, volée, essaim, colonie

BANDEAU
– Bandeau servant de coiffure turban,
serre-tête

– Bandeau d'une coiffe de religieuse fronteau
– Bandeau royal diadème
– Bandeau de laine utilisé lors de cérémonies sacrificielles infule
– Bandeau en architecture frise, moulure, plate-bande

BANDE DESSINÉE Voir tableau
p. 59-60

BANDIT
syn. malfaiteur, hors-la-loi
– Bandit de grands chemins brigand,
détrousseur, bandoulier
– Bandit du Moyen Âge malandrin, routier, cotereau, brabançon, tire-laine,
coupe-jarrets
– Bandit de la mer corsaire, pirate,
flibustier, forban, écumeur, boucanier
– Bandit prêt à tout desperado
– Bandit appartenant à un gang gangster, truand
– Lieu où se réunissent les bandits
repaire
– Bandit au sens large escroc, filou,
requin, voleur

BANLIEUE
– Banlieue d'une grande ville périphérie,
faubourg
– Banlieue de Paris couronne
– De la banlieue banlieusard, subur-
bain
– Parler propre aux jeunes de banlieue
verlan

BANNI
syn. proscrit, exilé
– Individu banni par une communauté
paria, ostracisé

BANNIR
– Bannir un individu exiler, expulser,
exclure, déporter, rejeter
– Bannir de la communauté catholique
excommunier, anathématiser
– Procédure appliquée pour bannir dans
l'Antiquité xénélasie, ostracisme,
pétalisme
– Bannir un souvenir, une idée chasser,
écarter, supprimer

BANQUE Voir tableau ci-contre
– Service offert par une banque dépôt,
coffre-fort, transfert, change, émission de chéquiers, financement, prêt
– Opération réalisée par une banque
encaissement, crédit, placement, prélèvement, virement, retrait
– Commission perçue par la banque
intérêt, agio, majoration, escompte
– Billet de banque coupure, monnaie
fiduciaire, bank-note, assignat
– Responsable au sein d'une banque banquier, financier

– Banque où l'on conserve des éléments organiques **d'organes, des yeux, du sperme, du sang**
– Une banque de mots **terminologique**
– Une banque d'informations **de données**

BANQUEROUTE

syn. **faillite, dépôt de bilan, krach, liquidation, déconfiture, ruine, naufrage**
– Faire banqueroute **débâcle, échec**

BANQUET

voir aussi **repas**
syn. **festin, bombance**
– Participer à un banquet **festoyer, banqueter**
– Personne qui organise un banquet **amphitryon, architriclin**
– Personne prenant part à un banquet **convive, hôte, banqueteur**
– Banquet d'autrefois **frairie, agape**
– Personne qui découpait les viandes dans les banquets médiévaux **écuyer tranchant**

BAPTÊME

– Baptême qui ne comprend que l'ablution, sans les rites et prières habituels **ondoiement**
– Rite lors d'un baptême **onction, chrismation**
– Huile consacrée du baptême **chrême**
– Chapelle où est administré le baptême **baptistère**
– Bassin contenant l'eau destinée au baptême **fonts baptismaux**
– Extrait du registre où est consignée la date du baptême **baptistaire**
– Bonnet de baptême **chrémeau**
– Personne qui se prépare au baptême **catéchumène**
– Personne qui présente un enfant au baptême **marraine, parrain**
– Personne qui a reçu le baptême **baptisé, filleul**
– Saint dont on reçoit le nom au baptême **patron**
– Adepte d'une religion qui préconise d'administrer le baptême à l'âge de raison **anabaptiste, baptiste, mennonite**
– Séjour de l'âme des enfants morts sans avoir reçu de baptême **limbes**
– Baptême d'un bateau, d'une cloche **bénédiction**
– Les tourments endurés au nom de la foi religieuse, autrement dit le « baptême du sang » **martyre**

BAPTISER

– Manière de baptiser **immersion, affusion, aspersion**
– Baptiser un bateau, une cloche **bénir**
– Un vin baptisé **coupé**
– Baptiser en donnant un nom **dénommer, prénommer, surnommer**

BAR

voir aussi **café**
– Bar en termes populaires **bistrot, caboulot, troquet, zinc, estaminet**
– Bar de bas étage **gargote, assommoir**
– Petit bar **buvette**
– Bar où seules des boissons sans alcool peuvent être consommées **milk-bar**
– Bar anglais **pub**
– Bar du Far West **saloon**
– Patron de bar **limonadier, mastroquet, cafetier, tenancier, bistrotier**
– Personne qui sert au comptoir d'un bar **barman (homme), barmaid (femme)**
– Habitué d'un bar **pilier**
– Famille des bars **serranidés**
– Ordre des bars **perciformes**
– Autre nom du bar **loup, lubin**
– Unité valant un millième de bar **millibar, hectopascal**

BARAQUE

voir aussi **maison**
– Baraque servant d'habitation **bicoque, cassine, masure**
– Baraque servant d'abri **cabane, cahute, hutte, cagna, paillote**
– Baraque servant d'entrepôt **appentis, hangar, remise, resserre**

– Baraque foraine **stand**
– Groupement de baraques dans l'armée pour loger les troupes **baraquement**

BARBARE

– Peuples des grandes invasions barbares jusqu'en 486 (date à laquelle Clovis et ses Francs fédèrent la Gaule) **Germains, Huns, Vandales, Saxons, Cimbres, Alains, Suèves, Burgondes, Alamans, Wisigoths**
– Un individu barbare **sanguinaire, bestial, féroce, impitoyable, inhumain**
– Barbare par sa lourdeur et ses goûts **béotien, inculte, philistin, malappris, rustre**
– Des manières barbares **grossières, brutales, rudes**
– Terme barbare dans la langue française **barbarisme**
– Emploi syntaxique barbare **solécisme**

BARBARIE

syn. **sauvagerie, cruauté, férocité, inhumanité, bestialité**
– Barbarie qui consiste à détruire des œuvres d'art **vandalisme, iconoclasme**
– Barbarie perverse à l'encontre de quelqu'un **sadisme**

BANQUE

LES DIFFÉRENTS TYPES DE BANQUES

Banque centrale : institution chargée de l'émission des billets de banque et de l'élaboration de la politique monétaire. Il n'existe qu'une banque centrale par État (Banque d'Angleterre, Banque de France, Federal Reserve System aux États-Unis, Bundesbank en Allemagne, etc.).

Banques commerciales : établissements bancaires qui ont pour fonction de recevoir et de gérer des dépôts de leur clientèle (particuliers et entreprises) et de leur consentir des crédits.

Banque centrale européenne (BCE) : banque centrale des douze pays ayant adopté l'euro comme monnaie unique. La BCE, depuis sa création en 1999, a pour mission la stabilité des prix à l'intérieur de la zone euro.

LES COMPTES BANCAIRES

Agios : intérêts dus à la banque en cas de solde débiteur.

Compte bancaire : compte ouvert par un particulier ou une entreprise dans un établissement bancaire.

Comptes à vue ou comptes courants : dépôts caractérisés par la disponibilité immédiate des sommes inscrites au nom du (ou des) titulaire(s). Les comptes à vue ne sont pas rémunérés.

Comptes d'épargne logement : dépôts rémunérés destinés à permettre l'accession à la propriété. Les titulaires de comptes d'épargne logement bénéficient de prêts à des taux avantageux.

Comptes sur livret : dépôts qui permettent à leur(s) titulaire(s) de bénéficier d'une rémunération sous forme d'intérêt.

LES SERVICES BANCAIRES

Activités de conseil : ensemble des services offerts à la clientèle des banques, tels que la gestion de patrimoine, l'achat et la vente de valeurs mobilières, la souscription de contrats d'assurance, etc.

Change : opération de conversion d'une monnaie en une autre monnaie.

Crédit : opération de prêt consenti à la clientèle des banques, principalement les particuliers et les entreprises. Au remboursement du capital prêté s'ajoute l'intérêt, qui est la rémunération de la banque (marge d'intermédiation).

Escompte : opération qui consiste en la mobilisation d'un effet de commerce. La banque en règle le montant moins une commission, appelée taux d'escompte.

Intérêt (taux d') : appelé loyer de l'argent, l'intérêt est la rémunération des agents économiques qui prêtent leur concours financier à d'autres agents ayant des besoins de financement. Le niveau des taux d'intérêt est défini par les banques centrales mais adapté par les banques en fonction de leur stratégie commerciale. Au delà du taux légal, fixé par l'état, c'est le taux d'usure.

– Acte de barbarie **sévices, torture, supplice**
– Personne qui fait acte de barbarie **bourreau, tortionnaire, tyran**

BARBE

– Sans barbe **imberbe, glabre**
– Barbe naissante **duvet**
– Barbe en pointe **bouc, barbiche**
– Barbe courte en fer à cheval **collier**
– Petite touffe de barbe sous la lèvre inférieure **mouche, impériale, royale**
– Touffe de barbe étroite de chaque côté du visage **pattes de lapin, côtelettes, favoris**
– Parler dans sa barbe **grommeler, marmonner, marmotter**
– Sorte de barbe faite de filaments soyeux sécrétée par certains mollusques aquatiques **byssus**
– Espèce de champignon dite barbe-de-bouc **clavaire corralloïde**
– Espèce de lichen dite barbe-de-capucin **usnée**
– Espèce de renonculacée dite barbe-de-capucin **nigelle**
– Espèce de rosacée dite barbe-de-chèvre **spirée**

BARBELÉ

– Câble en fil de fer barbelé **ronce artificielle**
– Pièce barbelée de fer servant aux fortifications **cheval de frise**

BARBOUILLER

– Barbouiller en salissant **maculer, souiller, tacher,**
– Barbouiller de peinture **enduire, badigeonner, peinturlurer, barioler**
– Barbouiller un mur de graffitis **taguer, graffiter**
– Barbouiller en écrivant **gribouiller, griffonner, noircir**

BARIOLÉ

– Un tissu bariolé **bigarré, chamarré, diapré, multicolore**

BAROMÈTRE *Voir tableau instruments de mesure, p. 315*

– Sorte de baromètre **anéroïde, à cadran, à cuvette, à siphon**
– Baromètre qui note la courbe des altitudes d'un aéronef **barographe**
– Élément d'un baromètre **cadran, aiguilles, mercure**
– Unité de mesure du baromètre **bar, millibar, hectopascal**

BARQUE

syn. **canot, esquif, caïque, bac, embarcation**
– Grosse barque **barcasse**
– Barque régionale **bisquine, gribane, picoteux, pinasse, taureau, tillolle**
– Longue barque étroite dirigée à la pagaie **périssoire, pirogue**
– Barque utilisée pour relever les filets **couralin**
– Barque pour la chasse au gibier d'eau **nègue-chien**
– Barque vénitienne **gondole**
– Barque égyptienne **cange, felouque**

BARRAGE

– Barrage sur la mer, souvent construit pour abriter une baie ou un port **estacade, jetée, digue, brise-lames**
– Sorte de barrage sur un canal, aménagé pour la navigation fluviale **écluse**
– Barrage rudimentaire en pierres servant à retenir le poisson **duit**
– Petit barrage provisoire **batardeau**
– Panneau mobile sur les vannes d'un barrage **hausse**
– Assemblage de bois soutenant un barrage mobile **fermette**
– Barrage rudimentaire dressé dans une rue lors d'une émeute **barricade**
– Barrage de police **cordon**
– Faire barrage au téléphone **filtrer, sélectionner, faire obstacle**
– Barrage psychologique **blocage, inhibition**

BARRE

– Barre destinée à suspendre quelque chose **tringle**
– Barre de bois ou de métal destinée à fermer une porte **bâcle, épar**
– Barre servant à consolider un ouvrage **traverse, barlotière**
– Barre transversale ou verticale d'une fenêtre **croisillon, meneau**
– En menuiserie, barre de fer qui sert à tenir les pièces de bois **davier**
– Barre de fer servant à attiser le feu **tisonnier, ringard**
– Barre d'un gouvernail **timon**
– Tenir la barre **barrer, gouverner, diriger**
– Personne qui tient la barre **barreur, skipper, timonier**
– Barre d'or **lingot**
– Barre graphique **trait**

BARREAU

voir aussi **avocat**
– Barreau d'une échelle **échelon**
– Assemblage de barreaux **grille**
– Barreau utilisé en serrurerie **arc-boutant**

BARRER

– Barrer une route **barricader, bloquer, couper, interdire, obstruer**
– Barrer un mot **biffer, raturer, rayer**

BARRIÈRE

syn. **échalier, palissade, clôture**
– Lieu fermé ou protégé par une barrière **enclos, passage à niveau, poste frontalier, douane**
– Barrière de chaque côté d'un pont ou le long d'un quai **garde-fou, parapet, balustrade, garde-corps**
– Barrière destinée à contenir les eaux de la mer ou d'un fleuve **digue, barrage**
– Barrière le long d'une autoroute **glissière de sécurité**
– Barrière de corail **récif**
– Barrière psychologique surgissant entre les individus **obstacle, incompréhension, malentendu**

BAS /1

– Partie du bas **pied, semelle, bout, talonnette, tige**
– Femme qui répare les bas **remailleuse**
– Lingerie féminine permettant de fixer les bas **porte-jarretelles, gaine, corset, jarretière**
– Bas-bleu **femme pédante**
– Bas de cuir ou de toile sur le haut de la chaussure **guêtre**
– Bas de protection des sportifs **jambière**
– Bas de laine **épargne, économies, pécule**

BAS /2

– Tomber très bas **déchoir, se rabaisser, s'avilir**
– Un comportement bas **mesquin, vil, abject, odieux, ignominieux, ignoble, infâme, indigne, méprisable**
– Un comportement qui n'est pas bas **noble, estimable, honorable, sublime, chevaleresque**
– Un terme bas **vulgaire, trivial**
– Parler à voix basse **chuchoter, murmurer, susurrer**
– Faire une messe basse **aparté**
– Plus bas dans un texte **infra, ci-après, ci-dessous, plus loin**
– Monter un coup bas **manigancer, intriguer**
– Bas-fond **ravin, dépression**
– Mise bas des animaux **parturition**

BASANÉ

– Un teint de peau basané **bistré, bronzé, hâlé, tanné, mat**

BASCULE

syn. **balance**
– Siège à bascule **rocking-chair, berceuse, balancelle**
– Bascule servant à peser les véhicules **pont-bascule**
– Balançoire rudimentaire formant bascule généralement utilisée par les enfants **tapeculs**

BASCULER

syn. **tomber, culbuter, renverser**
– Faire basculer une voiture **capoter, culbuter**

– Le désespoir a fait basculer cette personne **chavirer, craquer**

BASE

syn. **support, socle**
– Base d'un édifice **fondations, assise, soubassement, plate-forme**
– Base d'une colonne **stylobate**
– Base d'une statue **acrotère, piédestal, piédouche**
– Base sur laquelle repose l'impôt **assiette**
– Base chimique soluble dans l'eau **soude, chaux, potasse, hydroxyde**
– Base d'un mot **radical, morphème, lexème, racine**
– Base militaire **camp, ligne, quartier général**
– Base d'une organisation syndicale ou politique **militants, adhérents, travailleurs**
– Base d'un raisonnement **assiette, pivot, principe, fondement, clef de voûte**
– Base d'un raisonnement scientifique **axiome, postulat, prémisses**
– Salaire de base **SMIC**

BASKET-BALL

voir aussi **sport, ballon, chaussure**
– Partie de basket-ball **match, tournoi, rencontre**
– Filet de basket **panier**

BASSET

– Sorte de chien basset **teckel, beagle**
– Cor de basset en musique **clarinette recourbée, clarinette basse**

BASSIN

voir aussi **bac, bain, cuvette, vase, récipient**
– Bassin d'une fontaine **vasque**
– Bassin d'une balance **plateau**
– Bassin à couvercle percé contenant de la braise et qui sert à réchauffer un lit **bassinoire**
– Petit bassin servant à expectorer **crachoir**
– Bassin hygiénique **urinal, haricot, pistolet**
– Partie du bassin du corps humain **coccyx, os iliaques, sacrum, périnée**
– Relatif au bassin du corps humain **pelvien**
– Bassin géologique, entouré de montagnes **dépression, cuvette**
– Bassin minier **gisement**
– Bassin artificiel dans un port de Méditerranée **darse**
– Bassin de radoub **cale, dock**

BASTION

voir aussi **fortification**
– Bastion faisant partie d'une fortification **forteresse, redoute**
– Bastion d'une cause politique ou autre **fief, citadelle, rempart**

BATEAUX

Bateaux à rames, aviron(s), godille, pagaie ou à pédales			Bateaux à moteur	
birème	nacelle	pamphile	réale	terre-neuvas	yawl
Bucentaure	oumiak	pindjapap	trière	trimaran	zarug
canadienne	Pédalo	pirogue	trirème		
canoë	périssoire	plate	youyou	**Bateaux à moteur**	
coracle	quadrirème			aéroglisseur	morutier
couralin	quinquérème	**Bateaux tractés ou poussés**		navi-plane	paquebot
dinghy	radeau			baleinier	patache
dromon	raft	acon/accon	chaland	bateau-mouche	péniche
gondole	ramberge	barge	gribane	bateau-pilote	pétrolier
kayak	sampan	bélandre	traille	bélandre	pinasse
kouffa	skiff			car-ferry	porte-conteneurs
liburne	yole	**Bateaux à voile(s)**		cargo	
		baggala	goélette	chalutier	pousseur
Bateaux à rames ou à moteur		bélandre	heu	charbonnier	remorqueur
		bisquine	houri	crevettier	sardinier
acon/accon	canot	boutre	hourque/	dinghy	steamer
bac	chaloupe	brick	hougre	doris	supertanker
bachot	flette	bugalet	jonque	drague	thonier
barcasse	gig	cange	ketch	ferry-boat	torpilleur
barque	toue	cap-hornier	knarr	hors-bord	transatlantique
		caraque	marsillane	hydroglisseur	transbordeur
Bateaux à rames et/ou à voile(s)		caravelle	nef/nave	hydroptère	vaporetto
		catamaran	patache	langoustier	vedette
baleinière	drakkar	chasse-marée	picoteux	liberty-ship	vraquier
barge	felouque	cogghe	pinasse	marie-salope	Zodiac
barque	gabare	corvette	pink	minéralier	
barquentine	galéasse	cotre/cutter	pinque	**Bateaux de guerre**	
bélandre	galée	dindet	prao		
brigantin	galère	dinghy	sambouk	aviso	frégate
caïque	galiote	filadière	sardinier	canonnière	mouilleur de mines
chébec	norvégienne	flûte	sinagot	contre-torpilleur	
		frégate	sloop	croiseur	porte-avions
		galion	taride	cuirassé	sous-marin
		ganjas	tartane	destroyer	torpilleur
				dragueur de mines	vedette
					lance-missiles

BATAILLE

voir aussi **armée**
syn. **combat, bagarre**
– Une bataille entre deux armées **terrestre, aérienne, navale, sous-marine**
– Dispositions prises par l'état-major pour préparer une bataille **plan, ordre, stratégie**
– Bataille électorale **campagne**
– Bataille de fleurs **carnaval**
– Cheval de bataille **marotte, dada**
– Lieu ou terrain où se tient la bataille **champ d'honneur**

BATAILLON

voir aussi **armée**
syn. **troupe, phalange**
– Chef de bataillon **commandant**
– Anciennement, bataillon disciplinaire **bataillon d'Afrique**
– Un bataillon de spécialistes étudient le problème **cohorte, légion, régiment**

BÂTARD

voir aussi **pain**
– Un chien bâtard **croisé, corniaud, mâtiné**
– Un enfant bâtard **naturel, illégitime, adultérin, champi**
– Plante bâtarde **hybride**
– Une solution bâtarde **composite, mixte**

BATEAU *Voir tableau ci-dessus et illustrations p. 626 et p. 629*
voir aussi **bac, bâtiment, embarcation, voilier, barque**
– Bateau de marchandises **cargo, chaland, péniche**
– Bateau transportant des passagers **paquebot, transatlantique**
– Gros bateau **navire, vaisseau, bâtiment**
– Compétition de bateaux **régate, offshore (course)**
– Bateau de pêche **chalutier, baleinier, thonier**
– Personne qui conduit un bateau sur une rivière **batelier, marinier, passeur**
– Commerçant qui vend des fournitures pour bateaux **shipchandler**
– Bateau de plaisance **yacht**
– Mauvais bateau **rafiot, épave**
– Ensemble de bateaux **batellerie**
– Balancement d'un bateau **roulis, tangage**
– Bateau de sauvetage **chaloupe, canot, radeau**
– Bateau à moteur **hors-bord, vedette**
– Bateau à vapeur **steamer**
– Bateau à deux, trois, quatre rangs de paires de rames, dans l'Antiquité **birème, trirème, quadrirème**
– Bateau à moteur en service dans une

ville circulant sur un fleuve ou un canal **bateau-mouche, vaporetto**
– Bateau de guerre à rames utilisé jusqu'au XVIIIe siècle **galère, galiote**
– Bateau de pêche recouvert de peaux de phoque en usage au Groenland **kayak**
– Bateau vénitien à un aviron **gondole**
– Bateau à voiles d'Extrême-Orient **jonque**
– Bateau léger avançant à la pagaie **canoë, pirogue, esquif**
– Bateau aménagé pour le transport des liquides **bateau-citerne, pétrolier, méthanier, tanker, butanier, propanier, pinardier**
– Bateau avec mât surmonté d'un phare **bateau-feu, bateau-phare**
– Tenir des propos bateau **convenus, conventionnels, banals, rebattus, usés**

BÂTI /1

– Bâti sur le roc **inaltérable, indestructible, inébranlable, résistant**
– Ce type est bien bâti **musclé, baraqué, bodybuildé, bien balancé, bien découplé**

BÂTI /2

syn. **châssis, armature, assemblage, cadre, carcasse, charpente**
– Faire un bâti en couture **faufiler**

BÂTIMENT

syn. **construction, édifice, bâtisse, maison, immeuble, monument**
– Différentes parties d'un bâtiment **corps, ailes, annexes, communs, combles, arrière, avant, façade**
– Bâtiment d'une ferme **hangar, grange, bergerie, étable, écurie**
– Ensemble des bâtiments d'une ferme, exploitée sous le système du métayage **métairie**

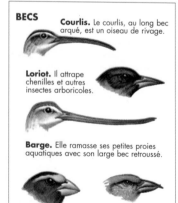

BECS

Courlis. Le courlis, au long bec arqué, est un oiseau de rivage.

Loriot. Il attrape chenilles et autres insectes arboricoles.

Barge. Elle ramasse ses petites proies aquatiques avec son large bec retroussé.

Gros-bec. C'est un granivore.

Bec-croisé. Il décortique les cônes.

– Métier du bâtiment **maçon, charpentier, menuisier, couvreur, plombier, peintre, plâtrier, vitrier, serrurier**
– Bâtiment flottant **navire, vaisseau, bateau, cuirassé, canonnière**

BÂTIR

– Bâtir un immeuble **construire, ériger, édifier**
– Celui qui bâtit ou fait bâtir **bâtisseur, architecte, fondateur, créateur**
– Bâtir un discours **assembler, agencer, façonner**
– Bâtir une théorie **établir, échafauder, fonder, élever**

BÂTON

voir aussi **baguette, canne**
– Gros bâton utilisé pour frapper **gourdin, matraque, épieu, trique, massue**
– Bâton de berger **houlette**
– Bâton qui sert à entraver des animaux **billot, tribart**
– Bâton de pèlerin avec ornement en forme de pomme **bourdon**
– Bâton ferré d'alpiniste **alpenstock, piolet**
– Bâton de bannière **hampe**
– Bâton portant un pavillon dans la marine **digon**
– Bâton à mèche servant à mettre le feu à la charge d'un canon **boutefeu**
– Bâton symbolisant l'autorité d'un évêque **crosse**
– Bâton symbolisant l'autorité royale **sceptre**
– Longs bâtons chaussés pour marcher dans les terrains marécageux **échasses**
– Bâton de cricket ou de base-ball **batte**
– Bâton à lèvres pour se maquiller **stick**
– Petit bâton pour apprendre à compter **bûchette**
– Diagramme en bâtons **histogramme**

BATRACIEN

– Nouvelle dénomination de la classe des batraciens **amphibiens**
– Ordre des batraciens **anoures, apodes, urodèles**
– Type de batraciens **rainette, triton, salamandre**
– Larve de batracien **têtard**
– Œufs fécondés de batracien **frai**

BATTEMENT

– Battement d'un marteau **martèlement**
– Battement des mains, pour saluer un spectacle par exemple **applaudissement**
– Battements de cœur irréguliers **palpitations**
– Battements du pouls **pulsations**
– Accélération du rythme des battements cardiaques **tachycardie**
– Ralentissement du rythme des battements cardiaques **bradycardie**
– Battement de tambour **roulement**

– Battement des cils et des paupières **cillement, clignement**
– Battement d'ailes **balancement**
– Bruit de battements d'ailes **bruissement, ébrouement, frémissement**
– Saut de danseuse avec battement de jambes **battu, batterie**
– Battement sur une porte ou une fenêtre **couvre-joint**
– Battement de temps entre deux horaires **intervalle, pause**

BATTERIE

– Batteries mises en œuvre contre un adversaire **plan, combinaison, machination, mesures**
– Dévoiler ses batteries **intentions**
– Batterie de cuisine **ustensiles, récipients, accessoires**
– Batterie de voiture **accus**
– Élément de batterie dans un orchestre **caisse, cymbale, timbale, gong, tambour**
– Ensemble des instruments de la batterie d'un orchestre **percussions**
– Musicien tenant la batterie **batteur, drummer, percussionniste**

BATTOIR

– Battoir de jeu de paume **batte, raquette, triquet**

BATTRE

– Battre quelqu'un **étriller, cogner, maltraiter, frapper, molester,**
– Battre quelqu'un comme plâtre **échiner, tabasser, dérouiller, rosser, rouer de coups**
– Battre quelqu'un à mort **lyncher**
– Battre l'ennemi **défaire, bouter, culbuter, écraser, vaincre, tailler en pièces**
– Battre les cartes **mêler, brouiller**
– Battre un tapis **épousseter, houssiner**
– Battre la crème **fouetter**
– Battre le blanc des œufs en neige **monter**
– Battre les buissons **parcourir, explorer**
– Son esprit bat la campagne **divague, extravague, déraisonne**
– Battre le pavé **errer, flâner**
– Battre au vent en parlant d'une voile **faseyer, ralinguer**
– Battre son plein, en parlant d'une fête par exemple **culminer, être à son apogée**
– Battre en retraite **reculer, replier (se), s'enfuir**
– Battre un argument en brèche **attaquer, ruiner**
– Battre largement un record **pulvériser**

BATTU

– Une armée battue **vaincue, défaite, en déroute**
– Être battu **succomber, perdre**

– Un enfant battu **maltraité, martyr**
– Des yeux battus **cernés**
– Boisson préparée avec du lait battu **milk-shake, cappuccino**

BAUME

– Baume utilisé pour calmer une douleur **vulnéraire, liniment, onguent**
– Arbre produisant une résine servant de base à un baume **liquidambar, aliboufier, styrax**
– Mettre du baume au cœur **adoucir, apaiser, consoler**
– Qui contient du baume ou possède des propriétés comparables **balsamique**

BAVARD

– Un individu bavard **loquace, babillard, volubile, prolixe, verbeux**
– Infatigable bavard **parleur, phraseur, jaseur, causeur, discoureur, baratineur**
– Femme bavarde **commère, péronnelle, cancanière, pipelette, gazette, pie**
– Individu bavard qui a du style **orateur, rhéteur, rhétoricien, éloquent**
– Un individu peu bavard **circonspect, réservé, pondéré, retenu, taciturne, discret, mesuré, silencieux, muet**
– Un mode d'expression peu bavard **concis, compendieux, laconique, lapidaire, sobre, succinct**

BAVARDAGE

– Bavardage patent **bagou, caquet, parlote, papotage, clabaudage, commérage**
– Bavardage dénué d'intérêt **jacasserie, verbiage, jaspin, verbalisme, logorrhée, logomachie**
– Bavardage malveillant **cancan, potin, ragot, médisance, racontar**

BAVARDER

syn. **babiller, discuter, causer, jacasser, parler, papoter, tchatcher, palabrer, bavasser**
– Bavarder en médisant **jaser, clabauder sur, ragoter**

BAVE

– Bave aux lèvres du bébé **salive**
– Bave provoquée par certaines maladies **écume, spumosité**
– La bave du crapaud n'atteint pas la blanche colombe **insulte, affront, médisance, calomnie, venin, fiel**

BAVER

syn. **écumer, saliver, postillonner**
– Il risque d'en baver **souffrir, peiner, pâtir**
– Baver d'admiration **être béat de, être ahuri de, être ébahi de, être stupéfait de**
– Baver sur la réputation de quelqu'un

souiller, salir, calomnier, médire, nuire, diffamer
– Baver en parlant de peinture, d'encre **étaler (s'), répandre (se), couler**

BAVURE

– Bavure d'un objet moulé **masselotte, ébarbure, barbille, barbe**
– Bavure d'encre **macule, mouillure, bavochure, tache, pâté**
– Bavure policière **abus, faute, erreur, imperfection, incident, faux pas, débordement, dérapage**
– Sans bavures **impeccable, irréprochable, parfait**

BAYER

– Bayer aux corneilles **rêvasser, béer**

BAZAR

syn. **marché**
– Bazar en Europe **droguerie, quincaillerie**
– Bazar au Moyen-Orient **souk**
– Emporter un vrai bazar **bric-à-brac, barda, bastringue, attirail, bataclan, fourbi, fourniment**
– Mettre le bazar **désordre, confusion, capharnaüm, fatras, fouillis, pagaille**

BÉATITUDE

– Les huit béatitudes énoncées par Jésus sur la montagne **vertus, mérites**
– De la béatitude à la canonisation **vénérable, béatifié, bienheureux**
– Béatitude éternelle des saints au Paradis **félicité, gloire**
– Il est plongé dans la béatitude **satisfaction, contentement, bien-être, bonheur, euphorie, extase, quiétude**

BEAU

syn. **splendide, superbe, magnifique, agréable, parfait, régulier, harmonieux, gracieux, majestueux**
– Le beau sexe **les femmes**
– Belle femme **vénus, Aphrodite, pin-up, vamp, tanagra, beauté, canon**
– Bel homme **adonis, apollon, éphèbe**
– Vieux beau **galant âgé, barbon**
– Quelqu'un qui est beau, mais un peu niais **bellâtre**
– Un beau corps **sculptural, séduisant, désirable**
– Qui n'est pas beau **affreux, hideux, inesthétique, laid, disgracieux**
– Un palais luxueusement beau **somptueux, fastueux**
– Le bel âge **jeunesse**
– Une belle santé **prospère**
– Un beau joueur **régulier, conciliant**
– Quand le temps se met au beau **embellie, éclaircie**
– Il y a beau temps que... **longtemps, belle lurette**
– Un beau jour **inopinément, soudain**

BEAUCOUP

– Beaucoup de personnes **plusieurs, maintes, une foule, une multitude**
– Boire beaucoup **à tire-larigot, copieusement, considérablement, excessivement**
– Regretter beaucoup **vivement, profondément, infiniment, énormément**
– S'ennuyer beaucoup **prodigieusement**
– Nous avons beaucoup parlé **abondamment, longuement**
– De beaucoup **amplement, largement**

BEAUTÉ

– Étude historique ou philosophique de la beauté **esthétique**
– Déesse de la beauté dans la mythologie grecque et romaine **Aphrodite, Vénus**
– Beauté d'une femme **vénusté, grâce, joliesse, délicatesse, charme, élégance**
– Beautés d'une personne attirante **charmes, appas, attraits**
– Salon de soins de beauté pour le visage et le corps **institut de beauté**
– Produits de beauté **cosmétiques, fards**
– Se faire une beauté **farder (se), maquiller (se), coiffer (se)**
– Elle a un grain de beauté au-dessus de la bouche **mouche**
– Beauté des sentiments **noblesse**
– Un paysage de toute beauté **pittoresque**
– Terminer un match en beauté **magnifiquement, victorieusement**

BÉBÉ

– Bébé avant la naissance **embryon (0 à 3 mois), fœtus (3 à 9 mois)**
– Méthode de communication fondée sur le contact avec le bébé dans le ventre de la mère **haptonomie**
– Bébé né avant terme **prématuré**
– Bébé qui vient de naître **nouveau-né**
– Bébé encore allaité par sa mère **nourrisson**
– Dénomination affectueuse d'un bébé **petit, tout-petit, ange, poussin**
– Bébé conçu par fécondation in vitro **bébé-éprouvette**
– Poupée représentant un bébé **baigneur, poupon, dormeur**
– Représentation d'un bébé ou d'un enfant dans les beaux-arts **cupidon, putto, angelot, chérubin**
– Cri du bébé **vagissement, gazouillis, babil, lallation, piaillement, braillement**
– Petit lit de bébé **couffin, nacelle, berceau, berceuse, moïse, bercelonnette**
– Vêtement de bébé **layette, brassière, barboteuse, grenouillère, bloomer, body**
– Bonnet dont on coiffait les bébés **béguin**
– Personne qui garde des bébés ou des enfants **nourrice, assistante maternelle, baby-sitter, nurse**

– Secteur d'activité d'ordre médical destiné à assurer la croissance des bébés **puériculture, pédiatrie, PMI**
– Lieu où sont gardés les bébés dans une maternité **pouponnière, nursery**
– Médecin qui s'occupe des bébés et des enfants **pédiatre, pédopsychiatre**

BEC *Voir illustration p. 66*
– Bec des oiseaux en zoologie **rostre**
– Oiseau ayant un bec fin **ténuirostre**
– Jeune oiseau dont le bec garde une membrane jaune **béjaune**
– Se nourrir à l'aide du bec **becqueter, picorer, happer**
– Nourriture que l'on met dans le bec **becquée**
– Bec d'un instrument à vent en musique **embouchure, biseau**
– Outil en forme de bec d'oiseau **bec-de-corbeau, bec-de-corbin**
– Bec-de-cane ouvrant une porte **béquille**
– Bec de gaz **réverbère**
– Ouvrir le bec **parler, exprimer (s'), prendre la parole, rompre le silence**
– Ils ont eu une prise de bec **altercation, démêlé, dispute**

BÉCASSE
voir aussi **oiseau**
– Famille d'oiseaux à laquelle appartient la bécasse **scolopacidés**
– Ordre d'oiseaux des marais auquel appartient la bécasse **échassiers, charadriiformes**
– Oiseau de la famille de la bécasse qui se plaît dans les marais **bécassine**
– Petit de la bécasse **bécasseau, béchot, maubèche**
– Déplacement des bécasses entre bois et prairie **passée**
– cri d'appel de la bécasse **croule**
– Poisson dont le bec ressemble à celui de la bécasse **orphie**

BÊCHE
– Sorte de bêche pour remuer et aérer la terre **binette, houe, pelle**
– Bêche à lame étroite **louchet**
– Sorte de bêche à trois branches **trident**
– Bêche utilisée par les tourbiers ou pour le ramassage de coquillages **palot**
– Petite culture à la bêche **mésoyage**
– Bêche de crosse, à l'extrémité d'un affût de canon, pour limiter le recul de la pièce **soc**

BÉGAIEMENT
– Personne atteinte de bégaiement **bègue**
– Les bégaiements d'une nouvelle théorie **balbutiements, commencements, tâtonnements, hésitations**

BÉGAYER
– Bégayer des excuses **bafouiller, bredouiller, balbutier, ânonner**

BÉGUIN
– Il porte un béguin sur la tête **coiffe, bonnet**
– Avoir le béguin pour quelqu'un ou quelque chose **flirt, passion, penchant, attirance, amourette**

BEIGE
voir aussi **brun, écru**
– Beige clair **sable, blanc cassé, crème**
– Beige tirant sur le gris **bis, grège**
– Beige foncé **cannelle, café au lait, bistre, brun clair**
– Beige foncé pour désigner une couleur de cheveux **châtain**

BEIGNET
– Sorte de beignet sucré **bugne, merveille, roussette, chichi**
– Beignet soufflé **pet-de-nonne**
– Beignet tunisien de semoule et de dattes **makroud**
– Sorte de beignet salé **brick, nem, samoussa, tempura**
– Beignet de morue **acra**
– Beignet de langoustine ou de crevette dans la cuisine italienne **scampi**
– Beignet de pomme de terre en Équateur **tortilla**

BÊLEMENT
– Bêlement de chèvre **béguètement, chevrotement**
– Bêlement plaintif **jérémiade**

BELGE
– Terme propre au parler des Belges **belgicisme, flandricisme, wallonisme**
– Langue officielle belge **flamand, français, allemand**
– Belge partisan d'une domination flamande **flamingant**
– Belge partisan d'une autonomie de la Wallonie **wallingant**
– Biscuit belge au sucre candi **spéculoos**

BELLE
– Il se promène avec sa belle **fiancée, dulcinée, bien-aimée**
– Se faire la belle **évader (s'), échapper (s'), enfuir (s'), décamper**
– Jouer la belle **revanche, match-retour**

BELLIQUEUX
– Comportement ou instinct belliqueux **agressif, batailleur, querelleur, bagarreur, guerrier, hargneux, pugnace**
– Partisan d'une attitude belliqueuse **belliciste, va-t-en-guerre, faucon, épervier, guerroyeur**

BELOTE *Voir tableau ci-contre*

BÉNÉDICTION
– Bénédiction d'objets du culte **consécration**

– Bénédiction nuptiale **mariage**
– Bénédiction d'un mourant **extrême-onction, sacrement des malades**
– Bénédiction d'un bateau **baptême**
– C'est une bénédiction **bienfait, chance, bonheur**
– Avec la bénédiction de mon père **approbation, assentiment, consentement**

BÉNÉFICE
syn. **recette**
– Bénéfice réalisé par une entreprise **gain, rapport, excédent, boni, profit, revenu, marge**
– Vente sans bénéfice **à prix coûtant, à perte, dumping**
– Un travail qui procure des bénéfices **lucratif, rémunérateur, rentable, fructueux**
– Cet argent sera consacré au bénéfice d'une œuvre sociale **au profit**
– Avoir pour soi le bénéfice de l'âge **privilège, prérogative, avantage, faveur**
– Accepter une succession sous bénéfice d'inventaire **conditionnellement, sous réserve**
– Bénéfice ecclésiastique **régulier, séculier, à charge d'âmes**
– Destination des bénéfices ecclésiastiques majeurs **abbaye, évêché**
– Destination des bénéfices ecclésiastiques mineurs **canonicat, chapellenie, prieuré, cure**
– Jouissance des revenus d'un bénéfice ecclésiastique en litige **récréance**
– Revenu que payaient au pape ceux qui avaient fait un bénéfice **annate**
– Échange de bénéfices ecclésiastiques **copermutation**
– Collation d'un bénéfice ecclésiastique **obtention, impétration, indult, investiture**
– Bénéfice ecclésiastique confié temporairement **commende**
– Juridiction d'un bénéfice ecclésiastique **temporalité**
– Titulaire d'un bénéfice ecclésiastique **nominataire, impétrant**

BÉNÉVOLE
– Collaborateur bénévole **volontaire**
– Une participation bénévole **désintéressée, gracieuse, gratuite, libre**
– Activité bénévole **bénévolat, volontariat**

BÉNIN
– Un défaut bénin **anodin, insignifiant, inoffensif, léger**
– Une tumeur qui n'est pas bénigne **maligne**

BÉNIR
voir aussi **liturgie, prière**
– Bénir quelqu'un qui a rendu un grand

BELOTE

BUT DU JEU: MARQUER LE PLUS GRAND NOMBRE POSSIBLE DE POINTS. SE JOUE À 4 PAR ÉQUIPES DE 2.

Affranchir: rendre une carte maîtresse en faisant tomber celles qui lui sont supérieures.

Annonce: avant de jouer, déclaration des combinaisons qu'un joueur a dans la main.

Appel: poser une carte incitant son partenaire à jouer une certaine couleur.

Atout: couleur dont les cartes ont préséance sur celles des autres couleurs.

Basses cartes: cartes sans valeur qui ont peu de chances de faire des levées.

Belote: réunion dans une même main de la dame et du roi d'atout. On annonce belote en jouant la première carte et rebelote en jouant la deuxième.

Capot: équipe qui ne réalise aucune levée.

Carré: combinaison qui réunit 4 cartes identiques.

Cartes maîtresses: voir Honneurs maîtres.

Cent: séquence de 5 cartes.

Charger: partenaires qui jouent leurs cartes les plus fortes lorsqu'ils sont assurés de remporter la partie.

Chicane: absence de carte dans une couleur.

Chuter: être dedans (voir ce mot).

Cinquante: séquence de 4 cartes.

Coinche: variante de la belote.

Couleur: famille de cartes.

Couper: jouer un atout quand on n'a plus de cartes de la couleur demandée.

Dedans: si l'équipe du preneur totalise moins de points que l'équipe adverse, on dit qu'elle est « dedans ».

Défausser: jouer une carte différente de la couleur demandée et différente de l'atout.

Dix de der: prime récompensant l'équipe qui réalise la dernière levée.

Donne: distribution des cartes.

Donneur: joueur qui distribue les cartes.

Entame: première carte jouée.

Entameur: joueur qui pose la première carte.

Envoyer: voir Prendre.

Envoyeur: voir Preneur.

Forcer ou **monter:** mettre un atout plus fort que le précédent.

Fourchette: séquence de 3 cartes dont on a retiré la carte centrale.

Honneurs: cartes rapportant des points et susceptibles de réaliser des levées dans la couleur de l'atout: valet, 9, as, 10, roi, dame; dans les autres couleurs: as, 10, roi, dame, valet.

Honneurs maîtres: cartes que l'adversaire ne peut capturer.

Impasse: remporter une levée avec un honneur non maître.

Levée: voir Pli.

Long: se dit d'un honneur lorsqu'il est accompagné de nombreuses cartes basses.

Monter: voir Forcer.

Passe: situation où l'équipe du preneur réalise plus ou autant de points que l'équipe adverse.

Perdante: carte non maîtresse qui n'est pas couverte (protégée) par une carte maîtresse du partenaire.

Pli: ensemble des cartes jouées dans un tour.

Pisser: voir Sous-couper.

Prendre: fait de s'engager à réaliser plus de points que l'équipe adverse.

Preneur: joueur qui prend en décidant de l'atout.

Quatrième: voir Cinquante.

Quinte: voir Cent.

Rebelote: voir Belote.

Renoncer: contrevenir aux règles du jeu de cartes.

Retourne: la première des cartes non distribuées qui sera retournée. Elle fixe la couleur de l'atout.

Séquence: suite d'au moins 3 cartes d'une même couleur.

Sous-couper: fait de jouer un atout inférieur au précédent lorsque le joueur n'a plus de cartes de la couleur demandée.

Tierce: séquence de 3 cartes consécutives.

---

service **remercier, louer, glorifier, exalter, applaudir, être reconnaissant à, vénérer**
– Que Dieu bénisse les hommes de bonne volonté! **protège, aide, soutienne, récompense, favorise**
– Le prêtre bénit un lieu ou un individu **consacre, sacre, oint**
– Prière pour bénir le repas **bénédicité**
– Bénir un bateau **baptiser**

BÉNIT
– Offrande du pain bénit aux fidèles après la consécration **communion, eucharistie**
– Vasque d'eau bénite dans une église **bénitier**
– Prendre de l'eau bénite avec ses doigts avant de… **signer (se)**
– Une médaille bénite **consacrée**
– Buis bénit **buis des Rameaux**
– Cierge bénit **cierge de Pâques**
– C'est pain bénit pour les fraudeurs! **une aubaine**
– Qui bénit **bénisseur**
– Ce type est un cul-bénit **bigot, calotin, dévot**

BÉNITIER
– Grenouille de bénitier **punaise de sacristie, dévot**
– Bénitier en zoologie **tridacne**

BENNE
– Engin de chargement équipé d'une benne mécanique **chouleur**
– Engin de terrassement à benne basculante **dumper**
– Camion à benne servant au ramassage des ordures **benne à ordures**
– Benne à charbon dans une mine **berline, chariot, herche, wagonnet**
– Téléphérique constitué de plusieurs cabines ou bennes **télécabine, télébenne**
– Mode de transport par benne suspendue **téléphérage**

BENZÈNE
– Dérivé du benzène utilisé comme désinfectant **phénol**
– Mélange de benzène, de toluène et de xylène **benzol**
– Maladie professionnelle due entre autres au benzène **benzolisme**

BENZINE
voir aussi **hydrocarbure**
– Utilisation domestique de la benzine **détachant, solvant**

BÉQUILLE
– S'aider d'une béquille pour marcher **canne anglaise, canne**
– Béquille de maintien **étai, étançon, cale, chevalement**
– Béquille ou ensemble de béquilles soutenant un bateau **tin, ber, berceau**
– Béquilles d'un raisonnement **supports, soutiens, appuis**

BERCEAU
– Corbeille servant de berceau d'enfant **moïse, couffin**
– Berceau léger monté sur deux pieds en forme de croissant **bercelonnette**
– Arc qui renforce une voûte en forme de berceau **arc-doubleau, doubleau**
– Berceau de poutres sur lequel se construit un bateau **ber**

BERCER
syn. **balancer**
– Chanson pour endormir un enfant que l'on berce **berceuse**
– Nourrice chargée de bercer un enfant **berceuse, remueuse**
– Bercer quelqu'un de promesses, d'illusions **leurrer, flatter, tromper, abuser, endormir**

BÉRET
voir aussi **coiffure, coiffe**
– Béret d'étudiant **faluche**
– Un béret rouge **parachutiste**

– Ce soldat est un béret vert **légionnaire**
– Compagne du béret français **baguette**

BERGE
voir aussi **bord**
– Sur l'autre berge du fleuve **rive, rivage**
– Chemin situé sur la berge d'un canal **berme**
– Voie sur berge pour les automobiles **autoberge**
– Des berges qui donnent des rides **balais, piges, printemps**

BERGER
– Berger qui fait paître le bétail **pasteur, pâtre, pastoureau**
– Bâton de berger **houlette**
– Sac à pain de berger **panetière**
– Instrument de musique traditionnellement associé au berger **pipeau, musette, cornemuse, flageolet**
– Cabane de berger **buron, chalet**
– Chien de berger belge **malinois, tervueren, grœnendael**
– Chien de berger de Brie **briard**
– Chien de berger écossais **bobtail, colley**
– Chien de berger des Pyrénées **labrit**
– Œuvre littéraire ou picturale mettant en scène la vie de berger **bucolique, pastorale, idylle, églogue, bergerie**
– Dieu des bergers et des troupeaux dans la mythologie grecque **Pan**
– Étoile du berger **Vénus**
– Bergère de Domrémy devenue célèbre **Jeanne d'Arc**
– Coup du berger aux échecs **mat en 4 coups**

BERGERIE
– Enfermer le loup dans la bergerie **commettre une imprudence, prendre des risques**
– Compartiment, mangeoire d'une bergerie **crèche, case**

BESOGNE
syn. **tâche, ouvrage, travail**
– Besogne difficile ou de longue haleine **labeur**

BESOIN
voir aussi **envie, assistance**
– Besoin essentiellement humain **désir, aspiration, appétence**
– Besoin qui fait nécessité **dépendance, accoutumance, assuétude**
– Besoin ressenti comme une souffrance **manque, insatisfaction, frustration**
– Être dans le besoin **misère, indigence, gêne, dénuement, pauvreté**
– Au besoin **le cas échéant**

BEST OF
syn. **anthologie**
– Un best of de musique **anthologie, florilège, compilation, sélection**

BESTIAL
– Un comportement bestial **brutal, sauvage, animal, grossier, lubrique, féroce, inhumain**

BÉTAIL
voir aussi **troupeau**
– Gros bétail **bovins, équidés**
– Petit bétail **ovins, porcins, caprins**
– Bétail possédé par un pays ou un particulier **cheptel, bestiaux**
– Alimentation du bétail en fourrage **affenage, affouragement**
– Engraissement du bétail à l'étable **pouture**
– Mélange de son et de farine donné en breuvage au bétail **buvée**
– Endroit où l'on met le fourrage pour nourrir le bétail à l'étable **râtelier**
– Lieu où l'on engraisse le bétail **nourricerie**
– Engraissement du bétail dans le pré **herbage, pâture, pré d'embouche**
– Lieu où l'on fait paître le bétail **pacage**
– Terre inculte sur laquelle on fait paître le bétail **pacis**
– Changement de pâturage du bétail **transhumance**
– Clochette attachée au cou du bétail **clarine, sonnaille, campane, bélière**
– Marchand de bétail peu scrupuleux **maquignon**

BÊTE /1
voir aussi **animal**
– Petite bête **bestiole, insecte**
– La « bête à bon Dieu » **coccinelle**
– Une bête apprivoisée par les hommes et qui vit près d'eux **domestique**
– Bête à cornes **bœuf, vache, chèvre**
– Bête à cornes creuses **cavicorne**
– Bête de somme **âne, mulet, chameau, éléphant**
– Transport par bête de somme **bât, charge, harnais**
– Bête de trait **bœuf, cheval**
– Médecin des bêtes **vétérinaire**
– Une bête sauvage **féroce, sanguinaire**
– Bête sauvage au pelage roux **fauve**
– Petit d'une bête fauve **faon**
– Gladiateur qui combattait les bêtes féroces dans les jeux du cirque **belluaire, bestiaire**
– Reprendre du poil de la bête **ressaisir (se)**
– Les maths, c'est sa bête noire **obsession, horreur, cauchemar**
– Chercher la petite bête **ergoter, pinailler, ratiociner**
– Bête de travail **bûcheur, bosseur**

BÊTE /2
– Il est bête à manger du foin **stupide, obtus, naïf, sot**
– Se trouver tout bête **confus, désemparé, gêné, interdit**

– Que c'est bête ! **absurde, grotesque, inepte, ridicule**

BÊTISE
– Faire preuve de bêtise **niaiserie, naïveté, stupidité, crétinerie**
– Dire une bêtise **ineptie, ânerie, sottise, absurdité**
– Raconter des bêtises **balivernes, bagatelles, fadaises, billevesées**
– Faire une bêtise **maladresse, gaffe, bévue, bourde**
– Il fait des bêtises pour rire **farces, plaisanteries**
– Se brouiller pour des bêtises **broutilles, futilités, vétilles**

BÉTON
voir aussi **maçonnerie**
– Type de béton **armé, blindé, précontraint**
– Béton qui a l'aspect du granite **granito**
– Opération comportant le maniement du béton **ferraillage, cintrage, malaxage, coffrage, coulage, décoffrage**

BÉTONNER
– Bétonner une construction **cimenter, guniter**
– Bétonner un raisonnement **consolider, renforcer, rendre inattaquable**

BEUGLEMENT
voir aussi **bœuf**
syn. **meuglement, mugissement**
– Faire entendre un beuglement **hurlement, braillement, bramement, vocifération**

BEURRE
voir aussi **lait**
– Instrument à battre la crème du lait pour en extraire le beurre **baratte**
– Phase de fabrication du beurre **écrémage, délaitage, malaxage**
– Reste de lait dans la préparation du beurre **babeurre, petit-lait**
– Qui a la consistance ou l'apparence du beurre **butyreux**
– Levure pathogène qui rancit le beurre **torula**

BÉVUE
– Commettre une bévue **étourderie, impair, maladresse, méprise**

BIAIS
– Aborder un problème par un autre biais **angle, aspect, côté**
– De biais **obliquement, indirectement, de façon détournée**
– Par le biais de quelqu'un **entremise, médiation, truchement, intermédiaire**

BIBELOT
– Collectionner des bibelots **babioles**

BIBLE

Apocryphes : livres non canoniques, c'est-à-dire non reconnus par l'Église et dont l'authenticité est douteuse.

Bible de Gutenberg ou **Bible à 42 lignes :** réalisée vers 1455 par Gutenberg, en latin ; première édition imprimée de la Bible.

Bible de Luther : traduction allemande de la Bible par Martin Luther, condamnée par l'Église romaine en 1523.

Bible des Septante : traduction en grec de la Bible hébraïque, réalisée en Égypte aux IIIᵉ et IIᵉ siècles avant notre ère.

Canon biblique : liste des livres de la Bible que les autorités religieuses reconnaissent officiellement comme étant inspirés par Dieu. On parle alors de livres canoniques.

Deutérocanoniques (livres) : livres de la Bible qui n'ont été

reconnus canoniques par les autorités religieuses que tardivement.

Évangiles : quatre livres brefs qui décrivent certains épisodes de la vie de Jésus et rapportent son enseignement. Ils ont été dès l'origine attribués à quatre auteurs : saint Matthieu (symbolisé par un homme), saint Marc (symbolisé par un lion), saint Luc (symbolisé par un taureau) saint Jean (symbolisé par un aigle). Ces livres ont été écrits en grec.

Prophète : personne se disant inspirée par Dieu pour révéler des vérités cachées.

Rouleaux de la mer Morte : manuscrits de la Bible, au nombre d'une centaine. Datant du Iᵉʳ siècle, ils ont été retrouvés dans une grotte sur le site de Qumran, en Cisjordanie.

Vulgate : traduction en latin de la Bible hébraïque faite par saint Jérôme entre 391 et 405.

LES LIVRES DE LA BIBLE
La Bible se compose de l'Ancien Testament (écrit en hébreux), centré sur l'histoire du peuple juif, et du Nouveau Testament (écrit en grec), centré sur la personne et le message du Christ.

ANCIEN TESTAMENT

Le Pentateuque *(les cinq livres)* ou **la Torah** *(la Loi) :* écrits à trois périodes différentes *(le yahviste au IXᵉ siècle av. J.-C. ; l'Élohiste au VIIIᵉ siècle av. J.-C. ; le Chroniqueur au IVᵉ siècle av. J.-C.),* ils racontent l'histoire des Hébreux depuis le commencement du monde jusqu'à la mort de Moïse.

La Genèse : raconte la Création, l'histoire d'Adam, l'arche de Noé, la tour de Babel, l'installation des Hébreux en Égypte.
L'Exode : raconte l'esclavage des Hébreux en Égypte, la fuite vers la Terre promise, la révélation de la Loi à Moïse.
Le Lévitique : détaille les prescriptions religieuses des israélites.
Les Nombres : raconte la vie des Hébreux dans le désert, le voyage vers le pays de Moab et le partage de la Terre promise.
Le Deutéronome : reprend les livres précédents et relate la mort de Moïse.

Les livres historiques *(premiers prophètes ou prophètes antérieurs)*

Josué : postérieur à 600 av. J.-C., ce livre raconte l'entrée dans la Terre promise, son partage et la mort de Josué, successeur de Moïse.
Les Juges : postérieur à la fin du VIᵉ siècle av. J.-C, ce livre raconte les guerres d'installation sur la Terre promise, les exploits des Juges (parmi lesquels Samson et Samuel) et leurs efforts pour faire triompher la loi de Dieu.
Samuel I et II : postérieurs au VIIᵉ siècle av. J.-C., ils racontent l'histoire d'Israël de la naissance de Samuel à la mort de Saül (I) et de la mort de Saül à la vieillesse de David (II).
Les Rois I et II : ces livres racontent la fin du règne de David,

le règne de Salomon et le partage entre les royaumes d'Israël et de Juda (I), le règne d'Ozochias puis la ruine de Jérusalem par Nabuchodonosor (II).
Les Chroniques I et II : ces livres ont été écrits vers le IVᵉ siècle av. J.-C. par un auteur anonyme qu'on appelle le Chroniste. Résumé de l'histoire du monde, ils racontent le règne de David (I) et celui de Salomon, la reconstruction du Temple et les réformes religieuses (II).
Esdras : probablement écrit par un disciple du Chroniste après le IVᵉ siècle av. J.-C., ce livre raconte ce qui s'est passé après la captivité à Babylone.
Néhémie : probablement du même auteur que le livre précédent, dont il forme la suite.
Les Maccabées I et II : ces livres deutérocanoniques *(voir ce mot)* ont été écrits entre 104 et 63 av. J.-C. Ils racontent la lutte conduite par les Maccabées (surnom d'une lignée de patriotes juifs) contre Antiochos IV Épiphane et ses successeurs.

Les livres prophétiques
(derniers prophètes ou prophètes postérieurs)

Isaïe : ce livre, écrit entre le VIIIᵉ et le VIIᵉ siècle av. J.-C. (Isaïe lui-même est actif entre 746 et 701 av. J.-C.) est un recueil de prophéties et de poèmes exaltant la puissance de Dieu et relatant la restauration d'Israël après la fin de la captivité à Babylone.
Jérémie : certaines parties de ce livre auraient été écrites par Baruch, secrétaire de Jérémie (lui-même actif entre 627 et 587 av. J.-C.). Ces textes s'élèvent contre le formalisme du culte tout en prêchant l'acceptation du désastre que représente la captivité à Babylone.
Les Lamentations : poèmes anonymes racontant la destruction de Jérusalem par les Babyloniens.

Baruch : peut-être écrits au IIᵉ siècle av. J.-C., ces poèmes sont rédigés pour les Juifs de la diaspora.
Ézéchiel : certaines prophéties de ce livre, parlant de la ruine puis de la restauration d'Israël, remonteraient peut-être à Ézéchiel lui-même (actif entre 592 et 570 av. J.-C.).
Daniel : sans doute rédigé vers 168 av. J.-C., c'est un livre à la fois narratif (épisode de Daniel dans la fosse aux lions…) et visionnaire.
Osée : prophéties contre les tendances idolâtres du peuple d'Israël.
Joël : livre rédigé vers le IIIᵉ siècle av. J.-C. et comprenant des prophéties eschatologiques.
Amos : Amos prophétisa en Israël vers le VIIIᵉ siècle av. J.-C., se heurtant à la religion officielle.
Abdias : livre rédigé vers le Vᵉ siècle av. J.-C.
Jonas : rédigé vers le Vᵉ siècle av. J.-C., ce livre raconte comment Jonas, avalé par une baleine, en ressortit sain et sauf et se mit à prêcher ; les chrétiens voient dans ce célèbre épisode un symbole de la Résurrection.
Michée : certains chapitres sont contemporains de Michée, qui a vécu à la fin du VIIIᵉ siècle av. J.-C. C'est le premier livre qui fasse allusion à la naissance future d'un messie à Bethléem.
Nahum : prophéties contre Ninive, peut-être contemporaines de Nahum (fin du VIIᵉ siècle av. J.-C.), mais revues postérieurement.
Habacuc : rédigé à la fin du VIᵉ siècle av. J.-C., ce livre parle surtout de l'exil des Hébreux.
Sophonie : le premier chapitre, parlant du jour de colère de Dieu (le *Dies irae*), serait contemporain du prophète Sophonie (vers 640-609 av. J.-C.).
Aggée : prophéties authentiques, rédigées vers 520 av. J.-C.
Zacharie : les huit premiers chapitres sont contemporains de Zacharie (fin du VIᵉ siècle av. J.-C.), qui œuvra pour la restauration d'Israël après la captivité à Babylone.

Malachie : ouvrage de prophéties anonymes du début du Vᵉ siècle av. J.-C.

Les livres poétiques et sapientiaux *(ou hagiographes)*

Les Psaumes : ensemble de 150 poèmes à la louange de Dieu, rédigés entre le Xᵉ et le IIᵉ siècle av. J.-C. et dont certains sont attribués au roi David.
Les Proverbes : recueil de maximes faisant référence à divers personnages (par ex. Salomon), écrit vers le début du Vᵉ siècle av. J.-C.
Job : rédigé vers le milieu du Vᵉ siècle av. J.-C., il raconte les épreuves et la fidélité de Job.
Le Cantique des cantiques : poèmes d'amour rédigés vers la fin du IVᵉ siècle av. J.-C.
L'Ecclésiaste : rédigé dans sa dernière version vers la fin du IVᵉ siècle av. J.-C. (mais faisant référence à Salomon), il exprime le désenchantement.
La Sagesse : livre deutérocanonique attribué à Salomon mais rédigé vers le Iᵉʳ siècle av. J.-C., décrivant la sagesse comme une manifestation divine.
L'Ecclésiastique ou **le Siracide :** livre deutérocanonique rédigé vers 190 av. J.-C.
Tobit : livre deutérocanonique rédigé vers le IIIᵉ siècle av. J.-C. racontant comment Tobie a chassé les démons de Sara et l'a épousée, puis comment il a rendu la vue à son père Tobit.
Judith : livre deutérocanonique peut-être rédigé au IIᵉ siècle av. J.-C. racontant comment Judith séduisit Holopherne, général assyrien, pour sauver la ville de Béthulie.
Esther : livre rédigé vers 175 av. J.-C. racontant comment Esther, femme du roi perse Assuérus, obtint la grâce des Juifs.
Ruth : livre court anonyme, postérieur à l'exil.

(suite du tableau page suivante)

BIBLE (suite)

NOUVEAU TESTAMENT

Les Évangiles

Livres qui, en relatant la vie et la mort de Jésus ainsi que ses enseignements, contiennent les fondements de la religion chrétienne.

ÉVANGILE SELON SAINT MATTHIEU :

Matthieu était un percepteur qui aurait rejoint Jésus. Son Évangile a été écrit vers 80-90. Il annonce la venue du royaume de Dieu, et l'accomplissement de la Loi et des prophéties.

ÉVANGILE SELON SAINT MARC :

Marc était un compagnon de saint Paul et de saint Pierre. On lui attribue l'Évangile qui, écrit vers 70, met l'accent sur Jésus, fils de l'homme et fils de Dieu.

ÉVANGILE SELON SAINT LUC :

Luc aurait été médecin et compagnon de saint Paul.

Écrit vers 80-90, son Évangile insiste sur l'aspect universel du christianisme.

ÉVANGILE SELON SAINT JEAN :

Jean était l'un des premiers disciples de Jésus. Rédigé vers 90-100, l'Évangile attribué à saint Jean offre une perspective théologique et liturgique.

Les Actes des Apôtres :

ce texte, rédigé vers 80-100, est attribué à saint Luc. Il relate la vie des premiers chrétiens à Jérusalem et les voyages de saint Paul.

Les Épîtres de saint Paul :

ensemble de lettres attribuées à saint Paul (vers 5/15 - vers 62/64) et s'adressant à une communauté chrétienne particulière.
Ce sont les Épîtres :
– aux Romains ;
– aux Corinthiens I et II ;
– aux Galates ;

– aux Éphésiens ;
– aux Philippiens ;
– aux Colossiens ;
– aux Thessaloniciens I et II (les plus anciennes ont été rédigées vers 50) ;
– à Timothée I et II (elles sont dites pastorales car elles concernent la discipline ecclésiastique) ;
– à Tite (elle est dite aussi pastorale car elle concerne l'institution des pasteurs) ;
– à Philémon ;
– aux Hébreux.

Les Épîtres catholiques :

elles sont appelées ainsi car elles ne s'adressent pas à une communauté en particulier, contrairement à celles de Paul. Ce sont les Épîtres :

– de saint Jacques, attribuées à Jacques le Mineur, l'un des douze apôtres, qui aurait été l'un des chefs de la première communauté chrétienne

de Jérusalem et serait mort lapidé en 62 ;
– de saint Pierre I et II ; attribuées à l'apôtre mort crucifié à Rome en 64, ce sont en fait les plus récentes puisque rédigées vers 150 ;
– de saint Jean I, II et III, attribuées à ce disciple de Jésus, de même qu'un Évangile et que l'Apocalypse ;
– de saint Jude, attribuées à cet apôtre, aussi appelé Thaddée, frère de Jacques le Mineur.

Le Livre prophétique l'Apocalypse de Jean :

*écrit vers 96, par un auteur qui se nomme lui-même Jean, ce livre a été attribué à l'apôtre Jean, de même qu'un des Évangiles et trois Épîtres.
Relatant des visions prophétiques et eschatologiques, il annonce la chute de Babylone (Rome) et l'avènement de la Jérusalem céleste.*

– Fabrication, commerce ou ensemble de bibelots **bimbeloterie**

BIBERON

voir aussi **bébé, lait**
– Accessoire de nettoyage du biberon **goupillon, écouvillon**
– Passage de l'allaitement maternel au biberon **sevrage**

BIBLE *Voir tableau p. 71-72*

voir aussi **religion**
– Livre composant la Bible des chrétiens **Ancien Testament, Nouveau Testament, Évangile**
– Partie de la Bible commune aux juifs et aux chrétiens **Ancien Testament**
– Textes de la Bible **Saintes Écritures**
– Autre nom donné par les chrétiens à la Bible **Livre révélé, Écriture sainte**
– Traduction latine de la Bible adoptée par l'Église catholique **Vulgate**
– Commentaire, interprétation de la Bible **exégèse, herméneutique**
– Nom donné à la Bible des juifs **Torah**
– Exégèse faite par les docteurs juifs sur le texte hébreu de la Bible **massore**
– Bible des musulmans qui est le fondement de leur civilisation **Coran**

BIBLIOTHÈQUE

voir aussi **livre, archives**
– Posséder une riche bibliothèque **collection**
– Bibliothèque informatique **banque de données**
– Sorte de bibliothèque intégrant d'autres supports d'information **médiathèque**

– Personnel d'une bibliothèque **administrateur, conservateur, archiviste, bibliothécaire**
– Science de l'aménagement et de la gestion des bibliothèques **bibliothéconomie**
– Pour ranger les livres dans la bibliothèque **armoire, rayonnages**
– Lieu où sont entreposés les ouvrages interdits à la bibliothèque **enfer**
– Bibliothèque ambulante **bibliobus**

BICHE

voir aussi **cerf**
– Famille à laquelle se rattache la biche **cervidés**
– Troupe de biches accompagnées des faons **harpail, harde**
– Pâturer, en parlant de la biche **viander**
– Action de crier pour la biche **bramer, raire, réer**
– Pied-de-biche utilisé pour arracher des clous **levier, pied-de-chèvre, arrache-clou**
– Pied-de-biche d'une machine à coudre **presseur**
– Style des meubles à pieds-de-biche **Louis XV**

BICYCLETTE *Voir illustration p. 74*

voir aussi **véhicule**
syn. **vélo**
– Ancêtre de la bicyclette **draisienne, vélocipède, célérifère**
– Bicyclette tout terrain **bicross, VTT, VTC**
– Bicyclette à deux places **tandem**
– Bicyclette faisant taxi **cyclopousse, vélopousse**

– Bicyclette équipée d'un moteur **cyclomoteur, vélomoteur**
– Piste réservée aux courses de bicyclettes **vélodrome**

BIEN

– Bien de la terre **fruit, récolte**
– Faire fructifier un bien **capital, héritage, patrimoine**
– Dilapider son bien **fortune, richesse**
– Veiller au bien commun **intérêt**
– Un bien mobile au regard de la loi **meuble**
– Un bien inamovible **immeuble**
– Un bien abandonné par son propriétaire **vacant**
– En droit, un bien pouvant être remplacé par une chose analogue **fongible**
– Un bien n'appartenant qu'à l'épouse **paraphernal**
– Administrateur de biens **syndic, gérant**
– Être un homme de bien **juste, vertueux, honnête, intègre**
– Dire du bien de quelqu'un **éloge, louange, dithyrambe, apologie, panégyrique**

BIEN-AIMÉ

– Être le bien-aimé de quelqu'un **élu, préféré, chouchou**
– Le bien-aimé **amant, fiancé, amoureux, prince charmant, flirt**
– La bien-aimée **maîtresse, belle, fiancée, amante**

BIEN-ÊTRE

– Un état de bien-être **sérénité, quiétude, euphorie, plaisir, félicité**

– Revendiquer un bien-être matériel qui va au delà des besoins vitaux **aisance, confort, luxe**

BIEN-FONDÉ
– Douter du bien-fondé d'une critique **légitimité, pertinence, validité**
– Le bien-fondé d'un pourvoi **recevabilité**

BIENFAISANCE
syn. **bienveillance, bonté, générosité, altruisme**
– Faire acte de bienfaisance **charité, assistance, entraide, philanthropie**
– Œuvre de bienfaisance **ouvroir, patronage, foyer, asile**

BIENFAISANT
– Un climat bienfaisant **salutaire, bénéfique, profitable**

BIENFAIT
– Prodiguer un bienfait **libéralité, largesse, faveur**
– Apprécier les bienfaits du progrès **avantages, bénéfices**

BIENFAITEUR
– La générosité d'un bienfaiteur **donateur, protecteur, philanthrope, mécène, sauveur**
– Action d'un bienfaiteur concernant un projet **parrainage, patronage, mécénat, sponsorisation, commandite**

BIENHEUREUX /1
– Acte solennel qui met un défunt au rang des bienheureux, c'est-à-dire, dont la vie est proposée en exemple par l'église **béatification**
– Bienheureux qui n'est pas encore canonisé par le pape **béatifié**

BIENHEUREUX /2
– Avoir un air bienheureux **comblé, ravi, radieux, resplendissant, épanoui**
– Éternité bienheureuse dont jouissent les élus **béatitude**
– Une bienheureuse circonstance **agréable, bénéfique, propice**

BIENSÉANCE
– Respecter les règles de la bienséance **décence, politesse, savoir-vivre, convenances, courtoisie**
– Heurter les bienséances **protocole, étiquette, usage**
– Qui n'est pas conforme à la bienséance **inconvenant, choquant, indécent, incongru, impoli, malséant, déplacé**

BIENTÔT
– Nous nous y rendrons bientôt **incessamment, prochainement, sans retard, sous peu, tantôt**

BIENVEILLANCE
– Manifester de la bienveillance à l'égard de quelqu'un **indulgence, affabilité, complaisance, mansuétude, obligeance, altruisme**
– Bienveillance à l'égard de quelqu'un sur qui on exerce son autorité **longanimité, clémence, magnanimité**

BIENVENUE
– Souhaiter la bienvenue à quelqu'un **accueillir, recevoir, saluer**

BIÈRE
voir aussi **cercueil**
– Bière anglaise **ale, porter, stout**
– Bière belge **lambic, faro, gueuze, kriek, kwak**
– Bière de riz **saké**
– Ancienne bière d'orge et de blé, sans houblon **cervoise**
– Bière des anciens Égyptiens **zython**
– Verre à bière **chope, bock, demi**
– Collectionneur d'objets ayant trait à la bière **tégestophile, tégestologue**
– Plante utilisée pour la fabrication de la bière **orge, houblon**
– Opération entrant dans le processus de fabrication de la bière **maltage, brassage, houblonnage**
– Lieu de fabrication de la bière **brasserie**
– Relatif à la bière et à la brasserie **brassicole**
– Résidu dans la préparation de la bière **drêche**

BIFTECK
syn. **steak**
– Morceaux où sont taillés les biftecks **bavette, onglet, hampe, romsteck, entrecôte, araignée**
– Bifteck épais taillé dans le filet **tournedos, chateaubriand, pavé**
– Bifteck haché servi cru avec divers assaisonnements **steak tartare**
– Sandwich américain chaud composé d'un bifteck haché accompagné d'ingrédients divers et servi dans un pain rond **hamburger, cheeseburger**

BIFURCATION
– Dispositif de bifurcation sur une voie ferrée **aiguillage, bretelle**
– Bifurcation d'une route, d'une rue **embranchement, fourche, croisement, carrefour, patte-d'oie, ramification, intersection**
– Bifurcation de la tige d'une plante, en biologie **dichotomie**

BIGOT
syn. **dévot, calotin, bondieusard**
– Bigot empreint d'hypocrisie **cagot, cafard, tartufe, pharisien, papelard**
– Particularité attachée au bigot **bondieuserie, mômerie**

BIJOU *Voir illustration p. 77*
voir aussi **bague, boucle, pierre**
– Bijou très précieux **joyau**
– Ensemble de bijoux assortis **parure**
– Petit bijou agrafé à un vêtement comme parure **affiquet**
– Marque attestant la valeur d'un bijou **poinçon**
– Bijou de peu de valeur **breloque, verroterie**
– Boîte à bijoux **écrin, coffret, cassette, baguier**
– Métier du bijou **lapidaire, orfèvre, joaillier, diamantaire, bijoutier**

BIKINI
syn. **maillot de bain, deux-pièces**

BILAN
syn. **balance**
– Élément du bilan d'une entreprise **actif, passif, crédit, débit, solde**
– Le bilan d'une entreprise intégrant celui de ses filiales **consolidé**
– Analyse d'un bilan d'entreprise **audit**
– Dépôt de bilan **faillite, liquidation, banqueroute**
– Bilan de santé **check-up, examen**

BILE
– Bile noire de la médecine ancienne **atrabile, mélancolie**
– Bile animale **fiel, amer**
– Composant de la bile **bilirubine, cholestérine, sel**
– Organe sécrétant la bile **foie**
– Sécrétion de la bile **biligenèse**
– Diminution de la sécrétion de la bile **acholie**
– Remède élaboré pour évacuer la bile **cholagogue**
– Substance destinée à augmenter la sécrétion de bile **cholérétique**
– Coloration de la peau due à une sécrétion excessive de bile **ictère, cholémie, jaunisse**
– Qui concerne la vésicule de la bile **cystique**
– Un tempérament enclin à se faire de la bile **anxieux, bilieux, soucieux**

BILLARD
– Salle de billard **académie**
– Équipement de billard **bille, queue**
– Trou de la table de billard **blouse, poche**
– Coup au billard **blouser, bricoler, caramboler, queuter, masser**
– Garniture d'une queue de billard servant à frapper la boule **procédé**
– Fabricant de billards **billardier**
– Billard électrique **flipper**
– Billard de terre **croquet**

BILLE
syn. **boule**

– Jeu de billes **bloquette, pot, pyramide, triangle**
– Grosse bille **calot**
– Bille en verre **agate**
– Reprendre ses billes **retirer (se), désister (se)**
– Bille en bois **billon, billot**
– Bille de chocolat **barre**

BILLET

syn. **lettre, missive, mot**
– Billet amoureux **poulet**
– Billet de mariage, de décès **faire-part**
– Billet littéraire **chronique**
– Billet de spectacle **ticket, coupon**
– Billet à ordre **lettre de change**
– Billet de banque **coupure, papier-monnaie, monnaie fiduciaire**
– Distributeur de billets **billetterie, DAB**
– Fabrication de faux billets **contrefaçon, contrefaction**
– Collectionneur de billets de banque **billettophile**

BIOCHIMIE

– Objet d'étude de la biochimie **métabolisme**
– Substance permettant les réactions en biochimie **enzyme**
– Biochimie animale **zoochimie**

BIOGRAPHIE

syn. **récit**
– Historien chargé officiellement d'écrire la biographie des personnages de son temps **historiographe**
– Biographie des saints **hagiographie**
– Biographie d'un écrivain et de ses œuvres **biobibliographie**
– Auteur de biographies **biographe**
– Composer sa propre biographie **Mémoires, autobiographie**
– Biographie de style lapidaire **curriculum vitæ**

BISCUIT

– Sorte de biscuit sucré **boudoir, craquelin, croquignole, sablé, macaron, gimblette, cookie**
– Biscuit entrant dans la composition d'un gâteau **génoise**
– Biscuit salé **cracker, bretzel**
– Biscuit de mer **os de seiche**

BISEAU

– Tailler en biseau **ébiseler, chanfreiner, biseauter**
– Bordure taillée en biseau **chanfrein, biais**
– Biseau de certains instruments de musique **embouchure, bec**

BISEXUÉ

syn. **ambisexué, hermaphrodite, androgyne**
– Plante bisexuée **monoïque, polygame**
– Mode de reproduction des végétaux bisexués **autogamie**

BISTROT

voir aussi **bar**
– Prendre un verre au bistrot **troquet, café**
– Bistrot dans le Nord **estaminet**
– Bistrot dans lequel on trouve des ordinateurs reliés à Internet **cybercafé**
– Habitué d'un bistrot **pilier**

BITUME

– Bitume que l'on trouve à l'état naturel **asphalte, naphte**
– Bitume servant de revêtement à une chaussée **macadam, goudron**
– Zone d'un aéroport recouverte de bitume **tarmac**

BIVOUAC

– Bivouac des troupes en campagne **cantonnement, campement, quartier**
– Tente d'un bivouac militaire **guitoune**
– Choix d'un emplacement pour y installer le bivouac **castramétation**

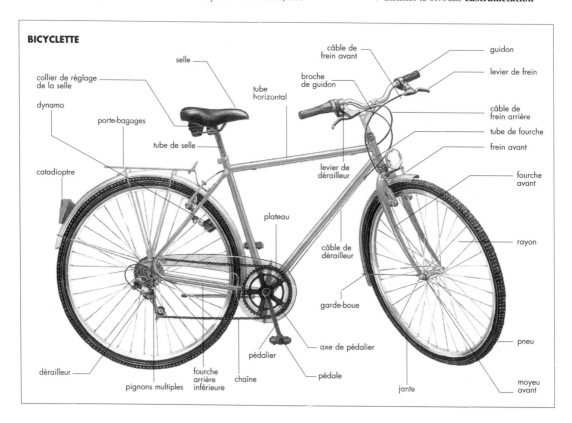

BICYCLETTE

selle · collier de réglage de la selle · dynamo · porte-bagages · tube de selle · catadioptre · tube horizontal · câble de frein avant · broche de guidon · guidon · levier de frein · câble de frein arrière · tube de fourche · frein avant · fourche avant · levier de dérailleur · plateau · câble de dérailleur · rayon · garde-boue · pneu · dérailleur · pignons multiples · fourche arrière inférieure · chaîne · pédalier · axe de pédalier · pédale · jante · moyeu avant

BIZARRE
– Un fait bizarre **anormal, singulier, curieux, insolite, inattendu**
– Une histoire bizarre **loufoque, rocambolesque, abracadabrante, surprenante**
– Une idée bizarre **saugrenue, extravagante, baroque, funambulesque, incongrue, étrange, biscornue**
– Une personne d'aspect ou de comportement bizarre **excentrique, fantasque, lunatique, farfelue, grotesque**
– Personnage bizarre **halluciné, hurluberlu, olibrius**

BLAFARD
voir aussi **pâle**
– Avoir un teint blafard **blême, hâve, exsangue, achromique, cadavérique, livide**
– Teinte, couleur blafarde **blanchâtre, décolorée, délavée**

BLAGUE
voir aussi **mensonge, plaisanterie**
– Raconter des blagues **galéjades, boniments, sornettes, fadaises, balivernes**
– Faire une blague à quelqu'un **facétie, mystification, fumisterie**
– Faire des blagues de mauvais goût **turlupiner**

BLÂME
voir aussi **désapprobation, reproche**
– Blâme infligé à un élève ou à un fonctionnaire **sanction, avertissement, réprimande**
– Blâme adressé verbalement **remontrance, admonestation, semonce, réprobation**
– Infliger un blâme public **stigmatiser, fustiger**

BLÂMER
voir aussi **condamner, désapprouver**
– Blâmer vivement **vitupérer, flétrir**
– Blâmer en condamnant **anathématiser, incriminer**

BLANC /1
– Nuance de blanc **ivoirin, opalin, lactescent, albuginé**
– Blanc de l'œil **sclérotique**
– Blanc de l'œuf **albumen**
– Blanc de baleine **spermaceti**
– Blanc de volaille **filet, aiguillette**
– Blanc, en typographie **espace, intervalle**

BLANC /2
voir aussi **pâle, beige**
leuc(o)-, alb-
– Une peau très blanche **laiteuse, d'albâtre, liliale**
– Pathologie caractérisée par une pellicule blanche **oïdium, candidose, muguet**

– Un blanc cassé **ivoire, crème, sable**
– État congénital qui donne une peau et un système pileux très blancs **albinisme**
– Avoir le teint blanc de douleur, de fatigue ou de peur **blême, blafard, hâve, livide**
– Un vieillard dont la barbe ou les cheveux sont blancs **chenu**
– Être blanc comme neige **innocent, immaculé, pur, candide**
– Globules blancs **leucocytes**
– Anomalie caractérisée par une peau très blanche ou parsemée de taches blanches **achromie, leucodermie, vitiligo**
– Tache blanche des ongles ou de la cornée **albugo**
– Arme blanche **épée, glaive, sabre, baïonnette, eustache, coutelas, kriss, poignard, stylet, dague, hache**

BLANC-BEC
– Ce type est un blanc-bec **présomptueux, béjaune, arrogant, prétentieux, jeune**

BLANCHIR
voir aussi **nettoyer**
– Blanchir un tissu **décolorer**
– Blanchir un mur en le décapant **sabler**
– Blanchir un mur à la chaux **chauler**
– Blanchir des légumes en cuisine **échauder, ébouillanter**
– Blanchir des os pour des travaux scientifiques **déalbation**
– État des cheveux qui blanchissent avec l'âge **canitie**
– Blanchir quelqu'un **innocenter, disculper, absoudre, acquitter**

BLASÉ
– Répondre d'un air blasé **détaché, indifférent, insensible, sceptique**
– Être blasé par l'habitude **désabusé, las, revenu de tout, dégoûté**

BLASON *Voir tableau héraldique, p. 289, et illustration p. 290*
voir aussi **armoiries, écu**
– Étude de tout ce qui a trait au blason **héraldique**
– Élément d'un blason **écu, timbre, insigne, tenant, support, cri, devise**
– Couleur d'un blason **métaux, émaux, fourrures**
– Fourrure d'un blason **vair, hermine, contre-vair, contre-hermine, zibeline**
– Registre rassemblant des blasons **armorial, nobiliaire**
– Une chevalière ornée d'un blason **armoriée**

BLASPHÈME
voir aussi **injure**
– Proférer des blasphèmes **imprécations, outrages, jurements**
– Celui qui dit des blasphèmes **impie, irréligieux**

– Celui qui fait des blasphèmes **sacrilège**

BLÉ
voir aussi **céréale**
– Famille à laquelle appartient le blé **graminées**
– Blé dur **épeautre**
– Blé noir **sarrasin**
– Blé sans barbes **touselle**
– Blé tendre **froment**
– Hybride de seigle et de blé **triticale**
– Blé concassé utilisé dans la cuisine orientale **boulgour**
– Maladie du blé **carie, nielle, piétin**
– Accident d'ordre météorologique qui peut toucher le blé **échaudage, verse**
– Épi de blé fossile **triticite**
– Ensemencer un champ en blé **emblaver**

BLÊME
voir aussi **pâle**
– Un teint blême **hâve, plombé, livide**
– Un visage blême **blafard, décomposé, cadavérique, cadavéreux**
– Des lèvres blêmes **exsangues**

BLESSÉ
– Être blessé sans saigner **contusionné, meurtri**
– Être blessé par une ronce **écorché, déchiré**
– Blessé marqué par une séquelle **éclopé, estropié, invalide, mutilé, handicapé, infirme**
– Qui peut facilement se sentir blessé **sensible, vulnérable, fragile, susceptible, écorché vif**

BLESSER
– Blesser superficiellement **égratigner, érafler, excorier, érailler**
– Blesser l'oreille, la vue, le palais **écorcher**
– Blesser au genou **couronner**
– Se blesser une articulation **fouler (se), luxer (se), démettre (se)**
– Blesser un organe en termes de médecine **léser**
– Blesser avec une arme tranchante **taillader, balafrer, écharper**
– Blesser grièvement **mutiler, estropier**
– Blesser quelqu'un dans son amour-propre **froisser, offenser, mortifier, ulcérer, humilier, outrager, heurter, affliger, léser**

BLESSURE
– Blessure locale en termes de médecine **trauma, lésion**
– Blessure produite par un coup **contusion, ecchymose, hématome**
– Blessure au niveau d'une articulation **entorse, luxation, élongation**
– Blessure ouverte **plaie**
– Blessure avec écoulement de sang **entaille, écorchure, estafilade**

– Bords d'une blessure ouverte **lèvres**
– Atteint de plusieurs blessures **poly-traumatisé**
– Conséquence d'une blessure **traumatisme, séquelle, meurtrissure**
– Plante utilisée pour soigner des blessures **vulnéraire**
– Blessure morale **pique, trait, atteinte**

BLETTE
– Famille à laquelle appartient la blette **chénopodiacées**
– Autre nom de la blette **bette**
– Variété de blette dite aussi bette à carde **poirée**
– Côte comestible de la blette **carde**

BLEU /1
– Se faire un bleu sur la peau **ecchymose, hématome, meurtrissure, purpura**
– Passer du linge au bleu **azurer, blanchir**
– Porter un bleu de travail **combinaison**
– Être un bleu dans le métier **novice, apprenti, débutant, néophyte**
– Bleu présenté sur un plateau de fromages **gorgonzola, fourme d'Ambert, roquefort, stilton**
– Truite au bleu **court-bouillon (au)**

BLEU /2
– Nuance de bleu clair **azur, céruléen, lavande, lapis, pastel**
– Nuance de bleu foncé **marine, nuit, turquin, outremer, indigo**
– Nuance de bleu vif **roi, saphir, barbeau**
– Colorant ou teinture de couleur bleue **guède, safre, smalt, tournesol, indigo**
– Des yeux bleu-vert **pers**
– Plante à fleurs bleues **myosotis, pervenche, centaurée, iris, lavande**
– Un adolescent un peu fleur bleue **sentimental, tendre, naïf, candide, ingénu**
– Bas-bleu **femme pédante**
– Pierre bleue **aigue-marine, lapis-lazuli, lazulite, turquoise, saphir**
– Maladie bleue **cyanose**
– La grande bleue **Méditerranée**

BLINDÉ
– Véhicule de combat blindé **automitrailleuse, char d'assaut, tank, half-track**
– Navire de guerre blindé **cuirassé**
– Abri blindé **tourelle, casemate, bunker, blockhaus, fortin, blocus**
– Une pièce blindée **bardée**
– Avec les épreuves, il s'est blindé **endurci, immunisé, aguerri, cuirassé, bronzé**

BLOC
– Bloc de pierre, de glace **masse**
– Bloc de glace flottant, dans les pays froids **iceberg**

– Bloc de terrain en géologie **graben, horst**
– Bloc de bois **bille, billot, grume**
– Bloc de bois ou de pierre destiné au revêtement des sols **pavé**
– Taillé dans un seul bloc de pierre **monolithe**
– Accepter quelque chose en bloc **globalement, en totalité**
– Au Parlement, accepter ou refuser en bloc les articles d'un projet de loi **vote bloqué**
– Faire bloc **solidariser (se), fédérer (se), allier (s'), liguer (se), unir (s')**
– Bloc politique **coalition, cartel**

BLOCUS
– Blocus d'un pays, d'une ville, d'un port **investissement, siège, isolement**
– Blocus économique infligé à un pays **boycott, embargo**
– Lever le blocus imposé à un pays **libérer, délivrer**

BLOND
– Qui tire sur le blond **doré, flavescent**
– Un blond-gris **cendré**
– Un blond roux **fauve, vénitien**
– Un blond tirant sur le blanc **platiné**

BLOQUER
– Bloquer une ville **assiéger, investir, cerner**
– Bloquer la circulation **neutraliser, paralyser, entraver**
– Bloquer un passage **boucher, barrer, encombrer, obstruer**
– Bloquer une porte **coincer, caler, immobiliser**
– Bloquer la production **suspendre, interrompre**
– Bloquer un compte **geler, pratiquer une saisie-arrêt**

BLOTTIR (SE)
– L'enfant apeuré se blottit au fond de son lit **recroqueville (se), pelotonne (se), ramasse (se), replie (se)**
– Se blottir dans un recoin pour se cacher **tapir (se), réfugier (se), dissimuler (se), terrer (se)**
– Se blottir contre quelqu'un **presser (se)**

BLOUSE
voir aussi **tablier**
– Blouse de travail **sarrau, bourgeron**
– Blouse de marin **vareuse**
– Blouse de cocher **souquenille**
– Ample blouse de femme **marinière, caraco**

BLUFF
– Ce n'est que du bluff **leurre, hâblerie, mensonge, vantardise**
– Tentative risquée qui s'appuie sur du bluff **coup de poker**

BLUFFER
– Bluffer quelqu'un **tromper, intimider, abuser, en faire accroire, esbroufer, mentir**
– Bluffer quelqu'un en l'épatant **impressionner, stupéfier, ébahir**
– Confrontation entre personnes qui bluffent **partie de poker**

BOBINE
– Bobine de fil à coudre **fusette**
– Bobine utilisée pour la soie **rochet, roquetin**
– Bobine sur laquelle est enroulé le fil dans une machine à coudre **canette**
– Bobine utilisée dans le travail de la dentelle **bloquet**
– Pièce d'un métier à tisser portant une bobine **broche, navette**
– Support destiné à recevoir les fibres textiles en bobines **bobinot**
– Enrouler du fil sur une bobine **envider, embobiner, bobiner**
– Bobine de fil électrique qui a les propriétés d'un aimant **solénoïde**
– Bobine d'un manche de manivelle **nille**

BŒUF *Voir illustration p. 78*
voir aussi **taureau, bétail, viande, bovin**
– Famille du bœuf **bovidés**
– Qui a trait au bœuf **bovin**
– Membre de l'espèce à laquelle appartient le bœuf **taureau, veau, vache, génisse, velle**
– Jeune bœuf **bouvillon**
– Bœuf musqué **ovibos**
– Cri du bœuf **meuglement, beuglement, mugissement**
– Étable à bœufs **bouverie**
– Lieu où sont logés les bœufs dans un abattoir **bouvril**
– Personne ou chien qui garde des bœufs **bouvier**
– Boucher qui vend la viande de bœuf en gros **chevillard**
– Partie de l'estomac du bœuf **rumen, bonnet, feuillet, caillette**
– Pellicule provenant du gros intestin du bœuf **baudruche**
– Bœuf bouilli en tranches, cuisiné avec des oignons, du lard et du vin **miroton, mironton**
– Viande de bœuf vendue en conserve **corned-beef**
– Ornement de l'architecture antique représentant une tête de bœuf **bucrane**
– Un succès bœuf **grandiose, exceptionnel**
– Faire un bœuf, en jazz **jam, jam-session**

BOHÉMIEN
– Bohémiens vivant essentiellement en Europe centrale **Tsiganes**
– Bohémien espagnol **Gitan**

BIJOUX

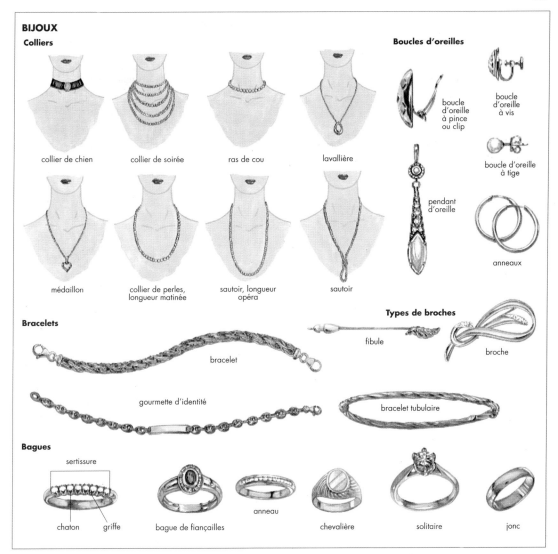

Colliers

collier de chien

collier de soirée

ras de cou

lavallière

médaillon

collier de perles, longueur matinée

sautoir, longueur opéra

sautoir

Boucles d'oreilles

boucle d'oreille à pince ou clip

boucle d'oreille à vis

boucle d'oreille à tige

pendant d'oreille

anneaux

Bracelets

bracelet

gourmette d'identité

bracelet tubulaire

Types de broches

fibule

broche

Bagues

sertissure

chaton   griffe

bague de fiançailles

anneau

chevalière

solitaire

jonc

— Autre nom plus ou moins péjoratif donné à un bohémien **manouche, romanichel**
— Bohémien en Italie **zingaro**
— Nom donné à un bohémien d'Angleterre ou des États-Unis **gipsy**

BOIRE
voir aussi **alcoolisme, boisson, ivre**
syn. **absorber, ingérer, avaler**
— Faire boire des animaux **abreuver**
— Boire pour étancher sa soif **désaltérer (se)**
— Boire sans toucher le contenant avec les lèvres **à la régalade**
— Boire rapidement ou avidement **ingurgiter, engloutir**

— Boire à longs traits **lamper**
— Boire copieusement **faire des libations, imbiber (s')**
— Habitude de boire de grandes quantités **potomanie**
— Boire avec la langue **laper**
— Boire en dégustant **siroter**
— Heurter le verre de quelqu'un avant de boire **trinquer**
— Boire en l'honneur de quelqu'un **porter un toast**
— Boire le champagne pour fêter quelque chose **sabler**
— Faire boire trop d'alcool à quelqu'un **enivrer, griser**
— Besoin morbide de boire de grandes quantités d'alcool **dipsomanie**

— Officier d'une maison seigneuriale qui servait à boire à table **échanson**
— Personne qui s'interdit de boire de l'alcool **abstème, abstinent**
— Qui est bon à boire **potable**

BOIS *Voir tableau ébénisterie, p. 200*
voir aussi **arbre, branche, forêt, cerf**
syn. **lign(i)-, xyl(o)-, dendro-**
— Petit bois **bosquet, bocage, boqueteau, bouquet d'arbres**
— Bordure d'un bois **orée, lisière**
— Endroit sans arbres à l'intérieur d'un bois **clairière**
— Partie d'un bois constituée d'arbustes et de broussailles **fourré**
— Insecte qui occasionne d'importants

dégâts dans les pièces de bois **capricorne des maisons, lyctus, vrillette, termite**
– Bois composé d'arbrisseaux que l'on coupe fréquemment **taillis**
– Au Moyen Âge, bois clôturé où étaient parqués les animaux à chasser **breuil**
– En droit, bois d'un arbre qu'un usufruitier n'a pas le droit de couper **marmenteau**
– En droit, possibilité de ramasser du bois de chauffage dans une forêt communale **affouage**
– Bois possédé en commun **ségrairie**
– Préparation du bois pour l'exploitation industrielle **débitage, équarrissage**
– Bois débité **bûche, bille, rondin, tronçon**
– Dégrossir une pièce de bois avec une hache **bûcher**
– Unité servant à mesurer le volume du bois **stère**
– Expression régionale pour désigner le fagot de bois **brande, margotin, falourde, bourrée**
– Insecte qui se nourrit de bois **xylophage**
– Insecte qui vit ordinairement dans le bois **lignicole**
– Partie du bois **cœur, aubier, nœud, écorce, xylème**
– Nœud du bois **loupe, nodosité, broussin**
– Bois blanc **aune, bouleau, saule, peuplier, tremble**
– Bois exotique **acajou, ébène, calambac, okoumé**
– Science du bois **xylologie**
– Bois des cervidés **dague, ramure, andouiller, merrain, cor, époi, massacre**

BOISSON
voir aussi **alcool, bière, vin**
– Excès de boisson **soûlographie, beuverie, soûlerie**
– Débit de boissons **bar, bistrot, café, pub, buvette, cafétéria, buffet de gare**
– Boisson infusée **tisane, décoction, infusion, thé, maté**
– Boisson à base de miel **hydromel, oxymel, chouchen**
– Boisson servie en dehors des repas **rafraîchissement**
– Boisson qui a une propriété particulière **breuvage**
– Boisson stimulante **cordial**
– Boisson magique **philtre, élixir**
– Boisson des dieux **nectar, ambroisie**
– Boisson médicamenteuse ou servant de support à un médicament **potion, julep**

BOÎTE
syn. **étui**
– Boîte à bijoux **écrin, coffret, baguier**
– Boîte à confiseries **bonbonnière, drageoir**

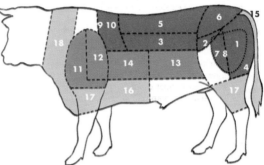

BŒUF

1ʳᵉ CATÉGORIE	2ᵉ CATÉGORIE	3ᵉ CATÉGORIE
1 tende de tranche	11 jumeau	15 queue
2 aiguillette	12 macreuse	16 tendron
3 filet	13 bavette	17 gîte
4 gîte à la noix	14 plat de côtes découvert	18 collier
5 faux-filet	et plat de côtes couvert	
6 romsteck		
7 rond de tranche grasse		
8 plat de tranche grasse		
9 côtes		
10 entrecôtes		

– Boîte où l'on dépose de l'argent **cagnotte, tronc**
– Boîte où l'on conserve des reliques **reliquaire, châsse**
– Boîte où l'on place l'hostie consacrée **custode**
– Boîte destinée à recevoir des bulletins de vote ou de participation à un jeu **urne**
– Boîte servant de chauffe-pieds **chancelière, chaufferette**
– Boîte à gants **vide-poche**
– Boîte à lettres électronique **messagerie, e-mail, courriel**
– Boîte métallique contenant une boisson **canette, boîte-boisson**
– Boîte de nuit **discothèque, dancing, night-club, cabaret**
– Mettre quelqu'un en boîte **plaisanter, taquiner, ridiculiser, jouer de (se), railler, gausser de (se), brocarder**
– Collectionneur de boîtes d'allumettes **philuméniste**
– Collectionneur d'étiquettes apposées sur les boîtes à fromage **tyrosémiophile**

BOITER
– Boiter légèrement **clopiner, clocher, boitiller**
– Boiter en termes de médecine **claudiquer**
– Boiter en parlant d'un cheval **feindre**

BOITEUX
– Bâton servant d'appui au boiteux **béquille**
– Un meuble boiteux **bancal, branlant, bringuebalant**
– Dieu boiteux de la mythologie grecque, et romaine **Héphaïstos, Vulcain**
– Le diable boiteux, dans la Bible **Asmodée**

– On le surnommait le diable boiteux **Talleyrand**
– Un raisonnement boiteux **défectueux, vicié, imparfait, vicieux**

BOL
– Bol à pied **coupe**
– Petit bol pouvant aller au four **ramequin**
– Contenu d'un bol de cidre **bolée**
– Grand bol très évasé **écuelle, jatte**

BOLCHEVISME
– Initiateur du bolchevisme **Lénine**
– Partisan de la minorité qui s'opposait au bolchevisme **menchevik**
– Système politique issu du bolchevisme **communisme, collectivisme**

BOMBANCE
voir aussi **repas**
syn. **festin, banquet**
– Faire bombance **festoyer, banqueter, ripailler, goberger (se)**
– Bombance joyeuse **ribote, noce, nouba**
– Bombance entre amis **agapes**

BOMBARDEMENT
voir aussi **artillerie, canon**
– Bombardement intensif **pilonnage, tapis de bombes**
– Bombardement mené par l'artillerie **canonnage**
– Arme destinée au bombardement **bombarde, crapaud, obusier, crapouillot, mortier**
– Avion de bombardement **bombardier**

BOMBARDER
– Bombarder quelqu'un de questions **harceler, accabler, mitrailler**

BOMBE
voir aussi **atomique, explosif, projectile, fusée**
– Bombe utilisée par l'artillerie **obus**
– Bombe sous-marine **torpille**
– Bombe utilisant l'énergie nucléaire **bombe A, bombe H, bombe à neutrons**
– Autre type de bombe **explosive, à fragmentation, au napalm, au phosphore, au cobalt, à l'uranium**
– Bombe incendiaire rudimentaire **cocktail Molotov**
– Bruit entendu lors de l'explosion d'une bombe **déflagration, détonation**
– Bombe aérosol qui permet de projeter un liquide **brumisateur, vaporisateur, spray**

BON /1
– Bon de garantie **certificat**
– Bon de participation **coupon, billet, formulaire**
– Bon de paiement **titre, attestation, facture, quittance, reçu, justificatif**
– Bon d'achat, de livraison **bordereau**

BON /2
– C'est très bon **excellent, incomparable, sublime**
– Un vin devient bon avec le temps **bonifie (se), abonnit (s')**
– Un homme bon **bienveillant, clément, magnanime, altruiste, secourable, obligeant**
– Un bon employé **consciencieux, exemplaire, efficace, dévoué**
– Un individu excessivement bon **débonnaire, paterne**
– Accomplir une bonne action **louable, généreuse, bénéfique, charitable**
– Donner un bon conseil **avisé, éclairé, judicieux, profitable**
– Prescrire un bon remède **salutaire, bienfaisant**
– Trouver une bonne solution **adéquate, appropriée, congruente, idoine**
– Il serait bon de… **conseillé, indiqué, recommandé, prudent, avisé, sage, raisonnable**
– Avancer un bon argument **plausible, recevable, efficace, percutant, pertinent, décisif, irréfutable**
– Choisir le bon moment **favorable, opportun, propice, convenable**
– Un bon repas **délicat, fin, savoureux, délectable, succulent, exquis**
– Une bande de bons vivants **joyeux/gais lurons, joyeux drilles, boute-en-train**
– Bon vivant attaché aux plaisirs de la vie **épicurien, jouisseur, viveur, sybarite**
– Bon vivant qui aime le raffinement **voluptueux, libertin, hédoniste**
– Une bonne terre **fertile, féconde**
– Se trouver dans une bonne situation **enviable, avantageuse, lucrative**

– Recommander un bon livre **instructif, remarquable, captivant, fascinant, envoûtant, palpitant**

BONBON
voir aussi **confiserie**
– Manger un bonbon **sucrerie, douceur, friandise**
– Sorte de bonbon **berlingot, guimauve, dragée, fondant, praline**
– Bonbons régionaux **calissons, bêtises**
– Bonbon de Noël enrobé de papier brillant **papillote**
– Boîte à bonbons **bonbonnière, drageoir**

BONDIR
voir aussi **sauter**
– Bondir en batifolant **gambader, cabrioler**
– Bondir à la manière d'un cheval **caracoler**
– Bondir intérieurement **tressaillir, tressauter**
– Bondir dans les escaliers **élancer (s'), précipiter (se)**

BONHEUR
voir aussi **plaisir, bien-être**
– Bonheur total **béatitude, félicité, extase**
– Bonheur très vif **enchantement, ravissement**
– Bonheur qui se manifeste par une joie presque excessive **euphorie**
– Bonheur matériel **prospérité, aisance**
– Vœu de bonheur **bénédiction**
– Recherche du bonheur **eudémonisme, hédonisme**
– Objet faisant office de porte-bonheur **fétiche, talisman, amulette, mascotte, phylactère, gri-gri**

BONIFIER
– Bonifier des terres cultivables **enrichir, amender, chauler, engraisser, fertiliser, marner, fumer**
– Laisser un vin se bonifier en vieillissant **abonnir (s'), améliorer (s')**

BONIMENT
– Boniment du camelot **réclame, battage, baratin, blabla, bagout, parade, bluff**
– Raconter des boniments **fariboles, mensonges, histoires**

BONNE
voir aussi **servante**
– Ils ont une bonne à leur service **domestique, femme de chambre, camériste, soubrette, employée de maison**
– Bonne d'enfants **gouvernante, nurse, nourrice**
– Désignation péjorative et insultante d'une bonne **boniche**

BONNET *Voir tableau coiffures, p. 147*
– Bonnet de bébé **béguin**
– Bonnet de baptême **chrémeau**
– Bonnet de douche **charlotte**
– Bonnet enveloppant toute la tête à l'exclusion du visage **passe-montagne, cagoule**
– Bonnet canadien en laine **tuque**
– Bonnet de fourrure russe **chapka**
– Bonnet militaire à poils **colback**
– Bonnet militaire dit également bonnet de police **calot**
– Bonnet que portent certains magistrats **mortier**
– Bonnet carré de certains ecclésiastiques **barrette**
– Sorte de bonnet triangulaire des évêques **mitre**
– Petit bonnet couvrant uniquement le sommet de la tête **calotte**
– Sorte de bonnet plat sur le dessus **toque**
– Le bonnet des révolutionnaires français **phrygien**
– Opiner du bonnet **consentir, acquiescer, adhérer, approuver**
– C'est un gros bonnet de la presse **caïd, magnat, huile, mandarin, manitou**

BONTÉ
voir aussi **bon**
– Bonté à l'égard d'autrui **humanité, altruisme, bienveillance, clémence, affabilité**
– Bonté qui s'apitoie sur les malheurs d'autrui **compassion, miséricorde, commisération**
– Bonté infinie **mansuétude, magnanimité, débonnaireté**
– Bonté accompagnée de simplicité **bonhomie**
– Avoir la bonté de faire quelque chose **gentillesse, amabilité, obligeance, complaisance**

BORD
voir aussi **contour**
– Bord de la mer **rivage, littoral, grève**
– Bord d'un cours d'eau **rive, berge**
– Bord d'une route **bas-côté, accotement**
– Bord d'un bois **lisière, orée**
– Bord extérieur du disque d'un astre **limbe**
– Bord d'un puits **margelle, rebord**
– Bord replié d'un tissu, d'une gouttière, de l'oreille **ourlet**
– Bord d'une médaille **grènetis, crénelage**
– Bord intérieur d'un plat **marli**
– Bord d'un livre **tranche, dos**
– Bords d'une plaie **lèvres**
– Bord droit d'un navire **tribord**
– Bord gauche d'un navire **bâbord**
– Planches qui recouvrent les bords d'un navire **bordages**
– Chapeau à larges bords **sombrero**

– Assaut d'un navire après s'y être amarré bord à bord **abordage**

BORDER
– Border un tissu **ourler, liserer**
– Broderie servant à border un ouvrage **feston, nervure**
– Chemin qui borde un canal **berme, banquette**
– Terrain qui borde un canal ou une rivière et n'appartient à aucun particulier **franc-bord**
– Un chemin qui borde la rivière **côtoie, longe**
– Border d'un trait **souligner, rehausser, accentuer, mettre en relief**
– Border les côtes, en parlant d'un bateau **caboter**

BORDURE
– Ruban formant la bordure d'un vêtement **liseré, biais, galon, ganse, passepoil, passement, croquet**
– Bordure d'une boutonnière **brandebourg**
– Bordure à l'intérieur d'un écu **orle**
– Avenue en bordure de mer **front de mer**
– Mer située en bordure d'un océan **bordière**
– Bordures glacées d'un cours d'eau, au Canada **bordages**

BORGNE
voir aussi **œil, vision, vue**
– Rendre borgne **éborgner, crever un œil, énucléer**
– Vision propre à un borgne **monoculaire**
– Borgne géant légendaire **cyclope**
– Se rendre dans un endroit borgne **obscur, sinistre, louche, mal famé**

BORNE
syn. **limite, terme**
– Bornes d'un État **frontières, marches**
– Borne d'un circuit électrique **pôle**
– Un circuit électrique à deux ou plusieurs bornes **bipolaire, multipolaire**
– Borne protégeant une porte ou un mur des roues des voitures **chasse-roue, bouteroue**
– Borne d'incendie en Suisse **hydrant, hydrante**
– Borne d'incendie au Québec **borne-fontaine**
– Borne de l'humaine condition **finitude**
– Ce paysage est sans bornes **incommensurable, illimité, infini, démesuré**

BORNÉ
– Un esprit borné **obtus, incompréhensif, étroit, étriqué, mesquin, bouché**
– Être très borné dans son comportement **avoir des œillères, avoir une vue étroite**

– Il n'est pas borné, donc il est… **ouvert, intelligent, éclairé, perspicace, compréhensif**

BORNER
– Borner un champ **délimiter, marquer, circonscrire**
– Borner ses ambitions **restreindre, réfréner, modérer, cantonner à (se)**

BOSSE
syn. **protubérance, proéminence**
– Un terrain plein de bosses **monticules, accidents, aspérités, relief**
– Bosse sur le corps due à un choc **ecchymose, contusion, hématome, enflure, tuméfaction**
– Bosse déformant la colonne vertébrale **cyphose, gibbosité**
– Étude des bosses crâniennes d'un individu pour en déterminer le caractère et les facultés **phrénologie**
– Bosse d'amarrage **cordage**
– Déformer malencontreusement un objet par des bosses **bossuer, cabosser**
– Travailler un métal en faisant des bosses **bosseler**
– Bouffon fameux portant une bosse **polichinelle**

BOSSELÉ
– Un objet bosselé **cabossé, déformé, bossué, martelé, abîmé**

BOTANIQUE /1
voir aussi **flore, plante**
– Objet d'étude de la botanique **végétaux**
– Recherche et ramassage des plantes en botanique **herborisation**
– Collection de plantes en botanique **herbier**
– Classification botanique **phytographie, taxinomie**
– Partie de la botanique qui étudie les fossiles **paléobotanique**
– Étude des maladies en botanique **phytopathologie**
– Étude des monstruosités en botanique **tératologie végétale**
– Laboratoire de botanique **phytotron**
– Précurseur de la botanique scientifique **Buffon, Linné**

BOTANIQUE /2
– Jardin botanique consacré aux arbres **arboretum**
– Géographie botanique **phytogéographie**

BOTTE
syn. **chaussure**
– Une botte à revers **à l'anglaise**
– Botte qui atteint le haut de la cuisse **cuissarde**
– Botte de faible hauteur **brodequin, godillot, bottine, bottillon, boots**

– Botte de style cow-boy **santiag**
– Moment où l'on retire ses bottes et, au sens figuré, à l'improviste **au débotté**
– Lécher, cirer les bottes de quelqu'un **flagorner, courtiser, flatter, aduler, encenser**
– Partie d'un vêtement simulant la tige d'une botte **houseau**
– En escrime, porter une botte **coup**
– Botte de fleurs **bouquet**
– Botte de céréales **faisceau, gerbe**
– Botte de feuilles de tabac **manoque**
– Machine qui lie la paille ou le foin en bottes **botteleuse, ramasseuse-presse**

BOUC
– Sous-famille des bovidés à laquelle appartient le bouc **caprinés, ovinés**
– Vieux bouc, en parlant de l'animal **bouquin**
– Femelle et petit du bouc **chèvre, cabri, chevreau, chevrette**
– Relatif au bouc **hircin, caprin**
– Troupeau de boucs **menon**
– Cri du bouc **béguètement, bêlement**
– Caractéristique attribuée au bouc **puanteur, lascivité**
– Bouc émissaire **victime expiatoire**
– Sac en peau de bouc utilisé pour le transport de l'eau **outre**
– Personnage mythique mi-homme, mi-bouc **satyre**
– Bouc au menton **barbiche, impériale**

BOUCHE *Voir illustration ci-contre*
bucc-, stomato-
syn. **orifice, ouverture**
– Propre à la bouche **buccal**
– Partie anatomique située entre la bouche et le pharynx **oropharynx**
– Affection de la bouche **stomatite**
– Spécialiste des maladies de la bouche **stomatologiste**
– Instrument permettant l'examen de la bouche **stomatoscope**
– Développement anormal de la bouche **macrostomie**
– Le stade de l'enfance où la bouche est le lieu principal du plaisir **oral**
– Médicament pris par la bouche **per os, par voie orale, par voie buccale**
– Provisions de bouche **vivres, victuailles**
– Bouche de certains insectes ou vers **trompe, suçoir**
– C'est une fine bouche **délicat, gourmet, gastronome**
– Bouche des volatiles **bec**
– Bouche des animaux carnassiers **gueule**
– Bouche d'un fleuve **embouchure, estuaire, delta, aber**

BOUCHÉ
– La rue est bouchée **obstruée, encombrée, engorgée, barrée, bloquée**
– Désordre physiologique lié à un orifice

BOUCHE, NEZ, GORGE

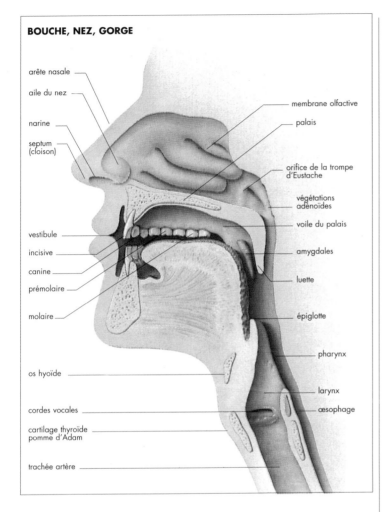

arête nasale
aile du nez
narine
septum (cloison)
vestibule
incisive
canine
prémolaire
molaire
os hyoïde
cordes vocales
cartilage thyroïde pomme d'Adam
trachée artère

membrane olfactive
palais
orifice de la trompe d'Eustache
végétations adénoïdes
voile du palais
amygdales
luette
épiglotte
pharynx
larynx
œsophage

---

ou un conduit bouché **atrésie, occlusion, oblitération**
– Affection physiologique due à un vaisseau sanguin bouché **embolie, thrombose**

BOUCHER /1
syn. **obstruer, fermer**
– Boucher un flacon, une bouteille **capsuler, luter, cacheter**
– Boucher une ouverture, un trou, une carie **obturer**
– Boucher les trous d'air d'une fenêtre **calfeutrer**
– Boucher les brèches d'un mur **colmater**
– Boucher un trou fait dans le sol **combler, remblayer**
– Boucher une porte ou une fenêtre **condamner, murer**
– Boucher les trous d'un navire **étouper, calfater**
– Boucher une conduite d'eau **aveugler**

– Boucher la vue **occulter, faire écran, intercepter**

BOUCHER /2
voir aussi **viande**
– Boucher en gros, demi-gros **chevillard**
– Boucher qui vend des abats **tripier**
– Apprenti boucher **garçon boucher, garçon étalier**
– Morceau livré au boucher pour la vente au détail **quartier**
– Plan de travail d'un boucher **étal**
– Instrument de boucher **crochet, croc, hachoir, couperet, fusil, scie, couteau**

BOUCHERIE
– Boucherie chevaline **hippophagique**
– Une boucherie juive respectant le rituel d'abattage **kasher**
– Boucherie musulmane respectant le rituel d'abattage **halal**
– Déchets de boucherie **issues**

– Se livrer à une véritable boucherie **massacre, carnage, tuerie, hécatombe**

BOUCHON
syn. **tampon**
– Bouchon utilisé pour fermer les tonneaux **bondon, bonde**
– Petit bouchon sur un tonneau dont on a goûté le vin **fausset**
– Bouchon d'écubier **tape**
– Bouchon qui peut s'ouvrir temporairement **clapet, soupape, valve**
– Bouchon de pêche **flotteur**
– Vêtement roulé en bouchon **tapon**
– Bouchon de pétanque **cochonnet**
– Bouchon survenant sur un axe routier **engorgement, encombrement, retenue, embouteillage**

BOUCLE
voir aussi **ceinture**
– Boucle à ressort **mousqueton**
– Pointe de la boucle de ceinture **ardillon**
– Boucle de cheveux **ondulation, bouclette, frisette, anglaise, accroche-cœur, guiche, frisottis, frison, boudin**
– Boucle d'oreille **anneau, clip, pendant, créole, dormeuse, pendeloque, girandole**
– Boucle que l'on fait à un lacet de chaussure **rosette**
– Boucle d'un fleuve **méandre, sinuosité**
– Boucle de circuit automobile **anneau, spirale, cercle**
– Boucle que fait un avion dans le ciel **looping**
– Boucle complète avec retour à l'état initial **cycle**

BOUCLER
– Faire boucler des cheveux **friser, onduler, calamistrer**
– Coiffure destinée à faire boucler ou onduler des cheveux **permanente, indéfrisable, minivague**
– Boucler quelqu'un en prison **embastiller, incarcérer, écrouer, emprisonner, mettre en détention, mettre au ballon**
– Boucler un budget **équilibrer**

BOUCLIER
– Petit bouclier utilisé dans l'Antiquité grecque **pelte, pelta**
– Bouclier romain **clypeus, scutum**
– Grand bouclier en usage à la fin du Moyen Âge **pavois**
– Bouclier des hommes d'armes au Moyen Âge **écu**
– Petit bouclier au Moyen Âge **targe**
– Bouclier circulaire tenu à bout de bras **rondache**
– Fond gravé d'un bouclier **champ**
– Poignée pour tenir le bouclier **anse**
– Levée de boucliers **tollé, bronca, huée**

BOUDDHISME

Arhant, Bouddha : noms donnés à Gautama.

Asie : continent où le bouddhisme est communément pratiqué.

Bhikshü : nom donné aux moines du bouddhisme.

Bodhisattva : nom donné par les bouddhistes du mâhâyâna aux êtres qui œuvrent pour le bien de l'humanité et qui ne parviendront au nirvana que lorsque leur mission sera accomplie.

Bonze : nom donné aujourd'hui aux moines du bouddhisme.

Cakyamuni ou **Siddharta Gautama :** fondateur du bouddhisme.

Dalaï-lama : titre donné au chef du bouddhisme au Tibet et en Mongolie.

Hinayana (petit véhicule) : courant du bouddhisme.

Inde : pays où est né Bouddha.

Jataka : récits des vies antérieures de Bouddha.

Lama : moine bouddhiste au Tibet ou en Mongolie.

Mahayana (grand véhicule) : courant du bouddhisme.

Naissance du bouddhisme : VIᵉ s. avant Jésus-Christ.

Nirvana (délivrance) : état de connaissance parfaite selon le bouddhisme.

Panchen-lama : au Tibet, second du dalaï-lama.

Rippal : arbre sous lequel Bouddha eut l'illumination.

Samsara : cycle infini des naissances et des morts.

Sangha : communauté bouddhique.

Stupa : monument commémoratif de la mort de Bouddha (parfois reliquaire).

Sutra : textes exposant la doctrine du bouddhisme.

Zen : secte bouddhique venue de Chine qui s'est répandue au Japon.

– Bordure étroite à l'intérieur d'un bouclier **orle**
– Courroie pour suspendre ou porter un bouclier **guiche, enguichure**
– Un bouclier servant à protéger d'un échauffement **thermique**
– Bouclier humain **otage, garant, répondant, séquestré**

BOUDDHISME *Voir tableau ci-dessus*
– Forme de bouddhisme **lamaïsme**

BOUDEUR
– Un visage boudeur **maussade, grognon, morose, renfrogné, bougon**

BOUE
syn. **gadoue, fange, bauge**
– Boue au fond des eaux stagnantes **bourbe, vase**
– Débarrasser la boue d'un étang **débourber, draguer, dévaser, curer**
– Boue dont on enduit le fond et les parois d'un bassin **braye**
– Boue fine déposée sur le lit et les rives d'un fleuve **limon**
– Boue mêlée d'ordures **margouillis**
– Dans les régions tropicales, bras mort d'un fleuve rempli de boue **marigot**
– Dans un chemin défoncé, trou rempli d'eau et de boue **fondrière**
– Retirer un véhicule enlisé dans la boue **désembourber, débourber**
– Lieu où la boue et l'eau stagnante se mêlent à une flore particulière **marécage**

– Employé chargé d'enlever la boue et les ordures de la voie publique **éboueur, boueur, boueux**
– Outil servant à ôter la boue des chaussures **décrottoir, gratte-pieds, grattoir**
– Sorte de boue utilisée comme combustible de piètre qualité **tourbe, bousin**
– Soins par application de boue chaude **fangothérapie**
– Se vautrer dans la boue, c'est aussi tomber dans… **l'abjection, l'avilissement, l'infamie, la turpitude, l'ignominie,**

BOUÉE
– Bouée de signalisation **balise, flotteur**
– Bouée destinée à fournir aux navires un mouillage fixe **corps-mort**
– Être la bouée de sauvetage de quelqu'un **planche de salut**

BOUEUX
– Un endroit boueux **fangeux, bourbeux, limoneux, vaseux**
– Impression typographique boueuse **baveuse, charbonneuse**

BOUFFI
– Un visage bouffi **mafflu, vultueux**
– Un individu bouffi de manière disgracieuse **boursouflé, enflé, gonflé, gras**
– Un individu bouffi de manière plaisante **joufflu, rebondi, rond, ventru, pansu, ventripotent, potelé**
– Une main bouffie **turgide, turgescente, hypertrophiée, tuméfiée**

BOUFFON /1
– Bouffon de cour chargé de divertir le roi **fou**
– Bouffon de théâtre dont le rôle était de faire rire le parterre **arlequin, paillasse, polichinelle, histrion**
– Bouffon de comédies **trivelin, turlupin, zanni**
– Bouffon qui amuse par ses facéties **farceur, plaisantin, pitre, pantin, guignol, pasquin**

BOUFFON /2
– Une scène, une histoire bouffonne **cocasse, grotesque, burlesque, ridicule, truculente**
– Petites pièces à caractère bouffon du théâtre de la Rome ancienne **atellanes**

BOUGE
– Habiter dans un bouge **galetas, réduit, taudis, masure, bauge**
– Fréquenter un bouge **boui-boui, bousin, gargote, caboulot**

BOUGEOIR
voir aussi **bougie**
syn. **chandelier**
– Bougeoir sur lequel finit de brûler une bougie **brûle-tout**
– Coupelle d'un bougeoir destinée à recueillir la cire **bobèche**

BOUGER
– Bouger d'un lieu à un autre plus ou moins éloigné **déplacer (se), mouvoir (se), partir**
– Manie de bouger sans cesse **dromomanie, bougeotte**
– Qui a la manie de bouger, en Suisse **bougillon**
– Se mettre à bouger en parlant d'un pays, d'un peuple **soulever (se), passer à l'action, révolter (se)**
– Personne n'a osé bouger **réagir, broncher, ciller, agiter (s'), contester**
– Un tissu qui bouge au lavage **change, altère (s'), déteint, rétrécit**

BOUGIE
voir aussi **cierge, cire**
syn. **chandelle, oribus**
– Bougie dans une église **luminaire, cierge**
– Dernier morceau d'une bougie en train de se consumer **lumignon**
– Cire de bougie **stéarine, paraffine**
– Support recevant les bougies **bougeoir, chandelier, candélabre, girandole, herse, torchère**
– Boîte ajourée où l'on abrite une bougie **lanterne**
– Lanterne en papier plissé et coloré où est allumée une bougie **lampion**
– Instrument de mécanicien pour les bougies d'un moteur **clef à bougies**

– Pièce assurant l'allumage du moteur avec les bougies **allumeur, bobine, transformatrice, batterie**
– Plus gros qu'une bougie et en matière inflammable **torche, brandon, flambeau**
– Tige conductrice par laquelle circule le courant dans la bougie du moteur **électrode**

BOUGONNER
– Bougonner en râlant **maugréer, grommeler, marmonner, grognonner, ronchonner, geindre**
– Bougonner contre les politiciens **protester, critiquer, pester, jurer**

BOUILLIE
– Bouillie alimentaire modifiée par la salive et le suc gastrique **chyme**
– Ayant la consistance d'une bouillie **pultacé**
– Bouillie de flocons d'avoine **porridge**
– Bouillie à base de farine de maïs **polenta, gaudes**
– Entrant dans la composition d'une bouillie de bébé **farine, lait en poudre**
– Réduire en bouillie **écraser, écrabouiller, démolir, broyer, piler, triturer**
– Bouillie épaisse, résidu de certains végétaux traités dans les sucreries **pulpe, bagasse**
– Une bouillie servant à la préparation du papier **de chiffons**
– Bouillie épaisse résultant de l'expression du liquide d'une substance **magma**
– Une bouillie composée de sulfate de cuivre pour protéger la vigne **bordelaise, bourguignonne**
– De la bouillie pour chats **gâchis**

BOUILLIR
– Faire bouillir à petit feu **mijoter, mitonner, bouillotter**
– Faire bouillir un biberon, une seringue **stériliser**
– Faire bouillir une substance pour en extraire les principes solubles **décoction**
– Récipient dans lequel on fait bouillir de l'eau **bouilloire, bouillotte, samovar**
– Celui qui fait bouillir le vin pour obtenir de l'eau-de-vie **bouilleur, distillateur**
– Bouillir d'impatience **agiter (s'), échauffer (s'), impatienter (s'), bouillonner**
– Faire bouillir quelqu'un **exaspérer, agacer, irriter, excéder**

BOUILLON
– Bouillon chaud **chaudeau**
– Bouillon de légumes **potage, soupe**
– Bouillon de viande concentré **consommé**
– Aliment liquide à base de bouillon **brouet**

– Sorte de bouillon alimentaire **bisque, bortsch, velouté**
– Bouillon assaisonné d'épices pour cuire le poisson **court-bouillon**
– Cuisson au court-bouillon **au bleu**
– Il donne un excellent bouillon **pot-au-feu**
– Sorte de bouillon permettant à des micro-organismes de se développer **bouillon de culture**
– Un bouillon de plantes pharmaceutiques **médicinal**
– Bouillons d'une jupe **fronces**
– Ce journal a de nombreux bouillons **invendus**

BOUILLONNANT
– Un orateur bouillonnant **emporté, enflammé, embrasé, exalté, fougueux, impétueux, tumultueux, volcanique, véhément**

BOUILLONNEMENT
– Bouillonnement d'une source **agitation, mouvement**
– Bouillonnement du cœur **ardeur, embrasement, passion, pétulance**
– Bouillonnement des idées **effervescence, ébullition, enthousiasme, fébrilité, frénésie, vitalité**

BOULANGER /1
voir aussi **pain**
– Apprenti boulanger **mitron**
– Ouvrier boulanger qui pétrit le pain **gindre, pétrisseur**
– Local où est placé le four du boulanger **fournil**
– Coffre où le boulanger pétrit la pâte **pétrin, huche, maie**

BOULANGER /2
– Boulanger de la farine pour en faire du pain **panifier**

BOULE
– On y joue avec des boules **billard, pétanque, bowling, croquet, quilles**
– Lieu où l'on joue aux boules **boulodrome**
– Celui qui aime jouer aux boules **bouliste, boulomane**
– Petite boule qui sert de but au jeu de boules **cochonnet**
– Chercher à rapprocher au maximum sa boule du cochonnet **pointer**
– Jeter sa boule haut en l'air au lieu de la faire rouler **plomber, poquer**
– Tenter de prendre la place de la boule de l'adversaire dans un lancer vif **tirer**
– Poignée d'une canne ou d'un parapluie en forme de boule **pommeau**
– Boule à l'extrémité d'une rampe d'escalier **pomme**
– Boule pour repriser bas et chaussettes **œuf**

– Petite boule de fil, de ficelle ou de laine **pelote**
– Petite boule de pâte trempée dans l'œuf et frite **croquette**
– Boulette de viande hachée et épicée, au Moyen-Orient **kefta**
– Se rouler en boule **pelotonner (se), lover (se), blottir (se)**

BOULEVARD
voir aussi **rue**
– Boulevard majestueux qui sert de promenade **cours**
– Boulevard bordé d'arbres avec une contre-allée **mail**
– Boulevard formant une première voie de circulation autour d'une ville **boulevard extérieur, ceinture**
– Boulevard qui permet de contourner une ville sans y pénétrer **périphérique, rocade**
– Pièce, théâtre de boulevard **vaudeville**

BOULEVERSEMENT
– Bouleversement physique léger ou aigu **altération, convulsion, crise**
– Bouleversement politique ou économique **perturbation, renversement, désordre, révolution**

BOULEVERSER
– Bouleverser une situation **altérer, déranger, chambouler, réformer**
– Bouleverser quelqu'un par une émotion **troubler, émouvoir, secouer, ébranler, traumatiser, déstabiliser, déconcerter, décontenancer, tournebouler**

BOUQUET
voir aussi **couronne**
syn. **gerbe**
– Bouquet de fleurs ou de feuillage **botte, gerbe**
– Bouquet mortuaire **couronne, gerbe**
– Marchande de bouquets de fleurs dans les lieux publics **bouquetière**
– Art de composer les bouquets à la manière japonaise **ikebana**
– Bouquet d'arbres **boqueteau, bosquet**
– Le dernier bouquet d'un feu d'artifice **bouquet final**
– Bouquet pour assaisonner un bouillon **bouquet garni**
– Bouquet d'un vin ou d'une liqueur **nez, arôme, parfum**

BOURDE
– Commettre une bourde **bévue, étourderie, impair, maladresse, méprise, erreur, lapsus, écart**
– Bourde visant à abuser quelqu'un **baliverne, boniment**

BOURDONNEMENT
voir aussi **bruit**
– Insecte qui, en volant, fait entendre un

bourdonnement **mouche, bourdon, guêpe, abeille, frelon**

– Bourdonnement léger, du feuillage d'un arbre par exemple **bruissement**

– Bourdonnement d'un moteur **vrombissement, ronflement, ronronnement**

– Bourdonnement de la rue **rumeur, murmure, brouhaha**

– Un bourdonnement intense qui empêche d'entendre **assourdissant**

– Bourdonnement d'oreilles **acouphène**

BOURGEOIS /1

– Au XVIIIe siècle, classe qui comprenait bourgeois, artisans et paysans **tiers état**

– Bourgeois qui fait autorité dans une ville de province **notable**

– Bourgeois qui vit de ses rentes **rentier**

BOURGEOIS /2

– Aspire à la vie bourgeoise sans en avoir les moyens **petit-bourgeois**

– Un quartier bourgeois **résidentiel**

– Bourgeois, en parlant des idées, des manières **conservateur, dépassé, suranné, conformiste**

– Classe non bourgeoise **prolétariat, classe ouvrière, paysannerie, aristocratie**

BOURGEON

– Bourgeon d'une plante vivace, à fleur de terre ou souterrain **turion**

– Bourgeon naissant de l'arbre ou de la graine **pousse, jet**

– Bourgeon contribuant à la croissance d'une plante **méristème**

– Bourgeon sur une souche et qui produit des racines adventives **surgeon, drageon**

– Touffe de jeunes tiges d'arbre, bourgeons d'une même souche **cépée, trochée, recrû**

– Nouveau bourgeon d'une plante, nouvelle branche d'un arbre **rejet, rejeton**

– Nouveau bourgeon produit par une racine **accru**

– Jeune bourgeon de printemps **brout**

– Reproduction d'un bourgeon par division simple de l'organisme **scissiparité**

BOURREAU

voir aussi **supplice, torture**

– Bourreau chargé de torturer les condamnés **tortionnaire**

– Bourreau qui exécute les arrêts condamnant à une peine corporelle **exécuteur des hautes œuvres, exécuteur des basses œuvres**

BOURSE

Voir tableau ci-dessus et tableau économie, p. 208

voir aussi **banque, sac**

– Anciennement, petite bourse **boursicaut**

– Petite bourse portée à l'origine sous l'aisselle, puis à la ceinture **gousset**

BOURSE

LES MARCHÉS BOURSIERS

Bulle spéculative : augmentation du cours des titres cotés sur une place financière sans rapport avec les résultats ou les possibilités réelles de développement des entreprises. Lorsque les détenteurs des titres commencent à vendre, les cours s'effondrent. La bulle se dégonfle.

Capitalisation boursière : valeur globale des titres d'une entreprise ou des titres cotés sur une place financière.

Commission des opérations de Bourse (COB) : institution française, créée en 1967, chargée d'assurer la protection des épargnants par une surveillance du bon fonctionnement des marchés boursiers.

Investisseurs institutionnels : organismes financiers cherchant à faire fructifier les ressources qu'ils détiennent (banques, compagnies d'assurances, fonds de pension, etc.).

Fonds de pension : organismes de gestion de l'épargne salariale dans les pays ayant adopté un système de retraite par capitalisation (pays anglo-saxons). Les ressources des fonds de pension sont placées sur les marchés financiers.

Krach boursier : chute brutale des cours des titres sur une place financière.

Marché financier : marché où se rencontrent l'offre et la demande de capitaux à long terme.

Nasdaq : marché d'origine américaine où sont cotées les entreprises les plus innovantes en matière technologique.

Nouveau marché : marché de la place de Paris qui accueille les entreprises à fort potentiel de croissance technologique (informatique, télécommunications, etc.).

Places financières : principales Bourses mondiales (New York Stock Exchange, Tokyo, Londres, Paris, Francfort).

Premier marché : marché principal de la place de Paris où se trouvent cotées les plus grandes entreprises.

Second marché : marché de la place de Paris qui accueille les entreprises de taille moyenne à des conditions moins contraignantes que le premier marché.

Trader : opérateur dont le métier consiste à servir d'intermédiaire sur les marchés financiers (offre et vente de produits financiers).

LES PRODUITS BOURSIERS

Actions : titre de propriété d'une fraction du capital social d'une entreprise. L'actionnaire perçoit un revenu variable, appelé dividende, à partir des résultats annuels de l'entreprise.

Obligations : titre de créance représentatif d'un emprunt émis par une entreprise, l'État ou une collectivité locale. L'obligation donne lieu à remboursement à l'échéance et permet à l'obligataire de bénéficier d'un revenu, l'intérêt.

Organismes de placements collectifs de valeurs mobilières (OPCVM) : organismes de gestion collective de valeurs mobilières constitués des sociétés d'investissement à capital variable (SICAV) et des fonds communs de placement (FCP).

LES INDICES BOURSIERS

CAC 40 : indice de la place de Paris calculé sur la base des 40 titres les plus représentatifs du premier marché.

Dow Jones : indice de la place de New York (Wall Street) calculé sur le cours des 65 valeurs les plus représentatives du marché.

Financial Times Index : indice de la place de Londres.

Indices boursiers : donnent l'évolution des tendances, à la hausse ou à la baisse des cours des principales valeurs sur une place financière.

Nikkei : indice de la place de Tokyo.

SBF 250 : indice le plus large de la place de Paris (250 titres).

X-Dax : indice de la place de Francfort (Allemagne).

– Bourse à coulant portée autrefois à la ceinture **aumônière**

– Les bourses chez un homme **scrotum, testicules**

– Grande bourse que l'on portait à la ceinture **escarcelle, gibecière**

– Espace de la Bourse où s'effectuent les transactions boursières **corbeille**

– Opérations diverses traitées en Bourse **ordre, négociation, souscription, liquidation, compensation, transaction**

– Désignation de la valeur des actions en Bourse **cours, cote, cotation**

– Montée rapide des valeurs en Bourse **boom**

– La Bourse de Paris **Palais Brongniart**

– Chute rapide et violente des valeurs en Bourse **krach, débâcle financière, effondrement, crise**

– Officier ministériel chargé des valeurs mobilières en Bourse **agent de change**

– Opérateur qui exerce en Bourse sur les places internationales **broker, trader, courtier**

– Tirer profit des fluctuations naturelles du marché en Bourse **spéculer, boursicoter**

– Spéculateur qui tire profit du marché des valeurs mobilières en Bourse **baissier, haussier**

– Courtier chargé de certaines transactions mobilières en Bourse **coulissier**

– Spéculation malhonnête ou illicite en Bourse **agiotage, tripotage, délit d'initié**
– Indice de référence de la Bourse française **CAC 40**
– Indice de référence de la Bourse américaine **Dow Jones**
– Indice de référence de la Bourse japonaise **Nikkei**

BOURSOUFLÉ
– Un visage boursouflé **bouffi, enflé, tuméfié, gonflé, vultueux**
– Un style boursouflé **ampoulé, emphatique, pompeux, déclamatoire, grandiloquent**

BOUSCULER
– Bousculer en mettant du désordre **déranger, secouer, culbuter, renverser, bouleverser**
– Bousculer quelqu'un **importuner, gourmander, brusquer, rudoyer, heurter, maltraiter, houspiller**
– Être bousculé par le temps **pressé, submergé, surmené**

BOUSSOLE
voir aussi **orientation**
– Boussole d'arpenteur **déclinatoire**
– Boussole de marine **compas, gyrocompas**
– Fonction de la boussole **orienter (s')**
– Ce qui permet à la boussole de fonctionner **aimant, magnétisme**
– Ce qui est inscrit sur le cadran d'une boussole **rose des vents**
– Dans la boussole, elle indique le nord et le sud **aiguille**
– Complément de la boussole pour la navigation **sextant**
– Perdre la boussole **nord**

BOUT
syn. **part, portion, morceau**
– Bout de terrain **parcelle, lopin**
– Bout de pain **tranche, croûton, quignon, chanteau, entame**
– Bout d'une cigarette qui a été fumée **mégot**
– Bout de sein **bouton, mamelon, tétin**
– Bout de la langue ou d'un autre organe **apex**
– Bout d'un instrument de musique à vent **embouchoir, embouchure**
– Bougeoir sur lequel finit de brûler le bout d'une bougie **brûle-tout**
– Bout recourbé du fer à cheval **crampon**
– Garniture qui se met au bout d'une canne, d'un parapluie, en général d'un objet allongé **embout, virole**
– Ôter un bout à quelque chose **ébouter, équeuter, écourter, tronquer**
– Atteindre le bout de l'île **extrémité, pointe, limite**
– Mettre les bouts **enfuir (s')**

– Au bout d'un certain temps **après, terme de (au)**
– Être à bout de course, à bout de souffle **épuisé, accablé, éreinté**
– Mettre bout à bout **abouter, rabouter, joindre, enter**
– Montrer le bout de l'oreille **trahir (se)**
– Venir à bout de quelque chose **accomplir, achever, terminer, surmonter, réussir**
– Venir à bout de quelqu'un **triompher, vaincre, maîtriser, mater**

BOUTEILLE *Voir tableau ci-dessous*
voir aussi **flacon**
syn. **carafe**
– Partie étroite en haut de la bouteille **col, goulot, collet, anneau**
– Armature qui maintient le bouchon d'une bouteille de champagne **muselet**
– Partie large de la bouteille **ventre, panse**
– Partie inférieure de la bouteille **fond, cul**
– Débris d'une bouteille cassée **tesson**
– Bouteille bue complètement, vide **cadavre**
– Bouteille spéciale en métal, en cuir ou en plastique **gourde, bidon**
– Bouteille isolante **Thermos**
– Bouteille de bière **canette**
– Bouteille utilisée comme projectile **cocktail Molotov**
– Petite bouteille de verre **fiole, flacon**
– Petite bouteille dotée d'un dispositif qui pulvérise un liquide **atomiseur, vaporisateur, pulvérisateur, nébuliseur, spray**
– Enveloppe de paille pour protéger les bouteilles **paillon**
– Grosse bouteille enveloppée de paille ou d'osier **bonbonne, dame-jeanne, tourie, fiasque**
– Mettre du vin en bouteille **embouteiller**
– Gouttes de vin qui tombent lors de la mise en bouteilles **baquetures**
– Le fait de boucher une bouteille remplie de vin **bouchage**
– Instrument employé pour enfoncer le bouchon dans la bouteille **serre-bouchon**
– Ustensile pour laver les bouteilles **goupillon, hérisson**
– Reste d'une bouteille qui s'égoutte **égoutture**
– Collectionneur d'étiquettes de bouteilles de vin **œnosémiophile, éthylabellophile**

BOUTIQUE
syn. **magasin**
– Tenir boutique **faire du négoce, faire du commerce**
– Boutique du marchand de tabac **bureau de tabac, débit de tabac**
– Boutique d'antiquités **bric-à-brac, brocante**

– Boutique où l'on vend toutes sortes d'objets disparates **bazar, droguerie, quincaillerie**
– Petite boutique de produits alimentaires **épicerie, alimentation générale**
– Petite boutique adossée à un mur **échoppe**
– Boutique foraine **stand, baraque**
– Terme vieilli pour désigner une boutique où sont préparés certains produits pharmaceutiques **officine**
– Garnir une boutique de marchandises à vendre **approvisionner**
– Façade de la boutique où sont exposés les objets en vente **étalage, vitrine, devanture**
– Promenade devant les boutiques **chalandage, lèche-vitrines**
– Arrière-salle d'une boutique **arrière-boutique, réserve, resserre**
– Pièce de travail située dans l'arrière-boutique d'un artisan **atelier**
– Dans la boutique, il sépare le client du vendeur **comptoir**
– Garçon de boutique **commis**
– Client d'une boutique **chaland, pratique**
– Ensemble des clients d'une boutique **achalandage, clientèle, pratique**
– Impôt lié à la tenue d'une boutique et appelé naguère patente **taxe professionnelle**

BOUTON
voir aussi **abcès, tumeur, mercerie**
– Les arbres sont en bouton **bourgeon, œil, œilleton**
– Bouton d'or dans les champs **renoncule, bassinet, ficaire**
– Sorte de bouton de vêtement qui en assemble deux parties **attache, agrafe, fibule**
– Où se glisse le bouton pour retenir l'autre partie du vêtement **boutonnière, bride**
– Ornement autour de la boutonnière et du bouton **brandebourg**
– Collectionneur de boutons vestimentaires **fibulanomiste**
– Bouton électrique **commutateur, interrupteur, olive, rotacteur**
– Bouton électrique actionné par une

BOUTEILLES	
Nom	**En nombre de bouteilles traditionnelles**
Magnum	x 2
Jéroboam	x 4
Mathusalem	x 8
Impériale	x 10
Salmanazar	x 12
Balthazar	x 16
Nabuchodonosor	x 20

pression de la main **bouton-poussoir, poussoir**

– Bouton de porte qui fait levier **bec-de-cane, poignée, clenche**

– Maladie caractérisée par des boutons sur le corps **variole, varicelle, rougeole, urticaire, petite vérole, zona**

– Gros bouton de la peau causé par un staphylocoque **furoncle, anthrax, bourbillon**

– Bouton près de l'œil, au bord de la paupière **orgelet, compère-loriot, chalazion**

– Sorte de bouton faisant saillie sur la peau **vésicule, papule, nodule, bulle, phlyctène, ampoule, cloque**

– Boutons qui naissent souvent sur le visage des adolescents **comédons, acné, points noirs, points blancs**

– Bouton de la peau à contenu purulent **pustule, bourgeon**

– Bouton de fièvre **herpès labial**

– Petit fromage de chèvre en forme de bouton à saveur piquante originaire de Bourgogne **bouton de culotte**

BOUTURE

voir aussi **bourgeon**

– Transplantation d'une bouture **greffe, marcotte**

– Partie d'une plante servant de bouture **racine, rameau, tige, feuille**

– Bouture de l'année **mailleton**

– Bouture de saule ou d'osier **plançon, plantard**

– Bouture de vigne **crossette**

BOVIN

voir aussi **bête (1), bœuf, vache**

– Membre de la sous-famille des bovins **bœuf, buffle, bison, yack, zébu, aurochs**

– Livre généalogique des races bovines **herd-book**

– Race bovine **charolaise, normande, limousine, gasconne, garonnaise, blonde d'Aquitaine, hollandaise, frisonne, montbéliarde**

– Jeune bovin sevré et mis au pâturage **broutard**

BOXE Voir tableau ci-dessus

voir aussi **sport, combat**

– Dans la boxe antique, courroie garnie de plomb dont les athlètes s'entouraient les mains **ceste**

– Dans l'Antiquité, combat de boxe, les poings gantés de cestes **pugilat**

– Sport plus proche de la lutte que de la boxe **catch, pancrace**

– Boxe américaine, proche du karaté **full-contact**

– Type de boxe où les coups de genou et de coude sont permis **boxe thaïe**

– Estrade entourée de cordes où ont lieu les matchs de boxe **ring**

BOXE ANGLAISE		
Catégorie	Poids (en kg)	
	Amateurs	Professionnels
Mi-mouche	45 - 48	
Mouche	48 - 51	48 - 50,802
Coq	51 - 54	50,802 - 53,524
Super-coq		53,524 - 55,338
Plume	54 - 57	55,338 - 57,152
Super-plume		57,152 - 58,967
Léger	57 - 60	58,967 - 61,235
Super-léger	60 - 63,5	61,235 - 63,503
Mi-moyen (welter)	63,5 - 67	63,503 - 66,678
Super-mi-moyen (super-welter)	67 - 71	66,678 - 69,853
Moyen	71 - 75	69,853 - 72,574
Super-moyen		72,574 - 76,204
Mi-lourd	75 - 81	76,204 - 79,378
Lourd-léger		79,378 - 86,183
Lourd	81 - 91	plus de 86,183
Super-lourd	plus de 91	

– Boxe où l'on donne des coups de pied **boxe française, savate, kick boxing**

– Reprise ou partie dans un combat de boxe **round**

– Corps-à-corps dans un combat de boxe **clinch**

– Dans un match de boxe, combat de près **infighting**

– Coup rapide donné après l'attaque adverse dans un combat de boxe **contre**

– Coup droit donné dans un combat de boxe **direct**

– En boxe, coup où le bras frappe vers l'intérieur en se pliant **crochet**

– En boxe, coup où le bras est ramené horizontalement vers l'intérieur **swing**

– En boxe, coup porté de bas en haut **uppercut**

BOXEUR

syn. **pugiliste**

– Boxeur classé dans la catégorie poids léger **mi-mouche, mouche, coq, super-coq, plume, super-plume, léger, super-léger**

– Boxeur classé dans la catégorie poids léger à moyen **welter, super-welter, moyen, super-moyen**

– Boxeur classé dans la catégorie poids lourd **mi-lourd, lourd-léger, lourd, super-lourd**

– Partenaire servant d'adversaire à un boxeur pour l'entraînement **sparring-partner**

– Personne qui entraîne un boxeur **manager, coach, entraîneur**

– Le boxeur est resté à terre plus de dix secondes **knock-out, KO**

BOYAU Voir illustration appareil digestif, p. 181

voir aussi **ventre, intestin**

– Les boyaux en font partie **viscères, entrailles**

– Boyau utilisé jadis en chirurgie comme fil de suture, dit aussi « boyau de chat » **catgut**

– Lieu où les boyaux sont préparés pour la consommation alimentaire **boyauderie, triperie**

– Boyaux d'animaux préparés pour être consommés **tripes**

– Charcuterie à base de boyaux - **andouillette, andouille**

– Plat en sauce à base de boyaux d'animaux **tripous**

BRACELET Voir illustration bijoux, p. 77

– Bracelet dont le cercle est partout de la même grosseur **jonc**

– Bracelet en forme de chaîne aux maillons de métal aplatis ou chaîne de montre **gourmette**

– Bracelet de sept anneaux **semainier**

– Bracelet antique pour le cou, les bras ou les jambes des femmes **psellion**

– Petit morceau de corail pour faire des bracelets **puntarelle**

– Bracelet en anneau autour des chapiteaux doriques **armilles**

BRANCHE

voir aussi **architecture, bourgeon, famille, arbre, bois**

– Les petites branches qui accrochent les bois des cerfs **hardées**

– Ensemble des branches d'un arbre avec leurs feuilles **branchage, ramure, ramée, feuillage, frondaison, port**

– Branche verticale **flèche**

– Un arbre qui a des branches verticales **fastigié**

– Petite branche **branchette, brindille, rameau, ramille**

– Jeune branche taillée en forme de crosse pour faire des boutures **crossette**

– Une jeune branche qui ne porte que des boutons à fleurs **chiffonne**

– Jeune branche droite et flexible qui est une pousse de l'année **scion**

– Branche nouvelle **brout, bouture, pousse, rejeton, rejet**

– Mot régional pour désigner une petite branche flexible **rouette**

– Branche de vigne **sarment**

– Branche que l'on prend à un arbre pour faire une greffe **ente, greffon**

– Branche, surtout de saule ou d'osier, utilisée comme bouture **plançon, plantard**

– Implanter une branche sur une autre **greffer, enter**

– Branche que l'on a courbée pour la faire fructifier **arcure, arçon**

– Branche d'arbre fruitier taillée court pour que la sève s'y concentre **courçon**
– Petite pointe d'une branche morte restant dans un arbre fruitier **ergot**
– Branche dont le développement excessif nuit aux rameaux fruitiers **gourmand**
– Branche d'une plante qui a pris racine **marcotte**
– Dépouiller un arbre de ses branches **tailler, ravaler, ébrancher, élaguer, émonder**
– Branches coupées et liées ensemble en forme de claie **clayonnage, croisillon**
– Percher sur les branches d'un arbre, en parlant des oiseaux **brancher, brancher (se)**

BRANCHER

– Système qui permet de brancher une voie ferrée sur une autre **aiguillage, bifurcation**
– Brancher une installation électrique ou une canalisation **rattacher, connecter, raccorder**

BRANDIR

– Brandir un objet pour attirer l'attention **agiter**
– Brandir ses lettres de noblesse **arborer, exhiber**
– Brandir sa démission **menacer**

BRAQUER

– Braquer une arme **viser, axer, ajuster, diriger**
– Le fait de braquer une banque **hold-up, attaque à main armée, braquage**
– Braquer pour garer son véhicule **obliquer, virer, tourner, orienter, contre-braquer**
– Braquer quelqu'un contre quelque chose **dresser contre, rendre hostile à**

BRAS

voir aussi **corps, os, muscle**
– Qui concerne le bras **brachial**
– Articulation qui attache le bras au tronc **épaule**
– Cavité entre la racine du bras et le thorax **aisselle**
– Articulation entre l'avant-bras et la main **poignet**
– Os du bras qui va de l'épaule au coude **humérus**
– Os le plus gros de l'avant-bras **cubitus**
– Os de la partie externe de l'avant-bras **radius**
– Muscle du bras qui relie l'humérus à la clavicule et à l'omoplate **deltoïde**
– Muscle du bras **biceps, triceps**
– Pli entre le bras et l'avant-bras **saignée**
– Être dans les bras de Morphée **dormir**
– Ouvrir grand les bras **accueillir, embrasser**
– Il a le bras long **de l'influence, du crédit, des relations**

– Baisser les bras **renoncer, abdiquer, abandonner, céder, démissionner, retirer (se)**
– Paralysie des bras et des jambes **tétraplégie**
– Avoir quelqu'un sur les bras **à charge, sous sa tutelle, sous sa dépendance**
– L'enfant est dans les bras de sa mère **giron, sein**
– Être le bras droit de quelqu'un **adjoint, assistant, associé, second, cogérant, codirecteur, vice-président, partenaire, alter ego**
– Métaphoriquement, le fait de se croiser les bras **paresse, inactivité, oisiveté, farniente, laisser-aller, fainéantise, désœuvrement, improductivité, passivité**
– Le chantier manque de bras **main-d'œuvre, agents, hommes, travailleurs, ouvriers, manœuvres**
– Bras d'un fauteuil **accoudoir, accotoir, appui**
– Bras de mer **détroit, passage, chenal**

BRASSAGE

voir aussi **bière**
– Brassage des cultures **mélange, hybridation, métissage, rapprochement, croisement**
– Lieu de brassage des cultures **melting-pot, creuset**

BRASSER

– Brasser les cartes **battre, mêler, brouiller**
– Brasser de grosses sommes d'argent **manipuler, manier, traiter, voir passer entre ses mains**
– Brasser des intrigues **ourdir, tramer**

BRAVE

– Être brave au combat **courageux, vaillant, audacieux, intrépide, téméraire, valeureux, héroïque, hardi**
– Un brave chevalier, au Moyen Âge **preux**
– Faire le brave en défiant quelque chose **braver, provoquer, opposer à (s'), mépriser, moquer de (se), combattre**
– Un brave homme **bon, honnête, gentil, serviable**
– Faux brave qui se vante **bravache, matamore, fanfaron, fier-à-bras, bluffeur, capitan**

BRÈCHE

voir aussi **fente**
– Faire une brèche dans une ligne fortifiée **ouverture, trouée**
– Battre en brèche **attaquer, tirer, ébranler, détruire, miner, nuire**
– Faire une brèche dans une clôture **accès, trou, passage**
– Brèche dans une muraille de montagne **pertuis, percée, échappée, cluse**

– Brèche dans le bois d'une porte **orifice, interstice, jour**
– Il a fait une brèche à sa bibliothèque **écornure**
– L'usure a fait des brèches à la vaisselle **ébréchures**
– Faire une brèche à la réputation de quelqu'un **entamer, endommager**
– Faire une brèche dans ses principes **exception à, entorse à**

BREF /1

– Bref émanant du pape **encyclique, bulle, rescrit**

BREF /2

– Rendre bref **abréger, raccourcir, tronquer, restreindre, réduire, résumer, interrompre**
– Un discours bref **succinct, compendieux, elliptique, lapidaire**
– Être bref dans ses interventions **concis, laconique**
– Pour être bref… **enfin, pour finir, en résumé, en un mot, pour conclure, en conclusion**
– Un ton bref **brusque, sec, impératif, coupant, incisif**
– Un épisode de brève durée **court, rapide, éphémère, momentané**

BRETELLE

– Bretelle de fusil **bandoulière**
– Bretelle de porteur **bricole**
– Un soutien-gorge sans bretelles **épaulettes**
– Remonter les bretelles à quelqu'un **réprimander, sermonner, admonester, morigéner, chapitrer, semoncer, faire des remontrances à**

BREVET

syn. **diplôme**
– Brevet délivré à l'auteur d'une découverte **licence**
– Droit lié au dépôt d'un brevet **propriété industrielle**
– Brevet en droit **capacité**
– Nécessaire à l'obtention du brevet d'études **examen**

BREVETÉ

syn. **garanti, certifié**

BRIBE

– Bribe de nourriture **miette, fragment, bouchée**
– Bribe de conversation **parcelle, partie, portion, fraction, extrait, passage**

BRICOLER

– Bricoler dans sa maison **travailler, faire de menus travaux, entretenir, nettoyer, peindre, orner, décorer**
– Il a bricolé lui-même sa cuisine **installé, aménagé, arrangé, réparé**

– Bricoler un programme informatique **bidouiller**
– Bricoler en termes archaïques **raccommoder**

BRIDE
– Élément d'une bride **mors, frontail, montant, œillère, sous-gorge, têtière**
– Bride simple, constituée d'un mors léger **bridon**
– Entourer une pierre d'une bride pour la soulever **élinguer**
– Mettre une bride à une volaille avant de la cuire **trousser**
– Sorte de bride qui retient l'œil dit « bridé » **épicanthus**

BRIDGE Voir tableau ci-contre

BRILLANT /1
– Cette cérémonie est pleine de brillant **faste, magnificence, lustre, splendeur, somptuosité**
– Brillant monté en bijou **diamant, solitaire**

BRILLANT /2
syn. **étincelant**
– Brillant, éclatant, en termes désuets **coruscant**
– La mer est brillante **brasillante, éblouissante, scintillante**
– Une étoffe brillante **chatoyante, satinée, soyeuse, rutilante**
– Lueur brillante **nitescence**
– Cet homme a une brillante réputation **illustre, célèbre, fameuse, glorieuse**
– Une entreprise brillante dans ses résultats **florissante, prospère**
– On la maria à un brillant parti **enviable, exceptionnel, remarquable**
– Faire un brillant mariage **riche, distingué, mondain**
– Un brillant esprit **spirituel, doué, fin, pétillant, captivant**
– Un brillant talent **brio, virtuosité, maestria**
– Pensées brillantes et affectées **concetti**

BRILLER
– Briller d'un vif éclat **flamboyer, scintiller, irradier, rayonner, pétiller**
– Briller d'une lumière intense **éblouir, étinceler, luire, illuminer**
– Briller comme de l'or **rutiler**
– Briller au soleil **miroiter, chatoyer, flamboyer**
– Briller à un concours **exceller, sortir major**
– Briller en société **faire florès, réussir**
– Briller par sa beauté, son intelligence **resplendir, charmer, ensorceler, impressionner, distinguer (se), séduire**
– La joie fait briller ce visage **illumine**
– Faire briller quelqu'un **faire valoir, mettre en valeur**

– Faire briller les avantages d'une situation aux yeux de l'intéressé **appâter, séduire**
– Faire briller ses propres avantages dans un groupe **étaler**
– Faire briller le parquet ou des chaussures **astiquer, faire reluire, lustrer**

BRIN
– Brin d'antenne **fil**
– Brin de fil liant un écheveau **centaine**
– Ensemble de brins, de filaments réunis **filin, cordage, câble**
– Brin d'herbe **brindille**
– Brin de paille **fétu**
– Brin de fil ou de laine **bout, morceau**
– Elle a un brin de folie **grain, once, pointe**
– Donnez-moi un brin de… **un peu, un doigt, un souffle, une parcelle**

BRIQUE Voir illustration p. 90
voir aussi **mur, maçonnerie, fondation**
– Usine où l'on fabrique des briques **briqueterie**
– Brique d'argile séchée au soleil **adobe**
– Brique de demi-épaisseur **chantignole**
– Brique carrée posée de chant **carreau**
– Cloison de briques posées de chant **galandage**
– Matériel nécessaire pour réaliser le bon alignement d'un mur de briques **cordeau, chevillettes**
– Maçonnerie de briques **briquetage**
– Maçonnerie de briques légères pour garnir un colombage **hourdis**
– Outil pour couper des briques **ciseau, massette**
– Débris de briques pour remplir les vides entre deux parements d'un mur **briquetons, blocaille**
– Peindre une paroi en représentant des briques **briqueter**
– Couleur brique **rougeâtre, orangé, rouille**

BRISER
– Le fait de briser quelque chose **bris, effraction, brisement**
– Briser avec violence pour ne rien laisser intact **démolir, fracasser, saccager, ruiner, vandaliser**
– Briser en menus morceaux **pulvériser, broyer, piler, triturer, égruger, concasser**
– Briser une porte, une serrure **enfoncer, défoncer, forcer, fracturer, disloquer**
– Briser les bords d'une assiette, d'une cruche **ébrécher, égueuler**
– Briser par compression **aplatir, effondrer, écacher**
– Cylindre pour briser les mottes de terre **brise-mottes, croskill, rouleau**
– Arc-boutant pour briser les glaces **brise-glace, avant-bec**
– Briser un sceau **desceller**

– Pour briser la laine, le lin, le chanvre **brisoir, broie**
– Briser les oreilles de quelqu'un **harceler, excéder, assourdir, abasourdir**
– Briser l'élan, le courage de quelqu'un **affaiblir, détruire, anéantir, abattre, accabler**
– Briser un discours, le silence **interrompre, rompre**
– Celui qui brise les images saintes **iconoclaste, vandale**
– Généralement, qualifie un enfant qui brise tout ce qu'il touche **brise-tout, brise-fer, maladroit**

BROCANTEUR
voir aussi **revendeur**
syn. **chineur, antiquaire**
– Boutique de brocanteur **bric-à-brac, brocante, magasin d'antiquités**
– Brocanteur spécialisé dans les livres anciens **bouquiniste**
– Brocanteur revendant des vêtements **fripier, chiffonnier**
– Brocanteur qui fait le commerce de métaux **ferrailleur, casseur, épaviste**

BROCHE Voir illustration bijoux, p. 77, et tableau vocabulaire de la chirurgie, p. 134
– Petite broche **épinglette, pin's**
– Petite broche portée en guise d'insigne **badge, macaron**
– Broche ou agrafe pour retenir et orner un vêtement de femme **affiquet, attache, fibule**
– Broche conique sur laquelle on envide un textile **fuseau**
– Fabrique où l'on utilise des bancs à broches **filature**
– Broche d'une machine-outil **porte-outil**
– Appareil de cuisson équipé d'une broche **barbecue, rôtissoire**
– Mécanisme qui fait tourner une broche **tournebroche**
– Petite broche utilisée pour rôtir des morceaux de viande **brochette, hâtelet**
– Récipient sous la broche pour recueillir la graisse de la viande **lèchefrite**
– Mouton, agneau rôti entiers à la broche sur les braises d'un feu de bois **méchoui, kebab**
– Mettre à la broche **embrocher, brocheter**
– Grand chenet de cuisine qui sert d'appui aux broches **hâtier**

BROCHETTE
– Brochette d'agneau, de mouton dans la cuisine orientale **chiche-kebab**
– Mouton grillé en brochette, dans la cuisine russe **chachlik**
– Brochette de volaille marinée spécialité de la cuisine japonaise **yakitori**
– Brochette de personnalités **aréopage, cénacle**

BRIDGE

BUT DU JEU : MARQUER LE PLUS DE POINTS POSSIBLE

Adjugée : une enchère est adjugée lorsqu'elle est suivie de 3 « passe ».

Affranchissement : fait d'obliger le camp adverse à jouer ses cartes maîtresses d'une couleur pour que vos cartes de rang inférieur deviennent maîtresses.

Blackwood : enchère conventionnelle de 4 sans atout. Elle permet de demander à son partenaire le nombre d'as qu'il possède.

Cartes affranchies : cartes non maîtresses au début d'un coup et qui le deviennent au fur et à mesure du déroulement du coup.

Cartes maîtresses : *voir* Honneurs.

Chelem (grand) : contrat qui engage le joueur à réaliser 13 levées.

Chelem (petit) : contrat qui engage le joueur à réaliser 12 levées.

Chicane : absence de cartes dans une couleur à la donne.

Chuter : ne pas réaliser le nombre de levées requises par le contrat.

Contrat : s'engager à réaliser un nombre défini de levées.

Couleurs majeures : ce sont les 2 couleurs les plus fortes, cœur et pique.

Couleurs mineures : ce sont les 2 couleurs les plus faibles, trèfle et carreau.

Coup : *voir* Donne.

Couper : jouer un atout lorsque le joueur ne possède plus de cartes de la couleur demandée.

Cue bid : enchère de même nature et d'un niveau supérieur à la dernière enchère faite par l'adversaire.

Déclarant : joueur qui a annoncé le premier la couleur de l'atout du contrat final.

Défausser (se) : ne pas couper et ne pas jouer une carte de la couleur demandée.

Donne : distribution des cartes.

Donneur : joueur qui distribue les cartes.

Doubleton : fait de posséder 2 cartes dans une couleur à la donne.

Enchère : faire une enchère consiste à annoncer le nombre de levées que l'on pense pouvoir s'engager à réaliser.

Enchère artificielle : enchère dont la signification est sans rapport avec la couleur annoncée. Exemple : stayman *(voir ce mot)*.

Entamer : jouer la première carte.

Entameur : joueur, à gauche du déclarant, qui pose la première carte.

Fit : fait d'avoir 8 cartes d'une même couleur partagées entre les deux mains d'un même camp.

Fourchette : réunion dans la même main d'au moins 2 honneurs séparés par un intervalle.

Gueneau : enchère conventionnelle de 4 trèfles. Elle permet de demander à son partenaire le nombre d'as qu'il possède lorsque la couleur trèfle n'a pas été annoncée pendant les enchères.

Honneurs : les 5 cartes les plus hautes de chaque couleur, as, roi, dame, valet, 10.

Levée : réunion de 4 cartes jouées, remportée par le joueur qui a fourni la carte la plus haute.

Levée de chute : levée manquante par rapport au nombre prévu par le contrat.

Levée de mieux : levée supplémentaire par rapport au nombre prévu par le contrat.

Longue : avoir une longue, c'est avoir au moins 4 cartes de la même famille dans une main.

Mort : totalité des cartes du partenaire du déclarant étalées à la vue de tous.

Ouvreur : joueur qui fait la première enchère.

Ouvrir : faire la première enchère.

Passer : s'abstenir de faire une enchère.

Pli : *voir* Levée.

Réveil : enchère suivie de 2 « passe » puis à nouveau d'une enchère.

Singleton : fait d'avoir une seule carte dans une couleur à la donne.

Stayman : enchère conventionnelle de 2 trèfles. Elle permet de demander à son partenaire s'il a au moins 4 cartes dans une couleur majeure.

Surenchérir : couvrir et annuler l'enchère précédente par une enchère supérieure.

Texas : technique consistant à annoncer la couleur immédiatement inférieure à celle que l'on désire jouer.

BROCHURE

– Brochure explicative, informative **plaquette, opuscule, mémoire, livret, tract, imprimé, notice, mode d'emploi, règles du jeu**
– Brochure satirique contre une institution ou un personnage connu **diatribe, libelle, pamphlet, factum, brûlot**

BRODER

– Fronces brodées sur l'endroit **smocks**
– Broder en racontant une histoire **amplifier, exagérer, digresser, enjoliver, embellir, agrémenter**

BRODERIE

voir aussi **passementerie, dentelle, tapisserie**
– Instrument utilisé pour la broderie à la main ou à la machine **aiguille, crochet, poinçon**
– Broderie mièvre **fioriture**
– Broderie en relief exécutée sur un bourrage **plumetis**
– Une broderie exécutée autour de parties ajourées **anglaise**
– Bande de broderie ou de dentelle qui coupe un tissu **entre-deux**
– Broderie utilisée pour faire une bordure **feston, nervure**
– Broderie formée de petites dents aiguës **picot**
– Dentelle avec broderie à l'aiguille ou à la machine **guipure**
– Broderie en forme d'alvéole de ruche **nid-d'abeilles**
– Point de broderie sur linge et lingerie **jour, échelle, bourdon, chaînette, croix**
– Fil d'or ou d'argent utilisé en broderie **cannetille**
– Carton avec fils d'or pour les points en relief des broderies **cartisane**
– Broderie d'or ou d'argent d'un vêtement liturgique **orfroi**
– Broderie de faux or ou argent **oripeau**
– Toile sur laquelle on coud une broderie **entoilage**
– Grosse toile à jours qui sert de fond aux broderies et tapisseries **canevas**
– Tapisserie célèbre qui est en fait une broderie **de Bayeux**
– Tissu réversible avec broderie en satin et taffetas **damas**

BRONCHE *Voir illustration appareil respiratoire, p. 519*

voir aussi **gorge, poumon**
– Conduit reliant le larynx aux bronches **trachée**
– Ramification des bronches menant aux alvéoles pulmonaires **bronchiole**
– Inflammation des bronches **bronchite, trachéobronchite**
– Examen de l'intérieur des bronches à l'aide d'un appareil souple en fibre de verre **bronchoscopie**
– Examen radiographique des bronches après injection d'un liquide opaque **bronchographie**
– Affection due à un rétrécissement des bronches **asthme**
– Infection des petites bronches **bronchiolite**
– Médicament facilitant le passage de l'air dans les bronches **bronchodilatateur, Ventoline**
– Dilatation pathologique des bronches **bronchectasie**
– Ouverture chirurgicale d'une bronche **bronchotomie**

BRONCHER

– Accepter l'injure sans broncher **sourciller, ciller, résister, regimber, rebeller (se), révolter (se), rebiffer (se), réagir ; rester impassible, consentir, acquiescer**

BRONZE

voir aussi **cuivre**
– Le bronze, en terme désuet et littéraire
airain
– Bronze de la montagne, dans l'Antiquité
orichalque
– Artiste qui crée des œuvres en bronze
bronzier
– Ouvrier qui travaille le bronze d'art
bronzeur
– Ouvrages de bronze dans leur ensemble
bronzerie, bronze d'art
– Se dépose sur les objets en bronze
exposés à l'air et à l'humidité **patine,
vert-de-gris**
– Poudre de bronze **bronzine**
– Un cœur de bronze **de pierre, de fer,
de marbre, d'airain, inflexible, impitoyable, implacable**

BRONZER

voir aussi **basané, mat**
– Bronzer au soleil **dorer, brunir, cuivrer, hâler, noircir**
– Produit cosmétique permettant de bronzer **crème bronzante, crème solaire,
autobronzant**
– Les épreuves lui bronzent le cœur
endurcir

BROSSE

voir aussi **balai, pinceau, poil**
– Élément d'une brosse **monture, manche, patte, dos, poil, garniture**
– Brosse pour nettoyer des biberons, des
bouteilles **goupillon, écouvillon**
– Brosse pour ramasser les miettes sur une
table après un repas **ramasse-miettes**
– Petite brosse de bruyère pour épousse-
ter **époussette**
– Brosse à barbe pour faire mousser le
savon **blaireau**
– Brosse à long manche pour se laver le
dos **lave-dos**
– Les poils d'une brosse sont de **chien-
dent, crin, sanglier, ligneul, tampico,
soie de porc**
– Brosse métallique pour nettoyer les che-
vaux **étrille**
– Brosse à chiendent **fermière**
– Brosse à frotter les parquets **frottoir**
– Brosse à long manche et à tête ronde
pour le nettoyage des plafonds **tête-de-
loup**
– Brosse à reluire **polissoire**
– Brosse de boulanger pour enlever la
farine du pain **passe-partout**
– Brosse dure pour le lavage des planchers et des sols **lave-pont**
– Brosse faite de plusieurs lames pour le
ramonage des cheminées **hérisson**
– Tapis-brosse pour nettoyer les semelles
des chaussures **paillasson**
– Brosse métallique à l'extrémité d'un
câble pour déboucher les canalisations
furet

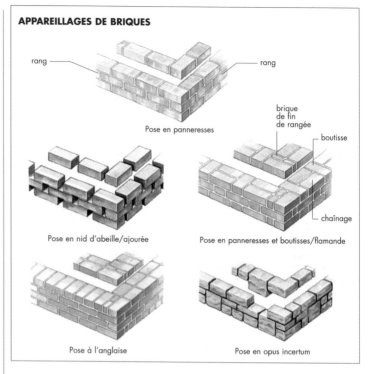

APPAREILLAGES DE BRIQUES

rang — rang

Pose en panneresses

brique de fin de rangée — boutisse

chaînage

Pose en nid d'abeille/ajourée

Pose en panneresses et boutisses/flamande

Pose à l'anglaise

Pose en opus incertum

– Mieux qu'un tapis-brosse pour des
chaussures pleines de boue **décrottoir,
grattoir, gratte-pieds, racloir**

BROUILLARD

– Brouillard léger **brume**
– Brouillard qui se condense en pluie
bruine, crachin, brouillasse
– Brouillard froid formant des dépôts de
givre **frimas, gelée blanche**
– Brouillard de gouttelettes d'eau formées
par les vagues qui se brisent **embrun,
poudrin**
– Brouillard avec amas de fines gouttelettes d'eau **vapeur, nuage**
– Brouillard mêlé de suie des régions
industrielles **smog**
– Le temps est assombri par le brouillard
bouché, embrumé
– Ciel obscurci par le brouillard **nébuleux**
– Phare qui permet de garder une visibilité minimale malgré le brouillard **antibrouillard**
– Appareil permettant de dissiper le
brouillard **dénébulateur**
– Être dans le brouillard **obscurité,
confusion, vague, incertitude**
– Vaporisateur qui diffuse un brouillard
de gouttelettes d'eau ou d'autre liquide
brumisateur, atomiseur, spray
– Mois du brouillard dans le calendrier
républicain (de fin octobre à fin novembre) **brumaire**

BROUILLER

– Brouiller des dates **mélanger, confondre, intervertir**
– Brouiller des idées **emmêler, enchevêtrer**
– Brouiller les données d'une opération
embrouiller, jeter la confusion
– Brouiller des œufs **remuer, battre,
fouetter**
– Brouiller une émission de télévision sur
une chaîne à péage **crypter**
– Brouiller du vin **rendre trouble,
rendre turbide**
– Brouiller le teint **ternir**
– Brouiller l'esprit de quelqu'un **troubler,
bouleverser, perturber**
– La vue se brouille avec les années
**diminue, affaiblit (s'), altère (s'), gâte
(se), détériore (se), dégrade (se)**
– Se brouiller avec quelqu'un **fâcher avec
(se), froisser avec (se), bouder, séparer de (se), rompre avec**

BROUILLON

– Brouillon d'un projet **ébauche,
esquisse, schéma, plan**
– L'exposé était brouillon **confus, désordonné, embrouillé, filandreux**

BROUSSE

voir aussi **végétation, forêt, buisson**
– Brousse végétale épaisse, en Australie
scrub

– Celui qui aime aller en brousse **broussard**

– Brousse de lait de chèvre ou de brebis **caillé**

– Brousse de lait de chèvre ou de brebis fabriquée en Corse **broccio**

BROYER

voir aussi **poudre**

– Récipient pour broyer **mortier**

– Instrument pour broyer **meule, pilon, marteau**

– Broyer des grains avec un pilon **piler**

– Broyer des grains avec une meule **moudre**

– Broyer des plantes dans un mortier **triturer**

– Broyer un aliment à belles dents **croquer, déchiqueter, mâcher**

– Broyer des pierres **concasser, bocarder**

– Outil servant à broyer le lin, le chanvre **macque, broie**

– La fatigue a broyé cet homme **affaibli, détruit, abattu, moulu, éreinté**

BRUISSEMENT

– Bruissement de voix **chuchotement, susurrement, marmonnement, murmure**

– Bruissement d'étoffe **froufrou, froissement, frôlement**

– Bruissement de l'eau **frémissement, friselis**

– Bruissement d'une ruche **bourdonnement**

– Bruissement de feuilles **froufroutement**

– Bruissement d'un jet de vapeur **chuintement**

BRUIT *Voir tableau p. 93*

voir aussi **bruyant, cri, son, sonner, voix**

– Mot qui imite un bruit réel **onomatopée**

– Lorsqu'un bruit se réfléchit **écho, réverbération sonore**

– Protection contre le bruit **isolation, insonorisation, antibruit**

– Répandre un bruit, une nouvelle **ébruiter, divulguer, révéler, dévoiler, tambouriner**

– Bruit doux, faible, continu **bruissement, frémissement**

– Bruit de fond d'un enregistrement magnétique **souffle**

– Réduction du bruit de fond d'un enregistrement magnétique **dolby**

– Bruit de l'eau agitée à sa surface **clapotis, clapotage, clapotement**

– Bruit de voix du bébé ou du tout petit enfant **vagissement, gazouillis, babil, lallation**

– Bruit physiologique émis par la bouche ou le nez **hoquet, rot, éructation, râle, éternuement, sternutation, toux, toussotement, ronflement**

– Bruit de l'appareil digestif **gargouillis, borborygme, flatuosité**

– Bruit parasite et gênant à l'intérieur de l'oreille **acouphène**

– Bruit que produisent certains insectes **stridulation, craquètement**

– Bruit de voix **piaillement, braillement, hurlement, vocifération, clameur**

– Agitation, émotion vive, accompagnée de bruit **bouillonnement, effervescence**

– Bruit d'objets qui s'entrechoquent **cliquetis, cliquètement, tintement**

– Succession de bruits secs **grésillement, crépitement, pétillement, décrépitation**

– Bruit assez fort pour couvrir toute conversation **brouhaha, chahut, hourvari, tohu-bohu, tumulte, ramdam**

– Bruit intense et discordant de musique et de voix mêlées **cacophonie, tapage, vacarme, charivari, tintamarre**

– Bruit sourd et continu de moteur ou de machine **vrombissement, bourdonnement, ronronnement**

– Bruit de bombe **déflagration, détonation, fracas**

– Pour qualifier un bruit fort **fracassant, assourdissant, strident, perçant, détonant**

– Faire un bruit de tonnerre **tonitruer, tonner, fulminer, gronder**

BRÛLANT

– Un climat où l'air est brûlant **torride, tropical, équatorial**

– Un amour brûlant **ardent, passionné, dévorant, bouillonnant**

– Un problème, un sujet brûlant **épineux, dangereux, sensible, délicat, tabou**

BRÛLER

voir aussi **feu, flamme, incendie**

syn. **flamber, consumer, incendier, rôtir**

– Quand un matériau brûle **combustion, ignition, calcination, consomption**

– Matériau qui ne brûle pas **ignifugé, ininflammable, incombustible, réfractaire, infusible, apyre**

– Matière qui brûle spontanément au contact de l'air **pyrophore**

– Dans la Bible, il brûle sans se consumer **buisson ardent**

– Supplice qui consiste à brûler vif un condamné **bûcher, autodafé**

– Se brûler la cervelle **tuer**

– Faire brûler un corps après la mort au lieu de l'ensevelir **incinération, crémation**

– À brûle-pourpoint **abruptement, brusquement, de but en blanc, directement, sans avertissement, sans ménagement**

– En cuisine, faire brûler très légèrement un oignon **roussir, revenir**

– Le fait de rester au soleil et brûler jusqu'à en être malade **insolation, coup de chaleur, érythème**

– Brûler des tissus organiques **cautérisation, ignipuncture**

– Qui brûle des tissus organiques **caustique, corrosif, thermocautère, acide**

– Action de brûler un sol pour améliorer sa fertilité **écobuage, brûlis**

– Personne qui fait brûler quelque chose dans une intention criminelle **incendiaire, pyromane, pétroleuse**

– Le fait de brûler les grains de café **torréfier, griller**

– On a laissé brûler le rôti **calciner, carboniser**

– Réchaud sur lequel on brûle des aromates **brûle-parfum, cassolette**

– Récipient pour brûler des parfums dans un lieu de culte **encensoir**

– Brûler d'un idéal **enflammer pour (s'), embraser pour (s'), dévoré par (être), enfiévrer pour (s')**

BRÛLURE

– Brûlure au premier degré sur le corps **rougeur, érythème, exanthème**

– Brûlure au deuxième degré **phlyctène**

– Brûlure au troisième degré **escarre**

– Signe d'une brûlure sur la peau **cloque, ampoule, vésicule, bulle, phlyctène**

– Brûlure de la gorge **irritation**

– Brûlure d'estomac **aigreur, ulcère**

BRUME

voir aussi **brouillard, vapeur**

– Temps de brume **brumaille**

– Formation épaisse de brume qui gêne la visibilité **banc, flocon, rideau**

– Espace clair dans un ciel chargé de brume **éclaircie, embellie**

– Mois du calendrier républicain qui doit son nom aux brumes d'automne (de fin octobre à fin novembre) **brumaire**

– Signal sonore de bateau dans la brume **trompe, sirène, corne de brume**

– Plante de la saison des brumes **brumale**

– Un discours obscur, comme recouvert de brume **nébuleux, flou, brumeux, confus, fumeux**

BRUN

voir aussi **bronze**

– Brun jaune ou orangé **ocre**

– Brun avec des reflets dorés **mordoré**

– Couleur brune sur de vieilles photos ou des dessins **sépia**

– Uniforme brun verdâtre **kaki**

– Chemise brune **nazi, hitlérien**

– Un cheval brun-roux **bai, alezan**

– Brun qui vire au roux **brique, tabac, auburn, acajou, cuivré, havane**

– Des cheveux brun clair **châtain**

– Un teint de visage brun dû à une exposition au vent ou au soleil **bronzé, hâlé, basané, cuivré**

– Brun sombre qui tire vers le noir **brunâtre, chocolat, maure, marron, bistre, terreux**
– Couleur brune d'origine minérale **terre d'ombre, terre de Sienne, ombre**
– Teinture brune utilisée en menuiserie **brou de noix**
– Étoffe de laine brune **bure**

BRUNE
– À la brune **au crépuscule, à la tombée de la nuit, entre chien et loup, le soir**

BRUSQUE
– Un événement brusque et imprévu **soudain, inattendu, précipité, subit, inopiné, surprenant**
– Changement brusque dans une situation politique, sociale ou économique **révolution, bouleversement, renversement**
– Entrée brusque **irruption, incursion**
– Un individu brusque et violent dans ses actes **brutal, impétueux, nerveux, vif, agressif**
– Un comportement ou un caractère brusque **rude, bourru, cassant, rébarbatif, abrupt, cavalier, rogue**
– Imprimer un mouvement brusque à un objet **soubresaut, secousse, à-coup, saccade, choc**
– Refuser d'une manière brusque **rabrouer, rembarrer**

BRUT
voir aussi **net, raffiné**
– À l'état brut **naturel, pur, sauvage, originel, primitif, vierge**
– Personnage à l'esprit brut **fruste, lourd, stupide, illettré, inculte, rustique, béotien**
– Des idées ou des manières brutes **simples, abruptes, rudes, grossières, vulgaires, rudimentaires, barbares, rustiques**
– Du champagne brut **sec**
– Du coton brut **écru**
– Dégrossir un diamant brut **ébruter**
– De l'or brut **natif**
– De la soie brute **grège**
– Pétrole brut **naphte**
– Un terrain brut **en friche, inculte**

BRUTAL
– Parler d'un ton brutal **cru, franc, entier, bourru, âpre, rude**
– Un individu brutal **dur, irascible, cruel, violent**
– Gardien brutal et inflexible **cerbère, chien de garde**
– Pillard aux méthodes brutales **pandour, barbare, soudard, reître**

BRUTALITÉ
– Être victime de brutalités **sévices, maltraitance**

– Un individu d'une grande brutalité **impolitesse, dureté, férocité, rudesse, grossièreté**
– Il a la brutalité d'un soudard **barbarie, sauvagerie, violence, bestialité, inhumanité**

BRUYANT
voir aussi **bruit, cri, son**
– Annoncer quelque chose d'une voix bruyante **tonnante, tonitruante, cuivrée, claironnante, braillarde**
– La réunion fut bruyante **agitée, tumultueuse**
– Un rire bruyant **sonore, éclatant, retentissant**
– Un moteur bruyant **rugissant**

BRUYÈRE
– Famille à laquelle appartient la bruyère **éricacées**
– Terre où pousse la bruyère **brande, lande**
– Terre de bruyère **terreau, humus, compost, terre végétale, tourbe**
– Coq de bruyère **tétras**
– Coq de bruyère d'Écosse **grouse, lagopède**
– La racine de bruyère sert à sa fabrication **pipe, brûle-gueule, bouffarde**

BÛCHE
voir aussi **bois**
– Grosse bûche **rondin, billot, bille, tronche, bois de boulange**
– Outil de bûcheron utilisé pour faire des bûches **hache, merlin, cognée, coin, tronçonneuse, passe-partout**
– Abri où l'on entrepose des bûches **bûcher**
– Dormir comme une bûche **souche, profondément**
– Rester planté comme une bûche **inerte**

BUDGET
– Division d'un budget **poste, ligne, chapitre, article**
– Poste d'un budget **crédit, débit, dépenses, recettes**
– Un poste très coûteux dans un budget **budgétivore**
– Prévoir une dépense dans un budget **imputer, inscrire, budgétiser, affecter, accorder, attribuer, allouer**
– Dépenses allant au-delà de ce que prévoit le budget **dépassement, déficit**
– Partie non utilisée d'un budget **bénéfice, excédent**
– Accroître les charges d'un budget **grever, alourdir**
– Budget de l'État **finances**
– Fraction du budget de l'État dont le gouvernement peut disposer **douzième provisoire**
– Budget prévu pour une dépense particulière **enveloppe, somme disponible**

BUFFET
voir aussi **café, repas**
– Buffet de forme ancienne **bahut, armoire**
– Buffet où l'on range la vaisselle **vaisselier, desserte, dressoir, crédence**
– Buffet où l'on range l'argenterie **argentier**
– Buffet à plusieurs compartiments pour le rangement d'objets précieux **cabinet**
– Partie d'un buffet **corps, dessus, étagère, boiseries, vantail, porte pleine, tiroir**
– Corniche du buffet **chapiteau**
– Garnit un buffet dans une fête, une réception **apéritif, amuse-gueule, cocktail**
– Cuisinier qui fournit les plats proposés au buffet **traiteur**
– Petit buffet de gare **buvette, cafétéria**

BUISSON
– Endroit où poussent les buissons **garrigue, lande, épinaie, maquis, ronceraie**
– Groupe de buissons serrés et touffus **hallier, fourré, taillis, broussailles**
– Buisson où le gibier se met à l'abri **breuil**
– Battre les buissons **chasser, rabattre**
– Trouver buisson creux **vide**
– Défricher un terrain boisé en supprimant les buissons et broussailles **essarter, débroussailler**
– Arbre fruitier en buisson **arbre nain**
– Buisson ornemental, à fleurs roses ou blanches, appelé aussi « buisson-ardent » **cotonéaster**

BULLE
– Bulle d'un seigneur au Moyen Âge **sceau**
– Bulle du pape **encyclique, bref, rescrit, décrétale**
– Une bulle du pape convoquant un concile, un synode **d'indiction**
– Prononcer une condamnation sous forme de bulle **fulminer**
– Officier du Vatican qui écrit les bulles **scripteur**
– Recueil de bulles émises par le Vatican **bullaire**
– Petites bulles sur une eau savonneuse **mousse**
– Bulles à la surface de l'eau qui bout et s'évapore **vapeur**
– Un liquide qui contient des bulles **effervescent, pétillant, gazeux, mousseux**
– Bulle de bande dessinée **phylactère**
– Bulle qui signale une lésion de l'épiderme **ampoule, vésicule, bouton, cloque, phlyctène**
– Du papier bulle **grossier**
– Coincer la bulle **dormir, s'allonger**
– J'ai pris une bulle au lycée **zéro**

BRUITS

Bruit aigu
chuintement
criard
crissement
déchirant
glapissement
grincement
perçant
piaillement
sibilant
sifflement
strident
stridulation
suraigu
tintement

Bruit répété
applaudissements
cliquètement
cliquetis
crépitement
décrépitation
écho
grésillement
martèlement
pétarade
pétillement
résonner
ronron
ronronnement
tambouriner

Bruit désagréable
discordant
dissonant
éraillé
nasillard
rauque

Bruit de voix fort
braillement
bruyant
claironnant

clameur
cuivré
éclatant
hurlement
rumeur
sonore
vagissement
vocifération

Bruit sec
bang
bing
clappement
claquement
crac
vlan

**Bruit
peu perceptible**
calme
chut
paix
quiétude
silence
tranquillité

Bruit faible
bruissement
bruit de fond
frémissement
friselis
froissement
frôlement
froufrou
froufroutement
ronronnement
souffle
vagissement

Bruit d'eau
bouillonnement
clapotement
clapotis
effervescence

floc
frémissement
gargouillement
plouf

Bruit de voix léger
babil
babillement
chuchotement
clap-clap
gazouillis
geignement
gémissement
lallation
marmonnement
murmure
susurrement
tic-tac
toc-toc

**Bruit d'une
consonne (en
phonétique)**
chuintante
click
constrictive
explosive
fricative
occlusive
sifflante
spirante
vibrante

Bruit intense
bourdonnement
brouhaha
cacophonie
chahut
charivari
hourvari
ramdam
ronflement
tapage
tintamarre

tohu-bohu
tumulte
vacarme

Bruit fort
assourdissant
boum
bruyant
déflagration
détonant
détonation
éclatant
explosion
fracas
fracassant
fulminer
gronder
pan
retentissant
rugissant
sirène
sonore
tonitruer
tonner
vrombir
vroum

Bruit physiologique
borborygme
bzzz
éructation
éternuement
flatuosité
gargouillis
hoquet
râle
ronflement
rot
sternutation
toussotement
toux

BULLETIN

voir aussi **annonce, information**
– Autour des bulletins utilisés par les électeurs pour voter **urne, enveloppe, dépouillement, comptage**
– Un bulletin n'exprimant aucun choix électoral **blanc**
– Ne pas remettre de bulletin de vote lors d'une élection **abstention**
– Un bulletin de vote irrégulier **nul**
– Bulletin météorologique **communiqué, information, prévisions, avis**
– Bulletin spécial d'information **flash, message spécial**
– Bulletin de santé du président de la République **rapport, annonce**
– Bulletin de salaire **feuille de paie, fiche de paie**
– Ce qui peut être consigné dans le bulletin trimestriel d'un élève au collège et au lycée **notation, conduite, appréciations, félicitations, encouragements**
– Bulletin délivré à un usager dans une administration **certificat, attestation, reçu, récépissé**

– Bulletin de la Bourse **cote**
– Bulletin des lois **recueil**, *Journal officiel*
– Bulletin scientifique, littéraire ou politique **article, journal, revue, publication, annales, gazette, chronique, actes**

BUREAU

– Sorte de meuble servant de bureau **secrétaire, scriban, écritoire, bonheur-du-jour**
– Bureau d'écolier **pupitre**
– Fourniture de bureau **casier, classeur, dossier, chemise, éphéméride, agenda**
– Accessoire de bureau **écritoire, agrafeuse, perforatrice, trombone, calculatrice**
– Matériel de bureau **photocopieuse, scanner, imprimante, ordinateur, console, traitement de texte, dictaphone**
– Bureau de placement pour les chômeurs **ANPE (Agence nationale pour l'emploi)**

– Bureau d'une société **direction, secrétariat, caisse, comptabilité**
– Domaine qui vise à l'automatisation des tâches de bureau **bureautique**
– Mobilier de bureau **table, fauteuil, tabouret, bibliothèque, armoire**
– Discipline étudiant les conditions de confort dans les bureaux **confortique**
– Personnel de bureau **chef, commis, dactylo, employé, agent, huissier, appariteur, secrétaire, hôtesse, standardiste**
– Qualificatif péjoratif que l'on donne parfois à l'employé de bureau **plumitif, bureaucrate, rond-de-cuir, paperassier, scribouillard, gratte-papier, col-blanc**
– Se rendre à son bureau **agence, étude, comptoir, administration**
– Bureau d'expédition du courrier **poste**
– Bureau de tabac **débit**
– Bureau de location de places de spectacle **guichet**
– Bureau où sont déposés les actes de procédure d'un tribunal **greffe**
– Bureau composé de techniciens responsables de la surveillance des avions et navires **Veritas**

BURIN

voir aussi **sculpture, gravure**
syn. **pointe, pointe sèche, ciseau**
– Burin pour graver dans le cuivre et le bois **guilloche**
– Burin des orfèvres, muni d'une pointe pour ciseler **échoppe**
– Petit burin des graveurs de médailles **onglette, ognette**
– Burin à pointe recourbée **rainette**
– Burin creusé en forme de canal **gouge**
– Burin servant à dégrossir et creuser le bois **rouanne**
– Outil qui, comme le burin, perce un matériau dur **drille, foret, trépan, fraise**

BURLESQUE

syn. **comique, ridicule**
– Une scène burlesque **bouffonne, grotesque, ridicule, loufoque, grand-guignolesque**
– Initiateur du style littéraire dit « burlesque » **Scarron**
– Écrit confus et embrouillé de type burlesque **amphigouri**

BUSTE

– Buste de l'être humain **torse, poitrine**
– Buste sculpté à l'avant d'un bateau **figure de proue**
– Buste de femme **seins, gorge**
– Un buste de femme aux formes épanouies **plantureux, généreux, opulent**
– Vêtement qui habille le buste des femmes **corsage, blouse, caraco, casaquin, guimpe, chemisier, chemisette, camisole, canezou**

– Sous-vêtement féminin qui soutient le buste **bustier, soutien-gorge, balconnet**
– Redresser le buste **bomber**
– Prise de vue en buste **plan américain**

BUT

syn. **fin, visée, dessein, intention, objet**
– Le but visé avec une arme **objectif, cible, point de mire, blanc**
– Atteindre le but **faire mouche, mettre dans le mille, marquer**
– De but en blanc **brusquement, à brûle-pourpoint, abruptement, sans préparation, directement**
– Au jeu de boules, pointer une boule vers le but **cochonnet**
– But à atteindre après un parcours **terme, arrivée, terminus**

– But envisagé **imaginé, décidé**
– Toucher au but **aboutir, réussir, être sur le point de**
– Donner un but à sa vie **sens, raison de vivre**
– Au football, périmètre autour du but où le gardien peut saisir le ballon **surface de réparation**

BUTER

– Buter sur quelque chose, faire un faux pas **broncher, achopper, trébucher**
– Buter sur un problème **heurter à (se), confronté à (être)**
– Se buter **entêter (s'), obstiner (s'), braquer (se)**
– Se faire buter **tuer, assassiner, fusiller, abattre**

BUTIN

– Butin de guerre **capture, prise, trophée, proie, trésor**
– Riches dépouilles, riche profit que l'on recueille comme butin, au sens figuré **dépouilles opimes**
– Peut aussi procurer un butin substantiel **pillage, cambriolage, vol, razzia, incursion**
– Butin obtenu à la suite d'une recherche **récolte, résultat, produit, découverte**

BUVETTE

– Sorte de buvette **bar, bistrot, café**
– Buvette d'une gare **buffet**
– Buvette d'une entreprise **cafétéria**

CABALE
– Ils ont monté une cabale contre lui **complot, conspiration, machination, intrigue**
– Cabale contre l'État **conjuration**
– Se constituer en cabale **liguer (se)**

CABANE
voir aussi **bicoque**
syn. **abri, maisonnette, cahute**
– Cabane de berger **buron**
– Cabane de bûcheron **loge**
– Cabane de plage **paillote**
– Cabane où l'on fabrique le sirop d'érable **cabane à sucre, sucrerie**
– Radeau avec une cabane **jangada**

CABARET
– Il a passé sa soirée dans un cabaret **music-hall, café-concert, boîte de nuit**
– Cabaret peu fréquentable **bouge, bousin, caboulot**
– Cabaret lyonnais **bouchon**

CABINE
– Cabine spatiale **capsule**
– Cabine étanche **sas**
– Cabine téléphonique **publiphone**
– Cabine de pilotage d'un avion **cockpit**
– Cabine de téléphérique **benne, télébenne, télécabine**
– Cabine d'un bureau de vote **isoloir**
– Cabine de toilettes publiques **Sanisette**
– Cabine d'une voiture de chemin de fer **compartiment**

CABINET
– Petit cabinet utilisé comme débarras **cagibi**
– Cabinet de jardin **appentis, remise**
– Cabinet très étroit servant de chambre **réduit**
– Le cabinet de certaines professions libérales **bureau, agence, étude**
– Cabinet de sculptures, de peinture **glyptothèque, pinacothèque**
– Cabinet des estampes **collection**
– Cabinet d'État **ministère**
– Les cabinets de la maison **toilettes, W.-C., petit coin, commodités, lieux d'aisances**

CÂBLE
– Il a déroulé le câble **filin, sangle, corde**
– Câble pour maintenir **Sandow, tendeur**
– Câble pour les bateaux **amarre, hauban, liure, sous-barbe, drosse**
– Câble pour la télédiffusion **faisceau, fibre optique, canal**

CABOSSÉ
– La tôle est toute cabossée **bosselée, déformée, enfoncée**

CABRIOLE
– Il fait des cabrioles dans la prairie **gambades, culbutes, galipettes**
– Se sortir d'une situation difficile par une cabriole **échappatoire, dérobade, revirement, pirouette**

CABRIOLET
– Cabriolet attelé à un cheval **cab, milord**
– Cabriolet découvert **boghei, tilbury**
– Il roule en cabriolet **décapotable**

CACAHOUÈTE
– Plante qui fournit les cacahouètes **arachide**

CACAO
voir aussi **chocolat**
– Arbre à cacao **cacaoyer**
– Cosse dans laquelle se trouvent les graines de cacao **amande, fève, cabosse**
– Alcaloïde contenu dans le cacao **théobromine**
– Friandise enrobée de cacao **truffe**

CACAOYER
– Plantation de cacaoyers **cacaoyère**

CACHALOT
– Famille à laquelle appartient le cachalot **physétéridés**
– Sous-ordre auquel appartient le cachalot **odontocètes**
– Grand cachalot **hypérodon, macrocéphale**
– Liquide blanchâtre et onctueux contenu dans le melon du cachalot **spermaceti, blanc de baleine**

– Surnom donné au cachalot géniteur **pacha**
– Partie renflée de la tête du cachalot **melon**
– Concrétion formée dans l'intestin du cachalot **ambre gris**

CACHE-COL
syn. **cache-nez, écharpe, foulard**

CACHER
– Cacher une pièce compromettante **dissimuler, planquer**
– Cacher quelque chose ou quelqu'un en en modifiant l'aspect **crypter, maquiller, déguiser, camoufler**
– Cacher un astre **éclipser, occulter, couvrir**
– Cacher la vérité **taire, étouffer, voiler, masquer, escamoter**
– Tenir caché **receler, celer**
– Personne qui cache et déguise son caractère ou ses opinions **fourbe, hypocrite, tartufe**

CACHER (SE)
– Se cacher derrière un arbre **réfugier (se), abriter (s'), tapir (se), dissimuler (se)**

CACHET
– Cachet officiel **sceau**
– Marque apposée par un cachet **estampille, oblitération, poinçon**
– Porte le cachet **timbre**
– Médicament en cachet **gélule, capsule, comprimé, pastille**
– Cachet d'un artiste **salaire, rétribution, honoraires**

CACHETTE
voir aussi **abri**
syn. **asile, refuge, retraite**
– Cachette d'argent **bas de laine**
– En cachette **en catimini, en douce, à la dérobée, en tapinois, en secret, sous cape**

CACHOT
– Il a été condamné au cachot **prison, geôle, oubliettes, mitard, cellule**

– Cachot enterré **cul-de-basse-fosse**
– Cachot dans un couvent **in pace**
– Cachot de l'Antiquité romaine **ergastule**

CACHOTTERIE

– Pas de cachotteries entre nous ! **secrets, mystères**

CACTUS

– Famille à laquelle appartient le cactus **cactacées**
– Cactus au fruit comestible **nopal, figuier de Barbarie**
– Fruit du cactus **baie**
– Les cactus du désert **candélabres**
– Colonne centrale d'un cactus **raquette**
– Colorant rouge issu du cactus **cactin**
– Semblable au cactus **cactiforme**

CADASTRE

– Élément du cadastre **plan parcellaire, matrice, parcelle**
– Les agents du cadastre **Administration fiscale**

CADAVRE

voir aussi **cimetière**
– Cadavre humain **mort, macchabée, dépouille**
– Cadavre d'animal **carcasse, charogne**
– C'est un cadavre en décomposition **putréfié, putrescent**
– Restes d'un cadavre **ossements, squelette, cendres**
– Restes consacrés d'un cadavre **reliques**
– Dissection d'un cadavre **autopsie, docimasie, nécropsie**
– Conservation d'un cadavre **embaumement, momification, thanatopraxie**
– Conservation du cadavre d'un animal **empaillage, taxidermie**
– Destruction d'un cadavre par le feu **crémation, incinération**
– Coffre dans lequel est déposé un cadavre **cercueil, bière, sarcophage**
– Mettre un cadavre en terre **inhumer, ensevelir**
– Déterrer un cadavre **exhumer**
– Lieu où l'on incinère les cadavres **crématorium**
– Lieu où l'on dépose les cendres des cadavres incinérés **columbarium**
– Lieu où l'on conserve temporairement les cadavres **morgue**
– Fosse où l'on ensevelit un grand nombre de cadavres **charnier**
– Qui mange des cadavres **nécrophage**
– Qui tient du cadavre, qui ressemble à un cadavre **cadavéreux, cadavérique**

CADEAU

– Somme d'argent remise en cadeau **don, étrennes, gratification**
– Cadeau offert au retour d'un voyage **souvenir**

– Cadeau offert pour obtenir quelque chose illégalement **pot-de-vin, dessous-de-table, bakchich**
– Cadeau offert à une divinité **offrande, sacrifice, libation, potlatch**
– Cadeau d'anniversaire **présent, surprise**
– Couvrir de cadeaux **gâter**

CADENAS

– Chaîne à cadenas d'un prisonnier **poucettes, menottes**
– Anneau du cadenas **anse, crampe**

CADENCE

– Cadence de travail **rythme, vitesse**
– Battre la cadence **mesure**
– En cadence **régulièrement**

CADET

– Son frère cadet **second, puîné**
– Le cadet de la famille **petit dernier, benjamin**
– En dessous des cadets **minimes**
– Au-dessus des cadets **juniors**
– C'est le cadet de mes soucis **dernier, moindre**

CADRAN

– Cadran solaire **gnomon, cadran sciathérique**
– Tige d'un cadran solaire dont l'ombre indique l'heure **style**

CADRE

– Cadre d'un tableau **bordure, baguette**
– Cadre d'une porte dont les bâtis sont posés sur le nu d'un mur **chambranle**
– Cadre destiné à faire tenir une chose en place **châssis**
– Cadre pouvant servir à différentes gravures **passe-partout, marie-louise**
– Vivre dans un cadre agréable **décor, paysage**
– Cadre très contraignant **carcan**
– Changer de cadre **évader (s')**
– Cadre de vie **ambiance, milieu, atmosphère, environnement, entourage**
– Élaborer le cadre d'une œuvre, d'un ouvrage **plan, structure, canevas**
– Sortir du cadre des conventions **transgresser**
– Cadre d'une entreprise **ingénieur, commercial, agent de maîtrise, dirigeant**
– Jeune cadre dynamique **loup, yuppie**

CAFARD

– Elle a eu un moment de cafard **mélancolie, vague à l'âme, spleen, bourdon, blues, morosité, dépression, tristesse, nostalgie, idées noires, chagrin, affliction, détresse, cyclothymie**
– Il y a des cafards dans le placard **cancrelats, blattes**
– Ce n'est qu'un sale cafard **délateur,**

espion, balance, mouchard, dénonciateur, sycophante

CAFÉ *Voir tableau ci-contre*

voir aussi **bar**
– Sorte de café **arabica, robusta, moka, kouillou, liberica, canephora**
– Substance stimulante du café **caféine**
– Arbuste qui produit le café **caféier**
– Griller le café **torréfier**
– Machine servant à préparer le café **percolateur**
– Balle de café **farde**
– Méthode consistant à déshydrater le café **lyophilisation**
– Verre épais dans lequel on sert le café **mazagran**
– Café arrosé d'eau-de-vie **bistouille, gloria**
– Café sans caféine **décaféiné, déca**
– Café nappé de crème **cappuccino**
– Café préparé à la vapeur **express, expresso**
– Café trop léger **jus de chaussette, pipi de chat**
– Succédané du café **malt, chicorée**
– Sucre trempé dans une tasse de café **canard**
– Petit café populaire, dans le Nord **estaminet**
– Café où l'on assiste à un spectacle **café-concert, cabaret, music-hall**
– Patron de café **cafetier, tenancier, mastroquet**

CAFÉ-CONCERT

voir **cabaret**

CAGE

– Grande cage à oiseaux **volière, gloriette**
– Cage à lapin **clapier, lapinière, mue**
– Cage où l'on enferme les volailles pour les engraisser **épinette**
– Cage vitrée renfermant un milieu naturel **vivarium**
– Ils sont protégés par la cage thoracique **poumons**
– Amour-en-cage **physalis**

CAGOULE

– Sa cagoule le protège du froid **passe-montagne**
– Les malfaiteurs portaient une cagoule **masque**

CAHIER

– Petit cahier **carnet, calepin**
– Cahier servant à prendre des notes **cahier de brouillon**
– Cahier de comptes **livre**
– Cahier destiné à recevoir des photos, des cartes **album**
– Cahier où sont consignés différents actes juridiques **registre, rôle, écrou, minutier**

Arabica : variété de café qui se présente sous forme de grains plats et allongés, d'un ton mat beaucoup plus clair que le robusta, d'une saveur très fine et d'un arôme extrêmement subtil. Bien que d'origine arabe (d'où son nom), ce café est aujourd'hui surtout cultivé en Amérique latine (Mexique, Colombie, Brésil) et plus rarement en Afrique (Cameroun), où il est plus corsé, comme en Haïti et à Hawaii. Moins forts en caféine, les arabicas sont peu torréfiés pour conserver tout leur arôme, ce qui leur donne une couleur presque blonde, qu'on qualifie de robe de bure.

Arôme : c'est ce qui est perçu en premier par le nez quand on respire le café, mais c'est aussi le parfum et le goût qui se développent dans l'arrière-bouche.

Café à la turque : préparé avec un café à mouture très fine (400 microns), il doit bouillir avec l'eau puis reposer dans la tasse pour que le marc se dépose au fond.

Café américain : expresso servi dans une grande tasse et allongé d'eau chaude.

Café crème : double expresso servi dans une grande tasse avec du lait chaud.

Café en coque : méthode de récolte qui consiste à faire sécher les cerises au soleil jusqu'à ce que la pulpe qui entoure les graines se ride et durcisse. *Voir aussi Récolte.*

Café en parche : méthode de récolte qui consiste à laver et à débarrasser mécaniquement les cerises de leur pulpe, les graines étant encore protégées par leur membrane. *Voir aussi Récolte.*

Café frappé : expresso souvent préparé au shaker et servi dans un grand verre avec de la glace.

Café italien : expresso serré préparé avec une mouture fine (420 microns).

Café serré : expresso préparé avec une dose normale de café, mais moins d'eau. On dit aussi café court ou café italien.

Café vert : qui n'a pas été torréfié.

Caféier : il existe plus de 70 espèces de caféiers, mais les deux principales, avec lesquelles sont produits tous les cafés de consommation, sont le robusta (29 %) et l'arabica (70 %). Pour se développer harmonieusement, le caféier a besoin d'un climat chaud et humide. C'est pourquoi les plantations de café forment, autour du globe, une ceinture exactement située au niveau des régions tropicales et intertropicales.

Caféine : substance alcaloïde contenue dans le café. La caféine entre dans une proportion de 1 à 1,5 % dans la variété arabica, et 2 à 2,5 % dans les robustas. Une tasse de café fort préparée avec 10 g d'arabica contient 100 mg de caféine ; une tasse de café fort préparée avec 10 g de robusta contient 250 mg de caféine. Le sucre diminue naturellement l'action de la caféine, c'est pourquoi les Brésiliens et les Italiens boivent leur café souvent très sucré.

Cafetière : de la cafetière-chaussette (aïeule de la cafetière-filtre), qui utilise la technique du goutte-à-goutte, au plus moderne percolateur, en passant par la cafetière à piston, la cafetière à dépression (italienne ou genre Cona), ou même la petite cafetière turque à long manche (appelée ibrik ou djévé selon les pays), il n'existe pas de cafetière idéale. Il est quand même bon de savoir qu'un café de qualité standard donnera le meilleur de lui-même avec une cafetière de type expresso, alors qu'il est préférable d'utiliser une cafetière à piston pour un grand cru.

Cerise : nom du fruit du caféier. Les cerises renferment une pulpe molle et sucrée où se trouvent généralement deux grosses graines (ou fèves) entourées d'une membrane un peu gélatineuse (ou parche). Quelques variétés ne contiennent qu'une seule graine.

Conservation : le café doit être conservé dans un récipient hermétique, à l'abri de la chaleur et de l'air, sinon il s'évente, s'oxyde ou rancit.

Corps : impression que le café laisse en bouche une fois qu'on l'a bu. Plus le café a du corps, plus l'impression dure. C'est ainsi que l'on apprécie la qualité du café que l'on vient de boire.

Crus : la typicité et la qualité d'un café dépendent à la fois de sa variété et de son origine. Parmi les crus les plus réputés, citons le brésil, un arabica charpenté ; le costa-rica, l'un des meilleurs arabicas au monde ; le guatemala, qui a les mêmes caractéristiques que le costa-rica ; le colombie, un arabica franc de goût ; les mexiques, des arabicas de différentes qualités ; les venezuelas, des arabicas lavés de très grande classe ; le jamaïque, un arabica très rare ; l'hawaii, un très bel arabica fin et corsé ; le papouasie, un arabica très équilibré ; l'éthiopie, une variété particulière d'arabica dite moka (l'appellation moka viendrait de Mocha, un port d'exportation historique des cafés d'Arabie).

Eau : si l'eau du robinet est trop calcaire, ne pas hésiter à choisir une eau minérale peu minéralisée. Il ne faut jamais la faire bouillir.

Expresso : café serré à l'italienne, fait à la machine à café ou au percolateur.

Fève : nom de la graine (une ou deux selon les variétés) contenue dans les fruits (ou cerises) du caféier.

Force : sensation laissée par le café sur les papilles de la langue. Elle peut dépendre du café, mais aussi de sa concentration. C'est une sensation fugitive qui ne dure que le temps du passage du café en bouche. Pendant ce passage, on peut percevoir à la fois l'amertume, l'âcreté et même l'acidité d'un café.

Kawa : selon la légende, nom donné aux moines qui inventèrent le café auraient baptisé cette boisson qui leur donnait des ailes, en hommage à Kavus Kaï, roi légendaire persan qui s'était envolé dans les cieux sur un char ailé.

Marc : résidu du café moulu après qu'on l'a fait infuser ou bouillir.

Mélange : dans la plupart des cas (sauf pour les cafés supérieurs), il est nécessaire de mélanger les variétés et les provenances pour obtenir un certain équilibre. Ainsi, plus le taux de robusta est élevé, plus le café a de corps ; plus il contient d'arabica, plus il a de bouquet. En France, les mélanges courants contiennent en général plus de robusta que d'arabica. Les torréfacteurs ne sont pas obligés d'indiquer sur l'emballage la nature des mélanges et l'origine des cafés.

Moka : variété particulière d'arabica, aux grains plus bombés et plus arrondis que ceux des autres arabicas, d'un parfum puissant et même légèrement musqué. Cette appellation est réservée aux arabicas provenant des confins de la mer Rouge (Éthiopie et Yémen).

Mouture : autrefois vendu presque exclusivement en grains, le café est aujourd'hui surtout vendu moulu. Cette mouture peut être standard (520 microns), fine, alors dite expresso ou de tradition italienne (420 microns), voire extrêmement fine ou de tradition turque (400 microns).

Parche : nom donné à la membrane gélatineuse qui entoure la ou les graines de café que contiennent les cerises.

Récolte : la qualité des cafés dépend de la variété du plant, de facteurs climatiques et géologiques, mais également du soin apporté au moment de la récolte des fruits, qui s'effectue presque toujours manuellement. Le *cafetero* sélectionne les cerises rouge vif au moment de leur pleine maturité : il faut opérer des tris successifs et repasser plusieurs fois sur le même arbuste. Après la cueillette, il y a deux méthodes pour préparer les grains :
– les cerises peuvent être séchées au soleil jusqu'à ce que la pulpe qui entoure les graines se ride et durcisse, méthode dite du café en coque ;
– ou bien elles sont lavées et débarrassées mécaniquement de leur pulpe, mais les graines sont encore protégées par la membrane qui les entoure, méthode dite du café en parche.
En coque ou en parche, le café vert est ensuite trié, puis mis en sacs.

Ristretto : café très serré, synonyme de café à l'italienne.

Robusta : variété de café qui se présente sous forme de petits grains ronds et courts, d'un ton foncé mais brillant, corsés, amers, mais peu aromatiques. Riches en caféine (deux fois plus que l'arabica), ils nécessitent une torréfaction poussée à laquelle ils doivent leur couleur brune.

Strictly hard bean : appellation de cafés de haute altitude au rendement mesuré et de qualité supérieure.

Température :
– un café expresso se fait avec une eau entre 85 et 88 °C ;
– un café-filtre, avec une eau frémissante (92 à 98 °C).
Le café doit être servi à 70 °C et devrait être bu à 60 °C.

Torréfaction : torréfier le café consiste à le griller juste ce qu'il faut en fonction de la nature des grains et de leur origine – en augmentant progressivement la température et en le remuant constamment –, ce qui lui donne sa couleur, sa force et son arôme. Autrefois, la torréfaction se faisait chez soi à l'aide d'un petit brûloir à manivelle que l'on activait sur le fourneau. Pendant la torréfaction, le café perd 20 % de son poids.

– Cahier explicatif d'un opéra **livret**
– Cahier de rendez-vous **agenda**
– Cahier des charges **protocole, marche**
– Élément d'un cahier **feuille, feuillet, page, reliure, spirale**

CAHOT

– Les cahots de la voiture **soubresauts, sauts, secousses**
– Sur la route, ce qui cause les cahots **ornières, nids-de-poule**
– Éviter les cahots **cartayer**

CAILLÉ

– Masse de lait caillé **grumeau, caillot, caillebotte**

CAILLER

– Le lait va cailler **coaguler, figer (se)**
– Substance servant à cailler le lait **présure**
– Plante herbacée qui fait cailler le lait **gaillet**

CAILLOT

– Caillot dans un liquide **grumeau**
– Maladie résultant de la formation d'un caillot dans un vaisseau sanguin **embolie, thrombose**

CAILLOU

voir aussi **gravier, pierre, roche**
syn. **silex**
– Caillou des bords de mer **galet**
– Beau caillou **diamant**
– Roche composée de cailloux agglomérés **poudingue**
– Revêtement du sol fait avec des cailloux **rudération**
– Rebond d'un caillou à la surface de l'eau **ricochet**
– Il est préposé aux cailloux **cantonnier, bagnard, forçat**

CAISSE

voir aussi **boîte, coffre**
– Grande caisse de voyage **malle, cantine**
– Grande caisse à pain **huche, maie**
– Caisse servant au transport des liquides **réservoir, jerrican, bidon, nourrice**
– Caisse utilisée pour le transport des marchandises **conteneur**
– Caisse d'emballage des objets fragiles **harasse**
– Caisse percée, propre à la conservation des poissons dans l'eau **banneton, vivier, boutique**
– Caisse pour les légumes **cageot**
– Caisse dans laquelle est entreposé l'argent **coffre-fort**
– Caisse qui renferme le mécanisme d'une horloge **gaine**
– Caisse d'orgue **buffet**
– Caisse adaptée aux travaux sous-marins **caisson**

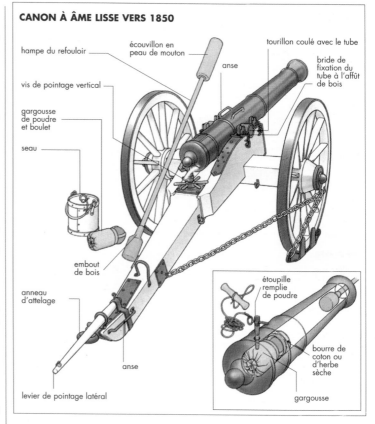

CANON À ÂME LISSE VERS 1850

hampe du refouloir

écouvillon en peau de mouton

anse

tourillon coulé avec le tube

bride de fixation du tube à l'affût de bois

vis de pointage vertical

gargousse de poudre et boulet

seau

embout de bois

anneau d'attelage

anse

levier de pointage latéral

étoupille remplie de poudre

bourre de coton ou d'herbe sèche

gargousse

– Caisse musicale **grosse caisse, caisse claire, tambour**
– Fabricant de caisses **layetier**
– Caisse d'une voiture **carrosserie**

CALCAIRE

– Roche calcaire **travertin, tuf, craie**
– Pierre calcaire **castine, liais**
– Concrétion calcaire **stalagmite, stalactite**
– Plaine calcaire **champagne**
– Plateau calcaire **causse**
– Relief calcaire **karstique**
– Croûte calcaire **tartre**
– Orifice dans les terrains calcaires **aven, bétoire**
– Dépôt de sels calcaires dans les os **calcification, ossification**

CALCIUM

– Famille de métaux à laquelle appartient le calcium **alcalino-terreux**
– Oxyde de calcium **chaux**
– Sulfate de calcium **plâtre, gypse**
– Carbonate de calcium **calcaire, calcite, aragonite**
– Manque de calcium **rachitisme, décalcification**

– Taux de calcium dans le sang **calcémie**

CALCUL

– Calcul rénal **concrétion**
– Nom courant du calcul rénal **gravier, pierre**
– Substance destinée à empêcher l'apparition de calculs **antilithique**
– Formation de calculs dans l'organisme **gravelle, lithiase**
– Science du calcul **arithmétique, algèbre**
– Méthode de calcul appliquée au temps, au calendrier **computation**
– Calcul de probabilités **statistique, stochastique, martingale**
– Évaluation faite à partir d'un calcul **prévision, spéculation, supputation, estimation**
– Calcul permettant de déterminer la date de la fête de Pâques **comput**
– Opération de calcul **addition, soustraction, multiplication, division**
– Calcul qui consiste à fixer un objectif **dessein, projet, préméditation**
– Dispositions déterminées par un calcul pour atteindre un but **plan, stratégie, intention, combinaison**

CALCULER
– Il sait calculer de tête **compter, chiffrer**
– Machine à calculer **calculatrice, calculette, arithmographe**
– Instrument servant à calculer **abaque, boulier**
– Calculer une distance **mesurer**
– Perte pathologique de la possibilité de calculer **acalculie**
– Calculer ses chances de succès **évaluer, estimer, supputer, apprécier**
– Calculer un mauvais coup **préméditer, tramer**

CALÈCHE
– Calèche de voyage **coche, diligence, briska**
– Calèche de louage **fiacre, milord, sapin**
– Calèche napolitaine **corricolo**

CALEÇON
– Caleçon sans jambes **slip**
– Caleçon de bain **maillot**
– Caleçon pour femmes **collant**

CALENDRIER
– Calendrier de notre histoire **julien, grégorien, républicain**
– Division du calendrier romain **nones, calendes, ides**
– Calendrier établi en fonction d'un programme **planning, timing, emploi du temps, échéancier**
– Calendrier où l'on note ses rendez-vous **agenda**
– Calendrier dont on détache les feuilles **éphéméride**
– Calendrier comportant des informations et conseils pratiques **almanach**

CALER
– Sert à caler **épite, accore, talonnière**

CALIBRE
– Le calibre d'un conduit **diamètre, taille, grosseur, dimension**
– C'est une personne de gros calibre **pointure, envergure, carrure, classe**

CALICE
– Les folioles du calice **sépales**
– Partie supérieure du calice **casque**

CÂLIN
– Un enfant câlin **tendre, affectueux, cajoleur**
– Elle aime les câlins **cajoleries, caresses**

CALMANT
– Son médecin lui a prescrit un calmant **tranquillisant, sédatif, narcotique, neuroleptique, anxiolytique**
– Plante aux vertus calmantes **jusquiame, agnus-castus, verveine, passiflore, valériane**

– Pommade calmante **baume, embrocation, populéum**
– Produit calmant **eau de mélisse, menthol, thridace, cicutine**
– Des paroles calmantes **apaisantes, lénifiantes, réconfortantes**

CALME
syn. **flegme, paix, patience, sang-froid, sérénité, silence, tranquillité**
– Calme après la tempête **accalmie, embellie, bonace**
– Moment de calme au cours d'une maladie qui fait souffrir **rémission, rémittence**
– Pour arriver à un calme intérieur **relaxation, détente**
– En philosophie, calme total de l'âme **ataraxie**
– Il garde toujours son calme quelles que soient les circonstances **placide, flegmatique, impassible, imperturbable, inébranlable, pondéré**
– Une personne qui garde son calme et sa sérénité **relax, douce, décontractée, sereine, cool, tranquille**

CALMER
– Calmer une personne angoissée **apaiser, rassurer, rasséréner, détendre**
– Calmer un enfant **consoler**
– Calmer une émotion violente **contenir, dompter, maîtriser, réprimer**
– Calmer une douleur **endormir, assourdir, soigner, lénifier**
– Calmer sa soif **étancher, soulager**
– Calmer sa faim **assouvir, satisfaire**
– Calmer une querelle en raisonnant les protagonistes **amadouer, tempérer, réfréner, neutraliser**
– Qui calme la douleur **sédatif, analgésique, élixir parégorique, laudanum, antipyrine, antalgique**

CALOMNIE
syn. **médisance, diffamation, cancan, dénigrement, ragot**

CALQUE
– Reproduire un motif grâce à un calque **décalquer**
– Un calque exact de la réalité **copie, plagiat, reproduction, imitation, contrefaçon**
– Création d'un nouveau mot par calque ou traduction littérale d'une autre langue **emprunt**

CALQUER
syn. **plagier, reproduire**
– Calquer le mode de vie d'une personne **copier, imiter**

CAMARADE
– C'est un bon camarade **ami, compagnon, pote**

– Camarade de classe **copain, condisciple**
– Camarade de travail **collègue**

CAMBRER
syn. **arquer, incurver, courber, cintrer**
– Cambrer les reins **creuser**

CAMBRIOLER
syn. **dévaliser, dépouiller, piller, dérober, marauder, voler**
– Personne qui cambriole **casseur, filou, monte-en-l'air, cambrioleur, voleur, malfaiteur, bandit**
– Personne qui cambriole dans un hôtel **souris d'hôtel, rat d'hôtel**

CAMBRIOLEUR
– Outils dont se sert le cambrioleur **crochet, fausse clef, pince-monseigneur, rossignol, passe-partout**
– Le plus célèbre des cambrioleurs **Arsène Lupin**

CAMELOTE
– De la camelote **pacotille, rossignol, toc**
– Camelote vendue par un dealer **drogue, came**

CAMION
– Gros camion **poids-lourd, bahut**
– Petit camion **camionnette, fourgonnette**
– Camion avec remorque **semi-remorque**
– Camion servant au transport des chevaux **van**
– Camion fermé **fourgon**
– Chargement d'un camion **fret**
– Transport par camion **roulage**

CAMP
– Art d'établir un camp **castramétation**
– Camp militaire **bivouac, cantonnement, campement**
– Camp de vacances pour les enfants **colonie, centre aéré**
– Camp disciplinaire en ex-URSS **goulag**
– Camp de prisonniers où les Allemands internaient les non-officiers pendant la guerre de 1939-1945 **stalag**
– Camp de prisonniers où les Allemands internaient les officiers pendant la guerre de 1939-1945 **oflag**
– Camp romain fortifié **castrum**
– Internement dans un camp de concentration **déportation**
– Du même camp **coéquipiers**
– Choisir son camp **groupe, parti, clan, équipe**
– Lever le camp **plier bagage**

CAMPAGNE
voir aussi **champ, terre**
– Un air de campagne **agreste, rustique, champêtre, bucolique, pastoral**

– Maison de campagne **bastide, cottage, mas, fermette, chartreuse, datcha**
– Relatif à la campagne **rural**
– Habitat de la campagne **hameau, lieu-dit, village**
– Partir en campagne **offensive, guerre, expédition militaire**

CAMPER

syn. **bivouaquer**
– Activité de celui qui campe **camping**
– Pas inutile lorsque l'on campe **tente, canadienne**
– Il campe sa vie durant **nomade, bohémien, forain**

CAMPER (SE)

– Se camper devant quelqu'un **dresser (se), poser (se), planter (se)**

CANAL

– Canal maritime **détroit, robine, passe, pertuis, chenal**
– Canal entre deux écluses **bief**
– Dans les pays tropicaux, canal qui relie deux cours d'eau **arroyo**
– Opération d'entretien d'un canal **dragage, curage, désenvasement**
– Entrer et sortir d'un canal **embouquer, débouquer**
– Bateau à fond plat qui circule sur un canal **péniche, chaland**
– Canal hépatique **canalicule**
– Canal urinaire **urètre, uretère**
– Canal sanguin **vaisseau, veine, artère**
– Canal pour la télévision **chaîne**
– Canal banalisé **CB**
– Canal de distribution **circuit**

CANALISATION

– Canalisation d'eau potable **griffon**
– Canalisation des eaux pluviales **chéneau, gouttière**
– Canalisation des eaux usagées **égout, émissaire, caniveau**
– Canalisation d'évacuation **buse, drain, tuyauterie, colonne, conduite**
– Au bout de la canalisation **robinet**

CANARD

– Famille à laquelle appartient le canard **anatidés**
– Canard métissé **mulard**
– Canard migrateur **tadorne, souchet**
– Canard plongeur **milouin, morillon, fuligule**
– Canard sauvage **pilet, colvert, halbran, cacaoui**
– Canard dont les plumes servent à confectionner les couettes **eider**
– Mâle du canard sauvage ou domestique **malard**
– Petit canard **canardeau, caneton**
– Mare où barbotent les canards **barbotière, canardière**
– Filet de canard **magret, aiguillette**

– Canard musical **fausse note, couac, cacophonie**

CANCER

syn. **tumeur maligne**
– Développement d'un cancer **cancérisation**
– Processus de formation du cancer **cancérogenèse, carcinogenèse**
– Substance induisant ou facilitant l'apparition d'un cancer **cancérigène**
– Virus ou gène responsable de l'évolution d'un cancer **oncogenèse**
– Traitement du cancer **chimiothérapie, radiothérapie, immunothérapie, hormonothérapie**
– Étude du cancer **cancérologie, carcinologie, oncologie**
– Cancer du tissu épithélial (peau, bronches, sein, prostate, estomac, etc.) **épithélioma, carcinome, squirrhe, mélanome, adénocarcinome**
– Cancer du tissu conjonctif (os, muscles, articulations, tissus mous) **sarcome**
– Cancer de la rétine affectant les jeunes enfants **rétinoblastome**
– Cancer du sang **leucémie**
– Cancer des os **sarcome ostéogénique**
– Cellules porteuses du cancer mais détachées de la tumeur **métastases**

CANDIDAT

syn. **postulant**
– Candidat qui participe à un concours **concurrent, compétiteur**
– Juge les candidats **examinateur, jury**
– Candidat à l'École polytechnique **pipo**
– Candidat aux élections présidentielles **présidentiable**
– Candidat sur une même liste **colistier**
– Se porter candidat à un emploi **briguer, postuler, prétendre à, aspirer à, solliciter**

CANEVAS

voir aussi **broderie, tapisserie**
– Canevas d'une œuvre littéraire **plan, trame, schéma, ébauche, synopsis**
– Canevas cinématographique **scénario, script**

CANNE

voir aussi **bâton, sucre**
– Canne flexible **jonc, badine, baguette, stick**
– Canne de l'alpiniste **alpenstock, piolet**

– Canne de golf **club**
– Canne à pêche **gaule, lance**
– Canne anglaise **béquille**
– Petite boule située au sommet d'une canne **pommeau**

CANON *Voir illustration p. 98*

voir aussi **mortier, obusier**
– Ancien canon **aspic, basilic, faucon, couleuvrine, veuglaire**
– Désigne le petit canon de tranchée, chacun de ses projectiles et de ses servants, et un journal satirique **crapouillot**
– Ancien canon de la marine **caronade**
– Tube du canon **bouche à feu**
– Principal canon de campagne de l'armée française en 1914-1918 **canon de 75**
– Socle sur lequel repose le canon **affût**
– Intérieur du canon **âme**
– Projectile du canon **boulet, obus, mitraille**
– Poudre à canon **gargousse**
– Servant du canon **artilleur, canonnier**
– Se conformer aux canons esthétiques **idéaux, normes, règles, modèles, étalon**

CAOUTCHOUC

– Arbre ou plante à caoutchouc **hévéa, euphore, ficus, vahé, landolphia**
– Extrait naturel du caoutchouc **gomme, latex, scrap, slab**
– Caoutchouc de synthèse **élastomère, Néoprène, Buna**
– Traitement visant à accroître la résistance du caoutchouc **vulcanisation**
– Caoutchouc qui efface **gomme**
– Caoutchouc utilisé pour maintenir des objets ensemble **élastique**

CAP

– Cap dominant la mer **promontoire, pointe, bec**
– Passer un mauvais cap **difficulté**
– Elle change de cap **destination, route, voie, direction, situation, orientation**
– C'est un nouveau cap pour lui **période, étape, palier, phase**

CAPABLE

– C'est une personne capable **compétente, adroite, qualifiée, expérimentée, experte, douée, habile**
– Elle est capable de comprendre **susceptible de, apte à, en mesure de**

CAPACITÉ

voir aussi **unité de mesure, volume**
syn. **contenance**
– Instrument de mesure des capacités électriques **capacimètre**
– Capacité d'un moteur **cylindrée**
– Avoir des capacités intellectuelles **dons, facultés, possibilités, talents, dispositions, aisances, aptitudes, compétences**

– Avoir des capacités manuelles **habileté, adresse**
– Capacités physiques **ressources, forces**
– Capacité de résistance **pouvoir**

CAPE
– Cape de femme **pèlerine, mantelet**
– Cape d'homme **houppelande, surtout, macfarlane**
– Passe de cape du torero **véronique**
– Rire sous cape **secrètement, en cachette**

CAPITAINE
voir aussi **armée**
– Capitaine de navire **commandant, skipper**
– Sous les ordres d'un capitaine **compagnie, escadron**
– Nom argotique du capitaine **capiston**

CAPITAL /1
voir aussi **Bourse, finance**
– Valeur constituant un capital **argent, fonds, liquidités**
– Capital d'une ferme **cheptel**
– Posséder un capital **avoir, fortune, patrimoine**
– Augmenter son capital **thésauriser, capitaliser, économiser**
– Faire travailler son capital **spéculer, placer, investir**
– Somme perçue grâce au placement d'un capital **intérêts, prime, rente**

– Capital physique **bien, terre, domaine**
– Capital culturel d'une région **patrimoine, richesses**

CAPITAL /2
– Un fait capital **décisif, primordial, essentiel, fondamental, majeur**
– Pièce capitale d'un ensemble **clef de voûte, nœud, pièce maîtresse**
– Peine capitale **de mort**
– Lettre capitale **majuscule, lettrine**

CAPITALE
voir aussi **ville**
– Capitale régionale **métropole**
– Opération visant à diminuer le pouvoir d'une capitale **décentralisation**
– Capitale de l'enfer **Pandémonium**

CAPITALISME *Voir tableau économie, p. 208*
– Origine du capitalisme **mercantilisme, industrialisation**
– Motif avoué du capitalisme **profit**
– Capitalisme d'État **étatisme**
– Moyen financier du capitalisme **monopole, trust, fusion**
– Principe du capitalisme industriel **libéralisme, concurrence**
– S'oppose au capitalisme **communisme, marxisme, socialisme, collectivisme, anarchisme**
– Ils ont donné une analyse célèbre du capitalisme **Karl Marx, Frédéric Engels**

CAPITULATION
syn. **abandon, abdication, renoncement, résignation**
– Capitulation d'une armée **reddition**
– Convention ratifiant une capitulation **traité, armistice**
– Symbole de capitulation **drapeau blanc, chamade**

CAPITULER
– Les troupes capitulent **inclinent (s'), soumettent (se), déposent les armes, rendent (se)**
– Il a capitulé devant la difficulté **reculé, abandonné, fléchi, renoncé**
– Capituler lors d'un match de boxe **jeter l'éponge**

CAPRICE
– Caprice d'une personne inconstante **envie, désir, exigence**
– Se laisser aller à des caprices **toquades, fantaisies, foucades, lubies**
– Caprice de femme enceinte **envie**
– Caprice amoureux **passade, béguin, idylle, amourette**
– Enfant auquel on cède tous ses caprices **gâté, mal élevé**
– Suivre les caprices de la mode **variations, changements, virevoltes, revirements, innovations**

CAPSULE
syn. **enveloppe**
– Capsule d'un explosif **détonateur, amorce**
– Capsule d'un engin spatial **habitacle**
– Capsule des plantes cryptogames **sporange**
– Capsule utilisée en chimie **godet**
– Capsule d'une bouteille **calotte, bouchon**
– Capsule de médicament **gélule, cachet**

CAPTIF
– Délivrer un captif **prisonnier, détenu, otage, séquestré**

CAPTIVER
– L'exposition l'a captivé **enchanté, ravi, fasciné, passionné, intéressé**
– Cette femme captive les hommes **ensorcelle, séduit, charme, envoûte**

CAPTIVITÉ
– État de captivité **incarcération, détention, réclusion, internement, emprisonnement**
– Captivité arbitraire **séquestration**

CAPTURER
– Capturer un voleur **arrêter, appréhender, cueillir, intercepter**
– Capturer un enfant afin d'obtenir une rançon **kidnapper, enlever, emparer de (s'), ravir**

CARTES GÉOGRAPHIQUES

Projection de Mollweide ou projection homalographique de Babinet
pour la recherche d'équivalence : les surfaces sont respectées mais déformées

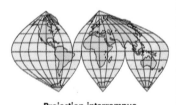

Projection interrompue ou discontinue
la segmentation évite les grandes déformations

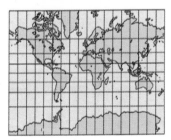

Projection de Mercator
représentation correcte pour les basses latitudes ; la distorsion est de plus en plus grande pour les hautes latitudes

Projection azimutale, zénithale ou polaire
les directions sont conservées à partir d'un point

– Capturer des animaux **chasser, piéger, braconner**
– Capturer la poésie d'un instant **capter, saisir**

CAPUCHON

– Le capuchon d'un tube **bouchon**
– Vêtement religieux à capuchon **coule, cagoule, capuce**
– Vêtement de bal masqué à capuchon **domino**

CARACTÈRE

voir aussi **alphabet, écriture, tempérament, imprimerie, personnalité**
– Étude du caractère **caractérologie**
– Trouble du caractère **cyclothymie, psychose, névrose, paranoïa, dépression**
– Caractère propre à un artiste **griffe, patte, style**
– Caractère d'appréciation **critère, paramètre**
– Cette peinture possède un caractère certain **identité, singularité, originalité, qualité**

CARACTÉRIEL

– C'est un caractériel **fou, déséquilibré, malade**

CARACTÉRISER

– Cet élément caractérise son œuvre **particularise, marque, singularise**
– Caractériser une notion **définir, déterminer, décrire, qualifier**

CARACTÉRISTIQUE /1

syn. **marque, particularité, spécificité, trait**

CARACTÉRISTIQUE /2

– Un passage caractéristique d'un roman **déterminant, essentiel, typique**
– Style caractéristique d'une époque **révélateur, spécifique, propre à, distinctif**

CARAPACE

– Carapace d'invertébré **tégument, test, exosquelette**
– Carapace de crustacé **bouclier**
– Changement de carapace **mue**
– Il s'est fait une véritable carapace **armure, cuirasse, blindage**

CARAVANE

– Caravane de nomades **troupe, convoi**
– Conducteur des animaux composant la caravane **caravanier, chamelier**
– En Orient, abri destiné à accueillir les caravanes **caravansérail, khan**
– Caravane de forain **roulotte**
– Caravane intégrée au véhicule **mobilhome, camping-car**
– Tourisme pratiqué en caravane **caravaning, camping**

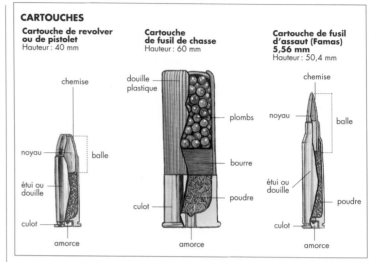

CARTOUCHES

Cartouche de revolver ou de pistolet
Hauteur : 40 mm

Cartouche de fusil de chasse
Hauteur : 60 mm

Cartouche de fusil d'assaut (Famas) 5,56 mm
Hauteur : 50,4 mm

chemise
noyau
balle
étui ou douille
culot
amorce

douille plastique
plombs
bourre
poudre
culot
amorce

chemise
noyau
balle
étui ou douille
poudre
culot
amorce

– Caravane équipée pour camper sous la neige **caravaneige**

CARBONE

– Symbole du carbone **C**
– Carbone organique **hydrocarbure**
– Carbone minéral **charbon, anthracite, graphite**
– Carbone pur cristallisé **diamant**
– Carbone 14 **radiocarbone**

CARBURANT

voir aussi **essence, pétrole, combustible**
– Carburant d'origine minérale **benzol, supercarburant**
– Carburant végétal **éthanol, biocarburant**
– Carburant gazeux **propane, butane**
– Carburant des moteurs Diesel **gazole**
– Carburant pour petits moteurs à deux temps **mélange**
– Carburant de fusée **aniline**
– Carburant des avions **kérosène**

CARBURE

– Mélange de carbures **benzol, mazout, naphte**
– Carbure éthylénique **alcène, oléfine**

CARCAN

– Il ne supporte plus un tel carcan **joug, entrave, contrainte, sujétion, coercition, esclavage**

CARCASSE

– La carcasse d'un poulet **ossature, squelette**
– La carcasse d'une voiture **châssis, carrosserie**
– La carcasse d'une structure **armature, charpente, bâti**

CARDINAL /1

– Titre donné à un cardinal **éminence**
– Dignité de cardinal **cardinalat**
– Qualifie ce qui est propre à un cardinal **cardinalice**
– Cardinal administrateur des biens pontificaux **camerlingue**
– Ordre de cardinal **cardinal prêtre, cardinal diacre, cardinal évêque, cardinal non prêtre**
– Ensemble des cardinaux chargés d'élire le pape **Sacré Collège**
– Assemblée de cardinaux **conclave, consistoire**
– Nomination d'un cardinal **création**
– Personne qui sert un cardinal **conclaviste, camérier**
– Tenue de cardinal **capa magna**
– Calotte pourpre du cardinal **barrette**
– Couleur des vêtements des cardinaux **pourpre**

CARDINAL /2

– Une théorie cardinale **capitale, essentielle, primordiale, fondamentale**
– Les quatre vertus cardinales **force, prudence, tempérance, justice**
– Les quatre points cardinaux **nord, est, sud, ouest**

CARESSE

syn. **attouchement**
– Goût des caresses **sensualité**
– Caresse faite à un enfant **câlin, cajolerie**
– Caresse amoureuse **étreinte, enlacement, ébats**
– Caresse excitante **papouille, chatouille**
– Caresse bucco-génitale faite à un homme **fellation**
– Caresse bucco-génitale faite à une femme **cunnilingus**

CARESSER
syn. **attoucher, enlacer, étreindre**
– Caresser une femme indécemment **peloter, tripoter**
– Caresser un chat **cajoler, câliner**
– Le vent caresse les feuilles **effleure, frôle**
– Caresser un nouveau projet **entretenir, nourrir, bercer**

CARGAISON
– Cargaison d'un bateau **chargement, fret, marchandise**
– Détérioration d'une cargaison **mouille, dommage, avarie**
– Répartition de la cargaison dans la cale d'un bateau **arrimage**
– Veille sur la cargaison **subrécargue**
– Posséder une cargaison de bibelots **collection**

CARGO
voir aussi **bateau**
– Cargo servant au transport de marchandises **fruitier, bananier, minéralier, charbonnier, vraquier**
– Cargo citerne **méthanier, pétrolier, tanker**
– Cargo n'ayant pas de parcours fixe **tramp**
– Cargo affecté à un parcours régulier **cargo-liner**

CARICATURE
– Effet d'une caricature **comique, burlesque, grotesque**
– Faire une caricature **croquer**
– Caricature d'un milieu social **parodie, satire**
– Artiste qui s'adonne à la caricature **caricaturiste, chansonnier, humoriste, satiriste**

CARNAVAL
– La ville organise un carnaval **fête, mascarade**
– Principe du carnaval **déguisement, travestissement**
– Accessoire du carnaval **loup, domino, confetti, cotillon, serpentin**
– Période du carnaval dans la religion catholique **mardi gras, mi-carême**
– Ensemble des voitures du carnaval **corso fleuri**

CARNET
– Il a noté la date dans son carnet **calepin, agenda, mémento, mémorandum**
– Carnet de route servant au passage de marchandises en douane **triptyque**
– Carnet intime **journal**
– Carnet scolaire **bulletin**
– Carnet à spirales **bloc-notes**
– Carnet de feuille et de papier carbone **manifold**
– Partie fixe d'un carnet **souche, talon**

CARRÉ /1
– Un carré de chocolat **carreau**
– Les carrés sur un échiquier **cases**
– Carrés de fromage **cubes, dés**
– Division d'un dessin en carrés **quadrillage, carroyage, graticulation**
– Carré de jardin **parterre, massif**
– Carré d'un escalier **palier**

CARRÉ /2
– Donner une forme carrée **équarrir**
– Voile carrée **brigantine, cacatois, hunier, civadière**
– Il a les épaules carrées **larges, robustes**
– Elle est très carrée en affaires **directe, stricte, rigoureuse, droite**

CARREAU
– Carreau d'une fenêtre **vitre**
– Sol recouvert de carreaux **dallage, pavement**
– Carreau de faïence décoré **azulejo**
– Cisaille à carreaux **carrette**
– Tissu à carreaux **vichy, madras, écossais**
– Une feuille à carreaux **quadrillée**
– Faire des carreaux pour reproduire une carte **carroyer**

CARREFOUR
syn. **bifurcation**
– Il s'est arrêté au carrefour **intersection, croisement**
– Carrefour de trois routes **patte-d'oie, fourche**
– Carrefour sur l'autoroute **embranchement, échangeur**
– Carrefour aménagé avec un sens giratoire **rond-point**
– Passe au-dessus du carrefour **toboggan**
– Ce sera le thème de notre prochain carrefour **rencontre, colloque, séminaire, forum, symposium, congrès**

CARRELAGE
– Dalle de carrelage **grès, tomette, pare-feuille, marbre**

CARRÉMENT
– Elle lui a répondu carrément **franchement, crûment, fermement, catégoriquement, loyalement, nettement, honnêtement**
– Il s'est carrément trompé **totalement, complètement**

CARRIÈRE
– Quelle carrière choisira-t-il ? **travail, profession, métier, situation, emploi**
– Une belle carrière **cursus, parcours**
– Ambitieux pour sa carrière **carriériste, arriviste, loup**

CARROSSERIE *Voir illustration p. 630*
– Support de la carrosserie d'une voiture **châssis, coque**

– Pièces de carrosserie **aile, béquet, custode, capot, chrome**
– Spécialiste de la carrosserie **carrossier, tôlier**
– Carrosserie d'un véhicule **caisse, bâti**
– Carrosserie d'un seul tenant **monobloc, monospace**
– Carrosserie aérodynamique **carénage**

CARRURE
– La carrure des épaules **largeur**
– Vous donnent une certaine carrure **épaulettes**
– C'est une carrure ! **pointure**
– Cet homme a de la carrure ! **envergure, stature, classe**

CARTE *Voir tableau cartes à jouer, p. 100, et illustration cartes géographiques, p. 101*
– Carte du globe terrestre **mappemonde, planisphère**
– Une carte des fonds sous-marins **bathymétrique**
– Une carte des reliefs **orographique, altimétrique, topographique**
– Ancienne carte marine des navigateurs **portulan**
– Recueil de cartes géographiques **atlas**
– Coordonnées d'une carte géographique **latitude, longitude**
– Fraction d'une carte indiquant le rapport des distances **échelle**
– Travaux préalables à l'établissement d'une carte **topométrie**
– Carte du quartier **plan**
– Jeu de cartes **bridge, baccara, belote, boston, manille, mistigri, rami, tarot, réussite, poker, bataille**
– Carte maîtresse **atout, tête, as, honneur**
– Une carte truquée **biseautée**
– La carte de la chance **joker**
– Pratiquer la divination avec des cartes **cartomancie**

CARTON
– Carton issu du bois **carton-cuir**
– Carton issu de vieux papiers **carton-pâte, carton gris**
– Fabrication du carton **cartonnerie**
– Semblable au carton **cartonneux**
– Carton à chaussures **boîte, emballage, caisse**
– Carton d'un peintre **croquis, dessin, étude**
– Carton rouge **sanction, blâme**
– Faire un carton **réussir, cartonner**

CARTOUCHE *Voir illustration page ci-contre*
syn. **balle, munition, obus, projectile**
– Contenu d'une cartouche **poudre, bourre, plombs**
– Partie d'une cartouche **culot, étui, ceinture, douille**
– Cartouche d'encre **réservoir, recharge**

– Sommet d'une cartouche **chemise, fusée**
– Fabrique ou lieu où sont entreposées des cartouches **cartoucherie**
– Porte-cartouches **giberne, cartouchière**
– Étui à cartouches d'un pistolet **chargeur**

CAS
– C'est un cas exceptionnel **événement, fait**
– Exposer un cas **situation, circonstance**
– Envisager un cas **éventualité, hypothèse, conjoncture**
– Cas non prévu **hasard, accident, imprévu**
– Cas de conscience **scrupule**
– Cas d'espèce **exception**
– Porter un cas devant les tribunaux **procès, affaire**
– Cas défini par le droit pénal **délit, crime**
– Cas susceptible de déclencher une guerre **casus belli**
– Cas flexionnel d'un mot en grammaire **désinence, déclinaison**
– Faire cas d'une personne **estimer, considérer, respecter, apprécier**
– En aucun cas **jamais**

CASCADE
– La cascade de la rivière **chute, cataracte**
– Petite cascade **cascatelle**

CASE
– Il vit dans une misérable case **chaumière, bicoque**
– Case africaine **hutte, paillote, carbet**
– Tiroir avec cases **trieur**
– Case d'une ruche **alvéole, cellule**
– Les cases d'une bande dessinée **vignettes**

CASIER
– Le casier du pêcheur **nasse, panier**
– Casier à bouteilles **porte-bouteilles**
– Tiroir à casiers **compartiments**
– Casier d'une casse d'imprimerie **cassetin**

CASQUE
– Casque de cavalier **bombe**
– Un casque de motard **intégral**
– Différentes parties d'un casque de motocycliste **mentonnière, coquille, jugulaire, visière**
– Ancien casque militaire **heaume, armet, bourguignotte**
– Parure qui ornait le haut d'un casque antique **cimier, crinière**

CASSANT
– Des paroles cassantes **blessantes, tranchantes, mordantes, cinglantes, sèches**

CASSER
– Casser un jouet **briser, détruire**
– Casser légèrement **fendiller, ébrécher, fissurer**
– Casser violemment **fracasser**
– Casser les fibres d'une plante **macquer**
– Casser la pointe d'une lame **épointer**
– Casser les bords d'un objet **ébrécher, écorner, égueuler, rogner, massicoter**
– Casser du bois **fendre**
– Casser un lien **rompre**
– Casser avec la mâchoire **broyer**
– Casser un jugement, une loi **abroger, rescinder, annuler, infirmer**
– Casser un officier **dégrader**

CASSEROLE
– Casserole pour fondue **poêlon**
– Casserole à bords peu élevés **sauteuse, poêle**
– Partie d'une casserole **manche, queue, bec, fond**
– Volume d'une casserole **casserolée**

CASSURE
syn. **fracture, fragmentation, rupture**
– Cassure d'un terrain **crevasse, faille, fissure**
– Cassure dans la couche d'un sous-sol **diaclase**
– Nom de la cassure survenant dans une rime **césure**

CASTE
syn. **rang**
– Principe sur lequel repose la caste en Inde **hérédité, endogamie, hiérarchie**
– Hors caste **intouchable, paria**
– Nom donné par Gandhi aux hors-castes **harijan**
– Faire montre d'un esprit de caste **clan, chapelle, coterie, corporation**

CASTOR
voir aussi **constellation, Gémeaux**
– Castor et Pollux **les Gémeaux**
– Famille à laquelle appartient le castor **castoridés**
– Castor d'Europe **bièvre**
– Castor du Chili **myopotame**
– Substance sécrétée par le castor **castoréum**

CASTRATION
voir aussi **ablation**
– La castration d'un mâle **émasculation**
– Qui a subi la castration **eunuque**
– Castration d'un animal par torsion des vaisseaux testiculaires **bistournage**

CASTRER
syn. **émasculer, stériliser**
– Castrer un cheval **châtrer, hongrer**
– Castrer un chat **couper**
– Castrer un jeune coq **chaponner**
– Homme qu'on a castré pour qu'il

conserve son timbre de soprano **castrat**

CATALOGUE
– Il consulte le catalogue **liste, mémoire, répertoire, fichier**
– Le catalogue d'une exposition **inventaire**
– Catalogue de la Pharmacopée **Codex, formulaire**
– Catalogue des saints de l'Église grecque **ménologe**
– Catalogue des saints de l'Église romaine **martyrologe**
– Catalogue de films, de livres, de disques propres à un sujet **filmographie, bibliographie, discographie**
– Catalogue des différentes couleurs proposées aux clients **nuancier**
– Catalogue rétrospectif des chapitres ou des thèmes d'un livre **table, index, sommaire**
– Petit catalogue explicatif **lexique, glossaire**

CATASTROPHE
voir aussi **fléau**
syn. **drame, tragédie, calamité, désastre, malheur, sinistre, accident**
– Catastrophe naturelle **séisme, cataclysme, cyclone, typhon**
– Catastrophe qui évoque la fin du monde **apocalypse**
– A échappé à la catastrophe **rescapé, survivant**
– Victime d'une catastrophe **sinistré**

CATASTROPHIQUE
– Un accident catastrophique **affreux, désastreux, effroyable, épouvantable, terrifiant, tragique**
– Les résultats de l'entreprise sont catastrophiques cette année **mauvais, déplorables, lamentables, dramatiques**

CATÉCHISME
syn. **catéchèse**
– Personne qui enseigne le catéchisme **catéchiste**

CATÉGORIE
– Il a réparti les éléments par catégories **thèmes, matières, groupes, séries**
– Catégorie animale en biologie **embranchement, classe, ordre, famille, genre, espèce**
– Catégorie sociale **classe, rang, milieu, condition, caste**
– Catégorie sportive **poussin, benjamin, minime, cadet, junior, senior, vétéran**
– Catégorie de personnes détestables **engeance**

CATÉGORIQUE
– Prendre une position catégorique **radicale, définitive**
– Un non catégorique **formel**

VOCABULAIRE CATHOLIQUE ROMAIN

Aggiornamento : modernisation des idées et de l'administration de l'Église.

Avocat du diable : officiel chargé de contester les mérites d'une personne dont on propose la béatification ou la canonisation.

Béatification : reconnaissance et proclamation officielle de l'accession d'une personne défunte au rang des bienheureux.

Bréviaire : livre de l'office religieux contenant les hymnes, psaumes et prières dits par le clergé chaque jour.

Bulle : lettre du pape souvent scellée d'une bulle (boule de métal attachée à un sceau) ou d'un sceau de plomb.

Canonisation : reconnaissance et proclamation officielle de l'accession d'une personne défunte au rang des saints.

Codex juris canonici (Code du droit canonique) : Code juridique gouvernant l'Église depuis 1917.

Concile : réunion, à la demande du pape, des évêques de l'Église catholique, afin de statuer sur des questions relatives au dogme, à la doctrine ou à la morale.

Conclave : « chambre fermée à clef ». Lieu où s'assemblent les cardinaux pour élire un nouveau pape ; cette assemblée elle-même.

Concordat : accord écrit entre le pape et un État souverain réglant la situation de l'Église dans le pays signataire.

Confrérie : association pieuse de laïques se vouant à des dévotions ou à des actes de charité.

Consistoire : assemblée de cardinaux convoqués par le pape pour organiser les affaires de l'Église.

Curie : ensemble des administrations qui forment la cour de Rome, le gouvernement pontifical.

Décret : décret du pape concernant un point du droit canonique.

De fide : se réfère à une doctrine qui est un article de foi.

Dom : titre donné aux moines de certains ordres, en particulier aux Bénédictins.

Encyclique : lettre envoyée par le pape aux évêques de tous les pays pour définir la position de l'Église à propos d'un problème d'actualité.

Enfer : lieu où se retrouvent les âmes damnées pour subir des tortures éternelles.

États pontificaux : territoires sur lesquels règne le pape, aujourd'hui réduits au Vatican, base temporelle de sa souveraineté spirituelle.

Eucharistie : sacrement au cours duquel le pain et le vin contenant substantiellement le corps, le sang, l'âme et la divinité de Jésus-Christ sont consommés lors de la messe. (Voir aussi tableau Sacrements.)

Extrême-onction : sacrement de l'Église administré par un prêtre à un fidèle agonisant. (Voir aussi tableau Sacrements.)

Imprimatur : autorisation, donnée par une autorité ecclésiastique, d'imprimer un livre soumis à son approbation.

Index librorum : liste officielle des ouvrages condamnés par l'Église pour des motifs de doctrine ou de morale.

Indulgence : rémission par l'Église des peines temporelles punissant les péchés.

Infaillibilité : dogme proclamé au concile Vatican I, en 1870, selon lequel le pape est infaillible lorsqu'il définit une doctrine de l'Église universelle.

Limbes : séjour des âmes des justes morts avant la venue du Rédempteur ou des enfants morts sans baptême.

Messe tridentine : messe telle qu'elle a été pratiquée de 1570 à Vatican II.

Métropolitain : archevêque à la tête d'une province ecclésiastique.

Missel : livre contenant les prières et les lectures pour célébrer la messe l'année entière.

Monseigneur : titre honorifique donné aux cardinaux, archevêques, évêques et prélats.

Nihil obstat : approbation d'un livre par le censeur ecclésiastique, certifiant qu'il ne déroge pas à la doctrine.

Ordo : calendrier comprenant les différentes parties de l'année liturgique de l'Église.

Paradis : lieu enchanteur où se retrouvent les âmes des justes pour jouir de la félicité éternelle.

Péchés capitaux : ils sont à l'origine de tous les autres péchés. Au nombre de sept : avarice, colère, envie, gourmandise, luxure, orgueil, paresse.

Péché véniel : péché digne de pardon (opposé à péché mortel ou capital), ne faisant pas perdre l'absolution.

Propaganda fide : département du Vatican chargé de l'éducation, de l'affectation et de la direction des missionnaires.

Purgatoire : « qui purifie ». Lieu où les âmes des justes expient leurs péchés avant d'accéder à la félicité éternelle.

Requiem : premier mot latin de la prière Requiem aeternam dona eis, « Donnez-leur le repos éternel ». Messe pour le repos de l'âme d'un mort ; prière, chant pour les morts.

Rote : cour ecclésiastique suprême.

Sacrements : voir tableau correspondant.

Synode : réunion, à la demande de l'évêque, des membres du clergé d'un diocèse, pour statuer sur les affaires de celui-ci.

Transsubstantiation : transformation de la substance du pain et du vin en celle du corps et du sang de Jésus-Christ.

Vatican : État souverain se trouvant sur une des collines de Rome et où sont installés le pape et les services du Saint-Siège.

Vénérable : titre donné à celui qui obtient le premier degré dans la procédure de canonisation (avant d'accéder au rang de bienheureux, puis de saint).

Vulgate : « version répandue ». Nom de la traduction latine de la Bible due à saint Jérôme (v. 347-420) et adoptée par le concile de Trente.

– Un ton catégorique **cassant, péremptoire, impérieux**
– Un propos catégorique **absolu, indiscutable, percutant, tranchant**

CATHÉDRALE
voir aussi **abbaye, architecture, église, basilique**
– Avant-corps d'une cathédrale **porche, portail**
– Gouttière sculptée d'une cathédrale **gargouille**
– Place ménagée devant une cathédrale **parvis**
– Grand vitrail circulaire ornant une cathédrale **rose, rosace**

– Ecclésiastique officiant dans une cathédrale **évêque**
– Représentation du tracé des cathédrales françaises **constellation de la Vierge**

CATHOLICISME Voir tableau ci-dessus et tableau clergé catholique, p. 141
voir aussi **Bible, chrétien**
– Catholicisme majoritairement pratiqué en France **catholicisme romain**
– Autorité suprême du catholicisme romain **pape**
– Membre de la hiérarchie instaurée au sein du catholicisme **évêque, prêtre, diacre**
– Les dogmes du catholicisme **Trinité,** incarnation, rédemption, résurrection
– Catholicisme traditionaliste **intégrisme**

CAUCHEMAR
syn. **hallucination, mauvais rêve**
– Faire un cauchemar **cauchemarder**
– C'est un cauchemar ! **cauchemardesque, effrayant, horrible**
– Elle vit un vrai cauchemar **drame**
– Les mathématiques, c'est son cauchemar **hantise, terreur, tourment**

CAUSE
– Cause première **principe, fondement, base**
– La cause première en théologie **Dieu**

– La cause d'un événement **source, origine**
– Cause d'une action **intention, motivation, raison**
– Invoquer une cause **prétexte, mobile, motif**
– Il est la cause de tous ces malheurs **responsable, auteur, agent**
– Théorie de l'influence nécessaire des causes **déterminisme**
– Caractère essentiel de la cause première **aséité**
– Rapport de cause à effet **causalité**
– Recherche sur les causes des maladies **étiologie**

CAUSER

voir aussi **parler**
– Cela va causer quelques problèmes **provoquer, susciter, entraîner, déclencher, occasionner, engendrer**
– La concierge cause beaucoup **bavarde, discute, jacasse**

CAUSTIQUE

– Une substance caustique **corrodante, corrosive, acide**
– Soude caustique **hydroxyde de sodium**
– Des propos caustiques **acerbes, mordants, narquois, satiriques, ironiques, moqueurs, incisifs, sarcastiques**

CAUTION

– Il servira de caution **garant, répondant**
– Elle a la caution des plus hautes autorités **aval, consentement, cautionnement, soutien**
– Sujet à caution **douteux, suspect**

CAVALERIE

– Cavalerie moderne **blindés**
– Formation de cavalerie **division, brigade, régiment, escadron, peloton**
– Division de cavalerie de l'Antiquité grecque **hipparchie**
– Composition de la cavalerie de ligne **dragons**
– Composition de la cavalerie légère **hussards, chasseurs, spahis, chevau-légers**
– Composition de la cavalerie lourde **cuirassiers, carabiniers**
– Sonnerie de cavalerie **boute-selle**
– Ancien étendard d'une cavalerie **cornette, guidon**

CAVALIER

voir aussi **écuyer, jockey**

– Saint patron des cavaliers **Georges, Benoît**
– Fameuses cavalières dans l'Antiquité **Amazones**
– Officier commandant les cavaliers grecs dans l'Antiquité **hipparque**
– Cavalier surveillant un troupeau **cowboy, gaucho, gardian**
– Cavalier russe **cosaque**
– Cavalier allemand **uhlan**
– Cavalier hongrois **hussard**
– Cavalier turc **bachi-bouzouk**
– Cavalier égyptien **mamelouk**
– Cavalier algérien **goumier**
– Il agit de façon cavalière **hardie, impertinente, insolente, grossière, désinvolte**

CAVE

– La cave d'une maison **cellier, sous-sol**
– Cave d'un négociant en vins **chai**
– Personne chargée d'une cave **sommelier, caviste**
– Lieu de spectacle situé dans une cave **cabaret, caveau**

CAVEAU

syn. **mausolée, sépulcre, sépulture, tombe, tombeau**

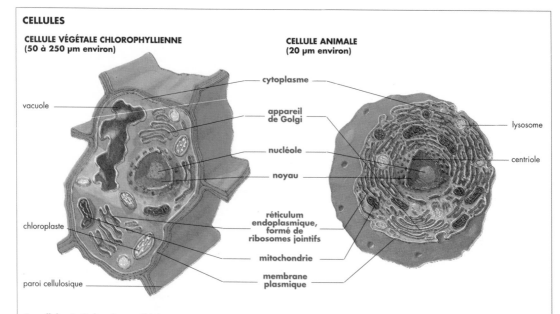

CELLULES

CELLULE VÉGÉTALE CHLOROPHYLLIENNE
(50 à 250 µm environ)

CELLULE ANIMALE
(20 µm environ)

vacuole
cytoplasme
appareil de Golgi
nucléole
noyau
lysosome
centriole
chloroplaste
réticulum endoplasmique, formé de ribosomes jointifs
mitochondrie
paroi cellulosique
membrane plasmique

La cellule végétale est caractérisée par:
– la paroi cellulosique, qui double la membrane plasmique ;
– la vacuole, cavité, souvent grande, limitée par une membrane simple ;
– les chloroplastes (cellules végétales chlorophylliennes).

La cellule animale est caractérisée par:
– Les lysosomes ;
– les centrioles, petits amas collés à la paroi nucléaire (celle du noyau).

Tous les êtres vivants sont constitués de cellules, preuve de leur origine commune. Unité de vie mais aussi unité de constitution et d'évolution, la cellule est à la biologie ce que l'atome est à la chimie : une unité de structure. La plupart des êtres vivants (virus, bactéries, protistes) ne sont constitués que d'une seule cellule.
Les autres (animaux et végétaux) possèdent des cellules spécialisées (cellules nerveuses, cellules musculaires) avec un noyau (cellule eucaryote) qui concentre tout le patrimoine génétique de l'espèce.

– Caveau souterrain **crypte, hypogée**

CAVITÉ
– Cavité dans un arbre **creux, trou, vide**
– Cavité dans un mur **niche**
– Cavité naturelle **caverne, gouffre, grotte**

CÉDER
– Céder un objet à quelqu'un **abandonner, laisser, faire don de**
– Céder un droit, un titre **transférer, aliéner, léguer**
– Céder une affaire commerciale **vendre**
– Céder un bien acquis à un tiers **rétrocéder**
– Céder un point de discussion à un adversaire **acquiescer, consentir, concéder**
– Céder lors d'un combat **capituler, retirer (se), rendre (se), perdre, désister (se)**
– Céder sous une charge très lourde **plier, écrouler (s'), fléchir, effondrer (s')**
– Céder moralement à une pression **abdiquer, soumettre (se), résigner (se), démissionner**
– Céder au charme d'une personne **succomber, craquer**

CEINTURE
voir aussi **bandage, bande**
syn. **ceinturon**
– Élément d'une ceinture **agrafe, boucle**
– Ceinture du moine **cordelière**
– Pointe métallique d'une boucle de ceinture **ardillon**
– Ceinture des chasseurs **cartouchière**
– Large ceinture des femmes japonaises **obi**
– Ceinture de pénitence **cilice**
– Ceinture de soutien **gaine, corset**
– Ceinture de sauvetage en natation **bouée, gilet**
– Sac porté à la ceinture **banane, aumônière**
– Ceinture d'un bateau **bauquière**
– Ceinture d'une colonne **moulure, filet**
– Ceinture d'une ville **couronne, banlieue, faubourgs, périphérie**

CÉLÉBRATION
– Célébration de l'eucharistie **messe, service, office**
– Célébration d'un anniversaire **commémoration, jubilé, fête**

CÉLÈBRE
– C'est une personne célèbre **illustre, notoire, éminente, connue**
– N'est plus célèbre **has been**
– Signature d'une personnalité célèbre **autographe**
– Roman célèbre et recherché **best-seller**
– Une action célèbre **glorieuse**
– Un amour célèbre **légendaire**

– Une victoire célèbre **fameuse, mémorable**
– Une ville célèbre **réputée, renommée**

CÉLÉBRER
– Célébrer un anniversaire **commémorer, fêter**
– Célébrer un baptême, un mariage **procéder à**
– Célébrer un culte au moyen de rites **officier**
– Célébrer la gloire de Dieu **exalter, glorifier, magnifier**
– Célébrer les mérites d'une personne **vanter, louer, prôner, chanter**

CÉLÉBRITÉ
– La soirée réunit des célébrités **noms, personnalités, sommités**
– Une célébrité du cinéma **star, vedette**
– Ils pourchassent les célébrités avec leur appareil photo **paparazzi**
– La célébrité de quelqu'un **renom, gloire, renommée, réputation, popularité**

CELLULE /1 *Voir illustration ci-contre*
voir aussi **cancer**
– Science traitant de la structure des cellules **histologie, biologie, cytologie**
– Cellule reproductrice **gamète**
– Cellule sanguine **globule, leucocyte (globule blanc), hématie (globule rouge)**
– Cellule du système nerveux **gliale, cellule neuronale**
– Cellule qui absorbe des éléments usés du sang et des tissus **phagocyte**
– Division directe de la cellule **amitose**
– Division indirecte de la cellule **mitose**
– Cellule à noyau différencié **eucaryote**
– Cœur de la cellule **noyau**
– Substance constituant le corps d'une cellule **protoplasme**
– Masse cellulaire entourant le noyau d'une cellule **cytoplasme**
– Espace limité par une membrane au sein d'une cellule **vacuole**
– Stade de mort du noyau de la cellule **caryolise**

CELLULE /2
– Cellule où est enfermé un prisonnier **cachot, geôle**

CELTIQUE
– Langue celtique **gaulois, gallois, breton, celtibère, gaélique, irlandais, brittonique, cornique**
– Poète celtique **barde**
– Prêtre celtique **druide**
– Bière celtique **cervoise**
– Collier en métal de la civilisation celtique **torque**

CENDRE
– Réduction en cendres **incinération**

– Vase où l'on recueille les cendres d'un mort **urne funéraire**
– Oiseau de la mythologie égyptienne qui renaît de ses cendres **Phénix**
– Couche de cendres volcaniques **cinérite**
– Fragment incandescent de houille dans la cendre **escarbille**
– Cendre de charbon incomplètement consumé **fraisil**
– Cendre végétale utilisée comme engrais **soude, charrée**

CENSURE
voir aussi **critique**
syn. **blâme, examen, jugement, veto**
– Censure infligée à un ecclésiastique **suspense**
– Censure infligée à un membre d'une communauté religieuse **excommunication**
– Censure religieuse s'appliquant à certains écrits **interdit, Index**
– Lettre d'avertissement avant la prononciation d'une censure **monition**
– Ouvrage diffusé malgré la censure en ex-URSS **samizdat**

CENT
– Cent fois plus **centuple**
– Division en cent **centième**
– Un arbre de cent ans **centenaire, séculaire**
– Cent années **siècle**
– Tous les cent ans **centennal**
– Proportion sur cent **pourcentage**
– Cent mètres carrés **are**
– Cent kilogrammes **quintal**
– Il comporte cent cases **damier**
– Dans l'Antiquité, sacrifice de cent bœufs **hécatombe**
– On lui compte cent bouches, cent yeux et cent oreilles **la Renommée**
– Chef romain qui commandait un groupe de cent hommes **centenier, centurion**

CENTRALE NUCLÉAIRE
– Principe de production d'énergie d'une centrale nucléaire **fission de l'uranium**
– Fluide recueillant l'énergie d'une centrale nucléaire **caloporteur**
– Modérateur employé dans les centrales nucléaires **eau, eau lourde, graphite**
– Réacteur d'une centrale nucléaire **pile atomique**
– Type de réacteur utilisé dans une centrale nucléaire **convertisseur, surgénérateur**
– Combustible utilisé dans une centrale nucléaire **uranium, plutonium, thorium**

CENTRE
– La balle est au centre du cercle **milieu**
– Force qui tend vers le centre **centripète**
– Force qui s'éloigne du centre **centrifuge**
– Centre-ville **cité**

– Centre urbain **agglomération, métropole, ville**
– Centre industriel **technopole**
– Centre cinématographique **cinémathèque, mégarama**
– Centre de vacances pour enfants **colonie, centre aéré**
– Centre commercial **complexe, groupement**
– Centre culturel **médiathèque**
– C'est le centre du problème **noyau, cœur, axe, foyer, pivot**
– Centre d'une réflexion **base, nœud, fondement**

CÉRAMIQUE
– Objet en céramique **faïence, porcelaine, terre cuite, biscuit, grès**
– Produit utilisé dans la fabrication de la céramique **fritte, kaolin, chromite, barbotine**
– Imperméabilise la céramique **alquifoux**
– Science de la céramique **céramographie**

CERCLE
– Il a dessiné un cercle au tableau **disque, rond**
– Volume correspondant au cercle **sphère, globe**
– Segment d'un cercle **corde, courbe**
– Élément de mesure d'un cercle **rayon, diamètre, aire, circonférence**
– Instrument utilisé pour dessiner un cercle **compas**
– Forme architecturale en demi-cercle **arc, dôme, coupole**
– Cercle imaginaire qui scinde la Terre en deux hémisphères **équateur**
– Cercle imaginaire traversant les deux pôles terrestres **méridien**
– Cercle imaginaire parallèle à l'équateur **tropique**
– Cercle lumineux entourant la Lune **halo, limbe, parasélène**
– Petit cercle entourant le mamelon du sein **aréole**
– Cercle de personnes qui se réunissent **cénacle, réunion, groupe, association**

CERCUEIL
voir aussi **bière**
– Véhicule transportant le cercueil **corbillard**
– Estrade prévue pour recevoir un cercueil **catafalque**
– Cercueil égyptien **sarcophage**

CÉRÉALE
– Famille à laquelle appartiennent les céréales **graminées**
– Céréale des régions tempérées **froment, blé, orge, avoine, seigle, escourgeon**
– Céréale des régions chaudes **riz, maïs, sorgho**
– Tige de céréale séchée **chaume, paille**

– Enveloppe corticale des graines de céréales **son, balle, glume**
– Coupe de certaines céréales **moisson**
– Réduction des céréales en farine **mouture**
– Mélange de céréales et de fruits secs pris au petit déjeuner **muesli**
– Plante herbacée néfaste aux céréales **ivraie**

CÉRÉMONIE
voir aussi **fête, rituel**
– Cérémonie en l'honneur d'un hôte de marque **réception, gala, pompe**
– Ensemble de règles de préséance dans les cérémonies officielles **cérémonial, étiquette, protocole, décorum**
– Cérémonie d'anniversaire **commémoration, jubilé**
– Cérémonie religieuse **office, liturgie, messe, sacre**
– Cérémonie pour l'ouverture d'un espace public **inauguration**
– Faire des cérémonies **simagrées, salamalecs, façons, manières**

CERF
voir aussi **gibier**
– Famille à laquelle appartient le cerf **cervidés**
– Animal faisant partie de la famille du cerf **élan, orignal, renne, caribou**
– Cerf aboyeur d'Asie **muntjac**
– Femelle du cerf **biche**
– Jeune cerf **brocard, hère**
– Cerf âgé de deux ans **daguet**
– Jeune animal accompagnant un vieux cerf **écuyer**
– Bois du cerf **ramure, dague, andouiller**
– Empaumure du cerf **chandelier, bouquet**
– Cerf portant cinq andouillers **dix-cors**
– Ébauche des bois du jeune cerf **broche, bouton**
– Ramure anormale du cerf **tête bizarde**
– Écorchures faites aux arbres par le cerf **essais, frayoir**
– Traces du cerf **erres**
– Troupeau de cerfs **harde, harpail**
– Lieu de pâture du cerf **viandis, gagnage**
– Fiente du cerf **bousard**
– Crier, en parlant du cerf **bramer, raire**
– Être en rut, pour un cerf **muser**
– Époque où le cerf est très gras **cervaison**

CERISE
– Cerise douce **burlat, bigarreau, cœuret, guigne, napoléon, reverchon**
– Cerise acidulée **marasque, griotte, montmorency**
– Cerise sauvage **merise**
– Cerise des Antilles **malpighie**
– Boisson alcoolisée à base de cerises **cherry, kirsch, guignolet, marasquin**

– Cerise du café **drupe**

CERTITUDE
voir aussi **assurance, évidence**
syn. **conviction**
– Base d'une certitude mathématique **principe, axiome**
– Base d'une certitude religieuse **dogme, croyance**
– Partage les certitudes d'un groupe ou d'un gourou **adepte, partisan, séide, sectateur, zélateur, prosélyte**

CERVEAU *Voir illustration ci-contre*
syn. **encéphale**
– Cerveau et moelle épinière **névraxe**
– Chacune des deux parties du cerveau **hémisphère**
– Sillon qui divise le cerveau en deux parties **scissure interhémisphérique**
– Les quatre lobes du cerveau **frontal, pariétal, occipital, temporal**
– Partie arrondie du cerveau **lobe**
– Organe situé en arrière et au-dessous du cerveau **cervelet**
– Surface des hémisphères du cerveau **cortex, écorce cérébrale**
– Glande inférieure située à la base du ventricule moyen du cerveau **hypophyse, glande pituitaire**
– Glande supérieure située à la pointe du ventricule moyen du cerveau **épiphyse, glande pinéale**
– Cavité anfractueuse du cerveau **ventricule**
– Enveloppe membraneuse de protection du cerveau **méninges**
– Opération chirurgicale pratiquée sur le cerveau **lobotomie, lobectomie**
– Ouverture dans la boîte crânienne pour une intervention chirurgicale sur le cerveau **trépanation**
– Cerveau d'une organisation **organisateur, inspirateur, maître d'œuvre, chef de bande**
– Il fait travailler son cerveau **intelligence, esprit, raison**

CESSER
– Les hostilités ont cessé **ont pris fin, sont interrompues (se), sont arrêtées (se)**
– La douleur cesse **efface (s'), estompe (s'), atténue (s')**
– Les larmes cessent **tarissent (se)**
– La tempête cesse **retombe, calme (se), dissipe (se)**
– La peur cesse **enfuit (s'), évanouit (s')**
– Cesser de vivre **expirer, éteindre (s'), mourir, disparaître**
– Cesser momentanément **suspendre**
– Faire cesser un interdit **lever**
– Il ne cesse pas de se plaindre **n'arrête pas de**
– Faire cesser un malentendu **éclaircir, mettre un terme à, mettre fin à**

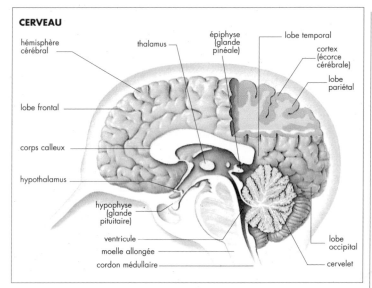

CERVEAU

hémisphère cérébral — thalamus — épiphyse (glande pinéale) — lobe temporal — cortex (écorce cérébrale) — lobe pariétal — lobe frontal — corps calleux — hypothalamus — hypophyse (glande pituitaire) — ventricule — moelle allongée — cordon médullaire — lobe occipital — cervelet

CESSION
– Cession gratuite d'un bien **aliénation, donation, legs**
– Cession d'une créance commerciale **transport**
– Cession d'un droit à une personne **transmission, transfert, translation**
– Cession volontaire ou forcée d'une propriété **délaissement, renonciation, déguerpissement**
– Cession faite à une personne d'un bien qu'on a reçu d'elle **rétrocession**

CÉTACÉ
– Grand cétacé **baleine, mégaptère, narval, orque, rorqual, bélouga**
– Petit cétacé **dauphin, marsouin**
– Sous-ordre de cétacés **odontocètes, mysticètes**
– Cétacé qui rejette l'eau par les évents **souffleur**

CHAGRIN
syn. **douleur, malheur**
– Elle a beaucoup de chagrin **peine, tristesse**
– Chagrin mêlé d'amertume **dépit, frustration, ressentiment**
– Chagrin profond **affliction, désolation, tourment**
– Signe du chagrin **larme, pleur, sanglot**
– Soulager quelqu'un de son chagrin **consoler, réconforter, apaiser**

CHAÎNE
voir aussi **chaînon, collier**
– Forgeron qui fabrique des chaînes **chaînier**
– Chaîne d'une voiture attelée **mancelle**
– Fixation de la chaîne d'ancre d'un navire **étalingure**
– Maillon d'une chaîne **manille, émerillon**
– Reliés à la chaîne, ils enserrent des poignets, des bras, des chevilles **fers**
– Il accompagnait les chaînes des forçats **boulet**
– Fabricant de chaînes en bijouterie **chaînetier, chaîniste**
– Longue chaîne qui orne la poitrine **sautoir**
– Chaîne de ceinture **châtelaine**
– Chaîne qui entoure la tête **ferronnière**
– Chaîne qui pare le cou **jaseran**
– Chaîne qui pare le poignet **gourmette, chaînette**
– Chaîne de production **montage, assemblage, usinage**
– Chaîne de télévision **station, canal**
– Passer sans cesse d'une chaîne à l'autre **zapper**

CHAÎNON
– Les chaînons d'une chaîne **anneaux, mailles, maillons**

CHAIR
voir aussi **viande**
– Individu, animal mangeur de chair **carnivore**
– Animal avide de chair crue **carnassier, charognard**
– Être humain qui mange de la chair humaine **anthropophage, cannibale**
– Chair d'un fruit **péricarpe, mésocarpe, pulpe**
– Gonflement des chairs **intumescence, tuméfaction, enflure, bouffissure**
– Petite excroissance de chair **caroncule**
– Altération d'un tissu devenant semblable à la chair **carnification**
– Un corps sans chair **décharné**
– Une personne bien en chair **charnue, étoffée, dodue, potelée, grassouillette, replète, rebondie, rondelette**
– Teinte de la chair **dorée, nacrée, satinée**
– Plaisir de la chair **sensualité**

CHAISE
voir aussi **siège**
– Type de chaise **cathèdre, chauffeuse**
– Chaise pliante pour la plage **transat**
– Chaise réservée au clergé dans une église **stalle**
– Chaise de magistrat dans l'Antiquité romaine **curule**
– Chaise à porteurs **filanzane, manchy, vinaigrette, palanquin**
– Loueuse de chaises **chaisière**
– Garnir une chaise en cannes de jonc **canner, joncer**
– Réparateur de chaises **rempailleur, tapissier, ébéniste**
– Il mène une vie de bâton de chaise **patachon**

CHALEUR
– Unité de mesure de la chaleur **degré Celsius, degré Fahrenheit**
– Chaleur intense **incandescence, étuve, fournaise**
– Chaleur de l'été **canicule, touffeur**
– Production de la chaleur dans les organismes vivants **calorification**
– Étude des relations entre mécanique et chaleur **thermodynamique**
– Qui donne de la chaleur **calorifique, thermogène, thermique, calorique**
– Répand de la chaleur **calorifère**
– Empêche la déperdition de chaleur **calorifuge**
– Qui maintient une chaleur constante **isotherme**
– Engourdissement de certains animaux pendant les fortes chaleurs de l'été **estivation**
– Femelle en chaleur **en rut, en chasse**
– Défendre quelque chose avec chaleur **ardeur, enthousiasme, ferveur, exaltation, fougue, véhémence**

CHALEUREUX
– Un accueil chaleureux **cordial, amical**
– Des applaudissements chaleureux **enthousiastes, ardents**
– Des témoignages chaleureux **sympathiques, affectueux**

CHAMBRE
– Chambre de soldats **dortoir, chambrée**
– Chambre d'étudiant **meublé, piaule, turne**
– Chambre de moine **cellule**
– Chambre d'enfant **nursery**

– Chambre d'amour **alcôve**
– Femme de chambre **chambrière, ca
mériste, domestique**
– Petite chambre sous les toits **mansarde,
galetas**
– Chambre froide d'une boucherie
armoire frigorifique
– Chambre forte **coffre-fort**
– Chambre de sûreté **prison**
– Chambre d'un hôpital où sont déposées
les dépouilles mortelles **morgue**
– Chambre des députés **Assemblée natio
nale**
– Officier de la chambre papale **camérier**
– Officier chargé de la chambre du roi
chambellan, chambrier

CHAMEAU
– Famille à laquelle appartient le chameau
camélidés
– Femelle du chameau **chamelle**
– Petit du chameau **chamelon**
– De la famille du chameau **dromadaire,
méhari, lama**
– Qui se rapporte au chameau **camélien,
camelin**
– Personne qui s'occupe des chameaux
chamelier
– Crier, en parlant du chameau **blatérer**

CHAMP
– Discipline concernant la culture des
champs **agriculture, agrologie, agro
nomie**
– Champ non cultivé **friche, jachère**
– À propos des champs et de la campagne
**bucolique, champêtre, rural, rustique,
agreste, pastoral**
– Tige de blé dans les champs après la
moisson **chaume, paille**
– Champ de courses **hippodrome, cyno
drome**
– Champ de connaissances **discipline,
spécialité, domaine, sujet**

CHAMPAGNE
– Transformation du vin en champagne
champagnisation
– Bouteille de champagne **champenoise,
nabuchodonosor, balthazar, salmana
zar, réhoboam, mathusalem, magnum,
jéroboam**
– Boisson pétillante qui imite le champage
**crémant, mousseux, asti spumante,
dry**
– Mauvais champagne **tisane**
– Verre de champagne glacé **soyer**
– Cave à champagne construite dans la
craie **crayère**
– Verre à champagne **flûte, coupe**
– Boire le champagne pour fêter un évé
nement **sabler, ouvrir**

CHAMPÊTRE
– Un paysage champêtre **agreste, rural,
pastoral, bucolique, rustique, agricole**

– Divinité champêtre **faune, nymphe,
satyre**
– Poème champêtre **églogue**

CHAMPIGNON *Voir illustration ci-
contre*
voir aussi **algue**
– Étude des champignons **mycologie**
– Description des champignons **myco
graphie**
– Champignon dangereux, voire mortel
vénéneux
– Lieu où l'on cultive les champignons de
couche **champignonnière, carrière**
– Objet qui a la forme d'un champignon
fongiforme
– Hybridation du champignon et de l'algue
lichen
– Appareil végétatif du champignon
mycélium
– Affection provoquée par des champi
gnons **mycose, muguet, rouille, ergot,
mildiou**
– Produit qui détruit les champignons
**antifongique, antimycosique, fongi
cide**

CHAMPION
– Le champion d'un tournoi **vainqueur,
gagnant**
– Champion sportif détenteur d'un record
recordman
– Être le champion dans un domaine **as,
crack, maître, virtuose**
– Personne qui défie un champion **chal
lenger**
– Se faire le champion d'une grande cause
**adepte, défenseur, partisan, zélateur,
apôtre, chantre**

CHAMPIONNAT
– Il a participé au championnat **tournoi,
compétition, challenge, concours,
coupe**
– Première partie dans un championnat
aller
– Deuxième partie dans un championnat
retour
– Principal championnat de basket amé
ricain **NBA**

CHANCE
– La chance lui a souri **fortune**
– Une sacrée chance **aubaine, veine, bol,
pot, bonheur**
– Croire à la chance **hasard, sort, destin**
– Mettre les chances de son côté **atouts,
cartes**
– Estimer ses chances de réussite **possi
bilités, probabilités**
– Objet qui porte chance **mascotte, féti
che, amulette, porte-bonheur, grigri**

CHANCELER
– Il chancelle sous le poids **titube, vacille**
– Son pouvoir chancelle **fléchit, faiblit**

CHANDELLE
syn. **bougie, cierge**
– Support de chandelles **chandelier**
– Je lui dois une fière chandelle **remer
ciement, gratitude, reconnaissance**
– Des économies de bouts de chandelle
dérisoires, mesquines
– Monter en chandelle **droit, verticale
ment, à la verticale**

CHANGE
voir aussi **échange, troc**
– Change d'une monnaie **conversion**
– Agent de change **cambiste**
– Indice français de la Compagnie des
agents de change **CAC 40**
– Opération de change **arbitrage**
– Opération de change par calcul **spécu
lation, agiotage**
– Change interbancaire **compensation,
contrepartie, échange**
– Lettre de change **traite, effet, billet à
ordre**

CHANGEANT
– Le temps est changeant **variable, incer
tain**
– Il est d'une humeur changeante **incons
tante, instable, lunatique, versatile**
– La lueur des bougies donne à sa robe un
reflet changeant **chatoyant, diapré,
gorge-de-pigeon, moiré, versicolore**

CHANGEMENT
voir aussi **adaptation**
– Changement qualitatif **dégénérescence,
avatar, altération, bonification, défor
mation, dégradation, amélioration,
rectification, variation, perfectionne
ment, embellissement, restauration,
ravalement, vicissitude**
– Changement quantitatif **augmentation,
dilatation, accroissement, majoration,
hausse, diminution, rétrécissement,
baisse, dévaluation**
– Changement continu **évolution, pro
gression**
– Changement brusque **volte-face, revi
rement, révolution**
– Changement radical **transformation,
mutation, métamorphose**
– Changement dans l'ordre **permutation,
interversion**
– Changement des métaux en or **trans
mutation, alchimie**
– Changement d'opinion, de croyance
conversion, palinodie, apostasie
– Changement de pays **émigration,
immigration, expatriation, rapatrie
ment, transmigration, exil**
– Changement de couleur **chatoiement**
– Absence de changement **immobilisme,
marasme, stagnation, continuité**
– Peur du changement **kaïnophobie**
– Changement dans les transports en
commun **correspondance**

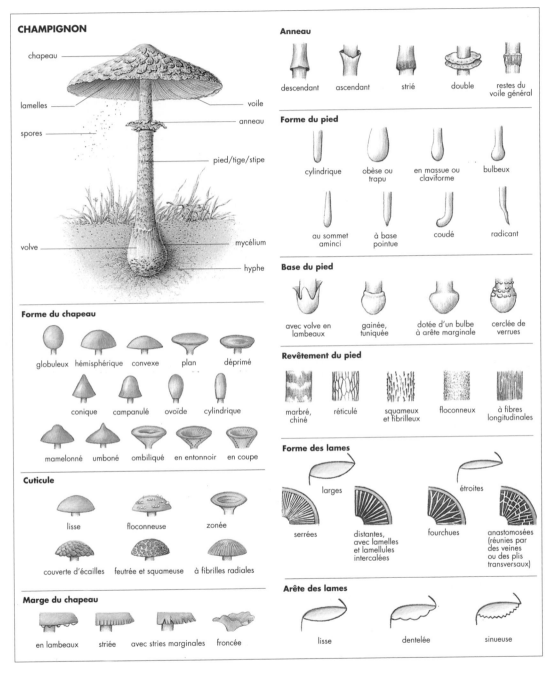

CHAMPIGNON

chapeau
lamelles
spores
voile
anneau
pied/tige/stipe
mycélium
volve
hyphe

Forme du chapeau

globuleux — hémisphérique — convexe — plan — déprimé

conique — campanulé — ovoïde — cylindrique

mamelonné — umboné — ombiliqué — en entonnoir — en coupe

Cuticule

lisse — floconneuse — zonée

couverte d'écailles — feutrée et squameuse — à fibrilles radiales

Marge du chapeau

en lambeaux — striée — avec stries marginales — froncée

Anneau

descendant — ascendant — strié — double — restes du voile général

Forme du pied

cylindrique — obèse ou trapu — en massue ou claviforme — bulbeux

au sommet aminci — à base pointue — coudé — radicant

Base du pied

avec volve en lambeaux — gainée, tuniquée — dotée d'un bulbe à arête marginale — cerclée de verrues

Revêtement du pied

marbré, chiné — réticulé — squameux et fibrilleux — floconneux — à fibres longitudinales

Forme des lames

larges — étroites

serrées — distantes, avec lamelles et lamellules intercalées — fourchues — anastomosées (réunies par des veines ou des plis transversaux)

Arête des lames

lisse — dentelée — sinueuse

CHANGER
– Changer progressivement **évoluer, modifier (se)**
– Changer successivement **alterner, fluctuer, varier**
– Changer radicalement **métamorphoser (se), transformer (se)**
– Changer négativement **altérer, dénaturer, détériorer, fausser, dégénérer**
– Changer en mieux **amender, améliorer, corriger, rectifier, bonifier**
– Changer une matière, une substance en une autre **transmuer, transmuter**
– Changer de place **bouger, déplacer, convoyer, transférer, transporter, déménager**
– Changer la place d'un mot dans une phrase **permuter, intervertir, inverser**
– Changer le ton d'une partition musicale **transposer**
– Changer une peine **commuer**

– Changer un texte **remanier, refondre, réviser, réécrire**
– Changer des faits **transformer, défigurer**
– Changer d'apparence **travestir (se), déguiser (se)**
– Changer de peau **muer**
– Changer un état de fait **réformer, rénover, innover**
– Qui change souvent **versatile, volage, instable, inconstant**

CHANSON
voir aussi **voix**
– Musique d'une chanson **air, mélodie**
– Strophe d'une chanson **couplet**
– Chanson tendre **romance**

– Strophe reprise plusieurs fois dans une chanson **refrain**
– Chanson pour endormir les enfants **berceuse**
– Chanson populaire **goualante, complainte**
– Chanson villageoise **villanelle**
– Chanson des gondoliers **barcarolle**
– Chanson de l'été **tube**
– Chanson ennuyeuse **rengaine, scie**
– Petit film accompagnant une chanson **clip**
– Disque qui reprend les chansons les plus connues **compilation**
– Orchestration plus moderne d'une chanson **remix**
– Personne qui compose ou interprète

une chanson satirique **chansonnier**

CHANT
voir aussi **chœur, voix**
– Air de chant **aria, ariette, arioso**
– Air de chant proche de la voix parlée **récitatif**
– Chant à plusieurs voix **canon, polyphonie**
– Chant monotone **mélopée**
– Chant religieux **cantique, psaume, chant grégorien, chant ambrosien**
– Chant de prière **litanie**
– Chant à la gloire de Dieu **cantique, Te Deum, Gloria, Alleluia**
– Chant de louange de la Vierge Marie **magnificat**

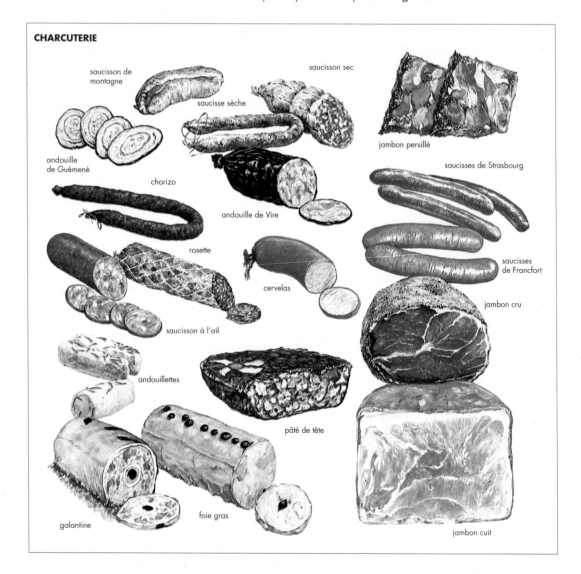

CHARCUTERIE

- saucisson de montagne
- saucisse sèche
- saucisson sec
- jambon persillé
- andouille de Guémené
- chorizo
- andouille de Vire
- saucisses de Strasbourg
- rosette
- cervelas
- saucisses de Francfort
- jambon cru
- saucisson à l'ail
- andouillettes
- pâté de tête
- galantine
- foie gras
- jambon cuit

– Chant de messe solennelle **hymne, prose**
– Chant pour les des morts **requiem**
– Chant funèbre corse **vocero**
– Chant funèbre dans l'Antiquité **nénies, thrène**
– Chant guerrier **péan**
– Chant en l'honneur de jeunes mariés **épithalame**
– Chant initial du chœur d'une tragédie ou d'une comédie grecques **parodos**
– Chant spécifiquement germanique **lied**
– Chant à caractère plaintif **élégie**
– Chant mélancolique **cantabile, cantilène, complainte**
– Chant composé sur un poème **mélodie**
– Chant sans accompagnement musical **a cappella**
– Chant exécuté par un chœur **motet**
– Chant interprété par une seule voix **monodie**
– Exercice de chant sans paroles **vocalise**
– École de chant pour ecclésiastiques **maîtrise, psalette, manécanterie**
– Chant d'oiseau **gazouillis, ramage**

CHANTAGE

–Personne qui exerce un chantage **maître chanteur**

CHANTER

voir aussi **opéra, voix**
– Commencer à chanter **entonner**
– Chanter doucement **fredonner, chantonner**
– S'exercer à chanter **vocaliser, triller**
– Chanter en nommant les notes **solfier**
– Chanter des notes en les liant **couler**
– Chanter faux **détonner**
– Chanter de façon monotone **psalmodier**
– Chanter à la façon des Tyroliens **yodler**
– Personne qui chante lors du service religieux **chantre**
– Les oiseaux chantent **gazouillent, pépient, sifflent, roucoulent**

CHANTEUR

– Chanteur, chanteuse classique **basse, baryton, ténor, alto, soprano**
– Chanteur dans un chœur **choriste**
– Chanteur dans l'Antiquité **aède, rhapsode**
– Chanteur à l'église **chantre**
– Chanteur du Moyen Âge **ménestrel, troubadour, trouvère, scalde, barde, minnesänger**
– Chanteur de chansons souvent humoristiques **chansonnier**

CHANTEUSE

– Chanteuse d'opéra **cantatrice, prima donna, diva**

CHAOS

– C'est le chaos dans sa tête **désordre, confusion, trouble, pagaille**

– Le chaos dû à la guerre **anarchie, bouleversement**

CHAPE

– Une chape de béton **dalle, revêtement**

CHAPEAU

voir aussi **coiffure**
syn. **couvre-chef**
– Chapeau de femme **bibi, cabriolet, capeline**
– Chapeau à cornes **barrette, bicorne, tricorne**
– Chapeau haut de forme **gibus, claque, bolivar, huit-reflets, tromblon**
– Chapeau bombé en feutre **melon**
– Chapeau de soleil **sombrero, bob**
– Chapeau de paille **canotier**
– Chapeau de cow-boy **Stetson**
– Chapeau en fourrure protégeant les oreilles **chapka**
– Chapeau avec une visière **casquette**
– Chapeau des prélats **mitre**
– Confectionne des chapeaux **modiste, apprêteur**
– Fabrique ou vend des chapeaux **chapelier**

CHAPELET

– Long chapelet **rosaire**
– Chapelet d'oignons **glane**

CHAPELLE

voir aussi **église**
– Sorte de chapelle **absidiole, oratoire, baptistère, martyrium**
– Prêtre qui dessert une chapelle privée **chapelain**
– Groupe d'individus faisant preuve d'un esprit de chapelle **clan, tribu, coterie, cénacle, corporation, club**

CHAPELURE

– Chapelure qui sert à paner **panure**

CHAPITRE

– Lettre ornée ou non qui commence un chapitre **lettrine, lettre onciale, lettre capitulaire, miniature**
– Dessin placé à la fin d'un chapitre **cul-de-lampe**
– Liste des chapitres d'un ouvrage **table des matières, sommaire**
– Chapitre dans le Coran **sourate**

CHAR

– Char d'assaut **tank, blindé**
– Char allemand **panzer**
– Défilé de cavaliers, de chars **cavalcade**
– Défilé de chars fleuris lors du carnaval **corso**
– Char antique **bige, quadrige**
– Conducteur de char **aurige**
– Arène où se tenaient les courses de chars **cirque**
– Char funèbre **corbillard**

CHARBON

voir aussi **mine**
– Qui contient du charbon **carbonifère**
– Transformation d'un corps en charbon **carbonisation**
– Transformation du bois en charbon **cuisage**
– Petit morceau de charbon **gaillette**
– Sorte de charbon **anthracite, houille, lignite, coke, tourbe**
– Aggloméré de charbon **briquette, boulet**
– Marchand de charbon **bougnat, charbonnier**
– Maladie due à l'inhalation de la poussière de charbon **anthracose, anthrax**
– Charbon utilisé pour le dessin **fusain**
– Charbon des plantes **rouille, nielle, anthracnose**

CHARCUTERIE *Voir illustration ci-contre*

voir aussi **pâté, saucisson**
– Il mange de la charcuterie **cochonnaille**
– Charcuterie à base de boyaux **boudin, andouille, andouillette**
– Étape de fabrication de la charcuterie **découpage, salage, hachage, cuisson, fumage**
– Ustensile utilisé en charcuterie **hachoir, tranche-lard, boudinière**

CHARDON

– Chardon à fleurs jaunes **centrophyle**
– Chardon argenté **silybe**
– Chardon béni **centaurée**
– Chardon étoilé **centaurée chausse-trape**
– Chardon bleu des Alpes **panicaut**
– Chardon aux ânes **onopordon**
– Chardon à foulon **cardère**
– Chardon des terres sèches **carline**
– Un chardon sans tige **acaule**
– Arracher les chardons d'un champ **échardonner**
– Oiseau friand des graines de chardon **chardonneret**

CHARGE

voir aussi **faix, fardeau, mesure, poids, volume**
– Charge d'un bateau **cargaison, chargement, fret, batelée**
– Charge assurant la stabilité d'un navire **lest, estive**
– Un bateau dont la charge est incomplète **lège**
– Possibilité de charge d'un avion **emport**
– Charge d'un âne **ânée**
– Harnais conçu pour recevoir des charges **bât**
– Charge désagréable **corvée**
– Charges sociales **cotisations**
– Charges de fonctionnement **frais, dépenses**
– Se voir assigner une charge **dignité, titre**

– Charge fiscale **imposition, redevance, taxe, dette, impôt, contribution**
– Occuper une charge **emploi, fonction, poste**
– Remplir sa charge **mission, mandat, obligations, fonction, rôle**
– Avoir la charge d'un dossier **responsabilité, suivi**
– Accumuler les charges contre une personne **preuves, présomptions, témoignages, indices**
– Charge de la cavalerie **attaque**
– Revenir à la charge **insister**

CHARGÉ
– Il a l'estomac chargé **lourd, ballonné, embarrassé**
– Le ciel est chargé **nuageux, couvert**
– Chargé d'affaires **agent diplomatique, représentant**

CHARGER
syn. **emplir, encombrer, placer**
– Charger le lave-vaisselle **remplir**
– Charger quelqu'un de la responsabilité d'un acte **imputer à, incriminer**
– Charger à tort **calomnier, diffamer**
– Charger d'impôts **grever, taxer, imposer**
– Charger de dettes **obérer, endetter**

CHARIOT
– Petit chariot à deux roues utilisé pour transporter des marchandises **diable**
– Chariot servant au transport de charges lourdes **triqueballe, fardier**
– Long chariot servant pour le transport des récoltes **guimbarde**
– Chariot agricole **fourragère**
– Chariot des mines de charbon **benne, berline, wagonnet**
– Chariot couvert des pionniers de l'Ouest américain **fourgon**
– Chariot à plate-forme du chemin de fer **truck**
– Chariot de guerre sur lequel étaient montées des pièces d'artillerie **ribaudequin**
– Chariot des grandes surfaces **Caddie**
– Conduit un chariot **cariste**

CHARITABLE
– C'est une personne charitable **bonne, généreuse, secourable, philanthrope, bienfaisante**
– Une œuvre charitable **caritative**

CHARITÉ
syn. **bonté, compassion, générosité, humanité, mansuétude, philanthropie, pitié**
– Action de charité **secours, assistance, bienfaisance**
– Don de charité **obole, aumône**
– Individu bienfaisant qui pratique la charité **altruiste, philanthrope**

– Personne qui appartient à une confrérie de charité **chariton**
– Comportement empreint de charité **bienveillance, miséricorde, altruisme**
– Atelier de charité où des femmes réalisent des travaux de couture **ouvroir**
– Relatif à la charité **caritatif**
– Ce qu'est la charité en théologie **vertu**
– Demander la charité **mendier**

CHARLATAN
– Ne vous fiez pas à ce charlatan **escroc, menteur, imposteur**

CHARMANT
syn. **attirant, intéressant**
– Un homme charmant **agréable, galant, prévenant, courtois, séduisant**
– Une jeune fille charmante **attachante, délicieuse, adorable, exquise, ravissante**
– Un spectacle charmant **plaisant, captivant, enchanteur, attrayant**

CHARME
– Exercer son charme sur quelqu'un **charmer, fasciner, séduire, enjôler, magnétiser**
– Charme magique **ensorcellement, enchantement, envoûtement, philtre, sortilège, incantation, maléfice**
– Charmes d'une femme **appas, attraits, attributs, vénusté**
– Elle a du charme **allure, chien, chic, grâce, élégance**
– Chanteur de charme **crooner**
– Qui manque de charme **insipide, sec, prosaïque, banal, trivial, commun, ordinaire**

CHARMER
– Ce spectacle nous a charmés **enthousiasmés, captivés, séduits**
– J'ai été charmé de faire votre connaissance **ravi, heureux, enchanté**

CHARNIÈRE
voir aussi **jonction**
– Charnière d'une porte ou d'une fenêtre **gond, penture, paumelle, fiche, ferrure**
– Charnière mobile **genouillère**

CHARPENTE *Voir illustration ci-dessous*
voir aussi **toiture**
– Charpente faite de deux arbalétriers, d'un poinçon, d'un entrait **ferme**
– Espace dans la charpente compris sous les versants d'un toit **comble**
– Charpente du corps humain **squelette, ossature**
– Charpente d'un ouvrage littéraire **canevas, intrigue**

CHARRETTE
– Petite charrette couverte **carriole**
– Charrette étroite et longue **haquet**
– Charrette agricole **gerbière**
– Charrette réservée au transport des pierres de taille **binard**
– Charrette utilisée pour le transport des troncs d'arbre **fardier, triqueballe**
– Charrette servant au transport de matériaux **tombereau, banne**
– Bras d'une charrette **timon, brancard**
– Petit treuil placé à l'arrière d'une charrette **pouliot**
– Cordage maintenant la charge d'une charrette **liure**
– Pan d'une charrette formé de panneaux en bois ajourés **ridelle**
– Fabricant de charrettes **charron**

CHARRUE *Voir illustration ci-contre*
– Type de charrue **araire, brabant**
– Charrue à main employée dans l'horticulture **binot, sarcloir**
– Barre d'une charrue à laquelle on attelle les chevaux **palonnier, timon**
– Bras de la charrue **mancheron**

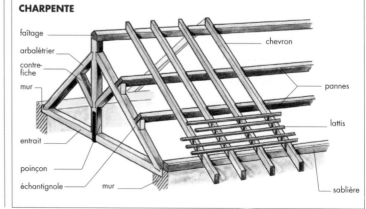

CHARPENTE

faîtage
arbalétrier
contre-fiche
mur
entrait
poinçon
échantignole
mur
chevron
pannes
lattis
sablière

– Pièce attachée au soc de la charrue **versoir, coutre, rasette**
– Grande lame de la charrue **soc**
– Bâti de la charrue **age, cep, étançon, talon**
– Trace du premier sillon ouvert par une charrue **enrayure**
– Bande de terre laissée par la charrue entre deux ceps **cavaillon**
– Petit monticule de terre fait par la charrue entre deux sillons **billon**

CHASSE *Voir tableau p. 116*
– Art de la chasse **cynégétique**
– Chasse avec des chiens courants **chasse à courre, vénerie**
– Chasse utilisant des oiseaux de proie **fauconnerie, volerie**
– Chasse interdite **braconnage**
– Piège utilisé à la chasse **collet, gluau, trappe, traquet, lacs, tirasse, lacet**
– Artifice employé à la chasse pour attirer le gibier **appât, appeau, chanterelle, pipeau, pipée, leurre**
– Cris ou sonneries rythmant une chasse à courre **hallali, taïaut**
– Terrain de chasse où des pièges sont tendus **tenderie**
– Battre les bois à la chasse pour en faire sortir le gibier **battue, traque**
– Tête de l'animal tué au cours de la chasse **trophée**
– Présentation du gibier tué pendant la chasse **tableau de chasse**
– Déesse de la chasse dans la mythologie antique **Artémis, Diane**

CHASSER
– Chasser un animal de son refuge **débusquer, dénicher**
– Chasser quelqu'un de sa patrie **bannir, proscrire, exiler, mettre au ban**
– Chasser un envahisseur **refouler**

CHASSEUR
– Saint patron des chasseurs **Hubert**
– Tribu de chasseuses guerrières dans l'Antiquité **Amazones**
– Chasseur hors la loi **braconnier**
– Chasseur de bœufs sauvages **boucanier**
– Chasseur de gibier **giboyeur**
– Chasseur en volerie **fauconnier**
– Chasseur du Canada **trappeur**
– Chasseur biblique **Nemrod**
– Chasseur d'un hôtel **groom, liftier**

CHÂSSIS
– Le châssis d'un véhicule **carrosserie, carcasse, coque**
– Le châssis d'une porte **encadrement, cadre, bâti**
– Clou servant à maintenir la toile sur le châssis **broquette**

CHASTETÉ
– Jeune fille gardant sa chasteté **pucelle**

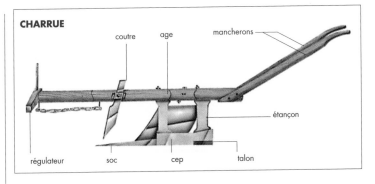

CHARRUE
coutre — age — mancherons
étançon
régulateur — soc — cep — talon

– Ce qui se rompt lorsqu'une jeune fille perd sa chasteté **hymen**
– Faire perdre sa chasteté à une jeune fille **déflorer, dépuceler**
– Elle vit dans la chasteté **ascétisme, abstinence, continence**
– Conforme à la chasteté **innocent, pur, prude, vertueux, pudique**
– Femme qui observe la chasteté par devoir **vestale, vierge**

CHAT
– Relatif au chat **félin**
– Chat retourné à l'état sauvage **haret**
– Chat de race **persan, siamois, angora, chartreux, européen**
– Passage réservé aux chats **chatière**
– Plante dont l'odeur attire les chats **cataire**

CHÂTAIGNE
– Enveloppe de la châtaigne **bogue**
– Qui a la couleur de la châtaigne **brun, auburn, châtain, marron**
– Châtaigne de mer **oursin**
– Donner une châtaigne à quelqu'un **gnon, beigne, coup**

CHÂTEAU *Voir illustration p. 119*
voir aussi **fort**
– Petit château fort qui défendait l'accès d'une route, d'un pont **châtelet**
– Manoir ressemblant à un château **castel, bastide, gentilhommière**
– C'est un château imprenable **inexpugnable**
– Champ au pied des remparts du château utilisé pour les tournois **lice**
– Enceinte fortifiée d'un château **rempart, fortification, muraille, palissade**
– Seigneur d'un château **châtelain**

CHÂTIMENT
voir aussi **punition**
– Il mérite un châtiment **sanction, peine, pénitence, expiation**
– Châtiment corporel **supplice, correction, coup, fouet**
– Châtiment qui vous prive de la vue de Dieu **dam**

CHATOUILLER
syn. **agacer, exciter**
– Ça le chatouille **titille, démange, picote**

CHATOYANT
– Rendre chatoyant **moirer**

CHATOYER
– Tissu qui chatoie **brille, miroite**
– Des yeux qui chatoient **étincellent, luisent, pétillent**
– Chatoyer comme un diamant **rutiler, scintiller**

CHÂTRER
syn. **castrer, mutiler**
– Qui a été châtré **castrat, eunuque**

CHAUD
– Temps extrêmement chaud **torride, caniculaire**
– Un climat chaud **tropical, équatorial, désertique**
– Une boisson très chaude **bouillante, brûlante**
– Une pièce particulièrement chaude **étuve, fournaise**
– Le combat fut chaud **âpre, rude, sévère, acharné**
– Il m'a répondu d'une voix chaude **chaleureuse, fiévreuse, sensuelle, érotique**

CHAUFFAGE
syn. **caléfaction**
– Appareil de chauffage **poêle, chaudière, fourneau, brasero, radiateur**
– Appareil de chauffage au bois **insert**
– Appareil de régulation du chauffage **thermostat**
– Appareil de chauffage électrique **trame chauffante, panneau radiant, convecteur**
– Chauffage à circulation d'eau ou d'air **calorifère, thermosiphon, hypocauste**
– Petit ustensile de chauffage pour les pieds **chaufferette, chancelière**
– Bois de chauffage **bûche, rondin, billette**
– Installe les appareils de chauffage **chauffagiste, fumiste**

VOCABULAIRE DE LA CHASSE

TERMES GÉNÉRAUX

Abri : poste d'affût du chasseur en plaine. Synonymes : claie ou paillasson.

Affaîter : dresser un rapace pour la chasse au vol.

Appelant : oiseau captif chargé d'attirer le gibier par ses cris. L'ensemble des appelants constitue l'attelage.

Bande-abri : pièce de terrain qu'on laisse plantée d'arbustes pour servir d'abri et de lieu de nichage au gibier de plaine.

Billebaude (à la) : procédé de chasse consistant à rechercher le gibier au hasard.

Blinker : se dit d'un chien qui fait semblant de ne pas voir le gibier qu'il doit arrêter ou rapporter.

Bourrer : se dit d'un chien d'arrêt qui se saisit d'un gibier ou le poursuit.

Carnassière : sacoche à gibier.

Cartouchière : ceinture à cartouches.

Cervaison : période pendant laquelle le cerf est le plus gras et la venaison la meilleure.

Chien de rouge ou **chien de sang :** chien destiné à la recherche du gibier mort ou blessé.

Choupille : chien de chasse qui prévient son maître de la présence du gibier.

Clapette : instrument utilisé par les rabatteurs.

Couler : se dit d'un chien d'arrêt qui suit prudemment le gibier.

Coup du roi : tir à la verticale d'un gibier passant au-dessus de la tête du chasseur.

Créance : chien qui chasse comme il convient un gibier précis.

Curée : abats de cerf que l'on donne aux chiens.

Dardière : piège à chevreuil.

Décousure : blessure faite à un chien par un sanglier ou un cerf.

Fouaille : abats de sanglier que l'on donne aux chiens.

Gabion : construction en bordure d'une mare dans laquelle se cache le chasseur.

Gagnage : terrain où le gibier va chercher sa nourriture à la tombée de la nuit.

Hou (à la) : cri des rabatteurs annonçant qu'ils ont levé ou rencontré des sangliers.

Hutteau : installation en toile utilisée au bord de l'eau.

Manquer : tirer du gibier en avant pour le toucher.

Meneur : se dit d'un chien qui suit bien la trace du gibier.

Parchasser : se dit d'un chien qui hésite.

Plan de chasse : plan d'abattage du gibier établi par une commission départementale.

Porchaison : période pendant laquelle le sanglier est le plus gras.

Prélèvement : nombre d'animaux qui peuvent être abattus sans pour autant mettre une espèce en péril.

Réclamer : rappeler les chiens.

Rembuché : se dit d'un animal qui a quitté le gagnage et est rentré dans une enceinte.

Rouler un animal : faire culbuter un gibier à poil en le tuant.

Sauvagine : ensemble du gibier d'eau.

Travail : traces laissées par le cerf et le sanglier en se nourrissant.

Vautre : chien pour la chasse à la bête noire.

Venaison : chair du gibier.

Voie : ensemble des traces qui marquent le passage du gibier.

TERMES DE CHASSE À COURRE

Concernant les chasseurs

Forhu : appel des chiens avec la trompe.

Forhuer : sonner le forhu.

Forlancer : débusquer une bête de son gîte.

Hallali : cri annonçant que la bête est aux abois.

Hallali par terre : animal porté bas ou mort.

Hucher : appeler par des cris, des sifflets.

Huchet : petit cor.

Quêter : à la recherche du gibier.

Rebaudir : inciter le chien à la poursuite en le caressant.

Taïaut ! : cri lancé par les veneurs

pour signaler un chevreuil, un cerf ou un daim.

Vloo ! : cri employé par les veneurs pour signaler un sanglier.

Concernant les chiens

Contre-pied : mauvaise direction prise par les chiens.

Meute : ensemble de chiens.

Outrepasser : dépasser les marques et les traces laissées par le gibier.

Relais : chiens postés sur le parcours et qui vont remplacer les autres.

Concernant le gibier

Débucher : sortir la tête du taillis.

Forlonger : pour la bête, avoir une avance importante sur les chiens.

Fort/repaire : lieu de retraite de l'animal.

Refuite : ruse de l'animal qui revient sur ses pas. Lieu de passage de l'animal.

Rembucher : pénétrer à nouveau dans le bois.

Reposée : espace de repos de la bête pendant le jour.

Ressui : endroit où l'animal se sèche après la pluie.

Retour : ruse employée par le chevreuil et le cerf pour égarer les chiens.

Voie : ensemble des traces qui trahissent le passage du gibier.

CHAUFFER
– Chauffer en cuisine **cuire, rôtir, griller, bouillir**
– Chauffer trop fort **brûler, calciner, cramer**
– Chauffer un métal **porter au rouge, chauffer à blanc**
– Ustensile servant à chauffer un lit **bassinoire, bouillotte, moine**

CHAUFFEUR
voir aussi **pilote**
– Chauffeur imprudent **chauffard**
– Chauffeur d'un fiacre **cocher, automédon**
– Chauffeur d'un navire ou d'une barque **nocher**

CHAUSSÉE
voir aussi **chemin, route**
– Chaussée à quatre voies **autoroute, voie rapide**
– Recouvre la chaussée **bitume, goudron, macadam**

CHAUSSON
– Il porte des chaussons **pantoufles, charentaises, savates, mules**
– Chausson de danse **ballerine, demi-pointe, rythmique**

CHAUSSURE *Voir illustration p. 120*
voir aussi **soulier**
– Partie d'une chaussure **tige, claque, empeigne, quartier, trépointe, glissoir**

– Instrument utilisé pour conserver le maintien des chaussures **embauchoir, forme**
– Fabricant de chaussures **cordonnier, savetier, bottier**
– Grosse chaussure **godillot, grolle**
– Chaussure de marche **Pataugas, brodequin**
– Chaussure de sport **basket, tennis, joggeur**
– Chaussure de neige **snow-boot**
– Chaussure montante **bottillon, bottine, botte, boots**
– Chaussure de bois **sabot**
– Chaussure d'été **nu-pieds, claquette, tong, espadrille, sandale**
– Chaussure à longues lanières **spartiate**

– Chaussure à semelle mince **ballerine, escarpin**
– Chaussure basse **mocassin, richelieu**
– Chaussure orientale **babouche**
– Chaussure médiévale dont la pointe était relevée **poulaine**
– Chaussure des tragédiens dans l'Antiquité **cothurne**
– Chaussure des acteurs comiques dans l'Antiquité **socque**

CHAUVE
voir aussi **cheveu**
– État du chauve **calvitie**
– Perte des cheveux qui rend chauve **alopécie**
– Maladie qui rend chauve **pelade, teigne**

CHAUVE-SOURIS
– Ordre auquel appartient la chauve-souris **chiroptères**
– Grande chauve-souris frugivore de l'Inde **roussette, chien volant**
– Chauve-souris carnivore **rhinolophe**
– Chauve-souris d'Europe et d'Asie **noctule**
– Petite chauve-souris aux oreilles pointues **pipistrelle**
– Petite chauve-souris ayant de grandes oreilles **oreillard**
– Chauve-souris commune en France **vespertilion, sérotine**
– Chauve-souris nord-africaine **rhinopome**
– Monstre fantastique aux ailes de chauve-souris **guivre**

CHAUX
– Mélange de sable et de chaux **mortier, crépi**
– Four à chaux **chaufour**
– Enduire de chaux **chauler**
– Transformer du calcaire en chaux **calciner**

CHAVIRER
syn. **chanceler, vaciller**
– Le bateau chavire **dessale, abîme (s'), renverse (se), bascule, retourne (se), coule, sombre**
– Cette nouvelle m'a chaviré **bouleversé, retourné, ému, secoué, troublé**

CHEF
– Chef de section dans l'armée de terre **lieutenant, sous-lieutenant, aspirant, adjudant**
– Chef militaire **commandant, général, capitaine**
– Chef indien **cacique, sachem**
– Chef arabe **cheik, caïd, émir**
– Chef de famille dans l'Ancien Testament **patriarche**
– Chef d'entreprise **PDG, dirigeant, directeur, patron, boss**
– Chef d'orchestre **maestro**
– Chef cuisinier **coq, maître queux**

– Femme qui est le chef d'un groupe de scouts **cheftaine**
– Elle est derrière le chef **bande**

CHEF-D'ŒUVRE
voir **art**

CHEMIN
voir aussi **allée, circuit, passage, piste, sentier, voie**
– Chemin étroit **sente**
– Chemin abrupt **raidillon, rampe**
– Chemin creux **cavée**
– Chemin allant en se rétrécissant **boyau**
– Chemin déboisé percé dans une forêt **laie, layon**
– Chemin de traverse **raccourci**
– Chemin de halage **berme**
– Chemin de transhumance qu'empruntent les troupeaux de moutons **draille**
– Largeur d'un chemin de halage **lé**
– Chemin dans le désert **piste**
– Chemin dans le nord de la France **drève**
– Chemin parcouru par un projectile **trajectoire, courbe**
– Le chemin de Saint-Jacques-de-Compostelle **voie lactée**
– Individu parcourant les chemins **routard, chemineau**

CHEMIN DE FER
voir aussi **train**
– Infrastructure de chemin de fer **voie, aiguillage, passage à niveau, barrière**
– Accident de chemin de fer **déraillement**
– Relatif au chemin de fer **ferroviaire**
– Compagnie de chemin de fer française **SNCF**

CHEMINÉE *Voir illustration p. 122*
syn. **âtre, foyer**
– Accessoire de cheminée **chenet, pelle, tisonnier, soufflet, crémaillère, garde-feu**
– Plaque de cheminée **contrecœur, contre-feu**
– Conduit coudé de cheminée **dévoiement**
– Instrument servant à ramoner les cheminées **hérisson**
– Chandelle disposée sur une cheminée **oribus**

CHEMINEMENT
– Le cheminement d'un convoi **marche, avancée, progression, évolution**

CHEMINOT
– Cheminot qui participe à la manœuvre **wagonnier**
– Cheminot s'occupant de l'éclairage **lampiste**

CHEMISE
– Pan de chemise **bannière**

– Chemise de femme **corsage, tunique, blouse, chemisier**
– Accessoires des chemises d'homme **boutons de manchette, cravate, nœud papillon, barrette, épingle**
– Étoffe employée pour faire des chemises **batiste, popeline, madapolam, soie, nansouk, shirting, coton**
– Entretien d'un col de chemise **empesage, amidonnage**
– Chemise de nuit courte **nuisette**
– Petite chemise des nouveau-nés **brassière**
– Chemise de contention utilisée en psychiatrie **camisole**
– Longue chemise grecque dans l'Antiquité **chiton**
– Ample chemise des empereurs romains **dalmatique**
– Chemise de mailles au Moyen Âge **jaseran, haubert**
– Chemise de pénitence **haire, cilice**

CHÊNE
– Famille à laquelle appartient le chêne **cupulifères**
– Petit chêne **chêneau**
– Chêne des garrigues **yeuse, chêne kermès**
– Chêne des forêts **rouvre**
– Chêne du Sud-Ouest français **tauzin**
– Chêne exotique d'Afrique du Nord **zéen**
– Chêne d'Amérique du Nord à écorce jaune **quercitron**
– Forêt de chênes **chênaie**
– Chêne dont les fruits sont utilisés en teinturerie **vélani**
– Fruit du chêne **gland**
– Enveloppe du fruit du chêne **cupule, vélanède, induvie**
– Poudre d'écorce de chêne utilisée en corroyage **tan**
– Écorce du chêne qui produit le tan **regros**
– Bois de chêne dont on fait les tonneaux **douvain, bourdillon, merrain**
– Maladie du chêne **galle, cécidie**
– Champignon et insecte parasites du chêne **langue-de-bœuf, kermès**
– Plante parasite du chêne **gui**

CHENET
– Chenet dont l'extrémité est ornée d'une figurine grotesque **marmouset**
– Long chenet de cuisine muni de crans **hâtier, landier**
– Petit chenet sur lequel on pose les casseroles **chevrette**

CHENILLE
voir aussi **larve**
– Stade de développement de la chenille **larve, chrysalide**
– Enveloppe dans laquelle se forme la chenille **cocon**
– Chenille des mûriers **ver à soie**

– Chenille détruisant les vignes **cochylis, eudémis**
– Chenille détruisant les céréales **agrotis**
– Chenille de la phalène **arpenteuse, géomètre**
– Insecte détruisant les chenilles **carabe**
– Qui a la forme d'une chenille **éruciforme**

CHÈQUE
– Compte chèques postal **CCP**
– Couverture d'un compte permettant de tirer des chèques **provision**
– Encaisser un chèque **endosser**
– Chèque de voyage **traveller chèque**
– Chèque cadeau **bon**

CHER
– Un objet cher **précieux, rare, onéreux, ruineux, inestimable, coûteux**
– Qui n'est pas cher **bon marché, abordable, accessible**
– Vendre moins cher **solder, dégriffer, démarquer, brader**
– Ce qui coûte le plus cher, le moins cher **haut de gamme, bas de gamme**
– Une personne chère **aimée, adorée, chérie, adulée, préférée**

CHERCHER
voir aussi **explorer**
– Chercher un objet rare **chiner, fouiner**
– Chercher en tous sens **fouiller, fourrager, fureter**
– Chercher méthodiquement dans un secteur **ratisser**
– Chercher du regard **scruter**
– Chercher un animal **pister, traquer**
– Chercher la solution **réfléchir à, penser à, enquêter**
– Chercher à savoir **sonder, enquérir de (s')**
– Chercher à atteindre un objectif **efforcer de (s'), évertuer à (s'), tendre à, essayer, tenter de**
– Où allez-vous chercher cela ? **imaginer, inventer, supposer**

CHERCHEUR
– Chercheur d'or par lavage dans les fleuves **orpailleur**
– Les chercheurs d'un laboratoire **scientifiques, savants**
– Chercheur de têtes **chasseur**

CHÉRIR
– Elle chérit ses neveux comme ses propres enfants **affectionne, adore, aime**
– Chérir le souvenir **vénérer**

CHÉTIF
– C'est un enfant chétif **malingre, étiolé, rachitique, maigre, fragile**
– De chétives récompenses **dérisoires, chiches, médiocres, pauvres, insuffisantes**

CHEVAL
Voir illustration p. 125, tableau robes des chevaux, p. 126, et illustration harnais, p. 288
voir aussi **allure**
– Qui a trait au cheval **hippique, chevalin**
– Cheval destiné à la reproduction **étalon**
– Jeune cheval **poulain**
– Cheval de petite taille **poney**
– Cheval sauvage **mustang, tarpan**
– Cheval châtré **hongre**
– Hybride mâle d'une jument et d'un âne **mulet**
– Hybride mâle d'un cheval et d'une ânesse **bardot**
– Mauvais cheval **haridelle, rosse, bidet, bourrin, canasson**
– Cheval pur sang d'un an **yearling**
– Cheval monté par les pages au Moyen Âge **roussin**
– Cheval de bât au Moyen Âge **bidet, sommier**
– Cheval de bataille au Moyen Âge **destrier**
– Cheval d'allure douce que montaient les dames **haquenée**
– Cheval de cérémonie **palefroi**
– Cheval ailé **Pégase, hippogriffe**
– Être fabuleux, moitié homme et moitié cheval **centaure**
– Cheval de course **coureur, trotteur, pur-sang**
– Personne qui monte à cheval **écuyer, amazone, jockey, cavalier**
– Personne qui soigne les chevaux **palefrenier, lad**
– Enceinte où l'on promène les chevaux en main **paddock**
– Lieu destiné à la reproduction des chevaux **haras**
– Lieu où se pratiquent le dressage du cheval et l'équitation **manège**
– Science de l'élevage et du dressage du cheval **hippotechnie**
– Livre généalogique d'un cheval **studbook**
– Marchand de chevaux **maquignon**
– Un véhicule tiré par un cheval **hippomobile**
– Amateur de viande de cheval **hippophage**

CHEVALERIE
voir aussi **féodalité, noblesse**
– Principe de la chevalerie **bravoure, courtoisie, loyauté**
– Chanson relatant les exploits de chevalerie **chanson de geste, épopée**
– Ordre de chevalerie **Saint-Esprit, Saint-Michel, Sainte-Ampoule, Légion d'honneur, Toison d'or, Malte**

CHEVALIER
– Chevalier errant **paladin**
– Chevalier servant d'une dame **sigisbée**
– Chevalier faisant preuve de vaillance **preux**

– Chevalier fidèle à son serment **féal**
– Jeune noble aspirant chevalier **damoiseau**
– Cérémonie par laquelle un jeune homme était fait chevalier **adoubement**
– Coup du plat de l'épée donné sur l'épaule d'un chevalier **accolade**
– Défi d'un chevalier à l'égard d'un autre **cartel**
– Chevalier qui adresse un cartel **tenant**
– Combat de chevaliers **tournoi, joute, duel, carrousel**
– Chevalier qui combattait lors d'un tournoi **champion**
– Cor en ivoire du chevalier **olifant**
– Attribut du chevalier romain **anneau d'or, trabée, angusticlave**

CHEVET
– Le chevet du lit **tête**
– Chevet dans une église **abside**
– Elle est restée au chevet du malade **aux côtés de, auprès de**

CHEVEU
Voir illustration p. 129
voir aussi **coiffure**
– Ensemble des cheveux **chevelure, toison, crinière, tignasse**
– Touffe de cheveux sur le haut de la tête **toupet, houppe, épi, mèche**
– Blanchiment des cheveux **canitie**
– Vieil homme aux cheveux blancs **chenu**
– Perte des cheveux **alopécie**
– Espace sur le sommet de la tête d'un moine où les cheveux ont été rasés **tonsure**
– Patte de cheveux sur la joue d'un homme **rouflaquette**
– Cheveux attachés **couette, queue de cheval, chignon, natte, tresse**
– Filet à cheveux **résille, réticule**
– Procédé qui consiste à faire des mèches colorées ou décolorées dans les cheveux **balayage**
– Cheveux postiches **perruque**
– Avoir un cheveu sur la langue **zézayer, bléser, zozoter**
– Tiré par les cheveux **illogique, fantaisiste, décousu, boiteux, incohérent, irrationnel, absurde, extravagant**

CHEVILLE
– Type de cheville **tourillon, goupille, goujon, fiche, épite, enture**
– Petite cheville aplatie **clavette**
– Cheville de tonneau **fausset**
– Cheville sur un bateau **cabillot, gournable**
– Saillie osseuse de la cheville **malléole**

CHÈVRE
voir aussi **bique, mouton**
– Famille de la chèvre **capridés**
– Sous-famille de ruminants à laquelle appartient la chèvre **caprinés**
– Mâle de la chèvre **bouc**

– Petit de la chèvre **chevreau, cabri, biquet**
– Relatif à la chèvre **caprin, hircin**
– Chèvre sauvage **bouquetin**
– Chèvre à cornes creuses **cavicorne**
– Chèvre du Levant **menon**
– Mettre bas pour une chèvre **biqueter, chevroter**
– Saut de la chèvre **cabriole**
– Peau de chèvre **maroquin, chagrin, parchemin**
– Cri de la chèvre **béguètement, bêlement, chevrotement**
– Personne qui garde les chèvres **chevrier**
– Tissu ou laine en poil de chèvre **mohair, cachemire, angora**
– Couverture en peau de chèvre dont on recouvrait les chevaux **chabraque**
– Divinité champêtre à pieds de chèvre **Pan, satyre, Ægipan**
– Fromage de chèvre **chabichou, chevreton, cendré, crottin, valençay**

CHEVREAU
– Deux chevreaux sont nés **biquets, cabris**

CHEVREUIL
voir aussi **cerf**
– Femelle du chevreuil **chevrette**
– Petit du chevreuil **faon, chevrillard**
– Morceau apprécié dans le chevreuil **gigue, selle, longe**

CHIC /1
syn. **aisance, allure, classe, prestance**

CHIC /2
– Une toilette chic **élégante, soignée, raffinée**
– Une personne chic **BCBG (bon chic bon genre), NAP (Neuilly Auteuil Passy), distinguée**
– Il a été chic avec moi **sympathique, gentil, chouette, bienveillant**

CHICANE
– Il cherche sans cesse la chicane **altercation, controverse, bisbille, discorde, polémique, dispute, contestation, tracasserie**
– Se livrer à des chicanes **arguties, ergoteries**

– User de chicanes lors d'un procès **avocasseries**

CHICANER
syn. **ergoter**
– Individu qui chicane sur des riens **ergoteur, pinailleur, chipoteur**

CHIEN
cyn(o)
– Relatif au chien **canin**
– Jeune chien **chiot**
– Gros chien de garde **mâtin, molosse**
– Un chien croisé **mâtiné**
– Chien mâtiné **bâtard, corniaud**
– Terme familier pour désigner un chien **cabot, clébard**
– Petit chien qui hargneux qui aboie tout le temps **roquet**
– Cri du chien **glapissement, jappement, aboiement**
– Généalogie d'un chien de race **pedigree**
– Femelle d'un chien de chasse **lice**
– Gros chien de chasse **limier**
– Chien de garde dans la mythologie grecque **Cerbère**

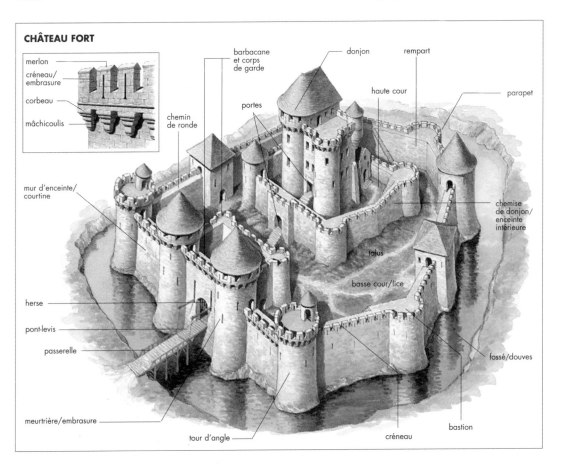

CHÂTEAU FORT

merlon
créneau/embrasure
corbeau
mâchicoulis

chemin de ronde

barbacane et corps de garde
portes
donjon
rempart
haute cour
parapet

mur d'enceinte/courtine

chemise de donjon/enceinte intérieure

talus

basse cour/lice

herse
pont-levis
passerelle

fossé/douves

meurtrière/embrasure
tour d'angle
créneau
bastion

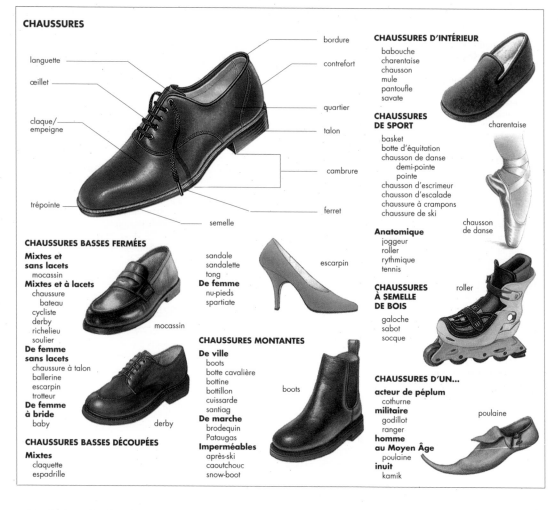

CHAUSSURES

languette
œillet
claque/empeigne
trépointe

bordure
contrefort
quartier
talon
cambrure
ferret
semelle

CHAUSSURES D'INTÉRIEUR
babouche
charentaise
chausson
mule
pantoufle
savate

CHAUSSURES DE SPORT
basket
botte d'équitation
chausson de danse
  demi-pointe
  pointe
chausson d'escrimeur
chausson d'escalade
chaussure à crampons
chaussure de ski

charentaise

chausson de danse

Anatomique
joggeur
roller
rythmique
tennis

CHAUSSURES À SEMELLE DE BOIS
galoche
sabot
socque

roller

CHAUSSURES BASSES FERMÉES

Mixtes et sans lacets
mocassin
Mixtes et à lacets
chaussure
  bateau
cycliste
derby
richelieu
soulier
De femme sans lacets
chaussure à talon
ballerine
escarpin
trotteur
De femme à bride
baby

mocassin

derby

sandale
sandalette
tong
De femme
nu-pieds
spartiate

escarpin

CHAUSSURES MONTANTES

De ville
boots
botte cavalière
bottine
bottillon
cuissarde
santiag
De marche
brodequin
Pataugas
Imperméables
après-ski
caoutchouc
snow-boot

boots

CHAUSSURES D'UN...
acteur de péplum
cothurne
militaire
godillot
ranger
homme au Moyen Âge
poulaine
inuit
kamik

poulaine

CHAUSSURES BASSES DÉCOUPÉES

Mixtes
claquette
espadrille

– Abri du chien **chenil, niche**

CHIFFON
voir aussi **papier**
– Chiffon employé pour la fabrication du papier **peille, pilot**
– Morceau de chiffon usagé **loque, lambeau**
– N'avoir que des chiffons sur le dos **haillons, guenilles, hardes, oripeaux**
– Vieux chiffons dont on remplit les coussins **bourre**
– Ramasse les vieux chiffons **biffin**

CHIFFONNÉ
– Son pantalon est tout chiffonné **froissé, fripé, bouchonné**

CHIFFONNER
– Cette nouvelle me chiffonne **turlupine, tracasse, contrarie, chagrine, préoccupe**

CHIFFRE
syn. **nombre, numéro**
– Science des chiffres **arithmétique, algèbre, calcul**
– Chiffre de référence **indice, coefficient**
– Addition de chiffres **total, somme**
– Qui comporte des chiffres et des lettres **alphanumérique**
– Un code avec des chiffres **numérique, digital**
– Série de chiffres permettant d'ouvrir un coffre-fort **combinaison**
– Écriture en chiffres **code, cryptage**
– Chiffre gravé sur un sceau **marque, monogramme, poinçon**

CHIMÈRE
– Il ne vit que de chimères **rêves, songes, fantasmes, utopies, mirages, visions, illusions**

CHIMIE *Voir tableaux termes de chi-*

mie, p. 130, éléments chimiques, p. 216
– Notation utilisée en chimie **symbole, formule**
– Réaction en chimie **catalyse**
– Méthode employée en chimie **analyse, synthèse**

CHINOIS
– Empire chinois **empire du Milieu**
– Étude du monde chinois **sinologie**
– Caractère graphique constituant l'écriture chinoise **idéogramme, sinogramme**
– Transcription latine des caractères chinois **pinyin**
– Élément de la cosmologie chinoise **yin, yang**
– Philosophie métaphysique chinoise **taoïsme**
– Philosophie chinoise basée sur l'intégrité morale **confucianisme**
– Pratique de divination chinoise **Yi-king, Yijing, achilléomancie**

– Ancien fonctionnaire chinois **mandarin**
– Sport chinois **tai-chi-chuan, kung-fu**
– Médecine chinoise **acupuncture**
– Jeu chinois **mah-jong, tangram, cerf-volant, go**
– Invention chinoise **imprimerie, boussole, sablier, feux d'artifice, examens scolaires, nouilles**
– Ancienne monnaie chinoise **sapèque, tael**
– Mesure chinoise équivalent à 576 m **li**

CHIPIE
– C'est une vraie chipie ! **garce, peste, pimbêche**

CHIRURGICAL
– Prélèvement chirurgical en vue d'analyse **biopsie**
– Intervention chirurgicale **opération**
– Endort avant une intervention chirurgicale **anesthésie, insensibilisation, péridurale**

CHIRURGIE *Voir tableaux interventions chirurgicales, p. 133, vocabulaire de la chirurgie, p. 134, opérations chirurgicales, p. 425*
voir aussi **médecine**
– Acte de chirurgie **incision, ablation, amputation, implantation, ponction, greffe, césarienne, ligature**
– Chirurgie du système nerveux **neurochirurgie**
– Chirurgie utilisant le froid **cryochirurgie**
– Étudiant en chirurgie **carabin**

CHIRURGIEN
voir aussi **praticien, opérateur**
– Chirurgien-dentiste **stomatologue**
– Mauvais chirurgien **charcutier**
– Personne qui aide le chirurgien **assistant, instrumentiste**

CHOC
voir aussi **percussion, heurt**
syn. **accident, collision**
– Conséquence d'un choc **commotion, traumatisme, fissure, fêlure, cassure, blessure, bouleversement, stupeur, ébranlement**
– Élément d'un véhicule servant à amortir les chocs **butoir, amortisseur, pare-chocs, tampon**
– Choc d'un marteau **martèlement**
– Choc des épées **cliquetis**

CHOCOLAT *Voir tableau p. 137*
voir aussi **cacao**
– Étape de fabrication du chocolat **torréfaction, criblage, décorticage, broyage, raffinage**
– Présentation du chocolat **barre, bille, croquette, pastille, poudre, rocher, tablette, vermicelle**

– Crème au chocolat **ganache**
– Fabricant de chocolat **chocolatier**
– Friandise au chocolat **crotte, truffe**
– Gâteau au chocolat **sachertorte, forêt-noire**

CHŒUR
syn. **chorale**
– Individu appartenant au chœur antique **choreute**
– Hymne chanté par le chœur **dithyrambe**
– Citoyen organisant à ses frais un chœur de danse dans l'Antiquité **chorège**
– Chef de chœur du théâtre antique **coryphée**
– Refrain liturgique repris par le chœur **antienne**
– Chant religieux exécuté par un soliste et répété par le chœur **répons**
– Maître de chœur d'un service religieux **grand chantre**
– Chant liturgique exécuté par un chœur **motet, cantate**
– Reprise en chœur **chorus**
– Membre d'un chœur **choriste**
– Musique pour chœur **polyphonie**
– Chœur d'enfants **psallette, maîtrise, manécanterie**
– Partie de l'église située derrière le chœur **abside, choréa**
– Galerie située autour du chœur d'une église **déambulatoire**

CHOISIR
syn. **jeter son dévolu sur**
– C'est lui qu'ils ont choisi **préféré, adopté, élu**
– Choisir entre deux partis **engager (s'), opter, prononcer (se)**
– Choisir un collaborateur **nommer, désigner, distinguer**
– Choisir parmi ses pairs **coopter**
– Choisir une profession **embrasser**
– Choisir radicalement **trancher, prendre parti, décider (se)**
– Choisir les membres d'une équipe **sélectionner, retenir**
– Incapacité à choisir **aboulie**
– Un individu qui choisit **sélectif, électif**
– Recueil de morceaux choisis **anthologie, chrestomathie, florilège**

CHOIX
– C'est son choix **résolution, décision, détermination, préférence**
– Choix entre deux options **alternative**
– Choix difficile **dilemme**
– Un choix équitable **impartial, objectif**
– Faire un choix très personnel **subjectif, arbitraire, partial**
– Élimination à la suite d'un choix **rejet, exclusion, expulsion**
– Choix d'objets **collection, assortiment, éventail, sélection, palette**

CHÔMAGE
– Mettre au chômage **mettre à pied, licencier, congédier, remercier**
– Allocations de chômage **ASSEDIC (Association pour l'emploi dans l'industrie et le commerce)**

CHOQUER
syn. **frapper, aller contre les principes, les bienséances**
– Choquer par son apparence **rebuter, repousser, effaroucher**
– Choquer par ses idées **scandaliser**
– Choquer les convictions de quelqu'un **ébranler, bouleverser**
– Choquer la sensibilité d'une personne **blesser, offenser, offusquer, froisser, heurter, vexer, mortifier, humilier, désobliger, fâcher**
– Ce drame l'a profondément choqué **perturbé, traumatisé, ému**
– Choquer des verres **porter un toast, trinquer**
– Des sons qui choquent les oreilles **écorchent**

CHORUS
– Faire chorus **approuver**

CHOSE
syn. **objet**
– Leçon de choses **sciences naturelles, biologie**
– Elle regarde les choses en face **réalité**
– Avant toute chose **d'abord, premièrement**
– Monsieur Chose **Untel**
– Petite chose sans intérêt **truc, bricole, gadget, babiole, bagatelle, vétille, colifichet, broutille**
– Chose sans gravité **incident**
– Se tenir informé des choses **actualité, situation, nouvelles**
– Il se sent tout chose **décontenancé, souffrant, bizarre, confus, penaud, embarrassé, désorienté, démonté, mal à l'aise, intimidé**

CHOU
– Variété de choux comestibles **chou-fleur, chou-navet, chou-rave, chou de Bruxelles, chou chinois, chou pommé, chou cabus, chou rouge, chou vert, chou blanc, chou frisé**
– Chou d'Italie **brocoli**
– Soupe au chou **bortsch, garbure**
– Arbre dont le fruit est le chou palmiste **aréquier**
– Chou marin **crambe**
– Pâtisserie faite avec des choux **pièce montée, paris-brest, profiterole, saint-honoré**
– Beignet fait avec de la pâte à chou **pet-de-nonne**
– Chou pâtissier recouvert de sucre **chouquette**

CHOUETTE

– Ordre auquel appartient la chouette **strigiformes**
– Famille à laquelle appartient la chouette **strigidés**
– Chouette commune des bois **hulotte, chat-huant**
– Petite chouette des bois **chevêche**
– Chouette nichant dans les clochers **effraie**
– Chouette des neiges **harfang**
– Cri de la chouette **chuintement, hululement**
– Déesse grecque dont l'animal fétiche est la chouette **Athéna**
– Symbolisme de la chouette **sagesse**

CHRÉTIEN /1

voir aussi **dieu**
– Chrétien d'Espagne pratiquant sous la domination musulmane **mozarabe**
– Nom que donnent les juifs et les chrétiens à un païen **gentil**
– Nom donné à un chrétien par les juifs **goy**
– Nom donné à un chrétien par les musulmans **roumi, giaour**

CHRÉTIEN /2

– Religion chrétienne **christianisme**
– Église chrétienne **catholique, protestante, orthodoxe**

CHRIST

– Le Christ **Jésus, Sauveur, Fils de Dieu, Agneau de Dieu, Messie, Seigneur**

CHROMOSOME

voir aussi **génétique**
– Principal constituant des chromosomes **ADN**
– Aspect du chromosome **bâtonnet**
– Arrangement des chromosomes d'une cellule d'être vivant **caryotype**
– Dédoublement des chromosomes **caryocinèse, mitose**
– Cellule possédant le nombre normal de chromosomes **diploïde**
– Chromosome ayant une action sur la détermination du sexe **hétérochromosome, allosome, gonosome**
– Chromosome sans action sur la détermination du sexe **autosome, euchromosome**
– Anomalie due à la présence d'un chromosome supplémentaire **trisomie**
– Enjambement des chromosomes **crossing-over**

CHRONIQUE

– Chronique des événements **annales, Mémoires, récit**
– Chronique de journal **article**
– Chronique mondaine **carnet, échos**
– Livre des Chroniques dans l'Ancien Testament **Paralipomènes**

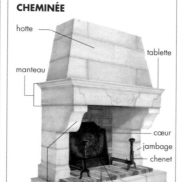

CHEMINÉE

hotte
tablette
manteau
cœur
jambage
chenet
contrecœur
corbeau
âtre/foyer

CHRONOLOGIE

– Étude de la chronologie **histoire**
– Ouvrage qui rapporte la chronologie des événements **annales, éphéméride**
– Table des chronologies journalières dans l'Antiquité romaine **fastes, calendrier**
– Chronologie erronée **anachronisme, parachronisme**
– Début de la chronologie musulmane **hégire**

CHUCHOTER

– Il chuchote quelques mots **murmure, marmonne, souffle**
– Chuchoter à l'oreille de quelqu'un **murmurer, susurrer**
– Le ruisseau chuchote **bruit**

CHUTE

– Chute dans une course **cabriole, culbute, bûche, glissade**
– Chute de pierres **éboulement, effondrement**
– Chute d'une masse neigeuse **avalanche**
– Chute d'étoffe, de bois, de métal **résidu, déchet, débris, scorie, copeau**
– Loi de la chute des corps **pesanteur**
– Chute des feuilles **défoliation**
– Chute en lamelles de l'écorce d'un arbre **exfoliation**
– Maladie entraînant la chute des cheveux **pelade, teigne**
– Désigne la chute des cheveux **alopécie**
– Après la chute des cheveux **calvitie**
– Chute importante des valeurs boursières **krach**
– Chute du jour **crépuscule, brune**
– Période annonçant la chute d'un empire **déclin, décadence**
– Chute d'une ville **capitulation, reddition**
– Chute morale **déchéance, avilissement**
– Chute de l'homme **péché originel**

CIBLE

– Cible mobile des fêtes foraines **figurine, pipe**
– Cible de tir au fusil **carton, point de mire**
– Cible de tir à l'arc imitant un oiseau **papegai**
– Cible du jeu de boules **cochonnet**
– Mannequin mobile employé comme cible **quintaine**
– Point central d'une cible **mouche**
– Appareil utilisé pour lancer les cibles **ball-trap**
– Se donner pour cible **visée, terme**
– Manquer la cible **but, objectif**

CICATRICE

voir aussi **marque**
syn. **entaille, estafilade, scarification**
– Cicatrice résultant d'une blessure provoquée par une arme **balafre**
– Longue cicatrice **couture**
– Cicatrice ombilicale **nombril**
– Boursouflure de la peau sur une cicatrice **chéloïde**
– Cicatrices laissées par un événement douloureux **stigmates, traces**

CICATRISATION

– La cicatrisation d'une coupure **fermeture, guérison, réparation**
– La cicatrisation d'une peine **consolation, soulagement, adoucissement, apaisement, disparition**

CIDRE

– Relatif au cidre **cidricole**
– Un cidre très agréable **gouleyant**
– Cidre de poire **poiré**
– Cidre de pomme et de poire **halbi**
– Eau-de-vie de cidre **calvados**
– Bol de cidre **bolée**
– Dépôt du cidre **lie, fèces**
– Se dit d'un cidre dont le goût est altéré par un défaut **gras, framboisé, amer, acescent**
– Maladie du cidre **casse**
– Étape de fabrication du cidre **broyage, lavage, pressurage, remiage, bouillaison**
– Machine utilisée pour l'extraction du cidre **pressoir**
– Résidu des pommes à cidre après le pressage **marc**

CIEL

voir aussi **astrologie, astronomie**
– Ciel, dans le langage poétique **nue, éther, voûte étoilée**
– Ciel qui accueille les bienheureux **paradis**
– Peuplent le ciel **nuages, étoiles, Soleil, Lune**
– Voûte constituée par le ciel au-dessus de nos têtes **firmament**
– Relatif au ciel **céleste**

– Partie la plus élevée dans le ciel habitée par les dieux **empyrée**
– Aller au ciel **mourir**
– Bleu du ciel **azur**
– Bleu ciel **céruléen**
– Ciel de lit **baldaquin, dais**

CIERGE

syn. **bougie, chandelle**
– Cierge d'une église **luminaire**
– Cierge postiche **souche**
– Porte-cierges **chandelier, candélabre, torchère, herse**
– Ustensile utilisé pour éteindre les cierges **éteignoir**
– Instrument servant à confectionner les cierges **rouloir**
– Plante en forme de cierge **molène**

CIGARE

– Sorte de cigare **havane, londrès, trabuco, panatela, voltigeur**
– Petit cigare **cigarillo, ninas**
– Feuille de tabac constituant l'enveloppe du cigare **cape, robe**
– Partie du cigare **poupée, tripe, souscape**
– Ouvrière qui travaille à la confection des cigares **cigarière**

CIMENT

voir aussi **chaux**
– Ciment fait de calcaire et d'argile **portland**
– Mélange de sable et de ciment **gunite**
– Mélange de ciment, de sable et de cailloux **béton**
– Mélange de ciment et d'amiante **fibrociment**
– Mélange d'eau et de ciment **barbotine**
– Enduit de ciment teinté **crépi**
– Mortier de ciment **gâchis**

CIMENTER

– Cimenter une union **sceller, consolider, affermir**

CIMETIÈRE

– Cimetière souterrain **crypte, hypogée, catacombes**
– Vaste cimetière orné de monuments funéraires **nécropole**
– Sorte de cimetière sans tombes **fosse, charnier**
– Lieu au cimetière où l'on dépose un mort **sépulture, caveau, tombe**
– Lieu souvent proche d'un cimetière où l'on conserve les ossements **ossuaire**
– Lieu d'incinération dans un cimetière **crématorium**
– Bâtiment d'un cimetière où sont placées les urnes cinéraires **columbarium**
– Terrain concédé dans un cimetière **concession**
– Individu qui saccage les tombes d'un cimetière **profanateur, violateur**

CINÉMA Voir tableau p. 138

voir aussi **film**
– Ancêtre du cinéma **lanterne magique, kinétoscope, phénakistiscope, fusil photographique, chronophotographe, praxinoscope, stroboscope, zootrope**
– Procédé de cinéma sur plusieurs écrans **cinérama**
– Cinéma sur grand écran **cinémascope**
– Procédé de cinéma en relief **vidiréal**
– Cinéma conçu dans l'esprit du reportage ou du roman **caméra-stylo**
– Acteur jouant un rôle secondaire au cinéma **figurant, comparse**
– Distribution des rôles au cinéma **casting**
– Amateur de cinéma **cinéphile**
– Directeur d'un cinéma **exploitant**
– Personnel d'un cinéma **ouvreur(euse), vigile, caissier(ière), projectionniste**
– Trophée du cinéma **oscar, palme, lion, césar, ours**

CINQ

– Cinq fois plus grand **quintuple**
– Prévu pour cinq ans **quinquennal**
– Ils sont cinq **sens, doigts, continents**
– Polygone à cinq angles **pentagone**
– Intervalle de cinq degrés en musique **quinte**
– Groupe de cinq musiciens **quintette**
– Vers de cinq pieds **pentamètre**

CINTRE

– Cintre d'une tonnelle **cerceau, arceau**
– Il a posé ses vêtements sur le cintre **portemanteau, valet de nuit**

CIRCONFÉRENCE

voir aussi **cercle**
– Circonférence d'une surface circulaire **tour, pourtour**
– Quart de circonférence **quadrant**
– Segment d'une circonférence **arc**
– Élément permettant le calcul d'une circonférence **rayon, diamètre**
– Nombre nécessaire au calcul de la circonférence **pi (3,1416)**
– Ligne droite ayant un seul point commun avec la circonférence **tangente**
– Ligne droite ayant deux points communs avec la circonférence **sécante**

CIRCONSTANCE

– Il faut profiter de la circonstance **occasion, situation, moment**
– Cela dépend des circonstances **conditions, conjoncture**
– Concours de circonstances **hasard, coïncidence**

CIRCUIT

– Circuit touristique **parcours, périple, tour, voyage, randonnée**
– Partie d'un circuit touristique **étape**
– Le circuit du bus **trajet, itinéraire**

– Élément d'un circuit électrique **condensateur, résistance, transistor, générateur, récepteur**
– Hors circuit **évincé, exclu**
– En circuit fermé **replié sur soi**

CIRCULAIRE

– Un mouvement circulaire **giratoire, rotatoire**
– Tracé circulaire **ceinture, circuit**
– Édifice circulaire **coupole, rotonde, cirque, arène**
– Une folie circulaire **cyclique, intermittente, périodique**
– Boulevard circulaire **périphérique, ceinture**

CIRCULATION

syn. **mouvement**
– Circulation automobile **trafic**
– Étude de la circulation sanguine **angiologie**
– Monnaie en circulation **ayant cours**
– Circulation de marchandises **écoulement, débit**
– Circulation commerciale **transaction, échange, import-export**
– Mettre un produit en circulation **lancer, diffuser, promouvoir, commercialiser**

CIRE

– Mélange de cire avec une autre matière **incération**
– Cire ménagère **encaustique, cirage**
– Pain de cire vierge **marquette**
– Composition de sculpture en cire **céroplastie**
– Disque sur un chandelier servant à recueillir la cire liquide **bobèche**
– Arbre de la Louisiane produisant de la cire **myrica**
– Médicament constitué de cire et d'huile **cérat**
– Cire formée dans le conduit externe de l'oreille **cérumen**
– Ôter le miel de la cire **démieller**
– Gâteau de cire du cadre des ruches **rayon, gaufre**

CIRER

– Cirer un meuble **encaustiquer**
– Cirer les pompes à quelqu'un **flatter**

CIRQUE

– Structure du cirque **chapiteau, piste, gradins**
– Gens du cirque **forains**
– Artiste du cirque **clown, illusionniste, acrobate, trapéziste, dompteur, banquiste, écuyer**
– Ensemble des animaux d'un cirque **ménagerie, fauverie**
– Cirque antique **arène, amphithéâtre, carrière**
– Cirque aménagé pour les courses de chars **hippodrome**

– Porte de sortie du cirque antique **vomitoire**
– Jeu du cirque antique **combat de gladiateurs, naumachie**

CISAILLE
– Cisaille d'horticulture **sécateur**
– Cisaille servant à couper les fruits haut placés **cueilloir**
– Cisaille électrique **taille-haie**
– Cisaille employée en chaudronnerie **cisoires**

CISEAU
– Partie d'une paire de ciseaux **branche, anneau, tranchant, pointe, entablure**
– Élément du ciseau à bois **lame, biseau, chanfrein, collet, embase, manche**
– Ciseau de sculpteur **riflard, gradine**
– Petit ciseau d'orfèvre **cisoir, ovoir**
– Ciseau de ciseleur, de graveur **ciselet, burin, matoir**
– Ciseau de marbrier **hougnette**
– Ciseau d'ébéniste **bédane, ébauchoir, gouge, poinçon**
– Ciseaux employés pour éteindre les chandelles **mouchette**
– Grands ciseaux employés pour tondre les moutons **forces**
– Travailler une matière avec un ciseau **buriner, graver, ciseler**
– Art de ciseler avec le ciseau **toreutique**

CISELER
syn. **sculpter**
– Il aime ciseler son travail **fignoler, parfaire, polir, soigner, perfectionner**

CITADELLE
– Le bourg est une ancienne citadelle **forteresse, fortin, casemate, bastide**
– Citadelle établie lors des croisades **krak**
– Citadelle arabe **casbah, ksar**
– Citadelle antique **oppidum**
– Palissade qui protégeait une citadelle **vallum**
– Entrée principale d'une citadelle **propylée**

CITATION
– Ce dictionnaire donne des citations **extraits, passages**
– Citation célèbre **mot**
– Citation exprimant une vérité générale **proverbe, maxime, apophtegme, sentence, adage**
– Annoncent une citation **guillemets, deux-points**

CITER
– Citer une personne en justice **ajourner, assigner, convoquer, traduire, appeler**
– Citer un texte de loi pour sa défense **invoquer, alléguer**
– Citer un fait par écrit **consigner**

– Citer un souvenir **évoquer, rappeler, rapporter, relater**
– Citer un auteur **mentionner**
– Citer quelque chose à l'attention d'une personne **signaler, indiquer**

CITOYEN
– Relatif au citoyen **civique**
– Qualité du citoyen **citoyenneté**
– Dénombrement des citoyens **recensement**
– Citoyen d'un pays à l'étranger **ressortissant**
– Accueil de citoyens étrangers **immigration, intégration, assimilation**
– Celui qui défend les droits des citoyens face à l'État **médiateur, ombudsman**
– Le Roi-Citoyen **Louis-Philippe**

CITOYENNETÉ
– Accorder la citoyenneté à un étranger **naturaliser**

CITRON
– Catégorie de fruits à laquelle appartient le citron **agrumes**
– Ancien nom du citron **limon**
– Citron vert **lime**
– Citron parfumé **poncire**
– De la couleur du citron **citrin**
– Fine tranche de citron **rouelle, tailladin**
– Écorce superficielle du citron **zeste**
– Arbre sur lequel poussent les citrons **citronnier, citrus**
– Presser un citron **épreindre**
– Boisson à base de citron **citronnade, citronnelle, daiquiri**

CIVIL
– Les droits civils **civiques**
– Un baptême civil **laïque, républicain**
– Une guerre civile sévit dans ce pays **intestine**

CIVILISATION
syn. **évolution, progrès**
– La civilisation contemporaine **société, culture**
– Période d'influence d'une civilisation **ère**
– Champ d'étude d'une civilisation ancienne **esthétique, scientifique, religieux, culturel, économique, politique, social**

CIVILITÉ
– Règle de civilité **courtoisie, politesse, savoir-vivre, bonnes manières, bienséance**
– Formule de civilité **salut, compliment**

CLAIR
– Une eau claire **limpide, cristalline, transparente**
– Vin clair **clairet, paillet**

– Un verre clair **translucide, diaphane**
– Une étoffe claire **pastel**
– Un son clair **argentin**
– Un ciel clair **serein, pur, dégagé**
– Une pièce claire **ensoleillée**
– Un regard clair **lumineux, tranquille, sincère, innocent, calme, sans malice**
– Parler clair **sans ambiguïté, sans équivoque**
– Une explication claire **intelligible, accessible, compréhensible**
– Rendre clair **clarifier, élucider, démêler, expliquer, expliciter**
– Qui a une perception claire des choses **fin, lucide, perspicace, clairvoyant, sagace, intelligent, pénétrant, avisé**
– Elle parle d'une voix claire **distincte, nette, haute, catégorique**
– Il est clair que cela ne durera pas **certain, sûr, évident**

CLAIREMENT
– Les marins aperçoivent clairement la côte **précisément, nettement, distinctement**
– Il a clairement présenté la situation **intelligiblement, intelligemment**
– Elle affiche clairement ses opinions **crûment, franchement, catégoriquement, ouvertement, librement, sincèrement**

CLAIRVOYANT
– C'est une personne clairvoyante **lucide, sagace, perspicace, fine**

CLAN
syn. **caste, groupe, tribu**
– Il existe différents clans au sein de cette entreprise **partis, camps, coteries**
– Groupe de clans **phratrie**
– Mariage entre membres de clans différents **exogamie**
– Mariage entre membres d'un même clan **endogamie**

CLANDESTIN
– Il se livre à des activités clandestines **illicites, prohibées, interlopes**
– Une visite clandestine **subreptice, occulte, secrète, incognito**
– Manœuvre clandestine **cabale, complot, conjuration, conspiration**
– Il fait des enregistrements clandestins **pirates**
– Liaison amoureuse clandestine **adultère, infidélité**

CLAQUE
– Elle a reçu une claque **gifle, tape, tarte, taloche, baffe, soufflet**
– Claque sur les fesses **fessée**
– J'en ai ma claque **assez, ras-le-bol, marre**

CLAQUER
– Claquer des dents **grelotter, trembler**

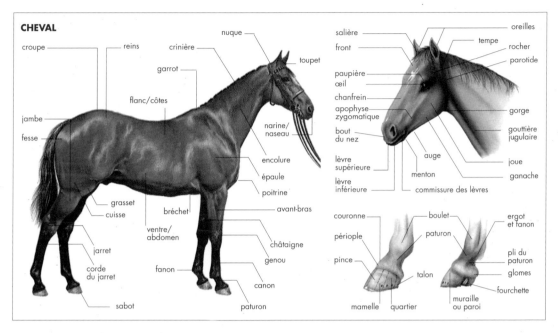

CHEVAL

croupe · reins · crinière · nuque · toupet · garrot · flanc/côtes · jambe · narine/naseau · fesse · encolure · épaule · poitrine · grasset · bréchet · avant-bras · cuisse · ventre/abdomen · châtaigne · jarret · genou · corde du jarret · fanon · canon · sabot · paturon

salière · oreilles · front · tempe · rocher · parotide · paupière · œil · chanfrein · gorge · apophyse zygomatique · bout du nez · gouttière jugulaire · lèvre supérieure · joue · auge · lèvre inférieure · menton · ganache · commissure des lèvres

couronne · boulet · ergot et tanon · périople · paturon · pince · pli du paturon · talon · glomes · fourchette · mamelle · quartier · muraille ou paroi

---

– Il claque tout son argent dans les voitures **dépense, gaspille, flambe**
– Son boulot la claque **fatigue, éreinte, épuise, tue**

CLARTÉ
– Clarté aveuglante **éblouissement, embrasement**
– Faible clarté **lueur, nitescence, demi-jour**
– Qui manque de clarté **nébuleux, brumeux, obscur, crépusculaire, sombre**

CLASSE
– Classe d'objets **type, genre, catégorie, groupe, espèce, sorte**
– Classe sociale **milieu**
– Elle a de la classe **allure, distinction, élégance, chien, chic, prestance**

CLASSEMENT
– Classement scientifique **classification, typologie, nomenclature, taxinomie**
– Classement des anciens dossiers **archivage, rangement**
– Sert au classement **classeur, chemise, dossier, trieur, semainier**
– Classement dans un concours **rang, place, score, note, ordre, résultat**

CLASSER
– Il classe ses documents **série, range, répertorie, ordonne**
– Classer par thèmes **trier, différencier, répartir, organiser**
– Division servant à classer **genre, catégorie, famille, branche, espèce, groupe**

– Classer une personne **étiqueter, cataloguer, juger**

CLASSIFICATION
– Science qui étudie les lois et les principes de la classification **taxinomie, archivistique**
– Classification systématique **typologie**
– Classification des maladies **nosologie**
– Classification en biologie **cladisme**

CLASSIQUE
– Elle s'habille d'une façon très classique **élégante, conformiste, traditionnelle, sobre**
– C'est une erreur classique **habituelle, courante, ordinaire, banale, commune**
– Langue classique **morte, ancienne**
– Un décor plutôt classique **dépouillé**

CLAUSE
– Clause d'un contrat **stipulation, mention, condition**
– Clause d'une donation **disposition**
– Clause restrictive **réserve**
– Clause supplémentaire **avenant**

CLAVIER
– Instrument à clavier **piano, clavecin, orgue, célesta, synthétiseur, harmonium, accordéon**
– Clavier d'ordinateur **AZERTY, QWERTY, QWERZ**
– Bloc du clavier qui comporte les chiffres **pavé numérique**
– Professionnel qui saisit des textes à l'aide d'un clavier **claviste**

CLEF
– Partie de la clef qui entre dans la serrure **panneton**
– Clef ouvrant plusieurs portes **passe-partout, rossignol**
– Clef d'une boîte à musique **remontoir**
– La clef d'une énigme **solution, explication**
– Donner la clef de la chambre forte **accès à**
– Liste de mots-clefs **index**
– Clef anglaise, clef plate, clef à molette **outil**

CLÉMENCE
– Elle fait preuve de clémence **générosité, magnanimité, humanité, mansuétude, bienveillance**
– La clémence de la température **douceur, tiédeur**

CLERC
– Ensemble des clercs d'une Église **clergé**
– Pas de clerc **gaffe, bévue, faute, maladresse, impair, erreur**
– Grand clerc **lettré, savant, intellectuel**

CLERGÉ *Voir tableau clergé catholique, p. 141*
– Propre au clergé **ecclésiastique, clérical**
– Membre du clergé rattaché à un ordre **régulier**
– Membre du clergé régulier **abbé, religieux, moine**
– Membres du clergé séculier **évêque, archevêque, curé, prêtre, vicaire**

– Membre du clergé non encore admis à la prêtrise **diacre**
– Confisquer les biens du clergé **séculariser**
– Qui s'oppose au clergé **laïque, libre-penseur, anticlérical**

CLICHÉ

syn. **banalité, lieu commun, poncif**
– C'est un cliché net **épreuve, photographie, image, tirage**
– Reproduction d'un cliché **polycopie, stéréotype**
– Cliché d'impression typographique **galvanotype, photopolymère**
– Cliché photographique **négatif**
– Cliché médical **cardiogramme, radiographie, encéphalogramme, échographie**

CLIENT

syn. **consommateur, habitué**
– Les clients ont fait une offre de prix **acquéreurs, acheteurs**
– Client d'un épicier **chaland**
– Client d'un astrologue **consultant**
– Client d'un avocat **accusé, plaignant**
– Client d'un médecin **patient**
– Client d'une compagnie de transport **passager, usager**
– Client d'un théâtre **spectateur**
– Client d'un journal **abonné, lecteur**

CLIGNEMENT

– Clignement d'œil **clin d'œil, œillade**

CLIMAT *Voir illustration p. 142*

voir aussi **ambiance, atmosphère, météo**
– Étude des climats **climatologie**
– Type de climat **continental, équatorial, tropical, tempéré, méditerranéen**
– Climat spécifique à une zone **microclimat**
– Traitement médical par le climat **climatothérapie**

CLOAQUE

syn. **égout**
– Cet endroit n'est qu'un cloaque **bourbier, sentine, dépotoir**

CLOCHARD

– C'est un clochard **vagabond, mendiant, clodo, SDF, marginal**

CLOCHE

– Pièce métallique qui vient frapper les parois de la cloche **battant**
– Grosse cloche **bourdon**
– Tour abritant des cloches **campanile, beffroi, clocher**
– Cloche annonçant une mort **glas**
– Cloche annonçant l'heure de la prière **angélus**
– Cloche donnant l'alarme **tocsin**

ROBES DES CHEVAUX

Robes simples, une couleur
  Blanc : poils, crins et extrémités blancs.
  Alezan : poils, crins et extrémités marron ou fauves.
  Noir : poils, crins et extrémités noirs.
  Café au lait : poils, crins et extrémités café au lait.

Robes composées
● **deux couleurs séparées**
  Bai : poils alezans, crins et extrémités noirs.
  Isabelle : poils café-au-lait, crins et extrémités noirs.
  Souris : poils gris uni, crins et extrémités noirs.

● **deux couleurs mélangées**
  Gris : poils, crins, extrémités blancs et mêlés.
  Aubère : poils, crins, extrémités blancs et alezans.
  Louvet : poils, crins, extrémités alezans et noirs.

● **trois couleurs**
  Rouan : poils, crins, extrémités blancs, alezans et noirs.

● **deux robes**
  Pie : robe blanche avec des taches de couleur alezane, noire ou baie.

– Ensemble de cloches produisant chacune un son différent **carillon**

CLOCHER

– Clocher distinct de l'église **campanile, beffroi, tour**
– Petit clocher **clocheton**
– Lames inclinées des baies du clocher **abat-son**
– Il a élu domicile dans un clocher **Quasimodo**

CLOCHETTE

– Clochette attachée au cou d'un animal **sonnaille, campane, clarine, grelot**
– Clochette d'un bélier **bélière**
– Clochette de table **sonnette**
– La clochette sonne **tintinnabule**
– Fleur à clochettes **jacinthe, muguet, perce-neige, campanule**

CLOÎTRE

voir aussi **monastère**
– Propre au cloître **claustral**

CLOQUE

– Il a une cloque au pied **ampoule, boursouflure**
– Liquide renfermé dans une cloque **sérosité**
– Éruption de cloques **bulles, vésicules, phlyctènes**

CLORE

syn. **fermer**
– Clore une discussion **terminer, finir, arrêter, conclure, mettre un terme, cesser**
– Clore un compte **clôturer, solder**
– Clore une séance **lever**

CLÔTURE

– Clôture de perches ou de planches **palissade**
– Clôture ajourée **claire-voie, treillis**
– Clôture en treillis de fils de fer **grillage, barbelés, claie**
– Clôture végétale protégeant un jardin ou un champ **haie**
– Clôture mobile dans un champ **échalier**
– Clôture dans les parcs à moules **bouchot**
– Clôture qui délimite le chœur d'une église **balustre, cancel**
– Tribune formant clôture entre le chœur et la nef d'une église **jubé**

CLOU

– Clou formant un L **crochet**
– Clou en forme de U **cavalier, crampillon, crampon**
– Clou à tête **pointe, broquette**
– Clou à deux pointes **goujon**
– Clou dont la tête forme un anneau **piton**
– Clou dont la tête est décorée **cabochon, bossette**
– Clou utilisé en cordonnerie **caboche**
– Clou de tapissier **semence**

CLOUER

– Clouer un tableau au mur **suspendre, accrocher**
– Clouer deux planches ensemble **fixer, assembler**
– La nouvelle l'a cloué sur place **médusé, pétrifié, paralysé, sidéré**

CLOWN

voir aussi **bouffon, comique**
– Personnage de clown **clown blanc, auguste, gugusse**
– C'est un vrai clown **guignol, pitre**

CLUB

– Il est membre du club **association, cercle**
– Regroupement de clubs **fédération, division**

COACH

– Coach d'une équipe sportive **entraîneur, moniteur**
– Coach dans une entreprise **conseil**

COALITION

syn. **alliance, association, entente, cartel, front, ligue, union**

COCASSE
– La situation est plutôt cocasse **drôle, amusante, burlesque, inattendue, bouffonne, comique, risible, hilarante, désopilante, inénarrable, plaisante**
– Plaisanterie cocasse **calembredaine**

COCHON
syn. **porc, pourceau**
– Famille du cochon **suidés**
– Jeune cochon **porcelet, goret**
– Femelle du cochon **truie**
– Cochon non châtré **verrat**
– Cochon sauvage **sanglier**
– Graisse de cochon **lard, panne, saindoux, axonge**
– Peau du cochon **couenne**
– Poil du cochon **soie**
– Brosse en soie de cochon employée en orfèvrerie **saie**
– Antre du cochon **porcherie, soue**
– Mangeoire du cochon **auge**

CODE
– Ensemble de codes qui régissent la vie en société **lois, règles, préceptes, règlements**
– Code secret **cryptographie**
– Code secret permettant l'accès à un service sur Internet **mot de passe**
– Élément d'un code secret **clef, grille, chiffre, signe**
– Écrire en code **coder, encoder, crypter**
– Déchiffrer un code **décrypter**
– Dispositif commandant l'ouverture d'une porte avec un code **Digicode**
– Appareil permettant la lecture d'un code-barres **douchette**

CŒUR *Voir illustration p. 145*
voir aussi anatomie
– Battement du cœur **palpitation, pulsation**
– Contraction du cœur **systole**
– Contraction supplémentaire du cœur **extrasystole**
– Dilatation du cœur **diastole**
– Enregistrement des mouvements du cœur **cardiogramme**
– Appareil qui stimule les mouvements du cœur **pacemaker**
– Personne qui souffre d'une maladie de cœur **cardiaque**
– Maladie des orifices du cœur **valvulopathie**
– Lésion du cœur **infarctus du myocarde, cardite, endocardite, péricardite, coronarite**
– Affection du cœur **cardiopathie**
– Troubles du cœur **arythmie, dyspnée, cardialgie, tachycardie**
– Placer un cœur artificiel **implanter, greffer**
– Arrêt du cœur dû au manque d'oxygène provenant des cellules **anoxie du myocarde**
– Type d'opération dite à cœur fermé **commissurotomie, valvulotomie**
– Qualité de celui qui a du cœur **charité, sentiment, générosité, altruisme**
– Qui a bon cœur **généreux, dévoué, philanthrope, bienveillant, altruiste**
– Faire quelque chose de bon cœur **avec enthousiasme, avec entrain, avec intérêt, avec zèle, volontiers**
– Une peine de cœur **déception amoureuse, désillusion, déconvenue, chagrin d'amour**
– Briser le cœur **crever, fendre, percer**
– Passer pour un bourreau des cœurs **don juan, casanova, séducteur, conquérant, charmeur, tombeur, suborneur**

COFFRE
– Coffre de voyage **malle, cantine**
– Coffre à vêtements **bahut**
– Coffre bombé à compartiments **chapelière**
– Coffre servant à enfermer l'argent **coffre-fort**
– Petit coffre à bijoux des temps anciens **pyxide**
– Coffre à sel **saloir, saunière**
– Coffre à pain **huche, maie, panetière**
– Coffre de boulanger **pétrin**
– Petit coffre léger **layette**

COGNER
– Il cogne à la porte **frappe, heurte**

COGNER (SE)
– Se cogner à, contre un meuble **heurter, buter contre**
– Les voitures se sont cognées **tamponnées, télescopées**

COHÉRENT
– Cela forme un tout cohérent **homogène, harmonieux, ordonné**
– Elle tient un discours cohérent **logique, raisonné, rationnel, sensé**

COIFFER
– Coiffer une organisation **chapeauter**

COIFFURE *Voir illustrations coupes de cheveux, p. 129, et coiffures, p. 147*
voir aussi chapeau
– Coiffure masculine **banane, brosse**
– Coiffure féminine **tresse, natte, queue de cheval, chignon**
– Coiffure de petite fille **couettes, macarons**
– Coiffure faite à la brosse et au séchoir **brushing, choucroute**
– Produit pour fixer une coiffure **laque, fixateur, gel**
– Coiffure des hommes d'Église **calotte, mitre, tiare**

COIN
syn. **angle, encoignure, renfoncement**
– Coin de la bouche **commissure**
– Meuble destiné à être placé dans un coin **encoignure**
– Pli fait dans le coin d'une page **corne**
– Mettre un enfant au coin **punir**
– Écriture en forme de coin **cunéiforme**
– C'est un coin perdu **trou**
– Dans le coin **parages, région, secteur, environs**

COINCER
– Coincer un vase qui penche **bloquer, caler, serrer, immobiliser**
– Il n'a pas réussi à me coincer sur ce sujet **coller, piéger**
– Le malfaiteur s'est fait coincer **prendre, arrêter, appréhender, pincer, choper, intercepter**

COÏNCIDENCE
– Coïncidence de deux événements **synchronisme, simultanéité, concomitance**
– Une drôle de coïncidence **hasard, circonstance**
– Coïncidence fâcheuse **fait exprès**

COL
– Col d'une chemise **collet**
– Type de col **boule, mao, camionneur, marin, châle, montant, cheminée, roulé, bateau, rond, volanté**
– Col de dentelle **collerette, gorgerette**
– Col plissé **fraise**
– Ornement fixé à un col **jabot**
– Col d'une bouteille **goulot**
– Col de montagne **défilé, grau, port, brèche**

COLÈRE
– Il a laissé éclater sa colère **rage, emportement, exaspération, mécontentement, irritation, rogne**
– Colère violente **ire, courroux, fureur, acrimonie, foudres**
– Colère verbale **blasphème, injure, invective, insulte, juron, vocifération**
– Colère d'enfant **caprice**
– Être en colère **pester, trépigner, rager, débagouler, fulminer, gronder, éclater**
– Caractère porté à la colère **atrabilaire, irascible, irritable, impétueux, rageur, emporté**
– Acte testamentaire établi sous l'empire de la colère **ab irato**

COLIBRI
syn. **oiseau-mouche, trochile**
– Famille à laquelle appartient le colibri **trochilidés**

COLIQUE
syn. **diarrhée**
– Il souffre de coliques **épreintes, ténesme**
– Colique intestinale **colite, entérite, dysenterie**

– Une colique rénale **néphrétique**
– Symptôme de colique néphrétique **anurie, dysurie, hématurie**
– Colique provoquée par le plomb **saturnisme**
– Gaz accompagnant une colique **flatuosité**

COLIS

syn. **paquet**
– Personne chargée d'apporter un colis à son destinataire **saute-ruisseau, coursier, porteur**

COLLABORATEUR

– Il apprécie le travail de son collaborateur **collègue, associé**
– Collaborateur subordonné **adjoint, aide, assistant, second, bras droit**
– Liste des collaborateurs d'un journal, d'un livre **ours**
– Liste des collaborateurs d'un film **générique**

COLLABORATION

– Leur collaboration est efficace **association, coopération**
– Travailler en collaboration **en commun, en équipe**
– Prêter sa collaboration à un projet **concours, contribution**

COLLABORER

– Elle a collaboré à la rédaction du dictionnaire **participé, travaillé, pris part, contribué**
– Les membres de l'équipe collaborent parfaitement **coopèrent**

COLLANT

– Papier collant **adhésif, double-face, scotch**
– Bande collante utilisée en médecine **sparadrap**
– Une matière collante **gluante, sirupeuse, visqueuse, poisseuse**
– Un vêtement collant **moulant, ajusté, serré**

COLLATION

– Collation d'un texte dactylographié avec l'original **collationnement, comparaison, confrontation, vérification**
– Il prend une collation dans la matinée **en-cas**
– Collation des enfants **goûter**

COLLE

– Colle d'origine végétale **poix, empois, glu**
– Colle de poisson **gélatine, ichtyocolle**
– Toile enduite de colle utilisée en pharmacie **sparadrap**
– Colle de vitrier **mastic, futée**
– Colle utilisée en maçonnerie **ciment, mortier**

– Conditionnement de la colle **pot, stick, bâton, tube**
– Mélange pictural constitué de colle et de pigment **détrempe, tempera**

COLLECTIF

– Intérêt collectif **communautaire, général, public, social**
– Sport collectif **d'équipe**

COLLECTION

syn. **amas, tas**
– Il en a toute une collection **éventail, assortiment, compilation**
– Collection d'armes **panoplie**
– Lieu d'exposition d'une collection de tableaux **galerie, pinacothèque**
– Collection de livres **bibliothèque**
– Collection de disques **discothèque**
– Collection de sons et de bruits insolites **sonothèque**
– Collection sonore du langage parlé **phonothèque**
– Collection de plantes **herbier**
– Collection de photos **photothèque, iconothèque, banque d'images**

COLLECTIONNEUR *Voir tableau p. 148*

COLLECTIVITÉ

– Nous vivons en collectivité **communauté, société, groupe**
– Collectivité territoriale **département, région**
– Collectivité locale **commune, ville**

COLLER

syn. **adhérer**
– Coller quelque chose **fixer, souder, agglutiner, sceller**
– Coller du papier peint au mur **tapisser**
– Coller une toile peinte sur une surface **maroufler**
– Le candidat colle ses affiches **placarde**
– Prévu pour coller à l'application **adhésif**
– Qualité de ce qui colle **viscosité**
– Œuvre réalisée à partir d'éléments collés **collage**

COLLIER *Voir illustrations bijoux, p. 77, bœuf, p. 78, mouton, p. 393, porc, p. 484, veau, p. 618*

voir aussi **bijou, chaîne**
– Collier de diamants **rivière**
– Long collier de perles **sautoir**
– Collier en métal de l'époque gauloise **torque**

COLLINE

– J'habite sur la colline **mont, butte, hauteur**
– Pente d'une colline **coteau, côte**
– Sommet arrondi d'une colline **croupe, mamelon**
– Colline de sable **dune**

– Colline artificielle **tertre, tumulus, tell**

COLLOQUE

syn. **débat, conversation**
– Les scientifiques se sont rassemblés en colloque **séminaire, table ronde, symposium, conférence, forum, congrès**
– Colloque politique **meeting**

COLLUSION

– Il y a une collusion entre eux deux **connivence, complicité, manigance, entente, intelligence**
– Nous nous insurgeons contre cette collusion **conspiration**

COLOMBAGE *Voir illustration p. 151*

COLOMBE

voir aussi **pigeon**
syn. **palombe, ramier**
– Famille à laquelle appartient la colombe **colombidés**
– Cousine de la colombe **tourterelle**
– Abri de la colombe **colombier, fuie**
– Symbolisée par la colombe **douceur, tendresse, pureté, paix**

COLON

– Premier colon d'une terre **pionnier**
– Colon partiaire **métayer, planteur, fermier**
– Propriété agricole tenue par un colon **plantation**

COLONIE

– État possédant des colonies **impérialiste, expansionniste**
– Type de régime juridique d'un État occupant une colonie **protectorat, mandat, tutelle**
– Ensemble de colonies **empire**
– Ensemble des colonies anglaises **Commonwealth**
– Exploitation d'une colonie **colonisation, impérialisme**
– Fonctionnaire d'une colonie **gouverneur, résident**
– Entreprise commerciale d'une colonie **comptoir, factorerie**
– Colonie pénitentiaire **bagne**

COLONISATEUR

– Colonisateur grec **clérouque**
– Colonisateur espagnol **conquistador**
– Colonisateur ayant fait fortune aux Indes **nabab**

COLONISATION

– Colonisation d'un pays **occupation, exploitation**
– Danger de la colonisation **apartheid, ségrégation, racisme**
– Aspect éducatif que peut comporter la colonisation **évangélisation, scolarisation**

COUPES DE CHEVEUX

Féminines
à la garçonne
à la Jeanne d'Arc
carré court
carré long
carré mi-long
effilée
en boule
en dégradé
structurée

Mixtes
en brosse
punk
afro
carré
aux ciseaux
au rasoir
crâne rasé
désépaississage
iroquois

Masculines
au bol
banane

COIFFURES SUR CHEVEUX LONGS
anglaises
catogan
chignon
chignon banane
couettes
macaron
natte/tresse
palmier
queue de cheval

**PROCÉDÉS DE MISE EN FORME
pour boucler les cheveux
ou leur donner du volume**
bouclage
crêpage
minivague
permanente
mise en plis
brushing
pour lisser les cheveux
défrisage
**dernière étape d'une mise en forme
ou d'une coupe**
coup de peigne

Carré court

Afro

Iroquois

Banane

Catogan

Nattes

Palmier

Chignon banane

COLONISÉ
– Individu occupant un pays colonisé **colon, colonisateur**

COLONNE *Voir illustration p. 152*
voir aussi **architecture**
– Colonne d'appui ou de soutien **pilier, pilastre, colonnade, pilotis**
– Tronc d'une colonne **fût**
– Élément supérieur d'une colonne **échine, abaque**
– Élément inférieur d'une colonne formant la base **stylobate, plinthe, scotie, tore**
– Colonne sculptée représentant une femme **cariatide**
– Colonne sculptée représentant un homme **télamon, atlante**
– Édifice dont le plafond est soutenu par des colonnes **hypostyle**
– Édifice entouré d'une ou plusieurs rangées de colonnes **monoptère, diptère, périptère**
– Monument constitué d'une seule colonne **cippe, stèle, obélisque**
– Alignement de colonnes dans l'Antiquité **péristyle, prostyle**
– Colonne servant de support à des affiches de spectacles **colonne Morris**

COLONNE VERTÉBRALE
syn. **échine, épine dorsale, rachis**
– Spécifique à la colonne vertébrale **spinal**
– Déviation de la colonne vertébrale **cyphose, lordose, scoliose, cyphoscoliose, ensellure**
– Saillie de la colonne vertébrale **bosse, gibbosité**
– Douleur au niveau de la colonne vertébrale **lombalgie, rachialgie, torticolis, dorsalgie, lumbago**

COLORANT
voir aussi **teinture**
– Substance utilisée comme colorant **pigment**
– Colorant capillaire des femmes maghrébines **henné**
– Colorant bleu **guède, indigo**
– Colorant alimentaire **rocou, riboflavine, tartrazine**

COLORATION
– Coloration de la peau **carnation, pigmentation**
– Coloration des métaux **métallochromie**
– Appareil mesurant l'intensité de la coloration **colorimètre**
– Degré de coloration **nuance, ton**
– Coloration de la voix **timbre, colorature**

COLORER
syn. **peindre**
– Colorer une substance **teindre, teinter**
– Colorer une surface **enluminer, diaprer, colorier**
– Personne qui colore **coloriste, teinturier**
– Matière qui sert à colorer **pastel, fusain, craie, graphite**
– Colorer un sentiment **empreindre, marquer**
– Colorer une apparence, un aspect **farder, orner, grimer, maquiller**

COLOSSAL
– C'est une construction colossale **démesurée, gigantesque, monumentale, immense, grandiose**
– Il est d'une force colossale **herculéenne, titanesque, énorme**
– Aime ce qui est colossal **mégalomane**

COMBAT
syn. **lutte**
– Combat armé **conflit, guerre, bataille**
– Combat offensif **assaut**
– Pause dans un combat **trêve**
– Convention mettant fin à un combat **armistice, traité, pacte, alliance**
– Issue négative d'un combat **déroute, repli, reddition, capitulation**
– Véhicule de combat **char, VAB**
– Combat spécifique **gigantomachie, théomachie, tauromachie, logomachie, naumachie**
– Dans l'Antiquité, combat de gladiateurs **hoplomachie**
– Au Moyen Âge, combat entre des chevaliers **tournoi**
– Au Moyen Âge, combat par lequel le jugement de Dieu se révèle aux hommes **ordalie**
– Petit combat **escarmouche, échauffourée**
– Combat entre des individus **duel, rixe, pugilat**
– Adversaire affronté dans un combat **antagoniste, rival, opposant, concurrent**
– Combat d'idées **joute, polémique, dispute, confrontation, controverse, querelle, différend**

COMBATTANT
– Combattant militaire **assaillant, guerrier, soldat, vétéran**
– Groupe de combattants **corps, force, commando, phalange, milice**

COMBATTRE

– Il faut combattre ces idées reçues **élever contre (s'), dresser contre (se), lutter contre, attaquer à (s'), mettre fin à, batailler contre**

COMBINAISON

– Combinaison d'éléments **agencement, agrégat, composition, arrangement, mosaïque, mélange**
– Combinaison de métaux **fusion, amalgame, alliage**
– Combinaison chimique **synthèse**
– Jeu de combinaisons **puzzle, tangram chinois, loterie, jackpot, mots croisés, Scrabble**
– Combinaison de sons **accord, harmonie**
– Calcul des combinaisons **probabilités, combinatoire**
– Combinaison de combat au Moyen Âge **cotte de mailles, armure, haubert**
– Combinaison financière ou politique **calcul, stratagème, manigance, machination**

– Combinaison de danse **maillot, tutu, justaucorps**
– Combinaison de travail **cotte, bleu, salopette**

COMBINER

syn. **assortir, composer, harmoniser**
– Combiner un mauvais coup **intriguer, ourdir, tramer, manigancer**

COMBLE

– Chambre sous les combles **mansarde, galetas**
– De fond en comble **entièrement, complètement**
– La salle est comble **complète, bondée, pleine, bourrée**

COMBLER

– Combler un trou **remplir, boucher, obturer**
– Il doit combler ses lacunes **compenser, pallier, rattraper, remédier à**
– Combler son mari de cadeaux **couvrir, charger, abreuver**

COMBUSTIBLE

– Combustible solide **charbon, houille, bois, méta**
– Combustible liquide **alcool, naphte**
– Combustible gazeux **butane, éthane**
– Combustible d'un moteur à explosion **carburant**
– Combustible des moteurs Diesel **gazole**

COMBUSTION

– État de ce qui est soumis à la combustion **ignition**
– Très forte combustion **calcination**

COMÉDIE *Voir illustration théâtre, p. 596*

voir aussi **théâtre**
– Comédie de mœurs **satire, marivaudage, commedia dell'arte**
– Élément d'une comédie **dénouement, intrigue, tableau**
– Comédie mise en musique **opérette, opéra-bouffe, comédie musicale**
– Comédie théâtrale **saynète, parodie, divertissement, vaudeville**

TERMES DE CHIMIE

Alcali : hydroxyde pouvant neutraliser les acides.

Alliage : produit de caractère métallique et d'aspect homogène résultant de l'incorporation d'un ou de plusieurs éléments à un métal.

Allotropie : propriété qu'ont certains corps de se présenter sous des formes qui diffèrent par leurs propriétés physiques (par exemple : diamant et graphite pour le carbone).

Amalgame : alliage du mercure et d'un autre métal.

Base : corps capable de neutraliser les acides en se combinant à eux pour donner un sel et de l'eau.

Catalyse : modification de la vitesse d'une réaction chimique produite par certaines substances qui se retrouvent intactes à la fin de la réaction.

Colloïde : substance à masse moléculaire élevée, incristallisable (colle, amidon).

Efflorescence : transformation de sels hydratés qui perdent une partie de leur eau de cristallisation au contact de l'air.

Électrolyse : décomposition d'un corps chimique par le courant électrique.

Enzyme : substance organique de nature protéinique agissant comme

un catalyseur dans une réaction biochimique déterminée qui exige des conditions favorables (température, milieu…).

Ester : corps résultant de l'action d'un acide carboxydé sur un alcool.

Eudiomètre : instrument permettant, à partir d'un mélange gazeux, de synthétiser un corps donné et d'en mesurer les constituants volumétriquement.

Fermentation : transformation de certaines substances organiques sous l'action d'enzymes sécrétées par des micro-organismes.

Floculation : transformation réversible que subissent les suspensions colloïdales par association des particules constituantes.

Halogène : se dit des cinq éléments – chlore, fluor, brome, iode et astate – qui possèdent sept électrons sur leur couche électronique externe et sont les plus électronégatifs des éléments.

Hydrocarbure : composé de carbone et d'hydrogène (pétrole, gaz naturel).

Hydrolyse : action de l'eau sur un ester.

Inorganique : en chimie minérale, relatif aux composés non carboniques.

Ion : atome (ou groupe d'atomes)

qui, ayant capté ou perdu un ou plusieurs électrons, est devenu une particule instable et électrisée.

Isomère : formés d'éléments identiques, dont seule la disposition diffère, ces composés organiques ont des propriétés différentes.

Isotope : atomes qui ont le même nombre atomique, c'est-à-dire le même nombre d'électrons, mais qui diffèrent par le nombre de neutrons.

Lévigation : séparation, par entraînement dans un courant d'eau, des constituants d'un minéral préalablement réduit en poudre.

Matras : récipient de verre à long col, de forme sphérique ou ovoïde, jaugé, utilisé dans les laboratoires de chimie pour mesurer un volume déterminé.

Mercaptan : composé d'odeur fétide dérivant d'un alcool dans lequel l'oxygène est remplacé par du soufre.

Neutron : particule élémentaire électriquement neutre constituant le noyau des atomes.

Nitrification : transformation de l'ammoniac et de ses sels en nitrates.

Organique : relatif aux composés de carbone.

Osmose : transfert du solvant

d'une solution à travers une membrane semi-perméable pour la concentrer.

Oxydation : réaction libérant des électrons.

Polymérisation : union de plusieurs molécules identiques d'un composé pour former une grosse molécule.

Précipitation : phénomène par lequel un corps insoluble se forme dans un liquide et se dépose au fond du récipient.

Proton : particule élémentaire électriquement positive constituant le noyau des atomes, ou encore noyau d'hydrogène.

Radioactivité : phénomène atomique et spontané caractéristique de substances pouvant se transformer en émettant des rayonnements alpha, bêta et gamma radioactifs.

Réduction : réaction captant des électrons.

Suspension : solution aqueuse contenant un solide aux fines particules insolubles.

Synérèse : séparation du liquide d'un gel.

Valence : nombre de liaisons qui unissent un atome à d'autres atomes dans une molécule.

– Lieu où se joue habituellement la comédie **tréteaux, amphithéâtre, théâtre**
– Membre de la Comédie-Française **pensionnaire, sociétaire,**
– Muse de la comédie dans l'Antiquité grecque **Thalie**
– Jouer la comédie **affecter, composer, feindre, simuler, trépigner**

COMÉDIEN

voir aussi **acteur, interprète**
– Comédien ambulant **baladin, saltimbanque**
– Comédien jouant un rôle muet **mime, comparse, figurant**
– Comédien comique **pitre, paillasse, clown**
– Mauvais comédien **cabotin**
– Jeu de comédien **tirade, monologue, réplique**
– C'est un comédien **simulateur, hypocrite**

COMÈTE

syn. **astre, nébuleuse**
– Étude des comètes **cométographie**
– Élément constitutif d'une comète **chevelure, tête, queue, noyau**
– Mouvement de la comète **orbite, orbe, parabole**
– Grand axe de l'orbite d'une comète **apside**
– Point d'orbite d'une comète le plus proche du Soleil **périhélie**
– Point d'orbite d'une comète le plus éloigné du Soleil **aphélie**
– Comète périodique **Halley, Encke, Biela, Brooks**
– Comète passée en avril 1990 **Austin**
– Tirer des plans sur la comète **projeter, rêver**

COMIQUE

– Individu comique **boute-en-train, plaisantin**
– Personnage comique **arlequin, guignol, polichinelle**
– Acteur qui joue des rôles comiques **fantaisiste, bouffon, mime, pitre, clown**
– À but comique **gag, calembour, farce**
– Qui a un effet comique **amusant, gai, désopilant, burlesque, cocasse, drôle, hilarant, risible**

COMITÉ

– Un comité auquel on demande une action **exécutif**
– Un comité auquel on demande un avis **consultatif**
– Comité chargé de lire les textes proposés à l'édition **comité de lecture**
– Comité socioprofessionnel **comité de conciliation, comité paritaire**
– Comité de grève **coordination**
– Comité secret d'action révolutionnaire **la Cagoule**

COMMANDANT

voir aussi **grade**
– Commandant d'un navire dans l'Antiquité **navarque**

COMMANDE

– Somme versée lors d'une commande **arrhes, avance, acompte, provision**
– Commande à distance **télécommande, émetteur infrarouge**
– Commande d'une console vidéo **levier, manette, volant**
– Commande introduite dans une machine **instruction**
– Travailler sur commande **exécuter**

COMMANDEMENT

syn. **ordre, ultimatum**
– Commandement d'une autorité **prescription, consigne, injonction**
– Commandement d'un huissier **sommation**
– Commandement de l'Église **précepte, loi**
–Commandement législatif **arrêt, décret, instruction**
– Commandement écrit du roi **jussion**
– Commandement militaire **état-major, PC (poste de commandement)**
– Les dix commandements **décalogue**
– Symbole du commandement **sceptre, bâton**
– Mode du verbe exprimant le commandement **impératif**

COMMANDER

syn. **diriger, gouverner, obliger**
– Commander à quelqu'un de faire quelque chose **enjoindre à, édicter à, intimer à, ordonner à, sommer**
– Commander avec une autorité excessive **régenter**
– Commander à ses passions **maîtriser, réprimer, dominer, refouler, dompter, contrôler**

COMMANDER (SE)

– Il n'a pas réussi à se commander **contenir (se), contraindre (se)**

COMMANDO

– Commando paramilitaire **milice**

COMMENCEMENT

– Il faut un commencement à tout **début, départ, préliminaires**
– Ce qui est au commencement d'un raisonnement **axiome, prémisse, postulat**
– Qui marque un commencement **initial, premier**
– Commencement d'une œuvre littéraire **avant-propos, préface, prolégomènes**
– Commencement d'une œuvre picturale **ébauche, esquisse, croquis**
– Commencement d'une œuvre musicale

attaque, prélude, ouverture
– Commencement d'un discours **exorde, préambule, prologue**
– Commencement d'une exposition **vernissage**
– Le commencement du monde **genèse, big bang**
– Le commencement de la vie **prémices**
– Commencement de la vie intra-utérine **fécondation, embryon, fœtus**
– Commencement de la vie extra-utérine **naissance**
– Commencement de la vie végétale **bourgeon, germe, nouure**
– Commencement d'une maladie **incubation**
– Commencement du jour **aube, aurore**
– Commencement dans la vie professionnelle **entrée, débuts**
– Commencement de preuve **indice, adminicule**

COMMENCER

– Commencer quelque chose **amorcer, instaurer, ébaucher, débuter, initier, entreprendre, attaquer, fonder, ouvrir, étrenner**
– Commencer un chant **entonner**

COMMENTAIRE

– Commentaire d'un texte **explication, exégèse, glose, scolie, interprétation**
– Commentaire journalistique **analyse, critique, entrefilet**
– Personne qui rédige des commentaires **glossateur, éditorialiste, scoliaste**
– Commentaire en marge ou en bas de page **annotation, apostille, nota bene**
– Les commentaires de notre invité **réactions**
– Premières formes de commentaire dans l'Antiquité **aide-mémoire, recueil de notes**
– Commentaire dépréciatif **commérage, médisance**

COMMÉRAGE

– Il se livre facilement aux commérages **cancans, potins, ragots**
– Commérage diffusé dans le dessein de nuire à une personne **calomnie, contre-vérité, diffamation, on-dit, médisance, mensonge, racontar, rumeur**
– Colporter des commérages **calomnier, diffamer, discréditer, dauber, insinuer, jaser, médire**
– Personne qui répand des commérages **commère, mégère, concierge, cancanière**

COMMERÇANT

syn. **débitant, détaillant, grossiste, négociant, marchand, vendeur**
– Commerçant avide **mercanti**
– Commerçant en vêtements d'occasion **fripier**

– Commerçant itinérant **colporteur, camelot, forain, VRP (voyageur représentant placier), représentant**

COMMERCE
– Opération de commerce **négoce, trafic, transaction**
– Commerce sous forme d'échange direct **troc**
– Commerce répréhensible **contrebande, fraude, usure**
– Intermédiaire de commerce **courtier, commissionnaire, placier, dépositaire**
– Agence d'un établissement de commerce **comptoir, factorerie**
– Emblème de commerce **enseigne, logo**
– Doctrine économique relative au commerce **mercantilisme**
– Nouvelle technique du commerce **marketing, mercatique, merchandising, e-commerce, e-business**
– Personne qui fait du commerce **négociant, commercial, grossiste, épicier, marchand**
– Commerce extérieur **exportation**

COMMERCIAL
– Politique commerciale **libre-échange, protectionnisme**
– Rupture des relations commerciales **blocus, boycott, embargo, mainmise, séquestre**

COMMÈRE
– Saint patron des commères **Babile**

COMMETTRE
– Commettre un crime **perpétrer, exécuter, consommer**

COMMETTRE (SE)
– Se commettre avec des personnes peu recommandables **avilir (s'), afficher (s'), encanailler (s')**

COMMISSION
– Commission bancaire sur les débits **agio**
– Commission perçue par un courtier **courtage**
– Commission perçue par un commissionnaire **ducroire**
– Commission perçue par un placier **remise**
– Commission illégale **pot-de-vin, bakchich, dessous-de-table, enveloppe**
– Commission adressée par un tribunal à un autre **commission rogatoire**
– Commission qui permet d'agir au nom de quelqu'un d'autre **délégation**
– Personne qui transmet des commissions **coursier, chasseur**

COMMISSIONNAIRE
– Commissionnaire chargé d'une course **coursier, livreur, messager**

– Commissionnaire chargé d'affaires commerciales **intermédiaire, mandataire**

COMMODE
voir aussi **meuble**
– Type de commode **chiffonnier, semainier, console**

COMMODITÉ
– Commodités d'un lieu **confort, agrément**
– Commodité d'utilisation d'un programme informatique **convivialité**
– Commodités de paiement **facilités**
– Je cherche les commodités **lieux d'aisances, latrines, feuillées**

COMMUN
syn. **banal, ordinaire, quelconque, trivial, vulgaire**
– Nom commun **substantif**
– Caractère commun **comparable, identique, semblable, similaire, analogue**
– Trait de caractère commun **similitude, analogie**
– Expression commune, lieu commun **cliché, stéréotype, poncif, banalité**
– Commun à deux propriétés **mitoyen**
– Commun à tous **universel**
– Souveraineté territoriale commune à plusieurs États **condominium**
– En commun, parce que possédé par plusieurs personnes **indivis**
– Qui est fait en commun **public, collectif**

COMMUNAL
– Il est agent communal **municipal**

COMMUNAUTÉ
– Communauté d'esprit **affinité, connivence, concorde, intelligence**
– Communauté de biens **copropriété, indivision**
– Communauté religieuse de même obédience **congrégation, ordre, confrérie, secte**
– Lieu d'une communauté religieuse **couvent, monastère, temple, synagogue, mosquée, ashram**
– Communauté professionnelle **corporation, guilde, société**
– Communauté de travailleurs unis par un même idéal **phalanstère, kibboutz, kolkhoze**
– Communauté politique **formation, ligue, parti**
– Communauté sportive **amicale, club, fédération**
– Communauté linguistique **dialecte, patois, argot**
– Communauté formée par les pays européens **UE (Union européenne)**
– Communauté unie par des liens ou des intérêts communs **clan, caste, chefferie, tribu**

COMMUNE
voir aussi **ville**
syn. **municipalité**
– Siège administratif de la commune **hôtel de ville, mairie**
– Symbole de l'autonomie de la commune au Moyen Âge **beffroi, cloche, sceau, fourches patibulaires**
– Regroupement de communes **SIVU (syndicat intercommunal à vocation unique), SIVOM (syndicat intercommunal à vocation multiple), communauté de communes, district urbain**
– Administrateur de certaines communes du Midi au Moyen Âge **consul, capitoul**

COMMUNICATIF
– C'est un homme plutôt communicatif **causant, confiant, expansif, ouvert, démonstratif**
– Le rire est communicatif **contagieux**

COMMUNICATION
– Moyen technique de communication **télétransmission, téléphonie, Internet, télécopie, télex**
– Étude des techniques de communication et de leur régulation **cybernétique**
– Dans l'armée française, arme chargée d'assurer l'établissement ou le rétablissement des voies de communication **génie**
– Moyens de communication de masse **mass media, médias**
– Communication téléphonique **appel, liaison**
– Communication entre l'utilisateur et l'ordinateur **interactivité**
– Communication radiophonique **avis, bulletin, dépêche, message, nouvelle**
– Une communication écrite ou orale **annonce, divulgation, mémorandum, mention, note, publication, rapport**
– Communication entre deux conduits ou deux nerfs **anastomose**
– Communication extrasensorielle **télépathie**
– Repli sur soi pathologique qui rend impossible la communication avec les autres **autisme**

COMMUNION
– Être en communion avec quelqu'un **symbiose, harmonie, accord**
– Communion propre au rituel chrétien **eucharistie, cène, transsubstantiation, consubstantiation**
– Communion donnée à un mourant **viatique, extrême-onction**
– Objet relatif à la communion **burette, calice, ciboire, hostie, patène, pavillon**

COMMUNIQUER
– Communiquer avec quelqu'un **correspondre, échanger**
– Communiquer un arrêté **notifier, mander**

INTERVENTIONS CHIRURGICALES

Les préfixes correspondant au nom du ou des organes intéressés, associés à des suffixes décrivant le geste technique réalisé, permettent de construire, ou de comprendre, les termes utilisés en technique chirurgicale.

Cependant, un certain nombre d'interventions échappent à cette construction, portant soit un nom consacré par l'usage (ex : césarienne), soit le nom de l'un de leurs premiers auteurs (ex. : opération de Finsterer).

Préfixe	Organe ou tissu correspondant
adhésio-	adhérences
arthr (o)-	articulation
bléphar (o)-	paupière
cæc(o)-	cæcum
capsul (o)-	capsule articulaire
cardio-	cœur
cervic (o)-	col d'un organe
cheilo-	lèvre
cholécyst (o)-	vésicule biliaire
cholédoc (o)-	cholédoque
chondr (o)-	cartilage
cœlio-	abdomen
col (o)-	côlon
colp (o)-	vagin
cost (o)-	côte
cox (o)-	hanche
cyst (o)-	vessie
dacryo-	glande lacrymale
entér (o)-	intestin
gastr (o)-	estomac
gloss (o)-	langue
gon (o)-	genou
hépat (o)-	foie
hystér (o)-	utérus
iléo-	iléon
jéjuno-	jéjunum
kérato-	cornée
laparo-	flanc
lith (o)-	calcul
lombo-	lombes
lymph (o)-	ganglions lymphatiques
mast (o)-	glande mammaire, sein
myo-	muscle
néphr (o)-	rein
névr (o)-	nerf
œso-	œsophage
oment (o)-	épiploon
omphal (o)-	ombilic, nombril
orchid (o)-	testicule
ostéo-	os
phléb (o)-	veine
phrén (o)-	diaphragme
proct (o)-	anus
pyel (o)-	bassinet du rein
rect (o)-	rectum
salpyng (o)-	trompes de Fallope
sigmoïd (o)-	sigmoïde
splen (o)-	rate
spondyl (o)-	vertèbre
syndesm (o)-	ligament
téno-	tendon
thorac (o)-	thorax
thromb (o)-	caillot sanguin
trachélo-	col de l'utérus

Suffixe	Geste chirurgical
-centèse	ponction, piqûre ; ex. : thoracentèse = ponction du thorax
-dèse	blocage ; ex. : arthrodèse = blocage d'une articulation
-ectomie	exérèse ; ex. : cholécystectomie = ablation de la vésicule biliaire
-lyse	libération ; ex. : adhésiolyse = libération d'adhérences
-pexie	fixation ; ex. : hystéropexie = fixation de l'utérus
-plastie	réparation, remplacement par une prothèse ; ex. : arthroplastie = remplacement d'une articulation par une prothèse
-rraphie	réparation par suture ; ex. : capsulorraphie = réparation d'une capsule articulaire
-scopie	visualisation, à l'aide d'un endoscope par exemple ; ex. : arthroscopie = exploration du contenu d'une articulation
-stomie	anastomose (réunion) ; ex. : gastro-entérostomie = anastomose entre l'estomac et l'intestin
-synthèse	fixation par fils, vis, plaques… ex. : ostéosynthèse = fixation chirurgicale d'un os fracturé
-tomie	incision d'un organe plein ou creux ; ex. : laparotomie = ouverture de la paroi abdominale

– Communiquer dans un journal **publier**
– Une personne qui communique facilement **expansive, exubérante, ouverte**
– Communiquer ses sentiments **confier (se), épancher (s'), exprimer, extérioriser, manifester**
– Communiquer quelque chose à quelqu'un **divulguer, livrer, révéler, transmettre**
– Communiquer une maladie **contaminer, inoculer, infecter**

COMMUNISME
voir aussi **socialisme**
– Doctrine sociale et politique propre au communisme **collectivisme, étatisme, internationale**
– Étape du communisme **dictature du prolétariat, abolition des classes, socialisme, communisme**
– Doctrine qui tendait vers une sorte de communisme égalitaire **babouvisme**
– Communisme soviétique **marxisme, léninisme, stalinisme, trotskisme**
– Communisme cubain **castrisme**
– Communisme yougoslave **titisme**
– Communisme chinois **maoïsme**
– Tentative de sauvetage du communisme en ex-URSS **glasnost, perestroïka**
– Personne s'écartant du communisme officiel **déviationniste, droitier, contre-révolutionnaire, révisionniste**

COMPAGNE
– Il nous a présenté sa compagne **amie, concubine, maîtresse, épouse, femme**
– Compagne d'école **camarade, copine, condisciple**

COMPAGNIE
voir aussi **troupe**
– Compagnie regroupant plusieurs personnes **collège, cercle, société, club**
– Compagnie commerciale **comptoir, cartel, conglomérat, consortium, corporation, mutuelle**
– Untel et compagnie **et consorts**
– Compagnie artistique **ensemble, troupe**
– Compagnie dans un régiment de cavalerie **escadron**
– Forces de police regroupées en compagnies **CRS (compagnie républicaine de sécurité)**
– Compagnie dans la franc-maçonnerie **atelier, Loge, obédience**
– Personne de compagnie **gouvernante, confidente, dame de compagnie, chaperon, duègne**
– Animal de compagnie **chien, chat**
– En compagnie de **avec**
– Fausser compagnie **quitter, décamper, éclipser (s'), fuir**

COMPAGNON
– C'est un vieux compagnon **ami, acolyte, compère, complice**
– Compagnon de travail **collaborateur, collègue, adjoint, auxiliaire, partenaire**
– Compagnon de classe **copain, camarade, condisciple**
– Compagnon de table **hôte, convive, commensal**
– Elle nous a présenté son compagnon **ami, concubin, amant, mari, époux**
– Cérémonie au cours de laquelle l'aspirant devient compagnon **réception**
– Cérémonie qui donne le départ du tour de France d'un compagnon **adoption**
– Cérémonie d'adieu à un compagnon **conduite**
– Conduire un compagnon hors d'une ville du tour de France **mettre aux champs**

VOCABULAIRE DE LA CHIRURGIE (voir aussi p. 316)

Ablation : action d'ôter chirurgicalement une partie du corps, une tumeur, un organe… *Voir aussi Amputation, Excision, Exérèse, Résection.*

Abrasion : ablation ou prélèvement de certains tissus par raclage.

Amputation : ablation de tout ou partie d'un membre, d'un organe, d'un tissu.

Anastomose : communication chirurgicale entre deux conduits de même nature ou entre deux nerfs.

Anus artificiel : communication chirurgicale temporaire ou définitive d'un segment intestinal avec la peau. Les matières sont la plupart du temps recueillies dans une poche externe. *Synonyme :* colostomie.

Béniqué : cathéter métallique utilisé dans le traitement des rétrécissements de l'urètre. *Voir aussi Bougie.*

Biopsie : opération visant à enlever sur le vivant un fragment de tumeur ou d'organe en vue de le soumettre à un examen microscopique.

Bistouri : instrument chirurgical en forme de couteau destiné à inciser la peau ou les organes. Le bistouri électrique utilise les courants de haute fréquence pour couper ou coaguler les tissus. *Voir aussi Cautérisation.*

Bougie : instrument de forme cylindrique destiné à explorer ou à dilater un canal naturel. *Voir aussi Béniqué.*

Broche : tige métallique à extrémité pointue utilisée pour obtenir une traction sur un membre. Moyen d'ostéosynthèse.

Canule : tube creux utilisé pour introduire ou retirer un liquide ou un gaz dans une cavité de l'organisme.

Catgut : ancien fil de suture résorbable d'origine animale. Ce type de fil n'est plus utilisé aujourd'hui.

Cathéter : tube destiné à être introduit dans un canal, un vaisseau ou un organe creux pour l'explorer, lui retirer ou lui injecter un liquide.

Cautérisation : destruction des tissus à l'aide de la chaleur ou d'un liquide caustique.

Champ opératoire : désigne la zone cutanée où porte l'incision chirurgicale et, par extension, les linges stériles, tissés ou non, qui délimitent cette zone.

Chirurgie ambulatoire : actes de chirurgie suivis du retour du patient à son domicile dans la même journée.

Clamp : pince chirurgicale servant à comprimer un conduit (vaisseau sanguin, intestin…).

Clip : sorte d'agrafe permettant l'oblitération d'un vaisseau.

Clivage : séparation chirurgicale de deux tissus ou organes. *Voir aussi Dissection.*

Cœliochirurgie : chirurgie mini-invasive effectuée sous cœlioscopie à l'aide d'instruments pénétrant dans l'abdomen par l'intermédiaire de trocarts au prix de minimes incisions.

Cœlioscopie : examen visuel de la cavité abdominale — préalablement distendue par du gaz carbonique — au moyen d'un endoscope introduit à travers la paroi abdominale. *Synonyme :* laparoscopie.

Cryochirurgie : chirurgie utilisant le froid pour détruire une tumeur, une veine, une hémorroïde…

Curage :
1) évacuation du contenu d'une cavité naturelle ou pathologique à l'aide des doigts ;
2) ablation radicale des éléments d'une région (exemple : curage ganglionnaire). *Voir aussi Curetage.*

Curetage : évacuation du contenu d'une cavité naturelle ou pathologique à l'aide d'une curette. *Voir aussi Curage.*

Débridement : section, libération ou excision de brides comprimant les tissus.

Décortication : séparation d'un organe de son enveloppe normale ou pathologique.

Dénudation : mise à nu d'un organe par simple incision.

Dissection : action d'isoler, dans un champ opératoire, les éléments sur lesquels doit porter l'intervention.

Drainage : procédé permettant l'écoulement des liquides contenus dans une plaie, un organe ou une cavité par mise en place de tubes creux (les drains) ou de mèches. *Voir aussi Méchage.*

Écarteur : instrument destiné à séparer les lèvres d'une plaie.

Énervation ou **dénervation :** section des nerfs desservant une région du corps.

Évidement : action de vider chirurgicalement une cavité de son contenu.

Excision : amputation d'une partie peu volumineuse d'un organe ou d'un tissu.

Exérèse : ablation d'une partie nuisible ou inutile à l'organisme. *Voir aussi Ablation, Amputation, Excision.*

Greffe : transfert d'un tissu ou d'un organe (le greffon) sur une autre partie d'un même individu (autogreffe) ou d'un autre individu (hétérogreffe).

Liposuccion/lipoaspiration : aspiration de la graisse sous-cutanée à l'aide de canules au cours d'une intervention de chirurgie esthétique.

Lithotripsie : opération consistant à broyer les calculs dans un organe creux par voie intra- ou extracorporelle.

Méchage : drainage par une fine bande de gaze (la mèche) introduite dans une plaie ou une fistule. *Voir aussi Drainage.*

Orthèse : appareil destiné à prolonger, immobiliser ou soutenir une partie du corps auquel il est directement fixé (exemples : attelles, corsets…). *Voir aussi Prothèse.*

Ostéosynthèse : technique qui, en utilisant du matériel souvent métallique (vis, plaque, etc.), permet de réduire et de contenir les éléments d'une fracture.

Plastie : restauration chirurgicale d'un organe ou d'une partie du corps.

Ponction : introduction d'un instrument dans une cavité naturelle ou pathologique pour prélever une partie de son contenu liquide dans un but diagnostique. La ponction-biopsie interne permet d'obtenir du tissu à analyser.

Pontage : procédé chirurgical unissant deux conduits creux distants par interposition d'un greffon ou d'une prothèse.

Prothèse : pièce ou appareil de remplacement interne se substituant à une articulation, un vaisseau sanguin, etc. Externe, la prothèse est à visée esthétique ou fonctionnelle. *Voir aussi Orthèse.*

Réduction : remise en place d'un organe déplacé, d'un os fracturé, d'une hernie ou d'une luxation.

Résection : intervention visant à enlever une partie d'un tissu ou d'un organe.

Sonde : instrument flexible ou rigide destiné à explorer un conduit, naturel ou non, ou à drainer la vessie.

Stripping : ablation d'une veine variqueuse par arrachement à l'aide d'un tuteur introduit dans l'une de ses extrémités.

Suture : rétablissement, par une couture ou par agrafage, de la continuité d'un tissu ou d'un organe sectionnés.

Taille : incision de la vessie pour en extraire un calcul, une tumeur ou un corps étranger.

Transplantation : greffe d'un organe, d'un individu à un autre, impliquant le rétablissement de la continuité de ses vaisseaux.

Trépanation : opération consistant à pratiquer une ouverture régulière dans un os à l'aide d'un trépan.

Trocart : instrument cylindrique creux, à bout tranchant, permettant l'introduction d'instruments chirurgicaux dans le corps, ou la ponction d'un liquide.

COMPARAISON

– Introduit une comparaison **autant, comme, même, pareil, semblablement**
– Comparaison de plusieurs individus ou choses **rapprochement, analogie, simi-** **litude, parallèle, confrontation, jugement, analyse**
– Comparaison de textes **recension, collation**
– Procédé littéraire utilisant la comparai- son **allégorie, allusion, figure, image, métaphore, parabole**
– Expression de la comparaison **comparatif, degré**
– Instrument de comparaison **modèle,**

parangon, gabarit, témoin, critère, paramètre

COMPARER

syn. **différencier, évaluer**
– Comparer des textes, des idées **collationner, confronter, vidimer, conférer, confronter**

COMPARTIMENT

– Est divisé en compartiments **boîtier, casier, trieur, médaillier, semainier**
– Compartiment coulissant d'un meuble **tiroir**
– Compartiment architectural d'un plafond **caisson**

COMPASSION

– Sa situation inspire la compassion **apitoiement, affliction, attendrissement, commisération, miséricorde, pitié, sollicitude**

COMPATIR

– Compatir à la douleur d'une personne **affliger de (s'), émouvoir de (s'), être affecté par, apitoyer sur (s')**

COMPATRIOTE

syn. **concitoyen**

COMPENSATION

– Compensation financière **dédommagement, remboursement, indemnité, pretium doloris, réparation, récompense**
– En compensation **en contrepartie, en échange, en revanche, par contre**

COMPENSER

– Cela va compenser **équilibrer, contrebalancer, neutraliser, rétablir, remédier à**
– Compenser une perte, des dégâts **rembourser, dédommager, indemniser, réparer**
– Compenser un compte **contre-passer**
– Compenser une faute **expier, racheter**
– Qui compense **compensatoire**

COMPÉTENCE

– Elle a toute la compétence pour cette activité **aptitude, qualité, capacité, qualification, faculté, habileté**
– Relève de la compétence de quelqu'un **domaine, secteur, spécialité, expertise**
– Compétence d'un tribunal **attributions, autorité, pouvoir, ressort**

COMPÉTENT

syn. **convenable approprié**
– C'est une personne compétente **apte, capable, érudite, experte, intelligente, lettrée, qualifiée, expérimentée**
– Tribunal compétent en matière de crimes **cour d'assises**

COMPÉTITION

– Compétition entre individus **rivalité, concurrence, affrontement, rencontre**
– Compétition sportive **critérium, poule, open, challenge, épreuve, match, tournoi**
– Personne en compétition **émule, challenger, partenaire, adversaire, concurrent, rival**
– Compétition d'idées **joute, débat, dispute, logomachie**

COMPLAISANCE

– Il l'a fait avec beaucoup de complaisance **bienveillance, amabilité, serviabilité, obligeance, gentillesse, zèle**
– Complaisance déplaisante **servilité, condescendance, flatterie, obséquiosité, flagornerie**

COMPLÉMENT

– Complément d'une chose **adjonction, ajout, supplément**
– Complément d'information **appendice, addenda, annexe, codicille, N.B. (nota bene), P.-S. (post-scriptum), errata**
– Complément financier **appoint, allocation, subside, subvention, rallonge**
– Complément de nourriture **rab**
– Proposition qui joue le rôle d'un complément **complétive**

COMPLET

– Caractère de ce qui est complet **complétude, plénitude, intégralité, entièreté**
– Un rapport complet **exhaustif**
– Une citation complète **in extenso**
– Une collection complète d'œuvres d'art **intacte**
– L'œuvre complète d'un compositeur **intégrale**
– Une semaine complète **accomplie, révolue**
– Approbation complète **acquiescement, adhésion, assentiment, unanimité, agrément**

COMPLÉTER

– Compléter ses connaissances **affiner, approfondir, parfaire, cultiver, perfectionner**
– Compléter pour pallier un manque **ajouter, combler, apporter, suppléer**
– Compléter un travail, un ouvrage **boucler, conclure, parachever**

COMPLEXE

voir aussi **compliqué**
– De caractère complexe **rébus, énigme**

COMPLICATION

voir aussi **confusion**
– Une nouvelle complication l'a empêché de venir **entrave, imbroglio, obstacle, embarras, difficulté**

– Une complication inextricable **dédale, labyrinthe, enchevêtrement**

COMPLICE

– Il est toujours avec son complice **comparse, compère, larron, acolyte, affidé**
– Complice dans une action **allié, auxiliaire, partenaire, second**

COMPLICITÉ

– Ils ont agi avec une grande complicité **intelligence, collusion, connivence, accord, entente**
– Signe de complicité **clin d'œil**

COMPLIMENT

– Compliment verbal **congratulations, louange, encensement**
– Qualité d'un compliment **emphatique, dithyrambique, grandiloquent, mielleux, pompeux, sincère**
– Lors d'un discours, compliment adressé à une personne illustre **panégyrique, apologie**
– Émaillé de compliments élogieux **laudatif**
– Biographie truffée de compliments **hagiographie**
– Faux compliment **blandice, flatterie, flagornerie**

COMPLIQUÉ

– Un problème compliqué **inextricable, ardu, complexe, difficile, embrouillé, insoluble, obscur**
– Un assemblage compliqué **alambiqué, contourné, entortillé**

COMPLOT

– Un complot se trame **conjuration, conspiration, sédition, cabale, brigue, manigance**
– Complot armé **putsch**
– Complot dans la Grèce antique **hétairie**

COMPLOTER

– Ils complotent un coup d'État **ourdissent, fomentent, trament**
– Individu qui complote **conspirateur, intrigant**
– Qu'est-ce que tu complotes encore ? **manigances**

COMPORTEMENT

voir aussi **conduite**
– Comportement physique **attitude, gestuelle, maintien, aisance**
– Comportement désagréable **irrespect, désinvolture, irrévérence, grossièreté, cynisme**
– En général, science des lois du comportement en tant que fait psychique **psychologie**
– Psychologie appliquée à l'étude de l'homme et de l'animal qui se borne à l'étude du comportement **béhaviorisme**

COMPOSER

syn. **agencer, arranger, assembler, combiner, concevoir, constituer, construire, élaborer, former, imaginer, produire**
– Composer une œuvre **créer, écrire**
– Composer un plat **confectionner, accommoder, préparer**
– Composer avec quelqu'un **transiger, entendre (s'), convenir, pactiser, traiter**
– Composer une attitude **feindre, affecter, simuler**
– Technicien qui composait en imprimerie **compositeur, typographe**
– Machine d'imprimerie utilisée pour composer **composeuse, Linotype, Monotype**

COMPOSER (SE)

– L'appartement se compose de trois pièces **comprend, comporte, compte**

COMPOSITION

voir aussi **art**
– Composition d'éléments **assemblage, agencement, constitution, série**
– Composition florale **gerbe, massif, bouquet**
– Composition florale japonaise **ikebana**
– Composition pharmaceutique **décoction, formule, préparation, onguent, baume**
– Composition musicale **concerto, harmonie, sonate, symphonie**
– Composition relative à l'imprimerie **linotypie, monotypie, photocomposition, PAO**
– Composition scolaire **dissertation, devoir**
– Composition vestimentaire **apparence, look**

COMPRÉHENSIBLE

– Une idée, une chose compréhensible **concevable, intelligible, accessible, cohérente, claire, simple**
– Texte compréhensible **lisible**
– Difficilement compréhensible **abscons, obscur, compliqué**

COMPRÉHENSIF

– C'est un homme compréhensif **tolérant, indulgent, bienveillant, large d'esprit**

COMPRÉHENSION

syn. **clairvoyance, intellection, entendement, appréhension**
– Compréhension entre individus **connivence, entente tacite, complicité, amitié, fraternité, sympathie**
– Compréhension humaine **altruisme, indulgence, philanthropie, mansuétude**

COMPRENDRE

– Comprendre le sens d'une idée **appréhender, assimiler, entendre**
– Comprendre un raisonnement **discerner, pénétrer**
– Perte ou trouble de la capacité de se faire comprendre **aphasie**
– Parvenir à se comprendre **accorder (s'), entendre (s')**
– Comprendre dans un tout **englober, inclure, insérer**
– Comprendre en soi **comporter, renfermer, embrasser, receler**

COMPRIMÉ /1

– Un comprimé pharmaceutique **granule, cachet, gélule, pilule**
– Comprimé qui fond sous la langue **linguette**
– Comprimé placé sous la peau **pellet**

COMPRIMÉ /2

– Qui fonctionne à l'air comprimé **pneumatique**

COMPRIMER

syn. **presser, réduire**
– Comprimer une bouteille vide **compresser, serrer, écraser, compacter**
– Comprimer sa colère **retenir, refouler, contraindre**
– Une matière que l'on peut comprimer par pression **réductible, compressible, coercible**

COMPROMETTRE

syn. **déshonorer**
– Il compromet gravement l'honneur de la famille **discrédite, nuit à, dessert, porte atteinte à**
– Compromettre un équilibre **ébranler, déstabiliser, troubler**

COMPROMETTRE (SE)

– Il risque de se compromettre dans cette affaire **exposer (s'), impliquer (s')**

COMPROMIS

– Compromis entre individus **accommodement, concession, consensus, temporisation, modus vivendi, arrangement**
– Compromis juridique **concordat, tractation, transaction, convention, conciliation**

COMPTABILITÉ

– Type de comptabilité **comptabilité analytique, comptabilité générale**
– Élément constitutif d'une comptabilité **actif, passif, bilan, pertes et profits, compte d'exploitation**
– Livre de comptabilité **brouillard, journal, grand livre, registre, sommier**

COMPTABLE

syn. **expert, audit, vérificateur aux comptes, gestionnaire, commissaire aux comptes**
– Pièce utile au comptable **bordereau, écriture, plan comptable**

COMPTANT

– Payer comptant **cash, sur-le-champ, immédiatement**
– Argent comptant **espèces, numéraire, liquide**
– Prendre pour argent comptant **donner crédit à, gober**

COMPTE

voir aussi **banque**
– Il fait le compte de ses biens **énumération, inventaire, calcul, bilan, total, addition, somme**
– Établissement d'un compte **relevé, mémoire, facture**
– Compte rendu **exposé, synthèse, relation, récit, procès-verbal, rapport**
– Se rendre compte **réaliser**
– Rendre compte **justifier, analyser**
– Prendre en compte **considérer**
– Mettre sur le compte de **imputer à, incriminer**
– S'en tirer à bon compte **sans dommage, indemne, sain et sauf**
– Demander des comptes **justification, explication**
– Être loin du compte **méprendre (se), tromper (se)**
– Donner son compte **congédier, licencier**

COMPTER

syn. **calculer**
– Compter le nombre de participants à une manifestation **chiffrer, recenser, estimer, évaluer, dénombrer, inventorier, mesurer**
– Action de compter **recensement, énumération, inventoriage, dénombrement**
– Compter les heures **égrener**
– Compter chaque sou **lésiner, liarder**
– Dépenser sans compter **être prodigue**
– À force de compter, on risque de devenir **avare, avaricieux, chiche, cupide, grippe-sou, ladre, pingre, radin**
– Instrument servant à compter **boulier, abaque, calculatrice, calculette**
– Compter parmi **faire figurer, englober**

COMPTOIR

– Comptoir où l'on sert à boire **bar, zinc, buvette**
– Comptoir d'un établissement financier **succursale, agence, bureau**
– Comptoir commercial à l'étranger **factorerie, emporium**

CONCÉDER

– Il ne peut concéder qu'il se trompe **admettre, avouer, reconnaître, convenir**
– Concéder un privilège **accorder, céder, allouer, donner, octroyer**

Banania : célèbre boisson à base de cacao, de sucre et de farine de banane mise au point et déposée en 1914 par Pierre-François Lardet.

Beurre de cacao : matière grasse naturelle contenue dans la fève de cacao.

Broyage : opération qui consiste, sous l'action de la chaleur, à transformer les fèves en une pâte de cacao liquide très amère contenant 35 % de matières grasses et dont on extrait le beurre de cacao (dit aussi liqueur) par pressage. Le tourteau qui reste est concassé, étuvé, puis pulvérisé et tamisé, ce qui donne la poudre de cacao. Ce sont cette poudre et ce beurre de cacao qui constituent la base du cacao et du chocolat.

Cabosse : fruit du cacaoyer. Après la cueillette, on ouvre les cabosses longitudinalement à la machette et on en extrait les fèves : c'est l'écabossage. Une cabosse pèse entre 150 et 600 g et contient de 20 à 50 fèves.

Cacao : on distingue la pâte de cacao, mélange de matière sèche (cacao sec dégraissé) et de beurre de cacao, le beurre de cacao (matière grasse naturelle) et la poudre de cacao, obtenue par pulvérisation du tourteau après broyage.

Cacaoyer : arbuste délicat qui pousse au Venezuela, en Équateur, à Trinidad, en Amazonie, en Côte d'Ivoire, à Madagascar, à São Tomé, au Sri Lanka et en Indonésie. Le cacaoyer fructifie dès la troisième ou quatrième année et atteint la maturité vers 8 ans. En toute saison, il porte feuilles, fleurs et fruits. Environ une fleur sur 500 donne un fruit, soit une cinquantaine de fruits par arbre.

Chocolat : le « vrai » chocolat est obtenu par mélange de pâte de cacao *(voir ce mot)* plus ou moins dégraissée et de sucre, le critère de référence étant la teneur en cacao pour 100 g de produit. Par pâte de cacao, il faut comprendre mélange de matière sèche (cacao sec dégraissé) et de beurre de cacao : 35 g minimum de pâte de cacao, dont 18 g au minimum de beurre de cacao pour les chocolats les moins chocolatés, sachant que plus un chocolat est amer (bitter), plus il est riche en cacao, même si ce n'est pas le pourcentage du cacao qui fait la qualité du chocolat... mais la manière dont il a été travaillé !

Chocolat au lait : produit contenant au moins 25 g de pâte et de beurre de cacao, 16 g de lait sec, 50 % de sucre au maximum, et 26 g de matières grasses au total.

Chocolat blanc : c'est le seul dont la teneur en cacao provienne exclusivement du beurre de cacao (20 %). Il ne contient donc ni cacao sec dégraissé ni matières colorantes, mais du sucre, du lait et des produits à base de lait.

Chocolat de couverture : produit comportant 35 g au minimum de pâte de cacao (dont 18 g au moins de beurre de cacao) et qui contient 65 % de sucre au maximum. Plutôt réservé aux artisans.

Chocolat de ménage ou **à cuire :** produit comportant au moins 35 g de pâte de cacao (dont 18 g au moins de beurre de cacao), et entre 57 et 65 g de sucre. Les meilleurs peuvent contenir plus de 50 % de cacao. Il est destiné à la pâtisserie.

Chocolat fondant : produit comportant au minimum 48 g de pâte et de beurre de cacao (dont au moins 32 g de beurre), et au maximum 52 % de sucre. C'est un chocolat de dégustation.

Chocolat noir : un chocolat a droit à l'appellation noir dès qu'il comporte au moins 35 g de cacao. Dans la pratique, on qualifie de chocolat noir un chocolat à forte teneur en cacao.

Chocolat supérieur, surfin, ou **extrafin :** produit dont la teneur en cacao doit être de 43 g au minimum, dont 26 g au moins de beurre de cacao. Toutefois, un bon chocolat amer se doit de comporter au moins 50 % de cacao.

Conchage : ultime étape de l'élaboration du chocolat, celle qui lui confère toute sa finesse et son onctuosité. Fabriquée avec un mélange de beurre de cacao ou de poudre de cacao et de sucre, voire de lait, la préparation est malaxée à chaud (entre 45 et 90 °C) dans des cuves équipées de broyeurs-malaxeurs (les conches), pendant 24 h, différents ingrédients pouvant encore être incorporés en cours de préparation selon le produit recherché : lécithines végétales (de soja) utilisées comme émulsifiant, arômes, fruits secs, etc. À la sortie de la conche, le chocolat est prêt à être moulé, solidifié par refroidissement et emballé.

Criollos : *voir Fèves.*

Crus : le chocolat basique, surtout s'il est destiné à la pâtisserie, est un assemblage de cacaos de provenances différentes. La tendance actuelle est aux chocolats de dégustation (aux crus), chocolats composés de cacaos provenant d'un seul pays. La qualité des fèves dépend de leur variété et de leur origine. Les plus réputés : Brésil, Venezuela, Trinidad, Équateur, Guyane, Martinique, São Tomé.

Fermentation : opération qui consiste à entasser les fèves pendant 6 ou 7 jours afin de leur faire subir une fermentation naturelle (alcoolique, puis acétique) afin d'empêcher toute germination et de provoquer la naissance de précurseurs d'arômes. Lors de ce processus, la pulpe qui entoure la fève disparaît, sa couleur se modifie et il se produit une diminution d'amertume et d'astringence dont dépendra beaucoup la qualité du chocolat. Un brassage régulier assure une fermentation homogène.

Fèves : graines amères en forme d'amandes qui se trouvent à l'intérieur des cabosses. On classe les fèves en trois catégories : les criollos, produits en Amérique centrale, qui donnent un cacao très fin à la saveur douce, très recherché pour la chocolaterie de luxe ; les forasteros, aux plants vigoureux — ce qui leur vaut leur surnom de robusta du cacao — cultivés en Afrique occidentale, au Brésil et en Équateur, qui donnent des cacaos de qualité plus courante ; les trinitarios, variétés hybrides cultivées un peu partout et qui produisent des cacaos à teneur élevée en matières grasses.

Forasteros : *voir Fèves.*

Ganache : fourrage classique à base de crème fraîche et de chocolat cuits auquel on ajoute généralement du sucre et parfois une liqueur, des extraits de fruits, du café ou du thé.

Kohler : inventeur du chocolat aux noisettes, en 1830.

Lindt : inventeur du conchage *(voir ce mot)* en 1879, qui permet de fabriquer du chocolat fondant, beaucoup plus fin et aromatique, par agitation mécanique.

Mars : inventeur de la première barre chocolatée (1923) à Chicago.

Menier : le premier à vendre du chocolat sous forme de tablettes, enveloppées dans du papier jaune.

Neuhaus : inventeur de la praline en 1912 et des grosses tablettes de chocolat au goût puissant, célèbres sous la marque « Côte d'or ».

Nestlé : chimiste suisse (1814-1890) qui mit au point le procédé de condensation du lait, permettant l'invention du chocolat au lait.

Pâte de cacao : pâte très amère obtenue par broyage des fèves de cacao sous l'action de la chaleur et dont on extrait le beurre de cacao par pressage.

Poudre de cacao : poudre obtenue en concassant, étuvant, pulvérisant et tamisant le tourteau qui reste après obtention de la pâte de cacao par broyage des fèves.

Poulain : inventeur, en 1884, d'un petit déjeuner à la crème vanillée (vendu dans sa célèbre boîte orange) qui révolutionna les habitudes alimentaires des enfants.

Praline : bonbon de chocolat belge constitué d'une coquille de chocolat moulé formée de deux alvéoles remplies de crème, plus rarement de praliné ou de ganache. La praline est beaucoup plus grosse que le chocolat français moyen. Les chocolats belges sont moulés et fourrés ; en France, ils sont enrobés (plongés dans du chocolat de couverture).

Praliné : fourrage constitué de pâte de chocolat contenant pour moitié des noisettes et des amandes grillées (parfois aussi des pistaches) et du sucre caramélisé.

Séchage : les fèves fermentées sont séchées soit au soleil, soit dans des séchoirs artificiels, où le taux d'humidité passe de 60 à 8 %. Cette phase joue un grand rôle dans la qualité du futur cacao car, après séchage, les fèves sont stabilisées. Elles sont alors mises en sacs et envoyées aux ateliers de fabrication.

Suchard : inventeur du fameux chocolat au lait dans son emballage mauve (en 1901).

Théobromine : alcaloïde contenu dans la fève de cacao.

Torréfaction : opération ayant pour but de développer l'arôme et la couleur des fèves, tout en facilitant la séparation de l'amande et de sa coque. Les conditions de torréfaction varient selon l'origine des fèves : peu poussées pour les criollos, assez poussées pour les forasteros.

Trinitarios : *voir Fèves.*

Van Houten : inventeur, en 1828, de la solubilisation du cacao, qui permet d'extraire des fèves moulues la plus grande partie de leur matière grasse, ou beurre de cacao.

CONCENTRATION

voir aussi **camp**

– La concentration des capitaux **accumulation, rassemblement, regroupement, réunion**
– Concentration urbaine **agglomération, conurbation, métropole, mégalopole**
– Le calme de cet endroit permet la concentration **réflexion, contention, attention**

CONCENTRÉ

– Un produit concentré **condensé, aggloméré, dense, épais**
– Extrait concentré **essence, substance, parfum, élixir, quintessence**
– Il est concentré sur son travail **absorbé par, plongé dans**

CONCENTRER

syn. **accumuler, grouper**
– Concentrer une population **agglutiner, agréger, entasser, rassembler**
– Concentrer son attention **canaliser, focaliser (se), méditer, réfléchir**

CONCEPTION

voir aussi **fécondation**

– Organisme au début de la conception **embryon, germe**
– Cellule nécessaire à la conception **gamète, spermatozoïde, ovule, anthérozoïde, oosphère**
– Conception artificielle **in vitro, fivete**
– Qui empêche la conception **contraceptif**
– Conception industrielle **maquette, projet, design, étude**
– Je ne suis pas d'accord avec sa conception des choses **idée, représentation, jugement, opinion, vue**

CONCERNER

– Qui concerne **relève de, rentre dans les attributions de, est du ressort de, regarde**
– Tâche qui concerne une personne **échoit à, incombe à**

CONCERT

– Concert classique **symphonie, duo, trio, concerto, quatuor, quintette**
– Concert de musique sacrée **cantate, messe, requiem, ode, chant grégorien, oratorio**
– Concert public **récital, audition**
– Concert donné sous les fenêtres de quelqu'un **aubade, sérénade**
– Concert de variétés **show, spectacle**
– Lieu où l'on donne un concert **auditorium, salon, kiosque, salle**
– Concert de voix discordantes **clameur, cacophonie**

CONCERTER

– Concerter une action **organiser, préparer, préméditer, arranger, calculer, manigancer**

CONCERTER (SE)

– Se concerter avant de prendre une décision **entendre (s'), accorder (s')**

CONCESSION

syn. **désistement, renoncement, dessaisissement, déprise, abandon**
– Procédé littéraire relatif à la concession **paromologie, épitrope**
– Se faire mutuellement des concessions **composer, transiger**
– Concession juridique **don, octroi, legs, rétrocession, charte**
– Il refuse toute concession **compromis**

CONCEVOIR

– Concevoir la vie **procréer, engendrer**
– Concevoir un plan **imaginer, élaborer, échafauder**
– Concevoir un projet **projeter**
– Concevoir une idée **penser, réfléchir**

CONCIERGE

– Il est concierge dans un immeuble **portier, gardien**

VOCABULAIRE DU CINÉMA

Champ : partie de l'espace que filme la caméra.

Contrechamp : orientation de la caméra dans le sens opposé au plan précédent.

Contre-plongée : prise de vues où la caméra est en dessous du sujet et le filme de bas en haut.

Découpage technique : descriptif technique des plans du film qui contient toutes les indications nécessaires au tournage (numéro du plan, durée, description de l'image) et les informations concernant le son (dialogue, bruitage, musique, etc.).

Flash : plan très court.

Flash-back : plan ou séquence présentant des éléments antérieurs à ceux de l'action.

Fondu au blanc : disparition progressive d'une image qui laisse place à un écran blanc à partir duquel se forme progressivement une autre image.

Fondu au noir : procédé identique à celui du fondu au blanc mais dans lequel l'image intermédiaire est noire.

Fondu enchaîné : disparition progressive d'une image qui laisse place à une autre image qui se forme aussi progressivement.

Insert : gros plan d'un objet intercalé entre deux plans.

Montage : assemblage des plans dans l'ordre défini par le découpage technique.

Panoramique : rotation horizontale de la caméra, dont l'axe reste fixe ; le résultat cinématographique de ce mouvement.

Plan :
– suite d'images enregistrées en une seule prise de vues *(voir Plan fixe et Plan séquence)* ;
– façon de cadrer la scène filmée *(voir Plan d'ensemble, Plan américain, etc.)*.

Plan américain : plan où les acteurs sont cadrés à mi-cuisse.

Plan d'ensemble : plan général qui montre le lieu, l'environnement, le décor où se déroule la scène. Le plan demi-ensemble ne montre qu'une partie du décor.

Plan fixe : absence de mouvement de la caméra.

Plan moyen : plan qui cadre le corps du personnage en entier.

Plan normal : plan horizontal à hauteur des yeux du personnage.

Plan rapproché : plan où les acteurs sont cadrés à la hauteur de la taille ou de la poitrine.

Plan séquence : plan unique, généralement long et filmé par une caméra mobile.

Plan serré : plan qui cadre le personnage à la hauteur des épaules.

Plongée : prise de vues où la caméra est située au-dessus du sujet.

Prise de vues : plan enregistré par la caméra.

Raccord : plan rajouté entre deux autres plans pour assurer la continuité du film.

Rideau : procédé où une seconde image repousse la première en la faisant glisser horizontalement ou verticalement afin de la remplacer.

Rushes : plans, séquences ou scènes récemment filmés que l'on visionne afin de savoir s'ils sont satisfaisants ou à refaire.

Scénario : écriture détaillée du film.

Scène : fraction d'une séquence qui est filmée dans un décor unique.

Séquence : suite de plans constituant une unité de récit à l'intérieur de l'action principale.

Standard : film d'un format de 35 mm qui est considéré comme standard par rapport aux formats réduits dits substandard *(voir ce mot)*.

Substandard : formats réduits de 16 mm, 9,5 mm et 8 mm.

Synopsis : description très brève du scénario.

Travelling : mouvement plus ou moins rapide, généralement horizontal, d'une caméra qui est fixée à un véhicule mobile (chariot, voiture, etc.). On distingue les travellings avant, arrière et latéral.

Travelling optique : effet, semblable au travelling, produit par la variation de la focale de l'objectif, la caméra demeurant fixe.

Zoom : effet d'éloignement ou de rapprochement produit par la variation de la distance focale.

– Concierge d'un hôtel particulier **suisse**
– Concierge d'une église **bedeau**
– Concierge faisant preuve d'une extrême sévérité **cerbère**
– Quelle concierge ! **bignole, pipelette, commère**

CONCILE
– Ils se sont réunis en concile **synode, consistoire, session**
– Type de concile **synodal, diocésain, national**
– Concile qui réaffirma la doctrine du catholicisme face au protestantisme **concile de Trente**

CONCILIATEUR
– C'est un habile conciliateur **médiateur, arbitre, pacificateur**

CONCILIATION
– Il n'y a pas de conciliation possible **accommodement, accord, arrangement, compromis, entente, réconciliation, transaction**
– Procédure de conciliation **médiation, arbitrage**

CONCILIER
– Concilier des personnes d'opinions contraires **accorder, arbitrer**

CONCILIER (SE)
– Se concilier les faveurs de quelqu'un **attirer (s'), gagner**

CONCIS
– Un discours concis **bref, court, dense, compendieux, elliptique, lapidaire, sobre, succinct**
– Texte concis **compendium, condensé, précis, résumé, sommaire**
– Une phrase concise **ramassée, laconique, incisive**

CONCLURE
– Conclure un travail **clore, couronner, achever, terminer**
– Conclure une affaire **résoudre, sanctionner, réaliser, signer**
– Conclure quelque chose d'un raisonnement **déduire, inférer, arguer, démontrer**

CONCLUSION
– La conclusion d'un travail **aboutissement, achèvement, règlement, consécration**
– Conclusion d'une œuvre littéraire **épilogue, dénouement, morale**
– Conclusion musicale **cadence, coda, final**
– Conclusion d'un discours **péroraison, chute**
– Tirer la conclusion d'une situation **enseignement, leçon, constatation**

– Conclusion heureuse **happy end**

CONCOMBRE
– Famille à laquelle le concombre appartient **cucurbitacées**
– Fruit du concombre **pépon, péponide**
– Concombre de mer **holothurie**

CONCORDANCE
– La concordance règne entre eux **harmonie, entente, accord**
– Il y a concordance entre les deux faits **analogie, similitude, ressemblance, correspondance**
– Manque de concordance **décalage, désaccord, contradiction**

CONCOURIR
– Ils sont prêts à concourir au succès de l'entreprise **aider à, collaborer à, participer à, coopérer à**

CONCOURS
– Participant à un concours **émule, compétiteur, rival, candidat, concurrent**
– Récompense ou grade obtenu à un concours **accessit, mention**
– Résultat d'un concours **admission, échec, disqualification, succès**
– Concours littéraire ou artistique **prix Goncourt, Femina, Médicis, Renaudot, de Rome, Nobel**
– Concours de l'Éducation nationale **CAPES, agrégation, CAPE, CAPEPS**
– Candidat reçu premier à un concours **major, cacique**
– Il compte sur le concours de tous ses collègues **participation, collaboration, coopération, aide**
– Un concours de circonstances **coïncidence, conjoncture**

CONCRET /1
– Manifestation du concret **phénomène, substance, matière**

CONCRET /2
– Constitution concrète d'un corps **solidification, concrétion, condensation**
– Rendre concret **matérialiser, réaliser, formuler**
– C'est un cas concret **perceptible, tangible, palpable, visible, audible, effectif, réel**
– Un esprit concret **pragmatique, pratique**

CONCURRENCE
– Théorie de la libre concurrence **libéralisme, libre-échangisme**
– Refus de la concurrence économique **protectionnisme**
– Concurrence professionnelle, sportive **rivalité, joute, challenge**
– Relatif à la concurrence **ciblage, marketing, publicité, affichage**

– Concurrence déloyale **détournement, dumping, fraude**
– Ne connaît pas la concurrence **monopole**
– Nerf de la concurrence **émulation**
– Marché laissé par la concurrence **niche, créneau**
– Jusqu'à concurrence de **à hauteur de**

CONDAMNATION
– Condamnation infligée à quelqu'un **châtiment, jugement, peine**
– Condamnation juridique **arrêt, verdict, sentence**
– Condamnation politique **exil, bannissement, relégation, ostracisme, proscription**
– Condamnation divine **damnation, malédiction**
– Condamnation religieuse **anathématisation, Inquisition, excommunication, mise à l'Index, censure, anathème**
– Lieu où l'on purge une condamnation **cachot, cellule, in pace, pénitencier, prison, QHS (quartier de haute sécurité)**
– Relevé des condamnations **casier judiciaire**

CONDAMNÉ
– Personne condamnée qui subit une peine **détenu, prisonnier, repris de justice, bagnard, captif, incarcéré**
– Une personne condamnée par la maladie **incurable, inguérissable, perdue**

CONDAMNER
– Condamner à une peine **châtier, sanctionner, inculper, punir, proscrire, bannir, ostraciser**
– Condamner les actes ou la conduite de quelqu'un **blâmer, désapprouver, réprouver, réprimander**
– Condamner une ouverture **obstruer, murer, fermer**

CONDENSÉ
syn. **abrégé, concis, épure, résumé, synopsis**

CONDENSER
syn. **abréger, réduire**
– Condenser une substance **comprimer, épaissir, saturer**
– Condenser sa pensée **résumer, synthétiser**

CONDITION
– Conditions d'un contrat **clauses, dispositions, formalités, stipulations, modalités**
– Condition impérieuse et sans appel **ultimatum, sommation**
– La condition humaine **destinée, fatalité, karma, prédestination, sort, fortune, fatum**

– Poser ses conditions **dicter, signifier**
– Condition de départ d'un raisonnement **axiome, prolégomènes, prémisses, élément, fondement**
– Individus de même condition **sphère, extraction, souche**
– Condition sociale **caste, rang, milieu, situation**
– Condition favorable pour entreprendre une action **ambiance, atmosphère, circonstances, climat, conjoncture, modalité**

CONDITIONNEL
– Un événement conditionnel **hypothétique, contingent, casuel, éventuel, fortuit, accidentel, occasionnel**
– Le mode conditionnel en grammaire **optatif**

CONDITIONNEMENT
– Conditionnement politique **propagande, intoxication, désinformation**
– Conditionnement climatique d'ambiance **climatisation**
– Conditionnement des produits alimentaires **brique, bouteille, flacon, sachet, boîte, stick, tube, emballage**
– Conditionnement sous plastique **blister**

CONDITIONNER
– Cela conditionne les résultats **influe sur, induit, commande, découle sur**
– Conditionner moralement des individus **influencer, endoctriner, intoxiquer, désinformer, décerveler**
– Conditionner un espace **climatiser**
– Conditionner des produits **traiter, emballer, empaqueter, embouteiller**

CONDUCTEUR
– Conducteur d'avion **pilote**
– Conducteur de camion **camionneur**
– Conducteur de calèche **automédon, cocher, postillon**
– Conducteur de navire ou barque **nocher**
– Conducteur de chars **aurige, roulier**
– Illustre conducteur de chars dans l'Antiquité romaine **Ben-Hur**
– Conducteur de chameaux **chamelier**
– Conducteur d'éléphants **cornac**
– Conducteur d'un troupeau **cow-boy, bouvier, muletier, gardian**
– Conducteur d'une caravane **nomade, Touareg, forain, caravanier, guide**
– Conducteur d'un navire, d'une péniche **nautonier, batelier, capitaine**
– Conducteur de train **mécanicien**
– Conducteur d'une armée **stratège**
– Conducteur spirituel **guide, gourou, brahmane, ayatollah, curé, pasteur, éminence grise, maître, égérie, pape**
– Conducteur des âmes des morts **psychopompe (Charon, Hermès...)**
– Conducteur d'un parti **leader, chef, dirigeant**

CONDUIRE
– Conduire un véhicule de course **piloter, manœuvrer**
– Conduire un bateau **barrer, gouverner, godiller**
– Conduire une entreprise **diriger, gérer, administrer, manager**
– Conduire des travaux sur un chantier **superviser, contrôler**
– Conduire une personne **escorter, guider, accompagner, emmener, mener**
– Être conduit par un sentiment **animé, inspiré, mû**
– Conduire quelqu'un à la faillite **acculer, réduire**
– Conduire un cours d'eau **canaliser, drainer**
– Conduire la chaleur **transmettre**
– Conduire un arbre **tailler, tuteurer**
– Propriété d'un corps qui conduit la chaleur **conductibilité, conduction**

CONDUIT
– Le conduit est bouché **tube, tuyau, conduite, boyau, canal, canalisation**
– Conduit pour acheminer un liquide ou un gaz **aqueduc, viaduc, pipeline, oléoduc**

CONDUITE
syn. **acte, agissement, attitude, comportement, manière**
– Règle de conduite **loi, précepte, méthode, procédé, morale**
– Écart de conduite **frasques, incartade, extravagance, fredaine**

CONFECTION
– Confection d'un objet **fabrication, élaboration, préparation, façon**
– Lieu de confection **atelier, manufacture**
– Confection vestimentaire **prêt-à-porter**
– Professionnel de la confection **modiste, tailleur, couturier**

CONFÉRENCE
– Le sujet de la conférence l'a passionné **conseil, colloque, sommet, entretien**
– Conférence artistique, littéraire **causerie, exposé**
– Conférence à caractère secret **conciliabule**

CONFESSER
– Confesser publiquement sa foi **proclamer, afficher, témoigner de**
– Confesser ses fautes **avouer, déclarer, convenir de, reconnaître**

CONFESSION
– Appartenir à une confession **Église, foi, croyance, religion, obédience, culte**
– Concerne la confession religieuse **attrition, contrition, pénitence, repentir, absolution, rémission**

– Confession d'une faute **autocritique, aveu, déclaration**

CONFIANCE
syn. **conviction, foi, espérance**
– Digne de confiance **fiable, crédible, rassurant**
– Confiance aveugle **crédulité, candeur, naïveté, ingénuité**
– Confiance en soi **audace, hardiesse, aplomb, témérité, assurance, initiative**
– Confiance excessive en soi **arrogance, fatuité, outrecuidance, présomption, effronterie**
– Homme de confiance **alter ego, bras droit, conseiller**
– Confiance prêtée à autrui **créance, crédit**

CONFIDENCE
– Il a fait une confidence à son ami **confession, aveux, révélation**
– En confidence **secrètement**

CONFIER
– Confier quelque chose à quelqu'un **donner, léguer, abandonner, livrer, remettre, prêter**
– Confier une mission **déléguer, mandater, députer, sous-traiter**
– Confier un secret à quelqu'un **avouer, confier (se), épancher (s'), fier à (se), livrer (se), ouvrir (s'), révéler**

CONFINÉ
– L'air est confiné dans ce bureau **renfermé**

CONFINER
– La maladie le confine chez lui **enferme, cloître, cloue**

CONFINER (SE)
– Il se confine dans cet emploi **cantonne (se), restreint (se), isole (s')**

CONFIRMATION
– J'attends la confirmation du rendez-vous **attestation, homologation, validation**
– Confirmation d'une promesse **assurance**
– Confirmation juridique dans la possession d'un bien **maintenue**
– C'est une confirmation de ce que je pensais **preuve, vérification**

CONFIRMER
– Confirmer la justesse d'un résultat **vérifier, attester, authentifier, homologuer, prouver, avérer**
– Confirmer la validité d'une loi **entériner, ratifier**
– Confirmer la véracité d'un propos **corroborer**

CONFISERIE
voir aussi **bonbon**
– Il apprécie les confiseries **friandises, douceurs, fondants, mignardises**
– Technique relative à la confiserie **pastillage, pralinage**
– Confiserie contenant des fruits secs **dragée, rocher, touron, praline, nougat, nougatine**

CONFISQUER
– Confisquer quelque chose pour son profit **accaparer, absorber, détourner**
– Confisquer des biens appartenant à une personne **saisir, soustraire, prélever**
– Action de confisquer **mainmise, séquestre**

CONFITURE
syn. **compote, gelée, marmelade**
– Confiture de jus de raisin **raisiné**
– Confiture de coings **cotignac**

CONFLIT
– Conflit entre individus **heurt, lutte,** clash, rixe, bagarre, bataille, altercation, dispute
– Conflit entre des peuples **guerre**
– Conflit entre les lois de la raison **antinomie, incohérence**
– Intervention d'une nation dans un conflit entre d'autres pays **interventionnisme**
– Conflit émanant de sentiments ou d'intérêts contraires **antagonisme, discorde, controverse, désaccord, dissonance, querelle, affrontement, dissension, dissentiment**

CONFONDRE
– Confondre des éléments **amalgamer, fusionner, mêler, mélanger, intervertir**
– Confondre une personne qui s'est rendue coupable d'une mauvaise action **démasquer**
– Confondre un projet **déjouer, contrecarrer**
– Confondre quelqu'un par ses propos **déconcerter, stupéfier, renverser, consterner**

CONFORME
– Conforme à une norme **orthodoxe, académique, systématique, canonial**
– Conforme à un modèle **analogue, identique, équivalent, similaire**
– Copie conforme **vidimus, ampliation**

CONFORMER (SE)
– Il faut se conformer aux règles **adapter à (s'), aligner sur (s'), modeler sur (se), plier à (se)**

CONFORMITÉ
– La conformité entre deux éléments **concordance, similitude, parité, adéquation**
– Conformité de sentiments **affinité, harmonie**

CONFORT
– Le confort matériel **aisance, standing**
– Confort dans une attitude casanière **cocooning**
– Confort d'utilisation d'un ordinateur **convivialité**

VOCABULAIRE DU CLERGÉ CATHOLIQUE

Abbaye : bâtiment, dirigé par un abbé ou une abbesse, où vivent les membres d'une même communauté.

Abbé, abbesse : moine, ou moniale, élu à la tête d'une abbaye pour la diriger.

Archevêque : évêque dont dépendent plusieurs diocèses formant une province.

Archiprêtre : prêtre exerçant dans un chef-lieu d'arrondissement ou une église cathédrale (titre honorifique).

Cardinal : évêque choisi par le pape pour faire partie du Sacré Collège, chargé de l'élection du pape et de l'administration de la Curie.

Chanoine : membre du chapitre chargé d'assister l'évêque et vivant en communauté avec celui-ci.

Chapitre : assemblée de religieux (des chanoines) dans une église cathédrale, s'occupant de la gestion de celle-ci.

Clerc : religieux portant la tonsure, marque de l'état ecclésiastical.

Clergé régulier : prêtres, moines ou moniales vivant en respectant une règle de vie commune.

Clergé séculier : religieux vivant dans le siècle, c'est-à-dire dans la vie laïque.

Congrégation : ensemble de prêtres, moines ou moniales partageant une communauté de vie.

Couvent : lieu où vivent les membres d'une même communauté.

Curé : prêtre chargé d'une cure, c'est-à-dire d'une paroisse.

Diacre : clerc qui a reçu le premier degré du sacrement de l'ordre.

Diocèse : portion de territoire administrée, sur le plan religieux, par un évêque ou un archevêque.

Ecclésiastique : membre du clergé.

Éminence : titre donné à un cardinal.

Évêque : religieux se trouvant à la tête d'un diocèse.

Évêque *in partibus infidelium* : voir Évêque titulaire.

Évêque titulaire : évêque n'ayant pas de diocèse à diriger (les évêques titulaires portent souvent le titre d'un évêché disparu d'Afrique ou d'Asie).

Exorciste : religieux ayant reçu un ordre mineur chargé de s'occuper des fidèles possédés du démon.

Frère : titre donné à un homme vivant dans une communauté religieuse.

Moine, moniale, nonne : religieux vivant dans un monastère, selon des règles de vie commune.

Monastère : lieu où vivent les membres d'une même communauté.

Monseigneur : titre donné aux évêques.

Novice : personne candidate à la vie religieuse dans un monastère et mise à l'épreuve avant de prononcer des vœux définitifs.

Ordinaire : toute personne religieuse exerçant sur une autre une supériorité hiérarchique.

Ordre : ensemble de personnes respectant la même communauté de vie religieuse.

Pape : chef suprême de l'Église catholique.

Paroisse : portion de territoire, généralement équivalente au village, où exerce le prêtre.

Patriarche : titre accordé à certains évêques exerçant dans un diocèse particulièrement important.

Postulant, postulante : personne candidate au noviciat.

Prélat : titre donné à un haut personnage religieux (évêque, cardinal).

Prêtre : personne ayant reçu le sacrement de l'ordre et généralement chargée d'une paroisse.

Prieur : religieux élu à la tête d'un prieuré.

Prieuré : monastère dépendant généralement d'une abbaye.

Primat : titre donné à un évêque chargé d'un diocèse particulièrement important, et ayant donc autorité sur les autres (par exemple : le primat des Gaules, archevêque de Lyon).

Profès : religieux qui a prononcé des vœux.

Recteur : nom donné au curé dans certaines régions (en Bretagne, par exemple).

Religieux, religieuse : personne ayant prononcé des vœux et observant les règles d'une communauté de vie.

Sœur : titre donné à une femme vivant dans une communauté religieuse.

Vicaire : assistant du curé dans une paroisse.

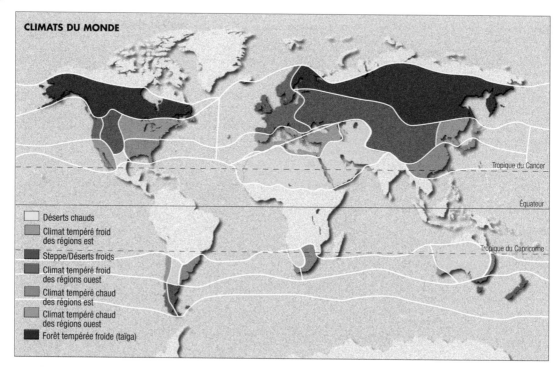

CLIMATS DU MONDE

- ☐ Déserts chauds
- Climat tempéré froid des régions est
- Steppe/Déserts froids
- Climat tempéré froid des régions ouest
- Climat tempéré chaud des régions est
- Climat tempéré chaud des régions ouest
- Forêt tempérée froide (taïga)

Tropique du Cancer

Équateur

Tropique du Capricorne

CONFUS
– Un assemblage confus **disparate, hétéroclite, composite**
– Style confus **amphigourique, ambigu, nébuleux, incohérent, alambiqué**
– Discours confus **galimatias**
– Un individus confus **piteux, penaud, quinaud, embarrassé, déconcerté**

CONFUSION
– Confusion d'objets **fatras, chaos, salmigondis, capharnaüm**
– Confusion visuelle des couleurs **daltonisme**
– Relatif à la confusion mentale **confusionnel, confuso-onirique, délirant**
– Fait d'entretenir volontairement la confusion dans les esprits **confusionnisme**
– Trouble engendré par la confusion linguistique **dyslexie, aphasie**
– La plus grande confusion règne ici **anarchie, cafouillage, cafouillis, désordre, pagaille, trouble**
– Confusion de voies **labyrinthe, dédale, lacis**

CONGÉ
– Congé hebdomadaire **sabbat, week-end**
– Congé militaire **permission**
– Congés scolaires **campos, vacances**
– Donner congé **congédier, expédier, licencier, renvoyer**

CONGESTION
– Congestion pulmonaire **fluxion, pneumonie**
– Congestion cutanée **érythème**
– Nom correct désignant une congestion cérébrale **accident vasculaire ischémique**
– Congestion cérébrale en termes désuets **apoplexie**
– Congestion des tissus **hypérémie, pléthore, turgescence**
– Ancien traitement d'une congestion **saignée, incision, scarification**

CONGLOMÉRAT
– Conglomérat financier **groupe, trust, combinat, holding**

CONGRÈS
– Congrès scientifique **séminaire, symposium, session, colloque, conférence**
– Congrès ecclésiastique **conclave, chapitre, synode**
– Congrès politique **meeting, rassemblement, réunion, assemblée, séance**

CONIFÈRE
voir aussi **arbre**
– Principaux conifères **sapin, pin, épicéa, cyprès, cèdre, séquoia, mélèze, if, taxodium**
– Fruit du conifère **cône, strobile, galbule**
– Sécrétion des conifères **résine, galipot, gemme, gomme**

– Forêt de conifères **taïga**

CONJECTURE
– Se perdre en conjectures **suppositions, hypothèses, supputations, projections**

CONJOINTEMENT
– Ils travaillent conjointement **ensemble, en collaboration, en même temps**

CONJONCTION
– Conjonction d'éléments **union, assemblage, rencontre**
– Conjonction d'événements **interférence, simultanéité**
– Conjonction en grammaire **disjonctive, causale, de coordination, de subordination**
– Conjonction de plusieurs lettres en un seul caractère **ligature, liaison**
– Conjonction des astres **aspect, situation**
– Conjonction ou opposition de la Lune et du Soleil **syzygie**

CONJONCTURE
– Cela dépend de la conjoncture **situation, contexte, circonstances**

CONJUGAISON
voir aussi **grammaire, verbe**
– Une conjugaison d'éléments différents **conjonction, combinaison, association**

– Marque de la conjugaison **désinence, terminaison**
– Verbe dont la conjugaison n'est pas complète **défectif**

CONJUGUER
– Conjuguer les forces en présence **allier, unir, joindre, coaliser, combiner**

CONJURER
– Conjurer le mauvais sort **exorciser**
– Je vous en conjure **supplie, implore**

CONNAISSANCE
– Acte intellectuel par lequel on acquiert la connaissance **cognition**
– Qui concerne la connaissance **cognitif**
– Connaissance acquise par l'expérience **empirisme**
– Connaissance antérieure à l'expérience **a priori**
– Connaissance postérieure à l'expérience **a posteriori**
– Connaissance superficielle **vernis, notion, rudiments, aperçu**
– Connaissance subjective **sentiment, conscience, intuition, sensation, perception**
– Connaissance objective **savoir, science, pratique, acquis**
– Connaissance profonde due à l'apprentissage théorique **culture, érudition, compétence, qualification**
– Ouvrage dans lequel on trouve des connaissances scientifiques et artistiques **encyclopédie**
– Avoir des connaissances **fréquentations, relations, contacts, correspondants**

CONNAÎTRE
syn. **apprendre, découvrir, entendre, éprouver, expérimenter, percevoir, voir**
– Connaître exactement **savoir, distinguer, discerner**
– Elle connaît bien la question **maîtrise, possède**
– Faire connaître ses sentiments à quelqu'un **extérioriser, exprimer, témoigner, déclarer, avouer**
– Connaître par avance **prévoir, deviner, pressentir, subodorer, soupçonner**
– Faire connaître un fait **informer, propager, divulguer, vulgariser, annoncer, avertir, communiquer**
– Méthode par laquelle Socrate fait connaître à son interlocuteur la vérité qu'il porte en lui sans le savoir **maïeutique**

CONNEXION
– Connexion entre deux éléments **union, liaison, rapport**
– Connexion entre deux appareils **câblage**
– Connexion entre un ordinateur et un **réseau, serveur, site**

– Reste présent bien que la connexion soit interrompue **cookie**

CONNU
syn. **appris, découvert, révélé**
– Bien connu **notoire, évident, proverbial, célèbre, légendaire**

CONQUÉRANT
– Espagnol conquérant parti à la découverte de l'Amérique au XVIᵉ siècle **conquistador**
– Un État conquérant **expansionniste, colonialiste, impérialiste**
– Un air conquérant **entreprenant, fat, pédant, prétentieux, suffisant, vainqueur, audacieux**

CONQUÉRIR
– Conquérir un pays **annexer, vaincre, soumettre, assujettir**
– Conquérir le pouvoir **acquérir, extorquer, prendre, approprier (s')**
– Il a conquis sur les marais une partie de son domaine **gagné**
– Conquérir une personne **séduire, subjuguer, captiver, fasciner, envoûter, charmer, ensorceler, attacher (s')**

CONQUÊTE
– Conquête d'un territoire **appropriation, annexion, domination**
– Partir à la conquête du monde **découverte, exploration**
– Conquête sociale **acquis, avancée, apport, progrès**
– Conquête d'un animal **domestication, apprivoisement**

CONSACRÉ
– C'est la formule consacrée **habituelle, normale, classique, réglementaire**
– Pain consacré **hostie**

CONSCIENCE
– Conscience de la réalité extérieure **sentiment, notion, perception**
– Conscience des sensations internes **cénesthésie**
– Conscience immédiate **pressentiment, intuition, sensation**
– Examen de conscience **introspection, autocritique**
– Inférieur au seuil de la conscience **subconscient, subliminal**
– Prendre conscience de quelque chose **réaliser, saisir, découvrir**
– Conscience aiguë **lucidité, acuité**
– Conscience morale **probité, intégrité**
– Fait appel à la conscience professionnelle **déontologie, éthique**
– Conscience avec laquelle on s'attache à faire un travail **application, soin, minutie**
– Ce qui émane de la conscience **image, pensée, idée**

CONSCIENCIEUX
– Un travailleur consciencieux **méticuleux, minutieux, soigneux, zélé**
– Une personne consciencieuse d'un point de vue moral **intègre, honnête, scrupuleuse, probe**
– Faire une enquête consciencieuse **précise, détaillée, approfondie, exhaustive**

CONSÉCRATION
– La consécration d'une chapelle **bénédiction**
– Ce résultat est la consécration de tous nos efforts **aboutissement, couronnement, résultat, sanction**

CONSEIL
voir aussi **comité, État**
– Vos conseils m'a été fort précieux **suggestion, invite, exhortation, admonition**
– Qualité d'un conseil **sagace, judicieux, avisé, clairvoyant**
– Personne de bon conseil **mentor, égérie, éminence grise**
– Membre du conseil de fabrique d'une église **fabricien, marguillier**

CONSEILLER
– Conseiller technique **expert, spécialiste**
– Conseiller juridique **avocat, légiste**
– Conseiller auprès de personnes en détresse **écoutant, psychologue, psychiatre, psychanalyste, psychothérapeute**
– Conseiller de la République **sénateur**
– Conseiller quelqu'un **aviser, diriger, inspirer, guider, exhorter, dissuader**
– Conseiller quelque chose **préconiser, recommander, indiquer, suggérer**

CONSENTEMENT
– Je ne peux rien entreprendre sans votre consentement **accord, acquiescement, assentiment, autorisation, permission**
– Donner son consentement **accéder à, accepter, autoriser, permettre**

CONSENTIR
– Consentir à une chose **acquiescer à, souscrire à, adhérer à**
– Consentir à la demande d'un enfant **permettre, autoriser, accepter**
– Consentir malgré soi **céder, condescendre, soumettre (se)**

CONSÉQUENCE
syn. **effet, suite**
– Conséquence d'un événement **impact, répercussion, rejaillissement, ricochet, séquelles, retombées, contrecoup, incidence**
– Conséquence d'un principe **déduction, inférence, conclusion**

– Conséquence dérivant d'une proposition ou d'un théorème **corollaire**
– Par voie de conséquence **automatiquement, ipso facto, ainsi, donc**
– Cela est sans conséquence **bénin, anodin, insignifiant**

CONSÉQUENT

– Un individu conséquent **structuré, cohérent, logique, fiable**
– Une somme conséquente **rondelette, importante, coquette, substantielle, appréciable**

CONSERVATEUR

syn. **respecter, sauver**
– Il est très conservateur **conformiste, traditionaliste, passéiste, réactionnaire, rétrograde**
– Attitude des conservateurs **conservatisme**
– Avoir une fonction de conservateur **administrateur, gardien, gestionnaire**
– Domaine d'exercice d'un conservateur **musée, bibliothèque, collection, archives, muséum, pinacothèque**
– Conservateur alimentaire **additif, antioxygène, émulsifiant, stabilisant**

CONSERVATION

– Procédé de conservation des aliments **lyophilisation, dessiccation, déshydratation, appertisation, salaison, congélation**
– Conservation d'un cadavre **embaumement**
– Substance utilisée pour la conservation des momies **natron**

CONSERVE

– Récipient utilisé pour la stérilisation des conserves **autoclave, étuve**
– Maladie causée par la consommation excessive de conserves **scorbut**
– Intoxication due à des conserves avariées **botulisme**

CONSERVER

– Sachez conserver votre santé **garantir, préserver, entretenir, protéger**
– Conserver le patrimoine national **soigner, restaurer, sauvegarder, réhabiliter**
– Conserver la mémoire, le souvenir **perpétuer, immortaliser, maintenir**
– Il conserve tout son courrier **garde, accumule, entasse**

CONSIDÉRABLE

– Des richesses considérables **immenses, innombrables, incommensurables, colossales, énormes**
– Un événement considérable **capital, décisif, exceptionnel, majeur**
– Une personne considérable **éminente, notable, remarquable**

CONSIDÉRER

– Considérer une œuvre picturale **admirer, contempler, observer, évaluer, regarder, critiquer**
– Considérer un fait d'un point de vue critique **approfondir, analyser, apprécier, étudier, examiner**
– Considérer avec bienveillance ou admiration **estimer, vénérer, révérer**
– Considérer en mauvaise part **jauger, juger, toiser**
– Il considère qu'elle a raison **trouve, pense**

CONSIGNE

– Nous avons reçu de nouvelles consignes **directives, instructions**
– Consignes d'utilisation **mode d'emploi**
– Consigne impérative **ordre, règlement, injonction, ultimatum**
– Consigne infligée à un soldat, un élève **interdiction, retenue, punition, colle**

CONSISTANCE

– La consistance d'une substance **solidité, fermeté, rigidité, texture, tenue**
– Un esprit sans consistance **léger, fragile, inconsistant, irrésolu, instable**

CONSISTER

– Le mécanisme consiste en un ressort et une clef **comprend, comporte, compose de (se)**
– Sa mission consiste à classer les documents **est de, revient à**

CONSOLATION

– Consolation d'une douleur **allégement, adoucissement, réconfort, soulagement**
– Propre à la consolation **baume, dictame, panacée, remède**

CONSOLER

– Consoler la douleur d'une personne **assoupir, atténuer, cicatriser, soulager**
– Consoler un enfant **apaiser, rasséréner, réconforter**

CONSOLIDER

– Consolider la stabilité d'un édifice **affermir, stabiliser, étayer, renforcer**
– Consolider sa position **asseoir, enraciner, fortifier**
– Consolider une alliance **ancrer, cimenter, sceller**

CONSOMMATEUR

syn. **acheteur, chaland, client, usager**
– Défense des consommateurs **consumérisme**
– Ensemble des consommateurs potentiels d'un produit **marché, public**
– Être un consommateur effréné **boulimique, insatiable**

– Analyse du comportement des consommateurs **marketing, marchandisage, mercatique**

CONSOMMATION

– L'épicerie vend des produits de consommation courante **usage, emploi, utilisation**
– Ils ont pris une consommation à la terrasse du café **boisson, rafraîchissement, verre, pot**

CONSOMMER

– Consommer de la nourriture **absorber, avaler, engouffrer, ingurgiter, manger, alimenter (s'), restaurer (se), sustenter (se)**
– Consommer des matières combustibles **consumer, user, brûler**
– Produit qu'on ne peut consommer sans le détruire **consomptible**
– Consommer un crime **perpétrer, exécuter, accomplir, commettre**

CONSONNE

voir aussi **alphabet, phonétique**
– Consonne qui est doublée **géminée**
– Relatif au système des consonnes **consonantique**

CONSPIRATION

syn. **cabale, complot, conjuration, intrigue, ligue**

CONSPIRER

– Ils ont conspiré contre l'État **comploté**
– Tout conspire à la réussite du projet **contribue à, concourt à**

CONSTANT

– Constant dans ses efforts **assidu, persévérant, obstiné, opiniâtre, tenace**
– Constant dans l'adversité **inflexible, inébranlable, ferme, volontaire**
– Constant dans l'amour **fidèle**
– Un phénomène constant **immuable, habituel, permanent, régulier**

CONSTATATION

– Constatation d'un fait **observation**
– Constatation des dégâts **expertise**
– Constatation d'état civil **acte, bulletin, attestation, certificat**

CONSTATER

– Constater la véracité d'un fait **éprouver, établir, vérifier**
– Officier de justice chargé de constater **huissier**
– On constate une augmentation du taux de natalité **observe, assiste à**
– Constater au terme d'un procès-verbal **authentifier, légaliser**

CONSTELLATION

voir aussi **astrologie, astronomie**

CŒUR

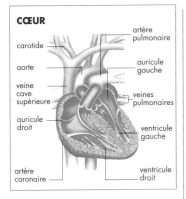

carotide
aorte
veine cave supérieure
auricule droit
artère coronaire

artère pulmonaire
auricule gauche
veines pulmonaires
ventricule gauche
ventricule droit

– Savant grec ayant établi le nom des premières constellations **Aratos, Ptolémée**
– Nom d'une constellation de sept étoiles et groupe des sept grands poètes alexandrins (IIIᵉ s. av. J.-C.) **Pléiades**

CONSTERNATION

– La nouvelle l'a plongé dans une grande consternation **abattement, effondrement, anéantissement, accablement, chagrin, désolation**

CONSTITUANT

– C'est le principal constituant de l'ensemble **élément, composant(e)**

CONSTITUER

– Constituer une société **fonder, monter, créer, organiser**
– Constituer un gouvernement **instituer, établir, légaliser**
– Le tout est constitué de cinq éléments **compose (se), consiste en, comprend, comporte**

CONSTITUTION

syn. **lois, institution**
– Constitution politique d'un pays **régime, gouvernement**
– Établissement de la constitution d'un État **charte**
– Promulgation des constitutions papales **bulle, encyclique**
– Constitution d'un individu **conformation, complexion**
– Constitution physique déficiente **cacochymie, cachexie**
– Individu souffrant d'une mauvaise constitution **égrotant, rachitique, souffreteux, valétudinaire**
– Constitution d'une matière **composition, organisation, structure, texture**

CONSTRUCTION

– Construction d'un bâtiment **édification, érection, élévation**
– Règles de construction architecturale **architectonique**

– Construction grammaticale **syntaxe**
– Construction grammaticale erronée **cacologie**

CONSTRUIRE

– Construire un édifice **ériger, édifier, bâtir**
– Construire des objets **fabriquer, produire**
– Construire un pont **jeter**
– Construire un raisonnement **articuler, élaborer, forger, échafauder**
– Construire un poème **combiner, disposer**

CONSULTATION

– Consultation d'un dossier **analyse, lecture, étude, expertise**
– Consultation médicale **visite, examen**
– Consultation psychanalytique **séance**
– Consultation des citoyens **référendum, plébiscite, élection**
– Consultation de l'opinion publique **enquête, sondage**
– Consultation des astres **astrologie**
– Consultation des cartes pour prédire l'avenir **cartomancie**
– Consultation des lignes de la main **chiromancie**
– Consultation des morts **nécromancie, spiritisme**
– Consultation des oracles **divination**
– Celle qui consulte les oracles **pythie**
– Consultation entre membres d'un syndicat **délibération**
– Permet la consultation de banques de données **serveur, réseau, Internet, Minitel, ordinateur**
– Lieu consacré à la consultation d'ouvrages **bibliothèque, iconothèque, archives**

CONSUMER

– Les flammes vont consumer la cabane **dévorer**
– Le désespoir la consume **mine, ronge**

CONSUMER (SE)

– Le bois de chêne se consume lentement **brûle, flambe**

CONTACT

– Ils sont en contact **rapport, relation, liaison, correspondance**
– Prise de contact **rencontre, communication, entrevue**
– Il a plusieurs contacts dans le monde médical **connaissances, relations, fréquentations, correspondants**
– Contact entre deux corps **adhérence, contiguïté**
– Contact physique entre deux personnes **attouchement, baiser, caresse, effleurement, frôlement, serrement de main, poignée de main, coup, gifle, claque**
– Point de contact en géométrie **tangence**

CONTAGIEUX

voir aussi **maladie**
– Une maladie contagieuse **transmissible**
– Substrat qui véhicule un agent contagieux **contage**
– Période d'isolement d'une personne contagieuse **quarantaine**
– Lieu où sont regroupés des malades contagieux **lazaret**
– Avoir un rire contagieux **communicatif**

CONTAGION

– La maladie progresse par contagion **contamination, transmission, propagation**
– Conséquence de la contagion **épidémie, pandémie**
– Traitement destiné à prévenir ou à enrayer la contagion **prophylaxie, vaccination, prévention**

CONTAMINÉ

– Une zone contaminée **radioactive**
– Un fichier informatique contaminé **vérolé, infecté**
– Des nappes phréatiques contaminées **polluées**

CONTE

voir aussi **fable**
– Il aime lire des contes **histoires, récits, fictions, fabliaux, légendes**
– Personnages de contes **fées, ogres, sorcières, gnomes, elfes, génies**
– Domaine des contes **merveilleux, imaginaire, surnaturel**
– Contes héroïques **épopée, saga**
– Contes de Boccace *Décaméron*
– Elle relate les contes des *Mille et Une Nuits* **Schéhérazade**
– Contes à dormir debout **balivernes, fadaises, sornettes, sottises**

CONTEMPORAIN

– Auteur contemporain **actuel, moderne**
– Simultanéité de faits contemporains **synchronie**

CONTENANCE

– Il mesure la contenance du tonneau **volume, capacité, cubage, tonnage**
– Je lui ai toujours connu une contenance fière **allure, comportement, attitude, air**
– Faire perdre contenance à quelqu'un **décontenancer, déconcerter, troubler, démonter, déstabiliser, désarçonner**

CONTENIR

– Contenir en soi **renfermer, receler, inclure, comporter**
– Contenir un fleuve dans un périmètre **borner, endiguer, enserrer**
– Contenir une foule **réfréner, réprimer**
– Un mouvement impossible à contenir

irrépressible, incoercible, incontrôlable
– Il sait se contenir **dominer (se), modérer (se), contraindre (se)**

CONTENT /1
– Boire tout son content **soûl**

CONTENT /2
– Il a l'air content **gai, heureux, joyeux, radieux, satisfait**
– Très content **béat, comblé, enchanté, enthousiasmé, ravi**
– Content de soi **arrogant, fat, infatué, présomptueux, suffisant, vaniteux**

CONTENTEMENT
– Son contentement fait plaisir à voir **bonheur, félicité, joie, plaisir, satisfaction**

CONTENTIEUX
– Le tribunal tranchera le contentieux **différend, affaire, conflit, démêlé, litige**
– Service du contentieux **affacturage**

CONTENU
– Contenu d'un véhicule de transport **tonnage, cargaison, fret, charge**
– Calculer un contenu **capacité, volume, contenance**
– Contenu d'un discours **teneur, sens, substance**
– Descriptif d'un contenu **programme, étiquette, menu, sommaire, table des matières**

CONTESTATION
– Mouvement de contestation **manifestation, grève**
– Forte contestation **conflit, rébellion, révolte, soulèvement**

CONTESTER
syn. **récuser**
– Contester un point de vue **controverser, nier, contredire, réfuter, infirmer**
– Contester l'ordre établi **révolter (se), protester, regimber, rebeller (se)**
– Contester le droit d'une personne **dénier**
– Contester l'autorité d'un tribunal **récuser**

CONTINGENT /1
– Un contingent de marchandises **lot, stock**

CONTINGENT /2
– Il ne s'agit que d'un fait contingent **accessoire, secondaire, mineur**
– Il ne faut pas se fier aux événements contingents **aléatoires, conditionnels, fortuits, incertains**

CONTINU
– Un mouvement continu **perpétuel, constant, permanent, uniforme**

– Phénomène continu **continuum**
– Un bruit continu **persistant, ininterrompu**
– Des récriminations continues **sempiternelles, incessantes, opiniâtres**
– Une attention continue **indéfectible, assidue, soutenue**
– Basse continue en musique **continuo**

CONTINUER
– Cela ne pourra pas continuer longtemps **durer, éterniser (s')**
– Continuer à faire quelque chose **persévérer, persister, obstiner à (s')**
– Continuer un entretien **poursuivre, prolonger**
– Continuer des traditions **maintenir, perpétuer, pérenniser**

CONTINUITÉ
– Il faut assurer la continuité de notre action **poursuite, permanence, persistance, constance**
– Rupture dans la continuité **fracture, cassure**

CONTOUR
syn. **délinéament, limite**
– Contour d'un corps **silhouette, galbe, forme**
– Contour d'un visage **ovale, profil**
– Marque le contour d'une propriété **clôture, enceinte**
– Contour d'un pays **frontière, confins**
– Contour d'une agglomération **ceinture, périphérie**
– Tracer les contours d'un paysage **ébaucher, esquisser**
– Travailler les contours sur une photo **détourer, rogner**
– Contour d'un ruisseau **méandre**
– Contour d'un chemin, d'une route **lacet, sinuosité, zigzag, détour**

CONTRACEPTIF
– Contraceptif masculin **condom, préservatif**
– Contraceptif féminin **pilule, micropilule, stérilet, diaphragme, spermicide**
– Relatif au contraceptif **anticonceptionnel**

CONTRACTER
syn. **acquérir**
– Contracter un emprunt **endetter (s'), emprunter, souscrire**
– Il a contracté une maladie **attrapé, chopé**

CONTRACTER (SE)
– Les muscles se contractent **durcissent (se), raidissent (se), tendent (se), tétanisent (se)**

CONTRACTION
– Contraction musculaire ou organique

contracture, constriction, convulsion, crampe, rétraction, spasme
– Forme de contraction musculaire **isotonique, isométrique**
– Contraction permanente d'un muscle **tétanos**
– Contraction légère d'un muscle **crispation**
– Contraction du muscle cardiaque **systole**
– Appareil enregistrant les contractions musculaires **myographe**
– Contraction des vaisseaux sanguins **angiospasme**
– Contraction des muscles faciaux **rictus**
– Contraction des mâchoires **trismus**
– Succession de contractions **clonus**
– Contraction phonétique **coalescence, crase, synérèse**
– Contraction de texte **résumé**

CONTRADICTION
– Contradiction entre deux propositions **antinomie, antilogie, paradoxe**
– Contradiction formelle à une déclaration **réfutation, objection, démenti**
– Elle sait braver les contradictions **difficultés, entraves**
– Sans contradiction **cohérent, logique**

CONTRAINDRE
– Contraindre quelqu'un **forcer, obliger, violenter, tyranniser, assujettir**
– Contraindre une personne à des aveux **acculer**
– Contraindre l'aisance naturelle du corps **entraver, gêner, contenir**
– Se contraindre à faire quelque chose **astreindre à (s'), imposer de (s'), obliger à (s')**
– Se contraindre à ne pas faire quelque chose **empêcher de (s'), réfréner (se), réprimer (se)**
– Contraindre ses passions **comprimer, refouler**

CONTRAINTE
– Il souhaite vivre sans contraintes **obligations, exigences, entraves**
– Contrainte exercée sur une personne **astreinte, coercition, pression**
– Être sous la contrainte de quelqu'un **servitude, asservissement, soumission, esclavage, sujétion, tutelle**
– Contrainte sociale **loi, règlement, discipline**

CONTRAIRE /1
– Faire le contraire de ce qu'il convient **inverse**
– Mot exprimant le contraire d'un autre **antonyme**

CONTRAIRE /2
– Point de vue contraire **divergent, opposé, inconciliable, incompatible, distinct**

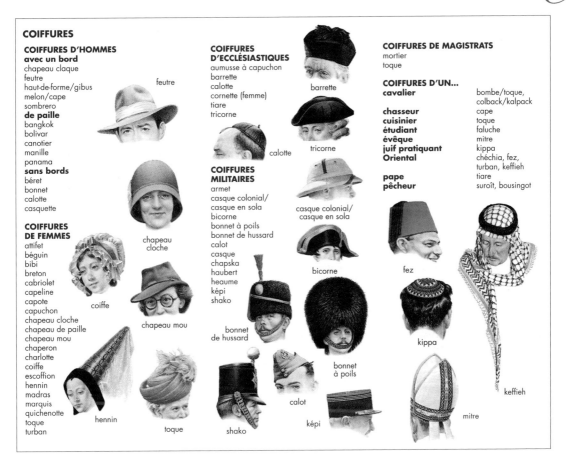

COIFFURES

COIFFURES D'HOMMES
avec un bord
chapeau claque
feutre
haut-de-forme/gibus
melon/cape
sombrero
de paille
bangkok
bolivar
canotier
manille
panama
sans bords
béret
bonnet
calotte
casquette

COIFFURES DE FEMMES
attifet
béguin
bibi
breton
cabriolet
capeline
capote
capuchon
chapeau cloche
chapeau de paille
chapeau mou
chaperon
charlotte
coiffe
escoffion
hennin
madras
marquis
quichenotte
toque
turban

feutre

chapeau cloche

coiffe

chapeau mou

hennin

toque

COIFFURES D'ECCLÉSIASTIQUES
aumusse à capuchon
barrette
calotte
cornette (femme)
tiare
tricorne

barrette

calotte

tricorne

COIFFURES MILITAIRES
armet
casque colonial/
casque en sola
bicorne
bonnet à poils
bonnet de hussard
calot
casque
chapska
haubert
heaume
képi
shako

*casque colonial/
casque en sola*

bicorne

bonnet de hussard

bonnet à poils

calot

shako

képi

COIFFURES DE MAGISTRATS
mortier
toque

COIFFURES D'UN...
cavalier	bombe/toque, colback/kalpack
chasseur	cape
cuisinier	toque
étudiant	faluche
évêque	mitre
juif pratiquant	kippa
Oriental	chéchia, fez, turban, keffieh
pape	tiare
pêcheur	suroît, bousingot

fez

kippa

keffieh

mitre

– Un parti contraire **adverse, antagoniste**
– Thèse contraire à une thèse exposée **antinomique, antithétique**
– Comportement contraire à une norme établie **transgression, infraction, dérogation**
– Commettre une action contraire à la liberté d'autrui **attentatoire, préjudiciable, nuisible, néfaste**

CONTRARIANT
– Il n'est pas contrariant **casse-pieds, difficile, embêtant**
– C'est bien contrariant cette histoire ! **ennuyeux, fâcheux, déplaisant, agaçant, dérangeant**

CONTRARIER
– Contrarier le cours d'un ruisseau **dévier, détourner**
– Contrarier quelqu'un par son attitude **agacer, irriter, blesser, mécontenter, énerver, vexer, froisser**
– Cette nouvelle la contrarie beaucoup **désole, navre, chagrine, attriste**

– Contrarier le désir d'une personne **barrer, contrer, entraver, contrecarrer, freiner**

CONTRASTE
– Contraste entre deux caractères **dissemblance**
– Contraste entre deux aspects **opposition, antithèse**
– Contraste musical **discordance**
– Effet de contraste qui émane des jeux de lumières et d'ombres **clair-obscur**
– Cette couleur établit un contraste **jure, détonne, tranche**

CONTRAT
– Ils ont signé le contrat **accord, acte, alliance, convention, pacte, protocole, engagement, traité**
– Type de contrat juridique **synallagmatique, commutatif, consensuel, pignoratif**
– Contrat donnant l'usufruit à un créancier pour payer une dette **nantissement, antichrèse**
– Contrat de bail d'une ferme **louage**

– Clause d'un contrat **condition, disposition, stipulation**
– Rompre un contrat **résilier, révoquer**
– Annulation d'un contrat pour cause de lésion **rescision**
– Vice annulant la validité d'un contrat **dol, captation, lésion**
– Modification d'un contrat **avenant**
– Parties qui signent un contrat **contractants**

CONTRAVENTION
– Motif d'une contravention **infraction, entorse au règlement, délit**
– Il a eu une contravention **papillon, amende, prune, contredanse, p.-v.**

CONTREBANDE
– La contrebande est fortement réprimée **fraude, trafic**
– Une activité de contrebande **interlope, clandestine**
– Contrebande du sel **faux-saunage**

CONTREBANDIER
– Contrebandier d'alcool **bootlegger**

COLLECTIONNEURS	
Nom	**Collection de...**
Aérophilatéliste	timbres de poste aérienne
Bibliophile	livres
Cartophile	cartes postales
Conchyophile	coquillages
Copocléphile	porte-clefs
Érinnophile	vignettes non postales et timbres commémoratifs
Éthylabellophile	étiquettes de liqueur
Ferrovipathe	chemins de fer
Fibulanomiste	boutons
Gazettophile	journaux
Glacophile/ yaourtphile	pots de yaourt
Glycophile	emballages de sucre
Héraldiste	blasons
Jetonophile	jetons
Lépidoptériste	papillons
Lithophile	pierres
Marcophile	marques postales
Molacologiste	mollusques
Minéralophile	minéraux
Nicophile	paquets de cigarettes
Numismate	monnaies
Œnosémiophile	étiquettes de vin
Oologiste	coquilles d'œuf
Philatéliste	timbres
Philuméniste	boîtes d'allumettes
Plombophile	plombs fiscaux, de douane...
Pressophile/ sidérophile	fers à repasser
Pyrothécophile	cartouches
Schoïnopentaxophile	cordes de pendu
Scripophile	papiers timbrés
Sigillophiliste	sceaux
Sripophile	actions, obligations, titres
Tabacophile	tabac
Tégestophile	bière (objets)
Télécartiste	télécartes publicitaires
Tyrosémiophile	étiquettes de fromage
Vexillophiliste	drapeaux
Vitolphiliste	bagues de cigare.

– Contrebandier à la frontière espagnole **bandolier**

CONTRECOUP
– C'est le contrecoup de la chute des cours **effet, conséquence, répercussion, suite**
– Les contrecoups d'un accident **séquelles**
– Par contrecoup **par ricochet, indirectement**

CONTREDIRE
syn. **démentir**
– Il ne cesse de contredire ce que je dis **nier, réfuter**
– Qui ne peut être contredit **irréfragable**
– L'accusé ne cesse de se contredire **couper (se)**

CONTREFAÇON
– Contrefaçon d'un produit industriel **falsification, copie, imitation, faux**
– Contrefaçon artistique **plagiat, parodie, pastiche**
– Contrefaçon monétaire **contrefaction, adultération**
– Personne qui réalise une contrefaçon **contrefacteur, falsificateur, faussaire, pasticheur**

CONTREFAIRE
– Il contrefait l'attitude de son maître **imite, copie, mime, calque**
– Il contrefait sa voix **déguise, déforme**
– Contrefaire des billets **falsifier**
– Contrefaire une œuvre littéraire **plagier**

CONTREMAÎTRE
– L'entreprise recrute un contremaître **agent de maîtrise, chef d'équipe**
– Contremaître dans un atelier d'imprimerie **prote**
– Contremaître dans les mines de charbon **porion**

CONTREPARTIE
– Il ne demande aucune contrepartie **retour, compensation, indemnisation**
– En contrepartie **en échange, en revanche, par contre**
– Sans contrepartie **gratuitement, gracieusement**

CONTRE-PIED
– Ses opinions sont le contre-pied des nôtres **opposé, contraire, inverse**

CONTREPOIDS
– Contrepoids d'une porte **valet, groom**
– Faire contrepoids **équilibrer, contrebalancer**

CONTRER
– Il a su contrer son adversaire en le neutralisant **opposer à (s'), vaincre, gagner sur**

CONTRETEMPS
syn. **obstacle**
– Un contretemps l'a empêché de finir son travail **accident, difficulté, complication, empêchement, ennui, incident, problème**
– Qui arrive à contretemps **inopportun, intempestif, malencontreux**

CONTREVENIR
– Il contrevient à la règle **transgresse, déroge à, enfreint, outrage**
– Personne qui contrevient à la loi **contrevenant, délinquant, coupable**

CONTRIBUTION
– Contribution financière **écot, obole, cotisation, quote-part**
– Contribution fiscale **impôt, patente, redevance, taxe**
– Contribution apportée par un pays au développement d'un autre pays **coopération**
– Contribution due jadis à l'Église sur la récolte annuelle **dîme**
– Contribution prélevée jadis sur le sel **gabelle**
– Contribution prélevée jadis sur la récolte d'un créancier **cens, champart, terrage**
– Contribution de guerre **tribut**
– Apporter sa contribution à une entreprise **aide, assistance, collaboration, concours, participation**

CONTRÔLE
– Marque de contrôle attestant la qualité d'un produit **label, cachet, estampille, sceau**
– Marque de contrôle en orfèvrerie **poinçon**
– Contrôle des billets **vérification, pointage, compostage**
– Contrôle des connaissances **examen, épreuve, partiel**
– Contrôle continu **devoir, interrogation**
– Contrôle médical **analyse, bilan de santé, check-up**
– Contrôle des troupes **revue, inspection**
– Contrôle stratégique des forces armées **observation, surveillance**
– Appareil de contrôle médical **monitoring**
– Contrôle de la gestion d'une entreprise **audit**
– Contrôle des naissances **malthusianisme, planning familial, contraception**
– Être rayé des contrôles **radié, réformé**
– Garder le contrôle de soi **sang-froid, self-control, flegme, maîtrise**

CONTRÔLER
– La police va contrôler les bagages des

voyageurs **inspecter, vérifier, examiner**
– Contrôler les faits et gestes d'une personne **épier, espionner, surveiller**
– Contrôler les médias **censurer**
– Contrôler un texte en regard du manuscrit original **collationner, pointer**
– Il sait se contrôler **contraindre (se), contenir (se), maîtriser (se)**

CONTROVERSE
– Cette déclaration n'a soulevé aucune controverse **critique**
– Art de la controverse **éristique**
– Engager une controverse **débat, joute, discussion, polémique, logomachie**

CONVAINCRE
– Je me suis laissé convaincre **persuader**
– Art de convaincre **rhétorique, sophistique, dialectique**
– Tenter de convaincre un auditoire **plaider, prêcher**
– Convaincre quelqu'un de ne pas faire quelque chose **dissuader**
– Prière adressée à quelqu'un pour le convaincre de ne pas faire quelque chose **objurgation**
– Propos débités pour convaincre **boniments, salades, sophismes**

CONVAINCU
– Être un défenseur convaincu **résolu, farouche**

CONVENABLE
– Il faut trouver un équilibre convenable **adéquat, adapté, favorable, approprié, juste**
– C'est un hôtel tout à fait convenable **correct, honorable, sérieux, décent, fréquentable**

CONVENANCE
– À votre convenance **goût, gré**
– Il sait respecter les convenances **règles, usages, bienséance, politesse**

CONVENIR
– Convenir d'un rendez-vous **arranger, décider, fixer**
– Convenir d'une erreur **avouer, confesser, concéder, reconnaître, admettre**
– Convenir à une personne **agréer, aller, correspondre, plaire, satisfaire, seoir**

CONVENTION
voir aussi **accord**
– Les conventions sociales **code, savoir-vivre, convenances, étiquette, protocole**
– Convention internationale **entente, alliance, pacte, traité**

CONVENTIONNEL
– Les signes linguistiques sont des notations conventionnelles **arbitraires, convenues**
– Adopter une attitude conventionnelle **pédante, guindée, conformiste**
– Parler de façon conventionnelle **académique, stéréotypée**
– Un style précieux très conventionnel **compassé, ampoulé**
– Se vêtir de façon conventionnelle **classique, traditionnelle**

CONVERGER
– Nos idées convergent **recoupent (se), rejoignent (se), coïncident**
– Endroit où différents éléments convergent **nœud, centre, carrefour**

CONVERSATION
– Conversation à deux **dialogue, entretien, entrevue, tête-à-tête**
– Conversation futile **babillage, bavette, badinage, bavardage, marivaudage, parlote, palabres**
– Conversation entre intimes **causerie, confabulation, jaserie**
– Conversation secrète **aparté, conciliabule**
– Conversation téléphonique **coup de fil, appel, audioconférence**
– Conversation sur Internet **chat, forum**
– Conversation visant à établir un accord **pourparlers, tractation, consultation, négociation**
– Conversation avec un animateur de télévision **talk-show**
– Lieu réservé à la conversation **parloir, salon**
– Salle réservée à la conversation dans l'Antiquité **exèdre**
– Paroles échangées au cours d'une conversation **propos**

CONVERSION
– Conversion à une religion **adhésion**
– Peut être à l'origine d'une conversion religieuse **grâce, révélation, illumination**
– Toute conversion religieuse contrainte peut impliquer **reniement, apostasie, abjuration**
– Conversion de valeurs **consolidation**
– Conversion des valeurs monétaires **change**
– Conversion des métaux en or **alchimie, transmutation**
– Conversion professionnelle **recyclage, réorientation, reconversion**
– Conversion de la Terre et des planètes **rotation, révolution**

CONVERTI
– Personne convertie à une religion ou à une doctrine **adepte, prosélyte**

CONVERTIR
syn. **changer une chose en une autre**
– Convertir un groupe d'individus **évangéliser, prêcher, catéchiser**
– Personne chargée de convertir **apôtre, évangéliste, missionnaire**
– Convertir quelqu'un à ses idées **amener, gagner, rallier, faire adhérer**

CONVERTIR (SE)
– Se convertir à une opinion **souscrire à, rallier à (se)**

CONVICTION
syn. **assurance, certitude, persuasion**
– Conviction religieuse **foi, croyance**
– Pièce à conviction **preuve**

CONVOCATION
– Recevoir une convocation pour comparaître en justice **citation, assignation, ajournement**
– Convocation à un examen scolaire, universitaire **collante**
– Convocation militaire **appel, incorporation, mobilisation**
– Convocation d'un concile, d'un synode **indiction**

CONVOI
– Convoi de chariot **charroi**
– Convoi de nomades **caravane**
– Convoi de prisonniers **transfert**
– Convoi funéraire **cortège, funérailles, obsèques**
– Assure la protection d'un convoi **escorte, patrouilleur**
– Tout ce qui accompagne le convoi **équipage**

CONVOQUER
– Il faut le convoquer immédiatement **mander, appeler**
– Convoquer une personne devant un tribunal **intimer**

CONVULSION
– Il souffre de convulsions **spasmes, soubresauts, crispations, tressaillements, clonies**
– Convulsion puerpérale **éclampsie**
– Une convulsion musculaire persistante **tonique**
– Une convulsion musculaire alternée **clonique**
– Maladie nerveuse se manifestant par de violentes convulsions **épilepsie**
– Convulsion d'une passion **exaltation, excitation, agitation**

COOPÉRATIVE
– Coopérative où l'on peut acheter des fromages **fruitière, fromagerie**
– Coopérative agricole en Israël **kibboutz**
– Coopérative agricole de l'ex-URSS **kolkhoze**

COORDONNER
– Coordonner différents travaux **synchroniser, organiser, gérer, arranger**

COPIE

– Copie par reproduction mécanique **polycopie**
– Copie fidèle **reproduction, calque, fac-similé, photocopie**
– Copie authentifiée d'un acte **ampliation, duplicata, expédition, grosse**
– Copie réalisée afin de tromper **faux**
– Copie de billets de banque **contrefaçon, falsification**
– Copie d'une œuvre **plagiat**
– Copie faite par un artiste de son propre tableau **réplique**
– Copie humoristique d'un auteur **imitation, pastiche, parodie**

COPIER

– Copier un texte **transcrire**
– Copier un acte notarié en gros caractères **grossoyer**
– Copier un dessin **décalquer**
– Copier un CD-Rom **graver, dupliquer**
– Personne employée à copier **scribe, copiste, clerc**
– Copier les manières d'une personne **mimer, singer**
– Personne qui copie sans vergogne **plagiaire, pasticheur, imitateur**

COPIEUX

– Le repas fut copieux **riche, abondant, plantureux, généreux**

COPROPRIÉTÉ *Voir tableau p. 155*

COQ

– Ordre auquel appartient le coq **gallinacés**
– Partie du plumage d'un coq **camail, rémiges, lancettes, faucilles, bouffant**
– Coq châtré **chapon, coquâtre**
– Coq des marais **gélinotte**
– Coq de roche **rupicole**
– Coq de bruyère **tétras, grouse**
– Coq d'Amérique **hocco**
– Coq des champs ou coq héron **huppe**
– Cri du coq **cocorico**
– Herbe aux coqs **tanaisie**
– Coq d'un clocher **girouette**

COQUE *Voir illustration coques de bateaux, p. 156*

– Coque d'un bateau **carcasse, carène**
– Coque d'une noix **coquille, enveloppe**

COQUETTERIE

– La coquetterie masculine, féminine **séduction**
– Coquetterie masculine **dandysme**
– Se parer avec coquetterie **pomponner (se)**

COQUILLAGE

– Science qui étudie les coquillages **conchyliologie**
– Élevage de coquillages **conchyliculture**

– Composant d'un coquillage **columelle, byssus**
– Coquillage conique servant de trompe d'appel **conque**
– Manger des coquillages **mollusques, fruits de mer**
– Coquillage utilisé autrefois en Afrique comme monnaie **cauri**

COQUILLE

– La coquille d'un escargot **carapace, écaille**
– Semblable à une coquille **conchoïdal**
– Terrain contenant des coquilles **conchylien**
– Marbre renfermant des débris de coquilles fossiles **lumachelle**
– Coquille de l'oursin **test**
– Couleur coquille d'œuf **blanc cassé**
– Coquille en typographie **faute, erreur**

COQUIN /1

– Petit coquin **polisson, garnement**
– Quel fieffé coquin **bandit, scélérat**

COQUIN /2

syn. **espiègle, fripon, malicieux**
– Une histoire coquine **égrillarde, grivoise, leste**
– Un regard coquin **canaille**

CORAIL

– Ordre des coraux **alcyonaires**
– Banc de corail **polypier, madrépore, cœlentérés**
– Récif de corail **atoll**
– Épaves de corail **herpes**
– Commerce de corail **coraillerie**
– Morceau de corail utilisé en bijouterie **puntarelle**
– Serpent corail **élaps**

CORBEAU

– Famille à laquelle appartient le corbeau **corvidés**
– Espèce de corbeaux **choucas, corneille, freux**
– Petit du corbeau **corbillat**
– Des lettres anonymes reçues du corbeau **calomniateur, délateur, dénonciateur**

CORBEILLE

– Corbeille à fruits **panier, flein, paillon**
– Corbeille pour faire dormir un bébé **couffin, moïse**
– Porteuse de corbeille de l'Antiquité grecque **canéphore**
– Corbeille de l'Antiquité grecque **ciste**
– Il y a beaucoup d'argent dans la corbeille **cagnotte**
– Corbeille d'argent **alysse, ibéris**

CORDAGE

– Cordage de marine **ajut, bout, bitord, cargue, draille, drisse, drosse, écoute, balancine**

CORDE

– Corde utilisée par le charpentier **simbleau**
– Corde d'alignement du jardinier **cordeau**
– Corde de potence **cravate de chanvre**
– Corde en métal **câble, câblot, filin**
– Corde en chanvre **larderasse**
– Corde élastique servant à maintenir des bagages **tendeur, Sandow, araignée, pieuvre**
– Corde d'emballage **seizaine**
– Corde utilisée pour les animaux **longe, licol, licou, laisse**
– Cordes nouées utilisées par les Incas en guise d'écriture **quipu**
– Moyen de transport fonctionnant à l'aide de cordes **funiculaire, téléphérique, télésiège**
– Lieu où sont fabriquées les cordes **corderie, câblerie**
– Instrument à cordes **luth, théorbe, alto, violon, violoncelle, contrebasse, guitare, mandoline, banjo**
– Corde la plus grave du violon **bourdon**
– Corde la plus aiguë du violon **chanterelle**
– Danseur sur corde **funambule, fildefériste**

CORDIAL /1

– Il a pris un cordial **fortifiant, remontant**

CORDIAL /2

– Faire montre d'une attitude cordiale à l'égard de quelqu'un **amène, franche, chaleureuse, sympathique, enthousiaste**
– Cordiales salutations **amicales, sincères**

CORDON

– Gros cordon **corde, câble**
– Cordon sur la poignée d'une épée **dragonne**
– Cicatrice laissée par le cordon ombilical **nombril, ombilic**
– Cordon littoral **lido, tombolo**

CORNE

– Corne des cervidés **bois, cors, ramure, andouiller, trochure**
– Corne de bélier utilisée dans le rituel juif **schofar**
– Animal qui n'a qu'une corne **licorne, narval**
– Vache n'ayant plus qu'une corne **dagorne**
– Corne musicale **cornet à bouquin, bugle, trompe, cornet, olifant**
– Vase en forme de corne dans lequel on servait le vin **rhyton**

CORNEMUSE

– Cornemuse écossaise **pibrock**

COLOMBAGE

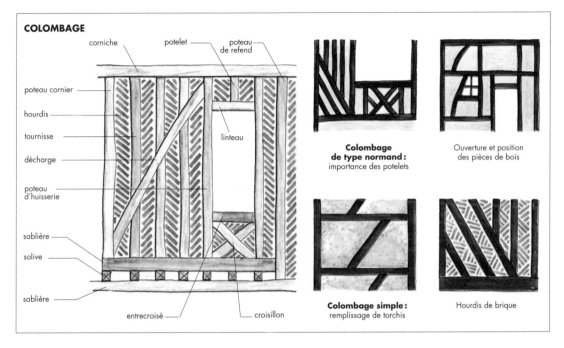

corniche · potelet · poteau de refend

poteau cornier

hourdis

tournisse

décharge

poteau d'huisserie

linteau

sablière

solive

sablière

entrecroisé · croisillon

Colombage de type normand : importance des potelets

Ouverture et position des pièces de bois

Colombage simple : remplissage de torchis

Hourdis de brique

– Type de cornemuse **bedondaine, bousine, musette**
– Cornemuse bretonne **biniou**
– Cornemuse auvergnate **cabrette**
– Joueur de cornemuse **cornemuseur, cornemuseux, sonneur**

CORPS
voir aussi **astre**
– Corps humain **organisme**
– Science ayant pour objet le corps **anatomie, anthropobiologie, anthropométrie, chirurgie, médecine, morphologie, physiologie**
– Élément constitutif du corps humain **squelette, muscle, organe**
– Ensemble de processus régissant la vie du corps **métabolisme**
– Trouble affectant le corps **maladie, diathèse**
– Malformation du corps **difformité, handicap**
– Concernant le corps **somatique, corporel**
– Évolution du corps **croissance, développement, vieillissement**
– Chaleur d'un corps **température**
– Perte de la sensibilité d'une partie du corps **anesthésie**
– Jouissance du corps **volupté, délices**
– Ampleur du corps **corpulence, taille**
– État d'un corps qui souffre d'une surcharge pondérale **embonpoint, obésité, rotondité**
– Contrainte volontaire du corps **ascèse, mortification, austérité**

– Substance agissant sur le corps **somatotrope**
– Présence du corps du Christ dans l'hostie **consubstantiation**
– Sensation des mouvements du corps **kinesthésie**
– Mesure des corps **masse, poids, densité**
– Corps d'une extrême petitesse **atome, molécule, corpuscule**
– Propriété des corps **dilatation, fusion, solidification, condensation, liquéfaction**
– Pesanteur des corps **attraction, gravitation, gravité**
– Mouvement propre aux corps **dynamique, mécanique**
– Corps céleste **planète, galaxie**
– Prendre corps **incarner (s')**

CORRECT
– Faire une interprétation correcte d'un texte **exacte, fidèle, juste, pertinente**
– Avoir un langage correct **châtié, poli, soutenu**
– Une tenue correcte **décente, élégante, bienséante, convenable**
– Il a été correct avec moi **loyal, honnête**

CORRECTION
– Correction apportée à un manuscrit **bifure, rature**
– Correction proposée par les traitements de texte **orthographique, grammaticale**
– Correction proustienne **paperoles, collage**

– Étude des corrections effectuées par les écrivains **manuscriptologie**
– Correction apportée à un ouvrage avant qu'il soit imprimé **rectification, refonte, remaniement, réécriture, rewriting**
– Page sur laquelle on reporte les corrections **épreuve, placard**
– Technicien chargé de la correction des épreuves dans l'imprimerie et l'édition **correcteur**

CORRESPONDANCE
– Correspondance entre deux faits **corrélation**
– Correspondance temporelle de deux situations **simultanéité, synchronie**
– Correspondance fortuite **coïncidence**
– Correspondance d'opinions **affinité, accord, entente**
– Une correspondance réciproque **bijective, biunivoque**
– Correspondance des temps verbaux **concordance**
– Figure littéraire fondée sur la correspondance **métonymie, métaphore, analogie, symbole**
– Type de correspondance écrite **missive, billet, poulet, pli, épître**
– Un échange régulier de correspondance **épistolaire**
– Correspondance journalistique **chronique, reportage**

CORRIDA
– Espace fermé où se déroule une corrida **arènes, plaza**

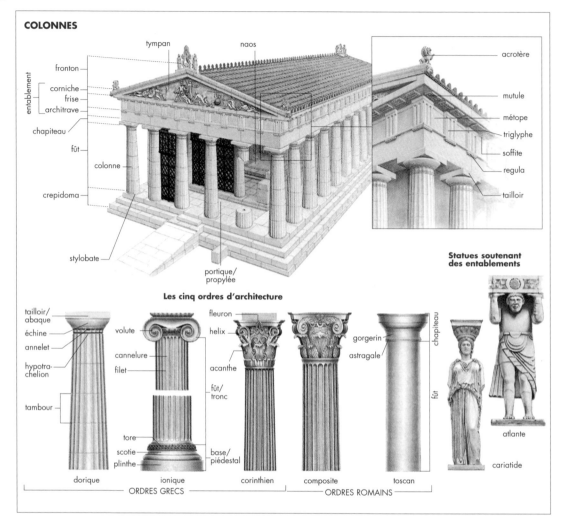

COLONNES

tympan · naos · fronton · entablement · corniche · frise · architrave · chapiteau · fût · colonne · crepidoma · stylobate · portique/propylée

acrotère · mutule · métope · triglyphe · soffite · regula · tailloir

Statues soutenant des entablements

Les cinq ordres d'architecture

tailloir/abaque · échine · annelet · hypotrachelion · tambour · volute · cannelure · filet · tore · scotie · plinthe · fleuron · helix · acanthe · fût/tronc · base/piédestal · gorgerin · astragale · chapiteau · fût · atlante · cariatide

dorique · ionique · corinthien · composite · toscan

ORDRES GRECS · ORDRES ROMAINS

– Défilé ouvrant une corrida **paseo**
– Jeune torero lors de sa première corrida **novillero**
– Coup d'épée mortel porté au taureau au terme d'une corrida **estocade**
– Spectateur fanatique des corridas **aficionado**
– Art de la corrida **tauromachie**

CORRIGER

syn. **redresser, réformer, améliorer**
– Corriger un texte **reprendre, rectifier, réviser, relire**
– Corriger les effets du temps sur un objet **restaurer, réparer**
– Corriger un tableau **retoucher**
– Corriger un excès **dulcifier, neutraliser, atténuer, compenser**
– Corriger les mœurs d'une personne **policer, civiliser, tempérer**

– Corriger avec sévérité **morigéner, châtier, fustiger, punir, sévir, réprimander**

CORRIGER (SE)
– Il se corrige petit à petit **amende (s'), polit (se), améliore (s'), bonifie (se)**

CORROMPRE
– Corrompre une personne en la payant **stipendier, soudoyer, suborner, acheter**

CORROMPU
– Une personne corrompue **dépravée, perverse, vile**
– Un individu corrompu par l'argent **vénal**
– Un comportement corrompu **dissolu**
– Un aliment corrompu **pourri, avarié, gâté, moisi**

– Un lait corrompu **suri, aigri, tourné**
– Une viande corrompue **faisandée**
– Un air corrompu **vicié**
– Un fichier informatique corrompu **vérolé, endommagé, infecté**

CORRUPTION
– Corruption des mœurs **débauche, dépravation, dégradation**
– Délit de corruption **concussion, prévarication, forfaiture**
– Corruption boursière **délit d'initié**

CORSET
– Elle porte un corset **corselet, gaine, ceinture**
– Corset médical **bandage, coquille, lombostat**
– Un style corseté par les convenances **raide, contraint**

– Élément d'un corset **baleine, busc, lacet**
– Mettre un corset **corseter**
– Personne qui fabrique ou vend des corsets **corsetier**
– Maladie dite « du corset » **ptôse**

COSTUME

voir aussi **habit**
– Costume de soirée **smoking, complet**
– Costume de bal masqué **déguisement, domino, loup**
– Costume de bain **maillot**

CÔTE

voir aussi **mer**
– Côte abrupte **raidillon, grimpette, pente, montée**
– Côte maritime **littoral, rivage, grève, plage**
– Côte escarpée en bordure de mer **falaise**
– Côte d'une colline **coteau**
– Faire côte **échouer (s')**

CÔTÉ

– Côté d'un édifice **aile, pan, face**
– Le côté principal d'une maison **façade**
– Côté d'un polygone **segment**
– Côté d'une feuille de papier **recto, verso**
– Côté d'une médaille **avers, revers, obvers**
– Côté droit d'un navire **tribord**
– Côté gauche d'un navire **bâbord**
– Côté du corps **flanc**
– Prééminence de l'un des deux côtés dans le corps humain **latéralité**
– Situé sur le côté **latéral**
– Mettre de côté **écarter, délaisser**
– Mettre de l'argent de côté **épargner, économiser, thésauriser**
– Du bon côté **à l'endroit**
– Se ranger du bon côté **camp, parti**
– Voir la vie du bon côté **positiver, être optimiste**

COTISATION

– Chacun versa une cotisation **quote-part, participation, écot**
– Cotisations sociales **charges, contributions**

COTON

– Plante qui produit le coton **cotonnier**
– Cueillette du coton **picker**
– Culture du coton **cotonnerie**
– Maladie due au coton **byssinose**
– Machine servant à filer le coton **jenny**
– Étoffe de coton **coutil, cretonne, calicot, madapolam**
– Velours de coton **moleskine, velvet**
– Voile de coton léger **tarlatane**
– Coton utilisé en pharmacie **gaze, ouate**
– Qui a l'aspect du coton **tomenteux, cotonneux**

COU

– Partie du cou **nuque, gorge, pomme d'Adam**
– Glande du cou **thymus, thyroïde**
– Artère du cou **carotide**
– Veine du cou **jugulaire**
– Blocage du cou **torticolis**
– Vertèbres du cou **atlas, axis**
– Augmentation importante du volume du cou **goitre**
– Appareil orthopédique placé autour du cou pour maintenir la tête **minerve**
– Tordre le cou **étrangler, stranguler**
– Fait de couper le cou **décollation, décapitation**
– Bijou qui orne le cou **sautoir, collier, chaîne, rivière, châtelaine**
– Tour du cou **écharpe, cache-nez, boa, cache-col**
– Le cou d'un cheval **encolure**
– Le cou d'une bouteille **goulot, col**
– Jusqu'au cou **entièrement, complètement**

COUCHE

syn. **croûte, pellicule, strate**
– Couche de sédiments **alluvion**
– Couche de gypse **cliquart**
– Scinder une pierre dans le sens de ses couches **déliter, cliver**
– Couches de l'atmosphère **troposphère, stratosphère, mésosphère**
– Peinture que l'on applique en une seule couche **monocouche**
– Champignon de couche **agaric, psalliote**
– Couche rudimentaire **paillasse, galetas, grabat**
– Femme en couches **gésine, parturition**
– Couche d'un nouveau-né **change, lange, pointe, change complet**

COUCHER

– Il couche chez un voisin **dort, loge, demeure**
– Coucher ses idées sur une feuille **écrire, consigner, noter**

COUCHER (SE)

– Elle s'est couchée un moment **allongée, étendue, alitée**

COUDE

– Propre au coude **cubital**
– Saillie du coude **olécrane**
– Appui d'un siège sur lequel reposent les coudes **accoudoir, accotoir**
– Élément d'une armure préservant le coude **cubitière**
– Travailler au coude à coude **proche**
– Coude d'un fleuve **courbe, détour, méandre, sinuosité**

COUDRE

– Coudre une plaie **suturer**

– Elle doit coudre un ourlet **surfiler, faufiler, surjeter**
– Coudre une étoffe usagée **repriser, raccommoder, rafistoler, ravauder**
– Coudre une pièce sur un vêtement **rapetasser, rapiécer**
– Coudre les cahiers d'un livre **brocher**
– Instrument en bois servant à coudre un livre **cousoir**
– Poinçon utilisé pour coudre le cuir **alène**

COULER

– Le bateau coule **sombre, fait naufrage, engloutit (s'), abîme (s')**
– Couler par l'avant en termes maritimes **sancir**
– Couler hors d'un corps **épancher (s'), suinter, déverser (se), exsuder, extravaser (s')**
– Couler d'une source **sourdre**
– Couler le long d'une paroi **ruisseler, dégouliner**
– Couler goutte à goutte **dégoutter**
– Faire couler goutte à goutte **instiller, distiller**
– Couler avec lenteur **répandre (se), étaler (s'), infiltrer (s'), insinuer (s')**
– Couler violemment **jaillir, gicler**
– Couler une matière en fusion **mouler, fondre**
– Couler du béton **bancher**
– En typographie, couler une matière dans l'empreinte d'une forme **clicher, stéréotyper**

COULEUR *Voir tableau p. 157*

voir aussi **arc-en-ciel**
syn. **carnation, chromatisme, coloris, teinte, ton**
– Une couleur fluo **flashante**
– Motif de couleurs variées **chiné, diapré, chamarré, jaspé, bigarré, polychrome**
– Couleur d'un visage **cramoisi, rubicond, livide, blafard, terreux, mordoré**
– Variation sur une couleur **camaïeu**
– Palette qui présente un choix de couleurs **nuancier**
– Cellules de la rétine qui perçoivent les couleurs **cônes**
– Confusion des couleurs **daltonisme**
– Impossibilité à percevoir les couleurs **achromatopsie, dyschromatopsie**
– Animal qui change de couleur **caméléon**
– Les quatre couleurs aux cartes **trèfle, carreau, cœur, pique**

COULOIR

– Couloir qui dessert les pièces **corridor, galerie, coursive**
– Couloir souterrain **tunnel**
– Couloir entre deux éléments de relief **défilé, goulet, passage**
– Couloir d'une montagne **gorge, cheminée**

– Couloir maritime **détroit**
– Bruit de couloir **rumeur, on-dit, écho**

COUP

– Coup brutal dû à la rencontre de deux corps **heurt, choc, tamponnement**
– Coup donné à quelqu'un **gifle, gnon, bourrade, horion, châtaigne, marron, claque**
– Trace de coups sur le corps **contusion, ecchymose, bleu, lésion**
– Coups de canon **salve**
– Coup de foudre **éclair, débordement, passion**

COUP D'ÉTAT

– Les conspirateurs préparent un coup d'État **renversement, révolution, putsch, pronunciamiento**

COUPABLE

– Coupable d'un délit **délinquant**
– Coupable d'un meurtre **assassin, criminel**
– Enfant coupable d'une mauvaise action **sacripant, chenapan, fripon, garnement**
– Une action coupable **répréhensible, délictueuse, blâmable**

COUPE

– Une coupe à fruits **compotier, jatte, saladier**
– En forme de coupe **hémisphérique**
– Ils ont remporté la coupe de France **match, compétition, championnat**
– Coupe de tissu **coupon, pièce**
– Une coupe verticale **section, profil**

COUPER

– Couper un objet en deux **scinder, diviser**
– Couper en morceaux **émincer, dépecer, tronçonner**
– Couper en tranches **sectionner, trancher**
– Couper peu soigneusement **déchiqueter, taillader**
– En médecine, couper un organe malade **réséquer, mutiler, amputer**
– Couper menu **hacher**
– Couper court **mettre un terme**
– Légumes que l'on a coupés en petits morceaux **julienne**
– Couper la tête d'un arbre **écimer, étêter**
– Couper les branches d'un arbre **ébrancher, élaguer, émonder**
– Couper les oreilles, la queue d'un chien **essoriller, courtauder**
– Couper des passages dans un film **tronquer, censurer**
– Couper du vin avec de l'eau **tempérer, mouiller**
– Couper les cheveux en quatre **ergoter, chicaner, pinailler, ratiociner**

COUPER (SE)

– Se couper lors d'un interrogatoire **se contredire**
– Les routes se coupent à la sortie du village **croisent (se)**

COUPOLE

syn. **Académie française, dôme, voûte**
– Coupole en pointe **bulbe**
– Partie inférieure soutenant une coupole **tambour**

COUPURE

– Coupure de courant **délestage, interruption**
– La coupure de midi **pause**
– Coupure de presse **extrait, article**

COUR

– Cour couverte **préau**
– Cour intérieure d'un monastère **cloître**
– Cour intérieure dans l'Antiquité romaine **atrium**
– Cour intérieure espagnole **patio**

COURAGE

– Il fait preuve d'un grand courage **bravoure, vaillance, audace**
– Il faut avoir du courage face à une telle situation **cran, stoïcisme**
– Lutter avec courage **héroïsme, hardiesse**
– Renforcer le courage des troupes **exalter, galvaniser**
– Perdre courage **démoraliser (se), décourager (se), dégonfler (se)**

COURAGEUX

syn. **audacieux, intrépide, valeureux, vaillant, brave, résolu**
– Courageux mais inconscient **téméraire**
– Se montrer courageux devant la douleur **stoïque**

COURANT

voir aussi **électricité**
– Propriété des courants électriques **induction**
– Unité de mesure d'intensité du courant **ampère**
– Appareil mesurant l'intensité du courant **ampèremètre, électrodynamomètre**
– Courant atmosphérique **vent**
– Se tenir au courant **informer (s'), renseigner (se), rester branché**
– Une langue courante **usuelle**
– C'est courant chez lui **fréquent, habituel**

COURBE

– Courbe mathématique **ellipse, parabole, hyperbole**
– Courbe représentant une évolution **graphique, diagramme**
– Courbe d'un corps **galbe**

– Courbe ornementale **arabesque, feston, volute, hélice, accolade**
– Instrument de mesure de la longueur des courbes **curvimètre**
– Instrument utilisé pour tracer des courbes **curvigraphe, compas**
– Courbe des reins **cambrure, chute**
– Une forme courbe **curviligne, arrondie, arquée**
– Une surface courbe **incurvée, convexe, concave**

COURBER

– Courber un objet **busquer, gauchir, cintrer, arquer**
– Courber la tête devant une personne **abaisser (s'), humilier (s'), résigner (se), soumettre (se), céder**

COURBER (SE)

– Se courber en signe de respect **incliner (s'), saluer**
– Se courber sous un poids **ployer, fléchir**

COURBURE

– Courbure d'un arc **voussure**
– Courbure d'une branche **arcure**
– Qui présente une courbure **busqué, flexueux**

COUREUR

voir aussi **athlétisme, course**
– Coureur athlétique **stayer, sprinter**
– Coureur de demi-fond **miler**
– Coureur héroïque qui effectua le trajet Marathon-Athènes **Philippidès**
– Oiseaux appartenant à l'ordre des coureurs **autruche, émeu, casoar**

COURIR

– Courir très vite **foncer, galoper, cavaler**
– Courir loin d'un danger **enfuir (s'), sauver (se), déguerpir, détaler**
– Courir à un rendez-vous **hâter (se), précipiter (se), presser (se)**
– Courir les bas quartiers **hanter, fréquenter**
– Courir derrière une personne **poursuivre, pourchasser**
– Un bruit court **circule, répand (se), propage (se)**

COURONNE

– Elle porte une couronne **diadème, bandeau**
– Couronne pontificale **tiare, trirègne**
– Couronne des pharaons **pschent**
– Couronne lumineuse des saints, des anges **auréole, halo, nimbe**
– Couronne de fleurs, de papier **guirlande, tresse**
– Se couvrir la tête d'une couronne **ceindre, coiffer**
– Disposé en couronne **coronaire**

Appel de fonds : somme que doit verser chaque copropriétaire, selon sa quote-part, afin de subvenir aux dépenses fixées dans le budget prévisionnel. Lorsque l'appel est trimestriel, par exemple, la base de calcul du montant à régler correspond à un quart du budget.

Approbation des comptes : lors de l'assemblée générale annuelle, le syndic est tenu de rendre compte de sa gestion. Pour cela, il soumet les comptes à un vote (à la majorité simple), puis demande généralement le quitus.

Assemblée générale (AG) : réunion annuelle du syndicat des copropriétaires, en vue de voter les décisions nécessaires à la conservation de l'immeuble et à l'administration des parties communes. S'il s'agit de la réunion régulière, elle est dite ordinaire ; si une seconde réunion doit se tenir pour des travaux qui n'auraient pas atteint la majorité nécessaire lors de l'AG ordinaire, celle-ci est appelée extraordinaire.

Budget prévisionnel : budget établi à partir des dépenses de l'année écoulée et voté en AG, afin de servir de base pour les appels de fonds de l'année suivante.

Bureau : groupe de personnes constitué dans le but d'assurer le bon déroulement d'une AG. Il est généralement composé d'un président de séance, d'un secrétaire et d'un ou plusieurs assesseurs-scrutateurs.

Carence du syndic : situation qualifiant un syndic qui n'accomplit plus ses devoirs à l'égard d'une copropriété dont il a la charge (en particulier pour ce qui concerne le recouvrement des impayés, la convocation de l'AG et l'inscription à l'ordre du jour d'une question formulée par un copropriétaire).

Charges communes : ensemble des dépenses engagées pour les services collectifs et pour l'entretien des éléments d'équipement commun. Leur répartition est fonction des tantièmes correspondant à la partie concernée (charges générales, charges spéciales).

Conseil syndical : groupe constitué de copropriétaires élus pour représenter bénévolement le syndicat des copropriétaires. Il a pour mission principale d'assister le syndic et de contrôler sa gestion. Mais il a également le devoir d'informer les autres copropriétaires.

Convocation : le syndic en exercice est tenu de convoquer l'assemblée générale au moins une fois par an. Pour cela, il doit adresser à chaque copropriétaire un ordre du jour, ainsi que toutes les informations permettant à chacun de se faire une opinion sur les questions soumises à un vote (devis, contrats, etc.).

Copropriété : immeuble ou groupe d'immeubles bâtis dont la propriété a fait l'objet d'une répartition en lots, correspondant chacun à une partie privative et à une quote-part des parties communes.

Défaillant : copropriétaire absent d'une AG et non représenté lors des scrutins.

Fonds de roulement : avance de trésorerie permanente versée lors de l'entrée en possession d'une part de copropriété.

Loi du 10 juillet 1965 : loi fixant le statut de la copropriété des immeubles bâtis. Elle est complétée par le décret du 17 mars 1967, et a été modifiée à diverses reprises depuis. Le régime qui résulte de ces textes, s'il est appliqué dans les règles, est un modèle de démocratie.

Lot : partie privative d'une copropriété portant un numéro d'identification et affectée d'une quote-part dans les parties communes.

Majorité art. 24 : la majorité dite simple s'applique de façon générale pour toutes les questions de gestion courante ou d'entretien. Elle est calculée sur le nombre de voix (total des tantièmes) des copropriétaires présents ou représentés.

Majorité art. 25 : la majorité absolue, dite également renforcée, requiert un nombre de voix égal à la moitié plus une de la totalité des voix du syndicat des copropriétaires. Elle est nécessaire pour certaines questions de gestion ou de modification d'aspect des équipements communs.

Majorité art. 26 : la « double majorité » nécessite simultanément une majorité en nombre de copropriétaires (donc 50 % + 1 présents ou représentés) et une majorité des 2/3 en voix de ces mêmes copropriétaires. Elle s'impose chaque fois qu'une transformation est susceptible d'affecter la jouissance, l'usage ou l'administration des parties communes.

Mandataire : personne, copropriétaire ou non, qui a reçu un pouvoir de la part d'un copropriétaire afin de représenter ce dernier lors de l'AG à laquelle il ne pourra assister. Le mandataire vote au nom du copropriétaire qu'il représente, avec le nombre de voix que possède celui-ci et selon des recommandations qui lui ont éventuellement été fournies par son mandant.

Opposant : copropriétaire qui, lors d'un vote, s'est exprimé contre la décision prise par l'assemblée générale.

Ordre du jour : liste de points précisant les questions qui seront débattues et soumises à un vote lors de l'AG annuelle qui fait l'objet de la convocation.

Parties communes : ensemble des éléments d'une copropriété (gros œuvre, passages, jardins, cours, etc.) dont l'entretien est assuré par le syndicat des copropriétaires dans la proportion qui incombe à chacun selon sa quote-part.

Parties privatives : éléments principaux d'une copropriété.

Président du conseil syndical : membre du conseil élu par les autres conseillers pour les représenter et assurer le lien avec le syndic.

Procès-verbal d'assemblée générale : compte-rendu précisant les conditions dans lesquelles s'est déroulée l'AG — lieu, date et heure de la réunion, composition du bureau, composition de l'assemblée (nombre de voix des présents et représentés). Chaque point de l'ordre du jour y figure avec le résultat détaillé du vote et la décision prise en fonction de la majorité requise.

Provisions spéciales : financement appelé en vue de travaux qui ont été votés en AG.

Quitus : décision soumise au vote d'une AG et qui dégage la responsabilité du syndic à l'égard de ses actes de gestion. Ce point est souvent associé à celui de l'approbation des comptes, ce qui entretient une confusion entre les deux notions, pourtant distinctes.

Quorum : nombre minimal de voix des copropriétaires présents ou représentés, nécessaire pour que certaines décisions puissent être votées à la majorité requise.

Quote-part : proportion des parties communes à laquelle un lot déterminé donne droit. Cette part est fixée par le règlement de copropriété et indiquée en tantièmes.

Règlement de copropriété : document ayant force de loi, il fixe les règles d'administration des parties communes et détermine la destination et les conditions de jouissance des parties privatives et communes d'une copropriété spécifique. Il contient en outre des informations sur la répartition des charges et sur les modalités de paiement de ces dernières. Il est remis à chaque nouvel acquéreur d'un lot de copropriété, lequel s'engage à le respecter.

Résolution : point de l'ordre du jour donnant lieu à un vote.

Syndic : gestionnaire et mandataire d'une copropriété, élu normalement lors d'une AG et dont le mandat (d'une durée maximale de 3 ans) est renouvelable. Son rôle est multiple, mais il consiste essentiellement à exécuter les décisions prises par le syndicat des copropriétaires, à recouvrer les charges et à faire appliquer le règlement de copropriété.

Syndicat des copropriétaires : ensemble des copropriétaires, doté de la personnalité civile et morale, et qui est solidaire à l'égard des décisions qui ont été adoptées en AG. Le mot syndicat en lui-même signifie « qui parle d'une seule et même voix ».

Tantième/millième : valeur de la quote-part afférente à un lot (exemple : 130/10 000), indiquée par une proportion sur un total conventionnel, correspondant à la taille de la copropriété (le plus souvent entre 1 000 et 1 million). Dans l'exemple cité, une dépense de 5 000 euros donne lieu à un appel de fonds de 65 euros pour le copropriétaire du lot concerné.

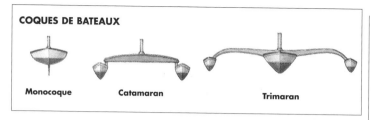

COQUES DE BATEAUX

Monocoque Catamaran Trimaran

– Couronne impériale **fritillaire**
– Déposer la couronne **abdiquer**

COURONNEMENT

– Cérémonie de couronnement d'un roi **sacre, intronisation**
– Cérémonie de couronnement d'un évêque **consécration**
– Couronnement d'un mur **entablement, chaperon, pignon**
– Couronnement d'une colonne **chapiteau, amortissement, pinacle**

COURROIE

– Il a fixé les bagages à l'aide d'une courroie **sangle, lanière, tendeur**
– Courroie de harnais **bricole, martingale, poitrinière, rêne, sous-ventrière**

COURS

– Le cours de la vie **déroulement, évolution, marche, fil**
– Le mois en cours **actuel, présent, courant**
– Au cours de la semaine **durant, pendant**
– Cours d'eau **ruisseau, rivière, fleuve**
– Réviser ses cours **leçons**
– Assister à un cours **enseignement, conférence, colloque**
– Se promener sur le cours **allée, promenade, avenue**
– Cours de la Bourse **cotation, cote, taux**
– Indice des cours de la Bourse **CAC 40, Dow Jones, Nikkei**
– Chute des cours de la Bourse **krach**

COURSE

voir aussi **sport**
– Faire les courses **commissions, achats**
– Distance de course à pied dans la Grèce antique **stade**
– Héroïne de la mythologie grecque qui excellait à la course à pied **Atalante**
– Type de course à pied **vitesse, en plat, demi-fond, fond**
– Course à travers la campagne **cross-country**
– Course de fond effectuée sur une distance d'environ 42 kilomètres **marathon**
– Personne donnant le départ d'une course à pied **starter**
– Appareil assurant l'appui des coureurs au départ d'une course **starting-block**

– Ensemble des couloirs aménagés pour la course **anneau, piste**
– Course en montagne **ascension, trekking**
– La course apparente du Soleil **trajet, parcours**

COURSE CYCLISTE

– Course cycliste nationale **Tour de France, Tour d'Italie**
– Course cycliste tout-terrain **cyclo-cross**
– Épreuve de course cycliste sur route **par étapes, contre la montre, critérium**
– Épreuve de course cycliste sur piste **demi-fond, omnium, vitesse, poursuite**
– Piste de course cycliste **vélodrome**

COURSE DE BATEAUX *Voir tableau bateaux, p. 65, et illustration coques de bateaux ci-dessus*

– Au départ de différentes courses de bateaux **voilier, dériveur, quillard, multicoque, monocoque, offshore**

COURSE DE TAUREAUX

voir aussi **corrida**
– Course de taureaux réservée aux jeunes toreros **novillada**
– Course de jeunes taureaux dans les rues d'un village **becerrada, capea**
– Passionné de courses de taureaux **aficionado**

COURSE HIPPIQUE

voir aussi **cheval**
– Il a assisté à une course hippique **réunion**
– Course hippique en argot **courtines**
– Type de course hippique menée au trot **attelé, monté**
– Type de course hippique menée au galop **plat, obstacles, haies, steeple-chase**
– Ensemble des chevaux disputant une course hippique **champ**
– Champ de courses hippiques **hippodrome, turf**
– Barrière relevée au départ d'une course hippique **starting-gate**
– Lieu dans lequel se trouvent les chevaux au départ d'une course hippique **stalles**
– Pari sur le résultat d'une course hippique **tiercé, quarté, quinté**

COURT

voir aussi **concis**
– Un nez court et plat **camus**
– Une main aux doigts courts **brachydactyle**
– Personne dont les membres sont courts **bréviligne**
– Le chemin le plus court **direct**
– De courte durée **momentané, provisoire, temporaire, transitoire**
– Ils ont vécu une courte passion **éphémère, fugitive, fugace, passagère**
– À court terme **prochainement**
– Prendre quelqu'un de court **au dépourvu**

COURTISER

– Il aime courtiser les femmes **séduire, faire la cour à, draguer, conter fleurette**
– Courtiser sans cesse ses supérieurs **flagorner, flatter, aduler**

COURTOIS

– Amour courtois **fin'amor**
– Poète de l'amour courtois **troubadour, trouvère**
– Combat courtois **tournoi**
– Une personne courtoise **gracieuse, raffinée, affable, civile, polie**

COUSSIN

– Gros coussin de salon **pouf**
– Coussin pour soutenir la tête dans un lit **oreiller, traversin**
– Coussin de forme carrée **carreau**
– Petit coussin de paille **coussinet**
– Coussin de protection dans une voiture **airbag**

COÛT

voir aussi **prix**
– Le coût d'une marchandise **valeur, tarif**
– Coût calculé dans un devis **montant, estimation, évaluation**
– Dont le coût est très élevé **onéreux, dispendieux, somptuaire**

COUTEAU

voir aussi **arme**
– Couteau employé comme arme **poignard, coutelas, dague**
– Large couteau utilisé en cuisine **couperet**
– Dans l'Ouest, couteau à viande **hansart**
– Couteau pliant à usage domestique **canif, Opinel, Laguiole**
– Étui en cuir servant à ranger les couteaux de table **coutelière**
– Fabricant ou vendeur de couteaux **coutelier**
– Pomme à couteau **golden, reinette, grany, boskoop**
– Couteau de l'horticulteur **entoir, greffoir**
– Couteau de l'apiculteur **désoperculateur**

– Couteau dont se sert le peintre pour mélanger les couleurs **amassette**

COÛTER

voir aussi **prix**
– Cela coûte 100 euros **vaut, revient à**
– Ça coûte cher **douille**
– Qui ne coûte rien **gratuit**
– Des efforts qui coûtent **pénibles, laborieux**

COUTUME

– C'est la coutume dans cette région **pratique, habitude, tradition, usage**
– Us et coutumes **mœurs**
– Coutume religieuse **rite, culte**
– Coutume éphémère **mode, vogue**

COUTURE *Voir tableau p. 158*

voir aussi **coudre, tissu**
– Ensemble des nouveaux modèles de la haute couture **collection, création**

– Présentation saisonnière des nouveaux modèles de haute couture **défilé**
– Prix annuel de la haute couture **dé d'or**

COUTURIER

– Couturier spécialisé **chemisier, corsetier, culottier, giletier, modiste, tailleur**
– Aller chez un couturier **styliste, créateur**
– Couturière débutante **cousette, midinette, petite main, arpète**
– Jeune employée d'une couturière, qui effectuait les courses **trottin**
– Sainte patronne des couturières **Catherine**

COUVENT

voir aussi **architecture, religieux**
syn. **abbaye, monastère**
– Couvent situé dans un lieu isolé **chartreuse**

– Cérémonie marquant l'entrée définitive au couvent **prise de voile**
– Religieuse vivant au couvent **couventine**
– Norme régissant la vie d'un couvent **règle, observance**
– Religieuse dirigeant un couvent **supérieure, prieure, abbesse**
– Période de probation dans un couvent **noviciat**

COUVERTURE

– Une couverture sur un lit **couette, courtepointe, couvre-lit, édredon**
– Petite couverture de voyage **plaid**
– Couverture employée pour les chevaux **couverte, chabraque**
– Couverture protégeant un meuble **enveloppe, housse**
– Couverture d'une maison **toiture, toit**
– Couverture d'un livre **reliure**
– Événement faisant la couverture des journaux **une, manchette, gros titre**
– Mettre quelqu'un dans la couverture **berner**

COUVRIR

– Couvrir pour cacher **camoufler, dissimuler**
– Couvrir le sol de confettis **joncher, parsemer, recouvrir, répandre**
– De petits boutons couvrent tout son front **criblent, constellent**
– Couvrir le pied des arbres **pailler**
– Couvrir une viande avec une sauce **napper**
– Couvrir quelqu'un d'éloges **féliciter, encenser**
– Couvrir une personne d'injures **accabler, abreuver, agonir**

COUVRIR (SE)

– Il faut se couvrir pour sortir **parer (se), vêtir (se), emmitoufler (s'), habiller (s')**

COW-BOY

– Bar des cow-boys **saloon**
– Ferme où travaille le cow-boy **ranch**
– Film relatant les aventures des cow-boys **western**
– Équivalent du cow-boy dans d'autres pays **gardian, vaquero, gaucho**

CRABE

– Ordre auquel appartient le crabe **décapodes**
– Crabe de l'Atlantique **tourteau, poupart**
– Petit crabe comestible **étrille, portune**
– Petit crabe des tropiques **dromie**
– Petit crabe qui loge dans les moules **pinnothère**
– Crabe araignée **maïa**
– Crabe des cocotiers **birgue**
– Crabe des Moluques **limule**

COULEURS

COULEUR PRIMAIRE OU FONDAMENTALE

Couleur de base qui, mélangée à d'autres, permet de composer toutes les autres teintes.
bleu
jaune
rouge

En imprimerie et en photographie :
jaune/yellow *(complémentaire du violet-bleu)*
magenta *(complémentaire du vert)*
cyan *(complémentaire du rouge)*

COULEUR COMPLÉMENTAIRE OU SECONDAIRE

Couleur qui procure la sensation de blanc lorsqu'elle est perçue en même temps que la couleur primaire qui lui correspond.
orangé *(complémentaire du bleu)*
violet *(complémentaire du jaune)*
vert *(complémentaire du rouge)*

En imprimerie et en photographie :
violet-bleu
vert
rouge

NUANCES DE COULEUR

noir
bistre, charbonneux, ébène (d'), fuligineux, jais (de), noirâtre, noiraud, tête-de-nègre

blanc
albâtre, albuginé, argent, argenté, blafard, blanchâtre, blême, éburné, éburnéen, ivoire, ivoirin, lacté, laiteux, livide, nacré, neigeux, opalin, platiné

gris
anthracite, ardoise, cendré, cendreux, grisâtre, grivelé, mastic, plombé, souris, terreux, tourterelle

brun
acajou, basané, beige, bis, bistre, bronzé, brou de noix, brunâtre, caca d'oie, cachou, café au lait, caramel, chocolat, fauve, feuille-morte, kaki, lavallière, marron, mordoré, noisette, puce, sépia, tabac, terreux, tête-de-nègre

rouge
acajou, amarante, balais, bordeaux, brique, cachou, carmin, carminé, cerise, cinabre, coq de roche, coquelicot, corail, cramoisi, cuivré, écarlate, enluminé, érubescent, fraise, fuchsia, garance, grenat, groseille, incarnadin, incarnat, lie-de-vin, magenta, nacarat, ocre, ponceau, pourpre, pourpré, puce,

purpurin, queue-de-vache, rose, rougeâtre, rougeaud, rouille, roux, rubescent, rubicond, rubigineux, rubis, sanguine, vermeil, vermillon, vineux, zinzolin

orangé
abricot, carotte, feu (de), feuille-morte, ocre, pelure d'oignon, tango

jaune
ambré, blond, blondasse, canari, chamois, champagne, cireux, citrin, citron, doré, flavescent, isabelle, jaunâtre, moutarde, ocre, or, paille, safran, soufre

vert
amande, bouteille, céladon, émeraude, épinard, glauque, jade, malachite, olivâtre, olive, pistache, pomme, smaragdin, tilleul, verdâtre, verdoyant, vert-de-gris

bleu
aigue-marine, azur, azuré, barbeau, bleuâtre, bleuissant, bleuté, céruléen, ciel, cyan, guède, indigo, lavande, marine, nuit, outremer, pastel, pers, pervenche, pétrole, roi, turquin, turquoise, ultramarin

violet
améthyste, aubergine, cassis, lie-de-vin, lilas, mauve, parme, pourpre, prune, violacé, violine, zinzolin

COUTURE

Aisance : souplesse nécessaire pour qu'un vêtement soit agréable à porter.

Alpaga : tissu mixte de soie et de laine.

Amidonner : passer à l'amidon. Il s'agit d'empeser le tissu ou le vêtement.

Appesantir : alourdir.

Appliqué : pièce décorative que l'on fixe sur un objet de tissu ou un vêtement.

Ardillon : pointe de métal située sur une boucle qui s'engage dans un trou de ceinture.

Basque : partie d'un vêtement qui, partant de la taille, tombe librement sur les hanches.

Bâti : faufil, piqûre provisoire.

Battoir de tailleur : bloc de bois arrondi utilisé par les tailleurs pour former les plis profonds et écraser les bords.

Bengaline : mélange de soie (chaîne) et de coton ou de laine (trame).

Biais : bande de tissu coupée dans la diagonale (par rapport au droit fil), permettant de border n'importe quelle ligne, droite ou courbe.

Bougran : toile de lin très apprêtée, servant de tissu de soutien (parementures, entoilages).

Bouillonné : bande de tissu comportant plusieurs rangs de fronces (des deux côtés).

Broquette : petit clou muni d'une tête.

Bure : grosse étoffe de laine de couleur brune.

Combinaison : sous-vêtement féminin tout d'une pièce, comprenant un haut et un jupon.

Corolle : décoration ressemblant à la tête d'une fleur.

Coulisse : ourlet creux assez large pour qu'on puisse y passer une tringle, un élastique ou un ruban.

Couture gansée : couture dans laquelle on a pris une ganse.

Couture rabattue : couture qui permet de dissimuler les ressources de couture.

Croisée : point de rencontre.

Croquet : galon décoratif dentelé des deux côtés.

Damassé : tissu dans lequel fils de trame et fils de chaîne sont opposés pour former des dessins brillants contrastant avec un fond mat.

Décatir : soumettre un tissu à l'action de la vapeur pour lui enlever son brillant et son apprêt.

Découpe : empiècement qui sert à agrémenter un vêtement.

Doublure : tissu léger qui sert à dissimuler les détails de confection à l'intérieur d'un vêtement.

Drapé : effet obtenu en formant des plis non cousus.

Embu : dans un assemblage, excédent de l'un des morceaux de tissu par rapport à l'autre pour donner de l'aisance.

Entredoublure : étoffe que l'on fixe à l'intérieur d'un vêtement pour assurer chaleur et isolation ; se pose avant la doublure.

Érailler (s') : s'effilocher ou s'effranger.

Façon tailleur : méthode de confection des grands couturiers et des tailleurs.

Faille : tissu à gros grain.

Feston : bordure ou dessin fait d'une succession d'arcs.

Finette : tissu chaud en coton, pelucheux sur l'envers.

Floche (soie) : fil de soie légèrement tordu.

Fourche : couture arrondie de l'entrejambe du pantalon.

Ganse : cordonnet plat ou rond servant pour les bordures ou les brides.

Grigner : faire de faux plis.

Indémaillable : se dit d'un tricot dont les mailles ne peuvent se défaire.

Kapok : duvet végétal utilisé principalement pour bourrer les coussins.

Liseré : ruban étroit servant à border les vêtements.

Navette : petite boîte qui renferme la canette dans la machine à coudre.

Nervure : petit pli décoratif très fin maintenu en place par une surpiqûre ou le repassage.

Ourlet coquillé ou **cocotte :** ourlet décoratif dont le bord est replié en double et fixé à espaces réguliers par l'une par une bride (à la main) ou au point invisible (à la machine), formant ainsi des coquilles.

Ourlet rouleauté : ourlet convenant particulièrement aux tissus diaphanes délicats. Le bord est roulé puis fixé à points roulés.

Parementure ou **parmenture :** rabat intérieur fait dans le même tissu que le vêtement et qui double le bord de celui-ci.

Passepoil : bande de tissu prise en double dans une couture pour former une garniture en relief.

Pattemouille : linge mouillé que l'on étend sur un tissu avant de le repasser.

Peluché : tissu à poil long ou court, plus ou moins fourni.

Percale : étoffe de coton fixe.

Pied-de-biche : pièce de la machine à coudre qui maintient le tissu et dans laquelle l'aiguille passe. Plus souvent appelée « pied presseur ».

Piqûre-nervure : piqûre exécutée tout au bord d'un pli, à distance d'une largeur d'aiguille.

Pli debout : nervure ; petit pli très étroit qui n'est pas nécessairement repassé à plat.

Plumetis : broderie au point de bourdon très serré rappelant des plumes d'oiseau. Tissu comportant ce genre de broderie.

Poignet français ou **poignet mousquetaire :** poignet muni d'un revers dont les bords, au lieu de se superposer, se juxtaposent et s'attachent avec des boutons de manchette.

Points lancés : points de broderie ; ce sont des points devant qui partent toujours du même endroit.

Points levés : sorte de bride utilisée pour former des coquilles.

Rentré : pli exécuté pour amener le bord vif du tissu sur l'envers ou à l'intérieur.

Ressources de couture : marge ou excédent qu'il faut prévoir pour les coutures.

Surfiler : exécuter une rangée de points chevauchant un bord vif pour empêcher le tissu de s'effilocher.

Tricot deux fontures : tricot dont l'endroit et l'envers sont montés sur des aiguilles différentes.

– Préparation culinaire utilisée comme succédané du crabe **surimi**

CRACHER
– Le malade crache **expectore**
– Cracher sur quelque chose **mépriser, dédaigner**
– Cracher sur une personne **calomnier, outrager**
– Cracher au bassinet **payer**
– Cracher des injures **proférer, débagouler, éructer, agonir**

– Animal fabuleux crachant des flammes **dragon, chimère**

CRAIE
– Qui contient de la craie **calcaire**
– Médicament appelé craie préparée **carbonate de calcium**
– Couche du sous-sol constituée de craie **crétacée**
– Craie argileuse **marneuse**
– Mélange composé de craie et d'huile **mastic**

– Craie de Briançon **stéatite**
– Un teint de craie **crayeux**

CRAINDRE
syn. **redouter, appréhender**
– Craindre pour sa vie **frémir, trembler**

CRAINTE
– La crainte l'empêche de réagir **anxiété, angoisse, effroi, appréhension**
– Effet de la crainte **catalepsie, paralysie**

– Être saisi de crainte **frayeur, épouvante, terreur**
– Crainte obsessionnelle **phobie, paranoïa**
– Susciter la crainte **intimider, terroriser**

CRAN
– Il a fait un cran dans la tige de bois **entaille, encoche, coche**
– Monter d'un cran dans la hiérarchie **degré, échelon**
– Elle a beaucoup de cran **courage, volonté, énergie**
– Ils sont tous à cran **exaspérés, énervés, à bout de nerfs**

CRÂNE
voir aussi **squelette, tête**
– Étude comparative des crânes humains **craniologie**
– Radio du crâne **craniographie**
– Dont le crâne est très allongé **dolichocéphale**
– Dont le crâne est anormalement développé **macrocéphale**
– Dont le crâne semble aussi large que long **brachycéphale**
– Étude de la personnalité d'un individu d'après la forme de son crâne **phrénologie**
– Il n'a pas un cheveu sur le crâne **caillou**
– Une personne crâne **brave, décidée, audacieuse, volontaire**

CRAQUER
– Le plancher craque sous les pieds **grince, crisse**
– Le sel craque dans le feu **crépite**
– Craquer sous la dent **croustiller**
– Il a craqué sa manche **déchiré**
– Un bus plein à craquer **bondé**

CRAVATE
– Ancien nom de la cravate **régate**
– Cravate à rayures en biais **club**
– Cravate de couleur **arc-en-ciel**
– Large cravate en étoffe souple, nouée comme un lacet **lavallière**
– Cravate portée par les avocats **rabat, bavette**
– Partie du vêtement sur laquelle repose la cravate **plastron**
– Accessoire de cravate **épingle, pince**
– Cravate de chanvre **corde**

CRAYON
– Il doit acheter un crayon **portemine, stylomine**
– Crayon à dessin constitué de divers minerais **fusain, graphite, plombagine**
– Crayon de couleur constitué de pigment **pastel, sanguine**
– Crayon utilisé pour l'estompe **sauce**
– Crayon pour les ardoises **craie**
– Crayon-feutre **marqueur, feutre**
– Crayon optique **photostyle**

CRÉANCE
voir **dette**

CRÉATEUR
– Créateur en matière d'art **artiste**
– Le créateur d'un produit **inventeur**
– Créateur du monde **Dieu, démiurge**
– Le créateur d'une nouvelle théorie **fondateur, initiateur, promoteur**
– Créateur d'entreprise **entrepreneur, industriel**
– Porte la marque du créateur **griffe, patte, style**
– Ce secteur est un créateur d'emplois **générateur**

CRÉATION
– La création d'un produit **invention, conception**
– Création originale **découverte, trouvaille**
– Création du monde **Genèse**
– Posséder un grand pouvoir de création **créativité, imagination, fantaisie**

CRÉDIT
– Ils ont fini de payer leur crédit **prêt, emprunt, dette**
– Ces crédits nous permettront de financer le projet **fonds, subventions**
– Avoir du crédit sur quelqu'un **influencer**

CRÉER
voir aussi **conception, fécondation**
– Il veut créer un nouveau modèle **produire, réaliser, fabriquer**
– Créer une entreprise **monter, établir, instituer**
– Créer une famille **fonder**
– Créer une musique **composer, écrire**
– Créer l'envie **susciter**
– Créer des ennuis à quelqu'un **causer, occasionner, provoquer**

CRÈME
voir aussi **beurre, lait**
– Battre la crème **baratter**
– Crème fluide du lait **fleurette**
– Crème fouettée **chantilly**
– Café nappé de crème **cappuccino**
– Café à la crème **café au lait**
– Entremets à base de crème **flan, ganache, sabayon, mousse**
– Crème de beauté **cosmétique**
– Crème des crooners **Gomina, brillantine**
– Crème adoucissante à base de blanc de baleine **cold-cream**
– Crème médicinale **pommade, pâte, onguent, baume**
– C'est la crème des hommes **meilleur**

CRÉPITER
– Le feu crépite dans la cheminée **pétille, grésille, craque**

CRÉPUSCULE
syn. **coucher du soleil, déclin du jour, demi-jour, tombée de la nuit**
– Le crépuscule d'une civilisation **décadence, chute, déclin, déchéance, dégénérescence**

CRÊTE
– Crête d'un massif montagneux **sommet, arête, cime**
– Un relief caractérisé par une succession de crêtes **appalachien**
– Dont la coiffure présente une crête **punk, iroquois**
– Pâté de crêtes de coq **béatilles**

CRÉTIN
syn. **imbécile, minable, nul, stupide**
– Crétin médicalement parlant, dont le quotien intellectuel est inférieur à 30 **idiot**

CREUSER
– Creuser profondément **excaver**
– Creuser un sous-sol **piocher, terrasser**
– Creuser un tunnel **percer**
– Les eaux ont creusé le sol **affouillé, raviné**
– Creuser dans son jardin **bêcher, labourer**
– Animaux qui creusent la terre **fouisseurs**
– Creuser un tronc d'arbre **évider**
– Creuser une pièce métallique **champlever**
– Creuser une pierre précieuse **chever**
– Creuser une question **approfondir, réfléchir à**

CREUX
– Il y a un creux dans le mur **ouverture, cavité, brèche, trou**
– Creux souterrain **caverne, gouffre, antre, excavation**
– Creux d'un torrent **gorge, ravin, rigole**
– Creux très profond **anfractuosité, cratère, crevasse, abysse, abîme**
– Nos activités connaissent actuellement un creux **fléchissement, baisse, ralentissement**
– Des joues creuses **caves, émaciées, amaigries**
– Tarif en heures creuses **réduit**
– Des paroles creuses **futiles, ineptes**

CREVER
syn. **fendre, mourir**
– Ballon de baudruche qui crève **éclate, pète**
– Crever avec une pointe **percer**
– Crever un œil **éborgner**
– Ce travail va le crever **épuiser, exténuer, tuer, claquer**
– Qui crève les yeux **évident, manifeste, flagrant**

CREVETTE
– Crevette rose **bouquet, palémon, salicoque**
– Crevette grise **boucaud**
– Crevette d'eau douce **caridine, gammare**
– Grosse crevette de la Méditerranée **gamba, scampi**
– Filet à crevettes **crevettier, haveneau, bourraque, pousseux**

CRI
syn. **exclamation**
– Cri de colère **hurlement, vocifération**
– Cri d'allégresse **alléluia**
– Cri d'acclamation **hourra, vivat, ovation**
– Cri d'approbation **bravo**
– Cri de louange **hosanna**
– Cri des Bacchantes à l'adresse de Dionysos **évoé**
– Cri de ralliement **devise, slogan**
– Cri de douleur **plainte**
– Cri de détresse **lamentation, gémissement**
– Cris de mécontentement **huées, tollé, clameur, tumulte**
– Cri du nouveau-né **vagissement**
– En vénerie, cri désignant la bête **taïaut**
– En vénerie, cri rappelant les chiens **hourvari**
– En vénerie, cri signalant la bête aux abois **hallali**
– À cor et à cri **avec insistance**
– Dernier cri **à la mode, en vogue, in, dans le vent**

CRIARD
– Voix criarde **perçante, aiguë, discordante**
– Couleur criarde **tapageuse, voyante, tape-à-l'œil**

CRIER
– Crier de toutes ses forces **brailler, tonitruer, hurler, beugler, gueuler, égosiller (s'), époumoner (s')**
– Crier sa réprobation **huer, conspuer, invectiver**
– Crier à tort et à travers **clabauder**
– Crier son innocence **clamer**
– Sans crier gare **brusquement, sans avertissement**

CRIME
– Crime perpétré contre un individu **meurtre, assassinat, homicide, viol, harcèlement sexuel**
– Crime commis contre des biens privés **vol armé, destruction, pillage**
– Crime commis contre le bien public **forfaiture, malversation, détournement, vandalisme**
– Crime commis contre la sûreté de l'État **attentat, espionnage, trahison, terrorisme**
– Crime contre l'humanité **génocide, ethnocide, déportation, extermination, holocauste**
– Cour chargée de juger les crimes **assises**

CRIMINEL
syn. **assassin, malfaiteur, meurtrier, violeur**
– Tribunal chargé de juger les criminels de la Seconde Guerre mondiale **tribunal de Nuremberg**
– Étude des actes criminels **criminologie**
– Ensemble des faits criminels propres à un secteur **criminalité**
– Acte criminel **infraction**
– Spécialiste de droit criminel **criminaliste, pénaliste**

CRIN
– Étoffe de crin **cilice, crinoline, étamine**
– Crin végétal **tampico, phormion, tillandsie, agave**
– Un réformateur à tous crins **énergique, convaincu, résolu**

CRISE
– Le malade a eu une nouvelle crise **poussée, accès, attaque**
– Crise de toux **quinte**
– Phase aiguë d'une crise **paroxysme**
– Crise de mélancolie **spleen, blues, cafard**
– Crise religieuse ou morale **doute**
– Crise de larmes **sanglots**
– Crise économique **stagflation, récession, marasme, dépression**
– Crise de la Bourse **krach**
– Crise internationale **conflit, tension**
– Une situation de crise **critique**

CRISPATION
– Crispation d'un muscle **contraction, spasme, tétanie**
– À l'origine de la crispation **nervosité, émotion, angoisse, anxiété, appréhension**

CRISTAL
– Cristal d'Islande **spath**
– Cristal de roche **quartz**
– Bijou en cristal artificiel **strass**
– Fabrique d'objets en cristal **cristallerie**
– Son évoquant celui du cristal **cristallin**

CRISTALLISER
– Il faudrait cristalliser toutes les énergies **fixer, rassembler, concrétiser**

CRITÈRE
– Critère esthétique ou moral **norme, canon, règle**
– Classement fait selon des critères établis **classification, catégorisation, typologie**
– Choix fait selon certains critères **sélection**
– Partie de la philosophie qui traite du critère de la vérité **critériologie**
– Critère de mesure **étalon**

CRITIQUE
– Je n'ai pas apprécié sa critique **jugement, remarque, objection, reproche, attaque**
– Critique favorable **impression, bonne presse, appréciation**
– Critique violente **diatribe, satire, factum, libelle, pamphlet**
– Critique d'une œuvre artistique **étude, examen, analyse**
– Critique journalistique **compte rendu, billet d'humeur**
– Un critique très éclairé **aristarque**
– Un critique méprisant **contempteur**
– Un critique sévère et envieux **détracteur, zoïle**
– Posséder un bon sens critique **discernement, perspicacité**
– Un moment critique **délicat, difficile, dur, pénible**

CRITIQUER
– Critiquer l'attitude d'une personne **juger, blâmer, réprouver, condamner**
– Critiquer très vivement **décrier, dénigrer**

CROCHET
– Crochet pour maintenir **agrafe, araignée**
– Crochet pour suspendre **allonge, esse, pendoir, piton, patte**
– Qui a la forme d'un crochet **unciforme**
– Elle a fait un crochet pour passer le voir **détour**
– Vivre aux crochets de quelqu'un **aux frais de, à la charge de**

CROIRE
– Croire en quelqu'un **avoir confiance, fier à (se), compter sur, en remettre à (s')**
– Croire les propos d'une personne **donner du crédit à, donner créance à**
– Il croit tout ce qu'on lui dit **avale, gobe**
– Croire sur parole **admettre**
– Croire une personne sincère **estimer, penser, considérer, juger, supposer**
– Croire à une idéologie **adhérer, rallier (se)**
– Une joie impossible à croire **apprécier, imaginer, accepter**

CROISEMENT
– Chien né d'un croisement de races **mâtiné, bâtard**
– Personne issue d'un croisement de races **métis, sang-mêlé**
– Croisement d'espèces végétales ou animales **hybridation, mendélisme**

– Croisement donnant naissance à des individus stériles **agénésie**
– Croisement de plusieurs chemins **intersection, carrefour, étoile, patte-d'oie, rond-point**

CROISER

– Croiser une route **couper, traverser, franchir**
– Croiser le fer **battre à l'épée (se)**

CROISER (SE)

– Il leur arrive de se croiser dans la rue **rencontrer (se)**
– Se croiser les bras **ne rien faire**

CROISSANCE

– Un enfant en pleine croissance **développement**
– On constate une croissance de la violence **accroissement, intensification**
– Croissance des prix **augmentation, montée, inflation**
– Croissance économique **essor, progression**
– Croissance démographique **poussée, explosion**
– Ralentissement de la croissance économique **récession**
– Pays qui ont connu une soudaine croissance économique **NPI (nouveaux pays industrialisés)**

CROISSANT

– Croissant de lune **quartier**

CROÎTRE

– La plante croît en milieu humide **développe (se), grandit, pousse**
– Croître en nombre **multiplier (se)**
– La production croît rapidement **monte, progresse, augmente, intensifie (s')**
– Croître en bien **améliorer (s')**
– Croître en mal **empirer**

CROIX *Voir illustration ci-dessous*
voir aussi **blason**

– Type de croix **gammée, de Lorraine, potencée, égyptienne, de Malte, de Saint-André, de Saint-Antoine**
– Croix gammée **svastika**
– En forme de croix **cruciforme**
– Croix représentant Jésus crucifié **crucifix, sainte Croix**
– Inscription portée sur la croix **INRI (Iesus Nazarenus Rex Iudaeorum)**
– Représentation picturale de Jésus après la descente de Croix **déposition**
– Arrêt du chemin de croix **station**
– Qui porte une croix **crucifère**

– Lieu sur lequel est dressée une croix **calvaire**
– Porter sa croix **souffrir**
– Croix de mer **huître marteau**

CROQUER

– Il a croqué toute sa fortune **dépensé, dilapidé, englouti, gaspillé, flambé, claqué**
– L'artiste croque un portrait **esquisse, brosse, ébauche**

CROUPIR

– L'eau croupit au fond du puits **stagne, pourrit**
– Lieu où croupissent des ordures **cloaque**
– Il croupit dans le vice **enlise (s'), corrompt (se)**

CROYANCE

voir aussi **certitude, opinion**
– Croyance religieuse **doctrine, dogme**
– Croyance en Dieu **foi**
– Croyance aux présages manifestés dans certains faits de la vie courante **superstition**
– Croyance en l'existence d'esprits surnaturels **occultisme, spiritisme, chamanisme**

CROYANT

voir aussi **Église, religion**
– Croyant attaché à sa religion **fidèle**
– Croyant observant les rites religieux **pratiquant, dévot**
– Croyant vivant sa foi avec ostentation **bigot**
– Croyant inspiré **mystique**
– Ce n'est pas un croyant **athée, agnostique, libre-penseur, infidèle**

CRU

– Vin du cru **du terroir, de pays**
– Une lumière crue **intense, vive, violente**
– Tenir des propos crus **graveleux, grivois, lestes, salaces**
– Elle nous a fait une réponse plutôt crue **sèche, brutale, dure, abrupte**
– Viande ou poisson crus **tartare, carpaccio, sushi**

CRUAUTÉ

– Qui aurait pensé qu'il était d'une telle cruauté ? **barbarie, férocité, inhumanité, méchanceté, sadisme**

CRUCIAL

– C'est le moment crucial **décisif, déterminant, critique**
– Une question cruciale **vitale, essentielle, importante**

CRUCIFIXION

syn. **crucifiement**
– Crucifixion du Christ **déicide**

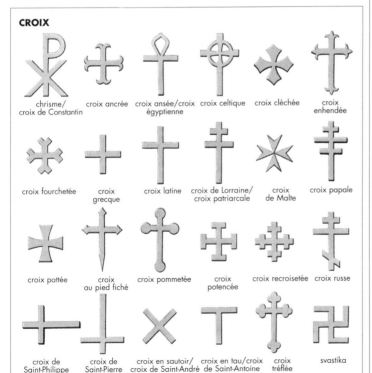

CROIX

chrisme/ croix de Constantin — croix ancrée — croix ansée/croix égyptienne — croix celtique — croix cléchée — croix enhendée

croix fourchetée — croix grecque — croix latine — croix de Lorraine/ croix patriarcale — croix de Malte — croix papale

croix pattée — croix au pied fiché — croix pommetée — croix potencée — croix recroisetée — croix russe

croix de Saint-Philippe — croix de Saint-Pierre — croix en sautoir/ croix de Saint-André — croix en tau/croix de Saint-Antoine — croix tréflée — svastika

VOCABULAIRE DE LA CUISINE

Abaisser : étaler de la pâte avec un rouleau à pâtisserie.

Aiguillettes : filets taillés longitudinalement dans les blancs ou suprêmes d'une volaille.

Appareil : mélange de différents ingrédients entrant dans la composition d'une pâte fluide (quiche, crêpe, soufflé).

Blanchir : plonger des aliments dans de l'eau froide (légumes secs, viande) ou bouillante (légumes) pour éliminer un goût fort (chou), des impuretés (viandes à pot-au-feu, tête de veau), ou encore pour dessaler (lard).

Braiser : cuire longuement à feu doux, dans un récipient couvert.

Brider : recoudre l'ouverture ventrale d'une volaille farcie et/ou la ficeler de manière à maintenir en forme ses pattes et ses ailes pendant la cuisson.

Chemiser : tapisser un moule ou une terrine de tranches de jambon, de biscuits, de bardes de lard, de feuilles de chou, etc., ou l'enduire d'une fine couche de gelée avant d'en garnir le centre d'une autre préparation.

Déglacer : faire dissoudre, en les grattant à la spatule, les sucs de certains fonds de cuisson par l'ajout sur feu vif d'un liquide (eau, bouillon, vin) dans le récipient qui a servi à la cuisson.

Dorer : badigeonner une pâte (feuilletage, brioche) d'œuf battu à l'aide d'un pinceau, pour favoriser la coloration pendant la cuisson.

Dresser : disposer harmonieusement des mets sur un plat de service.

Écaler : retirer la coquille des œufs durs ou mollets.

Effiler : éplucher les haricots verts de manière à en éliminer les fils.

Émincer : couper en tranches fines et minces, notamment les oignons et les échalotes.

Escaloper : trancher dans le sens transversal (foie gras, champignons) pour faire de fines escalopes.

Flamber : passer rapidement une volaille ou un gibier à plumes à la flamme pour en éliminer les petits duvets, ou bien arroser une préparation d'alcool chaud et l'enflammer (bananes flambées, crêpes Suzette).

Foncer : garnir un moule de pâte.

Fondre : cuire tout doucement à couvert sans faire colorer, dans un peu de matière grasse et sans liquide (oignons, échalotes, poireaux). Quand il s'agit de légumes qui rendent de l'eau (champignons), on dit plutôt faire suer.

Fontaine : creux que l'on pratique au centre d'un tas de farine, dans un saladier ou sur le plan de travail, afin d'y mettre les autres ingrédients (œufs, beurre, lait).

Fraiser : travailler certaines pâtes à tarte (brisée, sablée) avec la paume des mains sur le plan de travail.

Julienne : préparation de légumes (carottes, navets, champignons) coupés en fines lanières.

Lier : donner de l'onctuosité à un fond ou à une sauce en ajoutant un ingrédient qui va épaissir à la cuisson (fécule, jaune d'œuf, etc.).

Mirepoix : garniture aromatique composée généralement de carotte, d'oignon, de céleri, de lard ou de jambon taillés en petits dés.

Monder : peler certains fruits en les plongeant pendant quelques secondes dans de l'eau bouillante (amandes, pêches, tomates).

Mouiller : ajouter un liquide (eau, bouillon, vin) à une préparation afin d'en assurer la cuisson.

Paner : recouvrir certains aliments (escalopes, filets de poisson) de mie de pain émiettée ou de chapelure après les avoir passés dans les œufs battus, afin qu'une croûte se forme pendant la cuisson.

Parer : éplucher soigneusement de manière à éliminer tous les déchets.

Puits : synonyme de fontaine.

Réduire : faire épaissir un liquide par évaporation.

Roux : farine cuite dans un corps gras plus ou moins longtemps selon la couleur recherchée (roux blanc, roux blond, roux brun) et servant d'élément de liaison.

Ruban : pâte qui forme comme un ruban quand on la soulève après fouettage intense.

Tamiser : faire passer à travers un tamis (farine, sucre).

Vanner : faire refroidir une crème (crème anglaise, crème pâtissière) ou une sauce en la remuant avec une spatule pour éviter qu'une pellicule ne se forme à la surface.

– Nom de la colline où eut lieu la Crucifixion **Golgotha**
– Représentation architecturale ou picturale de la Crucifixion **calvaire**
– Traces de la Crucifixion de Jésus **stigmates**

CRUEL

voir aussi **barbare**
– Il est cruel **dur, insensible, féroce, sadique, inhumain**
– Un comportement cruel **brutal, violent**
– Homme cruel **boucher, chacal, persécuteur**
– Souverain cruel **despote, tyran**
– Cruel et lâche **ubuesque**
– Un règlement cruel **draconien**
– Un jugement cruel **implacable, impitoyable, inexorable, inflexible**
– Un sentiment cruel **affligeant, atroce, pénible**
– Une cruelle défaite **amère, âpre, cuisante**
– Un sort cruel **hostile**

CRUSTACÉ *Voir tableau classification des animaux, p. 22*

voir aussi **homard, langouste, lilule, palémon**
– Classe des crustacés à carapace articulée **arthropodes**
– Sous-classe des crustacés dits supérieurs **malacostracés**
– Sous-classe des crustacés dits inférieurs **entomostracés**
– Crustacé fossile **trilobite**
– Forme larvaire des crustacés au sortir de l'œuf **nauplius, zoé**
– Compose la carapace des crustacés **chitine, calcaire**
– Pièces buccales des crustacés **mandibules, maxilles**
– Tête, thorax et abdomen des crustacés **céphalon, péréion, pléon**
– Étude des crustacés **carcinologie, crustacéologie**
– Filet utilisé lors de la pêche aux crustacés **drague, tramail, bourraque**
– Un plateau de coquillages et crustacés **fruits de mer**

CRYPTE

– Ils visitent la crypte **grotte, caveau**
– Crypte voûtée **chapelle**
– Crypte souterraine ayant reçu autrefois des sépultures **hypogée**
– Crypte celtique **galgal**
– Crypte abritant le tombeau d'un martyr **martyrium**
– Crypte amygdalienne **follicule**

CUBE

– Il a construit un cube **hexaèdre**
– Pareil à un cube **cubique, cuboïde, hexaédrique**
– Petit cube utilisé dans les jeux de société **dé**
– Petit cube d'une mosaïque **abacule**
– Évaluation d'un volume en mètre cube **cubage**
– Un mètre cube de bois **stère**

CUEILLIR

– C'est la saison pour cueillir les fruits **récolter, ramasser**
– Cueillir le raisin **vendanger, grappiller**

– Cueillir les fruits d'un autre **marauder**
– Frapper sur les noix pour les cueillir **gauler**
– Cueillir un premier prix **obtenir, remporter, décrocher, rafler**

CUILLER

– Type de cuiller **à café, à soupe, à entremets**
– Cuiller large et plate sur laquelle on sert le poisson **truelle, spatule**
– Cuiller à pot à long manche, utilisée en cuisine **louche, poche**
– Grande cuiller utilisée pour le raffinage du sucre **pucheux**
– Cuiller à très long manche employée en fonderie **casse**
– Biscuit à la cuiller **boudoir**

CUIR

voir aussi **peau**
– Travail du cuir **tannage**
– Métiers du cuir **bourrellerie, sellerie, maroquinerie**
– Cuir de veau mort-né **vélin**
– Cuir d'agneau ou de chèvre **parchemin**
– Cuir de mouton **basane**
– Cuir d'âne, de mulet **chagrin**
– Cuir épais de bouc ou de chèvre **maroquin**
– Toile de coton imitant le cuir **moleskine**
– Cuir artificiel **similicuir, Skaï, moleskine**
– Peau de certains poissons traitée comme le cuir **galuchat**
– Semblable au cuir **alutacé**

CUIRASSE

syn. **armure**
– Partie d'une cuirasse **plastron, dossière**
– Protéger un véhicule avec une cuirasse **blinder, cuirasser**
– Sous sa cuirasse, c'est un grand tendre **carapace, coquille**

CUIRE

voir aussi **griller**
– Cuire brièvement en trempant dans l'eau bouillante **blanchir**
– Cuire à la vapeur **à l'étuvée**
– Cuire doucement et longtemps **mijoter, mitonner, braiser**
– Cuire à feu vif **griller, rôtir, rissoler, blondir, saisir**
– Cuire dans l'huile **frire**
– Cuire des objets de porcelaine **biscuiter**

CUISINE *Voir tableau page ci-contre*

– Petite cuisine dans un appartement **kitchenette**
– Coin-cuisine d'un bateau **coquerie**
– Pièce attenante à la cuisine **office, arrière-cuisine, souillarde**

– Spécialiste en aménagement de cuisines **cuisiniste**
– Grand amateur de cuisine **gourmet, gastronome**
– Art de la dégustation en cuisine **gastronomie**
– Mauvaise cuisine **ragougnasse**
– Propre à la cuisine **culinaire**
– On la trouve dans un livre de cuisine **recette**

CUISINER

– Cuisiner quelqu'un **interroger**

CUISINIER

– Titre donné à un cuisinier **chef, maître queux**
– Le cuisinier de la cantine **cuistot**
– Cuisinier d'un bateau **maître coq**
– Excellent cuisinier **cordon-bleu**
– Apprenti cuisinier **marmiton, gâte-sauce, casserolier**
– Distinction annuelle décernée à un cuisinier **toque**

CUISSE

voir aussi **anatomie, jambe**
– De la cuisse **crural**
– Cuisse de chevreuil **cuissot**
– Cuisse d'agneau **gigot**
– Cuisse de dinde **gigolette**
– Cuisse de poulet **pilon**
– Cuisse du porc **jambon**

CUIVRE

– Objet contenant du cuivre **cuprique**
– Terrain recelant du cuivre **cuprifère**
– Alliage de cuivre jaune et de nickel **maillechort**
– Alliage de cuivre et de zinc **laiton, cuivre jaune**
– Alliage de cuivre et d'étain **bronze, airain**
– Gravure sur cuivre **chalcographie**
– Âge du cuivre **chalcolithique**

CULMINANT

– Point culminant d'une montagne **sommet, cime, crête, faîte**
– Point culminant dans une évolution **climax, apogée, zénith, summum**
– Point culminant du plaisir sexuel **orgasme, acmé**

CULOT

– Elle a beaucoup de culot **effronterie, audace, aplomb, toupet**

CULOTTE

voir aussi **caleçon, slip**
– Culotte courte **short, bermuda, jupe-culotte**
– Culotte longue **pantalon, pantacourt**
– Culotte de sport **jogging, cycliste**
– Culotte bouffante de bébé **barboteuse, bloomer**

– Culotte d'alpiniste **knickerbockers**
– Couche-culotte **change complet**

CULTE

voir aussi **liturgie, office, rite, service**
– Culte rendu à Dieu **latrie**
– Culte rendu aux anges, aux saints **dulie**
– Lieu de pratique du culte **mosquée, temple, église, chapelle, synagogue**
– Aire du culte dans l'Antiquité romaine **fanum**
– Officiant du culte musulman **imam**
– Officiant du culte juif **rabbin**
– Officiant du culte chrétien **pasteur, prêtre, pope**
– Culte animiste alliant sorcellerie et rituel chrétien **vaudou**
– Culte des idoles **idolâtrie**
– Culte des images **iconolâtrie**
– Culte de l'homme **androlâtrie**
– Vouer un culte à une personne **admirer, adorer, vénérer**

CULTIVATEUR

voir aussi **éleveur, exploitant**
– Les cultivateurs sont en colère **agriculteurs**
– Nom péjoratif donné aux cultivateurs **culs-terreux, bouseux**

CULTIVER

– Cultiver des terres **défricher, entretenir, exploiter, labourer**
– Cultiver sa mémoire **aiguiser, développer, perfectionner**

CULTIVER (SE)

syn. **étudier, instruire (s')**

CULTURE

voir aussi **agriculture, terre**
– Culture des arbres **arboriculture**
– Culture des agrumes **agrumiculture**
– Culture des jardins **horticulture**
– Culture d'un vignoble **viticulture**
– Culture des céréales **céréaliculture**
– Culture d'un peuple **civilisation, tradition**
– Personne d'une vaste culture **érudite, lettrée, savante, docte, instruite**
– Culture transmise à un enfant **éducation, instruction, connaissance, savoir**

CUPIDITÉ

– Sa cupidité le perdra **envie, convoitise, avidité**
– Faire preuve de cupidité dans les affaires **mercantilisme**

CURÉ

voir aussi **abbé, prêtre**
– Paroissiens du curé **ouailles**
– Lieu de résidence d'un curé **cure, presbytère**
– Curé s'occupant d'une cure ou d'une paroisse **desservant**

– Personne chargée de suppléer le curé **vicaire**
– Apprenti curé **séminariste**
– Sommes perçues par le curé lors des mariages, des baptêmes… **revenu casuel**

CURIEUX
– Un groupe de passants curieux **badauds, fureteurs, flâneurs**
– Être curieux de voir, d'apprendre **désireux**
– Individu curieux dans un domaine **passionné, amateur**
– On dit qu'elle est curieuse **concierge**
– Un curieux personnage **original, singulier, drôle de**
– Un livre curieux **bizarre, étrange, insolite**
– Petit événement curieux **anecdote**

CURIOSITÉ
– Entretenir la curiosité d'un enfant **désir, intérêt, appétit**

– Sa curiosité l'enrichit **autodidacte**
– Curiosité très vive **soif, avidité**
– Curiosité déplacée **indiscrétion, sans-gêne**
– Piquer la curiosité de quelqu'un **intriguer**
– Une curiosité **rareté, nouveauté**
– Vente de curiosités **brocante, dépôt-vente, vide-greniers**

CYCLE
voir aussi **fréquence, période**
– Cycle d'événements successifs **suite, série**
– Cycle qui dure dix ans **décennie, décade**
– Cycle annuel des astres **révolution**
– Cycle journalier des astres **rotation**
– Cycle universitaire **cursus**
– Cycle mensuel de la femme **menstrues, règles**

CYCLONE
– Un cyclone a dévasté la région **ouragan, tempête, tornade**
– Cyclone tropical **trombe, typhon, hurricane**

CYLINDRE
– Cylindre en pierre utilisé pour écraser les grains **meule, broyeur**
– Grand cylindre de fonte servant à aplanir une route **rouleau compresseur**
– Cylindre servant de conduit **tube**
– Diamètre d'un cylindre **calibre**

CYNIQUE
– À l'origine de l'école cynique **Antisthène, Diogène**
– C'est un individu cynique **impudent, sardonique, effronté, insolent, immoral**
– Une remarque cynique **crue, triviale, obscène, inconvenante**

DADA
voir aussi **cheval**
– C'est son dada **hobby, toquade, marotte, violon d'Ingres**

DAIM
– De la famille du daim **daine, daneau, cervidé, brocard, daguet, harpail**
– Les bois du daim **dague, paumure, perche**
– Veste en daim **cuir suédé, nubuck**
– Veste imitant le daim **suédine**

DALLE
– Une dalle de béton **chape, plaque, plancher, tablette**
– Les dalles du carrelage **carreau, revêtement, lauze, pavement**
– Dalle funéraire **pierre tombale**
– Une dalle de colin **darne**

DAME
voir aussi **femme**
– Dame espagnole **doña**
– Dame anglaise **lady**
– Dame occupant les pensées d'un amoureux **dulcinée**
– Dame de compagnie **servante, dame d'atour, cameriste, suivante**
– Dame du jeu d'échecs **reine**
– Dame pour paver **hie**

DAMNÉ
– Lieu réservé aux damnés **enfer, géhenne, Tartare**
– Personne damnée **maudite, réprouvée, perdue**
– Peine infligée aux damnés **supplice, châtiment, dam**
– Cette damnée histoire **satanée, sacrée, sale**

DANDY
syn. **élégant, raffiné, esthète**
– Désignation péjorative du dandy **gandin, muscadin, petit maître**

DANGER
– Il a su éviter le danger **piège, écueil**
– Être en danger **détresse, péril**
– Estimer le danger **risque**

– Pressentir un danger **menace, alarme, alerte**
– Aller au-devant d'un danger **exposer à (s'), affronter, braver, risquer**
– Il ne craint pas le danger **casse-cou, imprudent, téméraire, courageux**
– Reculer devant un danger **céder, flancher, dégonfler (se), battre en retraite**
– Préserver contre un danger **défendre, garantir, protéger**
– Il protège du danger **abri, refuge, asile, rempart**
– Sans danger **anodin, banal, inoffensif**

DANGEREUX
syn. **grave, mortel**
– Un individu dangereux **redoutable, malfaisant, méchant, nuisible**
– Un acte dangereux **périlleux, hasardeux, audacieux**
– Une situation dangereuse **scabreuse, douteuse, aventureuse, hasardeuse**
– Un produit dangereux **nocif, toxique, délétère**
– Une installation dangereuse **insalubre, hors norme**

DANSE *Voir tableaux p. 166 et p. 168*
– Exercices d'assouplissement au début d'un cours de danse classique **à la barre**
– Pose de danse classique **arabesque, attitude**
– Saut de danse classique **assemblé, ballonné, saut battu, jeté, entrechat, sissonne**
– Pas de danse classique **chassé, pas de basque, pas de bourrée, déboulé**
– Danse sans partenaire **jerk, smurf, swing, twist**
– Danse en couples **slow, valse, rock, tango, lambada**
– Danse folklorique **bourrée, farandole, musette, passe-pied, ronde, villanelle**
– Danse de salon **polka, quadrille, mazurka, chaconne, galop, gavotte, gigue, menuet, rigodon**
– Danse d'autres pays **sarabande, scottish, biguine, boléro, samba, calypso, rumba, mambo**
– Danse antique orgiaque **sicinnis, bacchanale**

– Art de la danse dans l'antiquité romaine **saltation**
– Danse antique sacrée **geranos, thiase**
– Danse antique guerrière **enoplion, pyrrhique**
– Danse antique profane **kormos, apokinos, emmélie**
– Danse traditionnelle de l'Inde du Nord **kathak**
– Danse religieuse traditionnelle de l'Inde du Sud **bharata-natyam**
– Danse dévotionnelle indienne dédiée à Krishna **manipuri**
– Danse religieuse traditionnelle utilisant le masque et le mime **kathakali**

DANSEUR
– Danseur, danseuse de ballet **baladin, ballerine**
– Danseur, danseuse d'une revue de music-hall **boy, girl**
– Jeune danseur ou danseuse de l'école de danse de l'Opéra de Paris **petit rat**
– Premier danseur à l'Opéra **étoile**
– Danseur d'un niveau inférieur à l'étoile **coryphée**
– Danseur de corde **funambule, fildefériste**
– Troupe de danseurs professionnels **corps de ballet, compagnie**
– Danseurs en couple **cavalier, partenaire**
– Tenue de danse **ballerine, tutu, justaucorps, chausson, collant**
– Danseuse indienne **bayadère**
– Danseuse égyptienne **almée**

DATE
– Indiquer sur un document une date antérieure à celle où il a été rédigé **antidater**
– Indiquer sur un document une date postérieure à celle où il a été rédigé **postdater**
– Date au-delà de laquelle un produit ne doit plus être utilisé **de péremption**
– Date d'expiration d'un loyer **échéance, terme**
– Renvoyer une réunion à une date indéterminée **sine die, ajourner, remettre aux calendes grecques, ajourner**

DANSE CLASSIQUE

TYPE DE DANSE CLASSIQUE AU XXᵉ SIÈCLE

ballet classique
  contemporain
danse
  expressionniste
danse
  postmoderne
modern dance

Duo extrait d'un ballet :
  pas de deux
  variation

SAUT

**Saut sur
une seule jambe :**
  ballonné
  contretemps
**Saut d'une jambe
sur l'autre :**
  jeté
  saut de jambe
**Saut lors duquel
une jambe frappe
l'autre :**
  chassé
Saut jambes serrées :
  soubresaut
**Saut avec repli
des jambes :**
  gargouillade
  saut de chat

**Saut avec croisement
des jambes :**
  batterie
  cabriole
  entrechat
  saut battu
  sissonne
**Saut avec battement
des jambes :**
  ailes de pigeon
Saut de conclusion :
  assemblé
Après un saut :
  retombé

POSE

Type de pose du corps :
  arabesque
  attitude

PAS

**Pas composé
de plusieurs mouvements :**
  temps levé
Série de pas :
  balancé
  pas de bourrée
Pas glissé :
  glissade
  glissé
  pas de basque
**Pas permettant de passer
un pied devant l'autre :**
  emboîté

**Pas permettant
de changer de jambe
d'appui :**
  coupé

MOUVEMENT

**Suite de mouvements
lents :**
  adage
**Mouvement effectué
par une jambe
à la fois :**
  battement
  développé
  piqué
  plié
  rond de jambe
Série de pirouettes :
  déboulé
**Pirouette et battement
des jambes :**
  fouetté
**Élévation sur les pointes
ou les demi-pointes :**
  échappé
  dégagé
  relevé
**Écartement des cuisses
jusqu'à toucher terre :**
  grand écart
Mouvement des épaules :
  épaulement
**Exercices
d'assouplissement :**
  à la barre

– Fixation d'un terme à une date postérieure **prorogation, report**
– Désignation de l'année d'une date **millésime**
– Dans une date, chiffre du jour **quantième**
– Toutes les dates de l'année **calendrier, chronologie, éphéméride**
– Concordance de dates **synchronisme**
– De fraîche date **récemment**

DATER
– Substance chimique permettant de dater certains vestiges **carbone 14**

DAUBE
– Récipient servant à cuire une daube **daubière**
– Viande en daube **étouffade, ragoût**

DAUPHIN
voir aussi **cétacés**
– Famille à laquelle appartient le dauphin **delphinidés**
– Espèce de dauphin de la famille des delphinidés **dauphin lanc, dauphin souffleur**
– Famille des dauphins d'eau douce **platanistidés**
– Dauphin d'un homme politique **poulain, successeur**

DÉ
– Dé à douze faces **cochonnet**
– Dé dont une seule face est chiffrée **farinet**
– Coup de dés dont trois faces sont identiques **brelan**
– Jet de dés amenant deux as **bezet, ambesas**
– Coup de dés dont deux faces sont identiques **rafle**
– Jet de dés amenant deux six **sonnez**
– Jet de deux dés amenant chacun un trois **terne**
– Jeux de dés **trictrac, poker d'as, quatre-cent-vingt-et-un**
– Petit gobelet utilisé pour secouer les dés **cornet**

DÉBÂCLE
– La débâcle de la glace **dégel, bouscueil**
– C'est la débâcle **débandade, déroute, fuite**
– Débâcle financière **faillite, krach, ruine, banqueroute**

DÉBARQUER
– Zone portuaire où l'on débarque **débarcadère, embarcadère, escale**
– Débarquer une charge de bois **débarder**
– Débarquer des marchandises **décharger**
– Débarquer une personne gênante **écar-**

ter, congédier, limoger, destituer, renvoyer, chasser, éliminer

DÉBARRASSER
– Débarrasser de ce qui gêne **déblayer, désencombrer, désobstruer, déneiger, délester, dératiser**
– Débarrasser une table **desservir, enlever le couvert**
– Débarrasser un liquide de ses impuretés **filtrer, purger, purifier**

DÉBARRASSER (SE)
– Se débarrasser de vieilleries **abandonner, jeter, défaire de (se)**
– Se débarrasser d'un défaut **corriger de (se), amender (s')**

DÉBAT
– Objet d'un débat **affaire, procès, contentieux, polémique**
– Débat organisé **colloque, séminaire, face-à-face, forum, table ronde**
– Débat dans une tragédie **stichomythie**
– Prendre part à un débat **disputer, discuter**
– Personne qui prend part à un débat **intervenant, débatteur**

DÉBATTRE
– Débattre d'une question **polémiquer, discuter, délibérer, plaider, parlementer, argumenter**

DÉBATTRE (SE)
syn. **se démener, lutter**

DÉBAUCHE
– Débauche festive **bacchanale, saturnale, orgie, paillardise, partouze**
– Débauche de table **goinfrerie, beuverie, ripailles**
– Vivre dans la débauche **luxure, licence, libertinage, vice, intempérance, corruption, dépravation, stupre**
– Une vie de débauche **dissolue**
– Débauche de couleurs **prodigalité, profusion, étalage, surabondance**

DÉBILE
– Débile mental **simple, demeuré, attardé**
– Une personne débile **cacochyme, chétive, rachitique**
– C'est débile **fou, insensé, nul, bête, simpliste, inconsistant**

DÉBITER
– Débiter des ragots, des médisances **déblatérer, médire**
– Débiter des idioties **dégoiser, débagouler, bonimenter, divaguer**
– Débiter un sermon **prêcher, catéchiser, morigéner**
– Débiter de la viande en morceaux **découper, trancher, équarrir**

– Une machine à débiter des pièces **produire, fabriquer, sortir**
– Bois que l'on a débité **merrain, bois de fente, liteau, roule**

DÉBLOQUER

syn. **décoincer, dégripper, dégager**
– débloquer des fonds **dégager, subventionner, libérer, dégeler**

DÉBORDEMENT

– Débordement d'une rivière **crue, inondation, débord**
– Débordement d'injures **bordée, déluge**
– Débordement de sentiments **effusion, épanchement**
– Débordement de paroles **exubérance, volubilité, loquacité, faconde, logorrhée**
– Débordement d'énergie **vitalité, vigueur, dynamisme, explosion**

DÉBORDER

– Le lait déborde **bout, sauve (se), échappe (s')**
– Ce qui déborde **trop-plein, excédent, surplus**
– Qui déborde d'entrain **remonté, déchaîné**
– Vers qui déborde sur le vers suivant **enjambement**

DÉBOUCHER

– Ustensile utilisé pour déboucher **débouchoir, ventouse**
– Déboucher une bouteille **ouvrir, décapsuler**
– Déboucher une canalisation **désengorger, désobstruer**
– Le chemin débouche sur le lac **mène à, donne sur, donne dans, conduit à, ouvre sur, aboutit à**

DÉBRIS

voir aussi **déchet**
syn. **fragment, bribe, restes, ruines**
– Débris de matériaux **gravats, décombres, déblais, détritus**
– Débris de métal **limaille, ferraille, battitures, mitraille**
– Débris de bois **copeau, sciure**
– Débris de verre **tesson, casson, calcin, groisil**
– Engrais formé de débris organiques **compost, guano, maërl**
– Débris d'une voiture **épave, carcasse**
– Débris d'étoffe **lambeau, loque**

DÉBROUILLARD

– Un enfant débrouillard **malin, futé, habile, dégourdi, déluré, vif**
– Premier recours d'un individu débrouillard **système D, astuce, truc**

DÉBROUILLER

syn. **démêler, distinguer, trier**

– Débrouiller une énigme **éclaircir, élucider, dénouer, résoudre, expliquer, clarifier**
– Difficile à débrouiller **inextricable, délicat, embarrassant**

DÉBROUILLER (SE)

– Se débrouiller tout seul **arranger (s'), dépatouiller (se), dépêtrer (se)**

DÉBUT

voir aussi **commencement**
syn. **origine, prélude, inauguration, balbutiement, prémices**
– Début d'un repas **entrée, hors-d'œuvre**
– début d'une preuve **indice, piste**
– Début de la journée **matin, aube, aurore**
– Début de la nuit **soir, soirée, crépuscule**
– du début à la fin **durée**
– qui est au début **initial, premier, en tête**

DÉBUTANT

syn. **novice, néophyte, apprenti**

DÉCADENCE

syn. **dégradation, dégénérescence, décrépitude**
– Signe de décadence **déclin**
– Décadence d'une civilisation **décomposition, déliquescence**

DÉCALAGE

syn. **écart, différence**
– Décalage de points de vue **discordance, désaccord, gap**
– Décalage de deux sons **dissonance, disharmonie, cacophonie**
– Absence de décalage **concordance, conformité, accord, harmonie**

DÉCAMPER

syn. **fuir, enfuir (s'), sauver (se), lever le camp**

DÉCAPER

syn. **nettoyer, poncer, polir, raviver, sabler, déguerpir**
– Outils servant à décaper **décapeuse, sableuse, ponceuse, Karcher**

DÉCAPITER

syn. **guillotiner, exécuter**
– Décapiter un arbre **décimer, étêter, découronner**
– Endroit où l'on décapite **échafaud, billot**

DÉCÉDER

syn. **mourir, trépasser, expirer, éteindre (s')**

DÉCELER

– Cette empreinte de pas décèle une pré-

sence humaine **signale, prouve, manifeste, démontre**
– Déceler un complot **découvrir, dévoiler, révéler, percer**
– Déceler la présence de quelqu'un **détecter**

DÉCENCE

syn. **bienséance, honnêteté, pudeur, politesse, savoir-vivre, retenue, tact, réserve**
– Manque de décence **indécence, effronterie, inconvenance, obscénité**

DÉCENT

syn. **convenable, bienséant, séant**
– Porter une tenue décente **correcte, pudique**
– Une attitude décente **discrète, digne, retenue, modeste, réservée**
– Une proposition décente **honnête, acceptable**

DÉCEPTION

– Éprouver une déception **désenchantement, désillusion, déconvenue, dépit, désappointement, déboire**
– Cause une déception **trahison, tromperie, indélicatesse, échec**
– Sentiment émanant d'une déception **tristesse, amertume, ressentiment, aigreur**

DÉCEVOIR

syn. **dépiter, désappointer, frustrer**
– Décevoir l'attente de quelqu'un **tromper, trahir**

DÉCHAÎNER

– Déchaîner l'opinion publique **ameuter, soulever**
– Déchaîner la colère d'une personne **causer, occasionner, provoquer**
– Déchaîner les passions **exciter, déclencher**
– Se déchaîner contre quelqu'un **emporter (s'), fâcher (se), prendre à (s'en)**

DÉCHAUSSER

– L'eau a déchaussé ce mur **dégravoyé**
– Déchausser un arbre **mettre à nu, déraciner**
– Instrument employé pour déchausser les arbres **déchaussoir, déchausseuse**

DÉCHAUSSER (SE)

syn. **débotter (se)**
– Dent qui se déchausse **bouge**

DÉCHÉANCE

syn. **chute, décadence, opprobre, déliquescence, fange, décrépitude**
– Tomber dans la déchéance **déchoir**
– Déchéance mentale **démence, folie**
– Qui témoigne de la déchéance **ignominieux, infâme, abject, vil**

– La déchéance d'un droit **forclusion, incapacité**
– La déchéance d'un souverain **destitution, déposition**

DÉCHET

voir aussi **débris**
syn. **ordure, détritus, résidu, rebus**
– Récupération des déchets **recyclage**
– Déchet alimentaire **épluchure, pelure**
– Déchets d'un repas **restes, rogatons**
– Déchet de viande animale **rognure**
– Déchet d'acier **riblon, ferraille, tournure**
– Déchet de minerai **scorie, mâchefer, laitier**
– Déchet de textile **bourre, blousse, freinte, strasse**
– Qui vit dans les déchets **détriticole**

DÉCHIFFRER

syn. **déceler, comprendre, percer, saisir**
– Déchiffrer un message codé **décoder, décrypter**
– Déchiffrer une partition **lire**

DÉCHIQUETÉ

– Relief déchiqueté **accidenté, mouvementé**

DÉCHIQUETER

syn. **lacérer, déchirer, écharpiller, taillader, chicoter**

DÉCHIRANT

syn. **poignant, dramatique, pathétique, douloureux, bouleversant**

DÉCHIRER

– Déchirer des papiers **déchiqueter, dilacérer**
– Déchirer un tissu **lacérer**
– Le hurlement d'une sirène déchire le silence **rompt, perce, trouble**
– Se déchirer la peau **égratigner (s'), écorcher (s'), érafler (s')**

DÉCHOIR

syn. **abaisser (s'), avilir (s'), tomber, dégringoler, encanailler (s')**

DÉCHU

– Être déchu d'un droit **privé de, dépossédé de**
– Les anges déchus **esprits des ténèbres, anges rebelles, diable**

DÉCIDÉ

– Une allure décidée **énergique, volontaire**
– Un individu décidé **résolu, catégorique, déterminé, ferme**

DÉCIDER

syn. **fixer, arrêter, choisir, opter, convenir de, trancher**

– Avoir des difficultés à se décider **hésiter, différer, tergiverser, barguigner, atermoyer**
– Décider d'une sanction **juger, sanctionner**
– Décider une personne à faire quelque chose **persuader de, convaincre de**
– Décider d'une loi **statuer, décréter, stipuler**
– Se décider à une action **déterminer à (se), résoudre à (se)**

DÉCISIF

– Une révélation décisive **capitale, prépondérante**
– Un argument décisif **irréfutable, probant, concluant, convaincant**
– Un moment décisif **important, crucial, critique**

DÉCISION

– Prendre une décision **choisir, décider, délibérer**
– Décision imposée **diktat, oukase**
– Qui manque de décision **indécis, hésitant, indéterminé, incertain**
– Une décision officielle **arrêt, décret, référé, sentence, verdict, exequatur, fulmination**
– Avec décision **énergiquement, fermement, volontairement, résolument, hardiment**

DÉCLAMER

– Déclamer à haute voix, généralement un poème, en détachant les syllabes **scander**
– Personne qui déclame **déclamateur, diseur, récitant**
– Déclamer de façon monotone **psalmodier**

DÉCLARATION

– Faire une déclaration de vol **déposition, plainte**
– Déclaration écrite et largement diffusée **manifeste, profession de foi**
– Faire une déclaration **révélation, annonce**
– Déclaration faite par un jury **verdict, proclamation**
– Déclaration de presse **communiqué**
– Déclaration d'assurance **attestation**

DÉCLARER

– Déclarer un individu coupable **condamner**
– Déclarer ses projets **indiquer, dévoiler, annoncer**
– Déclarer un changement **informer de, signaler, signifier**
– Déclarer publiquement **proclamer, publier**
– La tempête allait se déclarer subitement **déclencher (se), survenir**
– Se déclarer pour **prononcer pour (se)**

TYPES DE DANSES
Be-bop (origine américaine)
Biguine (origine antillaise)
Blues (origine américaine)
Boléro (origine espagnole)
Boogie-woogie (origine américaine)
Bossa nova (origine brésilienne)
Boston (origine américaine)
Breakdance (danse hip-hop)
Cake-walk (origine américaine)
Calypso (origine jamaïcaine)
Cancan (origine française)
Cha-cha-cha (origine mexicaine)
Charleston (origine américaine)
Disco (origine américaine)
Fandango (origine espagnole)
Flamenco (origine espagnole)
Fox-trot (origine américaine)
Java (origine française)
Jerk (origine américaine)
Jive (origine américaine)
Hip-hop (danse des rues)
Lambada (origine brésilienne)
Madison (origine américaine)
Mambo (origine cubaine)
Mérengué (origine dominicaine)
One-step (origine américaine)
Paso doble (origine espagnole)
Polka (origine polonaise)
Quickstep (origine américaine)
Rock à plat (origine américaine)
Rock'n roll (origine américaine)
Rumba (origine cubaine)
Salsa (origine brésilienne)
Samba (origine brésilienne)
Shimmy (origine américaine)
Slow-fox (origine américaine)
Tango (origine latino-américaine)
Tarentelle (origine italienne)
Twist (origine américaine)
Two-step (origine américaine)
Valse musette (origine française)
Zouk (origine antillaise)

DÉCLENCHER

syn. **catalyser, provoquer, entraîner, susciter**
– Ce qui déclenche un dispositif **déclic, détente, détonateur, signal, commande, excitation**

DÉCLIN

syn. **décadence, déchéance, avilissement, abaissement, étiolement**
– Le déclin du jour **soir, couchant, crépuscule**
– Sur son déclin **finissant, agonisant**

DÉCLINER

– Commencer à décliner **baisser, décroître, diminuer, affaiblir (s'), péricliter, dépérir, s'étioler**
– Décliner son identité (nom, prénoms, qualités) **annoncer, énumérer, donner**
– Devoir décliner une invitation **refuser, rejeter**

DÉCOLORATION
– Décoloration de la peau **albinisme, achromie**
– Décoloration de la chevelure **canitie**
– Décoloration des plantes **étiolement, chlorose**

DÉCOLORÉ
– Tissu aux teintes décolorées **passées, fanées, flétries, déteintes**

DÉCOMPOSER
syn. **diviser, dissocier, disloquer, scinder**
– Décomposer un fragment musical **analyser, disséquer**
– Aliment qui se décompose **altère (s'), putréfie (se), pourrit, corrompt (se)**
– Minéraux qui se décomposent **désagrègent (se)**
– Laisser se décomposer une viande de gibier **mortifier (se), faisander (se)**

DÉCOMPOSITION
– Décomposition d'une argumentation **analyse**
– Décomposition des fruits **blettissement**
– Décomposition d'un parfum **corruption**
– Décomposition d'une lumière **diffraction, spectre, dispersion**
– Décomposition d'un corps chimique **division, séparation, désagrégation**
– Première marque de décomposition **moisissure, aspergille**
– Substance en décomposition **putréfaction, putrescence**

DÉCOMPRESSION
syn. **dilatation, expansion, détente**
– Trouble dû à une décompression brutale **dysbarisme**
– Chambre de décompression **caisson, sas**

DÉCOMPTE
syn. **déduction, retranchement, soustraction, réduction**
– Le décompte des suffrages exprimés **dépouillement**

DÉCONCERTÉ
syn. **décontenancé, dérouté, interloqué**
– Un air déconcerté **désorienté, désemparé**
– Un individu déconcerté **troublé, pantois, ébahi, déconfit**

DÉCOR
voir aussi théâtre, cinéma
– Changement de décor **ambiance, atmosphère, cadre, milieu, environnement**
– Spécialiste de la conception de décors paysagers **paysagiste**

– Professionnel du décor d'intérieur **ensemblier, tapissier, architecte d'intérieur**
– Personne qui crée le décor des vitrines **étalagiste**
– Spécialiste du décor de théâtre **machiniste, accessoiriste, décorateur**
– Décor sur bois **marqueterie, incrustation, placage, pyrogravure**
– Spécialiste du décor sculpté ou peint **ornemaniste**
– Décor textile **tapisserie, tenture, draperie, passementerie**

DÉCORATION *Voir illustration p. 170*
syn. **ornement, fioritures**
– Décoration honorifique **distinction, cravate, croix, macaron**
– Décoration picturale de livres ou de manuscrits anciens **enluminure, miniature**
– Décoration brodée **feston, jour, smocks**
– Décoration murale **tenture, papier peint, peinture, zellige, azulejo**
– Décorations de Noël **illuminations, guirlandes**

DÉCORER
syn. **parer, orner**
– Décorer un gâteau **agrémenter, garnir**
– Décorer un vêtement **enjoliver, embellir, passementer, broder**
– Décorer un sportif **médailler**
– Décorer une personnalité **citer, honorer**

DÉCORTIQUÉ
– Riz non décortiqué **paddy, rizon**

DÉCORTIQUER
syn. **écaler, éplucher, écorcer, peler**
– Décortiquer un dossier **examiner, analyser, étudier, disséquer, désosser**

DÉCOUPER
syn. **débiter, trancher, segmenter, fractionner, saucissonner**
– Découper une volaille **démembrer, dépecer**
– Découper équitablement **diviser, partager**
– Voir se découper une silhouette à l'horizon **détacher (se), profiler (se), ressortir**
– Planche de bois employée pour découper **tailloir, tranchoir**
– Instrument servant à découper **ciseau, cisaille, découpoir, emporte-pièce, grignoteur, tronçonneuse**

DÉCOURAGEMENT
syn. **accablement, abattement, écœurement, désenchantement**
– Profond découragement **lassitude, consternation, désespérance, dépression, affliction**

DÉCOURAGER
syn. **démoraliser, déconforter, déprimer**
– Décourager une personne de réaliser un projet **déconseiller, détourner, dissuader de**
– Décourager quelqu'un dans ses espérances **désenchanter**
– Un apprentissage qui décourage **rebute, dégoûte**
– Se décourager **lasser (se), désespérer (se), blaser (se)**
– Qualité de celui qui ne se décourage pas si facilement **persévérance, résilience, constance**

DÉCOUVERTE
syn. **exploration**
– Découverte d'un nouveau talent **révélation**
– Faire une découverte **trouvaille, invention**
– Partie de la science qui étudie les processus de découverte **heuristique**
– Avide de découverte **chercheur, fureteur, aventurier, prospecteur**

DÉCOUVRIR
syn. **dégager, démasquer, enlever, exposer**
– Découvrir ses épaules **dénuder, décolleter**
– Découvrir un secret **déceler, percer, détecter**
– Découvrir son jeu **dévoiler, révéler, exposer**
– Découvrir une maladie **diagnostiquer, dépister**
– Découvrir l'intention de quelqu'un **discerner, distinguer, percevoir, deviner**
– Découvrir la solution d'un problème **trouver, résoudre**

DÉCRET
– Décret gouvernemental **arrêté, ordonnance, règlement, exequatur**
– Décret ecclésiastique **bulle, encyclique, canon, rescrit**
– Décret du pape, réglant une question de discipline **décrétale**
– Décret du roi du Maroc **dahir**

DÉCRIRE
– Décrire une personne **brosser le portrait de**
– Décrire une situation **dépeindre, retracer, exposer, raconter**
– Décrire avec minutie **détailler**
– Ligne qui décrit une courbe **trace, dessine, suit**

DÉCROÎTRE
syn. **baisser, diminuer, décliner, amoindrir (s')**
– La lumière du soir décroît **éteint (s'), estompe (s'), atténue (s')**

DÉCORATIONS FRANÇAISES *(Sur certains de ces dessins se trouve la rosette, insigne porté à la boutonnière.)*

Légion d'honneur (1830)
Premier ordre national, elle comprend cinq classes, réparties en trois grades : chevalier, officier, commandeur, et deux dignités : grand officier, grand-croix.

Plaque de grand officier de la Légion d'honneur.
Insigne complémentaire des grands officiers et grands-croix.

Croix de la Légion d'honneur.
Créée par Bonaparte en 1802 pour récompenser les mérites civils et militaires.

Médaille militaire. Instituée en 1852 par décret de Napoléon III au bénéfice des soldats et sous-officiers en récompense de leur conduite devant l'ennemi. Aujourd'hui destinée à récompenser, dans les conditions prévues par le code de la Légion d'honneur et de la Médaille militaire, les militaires et assimilés, non officiers.

Ordre national du Mérite.
Institué en 1963, il est destiné à récompenser les mérites distingués acquis soit dans une fonction publique, civile ou militaire, soit dans l'exercice d'une activité privée.

Croix de la Libération.
Créée en 1940, elle signale ceux qui se sont distingués d'une manière exceptionnelle dans l'œuvre de libération de la France.

Médaille de la Résistance.
Créée par de Gaulle en 1943. Elle comprend une classe supérieure comportant une rosette et a cessé d'être attribuée le 31 mars 1947.

Croix de guerre 1914-1918.
Instituée en 1915 pour que le chef militaire puisse décorer ses soldats sur le champ de bataille.

Croix de guerre TOE (théâtre d'opérations extérieures).
Créée en 1921 pour les opérations militaires menées entre 1918 et 1921 hors du territoire.

Médaille commémorative 1914-1918.
Créée en 1920 pour tous les mobilisés.

Croix du combattant.
Créée en 1930, elle peut être portée par tous les titulaires de la carte d'ancien combattant.

Croix de guerre 1939-1945.
Créée en 1981, elle est attribuée aux militaires engagés volontaires dans une unité combattante.

Croix de la valeur militaire.
Créée en 1956 pour récompenser les militaires ayant accompli des actions d'éclat au cours d'opérations de sécurité ou de maintien de l'ordre.

Médaille commémorative 1939-1945.
Créée en 1946.

Campagne d'Indochine
Médaille commémorative créée en 1953 pour tous les militaires ayant participé au combat durant au moins 90 jours.

Palmes académiques
(aussi appelées croix de la Légion violette).
Créées en 1808 pour récompenser les services rendus à l'enseignement.

Mérite agricole.
(dit aussi l'épinard ou le poireau). Créé en 1883, il récompense les personnes ayant rendu un service marquant à l'agriculture.

Mérite maritime.
Créé en 1930 pour récompenser la valeur professionnelle du personnel navigant.

Ordre des Arts et des Lettres.
Institué en 1957, il récompense les personnes qui se sont distinguées par leur création dans le domaine artistique ou littéraire.

Médaille de l'Aéronautique.
Créée en 1921. Comme toutes les médailles d'honneur (police, travail, enseignement, eaux et forêts, etc.) elle récompense ceux qui se sont distingués par leur service et leur dévouement.

Médaille d'honneur des actes de courage et de dévouement.
Créée en 1820, elle récompense les traits de courage et de dévouement hors des eaux maritimes.

DÉDAIGNER

syn. **mépriser, négliger, faire fi de, ignorer**
– Dédaigner une offre **refuser, repousser, rejeter**

DÉDAIN

syn. **mépris, orgueil, suffisance, arrogance, morgue**
– Un geste empreint de dédain **altier, impérieux**
– Un comportement empreint de dédain **hautain, distant, insolent, condescendant**
– Regarder quelqu'un avec dédain **toiser**
– Interjection marquant le dédain **fi, foin, peuh, baste**

DÉDIER

syn. **vouer, offrir**
– Dédier une chapelle à la Vierge **consacrer**
– Dédier un livre **dédicacer**

DÉDIRE (SE)

syn. **contredire (se), désavouer (se), revenir sur, raviser (se), rétracter (se)**
– Se dédire de sa parole **manquer à**
– Personne qui ne se dédit pas **engage (s'), tient parole**

DÉDOMMAGEMENT

syn. **compensation, réparation, intérêt, prime, indemnité**
– Payer à titre de dédommagement **rembourser, indemniser**

DÉDUCTION

syn. **défalcation, décompte, réduction**
– Déduction d'impôt **dégrèvement, abattement**
– Avant déduction des taxes **brut**
– Déduction en mathématiques **conséquence, démonstration**
– Déduction immédiate en logique **inférence**
– Tirer des déductions **conclusions**
– Modèle de déduction **syllogisme**

DÉESSE

syn. **divinité, déité**
– Déesses des enfers **Érinyes, Furies**
– Déesses de la destinée humaine **kères, Parques, Moires**
– Déesse de la nature **nymphe, ondine, nixe, naïade, dryade**
– Déesses qui présidaient à la fécondité **déesses mères**
– Déesse celtique **fée**
– Déesse guerrière de la mythologie scandinave **walkyrie**
– Déesse de l'Inde **apsara**
– Déesse de rang inférieur, associée à un dieu **parèdre**
– Déesses classées parmi les dieux d'un ordre supérieur **grandes déesses**

– Récit relatant la naissance des déesses et des dieux *Théogonie*

DÉFAILLANCE

– Défaillance physique **faiblesse, évanouissement, malaise, étourdissement, syncope, vertige**
– Défaillance technique **erreur, incident, défaut**

DÉFAILLIR

syn. **évanouir (s'), pâmer (se)**
– Sa vue commence à défaillir **baisser, faiblir**
– Sentir ses forces défaillir **décliner, affaiblir (s'), manquer**
– Ne peut pas défaillir **indéfectible**

DÉFAIRE

– Défaire le toit, les murs d'une maison **abattre, démolir, déconstruire, démonter**
– Défaire un lien **rompre, délier, dénouer**
– Défaire un cadeau **déballer**
– Défaire le sceau d'une enveloppe **desceller, décacheter**
– Se défaire d'un adversaire lors d'une compétition **dépasser, distancer, éliminer**
– Se défaire d'un bien **vendre, troquer, donner**
– Se défaire d'une étreinte **désenlacer (se), dégager (se)**
– Se défaire d'une autorité **affranchir (s'), émanciper (s')**

DÉFAUT

– Défaut de comparution lors d'un procès **contumace**
– Faire défaut à l'appel **manquer à, faillir à**
– Défaut de vitamines dans l'organisme **insuffisance, carence, déficience**
– Défaut d'application d'un système **inconvénient, lacune**
– Les défauts de tout individu **imperfections, travers, manies, tares**
– Défaut de fabrication **vice, malfaçon, défectuosité**
– Défaut du bois **nœud, gerce, lunure, contournement, loupe**
– Défaut dans une pierre précieuse **impureté, crapaud, paillette, poil, tache**
– Défaut d'une pièce métallique **paille, crasse**
– Défaut d'attention **distraction, étourderie, négligence, inadvertance, mégarde**
– Défaut de prononciation **zézaiement, bégaiement, blèsement, clichement, lambdacisme, sigmatisme**
– Corriger les défauts d'un dessin **retoucher, reprendre**
– Sans défaut **impeccable, parfait, pur**
– Le défaut de la cuirasse **point faible**

DÉFAVORABLE

– Un parti défavorable **contraire, adverse, opposé**
– Des conditions défavorables **désavantageuses, dommageables**
– Un signe défavorable **funeste, néfaste**
– Une remarque défavorable **hostile, négative, dépréciative**

DÉFECTUEUX

– Avoir une audition défectueuse **mauvaise, insuffisante, déficiente**
– Appareil défectueux **défaillant**
– Un raisonnement défectueux **bancal, boiteux, incorrect, erroné**

DÉFENDRE

– Défendre une personne en danger **secourir, assister, protéger**
– Défendre quelqu'un **excuser, justifier**
– L'avocat défend son client **plaide**
– Se défendre d'une calomnie **réfuter, disculper de (se), répondre**
– Se défendre d'un jugement hâtif **garder de (se), empêcher de (s')**
– Défendre de fumer dans un lieu **interdire**
– Défendre la vente d'alcool **prohiber**
– Défendre la lecture de certains livres **condamner, censurer, proscrire, mettre à l'index**
– Défendre provisoirement la parution d'un journal **suspendre**

DÉFENSE

anti-, para-
syn. **protection, secours, aide, rescousse,**
– Discours de défense **plaidoirie, plaidoyer**
– Personne qui prend la défense d'autrui **intercesseur, intermédiaire, avocat, défenseur, médiateur**
– Chargé de la défense des intérêts d'un mineur **tuteur, curateur**
– Comité de défense d'un site **sauvegarde, préservation**
– Prendre la défense d'une cause **faire l'apologie de**
– Défense passive de certains animaux **séclusion**
– Défense de l'organisme **anticorps, antitoxine**
– Organisation de la défense contre l'ennemi **résistance, maquis**
– Objet de défense contre le mauvais sort **talisman, amulette, grigri, phylactère**
– Geste de défense **réaction, parade, riposte**
– Sans défense **désarmé, démuni, faible**

DÉFENSEUR

– Le défenseur d'un accusé **avocat, plaideur**
– Défenseur des opprimés **Robin des bois, don Quichotte**

– Défenseur d'une cause **champion, partisan, zélateur, tribun**

DÉFENSIF
– Arme défensive **armure, cuirasse, bouclier**

DÉFI
syn. **bravade, provocation**
– Défi sportif **challenge, compétition**
– Défi au bon sens **non-sens, hérésie, hardiesse**

DÉFIGURER
syn. **abîmer, altérer, dégrader**
– Défigurer au vitriol **vitrioler**
– Défigurer la réalité **déformer, transformer, trahir, falsifier**

DÉFILÉ
syn. **couloir, passage**
– Défilé maritime **détroit, chenal, grau**
– Défilé étroit et sinueux **gorge, ravin, canyon**
– Défilé montagneux **cluse, goulet**
– Défilé mortuaire, funèbre **procession, cortège**
– Défilé de contestataires **manifestation, marche**
– Défilé d'admirateurs **flot, succession**

DÉFINIR
syn. **signifier, spécifier**
– Définir un point de vue **exposer, expliquer, préciser**
– Définir les clause d'un contrat **fixer, formuler**
– Définir un point de doctrine **déterminer, caractériser**
– Définir un espace **circonscrire, délimiter**

DÉFINITIF
– La version définitive **dernière, ultime, finale**
– Sa décision est définitive **irrévocable, irrémédiable, arrêtée, catégorique**
– En définitive **finalement**

DÉFINITION
– Définition d'un mot **signification, sens**
– Définition particulière d'un mot, entériné par l'usage **acception**
– Définition d'un ensemble d'éléments **description, caractérisation**
– Définition mathématique **règle, théorème, axiome, postulat, principe**
– Définition approximative **indication**
– Par définition **par convention, en toute logique, naturellement**

DÉFONCER
syn. **éventrer, effondrer, emboutir, enfoncer**
– Outil servant à défoncer un sol pierreux **houe, pioche, marteau-piqueur**

DÉFORMATION
syn. **transformation, altération**
– Déformation d'une planche de bois **gauchissement, gondolage, voilement**
– Déformation phonique **distorsion, pleurage**
– Déformation d'une image par un dispositif optique **anamorphose**
– Déformation physique **difformité, malformation**
– Déformation de la colonne vertébrale **scoliose, gibbosité, cyphoscoliose**
– Déformation de la réalité **falsification, trahison, défiguration**

DÉFORMER
– Déformer par des bosses **bosseler, bossuer, cabosser**
– Déformer en pressant **écraser, écacher**
– Qui ne se déforme pas **indéformable, raide, rigide, solide, thermorésistant**

DÉFRICHEMENT
– Défrichement par le feu **brûlis, essartage, écobuage**

DÉFUNT
– Prière pour les défunts **requiem, De profundis, Dies irae**

DÉGAGÉ
– Ciel dégagé **bleu, clair, serein**
– Un air dégagé **libre, désinvolte, cavalier**

DÉGAGER
syn. **retirer, délivrer, déblayer, désencombrer, débarrasser**
– Dégager les voies respiratoires **décongestionner, désobstruer**
– Dégager un parfum **émettre, diffuser, répandre, exhaler**
– Dégager une phrase de son contexte **extraire, isoler**
– La douceur qui se dégage de son regard **émane de, sourd**
– Pont de vue qui se dégage d'une théorie **ressort de, résulte de**
– Qui dégage de la chaleur **brûlant, ardent, rougi**

DÉGARNIR
syn. **dépouiller, découvrir, dépeupler**

DÉGÂT
syn. **dommage, ravage**
– Dégâts subis par un édifice au cours des ans **dégradation, délabrement**
– Dégâts résultant d'un pillage **déprédation, dévastation**
– Dégât dû aux intempéries **détérioration, destruction**

DÉGEL
– Dégel subit d'une rivière **débâcle, bouscueil**

– Dégel des plaques glaciaires **fonte**
– Dégel après une brouille **détente, adoucissement**
– Dégel des prix **déblocage**

DÉGELER
– La glace dégèle **fond**
– La rivière va dégeler **débâcler**
– Qui ne dégèle jamais **merzlota**
– Dégeler l'atmosphère **détendre, dérider, décrisper**

DÉGÉNÉRER
syn. **abâtardir (s'), appauvrir (s'), dégrader (se)**
– Vin qui dégénère **altère (s')**
– Espèce végétale qui dégénère **décline, étiole (s')**
– Discussion qui dégénère en rixe **tourne mal**

DÉGÉNÉRESCENCE
syn. **dégradation, déclin, délabrement, déliquescence**
– Dégénérescence d'un organe, d'un tissu **dystrophie, résorption, athérome, fibrose**

DÉGONFLÉ
– Pneu dégonflé **à plat, crevé**

DÉGONFLER (SE)
– Il s'est dégonflé au dernier moment **a flanché, s'est dérobé, s'est dédit**

DÉGOÛT
syn. **aversion, répulsion, répugnance, désenchantement**
– Éprouver du dégoût à faire quelque chose **répugner à, exécrer, abhorrer**
– Dégoût moral **amertume, lassitude, accablement, rancœur**
– Dégoût de soi-même **honte, mépris**
– Dégoût alimentaire **inappétence, écœurement, haut-le-cœur, nausée, anorexie**

DÉGOÛTANT
syn. **écœurant, repoussant**
– Un acte dégoûtant **odieux, ignoble, abject, révoltant**
– Un plat dégoûtant **peu ragoûtant, infect, immangeable**
– Un lieu dégoûtant **sordide, immonde**
– Une odeur dégoûtante **nauséabonde, fétide, putride, repoussante**

DÉGRADER
syn. **abîmer, détériorer, endommager**
– La situation se dégrade petit à petit **empire, détériore (se), aggrave (s')**
– Une attitude qui dégrade l'homme **avilissante, déshonorante, dépravante**
– Qui se dégrade en milieu naturel **biodégradable**
– Dégrader un officier **démettre, casser**

DÉMONOLOGIE

Diable ou **Satan :** ange déchu qui s'est opposé à Dieu. Vaincu par l'archange Michel, il fut chassé du ciel et condamné à régner sur l'enfer. Mais le démon revient régulièrement sur terre, cherchant à nuire aux hommes en les incitant au mal par la tentation.

Exorcisme : rituel de l'Église catholique qui consiste à chasser la présence démoniaque de l'esprit et le corps des hommes. Le rituel d'exorcisme a été récemment rénové (1999) et remplace l'ancien rituel fixé par Paul V en 1614.

Exorciste : prêtre – un par diocèse – chargé de chasser les démons par le rituel de l'exorcisme.

Hérésie : doctrine, opinion ou pratique opposées aux dogmes de l'Église.

Inquisition : tribunaux ecclésiastiques ou civils chargés de lutter contre l'hérésie et la sorcellerie entre le XIIIᵉ et le XVIIIᵉ siècle.

Légions diaboliques ou **démons :** entités subordonnées au diable qui peuvent s'unir charnellement aux hommes. Il existe une hiérarchie des démons, dont Lucifer est l'empereur et Belzébuth, le prince. Une liste des légions démoniaques a été dressée par l'Église lors du concile de Braga (560-563).

Messe noire : pratique parodique et sacrilège de la messe catholique. Célébrée en l'honneur de Satan, elle pouvait reposer sur un sacrifice humain. Elle se clôturait par des pratiques sexuelles d'une extrême liberté.

Possession : état de certaines personnes possédées par l'esprit du Mal. Les possédés perdent leur libre arbitre dans la mesure où ils sont investis par un ou plusieurs démons.

Sorcellerie : ensemble de pratiques condamnées par l'Église et les autorités civiles (divination, magie noire). Très vite, les sorciers – et surtout les sorcières – furent accusés de commercer avec le diable. À ce titre, ils furent poursuivis par les tribunaux séculiers ou ecclésiastiques.

DÉGRAISSER
– Produit qui dégraisse **savon, naphte, white-spirit, eau athénienne, lessive, détergent**
– Dégraisser dans une entreprise **licencier, limoger, congédier, renvoyer**

DEGRÉ
voir aussi **grade**
syn. **échelon, niveau, rang**
– Degré d'un sentiment **amplitude, intensité**
– Degré maximal de bonheur **summum, paroxysme**
– Degré intermédiaire d'une couleur **gradation, nuance**
– Le plus haut degré **apogée, faîte, sommet, summum**
– Par degrés **par étapes, par paliers, graduellement, progressivement**
– Pourcentage indiquant le degré d'alcool d'un vin **titre**
– Degré d'un thermomètre **graduation**
– Degré de l'échelle musicale **tonique, dominante, médiante, sensible, sous-dominante, sus-dominante, sous-tonique, sus-tonique**
– Degré d'un escalier **marche, gradin**
– Les degrés de l'adjectif **comparatif, superlatif**

DÉGROSSIR
– Dégrossir une tâche **ébaucher, débrouiller**
– Dégrossir du marbre **épanneler, rabattre**
– Dégrossir du métal **limer, meuler, blanchir, rifler**
– Dégrossir du bois **bûcher, corroyer, hacher**

DÉGUERPIR
syn. **enfuir (s'), sauver (se), décamper, filer**

DÉGUISEMENT
syn. **travestissement, costume, panoplie**
– Accessoire de déguisement **masque, loup, domino, cotillon**
– Déguisement ridicule **accoutrement, affublement, mascarade**
– Parler sans déguisement **fard, artifice, feinte, masque**
– Dissimulation sous un déguisement **camouflage, couverture**

DÉGUISER
syn. **costumer, maquiller, travestir**
– Déguiser un sentiment **feindre, voiler, masquer**
– Déguiser son écriture **falsifier, contrefaire**
– Déguiser sa peine **dissimuler, cacher**

DÉGUSTER
– Il prend le temps de déguster **savourer, délecter de (se), régaler de (se)**
– Déguster par petites gorgées **buvoter, sucer, siroter**
– Il déguste en ce moment **souffre**

DÉJEUNER
– Le déjeuner des Anglais **lunch**
– Déjeuner de fête **banquet**
– Déjeuner de fête dans la tradition musulmane **diffa**
– Déjeuner de plein air **pique-nique, barbecue**
– Déjeuner froid offert lors d'une réception **buffet, cocktail**
– Peut remplacer le déjeuner **collation, brunch, en-cas**

DÉJOUER
– Déjouer les plans de quelqu'un **confondre, contrarier, contrecarrer, empêcher**

DÉLABREMENT
– Le délabrement d'une maison **dégradation, vétusté, ruine**
– Délabrement moral **décrépitude, dépérissement**

DÉLAI
– Fin d'un délai **échéance, terme, expiration, butoir**
– Sentence accordant un délai **moratoire, atermoiement**
– Obtenir la prolongation d'un délai **prorogation**
– Fixation juridique d'un délai **préfixion**
– Qui vise à gagner du temps par l'octroi de délais successifs **dilatoire**
– Délai de paiement **crédit**
– Faire une chose sans délai **séance tenante, immédiatement, sur-le-champ**
– Partir sans délai **sans préavis**
– S'accorder un court délai **sursis, répit, marge**

DÉLAISSER
– Délaisser sa compagne **abandonner, quitter, laisser, lâcher, négliger**
– Délaisser une activité **négliger, désintéresser de (se)**

DÉLAVÉ
– Couleur délavée **étendue, décolorée, fade, pâle, terne, éclaircie**
– Sol délavé **détrempé, podzolisé**

DÉLAYER
syn. **diluer, dissoudre, fondre**
– Délayer du plâtre **gâcher**
– Récipient pour délayer **auge, camion, godet, pincelier, gâchoir**
– Délayer un récit **noyer, allonger la sauce**

DÉLÉGUÉ
syn. **envoyé, agent, représentant, mandataire**
– Délégué d'un gouvernement, d'un État **émissaire, consul, ambassadeur**
– Délégué du Saint-Siège auprès d'un État **légat, nonce**
– Délégué chargé d'une annonce **messager, héraut, porte-parole**
– Délégué à qui sont conférés les pleins pouvoirs pour une mission **plénipotentiaire**
– Réunion de délégués **bureau, commission, comité, conseil, soviet, assemblée**

DENT

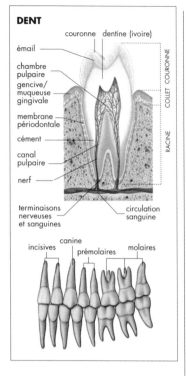

émail

chambre pulpaire

gencive/ muqueuse gingivale

membrane périodontale

cément

canal pulpaire

nerf

couronne   dentine (ivoire)

COLLET   COURONNE

RACINE

terminaisons nerveuses et sanguines

circulation sanguine

incisives   canine   prémolaires   molaires

DÉLÉGUER
– Déléguer des élus **députer**
– Déléguer une personne **mandater**
– Déléguer une responsabilité **confier, transmettre**

DÉLIBÉRATION
syn. **discussion, débat, conseil, avis**
– Une délibération approfondie **examen, étude, réflexion**
– Décision prise lors d'une délibération **résolution, fiat**
– Demande de la délibération d'une instance **consultation**
– Résultat de la délibération d'un jury **sentence, verdict**
– Sans délibération **en catastrophe**

DÉLIBÉRER
– Délibérer très longuement **tergiverser, hésiter, atermoyer**
– Personnes réunies pour délibérer **consulter (se), concerter (se), débattre, disputer**
– Délibérer avec soi-même **penser, réfléchir, méditer**

DÉLICAT
– Une étoffe délicate **fine, légère, vaporeuse, soyeuse**
– Un humour délicat **subtil, pénétrant, spirituel**
– Un corps délicat **gracieux, éthéré**

– Un homme délicat **courtois, prévenant, sensible, raffiné, esthète**
– Un travail délicat **minutieux**
– Un cas délicat **complexe, scabreux, embarrassant, épineux**
– Un enfant délicat **chétif, frêle, malingre**

DÉLICATEMENT
syn. **doucement, précautionneusement, soigneusement**
– Une œuvre délicatement réalisée **finement, subtilement**

DÉLICATESSE
syn. **raffinement, recherche**
– Faire preuve de délicatesse **courtoisie, prévenance, tact, distinction**
– Délicatesse d'une saveur **suavité, succulence**
– Délicatesse de sentiment **finesse, sensibilité**
– Un profil plein de délicatesse **grâce, élégance**
– Manquer de délicatesse **froisser, blesser, désobliger, offenser, choquer**

DÉLICE
– Lieu de délices **paradis, éden, eldorado**
– Délices de l'esprit **plaisir, charme, délectation**
– Déguster avec délices **savourer, régaler (se), délecter (se)**
– Vivre en plein délice **félicité, ravissement**

DÉLICIEUX
– Un mets délicieux **savoureux, délicat, délectable**
– Une personne délicieuse **exquise, charmante**
– Une sensation délicieuse **divine, merveilleuse, voluptueuse**

DÉLINQUANT
syn. **contrevenant, criminel, malfaiteur**
– Délinquant qui commet une nouvelle infraction **récidiviste**
– Délinquant qui n'a jamais été condamné **primaire**
– Jeune délinquant **voyou, blouson noir, racaille, vaurien**

DÉLIRANT
– Une situation délirante **absurde, démentielle, extravagante, folle**

DÉLIRE
syn. **agitation, égarement, divagation**
– Délire de perception ou de dissociation **paranoïa, schizophrénie, démonomanie**
– Délire du drogué **défonce, trip, flash, voyage**

– Délire de celui qui croit être loup **lycanthropie**
– Délire aigu **confusion, folie, démence**
– Délire alcoolique **delirium tremens**
– Délire amoureux **passion, aveuglement**
– Image, sensation accompagnant le délire **hallucination**
– Délire d'une foule **frénésie, surexcitation, exultation**

DÉLIT
syn. **forfait, infraction, fraude, faute, contravention**
– Délit réitéré **récidive**
– Délit commis sans intention **quasi-délit**
– Distinction des délits selon la loi **délit de commission, délit d'omission, délit intentionnel, délit d'imprudence**
– Délit commis par un fonctionnaire **exaction, concussion, péculat, malversation**
– Constatation d'un délit au moment où il s'accomplit **flagrant délit**
– Types de délits **escroquerie, vol, trafic de stupéfiants, outrage, rébellion, abus de confiance**

DÉLIVRANCE
– La délivrance morale, intellectuelle **soulagement, désenchaînement, nirvana**
– La délivrance d'un prisonnier **libération**

DÉLIVRER
syn. **libérer, relâcher, désenchaîner, désenvoûter**
– Délivrer des décombres **dégager, sauver, secourir**
– Délivrer quelqu'un d'une crainte **soulager, apaiser, tranquilliser**
– Se délivrer d'une habitude **défaire de (se), débarrasser de (se), corriger de (se), émanciper de (s'), guérir de (se)**
– Délivrer une marchandise **transmettre, remettre, communiquer, livrer**

DÉLOGER
syn. **chasser, expulser**
– Ne plus déloger de chez quelqu'un **incruster (s')**
– Déloger du gibier **dénicher, débusquer**

DELTAPLANE
– Élément d'un deltaplane **voile, mât, harnais, câblerie**
– Personne qui vole en deltaplane **libériste, pilote**

DÉLUGE
syn. **inondation, cataclysme, trombe**
– Déluges mythologiques **déluge de Deucalion, déluge d'Ogygos**
– Pluie semblable au Déluge **torrentielle, diluvienne**
– D'avant le Déluge **antédiluvien**

– Remonter au Déluge **dater, être archaïque, être suranné**
– Un déluge d'applaudissements **avalanche, déferlement**

DÉLURÉ
syn. **dégourdi, futé, malin, vif**
– Un peu trop déluré **coquin, effronté, fripon, hardi**

DEMANDE
syn. **désir, souhait, exigence**
– Demande d'une faveur **prière, supplique, requête, vœu**
– Demande de renseignements **question, interrogation**
– Demande fondée sur une insatisfaction **réclamation, revendication**
– Demande faite à une autorité **sollicitation**
– Demande d'explications à l'adresse du gouvernement **interpellation**
– Demande écrite et signée par plusieurs personnes **pétition**
– Demande à caractère impératif **injonction, sommation, ultimatum**
– Demande faisant appel au sentiment religieux **adjuration**

DEMANDER
syn. **interroger, questionner, vouloir**
– Demander pardon **excuser (s')**
– Se demander **réfléchir, délibérer**
– Demander quelque chose à une personne **commander, exiger, enjoindre, prescrire, ordonner**
– Demander l'avis d'une autorité **consulter**
– Demander grâce **implorer, supplier**
– Demander un renseignement **enquérir de (s')**
– Demander un emploi **postuler, briguer**
– Demander avec insistance **réclamer, harceler, revendiquer**
– Cette étude demande du temps **nécessite, exige, requiert**

DÉMANGEAISON
syn. **picotement, irritation, grattement**
– Démangeaison allergique **urticaire**
– Démangeaison due à une affection **prurit, prurigo, eczéma, dartre**
– Démangeaison sensuelle **chatouillement, titillation**
– Démangeaison d'agir **envie, désir**

DÉMARCHE
syn. **allure, port, air**
– Une démarche peut être **chaloupée, dégingandée, raide, pesante, pataude, nonchalante**
– Démarche en état d'ivresse **titubation**
– Avoir une démarche peu assurée **chancelante, vacillante**
– Faire une démarche administrative **demande, requête**

– Faire une démarche auprès de quelqu'un **approche, tentative, avance**
– Démarche secrète **intrigue, brigue**
– Démarche maladroite **gaffe, bévue, bourde, maladresse**
– Démarche spécifique **méthode, parcours, cheminement**
– Démarche dialectique **thèse, antithèse, synthèse**

DÉMARCHEUR
syn. **vendeur, représentant, commis voyageur, VRP (voyageur représentant placier), visiteur, délégué commercial**
– Activité du démarcheur **démarchage, porte-à-porte, représentation**
– Démarcheur médical **visiteur**

DÉMARRER
syn. **commencer, entreprendre, débuter, engager**
– Démarrer, en termes maritimes **désamarrer, larguer les amarres, appareiller**
– Avion qui démarre **décolle, envole (s')**

DÉMÊLER
– Démêler une pelote de laine **dénouer, débrouiller**
– Démêler ses cheveux **coiffer, peigner, brosser**
– Démêler une intrigue **éclaircir, élucider, résoudre**
– Ce qu'on ne peut démêler **inextricable, embrouillé, emmêlé**

DÉMÉNAGER
syn. **transporter, changer de place**
– Déménager pour un autre pays **émigrer, expatrier (s')**
– Déménager en toute hâte **déguerpir, décamper, lever le camp**
– Déménager à la cloche de bois **partir en catimini**
– Obliger quelqu'un à déménager **chasser, déloger, expulser**
– Avoir la raison qui déménage **divaguer, dérailler, déraisonner, délirer**

DÉMENCE *Voir tableau psychiatrie, p. 498*

DÉMENTIR
– Démentir une théorie **infirmer**
– Démentir un fait **nier, opposer à (s'), contester**
– Démentir une promesse **trahir**
– Démentir un propos **dédire, désavouer, contredire, rétorquer**
– Son intérêt pour la zoologie jamais ne se dément **cesse, arrête (s'), faiblit**

DÉMESURÉ
– Des proportions démesurées **énormes, immenses, gigantesques, colossales, monumentales**

– Le caractère démesuré de quelque chose **excessif, extraordinaire, illimité, surdimensionné**
– Une passion démesurée **enragée, frénétique**
– Orgueil démesuré **mégalomanie**
– Une force démesurée **titanesque**

DÉMETTRE
– Se démettre une articulation ou un os **luxer (se), tordre (se), disloquer (se)**
– Personne qui remet un membre démis **rebouteux, ostéopathe, chiropracteur**
– Démettre quelqu'un de ses fonctions **destituer, révoquer**
– Se démettre de ses fonctions **démissionner, quitter, retirer de (se)**

DEMEURE
syn. **domicile, home**
– À demeure **en permanence, constamment**
– Mise en demeure **ultimatum, sommation, commandement**
– Acte de mise en demeure **comminatoire**
– Mettre une personne en demeure **contraindre, enjoindre de, signifier à**
– Être en demeure de **dans l'obligation de**

DEMEURER
– Il ne demeure plus rien des souvenirs **subsiste, existe, reste**
– Demeurer longtemps au téléphone **éterniser (s')**
– Demeurer en province **résider, séjourner, habiter, loger, vivre**
– Demeurer devant un tableau **arrêter (s'), attarder (s'), figer (se)**
– Les fleurs demeurent malgré l'hiver **persistent, maintiennent (se)**

DEMI /1
hémi-, mi-, semi-
– Commander un demi **bière**

DEMI /2
– Un travail fait à demi **imparfaitement, à moitié**

DEMI /3
– Dire à demi-mot **insinuer**

DÉMISSION
syn. **abdication, renonciation**
– Démission devant une difficulté **fuite, abandon**
– Démission d'office d'un fonctionnaire **révocation**
– Démission d'un juge **déport**

DÉMOCRATIE
voir aussi **république**
– Démocratie dans laquelle les citoyens exercent la souveraineté sans l'intermé-

diaire d'un organe représentatif **directe**
– Démocratie où les ministres sont responsables devant un parlement **parlementaire**
– Démocratie dans laquelle les citoyens délèguent la souveraineté nationale à des membres élus **représentative, libérale**
– Répartition des pouvoirs dans une démocratie libérale **pouvoir exécutif, pouvoir législatif, pouvoir judiciaire**
– Fondement de la démocratie française **Révolution française**
– Devise de la démocratie française **liberté, égalité, fraternité**

DÉMODÉ
syn. **dépassé, désuet**
– Avoir des goûts démodés **surannés, vieillots, vieux jeu, kitsch**
– Langage démodé **désuet, obsolète**
– Employer des méthodes démodées **arriérées, périmées, archaïques, antédiluviennes, ringardes**

DÉMOGRAPHIE
– Objet d'étude de la démographie **population**
– Domaine étudié par la démographie **natalité, fécondité, nuptialité, mortalité, migration**

DÉMOLIR
syn. **détruire, abattre**
– Démolir un édifice **raser, renverser, démanteler**
– Démolir une statue **déboulonner**
– Démolir un jouet **casser, détraquer, détériorer, esquinter, démantibuler**
– Démolir quelqu'un **perdre, ruiner, briser**
– Démolir le moral d'une personne **saper, abattre**
– Démolir un film, un roman **éreinter, échiner, descendre**

DÉMOLITION
syn. **destruction, écroulement, effondrement, ruine**
– Débris provenant d'une démolition **gravats, décombres, plâtras**

DÉMON *Voir tableau p. 173*
– Démon femme **démone, diablesse**
– Démon masculin qui séduit une femme pendant son sommeil **incube**
– Démon féminin qui séduit un homme pendant son sommeil **succube**
– Démon de l'air **djinn, effrit**
– Petit démon malin **lutin, farfadet, esprit, gobelin, gnome, elfe, troll**

DÉMONIAQUE
syn. **diabolique**
– Un rite démoniaque **infernal**
– Un individu démoniaque **machiavélique**

– Un rire démoniaque **satanique, sardonique, méphistophélique**

DÉMONSTRATIF
syn. **expansif, exubérant, extraverti**
– Un argument démonstratif **convaincant, concluant, probant**
– Une attitude démonstrative **expressive, significative, éloquente**

DÉMONSTRATION
– Démonstration issue d'un raisonnement **déduction**
– Élément d'une démonstration **argument, preuve, justification, raisonnement**
– Principe de démonstration mathématique **axiome, postulat, hypothèse, théorème**
– Démonstration de sincérité à l'égard d'une personne **protestation, marque, signe**
– Démonstration d'un sentiment **témoignage, manifestation, expression**
– Démonstration ostentatoire **parade, étalage, affectation**

DÉMONTER
syn. **défaire, désassembler, disjoindre, démantibuler**
– Le cheval a démonté son cavalier **désarçonné, renversé**
– Démonter l'aplomb de quelqu'un **déconcerter, décontenancer**
– Être démonté par un événement **interloqué, abasourdi, dérouté, déboussolé**

DÉMONTRER
syn. **prouver, établir**
– Démontrer le bien-fondé de quelque chose **révéler, indiquer**

DÉMORALISANT
syn. **déprimant, démotivant, décourageant, désespérant**

DÉMORALISER
syn. **décourager, abattre, dégoûter, déprimer**
– Démoraliser un interlocuteur **désorienter, noyer**

DÉNIGRER
syn. **diffamer**
– Dénigrer une personne **critiquer, rabaisser, calomnier, décrier**
– Dénigrer la valeur d'une œuvre **discréditer, déconsidérer, dépriser, déprécier, dévaloriser**

DÉNONCER
syn. **rapporter, proclamer**
– Sa prestation dénonce une grande maîtrise **dénote, indique, révèle, manifeste**
– Dénoncer un contrat **rompre, annuler, résilier**

– Dénoncer une personne à la police **livrer, moucharder**
– Dénoncer un coupable **accuser**
– Dénoncer un ami, un complice **vendre, trahir, balancer**
– Individu qui dénonce quelqu'un **délateur, indicateur, balance**
– Dans l'Antiquité, personne qui dénonçait les voleurs **sycophante**

DÉNOTER
syn. **attester, révéler, montrer**

DENRÉE
– Denrées alimentaires **aliments, nourriture, provisions, vivres**
– Conservation des denrées **appertisation, conserve, congélation, chaîne du froid, salaison**

DENSE
syn. **compact, condensé, tassé, épais**
– Une vie dense **intense, riche**
– Une expression dense **concise, sobre**
– Une forêt dense **drue, touffue, impénétrable**

DENSITÉ
– Densité d'une matière **concentration, épaisseur, compacité**
– Appareil servant à la mesure des densités **densimètre, pycnomètre**
– Instrument de mesure de densité des liquides **alcoomètre, aréomètre, pèse-acide, pèse-lait, galactomètre, hydromètre**
– Augmentation de la densité **densification, condensation, épaississement**
– Densité d'un sentiment **richesse, force, intensité**

DENT *Voir illustration p. 174*
– Ensemble des dents **denture, dentition**
– Dents constituant la première dentition **dents de lait**
– Dents constituant la seconde dentition **dents définitives**
– Cavité où est implantée une dent **alvéole**
– Lieu où sont implantées les dents **mâchoire**
– Composition d'une dent **ivoire, émail, cément, pulpe**
– Un individu sans dents **édenté, anodonte**
– Soins et chirurgie des dents et des mâchoire **stomatologie**
– Maladie des dents **carie, kyste, pulpite, nécrose, pyorrhée, parodontose, abcès**
– Dent d'un jeune enfant **quenotte**
– Dent incisive supérieure de l'éléphant **défense**
– Dent incisive centrale du cheval **pince**
– Semblable à une dent **dentiforme**

DÉSERT

LES PLUS GRANDS DÉSERTS

Sahara	Afrique	9 100 000 km²	Kalahari	Afrique du Sud	520 000 km²
Grand Désert de Victoria	Australie	3 830 000 km²	Karakoum	Turkménistan	340 000 km²
Gobi	Asie	1 295 000 km²	Takla Makan	Chine	327 000 km²
Rub'al-Khali	Arabie saoudite	650 000 km²			

LES FORMES DE RELIEF DANS LE DÉSERT

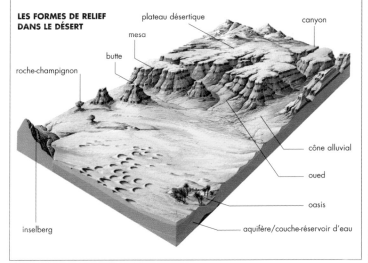

plateau désertique — canyon — mesa — butte — roche-champignon — cône alluvial — oued — oasis — inselberg — aquifère/couche-réservoir d'eau

– Un reptile dont les dents sont dépourvues de sillon pour le venin **aglyphe**
– Dent canine inférieure du sanglier **défense, broche**

DENTAIRE
– Ensemble des soins dentaires **dentisterie, stomatologie**
– Soin dentaire d'une carie **plombage, facette collée, aurification, résine**
– Antiseptique dentaire **eau oxygénée, hypochlorite de sodium, eugénol, créosote**
– Insensibilisation dentaire **dévitalisation, anesthésie**
– Reconstitution dentaire **coiffe, faux moignon, inlay, onlay**
– Orthopédie dentaire **prothèse fixe ou mobile, dent à tenon ou à pivot, couronne, bridge, jacket**

DENTELLE
– Instrument de travail de la dentelle **aiguille, fuseau, crochet, navette, métier**
– Dentelle au crochet **point d'Irlande, bride**
– Dentelle en cordage **macramé**
– Dentelle aux fuseaux **Chantilly, Puy, Valenciennes, Malines, Cluny, Paris**
– Dentelle à la navette **frivolité**
– Dentelle sans fond **guipure**
– Type d'ornement d'une dentelle **animal, floral, végétal, géométrique**
– Point de dentelle à l'aiguille **rose, Colbert, Venise, d'Argentan**
– Fond de dentelle **réseau**
– Métier à dentelle **carreau, tambour**
– Réalisation en dentelle **col, jabot, voile, lingerie, canezou, dessous, mantille, éventail, rideaux, napperons**
– Former une dentelle sur un drap **striquer**

DENTISTE
syn. **odontologiste**
– Instrument du dentiste **précelle, lancette, fraise, spatule, davier, bistouri**
– Dentiste spécialiste des malformations dentaires **orthodontiste**
– Dentiste spécialiste des maladies de la bouche et des dents **stomatologue**

DÉNUÉ
syn. **dépourvu, démuni, dépouillé, privé**
– Personne dénuée de scrupules **arriviste, dépravé**
– Dénué de bon sens **insensé, idiot, ridicule**

DÉPART
– Ils sont en instance de départ **en partance**
– Départ d'un avion **décollage, envol**
– Préparatifs de départ d'un bateau **appareillage**
– Départ d'une fusée **lancement**
– Être au départ d'une action **au commencement, à l'origine, à la source**
– Le point de départ **alpha, prémisse, naissance, embryon**
– Départ pour raison politique **exil**
– Départ pour cause économique **licenciement**
– Départ, contraint d'un haut fonctionnaire **limogeage**

DÉPARTEMENT
syn. **circonscription, district**
– Division d'un département **canton, commune, arrondissement**
– Formée par les départements autour de Paris **couronne, banlieue**
– Départements et territoires d'outre-mer **DOM-TOM**
– Regroupement administratif de plusieurs départements **région**
– Chef-lieu d'un département **préfecture**
– Représentant de l'État dans un département **préfet**
– Assemblée élue chargée de l'administration d'un département **conseil régional**
– Département d'un gouvernement **ministère**
– Département dans une entreprise **service, division, bureau, direction**

DÉPASSÉ
syn. **démodé, désuet, vieillot, rétro, ringard, archaïque, suranné, obsolète**
– Dépassé par les événements **débordé, submergé, noyé, déconcerté, dérouté**

DÉPASSER
– Dépasser une voiture **doubler**
– Dépasser un bateau **trémater**
– Dépasser un concurrent lors d'une compétition **distancer, devancer, surclasser, vaincre**
– Dépasser l'alignement lors d'une construction **déborder, forjeter, surplomber**
– Antenne qui dépasse **saille**
– Dépasser un droit **outrepasser, excéder, abuser**
– Dépasser les bornes **franchir, transgresser**

DÉPAYSER
syn. **désorienter, dérouter**

DÉPECER
syn. **débiter, découper, équarrir**
– Dépecer un animal **démembrer, morceler, démonter**

– Dépecer minutieusement pour étudier l'anatomie organique **disséquer**
– Dépecer un discours **analyser, éplucher**

DÉPÊCHE

syn. missive, lettre, courrier
– Dépêche télégraphiée **télégramme, petit bleu, pneumatique**
– Porteur d'une dépêche **estafette, messager, coursier**
– Dépêche du jour **message, avis, annonce**

DÉPÊCHER (SE)

syn. presser (se), hâter (se), empresser (s'), faire diligence, précipiter (se)

DÉPENDANCE

– Vivre sous la dépendance d'une personne **empire, domination, coupe, joug, emprise**
– Travailler sous la dépendance d'une autorité **sujétion, subordination**
– Nation vivant sous la dépendance d'un État **colonie, satellite**
– Dépendance amoureuse **attachement**
– Dépendance médicamenteuse **asservissement, pharmacodépendance**
– État de grande dépendance toxicologique **accoutumance, assuétude, addiction**
– État de dépendance **servitude, soumission, vassalité**
– Dépendance logique **conséquence, corrélation, causalité**
– Dépendance existant entre deux choses **rapport, relation, liaison, interdépendance**
– Dépendance attenante à une propriété **annexe, communs, appentis**

DÉPENDRE

syn. décrocher, détacher
– Le succès dépend du travail **découle de, résulte de, provient de, repose sur**
– Cette plante dépend d'un croisement **dérive de, émane de, procède de**
– Dépendre d'une autorité **relever de, être du ressort de, incomber à**

DÉPENSE

syn. frais, charge, débours, sorties
– Excédent des recettes sur les dépenses **bénéfice, boni**
– Excédent des dépenses sur les recettes **déficit, pertes, trou**
– Régler les dépenses d'un cadre **défrayer**
– Contribution à une dépense **cotisation, quote-part, écot, participation**
– Dépense excessive **prodigalité, folie**
– Une dépense exceptionnelle **extra**
– Qui exige de grandes dépenses **dispendieuse, coûteux, onéreux**
– Dépense consacrée au luxe et au plaisir **voluptuaire**

– Dépense consacrée à l'amélioration d'un immeuble **impense**
– Regarder à la dépense **lésiner, mégoter, liarder**
– Dépense d'énergie **défoulement**

DÉPENSER

syn. débourser, payer
– Dépenser en tous sens **gaspiller, claquer**
– Dépenser l'héritage familial **dissiper, dilapider, engloutir**
– Dépenser au jeu **flamber**

DÉPENSER (SE)

– Se dépenser pour une cause **démener pour (se), dévouer à (se)**

DÉPENSIER

– Il a toujours été dépensier **prodigue, flambeur, panier percé**

DÉPÉRIR

syn. affaiblir (s'), diminuer
– Sa santé dépérit **altère (s'), délabre (se), détériore (se)**
– Dépérir par manque d'air **anémier (s')**

DESSIN

TECHNIQUES ET MATÉRIAUX

Bistre : couleur brune composée de suie et de gomme.

Craie : bâtonnet en plâtre ou en craie (roche sédimentaire). La craie est plus friable que le pastel et fait des traits plus nets ; elle peut être de toutes les couleurs, sèche ou grasse.

Encre de Chine : encre de couleur noire utilisée pour le dessin à la plume.

Estompe : petit rouleau de papier ou de peau qui permet d'étendre le pastel ou le crayon sur un dessin. Par extension, dessin exécuté à l'estompe.

Fusain : crayon fait à partir du fusain (le charbon de l'arbre du même nom), dont la principale qualité est de pouvoir être effacé facilement. Par extension, dessin exécuté au fusain.

Fusain huilé : fusain imprégné d'huile de lin qui permet de faire des traits plus gras et plus prononcés que le fusain classique.

Gomme mie de pain : gomme de grande qualité utilisée pour le dessin car elle ne laisse pas (ou peu) de traces.

Lavis : technique qui consiste à teinter un dessin avec du bistre, de l'encre de Chine, du sépia ou d'autres substances délayées dans l'eau. Le dessin ainsi obtenu est un dessin lavé.

Lavis gris : lavis fait à l'encre de Chine.

Mine de plomb : gros crayon dont la mine en plomb permet

de tracer des traits gras, épais et prononcés.

Pastel : bâtonnet fait à partir d'une poudre colorée et qui sert à dessiner. Il existe des pastels de toutes les couleurs, secs ou gras.

Pierre d'Italie : la pierre d'Italie, ou pierre noire, est une pierre argileuse dont la teinte varie du noir au gris et que l'on utilisait autrefois comme crayon pour le dessin. Elle est maintenant remplacée par le fusain et la mine de plomb.

Pierre noire : *voir* Pierre d'Italie.

Pointe de métal : stylet métallique en argent ou en plomb utilisé autrefois pour dessiner sur un papier préparé avec de l'eau, des couleurs et d'autres substances.

Pointe de plomb : alliage de plomb et d'étain dont on se servait au Moyen Âge pour dessiner.

Réserve : partie non colorée des dessins au lavis gardant ainsi la couleur blanche du papier brut afin de donner de la lumière à la composition.

Sanguine : crayon de couleur rouge foncé fait à partir d'une pierre argileuse rouge qui porte le même nom et que l'on utilise généralement pour les nus et les portraits du fait de sa friabilité et de sa facilité d'emploi. Par extension, dessin exécuté à la sanguine.

Sauce : crayon qui sert à estomper. Par extension, dessin exécuté à la sauce.

Sépia : encre obtenue à partir d'une matière colorante brunâtre sécrétée par la seiche et que l'on utilise pour faire des lavis.

Sinopia : couleur rouge obtenue à partir d'un oxyde de fer et généralement utilisée pour les dessins qui préparent les fresques. Par extension, dessin exécuté à la sinopia.

Tortillon : estompe en papier.

Trois crayons (technique des) : technique qui mélange trois pierres, la craie blanche, la pierre noire et la sanguine.

SUPPORTS

Bristol : papier épais utilisé pour écrire ou dessiner.

Papier-calque : papier transparent qui sert à copier ou à reproduire un dessin existant.

Papier Canson : papier couramment utilisé pour le dessin.

Papier fort : papier épais, résistant.

Papier Ingres : papier fin, vergé.

Papier report : papier recouvert d'une couche de colle sur laquelle on dessine au crayon gras ou à l'encre et que l'on appose mouillé sur de la pierre lithographique afin que la colle se dissolve et que le tracé s'y dépose.

Papier torchon : papier à gros grain fait avec certains chiffons pour le lavis.

Papier vélin : papier très blanc et fort lisse de grande qualité.

Papier vergé : papier dont le filigrane est fait de lignes parallèles très rapprochées.

Planche à dessin : planche en bois sur laquelle on fixe la feuille à dessin.

– Une plante dépérit **fane (se), étiole (s'), atrophie (s')**
– Dépérir de chagrin **languir, consumer (se)**
– Un commerce qui dépérit **périclite, décline**

DÉPIT

syn. **amertume, désappointement, rancœur, ressentiment, mécontentement, humeur, irritation**
– Causer du dépit à quelqu'un **chagriner, décevoir, froisser, blesser**
– Éprouver du dépit **rager, pester**
– Dépit amoureux **déception, jalousie**
– Dépit d'amour propre **vexation, humiliation**
– En dépit de **malgré, nonobstant**

DÉPLACÉ

– Des propos déplacés **incongrus, choquants**
– Une remarque déplacée **inopportune, intempestive**
– Personne déplacée **réfugiée, apatride, mutée, exilée**

DÉPLACEMENT

syn. **mouvement, flux, va-et-vient**
– Peuple dont le déplacement constitue le mode de vie **nomade, tsigane, touareg**
– Déplacement d'une population **migration, exode**
– Déplacement professionnel **mission**
– Déplacement des animaux **transhumance**
– Déplacement d'un point à un autre **transfert, translation, rotation**
– Déplacement osseux **déboîtement**
– Déplacement des électrons **transit**
– En phonétique, déplacement de phonèmes **métathèse**
– Mot obtenu par le déplacement d'une ou de plusieurs lettres **anagramme**

DÉPLACER

syn. **bouger, déranger, voyager, circuler**
– Déplacer quelqu'un **muter, détacher**
– Se déplacer sans but **déambuler, errer, baguenauder**
– Déplacer l'ordre d'une série **permuter, inverser, intervertir**
– Déplacer un rendez-vous **remettre, reporter, ajourner, décaler**

DÉPLAIRE

syn. **choquer, offusquer, indisposer, rebuter**
– Déplaire profondément, causer du dégoût **répugner, dégoûter**
– Déplaire par son attitude, ses remarques **contrarier, froisser, offenser**
– Travail qui déplaît **ennuie, lasse**
– Déplaire par des demandes intempestives **importuner, indisposer**

DÉPLAISANT

– Des propos déplaisants **désagréables, fâcheux, pénible, embarrassants, déplacés**
– Une remarque déplaisante **blessante, vexante, désobligeante**

DÉPLORABLE

– Une situation déplorable **regrettable, navrante, affligeante, lamentable, désastreuse**
– Des résultats déplorables **mauvais, nuls, minables, exécrables**

DÉPLORER

– Déplorer la disparition d'un proche **pleurer, regretter**

DÉPLOYER

– Déployer une pièce de tissu **développer, dérouler, déplier**
– Déployer les bras **allonger, étendre, écarter, ouvrir**
– Déployer les voiles **déferler**
– Fleur qui se déploie **épanouit (s'), ouvre (s')**
– Déployer beaucoup d'énergie **activer (s'), dépenser (se), démener (se)**

DÉPORTATION

– Déportation pour cause criminelle **bannissement, relégation**
– Déportation pour cause politique **exil**
– Déportation aux travaux forcés **transportation**
– Camp de déportation en Union soviétique **goulag**
– Déportation effectuée au cours de la Seconde Guerre mondiale **internement**
– Lieu de déportation au moment de la Seconde Guerre mondiale **camp de concentration, oflag, stalag**

DÉPORTER

– Déporter un prisonnier **bannir, exiler, transporter, reléguer**

DÉPORTER (SE)

– Se déporter lors d'un procès **abstenir (s'), récuser (se)**
– Arbitre, juge qui se déporte **démissionne**
– La balle est déportée par le vent **déviée, détournée**

DÉPOSER

syn. **mettre, placer, abandonner**
– Déposer un paquet chez la gardienne **confier, remettre**
– Déposer des voilages **enlever, ôter**
– Déposer des objets dans un entrepôt **entreposer, stocker, emmagasiner**
– Déposer des fonds sur son compte bancaire **alimenter, approvisionner, verser**
– Déposer un roi **destituer, détrôner**
– Déposer les armes **rendre (se)**

– Déposer la couronne **abdiquer, démettre (se)**
– Déposer devant un tribunal **témoigner**
– Cidre qui se dépose **décante (se), précipite**

DÉPOSITION

– Déposition devant un tribunal **déclaration, témoignage**
– Confrontation des dépositions **récolement**

DÉPOSSÉDER

syn. **dépouiller, enlever, spolier**
– Déposséder un enfant d'un jouet **priver**
– Déposséder quelqu'un légalement de sa propriété **exproprier**
– Déposséder d'un dossier **dessaisir**
– Déposséder un rival de sa place **évincer, éliminer, supplanter, exclure, déboulonner**

DÉPÔT

– Dépôt d'un vin **lie, résidu**
– Dépôt d'une tisane, d'un bouillon **effondrilles**
– Dépôt charrié par un fleuve **alluvion, sédiment, limon, allaise, colluvion**
– Dépôt laissé par un volcan **cinérite, solfatare**
– Dépôt laissé par un glacier **drift**
– Dépôt calcaire **tartre**
– Dépôt marin employé comme engrais **falun**
– Science qui étudie les dépôts sédimentaires **stratigraphie**
– Île constituée par un dépôt de limon **javeau**
– Dépôt d'espèces sur un compte bancaire **versement, approvisionnement**
– Dépôt financier fait lors d'une commande **acompte, arrhes**
– Dépôt de garantie **couverture, provision, cautionnement, gage, hypothèque**
– Espace réservé au dépôt d'objets, de marchandises **réserve, entrepôt, consigne, resserre, magasin**
– Dépôt d'armes **arsenal, armurerie, cartoucherie**
– Dépôt de bilan **faillite, liquidation, banqueroute**
– Bureau de dépôt des actes juridiques, notariaux **greffe, minutier**
– Dépôt d'ordures **décharge, dépotoir**

DÉPOUILLER

syn. **dégarnir, décharner, décortiquer, déplumer**
– Dépouiller du nécessaire **priver, soustraire**
– Dépouiller quelqu'un de ses biens **déposséder, démunir, spolier**
– Se dépouiller de ses vêtements **quitter, retirer, ôter, enlever, dénuder (se), déshabiller (se)**

– Dépouiller un lapin **dépiauter, écorcher, dépecer**

DÉPOURVU
– Au dépourvu **à l'improviste, de court, au débotté, inopinément**

DÉPOURVU DE
– Dépourvu de moyens **dénué, privé**
– Dépourvu de bon sens **déraisonnable, insensé**
– Dépourvu d'argent **pauvre, démuni, désargenté, dans le besoin, dans la gêne**

DÉPRAVÉ
– C'est une personne dépravée **corrompue, débauchée, dissolue**
– Il a un goût dépravé **perverti, dénaturé, faussé, gâté**

DÉPRÉCIATIF
syn. **dévalorisant, péjoratif, minoratif, négatif, défavorable, critique**
– Émettre un jugement dépréciatif **discréditer, dépriser, mépriser**

DÉPRÉCIER
– Déprécier une œuvre **dénigrer, méjuger, rabaisser, ravaler**
– Déprécier quelqu'un **déconsidérer, discréditer, mépriser**

DÉPRÉCIER (SE)
– Monnaie qui se déprécie **dévalorise (se), avilit (s')**

DÉPRESSION Voir tableau psychanalyse, p. 497 et psychiatrie, p. 498
syn. **affaiblissement, enfoncement**
– Dépression formée par une rivière **vallée, gorge**
– Dépression géographique **bassin, cuvette, vallon**
– Dépression topographique **fosse, cirque, couloir, col, cratère, doline, géosynclinal**
– Dépression météorologique **cyclone**
– Dépression à la surface d'une matière **flache**
– Dépression nerveuse **neurasthénie, déprime**
– État de dépression intense vécue avec un sentiment aiguë de douleur morale **mélancolie**
– Dépression économique **marasme, pénurie, crise, récession**
– État de dépression extrême **apathie, léthargie, asthénie, abattement**

DÉPRIMER
– Cette situation me déprime **abat, démoralise, décourage**

DÉPUTÉ
syn. **mandataire, parlementaire**

– Charge d'un député **mission, mandat**
– Protection juridique d'un député **immunité parlementaire**
– Place de député **siège**
– Chambre des députés élus au suffrage direct **Assemblée nationale**
– Chambre des députés et Sénat qui détient le pouvoir législatif **Parlement**
– Siège de l'assemblée des députés **palais Bourbon**

DÉRANGEMENT
syn. **désordre, bouleversement, trouble, pagaille, gêne,**

DÉRANGER
syn. **déplacer, défaire**
– Déranger l'ordre d'une série **déclasser, disloquer, inverser**
– Se déranger **déplacer (se), bouger**
– Déranger quelqu'un dans ses occupations **distraire, importuner, gêner, interrompre**
– Déranger les plans d'une personne **contrarier, contrecarrer**
– Déranger des habitudes de quelqu'un **troubler, bouleverser, perturber**

DÉRÉGLÉ
syn. **dérangé, désorganisé, désordonné**
– Organe déréglé **malade**

DÉRÉGLER
– Dérégler un fonctionnement **altérer, perturber, troubler**
– Dérégler une mécanique **détraquer**

DÉRISOIRE
– C'est un détail dérisoire **négligeable, insignifiant, infime, piètre**

DERNIER
– Le dernier essai **ultime**
– Un dernier effort **suprême**
– Dernier mouvement d'une symphonie **final**
– Son dernier film **précédent, nouveau, récent**
– On y dicte ses dernières volontés **testament**
– Étude théologique des fins dernières de l'homme et de l'Univers **eschatologie**
– Dernier-né **benjamin**
– Avant-dernier **pénultième**
– Avant l'avant-dernier **antépénultième**

DÉROBER
– Dérober un objet **voler, subtiliser, chaparder, chiper, escamoter**
– Dérober à la vue **soustraire, cacher, dissimuler, éclipser**

DÉROBER (SE)
syn. **échapper, se soustraire, éviter, fuir, esquiver**

DÉROULEMENT
– Déroulement d'une affaire **évolution, cours, avancement**
– Déroulement de faits **enchaînement, succession, suite**
– Déroulement du temps **écoulement, marche**
– Déroulement d'un coupon de tissu **développement**

DÉROULER
– Dérouler un tapis **déployer, étaler, étendre**
– Dérouler une bobine de fil **débobiner, dévider, désembobiner**
– L'action se déroule en banlieue **passe (se), produit (se)**

DÉROUTE
– La déroute d'une armée **débâcle, fuite, débandade**
– Être en déroute **dérouté, désorienté, perdu, ébranlé**
– Mettre en déroute **déconfire, défaire, enfoncer, écraser, culbuter**

DERRIÈRE /1
syn. **revers, envers, dos, verso**
– Une idée derrière la tête **arrière-pensée**

DERRIÈRE /2
– Se placer derrière **en arrière**
– Fort utile pour regarder derrière **rétroviseur**

DÉSABUSÉ
– C'est une personne désabusée **blasée, déçue, désenchantée**

DÉSACCORD
– Un désaccord entre deux personnes **division, conflit, différend**
– Petit désaccord **brouille, fâcherie, froid, malentendu**
– Profond désaccord **dissension, dissentiment, clash, discorde**
– Désaccord dû à des relations tendues **friction, frottement**
– Désaccord d'opinions **divergence**
– Un langage en désaccord avec les actes **contradiction, opposition**
– Désaccord musical **discordance, cacophonie, disharmonie, dissonance, charivari, tintamarre**

DÉSAGRÉABLE
– Un individu désagréable **antipathique, exécrable, acariâtre**
– Un comportement désagréable **odieux, arrogant**
– Un propos désagréable **blessant, insolent, offensant, vexant, acerbe**
– Un physique désagréable **ingrat, disgracieux, déplaisant**
– Un goût désagréable **âpre, saumâtre, âcre, amer**

APPAREIL DIGESTIF

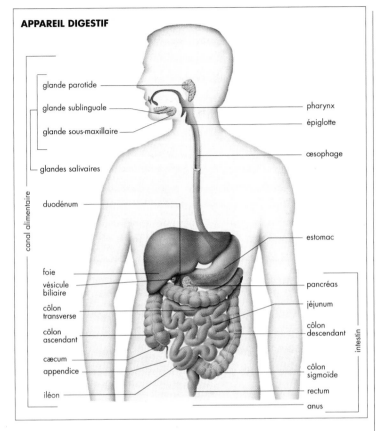

glande parotide
glande sublinguale
glande sous-maxillaire
glandes salivaires
canal alimentaire
duodénum
foie
vésicule biliaire
côlon transverse
côlon ascendant
cæcum
appendice
iléon

pharynx
épiglotte
œsophage
estomac
pancréas
jéjunum
côlon descendant
intestin
côlon sigmoïde
rectum
anus

DÉSAGRÉGATION

syn. **morcellement, destruction, effritement, décomposition**
– La désagrégation d'une roche **désintégration, dissolution, pulvérisation**
– La désagrégation d'une équipe **séparation, dislocation**
– Désagrégation psychique **dysharmonie, schizophrénie, paranoïa**

DÉSAPPROBATION

syn. **blâme, semonce, reproche, objurgations, réprobation, réprimande**
– Marque de désapprobation **protestation, improbation, sifflement, huées, sifflets, lazzi**

DÉSARMER

– Désarmer un pays **démilitariser**
– Désarmer par sa candeur **toucher, déconcerter, désarçonner**
– Désarmer la colère de quelqu'un **calmer, apaiser, adoucir**
– Ne pas désarmer **renoncer, céder, fléchir**

DÉSASTRE

– Désastre subi par une armée **déroute**
– Cette tempête a été un désastre **calamité, cataclysme**
– Cette épidémie est un véritable désastre **fléau**
– Désastre financier **banqueroute, ruine, faillite, anéantissement**

DÉSASTREUX

syn. **funeste, catastrophique**
– Une situation désastreuse **fâcheuse, consternante, affligeante, désolante**
– Une action désastreuse **déplorable**

DÉSAVOUER

syn. **renier**
– Désavouer ses propos, ses convictions **rétracter (se), dédire (se), raviser (se), revenir sur**
– Désavouer un comportement **condamner, réprouver, blâmer**
– Désavouer un projet **désapprouver, refuser**

DESCENDANCE

syn. **filiation, généalogie**
– Une nombreuse descendance **progéniture, postérité**
– Descendance noble **maison**

DESCENDANT

syn. **enfant, héritier**
– L'ensemble des descendants d'une famille **lignée, génération, maison**
– Parents des descendants **ascendants, ancêtres, aïeuls, aïeux, souche**
– Droit juridique reconnu à l'aîné des descendants **primogéniture**
– Dans le droit romain, descendant issu d'une même souche féminine **cognat**
– Dans le droit romain, descendant issu d'une même souche masculine **agnat**

DESCENDRE

– Descendre d'avion, de bateau **débarquer**
– Descendre à l'hôtel **loger, résider**
– Descendre bien bas **déchoir, s'avilir**
– Voir descendre le niveau de l'eau **décroître, baisser**
– Le soleil descend à l'horizon **décline, couche (se)**
– Descendre vers le fond de l'eau **plonger**
– Prix qui descendent **baissent, diminuent**
– Descendre très rapidement **dévaler, dégringoler, débouler**
– Se faire descendre **abattre, tuer**
– Descendre en flamme **critiquer, éreinter**

DESCENTE

syn. **pente, déclivité, côte**
– Descente en parachute **saut**
– Technique de descente en ski **slalom, chasse-neige, schuss, godille**
– Descente d'une montagne **désescalade**
– Descente d'organe **prolapsus, ptôse**
– Représentation du corps du Christ après la descente de Croix **déposition**
– Descente de troupes armées **incursion, raid, invasion**
– Descente de police **vérification d'identité, perquisition, rafle**

DESCRIPTION

– Description qui ridiculise **caricature, charge**
– Description d'un fait **narration, récit, scène, exposé, rapport, topo**
– Description d'une procédure à suivre **protocole, marche, cahier des charges, scénario**
– Description d'un mécanisme **explication, détail**
– Description d'un contenu **énumération, inventaire, sommaire, étiquette**
– Description d'une personne recherchée **portrait-robot, signalement**
– Description de l'organisation des différents peuples **ethnographie**
– Description de l'Univers et du système solaire **cosmographie**
– Description et classification des maladies **nosographie**

DÉSEMPARÉ

– Il est totalement désemparé depuis son licenciement **désarmé, perdu, dérouté, déstabilisé, désorienté**

DÉSENCHANTÉ

– Depuis qu'elle l'a quitté, il est désenchanté par la vie **désillusionné, désappointé, blasé, déçu**

DÉSÉQUILIBRE

– État de déséquilibre **instabilité**
– Un déséquilibre entre des éléments **dissemblance, disparité, hétérogénéité, disharmonie, distorsion**
– Un déséquilibre entre une sentence et le délit commis **disproportion**
– Déséquilibre psychique **névrose, dépression, cyclothymie**

DÉSERT *Voir tableau p. 177*

– Désert sibérien **toundra**
– Désert rocheux **reg**
– Plante du désert **cactus**
– Végétation buissonneuse du désert **rtem, jojoba**
– Herbe drue du désert **drinn**
– Vent du désert **sirocco, simoun, khamsin, sahel**
– Sable du désert **dune, nebka**
– Plateau pierreux dans le désert saharien **hamada**
– Partie du désert constituée de dunes **erg**
– Peuple du désert **Bédouins, Touareg**
– Grande plaine inculte semblable au désert **steppe**
– Le paradis en plein désert **oasis**
– Illusion dans le désert **mirage**
– Vaisseau du désert **chameau, dromadaire**

DÉSESPÉRÉ

– Elle est désespérée **déprimée, inconsolable**
– Une situation désespérée **perdue**

DÉSESPÉRER

– Une attitude qui désespère **consterne, accable, afflige, navre, décourage**
– Se désespérer **désoler (se), attrister (s')**
– Désespérer de l'existence de Dieu **douter**

DÉSESPOIR

syn. **désespérance, accablement**
– Être plongé dans le désespoir **détresse, affliction**
– Désespoir des peintres **saxifrage**
– Manifestation possible du désespoir **prostration, violence, suicide**
– Désespoir des singes **araucaria**

DÉSHABILLÉ

syn. **saut-de-lit, robe d'intérieur, négligé, matinée**

DOULEUR	
SIÈGE DE LA DOULEUR	
Angor	région précordiale, en rapport avec le cœur
Arthralgie	articulation
Cardialgie	cœur
Céphalées	tête
Cervicalgie	cou
Coxalgie	hanche
Dorsalgie	colonne au niveau dorsal
Gastralgie	estomac
Gonalgie	genou
Hépatalgie	foie
Lombalgie	colonne au niveau lombaire
Névralgie	nerf
Odontalgie	dent
Otalgie	oreille

DÉSHABILLER

syn. **dévêtir, dénuder, découvrir**
– Personne payée pour se déshabiller **strip-teaseuse, effeuilleuse**

DÉSHONNEUR

syn. **déconsidération**
– Souffrir un grand déshonneur **honte, infamie, ignominie**
– Subir un déshonneur public **affront, humiliation, outrage, opprobre**

DÉSHONORER

– Déshonorer une personne **déprécier, discréditer, diffamer**
– Déshonorer la mémoire d'un défunt **flétrir, salir, entacher, souiller, avilir**
– Déshonorer une œuvre lors de la restauration **abîmer, détériorer**
– Une construction qui déshonore un site **dépare, défigure, dégrade**

DESIGN

syn. **création, conception, stylisme**
– Créateur de design **designer, styliste**
– Professionnel du design **dessinateur, concepteur, architecte**
– Domaine de recherche du design **forme, volume, matériau**
– Thème du design **mobilier, architecture, graphisme**
– Matériau employé dans le design **bois, acier, verre, plastique**

DÉSIGNATION

– Désignation d'une notion **nom, dénomination, appellation**
– Désignation honorifique **titre**
– Désignation familière d'une personne **surnom, sobriquet**
– Désignation de substitution **alias, pseudonyme**

– Qui désigne les mots à partir de leur sens **onomasiologie**
– La désignation d'un responsable **nomination, choix**
– Désignation par suffrage **élection**

DÉSIGNER

syn. **indiquer, montrer, signaler**
– Désigner à la façon d'un pictogramme **matérialiser, symboliser, représenter**
– Désigner un objet en lui attribuant un nom **dénommer, étiqueter, qualifier**
– Désigner une personne parmi d'autres **choisir, élire**

DÉSILLUSION

syn. **désenchantement, déception, désappointement**
– Désillusion éprouvée lors d'une entreprise **déboire, déconvenue**
– Sentiment engendré par une désillusion **aigreur, rancœur, amertume, ressentiment, tristesse, affliction**

DÉSINFECTION

– Désinfection des instruments chirurgicaux **stérilisation**
– Désinfection d'une plaie **aseptisation, antisepsie**
– Désinfection de la chambre d'un malade **assainissement, purification**
– Moyen de désinfection **fumigation, filtration, charbon, passage de chaux**
– Motive la désinfection des locaux **hygiène, salubrité**

DÉSINTÉRESSÉ

– Une personne désintéressée **généreuse, altruiste, philanthrope**
– Un geste désintéressé **gratuit, spontané**
– Donner un conseil désintéressé **impartial**

DÉSINVOLTE

– Un geste désinvolte **dégagé, leste**
– Un comportement désinvolte **familier, provocant, sans-gêne, effronté**
– Une façon désinvolte **inconvenante, cavalière, impertinente, outrecuidante**
– Propos désinvolte **libre, léger**

DÉSIR

syn. **attrait, passion, feu, appétit**
– Désir irrépressible **boulimie, fringale, démangeaison, prurit**
– Désir spirituel **aspiration, exigence**
– Désir fugace **velléité, caprice, toquade, foucade, fantaisie**
– Désir de réussite **ambition, carriérisme, opportunisme**
– Désir de possession **avidité, voracité, possessivité**
– Désir d'avoir des richesses **convoitise, tentation**

– Manque de désir **inappétence**
– Qui excite le désir sexuel **aphrodisiaque**
– Musique du désir **impatience**

DÉSIRER
syn. **vouloir, souhaiter, espérer**
– Désirer le bien d'autrui **convoiter, jalouser, lorgner, guigner**
– Désirer une fonction **ambitionner, briguer, aspirer à, prétendre à**

DÉSISTER (SE)
syn. **retirer (se), abandonner, renoncer**

DÉSOBÉIR
– Désobéir à quelqu'un **résister à**
– Désobéir à une prescription **déroger à**
– Désobéir à la loi **transgresser, violer, contrevenir à**
– Désobéir à un ordre, **enfreindre, ne pas obtempérer**
– Désobéir et se dresser contre une autorité **insurger contre (s'), rebeller contre (se), révolter contre (se), mutiner contre (se)**
– Ne pas être d'accord sans pour autant désobéir **objecter, contester, protester**

DÉSOBÉISSANCE
syn. **indiscipline, refus**
– Désobéissance à une autorité **insoumission, insubordination**
– Désobéissance face à l'ordre parental **opposition, révolte, indocilité**
– Désobéissance des troupes **rébellion, sédition, insurrection, mutinerie**

DÉSOLÉ
syn. **peiné, chagriné, affecté**
– Je suis désolé **ennuyé, confus, contrarié**
– Être profondément désolé **consterné, accablé, navré**

DÉSOLER
– Un résultat qui désole **navre, contrarie, peine, chagrine, attriste, afflige**

DÉSORDONNÉ
– Des propos désordonnés **chaotiques, embrouillés, décousus, confus, incohérents, indistincts**
– Une personne désordonnée **désorganisée**

DÉSORDRE
syn. **chambardement, chaos, enchevêtrement, tohu-bohu**
– Choses en désordre **bric-à-brac, fourbi, fatras**
– Lieu en désordre **capharnaüm, bazar, souk, pêle-mêle**
– Un sacré désordre **pagaille, margaille**
– Retraite en désordre **débandade, déroute, débâcle**

– Désordre causé par des écoliers **chahut, vacarme, boucan, chambard, tumulte, charivari**
– Le désordre dans les idées **confusion, incohérence**
– Désordre administratif **désorganisation, gabegie**
– Semer le désordre **panique, trouble**

DESSAISIR
– Dessaisir quelqu'un d'un dossier **retirer à, enlever à, déposséder, priver**

DESSAISIR (SE)
– Se dessaisir d'un bien **défaire de (se), renoncer à, céder, abandonner, ôter**

DESSÉCHÉ
– Produits alimentaires desséchés **lyophilisés, déshydratés**
– Pain desséché **rassis**
– Une petite vieille desséchée **décharnée, squelettique, rabougrie, émaciée**
– Un cœur desséché **racorni, endurci, sec**

DESSÉCHER
– Le soleil dessèche les plantes **grille, brûle, calcine, brouit**
– Dessécher la peau **boucaner**
– Qui dessèche **dessiccateur**

DESSERT *Voir tableau gâteaux, p. 270*
– Dessert à base de fruits **compote, gelée, macédoine, marmelade, mendiants**
– Dessert à base d'œufs **crème, flan, mousse, soufflé, île flottante**
– Dessert glacé **sorbet, plombière, mystère, cassate, omelette norvégienne, tutti frutti**
– Dessert pâtissier **tarte, charlotte, gâteau, pudding**
– Dessert de Noël **bûche**
– Cuiller à dessert **à entremets**
– Boisson accompagnant certains desserts **asti, champagne, vin blanc, mousseux, crémant**

DESSIN *Voir tableau p. 178*
syn. **image, représentation, illustration**
– Dessin symbolique **pictogramme, logo, emblème, icône, hiéroglyphe**
– Dessin explicatif **schéma, plan, figure, croquis**
– Dessin ornemental **motif, arabesque, grecque, volute, frise, fresque**
– Dessin d'enfant **gribouillage, bariolage**
– Dessin de rue **graffiti, tag, bombage**
– Matériel à dessin **carton, planche**
– Crayon à dessin **fusain, sanguine, sauce, pastel**
– Professionnel du dessin **illustrateur, affichiste, ornemaniste, paysagiste, infographiste**

– Ébauche d'un dessin **esquisse, croquis, étude, épure**
– Procédé par lequel on reporte des dessins sur une surface **décalcomanie, décalquage, calque, pantographe**

DESSINER
– Dessiner d'après un modèle **reproduire, représenter**
– Dessiner rapidement **esquisser, ébaucher, crayonner, croquer**

DESSINER (SE)
– Un projet qui se dessine **précise (se), profile (se)**

DESSOUS
– Le dessous de la main **paume**
– Le dessous d'une chaussure **semelle**
– Le dessous des bras **aisselle**
– Des dessous en dentelle **combinaison, jupon, bustier, body, culotte, soutien-gorge, lingerie, sous-vêtements**
– Le dessous de la politique **coulisses, secrets**
– Être au trente-sixième dessous **déprimé, abattu, découragé**
– Être au-dessous de tout **mauvais, nul, minable**

DESSUS
– Le dessus d'une armoire **corniche**
– Avoir le dessus **avantage, supériorité**
– Le dessus du panier **fine fleur, élite, gratin, crème**

DESTIN
syn. **fatum, destinée, providence, sort, fortune**
– Un événement marqué par le destin **fatidique, fatal**
– Loi du destin **fatalité**
– Imprévu du destin **aléa, hasard**
– Divinités du destin dans la mythologie **kères, Moires, Parques**

DESTINATAIRE
syn. **cible, public**
– Destinataire d'une création artistique **spectateur**
– Destinataire d'un discours **auditoire, assistance**
– Destinataire d'un échange linguistique **interlocuteur, allocutaire, récepteur**

DESTINATION
syn. **finalité, but, direction, orientation**
– Destination d'un matériel **utilisation, emploi, usage**
– Destination d'un budget **affectation, imputation**

DESTINER
– Destiner irrévocablement **vouer, consacrer**

– Destiner un emploi à quelqu'un **assigner**
– Destiner un objet à une personne **garder, réserver, conserver**
– Destiner ses économies à un voyage **attribuer, affecter, appliquer**
– Ses dons le destinent à une brillante carrière **prédestinent à, promettent**
– Destiner un enfant à une carrière déterminée **orienter, diriger**

DESTITUER
– Destituer d'un poste **licencier, renvoyer, limoger, suspendre**
– Destituer d'un grade **dégrader**
– Destituer un fonctionnaire **révoquer**
– Destituer un roi **détrôner, déposer, découronner**
– Que l'on ne peut destituer **inamovible**

DESTRUCTION
syn. **démolition, démantèlement**
– Destruction totale **annihilation**
– Destruction organique **décomposition, putréfaction**
– Destruction d'une substance **désintégration**
– Destruction provoquée par un phénomène naturel ou une guerre **anéantissement, dévastation, ruine**
– Destruction d'un peuple **massacre, extermination, ethnocide, génocide**

DÉSUET
– Un objet désuet **démodé, dépassé, suranné, vieillot**
– Mot désuet **obsolète, vieilli, vieux, archaïque**

DÉSUNIR
syn. **dissocier, désassembler, brouiller, séparer, diviser**
– Désunir ce qui était lié, attaché **délier, détacher, disloquer, disjoindre**

DÉSUNIR (SE)
– Couple qui se désunit **sépare (se), divorce, brouille (se)**

DÉTACHEMENT
syn. **renoncement, désaffection, désamour, indifférence**
– Prendre les choses avec détachement **sérénité, quiétude**
– Détachement des stoïciens **ataraxie**
– Détachement d'un fonctionnaire **affectation, mutation**
– Détachement militaire **patrouille, commando, éclaireurs, avant-garde**
– Détachement de la tutelle parentale **autonomie, émancipation**

DÉTACHER
syn. **délier, délacer**
– Détacher un cheval de sa voiture **dételer**

– Détacher un sous-vêtement **déboutonner, dégrafer**
– Détacher une remorque **décrocher**
– Détacher les pétales d'une fleur **effeuiller**
– Détacher un lustre du plafond **dépendre**
– Détacher deux motrices **désaccoupler, désunir**
– Détacher le regard d'une scène **détourner, distraire**

DÉTACHER (SE)
– Se détacher d'une personne **délaisser, séparer de (se)**
– Se détacher d'une occupation **éloigner de (s'), renoncer à**
– Se détacher en raison d'un caractère d'exception **ressortir, trancher, distinguer (se)**

DÉTAIL
– Qui ne s'intéresse qu'aux détails **tatillon, pinailleur, chicaneur**
– Détail de peu d'importance **vétille, bagatelle, broutille**
– Un détail d'une fresque **partie, élément**
– Sans tenir compte des détails **grossièrement, grosso modo**
– Vente au détail **à l'unité**
– Donner des détails **précisions, explications**
– Soigner les détails d'un travail **fignoler**

DÉTECTIVE
syn. **enquêteur, inspecteur**
– Un détective très perspicace dans ses enquêtes **fin limier**

DÉTEINDRE
– Une couleur qui déteint **passe, défraîchit (se), décolore (se)**
– Déteindre sur quelqu'un **influencer, influer sur, répercuter sur (se)**

DÉTENTION
syn. **recel, enfermement**
– La détention d'un prisonnier **emprisonnement, incarcération, réclusion**
– En détention **captivité**

DÉTENU
syn. **prisonnier, captif, interné, incarcéré**
– Détenu ayant commis un délit **prisonnier de droit commun**
– Détenu contestant le régime de son pays **prisonnier politique**
– Détenu étant l'enjeu d'une tractation **otage**
– Avant d'être un détenu **inculpé, prévenu**

DÉTÉRIORER
syn. **dégrader, abîmer, endommager, délabrer, empirer**

– Détériorer sa santé **compromettre, détruire, ruiner**

DÉTERMINATION
syn. **décision, résolution, intention**
– Faire preuve de détermination **fermeté, ténacité, volonté**
– Détermination du destin politique d'un pays par ses habitants **autodétermination**
– La détermination d'une valeur **spécification, caractérisation**
– La détermination d'une distance **évaluation, estimation**
– La détermination d'une frontière **délimitation, fixation**

DÉTERMINER
– Déterminer le sens d'un mot **définir, caractériser, spécifier**
– Déterminer un rendez-vous **fixer, arrêter**
– Déterminer la position d'un astre **localiser, identifier**
– Difficile à déterminer **apprécier, estimer**
– Déterminer une personne à agir **décider, engager, persuader de, inciter, convaincre de**

DÉTERMINER (SE)
– Se déterminer à **résoudre à (se), décider à (se)**

DÉTERRER
– Déterrer un cadavre **exhumer**
– Déterrer une souche **déraciner, arracher**
– Déterrer une vieille rancune **rappeler, ressortir, raviver**
– Déterrer un vieux manuscrit **dénicher, découvrir**

DÉTESTABLE
– Un personnage détestable **infâme, odieux, antipathique, exécré**
– Individu détestable **insupportable, haïssable, invivable**
– Humeur détestable **massacrante, exécrable, mauvaise**

DÉTESTER
– Détester profondément **exécrer, abhorrer, abominer, haïr**

DÉTONATION
– Il a entendu une détonation **explosion, déflagration**
– Détonations répétées **pétarade**
– Détonation de l'orage **tonnerre**

DÉTOUR
syn. **sinuosité, lacet, coude, boucle, biais, faux-fuyant**
– Les détours d'un fleuve **méandres**
– Faire un détour **crochet, déviation**

– Sans détour **franchement, directement, carrément**

DÉTOURNER
– Détourner de l'argent **soustraire, dérober, subtiliser**
– Détourner un bateau, un avion **dévier, dérouter**
– Détourner le mauvais sort **conjurer**
– Détourner l'attention de quelqu'un **distraire, amuser, dissiper, divertir, déranger**
– Détourner du droit chemin **dépraver, fourvoyer, pervertir**

DÉTRAQUÉ
– Il a le cerveau détraqué **dérangé, troublé, brouillé**

DÉTRAQUER
syn. **dérégler, détériorer, abîmer, endommager**

DÉTRESSE
– Vivre dans une grande détresse **affliction, désolation, désarroi, indigence, nécessité**
– Signal de détresse **SOS**
– Pavillon de détresse **berne**
– Feux de détresse **warning**
– En détresse **péril, perdition**

DÉTROMPER
syn. **démystifier, démythifier**
– Détromper quelqu'un **désabuser, désillusionner, dessiller les yeux de**

DÉTRUIRE
anti-, dé-
syn. **abattre, casser, briser, anéantir, ruiner, dévaster, ravager**
– Détruire une lettre compromettante **supprimer, éliminer, brûler**
– Détruire une maison **démolir, raser, renverser**

DETTE
syn. **débit, créance**

– Dette contractée envers l'État **débet**
– Une dette publique à long terme **consolidée**
– Une dette publique à court terme **flottante**
– Somme constituant une dette **capital, principal**
– Dette réduite **escompte**
– Une dette non garantie **chirographaire**
– Qui ne peut rembourser une dette **insolvable**
– Accord stipulant une remise partielle sur une dette lors d'une faillite **concordat**
– Payer une dette **rembourser, amortir**
– Avoir une dette chez l'épicier **ardoise**

DEUIL
syn. **perte, disparition, mort, décès, affliction, tristesse**
– Couleur du deuil **noir, blanc, gris, mauve**
– Accessoire porté en signe de deuil **voile, crêpe, brassard, mante**
– Pavillon de deuil **berne**
– Chant de deuil dans l'Antiquité **nénies**
– Chant de deuil corse **vocero**
– Œuvre musicale exprimant le deuil **complainte, requiem**
– Arbre du deuil **cyprès**
– Travail de deuil en psychanalyse **désinvestissement**

DEUX
ambi-, amph(i)-, bi-, bis-, di-, dupli-
– Allant par deux **paire, couple, siamois**
– Division en deux parties **dichotomie**
– La naissance de deux enfants **jumeaux**
– Enfant issu de deux races **métis**
– Animal possédant les deux sexes **hermaphrodite, bisexué**
– Partition écrite pour deux instruments **duo**
– Personne mariée à deux personnes en même temps **bigame**
– Un animal fabuleux à deux têtes **bicéphale**
– Serpent à deux têtes **amphisbène**

– Présence de deux sens possibles dans une proposition **amphibologie, ambiguïté**
– Présence de deux aspects contraires chez une même personne **ambivalence**
– Personne utilisant indifféremment ses deux mains **ambidextre**

DÉVALER
– Dévaler les escaliers **dégringoler, débouler, rouler**
– Neige qui dévale de la montagne **avalanche**

DÉVALUATION
– Dévaluation d'une monnaie **décri, alignement monétaire**
– Dévaluation employée comme moyen de stimuler les exportations **offensive**
– Dévaluation provoquée par une dévaluation dans un autre pays **défensive**
– Dévaluation destinée à permettre une opération de stabilisation **dévaluation-constat**

DEVANCER
– Devancer les événements **précéder, anticiper**
– Devancer un adversaire **dépasser, distancer, semer, surpasser**
– Devancer une demande **prévenir**

DÉVELOPPEMENT
– Le développement d'une activité économique **essor, progrès, expansion**
– Le développement d'une maladie **évolution, cours**
– Développement du corps **croissance, épanouissement**
– Développement anormal **hypertrophie, hypotrophie**
– Un développement photographique **tirage**
– Se lancer dans un long développement **discours, tirade, exposé, topo**

DÉVELOPPER
– Développer un tissu **déployer, étaler, dérouler**
– Développer un sujet **exposer, décrire, détailler**
– Développer une entreprise **agrandir, étendre**

DÉVELOPPER (SE)
– Se développer **croître, progresser, grandir, épanouir (s'), prospérer**

DEVENIR
syn. **changer, muter, évoluer**
– Le devenir de la planète **futur, avenir**

DÉVERSER
– Déverser le contenu d'une benne **répandre, verser, décharger**
– Déverser son chagrin **épancher**

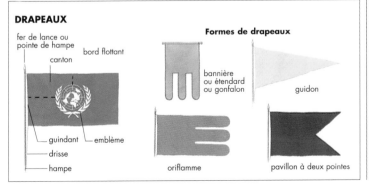

DRAPEAUX

fer de lance ou pointe de hampe
bord flottant
canton
bannière ou étendard ou gonfalon
Formes de drapeaux
guidon
guindant
emblème
drisse
hampe
oriflamme
pavillon à deux pointes

DÉVERSER (SE)
– Le fleuve se déverse dans la mer **jette (se), écoule (s')**

DÉVIATION
– Déviation dans un trajet, une orientation **inflexion**
– Déviation de la route **délestage, itinéraire** *bis*
– Déviation d'un cours d'eau **détournement**
– Déviation d'un bateau sous l'action du vent ou du courant **dérivation, dérive**
– Déviation d'une onde lumineuse rencontrant un obstacle **réfraction, diffraction, déflexion**
– Déviation de la colonne vertébrale **cyphose, lordose, scoliose**
– Déviation par rapport à une norme **anomalie, aberration**
– Déviation par rapport à une ligne politique **dissidence**
– Déviation par rapport à un dogme religieux **hérésie, schisme**

DEVINER
syn. **découvrir, comprendre**
– Jeu qui consiste à faire deviner **devinette, charade, logogriphe, furet, sellette, bonneteau**
– Deviner l'avenir **prophétiser**
– Personne qui prétend deviner l'avenir **astrologue, chiromancien, cartomancien, voyant, prophète, pythie, devin, augure**
– Deviner un mensonge **pressentir, soupçonner, subodorer, flairer**
– Deviner la vérité **entrevoir, douter de (se)**

DEVISE
syn. **sentence, maxime, monnaie**
– Devise politique ou publicitaire **slogan**
– Devise de rattachement à un groupe **cri de ralliement, mot d'ordre**
– Ornement portant une devise **cartouche, banderole, listel, sceau**

DÉVOILER
– Dévoiler ses intentions **révéler, divulguer, étaler, exposer**

DEVOIR
syn. **responsabilité, obligation, astreinte, charge**
– Devoir de courtoisie **politesse, bienséance, civilité, respect**
– Code des devoirs des médecins **déontologie, serment d'Hippocrate**
– L'homme de devoir est **intègre, probe, rigoureux, droit, scrupuleux, vertueux**
– Présenter ses devoirs **respects, hommages**

DÉVORER
syn. **engloutir, engouffrer**

– Monstre qui dévore les hommes **ogre, lamie, loup-garou, Sphinx, Minotaure**
– Dévorer ses économies **gaspiller, dilapider**
– Les flammes ont dévoré la cabane **brûlé, consumé, détruit**
– Le mal la dévore **tourmente, ronge, mine**
– Dévorer des yeux **convoiter, désirer**

DÉVOT
syn. **croyant, pieux, religieux**
– Dévot excessif **bigot, bondieusard, béguine**
– Dévot très attaché au rituel religieux **dévotieux**
– Faux dévot **hypocrite, cagot, calotin, papelard, tartufe**

DÉVOTION
– Elle fait preuve d'une grande dévotion **ferveur, piété, zèle**
– Dévotion hypocrite **bigoterie, bondieuserie, cafarderie, tartuferie, béguinage**
– Avoir une grande dévotion pour quelqu'un **adoration, vénération**

DÉVOUÉ
syn. **complaisant, serviable, obligeant**
– Un serviteur dévoué **zélé**
– Un ami dévoué **loyal, fidèle**
– Un mari dévoué **empressé, prévenant, attentionné**

DÉVOUEMENT
syn. **abnégation, renoncement, sacrifice**
– Avec dévouement **générosité, cœur, affection, amour**

DIABÈTE
– Étude du diabète **diabétologie**
– Manifestation du diabète **hyperglycémie, glycosurie, hémochromatose, acétonémie**
– Facteur pouvant provoquer l'apparition du diabète **diabétogène**
– Hormone administrée lors d'un traitement du diabète **insuline, tolbutamide**

DIABLE *Voir tableau p. 173*
syn. **démon**
– Nom attribué au diable **Satan, Lucifer, Léviathan, Bêhêmoth, le Serpent, le Dragon, le Prince des ténèbres, le Malin**
– L'une des désignations du diable dans le Nouveau Testament **Belzébuth**
– L'une des désignations du diable dans l'Ancien Testament **Bélial**
– Diable de l'amour impur, dans le livre de Tobie **Asmodée**
– Diable s'incarnant en homme pour abuser d'une femme pendant son sommeil **incube**

– Diable s'incarnant en femme pour abuser d'un homme pendant son sommeil **succube**
– Diable dans la légende de Faust **Méphistophélès**
– Les tables du diable **dolmens**
– Royaume du diable **enfer, géhenne**
– Activité privilégiée du diable **tentation**
– Rituel pour chasser le diable **exorcisme**
– Réunion nocturne de sorciers présidée par le diable **sabbat**
– Sorte de diable des légendes bretonnes, incarné en nain **korrigan**
– Un sacré diable **lutin, garnement, polisson**
– Petit diable **diablotin**
– C'est un pauvre diable **hère, misérable**
– Habiter au diable vauvert **loin**

DIABOLIQUE
syn. **démoniaque, satanique, infernal, méphistophélique**
– Une ruse diabolique **perverse, pernicieuse, machiavélique**

DIACRE
syn. **clerc**
– Supérieur du collège des diacres **archidiacre**
– Ordre ou office des diacres **diaconat**
– Chasuble du diacre **dalmatique, tunique**

DIAGNOSTIC
syn. **identification, détermination**
– Signe clinique sur lequel se fonde un diagnostic **symptôme, syndrome, prodrome**
– Méthode de diagnostic **auscultation, iridologie, cytodiagnostic, électrodiagnostic, radiodiagnostic, sérodiagnostic**

DIALECTE *Voir tableau argot, p. 41*
– Dialecte local **patois**
– Dialecte de France **francien, francoprovençal, gallo, gavot, occitan, rhodanien**
– Dialecte secret créé par un groupe social **argot**
– Dialecte technique **jargon**
– Dialecte argotique anglais **slang**
– Dialecte argotique espagnol **calo**
– Catégorie linguistique des dialectes régionaux français **oïl, oc**

DIALECTIQUE
– Objet de la dialectique **raisonnement, argumentation, déduction, induction**
– Explication de l'Histoire par la dialectique **matérialisme historique**

DIALOGUE
– Dialogue amical **échange, conversation, entretien**
– Dialogue à caractère intime **tête-à-tête**

DROGUES

OPIACÉS

OPIUM (pavot)
Suc épaissi de la capsule du pavot. Pâte brune, poudre, liquide.
Modes de prise : à fumer, par voie orale.
Effets : sensation de bien-être, légèreté d'esprit, rêves.
Dangers : dénutrition, avitaminose.
Dépendance : psychique et physique.
Sevrage : prise en charge sociale, médicamenteuse et psychologique.

MORPHINE
Alcaloïde de l'opium. Ampoules, comprimés, gélules, poudre blanche.
Modes de prise : par voie orale, en injection.
Effets : analgésie, euphorie.
Dangers : troubles digestifs, torpeur, surdose.
Dépendance : psychique et physique.

CODÉINE
Médicament préparé à partir de la morphine et faisant l'objet d'usages détournés. Sirop antitussif.
Mode de prise : par voie orale.
Effets : euphorie, réduction de l'anxiété.
Dangers : troubles digestifs.
Dépendance : psychique et physique.

HÉROÏNE (diacétylmorphine)
Produit de synthèse obtenu à partir de la morphine. Poudre plus ou moins blanche, souvent brunâtre.
Modes de prise : à fumer, en inhalation, en intraveineuse après dilution et chauffage.
Effet : sensation d'euphorie intense (flash) suivie de somnolence.
Dangers : dépression du système nerveux, anorexie, insomnie, risques de contamination virale (VIH, hépatites) ou bactérienne par injection, surdose.
Dépendance : psychique et physique.
Sevrage : suivi psychosocial accompagné d'un traitement de substitution.

MÉTHADONE
Médicament de substitution. Liquide.
Mode de prise : par voie orale.
Effet : sevrage aux opiacés.
Dangers : sudation, constipation, troubles de l'appétit, du sommeil, de la libido, dépression et arrêt respiratoire en cas d'intoxication.
Dépendance : psychique et physique.
Sevrage : prescription de psychotropes, accompagnement psychosocial.

COCAÏNE ET DÉRIVÉS

COCAÏNE
Alcaloïde extrait des feuilles du cocaïer. Poudre blanche.
Modes de prise : en inhalation, à fumer, en injection.
Effets : effet euphorisant immédiat (flash), excitation intellectuelle et physique, indifférence à la douleur et à la fatigue.
Dangers : déprime, paranoïa, hypertension, troubles cardiaques, surdose.
Dépendance : psychique.
Sevrage : antidépresseurs, aide psychologique.

CRACK
Mélange de bicarbonate de soude, d'ammoniaque et de de cocaïne. Cristaux blancs ou jaunes.
Modes de prise : à fumer après chauffage, en injection.
Effets : intense sensation d'euphorie, excitation.
Dangers : violence, hallucinations, paranoïa, dépression, lésions pulmonaires, arrêts respiratoires et/ou cardiaques, risque de mort.
Dépendance : psychique.
Sevrage : antidépresseurs, aide psychologique.

DROGUES DE SYNTHÈSE

AMPHÉTAMINE
Médicament faisant l'objet d'usages détournés. Poudre, comprimés.
Modes de prise : par voie orale, en injection, en inhalation.
Effets : stimulation, euphorie, suppression de la fatigue.
Dangers : insomnie, dénutrition, grande nervosité, troubles psychiques (psychose, paranoïa).
Dépendance : psychique.

ECSTASY
Produit de synthèse contenant des amphétamines, des analgésiques, des hallucinogènes, des anabolisants. Comprimés.
Mode de prise : par voie orale.
Effets : sensation d'énergie, de performance, suppression des inhibitions.
Dangers : hypertension, hyperthermie, déshydratation, troubles cardio-vasculaires, hépatiques ou rénaux, dépression, crises d'angoisse, paranoïa, coma.
Dépendance : psychique.

GAMMA OH ou GHB
Médicament utilisé en anesthésie et faisant l'objet d'usages détournés. Poudre ou granulés.
Mode de prise : par voie orale.
Effet : état comparable à l'ébriété.
Dangers : amnésie, coma.

KÉTAMINE
Médicament à usage détourné. Comprimés.
Mode de prise : en inhalation.
Effet : hallucinations.
Dangers : perte de connaissance, asphyxie, troubles psychiques, neurologiques et digestifs.

LSD (diéthylamide de l'acide lysergique)
Substance obtenue à partir des alcaloïdes présents dans l'ergot de seigle. Liquide.
Mode de prise : par voie orale.
Effets : modifications sensorielles intenses, hallucinations, fous rires incontrôlables, délires.
Dangers : angoisse, crises de panique ou paranoïa, phobies, bouffées délirantes.
Dépendance : psychique.

POPPERS
Médicament utilisé comme vasodilatateur et faisant l'objet d'usages détournés. Poudre.
Mode de prise : en inhalation.
Effets : sensation de vive chaleur interne, sensualité exacerbée.
Dangers : vertiges, maux de tête, dépression respiratoire, anémie.

GAZ HILARANT
Gaz conditionné faisant l'objet d'usages détournés. Ballon de gaz.
Mode de prise : en inhalation.
Effets : modifications de la conscience, euphorie, distorsions visuelles et auditives, effets sédatifs.
Dangers : vertiges, angoisse, agitation, nausées, vomissements, troubles neurologiques.

CANNABINOÏDES

MARIJUANA (herbe)
Sécrétion des sommités fleuries de la plante *Cannabis sativa*. Feuilles, tiges et sommités fleuries séchées.
Mode de prise : à fumer.
Effets : euphorie, relaxation, fous rires, somnolence.
Dangers : difficulté de concentration, perturbation de la perception temporelle, visuelle et de la mémoire immédiate, léthargie.
Dépendance : psychique.

HASCHISCH (shit)
Résine obtenue à partir des sommités fleuries de la plante *Cannabis sativa*. Plaques compressées ou barrettes.
Mode de prise : à fumer.
Effets : euphorie, relaxation, fous rires, somnolence.
Dangers : difficulté de concentration, perturbation de la perception temporelle ou visuelle et de la mémoire immédiate, léthargie.
Dépendance : psychique.

HUILE
Préparation plus concentrée en principe actif extrait des sommités fleuries de la plante *Cannabis sativa*. Liquide.
Mode de prise : en inhalation.
Effets : euphorie, relaxation, fous rires, somnolence.
Dangers : difficulté de concentration, perturbation de la perception temporelle ou visuelle et de la mémoire immédiate, léthargie.
Dépendance : psychique.

DROGUES LICITES

ALCOOL (éthanol)
Fermentation ou distillation de fruits, etc. Liquide.
Mode de prise : par voie orale.
Effets : euphorie, désinhibition, excitation.
Dangers : maladie du foie (cirrhose) et du pancréas, troubles cardio-vasculaires, cancers (bouche, langue, larynx, œsophage, foie), maladies du système nerveux, troubles psychiques.
Dépendance : psychique et physique.
Sevrage : cure ambulatoire ou hospitalisation avec soutien psychologique et aide médicamenteuse.

TABAC
Alcaloïde (nicotine) contenu dans les feuilles de tabac. Cigarettes, cigares, tabac en vrac, à rouler, à chiquer.
Modes de prise : à fumer, à mâcher.
Effets : stimulation, détente.
Dangers : troubles de l'appareil respiratoire, de l'appareil digestif, maladies cardio-vasculaires.
Dépendance : psychique et physique.
Sevrage : substitutions nicotiniques, aide psychologique, relaxation.

MÉDICAMENTS PSYCHOACTIFS

BENZODIAZÉPINES
Médicament anxiolytique ou hypnotique. Comprimés.
Mode de prise : par voie orale.
Effets : diminution de l'angoisse et des manifestations de l'anxiété, sédatif, relaxation musculaire.
Dangers : perte de mémoire des événements récents, baisse de la vigilance, somnolence.
Dépendance : psychique et physique.
Sevrage : arrêt progressif afin d'éviter l'état de manque.

– Dialogue mené par un journaliste **interview, entretien**
– Dialogue sur Internet **chat**
– Dialogue d'un film **script**
– Adaptation d'un dialogue de cinéma en langue étrangère **doublage**
– Dialogue entre l'ordinateur et l'utilisateur **interactivité**
– Personne s'exprimant lors d'un dialogue **locuteur, interlocuteur**

DIAMANT *Voir illustration pierres précieuses (taille des), p. 456*
syn. **carbone, gemme**
– Diamant de teinte noire utilisé dans l'industrie **carbonado**
– Diamant ayant un défaut utilisé comme abrasif **bort**
– Diamant monté seul sur une bague **solitaire**
– Fêlure dans un diamant **étonnement**
– Tache ou défaut dans un diamant **glace, crapaud, gendarme, jardinage, paillette**
– Éclat d'un diamant **feu**
– Méthode de taille d'un diamant **en brillant, en rose**
– Tailleur ou vendeur de diamants **lapidaire, joaillier**
– Travailler un diamant **cliver, brillanter, facetter, tailler**
– Poudre de diamant employée pour la taille **égrisée**
– Unité de poids utilisé pour le diamant **carat**
– Sol ou roche contenant du diamant **diamantifère, kimberlite**
– Qui a la dureté du diamant **adamantin, diamantin**

DIARRHÉE
syn. **lienterie, courante, colique**
– Affection accompagnée de diarrhée **dysenterie, sprue, entérite**
– Remède appliqué en cas de diarrhée **élixir parégorique**

DICTATEUR
syn. **oppresseur, despote, autocrate, potentat, tyran**
– Dictateur du Japon **shogun**

DICTATURE
syn. **absolutisme, totalitarisme, despotisme, tyrannie**
– Dictature s'appuyant sur le peuple **césarisme**
– Dictature exercée par des vieillards **gérontocratie**
– Caractère d'une dictature **autoritarisme**

DICTÉE
– Visée d'une dictée **orthographe**
– Écrire sous la dictée **transcrire, sténographier**

DICTER
– Dicter son attitude à autrui **imposer, commander, ordonner**
– Dicter un remède **prescrire**
– Dicter les termes d'un accord **stipuler**
– Dicter ses réponses à quelqu'un **imposer**
– Dicter des règles **légiférer**
– Exigence imposée par la force **diktat**

DICTION
– Il a une bonne diction **élocution, prononciation**
– Diction rapide **débit**

DICTIONNAIRE
– Dictionnaire thématique de culture générale **encyclopédie, trésor**
– Dictionnaire définissant les mots mal connus **glossaire**
– Dictionnaire de prosodie latine **gradus**
– Dictionnaire spécialisé **lexique, vocabulaire**
– Dictionnaire servant à la traduction **bilingue, multilingue**
– Liste des termes contenus dans un dictionnaire **nomenclature**
– Éléments constituant un dictionnaire **articles, entrées, vedettes**
– Auteur d'un dictionnaire **lexicographe, terminologue**

DIEU *Voir tableaux Bible, p. 71-72, et religions, p. 514*
voir aussi **religion, mythologie**
théo-
– Croyance en l'existence d'un dieu impersonnel et immanent au monde **panthéisme**
– Croyance en un dieu, sans exclure l'existence de plusieurs dieux **hénothéisme**
– Croyance en plusieurs dieux **polythéisme**
– Croyance en un dieu personnel transcendant et principe de l'Univers **théisme**
– Croyance en un dieu unique **monothéisme**
– Ensemble des dieux d'une religion **panthéon**
– Qui nie l'existence de Dieu **athéisme**
– Qui ne croit pas en Dieu **non-croyant, athée**
– Doctrine affirmant l'existence d'un dieu créateur, mais niant toute révélation **déisme**
– Partie de la philosophie traitant de Dieu et de ses attributs **théodicée**
– Étude de Dieu et des caractères divins, fondée sur la Révélation **théologie**
– Nom de Dieu dans la religion juive **Élohim, Jéhovah, Adonaï, Yahvé**
– Dieu de l'Islam **Allah**
– Lettres formant le nom imprononçable de Dieu **tétragramme (YHVH)**
– Généalogie des dieux dans les religions polythéistes **théogonie**

– Histoire fabuleuse des dieux, des demi-dieux, des héros de l'Antiquité grecque, romaine, celtique, etc. **mythologie**
– Lieu de séjour des dieux en Grèce antique **Olympe**
– Image d'un dieu **idole, icône**
– Attributs de Dieu **aséité, immutabilité, éternité, immensité**
– Verbe de Dieu **logos**
– Manifestation, sous une forme matérielle, d'un dieu aux hommes **théophanie**
– Manifestation surnaturelle de Dieu **révélation**
– Prière glorifiant Dieu **doxologie**
– Individu proclamant la loi de Dieu **prophète**
– Les Fous de Dieu **mystiques**
– Gouvernement exerçant son autorité au nom de Dieu **théocratie**
– Élévation au rang des dieux **apothéose**

DIFFAMATION
syn. **calomnie, médisance**

DIFFÉRENCE
dis-, hétéro-
syn. **dissemblance, dissimilitude, contraste, écart, disparité, hétérogénéité, diversité**
– Différence sensible entre deux objets **distinction, disproportion, différentiel**
– Une différence imperceptible **nuance, subtilité**
– Différence de point de vue **divergence, dissentiment, désaccord, différend, opposition**
– Modalité qui crée la différence d'un être, d'une chose **spécificité, particularité, caractéristique, singularité, originalité**
– Faire la différence entre divers mouvements de pensée **discrimination, discernement**
– Chercher les différences **comparer, confronter**
– Un sentiment de différence éprouvé au contact d'autrui **altérité**
– Instrument servant à mesurer des différences de niveau **éclimètre**

DIFFÉRENCIER
syn. **distinguer, discriminer, séparer, démêler, débrouiller**

DIFFÉRENCIER (SE)
– Se différencier des autres **différer, distinguer (se)**

DIFFÉRENT
syn. **distinct, autre, dissemblable**
– Un ensemble formé d'éléments différents **composite, disparate, hétéroclite, hétérogène**
– Population de souche différente récemment implantée **allogène**

– Un individu totalement différent **méconnaissable, transformé, métamorphosé**

DIFFÉRER

– Sa position diffère de la mienne **distingue de (se), différencie de (se), écarte de (s')**
– Différer un voyage **repousser, retarder, remettre, ajourner**
– Nos positions diffèrent **divergent, opposent (s')**

DIFFICILE

syn. **ardu, laborieux, complexe, rude, scabreux, délicat, épineux, malaisé**
– Trop difficile **infaisable, impossible**
– Un langage difficile **obscur, codé, énigmatique, ésotérique**
– Une écriture difficile à lire **illisible, indéchiffrable**
– Un texte difficile à comprendre **abscons, abstrus**
– Un chemin difficile **escarpé, abrupt, impraticable, inaccessible**
– Nœuds difficiles à démêler **enchevêtrés, inextricables**
– Être difficile en affaires **exigeant, intraitable, dur**
– Digestion difficile **dyspepsie**
– Accouchement difficile et douloureux **dystocie**
– Un moment difficile **douloureux, pénible, triste**
– Une personne dont le caractère est jugé difficile **irritable, irascible, ombrageuse, acariâtre**
– Un enfant difficile **capricieux**

DIFFICULTÉ

dys-
syn. **peine, gêne, embarras, ennui**
– Avoir une difficulté avec un ami **différend, démêlé**
– Rencontrer une difficulté **obstacle, écueil, accroc**
– Faire des difficultés **contester, argumenter contre, plaider contre, objecter, résister**
– Difficulté d'ordre rationnel **aporie**
– Difficulté bénigne **anicroche, aria, hic**
– Difficulté d'audition **dysacousie**
– Difficulté d'élocution **dysarthrie**
– Difficulté à lire ou à reproduire un langage écrit **dyslexie**
– Difficulté d'acquisition de l'orthographe **dysorthographie**
– Difficulté dans l'apprentissage de l'écriture **dysgraphie**
– Difficulté à tenir debout **dystasie**
– Difficulté insurmontable **nœud gordien**

DIFFUSER

syn. **répandre, propager**
– Diffuser un message par radio **émettre, transmettre, retransmettre**
– Diffuser une nouvelle **colporter, ébruiter**
– Diffuser ses travaux **publier, divulguer, vulgariser**

DIFFUSION

– Diffusion de la chaleur, des ondes, de la lumière **expansion, propagation**
– Diffusion d'un programme radiophonique **radiodiffusion, transmission, retransmission**
– Diffusion destinée à un vaste public **arrosage**
– Diffusion destinée à un public non spécialiste **vulgarisation**
– Diffusion d'une pétition **distribution**
– Diffusion de cellules cancéreuses **invasion, métastase**
– Phénomène de diffusion entre deux liquides séparés par une membrane **osmose**

DIGÉRER

syn. **assimiler, comprendre**
– Facile à digérer **digeste, digestible, léger**
– Difficulté à digérer **apepsie, dyspepsie**
– Une substance qui aide à digérer **eupeptique**
– Plante aidant à digérer **anis, fenouil, coriandre, badiane, menthe, mélisse**
– Une nouvelle difficile à digérer **avaler, supporter, endurer**

DIGESTIF (APPAREIL) *Voir illustration p. 181*

DIGESTION

syn. **assimilation, nutrition, coction**
– Digestion lente et difficile **bradypepsie**
– Mauvaise digestion **apepsie, dyspepsie**
– Produit ultime de la digestion **chyle**
– Substance facilitant la digestion **eupeptique, stomachique**
– Substance essentielle à la digestion **enzyme, entérokinase**
– Mouvements de l'intestin concourant à la digestion **péristaltiques**
– Digestion en termes de chimie **décoction, macération**

DIGNE

– Une attitude digne **sérieuse, respectable, grave, responsable**
– Un air faussement digne **compassé, affecté**
– Une occupation digne de son âge **appropriée à, conforme à**
– Être digne de **mériter**

DIGNITÉ

– C'est une question de dignité **honneur, amour-propre, fierté**
– Elle a agi avec beaucoup de dignité **grandeur, noblesse, réserve, retenue**
– Dignité ecclésiastique **archevêque, évêque, cardinal, diacre, chanoine, pontife, pasteur, rabbin**
– Dignité ou carrière des honneurs de la Rome antique **potestas (questure, édilité), imperium (préture, consulat)**
– Dignité de la Grèce antique **archonte, stratège, éphore**
– Dignité dans les pays orientaux **mandarin, khan, émir, sultan**

DILAPIDER

– Dilapider tout son argent **gaspiller, dépenser, dévorer, claquer, flamber**

DILATATION

syn. **grossissement, extension**
– Dilatation d'un volume **augmentation**
– Dilatation d'un fluide **expansion, décompression**
– Dilatation du cœur et des artères **diastole**
– Dilatation du col de l'utérus **élargissement**
– Dilatation permanente des veines **varice, hémorroïde**
– Dilatation permanente d'un vaisseau **ectasie, angiectasie, couperose**
– Dilatation anormale de la pupille **mydriase**

DILEMME

syn. **choix**
– La difficulté du dilemme, l'obligation de choisir entre deux propositions incompatibles **alternative**

DILUER

– Diluer une poudre dans de l'eau **délayer, dissoudre, mélanger**
– Diluer une peinture **allonger, étendre**

DIMANCHE

– Expression qui désigne le dimanche dans la religion chrétienne **jour du repos, jour du Seigneur**
– Le repos du dimanche **dominical**
– Samedi et dimanche **week-end**
– Fête chrétienne célébrée un dimanche **Rameaux, Pâques, Pentecôte**
– Dimanche qui précède le premier dimanche de carême **quinquagésime**
– Premier dimanche de carême **quadragésime**
– Troisième dimanche du carême dans la liturgie romaine **oculi**

DIMENSION

syn. **grandeur, étendue, grosseur**
– Dimensions d'un objet **longueur, largeur, épaisseur, hauteur, profondeur**
– Dimensions d'un livre **format**
– Dimension d'une chaussure **pointure**
– Espace à une dimension **ligne droite**
– Espace à deux dimensions **plan**
– Espace à trois dimensions **volume**

– Quatrième dimension selon la théorie de la relativité **temps**
– Prendre les dimensions d'une personne **mensurations**
– Donner une dimension considérable à un événement **importance, ampleur**

DIMINUER

syn. **réduire, rétrécir, raccourcir, abaisser, restreindre**
– Diminuer rapidement **effondrer (s')**
– Diminuer progressivement **décroître, décliner, estomper (s')**
– Diminuer l'épaisseur d'un objet **amenuiser, élégir, amaigrir**
– Diminuer l'intensité sonore **atténuer, modérer, assourdir**
– Diminuer un volume **contracter, comprimer, resserrer**
– Diminuer exagérément le prix d'une chose **déprécier, dépriser**
– Diminuer le cours d'une monnaie **dévaluer**
– Diminuer la durée d'un entretien **écourter, abréger**

DIMINUTIF

syn. **surnom, sobriquet**

DIMINUTION

hyp(o)-
syn. **décroissance, décroissement, abrègement**
– Diminution d'une quantité **déplétion**
– Diminution de la valeur d'un produit, d'un immeuble **moins-value**
– Diminution effectuée sur un prix d'achat **réduction, escompte, discount, ristourne, réfaction, rabais, remise**
– Diminution d'impôt **allégement, dégrèvement, abattement**
– Diminution des forces physiques **affaiblissement, alanguissement, asthénie**
– Diminution de l'audition **hypoacousie**
– Diminution de l'odorat **anosmie**
– Diminution de volume d'un organe ou d'une tumeur **dégonflement, détumescence**
– Diminution d'une douleur **soulagement, apaisement**
– Une diminution des forces électriques **déperdition**
– Signe musical indiquant une diminution progressive **decrescendo, diminuendo**

DINOSAURE

syn. **dinosauriens**
– Ordre du groupe des dinosaures **saurischiens, ornithischiens**
– Le plus célèbre des dinosaures **diplodocus**
– Dinosaure du crétacé **iguanodon, stégosaure, brontosaure, tricératops, tyrannosaure**
– Période de disparition du dinosaure **fin**

de l'ère secondaire, crise **crétacé-tertiaire**
– Premier dinosaure identifié, en 1824 **mégalosaure**

DIOXYDE

voir aussi **chimie**
– Phénomène induit par la présence de dioxyde d'azote dans l'atmosphère **smog photochimique**
– Dioxyde de carbone CO_2, **carboglace, neige carbonique**
– Dioxyde d'azote NO_2

DIPLOMATE

syn. **ambassadeur, envoyé, plénipotentiaire, consul**

DIPLOMATIE

– Lieu où s'exerce la diplomatie **chancellerie, ambassade, mission, consulat**
– Personnel de la diplomatie **corps diplomatique**
– Agir avec diplomatie **souplesse, prudence, adresse, tact, circonspection, finesse, habileté, doigté**

DIPLÔME

– Ancien diplôme du primaire **certificat d'études primaires**
– Diplôme de fin d'étude du secondaire **brevet des collèges, baccalauréat**
– Diplôme universitaire de premier cycle **DEUG (diplôme d'études universitaires générales)**
– Diplôme universitaire de deuxième cycle **licence, maîtrise**
– Diplôme universitaire de troisième cycle **DEA (diplôme d'études approfondies), DESS (diplôme d'études supérieures spécialisées), doctorat, magistère**
– Diplôme technique **CAP (certificat d'aptitude professionnelle), BTS (brevet de technicien supérieur), DUT (diplôme universitaire de technologie), BEP (brevet d'études professionnelles)**
– Personne venant d'obtenir un diplôme **impétrant, récipiendaire, capacitaire**
– Diplôme de peu de valeur **peau d'âne, parchemin**

DIRE

syn. **déclarer, énoncer**
– Dire à voix basse **susurrer, chuchoter**
– Dire à haute et intelligible voix **articuler**
– Dire très fort **crier, hurler, vociférer**
– Dire avec certitude en faisant référence à **alléguer**
– Exprimer sa pensée sans la dire expressément **insinuer, sous-entendre**
– Dire des injures **proférer, dégoiser, vitupérer, agonir**
– Dire des gros mots **jurer**

– Dire ce que l'on a déjà dit **répéter**
– Dire oui **acquiescer**
– Un sentiment impossible à dire **inexprimable, indicible, ineffable**
– Avoir beau dire **protester, objecter**
– Sans mot dire **en silence**
– Si cela vous dit **plaît, tente, chante**

DIRECTION

syn. **destination, orientation, sens, azimuts**
– Action d'orienter un appareil d'optique dans une direction précise **collimation**
– Choisir une direction **chemin, route, axe**
– Pièce de direction d'un bateau **gouvernail, timon**
– Direction suivie régulièrement par des avions **ligne aérienne**
– S'occuper de la direction d'un travail **organisation, management**
– Direction financière de l'entreprise **gestion**
– La direction centrale d'une société **siège**
– Direction militaire **état-major, commandement**

DIRIGER

– Diriger une marchandise vers une destination **envoyer, expédier, acheminer**
– Diriger un train, un avion **aiguiller, piloter**
– Se diriger dans une mauvaise direction **fourvoyer (se)**
– Le voilier se dirige vers le port **cingle, vogue**
– Diriger son arme sur une personne **braquer**
– Diriger son tir **viser, ajuster, axer, orienter**
– Se diriger à plusieurs vers un point central **converger**
– Diriger son regard vers quelque chose **porter, tourner**
– Diriger une entreprise **administrer, gérer**
– Diriger une équipe **manager, encadrer**
– Diriger un théâtre **régir**
– Diriger un État **gouverner**

DISCERNEMENT

syn. **bon sens, intelligence, finesse, jugement**
– Avec discernement **circonspection, à bon escient**
– Sans discernement **aveuglément, à tort et à travers, inconsidérément**

DISCERNER

syn. **distinguer, percevoir, reconnaître, démêler**
– Discerner intuitivement **deviner, sentir, saisir, flairer**
– Discerner d'après un signe **diagnostiquer**

TERMES DE DROIT

Accusé : le mis en examen *(voir ce mot)* devient l'accusé lorsqu'il est renvoyé devant la cour d'assises.

Acquittement : déclaration d'innocence prononcée par la cour d'assises.

Administration légale : régime normal d'administration des biens des enfants mineurs.

Assignation ou **citation :** termes à peu près synonymes. il s'agit de l'acte d'huissier remis au défendeur ou au prévenu pour l'aviser qu'il doit comparaître devant un tribunal déterminé, dans un délai ou à une date fixés, pour une raison précisée dans l'acte.

Astreinte : condamnation prononcée par un tribunal contre un débiteur de mauvaise volonté afin de l'obliger à s'exécuter.

Avant dire droit : jugement qui sollicite l'avis d'un homme de l'art, un expert par exemple, afin de trancher une difficulté technique ; ce n'est qu'ensuite que le tribunal pourra se prononcer sur le point litigieux.

Avocat : il représente les parties, les assiste et plaide pour elles, donne des consultations juridiques et rédige certains actes. Il est inscrit au barreau, à la tête duquel se trouve le bâtonnier (qui préside le conseil de l'Ordre).

Ayant droit : personne ayant les droits d'une autre personne, et pouvant les exercer comme cette dernière le ferait.

Commissaire-priseur : officier ministériel nommé par le gouvernement qui possède un droit patrimonial sur sa charge. Il estime la valeur d'objets mobiliers et procède à leur vente publique aux enchères.

Concordat : accord intervenu entre des créanciers et un commerçant débiteur pour éviter que le commerce ou la société ne soit mis en liquidation de biens (autrement dit en faillite), et précisant la durée et le pourcentage du remboursement des dettes du commerçant.

Concussion : fait pour un fonctionnaire de percevoir des sommes qu'il sait ne pas être dues.

Condamné : prévenu contre lequel une décision de culpabilité a été rendue.

Contrôle judiciaire : mesure alternative à la détention provisoire. On laisse la personne poursuivie libre avant le jugement, mais on l'astreint à certaines obligations ou interdictions afin d'être sûr qu'elle se présentera aux convocations et qu'elle ne fera pas pression sur les témoins ou victimes.

Curatelle : mesure de protection prise au bénéfice d'un majeur qui, sans être totalement privé de discernement, connaît néanmoins certains problèmes. Cette mesure consiste à l'assister dans les actes de la vie courante. *(Voir aussi Tutelle.)*

Détention provisoire : mesure privative de liberté intervenant avant le jugement pénal, prise soit par le juge des libertés et de la détention au cas où un juge d'instruction a été désigné, soit par le tribunal correctionnel en cas de comparution immédiate dans l'hypothèse où le tribunal ne peut immédiatement juger le prévenu.

Dol : manœuvre frauduleuse destinée à tromper une personne en vue de l'amener à conclure un contrat.

Information : ensemble des recherches faites pour établir si un fait constitue bien une infraction et pour recueillir les éléments nécessaires à l'identification du ou des coupables.

Juge d'instruction : magistrat qui a pour mission de rechercher l'éventuelle implication d'une personne mise en examen en constituant un dossier d'éléments à charge mais aussi à décharge. Il rend des ordonnances (de non-lieu, par exemple) et peut délivrer des mandats (d'arrêt, par exemple).

Mainlevée : acte par lequel une personne déclare renoncer aux mesures qu'elle avait prises à l'encontre d'une autre personne.

Mesure conservatoire : moyen permettant soit d'être payé avant les autres créanciers (hypothèque, par exemple), soit d'empêcher son débiteur de dilapider ses biens ou de les faire disparaître pour ne pas payer.

Minute : original d'un acte authentique. Celui qui l'a rédigée ou l'a reçue en dépôt ne peut s'en dessaisir.

Mis en examen : personne à l'encontre de laquelle pèsent des indices graves et concordants rendant vraisemblable sa participation, comme auteur ou complice, à la réalisation des infractions dont le juge d'instruction est saisi.

Nantissement : contrat par lequel un débiteur remet une chose à son créancier pour lui garantir le paiement de sa dette.

Notaire : officier ministériel, nommé par le gouvernement, qui possède un droit patrimonial sur sa charge. Il dresse des actes qui auront à la fois force authentique et force exécutoire.

Préciput (clause de) : clause d'un contrat de mariage par laquelle, au décès du conjoint et sans attendre le partage, l'époux survivant a le droit de prélever sur la communauté certains biens ou une somme d'argent déterminés dans le contrat.

Préemption (droit de) : droit ayant pour effet que le propriétaire d'un bien ne peut le vendre à un tiers qu'après l'avoir proposé au détenteur de ce droit.

Prévenu : le mis en examen *(voir ce mot)* devient le prévenu lorsqu'il est renvoyé devant le tribunal correctionnel (ou de police) pour y être jugé.

Procureur : magistrat chargé de veiller aux intérêts de la société. Il représente l'accusation à l'occasion d'un procès pénal.

Protêt : constatation par huissier ou notaire du non-paiement d'un chèque ou d'un effet de commerce.

Recours de plein contentieux : recours porté devant une juridiction administrative, qui vise à obtenir la condamnation d'une administration au paiement d'une indemnité lorsqu'elle a causé un préjudice.

Relaxe : déclaration d'innocence prononcée par le tribunal correctionnel ou de police.

Réquisitoire : acte écrit ou oral émanant du procureur destiné à faire une demande au juge. Par exemple, réquisitoire supplétif : acte par lequel un procureur demande au juge d'instruction, déjà saisi d'un dossier, la mise en examen d'une personne qui n'y figurait pas ou qui était déjà mais pour d'autres faits.

Résolutoire (clause) : clause du bail qui prévoit que, faute de paiement du loyer ou de l'exécution d'une obligation prévue par le bail, celui-ci sera résilié de plein droit.

Sauvegarde de justice : ensemble de mesures judiciaires applicables à ceux dont la santé mentale donne des inquiétudes en raison d'une maladie, d'une infirmité ou d'un affaiblissement dû à l'âge.

Soulte : somme que doit payer aux copartageants celui qui, dans le cadre d'un partage, a reçu plus que sa part.

Témoin : toute personne dont la déposition paraît être utile à la manifestation de la vérité.

Témoin assisté : personne qui a fait l'objet d'une dénonciation ou d'une plainte, ou concernant laquelle pèsent des indices sans que pour autant ceux-ci soient graves ou concordants (le cas échéant, elle est alors mise en examen). Assistée de son avocat, elle peut, à l'initiative de son défenseur, prendre connaissance de son dossier. Contrairement au mis en examen, le témoin assisté ne peut être placé en détention provisoire ni être soumis à un contrôle judiciaire.

Tutelle : mesure de protection beaucoup plus importante que la curatelle *(voir ce mot)*, dans la mesure où la personne qui en bénéficie souffre d'une substantielle altération du discernement.

Usufruit : démembrement de la propriété. Une personne est nue-propriétaire de la chose ; une autre, l'usufruitier, en a l'usage et la jouissance mais ne peut ni la donner ni la vendre.

DISCIPLE

syn. **élève, apprenti, héritier, fidèle**
– Le disciple d'un maître religieux, philosophique **adepte, initié**

– Le disciple et défenseur d'un homme politique **partisan, tenant, dauphin, zélateur**
– Disciple de Jésus **apôtre**

– Mission des disciples de Jésus **évangélisation**
– Avoir de nombreux disciples **faire école**

DISCIPLINE

– Il a choisi une discipline difficile **matière, domaine, branche, spécialité**
– Discipline scientifique **physique, chimie, mathématiques, biologie, botanique**
– Celui qui enseigne une discipline **professeur, maître**
– Qui se rapporte à différentes disciplines **interdisciplinaire, pluridisciplinaire**
– La discipline dans un groupe **ordre, règlement, règle, loi, obéissance**

DISCONTINU

syn. **irrégulier, intermittent, sporadique**
– En discontinu **en pointillé**

DISCORDANT

– Des sons discordants **cacophoniques, dissonants**
– Bruit discordant **tintamarre, charivari, couac**
– Caractères discordants **divergents, contraires, opposés, incompatibles**

DISCOURS

syn. **conférence, allocution**
– Discours hostile, accusateur **réquisitoire, philippique, catilinaire, diatribe**
– Discours incompréhensible **amphigouri, galimatias**
– Discours de louange **panégyrique, apologie**
– Discours prononcé lors d'un enterrement **oraison funèbre**
– Discours politique **proclamation, harangue**
– Discours religieux **sermon, prêche, prédication, homélie, prône**

DISCRÉDITER

syn. **calomnier, décréditer, dénigrer, diffamer, déconsidérer, déshonorer**
– Discréditer publiquement **tympaniser**
– Discréditer quelqu'un en se moquant de lui **dauber**
– Discréditer la valeur d'un spectacle **décrier, éreinter, critiquer**

DISCRET

syn. **réservé, retenu, pudique**
– Une couleur discrète **sobre, effacée, douce**
– Un accompagnement musical discret **fond**

DISCRIMINATION

syn. **distinction, séparation**
– Discrimination fondée uniquement sur l'âge **âgisme, jeunisme**
– Discrimination fondée sur le sexe **sexisme**
– Discrimination raciale **ségrégation, apartheid, racisme**

– Lieu d'habitation d'un groupe résultant d'une discrimination **ghetto**
– Discrimination intellectuelle **discernement, jugement**

DISCULPER

syn. **innocenter, blanchir, justifier, excuser**
– Ce qui permet de se disculper **alibi**

DISCUSSION

voir aussi **conversation**
– Discussion avec échange d'opinions **controverse, polémique**
– Discussion agitée **dispute, plaid**
– Discussion à distance **téléconférence, visioconférence**

DISCUTER

syn. **bavarder, échanger, converser**
– Discuter d'une question **débattre, délibérer**
– Discuter d'un contrat **négocier**
– Discuter avec un adversaire **parlementer, traiter**
– Discuter âprement **contester, ferrailler, polémiquer**

DISLOQUÉ

– Mouvement disloqué **déhanché, dégingandé**

DISLOQUER

syn. **disjoindre, désunir, déboîter**
– Disloquer un montage **briser, démonter, désassembler, démolir**

DISPARAÎTRE

– Disparaître furtivement **fuir, sauver (se), échapper (s')**
– La douleur va disparaître **dissiper (se), éteindre (s')**
– Faire disparaître un individu **tuer, supprimer**
– Faire disparaître un objet **cacher, dissimuler, escamoter**
– Faire disparaître des maux **chasser, éloigner**
– Faire disparaître des taches **ôter, effacer, enlever**
– Disparaître dans les airs **envoler (s'), volatiliser (se), évaporer (s')**
– Disparaître en mer **couler, sombrer, abîmer (s')**

DISPARITION

syn. **absence**
– Déplorer la disparition d'un ami **mort, perte, décès, trépas**
– Disparition d'une civilisation **extinction, fin**
– La disparition des privilèges **suppression, abolition**
– Disparition d'un astre **éclipse, occultation**
– Disparition d'une tumeur **résorption**

DISPENSE

syn. **autorisation, permission, dérogation**
– Dispense fiscale **exonération, franchise, exemption**
– Dispense accordée à certaines personnes **immunité**

DISPENSER

– Il dispense ses conseils à son entourage **distribue, donne, accorde**
– Dispenser quelqu'un d'une obligation **exempter, décharger, soulager**
– Dispense-moi de tes conseils **épargne-moi, évite-moi**

DISPERSER

– Disperser les cendres **répandre, éparpiller**
– Disperser sous forme de gouttes **vaporiser, atomiser**
– Disperser des graines **semer**
– Empêcher de se disperser **canaliser, concentrer, encadrer**

DISPONIBILITÉ

– Disponibilités financières **fonds, trésorerie, liquidités, réserve**
– Il ne faut pas confondre disponibilité et **inactivité, désœuvrement, oisiveté**

DISPONIBLE

syn. **libre, vacant**

DISPOSER

syn. **placer, mettre, installer, agencer, répartir**
– Pouvoir disposer de la voiture d'un ami **emprunter, utiliser, servir de (se), user de**
– Pouvoir disposer de ses biens **jouir de**
– Disposer d'un revenu confortable **posséder, bénéficier de**
– Vous pouvez disposer **vous retirer, partir, sortir**
– Se disposer à faire quelque chose **préparer à (se), apprêter à (s'), songer à**

DISPOSITIF

syn. **mécanisme, montage, appareil**
– Dispositif de sécurité **plan**

DISPOSITION

– Disposition des meubles dans la pièce **agencement, installation, répartition, structure, organisation**
– Sa disposition à faire quelque chose **penchant, goût, inclination, faculté**
– Prendre des dispositions **mesures, résolutions, décisions, précautions**
– Être dans de bonnes dispositions **intentions**

DISPUTE

– Une dispute les sépare **brouille, fâcherie, chicane**

– Une grave dispute **altercation, querelle, heurt**
– Une dispute d'enfants **chamaillerie**

DISSÉMINÉ
– Groupe d'habitations disséminées **hameau, bourgade, lieu-dit**

DISSÉMINER
– Disséminer des papiers **disperser, éparpiller, répandre**
– Disséminer des graines **semer**

DISSERTATION
– Dissertation sur un sujet donné **exposé, étude, essai, mémoire, rédaction, composition**

DISSIMULATION
– Un caractère enclin à la dissimulation **hypocrisie, sournoiserie, fausseté, duplicité**
– Dissimulation d'un défaut **tricherie, tromperie, cachotterie, feinte**
– Sans dissimulation **franchement, ouvertement**

DISSIMULER
– Dissimuler un sentiment **cacher, feindre, taire, voiler, occulter**
– Dissimuler une douleur **masquer, déguiser**
– Dissimuler aux regards extérieurs **soustraire, dérober, escamoter**
– Se dissimuler sous une fausse identité **abriter (s')**

DISSIPER
syn. faire cesser, supprimer
– Dissiper sa fortune **gaspiller, dilapider**
– Dissiper un doute **chasser, ôter, effacer**
– Faire se dissiper un mauvais rêve **oublier, refouler**
– Dissiper ses camarades **amuser, distraire, divertir**

DISSIPER (SE)
– Le brouillard se dissipe **lève (se), disparaît, évapore (s')**

DISSOLUTION
– Dissolution chimique **adipolyse, cyanuration, cytolyse, fibrinolyse**
– Produit obtenu par dissolution **soluté, solution**
– Dissolution d'un mariage **divorce**
– Condamner la dissolution des mœurs **corruption, débauche, immoralité, dépravation**

DISSOUDRE
– Substance qui dissout une autre substance **décompose, désagrège**
– L'eau dissout le sucre **absorbe, ronge**

– Produit utilisé pour dissoudre **dissolvant, détergent, benzène, naphte**
– Substance se laissant bien dissoudre **soluble**

DISTANCE
– Distance entre deux points **intervalle, espacement**
– Distance verticale **élévation, hauteur**
– Distance horizontale **longueur**
– Distance entre les yeux **écart**
– Distance effectuée par un avion sans ravitaillement **autonomie, capacité**
– Distance atteinte par le projectile d'une arme à feu **portée**
– Distance entre les extrémités des ailes **envergure**
– Distance parcourue **parcours, trajet, chemin**
– Appareil servant à mesurer des distances **chaîne d'arpenteur, compteur, podomètre, radar**
– À faible distance **à proximité**

DISTANT
– Le lieu est distant de 3 kilomètres **éloigné, loin**
– Manières distantes **fières, hautaines, supérieures, dédaigneuses, altières, condescendantes, méprisantes**

DISTILLATION
– Distillation du pétrole brut **raffinage**
– Résidu de distillation **brai, coke**
– Résidu provenant de la distillation de liquides alcooliques **vinasse, flegme**
– Résidu aqueux provenant de la distillation de végétaux **drêche**
– Substance obtenue par la distillation de plantes **essence**
– Huile obtenue par la distillation de goudron de bois **créosote**
– Eau parfumée obtenue par la distillation de substances végétales **hydrolat**
– Distillation répétée afin d'obtenir une concentration **cohobation**
– Appareil utilisé pour la distillation **alambic, athanor, rectificateur**

DISTINCT
– Deux choses distinctes **différentes, dissemblables**
– Parler d'une manière peu distincte **bredouiller, bafouiller, balbutier, marmonner**

DISTINCTION
dia-
– Distinction subtile **distinguo, nuance**
– Distinction raciale **discrimination**
– Distinction scientifique **séparation, différenciation**
– Faire preuve de distinction **raffinement, élégance, noblesse, classe**
– Marque de distinction **prérogative, privilège**

– Établir des distinctions **différences, préférences**
– Décerner une distinction **décoration, prix, accessit**

DISTINGUER
– Ce qui distingue l'homme de la femme **différencie, sépare**
– Distinguer une silhouette **discerner, apercevoir, reconnaître**
– On le distingue tout de suite **remarque**

DISTRACTION
– Distraction privilégiée **dada, violon d'Ingres, hobby**
– Il a trouvé une distraction à l'ennui **dérivatif, passe-temps, diversion**
– Elle sait s'octroyer des moments de distraction **divertissement, agrément, récréation, détente, loisir**
– J'ai commis cette erreur par distraction **étourderie, inattention, mégarde, inadvertance**

DISTRAIRE
– Distraire les enfants **divertir**
– Se distraire **égayer (s'), amuser (s')**
– Distraire une personne en plein travail **déranger, importuner, interrompre, dissiper**
– Distraire une somme d'un héritage **soustraire, retrancher, détourner**
– Distraire un tableau de l'ensemble d'une œuvre **détacher, séparer**

DISTRAIT
– Il est distrait **étourdi, écervelé**
– Il a toujours un air distrait **absent, rêveur**
– Écouter d'une oreille distraite **être inattentif**

DISTRIBUER
– Distribuer des vivres **partager, dispatcher, répartir**
– Distribuer les cartes **donner**
– La canalisation distribue l'eau **conduit**
– Distribuer dans le temps **échelonner**

DISTRIBUTION
– Distribution de vivres **répartition, partage, attribution**
– Une distribution généreuse **largesse**
– Distribution à un large public **diffusion**
– La distribution méthodique **classement, ordonnance**
– La distribution d'un appartement **agencement, aménagement, disposition**
– Distribution prestigieuse lors d'un spectacle **affiche, palette d'acteurs, brochette**

DIVAGUER
– Il divague en ce moment **déraille, débloque, délire, égare (s'), déraisonne, extravague**

DIVERGENCE

– Divergence de points de vue **malentendu, désaccord, différend, mésentente**
– Divergence profonde **conflit, dissension, fossé, gouffre**

DIVERS

– Vous vous adressez à un public divers **disparate, composite, hétérogène, éclectique**
– Des avis divers **distincts, variés, multiples, partagés**
– Il existe diverses possibilités **plusieurs, différentes, maintes, de nombreuses**

DIVERSION

syn. **distraction, dérivatif, divertissement**
– Faire diversion **ruser, détourner, tromper**

DIVERSITÉ

– La diversité des espèces **multiplicité, pluralité**
– La diversité des idées **hétérogénéité, variété**

DIVERTIR

– Qui divertit gaiement **amusant, plaisant, réjouissant**
– Celui qui divertit **bouffon, fou, comique, pitre, clown**

DIVERTISSEMENT

– Divertissement plaisant **distraction, loisir, passe-temps, jeu**
– Divertissement des écoliers **récréation**
– Divertissement musical **divertimento**

DIVINATION

– Forme de la divination **prédication, prophétie, augure, auspices, présage**
– Divination par les baguettes **rhabdomancie**
– Divination par l'interprétation des rêves **oniromancie**
– Divination chinoise par les écailles de tortue **chéloniomancie**
– Divination par consultation des nombres **arithmomancie, numérologie**
– Divination par lecture des lignes de la main **chiromancie**
– Divination par le vol des oiseaux **ornithomancie**
– Personne douée d'un pouvoir de divination **devin, haruspice, pythonisse**

DIVINEMENT

syn. **merveilleusement, suprêmement, magnifiquement, souverainement**
– Divinement bon **excellent**

DIVISER

– Diviser en coupant **sectionner, tronçonner, découper, trancher**

– Diviser en plusieurs parts **fractionner, fragmenter, parceller, segmenter, séparer**
– Diviser un terrain **lotir, parcelliser**
– Diviser un ensemble **démembrer, décomposer, disjoindre**
– Diviser un dessin en carrés **graticuler**
– Diviser un livre en tomes **tomer**

DIVISER (SE)

– Groupe qui se divise en deux **répartit (se), scinde (se)**
– L'ardoise se divise en lamelles **fend (se), clive (se), exfolie (s')**

DIVISION

dis-
– Division par dix, cent, mille **déci-, centi-, milli-**
– Division d'un feuilleton **épisode**
– Division d'un texte **paragraphe, chapitre**
– Division d'un poème **strophe, chant, couplet**
– Division d'un livre sacré **verset, surate**
– Division cinématographique **séquence, plan, découpage**
– Division administrative **région, province, département, commune, circonscription, canton**
– Division d'une région, d'une ville **régionalisation, arrondissement**
– Division de l'atome **fission, scission**
– Division sociale **classe, clan, tribu, caste**
– Éléments d'une division **quotient, diviseur, dividende, reste**

DIVORCE

– Divorce d'un couple **rupture, séparation**
– Cause de divorce **adultère, infidélité, abandon, violences, cruauté mentale, sévices**
– Forme de divorce dans le droit romain antique **par consentement mutuel, divorce-répudiation**
– Délai devant être observé par une femme entre le divorce et un remariage **délai de viduité**
– Procédure pouvant être effective avant un divorce **séparation de corps, séparation de fait**

DIVULGUER

– Divulguer une nouvelle **révéler, dévoiler, ébruiter**

DIX

déca-, déci-, décem-
– Dix fois plus **décuple**
– Période de dix ans **décennie**
– Période de dix jours **décade**
– Récit raconté pendant dix jours **le Décaméron**

– Poème de dix vers **dizain**
– Vers à dix pieds **décasyllabe**
– Système numérique en base dix **décimal**
– Les Dix Commandements **le Décalogue**
– Division astrologique en trois fois dix degrés **décan**
– Instrument antique à dix cordes **décachorde**
– Compétition sportive comprenant dix épreuves **décathlon**
– Membre d'un collège de dix personnes dans l'Antiquité romaine **décemvir**
– Groupe composé de dix soldats dans la Rome antique **décurie**
– Chef d'un groupe composé de dix soldats dans la Rome antique **décurion**
– Dans l'Antiquité romaine, mise à mort d'une personne sur dix **décimation**
– Dix paquets de cigarettes **cartouche**

DIXIÈME

– Dixième mois du calendrier romain **décembre**
– Dixième mois du calendrier révolutionnaire **messidor**
– Dixième jour dans le calendrier révolutionnaire **décadi**

DOCILE

– C'est un enfant docile **sage, obéissant, discipliné**
– Il a un caractère docile **facile, souple, doux, soumis**
– Rendre docile **apprivoiser, soumettre, mater**

DOCTEUR

voir aussi **médecin**
– Terme péjoratif appliqué aux mauvais docteurs en médecine **charlatan, médicastre**
– Diplôme décernant le titre de docteur **doctorat**
– Formation d'un docteur en médecine dans un domaine précis **spécialisation, internat**
– Particule indiquant la spécialisation d'un docteur **ès**
– Grade de docteur décerné à titre honorifique **honoris causa**
– Docteur de l'Église **Père, théologien**
– Docteur de la loi juive **rabbin, massorète, scribe**
– Docteur musulman **mollah, uléma**

DOCTRINE

– Doctrine religieuse **dogme**
– Doctrine à caractère scientifique **théorie, système, thèse**
– Doctrine littéraire **école**
– Religieux chargés de l'enseignement de la doctrine chrétienne **ignorantins**
– Professer une doctrine **enseigner**
– Contester une doctrine **opinion**

DOCUMENT

– Qualifie un type de document **écrit, sonore, visuel, audiovisuel, informatique, électronique, télématique**
– Document informatique **fichier**
– Document relatant les événements d'une époque **annales, chronique, Mémoires**
– Document utilisé en justice **pièce**
– Ensemble de documents conservés pour être consultés **documentation, archives**
– Film constitué de documents authentiques **documentaire**
– Sert à ranger des documents **classeur, chemise**

DOGMATIQUE

– Corollaire d'une attitude dogmatique **intransigeance, intolérance, fanatisme**
– Un ton dogmatique **doctoral, sentencieux, magistral, autoritaire, assuré**
– Il tient des propos dogmatiques **catégoriques, péremptoires, tranchants**

DOIGT *Voir illustration main, p. 358*
dactyl-, dactylo-, digiti-
– Doigt de la main **pouce, index, majeur, ou médius, annulaire, auriculaire**
– Doigt du pied **orteil**
– Os du doigt **phalange, phalangine, phalangette**
– Gros doigt rond **boudin**
– Au bout des doigts **ongles**
– Animal marchant sur les doigts **digitigrade**
– Mammifères ongulés possédant un nombre de doigts impair **périssodactyles, imparidigités**
– Mammifères ongulés possédant un nombre de doigts pair **artiodactyles, paridigitidés**
– Qui a les doigts courts **brachydactyle**
– Qui a les doigts longs **macrodactyle**
– Artiste aux doigts agiles **prestidigitateur**
– Maladie des doigts **goutte, panaris, tourniole, onglée, pigeonneau**
– Semblable ou propre au doigt **digiforme, digital**
– Technique de communication au moyen des doigts **dactylologie**
– Espace entre le pouce et l'auriculaire, tendus, qui servait de mesure **empan**
– Objet protégeant le doigt **dé, doigtier, délot, poucier**

DOMAINE

– Domaine de compétence **spécialité, matière, partie**
– Le domaine des connaissances **étendue, champ**
– Un domaine de la recherche **branche, secteur**
– Domaine immobilier **propriété, terre, patrimoine**
– Domaine circonscrit par un animal **territoire**
– Domaine agricole très étendu **latifundium, exploitation**
– Domaine agricole au Brésil **fazenda**
– Domaine agricole dans la pampa **estancia, hacienda**
– Parcelle du domaine royal attribué à un prince exclu de la couronne **apanage**

DOMESTIQUE /1

syn. **serviteur, femme de chambre, employé de maison, camériste, femme de ménage, bonne**
– Ensemble des domestiques **domesticité, valetaille, personnel de maison**
– Domestique d'une grande maison **maître d'hôtel, majordome**
– Domestique s'occupant exclusivement des enfants **nurse, gouvernante**
– Domestique d'un grand hôtel particulier **chasseur, groom, liftier**
– Domestique dans les pays colonisés **boy, fatma**
– Domestique à qui est confiée l'administration d'un domaine **intendant, régisseur, factotum**
– Domestique au théâtre **soubrette, valet**
– Rémunération d'un domestique **gages**

DOMESTIQUE /2

– C'est un animal domestique **familier, apprivoisé**
– Assure la tenue de l'intérieur domestique **ménager**
– Dieux domestiques de la mythologie **lares, pénates**

DOMICILE

voir aussi **maison**
– Le domicile d'une personne **foyer, habitation, résidence, chez-soi**
– Domicile d'une entreprise **siège**
– Personne sans domicile fixe **itinérant, voyageur, nomade, forain, colporteur, vagabond, SDF, beatnik**
– Élire domicile **installer (s'), emménager, établir (s'), fixer (se)**
– Profession exercée à domicile **télétravail**

DOMINANT

– Influence dominante **ascendant**
– Position dominante **suprématie, hégémonie, leadership**

DOMINATION

– Une domination morale **influence, emprise, ascendant**
– Une domination politique **dictature, tyrannie, joug**

DOMINER

– Il aime dominer **diriger, gouverner, régenter, avoir barre sur**
– Dominer un peuple **soumettre, assujettir, régner sur**
– Dominer ses rivaux lors d'une course **surclasser, surpasser**
– Dominer sa gourmandise **réprimer, surmonter, contenir**
– La ville domine le lac **surplombe**

DOMINER (SE)

– Parvenir à se dominer **maîtriser (se), prendre sur soi**

DOMMAGE

syn. **dégât, ravage, détérioration, perte, déprédation**
– Dommage causé par une tempête à un espace forestier **vimaire**
– Dommage subi par des marchandises **avarie**
– Réparation d'un dommage **dédommagement, indemnité**
– Cela lui a causé un grand dommage **préjudice, tort**
– Qui n'a subi aucun dommage **indemne, intact**
– C'est dommage ! **ennuyeux, fâcheux, contrariant, regrettable**

DON

Syn. **cadeau, présent, gratification**
– Don fait dans le cadre d'une aide financière **subvention, mécenat, allocation, subside, parrainage**
– Don annuel **étrenne**
– Don fait par charité **aumône**
– Don fait par les héritiers d'un artiste et réglant les frais de succession **dation**
– Don fait dans le cadre juridique **legs, donation, fidéicommis, cession**
– Don financier fait à une personne pour la corrompre **pot-de-vin, bakchich, épices, matabiche**
– Don en nature ou en argent dans l'Antiquité romaine **sportule**
– Don offert à Dieu **offrande, sacrifice, oblation, holocauste**
– Don rituel constituant un défi qui doit être relevé par un contre-don **potlatch**
– Don remis par un client **pourboire**
– C'est un don de Dieu ! **grâce, bénédiction, manne**
– Don modeste **obole**

DONNÉE

– Il recueille de nouvelles données **éléments, informations, renseignements**
– Les données du problème **hypothèses, énoncé**
– Ensemble de données informatiques **banque, base**

DONNER

– Donner à quelqu'un **offrir, attribuer, céder**
– Donner de l'argent **rémunérer, rétribuer**

– Donner les moyens de **procurer, octroyer**
– Donner un pourboire **laisser, verser, gratifier de**
– Donner une interview **accorder**
– Donner des coups **assener**
– Donner un blâme **infliger**
– Donner une qualité à quelqu'un **prêter, imputer**
– Donner un spectacle **représenter**
– Donner l'envie **susciter, éveiller**
– Donner les cartes **distribuer**

DONNER (SE)
– Se donner à une cause **vouer à (se), consacrer à (se), sacrifier pour (se)**

DORÉ
– Un teint doré **cuivré, bruni, bronzé, halé**
– Un aspect doré **ambré, mordoré**
– Couleur dorée du pain **grigne**
– Argent doré **vermeil**
– Une robe dorée **lamée, pailletée**
– Cresson doré **dorine**

DORÉE
– Dorée des mers d'Europe **saint-pierre, poule de mer, jean-doré, poisson de saint Christophe**
– Dorée de l'étang **tanche**

DORER
– Faire dorer dans la poêle **rissoler, revenir**
– Dorer la pilule à quelqu'un **tromper, leurrer, abuser**

DORMANT
– Pont dormant **fixe**
– Eaux dormantes **stagnantes, immobiles, marécages**

DORMIR
– Dormir profondément **reposer (se), pioncer**
– Dormir d'un sommeil léger **sommeiller, somnoler**
– Dormir dans l'après-midi **faire la sieste, faire un somme, faire la méridienne**
– Commencer à dormir **assoupir (s'), endormir (s')**
– Besoin pathologique de dormir **narcolepsie, hypersomnie**
– Impossibilité de dormir **insomnie**
– Substance aidant à dormir **somnifère, soporifique, narcotique**
– Lieu où l'on dort **chambre, dortoir**

DOS
noto-
syn. **échine**
– Propre au dos **dorsal**
– Dos du lapin **râble**
– Dos d'une feuille **verso**

– Le dos de la main **revers**
– Le dos d'une chaise **dossier**
– Élément de l'anatomie du dos **colonne vertébrale, omoplates, lombes, sacrum, coccyx**
– Douleur dans le dos **lumbago, courbature, dorsalgie**
– Qui a le dos déformé **bossu**
– Monstre possédant un ou deux membres sur le dos **notomèle**
– S'appuyer sur le dos **adosser (s')**
– Punaise d'eau nageant sur le dos **notonecte**
– Signature apposée au dos d'un chèque, d'un effet **endos**
– Être sur le dos de quelqu'un toute la journée **surveiller, espionner**
– Tourner le dos à quelqu'un **abandonner, dédaigner**
– Courber le dos **résigner (se), céder**
– Avoir, être le dos au mur **être acculé**

DOSE
– Une certaine dose de produit **quantité, mesure**
– Petite dose **doigt, goutte, dé à coudre, pincée**
– Dose mortelle **surdose, overdose**
– Dose absorbée **prise**
– Indication des doses **posologie**

DOSSIER
– Siège avec dossier **fauteuil, voltaire, marquise, chaise, cathèdre, canapé, veilleuse, ottoman**
– Élément de décoration d'un dossier **étoffe, clou, frange, garniture**
– Un dossier délicat **affaire, cas**
– Examiner les pièces d'un dossier **consulter, compulser**

DOUANE
– Personnel des douanes **inspecteur, receveur, vérificateur, douanier**
– Droits de douane calculés selon la valeur des marchandises **ad valorem**
– Des droits de douane calculés selon le volume des marchandises **spécifiques**
– Document d'acquit des frais de douane **passavant**
– Carnet de passage en douane d'un véhicule automobile **triptyque**
– Suspension des frais de douane **transit, entrepôt**
– Loi spécifiant le relèvement des droits de douane **loi du cadenas**
– Mouvement commercial relevant de la douane **importation, exportation**
– S'affranchit illégalement des droits de douane **contrebandier**

DOUBLE /1
voir aussi **copie**
– Expression du double **dualité, duplicité**
– Son double **alter ego, sosie, jumeau**

– Un double d'une œuvre **réplique, copie, reproduction**
– Le double d'un document **duplicata, photocopie, fac-similé**

DOUBLE /2
– Sens double d'une expression, d'un mot **amphibologie**
– Avoir un langage double **équivoque, ambigu**
– Doctrine à double principe **dualisme, manichéisme**
– Double consonne **géminée**
– Fait double emploi **doublon**

DOUBLER
– Doubler une dose **augmenter**
– Doubler la bande son d'un film **post-synchroniser**
– Doubler un acteur **remplacer**
– Doubler un concurrent **devancer, surpasser**

DOUBLURE
– Doublure d'un vêtement **fourrure, ouate, matelassé, percaline**
– Doublure d'un chapeau **coiffe**
– Liséré dépassant d'une doublure **débord, passepoil**
– Ouverture d'un vêtement laissant voir la doublure **crevé, taillade**

DOUCEMENT
– Frapper doucement **délicatement, faiblement, légèrement**
– Pianiste qui joue doucement **piano, pianissimo**

DOUCEUR
– La douceur d'un mets **suavité, onctuosité, délicatesse, légèreté**
– La douceur de la peau **satiné, velouté**
– La douceur du temps **tiédeur**
– Une extrême douceur **délicatesse, tendresse**
– Atmosphère de douceur **sérénité, quiétude**
– Individu affectant une fausse douceur **mielleux, benoît, patelin, mellifue, mignard**

DOULEUR *Voir tableau p. 182*
dolor-, alg(o)-
– Il éprouve une douleur **souffrance, mal**
– Douleur diffuse **algie**
– La douleur peut être **aiguë, anodine, bénigne, irradiante, lancinante, pulsative, pongitive, erratique**
– Douleur d'enfant **bobo**
– Une cause provoquant une douleur **algésiogène**
– Goût et recherche de la douleur **algophilie**
– Recherche du plaisir sexuel dans la douleur physique **masochisme, algomanie**

– Doctrine fondée sur l'exaltation de la douleur **dolorisme**
– Sensibilité à la douleur **algésie**
– Absence de la sensation de douleur **analgie, analgésie, anesthésie**
– Médicament qui calme, diminue la douleur **analgésique, antalgique**
– Douleur morale **affliction, tristesse, deuil, détresse, déréliction, peine**

DOUTE

– Doute émanant de la raison **hésitation, incertitude, irrésolution**
– Doute métaphysique **scepticisme**
– Doute religieux **agnosticisme**
– Doute éprouvé à l'égard d'un individu **méfiance, soupçon, suspicion**
– Air, attitude exprimant le doute **dubitatif, sceptique**
– Elle est plongée dans le doute **perplexité**
– Raisonnement dont le doute est exempt **indubitable, incontestable**
– Sans doute **vraisemblablement, peut-être, probablement, sûrement, indubitablement**

DOUTER

– État d'esprit de celui qui doute **incertitude, réticence**
– Qui ne doute pas **certain, sûr, déterminé, positif**

DOUTER (SE)

– Se douter de quelque chose **soupçonner, deviner, supposer, subodorer**

DOUTEUX

– Authenticité douteuse **incertaine, contestable, hypothétique**
– Tractation douteuse **magouille, grenouillage**
– Il a des fréquentations douteuses **suspectes, louches, mauvaises**
– D'un blanc douteux **sale, malpropre**

DOUX

– Doux au toucher **soyeux, onctueux, moelleux, satiné**
– Doux au goût **sucré, agréable**
– Trop doux **douceâtre, doucereux, fade, sirupeux, liquoreux**
– Une lumière douce **tamisée, voilée**
– Une personne douce **affable, amène, débonnaire, tendre**
– Climat doux **tempéré**
– Rendre plus doux **édulcorer**

DOUZAINE

– Douze douzaines **grosse**

DOUZE

dodéc(a)-
– Système numérique qui est en base douze **duodécimal**
– Douze est leur nombre **apôtres, mois**
du calendrier républicain, signes du zodiaque, travaux d'Hercule
– Vers de douze syllabes **dodécasyllabe, alexandrin**
– Une fleur à douze pistils **dodécagyne**
– Un cristal à douze faces **dodécaèdre**
– Façade d'un édifice qui présente une rangée de douze colonnes **dodécastyle**
– Musique contemporaine n'employant qu'une série de douze sons **dodécaphonisme**
– Intestin d'une longueur de douze doigts **duodénum**
– Contient l'équivalent de douze bouteilles de champagne **salmanazar**

DOYEN

– Dignité de doyen **décanat, doyenné**

DRAGÉE

– Au centre de la dragée **amande, chocolat, liqueur**
– Accompagnent les dragées **perles**
– Dragée à l'écorce d'orange, au pignon de pin **orangeat, pignolat**
– Occasion d'offrir des dragées **baptême, communion, mariage**
– Coupe à dragées **drageoir**

DRAGON

– Dragon crachant le feu **chimère**
– Dragon au corps de serpent **hydre, guivre**
– Dragon des légendes provençales **tarasque**
– Expédition punitive menée par les dragons du roi contre les protestants **dragonnade**
– Autrefois, corps des dragons **cavalerie**
– C'est un véritable dragon **cerbère**

DRAGUER

– Draguer un plan d'eau **curer, nettoyer, désenvaser**
– Draguer une fille **courtiser, faire la cour, conter fleurette, séduire**

DRAINER

– Drainer un terrain **assécher, assainir**
– Ce qui sert à drainer **rigole, gouttière, fossé**
– Drainer des capitaux **collecter, rassembler, attirer**

DRAMATIQUE

– Une représentation dramatique **théâtrale, scénique**
– Composition dramatique **comédie, drame, tragédie**
– Art de la composition dramatique **dramaturgie**
– Auteur dramatique **dramaturge**
– Œuvre musicale à caractère dramatique **opéra, arioso, fado**
– Un épilogue dramatique **saisissant, poignant, pathétique, émouvant**
– Un accident dramatique **terrible, tragique, mortel, funeste**

DRAME

– Type de drame théâtral **bourgeois, romantique, naturaliste**
– Drame sacré espagnol **auto**
– Drame japonais **nô**
– Drame sacré du Moyen Âge **miracle, mystère**
– Drame lyrique à thème religieux **oratorio, cantate**
– Drame populaire dont l'accompagnement musical souligne le tragique **mélodrame**
– Drame mimé **mimodrame**

DRAPEAU *Voir illustration p. 185*

– Étude des drapeaux **vexillologie**
– Drapeau des armées romaines dans l'Antiquité **vexille**
– Drapeau de l'époque médiévale **bannière, enseigne, oriflamme, gonfalon, pennon**
– Drapeau de marine **pavillon, pavois, guidon, fanion**
– Étoffe d'un drapeau **étamine**
– Ornement attaché à la hampe d'un drapeau **cravate**
– Long manche sur lequel est fixé un drapeau **hampe, espar**
– Hauteur de l'étoffe d'un drapeau **guindant**
– Longueur de l'étoffe d'un drapeau **ballant**
– Division d'un drapeau multicolore **canton**
– Porte-drapeau **enseigne, cornette**

DRESSER

– Dresser un monument **élever, ériger, monter**
– Dresser une bannière **lever, arborer**
– Dresser la table **mettre**
– Dresser un procès-verbal **verbaliser**
– Dresser une liste **établir, rédiger**
– Dresser une pierre **équarrir**
– Dresser une planche de bois **aplanir, dégauchir, raboter, rifler, varloper**
– Dresser un animal **domestiquer, dompter, apprivoiser**
– Dresser un cheval **débourrer**
– Dresser un faucon **affaiter**
– Dresser deux personnes l'une contre l'autre **braquer, exciter, cabrer**

DRESSER (SE)

– Ses poils se dressent **hérissent (se)**
– Se dresser contre **opposer à (s'), insurger contre (s'), révolter contre (se)**

DROGUE *Voir tableau p. 187*

– Drogue agissant sur le système nerveux **stimulant, euphorisant, stupéfiant**
– Nom familier de la drogue **came, chnouf, dope**

– Pour fumer de la drogue **joint, pétard**
– Drogue hallucinogène **mescaline, psilocybine, LSD, lysergide**
– Drogue de synthèse **crack, black tar**
– Drogue analgésique **opium, codéine, morphine, méthadone, héroïne**
– Drogue issue du cannabis, ou chanvre indien **marijuana, haschisch, kif**
– Drogue issue des feuilles du coca **cocaïne**
– État résultant d'une prise de drogue continuelle **accoutumance, pharmacodépendance, assuétude**
– État dû à la prise d'une drogue **flash, défonce**
– Injection de drogue **shoot, fixe**
– Personne dépendante d'une drogue **toxicomane, accro, junkie**
– Médicament agissant comme une drogue **antidépresseur, somnifère, narcotique, psychotrope**
– Vendeur de drogue **dealer, narcotrafiquant**

DROIT /1 *Voir tableau p. 191*
voir aussi **justice**
– Champ concerné par le droit civil **personnes, état civil, patrimoine**
– Champ concerné par le droit commercial **actes de commerce, Bourse de commerce, effets de commerce, faillite, société**
– Champ concerné par le droit maritime **affrètement**
– Champ concerné par le droit administratif **État, hiérarchie des fonctionnaires, police, finances publiques**
– Champ concerné par le droit du travail **conventions collectives, arbitrage, réglementation du travail**
– Champ concerné par le droit constitutionnel **nation, peuple, libertés publique et individuelle, élections**
– Champ concerné par le droit pénal **délit, crime, tribunaux, amnistie**
– Champ concerné par le droit international public **coutumes internationales, territoires sous tutelle, ONU, organismes européens, conflits internationaux**
– Champ concerné par le droit international privé **situation des étrangers, nationalité, naturalisation, expulsion, immigration**
– Champ concerné par le droit rural **remembrement**
– Domaine du droit public **constitutionnel, administratif, pénal, international public**
– Domaine du droit privé **civil, commercial, international privé, pénal, maritime**
– Distinction du droit juridique **public, privé**
– Donner un droit **autorisation, permission**

– Exercer son droit **pouvoir, qualité**
– Droit accordé spécifiquement **prérogative, privilège, usage**
– Fait de percevoir un droit **taxe, imposition, redevance, péage**

DROIT /2
– En position droite **verticale, rectiligne, perpendiculaire, debout**
– Un plan à angle droit **orthogonal**
– Insecte aux ailes droites **orthoptère**
– Le côté droit d'un navire en regardant vers l'avant **tribord**
– Main droite **dextre**
– Déplacement du cœur vers le côté droit **dextrocardie**
– Une personne droite **honnête, probe, loyale, intègre**

DRÔLE
syn. **comique, burlesque, risible, plaisant, cocasse, gai**
– Caractère drôle **amusant, facétieux**
– Une drôle de personne **bizarre, extravagante, loufoque**
– Un drôle d'objet **curieux, étonnant, étrange, insolite**
– C'est un sacré drôle **maraud, coquin**

DUEL
Syn. **combat, lutte, rencontre, affaire**
– Type de duel judiciaire au Moyen Âge **ordalie**
– Provocation en duel d'un chevalier **cartel**
– Autrefois, manière de provoquer en duel **jeter le gant**
– Duel télévisé **face-à-face, joute, débat**

DUPER
– Duper quelqu'un **flouer, leurrer, tromper, berner, gruger, rouler, embobiner, entuber**
– Permet de duper **bagout, flatterie, illusion**

DUR
– Un matériau dur **ferme, rigide, solide**
– Dur au toucher **rêche, rugueux**
– Dur comme un diamant **adamantin**
– Du pain dur **rassis**
– Un comportement dur **sauvage, austère, brutal**
– Un ton dur **glacial, sévère**
– Un enfant dur **capricieux, turbulent, désobéissant**
– Dur à cuire **coriace, résistant, endurci, robuste**

DURABLE
– Sentiment durable **solide, vivace, persistant**
– Situation durable **constante, permanente, stable**
– Rendre durable **pérenniser, instituer, enraciner, fixer, consolider, consacrer**

DURCIR
– Durcir une substance **épaissir, concréter, solidifier**
– Durcir l'acier **tremper**
– Matériau qui durcit par dessiccation **plâtre, ciment, mastic, lut**
– Tissu des artères qui se durcit **sclérose (se), indure (s')**

DURCIR (SE)
Syn. **cuirasser (se), endurcir (s'), affermir (s'), aguerrir (s')**

DURÉE
syn. **période, laps de temps, espace**
– Durée déterminée d'un phénomène **phase, stade**
– Durée d'un pouvoir royal **règne**
– Durée d'un son musical **valeur**
– Durée illimitée **pérennité, perpétuité, éternité**
– Durée brève **instant, moment**

DURER
– Faire durer indéfiniment **éterniser, perpétuer, immortaliser**
– Faire durer une tradition **maintenir, vivre**
– Faire durer une loi **proroger**
– Faire durer une fête **prolonger**
– Durer malgré des assauts destructeurs **résister, persister, subsister**

DURETÉ
– La dureté d'un matériau **résistance, rigidité, consistance, solidité**
– Dureté d'une région **inhospitalité, sécheresse**
– Dureté d'un jugement **intransigeance, sévérité, inclémence**
– Propos pleins de dureté **méchanceté, cruauté, perfidie**

DUVET
– Couvert de duvet **tomenteux, pubescent, lanugineux, cotonneux**
– Sans duvet **glabre**
– Duvet des bourgeons **bourre**
– Rempli du duvet de l'eider **édredon**
– Veste en duvet **doudoune**

DYNAMIQUE
– Principe fondamental de la physique dynamique **inertie**
– Objet d'étude de la physique dynamique **forces**
– Électricité dynamique **courant électrique**

DYNASTIE
– Dynastie de l'histoire de France **Mérovingiens, Carolingiens, Capétiens, Valois, Bourbons**
– Il soutient la branche aînée d'une dynastie **légitimiste**
– Principe de la dynastie **succession**

EAU
– Composition chimique de l'eau **hydrogène, oxygène**
– Dont le milieu naturel est l'eau **aquatique**
– Qui s'imprègne aisément d'eau **hydrophile**
– Dont l'énergie est fournie par l'eau **hydraulique**
– Qui renferme de l'eau **aquifère**
– Réserve souterraine d'eau **nappe phréatique**
– Absorption d'eau par l'organisme **hydratation**
– Présence anormale d'eau dans le sang **hydrémie**
– Thérapie fondée sur les propriétés curatives de l'eau **hydrothérapie**
– Procédé d'élimination de l'eau **déshydratation, dessiccation**
– Peur maladive de l'eau **hydrophobie**
– Dépourvu d'eau **anhydre**

EAU-DE-VIE *Voir tableau alcools, p. 17-18*
– Eau-de-vie de fruit **mirabelle, poire, prune, quetsche, kirsch**
– Eau-de-vie de vin **cognac, armagnac, marc**
– Eau-de-vie de grain **gin, whisky, vodka, genièvre**
– Eau-de-vie de riz **saké, arak, raki**
– Eau-de-vie de cidre **calvados**

ÉBAHI
syn. **étonné, stupéfait, médusé, sidéré, ahuri, déconcerté, éberlué**
– Être ébahi à l'annonce d'une nouvelle **interdit, abasourdi, interloqué**

ÉBAUCHE
syn. **commencement**
– Ébauche d'un tableau **esquisse, croquis, projet**
– Ébauche d'une œuvre littéraire **plan, canevas, synopsis, maquette**
– Rester à l'état d'ébauche **embryonnaire**

ÉBAUCHER
– Ébaucher un mouvement **entamer, amorcer, esquisser**

– Ébaucher un bloc de marbre **dégrossir, épanneler**

ÉBÈNE
– Arbre à ébène **ébénier**
– Utilisation de l'ébène **marqueterie, ébénisterie, tabletterie**

ÉBÉNISTERIE *Voir tableau p. 200*
– Branche de l'ébénisterie **marqueterie**
– Technique d'ébénisterie **déroulage, placage, tranchage, contreplacage**
– Ouvrage d'ébénisterie **meuble, moulure, parquet**

ÉBLOUIR
– Se laisser éblouir par des manières courtoises **séduire, tromper, impressionner**
– Éblouir par son talent **émerveiller, fasciner**

ÉBLOUISSANT
– Une lumière éblouissante **aveuglante**
– Une prestation éblouissante **remarquable, sublime, fascinante**
– Une éloquence éblouissante **impressionnante, séduisante**

ÉBLOUISSEMENT
– Être sujet à des éblouissements **vertiges, malaises, étourdissements**
– Éblouissement affectant le champ visuel **scotome**
– Éblouissement d'une rencontre, d'un voyage **émerveillement, enchantement**

ÉBOUILLANTER
– Ébouillanter des haricots verts **blanchir**
– Ébouillanter une théière **échauder**
– S'ébouillanter **brûler (se)**

ÉBOURIFFÉ
syn. **échevelé, hirsute, dépeigné**
– Une coiffure ébouriffée **hérissée, désordonnée**

ÉBRANLER
syn. **remuer, secouer, agiter**
– Ébranler des certitudes **entamer, affaiblir, saper**

– Ébranler l'autorité en place **compromettre, déstabiliser**
– Être moralement ébranlé **ému, affecté, touché, bouleversé**
– Être physiquement ébranlé **commotionné, choqué, traumatisé**
– S'ébranler **mettre en marche (se), démarrer**

ÉBRÉCHER
syn. **abîmer**
– Partie ébréchée d'un objet **ébréchure**
– Un héritage bien ébréché **entamé, réduit, écorné, diminué**

ÉCAILLE
– Animal à écailles **squamifère**
– Insecte antennifère à écailles **lépidoptère**
– Écailles recouvrant les ailes du papillon **poussières**
– Écaille de très petite dimension **squamule**
– Qui a l'apparence de l'écaille **squameux**
– Écaille d'huître **coquille, valve**
– Débarrasser un poisson de ses écailles **écailler**
– Tortue très recherchée pour son écaille **caret**
– Écaille de plâtre **fragment, lambeau, parcelle**

ÉCART
syn. **distance, intervalle, éloignement, fourchette, variation**
– Écart de température **variation, différence**
– Écart de conduite **incartade, frasques, fredaines**
– Écart de langage **grossièreté, injure, impertinence**
– Écart dans le développement d'un sujet **digression, parenthèse**
– Faire un écart en voiture **embardée**
– Écart de l'épaule chez le cheval **entorse**
– Prendre une personne à l'écart **à part, en aparté**
– Mise à l'écart d'une personne malade **quarantaine**
– Individu vivant à l'écart des normes sociales **marginal, paria**

ÉCARTER
– Écarter un rival **évincer, éliminer**
– Écarter les doigts **disjoindre, desserrer**
– Écarter les lèvres d'une plaie **séparer, élargir**
– Écarter un sentiment douloureux **refouler, bannir**
– Écarter les soupçons **dissiper**
– Écarter les obstacles **supprimer, balayer**
– Écarter une solution **rejeter, repousser, exclure**
– S'écarter du droit chemin **fourvoyer (se), égarer (s')**
– S'écarter de son devoir **dévier, détourner (se), éloigner (s')**
– S'écarter afin de laisser le passage **effacer (s')**

ÉCHAFAUDAGE
– Élément d'un échafaudage **boulin, écoperche, plancher, pylône, baliveau**
– Échafaudage de livres **pyramide, amas, pile**
– Échafaudage d'une théorie **construction, édification, élaboration**

ÉCHANGE
syn. **troc, commerce, circulation**
– Somme d'argent versée à titre de compensation dans un échange **soulte**
– Échanges internationaux **commerce extérieur**
– Politique de restriction des échanges **protectionnisme**
– Politique de liberté des échanges **libre-échange**
– Propriété des cellules permettant l'échange **perméabilité**
– Échange de lettres **correspondance**
– Échange de vues **conversation, discussion, débat**
– Échange de propos désobligeants **querelle, altercation, dispute**
– Échange de coups **rixe, pugilat, échauffourée, rencontre, duel**
– Échange de partenaires sexuels **échangisme**
– En échange **en retour, en contrepartie**
– En échange de **pour prix de, en compensation de, contre**

ÉCHANTILLON
syn. **type, spécimen, modèle**
– Présenter un échantillon de son talent **exemple, aperçu**
– Collection d'échantillons **échantillonnage**
– Échantillon d'individus représentatifs d'une population **panel**

ÉCHAPPER
– Échapper à une contrainte **éviter, dérober à (se), soustraire à (se), fuir**
– Échapper à un grand péril **réchapper de**
– Des senteurs s'échappent **exhalent (s')**

QUELQUES ESSENCES UTILISÉES EN ÉBÉNISTERIE ET EN MENUISERIE

Acajou d'Amérique : coûteux, peu importé, remplacé par l'acajou d'Afrique.

Ako : pour le contreplaqué et le placage.

Amarante : difficile à travailler, aspect soyeux, utilisé en particulier dans la fabrication des queues de billard.

Aningre : pour imiter les essences coûteuses.

Araribe : en particulier pour les travaux de sculpture.

Bois de rose : en ébénisterie (reproduction de meubles) et marqueterie.

Bois de violette : pour la fabrication de meubles de style.

Cèdre d'Amérique : pour le placage des meubles et la fabrication des boîtes à cigares.

Citronnier de Ceylan : bois dur et lourd, difficile à travailler. Pour le placage de meubles de style et la marqueterie.

Courbaril : bois très dur qui désaffûte les outils.

Ébène de Macassar : bois de grande valeur. Pour les meubles de style, les instruments de musique, la décoration de luxe.

Érable : marqueterie et lutherie (pour les manches et les fonds des violons).

If : pour les meubles de style anglais. Peu commercialisé.

Madrona : pour les meubles de valeur.

Myrte : en marqueterie.

Noyer : le noyer noir d'Amérique est très décoratif.

Okoumé : essentiellement pour la fabrication du contreplaqué.

Orme : pour l'ébénisterie massive.

Palissandre : bois très décoratif.

– Échapper à une situation embarrassante **éluder, esquiver**
– Laisser échapper un objet **glisser, tomber**
– S'échapper d'une prison **sauver (se), évader (s'), enfuir (s')**
– S'échapper discrètement **éclipser (s'), évanouir (s')**

ÉCHARPE
– Elle porte une écharpe en hiver **cache-nez, cache-col, foulard**
– Écharpe de chevalier **ceinture, bande, baudrier**
– Avoir le bras en écharpe **en bandoulière, bandé, plâtré**
– Un véhicule pris en écharpe **obliquement, de biais**

ÉCHAUDER
– Échauder une pintade, des légumes **ébouillanter, blanchir**
– Être échaudé **déçu, trompé**

ÉCHEC *Voir tableau échecs, p. 203*
syn. **insuccès, déconfiture, déboires, défaite, revers**
– Échec financier **faillite, ruine**
– Échec d'une œuvre cinématographique ou théâtrale **four, fiasco**
– Faire échec aux projets d'une personne **entraver, gêner, contrecarrer, contrarier, contrer**

ÉCHELLE
– Traverse d'une échelle **échelon, barreau**
– Petite échelle pliante **escabeau**
– Échelle à un seul montant **échelier**

– Échelle sociale **hiérarchie**
– Échelle de sons **gamme**
– Échelle métrique **graduation**
– Appliquer l'échelle mobile des salaires **indexation**
– S'inscrire dans l'échelle des êtres **série, suite, succession**
– Échelle portée sur une carte géographique **rapport**
– À l'échelle de **aux dimensions de, à la mesure de**

ÉCHELON
– Échelon dans la hiérarchie **niveau, degré, grade**
– Par échelons **par paliers, graduellement**

ÉCHELONNER
– Échelonner les vins, du moins bon au meilleur **répartir, distribuer, graduer**
– Échelonner des paiements **étaler**

ÉCHEVEAU
– Écheveau de difficultés **dédale, enchevêtrement, embrouillamini, labyrinthe**

ÉCHINE
syn. **dos, colonne vertébrale, rachis, épine dorsale**
– Partie de l'échine du porc, du veau ou du chevreuil **longe**
– Courber l'échine **soumettre (se), plier (se), céder**

ÉCHO
syn. **répétition, résonance**
– Phénomène induit par l'écho **réflexion, répercussion, réverbération**

– Appareil fonctionnant sur le principe de l'écho **radar**
– Se faire l'écho d'une rumeur **propager, répandre, répéter**
– Avoir des échos sur son comportement **bruits, nouvelles, informations**
– Un appel resté sans écho **réponse, réaction**
– Échos d'un journal **rubrique**' **mondaine**
– Journaliste chargé des échos **échotier**

ÉCHOUER
– L'entreprise a échoué **avorté, raté**
– Faire échouer un complot **déjouer**
– Un navire s'échoue **envase (s'), ensable (s'), engrave (s')**

ÉCLABOUSSER
syn. **arroser, asperger**
– Éclabousser la mémoire d'une personne **salir, compromettre**

ÉCLAIR
syn. **foudre, tonnerre, orage**
– Éclair de chaleur **fulguration**
– Éclair de génie **trait, étincelle**
– Éclair de tendresse **lueur, éclat**
– Diffuser une nouvelle-éclair **flash d'information**

ÉCLAIRAGE
– Appareil d'éclairage artificiel **luminaire, lampe, lampadaire, lustre, spot, applique, néon, lanterne, bougie**
– Dispositif d'éclairage d'un véhicule **feu, phare, antibrouillard, code, veilleuse**
– Éclairage d'un monument, d'une ville à l'occasion de festivités **illumination, son et lumière**
– Instrument permettant l'éclairage des cavités de l'organisme **endoscope**
– Appareil d'éclairage sans ombres portées utilisé en chirurgie **scialytique**
– Considérer une question sous un certain éclairage **angle, aspect, point de vue, jour**

ÉCLAIRCIR
– Éclaircir un semis de betteraves **démarier**
– Éclaircir du verre **polir**
– Éclaircir une sauce **allonger**
– Éclaircir une affaire **débrouiller, démêler, élucider**
– Le ciel s'éclaircit **dégage (se)**

ÉCLAIRER
– Éclairer une personne sur ses intentions **instruire, informer, expliquer à, renseigner**

ÉCLAT
– Il y avait des éclats de verre partout **fragments, brisures, morceaux, débris**
– Éclat de bois **éclisse**

– Éclat de pierre **écornure, recoupe, épaufrure**
– Éclat d'os **esquille**
– Éclats de métal **battitures**
– Mesure de l'éclat des étoiles **magnitude**
– Éclat d'un objet brillant **lustre**
– Éclat d'un diamant **feu**
– Éclat du soleil **flamboiement**
– Éclat du regard **luminosité**
– Admirer l'éclat d'une société, d'une époque **faste, splendeur, magnificence, rayonnement**
– Éclats de voix **cris, vociférations**
– Éviter tout éclat **scandale, retentissement, bruit**

ÉCLATANT
syn. **étincelant, éblouissant**
– Un son éclatant **puissant**
– Une pierre éclatante **rutilante, chatoyante**
– Une éclatante beauté **radieuse, resplendissante, triomphante**
– Une vérité éclatante **évidente, manifeste**
– Une victoire éclatante **retentissante, spectaculaire**

ÉCLATER
– Faire éclater une bombe **exploser, sauter**
– Faire éclater un pneu **crever**
– Éclater sous l'effet d'une trop forte pression **casser (se), briser (se), rompre (se)**
– Faire éclater le tronc d'un arbre **écuisser**
– Éclater de rire **pouffer, esclaffer (s')**
– Éclater en reproches **tempêter, jurer, fulminer, répandre (se), emporter (s')**
– Orage qui éclate **commence, déclare (se)**

ÉCLIPSE *Voir illustrations p. 204, Lune, p. 354, et marées, p. 368*
syn. **occultation**
– Une éclipse de Soleil durant laquelle la partie visible a la forme d'un anneau **annulaire**
– Une éclipse durant laquelle l'astre éclipsé n'est pas privé de lumière **apparente**
– Une éclipse durant laquelle l'astre éclipsé est privé de lumière **vraie**
– Cycle d'apparition des éclipses **saros**
– Éclipse de mémoire **défaillance**
– Un mouvement à éclipses **intermittent**

ÉCLUSE
syn. **barrage**
– Bassin d'une écluse **sas**
– Paroi d'une chambre d'écluse **bajoyer**
– Partie du canal de navigation entre deux écluses **bief**
– Quantité d'eau lâchée par l'ouverture d'un poste d'écluse **éclusée**

ÉCŒURANT
– Des relents écœurants **dégoûtants, nauséabonds, fétides, infects**
– Une attitude écœurante **révoltante, choquante, répugnante**

ÉCOLE *Voir tableau p. 207*
– Enseignant de l'école primaire **instituteur, maître, professeur des écoles**
– Enseignant de l'école secondaire **professeur**
– École de danse **académie**
– École de musique et de théâtre **conservatoire**
– École privée **institution, pension**
– École destinée aux enfants de militaires **prytanée**
– École nationale d'administration **ENA**
– École nationale d'ingénieurs des travaux agricoles **ENITA**
– École nationale supérieure agronomique **ENSA**
– École nationale supérieure d'ingénieurs **ENSI**
– École polytechnique **l'X**
– École de peinture **style, courant**
– Se réclamer d'une école **mouvement, clan, chapelle**

ÉCOLIER
syn. **élève, disciple**
– Fournitures de l'écolier **cahiers, cartable, trousse, ardoise, livres, stylos, crayons**
– Blouse d'écolier **tablier**
– Il n'est encore qu'un écolier **apprenti, débutant, novice**

ÉCOLOGIQUE
– Facteur agissant sur le milieu écologique **écobiotique**
– Ensemble écologique réduit **écosystème**

ÉCONOME /1
– Occuper la fonction d'économe **gestionnaire, administrateur**

ÉCONOME /2
– Une personne économe à l'excès **parcimonieuse, chiche, avare, regardante, ladre**

ÉCONOMIE *Voir tableau p. 208*
– Réaliser une économie de temps **gain**
– Dilapider ses économies **pécule, épargne, réserves**
– Admirer l'économie d'un roman **organisation, structure, plan**
– Traitement mathématique appliqué à l'économie **économétrie**

ÉCONOMISER
syn. **épargner, réduire, limiter**
– Économiser l'énergie **ménager, restreindre (se)**

ÉCORCE
– Écorce laissée sur le bois débité **grume**
– Ôter l'écorce d'un arbre **écorcer, décortiquer**
– Opération consistant à supprimer la première écorce du chêne-liège **démasclage**
– Écorce d'un fruit **peau, pelure**
– Écorce terrestre **croûte**
– Écorce de la tige de chanvre **teille**
– Écorce cérébrale **cortex**

ÉCORCHER
– Écorcher un animal **dépouiller, dépiauter**
– Écorcher le prénom d'une personne **déformer, estropier**
– Écorcher les oreilles **heurter, choquer, offenser**
– Des genoux écorchés **éraflés, griffés, égratignés, excoriés**

ÉCOULEMENT
– Écoulement de bile **dégorgement**
– Écoulement d'un liquide organique **flux, excrétion, épanchement**
– Écoulement des eaux usées **évacuation, déversement**
– Écoulement nasal purulent survenant chez un animal **jetage**
– Écoulement anormal **coryza, métrorragie, leucorrhée**
– Branche de la mécanique étudiant l'écoulement de la matière **rhéologie**
– Appareil mesurant l'écoulement d'un fluide **rhéomètre**
– Écoulement d'un stock **vente**

ÉCOUTER
– Écouter ses parents **obéir à, satisfaire**

ÉCRAN
– Écran cinématographique **toile**
– Écran de visualisation en informatique **moniteur**
– Petit écran **télévision, téléviseur**
– Écran en photographie **filtre**
– Écran en acoustique **baffle**
– Écran de cheminée **pare-étincelles, pare-feu**
– Écran de fumée **rideau**
– Procédé d'impression à travers un écran de soie **sérigraphie**
– Faire écran **interposer (s'), empêcher**

ÉCRASER
– Écraser une bouteille en plastique **aplatir**
– Écraser le raisin **fouler, presser**
– Écraser du poivre **égruger, pulvériser, broyer, concasser, moudre**
– Écraser du grain **piler, triturer**
– Écraser une révolte **briser, anéantir**
– Écraser un peuple de charges **accabler**
– Écraser le personnel de travail **surcharger**

– Être écrasé par une autorité, un pouvoir **dominé, opprimé**
– Un nez écrasé **camus**

ÉCREVISSE
– Ordre auquel se rattache l'écrevisse **décapodes**
– Élevage d'écrevisses **astaciculture**
– Instrument utilisé pour la pêche à l'écrevisse **balance, nasse**

ÉCRIRE
syn. **inscrire, noter, marquer, rédiger**
– Écrire en traçant les caractères avec soin **calligraphier**
– Écrire sans grande application **gribouiller, griffonner**
– Écrire de la musique **composer**
– Écrire correctement un mot **orthographier**
– Écrire pour énoncer une idée **soutenir, exposer**
– Impossibilité pathologique d'écrire **agraphie**
– Besoin pathologique d'écrire **graphomanie, graphorrhée**

ÉCRIT
– Écrit enregistrant un acte juridique **certificat, minute, titre, pièce, original**
– Écrit polémique ou satirique **pamphlet, libelle, diatribe, satire**
– Écrit scientifique **publication, article**
– Écrit littéraire **ouvrage, œuvre**
– Écrit dont l'authenticité est douteuse **apocryphe**
– Texte écrit à la main **manuscrit**
– Texte dactylographié **tapuscrit**
– Langue écrite **littéraire, soutenue**
– Testament écrit en entier, daté et signé de la main du testateur **olographe**

ÉCRITURE
syn. **graphie**
– Écriture faite de dessins représentant des objets **pictographie**
– Écriture symbolique **idéographie**
– Écriture où chaque syllabe est représentée par un signe unique **syllabique**
– Écriture cursive des anciens Égyptiens et langue grecque moderne en usage aujourd'hui **démotique**
– Écriture chiffrée **cryptographie**
– Étude des écritures anciennes **paléographie**
– Étude psychologique de l'écriture **graphologie**
– Unité distinctive de l'écriture en linguistique **graphème**
– Tenir les écritures d'une maison **comptabilité**
– Les Saintes Écritures **la Bible**
– Écriture caractéristique d'un écrivain **style, plume**
– Difficultés dans l'apprentissage de l'écriture **dysgraphie**

ÉCRIVAIN
syn. **auteur, prosateur, romancier, poète, dramaturge, essayiste, nouvelliste**
– Mauvais écrivain **plumitif, écrivailleur, écrivaillon, écrivassier**
– Écrivain composant sur des sujets variés **polygraphe**

ÉCROULEMENT
syn. **affaissement, éboulement, effondrement**
– Écroulement d'une civilisation **ruine, anéantissement, destruction, chute**

ÉCROULER (S')
– S'écrouler moralement **sombrer, effondrer (s'), craquer**

ÉCU *Voir tableau héraldique, p. 289-290*
syn. **bouclier, panonceau**
– Petit écu en place sur des armoiries **écusson**
– Fond de l'écu **champ**
– Centre de l'écu **abîme, cœur**
– Bordure de l'écu placée à distance du bord même **orle**
– Coin de l'écu **canton**
– Objet représenté sur un écu **meuble**
– Ornement d'armoirie placé au-dessus de l'écu **cimier**

ÉCUEIL
syn. **récif, brisant**
– Affronter les écueils de la création **dangers, pièges**
– Rencontrer un écueil **achopper**

ÉCUME
syn. **mousse**
– Écume des animaux **bave, sueur**
– Écume d'un métal en fusion **scorie, crasse**
– Écume de mer **magnésite, sépiolite**
– Contenant de l'écume **spumeux**
– Semblable à de l'écume **spumescent**
– Ôter l'écume d'un bouillon **écumer**
– Être l'écume de la société **lie, rebut**

ÉCUREUIL
– Famille à laquelle appartient l'écureuil **sciuridés**
– Écureuil de terre **tamia, suisse**
– Écureuil volant **polatouche**
– Écureuil de Russie **petit-gris**
– Écureuil d'Afrique et d'Asie **xérus**

ÉCURIE
– Compartiment destiné aux chevaux à l'intérieur d'une écurie **stalle, box**
– Garçon d'écurie **lad, palefrenier**
– Être l'écume de la société **lie, rebut**

ÉCUYER
voir aussi **chevalier**
syn. **amazone, cavalier**

ÉCHECS

**BUT DU JEU : METTRE MAT
LE ROI DE L'ADVERSAIRE
64 CASES, 32 PIÈCES**

Abandon : acte d'un des joueurs qui, pensant que sa défaite est inévitable, quitte la partie.

Adouber : replacer correctement une pièce dans sa case. Il est impératif de dire « j'adoube » avant d'effectuer ce geste.

Aile :
● aile de la dame, moitié gauche de l'échiquier correspondant aux colonnes a, b, c et d ;
● aile du roi, moitié droite de l'échiquier correspondant aux colonnes e, f, g et h.

Aller à dame : avancer un pion sur une colonne ouverte dans l'espoir de le faire parvenir jusqu'à la dernière rangée, où il pourra être échangé contre n'importe quelle pièce.

Attaque : manœuvre destinée à menacer une ou plusieurs pièces adverses.

Bandes : ensemble des cases situées au bord de l'échiquier.

Case :
● case forte, case du camp adverse que l'on peut occuper sans craindre d'être attaqué ;
● case de fuite, case qu'une pièce attaquée peut venir occuper pour se mettre à l'abri.

Centre : partie de l'échiquier constituée des cases d4, d5, e5 et e4 qui est, dans les ouvertures, la zone clef du jeu.

Clouage : fait d'immobiliser partiellement ou totalement

une pièce par la menace portée sur une autre pièce située derrière elle.

Colonne : ensemble de 8 cases situées sur une même verticale.

Coup : mouvement d'une pièce.

Coup du berger : consiste à mettre l'adversaire mat en 4 coups.

Couvrir : parer une menace en interposant une pièce.

Damer : *voir Promotion.*

Dangereuse : nom donné aux diagonales e1-h4 et e8-h5.

Diagonale : ligne oblique de 8 cases de même couleur.

Échec : le roi est « en échec » lorsqu'il est sur une case contrôlée par l'adversaire.

Échec à la découverte : fait que le roi soit tenu en échec par une autre pièce que la pièce jouée.

Échec et mat : *voir Mat.*

Figures : toutes les pièces qui ne sont pas des pions.

Fou :
● bon fou,
fou qui n'est pas gêné dans son évolution par les pions de son camp ;
● mauvais fou,
fou gêné dans son évolution par la présence des pions de son camp sur les cases de sa couleur.

Fourchette : attaque simultanée de deux pièces.

Gambit : sacrifice d'un pion, voire d'une figure, au début de la partie, afin d'en retirer un avantage. Peut-être accepté ou refusé.

Mat : situation où le roi ne peut éviter d'être capturé au coup suivant.

Mat étouffé : mat donné à un roi en échec par les pièces de son propre camp.

Miniature : partie d'échecs qui n'excède pas vingt coups.

Nulle : situation de jeu où aucun des deux adversaires ne peut prétendre à la victoire.

Ouverte : colonne ou diagonale où ne se trouve aucun pion.

Ouverture : premiers coups d'une partie.

Pat : situation impossible du roi qui, sans être mat, ne peut bouger qu'en s'exposant au mat. Entraîne la nullité.

Pièces :
● pièces à longue portée (32 au total), la dame, la tour et le fou ;
● pièces lourdes ou majeures, la dame et la tour ;
● pièces mineures, le cavalier et le fou ;
● pièce surchargée, pièce devant remplir trop de fonctions à elle seule.

Pion :
● pion arriéré, pion qui ne peut être protégé par les pions amis des colonnes voisines du fait de leur position avancée ;
● pions doublés, deux pions du même camp situés sur la même colonne ;
● pion isolé, pion qui n'a pas de pion ami sur les colonnes adjacentes pour le protéger ;
● pion passé, pion dont la promotion est certaine ;
● pions pendants, deux pions liés, qui n'ont aucun pion ami sur les colonnes voisines et sont placés

sur des colonnes ouvertes pour l'adversaire.

Prise en passant : dans le cas d'un pion qui use de son privilège de s'avancer de deux cases au premier coup joué s'il traverse une case contrôlée par l'adversaire. Il peut alors se faire prendre comme s'il n'avait avancé que d'une seule case.

Promotion : transformation d'un pion en une figure dès qu'il parvient à atteindre la huitième rangée.

Qualité : différence de valeur entre les diverses pièces. Un joueur « gagne de la qualité » lorsque, avec une pièce mineure, il capture une pièce lourde.

Rangée ou **traverse :** ensemble des cases situées sur une même ligne horizontale.

Roque : mouvement du roi et de la tour ne comptant que pour un seul coup. Le roi se déplace de deux cases sur la même traverse et la tour, vers laquelle il s'est dirigé, passe par-dessus lui pour se placer à ses côtés. Le coup est possible à condition que le roi n'ait pas été mis en échec avant.

Sacrifice : perdre intentionnellement un pion ou une pièce en vue d'une attaque dont les gains prévus seront supérieurs au sacrifice fait.

Tempo : unité temporelle qui représente un coup.

Temps : *voir Tempo.*

Trait : le droit – qui est aussi une obligation – à faire le coup. Prérogatives des blancs au premier coup.

Traverse : *voir Rangée.*

– Gentilhomme qui découpait la viande du prince **écuyer tranchant**
– Gentilhomme qui servait à la table du prince **écuyer de bouche**

ÉDIFICE

syn. **monument, construction, bâtiment**

ÉDIFIER

syn. **bâtir, construire**
– Édifier une statue **élever, ériger**
– Édifier un empire **fonder, établir, constituer, créer**
– Son intervention nous a édifiés **instruits**

ÉDITION

syn. **impression, tirage, publication**
– Édition réalisée aux frais de l'auteur **à compte d'auteur**
– Nouvelle édition d'un texte **réédition, réimpression, refonte**
– Préparer une édition avec beaucoup de soin **procurer**
– Première édition d'un ouvrage inédit **originale**
– Première édition d'un texte ancien et rare **princeps**

ÉDUCATEUR

syn. **pédagogue, enseignant, précepteur**

– Éducateur ayant en charge des enfants handicapés **éducateur spécialisé**

ÉDUCATION

– Éducation physique **gymnastique, sport**
– Éducation socioprofessionnelle **formation, initiation, apprentissage**
– Qui s'occupe d'éducation **pédagogue**
– Science de l'éducation **pédagogie**
– Avoir de l'éducation **politesse, savoir-vivre, distinction**

EFFACER

syn. **supprimer, détruire**
– Effacer les péchés **absoudre**

– Effacer un souvenir **bannir, abolir, refouler**

– Une personne effacée **timide, réservée, modeste**

– Couleur qui s'efface à la lumière **disparaît, estompe (s'), pâlit, atténue (s')**

– S'effacer devant une autorité **incliner (s')**

– S'effacer afin de laisser le passage **écarter (s')**

EFFARÉ

syn. **effarouché, effrayé**

– Un regard effaré **égaré, hagard**

EFFAROUCHER

syn. **effrayer, intimider**

– Effaroucher une jeune fille **choquer, offusquer**

EFFECTIF

– Une présence effective **réelle, active, certaine**

– Des résultats effectifs **concrets, tangibles, positifs**

– Valeurs effectives **espèces**

EFFET

syn. **conséquence, suite, résultat, portée, influence, impact**

– Effet en retour **contrecoup, répercussion**

– Effet d'optique **illusion**

– Effet du hasard **fruit, produit**

– Effet de commerce **chèque, warrant, lettre de change, billet à ordre, traite**

– Sous l'effet de l'alcool **empire, action**

– En effet **effectivement, assurément**

– Faire effet **agir, opérer, être efficace**

– Faire de l'effet **impressionner, frapper**

– Donner de l'effet à une balle, un ballon ou une boule **brosser, couper**

– Ranger ses effets dans l'armoire **vêtements, linge**

EFFICACE

– Un remède efficace **actif, opérant**

EFFICACITÉ

– Efficacité manifestée dans le travail **capacité, rendement, productivité**

– Admirer l'efficacité d'un style **puissance**

EFFLEURER

– Effleurer le bras d'une personne **frôler, raser, toucher, friser**

– Effleurer un sujet **aborder, suggérer, survoler, faire allusion à, glisser sur**

EFFONDRER

– Effondrer un champ **défoncer, labourer**

– S'effondrer **affaisser (s'), écrouler (s'), ébouler (s')**

– Être moralement effondré **abattu, accablé, anéanti, prostré**

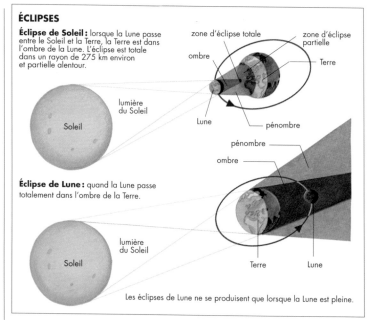

ÉCLIPSES

Éclipse de Soleil : lorsque la Lune passe entre le Soleil et la Terre, la Terre est dans l'ombre de la Lune. L'éclipse est totale dans un rayon de 275 km environ et partielle alentour.

zone d'éclipse totale
zone d'éclipse partielle
ombre
Terre
lumière du Soleil
Soleil
Lune
pénombre

Éclipse de Lune : quand la Lune passe totalement dans l'ombre de la Terre.

pénombre
ombre
lumière du Soleil
Soleil
Terre
Lune

Les éclipses de Lune ne se produisent que lorsque la Lune est pleine.

EFFORCER (S')

syn. **tenter, tâcher**

– S'efforcer sans grand résultat **évertuer (s'), escrimer (s')**

– S'efforcer de ne plus faire quelque chose **contraindre à (se)**

EFFORT

– Effort intellectuel **concentration, application**

– Effort financier **sacrifice**

– Effort de traction **force**

– Effort de rein **lumbago, hernie**

– Effort de boulet du cheval **entorse, distension**

– Sans effort **facilement, sans peine**

EFFRAYER

– Être effrayé par un danger **apeuré, épouvanté, effaré, terrorisé**

– Être effrayé par l'ampleur d'une tâche **découragé, rebuté**

– S'effrayer **affoler (s'), alarmer (s')**

EFFRONTÉ

– Attitude effrontée **insolente, impudente, impolie**

– Affirmations effrontées **éhontées, scandaleuses, cyniques**

EFFROYABLE

– Un crime effroyable **atroce, horrible, abominable, épouvantable, horrible, monstrueux**

– Une pauvreté effroyable **immense**

– Des dépenses effroyables **excessives**

– Un bruit effroyable **assourdissant**

ÉGAL

– Un rythme égal **régulier, uniforme, constant, soutenu, invariable**

– Des points à égale distance **équidistants**

– À valeur égale **équivalent, semblable, identique**

– Une surface égale **plate, unie, lisse**

– Un triangle à deux côtés égaux **isocèle**

– Une figure dont les côtés sont égaux entre eux **équilatérale**

– Une répartition égale **impartiale, équitable**

– D'égale profondeur **isobathe**

– D'égales dimensions **isométrique**

– Période de l'année où les jours ont une durée égale à celle des nuits **équinoxe**

– Une beauté sans égal **incomparable, unique**

ÉGALISER

– Égaliser une terre **aplanir, niveler**

– Égaliser les revenus **équilibrer, ajuster**

ÉGALITÉ

syn. **parité, similitude**

– Égalité de force entre deux éléments **équilibre**

– Égalité de durée **isochronisme**

– Égalité d'âme **sérénité, équanimité, ataraxie, quiétude, paix**

– Doctrine professant l'égalité absolue des hommes **égalitarisme**

– Loi instituant une stricte égalité entre la faute et le châtiment **loi du talion**

– Égalité de points **match nul**

– Égalité de résultat **ex æquo**

ÉGARER
– Égarer les esprits **tromper, abuser, dévoyer**
– S'égarer **fourvoyer (se), perdre (se), détourner (se)**

ÉGAYER
syn. **amuser, distraire, divertir, ébaudir, récréer, réjouir**
– Égayer un appartement avec des tentures colorées **orner, agrémenter**

ÉGLISE *Voir illustration p. 211, et tableau p. 212*
– Accord entre l'État et l'Église **concordat**
– Autorité suprême de l'Église catholique **pape**
– Assemblée régulière de membres de l'Église catholique **concile**
– Siège de l'Église catholique **Saint-Siège, Vatican**
– Principaux caractères de l'Église catholique **unité, sainteté, catholicité, apostolicité**
– Exclure un fidèle de l'Église **excommunier**
– Gens d'Église **clergé**
– Consécration d'une église **dédicace**
– Type d'église **cathédrale, collégiale, basilique, chapelle, abbatiale**

ÉGOÏSME
– Contraire de l'égoïsme **altruisme, générosité**

ÉGOÏSTE
syn. **égocentrique, individualiste, personnel**

ÉGOUT
syn. **cloaque, bourbier**
– Orifice d'accès aux égouts **bouche, regard, plaque**
– Canalisation d'égout **conduit, puisard**

ÉGOUTTER
– Égoutter un terrain **drainer, assécher**

ÉGOUTTOIR
– Égouttoir à bouteilles **hérisson**
– Égouttoir à fromage **cagerotte, clayon, clisse, faisselle**

ÉGRATIGNER
– Ses remarques l'ont égratigné **blessé, piqué**
– Égratigner la terre **labourer**

ÉGRATIGNURE
syn. **blessure, écorchure, éraflure, griffure**

ÉJECTER
syn. **rejeter, projeter, propulser**
– La lave a été éjectée par le volcan **crachée**

ÉLABORER
syn. **produire, former, transformer**
– Élaborer un plan **préparer, échafauder, étudier**
– Un plat élaboré **recherché, sophistiqué, raffiné**

ÉLAN /1
syn. **mouvement, impulsion**
– Arrêter une personne dans son élan **course**

ÉLAN /2
– Famille à laquelle appartient l'élan **cervidés**
– Élan du Canada **orignal**

ÉLARGIR
– Élargir le col de l'utérus **dilater**
– Élargir une encolure **évaser**
– Élargir un terrain d'action **amplifier, étendre**
– Élargir un ouvrage tressé **distendre**
– Élargir un vêtement **détendre, agrandir**
– Élargir un détenu **relâcher, libérer, relaxer**

ÉLASTICITÉ
syn. **extensibilité, flexibilité**
– Élasticité des gaz **compressibilité, coercibilité**
– Élasticité d'un marché financier **variation, fluctuation**
– Élasticité d'une démarche **souplesse, vigueur**
– Des mentalités dépourvues d'élasticité **souplesse, plasticité**

ÉLASTIQUE
– Saut à l'élastique **benji**

ÉLECTION
– Modalités d'une élection **scrutin**
– Vote apporté lors d'une élection **suffrage**
– Ensemble des habitants d'une circonscription appelés à une élection **collège électoral**
– Élections administratives **régionales, départementales, municipales**
– Élections politiques **sénatoriales, législatives, présidentielles**
– Élection d'un académicien par les membres déjà élus **cooptation**
– Terre d'élection **d'adoption**
– Assemblée qui procède à l'élection du pape **conclave**

ÉLECTRICITÉ *Voir tableau p. 215*
syn. **courant, énergie**
– Électricité atmosphérique **éclair, foudre**
– Pourvoir un réseau en électricité **électrifier**
– Tuer par l'électricité **électrocuter**

– Dispositif produisant de l'électricité **électrogène**
– Emploi thérapeutique de l'électricité **électrothérapie, diathermie**
– Particule élémentaire possédant la plus petite charge en électricité **électron**
– Application de l'électricité en biologie **électrobiologie**
– Domaine de la physique étudiant les phénomènes relatifs à l'électricité **électrologie**
– Unité de mesure en électricité **ampère, coulomb, hertz, ohm, volt, watt**

ÉLECTRIQUE
– Science étudiant les charges électriques au repos **électrostatique**
– Science étudiant les effets des courants électriques **électrocinétique**
– Instrument permettant de repérer les charges électriques **électroscope**
– Appareil de mesure des grandeurs électriques **électromètre**
– Graphique des courants électriques émis par le cerveau **électroencéphalogramme**
– Élément ou substance ne conduisant pas le courant électrique **diélectrique, isolant**
– Corps permettant le passage d'un courant électrique **conducteur**

ÉLECTRISER
– Électriser son public **enflammer, exalter, enthousiasmer, transporter**
– Électriser un organisme **galvaniser**

ÉLECTRONIQUE
– Composant d'un circuit électronique **résistance, condensateur, bobinage, transistor, diode**
– Type d'émission électronique **thermoélectronique, thermoélectrique, photoélectrique, photoélectronique**
– Annuaire téléphonique électronique **Minitel**

ÉLÉGANCE
– Élégance d'un décor **beauté, harmonie**
– Élégance d'une démarche **grâce**
– Élégance d'une parure **chic, classe, distinction**
– Une attitude dénuée d'élégance **finesse, raffinement, délicatesse**
– Élégance recherchée **dandysme**
– Élégance d'une démonstration mathématique **habileté**

ÉLÉMENT *Voir tableau p. 216*
syn. **partie, portion, morceau, composant**
– Éléments d'une enquête **données, informations, renseignements**
– Éléments d'une doctrine **principes, notions, rudiments**

– Isoler un élément d'une communauté **sujet, individu**
– Être aux prises avec les éléments **forces naturelles**
– Structure formée d'éléments divers **hétérogène, hétéroclite, disparate, composite**
– Les quatre éléments **eau, air, terre, feu**
– Élément composant un mot **radical, affixe, désinence**

ÉLÉMENTAIRE
– Des connaissances élémentaires **fondamentales**
– C'est élémentaire ! **facile, enfantin, simple**
– Une installation très élémentaire **rudimentaire, sommaire**
– Observer des précautions élémentaires **minimales, essentielles**

ÉLÉPHANT
syn. **pachyderme**
– Ordre auquel se rattache l'éléphant **proboscidiens**
– Incisive supérieure de l'éléphant **défense**
– Cri de l'éléphant **barrissement**
– Éleveur et conducteur d'éléphant **cornac**
– Éléphant de mer **macrorhine**
– Éléphant fossile de l'ère quaternaire **mammouth**

ÉLEVAGE Voir tableau p. 218
– Élevage des faisans **faisanderie**
– Élevage des pigeons voyageurs **colombophilie**

ÉLÈVE
– Élève de l'enseignement primaire **écolier**
– Élève de l'enseignement secondaire **collégien, lycéen**
– Élève de l'enseignement supérieur **étudiant**
– Élève des classes préparatoires **khâgneux, taupin, carré, cube**
– Élève des grandes écoles **énarque, polytechnicien, normalien, saint-cyrien**
– Élève de deuxième année de l'École navale **aspirant**
– Mauvais élève **cancre**
– Élève qui suit l'enseignement d'un maître **disciple**

ÉLEVÉ
– Tarif élevé **excessif, considérable, abusif, exorbitant**
– Personne bien élevée **polie, courtoise, affable**

ÉLEVER
– Élever un mât **hisser**
– Élever un mur **bâtir, construire, ériger**

– Élever un bâtiment d'un ou de plusieurs niveaux **exhausser, surélever, surhausser**
– Élever la voix **hausser le ton**
– Élever la voix contre quelque chose **protester, opposer à (s')**
– Élever un tarif **augmenter, majorer, relever**
– Élever une personne à un grade supérieur **promouvoir**
– Élever un enfant **éduquer**
– La fumée s'élève **monte**
– S'élever au-dessus du niveau des eaux **émerger**
– Un cri s'élève **jaillit, fuse, éclate**

ÉLEVEUR
– Éleveur qui engraisse le bétail **nourrisseur, engraisseur**
– Éleveur de bovins **herbager**
– Éleveur chargé de surveiller le vieillissement des vins **négociant éleveur, viticulteur éleveur**

ÉLIMINER
– Éliminer un adversaire **écarter, évincer**
– Éliminer un sportif dans une compétition **disqualifier**
– Éliminer une hypothèse **exclure**
– Éliminer des déchets organiques **rejeter, évacuer, expulser, excréter**
– Éliminer un obstacle **supprimer**

ÉLIRE
– Élire un représentant **nommer, choisir**
– Élire un individu à une très forte majorité **plébisciter**

ÉLIXIR
syn. **essence, quintessence, potion**
– Élixir contre la toux **teinture composée, remède**
– Élixir de jouvence **philtre**

ÉLOGE
syn. **louange**
– Recevoir les éloges du jury **compliments, félicitations**
– Éloge d'une personne illustre, d'un saint **panégyrique, oraison, hagiographie**
– Éloge outré **dithyrambe**

ÉLOIGNEMENT
syn. **distance, écart**

ÉLOIGNER
syn. **déplacer**
– Éloigner des importuns **repousser, chasser**
– Éloigner un enfant de ses parents **séparer**
– Éloigner dans le temps **retarder, reculer**
– S'éloigner d'une norme **écarter (s'), détourner (se)**
– S'éloigner d'une personne **détacher (se)**

– S'éloigner d'un sujet lors d'un discours **faire une digression, dévier**

ÉLOQUENCE
syn. **verve**
– Art de l'éloquence **rhétorique**
– Éloquence facile **verve, volubilité, loquacité, faconde**
– Éloquence excessive **emphase, grandiloquence**

ÉLOQUENT
– Un orateur éloquent **disert**
– Une mimique éloquente **expressive, parlante, significative**

ÉLUCIDER
syn. **éclaircir, clarifier, débrouiller, expliquer**

ÉMAIL
syn. **fondant, enduit**
– Émail appliqué sur la porcelaine **couverte**
– Émail appliqué sur la faïence fine **glaçure**
– Émail appliqué sur les poteries communes **vernis**
– Émail noir incrusté sur du métal **nielle**
– Les émaux peuvent être **champlevés, cloisonnés, cloisonnés à jour, translucides, mixtes, peints**

ÉMANATION
– Émanation de fleurs **effluve, parfum, senteur, arôme, exhalaison, fragrance**
– Émanation de gaz **bouffée, vapeur, odeur**
– Émanation pestilentielle **miasme, relent, remugle**
– Émanation du sol **geyser, fumerolle**
– Émanation du radium **radon**
– Émanation du thorium **thoron**
– Ce vote est l'émanation du peuple **expression, manifestation**

ÉMANCIPATION
– L'émancipation de la femme **libération**

ÉMANER
syn. **provenir, dériver, découler**
– Le charme qui émane de sa personne **dégage (se)**
– Le Verbe émane de Dieu **procède**

EMBALLAGE
– Type d'emballage **étui, ballotin, berlingot, blister, flein, harasse, toilette, touque, tourie**
– Emballage en vue de la vente **conditionnement**

EMBALLER
– Emballer des marchandises **empaqueter, conditionner, ensacher, envelopper**

– Voir son moteur s'emballer **accélérer**
– Cheval qui s'emballe **emporte (s')**
– Être emballé par une proposition **enthousiasmé, séduit**

EMBARCATION *Voir tableau p. 65*
syn. **barque, bateau, canot**
– Embarcation légère **esquif, tignole**
– Embarcation de pêche **pinasse, baleinière, chalutier**
– Embarcation réservée au transport de marchandises **gabare, allège, péniche**
– Embarcation faisant la navette entre le bateau et le port **youyou**
– Embarcation utilisant la pagaie ou l'aviron **périssoire, yole, felouque**
– Embarcation équipée d'un moteur **vedette, hors-bord, Zodiac**
– Embarcation chinoise à une voile **sampan**
– Embarcation de secours d'un navire **chaloupe, canot de sauvetage**
– Totalité des embarcations attachées à un navire **drome**

EMBARRAS
– Provoquer l'embarras **gêne, confusion, trouble, malaise**
– Être plongé dans l'embarras **perplexité, incertitude, irrésolution, doute**
– Embarras gastrique **dyspepsie**
– Embarras respiratoire **enchifrènement**

EMBARRASSER
syn. **contrarier, importuner, incommoder**
– Embarrasser quelqu'un par une demande **déconcerter, dérouter, désorienter, gêner**
– S'embarrasser de bagages inutiles **encombrer (s')**
– S'embarrasser dans un vêtement **empêtrer (s')**

EMBAUCHER
syn. **engager, louer les services de**
– Embaucher des mercenaires **recruter, enrôler**

EMBELLIR
– Embellir un visage peu agréable **avantager, flatter**
– Embellir un tableau **enrichir, rehausser**
– Embellir une réalité à seule fin de séduire **enjoliver, agrémenter, parer**
– Embellir en imagination une situation **idéaliser**

EMBÊTER
syn. **ennuyer, contrarier**
– Cesse de l'embêter ! **déranger, importuner, agacer, tourmenter**
– Embêter quelqu'un avec des questions **assommer, empoisonner**

EMBOBINER
– Embobiner un câble, un tuyau **enrouler**
– Embobiner une personne **tromper, abuser, duper, jobarder**

EMBOÎTER
syn. **ajuster, assembler, joindre**
– Emboîter bout à bout **aboucher**
– Emboîter des pièces de charpente **encastrer, embrever**
– Emboîter une pierre, un diamant dans un support **enchâsser, sertir**
– Faire s'emboîter des tuiles **imbriquer, embroncher**
– Emboîter un pignon dans une roue dentée **engrener**
– Emboîter en force **clipser**
– Emboîter le pas **suivre, filer**

EMBOUCHURE
– Embouchure d'un cours d'eau **bouche, delta, estuaire**
– Embouchure de clarinette, de hautbois **bec**

EMBRANCHEMENT
– Embranchement de deux routes **bifurcation, carrefour, croisement, fourche, intersection**
– Embranchement ferroviaire, routier ou autoroutier **nœud**
– Subdivision d'un embranchement dans le règne animal et végétal **sous-embranchement**
– Embranchement en zoologie **phylum**

EMBRASER
syn. **enflammer, incendier**
– Embraser les cœurs **exalter, enflammer**
– Le soleil couchant embrase les flots **illumine**

EMBRASSER
– Embrasser avec effusion **étreindre, enlacer**
– Embrasser lors d'une cérémonie officielle **donner l'accolade**
– Embrasser une chose **ceindre, entourer, environner**
– Embrasser du regard **saisir, appréhender**
– Embrasser des domaines variés **englober**
– Embrasser une profession **choisir, consacrer à (se)**
– Embrasser une cause **adopter, épouser**

EMBRIGADER
– Se laisser embrigader **enrôler, enrégimenter, recruter**

EMBROUILLER
– Embrouiller des fils **mêler, enchevêtrer**
– Embrouiller une situation **compliquer, obscurcir**

GRANDES ÉCOLES

Appelées à l'origine « écoles spéciales », les grandes écoles sont des établissements d'enseignement supérieur dont les étudiants sont recrutés sur concours. Elles ont pour mission de former les cadres de la nation.

École centrale (Centrale) : fondée en 1829, l'École centrale de Paris a pour vocation de former des ingénieurs généralistes pour l'industrie et l'ensemble des grands secteurs de l'activité économique.

École des hautes études commerciales (HEC) : créé en 1881 par la chambre de commerce et d'industrie de Paris, cet établissement offre une gamme complète de formations au management d'entreprise.

École normale supérieure (Normale sup) : ensemble de trois établissements (Paris, Lyon, Cachan) qui préparent aux

métiers de l'enseignement et de la recherche au plus haut niveau. La création de Normale sup Paris (rue d'Ulm) date de 1795.

École nationale d'administration (ENA) : établissement public relevant du Premier ministre, créé en 1945. L'ENA assure la formation des cadres supérieurs de l'État.

École nationale de la magistrature (ENM) : fondée en 1958 sous le nom de Centre national d'études judiciaires, l'ENM a pour fonction de former aux différents métiers de l'ordre judiciaire.

École supérieure de commerce de Paris (ESCP) : créée en 1819 par la chambre de commerce et d'industrie de Paris, l'ESCP prépare à toutes les fonctions de cadre dirigeant.

École supérieure des sciences économiques

et commerciales (ESSEC) : fondée en 1907 dans le cadre de l'Institut catholique de Paris, l'ESSEC prépare aux fonctions de cadre d'entreprise.

École nationale des ponts et chaussées (les Ponts) : fondée en 1715, cette école dispense principalement un enseignement scientifique qui conduit au métier d'ingénieur.

École spéciale militaire de Saint-Cyr (Saint-Cyr) : établissement créé en 1802 par Napoléon Bonaparte, alors Premier consul. Placée sous l'autorité du général commandant les formations de l'armée de terre, Saint-Cyr a pour mission de former les officiers d'active de cette armée.

École polytechnique (X) : établissement créé en 1794 par la Convention nationale. Placée sous l'autorité du ministre de la Défense, l'École polytechnique forme aux grands corps civils et militaires de la nation.

LES GRANDS COURANTS DE LA PENSÉE ÉCONOMIQUE

Keynésianisme : doctrine économique prônée par John Maynard Keynes (1883-1946). Pour les keynésiens, l'État doit intervenir dans l'économie, notamment en période de chômage. Les pouvoirs publics doivent relancer l'activité économique en vue de revenir au plein-emploi par une politique de grands travaux, une augmentation des salaires ou une réduction de la fiscalité.

Libéralisme : courant de pensée, né au XVIIIᵉ siècle, qui prône l'initiative individuelle comme moteur de l'activité économique, de même que le libre-échange, c'est-à-dire la circulation des marchandises entre les nations avec le moins d'entraves possible. Les économistes libéraux font confiance au marché et à la concurrence pour assurer la régulation de l'activité économique. Ils recommandent une faible intervention de l'État.

Marxisme : doctrine critique inspirée des travaux de Karl Marx (1818-1883). Les marxistes soulignent l'exploitation et la domination des classes possédantes sur l'ensemble du corps social, notamment à l'encontre des ouvriers de l'industrie. L'abolition de la propriété privée des moyens de production, l'instauration du socialisme doivent permettre de supprimer l'exploitation de l'homme par l'homme.

LES AGENTS DE L'ÉCONOMIE NATIONALE

Administrations publiques : ensemble constitué par l'État, les collectivités locales (régions, départements, communes) et certaines administrations comme les organismes de sécurité sociale. Les administrations publiques produisent des services non marchands (sécurité publique, éducation nationale) et assurent des missions de redistribution.

Entreprises : agents économiques dont la fonction consiste à produire des biens et des services marchands en vue de la vente sur un marché.

Établissements de crédit : agents financiers dont les fonctions consistent à recevoir les dépôts du public en monnaie, à gérer les comptes de leur clientèle et à consentir des crédits à l'économie.

Ménages : unité de consommation constituée par une ou plusieurs personnes qui vivent et consomment en commun.

Reste du monde : ensemble des relations économiques entre les résidents d'une nation et les résidents des autres nations qui participent à l'échange international.

LES GRANDES FONCTIONS DE L'ÉCONOMIE

Consommation : opération économique qui consiste à se procurer un produit (bien ou service) en vue de satisfaire un besoin humain.

Épargne : partie du revenu d'un agent économique qui n'est pas destinée à des dépenses de consommation. L'épargne est constituée par la différence entre le revenu et la consommation.

Investissement : opération réalisée par les agents productifs (entreprises, banques) en vue de l'achat de biens d'équipement (machines, instruments de production) nécessaires à la réalisation des biens de consommation destinés aux ménages.

Production : opération économique qui consiste à réaliser les biens et services de production pour les entreprises, et les biens de consommation à destination des ménages.

Répartition : opération de distribution des revenus créés par la vente de la production — salaires des travailleurs, dividendes des actionnaires.

L'ÉTAT ET L'ÉCONOMIE

Biens et services collectifs : biens et services créés par les administrations publiques (infrastructures routières, justice, éducation). La production des biens collectifs est financée par les prélèvements obligatoires.

Budget de l'État : ensemble des recettes et des dépenses de l'État pour une année. Le projet de budget, présenté par le gouvernement, est ensuite voté par le Parlement. Il devient alors la loi de finances.

État gendarme : expression qui recouvre une faible intervention de l'État par rapport à la vie économique. La puissance publique limite ses interventions

au maintien de l'ordre et à la défense nationale.

État providence : expression qui désigne l'intervention de l'État, notamment en matière de politiques sociales (redistribution des revenus). L'État providence s'est généralisé dans les pays développés après la Seconde Guerre mondiale.

Politique de relance : politique d'inspiration keynésienne conçue pour lutter contre le chômage. En période de ralentissement de l'activité, l'État doit intervenir pour soutenir la demande défaillante des agents économiques (grands travaux, augmentation des revenus de transfert, baisse de la fiscalité).

Politique de rigueur : politique économique qui consiste principalement à lutter contre l'inflation (maintien du strict pouvoir d'achat, relèvement des taux d'intérêt, lutte contre le déficit budgétaire).

Prélèvements obligatoires : ensemble des versements effectués auprès des administrations publiques. Les prélèvements obligatoires comprennent la fiscalité (les impôts et les taxes) et la parafiscalité (les cotisations sociales payées par les salariés et les employeurs).

ÉQUILIBRES ET DÉSÉQUILIBRES ÉCONOMIQUES

Chômage : situation de déséquilibre sur le marché du travail due à un excès d'offre de travail (celle des travailleurs) par rapport à la demande de travail des entreprises.

Crise économique : phénomène global qui se traduit par l'entrée dans un cycle de récession économique après plusieurs années de croissance. Les crises économiques trouvent souvent leur origine dans une crise financière.

Croissance économique : augmentation de la production de biens et de services dans un pays durant une année. La croissance économique se mesure par le taux de croissance du produit intérieur brut (PIB).

Déficit budgétaire : situation de déséquilibre qui se caractérise par un niveau de dépenses publiques supérieur aux recettes fiscales.

Déflation : baisse des prix (le taux d'inflation devient négatif).

Désinflation : baisse du taux d'inflation.

Inflation : phénomène économique qui a pour conséquence une hausse du niveau général des prix. L'inflation est calculée par l'augmentation de l'indice des prix.

Krach boursier : chute brutale du cours des valeurs boursières sur une place financière.

Récession : ralentissement de l'activité économique qui a pour conséquence une baisse de la croissance. La récession peut avoir comme effet pervers l'augmentation du chômage.

L'ÉCONOMIE INTERNATIONALE

Balance des paiements : document comptable qui retrace les échanges de marchandises, de services, de revenus et de capitaux entre un pays et le reste du monde. En France, l'élaboration de la balance des paiements est impartie à la Banque de France.

Blocs régionaux : regroupement de plusieurs pays en une zone d'intégration économique reposant sur l'abolition des droits de douane entre les pays membres, à laquelle peuvent s'ajouter des politiques économiques et monétaires communes. L'Union européenne (UE) ou l'Accord de libre-échange nord-américain (ALENA) constituent des exemples de blocs régionaux.

Firmes multinationales : grandes entreprises disposant de filiales de production ou de commercialisation dans plusieurs pays grâce à des investissements réalisés à l'étranger.

Mondialisation : intégration des économies nationales dans une économie mondiale de marché. Les entreprises multinationales sont les principaux acteurs de la mondialisation.

Organisation mondiale du commerce (OMC) : organisation internationale, mise en place en janvier 1995, dont la mission consiste à accompagner le développement des échanges internationaux par le respect des traités commerciaux signés depuis 1947, par la négociation et par le règlement des différends entre les pays membres.

Triade : division tripartite de l'économie mondiale en trois grands ensembles — les États-Unis, l'Union européenne et le Japon.

– Embrouiller les voiles **relever, ferler**
– Embrouiller l'esprit **rendre obscur, brouiller, troubler**

EMBRYON

syn. **œuf, germe, commencement**
– Formation et évolution de l'embryon **embryogenèse, embryogénie**
– Stades de développement de l'embryon **morula, blastula, gastrula**
– Annexe de l'embryon **allantoïde, placenta, amnios, chorion, membrane vitelline**
– Nom donné à l'embryon humain à partir de trois mois **fœtus**
– Examen pratiqué au cours du développement de l'embryon ou du fœtus **amniocentèse, échographie**
– Maladie qui atteint l'embryon humain dans l'utérus **embryopathie**
– Embryon végétal **graine, plantule**

EMBÛCHE

syn. **piège, traquenard, guet-apens, embuscade, machination**
– Surmonter les embûches de la vie **difficultés, obstacles, chausse-trapes**

ÉMERAUDE

syn. **béryl, smaragdite**
– Couleur émeraude **vert clair**
– Émeraude orientale **corindon**
– Petite émeraude brute **morillon**
– Substance ou objet couleur d'émeraude **smaragdin**

ÉMÉRITE

– Un pianiste émérite **éminent**
– Un joueur émérite **chevronné**
– Un professeur émérite **retraité**

ÉMERVEILLER

syn. **éblouir, enchanter, fasciner, ravir**
– S'émerveiller **extasier (s'), admirer**

ÉMETTRE

– Émettre une opinion **exprimer**
– Émettre des réserves **formuler**
– Émettre des billets **mettre en circulation**
– Émettre des rayons **lancer, darder**
– Émettre un programme quotidien **diffuser**

ÉMEUTE

syn. **trouble, agitation**
– Émeute populaire **sédition, insurrection, révolte**
– Émeute survenant dans un milieu carcéral **soulèvement, rébellion, mutinerie**

ÉMIETTER

syn. **désagréger**
– Un domaine émietté en petites propriétés **morcelé, démembré, fragmenté, parcellisé**

ÉMIGRATION

syn. **expatriation**
– Émigration massive **exode**
– Émigration en nombre des intellectuels d'un pays **fuite des cerveaux, brain drain**

ÉMIGRER

– Animal qui émigre **migrateur**

ÉMISSION

– Émission d'un message grâce aux ondes **transmission, diffusion, retransmission**
– Émission d'urine **miction**
– Émission de sperme **éjaculation**

ÉMOI

– Une ville en émoi à l'annonce de la venue du ministre **effervescence, agitation**
– Les premiers émois de l'adolescence **émotions, excitations, troubles**

ÉMOTIF

– Un enfant émotif **sensible, nerveux, impressionnable**

ÉMOTION

– Émotion violente et soudaine **choc, saisissement**
– Émotion des sens **émoi**

ÉMOUVANT

– Un geste émouvant **touchant, attendrissant**
– Un spectacle émouvant **bouleversant, poignant, déchirant**
– Un récit émouvant **pathétique, tragique, dramatique**

ÉMOUVOIR

syn. **affecter, toucher, remuer, troubler**
– Émouvoir très fortement **bouleverser**
– Tenter d'émouvoir une personne **attendrir, apitoyer**

EMPAILLER

syn. **naturaliser**
– Art d'empailler les animaux **taxidermie**

EMPARER (S')

syn. **saisir (se), approprier (s')**
– S'emparer d'un pays **annexer, conquérir**
– S'emparer d'un bien à son profit exclusif **accaparer, confisquer, détourner, soustraire**
– S'emparer d'une personne afin d'obtenir une rançon **enlever, kidnapper**
– S'emparer illégalement d'un droit **usurper**
– Sentir la fatigue s'emparer du corps **gagner, envahir**

EMPÊCHER

syn. **opposer à (s'), entraver**
– Empêcher un coup d'État **déjouer**
– Empêcher une maladie de se développer **prévenir**
– Empêcher le déroulement d'une activité **gêner, déranger**
– Empêcher l'accès à un lieu **interdire, prohiber**
– S'empêcher de **défendre de (se), abstenir de (s'), retenir de (se)**

EMPEREUR

syn. **souverain**
– Nom donné à l'empereur de Rome **imperator**
– Empereur ottoman **sultan, padichah**
– Empereur de Russie **tsar**
– Empereur d'Allemagne **kaiser**
– Empereur du Japon **mikado, tenno**

EMPÊTRER

– Empêtrer un animal **lier, entraver**
– S'empêtrer dans une situation difficile **enfoncer (s'), embourber (s')**
– S'empêtrer dans des explications **enliser (s'), embrouiller (s')**
– S'empêtrer dans un objet traînant à terre **encoubler (s')**

EMPHATIQUE

syn. **exagéré, excessif**
– Éloge emphatique **dithyrambe, panégyrique**
– Un ton emphatique **ampoulé, affecté, grandiloquent, pompeux**

EMPIERREMENT

syn. **cailloutage, pavage, rudération**
– Empierrement et aplanissement d'une voie **macadamisage**
– Empierrement agricole **drainage**

EMPIÉTER

syn. **déborder**
– Empiéter sur les droits d'autrui **usurper**

EMPILAGE

syn. **entassement, amoncellement**
– Empilage du bois **enstérage**
– Empilage d'un hameçon **fixage**

EMPIRE

– Empire du Milieu **Chine**
– Empire du Soleil levant **Japon**
– Empire financier **monopole, trust**
– Avoir de l'empire sur quelqu'un **domination, pouvoir, ascendant, emprise**
– Agir sous l'empire d'une drogue **effet, influence**
– Avoir de l'empire sur soi-même **maîtrise, contrôle, sang-froid**

EMPIRER

syn. **aggraver (s'), dégrader (se), détériorer (se)**

EMPLIR
– Emplir de joie **combler, ravir**
– Emplir une volaille d'une garniture **farcir, garnir, bourrer**
– Emplir jusqu'à ras bord **saturer**

EMPLOI
syn. **usage**
– Emploi d'une somme d'argent **affectation**
– Postuler à un emploi **charge, fonction, travail, situation**
– Emploi rétribué sans avoir rien à faire **sinécure**
– Emploi du temps **horaire, agenda, programme, planing**
– Emploi au théâtre **rôle**

EMPLOYÉ
– Employé de maison **domestique**
– Employé dans le commerce **vendeur, serveur, barman**
– Employé de bureau, de banque **secrétaire, dactylo, sténodactylo, rond-de-cuir, gratte-papier**
– Employé de chemin de fer **cheminot**
– Employé des postes **préposé, facteur, receveur**
– Employé d'église **bedeau, suisse, marguillier**
– Employé subalterne **commis, agent**
– Façon péjorative de désigner un employé de bureau **bureaucrate**

EMPLOYER
syn. **utiliser, servir de (se)**
– Employer un procédé **mettre en pratique, mettre en œuvre**
– Employer intelligemment **mettre à profit**
– Employer pour la première fois **étrenner, inaugurer**
– Employer la force **recourir à**
– S'employer à faire quelque chose **appliquer à (s'), vouer à (se)**
– Qui n'est plus employé **inusité, désuet, suranné, obsolète**

EMPOISONNEMENT
syn. **intoxication**
– Empoisonnement alimentaire **salmonellose**
– Empoisonnement dû à l'ingestion de conserves périmées **botulisme**
– Empoisonnement provoqué par une viande avariée **trichinose**
– Étude des empoisonnements **toxicologie**

EMPOISONNER
– Empoisonner une atmosphère **polluer, empuantir, empester**
– Empoisonner l'existence d'une personne **gâcher, gâter**
– Tenir des propos empoisonnés **malveillants, perfides, venimeux, fielleux**

EMPORTER
syn. **enlever**
– Emporter illégalement **dérober, soustraire, ravir**
– Un sentiment l'emporte sur un autre **prévaut**
– L'emporter sur un adversaire **dominer, vaincre, triompher**
– S'emporter **éclater, exploser, fulminer, tempêter**
– Emporté par les flots **entraîné, arraché, balayé**
– Un tempérament emporté **fougueux, impétueux, irritable, irascible, violent**

EMPREINTE
syn. **trace, impression, marque**
– Empreinte d'une serrure **moulage**
– Empreinte d'une monnaie **effigie**
– Empreinte en géologie **fossile**
– Empreinte d'un animal **pas**
– Procédé permettant de prendre l'empreinte d'un objet **galvanoplastie**
– Technique d'identification des personnes fondée sur les empreintes digitales **dactyloscopie**
– Confection d'une d'empreinte en typographie **clichage**
– Empreinte génétique **ADN**
– Il a conservé l'empreinte de son milieu d'origine **stigmates**
– L'empreinte personnelle d'un artiste **cachet, touche, style**

EMPRESSEMENT
syn. **zèle, célérité, ardeur, diligence**
– Empressement manifesté à l'égard d'une personne **attention, bienveillance, prévenance, complaisance, dévouement**

EMPRISE
– Être sous l'emprise de quelqu'un **ascendant, domination, influence, empire**

EMPRISONNER
syn. **incarcérer, interner, embastiller, écrouer**
– Emprisonner illégalement une personne **séquestrer, claustrer**
– Emprisonner le corps dans un vêtement étroit **enfermer, enserrer**

EMPRUNT
syn. **dette, crédit**
– Lancer un emprunt **souscription**
– Emprunt de l'État **dette à long terme, dette flottante**
– Type d'emprunt **consolidé, amortissable, indexé**
– Emprunt fait par des sociétés **obligation**
– Emprunt malhonnête fait à l'auteur d'un ouvrage **plagiat**
– Une beauté d'emprunt **factice, artificielle**
– Nom d'emprunt **pseudonyme**

EMPRUNTÉ
– Un air emprunté **gauche, embarrassé, guindé**

ÉMULATION
– Susciter un sentiment d'émulation **concurrence, rivalité**

ÉMULSION *Voir tableau photographie, p. 451-452*
– Indice de sensibilité des émulsions photographiques **ASA, DIN, ISO**

ENCADREMENT
– Encadrement d'une porte **embrasure**
– Bordure utilisée en encadrement **marie-louise, passe-partout**
– Outil utilisé en encadrement **chasse-clou, tire-ligne, cutter, règle lourde**
– Technique d'encadrement **lavis, biseau, pavé, écoinçon**
– Matériel d'encadrement **carton-bois, carton-plume, contrecollé, baguette**

ENCADRER
syn. **entourer, border**
– Encadrer une équipe, un groupe **contrôler, diriger**
– Encadrer un convoi, un prisonnier **protéger, escorter, accompagner**

ENCAISSER
– Encaisser une somme d'argent **recevoir, toucher**
– Les coteaux qui encaissent le village **bordent, enserrent, enclosent**

ENCASTRER
syn. **emboîter, enchâsser, enclaver**
– Des appareils ménagers à encastrer **encastrables**

ENCEINTE
syn. **ceinture**
– Enceinte d'une forteresse **rempart, fortification**
– Enceinte acoustique **baffle**

ENCENS
syn. **résine**
– Encens de Java **benjoin**
– Encens indien **oliban**
– Récipient où brûle l'encens **cassolette, encensoir, navette**
– Membre du clergé chargé de répandre l'encens **thuriféraire**

ENCENSER
– Encenser une idole, un objet de culte **honorer**
– Encenser une personne **louer, flatter, flagorner**

ENCENSOIR
– Coup d'encensoir **louange, flatterie, flagornerie**

ENCERCLER
syn. **entourer, ceindre, environner**
– Encercler une position ennemie **assiéger**
– Être encerclé par les flammes **cerné**
– Le quartier est encerclé par les forces de police **bouclé**

ENCHAÎNER
syn. **attacher**
– Enchaîner une nation **asservir, soumettre, assujettir, subjuguer**
– Enchaîner l'opposition **museler, bâillonner, garrotter**
– Enchaîner des idées **relier, associer, coordonner**
– Être enchaîné par un serment **lié, retenu**
– Les événements s'enchaînent **succèdent (se), suivent (se)**

ENCHANTEMENT
syn. **ensorcellement, sort, incantation, sortilège**
– Comme par enchantement **magie**

ENCHANTER
– Cette nouvelle va l'enchanter **ravir, transporter**
– Enchanter une personne **charmer, subjuguer, envoûter, ensorceler**

ENCHÈRE
– En vente aux enchères publiques **à la criée, à l'encan**
– Vente aux enchères d'un bien indivis par les copropriétaires **licitation**
– Officier ministériel chargé des ventes aux enchères dans une salle **commissaire-priseur**
– Faire monter les enchères **surenchérir**

ENCLOS
syn. **clôture, enceinte**
– Enclos où sont parqués des bœufs ou des taureaux **corral**
– Enclos où l'on fait paître le bétail **pâturage, pâtis, parc**
– Enclos cultivé **clos**

ENCLUME
– Enclume destinée aux gros travaux **maréchale**
– Petite enclume utilisée en orfèvrerie **bigorne**

ENCOMBRER
– Encombrer un passage **gêner, obstruer, emboutteiller**
– S'encombrer de choses inutiles **charger (se)**

ENCOURAGER
syn. **stimuler, enhardir**
– Encourager un animal **aiguillonner, exciter**
– Encourager une personne dans ses efforts **soutenir**
– Encourager quelqu'un à travailler **pousser à, inciter à, exhorter à**
– Encourager la bêtise **flatter, favoriser**
– Encourager un projet **parrainer, sponsoriser**

ENCRE
– Encre utilisée en lithographie **autographique**
– De l'encre invisible **sympathique**
– Encre autrefois sacrée en Chine **encre rouge**
– Encre utilisée pour le dessin à la plume **sépia**
– Produit détruisant les traces d'encre **encrivore**
– Tache d'encre **pâté**
– Papier absorbant les taches d'encre **buvard**
– Animal qui sécrète de l'encre **calmar, seiche**

ENDIABLÉ
syn. **impétueux, fougueux, ardent, vif**

ENDOCRINOLOGIE *Voir tableau p. 221*

ENDOMMAGER
syn. **abîmer, détériorer, altérer**
– Des denrées endommagées **gâtées, avariées**

ENDORMI
syn. **ensommeillé, somnolent**
– Un écolier endormi **apathique, léthargique, indolent**

ENDORMIR
– S'endormir **assoupir (s')**

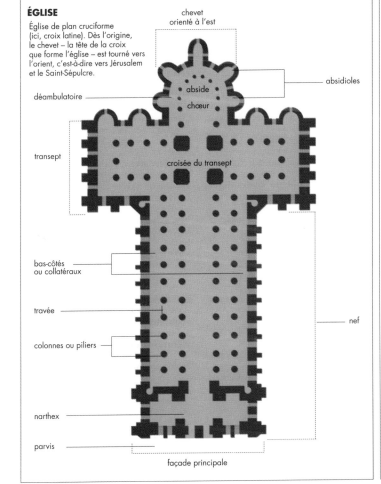

ÉGLISE

Église de plan cruciforme (ici, croix latine). Dès l'origine, le chevet – la tête de la croix que forme l'église – est tourné vers l'orient, c'est-à-dire vers Jérusalem et le Saint-Sépulcre.

chevet orienté à l'est

absidioles

abside

chœur

déambulatoire

transept

croisée du transept

bas-côtés ou collatéraux

travée

nef

colonnes ou piliers

narthex

parvis

façade principale

– Difficulté à s'endormir **insomnie**
– Endormir artificiellement **anesthésier, hypnotiser, chloroformer**
– Endormir une douleur **soulager, apaiser, calmer**
– Endormir la méfiance d'une personne **dissiper**

ENDOSSER
– Endosser un costume **revêtir**
– Endosser la responsabilité d'un acte **accepter, assumer**
– Endosser un chèque **signer au dos**

ENDROIT
syn. **emplacement, lieu, place**
– Endroit d'une feuille de papier **recto**
– Contraire de l'endroit **envers, verso**
– À l'endroit de quelqu'un **envers, à l'égard de**

ENDUIT
syn. **protection, revêtement, vernis**
– Enduit étalé sur une surface à peindre **apprêt**
– Enduit non lissé **crépi**
– Enduit utilisé pour protéger une surface de l'eau de mer **galipot**
– Enduit à base de sable projeté par air comprimé **gunite**
– Enduit pierreux naturel **incrustation**
– Enduit adhésif plastique utilisé pour reboucher ou sceller **mastic**
– Enduit vitrifié destiné à protéger ou à décorer **glaçure, vernis**

ENDURANCE
syn. **résistance**
– Épreuve motocycliste d'endurance **enduro**
– Course d'endurance **marathon**

ENDURCIR
– Un célibataire endurci **irréductible**
– Endurcir physiquement **aguerrir, fortifier, tremper, entraîner**
– S'endurcir moralement **cuirasser (se), blinder (se)**

ENDURCISSEMENT
– Endurcissement moral **insensibilité, dessèchement**
– Endurcissement physique **endurance, résistance, accoutumance**
– Endurcissement de l'épiderme **cal, callosité, cor, durillon, induration, œil-de-perdrix**

ENDURER
– Endurer des vexations **subir, souffrir**
– Endurer la faim **supporter**

ÉNERGIE
– Énergie musculaire **puissance, force**
– Être plein d'énergie **dynamisme, vitalité, ressort, vivacité**

ÉGLISES

Église anglicane : Église officielle d'Angleterre tenant du catholicisme et du protestantisme.

Église évangélique : fusion des Églises luthérienne et calviniste.

Église gallicane : Église de France qui contestait au pape sa toute-puissance.

Église orthodoxe : Église chrétienne d'Orient séparée de Rome.

Église presbytérienne : Église calviniste d'Écosse, d'Angleterre et des États-Unis.

Église primitive : rassemblement des premiers chrétiens lors de l'apparition du christianisme.

Église romaine : Église catholique, soumise à l'autorité du pape.

Églises orientales : Églises dépendant de l'Église orthodoxe, mais conservant des rites particuliers à la suite de différents schismes. Ce sont les Églises arménienne, chaldéenne (ou nestorienne), copte et syrienne.

Églises uniates : Églises orientales reconnaissant l'autorité du pape de Rome. Ce sont les Églises maronite, byzantine, arménienne, chaldéenne (ou nestorienne), copte et syrienne.

– Manque d'énergie **atonie, langueur, mollesse**
– Énergie psychique **libido**
– Énergie thermique **chaleur**
– Science de la production de l'énergie **énergétique**
– Type d'énergie **solaire, hydraulique, éolienne, thermique, nucléaire, chimique**
– Unité de mesure de l'énergie **joule**

ÉNERGIQUE
– Émettre une protestation énergique **vigoureuse, véhémente, violente**
– Un remède énergique **actif, efficace, puissant**
– Prendre des mesures énergiques **rigoureuses, fermes**

ÉNERVER
syn. **irriter, agacer**
– Il m'a vivement énervé **excédé, exaspéré**
– Les voyageurs s'énervent **impatientent (s')**

ENFANCE
syn. **début, commencement**
– Métier ayant rapport à l'enfance **nurse, puéricultrice, pédiatre, instituteur**
– Maladie de l'enfance **coqueluche, oreillons, rougeole, rubéole, scarlatine, varicelle**

– Personnage fanatastique appartenant au monde de l'enfance **fée, sorcière, ogre, gnome, elfe**
– Retour en enfance **sénilité**

ENFANT *Voir tableaux croissance de l'enfant, p. 222, et pédiatrie, p. 439*
– Attitude d'enfant **enfantillage, puérilité, gaminerie**
– Dessin d'enfant **gribouillage, barbouillage**
– Voiture d'enfant **landau, poussette**
– Lit du petit enfant **berceau, couffin**
– Bruit de petit enfant **vagissement, gazouillis, balbutiement, babillage**
– Chanson pour enfant **berceuse, comptine**
– Spectacle pour enfant **guignol, cirque**
– Personnage redoutable qui fascine l'enfant **loup, ogre, croque-mitaine, père Fouettard**
– Enfants d'une même famille **progéniture**
– Femme mariée au père d'un enfant **marâtre**
– Homme marié à la mère d'un enfant **parâtre**
– Meurtre d'enfant **infanticide**

ENFER
– Capitale imaginaire de l'enfer dans la mythologie grecque **pandémonium**
– Dieu de l'enfer dans la mythologie grecque **Hadès**
– Voie menant aux enfers **Champs Élysées**
– Fleuves des enfers **Styx, Cocyte, Achéron, Phlégéton, Léthé**
– Chien gardant les enfers **Cerbère**
– Dieu de l'enfer dans la mythologie bouddhiste **Yama**
– Enfer dans la théologie chrétienne **limbes, géhenne**
– Maître de l'enfer selon la théologie **Satan**
– Peines infligées en enfer **dam, sens**
– Un rythme d'enfer **violent, excessif**
– Vivre un enfer **tourment, supplice**

ENFERMER
– Enfermer une personne contre son gré **séquestrer, cloîtrer, confiner**
– Enfermer dans une prison **coffrer, incarcérer, emprisonner, écrouer**
– Enfermer dans un établissement psychiatrique **interner**
– Enfermer un adversaire en cyclisme **coincer**
– S'enfermer dans le silence **cantonner (se), murer (se)**
– Angoisse d'être enfermé **claustrophobie**

ENFILER
– Enfiler des phrases **débiter**
– Enfiler une ruelle **engager dans (s')**

ENFLAMMER
– Enflammer les foules **embraser, électriser, échauffer, enthousiasmer, galvaniser, exalter**
– Art d'enflammer un auditoire **éloquence, verve**
– S'enflammer pour une cause **animer (s'), emporter (s'), passionner (se)**
– Enflammer une blessure **irriter, envenimer, infecter**
– Produit qui s'enflamme facilement **inflammable**
– S'enflammer en explosant **déflagrer**

ENFLURE
syn. **gonflement, bouffissure, boursouflure, intumescence**
– Enflure anormale d'un tissu ou d'un organe **œdème, tuméfaction, emphysème**
– Enflure du style **emphase, pompe**

ENFONCEMENT
syn. **creux, cavité**
– Enfoncement de la boîte crânienne **fracture**
– Enfoncement d'un tableau **profondeur**
– Enfoncement du rivage le long d'une côte **échancrure**

ENFONCER
syn. **ficher, planter, plonger**
– Enfoncer en terre **enfouir**
– Enfoncer une porte **briser, forcer**
– Enfoncer une troupe ennemie **faire une brèche dans, culbuter, défaire**
– S'enfoncer dans la forêt **pénétrer**
– S'enfoncer dans la boue **enliser (s'), embourber (s')**
– S'enfoncer dans la mer **engloutir (s'), sombrer, couler**
– Sentir la terre s'enfoncer sous ses pas **affaisser (s')**
– S'enfoncer dans une réflexion abyssale **abîmer (s'), absorber (s')**

ENFOUIR
syn. **enterrer**
– S'enfouir sous sa couette **blottir (se)**
– Enfouir en cachant **dissimuler, ensevelir**

ENFUIR (S')
syn. **déguerpir, esquiver (s'), éclipser (s'), sauver (se)**
– S'enfuir d'une prison **échapper (s'), évader (s')**
– S'enfuir de son pays **exiler (s'), expatrier (s')**
– Le chagrin, la douleur s'enfuit **dissipe (se), évanouit (s'), disparaît**
– S'enfuir du domicile parental **fuguer**

ENGAGEMENT
syn. **promesse**
– Engagement solennel **serment**
– Avoir un engagement à l'égard d'une personne **obligation, dette**
– Ne pas respecter ses engagements **rompre, violer**
– Prendre un engagement pour une compétition sportive **inscription**
– Engagement entre deux armées **escarmouche, accrochage**

ENGAGER
– Engager un bien **mettre en gage**
– Engager des capitaux **investir, placer**
– Engager du personnel **embaucher, recruter**
– Engager un combat **livrer**
– Engager des démarches **entreprendre, entamer**
– Engager une action en justice **intenter**
– Engager quelqu'un à faire quelque chose **inviter, convier, inciter, exhorter**

ENGENDRER
syn. **procréer, concevoir**
– Engendrer des phénomènes **produire, provoquer, générer**
– Engendrer la frayeur **susciter**

ENGLOUTIR
– Engloutir des aliments **engouffrer, dévorer**
– Engloutir une fortune au jeu **dissiper, dilapider**
– Un navire s'engloutit **sombre, abîme (s')**
– Un budget vite englouti **dépensé**

ENGOURDI
– Un doigt engourdi **gourd**
– Un corps engourdi **transi**
– Un filin engourdi **raide**
– Un esprit engourdi **lent, apathique, endormi**

ENGOURDISSEMENT
syn. **ankylose, paralysie**
– Engourdissement des doigts **onglée**
– Engourdissement des sens **léthargie, torpeur**
– Engourdissement en zoologie **hibernation, estivation**

ENGRAIS
syn. **amendement, fertilisant**
– Engrais fait de déchets végétaux **compost**
– Engrais organique **fumier, guano, tourteau, gadoue, terramare**
– Un engrais minéral **chimique**

ENGRAISSER
– Engraisser des volailles **gaver, gorger, appâter, engrener**
– Engraisser une terre **fumer, marner, écobuer, faluner**
– Voir engraisser une personne **grossir, forcir, épaissir**

ENGRENAGE
– Type d'engrenage en mécanique **cylindrique, conique, hyperboloïde, hélicoïdal, à chaîne, différentiel**
– Principe de l'engrenage **transmission**
– Élément d'un engrenage **roue, pignon**
– Engrenage de la haine **spirale, escalade**

ÉNIGMATIQUE
– Tenir des propos énigmatiques **équivoques, obscurs, sibyllins**
– Une attitude énigmatique **étrange, insolite, mystérieuse**

ÉNIGME
– Jeu d'énigme **rébus, charade, devinette, logographe, métagramme**
– Énigme policière **affaire**
– Tenter de résoudre l'énigme de la création **mystère, secret**
– Le mot de l'énigme **explication, solution**

ENIVRANT
syn. **capiteux**
– Une beauté enivrante **grisante, troublante, exaltante**

ENJAMBER
– la poutrelle enjambe le mur **empiète sur, prolonge sur (se)**
– Enjamber un obstacle **franchir, sauter**

ENJÔLER
– Enjôler une personne **séduire, captiver, charmer**
– Se laisser enjôler **abuser, tromper, duper, subjuguer**

ENJOLIVER
syn. **orner, décorer, parer, embellir**
– Enjoliver un récit **broder, émailler, agrémenter**

ENLACER
– Enlacer une personne **embrasser, étreindre**
– Enlacer des fils de laine **entrecroiser, entrelacer, entremêler**

ENLÈVEMENT
– Enlèvement d'un véhicule en stationnement gênant **mise en fourrière, préfourrière**
– Enlèvement d'une personne **rapt, kidnapping, ravissement**

ENLEVER
syn. **ôter, retirer, supprimer**
– Enlever une dent **arracher, extraire**
– Enlever un œil **énucléer**
– Enlever le couvert **desservir**
– Enlever un auditoire **séduire, captiver, conquérir**
– Enlever une personne **kidnapper**

ENNEMI

syn. **rival, adversaire, antagoniste**
– Ennemi de la nouveauté **misonéiste**
– Ennemi d'une morale, d'une doctrine **détracteur**
– Passer à l'ennemi **déserter, trahir**

ENNUI

syn. **désœuvrement, lassitude, langueur**
– Ennui de vivre **spleen, mélancolie**
– Avoir des ennuis **désagréments, soucis, tracas, arias**

ENNUYER

– Ennuyer une personne **gêner, importuner, tarabuster, embarrasser**
– S'ennuyer **morfondre (se)**

ENNUYEUX

– Un travail ennuyeux **monotone, fastidieux, rébarbatif, rebutant**
– Un livre ennuyeux **assommant, soporifique**
– Un problème ennuyeux **préoccupant, inquiétant, contrariant**

ÉNONCER

syn. **exprimer, formuler, dire**
– Énoncer une clause d'obligation dans un contrat **stipuler, mentionner**
– Acte d'énoncer **énonciation**

ÉNORME

– Un énorme appétit **démesuré, excessif, gargantuesque**
– Une énorme construction **gigantesque, colossale, immense**
– Un talent énorme **inouï, extraordinaire, fou**
– Une entreprise impliquant un énorme labeur **titanesque**
– Une personne énorme **obèse**

ENQUÊTE

syn. **recherche, examen, investigation**
– Enquête judiciaire **instruction, information, interrogatoire**
– Enquête menée auprès d'une population **étude, sondage, micro-trottoir**
– Enquête demandée par le défendeur lors d'un procès **contre-enquête**

ENRACINER

– Enraciner une idée préconçue **ancrer, implanter**
– Habitude enracinée **tenace**

ENRAGER

– Faire enrager quelqu'un **irriter, taquiner**
– Enrager de ne pouvoir participer **écumer, rager**
– Un fou enragé **furieux, violent**
– Un joueur enragé **acharné, passionné, effréné**

ENREGISTREMENT

– Appareil d'enregistrement dans un avion **boîte noire**
– Type d'enregistrement **optique, magnétique, magnéto-optique**

ENREGISTRER

– Enregistrer la déposition d'un témoin **recueillir, consigner**
– Enregistrer une hausse des prix **constater, observer**
– Enregistrer à l'aide de moyens techniques **transcrire, fixer, représenter**
– Faire enregistrer des bagages **peser, étiqueter**
– Enregistrer méthodiquement et systématiquement des données **répertorier, inventorier, archiver**
– Enregistrer un impôt **percevoir**
– Enregistrer un fichier **sauvegarder**

ENREGISTREUR

– Enregistreur des pulsations cardiaques **électrocardiogramme**
– Enregistreur de la tension artérielle **sphygmomanomètre**
– Enregistreur de la pression atmosphérique **baromètre**
– Enregistreur de vitesse **compteur**
– Enregistreur de vitesse de rotation d'un moteur **compte-tours, tachymètre**
– Enregistreur de sons **magnétophone**
– Enregistreur de sons et d'images **magnétoscope**

ENRICHIR

– Enrichir une collection **augmenter, développer**
– Enrichir un vêtement **orner, broder**
– Enrichir son esprit **nourrir, cultiver**
– Enrichir une terre **fertiliser, amender**

ENROULER

– Enrouler sur une bobine **bobiner**
– S'enrouler dans un édredon **envelopper (s'), lover (se)**
– Enrouler des mèches de cheveux **torsader**
– S'enrouler sur soi-même **vriller (se), tordre (se)**

ENSEIGNE

syn. **panneau, panonceau, oriflamme, gonfalon**
– Enseigne militaire **drapeau, étendard**
– Enseigne d'une pharmacie **caducée**
– Enseigne rouge à double pointe des bureaux de tabac français **carotte**
– Enseigne d'une étude de notaire **écu, blason**
– Défendre une enseigne **marque**

ENSEIGNEMENT

– Enseignement religieux **catéchisme**
– Un enseignement destiné à des initiés **ésotérique**

– Un enseignement destiné à un vaste public **exotérique**
– Méthode d'enseignement **pédagogie, didactique**
– Suivre les enseignements de l'Église **règles, instructions, préceptes**

ENSEIGNER

syn. **apprendre, transmettre, inculquer**
– Enseigner à une personne les rudiments d'une technique **former, initier**
– Enseigner la doctrine de l'Évangile **évangéliser, prêcher, christianiser**

ENSEMBLE

syn. **tout, système**
– Ensemble d'individus réunis par des intérêts communs **communauté, collectivité, corporation**
– Ensemble théâtral **troupe, groupe**
– Ensemble vocal **chœur, chorale**
– Ensemble instrumental **orchestre**
– Ensemble de bijoux **parure**
– Ensemble d'ustensiles **batterie**
– Ensemble de tableaux **collection**
– Créateur d'ensembles décoratifs **ensemblier**
– Ensemble de couleurs **assortiment, palette**
– Réaliser un bel ensemble **harmonie**
– Représentation graphique d'un ensemble en mathématiques **patate**

ENSEVELIR

– Ensevelir un corps **enterrer, inhumer**
– Ensevelir en cachant **enfouir, dissimuler**
– Un village enseveli par la lave du volcan **englouti**

ENSORCELER

syn. **envoûter, marabouter**
– Ulysse fut ensorcelé par Circé **séduit, captivé, subjugué**

ENTAILLE

– Entaille faite sur une pièce de bois **encoche, rainure, cran, mortaise, feuillure**
– Petite entaille faite sur la peau **entamure**
– Entaille peu profonde pratiquée sur un arbre **incision, scarification**
– Entaille faite au visage **coupure, estafilade, balafre, taillade**

ENTAMER

– Entamer un discours **commencer, débuter**
– Entamer un débat **ouvrir**
– Entamer la chair **écorcher, égratigner**
– Entamer un métal au moyen d'un acide **attaquer, mordre, ronger, corroder**
– Entamer la détermination d'une personne **ébranler, affaiblir, saper**

ENTASSER
– Entasser des objets **amasser, empiler, amonceler, stocker, collectionner**
– Entasser les lieux communs **accumuler, multiplier**
– S'entasser dans un lieu trop étroit **serrer (se), agglutiner (s'), agglomérer (s')**

ENTENDRE
– Impossible à entendre **inaudible**
– Entendre des sons **distinguer, discerner, percevoir**
– Faire entendre une parole **énoncer, émettre, prononcer**
– Laisser entendre **insinuer, sous-entendre**
– Ne rien entendre à la musique **ne pas connaître, ne pas apprécier**
– Entendre la teneur d'un raisonnement **saisir, comprendre**
– Difficulté à entendre **surdité**
– Vouloir s'entendre sur la base d'un projet **concerter (se), accorder (s')**

ENTENDU
– C'est entendu ! **décidé, réglé, convenu, conclu**
– Un sourire entendu **complice, de connivence**
– Bien entendu, nous serons là ! **assurément, évidemment, naturellement**
– Bien, mal entendu **compris, conçu**

ENTENTE
– Vivre en bonne entente **harmonie, concorde, union**
– Entente secrète **connivence, complicité, collusion**
– Entente visant à nuire à un individu ou à un groupe **cabale, conspiration, ligue, intrigue**
– Entente commerciale **accord, convention**
– Entente politique **pacte, traité, alliance, coalition**

ENTÉRINER
– Entériner une décision **confirmer, approuver, valider, ratifier, homologuer**
– Entériner un usage **admettre, confirmer**

ENTERREMENT
syn. **inhumation, ensevelissement**
– Cérémonie accompagnant l'enterrement **funérailles, obsèques**
– Une figure d'enterrement **sombre, sinistre, lugubre**

ENTERRER
– Enterrer un objet **enfouir, cacher**
– Enterrer un projet **oublier, abandonner, renoncer à**
– Enterrer une affaire louche **étouffer**
– Être enterré sous l'eau **englouti**
– S'enterrer dans un endroit désert **retirer (se), isoler (s'), cloîtrer (se)**
– Lieu où l'on enterre les morts **catacombes, cimetière, crypte, nécropole, caveau, hypogée, tombe, tombeau**

ENTÊTEMENT
syn. **obstination, ténacité, opiniâtreté**

ENTHOUSIASME
– Enthousiasme créateur **inspiration, exaltation, transport**
– Se montrer plein d'enthousiasme **zèle, entrain, ardeur**
– Enthousiasme excessif **passion, frénésie, délire, hystérie**
– Parler d'une personne avec enthousiasme **chaleur, emballement**
– Accueillir une nouvelle avec enthousiasme **joie, jubilation, allégresse**
– Enthousiasme extrême pour un individu, une idéologie **ferveur, fanatisme**

VOCABULAIRE DE L'ÉLECTRICITÉ

Accumulateur : dispositif permettant d'emmagasiner de l'énergie électrique sous forme d'énergie chimique.

Alternateur : générateur de courant électrique alternatif dont les bornes s'inversent périodiquement. Il est constitué d'un stator et d'un rotor.

Alternatif (courant) : courant qui change de sens périodiquement au rythme d'un alternateur.

Ampère : unité SI d'intensité de courant (symb. A).

Ampèremètre : instrument permettant de mesurer l'intensité du courant électrique.

Anode : électrode positive ou électrode d'entrée du courant.

Cathode : électrode négative ou électrode de sortie du courant.

Circuit : suite ininterrompue de conducteurs électriques.

Commutateur : dispositif permettant de modifier un circuit électrique ou les connexions entre circuits.

Condensateur : ensemble formé par deux conducteurs électriques (armatures) séparés par un isolant (diélectrique).

Diélectrique : corps qui ne conduit pas le courant électrique (syn. isolant).

Électrolyse : opération de décomposition d'une substance (électrolyte) par un courant électrique.

Farad : unité SI de capacité électrique (symb. F).

Faraday (cage de) : écran destiné à protéger des appareils sensibles de l'influence d'un champ électrostatique extérieur.

Fusible : fil de plomb ou d'aluminium intercalé sur les circuits électriques afin de remédier au danger de court-circuit.

Galvanique ou **voltaïque :** ancienne dénomination du courant électrique continu d'après Galvani et Volta.

Galvanomètre : instrument destiné à déceler le passage d'un courant électrique et à en mesurer l'intensité. Imaginé par Ampère.

Générateur : appareil producteur d'électricité. Les piles, accumulateurs, dynamos sont des générateurs de courant continu. Les alternateurs sont des générateurs de courant alternatif.

Henry : unité SI d'inductance.

Induction électromagnétique : production d'un courant électrique sous l'influence d'un champ magnétique (inducteur). Le circuit dans lequel ce courant apparaît est dit induit, et le coefficient d'induction, inductance.

Joule : unité SI de mesure de travail et d'énergie.

Joule (effet) : propriété calorifique du courant électrique qui échauffe les conducteurs dans lesquels il passe.

Monophasé : courant alternatif simple à une phase.

Ohm : unité SI de résistance électrique.

Pile : générateur qui transforme de l'énergie chimique en énergie électrique.

Pôle : chacune des deux extrémités d'un circuit électrique.

Polyphasé : courant alternatif à plusieurs phases.

Résistance : conducteur immobile ou passif dans lequel le courant électrique se transforme en chaleur.

Résistivité : expression de la résistance. C'est l'inverse de la conductivité électrique. On l'évalue en ohms-mètres.

Rhéostat : appareil employé comme résistance variable. Il est destiné à absorber l'énergie électrique ou à modifier l'intensité d'un courant.

Rotor : élément d'un alternateur tournant à l'intérieur d'un stator.

SI : système international d'unités.

Siemens : unité SI de conductance électrique.

Solénoïde : fil conducteur enroulé autour d'un cylindre de révolution.

Stator : élément fixe d'un alternateur.

Volt : unité SI d'évaluation des tensions électriques ou de différence de potentiel, d.d.p. (symb. V).
Une tension de l'ordre de 25 volts peut entraîner la mort.

Voltmètre : instrument servant à mesurer les différences de potentiel.

Watt : unité SI de puissance (symb. W).

Wattmètre : instrument destiné à mesurer une puissance électrique.

ENTHOUSIASMER
– Enthousiasmer un auditoire **électriser, galvaniser**
– S'enthousiasmer pour une cause **animer (s'), enflammer (s')**

ENTHOUSIASTE
– Éloge enthousiaste **dithyrambe**
– Un public enthousiaste **admiratif, émerveillé, ravi, conquis**

ENTIER
syn. **total, complet, intact**
– Un entier dévouement **sans réserve, sans restriction**
– Posséder la collection entière des œuvres d'un écrivain **intégrale**
– Un caractère entier **absolu, intransigeant, intraitable, obstiné**
– Cheval entier **étalon**

ENTORSE
syn. **distension, élongation, rupture**
– Entorse d'une articulation **foulure, luxation, déboîtement**
– Faire une entorse à la règle **déroger à, contrevenir à, enfreindre, transgresser**

ENTOURER
– Entourer une ville de remparts **ceindre**
– Entourer d'une haie **clôturer, fermer**
– Entourer d'un lien **ligoter, enserrer**
– Entourer d'un tissu, d'un papier **enrouler, envelopper**
– Entourer de ses bras **enlacer, étreindre**
– Entourer de manière à protéger ou à masquer **enrober**
– Un village entouré de lacs **environné, bordé**
– Un enfant très entouré **choyé, couvé**
– Un astre entouré de lumière **auréolé**
– S'entourer de personnes compétentes **réunir, rassembler**

ENTRACTE
syn. **pause, répit, intervalle**
– Entracte animé **intermède, interlude**

ENTRAÎNEMENT
– Entraînement sportif **exercice, préparation, répétition**
– Système mécanique d'entraînement **courroie, engrenage, transmission**
– Réfréner ses entraînements **élans, impulsions, mouvements**

ENTRAÎNER
– Entraîner une personne à faire quelque chose **conduire, convaincre, pousser, inciter**
– Entraîner un navire vers le rivage **drosser**
– Entraîner des frais **occasionner, provoquer**
– Entraîné par un courant **emporté, charrié**

– Être entraîné de manière inexorable **acculé**

ENTRÉE
– Entrée des temples dans l'Antiquité grecque **propylée**
– Entrée d'une maison **hall, vestibule, antichambre**
– Droit d'entrée payé pour certaines marchandises **octroi**
– Entrée au collège **accès, admission**
– Entrée de données en informatique **saisie**
– Entrée en matière **exorde, préambule, introduction, avant-propos**
– À l'entrée de l'automne **commencement, orée**

ENTREMISE
– Par l'entremise de **intermédiaire, truchement**
– Proposer son entremise **médiation, arbitrage, intervention**

ENTREPÔT
syn. **hangar**
– Entrepôt dans un port **dock**
– Entrepôt dans les pays arabes **fondouk**

ENTREPRENDRE
syn. **commencer**
– Entreprendre des démarches **entamer, engager**
– Entreprendre une guerre **déclencher, provoquer**
– Entreprendre de faire quelque chose **tenter de, efforcer de (s')**

– Entreprendre quelqu'un sur un thème **entretenir de**
– Entreprendre un procès **intenter**

ENTREPRENEUR
syn. **chef d'entreprise**
– Entrepreneur en bâtiments **bâtisseur, constructeur**

ENTREPRISE *Voir tableau p. 225*
– Une entreprise ardue **tâche, travail**
– Échouer dans une entreprise **tentative**
– Entreprise hasardeuse **aventure**
– Posséder une entreprise **affaire, commerce, négoce, exploitation, industrie, société**
– Concentration d'entreprises **cartel, trust, consortium, combinat, holding**

ENTRER
syn. **pénétrer, introduire (s')**
– Entrer violemment **faire irruption, engouffrer (s')**
– Entrer subrepticement **faufiler (se), insinuer (s'), infiltrer (s'), glisser (se)**
– Entrer en force dans une ville **envahir, investir**
– Entrer dans une querelle **intervenir, mêler de (se), immiscer (s')**
– Entrer dans un parti **adhérer à, affilier à (s')**
– Entrer dans les vues de quelqu'un **adopter, partager**

ENTRETENIR
– Entretenir une conversation **alimenter**
– Entretenir des liens d'amitié **cultiver**

SYMBOLES DES ÉLÉMENTS CHIMIQUES							
Nom	**Symb.**	**Nom**	**Symb.**	**Nom**	**Symb.**	**Nom**	**Symb.**
actinium	**Ac**	dysprosium	**Dy**	mendélévium	**Md**	rubidium	**Rb**
aluminium	**Al**	einsteinium	**Es**	mercure	**Hg**	ruthénium	**Ru**
américium	**Am**	erbium	**Er**	molybdène	**Mo**	samarium	**Sm**
antimoine	**Sb**	étain	**Sn**	néodyme	**Nd**	scandium	**Sc**
argent	**Ag**	europium	**Eu**	néon	**Ne**	sélénium	**Se**
argon	**Ar**	fer	**Fe**	neptunium	**Np**	silicium	**Si**
arsenic	**As**	fermium	**Fm**	nickel	**Ni**	sodium	**Na**
astate	**At**	fluor	**F**	niobium	**Nb**	soufre	**S**
azote	**N**	francium	**Fr**	nobélium	**No**	strontium	**Sr**
baryum	**Ba**	gadolinium	**Gd**	or	**Au**	tantale	**Ta**
berkélium	**Bk**	gallium	**Ga**	osmium	**Os**	technétium	**Tc**
béryllium	**Be**	germanium	**Ge**	oxygène	**O**	tellure	**Te**
bismuth	**Bi**	hafnium	**Hf**	palladium	**Pd**	terbium	**Tb**
bore	**B**	hélium	**He**	phosphore	**P**	thallium	**Tl**
brome	**Br**	holmium	**Ho**	platine	**Pt**	thorium	**Th**
cadmium	**Cd**	hydrogène	**H**	plomb	**Pb**	thulium	**Tm**
calcium	**Ca**	indium	**In**	plutonium	**Pu**	titane	**Ti**
californium	**Cf**	iode	**I**	polonium	**Po**	tungstène	**W**
carbone	**C**	iridium	**Ir**	potassium	**K**	uranium	**U**
cérium	**Ce**	krypton	**Kr**	praséodyme	**Pr**	vanadium	**V**
césium	**Cs**	lanthane	**La**	prométhéum	**Pm**	xénon	**Xe**
chlore	**Cl**	lawrencium	**Lr**	protoactinium	**Pa**	ytterbium	**Yb**
chrome	**Cr**	lithium	**Li**	radium	**Ra**	yttrium	**Y**
cobalt	**Co**	lutétium	**Lu**	radon	**Rn**	zinc	**Zn**
cuivre	**Cu**	magnésium	**Mg**	rhénium	**Re**	zirconium	**Zr**
curium	**Cm**	manganèse	**Mn**	rhodium	**Rh**		

– Entretenir sa mémoire **exercer**
– Entretenir des illusions **bercer (se), nourrir (se)**
– S'entretenir avec une personne **discuter, converser, deviser**

ENTRETIEN
syn. **conversation, discussion**
– Entretien particulier **aparté, tête-à-tête**
– Solliciter un entretien **audience, entrevue, interview**
– Entretien à voix basse **conciliabule, messe basse**
– Entretien auquel assistent plusieurs personnes **colloque, conférence, débat, symposium, congrès**
– Entretien donnant lieu à un accord **pourparlers, négociation, tractation**
– Entretien du matériel informatique **maintenance**

ENTREVOIR
syn. **apercevoir, discerner, distinguer**
– Entrevoir un dénouement **prévoir, pressentir, soupçonner, conjecturer, présager**

ENTREVUE
syn. **rencontre, entretien**
– Solliciter une entrevue **rendez-vous**

ÉNUMÉRATION
– Énumération méthodique et détaillée **liste, catalogue, détail, répertoire**
– Énumération des marchandises en stock **inventaire**
– Longue énumération **kyrielle, litanie**

ÉNUMÉRER
syn. **dénombrer, recenser, compter, détailler**

ENVAHIR
– Envahir un pays **investir, occuper, conquérir**
– Une terre envahie par les eaux **inondée, submergée**
– Un champ envahi d'insectes **infesté**
– Être envahi par le doute **gagné, assailli**
– Un individu envahissant **importun, indiscret**

ENVELOPPANT
– Une parole enveloppante **séduisante, captivante, enjôleuse**

ENVELOPPE
– Enveloppe du globe terrestre **atmosphère**
– Enveloppe du corps humain **peau, épiderme**
– Enveloppe d'un organe **tunique, membrane, tissu**
– Enveloppe du cœur **endocarde, péricarde**
– Enveloppe des poumons **plèvre**

– Enveloppe d'un os **périoste**
– Enveloppe des fleurs **périanthe, tégument**
– Enveloppe de certains arbres **liège**
– Enveloppe du jeune champignon **volve**
– Enveloppe de la châtaigne **bogue**
– Enveloppe de l'oignon **robe**
– Enveloppe de certaines légumineuses **cosse**
– Enveloppe d'une munition **chemise**
– Enveloppe d'un câble **gaine**
– Accepter une enveloppe lors d'une transaction **dessous-de-table, pot-de-vin**
– Enveloppe affectée à un ministère **budget**

ENVELOPPER
syn. **emballer, empaqueter, ensacher**
– Envelopper dans un vêtement chaud **emmitoufler**
– Envelopper un bébé dans des langes **emmailloter**
– Envelopper les troupes ennemies **encercler, cerner, investir**
– Envelopper son émotion **cacher, dissimuler, déguiser**

ENVENIMER
syn. **empoisonner**
– Envenimer une plaie **infecter, irriter, enflammer**
– Envenimer un débat houleux **aggraver, attiser, aviver**
– S'envenimer **empirer**

ENVERS
– Contraire de l'envers **endroit, recto**
– Envers d'une feuille de papier **verso, dos**
– Envers d'un médaillon **revers**
– Envers d'une pièce de monnaie **pile**
– Envers quelqu'un **à l'égard de, vis-à-vis de, à l'endroit de**
– Langue qui prononce les mots à l'envers **verlan**

ENVIE
syn. **désir, souhait**
– Envie pressante **besoin**
– Envie du bien d'autrui **convoitise, jalousie**
– Envie brusque et irréfléchie **lubie, caprice**
– Envie insatiable de richesse, d'argent **cupidité**
– Envie irrésistible **avidité**
– Envie sexuelle ardente **concupiscence**
– Envie de réussite sociale **ambition**
– Être affublé d'une envie **tache, nævus, angiome**

ENVIRONNEMENT
– Problèmes de l'environnement **pollution, déforestation, désertification, bruit**

– Spécialiste des problèmes de l'environnement **environnementaliste**
– Environnement social **milieu, entourage**
– Créer un environnement favorable **atmosphère, ambiance**
– Défense de l'environnement **écologie**
– Étude de l'évolution de l'environnement **écographie**
– Taxe prélevée pour la protection de l'environnement **écotaxe**

ENVISAGER
– Envisager une demande **examiner, considérer**
– Envisager de faire **prévoir, projeter, songer à**

ENVOLER (S')
– Voir s'envoler un avion **décoller**
– Les voleurs se sont envolés **enfuis, éclipsés, volatilisés**
– Les feuilles s'envolent **dispersent (se), éparpillent (s')**
– Sentir ses craintes s'envoler **dissiper (se), évanouir (s'), disparaître, effacer (s')**

ENVOÛTEMENT
– Subir l'envoûtement d'une personne **attraction, charme, fascination, pouvoir**

ENVOYÉ
– Envoyé spécial **correspondant**
– Envoyé représentant un pays **ambassadeur, plénipotentiaire, agent**
– Envoyé chargé d'une mission **émissaire, missionnaire**
– Envoyé représentant un parti politique **délégué, député, parlementaire**
– Envoyé représentant le Saint-Siège **légat, nonce**

ENVOYER
– Envoyer un colis **expédier**
– Envoyer un message **transmettre**
– Envoyer un projectile **lancer, tirer**
– Envoyer un émissaire **dépêcher, déléguer, députer, mandater**

ÉPAIS
– Un corps épais **lourd, massif**
– Un esprit épais **pesant, obtus, grossier**
– Une herbe épaisse **serrée, drue, touffue**
– Une chevelure épaisse **fournie, abondante**
– Une épaisse fumée **dense**
– Une soupe épaisse **pâteuse, consistante**
– Un cuir épais **fort, solide**

ÉPAISSEUR
– Diminuer l'épaisseur de ses cheveux **désépaissir**

– Épaisseur de l'embrasure d'un mur, d'une fenêtre **jouée**

ÉPANCHEMENT

syn. **déversement, écoulement, dégorgement**
– Épanchement du cœur **abandon, aveu, confidence, effusion**
– Épanchement de synovie **hydarthrose**
– Épanchement pleural **empyème, pleurésie**
– Épanchement de sérosité **infiltration, ascite, œdème**
– Épanchement de sang **hématome, hémorragie**

ÉPANOUI

– Un visage épanoui **radieux, rayonnant, réjoui**
– Une fleur épanouie **ouverte, éclose**

ÉPARGNE

– Rémunération de l'épargne **intérêt**

ÉPARGNER

syn. **économiser, thésauriser**
– Épargner un ennemi défait **gracier, laisser la vie sauve à**
– Épargner la fragilité d'une personne **respecter, ménager**
– Épargner une épreuve, une contrainte à une personne **éviter, dispenser de**

ÉPARPILLER

– Éparpiller des graines **semer, disséminer**
– Éparpiller des cendres **disperser**
– Éparpiller ses forces, son talent **gaspiller, dilapider**
– S'éparpiller de tous côtés **égailler (s'), débander (se)**
– S'éparpiller intellectuellement **disperser (se), papillonner**
– Tenter de ne pas s'éparpiller **concentrer (se)**

ÉPATÉ

syn. **ébahi, ahuri, stupéfait, étonné, interloqué, surpris**
– Il est épaté par son talent **impressionné**
– Nez épaté **camus, aplati, écrasé**

ÉPAULE

voir aussi porc, mouton, muscle, os, veau
– Os de l'épaule **clavicule, omoplate**
– Muscles de l'épaule **deltoïde, grand dorsal, sus-épineux, sous-scapulaire, petit rond, grand rond, sous-épineux, grand pectoral**
– Largeur d'épaules **carrure**

ÉPAULER

– Épauler un ami dans ses démarches **aider, soutenir, assister**
– S'épauler **entraider (s')**

– Épauler quelqu'un auprès d'une personne influente **appuyer, recommander**

ÉPAVE

– Épave de navire ou de voiture **carcasse**
– Récupérateur d'épaves automobiles **épaviste, ferrailleur**
– N'être plus qu'une épave **loque**

ÉPÉE *Voir illustration p. 226*

– Tranchant d'une épée **fil, taille**
– Pointe d'une épée **estoc**
– Bande d'étoffe ou de cuir soutenant l'épée **baudrier**
– Épée utilisée lors des duels **flamberge, rapière**
– Épée servant pour l'exercice en escrime **fleuret**
– Épée à pointe et à tranchant **sabre, cimeterre, yatagan**
– Épée écossaise à longue et large lame **claymore**
– Personne qui manie l'épée **épéiste, bretteur, spadassin**
– En forme d'épée **ensiforme**
– Épée de Damoclès **menace, danger**
– Épée de mer **espadon**

ÉPERDU

syn. **ému, troublé, égaré, affolé**
– Un désir éperdu d'amour **violent, vif, extrême, passionné**
– Éperdu de plaisir **exalté, fou**

ÉPERON

syn. **aiguillon**
– Roue fixée à l'éperon **molette**
– Éperon en zoologie **ergot**
– Éperon des navires dans l'Antiquité **rostre**
– Éperon rocheux **saillie, avancée**
– Éperon d'une pile de pont **arrière-bec, avant-bec**

ÉPERVIER

– Famille à laquelle appartient l'épervier **falconidés**
– Travail de l'épervier **fauconnerie**

ÉPHÉMÈRE

syn. **temporaire, passager, momentané**
– Joie éphémère **fugace, fragile, précaire, fugitive**

ÉPI

– Enveloppe d'un épi **balle, glume**
– Pointe effilée de certains épis **barbe**
– Petits épis formant l'épi principal **épillets**
– Disposition des grains en épi **panicule**
– Axe central de l'épi **rachis**
– Formation de l'épi dans les céréales **épiage**
– Monter en épi **épier**
– Ramassage des épis après la moisson **glanage**

– Égrener les épis des céréales **dépiquer, battre**
– Instrument utilisé pour battre les épis **fléau**
– Structure en forme d'épi **spiciforme**

ÉPICÉ

– Un plat très épicé **relevé, poivré, pimenté**
– Des propos épicés **osés, égrillards, lestes, grivois**

ÉPIDÉMIE

syn. **contagion**
– Épidémie sévissant de manière constante dans un pays **endémie**
– Épidémie s'étendant sur une très vaste zone **pandémie**
– Micro-organisme susceptible de provoquer une épidémie **microbe, bacille, virus**
– Étude des épidémies **épidémiologie**
– Épidémie affectant les animaux **enzootie, épizootie**
– Épidémie affectant les plantes d'une même espèce **épiphytie**

ÉPIDERME

syn. **épithélium**
– Productions visibles de l'épiderme **phanères**
– Affection de l'épiderme **cutanée**
– Avoir l'épiderme sensible **être susceptible**

ÉPIER

– Épier une personne **observer, surveiller, espionner, filer, pister**
– Épier une proie **guetter**

ÉLEVAGES	
Abeilles	apiculture
Animaux aquatiques	aquiculture
Brochets	ésociculture
Coquillages	conchyliculture
Coquillages à nacre	nacroculture
Écrevisses	astaciculture
Éponges	spongiculture
Escargots	héliciculture
Huîtres	ostréiculture
Lapins	cuniculiculture
Moules	mytiliculture
Moutons	oviculture
Oiseaux, volailles	aviculture
Pintades	méléagriculture
Poissons	pisciculture
Sangsues	hirudiniculture
Saumons	salmoniculture
Truites	trutticulture
Veaux	vituliculture
Vers à soie	sériciculture

ÉPILOGUER

syn. **discourir, discuter**
– Épiloguer sur des choses insignifiantes **chicaner, ergoter, vétiller**

ÉPINARD

– Épinard originaire d'Asie **baselle**
– Épinard d'été **tétragone**
– Épinard sauvage **chénopode**
– Épinard qui pousse sur les murs **pariétaire**

ÉPINE

syn. **pointe, piquant, aiguille**
– Épine blanche **aubépine**
– Épine noire **prunellier**
– Épine du Christ **jujubier, paliure**
– Épine d'Espagne **azerolier**
– Épine de cerf **nerprun**
– Épine de rat **fragon**
– Plante dépourvue d'épines **inerme**
– Épine dorsale **colonne vertébrale, rachis, échine**
– Épine d'un os **crête**
– Un chemin parsemé d'épines **difficultés, ennuis, embûches**

ÉPINEUX

– Un sujet épineux **délicat, embarrassant**

ÉPINGLE

syn. **attache**
– Épingle à linge **pince**
– Très petite épingle **camion**
– Fabrique d'épingles **épinglerie**
– Coussin à épingles **pelote**
– Étui à épingles **épinglier**
– Épingle fantaisie **fibule**
– Un virage en épingle à cheveux **serré, brusque**

ÉPISODE

– Épisode critique d'une maladie **phase**
– Roman ou film à épisodes **feuilleton**
– Suivre les différents épisodes d'un conflit **incidents, péripéties**

ÉPLUCHER

– Éplucher des petits pois **écosser**
– Éplucher des noix, des œufs durs **écaler**
– Éplucher des crevettes **décortiquer**
– Éplucher une orange **peler**
– Éplucher des haricots verts **ébouter**
– Couteau utilisé pour éplucher des fruits ou des légumes **économe, épluche-légumes**
– Éplucher les comptes d'une entreprise **examiner, disséquer**

ÉPONGE

– Éponge végétale **luffa**
– Culture de l'éponge en parc **spongiculture**
– Éponge d'églantier **bédégar**

– Jeter l'éponge **abandonner, déclarer forfait**
– Passer l'éponge **oublier, pardonner**

ÉPONGER

syn. **sécher, étancher, essuyer**
– Éponger l'inflation **résorber, absorber**

ÉPOQUE

– Époque des grandes glaciations **ère**
– Une époque de troubles **période, moment**
– Les époques de la vie **âges, étapes, cycles**
– Un meuble d'époque **authentique**
– Époque des cerises **saison**
– Faire époque **marquer, faire date**

ÉPOUSER

syn. **marier (se), convoler, unir (s')**
– Épouser une cause **embrasser, soutenir**
– Épouser les convictions de quelqu'un **partager**
– Épouser les formes du corps **modeler sur (se), mouler**
– Virage qui épouse les courbes de la montagne **suit**

ÉPOUVANTABLE

– Une humeur épouvantable **exécrable, massacrante**
– Un crime épouvantable **monstrueux, atroce, affreux**
– Une vision épouvantable **terrifiante, effroyable, horrible**

ÉPOUVANTER

syn. **terroriser**

ÉPOUX

syn. **compagnon, conjoint, mari**
– Époux infidèle **adultère**
– Domicile des époux **conjugal**
– Futur époux **fiancé, promis**

ÉPREUVE

– Épreuve sportive **compétition, match, challenge, critérium, rencontre**
– Faire subir une épreuve **test, essai, expérience, vérification**
– Un optimisme à toute épreuve **solide, inébranlable**
– Endurer des épreuves **chagrins, adversité, malheur, tribulations**
– Épreuve vexatoire **brimade**
– Épreuves que l'on fait subir aux étudiants **bizutage**
– Temps d'épreuve avant la prise de voile **probation**
– Dernière épreuve d'une page de journal **morasse**
– Épreuve en colonnes **placard**
– Épreuve de tournage **rush**
– Épreuve judiciaire par le feu ou l'eau **ordalie**

– Épreuve décisive permettant de juger la capacité d'une personne **schibboleth**

ÉPROUVER

– Éprouver de la joie **sentir, ressentir**
– Éprouver des difficultés **rencontrer, heurter à (se)**
– Être éprouvé par la disparition d'un ami **frappé, touché, atteint**
– Éprouver les difficultés d'une entreprise **constater**
– Éprouver la résistance d'un matériau **expérimenter**

ÉPUISEMENT

– Signe précurseur de l'épuisement **abattement, fatigue, affaiblissement**
– État d'épuisement extrême **anéantissement, exténuation, étiolement, consomption, langueur**
– Épuisement d'un sol **appauvrissement**
– Épuisement des ressources **raréfaction, tarissement, pénurie**
– Épuisement des eaux d'infiltration **assèchement, exhaure**

ÉPUISER

– Épuiser un pays **ruiner**
– Épuiser un patrimoine **absorber, dévorer, dilapider**
– Épuiser un stock **écouler, vendre**
– Épuiser la générosité d'une personne **lasser, décourager**
– Méthode consistant à épuiser toutes les hypothèses d'un problème **exhaustion**
– S'épuiser à faire quelque chose **échiner à (s'), éreinter à (s'), évertuer à (s')**

ÉPUISETTE

syn. **filet**
– Filet à crevettes en forme d'épuisette **haveneau**
– Épuisette utilisée sur une barque **écope**

ÉPURER

– Épurer un individu d'un groupe **exclure, expulser**
– Épurer un liquide **clarifier, purifier, filtrer, décanter**
– Épurer du sucre, du pétrole **raffiner**
– Épurer de l'alcool **distiller, rectifier**
– Épurer un style **perfectionner, châtier, polir, affiner, parfaire**

ÉQUATEUR

– Demi-cercle perpendiculaire à l'équateur **méridien**
– Distance angulaire d'un point à l'équateur **latitude**
– Parties du globe divisées par l'équateur **hémisphères**
– Phénomène se produisant lorsque le Soleil passe au dessus de l'équateur **équinoxe d'automne (22 ou 23 mars), équinoxe de printemps (20 ou 21 mars)**
– Climat de l'équateur **équatorial**

ÉQUERRE
– Équerre portant un rebord saillant **à onglet**
– Équerre à coulisse **pied à coulisse**
– Double équerre **té**
– Équerre d'arpenteur **graphomètre**
– Fausse équerre **biveau, sauterelle**
– Pièce en équerre servant de renfort **cornière**
– À l'équerre **à angle droit**

ÉQUILIBRE
– Équilibre psychologique **calme, pondération, mesure, sérénité**
– Équilibre du corps **assiette, aplomb**
– Perdre l'équilibre **trébucher, chanceler, tituber, vaciller**
– Reconnaître l'équilibre d'une composition **harmonie, symétrie, proportion, eurythmie**
– Exercice d'équilibre **acrobatie**
– Rétablir un équilibre **compenser, contrebalancer, stabiliser**
– Équilibre des forces **statique**
– Équilibre des liquides **hydrostatique**
– Symbole de l'équilibre **balance**
– L'équilibre d'un mur **aplomb**

ÉQUILIBRÉ
– Un repas équilibré **sain**
– Un budget équilibré **stable**

ÉQUIPAGE
syn. **navigation, marine**
– Équipage d'un navire **personnel de service, personnel de manœuvre**
– Équipage affecté à un même bord sur un navire **bordée**
– Doter d'un équipage un navire saisi **amariner**
– Équipage de lunettes **oculaire**

ÉQUIPE
– Une équipe soudée **groupe**
– Équipe de dactylos **pool**
– Équipe de parachutistes d'un même avion **stick**
– Équipe d'experts secondant une direction **brain-trust**
– Équipe d'ouvriers **brigade, escouade**
– Chef d'équipe d'un atelier **contremaître**
– Chef d'équipe dans les mines de charbon **porion**
– Chef d'équipe dans une imprimerie **prote**
– Équipe de cyclistes roulant pour une même marque **écurie**
– Esprit d'équipe **solidarité**
– Faire équipe **associer (s')**

ÉQUIPEMENT
– Équipement d'un navire **avitaillement**

ÉQUIPER
– Équiper un local **aménager, installer**

– Équiper un atelier **outiller**
– Équiper un objet, une machine **munir, doter**
– Équiper un pays, une région **industrialiser**
– Équiper un navire **appareiller, armer, fréter**
– Équiper un voilier **gréer**
– Équiper un cheval **harnacher**
– S'équiper convenablement **vêtir (se)**

ÉQUIPIER
syn. **partenaire**
– Équipier sportif **coéquipier, joueur**

ÉQUITATION
– Équipement requis pour l'équitation **veste, culotte, bombe, bottes**
– Lieu réservé à l'équitation **manège**
– Professeur d'équitation **instructeur, écuyer, maître de manège**
– École d'équitation **haute école, basse école**
– Équitation acrobatique **voltige**
– Équitation de compétition **hippisme**
– Obstacle utilisé sur un parcours en équitation **haie, rivière, obstacle droit, obstacle en largeur**
– Monte longue en termes d'équitation **monte à l'américaine**
– Monte sportive en termes d'équitation **monte à l'obstacle**
– Groupe de cavaliers pratiquant ensemble l'équitation **reprise**
– Célèbre école d'équitation **Saumur**

ÉQUIVALENCE
syn. **égalité, adéquation**
– Équivalence en mathématiques **homologie, identité**
– Relation d'équivalence en mathématiques **congruence, modulo**

ÉQUIVALENT /1
– Équivalent-gramme **valence-gramme**
– Tonne équivalent pétrole **tep**

ÉQUIVALENT /2
syn. **semblable, similaire, comparable, identique**
– Équivalent d'un mot **synonyme**

ÉQUIVOQUE
– Dissiper l'équivoque **malentendu**
– Sans équivoque **clairement**
– Notion équivoque **ambiguë, obscure, amphibologique, imprécise**
– Comportement équivoque **suspect, douteux, inquiétant**
– Milieu équivoque **interlope**

ÉRAFLURE
– Une éraflure au genou **écorchure, égratignure, excoriation**
– Crépi recouvert d'éraflures **entailles, fentes**

ÈRE
syn. **époque, âge, période**
– Début de l'ère musulmane **hégire**
– Équivalent stratigraphique de l'ère **érathème**
– Ère archéenne **archéozoïque**
– Ère primaire **paléozoïque**
– Ère secondaire **mésozoïque**
– Ères tertiaire et quaternaire **cénozoïque**

ÉRECTION
– Érection d'un organe **tumescence, turgescence**
– Érection d'un monument **construction, élévation**
– Statue d'un personnage représenté en érection **ithyphallique**

ÉRIGER
– Ériger un tribunal **créer, instituer, établir, fonder**
– Ériger un dicton en règle de conduite **transformer**
– S'ériger en héros **poser en (se), présenter comme (se)**

ÉROSION
syn. **dégradation, désagrégation**
– Érosion de la peau par inflammation **écorchure, excoriation, ulcération**
– Érosion des sols par les eaux de ruissellement **corrosion, ravinement**
– Érosion des berges **affouillement**
– Érosion des sols désertiques par le vent **déflation**
– Érosion par l'eau, la glace ou le vent **abrasion**

ÉROTIQUE
– Littérature érotique **licencieuse**
– Rêve érotique **sensuel, voluptueux, sexuel**
– Attitude érotique **excitante**
– Stimulant érotique **aphrodisiaque**
– Déshabillage suggestif et érotique **striptease, effeuillage**
– Illusion érotique délirante **érotomanie**

ERRER
syn. **flâner, déambuler**
– Laisser errer son imagination **divaguer, vagabonder**
– Laisser errer son regard **traîner**

ERREUR
– Erreur des sens **hallucination, illusion, mirage**
– Erreur de conduite **bévue, impair, maladresse**
– Erreur de compréhension **confusion, méprise, malentendu, quiproquo**
– Erreur de raisonnement **absurdité**
– Erreur d'appréciation **fourvoiement**
– Erreur d'interprétation **contresens**
– Erreur de calcul **faute, inexactitude, mécompte**

ENDOCRINOLOGIE

Glande pinéale ou **épiphyse :** petite formation glandulaire située dans le cerveau des vertébrés et dont les fonctions sont encore mal connues.

Glande pituitaire ou **hypophyse :** glande endocrine, située à la base du cerveau, sécrétant des hormones qui contrôlent le fonctionnement d'autres glandes (thyroïde, surrénales, etc.) et stimulent la croissance osseuse.

Glande thyroïde : glande située à la base du cou et produisant les hormones qui règlent le métabolisme et la croissance.

Glandes endocrines : glandes, telles la thyroïde et la glande pituitaire (ou hypophyse), qui déversent leurs hormones directement dans la circulation sanguine.

Glandes exocrines : glandes, telles les glandes salivaires et sudoripares, qui déversent leurs sécrétions par l'intermédiaire d'un canal, dans une cavité organique ou à l'extérieur.

Glandes holocrines : glandes, telles les glandes sébacées, dont les cellules se désagrègent pour composer la sécrétion.

Glandes lacrymales : glandes, localisées derrière les paupières supérieures, qui produisent les larmes.

Glandes mammaires : glandes qui produisent le lait chez les mammifères femelles.

Glandes mérocrines : glandes, telles les glandes sudoripares, dont les cellules sécrétrices restent intactes.

Glandes parathyroïdes : glandes sécrétant une hormone qui augmente le taux de calcium dans le sang.

Glandes parotides : glandes salivaires localisées au-dessous des oreilles.

Glandes sébacées : glandes cutanées répandant une substance grasse, le sébum, dans les follicules pileux et sur la peau.

Glandes surrénales : glandes, situées au-dessus des reins, qui sécrètent de l'adrénaline (glandes médullaires) et des corticoïdes (glandes corticosurrénales) dans le sang.

Hormone : substance sécrétée dans le sang par des cellules spécialisées organisées en glandes qui agissent sur des organes ciblés situés loin ou

à proximité de leur lieu de production.

Hypothalamus : région du cerveau assurant le contrôle végétatif et endocrinien. Il régule notamment l'activité hypophysaire.

Ovaires : glandes reproductrices femelles.

Pancréas : glande, située près de l'estomac, déversant des sucs digestifs dans le duodénum et contenant les îlots de Langerhans, qui produisent l'insuline, le glucagon et la somatostatine.

Prostate : glande, propre aux mammifères mâles, qui sécrète l'un des éléments du sperme.

Système hormonal : il constitue, avec les systèmes immunitaire et nerveux, le réseau de communication entre les organes.

Testicules : glandes reproductrices mâles.

Thymus : tissu glandulaire lymphoïde, situé derrière le sternum, actif surtout pendant l'enfance, contribuant à donner la compétence immunitaire aux lymphocytes T, agents de l'immunité cellulaire.

– Erreur typographique **coquille, mastic, doublon, bourdon**
– Liste des erreurs d'impression **errata**
– Erreur de datation **anachronisme**

ÉRUDIT
syn. **savant, cultivé, lettré, docte, instruit**
– Érudits de la Renaissance **humanistes**

ÉRUPTION
syn. **débordement, explosion, jaillissement**
– Éruption dentaire **dentition**
– Éruption de lave **émission, expulsion**
– Éruption cutanée **efflorescence, exanthème, poussée, acné, urticaire**

ESCALADE
syn. **varappe, grimpe**
– L'escalade de l'Himalaya **ascension**
– Escalade des prix **hausse, flambée**
– Escalade de la violence **augmentation, aggravation, intensification, surenchère**

ESCALIER *Voir illustration p. 229*

ESCAMOTER
– Illusionniste qui escamote un mouchoir **fait disparaître, cache**
– Escamoter une carte bleue **dérober, subtiliser**
– Escamoter le train d'atterrissage d'un avion **replier, rentrer**
– Escamoter un sujet embarrassant **esquiver, éluder, contourner**

ESCAPADE
– Raconter ses escapades **équipées, fredaines, frasques**
– Faire une escapade **fugue**

ESCARGOT
syn. **colimaçon, limaçon**
– Embranchement auquel appartient l'escargot **mollusques**
– Plat à escargots **escargotière**
– Langue de l'escargot **radula**
– Coquillage qui rappelle l'escargot de mer **bigorneau**

– Élevage des escargots **héliciculture**

ESCARMOUCHE
– Escarmouche survenant entre deux armées **échauffourée, engagement, accrochage,**
– Assister à une petite escarmouche **querelle, dispute**

ESCLANDRE
– Faire de l'esclandre **scandale, éclat, tapage**
– Faire un esclandre à sa fiancée **querelle, scène**

ESCLAVAGE
syn. **servitude, asservissement, captivité**
– Tyran qui tient une population dans l'esclavage **domination, oppression, joug, tyrannie**
– Libérer de l'esclavage **affranchir, émanciper**
– Réduire en esclavage **enchaîner, aliéner, assujettir**
– Vivre l'esclavage de la drogue **sujétion, accoutumance, dépendance, assuétude**

ESCLAVE
– Esclave à Sparte **hilote**
– Femme esclave de harem en Orient **odalisque**
– Esclave au Moyen Âge **serf**
– Fêtes dans l'Antiquité romaine au cours desquelles les esclaves étaient servis par leurs maîtres **saturnales**
– Affranchissement d'un esclave **manumission**
– Commerce d'esclaves **traite**
– Un comportement d'esclave **servile, obséquieux**

ESCOMPTER
– Escompter le succès d'une opération **compter sur, prévoir, tabler sur, attendre**

ESCORTE
– Escorte prestigieuse **cortège, suite**
– Faire escorte à quelqu'un **accompagner**
– Escorte armée d'un convoi **détachement**
– Bâtiment de guerre spécialisé dans l'escorte **escorteur**

ESCRIME
– Arme utilisée en escrime **fleuret, épée, sabre**
– Professeur d'escrime **maître d'armes, prévôt d'armes**
– Amateur d'escrime qui pratique ce sport **bretteur, escrimeur**
– En escrime, attaque visant à écarter la lame adverse **battement, pression, froissement**

– En escrime, botte portée immédiatement après la parade **riposte**
– En escrime, attaque menée pour s'emparer de la lame adverse **liement, enveloppement, croisé**
– Geste préparatoire d'une attaque, en escrime **feinte**
– Attaquer en se projetant vers l'avant, en escrime **fendre (se)**
– En escrime, coup défensif **parade**

ESCROC

– Être victime d'un escroc **aigrefin, arnaqueur, écornifleur, faisan, filou**
– Être un escroc en affaire **bandit, fripouille, gangster, voleur**

ESCROQUER

syn. **dérober, soustraire, soutirer, extorquer**
– Se faire escroquer **abuser, duper, tromper**

ESPACE

syn. **étendue, superficie, lieu**
– Nom donné à l'espace en poésie **éther**
– Voyager dans l'espace **cosmos**
– Science des voyages dans l'espace **astronautique**
– Espace à plus de trois dimensions **hyperespace**
– Parcourir un espace **trajet, distance, chemin**
– Espace entre des lattes **écart, fente, interstice**
– Espace de temps **laps, intervalle**
– Espace laissé entre les mots d'un texte **blanc**
– Espace laissé entre les lignes d'un texte **interligne**
– Espace laissé au bord d'une page **marge**

ESPACER

– Espacer dans le temps **échelonner, étaler**
– Espacer des bornes kilométriques **distancer**

ESPAGNOL

– Péninsule espagnole **Ibérique**
– Langue espagnole officielle **castillan**
– Noble espagnol **hidalgo**
– Premier magistrat d'une cité espagnole **corregidor**
– Maire espagnol **alcade**
– Ancienne monnaie espagnole **peseta**

ESPÈCE

voir aussi **évolution**
– Des objets de toute espèce **sorte, qualité, genre, type, catégorie**
– De même espèce **ordre, nature**
– Division de l'espèce en biologie **classe, ordre, famille, genre, race**
– Espèce d'un arbre **essence**
– Évolution des espèces **évolutionnisme,**

CROISSANCE DE L'ENFANT *(voir aussi tableau pédiatrie, p. 439)*			
Âge	Poids (en kg)	Taille (en cm)	Périmètre crânien (en cm)
naissance	3	50	35
3 mois	5,6	60	40
9 mois	8	70	45
1 an	9 à 10	75	47
2 ans	12	85	48 à 49
4 ans	16	100	50

transformisme, darwinisme, mutationnisme, lamarckisme
– Croisement d'espèces différentes **hybridation, métissage**
– Propre à une espèce **spécifique, particulier**
– Paiement en espèces **numéraire**

ESPÉRANCE

– Tromper une personne dans ses espérances **décevoir, désappointer, désenchanter**

ESPÉRER

– Espérer une prime **attendre, escompter, compter sur, tabler sur**
– Laisser espérer une issue heureuse **promettre, entrevoir**
– Espérer ardemment quelque chose **aspirer à, désirer, souhaiter**
– Espérer maîtriser la situation **penser, compter**

ESPION

– Espion travaillant pour un pays étranger **agent secret**
– Espion travaillant pour les services de police **indicateur, mouchard, affidé**
– Espion chargé d'infiltrer un milieu **taupe**

ESPIONNER

– Espionner un suspect **épier, filer, surveiller**
– Dispositif permettant d'espionner les conversations téléphoniques **table d'écoute**

ESPOIR

– Avoir plus qu'un espoir **assurance, conviction, certitude, confiance**
– Combler les espoirs **attentes, souhaits**
– Espoir trompeur **illusion, rêve, utopie, chimère, leurre**

ESPRIT

– Esprit divin **souffle, inspiration, grâce**
– Esprit suprême **Dieu**
– Esprit des ténèbres **Satan**
– Esprit saint **Paraclet, Panctificateur**
– Descente de l'Esprit saint sur les apôtres

Pentecôte
– Aiguiser son esprit **entendement, raison, intelligence**
– Science ayant pour objet le monde de l'esprit **noologie**
– Trait d'esprit **boutade, calembour, saillie**
– Avoir de l'esprit **faire de l'humour, manier l'ironie**
– Faire du mauvais esprit **railler, ironiser, persifler**
– Vue de l'esprit **illusion, chimère, utopie**
– Présence d'esprit **promptitude, vivacité**
– État d'esprit **mentalité**
– Perdre l'esprit **raison**
– Évocation des esprits **nécromancie, spiritisme**
– Individu doué du pouvoir de communiquer avec les esprits **médium**
– Esprit d'un mort **fantôme, revenant, mânes**
– Esprit follet **lutin, farfadet**
– Esprit de l'air des contes gaulois **elfe, sylphe**
– Esprit malfaisant des légendes bretonnes **korrigan**
– Esprit dans les contes juifs **dibbouk**
– Esprit aérien des contes arabes **djinn**
– Esprit familier de la littérature germanique **kobold**
– Esprit protecteur du foyer dans l'Antiquité romaine **lare**
– Esprit en chimie **alcoolat**
– Esprits célestes **anges**

ESQUIMAU

syn. **Inuit**
– Demeure des Esquimaux **igloo, hutte**
– Embarcation des Esquimaux **umiak, kayak**
– Langue parlée par les Esquimaux **inupik, yupik**

ESQUISSE

– Esquisse d'un dessin **croquis, schéma, maquette, pochade**
– Esquisse d'une œuvre littéraire **canevas, projet, aperçu, synopsis**
– Esquisse d'un geste **ébauche, amorce**

ESSAI

syn. **tentative, effort**
– Essai fait en laboratoire **expérimentation, analyse, épreuve, test**
– Essai d'une voiture de course **vérification**
– Modèle servant pour les essais **prototype**
– Tube à essai **éprouvette**
– Période d'essai dans un couvent **probation**

ESSAYER

– Essayer un vin **goûter, déguster**

– Essayer de faire quelque chose **chercher à, appliquer à (s')**
– S'essayer à une technique **initier à (s'), exercer à (s')**

ESSENCE
– Essence d'une chose en philosophie **substance, quiddité, nature**
– Par essence **intrinsèquement**
– Essence aromatique **extrait, huile**
– Essence la plus subtile **quintessence, élixir**
– Essences d'arbres **espèces**

ESSENTIEL
– Des qualités essentielles **inhérentes, constitutives**
– Un argument essentiel **capital, primordial, fondamental**
– Une discipline essentielle **nécessaire, indispensable**
– Une condition essentielle **sine qua non**
– Mal essentiel en médecine **idiopathie**

ESSOR
syn. **élan, envol**
– Prendre son essor **autonomie, indépendance**
– Contribuer à l'essor d'une entreprise **croissance, expansion**
– Essor d'une civilisation **progrès, développement**

ESSOUFFLER (S')
syn. **haleter, ahaner, suffoquer**
– S'essouffler à force de crier **époumoner (s')**
– S'essouffler à suivre un rythme trop rapide **peiner**
– L'inspiration s'essouffle **amenuise (s'), épuise (s')**

ESSUYER
syn. **éponger, nettoyer, épousseter**
– Essuyer un cheval **bouchonner**
– Essuyer des revers de fortune **éprouver, subir, endurer**

EST
syn. **levant, orient**
– Célèbre train roulant vers l'est **Trans-Europe-Express, Orient-Express, Transsibérien**

ESTHÉTIQUE /1
– Esthétique d'une danseuse **beauté, grâce, plastique**
– Esthétique d'une œuvre d'art **harmonie**
– Personne spécialiste des soins d'esthétique **esthéticienne**
– Esthétique industrielle **design**

ESTHÉTIQUE /2
syn. **artistique**
– La chirurgie esthétique **plastique, correctrice**

– Chirurgie esthétique de l'abdomen **lipectomie**
– Chirurgie esthétique du nez **rhinoplastie**

ESTIMER
– Estimer un tableau **expertiser, évaluer**
– Estimer le cours d'une marchandise **coter**
– Estimer ses chances de succès **conjecturer, supputer**
– Estimer une personne **apprécier**

ESTOMAC
– Bord supérieur de l'estomac le reliant à l'œsophage **cardia**
– Bord inférieur de l'estomac le reliant au duodénum **pylore**
– Creux de l'estomac **épigastre**
– Trouble de l'estomac **ulcère, gastralgie, dyspepsie, pyrosis, hypochlorhydrie, hyperchlorhydrie**
– Hernie de l'estomac **gastrocèle**
– Inflammation de la paroi de l'estomac **gastrite**
– Examen visuel de l'estomac **gastroscopie**
– Ablation de l'estomac **gastrectomie**
– Partie de l'estomac d'un ruminant **panse, caillette, bonnet, feuillet**
– Poche de l'estomac d'un oiseau **gésier, ventricule succenturié, jabot**

ESTOMPER
– Estomper un dessin **ombrer**
– Estomper des détails trop vifs **adoucir, voiler**
– Voir ses souvenirs s'estomper **effacer (s')**
– Sentir la douleur s'estomper **atténuer (s'), dissiper (se)**

ESTURGEON
– Famille à laquelle appartient l'esturgeon **acipenséridés**
– Œufs d'esturgeon **caviar**
– Esturgeon d'Europe de l'Est **sterlet**

ÉTABLE
– Étable à bœufs **bouverie**
– Étable à cochons **soue**
– Étable à vaches **vacherie**
– Élément d'une étable **crèche, râtelier, auge, litière**
– Mettre des animaux à l'étable **établer**
– Séjour en étable **stabulation**

ÉTABLIR
– Établir sa demeure **fixer, installer**
– Établir une société **monter, fonder, créer**
– Établir des règles **instaurer, instituer**
– Établir une personne dans une fonction **constituer**
– Établir un groupe de soldats **poster**
– Établir sa réputation **asseoir, édifier**

– Établir la culpabilité d'une personne **prouver, démontrer**
– Établir un compte **dresser, arrêter**
– Établir un texte **éditer**
– Un fait établi **avéré, certain, acquis, reconnu**

ÉTAGE
syn. **niveau**
– Appartement situé sur deux étages **duplex**

ÉTAIN
– Minerai contenant de l'étain **stannifère**
– Oxyde d'étain naturel **cassitérite**
– Bisulfure d'étain **mussif**
– Alliage d'étain **bronze, chrysocale**
– Bioxyde d'étain **potée d'étain**
– Potier travaillant l'étain **étainier**
– Utilisation de l'étain **tain, étamage**

ÉTALAGE
– Étalage des marchandises **devanture, vitrine, éventaire, étal**
– Étalage de coloris **débauche, profusion, déploiement, abondance**
– Étalage de richesses **montre, parade, ostentation, affectation**

ÉTALER
– Étaler des marchandises **déballer, exposer**
– Étaler un tissu **déplier, dérouler**
– Étaler un journal **déployer**
– Étaler ses jambes **allonger**
– Étaler son jeu **abattre**
– Étaler du fumier dans un champ **épandre**
– Étaler des paiements **répartir, échelonner**
– Étaler ses richesses **afficher, exhiber, arborer**

ÉTALON /1
– Âne étalon de l'ânesse ou de la jument **baudet**

ÉTALON /2
– Étalon de mesure des pièces mécaniques **calibre**
– Système monétaire se référant à un étalon métallique **monométallisme**
– Système monétaire se référant à deux étalons métalliques **bimétallisme**
– Étalon de la lâcheté **archétype, référence, modèle**

ÉTANCHE
– Une tente étanche **imperméable**
– Un joint étanche **hermétique**
– Un chronomètre étanche **waterproof**

ÉTANG
syn. **bassin, mare, lac**
– Étang d'eau salée entre la terre et la mer **lagune**

– Pièce de bois retenant l'eau d'un étang **bonde**
– Déversoir d'un étang **daraise**
– Bord d'un étang **chaussée**
– Étang destiné à la pisciculture **vivier, alevinier**
– Part d'un étang réservée à la capture des canards sauvages **canardière**

ÉTAPE

– Longue étape **distance, route, trajet**
– Étape de la vie **époque, période, phase**
– Faire une étape **halte, escale**
– Par étapes **progressivement, graduellement**

ÉTAT

syn. **communauté, société, nation, république**
– Service d'État **public**
– Forêt appartenant à l'État **domaniale**
– Intervention de l'État dans l'économie **dirigisme, interventionnisme, étatisme**
– Prise en charge par l'État de la gestion d'une entreprise **étatisation, nationalisation**
– Employé au service de l'État **fonctionnaire**
– Tentative de déstabilisation d'un État **putsch, pronunciamiento**
– Division territoriale d'un État **province, région, comté**
– Division territoriale de l'État allemand **land**
– État de la Confédération helvétique **canton**
– Modalités politiques d'un État **fédéral, cantonal, provincial**
– Domaine privilégié des relations entre les États **diplomatie**
– Remettre en état **réparer, restaurer**
– Passer par des états dépressifs **phases, moments**
– État de choc **traumatisme**
– État d'âme **sentiment, impression, humeur**
– État de conscience en psychanalyse **sensation, volition**
– Vérifier l'état des finances **situation, position**
– Condamner l'état d'esprit d'une personne **mentalité**
– Il n'est pas en état de conduire **capable de, en mesure de**
– Faire état de **citer, mentionner**
– Publier un état des frais **bilan, facture, statistique, bordereau**
– État des lieux **inventaire, descriptif**
– Rédiger un état de service **note, rapport, exposé, compte rendu**
– Exiger un état pour les marchandises transportées par bateau **reçu, connaissement**
– Le tiers état **artisans, paysans, bourgeois**

– Les trois états sous l'Ancien Régime **clergé, noblesse, roturiers**

ÉTAU

syn. **tenaille**
– Mâchoires d'un étau **mors**
– Contrainte morale ressentie comme un étau **coercition**

ÉTEINDRE

– Éteindre une chandelle **moucher**
– Éteindre un incendie **circonscrire, maîtriser**
– Éteindre un feu **étouffer**
– Éteindre les couleurs **affaiblir, ternir**
– Éteindre l'ardeur **saper, détruire, anéantir**
– Éteindre la soif **apaiser, étancher**
– Rire impossible à éteindre **inextinguible**
– Éteindre une dette **amortir, acquitter de (s')**
– Éteindre un droit, une obligation **annuler**
– S'éteindre **mourir, décéder**

ÉTEINT

– Un regard éteint **morne, vide, terne**
– Un vieillard éteint **apathique, atone**
– Une voix éteinte **étouffée**

ÉTENDRE

– Étendre ses ailes **déplier, déployer**
– Étendre un métal **étirer, laminer, tréfiler**
– Corps doué de la propriété de s'étendre **ductile**
– Étendre une sauce **allonger, délayer, diluer, mouiller**
– Étendre une pâte **étaler**
– Étendre ses connaissances **approfondir, augmenter**
– Étendre son champ d'action **élargir, agrandir**
– Une épidémie s'étend **répand (se), propage (se)**

ÉTENDUE

syn. **espace, surface, dimension**
– Étendue des sons parcourue par une voix ou un instrument **registre, diapason**
– Évaluer l'étendue d'une catastrophe **ampleur, importance, envergure**
– Étendue des connaissances **domaine, champ, sphère**
– Étendue d'un tir, d'un lancer **portée**
– Étendue d'un discours **développement, longueur**
– Mesurer l'étendue d'un objet **grandeur, taille, largeur, longueur, volume**

ÉTERNEL

syn. **intemporel, absolu**
– Des regrets éternels **immortels, impérissables**

– Une reconnaissance éternelle **infinie, indestructible, indéfectible, durable**
– D'éternels reproches **constants, sempiternels, perpétuels, incessants, continuels**
– Flanqué de son éternel compagnon **inséparable**
– La justice éternelle **divine**

ÉTERNUER

– Action d'éternuer **sternutation**
– Substance qui fait éternuer **sternutatoire**

ÉTHER

– Utilisation commune de l'éther **solvant, antiseptique, anesthésiant**
– Anesthésie provoquée par l'inhalation d'éther **éthérisation**
– Accoutumance à l'éther **éthéromanie**
– Intoxication à l'éther **éthérisme**

ÉTHIQUE

syn. **morale**
– Éthique médicale **bioéthique, déontologie**

ÉTINCELANT

– Des pierres étincelantes **brillantes, scintillantes**
– Un soleil étincelant **resplendissant, radieux**
– Un discours étincelant de finesse **éclatant**

ÉTINCELLE

voir aussi **silex, feu**
– Étincelle survenant dans un milieu isolant **disruptive**
– Instrument prodiguant des étincelles **fusil, briquet**
– Une étincelle passa dans son regard **lueur, éclair**
– Une étincelle de bon sens **parcelle, once**

ÉTIOLER

– Un régime qui étiole une adolescente **affaiblit, anémie**
– Vieillard qui s'étiole **dépérit, languit**
– Laisser des plantes s'étioler **faner (se), rabougrir (se)**

ÉTIRAGE

– Étirage d'un métal **laminage, tréfilage, filetage**
– Instrument utilisé pour l'étirage **filière**
– Étirage des peaux **corroyage**
– Étirage de la peau du visage à des fins esthétiques **lifting, lissage**

ÉTIRER

syn. **étendre**
– Étirer du linge **détirer**
– Étirer un cordage **élonger**
– Étirer du fer **laminer, tréfiler, fileter**

– Étirer ses membres **détendre (se)**
– Tissu dont les fibres s'étirent **stretch**
– Étoffe qui s'étire à l'usage **prête, donne**

ÉTOFFE

syn. **tissu, textile**
– Apprécier l'étoffe d'un roman **matière, sujet**
– N'avoir pas l'étoffe pour une telle entreprise **valeur, aptitude, qualité, compétence, disposition**

ÉTOILE *Voir illustration p. 230*

syn. **astre**
– Étoile à neutrons **pulsar**

– Dormir à la belle étoile **dehors, en plein air**
– Étoile filante **météorite, aérolithe, bolide**
– Étoile du berger **Vénus**
– Groupement apparent d'étoiles avec une configuration propre **constellation**
– Relatif aux étoiles **stellaire**
– Vaste ensemble d'étoiles **galaxie**
– Étoile dont l'éclat varie périodiquement **céphéide**
– Étoile en formation **protoétoile**
– Appareil d'observation des étoiles **télescope, lunette, astrolabe**
– Étoile de mer **astérie**

– Croire en son étoile **chance, destin, destinée, fortune, sort**
– Étoile-de-Noël **poinsettia**
– Étoile-d'argent **edelweiss**
– Étoile en typographie **astérisque**
– Une étoile du cinéma **artiste, vedette, star**
– Étoile où aboutissent des avenues **carrefour, croisement, rond-point, trèfle, patte-d'oie**

ÉTONNANT

– Une saveur étonnante **étrange, insolite**
– Une attitude étonnante **stupéfiante, ahurissante, déconcertante, incroyable, inattendue**
– Un spectacle étonnant **saisissant, extraordinaire, fantastique**
– Un courage étonnant **rare, remarquable, formidable, impressionnant**
– Une construction étonnante **curieuse, bizarre, surprenante, singulière, originale**

ÉTONNÉ

– Très étonné **abasourdi, sidéré, stupéfait**

ÉTONNEMENT

syn. **ébahissement, surprise**
– Étonnement profond **stupeur, stupéfaction**
– Étonnement survenant dans un édifice **ébranlement, lézarde**
– Étonnement apparaissant sur un diamant **fêlure**

ÉTOUFFANT

– Atmosphère étouffante d'un fumoir **touffeur**

ÉTOUFFEMENT

syn. **suffocation, dyspnée, étranglement, asphyxie**
– Étouffement d'un scandale **dissimulation**
– Étouffement de la contestation **répression**

ÉTOUFFER

– Étouffer un feu **éteindre**
– La fumée m'étouffe **gêne, oppresse**
– Étouffer des sons **amortir, assourdir**
– Étouffer des pulsions **réprimer, juguler, réfréner, contraindre, refouler**
– Étouffer un cri **contenir, retenir**
– S'étouffer de rage **étrangler (s')**

ÉTOURDERIE

– Commettre des étourderies **bévues, oublis**
– Agir avec étourderie **inattention, distraction, imprudence, insouciance, irréflexion**
– Par étourderie **par mégarde, par inadvertance**

VOCABULAIRE DE L'ENTREPRISE

LES DIFFÉRENTS TYPES D'ENTREPRISES SELON LE STATUT JURIDIQUE

Entreprise individuelle : entreprise dont la propriété et la gestion relèvent d'une seule personne. La responsabilité de l'entrepreneur est dite illimitée dans la mesure où il est responsable sur ses biens propres des dettes de son entreprise.

Entreprise unipersonnelle à responsabilité limitée (EURL) : entreprise où le propriétaire individuel n'est responsable qu'à la hauteur de son apport personnel.

Société à responsabilité limitée (SARL) : entreprise où les associés (deux au minimum) ne sont responsables qu'à la hauteur de leur apport dans le capital.

Société anonyme (SA) : entreprise, généralement de grande taille, dont le capital est fragmenté en actions. La responsabilité des actionnaires est limitée à leur participation au capital de l'entreprise.

LES ENTREPRISES SELON LA TAILLE

Entreprises multinationales : entreprises qui possèdent plusieurs filiales dans différents pays.

Entreprises publiques : entreprises dont l'actionnaire est l'État. Les entreprises publiques constituent le secteur public.

Grandes entreprises : entreprises dont les effectifs

sont égaux ou supérieurs à 500 salariés.

Petites et moyennes entreprises (PME) : entreprises dont les effectifs sont compris entre 10 et 499 salariés.

Très petites entreprises (TPE) : entreprises dont les effectifs ne dépassent pas 9 salariés.

LES ENTREPRISES ET LA REPRÉSENTATION DES SALARIÉS

Délégué du personnel : représentant élu tous les deux ans dans les entreprises de plus de 10 salariés. Le rôle des délégués du personnel consiste à présenter les réclamations individuelles et collectives des salariés auprès du chef d'entreprise.

Comité d'entreprise (CE) : structure obligatoire dans les entreprises de plus de 50 salariés, il est consulté pour toutes les questions relatives à l'entreprise. Il est chargé de gérer les activités sociales et culturelles de celle-ci.

Délégué syndical : représentant d'un syndicat de salariés dans les entreprises de plus de 50 salariés.

LA COMPTABILITÉ DE L'ENTREPRISE

Bénéfice : solde positif entre le produit des ventes et les charges de l'entreprise. Le bénéfice est le revenu de l'entreprise.

Bilan : document comptable annuel qui retrace les avoirs

(actif) et les dettes (passif) d'une entreprise.

Chiffre d'affaires (CA) : montant des ventes réalisées par une entreprise durant une période déterminée.

Comptabilité : technique d'enregistrement des flux financiers dans l'entreprise.

Masse salariale : ensemble des salaires et des charges sociales payés par les entreprises.

ENTREPRISES, STRATÉGIE ET DÉVELOPPEMENT

Croissance externe : croissance fondée sur la réunion de deux ou plusieurs entreprises qui associent leurs potentialités. On parle également de concentration d'entreprises.

Croissance interne : croissance de l'entreprise fondée sur le développement de capacités de production nouvelles (investissement).

Diversification : stratégie d'entreprise qui consiste à développer de nouveaux produits ou à rechercher de nouveaux marchés afin d'accroître la rentabilité tout en réduisant les risques.

Innovation : stratégie de développement qui consiste à réaliser un nouveau produit ou à concevoir un nouveau procédé de fabrication.

Spécialisation : concentration des activités de l'entreprise sur un seul produit dont elle maîtrise la fabrication.

ÉTOURDI
– Élève étourdi **écervelé, évaporé, irré-fléchi, léger**

ÉTOURDIR
– Étourdir un adversaire **assommer**
– L'alcool étourdit **grise, enivre**
– Sa volubilité m'étourdit **fatigue, importune**
– S'étourdir dans la vie mondaine **évader (s'), distraire (se)**

ÉTOURDISSEMENT
– Être pris d'un étourdissement **vertige, syncope, évanouissement, défaillance**

ÉTOURNEAU
– Ordre auquel se rattache l'étourneau **passereaux**
– Famille à laquelle appartient l'étourneau **sturnidés**
– Étourneau commun **sansonnet**

ÉTRANGE
– Un fait étrange **extraordinaire, singulier, bizarre, surprenant, saugrenu**
– Un comportement étrange **inhabituel, inaccoutumé, inquiétant**
– Une histoire étrange **abracadabrante, insolite**
– Un charme étrange **indéfinissable, inexplicable**

ÉTRANGER /1
syn. **touriste, immigré, réfugié**
– S'installer à l'étranger **émigrer, expatrier (s')**
– Ville ou région où se côtoient des étrangers de tous pays **cosmopolite**
– Livrer un criminel qui se trouve à l'étranger **extrader**
– Étranger privé de toute nationalité **apatride, heimatlos**
– Statut d'étranger **extranéité**
– Accorder aux étrangers la nationalité du pays d'accueil **naturaliser**
– Refus et haine des étrangers **racisme, chauvinisme, xénophobie**
– Droit pour un État en guerre d'expulser les étrangers du pays ennemi **xénélasie**

ÉTRANGER /2
– Être tout à fait étranger au monde des arts **ignorant, profane**
– Ce sentiment m'est étranger **inconnu**
– Se sentir très étranger à une situation **éloigné, peu concerné**

ÉTRANGLER
syn. **stranguler**
– Étrangler un homme de ses mains **assassiner, asphyxier**
– Étrangler la taille **serrer, comprimer**
– Étrangler une voie, un passage **resserrer, rétrécir**
– Étrangler une voile **coincer, carguer**

– S'étrangler de rire **étouffer (s')**
– Supplice consistant à étrangler un condamné **garrotage**

ÉTREINDRE
– Étreindre quelqu'un **enlacer, embrasser**
– Émotion qui étreint son cœur **serre, oppresse, tenaille**

ÉTRIER
– Courroie soutenant les étriers **étrivière**
– Étrier de l'oreille moyenne **osselet**
– Étrier utilisé en escalade **échelle**
– Pied de l'étrier en équitation **pied gauche**
– Étrier d'une table d'opération ou d'examen **talonnière**

ÉTROIT
– Un espace étroit **petit, exigu**
– Un vêtement étroit **juste, étriqué**
– Un esprit étroit **borné, obtus, intolérant, mesquin**
– Entretenir d'étroites relations **serrées, intimes**
– Considérer un mot dans son sens étroit **restreint, stricto sensu**
– Face étroite d'un parallélépipède **chant**
– Passage étroit **boyau, couloir, goulet, chatière, défilé, gorge**
– Marge de manœuvre étroite **réduite**

ÉTUDE
syn. **école, enseignement**
– Cycle d'études dans une discipline donnée **cursus**
– Maître d'études dans les collèges et les lycées **pion, surveillant**
– Étude littéraire **essai, traité**
– Études d'un peintre **esquisses, croquis**
– Études pour piano de Chopin **exercices**

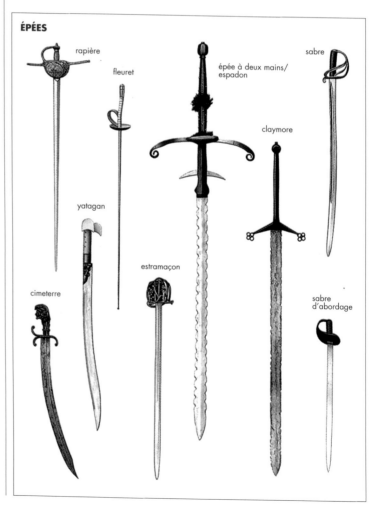

ÉPÉES

rapière
fleuret
épée à deux mains/espadon
sabre
claymore
yatagan
estramaçon
cimeterre
sabre d'abordage

– Entreprendre une étude de marché **prospection, investigation**
– Étude d'avocat **charge, cabinet**
– Temps d'études **scolarité**

ÉTUDIANT
– Étudiant préparant l'École normale supérieure **hypokhâgneux, khâgneux**
– Étudiant en mathématiques spéciales **taupin**
– Étudiant en mathématiques supérieures **hypotaupin**
– Étudiant en médecine **carabin**

ÉTUDIER
syn. **apprendre, instruire (s')**
– Étudier un texte **analyser, commenter, approfondir**
– Étudier un rôle **préparer, répéter**
– Étudier une partition **exercer (s')**
– Étudier une question **considérer, examiner**
– Étudier les réactions d'une personne **observer**

ÉVACUATION
– Tuyau d'évacuation **déversement, écoulement**
– Ouvrage d'évacuation du trop-plein d'eau **déversoir**

ÉVACUER
syn. **rejeter, éliminer**
– Évacuer des matières organiques **uriner, déféquer, expectorer, vomir, cracher, éjaculer**
– Évacuer un pays occupé **abandonner, quitter, retirer de (se)**
– Évacuer l'eau d'un puits **vider, déverser, vidanger**
– Faire évacuer un lieu **expulser**

ÉVADER (S')
syn. **échapper (s'), enfuir (s'), sauver (se)**
– S'évader d'une réalité insupportable **soustraire à (se), libérer de (se), fuir**
– S'évader dans les plaisirs **distraire (se), étourdir (s'), divertir (se)**

ÉVALUATION
– Évaluation pratiquée par un expert **prisée, estimation, appréciation, expertise**
– Évaluation rapide **approximation**

ÉVALUER
– Procédure consistant à évaluer le coût d'un travail **devis**
– Évaluer une fortune **chiffrer, calculer, supputer**
– Évaluer le débit d'un fleuve **jauger**
– Évaluer le cours de valeurs ou de monnaies **coter**
– Évaluer chaque élément d'un ensemble vendu d'un seul tenant **ventiler**

ÉVANOUIR (S')
syn. **défaillir, perdre connaissance, tomber en syncope, pâmer (se)**
– La douleur s'évanouit **efface (s'), dissipe (se), estompe (s')**
– Ses espoirs s'évanouissent **envolent (s')**
– Impression qui très vite s'évanouit **fugitive, fugace, évanescente**

ÉVAPORATION
syn. **vaporisation**
– Évaporation végétale **transpiration**
– Évaporation d'un liquide au contact d'une surface très chaude **caléfaction**
– Évaporation des produits volatils par la peau **exhalation**

ÉVEIL
– Donner l'éveil **alarme, alerte**
– L'éveil de la nature **réveil**

ÉVEILLÉ
– Un garçonnet éveillé **dégourdi, espiègle, malicieux**
– Un esprit éveillé **vif, ouvert**

ÉVEILLER
– Éveiller l'intelligence d'un enfant **stimuler, développer, aiguiser**
– Éveiller des sentiments **provoquer, susciter**
– Éveiller la curiosité **piquer, exciter, animer**
– Éveiller des souvenirs **évoquer**

ÉVÉNEMENT
syn. **fait**
– Événement fortuit **incident, péripétie, complication, ennui, contretemps**
– Événement heureux **chance, bonheur, succès**
– Événement malheureux **drame, désastre, calamité, accident, tragédie**
– Événement à caractère politique ou social **affaire**
– Isoler un événement d'un processus **épisode, moment**
– Récit des événements année par année **annales**

ÉVENTAIL
– Agiter l'éventail **éventer (s')**
– Élément d'un éventail **monture, feuille**
– Structure en éventail **flabellée, flabelliforme**
– Fabrique d'éventails **éventaillerie**
– Proposer un éventail de parfums **choix, gamme, assortiment**
– Éventail des salaires **échelle**

ÉVENTUEL
syn. **possible, incertain**
– Bénéficier d'un revenu éventuel **contingent, casuel, occasionnel**
– Attendre d'éventuels secours **hypothétiques**

ÉVÊQUE
syn. **prélat**
– Insignes remis à un évêque lors de son ordination **crosse, anneau, croix, pectorale, mitre**
– Temps de fonction d'un évêque **épiscopat**
– Juridiction d'un évêque **évêché**
– Collectivité d'évêques assistant le pape **collège d'évêques**
– Réunion convoquée par un évêque **synode**
– Revenu autrefois affecté à la table d'un évêque **mense**
– Siège liturgique d'un évêque **faldistoire**
– Pierre d'évêque **améthyste**

ÉVIDENCE
– Mettre des bijoux en évidence **exhiber, exposer**
– Mettre une théorie en évidence **démontrer, prouver**

ÉVIDENT
syn. **assuré, clair, manifeste, patent**
– Un talent évident **certain, indéniable, incontestable**
– Une culpabilité évidente **criante, éclatante**
– Une vérité évidente au regard de tous **connue, notoire**
– Propos évident **lapalissade, truisme, axiome**

ÉVITER
– Éviter un coup **esquiver, parer, détourner**
– Éviter une maladie **prévenir**
– Éviter des questions gênantes **éluder, escamoter, dérober à (se)**
– Éviter de faire quelque chose **abstenir de (s'), garder de (se)**
– Éviter à quelqu'un une corvée **épargner, délivrer de, dispenser de**
– Éviter un danger **écarter, obvier à, conjurer**
– Éviter un châtiment **échapper à**

ÉVOLUER
syn. **devenir, changer, modifier (se), transformer (se)**
– Évoluer vers un mieux-être **améliorer (s'), progresser, perfectionner (se)**
– Ne pas évoluer **stagner**

ÉVOLUTION
syn. **mouvement, passage, processus**
– Évolution d'une maladie **cours, développement**
– Évolution d'un événement **marche**
– Évolution militaire **manœuvre**
– Description de l'évolution de l'humanité **histoire**
– Théorie de l'évolution **évolutionnisme**
– Domaine de la biologie traitant de l'évolution des espèces **phylogenèse**

– Doctrine de l'évolution des espèces **darwinisme, lamarckisme, mutationnisme, équilibres ponctués**
– Principe fondamental de la doctrine darwinienne de l'évolution des espèces **continuité**
– Refus de toute évolution **immobilisme**

ÉVOQUER

– Évoquer les mânes, les ancêtres **invoquer**
– Évoquer des rencontres passées **remémorer**
– Évoquer une situation, un lieu **décrire, représenter**
– Ne faire qu'évoquer une question **aborder, effleurer, poser**
– Cette vision ne m'évoque rien **suggère, suscite, éveille**
– Procédé littéraire consistant à faire parler un personnage que l'on évoque **prosopopée**
– Évoquer une affaire juridique **saisir de (se)**

EXACT

– Faire le récit exact d'un événement **réel, véridique, sincère**
– Procéder à une exacte répartition **juste, rigoureuse, équitable**
– Une reproduction exacte **fidèle, authentique**
– Une traduction exacte **littérale, textuelle**
– Une personne exacte **ponctuelle**
– Science exacte **mathématiques, physique, astronomie, chimie**

EXACTITUDE

– Exactitude d'une personne dans son travail **application, assiduité, minutie, soin, conscience professionnelle**

EXAGÉRATION

– Sans exagération **modérément**
– Exagération en rhétorique **hyperbole**

EXAGÉRÉ

– Pratiquer des tarifs exagérés **excessifs, abusifs, exorbitants**

EXAGÉRER

– Exagérer les détails d'un récit **amplifier, broder**
– Exagérer l'intensité d'une douleur **simuler**
– Exagérer le nombre de participants **enfler, grossir**
– Exagérer son importance **vanter (se), fanfaronner**
– Exagérer un danger **dramatiser**
– Exagérer un trait de caractère **forcer, outrer**

EXALTATION

syn. **effervescence, griserie, agitation**

EXALTER

– Exalter un auditoire **enflammer, galvaniser, transporter, enthousiasmer, soulever, électriser**
– Exalter les qualités d'une personne **louer, vanter, magnifier, célébrer, glorifier**

EXAMEN *Voir tableau examens médicaux complémentaires, p. 233*

– Examen collectif d'une question **débat, discussion, délibération**
– Examen comparatif de documents **collation, recension**
– Examen d'un texte **analyse, étude, commentaire**
– Examen d'un site **reconnaissance, exploration, fouilles**
– Examen microscopique d'un tissu organique **biopsie**
– Examen pratiqué sur un patient **auscultation, exploration**
– Examen tactile du corps **palpation**
– Examen d'un cadavre **autopsie, dissection**
– Examen scolaire ou universitaire **interrogation, épreuve, contrôle, devoir**
– Personnes participant à l'encadrement d'un examen **examinateur, jury**
– Science de l'organisation des examens **docimologie**
– Se livrer à l'examen de ses propres sentiments **introspection**
– Examen légal **instruction, enquête, information**

EXAMINER

– Examiner attentivement **observer, scruter**
– Examiner superficiellement **effleurer, survoler, parcourir**
– Examiner des archives **dépouiller, consulter, compulser**
– Examiner la valeur d'un objet **évaluer, expertiser, estimer**
– Examiner un terrain pour en tirer profit **prospecter**
– Examiner le pour et le contre **considérer, peser**
– Examiner une personne avec curiosité **dévisager, fixer**
– Examiner une personne avec mépris **toiser**

EXASPÉRER

– Être exaspéré par l'attitude d'une personne **irrité, courroucé, énervé, fâché, excédé**
– Exaspérer une douleur **aviver, aiguiser, exacerber**

EXCÉDENT

syn. **reste, surcroît**
– Excédent agricole **surplus**
– Excédent de bagages **surcharge**
– Excédent financier **boni, bénéfice**

EXCELLENCE

– Excellence au-dessus de toute comparaison **précellence, préexcellence**
– Son Excellence **ambassadeur, archevêque, évêque, ministre**

EXCELLENT

syn. **parfait, merveilleux, sensationnel, admirable**
– Un mets excellent **exquis, délicieux, succulent**
– Un excellent violoniste **doué, talentueux**
– Être excellent dans un domaine **exceller, briller, distinguer (se), triompher, surpasser (se)**

EXCENTRICITÉ

– L'excentricité de sa tenue **anticonformisme, extravagance, originalité, singularité**
– Une excentricité coûteuse **folie, fantaisie**

EXCENTRIQUE

– Quartier excentrique **excentré, périphérique**
– Idée excentrique **baroque, saugrenue, absurde**

EXCEPTION

– Mesure n'admettant aucune exception **restriction, dérogation**
– Invoquer une exception en justice **exciper de**
– Exception de prescription en droit **dilatoire**
– Exception grammaticale **irrégularité, anomalie**
– Un régime d'exception **spécial, particulier, privilégié**
– Un être d'exception **singulier, étonnant, extraordinaire, hors norme**
– Domaine de la morale traitant des cas d'exception **casuistique**
– À l'exception de **hormis, excepté**

EXCEPTIONNEL

– Une fermeture exceptionnelle **occasionnelle**
– Une chance exceptionnelle **inouïe, prodigieuse, inattendue**
– Une intelligence exceptionnelle **supérieure, remarquable, rare**

EXCÈS

syn. **surplus, excédent**
– Excès de poids **obésité, surcharge pondérale**
– Excès de plaisirs **intempérance, débauche, dévergondage, luxure, orgie**
– Excès pathologique et irrésistible de paroles inutiles **logorrhée**
– Excès de langage **grossièreté, injure, impertinence, inconvenance**
– Excès de travail **surmenage**

– Excès de sucre dans le sang **hypergly-cémie**
– Excès dans les opinions **fanatisme, extrémisme**
– Excès dans les couleurs **profusion, sur-abondance, luxe, pléthore, étalage**

EXCESSIF

– Afficher des prix excessifs **exagérés, exorbitants**
– Une chaleur excessive **torride, cani-culaire**
– Des proportions excessives **énormes, démesurées, monstrueuses, incom-mensurables**
– Un usage excessif **abusif, effréné, im-modéré**
– Un tempérament excessif **extrême**
– Habitude excessive **manie**
– Peur excessive **phobie**
– Tenir des propos excessifs **outranciers, outrés**
– Armement excessif **surarmement**

EXCITANT /1

– Prendre un excitant **remontant, stimulant, tonique, réconfortant**

EXCITANT /2

– Une jeune femme excitante **appétis-sante, émoustillante, séduisante, pro-vocante**
– Un travail excitant **motivant, tentant**

EXCITATION

– Vivre l'excitation du départ **fièvre, agi-tation, effervescence**
– Excitation de l'esprit **emportement, exaltation, enthousiasme, éréthisme**
– Excitation à la violence **encourage-ment, exhortation, incitation**
– Excitation sexuelle **émoi, désir**

EXCITÉ

syn. **énervé, nerveux, agité**
– Une bande d'excités **énergumènes**

EXCITER

– Exciter un cheval **aiguillonner, épe-ronner**
– Exciter l'appétit **aiguiser, stimuler**
– Exciter le rire **provoquer, déchaîner, susciter**
– Exciter la colère **attiser, aviver, exa-cerber**
– Exciter la pitié **apitoyer, attendrir**
– Exciter un muscle **stimuler**

EXCLAMATION

syn. **interjection**
– Exclamation de colère **juron, tollé, cri**
– Exclamation de joie, d'admiration **vivat, bravo**
– En rhétorique, exclamation senten-cieuse concluant un discours **épipho-nème**

EXCLURE

– Exclure un individu d'un pays **bannir, expulser**
– Exclure une hypothèse **éliminer, reje-ter, abandonner**
– Exclure de l'Église chrétienne **excom-munier**
– Être exclu d'un établissement scolaire **renvoyé**
– Être exclu d'une négociation **écarté, repoussé, blackboulé, évincé**
– S'exclure mutuellement **annuler (s'), neutraliser (se)**

EXCLUSIF

– Avantage exclusif **personnel, propre, particulier**
– Un amour exclusif **absolu, unique**
– Droit exclusif que s'arroge l'État **mono-pole**

EXCLUSION

– Exclusion d'un groupe social **mise au ban, ostracisme, quarantaine**
– Exclusion d'un registre **radiation**

EXCLUSIVITÉ

– Exclusivité journalistique **scoop**
– Avoir l'exclusivité d'une information **primeur**
– Détenir l'exclusivité d'un produit, d'un service **monopole**

EXCOMMUNICATION

– Sentence d'excommunication **ana-thème**
– Prononcer l'excommunication **lancer, fulminer**
– Lettre du pape contenant l'ordre d'ex-communication **bulle**
– Chrétien qui, professant une doctrine

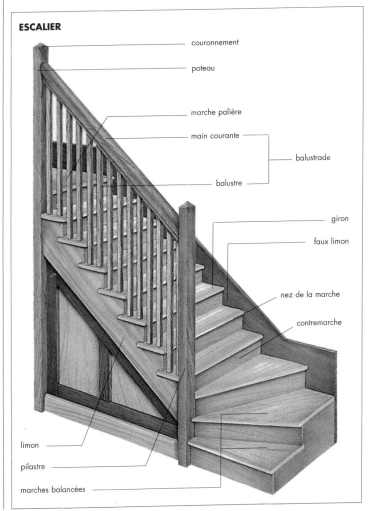

ESCALIER

couronnement
poteau
marche palière
main courante
balustrade
balustre
giron
faux limon
nez de la marche
contremarche
limon
pilastre
marches balancées

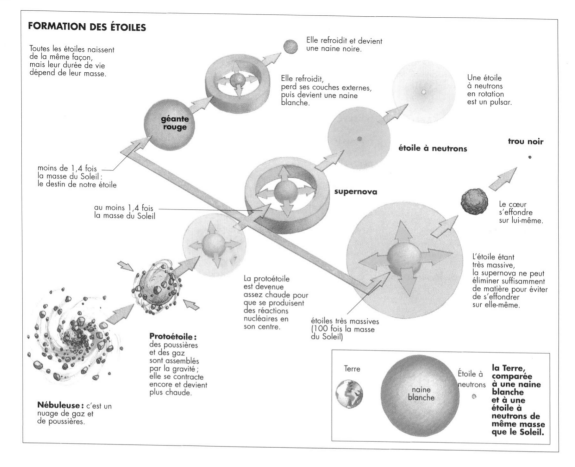

FORMATION DES ÉTOILES

Toutes les étoiles naissent de la même façon, mais leur durée de vie dépend de leur masse.

Elle refroidit et devient une naine noire.

Elle refroidit, perd ses couches externes, puis devient une naine blanche.

Une étoile à neutrons en rotation est un pulsar.

géante rouge

étoile à neutrons

trou noir

moins de 1,4 fois la masse du Soleil : le destin de notre étoile

au moins 1,4 fois la masse du Soleil

supernova

Le cœur s'effondre sur lui-même.

La protoétoile est devenue assez chaude pour que se produisent des réactions nucléaires en son centre.

étoiles très massives (100 fois la masse du Soleil)

L'étoile étant très massive, la supernova ne peut éliminer suffisamment de matière pour éviter de s'effondrer sur elle-même.

Protoétoile : des poussières et des gaz sont assemblés par la gravité ; elle se contracte encore et devient plus chaude.

Nébuleuse : c'est un nuage de gaz et de poussières.

Terre

naine blanche

Étoile à neutrons

la Terre, comparée à une naine blanche et à une étoile à neutrons de même masse que le Soleil.

---

contraire au dogme catholique, est frappé d'excommunication **hérétique**

EXCRÉMENT
– Excréments humains **déjections, fèces, selles**
– Évacuation des excréments **défécation**
– Premiers excréments du nouveau-né **méconium**
– Analyse des excréments **coprologie**
– Une plaisanterie qui a pour motif les excréments **scatologique**
– Bactérie vivant dans les excréments **coprophile**
– Animal se nourrissant d'excréments **coprophage**
– Relatif aux excréments **stercoral**
– Excréments des animaux domestiques **crottes**
– Excréments de cheval **crottin**
– Excréments de vache **bouse**
– Excréments d'oiseau **fiente**
– Excréments de pigeon **colombine**
– Excréments d'oiseau de mer **guano**
– Excréments de cerf et de sanglier **fumées, laissées**

– Excréments de mouche **chiure**
– Excréments de ver à soie **litière**

EXCURSION
syn. **promenade, tournée, voyage**
– Excursion scientifique **expédition**
– Excursion en montagne **course, randonnée**
– Excursion en haute montagne **ascension, trekking**

EXCUSE
– Invoquer une excuse **raison, motif, prétexte**
– Présenter ses excuses **regrets**
– Excuses en termes de droit **circonstances atténuantes**
– Excuse pour faire diversion **alibi, échappatoire, faux-fuyant**

EXCUSER
– Excuser une personne manifestement coupable **blanchir, couvrir, disculper, absoudre**
– Être excusé **dispensé, exempté**
– S'excuser **justifier (se), disculper (se)**

EXÉCRABLE
– Une couleur exécrable **affreuse, horrible, hideuse**
– Une attitude exécrable **détestable, odieuse, déplorable**
– Une odeur exécrable **épouvantable, pestilentielle, abominable**
– Une nourriture exécrable **immangeable, infecte, infâme**

EXÉCUTER
syn. **effectuer, réaliser, accomplir**
– Exécuter une pièce pour piano **interpréter**
– Exécuter un condamné **mettre à mort**
– S'exécuter **obéir, obtempérer**

EXÉCUTION
– Exécution d'un essai **rédaction, composition**
– Facilité d'exécution **adresse, habileté, tour de main**
– Mode d'exécution d'un condamné **crucifixion, asphyxie, décapitation, électrocution, fusillade, pendaison, lapidation, flagellation**

EXEMPLAIRE /1
syn. **copie, épreuve**
– Exemplaire d'une revue destiné à la critique **spécimen**
– Ensemble des exemplaires d'un journal imprimés en une fois **édition**
– Premier exemplaire d'un véhicule, d'une machine **prototype**
– Fournir quelques exemplaires d'une collection **échantillons**

EXEMPLAIRE /2
– Un courage exemplaire **remarquable, édifiant**

EXEMPLE
syn. **modèle**
– Exemple de déclinaison ou de conjugaison **paradigme**
– Exemple extrait d'un texte **citation**
– Étayer une démonstration à l'aide d'exemples **exemplifier**
– À l'exemple de **à l'image de, à l'instar de**
– Exemple de vertu **parangon**

EXEMPTION
– Exemption de droits **exonération, franchise**
– Exemption partielle d'impôts **dégrèvement**
– Exemption de charge **dispense, immunité**
– Exemption de peine **grâce**
– Anciennement, exemption du service militaire **réforme**

EXERCER
– Exercer des fonctions **acquitter de (s'), remplir**
– Exercer sa mémoire **cultiver, développer, entraîner**
– Exercer quelqu'un à quelque chose **façonner, former, habituer**
– Exercer un animal à obéir **dresser**
– Exercer son talent **déployer, employer**

EXERCICE
– Exercice physique **gymnastique, sport**
– Exercice militaire **manœuvre**
– Exercice spirituel **pratique**
– Exercice de la voix **vocalise**
– Être en exercice **en fonction, en activité**
– Une loi en exercice **en application, en vigueur**

EXHAUSSER
– Exhausser un mur **élever, hausser, surélever, surhausser**

EXHIBER
– S'exhiber en public **produire (se), montrer (se), parader**
– Exhiber ses décorations avec ostentation **arborer, étaler**

EXHIBITION
– Exhibition de preuves **présentation**
– Exhibition d'objets rares **exposition**
– Exhibition de foire **démonstration, représentation, spectacle**
– Exhibition accompagnée d'ostentation **étalage, déploiement, parade**
– Exhibition maladive des organes génitaux **exhibitionnisme**

EXIGEANT
– Un travail exigeant **absorbant, astreignant, accaparant**
– Une morale exigeante **stricte, sévère, rigoureuse**
– Un chef exigeant **pointilleux, intraitable, perfectionniste**

EXIGENCE
– Les exigences d'un salarié **conditions, prétentions**
– Exigence d'un syndicat **revendication**

EXIGER
– Exiger son dû **réclamer, revendiquer**
– Exiger d'une personne qu'elle fasse quelque chose **ordonner, sommer**
– Une situation qui exige des mesures d'urgence **requiert, impose, oblige à**

EXIL
– Exil pénible loin de sa famille **isolement, réclusion, retraite**

EXILER
syn. **bannir, reléguer, proscrire, expulser, déporter**
– S'exiler **expatrier (s')**
– S'exiler de la vie publique **retirer (se), éloigner (s')**

EXISTENCE
syn. **vie, durée**
– Moyens d'existence **ressources**
– Révéler l'existence d'un complot **présence**
– Philosophie fondée sur l'existence de l'homme dans le monde **existentialisme**
– Preuve de l'existence de Dieu **ontologique**
– Donner l'existence **engendrer, mettre au monde**

EXISTER
– Exister antérieurement **préexister**
– Exister de manière contemporaine **coexister**
– Exister encore **demeurer, subsister, perdurer, persister**
– Cesser d'exister **disparaître, éteindre (s')**
– Pour l'avare, rien n'existe que l'argent **compte, importe**

EXORBITANT
– Prix exorbitant **excessif, exagéré**

– Réclamation exorbitante **démesurée, extravagante, extraordinaire**

EXPANSION
– Expansion d'un fluide **décompression, dilatation**
– Expansion anormale d'un organe **hypertrophie**
– Expansion végétale **développement, épanouissement**
– Expansion économique **croissance**
– Politique d'expansion **colonialisme, impérialisme, expansionnisme**
– Expansion d'une rumeur **divulgation, diffusion, propagation**
– Expansion sentimentale **effusion, épanchement, débordement**

EXPATRIÉ
syn. **émigré, exilé, réfugié, proscrit**
– Expatrié dépourvu de toute nationalité **apatride, heimatlos**

EXPÉDIER
– Expédier un courrier **envoyer, transmettre, adresser**
– Expédier des affaires courantes **se débarrasser, exécuter**
– Expédier une personne **congédier**
– Expédier ses devoirs **bâcler**
– Une affaire promptement expédiée **réglée, liquidée**
– Expédier dans l'autre monde **tuer**

EXPÉDITION
syn. **envoi, exportation**
– Expédition d'un acte juridique ou notarié **copie, double, duplicata**
– Expédition authentifiée d'un acte par exemple **ampliation, grosse**
– Organiser une expédition scientifique **voyage, mission**
– Expédition militaire **guerre, campagne**
– Expédition armée, rapide et destructrice **raid**
– Expédition punitive **représailles**
– Expédition menée par les chrétiens contre les musulmans **croisade**

EXPÉRIENCE
syn. **pratique, usage, habitude**
– Personne dénuée d'expérience **novice**
– Individu possédant une grande expérience **vétéran**
– Expérience scientifique **épreuve, essai, expérimentation, test**
– Sujet d'expérience **cobaye**
– Expériences pratiquées sur des animaux vivants **vivisection**
– Discipline fondée sur l'expérience scientifique **expérimentale**
– Philosophie selon laquelle nos connaissances sont acquises par l'expérience **empirisme**
– Savoir acquis par l'expérience **a posteriori**

EXPÉRIMENTÉ
– Un comédien expérimenté **averti, compétent, chevronné, exercé, rompu à, versé dans**

EXPERT
– Expert chargé de contrôler la comptabilité d'une société **commissaire aux comptes, vérificateur, auditeur**
– Expert chargé de l'estimation des objets d'art **commissaire-priseur**

EXPIRER
– Expirer profondément **souffler**
– Le malade a expiré à l'aube **est mort, est éteint (s'), est décédé**
– Le cessez-le-feu expire **prend fin**

EXPLICATION
– Exiger des explications **éclaircissements, raisons**
– Avoir une explication avec quelqu'un **discussion, dispute, mise au point**
– Explication complétant un texte **note, remarque, glose, scolie**
– Explication accompagnant une carte ou une illustration **légende**
– Explication du fonctionnement d'un appareil **notice, mode d'emploi**
– Explication et interprétation de textes sacrés ou philosophiques **commentaire, exégèse, herméneutique**
– Explication des rêves **onirologie**

EXPLIQUER
– Expliquer un théorème **démontrer**
– Expliquer un phénomène **décrire, rendre compte de**
– Expliquer un mystère **démêler, élucider, débrouiller, éclaircir**
– Expliquer une démarche **exposer**
– Expliquer une décision **motiver, justifier**
– Expliquer une technique **apprendre, enseigner, inculquer**

EXPLOIT
syn. **prouesse, performance**
– Exploit guerrier **action d'éclat, haut fait**
– Recevoir un exploit d'huissier **acte**

EXPLOITATION
– Exploitation agricole **ferme, propriété, domaine**
– Exploitation agricole d'Israël **kibboutz**
– Exploitation agricole d'Amérique latine **estancia, fazenda, hacienda**
– Mode d'exploitation agricole **fermage, métayage, faire-valoir**

EXPLOITER
syn. **pressurer, sous-payer**
– Exploiter une terre **cultiver**
– Exploiter un succès **utiliser, mettre à profit**
– Exploiter la naïveté d'une personne **abuser de**
– Exploiter une clientèle **estamper, gruger, écorcher**

EXPLORATION
syn. **reconnaissance, découverte**
– Exploration maritime **périple, circumnavigation**
– Exploration scientifique **expédition, mission**
– Exploration des cavités souterraines **spéléologie**
– Spécialiste des explorations sous-marines **aquanaute, océanaute**
– Exploration médicale du corps **auscultation**
– Instrument permettant l'exploration en profondeur de l'organisme **endoscope**
– Procédé d'exploration radiologique **scanographie, tomographie, stratigraphie**

EXPLORER
– Explorer un sous-sol **prospecter**
– Explorer un organe **sonder**
– Explorer une possibilité **étudier, examiner, approfondir**

EXPLOSIF
– Engin explosif **pétard, bombe, torpille, obus, mine**
– Science ayant pour objet l'étude des composés explosifs **détonique**
– Technique de fabrication des matières explosives **pyrotechnie**
– Un tempérament explosif **impétueux, coléreux, violent, irascible, volcanique**
– Une croissance explosive **précipitée, foudroyante, fulgurante**

EXPLOSION
syn. **éclatement, détonation, déflagration, fulmination**
– Explosion d'une bombe atomique **désintégration**
– Résidu d'une étoile provenant d'une explosion **trou noir**
– Explosion survenant dans une mine **coup de grisou**
– Explosion de joie **manifestation, débordement**
– Explosion d'injures **tempête, vociférations**
– Explosion démographique **boom**

EXPORTATION
– Exportation à des prix inférieurs à ceux du marché intérieur **dumping**
– Exportation d'une mode **diffusion, propagation**

EXPOSÉ
syn. **développement, description, rapport, récit, analyse, compte rendu**
– Exposé oral **communication, conférence, leçon**

EXPOSER
– Exposer des marchandises **étaler**
– Exposer une opinion **exprimer, énoncer, émettre**
– Exposer des faits **retracer, décrire, relater**
– Exposer une pellicule à la lumière **impressionner**
– Exposer sa vie **risquer, mettre en péril, hasarder**
– S'exposer à un danger **affronter, braver**
– S'exposer à un châtiment **encourir**

EXPOSITION
syn. **présentation, montre**
– Ouverture d'une exposition de peinture **vernissage**
– Exposition artistique improvisée **happening**
– Exposition agricole **concours**
– Exposition artisanale ou industrielle **foire, salon**
– Personne, ou société, représentée à une exposition **exposant**
– L'exposition d'une maison **orientation**

EXPRESSIF
– Un langage expressif **coloré, pittoresque**
– Un geste expressif **parlant, éloquent, significatif**
– Un visage très expressif **mobile, vivant, animé**

EXPRESSION
– Expression du visage **moue, grimace, mimique**
– Expression d'un sentiment **manifestation, extériorisation**
– Difficulté d'expression verbale **bégaiement, zézaiement**
– Refus d'expression verbale **mutisme**
– Trouble de l'expression verbale **dysphasie, aphasie**
– Être l'expression même de la probité **personnification, incarnation**
– Chercher une expression **locution, tournure**
– Expression propre à une langue **idiotisme**
– Expression figurée **métaphore, figure, image**

EXPRIMER
syn. **montrer, témoigner, prouver**
– Exprimer ses sensations au moyen d'un support artistique **peindre, représenter, traduire**
– Exprimer l'eau d'un tissu **essorer**
– S'exprimer **parler, expliquer (s')**
– Désirs, intentions très clairement exprimés **explicites**
– Manière de s'exprimer oralement **élocution**
– Qu'on ne peut pas exprimer **indicible**

EXAMENS MÉDICAUX COMPLÉMENTAIRES

Examen	Technique d'exploration	Exemples d'organes
Artériographie :	radiographie d'un territoire artériel après injection, dans l'artère principale, d'un liquide opaque aux rayons X.	membres, cerveau, reins, poumons, cœur (on parle alors de coronarographie)
Cytoponction :	prélèvement effectué avec une seringue munie d'une fine aiguille, au niveau d'un tissu ou d'un organe. Le produit est étalé sur une lame de verre pour examen au microscope des caractéristiques cellulaires.	ganglion thyroïde
Doppler :	étude de la circulation sanguine au moyen d'une sonde émettrice d'ultrasons (peut être couplé à l'échographie : c'est l'écho-doppler).	artères et veines
Échographie :	exploration d'un organe ou de toute une région du corps au moyen d'ultrasons. Les différents échos recueillis permettent l'analyse.	abdomen, thyroïde, reins. Pour le cœur, on parle d'une échocardiographie
Échoendoscopie :	échographie où la sonde est placée dans le tube digestif ou le vagin.	vessie, prostate, utérus, pancréas…
Écho endovasculaire :	échographie où la sonde est intra-artérielle, intracoronaire.	
Électro-encéphalogramme (EEG) :	courbes obtenues par enregistrement graphique des variations de potentiel électrique qui se produisent au niveau de l'écorce cérébrale et qui constituent les manifestations électriques de son activité.	cerveau
Électro-cardiogramme (ECG) :	courbes obtenues par enregistrement des courants électriques qui accompagnent les contractions cardiaques.	cœur
Endoscopie :	exploration des conduits ou cavités à orifice étroit à l'aide d'un instrument muni d'optiques permettant l'examen direct (gastroscopie, coloscopie, cystoscopie) et le prélèvement de tissus.	tube digestif (estomac, côlon), vessie, articulations (arthroscopie)
Fibroscopie :	variété d'endoscope conduisant les rayons lumineux par un faisceau de fibres de verre souples et qui permet l'exploration visuelle directe, photographique, cinématographique, ou le prélèvement biopsique.	tube digestif (estomac, côlon), vessie, articulations (arthroscopie)
Imagerie par résonance magnétique (IRM) :	méthode d'imagerie consistant à soumettre le corps à un champ magnétique et à exploiter les variations de signaux émis par les éléments mis en résonance. Elle permet l'exploration des organes profonds et l'étude de leurs rapports de façon très précise. Les résultats obtenus, en particulier sur le cerveau, peuvent être plus précis que les images fournies par le scanner.	cerveau et toutes les autres parties du corps
Radiographie :	formation, sur un film photographique, de l'image d'un corps interposé entre ce film et une source de rayons X.	os, poumons, dents
Scanner ou scanographie :	procédé radiographique particulier permettant, in vivo, l'étude en coupe des différents tissus du corps humain, avec ou sans le recours à une injection d'un produit de contraste iodé opacifiant les vaisseaux.	cerveau, poumons, reins, abdomen, colonne vertébrale et toutes les autres parties du corps
Scintigraphie :	procédé permettant de repérer dans l'organisme un isotope radioactif introduit pour étudier un phénomène physiologique ou pathologique et de suivre sa fixation. Les radiations émises par l'isotope sont enregistrées sur un compteur placé en face de la zone à explorer ; on obtient ainsi la silhouette de l'organe à examiner.	glande thyroïde, foie, reins, cerveau, poumons, os, cœur

EXPULSER
syn. **chasser**
– Expulser une personne de son pays **bannir, exiler**
– Expulser un étranger réfugié et le livrer à son pays d'origine **extrader**
– Expulser une personne d'une communauté, d'un groupe **exclure, renvoyer**
– Expulser des matières organiques **évacuer, éliminer**

EXPULSION
– Expulsion de sécrétions par la bouche **expectoration, crachement**
– Expulsion des matières fécales **exonération, défécation**

EXQUIS
– Un plat exquis **délicieux, délectable, savoureux**
– Un visage exquis **aimable, adorable, charmant**
– Un jeune homme exquis **prévenant, attentionné**
– Une femme exquise **délicate, raffinée**

EXTASE
– Extase mystique **ravissement, transport, illumination, contemplation**
– Extase pathologique **égarement**
– Tomber en extase devant un tableau **admiration, émerveillement**

EXTENSION
– Extension d'une matière **dilatation**
– Extension d'un muscle **allongement**
– Extension des ailes **déploiement**
– Extension d'un terrain **agrandissement, élargissement**
– Extension d'un fléau **propagation**
– Extension d'une entreprise **expansion, essor**

EXTÉRIEUR
syn. **externe**
– Quartier extérieur de la ville **périphérie**
– Individu, ou société, régi par une loi qui est extérieure **hétéronome**
– Une cause extérieure **adventice, accidentelle, extrinsèque**
– Individu tourné vers le monde extérieur **extraverti**
– Provient d'un facteur extérieur **exogène**
– Politique extérieure **étrangère**

EXTERMINATION
syn. **massacre, destruction, anéantissement**
– Extermination d'une race, d'un peuple **génocide, ethnocide**

EXTERMINER
syn. **supprimer, tuer**

EXTERNE
syn. **extérieur**

– Une douleur externe **superficielle**
– Une cause externe **adventice, extrinsèque**
– Affection provoquée par une cause externe **exogène**

EXTINCTION

– Extinction d'un peuple **disparition, destruction, fin**
– Extinction des forces **affaiblissement, épuisement**
– Extinction de voix **aphonie**
– Extinction d'un droit, d'un privilège **suppression, annulation, abolition**

EXTRACTION

– Extraction d'un organe **ablation, exérèse, extirpation**
– Extraction d'une dent **avulsion**
– Extraction du noyau d'un fruit **énucléation, dénoyautage**
– Être de noble extraction **descendance, origine, condition, naissance, lignage**

EXTRAIRE

syn. **retirer, arracher, enlever, extirper**
– Extraire le suc d'une plante **recueillir, isoler, séparer**
– Extraire le jus d'un fruit **presser**
– Extraire des passages d'une œuvre **choisir, sélectionner**
– Extraire une racine carrée **calculer**

EXTRAIT

– Extrait de plante **essence**
– Extrait d'une allocution **bribe, passage**
– Extrait littéraire **fragment, morceau**

– Recueil d'extraits choisis **anthologie, florilège**

EXTRAORDINAIRE

– Un goût extraordinaire **raffiné, subtil, insolite**
– Une dépense extraordinaire **imprévue**
– Une convocation pour une assemblée extraordinaire **exceptionnelle**
– Un appétit extraordinaire **énorme, phénoménal, démesuré, gargantuesque**
– Une force extraordinaire **colossale, herculéenne**
– Une finesse extraordinaire **admirable, remarquable, sublime**
– Une chance extraordinaire **inouïe, prodigieuse, fabuleuse**
– Un événement extraordinaire **curieux, bizarre, invraisemblable**
– Une joie extraordinaire **immense, ineffable, intense, extrême**
– Une tenue extraordinaire **extravagante, excentrique, inhabituelle**
– Un courage extraordinaire **rare, étonnant**
– Fait extraordinaire **prodige, miracle, mystère**

EXTRAVAGANT

– Un discours extravagant **biscornu, grotesque, bizarre, insensé**
– Tenue extravagante **excentrique, inhabituelle, extraordinaire**
– Des dépenses extravagantes **exagérées, excessives**

EXTRÊME

– Un plaisir extrême **suprême, indicible, délicieux, extraordinaire**
– Un désir extrême **profond, passionné, éperdu**
– Une douleur extrême **atroce, horrible, intolérable**
– Intensité extrême **paroxysme, summum**
– Concession extrême **dernière, ultime**
– Des propos extrêmes **outranciers, excessifs**
– Limites extrêmes d'une contrée, d'un pays **frontières, confins**
– Stade extrême d'une maladie **final, terminal**
– Choisir entre des positions extrêmes **contraires, opposées**

EXTRÉMITÉ

syn. **extinction**
– Extrémité d'une montagne **sommet, cime, faîte, crête**
– Extrémité d'un bois **lisière, limite**
– Extrémité d'une tour **flèche**
– Extrémité d'une tige **sommité**

EXUBÉRANCE

– Être impressionné par l'exubérance de la flore **luxuriance**
– Exubérance de couleurs **profusion, abondance**
– L'exubérance de paroles de l'orateur **prolixité, volubilité, faconde, loquacité**
– Manifester un sentiment avec exubérance **expansivité, démonstration**

FABRICATEUR
– Fabricateur de faux billets **faussaire, contrefacteur, fraudeur, falsificateur, faux-monnayeur**

FABRICATION
– Chaîne de fabrication **montage**
– Fabrication assistée par ordinateur **FAO**
– Fabrication de vêtements **confection, production, création, élaboration**
– Fabrication d'un instrument de musique **facture**
– Un ouvrage de ma fabrication **façon, invention, cru**

FABRIQUE
syn. **usine, entreprise, manufacture, atelier, industrie**
– Fabrique d'une mine de potasse **laverie**
– Membre du conseil de fabrique d'une église **fabricien, marguillier**

FABRIQUER
syn. **créer, produire, élaborer**
– Fabriquer un gâteau **confectionner, préparer, concocter**
– Fabriquer une poterie **façonner, modeler**
– Se fabriquer un alibi **inventer (s'), imaginer (s'), constituer (se)**

FABULEUX
– Un événement fabuleux **extraordinaire, incroyable, invraisemblable, phénoménal, inouï, exceptionnel**
– Un récit fabuleux **imaginaire, irréel, fictif, fantastique, chimérique**
– Un personnage fabuleux **légendaire, mythique**
– Un butin fabuleux **considérable, prodigieux, astronomique, colossal**

FAÇADE
syn. **masque, aspect, attitude**
– Façade d'un édifice **frontispice**
– Façade d'une boutique **devanture, vitrine**
– La façade peut être **apparente, superficielle, trompeuse**
– Sa bonté n'est qu'une façade **apparence, air, extérieur, dehors**

FACE
voir aussi **côté**
– Face d'un individu **visage, figure, mine, faciès, physionomie**
– Un os de la face **facial**
– Face d'une montagne **côté, paroi, flanc, versant, adret, ubac**
– Face d'une pièce de monnaie **avers, droit, pile, revers**
– Sous toutes les faces **aspects, angles, côtés**
– Une personne à double face **ambiguë, fourbe**
– Perdre la face **ridiculiser (se), discréditer (se), déshonorer (se)**
– Faire face à un danger **affronter, résister à, parer à, braver**
– Sauver la face **les apparences**
– En face du cinéma **en regard, en vis-à-vis**

FACE-À-FACE
– Organiser un face-à-face **débat, duel verbal, joute oratoire, confrontation**

FACÉTIE
– User de facéties **farces, plaisanteries, tours, blagues, canulars**
– Enclin de nature à la facétie **facétieux**

FÂCHÉ
– Je suis fâché de ce qui vous arrive **désolé, navré**
– Il serait fâché si je refusais son invitation **vexé, froissé, offensé**
– Il a l'air fâché **contrarié, courroucé, en colère, irrité, mécontent, agacé**
– Je suis fâché avec lui depuis cette soirée **brouillé, en mauvais termes, en froid**

FÂCHER
– Tâche de ne pas le fâcher **énerver, agacer, irriter, mécontenter, indisposer, contrarier**
– Qui se fâche facilement **coléreux irascible, emporté**
– Se fâcher pour une broutille **s'emporter**
– Se fâcher avec ses amis **brouiller avec (se), rompre avec**
– Ton échec nous a tous bien fâchés **affli-**
gés, attristés, chagrinés, contrariés, ennuyés, navrés, peinés

FÂCHEUX
– Écarter un fâcheux **gêneur, indiscret, importun**
– Une visite fâcheuse **déplaisante, intempestive, inopportune**
– Une habitude fâcheuse **gênante, embarrassante, incommodante**
– Un quiproquo fâcheux **regrettable, déplorable, malencontreux, contrariant**

FACILE
– Un exercice facile **simple, élémentaire, enfantin, réalisable**
– Un article de journal facile à lire **clair, compréhensible, intelligible, explicite, abordable, limpide**
– Un chemin facile **praticable, accessible, dégagé**
– Un jeu de mots facile **simpliste, plat, usé**
– Une existence facile **agréable, aisée, privilégiée**
– Une utilisation facile **pratique, commode**
– Un individu facile à vivre **aimable, affable, liant, charmant, avenant, conciliant, arrangeant, accommodant, tolérant, sociable, souple, cordial, jovial**
– Un enfant facile **sage, docile, obéissant, discipliné**
– Une fille facile **légère**

FACILITÉ
syn. **naturel, brio**
– Disposer de facilités **avantages, prérogatives, privilèges**
– Réussir grâce à ses facilités **dons, dispositions, aptitudes, facultés, potentialités, talents**
– Avoir toutes les facilités **libertés, latitudes**
– La facilité d'un exercice **simplicité, clarté, intelligibilité**
– Facilité de caisse **découvert**
– Avoir de la facilité à croire tout ce qu'on raconte **crédulité, naïveté**

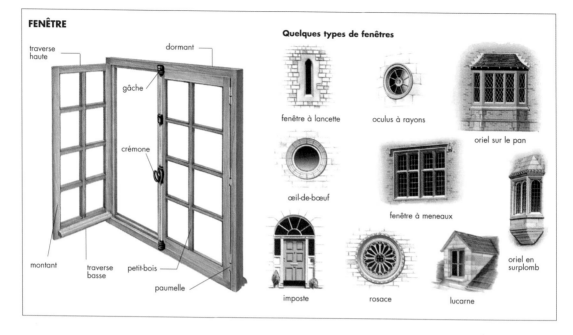

FENÊTRE

traverse haute — dormant

gâche

crémone

montant — traverse basse — petit-bois

paumelle

Quelques types de fenêtres

fenêtre à lancette

oculus à rayons

oriel sur le pan

œil-de-bœuf

fenêtre à meneaux

oriel en surplomb

imposte

rosace

lucarne

FACILITER
– Cet exemple facilite la compréhension de l'énoncé **simplifie**
– Faciliter l'insertion professionnelle des étudiants **favoriser**

FAÇON
voir aussi **facture**
– Avoir sa propre façon de faire, de voir quelque chose **conception, optique, vision, point de vue**
– Qui fait des façons **maniéré, cérémonieux, affecté**
– Faire des façons **chichis, minauderies, mignardises, simagrées**
– Être sans façon **sans gêne, rustre, sans cérémonie, sans affectation**
– Les façons de se conduire d'un individu **manières, attitudes, comportement**
– À sa façon **guise**
– Individu qui travaille à façon **façonnier**
– Défaut de façon **malfaçon**
– Ultime façon **finition, finissage**
– Façon préliminaire **ébauche, esquisse**
– Façon peu coûteuse **fabrication, confection, réalisation, exécution, main-d'œuvre**
– Façon d'un costume **forme, coupe**

FAÇONNER
– Façonner le bois pour en faire des sabots **modeler, ouvrer, travailler**
– Façonner des clefs **confectionner, fabriquer**

FACTEUR
– Facteur des P & T **agent, préposé**

– Tournée du facteur **factage**
– Facteur d'orgues **fabricant**
– Facteur de réussite **cause, élément**
– Facteur économique **paramètre**
– Facteur de multiplication **multiplicande, multiplicateur**
– Relatif à un facteur **factoriel**

FACTIONNAIRE
– Factionnaire d'une caserne **sentinelle**
– Mission du factionnaire **garde, guet, surveillance**

FACTURE
voir aussi **façon**
– Facture d'une œuvre d'art **façon, style, travail, technique, exécution**
– Registre de factures **facturier**
– Réclamer une facture **justificatif, quittance, état, récépissé**
– Payer la facture **addition, note**

FACULTÉ
voir aussi **université**
– Préposé à l'accueil dans une faculté **appariteur**
– Relatif à une faculté **facultaire**
– Regroupement de facultés **université**
– Administrateur d'une faculté **doyen**
– Faculté d'adaptation **aptitude, disposition**
– Faculté d'un objet **propriété, fonction, vertu**
– Facultés d'un navire **chargement, cargaison, fret**
– Facultés de la noblesse **avantages, privilèges, prérogatives, apanage**

– Perdre ses facultés **moyens, capacités, ressources**
– Faculté d'agir à sa guise **liberté, droit, loisir, possibilité**

FADE
– Rendre fade **affadir**
– Un plat fade **insipide, sans saveur, fadasse**
– Une odeur fade **écœurante, douceâtre**
– Un style fade **plat, banal, mièvre, doucereux, melliflu**
– Un discours fade **fastidieux, monotone, languissant**

FAGOT
– Type de fagot **bourrée, cotret, margotin, falourde, javelle**
– Fagot de bois utilisé pour le terrassement **fascine**
– Fagot enduit de résine que l'on utilise pour allumer un feu **brande, ligot**
– Personne qui assemble les fagots **fagotier**
– Lien utilisé pour assembler les fagots **hart, rouette**
– Partie du fagot **âme, tour**
– Une bouteille de derrière les fagots **excellente, délicieuse, exquise**

FAIBLE /1
syn. **lâche, mou, indécis, apathique**
– Avoir un faible pour quelque chose **attirance, penchant, prédilection, inclination, goût**
– Faible d'esprit **arriéré, demeuré, idiot, débile, imbécile**

FAIBLE /2

syn. **vulnérable, désarmé**

– Un adolescent faible **chétif, fluet, malingre, anémique, fragile, frêle, asthénique**
– Un vieillard faible **caduc, souffreteux, égrotant, cacochyme, valétudinaire**
– Devenir faible **affaiblir (s'), décliner, étioler (s')**
– Un éducateur faible **débonnaire, bonasse, laxiste, accommodant, falot**
– Un caractère faible **velléitaire, veule, pusillanime, aboulique**
– Une voix faible **fluette, grêle**
– Une argumentation faible **contestable, réfutable**
– Un élève faible **mauvais, médiocre**

FAIBLESSE

– Faiblesse excessive d'un malade **consomption**
– Faiblesse pathologique **adynamie, asthénie**
– Faiblesse des revenus **modicité, petitesse**
– Faiblesse d'une démonstration **défaut, faille, lacune, insuffisance**
– Faiblesse d'un roman **pauvreté, insignifiance**

FAIBLIR

– La poutre faiblit sous son poids **fléchit, plie, ploie, s'affaisse**
– La lumière faiblit **baisse, décline, diminue, atténue (s'), estompe (s')**
– Son courage n'a jamais faibli **chancelé, failli, relâché (s'est)**

FAÏENCE

voir aussi **poterie, porcelaine**

– Type de faïence **Imari, Delft, Nevers, Rouen**
– Se regarder en chiens de faïence **défier (se), toiser (se)**
– Fabrique de faïence **faïencerie**
– Faïence d'Italie recouverte d'une glaçure stannifère **majolique**
– Décor d'une faïence peint sur émail cru et cuit en même temps **grand feu**
– Décor d'une faïence peint sur émail déjà cuit et demandant une cuisson supplémentaire **petit feu**
– Objet en faïence cuit mais non émaillé **biscuit**
– Pâte fluide coulée pour obtenir des objets en faïence **barbotine**
– Argile entrant dans la composition de la faïence fine **kaolin**
– Enduit vitreux recouvrant la faïence **glaçure, émail**

FAILLIR

syn. **manquer, se tromper**

– Susceptible de faillir **faillible, labile**
– Faillir à son devoir **dérober (se), esquiver, fauter, pécher, tomber**

FAILLITE

syn. **banqueroute**

– Accord entre les créanciers d'un débiteur en faillite **concordat**
– Représentant des créanciers d'un débiteur en faillite **syndic**
– Groupement des créanciers d'un débiteur en faillite **union, masse**
– Mesure conservatoire prise lors d'une faillite **pose des scellés**
– Sanction consécutive à une faillite **déchéance, dessaisissement**
– En termes de droit, faillite d'un non-commerçant **déconfiture**
– Commerçant en faillite **failli**
– Faillite d'un secteur industriel **ruine, débâcle, désagrégation**

FAIM

voir aussi **appétit**

– Personne ou animal qui ne mange pas à sa faim **famélique**
– Tourments de la faim **affres**
– Faim dévorante **faim-valle, faim-calle**
– Faim impérieuse et subite **fringale**
– Qui coupe la faim **anorexigène**
– Troubles de la faim **inappétence, anorexie, boulimie, dysorexie**
– Faim qui règne dans un pays **disette, famine**
– Lutter contre la faim dans le monde **malnutrition, sous-alimentation**
– Individu qui fait souffrir de la faim **affameur**
– État d'un convive qui a mangé à sa faim **satiété, rassasiement**
– Rester sur sa faim **insatisfait**
– Avoir faim de liberté **envie, soif, être avide de**

FAINÉANT

– Un élève fainéant **inactif, paresseux, indolent, nonchalant**

FAIRE

– Faire un objet **fabriquer, réaliser, confectionner, produire, façonner**
– Faire un mur **construire, bâtir, ériger**
– Faire un travail **exécuter, accomplir, effectuer**
– Faire sien **approprier (s'), attribuer (s')**
– Faire fi d'un conseil **rejeter, négliger, dédaigner, mépriser**
– Se faire à une pratique **habituer à (s'), accoutumer à (s')**
– Faire un roman **composer, écrire**
– Faire un enfant **engendrer, procréer, porter, enfanter**
– Faire sa chambre **nettoyer, ranger**
– Faire un sport **pratiquer, exercer**
– Faire des dégâts **causer, provoquer, occasionner, entraîner**
– Faire ses chaussures **cirer**
– Se faire les ongles **manucurer**
– Faire une loi **établir, instaurer, instituer**

– Faire à manger **préparer**
– Cela fait 10 euros **coûte, vaut**
– Il se fait 3 500 euros par mois **gagne, perçoit, touche**
– Le voir dans cet état m'a fait quelque chose **troublé, impressionné, ému**
– Un vin qui se fait **améliore (s'), bonifie (se)**
– Il ne faut pas s'en faire **faire du souci (se), tourmenter (se), tracasser (se)**

FAISAN

– Ordre auquel appartient le faisan **gallinacés, galliformes**
– Famille à laquelle appartient le faisan **phasianidés**
– Petit du faisan **faisandeau, faisanneau, pouillard**
– Endroit où le faisan a coutume de percher **juchée**
– Élevage de faisans **faisanderie**
– Mode de préparation du faisan et de certaines pièces de gibier **faisandage**
– Faisan des mers **turbot**
– Ce type est un faisan **escroc, filou**

FAISCEAU

– Faisceau lumineux **rai, rayon, pinceau**
– Faisceau de preuve **accumulation, ensemble**

FAIT /1

– C'est un fait **réalité**
– Étant donné les faits **événements, situation, circonstances, conjoncture**
– Fait de l'accusé **faute, délit, infraction, crime, forfait**
– Sur le fait **en flagrant délit**
– Voies de fait **violences, coups, sévices**
– Haut fait d'un héros **exploit, prouesse**
– Fait d'une expérience scientifique **phénomène**
– Être au fait **au courant de, informé, renseigné**
– Aller au fait **à l'essentiel**
– De fait, par opposition à de droit **de facto**
– Du domaine du fait **factuel**

FAIT /2

– Un homme fait **mûr**
– Des yeux faits **fardés, maquillés**
– Des idées toutes faites **préjugés, clichés, poncifs**

FALLOIR

– Il faut partir **convient de**
– Un garçon comme il faut **convenable, correct**

FALSIFIER

– Falsifier un document **contrefaire, copier, imiter, reproduire**
– Falsifier du vin **frelater, altérer**
– Falsifier une pensée **dénaturer, fausser, travestir, fausser**

FAMEUX

– Un mets fameux **délicieux, excellent, exquis, succulent**
– Un vignoble fameux **renommé, réputé**
– Un personnage fameux **célèbre, notoire, illustre, glorieux, insigne**
– Une fameuse journée **marquante, exceptionnelle, mémorable, inoubliable**

FAMILIARITÉ

– Familiarité d'un enfant **désinvolture, effronterie, impertinence, insolence, impudence**
– Se permettre des familiarités **libertés, privautés**

FAMILIER

– Familier d'un petit groupe **intime, ami, proche**
– Familier d'un club **habitué**
– Familier du roi au Moyen Âge **conseiller**
– Une pratique familière **habituelle, usuelle, coutumière**
– Un geste familier **mécanique**
– Une expression trop familière **déplacée, inconvenante, intempestive, malséante, leste, cavalière**
– Un supérieur familier **accessible, abordable, engageant, liant, affable**
– Dieux familiers, dans la Rome antique **lares**

FAMILLE

– Propre à la famille **familial, domestique**
– Nom de famille **patronyme**
– Chef de famille **pater familias, patriarche**
– Individu à l'origine d'une famille **souche**
– Filiation des membres d'une famille **généalogie**
– Membres de la famille dont on descend **ancêtres, ascendants, aïeux**
– Membres d'une famille descendant d'un même ancêtre **consanguins, collatéraux**
– Succession des membres d'une famille royale ou célèbre **dynastie**
– Famille d'un personnage illustre **descendance, lignée, postérité**
– Traits transmis par les ancêtres d'une famille à leur lignée **hérédité, atavisme**
– Avoir un air de famille **ressembler (se)**
– Ensemble des biens d'une famille **patrimoine**
– Famille spirituelle, dont les membres soutiennent mutuellement leurs intérêts **clan, école, coterie**
– Radical des mots d'une même famille **racine, étymon**

FANATIQUE /1

syn. **intolérant, exalté**
– Des fanatiques ont commis ces méfaits **séides**

– Les fanatiques d'un chanteur **admirateurs, groupies, aficionados**
– Fanatique d'informatique **passionné, accro, fou, mordu**

FANATIQUE /2

– Un joueur fanatique **passionné, enthousiaste, enragé, fervent**

FANFARE

– Fanfare d'un village **orchestre, philharmonie, orphéon**
– Fanfare d'un régiment **clique**

FANFARON

syn. **bravache, fier-à-bras, tranchemontagne, matamore, tartarin**
– Fait d'un fanfaron **vantardise, hâblerie, forfanterie, gasconnade, rodomontade**

FANTAISIE

– Céder à toutes ses fantaisies **caprices, désirs, envies, lubies**
– Selon sa fantaisie **goût, humeur**
– Fantaisie amoureuse **aventure, passade, toquade, amourette**
– Fantaisie musicale **paraphrase**
– Fantaisie de chaque destinée **imprévus, aléas**
– Un individu plein de fantaisie **fantasque**
– Une étoffe fantaisie **originale**

FANTASTIQUE

– Un animal fantastique **chimérique, fabuleux, féerique, imaginaire, irréel, mythique, surnaturel, légendaire**
– Il est reçu ? C'est fantastique ! **inconcevable, incroyable, invraisemblable, sensationnel, extraordinaire, inouï, impensable**
– Une femme fantastique **épatante, formidable, sensationnelle, admirable**

FANTÔME

syn. **spectre, revenant, apparition, esprit**
– Habité par un fantôme **hanté**
– Attribut traditionnel du fantôme **suaire, linceul, chaînes**
– Fantôme suceur de sang **vampire, strige**
– Dans la Rome antique, fantôme d'un mort **lémure, larve**
– Individu qui peut communiquer avec les fantômes **médium**
– Spectacle de fantômes reposant sur des illusions d'optique **fantasmagorie**
– Fantôme de la pensée **illusion, chimère**
– Fantôme de légitimité **semblant, simulacre**
– Navire fantôme **imaginaire, inexistant, immatériel, déserté**
– Fluide dégagé par un médium et qui peut former des fantômes **ectoplasme**

– En médecine, membre fantôme **amputé**
– Circuit électrique fantôme **combiné**

FARCE

– Farce dans une recette de cuisine **hachis**
– Farces théâtrales de l'Antiquité **atellanes**
– Pièces de théâtre au cours desquelles s'intercalent les farces au Moyen Âge **mystères**
– Farce médiévale d'intention satirique **sottie**
– Farce burlesque et souvent grossière **pantalonnade, bouffonnerie, pitrerie, niche**
– Individu qui fait des farces **plaisantin, blagueur, mystificateur, facétieux**
– Faire une farce à quelqu'un **blague, canular, facétie, mystification, plaisanterie, tour**

FARCI

– Il a la tête farcie de choses inutiles **encombrée, bourrée, remplie, surchargée**
– Une dissertation farcie de citations **truffée**

FARCIR

– Se farcir tout seul un travail **payer (se), taper (se), assumer, faire**
– Se farcir un bon repas **envoyer (s')**
– Je vais devoir me farcir ma petite sœur toute la journée **supporter**
– Se farcir le tête de connaissances inutiles **encombrer (s'), bourrer (se)**

FARD

syn. **maquillage, artifice**
– Se mettre du fard **maquiller (se), farder (se)**
– Fard pour le visage **fond de teint, poudre**
– Fard à paupières **ombre à paupières**
– Fard à joues **blush**
– Fard pour les lèvres **rouge, brillant, gloss**
– Enlever son fard **démaquiller (se)**
– Parler sans fard **sans artifices, avec franchise, naturellement**

FARDEAU

syn. **poids, charge, faix**
– Tomber sous le poids d'un fardeau **effondrer (s'), crouler**
– Respirer avec peine sous le poids d'un fardeau **ahaner**
– Décharger quelqu'un de son fardeau **délester**
– Être un fardeau pour quelqu'un **boulet, charge, croix, poids**

FARINE

syn. **semoule**
– Farine de maïs **Maïzena**

FÊTES DES RELIGIONS MONOTHÉISTES (*voir aussi p. 514*)

CHRISTIANISME

Noël
Naissance de Jésus-Christ
25 décembre

Épiphanie
Visite des Rois mages
à l'Enfant Jésus
Premier dimanche de janvier

Carême
Période de privations
respectée par les chrétiens
*Durant 46 jours, du mardi gras
à Pâques*

Cendres (mercredi des)
Symbole de la transformation
du corps en poussière
Premier jour du carême

Annonciation
Annonce faite à Marie
par l'ange Gabriel de
la naissance de Jésus
25 mars

Rameaux
Entrée de Jésus-Christ
dans Jérusalem
8 jours avant Pâques

Pâques
Fête de la résurrection de Jésus-
Christ après sa crucifixion
*Fête mobile : entre le 22 mars
et le 25 avril*

Rogations
Fêtes destinées à attirer
la bénédiction de Dieu
sur les récoltes
3 jours avant l'Ascension

Ascension
Montée au ciel de Jésus-Christ
40 jours après Pâques

Pentecôte
Descente du Saint-Esprit
sur les apôtres
50 jours après Pâques

Trinité
Fête du Père, du Fils
et du Saint-Esprit
Dimanche suivant la Pentecôte

Visitation
Visite de Marie, enceinte de
Jésus, à sa cousine Élisabeth,
enceinte de saint Jean-Baptiste
31 mai

Assomption
Montée au ciel de Marie
15 août

Toussaint
Fête de tous les saints
1er novembre

Avent
Période qui précède
et prépare Noël
4 dimanches avant Noël

JUDAÏSME

Shabbat
Repos obligatoire
Du vendredi soir au samedi soir

Pourim
Commémoration de
la délivrance des Juifs
par Esther
Avant Pessah

Pessah (la Pâque) ou
fête des Azymes
Commémoration de
la sortie d'Égypte
Mars-avril

Shabouot ou **Pentecôte**
ou **fête des Prémices**
Commémoration du don
de la Torah
50 jours après Pessah

Rosh ha-Shana
Fête du nouvel an
Début de l'automne

Yom Kippour ou **Kippour**
Grand Pardon,
fête de pénitence
10 jours après Rosh ha-Shana

Soukkot ou
fête des Tabernacles
Commémoration de
la protection de Dieu pendant
le séjour dans le désert
Début de l'automne

Hanoukka ou
fête des Lumières
Commémoration de
la dédicace du Temple
par Judas Maccabée
Novembre-décembre

ISLAM

Dates du calendrier musulman.
L'année islamique commence le
jour de l'hégire, fuite de
Mahomet de La Mecque vers
Médine (16 - 7- 622).

Ras al-Ham ou
**commémoration
de l'hégire**
Exil de Mahomet vers Médine
1er jour du 1er mois de l'année

Achoura (fête chiite)
Commémoration de l'assassinat
d'Hussein, troisième imam des
chiites
10e jour du 1er mois de l'année

Mouloud
Naissance de Mahomet
Le 12 du 3e mois de l'année

Al-Isar
Ascension de Mahomet au ciel
8e mois de l'année

Ramadan
Période de privations : ni
nourriture, ni boisson, ni tabac,
ni relations sexuelles entre le
lever et le coucher du soleil
9e mois de l'année

Laylat al-Qadr
Commémoration de la première
révélation du Coran à
Mahomet par l'ange Gabriel
*9e mois de l'année,
généralement le 27*

Aïd el-Fitr ou **Aïd el-Séghir**
Fin du ramadan
10e mois de l'année

Aïd el-Kébir ou **Aïd el-Adha** (fête des sacrifices)
Commémoration du sacrifice
d'Abraham
12e mois de l'année

– Ce qui reste des moutures après avoir enlevé la farine **son, issues**
– Agent chimique utilisé dans le blanchiment de la farine **dioxyde de chlore, trichlorure d'azote, tétroxyde d'azote**
– Ver de farine **ténébrion**

FAROUCHE
– Un animal farouche **sauvage**
– Une personne farouche **timide, insociable, misanthrope**
– Une haine farouche **féroce, violente**

FASCINANT
syn. **attachant, captivant, charmant, séduisant, attractif**

FASCINER
– Fasciner une proie **hypnotiser**
– Fasciner quelqu'un par son charme **éblouir, magnétiser, ensorceler, envoûter, subjuguer**
– Ce spectacle fascine le public **captive, émerveille, enchante**

FASCISME
voir aussi **dictature**
– Chef du fascisme italien **Duce**
– Emblème du fascisme italien **faisceau**
– Mouvement fondé en 1919 en Italie par Mussolini et adhérant à la doctrine fasciste **Chemises noires**
– Mouvement politique espagnol inspiré du fascisme mussolinien **Phalange**
– Chef du fascisme allemand **Führer**
– Idéologie hitlérienne apparentée au fascisme **nazisme**
– Emblème du fascisme hitlérien **croix gammée**
– En Allemagne, adhérents d'un parti dont l'idéologie était apparentée au fascisme **Chemises brunes**

FASTE /1
– Faste d'une réception **apparat, éclat, luxe, magnificence, opulence, pompe, richesse, somptuosité, splendeur**

FASTE /2
– Un jour faste **heureux, de chance**
– Période faste pour la reprise de l'emploi **bénéfique, bonne, favorable, propice**

FASTES
– Les Romains consultaient les fastes **calendrier**
– Consulter les fastes d'un pays **registres, annales, histoire**

FATAL
– Une conséquence fatale **inévitable, immanquable, implacable, inéluctable**
– La fatale fuite du temps **irrévocable, inexorable**
– Un événement fatal **sinistre, néfaste, funeste, fatidique**

– Sorte de farine de pommes de terre **fécule**
– Type de farine grossière **recoupe, remoulage**
– Farine très fine provenant du broyage de la semoule **gruau**
– Usine transformant le grain en farine **minoterie, meunerie**
– Passer la farine au tamis **tamiser, sasser, bluter**
– Appareil déterminant la qualité d'une farine **alvéographe**
– Farine de manioc **tapioca**
– Opération ponctuant la fabrication de la farine **broyage, blutage, sassage, claquage, convertissage**
– Machine servant à la fabrication de la farine **meule, cylindre**
– Appareil permettant de séparer les particules de farine **blutoir, tamis**
– Emplâtre de farine aux vertus médicinales **cataplasme, diachylon**
– Fait de réduire les graines de céréales en farine **mouture**

– Une drogue fatale **mortelle**
– Théorie ou opinion selon laquelle tout ce qui arrive est fatal **fatalisme**
– Femme fatale **vamp**

FATALITÉ
syn. **destin, fatum, sort**
– Marqué par la fatalité **fatidique**
– Détermination de l'avenir par la fatalité **prédestination**
– Déesses de la fatalité grecques et latines **Moires, Parques**
– Croyance en la fatalité **fatalisme**

FATIGANT
– Très fatigant **épuisant, harassant, accablant, éreintant, exténuant**
– Un exposé fatigant **lassant, fastidieux**
– Un rythme fatigant **stressant**
– Un brouhaha fatigant **assourdissant, étourdissant**
– Une présence fatigante **gênante, fâcheuse, encombrante, importune, inopportune**

FATIGUE
– Rompu de fatigue **brisé, recru, harassé, exténué, moulu**
– Fatigue d'un malade **affaiblissement, abattement, prostration**
– Sensation de fatigue **courbature**
– Fatigue musculaire **adynamie**
– Fatigue nerveuse **asthénie**
– Fatigue due à un fonctionnement excessif de l'organisme **surmenage**
– État de fatigue extrême d'un cheval **fortraiture**
– En mécanique, test de fatigue **résistance**

FATIGUER
– Cette randonnée m'a fatigué **épuisé, éreinté, exténué, crevé, lessivé**
– Fatiguer la salade **remuer, mélanger, retourner**
– Il me fatigue avec ses accusations incessantes **ennuie, harcèle, importune, lasse, barbe, embête**
– Je me suis fatigué à t'expliquer cela pendant des heures pour rien ! **époumoné, évertué, tué**

FAUCHER
– Faucher les blés **moissonner**
– Un camion a fauché un cyclomotoriste **renversé**
– Il s'est fait faucher son autoradio **voler, dérober, piquer**

FAUCON
voir aussi **rapace**
– Famille à laquelle appartient le faucon **falconidés**
– Type de faucon **crécerelle, émerillon, émouchet, gerfaut, hobereau, laneret, lanier**

– Faucon mâle **tiercelet**
– Petit du faucon **fauconneau**
– Jeune faucon non dressé **béjaune**
– Dressage d'un faucon **affaitage**
– Dresseur de faucons **fauconnier**
– Art d'affaiter un faucon pour la chasse **fauconnerie**
– Chasse au faucon dressé **volerie**
– Espèce de faucon la plus employée en fauconnerie **pèlerin**
– Rappel du faucon **réclame**
– Appât servant à faire revenir un faucon sur le poing à la chasse **leurre**
– Coiffe couvrant la tête du faucon avant son envol **chaperon**
– Bague fixée à la patte du faucon **vervelle**

FAUFILER
– Faufiler l'ourlet d'un vêtement **bâtir**
– Il s'est faufilé discrètement au début de la file d'attente **coulé, glissé, immiscé, insinué, introduit**

FAUSSER
– Fausser un jeu **truquer**
– Fausser la vérité **altérer, défigurer, déformer, dénaturer, falsifier, transformer, travestir**
– Fausser le jugement de quelqu'un **corrompre, dépraver, pervertir, vicier**
– Fausser une roue **tordre, voiler**
– Fausser compagnie à quelqu'un **abandonner, quitter**

FAUTE
– Faute du condamné **délit, méfait, infraction, forfait, crime, attentat**

– Faute commise en société **maladresse, gaucherie, bévue, impair, gaffe**
– Faute de l'accusé **fait, responsabilité**
– Faute de jeunesse **erreur, écart, faiblesse, faux pas, inconduite, peccadille**
– Faute devant Dieu **péché, coulpe**
– Regret de ses fautes **repentir, pénitence, attrition, contrition, résipiscence**
– Rémission des fautes **absolution, grâce**
– Avouer sa faute **faire son mea culpa**
– Reconnaître ses fautes **avouer, convenir de, confesser**
– Faute grave commise par un fonctionnaire **forfaiture**
– Faute d'un fonctionnaire de police aux conséquences fâcheuses **bavure**
– Individu qui se rend coupable d'une nouvelle faute **récidiviste**
– Susceptible de faire une faute **faillible, pécheur, peccable**
– Faute de langue **incorrection, impropriété, lapsus, solécisme, barbarisme, non-sens**
– Faute de liaison dans la prononciation **pataquès, velours**
– Faute de typographie **coquille, bourdon, doublon**
– Inventaire des fautes d'impression commises dans un ouvrage **errata**
– Faute de main-d'œuvre **manque, absence, pénurie**

FAUTEUIL
– Type de fauteuil **bergère, club, voltaire, crapaud, chauffeuse, transatlantique**

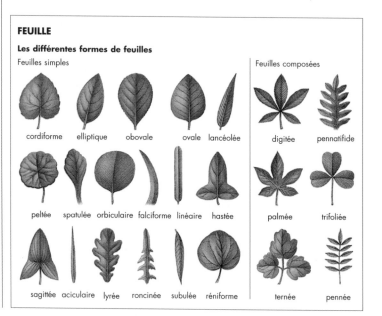

FEUILLE

Les différentes formes de feuilles

Feuilles simples

cordiforme elliptique obovale ovale lancéolée

peltée spatulée orbiculaire falciforme linéaire hastée

sagittée aciculaire lyrée roncinée subulée réniforme

Feuilles composées

digitée pennatifide

palmée trifoliée

ternée pennée

– Fauteuil où siège un souverain ou un dignitaire **trône**
– Fauteuil des dignités ecclésiastiques **chaire, faldistoire**
– Fauteuil à bascule **rocking-chair, berceuse**
– Fauteuil pour plusieurs personnes **canapé, méridienne, ottomane, sofa, causeuse, tête-à-tête**
– Bras d'un fauteuil **accoudoirs, accotoirs**
– Personne qui remet en état les fauteuils **tapissier**
– Garnir un fauteuil de bourre en piquant l'étoffe par endroits **capitonner**

FAUTIF
– Se sentir fautif **coupable, responsable**
– Une date fautive **erronée, fausse, incorrecte, inexacte**

FAUVE /1
– Famille à laquelle appartiennent les fauves **félidés**
– Type de fauve **lion, tigre, guépard, jaguar, panthère, léopard**
– Lieu où se trouvent les cages des fauves **ménagerie, fauverie**

FAUVE /2
– De couleur fauve **ambré, roussâtre, marbr/**

FAUX /1
– Faux de taille très réduite **faucille, serpe**
– Machine agricole qui remplace la faux **faucheuse, moissonneuse**
– Faux utilisé pour les herbes des zones humides **faucard**
– Faux munie d'un râteau **fauchon**
– Faux utilisée pour la fabrication du papier **dérompoir**

FAUX /2
pseudo-, simil(i)-
syn. **factice, affecté, feint, simulé**
– Faire un faux **contrefaire**
– Individu qui fabrique des faux **faussaire**
– Ce tableau est un faux **contrefaçon, copie, imitation**
– Un exercice faux **inexact, erroné**
– Répandre une fausse nouvelle **imaginaire, mensongère, infondée, controuvée, inventée**
– Une fausse accalmie **fictive, illusoire**
– Un faux témoignage **trompeur, fallacieux, captieux**
– Une fausse lettre **inauthentique, apocryphe**
– Un faux bordereau **falsifié, truqué**
– Un individu faux **déloyal, hypocrite, fourbe, sournois, perfide**
– Un faux titre **usurpé**
– Une fausse fleur **artificielle, factice**

– Une position fausse **équivoque, ambiguë**
– Fausse information **rumeur**
– Fausse création artistique **plagiat, pastiche**
– Fausse doctrine **hérésie**
– Faux serment **parjure**
– Faux dieu **idole**
– Type de raisonnement faux **sophisme, paralogisme**
– Faux nom **pseudonyme**
– Faux cheveux **postiche, perruque**
– Chanter faux **détonner**

FAVEUR
– Bénéficier d'une faveur **avantage, privilège, prérogative**
– Compter sur la faveur d'un homme d'influence **aide, appui, soutien, protection**
– Jouir de la faveur de ses concitoyens **considération, crédit, estime**
– Faveur d'un collègue **amitié, affection, bienveillance, générosité**
– Accorder la faveur d'un instant **aumône**
– Tendance à accorder des faveurs à certaines personnes **favoritisme, népotisme**
– Faveur accordée par Dieu **bénédiction, grâce**
– Faveur illégale **passe-droit**
– Un billet de faveur **recommandation, invitation**
– Faveur donnée par une dame à un chevalier au cours d'un tournoi **enseigne**
– Faveur décorative **ruban**

FAVORABLE
– Un milieu favorable **confortable, adapté, approprié, adéquat**
– Un climat favorable **avantageux, bienfaisant, profitable, salutaire**
– Une date favorable **opportune**
– Un entourage favorable **approbateur, consentant, acquis**
– Une divinité favorable **protectrice, tutélaire**
– Un signe favorable **de bon augure**
– Un astre favorable **bénéfique, propice**

FAVORI /1
– Favori d'Henri III **mignon**
– Favori d'un roi **maîtresse**
– Porter des favoris **pattes de lapin, rouflaquettes**
– C'est le favori de sa mère **chouchou, préféré**

FAVORI /2
– Cheval de course qui n'est pas favori **outsider**

FAVORISER
– Favoriser quelqu'un **aider, appuyer, encourager, pousser, protéger, soutenir**

– Être favorisé par **avantagé, privilégié**
– L'obscurité a favorisé leur évasion **facilité, servi**

FÉCOND
– Cette espèce est particulièrement féconde **prolifique**
– Sol fécond **fertile, productif, généreux**
– Un labeur fécond **profitable, fructueux**
– Un thème très fécond **inépuisable**
– Quel esprit fécond ! **imaginatif, inventif, créatif**

FÉCONDATION
– Cellules s'unissant lors de la fécondation **gamètes**
– Élément mâle de la fécondation **anthérozoïde, pollen, semence, spermatozoïde**
– Élément femelle de la fécondation **oosphère, ovule**
– Phase capitale de la fécondation **amphimixie**
– Œuf résultant de la fécondation **zygote**
– Technique utilisée pour provoquer la fécondation **insémination artificielle, gift**
– Fécondation artificielle hors de l'organisme **in vitro, FIV**
– Technique combinant la fécondation in vitro et le transfert d'embryon **fivete**
– Enfant conçu grâce à la fécondation artificielle **bébé-éprouvette**
– En botanique, transformation de l'ovule en embryon sans fécondation **parthénogenèse**
– Fécondation croisée de certaines plantes et de certains animaux **hétérogamie**

FÉDÉRAL
– État fédéral **fédération**
– Principes fondateurs d'un État fédéral **participation, autonomie, législation**

FÉDÉRATION
syn. **association**
– Fédération politique **parti, alliance, coalition**
– Fédération sportive **club, ligue**
– Fédération professionnelle **syndicat**

FÉE
– Fée laide et méchante **Carabosse**
– Fée des romans de chevalerie du Moyen Âge **Morgane, Viviane, Mélusine**
– Attribut des fées **baguette magique, hennin**
– Jeté par les fées **sort, maléfice**
– Créatures de petite taille qui habitent le monde des fées **lutins, génies, gnomes, farfadets, trolls**
– Pierre aux fées **mégalithe**
– C'est une femme aux doigts de fée **habile, adroite**

FÉLICITATION

– Manifestation de félicitation **applaudissements, vivats, bravos, ovation**
– Adresser des félicitations à l'occasion d'un mariage **compliments, congratulations**
– Être reçu avec les félicitations du jury **éloges, louanges**

FÉLICITER

syn. **complimenter, congratuler**
– Féliciter un chanteur **applaudir, acclamer**
– Félicite obséquieusement **adulateur, flagorneur, caudataire, thuriféraire, laudateur**
– Se féliciter de voir que tout se termine bien **réjouir de (se)**

FEMELLE /1

– Ensemble des petits nés en une fois d'une femelle **portée**
– Femelle qui met bas pour la première fois **primipare**
– Femelle qui ne met bas qu'un petit à la fois **unipare**
– Femelle qui met bas plusieurs petits à la fois **multipare**
– Femelle qui n'a encore jamais mis bas **nullipare**
– Une femelle stérile **bréhaigne**

FEMELLE /2

– Gamète femelle **ovule**
– Organe femelle d'une fleur **pistil, gynécée**

FEMME

voir aussi **dame, déesse, fille, mère gyné(co)-**
– Femme qui vit avec un homme sans être mariée **compagne, concubine**
– Femme ayant plusieurs époux **polyandre**
– Femme inspiratrice **muse, égérie**
– Femme belle et gracieuse **vénus, sylphide, nymphe**
– Femme âgée surveillant une jeune fille **duègne, chaperon**
– Créature hybride légendaire mi-femme, mi-animal **sirène, harpie, sphinx**
– Femme autoritaire et acariâtre **virago**
– Femme pédante **bas-bleu**
– Femme dont le désir sexuel est pathologiquement exacerbé **nymphomane**
– Femme qui vit de ses charmes **call-girl, péripatéticienne, prostituée**
– Individu qui méprise les femmes **misogyne, machiste, phallocrate**
– Mouvement visant à la mise en pratique des droits de la femme **féminisme**
– Appartement réservé aux femmes dans certaines civilisations **gynécée, harem, sérail**
– Médecin spécialiste des femmes **gynécologue**

– Formule homogamétique de la femme **XX**
– Cycle physiologique de la femme **cycle menstruel, cycle œstral**
– Femme en couches **parturiente**
– Période de fécondité de la femme **puberté, menstruation, ovulation, grossesse, maternité**
– Fin de la période de fécondité d'une femme **ménopause**
– Femme qui aime une autre femme **lesbienne**
– Femme unie par le mariage à un homme **épouse**
– Lien pouvant unir un homme et une femme **mariage**
– Lien pouvant unir deux femmes **pacs**
– Femme de chambre **bonne, camériste, domestique, servante**

FENDRE

voir aussi **couper**
– Outil utilisé pour fendre du bois **hache, merlin, cognée, coin**
– Pièce d'une charrue dont le rôle est de fendre la terre **coutre, soc**
– Machine utilisée pour fendre du bois ou de l'osier **fendeuse**
– Individu chargé de fendre du bois ou de l'ardoise **fendeur**
– Fait de fendre **fendage, fenderie, fente**
– Fendre un minéral (diamant, cristal) suivant ses couches **cliver**
– Susceptible de se fendre en feuillets **fissile, scissile**
– Fendre la cohue **écarter, traverser, percer**
– Fendre le cœur **peiner, attrister, chagriner, affliger, désoler, consterner**
– Ce mur risque de se fendre **craqueler (se), crevasser (se), fendiller (se), fissurer (se), lézarder (se)**
– Vase qui se fend **fêle (se)**

FENÊTRE *Voir illustration p. 236*

– Type de fenêtre **lucarne, baie, bow-window, oriel, tabatière, houteau**
– Fenêtre de forme arrondie ou ovale **lunette, œil-de-bœuf, oculus**
– Sorte de fenêtre très étroite prévue pour la défense d'une forteresse **meurtrière, barbacane, archère**
– Fenêtre d'un navire ou d'un avion **hublot**
– Paroi de verre d'une fenêtre **vitre, carreau, vitrail**
– Type de volet habillant une fenêtre **persienne, jalousie, contrevent**
– Habillage de tissu d'une fenêtre **store, rideau, voilage, brise-bise, lambrequin, cantonnière**
– Vide ménagé dans un pan de mur pour installer une fenêtre **embrasure**
– Mécanisme qui permet d'ouvrir et de fermer une fenêtre **espagnolette, crémone**

– Hauteur entre l'appui d'une fenêtre et le sol **enseuillement**
– Garnir de fenêtres **fenêtrer**
– Objet qui permet l'entrouverture d'une porte ou d'une fenêtre **entrebâilleur**
– Individu qui jette son argent par les fenêtres **dépensier**

FENTE

– Parcouru par une fente **fêlé, entrouvert, fissuré, lézardé, crevassé, entaillé**
– Parcouru en surface par de petites fentes **fendillé, craquelé, gercé**
– Coupé en deux par une fente **bifide**
– Fente entre deux éléments **vide, espace, interstice**
– Fente provoquée par le gel dans un arbre ou une pierre **gélivure**
– Fente de l'écorce terrestre **faille, crevasse**
– Fente d'une jupe **fendu**

FÉODAL

– Hiérarchie de la noblesse féodale **suzerain, vassal, vavasseur**
– Individu non noble à l'époque féodale **roturier**
– Paysan à l'époque féodale **vilain, serf, manant**
– À l'époque féodale, redevance payée par les roturiers à leur seigneur **cens**
– À l'époque féodale, domaine concédé par le suzerain à son vassal **fief**
– Donner un fief à un vassal à l'époque féodale **inféoder**
– À l'époque féodale, cérémonie de mise en possession d'un fief **investiture**
– Serment de fidélité d'un vassal lige envers son seigneur à l'époque féodale **serment d'allégeance**
– Caractère du lien qui unissait le vassal et son seigneur à l'époque féodale **synallagmatique**
– À l'époque féodale, droit qui permettait à un seigneur de disposer des biens de son vassal à sa mort **mainmorte**
– À l'époque féodale, cérémonie au cours de laquelle un jeune homme était fait chevalier **adoubement**

FER

voir aussi **acier, fonte, métal ferri-, ferro-, sidér(o)-**
– Qui contient du fer **ferreux, ferrique, ferrifère, ferrugineux**
– Minerai de fer **hématite, limonite, oligiste, sidérose, pyrite, marcassite, magnétite**
– Altération du fer **rouille**
– Métallurgie du fer et des métaux ferreux **sidérurgie**
– Fabrication d'objets d'art en fer **ferronnerie**
– Produit de l'oxydation du fer **rouille**
– Fers utilisés lors d'un accouchement difficile **forceps**

– Fer d'une arme d'hast **pointe**
– Marquage des bestiaux au moyen d'un fer rouge **ferrade**
– Fil de fer hérissé de pointes **barbelé**
– Les fers et les bois d'un golfeur **clubs, crosses**
– Opération par laquelle on met les fers à un cheval **ferrure**
– Fer à repasser du tailleur **carreau**
– Bois de fer **casuarina, sidéroxylon, lophira**
– Mettre un bagnard aux fers **enchaîner**

FÉRIÉ
– Le 1ᵉʳ janvier est un jour férié **chômé**
– Un jour non férié **ouvrable**
– Un jour, férié ou non, durant lequel on travaille **ouvré**

FERME /1
voir aussi **étable, agricole**

– Partie d'une ferme abritant des animaux **écurie, étable, porcherie, bergerie, clapier, poulailler**
– Cour d'une ferme où l'on élève des volailles et des lapins **basse-cour**
– Dépendance d'une ferme destinée au matériel **hangar, remise**
– Dépendance d'une ferme destinée aux récoltes **grange, grenier, fenil, silo, pailler**
– Ferme ou maison provençale **mas**
– Ferme américaine d'élevage **ranch**
– Grande ferme en Amérique latine **fazenda, hacienda**
– Ferme communautaire israélienne **kibboutz**
– Ferme collective dans l'ex-URSS **kolkhoze, sovkhoze**
– Élément de la ferme d'une charpente **arbalétrier, entrait, poinçon, contre-fiche**

– Mode de location d'une ferme **affermage, métayage**
– Loyer que verse l'exploitant d'une ferme au propriétaire **fermage**

FERME /2
– Une consistance ferme **dure, compacte, résistante**
– Une décision ferme **arrêtée, irrévocable, invariable, immuable, sans appel**
– Une ligne de conduite ferme **fixe, constante**
– Une démarche ferme **assurée, décidée, déterminée**
– Une valeur boursière ferme **solide, stable, fiable**
– Être ferme avec quelqu'un **autoritaire, inflexible, intransigeant**
– Rester ferme devant un imprévu **imperturbable, inébranlable, stoïque, impassible, impavide**
– Attendre quelqu'un de pied ferme **résolument**
– Rendre ferme **raffermir**

FERMENT
zym(o)-
syn. **enzyme**
– Ferment de révolte **cause, source, germe, levain**
– Ferment lactique **lactobacille, bifidus**

FERMENTATION
– Champignon à l'origine de la fermentation **levure**
– Matière qui peut entrer en fermentation **fermentescible**
– Élément qui provoque une fermentation **fermentatif**
– Qui concerne la fermentation **zymotique**
– Art de maîtriser la fermentation **zymotechnie**
– Technique permettant de détruire tout germe de fermentation **pasteurisation**
– Fermentation alcoolique **alcoolification, vinification**
– Jus de raisin ou suc végétal destiné à subir une fermentation **moût**
– Boisson alcoolisée issue de la fermentation du seigle **kwas**

FERMER
– Fermer un portail **verrouiller, cadenasser**
– Fermer une ruelle **bloquer, barrer, obstruer, barricader**
– Fermer une des ouvertures d'un bâtiment **condamner, murer**
– Fermer une voie d'air **boucher, colmater, obturer**
– Fermer une plaie **coudre, suturer, cicatriser**
– Fermer un orifice ou un conduit du corps **occlure**

FISCALITÉ

Assiette : définition et évaluation de la matière imposable, c'est-à-dire de la base servant au calcul de l'impôt (revenus, patrimoine, plus-value).

Contribution pour le remboursement de la dette sociale (CRDS) : cotisation prélevée sur la plupart des revenus dans le but d'assurer le remboursement de la dette de la Sécurité sociale.

Contribution sociale généralisée (CSG) : impôt qui frappe les revenus du travail, les transferts sociaux et les revenus de l'épargne et du patrimoine.

Cotisations sociales : prélèvements destinés à financer les dépenses sociales (assurance maladie, assurance vieillesse, allocations familiales, etc.).

Impôt de solidarité sur la fortune (ISF) : impôt qui frappe les ménages dont la valeur du patrimoine est supérieure à un seuil défini chaque année par la loi de finances.

Impôt direct : impôt versé directement par le contribuable au Trésor public (impôt sur le revenu, impôt sur les sociétés, taxe d'habitation, etc.).

Impôt indirect : impôt dont le montant est versé au Trésor

public par un tiers qui sert d'intermédiaire entre le Trésor et le contribuable. Le montant de la TVA (taxe sur la valeur ajoutée) est versé à l'administration fiscale par les entreprises qui produisent les biens et les services achetés par les consommateurs.

Impôts locaux : impôts destinés au financement des dépenses des collectivités territoriales de la République, c'est-à-dire les communes, les départements et les régions.

Impôt sur le revenu (IR) : impôt qui frappe les revenus des personnes physiques (salaires, pensions de retraite, revenus de placements financiers, etc.).

Impôt sur les sociétés (IS) : impôt sur le bénéfice des entreprises.

Prélèvements obligatoires : ensemble des versements effectués auprès des administrations publiques. Les prélèvements obligatoires comprennent la fiscalité (les impôts et taxes) et la parafiscalité (les cotisations sociales payées par les salariés et les employeurs).

Redevance : prix à payer en contrepartie de la concession d'un droit ou d'un service. La redevance audiovisuelle est ainsi relative au droit d'usage d'un récepteur de télévision.

Taux de prélèvement obligatoire : rapport entre le niveau des prélèvements obligatoires et le produit intérieur brut (PIB) d'une nation.

Taxe d'habitation : taxe due par toute personne, physique (locataire et propriétaire) ou morale, disposant d'une habitation meublée. La taxe d'habitation porte également sur les dépendances du logement (emplacement de parking).

Taxe foncière sur les propriétés bâties : impôt dû par les propriétaires de biens fonciers.

Taxe foncière sur les propriétés non bâties : impôt dû par les propriétaires de terrains.

Taxe intérieure sur les produits pétroliers (TIPP) : taxe qui frappe la consommation d'hydrocarbures comme les carburants automobiles.

Taxe sur la valeur ajoutée (TVA) : impôt indirect qui frappe la consommation.

Trésor public : administration publique chargée du recouvrement des contributions fiscales pour le compte de l'État et des collectivités territoriales.

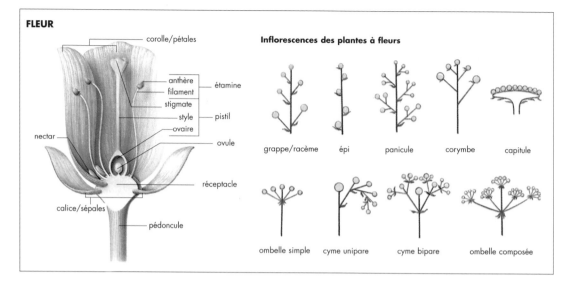

FLEUR

corolle/pétales

anthère
filament } étamine
stigmate
style } pistil
ovaire
nectar
ovule
réceptacle
calice/sépales
pédoncule

Inflorescences des plantes à fleurs

grappe/racème épi panicule corymbe capitule

ombelle simple cyme unipare cyme bipare ombelle composée

– Fermer son manteau **attacher, boutonner, agrafer**
– Fermer un paysage **borner, limiter**
– Fermer un scrutin **clore, clôturer**
– Fermer une enveloppe **cacheter, sceller**
– Se fermer **refuser, rester sourd**
– Un visage qui se ferme **assombrit (s'), renferme (se), renfrogne (se)**

FERMETÉ
– Faire preuve de fermeté dans ses activités **constance, persévérance, obstination, opiniâtreté, ténacité**
– Faire preuve de fermeté devant une catastrophe **courage, sang-froid, vaillance**
– Manquer de fermeté vis-à-vis d'un enfant **poigne, autorité**
– Fermeté d'une viande **dureté, résistance**
– Fermeté d'un tracé **sûreté, vigueur**
– Fermeté d'une valeur cotée en Bourse **stabilité**

FERMETURE
– Élément du système de fermeture d'une porte **verrou, serrure, loquet, barre, cadenas**
– Système de fermeture utilisé jadis pour verrouiller une porte **bobinette**
– Garnir d'une fermeture à glissière **zipper**
– Jour de fermeture d'un établissement **relâche, congé**

FERMIER
syn. **cultivateur, exploitant, paysan, agriculteur**
– Fermier versant au propriétaire foncier un loyer en nature **colon, métayer**

– Impôt indirect collecté jadis par les fermiers généraux **gabelle, aides, traites**
– Fermier chargé de la perception des impôts dans la Rome antique **publicain**

FÉROCE
– Un animal féroce **sauvage, sanguinaire**
– Un adversaire féroce **barbare, cruel, dur, impitoyable, inhumain**
– Une attaque féroce **atroce, effroyable, épouvantable, horrible, terrifiante**
– Un appétit féroce **terrible, gargantuesque, insatiable**

FÉROCITÉ
– Férocité d'un animal **sauvagerie**
– Férocité d'un assassin **sadisme, barbarie, cruauté**
– Férocité d'un combat **acharnement, atrocité, rage, violence**
– Traiter un employé avec férocité **dureté**

FERRER
– Artisan dont le métier est de ferrer les bestiaux **maréchal-ferrant**
– Atelier dans lequel on ferre un cheval **forge, maréchalerie**
– Marteau utilisé pour ferrer une bête **brochoir, ferratier**
– Clou à tête large et ronde utilisé pour ferrer les chaussures **caboche**
– Ferrer une marchandise passant la douane **plomber**
– Ferrer un poisson **piquer**

FERTILE
syn. **fécond, productif, généreux, plantureux**
– Rendre une parcelle de terre plus fertile **améliorer, bonifier, enrichir, amender**

– Procédé utilisé pour rendre plus fertile **chaulage, marnage, plâtrage, fumage, terreautage, colmatage**
– Rotation des cultures visant à garder des sols fertiles **assolement**
– Terre noire russe extrêmement fertile **tchernozem**

FERVENT /1
– Les fervents de Bach **admirateurs, adorateurs, adulateurs, fanatiques, fous**

FERVENT /2
– Chrétien faussement fervent **dévot, bigot, grenouille de bénitier, punaise de sacristie**
– Un amour fervent **brûlant, dévorant**
– Un fervent défenseur de la nature **ardent, enthousiaste, zélé, engagé**

FESSE
– Qui a de belles fesses **callipyge**
– Individu qui a des fesses très proéminentes **stéatopyge**
– Arrière-train du cheval entre la hanche et la pointe de la fesse **croupe**

FESTIN
– Festin copieux et joyeux **agapes, banquet**
– Quel festin ! **bombance, ribote**
– Faire un festin **festoyer**

FÊTE *Voir tableau fêtes des religions monothéistes, p. 239*
voir aussi **férié**
– Fête populaire au cours de laquelle on danse **bal, guinguette, redoute**
– Fête villageoise **kermesse, ducasse, frairie**

– Fête populaire du sud de la France et de l'Espagne **féria**
– Fête populaire bretonne **fest-noz**
– Fête artistique **festival**
– Fête mondaine **réception, garden-party, gala**
– Faire la fête aux Antilles **zouker**
– Individu friand de tous les plaisirs de la fête **noceur, viveur, bambocheur**
– Tous ses amis adorent les fêtes **distractions, divertissements, réjouissances**

FÉTICHE

– Objet fétiche **amulette, grigri, porte-bonheur, talisman, phylactère**
– Animal fétiche d'une équipe de football **mascotte**

FEU

pyr (o)-, igni-
syn. **arme, flamme, incendie, brasier, fournaise**
– Appareil de secours utilisé pour éteindre un feu à ses débuts **extincteur**
– Individu qui met le feu délibérément **incendiaire, pyromane**
– Communardes qui allumaient des feux **pétroleuses**
– Résistant au feu **apyre, ignifugé, ininflammable, incombustible**
– Qui crache le feu **ignivome**
– Dieu du feu grec et romain **Héphaïstos, Vulcain**
– Fluide tenu jadis pour responsable de la destruction par le feu **phlogistique**
– Odeur spécifique que dégage un feu quand une matière organique brûle **empyreume**
– Pierre avec laquelle l'homme préhistorique alluma le premier feu **silex**
– Dans une maison, endroit où l'on fait du feu **cheminée, foyer, âtre, poêle, insert**
– Attiser le feu en fouillant les braises **tisonner, fourgonner**
– Le feu de camp est allumé pour **bivouaquer, cuire des aliments, veiller**
– Immolation par le feu **holocauste, autodafé**
– Un feu follet **flammerole, ardent**
– Prêtresse romaine gardienne du feu sacré **vestale**
– Verre qui va au feu **Pyrex**
– Terre de Feu en Amérique du Sud **Patagonie**
– Feu guidant les bateaux **phare, fanal**
– Feux de la rampe, au théâtre **projecteurs, spots**
– Série de coups de feu **décharge, fusillade, salve, rafale, mitraille**
– Arme à feu **pistolet, revolver, pistolet-mitrailleur, fusil, fusil-mitrailleur**
– Ouvrir le feu **tirer, mitrailler, bombarder**
– Cessez-le-feu **interruption, répit, trêve, armistice**
– Feux de détresse d'une voiture **warning**

– Feu dû à l'excitation **ardeur, enthousiasme, fougue, exaltation, impétuosité**
– Avion utilisé pour éteindre un feu **bombardier d'eau, Canadair**
– Feu de direction d'une voiture **clignotant**
– Feu arrière d'une bicyclette **cataphote**
– Action de mettre le feu au corps des morts **crémation**

FEU D'ARTIFICE

– Attraction d'un feu d'artifice **fusée, chandelle romaine, pétard**
– Aboutissement attendu d'un feu d'artifice **clou, apothéose, bouquet**
– Art de fabriquer des matières explosives et de tirer des feux d'artifice **pyrotechnie**
– Personne qui fabrique des pièces d'artifice ou tire des feux d'artifice **artificier**

FEUILLAGE

syn. **ramée, frondaison**
– Arbuste dont le feuillage est vert toute l'année **semper virens**
– Feuillage non persistant **caduc**
– Treillage recouvert de feuillage **berceau, tonnelle, charmille**
– Professionnel qui crée du feuillage artificiel **feuillagiste**
– Dessin décoratif représentant du feuillage **ramage**

FEUILLE *Voir illustration p. 240*

voir aussi **bourgeon**
phyll(o)-
– Sans feuille **aphylle**
– Feuilles des arbres tombant chaque année **caduques, décidues**
– Partie étalée d'une feuille **limbe**
– Queue d'une feuille **pétiole**
– Réseau ramifié d'une feuille qui laisse passer la sève **nervures**
– Pigment vert d'une feuille **chlorophylle**
– Disposition des feuilles sur la tige d'une plante **foliation, phyllotaxie**
– Partie simple d'une feuille composée **foliole**
– Apparition des feuilles au printemps **feuillaison, frondaison, reverdissement**
– Chute des feuilles **défeuillaison, défoliation, effeuillaison, effeuillement**
– Produit chimique qui fait tomber les feuilles d'un arbre **défoliant**
– Feuille ornementale décorant les chapiteaux corinthiens **acanthe**
– Feuille inutile et dépareillée d'un livre **défet**
– Page d'une feuille **recto, verso**
– Feuille de paie **bulletin, fiche**

FEUILLETER

– Feuilleter rapidement un ouvrage **parcourir, survoler**

– Feuilleter son vade-mecum **consulter, compulser, se référer à**
– Feuilleter une pâte, en cuisine **feuilletage**

FEUILLETON

– Feuilleton scientifique d'un journal **chronique, rubrique**
– Lire le feuilleton dans un quotidien **roman, nouvelle**
– Regarder un feuilleton à la télévision **série, soap opera, sitcom**

FEUTRE

– Machine servant à la fabrication du feutre **foulon**
– Fabrication du feutre **feutrage**
– L'encre de ce feutre est ineffaçable **indélébile**
– Gros feutre à pointe large **marqueur, surligneur**

FEUTRÉ

– Un pas feutré **amorti, discret, étouffé, silencieux, ouaté**

FÈVE

– Retirer l'enveloppe des fèves **écosser**
– Fèves données aux bêtes comme fourrage **féveroles**
– Jour où l'on devient roi en trouvant une fève dans une galette **Épiphanie**

FIACRE

syn. **diligence, omnibus, calèche**
– Nom du cocher d'Achille dans l'*Iliade* et conducteur d'un fiacre au XIXe siècle **automédon**

FIANCÉ

syn. **futur, promis, prétendu, accordé**

FIBRE

voir aussi **tissu**
fibro-
– Fibre végétale **chanvre, coton, jute, lin**
– Fibre animale **laine, soie**
– Fibre synthétique **Nylon, Orlon, Tergal, polyester, banlon, acrylique**
– Fibre tirée de feuilles de palmier **raphia**
– Petite fibre **fibrille**
– Ouvrier ou machine qui dépouille le bois de ses fibres **défibreur**
– Tumeur composée de fibres **fibrome**
– Fibre maternelle **instinct**

FICELLE

– Manière d'enrouler de la ficelle **pelote, écheveau**
– Ouvrage décoratif fait en ficelle ou autre fil **macramé**
– Lier les membres d'un poulet avec de la ficelle de cuisine **brider, trousser**
– Les ficelles d'une profession **astuces, finesses**
– Fabrique de ficelle **ficellerie**

FICHE

– Remplir une fiche **formulaire, carte, carton, feuille, papier**
– Fiche de porte **ferrure, penture, paumelle**
– Fiche électrique **broche, jack**
– Fiche de jeu **jeton, plaque, monnaie**

FICHER

– Ficher un clou dans un mur **clouer, enfoncer, introduire, planter**
– Ficher les suspects **répertorier**
– Ficher un coup **administrer, mettre, flanquer**
– Ficher quelqu'un dehors **chasser, congédier, expulser, jeter, mettre dehors, virer**
– Se ficher de quelqu'un **moquer de (se), rire de, gausser de (se)**
– Se ficher de tout **être indifférent**

FICHU

voir aussi **voile**
– Se couvrir la tête d'un fichu **châle, pointe, mouchoir, fanchon**
– Arborer un fichu de soie chamarrée **carré, foulard**
– Fichu en plastique qui protège de la pluie **capuche**
– Fichu espagnol de dentelle noire **mantille**
– Fichu que portent les religieuses **guimpe, barbette**
– Fichu noir porté par les musulmanes chiites **tchador, foulard islamique**

FICTIF

– Un personnage fictif **allégorique, fabuleux, imaginaire, inventé, irréel**
– Une valeur fictive **conventionnelle, extrinsèque, théorique, supposée**

FIDÈLE /1

– Être le fidèle de quelqu'un **serviteur, partisan**
– Les fidèles se rassemblent à l'église le dimanche **croyants**

FIDÈLE /2

– Un apprenti fidèle **honnête, probe, intègre**
– Un vassal fidèle à son seigneur **dévoué, loyal, féal, lige**
– Un partisan fidèle **inconditionnel**
– Une amitié fidèle **sincère, fiable**
– Fidèle à une coutume ancestrale **attaché à**
– Fidèle à l'enseignement d'un maître à penser **adepte, disciple**
– Une copie fidèle **conforme, rigoureuse, scrupuleuse**
– Un témoignage fidèle **correct, exact**
– Être une cliente fidèle **habituée**

FIDÉLITÉ

– Fidélité de quelqu'un **attachement, dévouement, franchise, honnêteté, loyauté, sincérité**
– Fidélité d'un récit **exactitude, fiabilité, véracité, véridicité**
– Assister avec fidélité à des réunions **assiduité, constance, régularité**

FIEL

voir aussi **amer**
– Plein de fiel **enfiellé, envenimé, fielleux**
– Paroles pleines de fiel **aigreur, animosité, âpreté, hargne, acrimonie**
– Fiel de bœuf utilisé en pharmacie **bile**

FIER

voir aussi **fanfaron**
– Fier comme Artaban **vaniteux, prétentieux, suffisant, fat, présomptueux, superbe**
– Aborder quelqu'un d'un air fier **hautain, dédaigneux, arrogant, altier, condescendant, renchéri**
– Un fier chevalier **digne, noble, brave, crâne, magnanime, preux**
– Être fier de ses enfants **content, heureux, satisfait**
– Un fier menteur **fameux, fieffé**

FIERTÉ

– Montrer de la fierté vis-à-vis de ses collègues **arrogance, distance, hauteur, mépris, morgue, suffisance, infatuation, superbe**
– Flatter la fierté de quelqu'un **amour-propre, orgueil**
– Jamais je ne mendierai ! J'ai ma fierté ! **dignité**
– Tirer une grande fierté de son travail **contentement, satisfaction**

FIÈVRE

syn. **température, hyperthermie, agitation**
– Un pouls trahissant la fièvre **fiévreux, fébrile**
– Médicament contre la fièvre **fébrifuge, antipyrétique, antithermique**
– Diminution de la fièvre **défervescence**
– Baisse de température entre deux poussées de fièvre **apyrexie**
– Fièvre qui gagne les malades atteints de septicémie **hectique**
– Fièvre jaune **vomito negro**
– Fièvre des vaches **vitulaire, puerpérale**
– Écrire avec fièvre **exaltation, excitation, fébrilité, passion, ardeur**
– La fièvre des bovidés **aphteuse**
– Fièvre due à une infection utérine après l'accouchement **puerpérale**

FIGUE

– Famille de la figue **moracées**
– Arbre sur lequel poussent les figues **figuier**

FLEUVES

Fleuve	Continent	Longueur (en km)
Amazone	Amérique du Sud	7 025
Nil	Afrique	6 671
Missouri	Amérique du Nord	5 970
Ob	Asie	5 410
Yangzi Jiang (Yang-tseu-kiang/ fleuve Bleu)	Asie	4 989
Houang Ho (Huang He/ fleuve Jaune)	Asie	4 845
Zaïre (Congo)	Afrique	4 700
Amour (Heilong Jiang)	Asie	4 667
Lena	Asie	4 400
Irtych	Asie	4 248
Mackenzie-Peace	Amérique du Nord	4 240
Niger	Afrique	4 184
Ienisseï	Asie	4 129
Paraná	Amérique du Sud	4 025
Mékong	Asie	4 023
Volga	Europe	3 701
Yukon	Amérique du Nord	3 185

– Lieu planté d'arbres donnant des figues **figuerie, figueraie**
– Figue sauvage **caprifigue**
– Technique permettant d'accélérer la maturation des figues **caprification**
– Dans la Grèce antique, dénonciateur des voleurs de figues **sycophante**
– Figue caque **plaquemine, kaki**
– Cactus sur lequel poussent les figues de Barbarie **nopal**
– Une réponse mi-figue, mi-raisin **obscure, ambiguë, équivoque, amphibologique**
– Figue de mer **violet**

FIGURE

voir aussi **géométrie**
– Figure avenante **visage, mine, faciès, physionomie**
– Figure sur une pièce de monnaie **effigie**
– Type de figure dans un ouvrage **illustration, schéma, croquis, gravure, vignette, estampe**
– Figures d'un jeu de cartes **honneurs**
– Faire figure d'intellectuel **passer pour**

FIGURER

syn. **représenter**
– Cette statue a pour fonction de figurer la république **symboliser, incarner**

– Faire figurer quelqu'un ou quelque chose dans un article **citer, nommer, signaler, mentionner**
– Métaphore qui figure une idée **allégorie**
– Acteur dont le rôle se réduit à figurer **figurant, comparse**
– Se figurer quelque chose **imaginer (s'), représenter (se)**

FIL

voir aussi **coudre, laine, tissu**
némat(o)-
– Diagonale d'un tissu par rapport au droit-fil **biais**
– Gros fil poissé du cordonnier **ligneul**
– Instrument utilisé pour fabriquer du fil à la main **quenouille, fuseau, rouet**
– Défaire une étoffe fil à fil **effiler, défiler, éfaufiler**
– Passer un fil pour éviter que le bord d'un vêtement ne s'effiloche **surfiler**
– Passer un fil provisoire pour bâtir un vêtement **faufiler**
– Fabrique de fil **filature**
– Bobine de fil utilisée sur une machine à coudre **canette**
– Fil tordu à plusieurs reprises pour une plus grande solidité **retors**
– Usine où l'on fabrique du fil métallique **tréfilerie**
– Fil utilisé jadis par les chirurgiens pour suturer une plaie **catgut**
– Fils d'araignée **fils de la Vierge**
– Elle sauva Thésée du Labyrinthe grâce à un fil **Ariane**
– Trio divin qui file, dévide et coupe le fil de chaque destinée chez les Grecs et chez les Romains **Moires, Parques**
– Qui ne tient qu'à un fil **précaire**
– Appareil dont la transmission est assurée par un fil **filaire**
– Fil de fer en forme de cercle ou de bracelet **torque**
– Fil des arguments **rapport, lien, cours, enchaînement, logique**
– Fil d'une lame **tranchant, taille**
– Donner le fil à une lame **affiler, aiguiser, affûter**

FILE

– File de camions **colonne**
– File de pèlerins **procession, défilé, cortège**
– File de gendarmes **cordon, haie**
– À la file **à la queue leu leu, en rang d'oignons, en enfilade**
– Rouler sur la file de droite **voie**
– File réservée aux autobus **couloir**
– Changer de file en voiture **déboîter**

FILER

– Accessoire utilisé pour filer la laine **quenouille, fuseau, rouet**
– Filer les amarres **dévider, laisser aller**
– Filer des jours heureux **passer, vivre**

– Filer une métaphore **développer, poursuivre**
– Filer un suspect **pister, suivre, prendre en filature, filocher**
– Tu peux bien me filer 10 euros ! **donner, prêter, refiler**
– Filer une claque à quelqu'un **assener, donner, flanquer**
– Mon collant est filé **démaillé**
– Filer à toute allure **courir, foncer**
– Filer au supermarché **aller (s'en), partir**
– Filer à l'anglaise **disparaître, décamper**
– Les voleurs vont filer par là **échapper (s'), enfuir (s')**
– Filer doux **soumettre (se), obéir, obtempérer**

FILET

voir aussi **chasse, carrelet**
– Types de filets de pêche **araignée, épervier, guideau, seine, gabare, tramail, bolier, haveneau, traîne, ableret, caudrette, balance, chalut, verveux, carrelet**
– Petit filet pour la pêche aux crevettes et autres crustacés **pêchette, épuisette, crevettier, truble, troubleau**
– Nœud utilisé pour confectionner un filet de pêche à la main **nœud sur le pouce, nœud de tisserand, nœud d'écoute**
– Compose la monture d'un filet de pêche **plombée, flotte**
– Réparer un filet de pêche **radouber**
– Filet utilisé pour attraper des oiseaux **pantière, ridée, tirasse, nasse**
– Filet servant à maintenir une coiffure en place **résille, réticule**
– En architecture, héraldique ou tapisserie, filet décoratif **listel**
– Filet suspendu servant de lit de repos **hamac**
– Coup de filet **rafle, arrestation**
– Filet de l'étamine d'une fleur **coulant, stolon**
– Tranche de filet de bœuf **chateaubriand, tournedos**
– Partie du bœuf à côté du filet **faux-filet**
– Filet de bœuf cru **carpaccio**
– Filet de volaille **aiguillette, magret**
– Filet de veau **grenadin**

FILIATION

– Un lien de filiation **descendance, parenté**
– Preuve de la filiation **acte de naissance**
– Qui trace la filiation d'une personne **arbre généalogique**
– Filiation des événements **enchaînement, liaison, suite, succession**
– Filiation des mots **étymologie**

FILLE

voir aussi **femme, parenté**

– Petite fille **gamine, bambine**
– Une jeune fille formée **pubère, nubile**
– Nom de la jeune fille au Moyen Âge **pucelle, damoiselle, jouvencelle**
– Jeune fille non mariée à vingt-cinq ans **catherinette**
– Dans les campagnes, jeune fille modèle de vertu **rosière**
– Jeune fille frivole **grisette, midinette**
– La fille cadette d'un roi espagnol ou portugais **infante**
– Tradition régionale qui veut que l'on honore les jeunes filles du village le 1ᵉʳ mai **les mais**
– Les filles de l'artichaut **œilletons**
– Vieille fille **célibataire, demoiselle**

FILM *Voir tableaux cinéma, p. 138, photographie, p. 451, et prix cinématographiques, p. 490*

voir aussi **acteur, cinéma, télévision**
– Lieu de tournage d'un film **plateau, studio, extérieurs**
– Histoire d'un film **scénario**
– Déplacement de la caméra pendant le tournage d'un film **travelling**
– Soutien financier d'un film **avance sur recettes**
– Acteur principal d'un film **protagoniste**
– Canevas d'un film **découpage, synopsis**
– Durée d'un film **métrage**
– Version d'un film **originale (VO), doublée, sous-titrée**
– Retour dans le passé dans un film **flashback**
– Film à caractère didactique (sur un pays, une culture, des faits, etc.) **documentaire**
– Film d'aventures qui met en scène cowboys et Indiens **western**
– Film qui traite de l'Antiquité **péplum**
– Film, policier ou d'épouvante, à suspense qui suscite une certaine frayeur **thriller**
– Sélection des acteurs pour un film **casting**
– Personne jouant un rôle mineur dans un film **figurant**
– Liste des films d'un acteur ou d'un auteur **filmographie**
– Roman en photos inspiré d'un film **ciné-roman**
– Appareil permettant d'enregistrer des films et de les projeter sur un écran télé **magnétoscope**
– Archives de films **cinémathèque**
– Archives reproduites sur films par microcopie **filmothèque**
– Support de films **pellicule, bande, cassette, DVD (digital versatile disc)**
– Appareil permettant de faire et de visionner des films **Caméscope**
– Extraits de film diffusés avant le film **bande-annonce**
– Film plastique **couche, pellicule, feuille**

FILS

voir aussi **parenté**
– Premier fils **aîné**
– Deuxième fils **cadet, puîné**
– Dernier fils **benjamin**
– Fils du roi présomptif du trône **prince héritier, dauphin**
– Fils de l'homme **Jésus-Christ**
– Être fils de ses œuvres **autodidacte**
– Fils de l'époux ou de l'épouse **beau-fils**
– Fils de son enfant **petit-fils**
– Être le fils spirituel de quelqu'un **disciple, épigone**

FILTRE

– Filtre en étoffe **chausse, étamine**
– Filtre pour les aliments **passoire**
– Filtre pour les sauces **chinois**
– Filtre utilisé pour éliminer les impuretés de l'eau **purificateur**
– Filtre pour préparer le café **percolateur**
– Filtre solaire **écran, crème solaire**
– Filtre pour les sons **égaliseur**
– Filtre de cigarette **dénicotiniseur**

FILTRER

– Filtrer une solution **clarifier, purifier, épurer, déféquer**
– Ustensile servant à filtrer **passoire, chinois, chausse, étamine, blanchet**
– Liquide que l'on a filtré **filtrat**
– Éclairage filtré **tamisé, voilé**
– Filtrer une foule **contrôler, canaliser**
– Filtrer un article **passer au crible**
– Personnes chargées de filtrer ouvrages et films avant leur parution **censeurs**
– De l'eau qui filtre à travers un mur **coule, suinte, sourd**

FIN /1

syn. **terme, aboutissement, achèvement, mort**
– Fin de la séance **clôture, levée**
– Fin d'un mot **terminaison, désinence, suffixe**
– Fin d'une allocution **conclusion, péroraison, épilogue**
– Fin d'une pièce de théâtre **dénouement**
– Fin d'une phrase musicale **chute, cadence**
– Fin d'une composition musicale **final, coda**
– Fin d'un délai **expiration, échéance**
– Début de la fin **déclin, décadence**
– Fin d'un royaume **ruine, dissolution, écroulement, anéantissement, effondrement**
– Fin du jour **crépuscule**
– Le début et la fin **l'alpha et l'oméga**
– Un peu avant la fin de la vie **agonie, article de la mort**
– Fin du monde **apocalypse**
– En théologie, étude de la fin du monde **eschatologie**
– Athlète qui se distingue à la fin d'une épreuve **finisseur, vainqueur**

– Fins d'un individu **objectifs, ambitions, desseins, visées, buts**
– Fin de non-recevoir **refus, opposition, veto**
– Le fin du fin **nec plus ultra, summum**
– Cheval à deux fins **de selle, d'attelage**

FIN /2

syn. **mince, menu, ténu, spirituel, subtil, rusé, astucieux, retors, artificieux**
– Un fin limier **adroit, ingénieux, habile, expert, compétent, émérite**
– Le fin mot **final, dernier, ultime**

FINANCES *Voir tableaux banque, p. 63, Bourse, p. 84, économie, p. 208, fiscalité, p. 243*

syn. **budget, comptabilité, banque, Bourse, économie**
– Finances de l'État **recettes, dépenses**
– Ensemble des administrations qui s'occupent des finances de l'État **fisc**
– Personne chargée autrefois des finances du roi **financier, fermier**

FINANCIER /1

syn. **banquier, gestionnaire**

FINANCIER /2

– Moyens financiers d'un État **Trésor, caisses de l'État**
– Soutien financier d'une entreprise à une association **mécénat, partenariat, sponsoring**

FINESSE

– Finesse d'un ornement architectural **délicatesse, légèreté, grâce, élégance**
– Un esprit plein de finesse **pénétration, perspicacité, clairvoyance, sagacité**
– Finesses d'une argumentation **subtilités, arguties**

FINIR

syn. **achever, terminer, accomplir**
– Finir une œuvre avec beaucoup de soin **parfaire, parachever, polir, lécher, mettre la dernière main à**
– En finir avec un problème **régler, résoudre**
– Ne pas finir de parler **tarir**
– Il faut en finir avec cette rumeur **arrêter, couper court à, mettre fin à, mettre un terme à**

FINITION

– Les ouvriers effectuent les finitions de la maison **parachèvent**
– Personne qui effectue les travaux de finition **finisseur**
– Les finitions de cette robe laissent à désirer **boutonnières, ourlets**
– Finitions en sculpture **décapage, ébarbage, repavage, assemblage, ciselure, patine**

FISCALITÉ *Voir tableau p. 243*

FISSURE

– Fissure dans le sol **anfractuosité, cassure, craquelure, fleurine, diaclase, faille**
– Fissure dans un arbre **gélivure, gerce**
– Fissure dans un mur **lézarde**
– Fissure dans un vase **fêlure**
– Fissure dans la peau **crevasse, engelure, gerçure**
– Fissures d'un raisonnement **points faibles, failles**

FIXATION

– Accessoire utilisé pour la fixation d'objets **agrafe, clou, vis, punaise, crochet, colle, ruban adhésif, corde**
– Fixation d'un prix **calcul, détermination, évaluation, limitation, réglementation, définition**
– Fixation de bagages sur une voiture **amarrage, arrimage**
– Fixation de Tsiganes dans une ville **établissement, implantation, installation, sédentarisation**
– Fixation de quelque chose au mur **accrochage**

FIXE /1

– Vous recevrez un fixe, plus un pourcentage sur le chiffre d'affaires **salaire**
– Se faire un fixe d'héroïne **shoot, injection, piqûre**

FIXE /2

– Un regard fixe **immobile, figé**
– Idée fixe **obsession, hantise, manie**
– Une réglementation fixe **déterminée, définie, arrêtée, établie**
– Une situation fixe **stable, durable, constante, permanente, immuable, définitive**
– Un coloris fixe **inaltérable**
– Une peuplade fixe **sédentaire**
– À date fixe **régulièrement, invariablement**
– Partie fixe d'un châssis de fenêtre **dormant**

FIXER

– Fixer un tableau au mur **accrocher, suspendre**
– Fixer un câble **attacher, amarrer, assujettir**
– Fixer dans le sol **planter, ficher**
– Fixer ses prétentions **exposer, faire état de, énoncer, stipuler**
– Fixer une date limite **indiquer, assigner**
– Fixer un individu **observer, dévisager**
– Fixer la vallée **scruter**
– Se fixer dans une région **installer (s'), établir (s'), implanter (s')**
– Fixer des règles **décider, définir, déterminer, formuler**

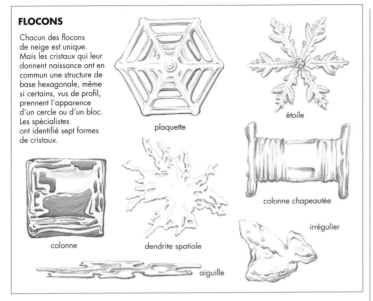

FLOCONS

Chacun des flocons
de neige est unique.
Mais les cristaux qui leur
donnent naissance ont en
commun une structure de
base hexagonale, même
si certains, vus de profil,
prennent l'apparence
d'un cercle ou d'un bloc.
Les spécialistes
ont identifié sept formes
de cristaux.

plaquette

étoile

colonne chapeautée

irrégulier

colonne

dendrite spatiale

aiguille

– Fixer son attention sur quelque chose **concentrer (se)**
– Ne pas être fixé sur la conduite à tenir **incertain, indécis**

FLACON

syn. **fiole, bouteille**
– Flacon plat **flasque**
– Flacon pour huiler **burette**
– Sorte de flacon long et courbé servant à distiller **cornue**
– Vase ou flacon permettant aux malades couchés d'uriner **urinal**

FLAGRANT

syn. **certain, évident, incontestable, indéniable, indubitable, manifeste, notoire, patent**
– Être pris en flagrant délit de vol **sur le fait, en flag**

FLAMBEAU

syn. **torche, brandon**
– Flambeau en argent ciselé **chandelier, candélabre, torchère**

FLAMBOYANT

– J'ai vu passer une voiture flamboyante **brillante, éclatante, étincelante, rutilante**
– Le style dit flamboyant (en architecture par exemple) **gothique**

FLAMME

syn. **drapeau, banderole, feu**
– En flammes **enflammé, embrasé, ardent**
– Avouer sa flamme à sa bien-aimée **passion, feu, amour**

– Petits résidus en flammes qui s'envolent d'un feu **flammèches, étincelles**
– Écrire à la flamme d'une bougie **lumière, clarté, lueur**
– Éteindre la flamme d'une chandelle **moucher**
– Flamme utilisée par le vétérinaire **lancette**
– Flammes éternelles **tourments de l'enfer**

FLANC

– Flanc d'une troupe de soldats en armes **aile**
– Mettre un individu sur le flanc **épuiser, exténuer, éreinter, harasser**
– Prêter le flanc à la raillerie **exposer à (s')**

FLÂNER

– Flâner dans les rues **balader (se), promener (se), déambuler, baguenauder, musarder**
– Travaille au lieu de flâner **lambiner, paresser, flemmarder, lanterner**

FLATTER

syn. **complimenter, louanger, courtiser, encenser, flagorner, aduler**
– Flatter quelqu'un d'illusions **abuser par, leurrer par, bercer de**
– Se flatter de pouvoir obtenir la première place **figurer (se), compter**
– Se flatter de tout savoir **prétendre, faire fort de (se), piquer de (se), targuer de (se)**
– Se flatter de sa situation **vanter de (se), glorifier de (se), enorgueillir de (s')** **prévaloir de (se)**

– Cette robe me flatte **avantage, embellit**

FLATTEUR

– Individu flatteur **caudataire, courtisan, flagorneur**
– Un subalterne flatteur **obséquieux**
– Une formule flatteuse **obligeante, prévenante**

FLÈCHE

– Décocher une flèche **trait, sagette**
– Flèche de l'arbalétrier **carreau, matras**
– Extrémité d'une flèche garnie de plumes ou d'ailerons **empenne**
– Fourreau dans lequel on range les flèches **carquois**
– Arme qui lance des flèches **arc, arbalète, sarbacane**
– Poison servant à empoisonner les flèches **upas, curare**
– Flèche d'une caravane **attelage**
– Flèche d'une charrette **timon**
– Signe du zodiaque représenté par un centaure armé d'un arc et d'une flèche **sagittaire**
– Divinité grecque et romaine qui décoche les flèches de l'amour **Éros, Cupidon**
– Les flèches de l'amour **coup de foudre**
– Lancer une flèche au cours d'une conversation **raillerie, sarcasme, épigramme, brocard**
– Flèche d'une église **aiguille**

FLÉCHIR

– Fléchir les bras **courber, plier, ployer**
– Fléchir les genoux **agenouiller (s')**
– La poutre fléchit sous son poids **courbe (se), gauchit, incurve (s'), plie, ploie, cède**
– Il a couru tout le marathon vite et sans-sans jamais fléchir **faiblir, mollir, vaciller, flancher**
– Tenter de fléchir les membres du jury **apitoyer, attendrir, ébranler, émouvoir, toucher**
– Le cours du pétrole fléchit **baisse**

FLEGME

syn. **calme, décontraction, froideur, maîtrise de soi, sérénité**
– Peuple réputé pour son flegme **Britanniques**
– Rien ne peut lui faire perdre son flegme **impassibilité, placidité, indifférence**

FLÉTRIR

– La chaleur a flétri les fleurs **desséché, fané, séché**
– Le soleil a flétri les rideaux **décoloré, défraîchi, terni, passé**
– La peau se flétrit avec le temps **ride (se), chiffonne (se), fripe (se), ratatine (se)**
– Flétrir la réputation de quelqu'un **déshonorer, entacher, salir, souiller, dénoncer**

FOOTBALL

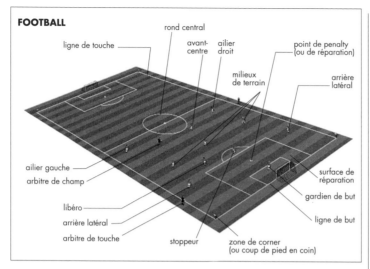

rond central
ligne de touche
avant-centre
ailier droit
point de penalty (ou de réparation)
milieux de terrain
arrière latéral
ailier gauche
arbitre de champ
libéro
arrière latéral
arbitre de touche
stoppeur
zone de corner (ou coup de pied en coin)
surface de réparation
gardien de but
ligne de but

FLEUR *Voir illustration p. 244*
antho-, flor-, flori-
– Branche de l'horticulture consacrée aux fleurs **floriculture**
– Massif de fleurs **parterre, plate-bande**
– Exposition de fleurs **floralies**
– Époque durant laquelle une plante se couvre de fleurs **floraison**
– Disposition des fleurs sur la tige d'une plante **inflorescence, capitule**
– Plante à fleurs **phanérogame**
– Plante à fleurs dont les ovules sont enclos **angiosperme**
– Poudre souvent jaune dans les anthères d'une fleur **pollen**
– Suc mielleux des fleurs que butinent les abeilles **nectar**
– Organe femelle d'une fleur **pistil**
– Organe mâle d'une fleur **étamine**
– Petite feuille à la base du pédoncule d'une fleur **bractée**
– Ensemble des enveloppes protégeant les organes reproducteurs d'une fleur **périanthe**
– Tige ou queue d'une fleur unique **pédoncule**
– Fleur sans pédoncule **sessile**
– Un massif donnant un grand nombre de fleurs **florifère**
– Animal qui vit sur les fleurs **floricole**
– Supprimer un bourgeon pour favoriser la production de fleurs **pincer**
– Décoré de fleurs de lis **fleurdelisé**
– Être très fleur bleue **tendre, sentimental, romanesque**
– La fine fleur d'une armée, d'une école **élite, fleuron**
– Fleur de vin **mycoderme**
– Personne vendant des fleurs **fleuriste, bouquetière**
– Pot rectangulaire planté de fleurs **jardinière**

– Le mois des fleurs **floréal**

FLEURI
– Un teint fleuri **coloré, florissant, frais, vermeil, vif**
– Un style fleuri **orné, imagé**

FLEURIR
syn. **resplendir, être à son apogée, à l'honneur**
– Ce bouton va fleurir bientôt **ouvrir (s'), épanouir (s'), éclore**
– Voir fleurir des immeubles dans la ville **multiplier (se), proliférer**
– Fraises qui fleurissent deux fois par an **remontantes**

FLEUVE *Voir tableau p. 246*
potamo-
– Bord d'un fleuve **berge, rive**
– Écoulement des eaux d'un fleuve **courant, fil**
– Chenal creusé par un fleuve et dans lequel il s'écoule **lit**
– Région drainée par un fleuve et ses affluents **bassin**
– Direction d'où vient le courant d'un fleuve **amont**
– Direction vers laquelle s'écoule un fleuve **aval**
– Pente d'un fleuve, d'amont en aval ou d'une rive à l'autre **profil**
– Caractère de l'écoulement des eaux d'un fleuve au cours de l'année **régime**
– Débit moyen annuel d'un fleuve **module**
– Débit minimal d'un fleuve durant l'année **étiage**
– Cours d'eau qui se jette dans un fleuve **affluent**
– Point de rencontre d'un fleuve et d'un autre cours d'eau **confluent**

– Couloir emprunté par un fleuve pour aller d'une vallée à une autre **cluse**
– Passage resserré d'un fleuve **étranglement, pertuis**
– Chute d'eau qui rompt le cours d'un fleuve **cascade, saut, cataracte**
– Sinuosité prononcée décrite par un fleuve **méandre**
– Monts en surplomb sur un méandre d'un fleuve dans le sud-ouest de la France **cingle**
– Bras mort d'un fleuve tropical **marigot**
– Partie d'un fleuve dans laquelle ses eaux se mêlent à celles de la mer **estuaire**
– Entrée d'un fleuve dans la mer **embouchure**
– Plaine triangulaire à l'embouchure d'un fleuve **delta**
– Dépôt souvent fertile abandonné par un fleuve **alluvions**
– Gonflement exceptionnel des eaux d'un fleuve **crue**
– Science des fleuves **potamologie**
– Fonte des glaces d'un fleuve gelé **débâcle**
– Fleuves des Enfers **Styx, Léthé, Achéron**
– Fleuve des lamentations, rempli des larmes des méchants **Cocyte**

FLEXIBLE
– Une matière flexible **élastique, souple**
– Une personne flexible **accommodante, docile, malléable**
– Des horaires flexibles **aménagés, adaptables, variables**

FLIRT
syn. **aventure, amourette, caprice, béguin, passade, idylle**

FLOCON *Voir illustration p. 249*

FLOT
– Naviguer sur les flots **onde, vagues, mer, océan**
– Flot de larmes **déluge, fleuve, torrent**
– Flot de paroles **débordement, flux**
– Flot de vacanciers **afflux, essaim, foule, multitude, vague, flopée**
– L'argent coule à flots **abondamment**

FLOTTANT
– Masse de glace flottante **iceberg**
– Installation pétrolière flottante **plateforme**
– Des cheveux flottants **dénoués, lâchés, pendants**
– Porter un pull flottant **ample, flou, large, vague**
– Un pont flottant **mobile**
– Un caractère flottant **hésitant, incertain, inconstant, indécis, indéterminé, irrésolu, lunatique**
– Le cours du pétrole est flottant **fluctuant, instable, variable**

FLOTTE

syn. **flottille, escadre, escadrille, eau, pluie**
– Flotte de Philippe II **l'Invincible Armada**

FLOTTER

– On a vu les cendres flotter avant de couler **surnager**
– Une matière qui flotte sans jamais couler **insubmersible**
– Le pavillon doit flotter au vent **ondoyer**
– La voile flotte au vent **faseye**

FLOU

– Ambiance floue utilisée en peinture **sfumato**
– Une photo floue **trouble**
– Un tee-shirt flou **ample, flottant, lâche**
– Des souvenirs flous **imprécis**
– Des idées floues **brumeuses, obscures, nébuleuses**
– Un contour flou **brouillé, fondu, incertain, indécis, indéterminé, indistinct, vaporeux**

FLUIDE /1

– Type de fluide **eau, gaz, métal liquide**
– Étude des fluides **mécanique des fluides**
– Étude des fluides en état d'équilibre **statique des fluides**
– Application de l'étude des fluides **aérodynamique, hydrodynamique, hydrostatique**
– Force exercée par un fluide sur un corps en mouvement **frottement, pression**
– Avoir du fluide **magnétisme**
– Personne possédant un fluide **médium, magnétiseur, guérisseur**

FLUIDE /2

– Une huile fluide **liquide, claire**
– Un style fluide **aisé, coulant, limpide**
– Quand la circulation n'est pas fluide **embouteillage, bouchon, ralentissement**

FLÛTE

– Flûte champêtre **pipeau, chalumeau, larigot, flageolet, galoubet**
– Petite flûte aiguë **piccolo, octavin**
– Flûte utilisée pour certains airs militaires **fifre**
– Flûte à l'oignon **mirliton, flûtiau, bigophone**
– Flûte composée de plusieurs tubes **flûte de Pan, syrinx**
– Flûte de l'Antiquité grecque **diaule**

FŒTUS

voir aussi **embryon**
– Ponction permettant de déceler certaines anomalies chez le fœtus **amniocentèse**

– Nom donné au fœtus et à ses annexes **faix**
– Organe où se développe le fœtus **utérus**
– Masse à laquelle est relié le fœtus par le cordon ombilical **placenta**
– Le liquide dans lequel baigne le fœtus **amniotique**
– Membrane qui entoure le fœtus **allantoïde**
– Méthode d'exploration médicale qui met à profit la réflexion des ultrasons sur les organes et permet de visualiser le fœtus **échographie**
– Maladie du fœtus **fœtopathie**
– Destruction des fœtus dans les pays surpeuplés **fœticide**
– Expulsion à terme du fœtus **accouchement**
– Expulsion provoquée d'un fœtus avant terme **avortement, IVG**
– Expulsion naturelle d'un fœtus avant terme **fausse-couche**
– Technique permettant l'expulsion d'un fœtus avant terme **curetage, aspiration**

FOI

– Bonne foi d'un individu **honnêteté, sincérité, droiture, loyauté, intégrité, probité, rectitude**
– Mauvaise foi d'un individu **dissimulation, fausseté, duplicité, traîtrise, perf:•lie, fourberie**
– Manque de foi d'un vassal envers son seigneur **trahison, parjure, forfaiture, félonie**
– Plusieurs personnes unies dans une même foi **fidèles, croyants**
– Foi religieuse **confession, dogme**
– Foi ardente **ferveur, dévotion, piété, zèle**
– Avoir foi en quelqu'un **avoir confiance en, compter sur**
– Homme de foi **vassal**

FOIE

hépat(o)-
– Substance amère et visqueuse produite par le foie **bile**
– Partie du foie **lobe**
– Maladie du foie **hépatite, cirrhose, stéatose**
– Signe qui peut dénoter une affection du foie **jaunisse, ictère, hépatomégalie**
– Étude du foie **hépatologie**
– Organe dans lequel s'accumule la bile produite par le foie **vésicule**
– Repli qui relie le foie à l'estomac **petit épiploon**
– Foie-de-bœuf **fistuline**
– Production de globules rouges par le foie **érythropoïèse, hématopoïèse**
– Cellule du foie **hépatocyte**
– Avoir les foies **avoir peur**

FOIN

– Époque des foins **fenaison**

– Faire les foins **faner**
– Gros tas de foin **meule, barge**
– Grenier à foin **fenil**
– Foin que l'on donne aux bêtes pendant l'hiver **fourrage**
– Mangeoire d'une étable que l'on remplit de foin **râtelier**
– Rhume des foins **coryza spasmodique, catarrhe oculaire**
– Ligne de foin séché **andain**
– Opération permettant de faire des lignes de foin séché **andainage**
– Outil utilisé pour faire des lignes de foin séché **andaineur**
– Faire du foin **protester, faire du bruit**

FOIRE

syn. **exposition, salon, marché**
– Exposant dans une foire **forain**
– Emplacement où se tient une foire **foirail**
– Foire d'empoigne **mêlée, rivalité, affrontement, rixe, échauffourée**
– Dégâts pouvant résulter d'une foire d'empoigne **pillage, mise à sac, déprédations**

FOIS

– À chaque fois **occasion, circonstance, occurrence**
– Une fois pour toutes **définitivement, irrémédiablement, irréversiblement, irrévocablement**
– Y regarder à deux fois **balancer, tergiverser, atermoyer**
– Faire deux choses à la fois **simultanément**
– J'irai chez lui une autre fois **jour, occasion**
– Il est à l'heure, pour une fois ! **exceptionnellement**
– Une fois que l'opération est commencée, on ne peut plus l'arrêter **dès que, dès l'instant que, quand**

FOISON

– Il y a foison de langues dans le monde **une multitude**
– Il y a des cèpes à foison cette année **en abondance, à profusion, beaucoup**

FOLIE *Voir tableau psychiatrie, p. 498*
syn. **démence, aliénation, vésanie, inconscience, délire**
– Vêtement qui permet d'immobiliser un individu en proie à une crise de folie **camisole de force**
– Établissement où l'on soigne les malades atteints de folie **asile, hôpital psychiatrique**
– Plante qui avait la réputation de guérir la folie **ellébore**
– Folie des grandeurs **mégalomanie**
– Ses folies l'ont rendu célèbre **incartades, frasques, fredaines, escapades, équipées**

– Avoir une nouvelle folie **lubie, manie, marotte**
– À la folie **passionnément, éperdument**
– Folie touchant parfois les alcooliques **delirium tremens**

FONCÉ
syn. **sombre, profond, obscur**
– Avoir le teint foncé **mat, basané, halé**

FONCTION
– Fonction d'un objet **utilité, action**
– Il faut réfléchir à ta future fonction **activité, gagne-pain, métier, profession, carrière**
– Briguer les honneurs d'une fonction **emploi, poste, place, situation, dignité**
– Sa fonction est bien définie **rôle, tâche, charge, mission, ministère, office**
– Fonction mathématique **application**

FONCTIONNAIRE
syn. **agent public**
– Salaire perçu par les fonctionnaires **traitement, émoluments**
– Fonctionnaire subalterne non titulaire **surnuméraire**
– Employé public non fonctionnaire **contractuel**
– Délit de fonctionnaire **concussion, exaction, malversation, prévarication, soustraction, forfaiture**

FONCTIONNER
syn. **être en état de marche, en exercice, efficace**
– Faire fonctionner un mécanisme **actionner, manœuvrer**
– Se mettre à mal fonctionner **détraquer (se), dérégler (se), gripper (se)**

FOND
– Au fond, on aperçoit des silhouettes **à l'arrière-plan, dans le lointain**
– Toile de fond **décor**
– À fond **complètement, entièrement, totalement, intégralement**
– Équiper un tonneau d'un fond **foncer**
– Quelques mètres de fond **profondeur**
– Fond de la mer peu profond qui ne compromet pas la navigation **bas-fond**
– Fond de la mer peu profond dangereux pour la navigation **haut-fond, banc, écueil**
– Fond de la mer très profond **abysse**
– Ensemble des organismes qui vivent sur les fonds maritimes **benthos**
– Un navire bloqué pour avoir touché le fond **échouer (s'), engraver (s'), ensabler (s')**
– Donner fond **jeter l'ancre, mouiller**
– Course de fond par opposition à course de vitesse **endurance**
– Coureur cycliste de demi-fond **stayer**
– Le fond d'une affaire **nœud**

– Le fond par opposition à la forme **sujet, thème, matière, contenu, teneur**
– Examen du fond de l'œil **ophtalmoscopie**

FONDAMENTAL
syn. **essentiel, capital, primordial**
– Cet élément est fondamental pour l'homme **vital, indispensable**
– Un attachement fondamental **foncier, radical**

FONDATION
– Partie basse d'une construction audessus des fondations **soubassement**
– Fondation d'une entreprise **création**
– Fondation d'une confédération **naissance, formation, constitution**
– Fondation du monde **Genèse**

FONDER
syn. **légitimer, placer, motiver, justifier**
– Fonder une maison sur le roc **bâtir, construire, édifier, ériger**
– Fonder sa réussite sur sa richesse personnelle **établir, baser, asseoir**
– Fonder une réglementation **instituer, instaurer**
– Fonder un collège **ouvrir**
– Se fonder sur des preuves **appuyer (s')**

FONDRE
– Matière qui a la propriété de fondre à la chaleur **fusible**
– Ce solide a la propriété de fondre à 100 °C **liquéfier (se)**
– Technique consistant à fondre des métaux pour les séparer **liquation**
– La glace s'est mise à fondre au soleil **dégeler**
– Faire fondre du sucre dans le lait **dissoudre**
– Aliment qui a la propriété de fondre dans le liquide **soluble**
– Fondre des soldats de plomb **couler, mouler**
– Fondre plusieurs éléments **mêler, fusionner, amalgamer**
– Les faucons ont l'habitude de fondre sur leur proie **tomber sur, précipiter sur (se), abattre sur (s'), piquer sur**
– Fondre sur l'ennemi **jeter sur (se), foncer sur, ruer sur (se), charger, assaillir**
– On les a vus se fondre dans la nuit **disparaître, évanouir (s'), disperser (se), volatiliser (se)**

FONDS
– Un fonds de commerce **établissement, exploitation, magasin, boutique**
– Il dispose des fonds nécessaires pour ouvrir son propre cabinet médical **argent, capital, finances, liquidités, moyens, ressources**

– Un bailleur de fonds **commanditaire**
– Fonds commun de placement **sicav**

FONDU
– Des contours fondus **estompés**
– Des teintes fondues **dégradées, floues, imprécises, vaporeuses**
– Il est fondu ce type ! **fou, givré**
– Il est fondu de rock **mordu, fan, fanatique**

FONTAINE
– Bassin d'une fontaine **vasque**
– Masque décoratif sculpté à l'orifice d'une fontaine **mascaron**
– Construction élevée autour ou audessus d'une fontaine **nymphée**
– Fontaine qui possède la propriété magique de faire rajeunir **de Jouvence**
– Nymphe des fontaines **naïade**

FONTE
voir aussi **métallurgie, fer**
– Moulage en fonte **lingot, gueuse, saumon**
– Type de fonte **blanche, grise**
– Technique d'épuration de la fonte **affinage, déphosphoration**
– Fonte des glaces d'un fleuve gelé **débâcle**
– À la fonte des neiges, mesure interdisant l'accès de certaines routes **barrière de dégel**

FOOTBALL *Voir illustration p. 250*
– Sur un terrain de football, zone située devant les buts **surface de réparation**
– Au football, sanction décidée par l'arbitre **coup franc**
– Au football, coup franc tiré dans la surface de réparation **penalty**
– Au football, tir effectué à partir d'un angle du terrain **corner**
– Faute que commet un joueur de football en se plaçant mal sur le terrain **hors-jeu**
– Avertissement adressé par l'arbitre à un joueur de football en faute **carton jaune**
– Expulsion d'un joueur de football coupable d'une faute grave **carton rouge**
– Personne chargée du respect des règles au football **arbitre**
– Au football, un match est composé de deux parties de quarante-cinq minutes **mi-temps**
– Au football, période supplémentaire destinée à départager deux équipes à égalité **prolongation**
– Dans un match de football, joueur chargé d'arrêter les buts **gardien de but, goal**
– Au football, joueur placé en première ligne **avant-centre, ailier**
– Au football, joueur du milieu ou de l'arrière de terrain qui peut jouer en attaque ou en défense **libéro**

EN FORME DE...

Aiguillon	**aculéiforme**
Aile	**aliforme**
Arc	**arciforme**
Bacille (petit bâton)	**bacilliforme**
Baie	**bacciforme**
Barque	**scaphoïde**
Bec d'aigle	**aquilin**
Cloche	**campaniforme**
Cône	**conoïde**
Coquille	**conchoïdal**
Cotyle	**cotyloïde**
Crochet	**unciforme**
Croissant	**lunulaire**
Croix	**cruciforme**
Crosse	**circiné**
Doigt	**digitiforme**
Échelle, escalier	**scalariforme**
Fer de lance	**lancéolé**
Figue	**ficoïde**
Fil	**filiforme**
Flèche	**sagittal**
Glaive	**xiphoïde**
Grain de raisin	**aciniforme**
Hélice	**hélicoïdal**
Lamelle	**lamelliforme**
Languette	**ligulé**
Lentille	**lenticulaire, lentiforme**
Losange	**rhomboïdal**
Œuf	**ovoïde**
Palme	**palmiforme**
Peigne	**pectiné**
Phallus	**phalloïde**
Pointe	**aciculaire**
Poire	**piriforme**
Poisson	**pisciforme**
Prisme	**prismatique**
Ruine	**ruiniforme**
S (la lettre)	**sigmoïde, sigmoïdal**
Serpent	**anguiforme**
Tête	**céphaloïde**
Tore	**torique**
Ver	**vermiforme**

– Au football, joueur placé en deuxième ligne **milieu de terrain**
– Au football, joueur placé en troisième ligne **arrière**
– Limites latérales du terrain de football perpendiculaires aux lignes de but **ligne de touche, touche**
– Action d'un joueur de football **démarquer (se), feinter, bloquer, intercepter, tacler, dribbler, shooter, marquer**

FORAIN

syn. **bateleur, saltimbanque, nomade**
– Forain exécutant des exercices d'équilibre **funambule, fildefériste**
– Forain exécutant des exercices au trapèze **trapéziste**
– Forain exécutant des exercices de force **hercule**

– Forain exécutant des tours de magie **magicien, prestidigitateur**
– Forain qui fait des farces **clown, auguste, histrion**
– Forain qui s'occupe d'animaux **dresseur, dompteur, écuyer**

FORCE

dynam(o)-
– Force d'un sportif **résistance, énergie, vigueur, robustesse, endurance**
– Unité de mesure de la force **newton**
– Ces élèves n'ont pas la même force **niveau, savoir, habileté, connaissances**
– Instrument qui mesure la force musculaire d'un individu **dynamomètre**
– Une force physique hors du commun **herculéenne**
– Redonner des forces **remonter, revigorer, ragaillardir**
– Médicament qui redonne des forces **analeptique**
– Force d'un gouvernement **puissance, autorité, influence, domination, emprise, ascendant**
– Force de caractère **détermination, fermeté, résolution, ténacité, constance**
– Haranguer une foule avec force **ardeur, fougue, feu, impétuosité, véhémence**
– Force d'un séisme **intensité, violence**

FORCÉ

– Un licenciement forcé **inéluctable, inévitable, nécessaire**
– Un atterrissage forcé **obligatoire**
– Prendre un bain forcé **involontaire**
– C'était forcé qu'il ait un accident ! **évident, immanquable, fatal**
– Un sourire forcé **artificiel, contraint, embarrassé, étudié, factice**

FORCÉMENT

– Cela arrivera forcément **à coup sûr, inévitablement, immanquablement, fatalement, infailliblement, inéluctablement, nécessairement, obligatoirement**

FORCER

– Forcer quelqu'un à faire quelque chose **contraindre, obliger, acculer, astreindre**
– Les circonstances l'ont forcé à capituler **condamné, réduit**
– Forcer un coffre **briser, défoncer, éventrer, fracturer**
– Forcer un dispositif de fermeture **crocheter**
– Forcer une mimique **exagérer, outrer**
– Forcer un texte **fausser, déformer, travestir, pervertir, dénaturer**
– Forcer une bête, à la chasse à courre **traquer**
– Forcer quelqu'un à avoir des relations sexuelles **violer**

FORÊT

sylv(o)-
syn. **bois, sylve**
– Être vivant dans une forêt **sylvicole**
– Divinité de la forêt **sylvain, dryade**
– Limite d'une forêt **lisière, orée**
– Sentier qui traverse une forêt **laie, layon, ligne**
– À l'intérieur d'une forêt, surface où les arbres sont rares ou absents **clairière**
– En forêt, territoire ou l'on procède à diverses expérimentations **placette**
– En forêt, ensemble des jeunes arbres à tronc bien différencié **gaulis**
– Type de forêt feuillue issue de la régénération des essences **taillis**
– Forêt de moins de 4 hectares **boqueteau**
– Forêt à feuilles persistantes **sempervirente**
– Forêt tropicale qui pousse dans la vase et les lagunes salées **mangrove**
– Forêt boréale de conifères **taïga**
– Étage de la forêt vierge **strate**
– Exploitation des forêts **sylviculture**
– Droit de couper du bois de chauffage sur une parcelle de forêt **affouage**
– Arbre que l'on épargne lors du déboisement d'une forêt **baliveau**
– Destruction de la forêt **déforestation, déboisement**
– Forêt de chênes **chênaie**
– Forêt de hêtres **hêtraie**
– Forêt de pins **pinède**
– Forêt de sapins **sapinière**

FORGE

– Outil d'une forge **enclume, soufflet, tenailles, marteau**
– Maître de forges **fondeur**
– Phase du travail des métaux dans une forge **martelage, corroyage, écrouissage**
– Individu qui travaille dans une forge **forgeron, maréchal-ferrant, orfèvre**
– Dieu des forges, dans la Grèce et la Rome antique **Héphaïstos, Vulcain**

FORMALITÉ

– Connais-tu les formalités ? **démarches, procédure**
– Respecter les formalités d'usage en société **convenances, conventions, bienséance, cérémonial, étiquette, protocole**

FORMAT *Voir tableau formats de papier, p. 432*

syn. **dimension, taille**
– Type de format d'un livre **in-plano, in-folio, in-quarto, in-octavo, in-douze**
– Type de format de la feuille de papier **aigle (grand ou petit), cavalier, colombier, écu, raisin, tellière**
– Donner un format à une disquette, à un disque dur **formater**

FORMATION

– Formation d'un gouvernement **composition, constitution, création, élaboration**
– Formation d'un fruit **nouaison**
– Formation d'une jeune fille **puberté**
– Étude de la formation de la phrase **syntaxe**
– Formation militaire **groupe, unité, commando, escadron, régiment**
– Formation politique **organisation, parti, mouvement**
– Formation musicale **ensemble, fanfare, groupe, harmonie, orchestre**
– Formation d'un enfant **éducation, instruction**
– Avoir une formation littéraire **connaissance, culture, bagage**
– Type de formation **apprentissage, formation en alternance, formation professionnelle, formation continue, formation permanente**

FORME *Voir tableau p. 253*
morph(o)-
– Forme d'un objet quelconque **aspect, apparence, tournure, configuration**
– Formes d'une statue **contours, lignes, courbes, galbe, modelé, délinéament**
– Esthétique des formes **plastique**
– Changer de forme **métamorphoser (se)**
– Étude de la forme des êtres vivants **morphologie**
– Analyse de la forme d'un mot **morphologique**
– En philosophie, théorie de la forme **gestaltisme**
– En chimie, corps qui ont la même forme cristalline **isomorphes**
– Géographie physique étudiant la forme et l'évolution du relief terrestre **géomorphologie**
– La forme par opposition au fond **écriture, expression, rédaction, style**
– Forme d'une œuvre musicale **structure, composition**
– Mauvaise forme physique d'un athlète **méforme**
– Utiliser une forme pour fabriquer des objets standard **gabarit, patron, moule, matrice**
– Mettre des formes dans ses souliers **embauchoirs**
– Une personne excessivement attachée à la forme **formaliste**
– Avoir la forme **frite, pêche**
– Être en forme **dispos**

FORMEL

– Un refus formel **catégorique**
– Un démenti formel **clair, explicite, net, précis**
– Une preuve formelle **incontestable, indéniable, indiscutable, indubitable, irréfutable**

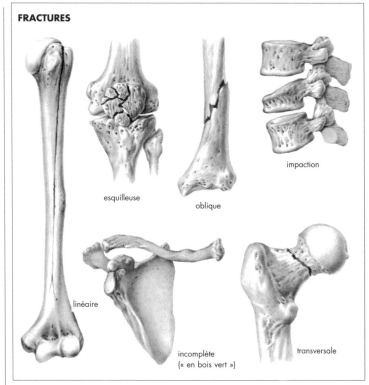

FRACTURES

esquilleuse

oblique

impaction

linéaire

incomplète
(« en bois vert »)

transversale

– Une réception très formelle **cérémonieuse, conventionnelle**

FORMELLEMENT

– Refuser formellement **fermement, catégoriquement**
– Formellement défendu **rigoureusement, strictement**

FORMER

– Former une association **fonder**
– Former son goût artistique **développer, affiner**
– Former un enfant **éduquer, élever**
– Former des hommes pour le combat **entraîner, endurcir, aguerrir, dresser**
– Ces éléments forment un ensemble cohérent **composent, constituent**
– La baie forme un demi-cercle parfait **dessine**
– Former des lettres **écrire, dessiner, tracer**

FORMIDABLE

– Un formidable déploiement de forces **effrayant, épouvantable, terrifiant, effroyable**
– Des dimensions formidables **extraordinaires, exceptionnelles, considérables, imposantes, stupéfiantes, phénoménales**

– Un scoop formidable **épatant, sensationnel**

FORMULE

– Formule magique **sésame, abracadabra**
– Formule d'un acte juridique **libellé**
– Cette formule lui est chère **expression, locution, tournure**
– Formule toute faite très banale **lieu commun, cliché, poncif, stéréotype**
– Formule énonçant un enseignement **maxime, précepte, sentence, adage, aphorisme, apophtegme**
– Formule qui aide à fixer la mémoire **mnémotechnique**
– Formule percutante d'un spot publicitaire **slogan**
– Une formule particulièrement brève **concise, lapidaire, laconique**
– Choisissez la formule qui vous convient **procédé, méthode, marche à suivre**
– Formule ou remède miracle capable de guérir tous les maux de la terre **panacée**
– Formule sacrée dotée d'un pouvoir magique dans les rituels hindouiste et bouddhique **mantra**
– Type de formule chimique **brute, développée**
– En chimie, composants qui ont une formule brute identique **isomères**

FORMULER
– Formuler une demande **exprimer, expliciter, exposer**

FORT /1
syn. **forteresse, citadelle, bastille**
– Petit fort **fortin**
– Fort qui résiste à tous les assauts sans tomber aux mains des ennemis **imprenable, inexpugnable**
– Abri souterrain d'un fort **casemate**
– Les mathématiques ne sont pas son fort **spécialité**

FORT /2
– Héros extraordinairement fort **Hercule, Samson**
– Être fort dans l'adversité **courageux, ferme, stoïque, vaillant, valeureux**
– Un orateur très fort **éloquent, persuasif, brillant, talentueux**
– Au jeu, il est très fort **habile, astucieux, ingénieux**
– Une voix forte **sonore, retentissante, claironnante**
– Une fragrance forte **lourde, violente, capiteuse, enivrante**
– Un assaisonnement fort **piquant, épicé, relevé**
– Se faire fort de **targuer de (se), piquer de (se), vanter de (se), se flatter de**

FORTIFIANT
syn. **analeptique, reconstituant, revigorant, stimulant, tonifiant, tonique, cordial, remontant, roboratif**

FORTIFICATION
syn. **enceinte, retranchement**
– Élément de fortification **bastion, redoute**
– En termes de fortification, porte qui donne sur le fossé **poterne**
– Ouvrage de fortification romain **oppidum**
– Partie d'une ville entourée d'une fortification au Maghreb **médina**
– Village médiéval protégé par des fortifications dans le sud-ouest de la France **bastide**
– Village protégé par des fortifications aux confins du désert **ksar**
– Auteur de très importants systèmes de fortification sous Louis XIV **Vauban**

FORTIFIER
– Il faut fortifier cette charpente trop fragile **renforcer**
– Fortifier les soldats pour mieux combattre **aguerrir, endurcir**
– Fortifier un tempérament **durcir, tremper**
– Cet incident eut pour conséquence de fortifier mes présomptions **confirmer, affermir, corroborer**
– Cette nourriture très riche a pour but de fortifier les enfants malades **revigorer, ragaillardir**
– Un repas qui fortifie les convives **nourrissant, substantiel, réconfortant**
– Fortifier une construction **étayer, consolider, soutenir**

FORTUNE
– Fortune matérielle d'un individu **capital, patrimoine, richesses, biens**
– Il est seul responsable de sa fortune **succès, réussite, prospérité**
– Il ne sait pas ce que la fortune lui réserve **avenir, destinée**
– La fortune l'a toujours favorisé **sort, chance, hasard, destin, fatum**
– Un aménagement de fortune **provisoire, temporaire**
– Une solution de fortune **pis-aller**
– Revers de fortune **aléas, vicissitudes, tribulations, traverses**

FOSSE
syn. **excavation, cavité, anfractuosité**
– Individu qui a pour métier de creuser les fosses dans un cimetière **fossoyeur**
– Fosse commune où sont entreposés les cadavres **charnier**
– Fosse d'aisances **latrines, feuillées**
– Fosse sous-marine **dépression, abysse**
– Mot qui désignait une vaste fosse sous-marine remplie de sédiments **géosynclinal**
– Descendre un cercueil dans la fosse **tombe, caveau**

FOSSÉ
syn. **tranchée**
– Fossé qui irrigue un terrain **rigole, saignée**
– Fossé large et profond devant l'entrée d'un enclos **saut-de-loup**
– En géologie, fossé d'effondrement **graben, rift**
– Fossé rempli d'eau qui entoure un lieu fortifié **douve**
– Paroi intérieure du fossé d'un château **escarpe**
– Paroi extérieure du fossé d'un château **contrescarpe**
– Rigole drainant le fossé qui entoure une fortification **cunette**
– Un fossé nous sépare **abîme, gouffre**

FOSSILE /1
– Spécialiste de l'étude des fossiles **paléontologue**
– Étude des fossiles animaux **paléozoologie**
– Étude des fossiles végétaux **paléobotanique**
– Un terrain riche en fossiles **fossilifère**
– Fossile en forme d'escargot, typique de l'ère secondaire **ammonite**
– Type de fossile carbonifère **lépidodendron, percoptéris**
– Élément permettant la datation des fossiles **carbone 14**

FOSSILE /2
– Animal fossile **zoolithe**
– Arbre fossile **dendrite**
– Crustacé fossile de l'époque silurienne **trilobite**
– Dent fossile **crapaudine**

FOU /1
syn. **aliéné, dément, déséquilibré, obsédé**
– Un individu qui se conduit comme un fou **inconscient, inconséquent, extravagant, insane**
– Le fou du roi **bouffon**
– Marionnette coiffée d'un bonnet à grelots que brandit le fou du roi **marotte**

FOU /2
– Votre décision est complètement folle **déraisonnable, insensée**
– Une entreprise folle **hasardeuse**
– Une imagination folle **débridée, désordonnée**
– Une course folle **effrénée**
– Elle est folle de ce jeune homme **éprise, idolâtre, férue, entichée**
– Un prix fou **exorbitant, astronomique**

FOUDRE
– Divinité dans la myhologie grecque et romaine qui a pour attribut un foudre **Zeus, Jupiter**
– Dispositif contre la foudre **paratonnerre**
– Mort accidentelle provoquée par la foudre **fulguration**
– À Rome, méthode de divination qui étudiait les manifestations de la foudre **science fulgurale**
– S'attirer les foudres de tout le groupe **reproches, condamnation, réprobation**
– Redouter les foudres de l'Église catholique **excommunication, anathématisation**
– Avoir le coup de foudre pour quelque chose ou quelqu'un **craquer, flasher sur**
– Phénomène accompagnant la foudre lors d'un orage **éclair, tonnerre**

FOUET
– Rouer de coups de fouet **flageller, fustiger, fouetter, cingler**
– Fouet du Père Fouettard **martinet**
– Fouet à neuf lanières **chat à neuf queues**
– Sorte de long fouet utilisé en manège pour le dressage des chevaux **chambrière**
– Fouet de cavalier **cravache**
– Arme ancienne appelée fouet de guerre **fléau d'armes, scorpion**
– Fouet autrefois utilisé en Russie sur les suppliciés **knout**

– Prolongement du fouet marin entourant une poulie **estrope**
– Fouet du fraisier **coulant**
– L'air vif donne un coup de fouet aux convalescents **dope, stimule, revigore, ragaillardit**
– Monter les blancs d'œufs à l'aide d'un fouet **batteur**

FOUGUE

– Fougue de la jeunesse **ardeur, élan, enthousiasme, entrain, feu, impétuosité, vigueur**

FOUILLE

syn. **excavation, archéologie**
– Spécialiste qui dirige des fouilles sur un site ancien **archéologue**
– Débris d'animaux et de plantes mis au jour lors de fouilles **fossiles**
– Spécialiste qui analyse les fossiles mis au jour lors de fouilles **paléontologue**
– Procédé moderne qui permet de découvrir des sites de fouilles **prospection aérienne**

FOUILLER

syn. **chercher**
– Fouiller la campagne environnante **explorer, battre**
– Il est en train de fouiller dans mes affaires **fouiner, fureter**
– Fouiller un appartement **visiter, perquisitionner**
– Fouiller en mettant sens dessus dessous **fourrager**
– Il n'est pas facile de voir un blaireau fouiller la terre **vermillonner**
– Fouiller un texte **approfondir, creuser, analyser**
– Les sangliers viennent régulièrement fouiller le sol à cet endroit **fouger, fouir, vermiller**

FOULARD

syn. **carré, pointe, fichu**
– Foulard aux couleurs vives que portent les femmes créoles **madras**
– Foulard de coton aux couleurs vives et aux motifs variés **bandana**
– Foulard protégeant du vent **écharpe, cache-col, cache-nez**

FOULE

syn. **presse, affluence, multitude**
– Regarde cette foule agglutinée devant la vitrine ! **attroupement**
– Désordre dans une foule **bousculade, cohue**
– Traverser la foule **fendre**
– Individu qui suit la foule **mouton de Panurge**
– Peur de la foule **ochlophobie**
– La table disparaît sous une foule d'objets **amas, monceau, accumulation, entassement**

– La foule, par opposition à l'élite **bas-peuple, populace, plèbe**

FOULER

– Fouler du cuir ou du tissu **foulonner**
– Atelier où l'on foule du cuir ou du tissu **foulerie**
– Personne foulant le cuir ou du tissu **foulon**
– Appareil utilisé pour fouler du raisin **fouloir, pressoir**
– Action de fouler **foulage**
– Fouler du raisin **écraser**
– Fouler aux pieds une décision **bafouer, piétiner, faire litière de**
– Se fouler la cheville **faire une entorse (se)**

FOUR

– Mettre au four et retirer du four **enfourner, défourner**
– Orifice du four par lequel le boulanger enfourne son pain **bouche, gueule**
– Voûte des anciens fours de boulangers **dôme, chapelle**
– Pièce dans laquelle se trouve le four du boulanger **fournil**
– Villageois qui avait jadis la responsabilité du four à pain **fournier**
– Instrument à long manche avec lequel le boulanger met du pain au four **pelle**
– Ustensile d'un four ménager utilisé pour rôtir des viandes **tournebroche, lèche-frite**
– Ouvrier responsable d'un four à chaux **chaufournier**
– Entonnoir dans lequel on verse le combustible de certains fours industriels **trémie**
– Longue tige que l'on utilise pour remuer les braises d'un four **fourgon**
– Partie d'un four industriel où l'on place les matières à traiter **sole**
– Lieu où il fait aussi chaud que dans un four **fournaise, enfer**
– Cette nouvelle pièce est un four **échec, insuccès, bide**
– Miroir d'un four solaire **héliostat**
– Type de four **four électrique, four à catalyse, four à pyrolyse, four à micro-ondes**

FOURBE

syn. **faux, sournois, déloyal, perfide, patelin, rusé**

FOURBERIE

syn. **fausseté**
– Sa fourberie est sans limites **hypocrisie, duplicité**
– Ses fourberies lui ont valu la méfiance générale **ruses, tromperies, matoiseries, supercheries**
– Héros célèbre pour sa fourberie et sa ruse, présent dans une des comédies de Molière **Scapin**

FOURCHE

– Dent d'une fourche **fourchon**
– Fourche à deux dents **bident**
– Fourche à trois dents de Poséidon ou de Neptune, les dieux grec et romain de la mer **fuscine, trident**
– Sorte de fourche utilisée pour les gros poissons **foène**
– Ce chemin aboutit à une fourche **croisement, embranchement, patte-d'oie**
– Fourches patibulaires **gibet**

FOURMI

myrmé(co)-
– Ordre auquel appartiennent les fourmis **hyménoptères**
– Famille à laquelle appartiennent les fourmis **formicidés**
– Lieu où vivent les fourmis **fourmilière**
– Acide produit par les fourmis rouges **formique**
– Fourmi sans ailes **aptère**
– Fourmi noire d'Afrique **magnan**
– Plante ou animal qui vit en association avec les fourmis **myrmécophile**
– Mammifère friand de fourmis **fourmilier, tamanoir, tamandua, myrmidon, pangolin**
– Insecte dont la larve creuse des pièges dans le sable pour capturer les fourmis **fourmilion**
– Avoir des fourmis dans les jambes **fourmillements, picotements, formications**
– Un travail de fourmi **minutieux, long, laborieux**

FOURNEAU

syn. **cuisinière, haut-fourneau**
– Fourneau à creuset métallique utilisé en fonderie **cubilot**

FOURNIR

– Fournir un village en eau potable **alimenter, approvisionner, ravitailler**
– Fournir des informations à quelqu'un **transmettre, donner, procurer, livrer, apporter**
– Fournir une attestation **présenter**
– Fournir aux besoins de quelqu'un **pourvoir à, subvenir à**

FOURNISSEUR

syn. **commerçant, marchand, ravitailleur, approvisionneur, pourvoyeur, prestataire de services**

FOURNITURE

– Fournitures scolaires **matériel, accessoires**

FOURRAGE

– Fourrage que l'on distribuait aux animaux à l'engrais **provende**
– Stockage du fourrage **ensilage**

FROMAGES

Fromages frais

Famille de fromages (de vache, de chèvre ou de brebis) qui n'ont subi qu'une fermentation lactique (caillé), mais pas d'affinage. Ils peuvent être plus ou moins égouttés, lissés ou non, salés ou non, additionnés ou non de crème, épicés (poivre) ou aromatisés (ail, fines herbes).

boursault
boursin
brocciu (Corse)
brousse
caillebotte
cottage cheese (G.-B.)

crémet
demi-sel
feta (Grèce)
Fontainebleau
fromage blanc battu

fromage blanc en faisselle
petit-suisse
ricotta (Italie)
tartare

Fromages à pâte molle à croûte fleurie

Famille de fromages (la plupart à base de lait de vache) qui ont subi un égouttage lent, puis un affinage de 30 à 35 jours. Leur pâte est dite molle, car elle reste souple et élastique sous la pression du doigt, tandis que la croûte est dite fleurie parce qu'elle a subi un ensemencement de *Penicillium candidum*, qui lui donne un aspect de duvet blanc.

brie de Meaux
brie de Melun
brillat-savarin
camembert
carré de l'Est
chaource
coulommiers
feuille de Dreux
neufchâtel
olivet
rigotte de Condrieu (croûte rougie au rocou)
saint-marcellin
triple crème

chaource

saint-marcellin

Fromages à pâte molle à croûte lavée

Famille de fromages à pâte molle (à base de lait de vache) qui ont subi un égouttage plus rapide et une fermentation un peu plus longue (3 à 5 mois), pendant laquelle la croûte est soumise à des lavages périodiques, à l'eau salée, à la bière, au cidre ou au marc. Certains sont colorés au rocou. Leur croûte lisse et vernissée va du jaune paille au rouge brique. Elle est souvent luisante, voire poisseuse.

boulette d'Avesnes
époisses
langres
livarot
maroilles
mont-d'or
munster
pont-l'évêque
reblochon
rollot
saint-florentin
vacherin

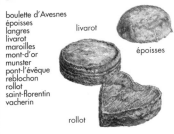
livarot

époisses

rollot

Fromages à pâte persillée

Famille de fromages assimilés aux pâtes molles dont le caillé a été ensemencé par un champignon *(Penicillium glaucum)* qui forme des moisissures internes et marbre la pâte en cours d'affinement (de 3 à 4 mois). Il y a des persillés à croûte sèche (fourme d'Ambert) et des persillés à croûte amincie par raclage, cette croûte étant souvent visqueuse (roquefort).

bleu d'Auvergne
bleu de Bresse
bleu des Causses
bleu de Gex

fourme d'Ambert
fourme de Montbrison

Fromages à pâte pressée non cuite

Famille de fromages à base de lait de vache ou de brebis dont le caillé a été longuement égoutté, puis rompu finement et mis dans une toile avant d'être moulé et pressé pour accélérer l'égouttage (à froid). Ensuite plongés dans une saumure, puis frottés répétitivement au sel sec et séchés en cave (2 à 3 mois), ils sont souvent lavés et brossés, développant alors une pâte ferme et homogène, mi-dure ou dure, et une croûte épaisse.

bethmale
brebis des Pyrénées
cantal
cheddar (G.-B.)
cheshire (G.-B.)
chester (G.-B.)
cîteaux
édam (Hollande)
gaperon
gouda (Hollande)
laguiole
mimolette
morbier
murol
ossau-iraty
port-salut
saint-nectaire
saint-paulin
salers
tête-de-moine
tomme de Savoie

salers
cantal
tomme de Savoie
saint-nectaire
cheddar
chester
gouda
édam

Fromages à pâte pressée cuite à pâte dure

Famille de fromages imposants (roues de 40 à 100 kg) obtenus en accélérant l'égouttage par chauffage du caillé à une température qui avoisine les 55 °C (il ne s'agit donc pas d'une vraie cuisson), ce qui les déshydrate et les durcit. Ensuite, la pâte est versée dans d'énormes moules entoilés, puis fortement pressée. C'est pendant l'affinage en cave (6 à 12 mois) à une température relativement élevée qu'apparaissent les trous, dus à la fermentation, qui provoque des bulles d'air dans la pâte. Ces fromages sont souvent préparés en montagne, avec du lait de vache (lait d'alpage).

appenzell (Suisse)
beaufort
comté
emmental
gruyère

leyde
parmesan (Italie)
pecorino (Italie)
sbrinz (Suisse)

emmental
gruyère
comté
leyde
parmesan

Fromages de chèvre

Famille de fromages à pâte molle et à croûte naturelle qui regroupe presque tous les fromages de chèvre, mais aussi quelques fromages de vache. Ils n'ont pas subi d'affinage, mais un égouttage et un séchage plus ou moins poussés. Leur pâte est tendre et leur croûte, très fine, voire inexistante, formée de moisissures spontanées. Ils peuvent être frottés à la cendre, enrobés d'herbes (sarriette), enveloppés de feuilles (châtaignier), frottés au marc ou séchés jusqu'à ce que leur pâte devienne dure (crottins).

banon
bouton-de-culotte
cabécou
chabichou
crottin de Chavignol
pélardon
picodon
poivre d'âne
pouligny-saint-pierre

rigotte
rocamadour
sainte-maure
selles-sur-cher
valençay

pouligny-saint-pierre
sainte-maure
selles-sur-cher
crottins de Chavignol

De teinte ivoire ou crème, la pâte des fromages persillés présente un aspect lisse et onctueux, avec des marbrures bleues ou vertes constituées par les filaments mycéliens. Dans certains cas, elle est même carrément striée de veines (gorgonzola). Les bleus sont plutôt préparés avec du lait de vache (sauf en Corse), et le roquefort avec du lait de brebis.

gorgonzola (Italie)
roquefort
stilton (G.-B.)

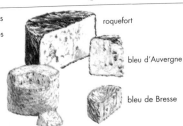
roquefort
bleu d'Auvergne
stilton
bleu de Bresse

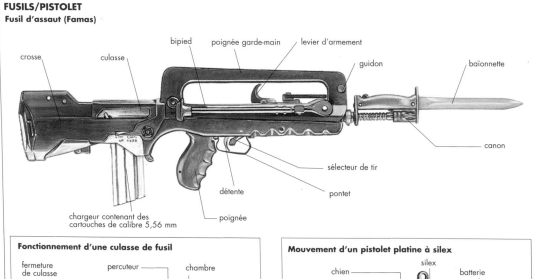

FUSILS/PISTOLET
Fusil d'assaut (Famas)

- crosse
- culasse
- bipied
- poignée garde-main
- levier d'armement
- guidon
- baïonnette
- canon
- sélecteur de tir
- pontet
- détente
- poignée
- chargeur contenant des cartouches de calibre 5,56 mm

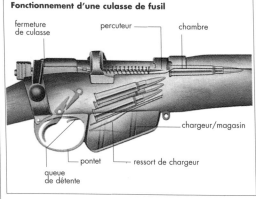

Fonctionnement d'une culasse de fusil

- fermeture de culasse
- percuteur
- chambre
- chargeur/magasin
- ressort de chargeur
- pontet
- queue de détente

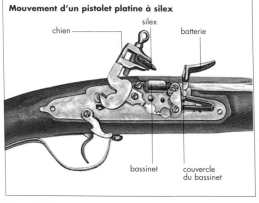

Mouvement d'un pistolet platine à silex

- chien
- silex
- batterie
- bassinet
- couvercle du bassinet

– Légumineuse servant de fourrage **luzerne, trèfle, sainfoin, gesse, vesce, lotier**
– Graminée qui sert de fourrage **fétuque, dactyle, ray-grass, fléole, sorgho**
– Action d'engraisser les bêtes à l'étable, principalement en les gavant de fourrage **pouture**
– Mangeoire dans laquelle on place du fourrage **râtelier**

FOURREAU
syn. **étui, gaine**
– Sortir vivement une arme blanche ou à feu de son fourreau **dégainer**
– Fourreaux à pistolet attachés à la selle d'un cheval **fontes**
– Garniture métallique à l'extrémité du fourreau d'une épée **bouterolle**
– Peau de raie ou de squale, préparée et teintée, recouvrant certains fourreaux **galuchat**
– Insecte dont les larves aquatiques sont abritées dans des fourreaux **phrygane**

FOURRURE
– Cet animal a une belle fourrure **poil, pelage, toison**
– Art de préparer les peaux pour en faire des fourrures **pelleterie**
– Commerçant qui vend des fourrures **fourreur**
– Peau d'animal sauvage avec laquelle on fait une fourrure **sauvagine**
– Duvet court qui soutient le poil de la fourrure **bourre**
– Poil irrégulier dans la fourrure **jarre**
– Manteau doublé ou orné de fourrure **pelisse**
– Type de coiffure en fourrure **toque**
– Fourreau en fourrure en forme de rouleau dans lequel une femme glisse ses mains l'hiver **manchon**
– Antimite qui protège les fourrures **naphtaline**
– Bande de fourrure portée par certains magistrats **hermine**
– Chasseur d'animaux à fourrure en Amérique du Nord **trappeur**

– Une fausse fourrure **acrylique, synthétique**
– Bande de fourrure d'apparat **étole**

FOYER
– Il s'assied tous les soirs devant le foyer **cheminée, âtre**
– Dans l'Antiquité romaine, endroit de la maison où se trouvait la pierre du foyer **atrium**
– Divinités du foyer dans la mythologie romaine **lares, pénates**
– Un foyer où habite la famille **ménage**
– Regagner son foyer **bercail**
– En géométrie, le foyer donne une définition métrique des coniques **pôle**
– En optique, la distance du foyer principal à la lentille **focale**
– Des lunettes à double foyer **bifocales**

FRACTION
– En mathématiques, chiffre ou nombre au-dessous de la barre de fraction **dénominateur**

– En mathématiques, chiffre ou nombre au-dessus de la barre de fraction **numérateur**
– En mathématiques, nombre qui peut être écrit sous la forme d'une fraction **rationnel**
– Fraction d'un ensemble **partie, portion, morceau, parcelle, division**

FRACTURE *Voir illustration p. 254 et tableau vocabulaire de la chirurgie, p. 134*
– Fracture incomplète d'un os **fêlure**
– Le trait d'une fracture peut être **transversal, oblique, spiroïde**
– Aide à la consolidation d'une fracture **plâtre, gouttière, attelle, éclisse**
– Formation osseuse qui ressoude les fragments d'un os après une fracture **cal**
– Fracture d'origine tectonique dans une masse rocheuse **faille**
– Matériel utilisé en chirurgie servant à fixer un os ayant subi une fracture **broche, plaque, vis**
– Technique qui permet de réduire et de contenir les éléments d'une fracture **ostéosynthèse** :
– Fracture dans la croûte terrestre **cassure**

FRAGILE
– Un individu de constitution fragile **chétif, faible, délicat, débile, malingre, souffreteux**
– Une adolescente à la personnalité fragile **vulnérable**
– Une situation fragile **instable, précaire, incertaine**
– Argumentation fragile **inconsistante**
– Un bonheur fragile **fugace, éphémère**
– Ces fleurs ont une tige très fragile **cassante**
– Il est encore bien fragile sur ses jambes **branlant, chancelant, titubant, vacillant**

FRAGMENT
syn. **bout, morceau, débris, miette, éclat, bribe**
– Des fragments d'un roman **citations, passages, extraits**
– Poésie composée à l'aide de fragments d'auteurs différents **centon**

FRAÎCHEUR
– Fraîcheur de l'air **froid, vivacité**
– Fraîcheur du teint **beauté, pureté, éclat**
– Fraîcheur des sentiments **authenticité, naturel, pureté, sincérité, spontanéité**
– Fraîcheur de l'âme **innocence, naïveté, jeunesse**
– Fraîcheur d'un parfum **légèreté**
– Une œuvre pleine de fraîcheur **nouveauté**
– Fraîcheur d'un accueil **froideur, hostilité, inhospitalité**

FRAIS /1
syn. **dépense, coût, débours**
– Somme donnée en général par l'État pour faire face à certains frais **allocation**

FRAIS /2
syn. **dispos**
– Ce petit vent est très frais **frisquet**
– Des nouvelles fraîches **récentes**
– Elle a vraiment un teint très frais **resplendissant, fleuri, vermeil**

FRAISE
– Cavité percée avec une fraise où se loge une vis **fraisure**
– Fraise du dentiste **roulette, foret**
– Henri IV portait autour du cou une fraise **collerette**
– Pli ornemental d'une fraise portée autour du cou **tuyau, godron**
– Fraise qui pend sous le cou du dindon **caroncule**
– Fraise de veau **mésentère**
– Naître avec une fraise sur le visage **tache de vin, envie, nævus, angiome**
– Gâteau aux fraises **fraisier**

FRAISIER
– Famille à laquelle appartient le fraisier **rosacées**
– Plantation de fraisiers **fraiseraie, fraisière**
– Horticulteur cultivant exclusivement des fraises **fraisiériste**
– Tige qui, partant d'un fraisier, prend racine pour former un nouveau plant **stolon, filet, coulant, fouet**
– Tige souterraine du fraisier aux propriétés astringentes et diurétiques **rhizome**

FRANC /1
– Date d'apparition du mot franc au sens de monnaie **5 décembre 1360**
– Date à laquelle le franc devient l'unité monétaire légale en France **1795**
– Division décimale du franc **décime, centime, millime**
– Le vingtième du franc **sou**
– Franc de la Communauté financière africaine **francs CFA**
– Franc de la Communauté financière du Pacifique **francs CFP**
– Dix mille francs **brique, bâton, patate**
– Monnaie remplaçant le franc **euro**

FRANC /2
syn. **honnête, sincère, loyal**
– S'exprimer de façon très franche **ouvertement, sans ambages**
– Donner une réponse franche **directe, claire, catégorique, explicite**
– Un franc coquin ! **parfait, fini, accompli, achevé, fieffé**
– Une zone franche **libre**
– Un jour franc **complet, entier**

FRANÇAIS /1
– Langue romane médiévale dont un dialecte, le francien, est à l'origine du français actuel **langue d'oïl**
– Ensemble des pays dont la population parle le français **francophonie**
– Individu qui aime les Français **francophile**
– Individu qui déteste les Français **francophobe**

FRANÇAIS /2
– Idiotisme propre à la langue française **gallicisme**
– Admiration effrénée pour tout ce qui est français **gallomanie**
– Territoire français **Hexagone**
– Départements et territoires français d'outre-mer **DOM-TOM**
– Donner à un mot étranger une orthographe ou une prononciation françaises **franciser**

FRANCHEMENT
– Dire franchement ce que l'on pense **clairement, directement, honnêtement, loyalement, ouvertement, sans ambages, sans détours, sincèrement**
– Il est franchement ennuyeux **extrêmement, très, vraiment**
– Y aller franchement **résolument, rondement, franco**

FRANCHIR
– Franchir la clôture **sauter, enjamber, escalader**
– Franchir une épreuve courageusement **surmonter, vaincre, venir à bout de**
– Franchir les limites imposées **outrepasser, transgresser**

FRANCHISE
– Bénéficier d'une franchise **exemption, exonération, dispense**
– Parler avec franchise **droiture, franc-parler, loyauté, sincérité, spontanéité**
– Entreprise accordant une franchise commerciale **franchiseur**
– Bénéficiaire d'une franchise commerciale **franchisé**

FRANC-MAÇON
– Groupe de francs-maçons **Loge**
– Groupement de Loges de francs-maçons **obédience**
– Valeur à laquelle sont attachés les francs-maçons **fraternité**
– Grade chez les francs-maçons **apprenti, compagnon, maître, vénérable, grand maître**
– Principales obédiences françaises de francs-maçons **Grand Orient de France, Grande Loge de France, Grande Loge féminine de France, Droit humain**
– Assemblée annuelle de francs-maçons en France **convent**

FRANCS

– Francs installés sur les bords de l'Ijssel **Saliens**
– Indemnité en usage chez les Francs versée par un coupable à sa victime **wergeld**
– Francs installés sur les bords du Rhin **Ripuaires**
– Langue des Francs **francique**
– Arme des Francs **francisque, scramasaxe, angon**
– Recueil de lois des Francs Saliens **loi salique**

FRANGE

– Ses yeux sont cachés par sa frange **chiens**
– Frange de passementerie **crépine**
– Élément d'une frange de passementerie **galon de tête, jupe de fils**
– Fabrication de franges torses **guipage**
– Frange blanche ourlant les vagues qui déferlent sur les rochers **écume, brisants**
– Frange de la société **minorité**

FRAPPANT

– Une remarque frappante **impressionnante, percutante, marquante, saisissante**
– La ressemblance est frappante **étonnante, évidente, indéniable, indubitable, manifeste**

FRAPPER

– Frapper un enfant **battre, brutaliser, maltraiter**
– Frapper à la porte **cogner, toquer, tambouriner**
– Marteau avec lequel on frappe à une porte **heurtoir**
– Se frapper la poitrine en s'avouant coupable **battre sa coulpe**
– Ces événements l'ont frappé **choqué, saisi, affecté, impressionné, bouleversé, ému**
– Frapper une médaille **estampiller, poinçonner**

FRATERNITÉ

syn. **altruisme, esprit de corps, solidarité**
– Fraternité amicale **camaraderie, entente, concorde, compagnonnage**

FRAUDE

– Une fraude si énorme a attiré l'attention **tromperie, falsification, supercherie, escroquerie**
– Individu qui introduit dans un pays des marchandises en fraude **contrebandier**
– Un navire qui passe des marchandises en fraude **interlope**
– En droit, manœuvre qui relève de la fraude **dolosive**
– Fraude qui consiste à aliéner un bien sans en être le propriétaire **stellionat**
– Entente secrète de nature à causer une fraude **collusion**

FRAYEUR

syn. **terreur, épouvante, affolement, panique, effroi**
– Manifestation de la frayeur **frisson, pâleur, chair de poule, sueur froide**
– Frayeur obsessionnelle **hantise, phobie**

FREIN

– Type de frein d'une automobile **disque, tambours**
– Utiliser le frein moteur de sa voiture **rétrograder**
– Mécanisme auxiliaire du frein d'une voiture **servofrein**
– Pièce d'une voiture qui transmet le liquide de frein aux cylindres **maître-cylindre**
– Frein de la langue **filet**
– Quelle imagination sans frein ! **limites, bornes**

FREINER _Voir tableau automobile, p. 50_

– Système qui permet de freiner sans bloquer les roues d'une voiture **ABS (Antiblockiersystem)**
– Freiner un processus **ralentir, modérer, enrayer**
– Freiner une envie **réprimer, contenir, réfréner**
– Freiner une pulsion **inhiber**

FRÊLE

– Les branches frêles ont été cassées par le vent **fines, menues, minces, ténues**
– Un enfant frêle **chétif, délicat, fragile, fluet**

FRÉMIR

– La brise fait frémir le feuillage de la tonnelle **frissonner, bruire**
– Frémir de colère **vibrer, palpiter**
– En cuisine, faire frémir un liquide **bouillir, cuire doucement**

FRÉMISSEMENT

– Frémissement de l'eau **bruissement, murmure**
– Frémissement de peur **frisson, frissonnement**
– Frémissement de l'économie **reprise, sursaut**

FRÊNE

– Famille à laquelle appartient le frêne **oléacées**
– Plantation de frênes **frênaie**
– Fruit du frêne **samare**
– Frêne à fleurs **orne**
– Frêne à feuilles étroites **oxyphylle**
– Gomme produite par les feuilles et le tronc du frêne **manne**
– Rafraîchissement préparé avec des feuilles de frêne **frénette**
– Élixir tonique préparé avec de l'écorce de frêne **quinquina d'Europe**

FRÉNÉSIE

syn. **ardeur**
– Il travaille avec frénésie **d'arrache-pied**
– La frénésie gagna la foule **agitation, fièvre, folie, exaltation, fureur, délire**
– Dans son discours, il s'est laissé emporter par la frénésie **enthousiasme, passion**
– Ce que peut entraîner la frénésie **déchaînement, débordement**

FRÉQUENT

– Un cas fréquent **courant, habituel, ordinaire**
– Une expression fréquente **usuelle**

FRÉQUENTATION

– Ses fréquentations sont très limitées **connaissances, relations, accointances**
– Fréquentation régulière **assiduité**

FRÉQUENTER

– Fréquenter les quartiers animés de la ville **courir, hanter**
– Fréquenter des artistes **côtoyer, frayer avec**
– Fréquente un troquet du matin au soir **pilier de bar**
– Fréquenter une fille **courtiser**

FRÈRE

– Frères ayant la même mère et le même père **germains**
– Frères ayant le même père mais une mère différente **consanguins**
– Frères ayant la même mère mais un père différent **utérins**
– Frères jumeaux **bessons**
– Frères jumeaux attachés l'un à l'autre de façon anormale **siamois**
– Frère cadet **puîné**
– Individu coupable du meurtre de son frère **fratricide, Caïn**
– Les frères ennemis de la mythologie grecque **Étéocle, Polynice**
– Dans un monastère, frère chargé des besognes manuelles **frère convers, frère servant, frère lai**
– Tous ces gens sont mes frères **amis, compagnons, camarades**
– Faux frère **hypocrite, traître, fourbe, judas**
– Membre de certains ordres religieux **frère prêcheur, frère mineur**

FRET

– Payer le fret d'une marchandise **acheminement, expédition, transport**
– Décharger le fret **cargaison, chargement**
– Donner un cargo à fret **fréter**
– Personne qui donne un cargo à fret **fréteur**
– Personne qui prend un cargo à fret **affréteur**
– Prendre un cargo à fret **affréter, noliser**

FRIANDISE
– Offrir des friandises **confiseries, sucreries, gourmandises, douceurs, chatteries**

FRICASSÉE
syn. **ragoût**
– Fricassée de lapin cuit au vin blanc **gibelotte**

FRICHE
– Les enfants aiment jouer dans cette friche **terrain vague**
– Laisser une terre en friche **à l'abandon**
– Nettoyer une friche **défricher, débroussailler**
– Arracher les chardons qui ont envahi une terre en friche **échardonner**
– Opération qui consiste à dégager les routes forestières en friche **essartage**
– Dans nos régions, étendue de terre sauvage en friche **lande, garrigue, maquis, brande**
– Les bêtes paissent sur cette friche tout l'été **pâtis**
– Terre labourable qu'on laisse momentanément en friche pour qu'elle repose **jachère**

FRICTION
– Friction avec un gant de crin **massage, gommage**
– Friction dans un mécanisme **frottement, grippage**
– Friction entre plusieurs personnes **accrochage, conflit, désaccord, différend, dispute, heurt, tension, tiraillement**

FRIPON /1
– Ce petit est un fripon **coquin, garnement, diablotin, chenapan**
– Ils n'ont pas réussi à mettre la main sur ce fripon **gredin, vaurien, canaille, sacripant, galapiat**
– Il a osé me traiter de fripon **faquin, pendard, maraud, maroufle**

FRIPON /2
– Cette fillette a des yeux fripons **malicieux, espiègles, narquois**
– Il la regardait d'un air fripon **polisson, grivois, égrillard**

FRISER
syn. **boucler, onduler**
– Friser une mèche de cheveux au fer **calamistrer**
– Se faire friser les cheveux chez le coiffeur **faire une permanente**
– Rouleaux avec lesquels on peut friser une chevelure **bigoudis**
– Friser un tissu **ratiner**
– Son attitude frise l'indécence **frôle, confine à**
– Un oiseau qui frise le sol **effleure, rase**

FRISSON
– Être pris de frissons **frémissements, tremblements, tressaillements**
– Est souvent accompagné de frissons **chair de poule, horripilation**
– Frissons violents et répétés **spasmodiques, convulsifs**
– Frisson provoqué par la vue d'un spectacle horrible **haut-le-corps, soubresaut**
– Frisson du feuillage caressé par le vent **murmure, bruissement, friselis**

FRISSONNER
– Frissonner de fièvre **trembler**
– Frissonner de froid **grelotter**
– Frissonner de peur **tressaillir**
– L'herbe frissonne **agite (s')**

FRITURE
– Type d'enrobage de la friture **beignet, panure**
– Pâtisserie à base de beignets soufflés plongés dans la friture **pet-de-nonne**
– À la radio ou au téléphone, bruit de friture intempestif **grésillement**

FRIVOLE
– Une personne frivole **légère, superficielle, futile, insouciante**
– Une discussion frivole **inconsistante, insignifiante**
– Être frivole en amour **infidèle, inconstant, volage**

FRIVOLITÉ
– Pourquoi faire grand cas de ces frivolités ? **broutilles, bagatelles, fadaises, vétilles**
– Coquette, elle aime se parer de frivolités **colifichets, fanfreluches**

FROID
cry (o)-, frigori-
– Le froid peut être **intense, pénétrant, piquant, cuisant, rigoureux**
– Paralysé par le froid **transi, morfondu**
– Un individu particulièrement sensible au froid **frileux**
– Lésion cutanée due au froid **engelure**
– Engourdissement du bout des doigts dû au froid **onglée**
– En médecine, traitement par le froid **cryothérapie**
– Mettre des aliments au froid pour les conserver **frigorifier, réfrigérer, congeler, surgeler**
– Fluide qui produit du froid, notamment dans les réfrigérateurs **Fréon**
– Être en froid avec quelqu'un **brouillé, fâché, en mauvais termes**
– Brouillard froid et givrant **frimas**
– Un courant d'air un peu froid **frisquet**
– Engourdissement de certains mammifères durant la saison froide **hibernation**
– Son visage était froid **inexpressif, impassible, marmoréen**

– Un tempérament froid **distant, réservé**
– Insensible, il resta froid **de glace, de marbre**
– D'un ton très froid, il commença sa lecture **dur, glacial**
– Animal à sang froid **poïkilotherme, pœcilotherme**

FROIDEUR
syn. **hostilité**
– Froideur d'une personne **dureté, insensibilité, indifférence**
– Considérer les événements avec froideur **détachement, flegme, impassibilité, imperturbabilité, sang-froid**

FROISSER
syn. **fâcher, blesser, déplaire**
– Froisser un vêtement **chiffonner, friper, bouchonner**
– Froisser son interlocuteur **vexer, indisposer, désobliger, offenser, mortifier, piquer au vif**

FRÔLER
– Sa main a frôlé le tissu **effleuré**
– Frôler le mur pour ne pas être vu **raser**
– Il a frôlé l'accident **frisé, évité de justesse**

FROMAGE *Voir tableau p. 257*
tyr(o)-
– Substance pour faire coaguler le lait utilisée dans la fabrication du fromage **présure**
– Lait coagulé utilisé pour fabriquer du fromage **caillé**
– Claie sur laquelle on pose les fromages pour qu'ils s'égouttent **caget**
– Moule percé de trous utilisé pour faire égoutter du fromage blanc **faisselle**
– Très grand disque de fromage **meule**
– Dernière étape de la maturation de certains fromages **affinage**
– Trou dans certains fromages comme le gruyère **œil**
– Chou au fromage **gougère**
– Coopérative fabriquant des fromages **fruitière**
– En Auvergne, petite cabane de berger où l'on fabrique le fromage **buron**
– Magasin où l'on vend du fromage ainsi que d'autres produits laitiers **crémerie**
– Petite tarte au fromage **raton, ramequin**
– Mélange de fromage fondu et de vin blanc dans lequel on trempe du pain **fondue**
– Opération entrant dans la fabrication du fromage **emprésurage, caillage, égouttage, démoulage, salage, moulage**

FRONCER
– Froncer les sourcils **rider**
– Froncer une jupe **plisser**

FRONDE
– Petite fronde avec laquelle s'amusent les enfants **lance-pierres**
– Machine de guerre qui, comme la fronde, permettait de lancer des projectiles **catapulte, baliste, onagre, espringale**
– La fronde s'organise **révolte, sédition, rébellion, insurrection**
– Phase de la Fronde, période de troubles qui éclatent en France entre 1648 et 1653 **Fronde parlementaire, Fronde des princes**
– Soulèvement parisien durant la Fronde **journées des Barricades**
– Pamphlet écrit contre Mazarin pendant la Fronde **mazarinade**

FRONT
voir aussi **façade**
– Cheveux qui tombent sur le front **frange, chiens**
– Bijou qui orne le front **fronteau, ferronnière**
– Avoir le front de refuser **effronterie, audace, impudence, hardiesse**
– Monter au front **en ligne, au combat**
– Pour remporter les élections, ils ont constitué un front **bloc, cartel, coalition**
– De front **simultanément**

FRONTIÈRE
syn. **démarcation, bornes, confins**
– Des pays ayant des frontières communes **limitrophes**
– Personne qui habite près d'une frontière **frontalier**
– Fonctionnaire chargé de la surveillance d'une frontière **douanier**
– Individu qui passe une frontière illégalement **clandestin**
– Individu qui passe en fraude des marchandises à une frontière **contrebandier**
– Frontière d'une forêt **bordure, lisière, orée**
– La frontière entre des deux sciences **limite, séparation, distinction**

FRONTON
voir aussi **colonne**
– Partie inclinée d'un fronton triangulaire **rampant**
– Partie plate ou sculptée entre deux rampants d'un fronton **tympan**
– Ornement saillant aux angles d'un fronton **acrotère**
– Jeu de balle pratiqué contre un fronton **pelote basque**

FROTTEMENT
– Les ampoules sont dues au frottement des chaussures contre la peau **friction**
– Bruit de frottement des pneus d'une voiture **crissement**
– La force de frottement s'oppose au **glissement**
– Lorsque le frottement empêche le glissement, il y a **coincement, arc-boutement**
– Étude du frottement **tribologie**
– Frottement anormal d'un mécanisme **grippage**
– Est utilisé pour éviter un frottement anormal **graisse, huile, lubrifiant**
– Il y a eu des frottements lors de cette réunion **désaccords, différends, divergences, disputes, tensions, tiraillements**

FROTTER
– Elle a mis une matinée pour frotter tous ses cuivres **astiquer, briquer, fourbir**
– Frotter une barrière rouillée avec du papier de verre **décaper, poncer, polir**
– Frotter un cheval **étriller, bouchonner**
– Utilisé pour frotter **papier abrasif, toile émeri, paille de fer**
– Racloir avec lequel les athlètes se frottaient le corps dans l'Antiquité **strigile**
– Frotter d'huile un nourrisson **enduire, oindre**
– Se frotter le corps avec un gant de crin **frictionner (se), masser (se)**

FRUCTIFIER
– Une terre qui fructifie **productive, fertile, féconde**
– Une idée qui fructifie **développe (se)**
– Un capital qui fructifie **rapporte**

FRUCTUEUX
– Un arbre fructueux **fructifère**
– Une enquête fructueuse **féconde, utile**
– Un placement fructueux **avantageux, bon, lucratif, payant, rentable, profitable, rémunérateur**

FRUIT
pomo-, pomi-, carpo-, -carpe
– Formation du fruit **nouaison**
– Peau d'un fruit **épicarpe**
– Petite queue à laquelle est suspendu le fruit **pédoncule**
– Sucre des fruits **fructose, lévulose**
– Salade de fruits **macédoine**
– Couche d'un fruit **péricarpe, mésocarpe, endocarpe**
– Branche de l'arboriculture consacrée aux fruits comestibles **pomologie**
– Fruit acide produit par les citrus **agrume**
– Une plante qui porte des fruits **fructifère**
– Un fruit parsemé de petites taches **tavelé**
– Un fruit dont la pulpe est épaisse **charnu**
– Un fruit trop mûr **blet**
– Suc d'un fruit cuit qui a la consistance du miel **rob**
– Morceau d'écorce parfumé d'un fruit du groupe des agrumes **zeste**
– Mélange de fruits secs servi en dessert **mendiant**
– Type de fruit sec **samare, capsule, akène, follicule, silique**
– Un fruit sec qui s'ouvre de lui-même **déhiscent**
– Panier à claire-voie pour transporter des fruits **mannequin**
– Déesse romaine des fruits et des jardins **Pomone**
– Animal qui se nourrit de fruits **frugivore**
– Le fruit de son travail **produit, bénéfice**
– Fruit défendu **pomme**

FRUITIER
– Personne qui cultive des arbres fruitiers **fruiticulteur**
– Dieu romain protecteur des arbres fruitiers **Vertumne**
– Plantation d'arbres fruitiers **verger**

FRUITIÈRE
voir **fromage**

FRUSTRER
– Frustrer quelqu'un dans ses attentes **décevoir, désappointer, trahir, tromper**
– Frustrer quelqu'un d'un bien **déposséder, dépouiller, déshériter, priver, léser, spolier**

FUGUE
– Faire une fugue **escapade**
– Enfant qui fait des fugues **fugueur**
– Fugue musicale **canon**
– Partie d'une fugue musicale **exposition, développement, strette**

FUIR
– Fuir en toute hâte **décamper, déguerpir, prendre la poudre d'escampette**
– Fuir une assemblée en catimini **brûler la politesse à, fausser compagnie à, filer à l'anglaise, esquiver (s')**
– Cet enfant a brusquement décidé de fuir **fuguer**
– Fuir une difficulté **dérober à (se), éluder, soustraire à (se)**
– Fuir une responsabilité importante **récuser (se)**
– Fuir la réalité **cacher (se), dissimuler (se)**
– De l'eau qui fuit **goutte**

FUITE
– Fuite d'un prisonnier **évasion**
– Fuite générale et désorganisée d'une armée vaincue **débandade, débâcle, dispersion, déroute, sauve-qui-peut**
– Fuite de la population française civile durant la Seconde Guerre mondiale **exode**
– Fuite habile **faux-fuyant, échappatoire**

– Il a su toute l'affaire par des fuites **divulgations, indiscrétions**
– Fuite d'un poltron **dérobade, reculade**
– Colmate les fuites d'eau **plombier**
– Fuite des chercheurs vers des pays étrangers pour une meilleure rémunération **brain-drain, exode des cerveaux**
– Ligne de fuite **perspective**

FULGURANT
– Une clarté fulgurante **aveuglante, éblouissante, éclatante, étincelante**
– Un regard fulgurant **intense, foudroyant, perçant**
– Une réussite fulgurante **rapide, soudaine**
– Une douleur fulgurante **aiguë**

FULMINER
– Fulminer contre les mœurs actuelles **crier, tonner, emporter (s'), invectiver, pester, tempêter**
– Ce mélange risque de fulminer **détoner, exploser**
– Fulminer une excommunication **lancer, prononcer**

FUMÉE
– Ronds de fumée **volutes**
– Appareil contrôlant les fumées d'échappement des véhicules **fumimètre**
– Mélange polluant de brouillard et de fumée dans les villes industrielles **smog**
– Fumée qui s'échappe d'un volcan **fumerolle, mofette**
– Spots et fumées d'ambiance **fumigènes**
– Appareil qui engloutit la fumée **fumivore**
– Un nuage de fumée qui fait pleurer **lacrymogène**
– Appareil à fonction thérapeutique utilisé pour inhaler des fumées odorantes **fumigateur**
– S'évanouir en fumée **disparaître**

FUMER
– Fumer du tabac **pétuner**
– Fumer une cigarette **griller**
– Fumer une cigarette sans avaler la fumée **crapoter**
– Fumer des aliments **boucaner, saurer**
– Tendance à fumer du haschisch régulièrement **fumette**
– Elle regardait la flamme de la lampe fumer **filer**
– Bout de bois carbonisé qui fume beaucoup **fumeron**
– Fumer des terres destinées aux cultures **fertiliser, amender**

FUMIER
– Étaler du fumier dans le jardin pour avoir un meilleur rendement **compost, engrais, fertilisant**
– Étaler du fumier **épandre**
– Machine avec laquelle on étale du fumier dans un champ **épandeur**
– Épandage du fumier **fumure**
– Fumier liquide **purin, lisier**
– Fumier d'oiseaux marins **guano**

FUNÈBRE
– Tintement de cloche funèbre **glas**
– Employé des pompes funèbres responsable du déroulement des funérailles **ordonnateur**
– Discours funèbre élogieux prononcé en l'honneur d'un illustre défunt **oraison funèbre**
– Chant funèbre dans la liturgie catholique **requiem**
– Prière funèbre de la liturgie catholique **absoute**
– Bande noire servant d'ornement funèbre sur les murs d'une église **litre**
– Une atmosphère funèbre **macabre, sépulcrale**

FUNÉRAIRE
– Assister à une cérémonie funéraire **enterrement, funérailles, obsèques**
– Fourgon funéraire **corbillard**
– Chant funéraire corse **vocero**
– Stèle funéraire en forme de petite colonne **cippe**

FUNESTE
syn. **mortel, fatal**
– Une conséquence funeste **catastrophique, désastreuse, tragique, affligeante**
– Un choix funeste **préjudiciable, néfaste**
– Un air funeste **sombre, lugubre, patibulaire**
– Un présage funeste **menaçant, sinistre**
– Annonce un funeste événement **oiseau de mauvais augure**
– Tentaient de prévoir les faits funestes **augures, haruspices**

FUREUR
syn. **emportement, colère, rage, frénésie**
– Fureur des éléments naturels **déchaînement**
– Fureur créatrice **enthousiasme, possession, transport**
– Un gadget qui fait fureur **à la mode, en vogue**
– Fureur d'un combat **acharnement, impétuosité, rage, violence**

FURIE
– Chacune des trois Furies de la mythologie romaine **Alecto, Mégère, Tisiphoné**
– Divinités grecques auxquelles les Furies romaines ont été assimilées **Érinyes, Euménides**
– Elle s'est brusquement transformée en furie **mégère, harpie**
– Se mettre en furie **colère, rage**

FURIEUX /1
– Ces horreurs sont le fait de ce furieux **enragé, forcené, fanatique**

FURIEUX /2
– Un visage furieux **furibond, irrité, mécontent**

FURTIF
syn. **discret, fugace, fugitif, rapide, subreptice**

FUSAIN *Voir tableau dessin, p. 178*
– Famille à laquelle appartient le fusain **célastracées**
– Nom vulgaire du fusain d'Europe **bonnet-de-prêtre, bonnet-carré**
– Dessinateur qui travaille au fusain **fusainiste**
– Il délaisse le fusain pour dessiner à la **sanguine**

FUSEAU
– Dentelle aux fuseaux **bobine, rochet**
– Fuseau horaire **méridien, heure légale**
– Fuseau qui détermine la longueur de la vie des mortels **fuseau des Parques**

FUSÉE
syn. **lanceur**
– Industrie qui conçoit et réalise fusées et autres engins **aérospatiale**
– Plan incliné depuis lequel une fusée décolle **rampe de lancement**
– Extrémité d'une fusée **coiffe**
– Produit qui fournit par réaction chimique l'énergie nécessaire à une fusée **propergol**
– Occupant d'une fusée **astronaute, cosmonaute, spationaute**
– Première fusée à alunir **Apollo 11**
– Engin spatial mis en orbite par une fusée **satellite**
– Premier satellite mis sur orbite par une fusée **Spoutnik 1**
– Engin de guerre qui a la forme d'une petite fusée **roquette, missile**
– Tête atomique d'une fusée **ogive**
– Fusée d'un feu d'artifice **chandelle romaine, serpenteau**
– Fusée construite en France par l'Agence spatiale européenne **Ariane**

FUSIL *Voir illustrations p 102 et p. 258*
– Fusil utilisé dans les stands des fêtes foraines **carabine**
– Fusil de chasse **fusil à broche, fusil à percussion centrale, hammerless**
– Militaire chargé de l'entretien du canon d'un fusil **armurier**
– Goupillon qui sert à nettoyer un fusil **écouvillon**
– Diamètre intérieur du canon d'un fusil **calibre**
– Partie resserrée au bout du canon d'un fusil de chasse **choke-bore**

– Munition d'un fusil **balle, cartouche, chevrotine**
– Disposer des fusils les uns contre les autres **former les faisceaux**
– Fusil de guerre français **chassepot, lebel, MAS 36-51, FSA 49-56, 56 F1, FAMAS 5**

FUSILLER

syn. **exécuter, mettre au poteau**
– Individus chargés de fusiller un condamné **peloton d'exécution**
– Fusiller son interlocuteur du regard **foudroyer**
– Fusiller sa voiture **détériorer, casser, bousiller**

FUSION

– Substance utilisée dans l'industrie pour faciliter la fusion **fondant**
– Recueille le métal en fusion dans un haut-fourneau **creuset**
– Résultat de la fusion de plusieurs métaux **alliage**
– Matière provenant d'une fusion dans le manteau ou la croûte terrestre **magma**
– Une fusion réussie **mélange, combinaison, amalgame**
– Fusion de plusieurs sociétés **absorption, concentration, cartel, consortium, trust**

– Fusion de peuples **incorporation, intégration, assimilation, métissage**
– Fusion de thèses et d'idées philosophiques **éclectisme, syncrétisme**
– Dans la religion catholique, fusion des trois personnes de la Trinité **consubstantialité**
– Fusion d'un métal **fonte, liquéfaction**
– Coulées de roches en fusion sortant d'un volcan en éruption **lave**

FUTÉ

syn. **astucieux, débrouillard, dégourdi, finaud, malicieux, malin, matois, roué, rusé**

FUTILE

syn. **insignifiant, frivole**
– Petite chose futile **rien, bagatelle, vétille, fadaise, broutille**
– Paroles futiles **balivernes, fariboles, calembredaines, billevesées**

FUTILITÉ

syn. **inutilité, vanité, inanité**

FUTUR /1

voir aussi **destin**
– Il prévoit le futur **avenir**
– Individu qui voit le futur en rose **optimiste**

– Individu qui voit le futur en noir **pessimiste, défaitiste**
– Détermination préalable du futur **prédestination**
– Spécialiste qui analyse le futur **futurologue, futurible**
– Film dont l'action se déroule dans le futur **d'anticipation**
– Tendance qui consiste à tout reporter dans le futur **procrastination**
– Futur qui exprime l'antériorité par rapport à une action future **futur antérieur**

FUTUR /2

syn. **prochain, postérieur, ultérieur**
– Croire en une forme de vie future **éternité, immortalité, réincarnation, métempsycose, palingénésie**

FUYANT

– Un regard fuyant **discret, furtif, fugace, fugitif**
– Un caractère fuyant **insaisissable, secret**
– Une position fuyante **évasive**

GÂCHER
– Gâcher un ouvrage **bâcler, saboter**
– Gâcher son temps **gaspiller**
– Gâcher sa vie **manquer, rater**
– Gâcher ses chances **compromettre**
– Gâcher son talent **galvauder**

GÂCHIS
– Gâchis par manque de gestion **gabegie, gaspillage**

GAFFE
– Une gaffe impardonnable **bévue, impair, erreur, maladresse, balourdise**

GAGE
– Être le gage de quelque chose **garantie, assurance, promesse**
– Donner un gage d'amitié **témoignage, preuve**
– Gage remis à un créancier **nantissement**
– Bulletin de gage accompagnant un dépôt de marchandise **warrant**
– Établissement où l'on prête sur gages **mont-de-piété**
– Tueur à gages **sicaire, nervi, spadassin**
– Gages d'un domestique **appointements, rétribution**

GAGNER
– Gagner beaucoup d'argent **enrichir (s')**
– Gagner de la place **économiser**
– Gagner une course **remporter**
– Gagner dans une épreuve **triompher**
– Gagner le cœur de quelqu'un **conquérir, apprivoiser**
– Gagner la faveur de quelqu'un **concilier (se), capter**
– Gagner quelqu'un à sa cause **rallier, convertir**
– Gagner du terrain **progresser, étendre (s'), propager (se)**

GAI ou GAY /1
syn. **homosexuel**

GAI /2
– Un homme gai **enjoué, jovial, allègre**
– Un air gai **réjoui, guilleret, épanoui**

– Un gai luron **joyeux drille, boute-en-train**
– Une humeur gaie **badine**
– Une musique gaie **entraînante**
– Une couleur gaie **riante, vive, fraîche**
– Être gai après un verre de vin **émoustillé, éméché, gris**
– C'est gai ! **contrariant, désagréable, fâcheux**
– Propos gais **gaillards, lestes, grivois, égrillards**

GAIETÉ
– Gaieté vive et communicative **entrain, jovialité, alacrité, enjouement**
– Gaieté exubérante **jubilation, exultation**

GAIN
– Gain d'un procès **succès, victoire**
– Gain dans une opération financière **boni, excédent, bénéfice**
– Gains d'un employé **rémunération, rétribution, revenu, salaire, gages**
– Gain d'une personne exerçant une profession libérale **honoraires**
– Gain en plus du salaire **gratification, commission, prime**
– Gain illicite **bakchich, pot-de-vin, dessous-de-table, enveloppe**
– Gain que l'on retire d'un exercice intellectuel ou d'un travail **fruit, profit, enrichissement**
– Qui procure un gain **lucratif, fructueux, rentable**
– Passion du gain **cupidité, lucre**

GAINE
– Gaine d'un couteau **fourreau, étui**
– Gaine baleinée de femme **corset**
– Gaine d'un muscle **aponévrose**
– Gaine d'un nerf **névrilème**

GALANT
– Un homme galant **courtois, attentionné, empressé, prévenant**
– Un conte galant **libertin, érotique**
– Discours galant **marivaudage, badinage**
– Tenir des propos galants **conter fleurette**

– Homme qui recherche les aventures galantes **coureur, séducteur, suborneur, don juan, casanova**

GALANTERIE
– Manifestation de la légendaire galanterie française **amabilité, délicatesse, civilité, courtoisie, raffinement, politesse**
– Le jeu de la galanterie **coquetterie, cour, séduction, flirt, marivaudage**
– Dire des galanteries **compliments, douceurs, fadaises**

GALAXIE *Voir illustration p. 266*
– Elle peut avoir l'apparence de la Galaxie **Voie lactée**
– Partie d'une galaxie **halo, disque, bulbe, noyau**
– Classification des galaxies **elliptiques, spirales, lenticulaires, irrégulières**
– Galaxie à noyau actif **quasar**

GALBE
– Le galbe fin de ses jambes **ligne, courbe**
– Le galbe d'un meuble **cintrage, courbure, panse**

GALE
– Relatif à la gale **scabieux**
– Gale bédouine **miliaire**
– Gale du chien **rouvieux**
– Gale invétérée **rogne**
– Parasite de la gale **acarus, sarcopte**
– Cette femme est une véritable gale **peste, teigne**
– Substance agissant contre la gale **antipsorique**

GALÈRE
– Petite galère légère **galiote**
– Grande galère des XVIᵉ et XVIIᵉ siècles **galéasse**
– Galère à deux rangs de rames de chaque côté **birème**
– Galère à trois rangs de rames de chaque côté **trirème, trière**
– Galère du roi **réale**
– Galère du doge de Venise **Bucentaure**
– Galère turque **sultane, mahonne**
– Sur une galère, rameur du dernier rang **espalier**

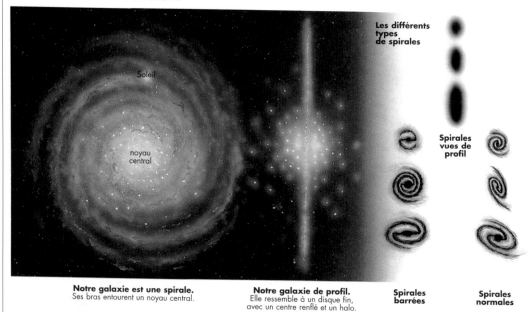

NOTRE GALAXIE OU LA VOIE LACTÉE

Soleil

noyau central

Les différents types de spirales

Spirales vues de profil

Notre galaxie est une spirale.
Ses bras entourent un noyau central.

Notre galaxie de profil.
Elle ressemble à un disque fin, avec un centre renflé et un halo.

Spirales barrées

Spirales normales

— Ensemble des rameurs d'une galère **chiourme**

GALERIE
— Galerie à colonnade entourant un édifice **péristyle**
— Galerie dans une église **triforium, jubé**
— Être placé dans la plus haute galerie d'un théâtre **paradis, poulailler**
— Galerie souterraine **tunnel**
— Galerie souterraine servant à l'irrigation dans les déserts sahariens **foggara**
— Galerie de mine longue et étroite **boyau**
— Galerie de mine en pente **descenderie**
— Puits reliant les galeries d'une mine **bure**
— Amuser la galerie **auditoire, assistance, public**

GALETTE
— Galette de pommes de terre râpées **rösti, crique**
— Galette de farine de maïs dans la cuisine mexicaine **tortilla**

GALON
voir aussi **grade**
— Prendre du galon **monter en grade**
— Galon servant à orner **ganse, passement**
— Galon ornant la poignée d'un sabre **dragonne**
— Galon agrémentant un vêtement de femme **soutache**

— Galon qui entoure une boutonnière **brandebourg**
— Galon en forme de V **chevron**
— Petit galon festonné utilisé en ameublement **lézarde**

GALOPER
— Galoper à la rencontre d'un ami **courir, précipiter (se)**

GALOPIN
syn. **chenapan, garnement, polisson, galapiat, vaurien**

GALVAUDER
— Galvauder son nom **déshonorer, avilir, déconsidérer**
— Galvauder un terme **déprécier**
— Galvauder son génie **gaspiller, perdre**
— Se galvauder **abaisser (s')**

GAMBADE
syn. **cabriole**
— Gambade enfantine **galipette, entrechat**

GAMÈTE
— Ensemble des chromosomes d'un gamète **génome**
— Cellule provenant de la fusion du gamète femelle et du gamète mâle **zygote**
— Gamète mâle animal **spermatozoïde**
— Gamète femelle animal **ovocyte, ovule**
— Gamète mâle végétal **anthérozoïde**

— Gamète femelle végétal **oosphère**

GAMIN
syn. **galopin, garnement, polisson**
— Gamin de Paris **poulbot, gavroche, titi**
— Comportement gamin **espiègle, mutin, taquin**

GAMME
— Faire ses gammes **exercer (s')**
— Gamme de prix **éventail, palette**
— Haut de gamme **luxueux, prestigieux**

GANGLION
— Affection des ganglions lymphatiques **adénopathie**
— Infection des ganglions lymphatiques **adénite, bubon, lymphogranulomatose**

GANGRÈNE
syn. **nécrose, mortification, pourriture**
— Sorte de gangrène sèche très étendue **sphacèle**
— Gangrène morale **corruption**

GANT
— Gant où seul le pouce est séparé des autres doigts **moufle**
— Gant ne couvrant que la moitié des doigts **mitaine**
— Gant utilisé par les fauconniers et gant couvert de lames de fer utilisé par les chevaliers **gantelet**

– Gant de pelote basque **chistera**
– Gant de cordonnier **manicle**
– Gant des athlètes de l'Antiquité **ceste**
– Gant de cuisine **manique**
– Mettre des gants **ménager**
– Jeter le gant **braver, défier**
– Se donner les gants de quelque chose **flatter (se), vanter (se)**
– Gant de Notre-Dame **digitale**

GARAGE
– Garage d'avions **hangar**
– Garage pour locomotives, tramways et autobus **dépôt**
– Box dans un garage **parking**

GARAGISTE *Voir tableau p. 269*

GARANT
syn. **gage, garantie, sûreté**
– Se porter garant **caution**
– Être garant de quelque chose **assurer, répondre**
– Son attitude est le garant de sa loyauté **preuve, indice, attestation**

GARANTIE
syn. **gage, assurance, sauvegarde, sûreté**
– Garantie de réajustement des salaires en fonction de la hausse des prix **indexation, échelle mobile**
– Employé au sens figuré pour sauvegarde ou garantie **palladium**
– Garantie apportée par une tierce personne **aval, caution**
– Droit sur un bien en garantie du paiement d'une créance **hypothèque**
– Garantie de la solvabilité de l'acheteur **ducroire**
– Garantie d'un droit fournie par une autorité **sauvegarde**
– Garantie donnée par la personne qui se portait caution **fidéjussion**
– Marque servant de garantie sur un ouvrage en or ou en argent **poinçon**

GARANTIR
– Garantir le paiement d'une créance **avaliser**
– Garantir l'authenticité d'une signature, d'un document **certifier**
– Garantir un fait **confirmer, attester**
– Garantir qu'une chose est vraie **assurer**
– Garantir le sérieux de quelqu'un **répondre de**
– Garantir du froid **protéger de, préserver de, immuniser contre**
– Se garantir d'un malheur **prémunir contre (se)**

GARÇON
– Jeune garçon pubère dans l'Antiquité grecque **éphèbe**
– Garçon d'une grande beauté **adonis, apollon**

– Jeune garçon noble placé auprès d'un grand seigneur **page**
– Mauvais garçon **vaurien, voyou, délinquant**
– Garçon de café **barman, serveur**
– Garçon de courses **livreur, coursier**
– Garçon de service sur un paquebot, dans un avion **steward**
– Garçon en livrée, dans un hôtel **groom, chasseur**
– Garçon d'écurie **palefrenier, lad**
– Logement de garçon, souvent célibataire et servant ordinairement de lieu de rendez-vous **garçonnière**

GARDE
voir aussi **accompagnateur, protecteur**
syn. **surveillant**
– Garde d'un poste militaire **sentinelle, factionnaire, guetteur**
– Garde dans la Rome antique **prétorien, licteur**
– Membre de la garde du sultan **janissaire**
– Autrefois, officier chargé de la garde du trésor royal **chambrier**
– L'une des gardes à l'intérieur d'une serrure **bouterolle**
– Troupe de gardes du corps **escorte, protection**
– Garde du corps d'un sultan **mamelouk**
– Être de garde **astreinte, service**
– Le garde des Sceaux **ministre de la Justice**

GARDER
syn. **surveiller, conserver**
– Garder un souvenir au fond de soi **enfouir, refouler**
– Garder un malade **veiller**
– Garder quelqu'un prisonnier **détenir, séquestrer, claustrer**
– Garder une chose volée **receler**
– Garder pour plus tard **réserver**
– Garder quelqu'un d'un danger **protéger, préserver**
– Ne pas garder un secret **dévoiler, divulguer, trahir**
– Garder quelqu'un à dîner **inviter**

GARDIEN
– Gardien de sérail **eunuque**
– Gardien de troupeau **berger, vacher, bouvier, chevrier, gardeur**
– Gardien de prison **geôlier, surveillant**
– Gardien légal de biens en litige **séquestre**
– Gardien intraitable **cerbère, dragon**
– Gardien d'un secret **détenteur, dépositaire**
– Gardien d'Io **Argus**

GARER
– Garer son véhicule **parquer, stationner, ranger**
– Se garer des attaques **éviter, préserver**

(se), protéger (se), mettre à l'abri (se)

GARNIR
syn. **agrémenter, décorer, orner, pourvoir, remplir**
– Garnir un manteau d'une doublure chaude **fourrer, ouatiner**
– Garnir un tonneau de cerceaux **cercler**
– Garnir une chaise de jonc, de rotin **rempailler, canner**
– Garnir un fauteuil de laine, de crin **capitonner, rembourrer, matelasser**
– Garnir un mur, une poutre d'un renforcement en métal **armer**
– Garnir un fossé, une route d'un treillage en bois **clayonner**
– Garnir un bateau de voiles, de cordages **gréer**
– Garnir de plaques d'acier **cuirasser, blinder**

GARNITURE
syn. **enveloppe, protection, renfort, ornement**
– Garniture métallique au bas d'un fourreau d'épée **bouterolle**
– Garniture métallique protégeant le radiateur de certains véhicules **calandre**
– Garniture métallique d'une porte **ferrure**
– Garniture métallique à l'extrémité du manche d'un parapluie **virole, embout**
– Garniture d'une tenture **passementerie, galon, ganse**

GÂTÉ
syn. **enlaidi, gâché, dénaturé, altéré**
– Un fruit gâté **pourri, blet**
– Une confiture gâtée **moisie, aigre**
– Une viande gâtée **avariée, putréfiée**
– Une dent gâtée **cariée**
– Un enfant gâté **capricieux**

GÂTEAU *Voir tableau p. 270*
voir aussi **biscuit, pâtisserie**
– Gâteau à base de lait et d'œufs **flan, clafoutis, dariole**
– Gâteau à base de crème et de gelée **bavarois**
– Gâteau feuilleté **dartois**
– Gâteau feuilleté et fourré **chausson, gosette, pithiviers**
– En agriculture, gâteau de grains ou de fruits pressés **tourteau**
– Gâteau de cire des abeilles **rayon**

GÂTER
syn. **altérer, abîmer**
– Un visage qui se gâte **vieillit, flétrit (se), enlaidit (s')**
– Gâter l'éclat d'une chose **ternir**
– La situation se gâte **détériore (se), envenime (s')**
– Un comportement qui gâte des chances de succès **ruine**
– Gâter une personne **choyer, dorloter**

GAUCHE
voir aussi **maladroit**
– Attitude gauche **embarrassée, contrainte, empruntée**
– Style gauche **malhabile, lourd, emphatique, ampoulé**
– Côté gauche d'un bateau **bâbord**
– Qui fait dévier le plan de polarisation de la lumière sur le côté gauche **lévogyre, sénestrogyre**
– Passer l'arme à gauche **mourir**
– Se marier de la main gauche **union libre**

GAULOIS
– Poète gaulois **barde**
– Plaisanterie gauloise **gaillarde, grivoise, leste, licencieuse, rabelaisienne**
– Individu loti de hautes fonctions sacerdotales (mage, devin, éducateur, juge) dans la société gauloise **druide**

GAVER
– Gaver une volaille **engraisser, empâter, embecquer**
– Personne qui se gave de nourriture **goinfre, glouton, goulu**

GAZ
– Gaz entrant dans la composition de l'air **oxygène, azote, ozone**
– Gaz rare **hélium, argon, néon, krypton, radon**
– Gaz inflammable **hydrogène**
– Gaz de combat **arsine, ypérite, cyanogène**
– Gaz des marais **méthane**
– Gaz hilarant **protoxyde d'azote**
– Gaz gastro-intestinaux **flatulence**
– Instrument servant à l'analyse des gaz **eudiomètre**
– Bec de gaz **réverbère**
– Gaz combustible qui se dégage quelquefois des mines de houille **grisou**

GAZETTE
syn. **journal, revue**
– La gazette du quartier **bavard, commère, concierge**

GEAI
– Ordre du geai **passériformes**
– Famille du geai **corvidés**
– Geai de Strasbourg **rollier**
– Crier, en parlant d'un geai **jaser, cajoler**

GÉANT
syn. **gigantesque, colossal, considérable, immense**
– Un géant impressionnant **colosse, mastodonte, hercule**
– Un travail de géant **titan**
– Géant des contes de fées **ogre**
– Géant célèbre **Atlas, Goliath, Polyphème**
– Combat des Géants **gigantomachie**
– Type d'étoile géante **supergéante**

GEL
– Produit utilisé pour lutter contre le gel **antigel**
– Protection des jeunes plantes contre le gel **accot, paillage**
– Gel coiffant **brillantine, gomina**
– Fente dans le sol provoqué par le gel **gélivure**

GELÉ
– Être gelé **transi, frigorifié**
– Ses doigts étaient gelés **gourds**
– Des capitaux gelés **immobilisés**

GELÉE
voir aussi **glace**
– Gelée blanche **givre**
– Gelée des bourgeons de la vigne **champlure**
– Dommages causés aux cultures par la gelée **brouissure**
– Gelée à base de lait et d'amandes **blanc-manger**
– Fruit consommé sous forme de gelée ou de pâte **coing**
– Gelée de mer **rhizostome**
– Avoir le bec gelé **se taire**

GELER
syn. **glacer, réfrigérer, paralyser**
– Le froid gèle les bourgeons **grille**
– Brouillard épais qui gèle en tombant **frimas**
– Geler des crédits **suspendre, bloquer, arrêter**

GÉMIR
voir aussi **pleurer**
syn. **geindre**
– Gémir sur son sort **lamenter (se), larmoyer, sangloter**

GÉMISSEMENT
syn. **plainte**
– Gémissement prolongé et importun **lamentation, jérémiade**
– Gémissement qui accompagne l'agonie **râle**
– Gémissement du vent dans les arbres **murmure**

GÊNANT
– Une situation gênante **déplaisante, inconfortable**
– Visite gênante **importune, inopportune, intempestive**
– Présence gênante **pesante**

GENDARME
– Femme qui par son caractère sec et autoritaire et ses manières rudes est aussi dénommée gendarme **virago, dragon**
– Gendarme couché **ralentisseur**
– Gendarme ou punaise rouge et noire **pyrrhocoris**
– Nom familier du gendarme **pandore**

GENDARMERIE
Voir illustration grades de la gendarmerie, p. 279
voir aussi **armée**
syn. **maréchaussée**
– Unité de gendarmerie **brigade**
– Corps de gendarmerie **légion**
– Détachement de gendarmerie affecté aux armées **prévôté**
– Militaire dans la gendarmerie italienne **carabinier**

GÈNE
– Ensemble des gènes d'un individu **génotype**
– Ensemble des gènes du gamète **génome**
– Gène qui réalise toujours ses caractères **dominant**
– Gène qui ne se manifeste que dans certaines conditions **récessif**
– Dominance d'un gène sur tout autre gène **épistasie**
– Élément de la cellule contenant les gènes **chromosome**
– Gène allélomorphe **allèle**
– Banque de gènes **génothèque**
– Qui a trait aux gènes **génétique, génique**

GÉNÉALOGIE
– Généalogie d'une famille **ascendance, descendance, filiation, lignée, origine**
– Généalogie des dieux **théogonie**
– Généalogie des animaux de race pure **pedigree**
– Généalogie des espèces en biologie **phylogenèse, phylogénie, évolutionnisme**

GÊNER
– Être gêné par une odeur, par un son **dérangé, incommodé, indisposé**
– Gêner les projets, les manœuvres de quelqu'un **contrarier, entraver, brider**
– Gêner la respiration de quelqu'un **oppresser**
– Gêner le passage **encombrer**
– Gêner quelqu'un par sa présence **intimider, troubler, embarrasser, importuner**
– Se sentir gêné dans des vêtements trop étroits **engoncé**
– Ne pas se gêner pour dire ce qu'on pense **contraindre (se)**

GÉNÉRAL
– Une décision générale **commune, collective**
– Assemblée générale **plénière**
– Un phénomène général **répandu, courant**
– L'avis général **dominant, unanime**
– En règle générale **d'ordinaire**
– Une tendance générale **habituelle**
– N'avoir qu'une idée générale du problème **vague, imprécise, superficielle**
– Un terme à valeur générale **générique**
– Une paralysie générale **totale**

VOCABULAIRE DU GARAGISTE (voir aussi tableau automobile, p. 50)

Allumage déréglé : l'allumage est obtenu en appliquant un courant électrique à haute tension (de 20 000 à 30 000 V) sur une bougie au moment précis où le piston entre en position haute. Si l'allumage est mal réglé, l'étincelle ne se produit pas exactement à ce moment.

Claquer un joint de culasse : on peut claquer un joint de culasse pour diverses raisons — manque de liquide de refroidissement, ce qui entraîne une surchauffe du moteur, fuite de la culasse, etc. Dans tous les cas, les réparations sont à faire rapidement.

Couler ou **flamber une bielle :** on peut couler ou flamber une bielle (pièce métallique qui transmet le mouvement rectiligne des pistons au vilebrequin, qui le transforme en mouvement de rotation) parce qu'il n'y a plus suffisamment d'huile dans le moteur, ou par manque de pression du circuit d'huile. Cela entraîne une surchauffe, la bielle se tord ou flambe. Cette panne est grave, il faut prévoir la rectification du vilebrequin et le remplacement des coussinets de bielle.

Courroie de distribution cassée : la courroie de distribution, qui relie le pignon d'arbre à cames au pignon du vilebrequin, peut casser. Les pistons ne sont alors plus en configuration avec les soupapes, qui finissent par casser ou s'abîmer. Par la suite, l'arbre à cames et d'autres pièces du moteur peuvent s'abîmer. Il faut rapidement changer la courroie de distribution avant d'avoir trop de pièces à remplacer.

Culasse creusée ou **fendue :** la culasse peut présenter des petites fentes ou être creusée ; le liquide de refroidissement ou l'huile peuvent alors fuir, ce qui risque de produire une surchauffe du moteur et de l'endommager.

Culbuteur déréglé : le culbuteur est un levier qui agit sur la soupape pour en assurer l'ouverture ou la fermeture ; il se dérègle parfois.

Disque d'embrayage usé : le disque d'embrayage, qui permet de transmettre la vitesse de rotation du moteur aux roues, est constitué d'un fin disque de métal situé entre deux plateaux. Sur ses faces est apposée la garniture d'embrayage, qui peut s'user. Lorsque le disque d'embrayage se colle au volant moteur (roue qui régule l'allure du moteur), il patine et il faut alors le remplacer.

Durit craquée, fissurée ou **déboîtée :** une durit est un tuyau en caoutchouc qui assure la circulation des différents fluides du moteur : essence, liquide de refroidissement, etc. Lorsqu'une durit est craquée, fissurée ou déboîtée, cela provoque des fuites plus ou moins importantes et dangereuses selon le liquide en cause. Il faut la remettre en place ou la changer.

Embrayage qui broute : lorsque le disque d'embrayage est usé, il ne tourne pas au même rythme que le volant moteur ou ne s'y accroche pas bien ; cela provoque des saccades dans l'entraînement des roues de la voiture : on dit que l'embrayage broute, et il faut alors changer le disque d'embrayage.

Embrayage qui patine : si l'embrayage patine, cela peut venir du disque d'embrayage : soit il est usé, et il faut alors le remplacer, soit graisseux, ce qui signifie qu'il y a une fuite à détecter et à réparer. Mais cela peut aussi être dû à la garde d'embrayage, qui peut être déréglée. Dans tous les cas, il faut faire des réparations rapidement avant que la voiture ne puisse plus avancer.

Faire un latéral : cela signifie que la totalité d'un côté de la voiture est à réparer ou remplacer.

Filtre à air bouché, encrassé ou **sale :** un filtre à air bouché, encrassé ou sale empêche l'air de passer, ce qui appauvrit le mélange en air et laisse des vapeurs de carburant non brûlées. Il faut le nettoyer ou le remplacer.

Filtre à essence bouché, encrassé ou **sale :** le filtre à essence a pour fonction d'empêcher les impuretés du carburant d'arriver dans la cuve du carburateur ou dans les injecteurs. Si le filtre est bouché, encrassé ou sale, cela provoque des trous dans l'alimentation et une perte de puissance du moteur à haut régime. Il faut le remplacer.

Fuite au joint : voir Joint SPI HS.

Garde d'embrayage déréglée ou **HS :** la garde d'embrayage est le jeu entre la position de repos de la butée d'embrayage et le début de la compression des ressorts d'embrayage.

Si l'on conduit en maintenant le pied sur la pédale d'embrayage ou si le jeu n'est pas suffisant, le disque d'embrayage s'use rapidement et le mécanisme d'embrayage se dérègle ; il faut alors régler la garde d'embrayage ou changer le disque d'embrayage.

Joint de culasse HS : voir Claquer un joint de culasse.

Joint SPI HS : un joint SPI est un joint d'étanchéité utilisé sur les pièces et des éléments du moteur ou autres (boîte de vitesses, boîte pour pont, etc.) qui contiennent un liquide (liquide de refroidissement, huile…). Si l'étanchéité n'est plus assurée, si le joint fuit, il faut changer le ou les joints usés. La gravité de la panne dépend du liquide en cause.

Défaut de masse : cela signifie qu'il y a un incident au niveau du circuit électrique et que la batterie n'est plus correctement sous tension.

Moteur grippé : un moteur grippé est un moteur dont les pièces sont mal lubrifiées ou auquel manque du liquide de refroidissement. Cette mauvaise lubrification produit un frottement et une dilatation des pièces, ce qui entraîne un ralentissement ou un arrêt de leur mouvement. Un moteur grippé est un moteur généralement hors d'usage.

Moteur noyé : lorsque l'on fait plusieurs tentatives infructueuses de démarrage, on envoie trop d'essence sur les bougies : trop humides, elles ne peuvent donc plus produire l'étincelle qui permet l'explosion puis le démarrage du moteur.

Passer au marbre : le marbre, utilisé pour contrôler et réparer la planéité du véhicule, est un plan de travail modulable en fonction de chaque véhicule, dont la planéité réglementaire est déterminée par un code usine (les normes sont définies par le constructeur). Passer une voiture au marbre signifie donc que son châssis est abîmé et qu'il faut le réparer.

Pignon ou **lanceur du démarreur qui n'engrène pas :** le pignon ou lanceur, pièce du démarreur, est une petite roue dentée qui permet l'engrenage du volant moteur. Celle-ci peut être usée ou cassée et ne permet donc plus l'engrenage du volant moteur ; il faut alors changer le démarreur.

Présence de mayonnaise sur le bouchon de remplissage d'huile : lorsque le liquide de refroidissement se mélange à l'huile ou inversement, cela donne un liquide qui ressemble à de la mayonnaise. Il y a donc une fuite à détecter et à réparer.

Rechemiser le moteur : les poches cylindriques, appelées chemises, dans lesquelles coulissent les pistons peuvent s'user ; il faut alors les remplacer, c'est-à-dire rechemiser le moteur.

Serrer le moteur : quand il n'y a plus assez de liquide de refroidissement ou d'huile, les pièces chauffent et se dilatent. Le moteur serré est alors totalement hors d'usage.

Silentblocs moteur usés ou **desserrés :** les silentblocs sont des blocs de caoutchouc calés entre le châssis et le moteur ou la boîte de vitesses pour absorber les vibrations et atténuer les chocs. Ceux-ci peuvent se desserrer ou s'user, entraînant des vibrations ; il faut alors les changer.

Solénoïde du démarreur bloqué ou **HS :** le solénoïde est une pièce électrique du démarreur qui utilise le courant pour engager le pignon du démarreur. Il peut être bloqué ou défectueux ; il faut alors le réparer ou le remplacer.

Soupape grillée : lorsque la soupape ne se ferme pas bien, l'air d'échappement et les gaz de combustion s'y infiltrent et grillent la soupape, qu'il faut changer.

Tête d'allumeur fendue : une tête d'allumeur est une pièce qui permet de distribuer la tension d'allumage aux bougies ; elle peut se fendre, et il faut alors la changer.

Tourner sur trois pattes ou **sur trois cylindres :** lorsqu'un élément de l'allumage ou de la carburation est défectueux ou que les culbuteurs sont mal réglés, l'explosion ne se produit que dans trois cylindres. Le moteur ne tourne de ce fait qu'avec trois cylindres actifs ; on dit alors qu'il tourne sur trois pattes. Cette expression s'utilise dès que l'un des cylindres est inactif, quel que soit le nombre total de cylindres de la voiture.

– Ne sont pas des synonymes de général **universel, particulier**

– Qui offre une vue générale d'un problème, d'un sujet **synoptique**

– Opération par laquelle on passe de propositions spéciales à des propositions plus gérérales **généralisation**

GÉNÉRALEMENT

syn. **habituellement, couramment, ordinairement**

GÉNÉRALISER

– Généraliser des pratiques **universaliser, étendre, répandre**

– Généraliser à partir d'un nombre limité d'éléments **extrapoler**

GÉNÉRALISTE

– Généraliste en médecine **omnipraticien**

– Le contraire d'un généraliste **spécialiste**

GÉNÉRATEUR /1

– Générateur de courant **pile, accumulateur, batterie**

GÉNÉRATEUR /2

– Organe générateur **reproduction**

– Une société génératrice de violence **source**

– Machine génératrice de courant continu à partir d'énergie mécanique **dynamo**

GÉNÉRATION

syn. **conception, reproduction, descendance**

– Qui a trait à la génération **génésique**

– Génération asexuée de végétaux **multiplication**

– Générations successives présentant des caractères différents **hétérogenèse**

GÉNÉREUX

– Un vin généreux **corsé**

– Un homme généreux **large, libéral, prodigue, munificent**

– Une décision généreuse **clémente, magnanime**

– Personne généreuse envers un artiste **mécène**

– Un geste généreux **désintéressé, charitable**

– Un sentiment généreux **altruiste, noble, philanthrope**

– Une poitrine généreuse **plantureuse, opulente, abondante, rebondie**

– Une terre généreuse **fertile, féconde, productive, riche**

GÉNIE

– Mauvais génie **démon**

– Génie de l'air **elfe, sylphe**

– Génie des eaux **ondin, nixe**

– Génie de la terre d'une grande laideur **gnome**

– Génie malin **gobelin**

– Génie taquin et gracieux **lutin, follet, farfadet**

– Génie malfaisant breton **korrigan**

– Génie des mythologies arabes **djinn, efrit**

– Génies de la mort dans la mythologie grecque **kères**

– Génie des légendes persanes **péri**

– Génie des contes scandinaves **troll**

– Génie des croyances allemandes **kobold**

– Être un génie **maître, virtuose, phénix**

– Avoir du génie **don, talent, maestria, virtuosité, créativité**

– Un petit génie **surdoué, prodige**

GÉNITAL *Voir illustration ci-contre voir aussi* **glande, hormone, reproduction**

– Ensemble des organes de l'un ou l'autre sexe qui constituent l'appareil génital **tractus génital**

GENOU

– Mouvement consistant à fléchir le genou **génuflexion**

– Partie antérieure du genou **rotule**

– Partie postérieure du genou **creux poplité, jarret**

– Genoux tournés vers l'intérieur **cagneux**

– Bande élastique qui protège et maintient le genou **genouillère**

GENRE

– Le genre humain **espèce, race**

– Avoir un genre particulier **attitude, tenue, conduite, comportement, apparence, manières**

– Le genre d'un vêtement **style, griffe, marque**

– Un genre d'objet **type, sorte**

– Un genre d'esprit **forme**

– Un genre de vie **mode**

– Mot dont le genre ne varie pas **épicène**

GÂTEAUX RÉGIONAUX ET ÉTRANGERS

Apple-pie : GRANDE-BRETAGNE (gâteau aux pommes)

Baklava : GRÈCE ET ORIENT (gâteau coupé en losange au miel et aux noix)

Bettelman : ALSACE (gâteau de pain)

Bireweck : ALSACE (pain aux poires)

Biste heyt : BÉARN (gâteau vite fait aux pignons)

Brownie : ÉTATS-UNIS (petit gâteau au chocolat)

Cake ou **plum-cake :** GRANDE-BRETAGNE (gâteau aux raisins secs et aux fruits confits)

Cheesecake : ÉTATS-UNIS (gâteau au fromage blanc)

Clafoutis aux cerises : LIMOUSIN (sorte de flan)

Corne de gazelle : MAROC (petit gâteau fourré à l'amande)

Cramique : BELGIQUE (brioche aux raisins)

Crumble : GRANDE-BRETAGNE (dessert aux pommes ou aux fruits rouges)

Douillon aux pommes : NORMANDIE (pomme en pâte)

Dundee cake : GRANDE-BRETAGNE (gâteau aux amandes et aux écorces d'orange confites)

Far aux pruneaux : BRETAGNE (sorte de flan)

Fiadone : CORSE (gâteau au brocciu)

Forêt-noire : ALLEMAGNE (gâteau au chocolat et aux cerises)

Gâteau angevin aux prunes : ANJOU

Gâteau aux carottes et aux noisettes : SUISSE

Gâteau basque : PAYS BASQUE (fourré à la confiture de cerises ou à la crème pâtissière)

Kadaïf : GRÈCE (gâteau au miel et noix)

Kougelhopf : ALSACE (brioche très fine aux raisins)

Kouign-amann : BRETAGNE (gâteau au beurre salé)

Koulitch : RUSSIE (brioche au safran)

Leckerli : SUISSE (biscuits en pain d'épice)

Linzertarte : AUTRICHE (tarte à la confiture)

Panettone : ITALIE (brioche)

Pastis landais : LANDES (brioche à l'anis)

Piquenchâgne : BOURBONNAIS (gâteau feuilleté aux poires)

Pogne : DAUPHINÉ (brioche)

Pompe : PROVENCE (fouace)

Pudding ou **plum-pudding :** ANGLETERRE (gâteau de Noël aux fruits secs et confits)

Sachertarte : AUTRICHE (gâteau au chocolat)

Schenkele : ALSACE (biscuit)

Shortbread : ÉCOSSE (petite galette au beurre)

Spéculoos : BELGIQUE (biscuit en pain d'épice)

Stollen : ALLEMAGNE (couronne de Noël aux raisins secs et aux fruits confits)

Strudel : AUTRICHE (gâteau aux pommes)

Tiramisu : ITALIE (biscuits et mascarpone)

Tarte au riz : BELGIQUE

Tourte de bléa : PAYS NIÇOIS (tourte aux blettes)

Tourteau fromagé : POITOU (gâteau au caillé de chèvre)

Tourtière landaise : LANDES (feuilleté, pommes ou pruneaux)

Vatrouchka : RUSSIE (tarte au fromage blanc)

Zuppa inglese : ITALIE (biscuit de Savoie, crème pâtissière et meringue)

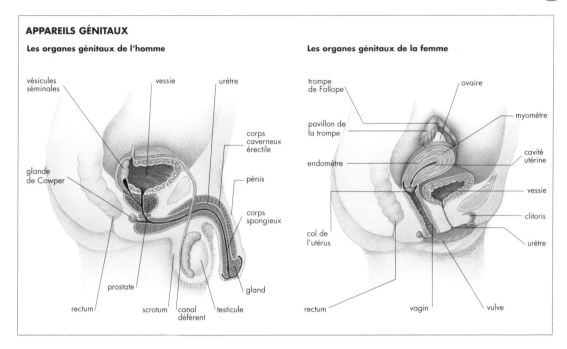

APPAREILS GÉNITAUX

Les organes génitaux de l'homme

vésicules séminales
vessie
urètre
corps caverneux érectile
glande de Cowper
pénis
corps spongieux
prostate
gland
rectum
scrotum
canal déférent
testicule

Les organes génitaux de la femme

trompe de Fallope
ovaire
myomètre
pavillon de la trompe
endomètre
cavité utérine
vessie
clitoris
col de l'utérus
urètre
rectum
vagin
vulve

GENS
syn. **personnel**
– Gens de maison **serviteur, domestique, camériste**
– Gens de lettres **écrivain, auteur**

GENTIL
– Un homme gentil **affable, avenant, serviable, obligeant, aimable, prévenant**
– Un enfant gentil **obéissant, sage, poli, affectueux**
– Un animal gentil **doux, inoffensif**
– Les peuple de gentils selon les Juifs et les chrétiens **infidèle, païen**

GENTILLESSE
voir aussi **bonté**
– Avoir la gentillesse de faire quelque chose **obligeance, amabilité**
– Traiter quelqu'un avec gentillesse **bienveillance, indulgence, aménité, ménagement, cordialité**

GÉOGRAPHIE *Voir tableau p. 272*
– Géographie botanique **phytogéographie**
– Partie de la géographie ayant pour objet la répartition des eaux **hydrographie**
– Géographie traitant de la Terre aux différentes époques géologiques **paléogéographie**
– Quelques-unes des sciences annexes de la géographie **géodésie, orographie, topographie, géomorphologie, géopolitique, géolinguistique**

GÉOLOGIE *Voir tableau p. 275*
– Géologie historique **stratigraphie**
– Géologie structurale **tectonique**
– Branche de la géologie qui étudie les sols **pédologie**
– Quelques-unes des sciences annexes de la géologie **cristallographie, géomorphologie, minéralogie, orographie, paléontologie, pétrographie, pétrologie, sédimentologie, stratigraphie**
– En géologie, ère primaire **paléozoïque**
– En géologie, ère secondaire **mésozoïque**
– En géologie, ères tertiaire et quaternaire **cénozoïque**
– En géologie, période avant l'ère primaire **précambrien**

GÉOLOGIQUE *Voir tableau échelle des temps géologiques, p. 275*
– Division du temps géologique **ère, système, étage**
– Phase géologique d'édification des chaînes de montagnes **orogenèse**
– Mouvement géologique de montée ou de descente de l'écorce terrestre **épirogenèse**
– Pli géologique concave **synclinal**
– Pli géologique convexe **anticlinal**
– Fissure géologique **diaclase**
– Fracture des couches géologiques **faille**
– Creusement du cours d'une rivière indépendant de la structure géologique **épigénie**

GÉOMÈTRE
syn. **arpenteur**

– Famille à laquelle appartient la chenille géomètre ou arpenteuse **géométridés**

GÉOMÉTRIE *Voir illustration p. 276*
– Instrument utilisé en géométrie **équerre, compas, rapporteur, té**
– Géométrie de situation **topologie**
– Géométrie appliquée à la mesure des solides **stéréométrie**

GÉRANIUM
syn. **pélargonium**
– Famille à laquelle appartient le géranium **géraniacées**
– Alcool contenu dans l'essence de géranium **géraniol**

GÉRANT
syn. **gestionnaire**
– Gérant de société **administrateur, manager, dirigeant**
– Gérant d'une propriété **régisseur, intendant**
– Gérant d'immeubles **syndic**

GERBE
syn. **bouquet, botte**
– Gerbe de branchages **faisceau**
– Gerbes de céréales mises en tas **gerbier**
– Gerbe d'eau **jet**
– Importante gerbe d'eau, de boue qui jaillit **geyser**

GERÇURE
– Gerçure profonde sur les mains **crevasse**

Aa : terme hawaiien désignant une coulée récente de lave scoriacée, à surface rugueuse et de composition acide.

Aber : mot d'origine celtique signifiant « embouchure, estuaire ».

Adret : patois du Sud-Est. Dans une région montagneuse, désigne le versant exposé au soleil. Antonyme : ubac.

Arène : sable résultant de la décomposition superficielle des roches granitiques sous un climat tempéré, et formé essentiellement de grains de quartz.

Atoll : récif corallien circulaire entourant une lagune (lagon).

Aven : nom local des gouffres naturels à la surface des grands causses. Caractéristiques du relief karstique, ces gouffres ont reçu le nom général de ponors.

Barkhane : dune élémentaire des déserts pauvres en sable.

Barre : vague se produisant à l'estuaire d'un fleuve par suite de la rencontre des eaux du fleuve et du courant de la marée.

Beine : forme de relief lacustre qui consiste en une plate-forme inclinée, continuant sous les eaux des berges du lac, et due au sapement des rives par le choc des vagues.

Bief : nom donné à tout canal de dérivation. Partie d'un cours d'eau comprise entre deux chutes, ou bassin compris entre les portes d'une écluse.

Calcite : carbonate de calcium cristallisé dans un système rhomboédrique et qui peut prendre un grand nombre de formes.

Caldeira : cavité d'origine volcanique de forme plus ou moins circulaire, due à des effondrements par soutirage du magma.

Canyon : mot d'origine espagnole. Dans un relief karstique, vallée étroite aux parois verticales taillées dans les assises calcaires.

Cataclinal : qualifie le versant en pente douce d'un crêt ; le versant abrupt est appelé versant anaclinal.

Caye : îlot de sable corallien.

Chablis : se dit d'un arbre abattu par le vent ou la neige.

Cheminée de fée : sorte de pyramide de sable ou d'argile dégagée par l'érosion autour d'un gros bloc.

Chott : zone de terres salées qui entoure un bassin de faible profondeur se transformant périodiquement en lac.

Colluvion : dépôt de débris assez fins issus du remaniement des éboulis.

Contrefort : relief annonçant un relief plus important.

Croc : pointe recourbée d'une dune en forme de croissant.

Diaclase : cassure ou fissure naturelle qui traverse les roches sans apporter de dénivellations.

Diffluence : division d'un cours d'eau en plusieurs bras. En morphologie glaciaire, épanchement de la glace autour d'une arête montagneuse.

Doline : mot d'origine slave. En pays calcaire, dépression fermée, circulaire ou ovale, due à l'érosion karstique d'un champ de diaclases.

Dyke : mot anglais signifiant « digue ». Relief volcanique se présentant sous la forme d'un plateau limité par de véritables murailles de lave.

Erg : champ de dunes fixes dont seul le sable superficiel est remodelé sans cesse par le vent.

Fjeld ou icefjeld : mots d'origine scandinaves signifiant « champ » ou « champ de glace ». Sur les hautes surfaces du socle scandinave, les glaciers constituent des champs de glace d'où émergent des blocs rocheux appelés nunatacks ; ils descendent dans les vallées sous forme de langues de glace, ou iceström.

Fjord : vallée glaciaire profonde envahie par la mer.

Gât : qualifie les anciens marais salants envahis progressivement par des eaux douces et transformés en lagunes herbeuses.

Gley : terme utilisé pour caractériser le sol de certaines vallées humides. Un gley résulte de la décomposition de sols bruns ou noirs.

Grau : du latin gradus, « passage ». Étroit chenal qui fait communiquer les étangs languedociens et la Méditerranée.

Hum : mot serbe. Chicot rocheux se dressant au fond d'une dépression karstique et résultant du recoupement de deux dolines ou plus.

Hypogé : qui est sous terre. Caractérise une eau qui provient de l'intérieur de la terre.

Inselberg : de l'allemand Insel, « île », et Berg, « montagne ». Colline isolée aux parois abruptes se dressant au-dessus de glacis désertiques.

Jusant : recul vers le large des eaux marines. Ce mouvement est expliqué par la marée. Synonymes : reflux et basse mer.

Maar : mot allemand. Petit cratère d'explosion, souvent occupé par un lac et caractéristique des montagnes de l'Eifel.

Mascaret : mot gascon. Puissante vague se produisant dans certains estuaires par la rencontre du flot de marée et du courant fluvial.

Mesa : mot espagnol signifiant « table ». Plateau volcanique peu étendu, aux bords escarpés, résultant de l'érosion de coulées volcaniques fluides.

Monadnock : mot esquimau. Relief résiduel s'élevant comme une colline aux formes lourdes au-dessus de la surface d'une pénéplaine.

Moraine : du provençal morreno. Ensemble des matériaux rocheux arrachés, transportés et transformés par un glacier.

Névé : du latin nix, nivis, « neige ». Dans un bassin de réception glaciaire, neige tassée qui recouvre la glace proprement dite.

Perchis : bois planté d'arbres destinés à faire des perches ; les arbres sont abattus dès qu'ils ont atteint 10 à 20 ans.

Podzol : mot russe signifiant « cendreux ». Sol forestier, gris, friable, constitué sous un climat humide et froid, avec une végétation acidifiante (résineux), sur une roche mère filtrante (sables ou grès).

Polder : aux Pays-Bas, terrain plus bas que le niveau de la haute mer, protégé par de puissantes digues, drainé par un système de pompage et d'écluses, et qui constitue une excellente terre de culture ou d'élevage.

Poljé : mot serbo-croate. Dans un relief karstique, vaste dépression fermée comportant un drainage souterrain.

Raz : mot breton. Courant très violent de l'océan Atlantique en bordure des côtes bretonnes ; le raz de Sein atteint 20 km/h.

Reg : désert plat et caillouteux typique de l'Afrique du Nord.

Résurgence : réapparition à la surface du sol, sous forme d'une puissante source, d'un cours d'eau souterrain.

Ria : mot espagnol. Basse vallée de certains fleuves côtiers, envahie soit par la dernière transgression marine, soit à la suite de l'affaissement du socle continental.

Ruz : mot jurassien. Ravin formé par le ruissellement ou l'érosion torrentielle sur les flancs d'un mont.

Sérac : mot alpin. Bloc de glace qui se forme aux ruptures de pente du lit d'un glacier.

Strate : du latin stratum, « couche ». Nom donné à chacune des couches sédimentaires qui se sont déposées au fond de mers, de lacs ou de lagunes et qui constituent les assises des bassins.

Suc : nom donné dans le Massif central à certains reliefs volcaniques désignés en géographie physique sous le nom de dykes.

Talweg : de l'allemand Tal, « vallée », et Weg, « chemin ». Profil en long d'une vallée.

Tectonique : partie de la géographie physique qui étudie l'architecture du globe.

Tombolo : flèche littorale qui, ayant rencontré dans son avancée une île assez étendue, s'y appuie et la rattache au continent pour former une presqu'île.

Tuf calcaire : calcaire d'origine chimique fait des incrustations irrégulières et spongieuses qui se produisent à l'émergence des sources calcaires.

Tuffeau : craie formée de grains siliceux réunis par un ciment argilo-calcaire.

Ubac : flanc d'une montagne exposé au nord ; il est couvert de forêts. Les pentes exposées au sud portent le nom d'adret.

Valat : du latin vallum, « fossé ». Rigole creusée pour évacuer les eaux des violentes averses méditerranéennes.

Vire : gradin étroit, en marche d'escalier, interrompant la continuité d'un versant en forte pente.

Yardang : sillon parallèle à la direction générale des vents soufflant dans les régions arides.

– Gerçure des lèvres, de l'anus en termes de médecine **rhagade**
– Gerçure de l'écorce des arbres due au gel **gélivure**

GÉRER
– Gérer en commun **cogérer**
– Personne chargée de gérer les biens d'un mineur **tuteur**
– Entreprise gérée par ses salariés **auto-gérée**

GERMANIQUE
– Peuple germanique **Alamans, Angles, Burgondes, Goths, Jutes, Vandales**
– Groupe de divinités germaniques **Ases, Vanes**
– Langue germanique orientale **ostique, gotique**
– Langue germanique septentrionale **norrois, islandais, norvégien, suédois, danois**
– Langue germanique occidentale **allemand, yiddish, néerlandais, flamand, frison, anglo-saxon, anglais**

GERME
voir aussi **embryon, microbe, virus**
– Germe d'un végétal **plantule**
– Germe de l'œuf **cicatricule**
– Introduire un germe dans un organisme **inoculer**
– Germe de discorde **ferment, brandon, levain**
– Germe d'une révolution **cause, origine, source, semence**

GESTE
syn. **attitude, comportement, mouvement**
– Geste machinal **tic**
– Gestes affectés **minauderies, simagrées, manières**
– Geste qui remplace la parole **mimique**
– Expression des sentiments, des pensées par les gestes **pantomime**
– Geste de bonté **acte**
– Chanson de geste **épopée**
– Ensemble de gestes signifiants **gestique, gestuelle, gestualité**
– Qui fait beaucoup de gestes **exubérant, démonstratif**

GESTION
– Langage de programmation utilisé en gestion d'entreprise **cobol**
– Système de gestion de base de données **SGBD**
– Gestion de production assistée par ordinateur **GPAO**
– Gestion automatisée d'une habitation **domotique**

GIBECIÈRE
syn. **carnassière, carnier**
– Petite gibecière en toile **musette**

– Longue gibecière **besace, bissac**
– Gibecière du dresseur d'oiseaux de proie **fauconnière**
– Gibecière à pain **panetière**

GIBIER
voir aussi **chasse**
– Petit gibier **faisan, perdrix, palombe, bécasse, caille, grive, alouette, lièvre**
– Gros gibier **cerf, chevreuil, daim, sanglier**
– Gibier d'eau **sarcelle, harle, pluvier, macreuse, milouin, vanneau**
– Viande de grand gibier **venaison**
– Région riche en gibier **giboyeuse**

GICLER
voir aussi **jaillir**
– Gicler sur quelque chose **éclabousser, asperger**

GIFLE
syn. **soufflet, claque**
– La défaite a été une gifle **affront, camouflet, humiliation, vexation**

GIFLER
– Visage giflé par le vent **cinglé, fouetté**

GIGA
syn. **géant**

GIGANTESQUE
– Construction gigantesque **titanesque, colossale, tentaculaire, babylonienne, cyclopéenne**
– Ville gigantesque **mégalopole**
– Repas gigantesque **gargantuesque, pantagruélique**
– Orgueil gigantesque **démesuré, monumental, incommensurable**
– Fosse gigantesque **insondable, abyssale**

GIGUE
– Gigue de chevreuil **cuisse, cuissot, gigot**

GINGEMBRE
– Famille à laquelle appartient le gingembre **zingibéracées**
– Propriété du gingembre **tonique, digestif, carminatif**

GINSENG
– Famille à laquelle appartient le ginseng **araliacées**
– Genre auquel appartient le ginseng **panax**
– Propriété du ginseng **cardiotonique, stimulant**

GIRAFE
– Famille à laquelle appartient la girafe **girafidés**
– Petit de la girafe **girafeau, girafon**

– Allure à laquelle se déplace la girafe **amble**
– Mammifère ongulé apparenté à la girafe **okapi**
– Peindre la girafe **ne rien faire**

GIROFLÉE
– Famille à laquelle appartient la giroflée **cruciféracées**
– Giroflée des jardins **ravenelle**
– Giroflée rouge **cocardeau, mathiole, violier**
– Plante apparentée à la giroflée **quarantaine**

GIROUETTE
– Girouette de bateau **penon**
– Personne qui agit comme une girouette **pantin, protée**

GISEMENT
– Gisement de minerai **filon, veine, couche**
– Gisement houiller **bassin, gîte**
– Gisement pétrolifère **nappe, puits**
– Gisement aurifère **placer**
– Gisement métallifère **mine**

GÎTE
syn. **abri, demeure, logement, maison, refuge**
– Gîte d'une bête sauvage **repaire, retraite, tanière, antre**
– Gîte du lapin **terrier, rabouillère**
– Gîte du sanglier **bauge**
– Gîte du loup **liteau**

GIVRE
– Brouillard formant des dépôts de givre **frimas**
– Enlever le givre **dégivrer**
– Givre dans une gemme **givrure, glace**

GLACE
syn. **miroir**
voir aussi **glacier**
– Grande glace inclinable **psyché**
– Petite glace servant à regarder derrière soi **espion, rétroviseur**
– Feuille de métal appliquée au dos d'une glace **tain**
– Rognures de glace utilisées pour les émaux **calcin**
– Mince couche de glace **givre, verglas**
– Pluie composée de fragments de glace **grêle, grésil**
– Masse de glace flottante **banquise, iceberg**
– Abri fait de blocs de glace **igloo**
– Fonte des glaces **dégel, débâcle**
– Glace à base de crème **cassate, plombières, parfait**
– Glace à base de jus de fruit ou de liqueur **sorbet, granité**
– Glace placée au-dessus d'une cheminée **trumeau**

GLACÉ
– Accueil glacé **hostile**
– Ambiance glacée **glaciale**
– Café glacé **frappé**
– Papier glacé **brillant, satiné, couché**

GLACER
– Glacer d'effroi **pétrifier, figer**
– Professeur qui glace les étudiants **paralyse, inhibe, intimide, terrorise**
– Glacer une étoffe **calandrer, moirer, lisser**

GLACIAL
– Attitude glaciale **glaçante, réfrigérante, froide, méprisante**
– Personne glaciale **imperturbable, insensible, distante**

GLACIER *Voir illustration p. 278*
– Glacier des régions polaires **inlandsis**
– Bloc de glace particulier dans un glacier **sérac**
– Saillie rocheuse perçant la calotte d'un glacier **nunatak**
– Crête formée de débris rocheux déposés pendant la fonte du glacier **kame, drumlin**
– Science qui étudie les glaciers **glaciologie**
– Glacier des régions polaires **inlandsis**

GLADIATEUR
– Gladiateur combattant contre des bêtes fauves **belluaire, bestiaire**
– Gladiateur armé d'un filet plombé et d'un trident **rétiaire**
– Gladiateur armé d'une épée et d'un bouclier **mirmillon**
– Combat de gladiateurs **hoplomachie**
– Personne qui formait les gladiateurs **laniste**

GLAND
– Partie du gland **akène, cupule**
– Gland de mer **balane**
– Repli de peau entourant le gland de la verge **prépuce**
– Inflammation du gland de la verge **balanite**

GLANDE *Voir tableau endocrinologie, p. 221*
voir aussi **hormone**
adéno-
– Utilisation thérapeutique des extraits de glandes **opothérapie**
– Tumeur d'une glande **adénome**
– Maladie due au dysfonctionnement des glandes **goitre, myxœdème, nanisme, gigantisme**

GLISSER
– Glisser le long d'un support **coulisser**
– Glisser sur du verglas **chasser, déraper, patiner**
– Faire glisser un cordage de bateau **riper**
– Se glisser à l'intérieur de quelque chose **se faufiler, se couler, s'infiltrer, s'insinuer**
– Courant d'air qui se glisse par un interstice **coulis**
– Glisser progressivement dans la folie **verser, sombrer**
– Mourant qui se laisse glisser **s'abandonne**
– Glisser un mot à l'oreille de son voisin **souffler, dire**

GLOBE
voir aussi **sphère**
– Représentation du globe terrestre **mappemonde, planisphère**
– Moitié du globe terrestre **hémisphère**
– Qui a la forme d'un globe **globulaire**

GLOBULE
– Globule rouge du sang **érythrocyte, hématie**
– Globule blanc du sang **leucocyte**
– Processus de formation des globules rouges **érythropoïèse**
– Processus de formation des globules blancs **leucopoïèse**
– Globule de gaz se formant dans une matière en fusion **bulle**

GLOIRE
– Se couvrir de gloire **lauriers**
– Monument élevé à la gloire des grands hommes d'un pays **panthéon**
– Rendre gloire à quelqu'un **glorifier, hisser sur le pavois, porter au pinacle**
– S'attribuer la gloire de quelque chose **mérite, honneurs**
– Sommet de la gloire **apothéose**
– Être la gloire d'un pays **phare**
– Rechercher la gloire **célébrité, notoriété, renommée, consécration**

GLORIEUX
– Jour glorieux **remarquable, fameux, mémorable, illustre**
– Prendre un air glorieux **fier, présomptueux, vaniteux, fat, suffisant**
– Période de croissance et d'enrichissement en occident dite les Trente Glorieuses **de 1945 à 1975**
– Journées révolutionnaires à Paris dites les Trois Glorieuses **les 27, 28, 29 juillet 1830**

GLORIFIER
syn. **exalter, célébrer, magnifier**
– Glorifier une personne à l'égal d'un dieu **diviniser, déifier**
– Glorifier Dieu **louer, bénir**
– Se glorifier de ses talents **enorgueillir (s'), flatter (se), targuer (se), vanter (se), prévaloir (se)**
– Poème qui glorifie les exploits d'un personnage **chante**

GLOUTON
– Un grand glouton **gargantua**
– Un individu glouton **goinfre, vorace, goulu**
– Un appétit glouton **insatiable, inassouvissable**

GLUANT
syn. **visqueux, poisseux, glaireux, glutineux**
– Matière gluante et purulente qui s'écoule des yeux infectés **chassie**

GOBELET
syn. **godet**
– Gobelet en métal **timbale**
– Gobelet de soldat **quart**
– Gobelet pour la bière **chope**
– Boîte de cuir ou de bois servant à ranger des gobelets **gobelière**

GOLF
– Terrain de golf **links**
– Partie d'un terrain de golf **green, fairway, rough, bunker**
– Pantalon de golf **knickerbockers**
– Coup au golf **drive, putt, swing**
– Matériel de golf **club, tee**
– Nombre de coups théorique sur un parcours de golf **par**
– Premier coup joué au golf **drive**
– Personne qui porte les clubs de golf **caddie**

GOLFE
voir aussi **baie**
– Golfe scandinave **fjord**
– Sorte de golfe situé à l'embouchure d'un cours d'eau **estuaire, aber, ria**

GOMME
– Gomme de l'hévéa **latex**
– Gomme-résine aromatique **encens, oliban, myrrhe, opopanax, ladanum**
– Maladie de la gomme des arbres **gommose**
– Gomme-résine médicinale **galbanum, assa-fœtida**
– Gomme servant de colle dans la préparation des tissus, des papiers **adragante**

GONFLEMENT
syn. **exagération, inflation**
– Gonflement d'un organe **tumescence, turgescence**
– Gonflement pathologique **tuméfaction, œdème, abcès**
– Gonflement de la joue, de la gencive dû à un abcès dentaire **fluxion**
– Gonflement du tissu cellulaire dû à une infiltration gazeuse **emphysème**
– Gonflement de l'abdomen dû aux gaz gastro-intestinaux **météorisme, tympanisme**
– Gonflement d'un corps sous l'effet de la chaleur **dilatation**

GONFLER

syn. dilater
– La pâte gonfle **lève**
– Un visage gonflé **enflé, bouffi, boursouflé, vultueux**
– Un ventre gonflé **distendu, ballonné**
– Le plâtre gonfle **bouffe**
– Gonfler un chiffre, un résultat **grossir, exagérer, amplifier**
– Tissu qui reste gonflé **bouffant**

GORGE

syn. **gosier, seins**
– Gorge entre deux montagnes **défilé, canyon**
– La gorge d'une femme **poitrine, buste**
– Se rincer la gorge avec un antiseptique **gargariser (se)**
– Ouverture pratiquée dans la gorge pour faciliter la respiration **trachéotomie**
– Affection de la gorge **angine, laryngite, pharyngite, amygdalite**
– Son venant du fond de la gorge **guttural**
– Glande, artère de la gorge **jugulaire**
– Augmentation du volume de la glande thyroïde près de la gorge **goitre**
– Rendre gorge **restituer par force**

– Faire des gorges chaudes de quelque chose **railler, moquer (se)**

GOSIER

syn. **gorge**
– Crier à plein gosier **égosiller (s')**

GOUDRON

– Goudron de houille **coaltar**
– Goudron servant au revêtement des routes **asphalte, bitume**
– Mélange de goudron et de laine utilisé pour l'étanchéité des bateaux **ploc**
– Matière à base de goudrons végétaux **poix**
– Résidu de la distillation des goudrons **brai**

GOUFFRE

voir aussi **précipice**
– Gouffre sous-marin **fosse, abysse**
– Exploration des gouffres **spéléologie**
– Nom régional pour un gouffre **aven, bétoire, igue, emposieu**
– Gouffre sans fond **abîme**

GOULU

voir aussi **glouton**

– Œillade goulue **avide**
– Pois goulu **mange-tout, gourmand**

GOURDIN

voir aussi **bâton**
– Gros gourdin de l'Antiquité et du Moyen Âge **massue**
– Il s'effondra sous les coups de gourdin **matraque, trique**

GOURMAND /1

– Un gourmand délicat **gastronome, gourmet, fine bouche, bec fin**

GOURMAND /2

– Excessivement gourmand **intempérant**
– Être gourmand de chocolat **amateur, friand**

GOURMANDISE

– Savourer des gourmandises **douceurs, chatteries, friandises, sucreries, gâteries**

GOÛT

syn. **attirance, atrait, penchant, préférence, bouquet, saveur, fumet**
– Relatif au goût **gustatif**

ÉCHELLE DES TEMPS GÉOLOGIQUES *(voir aussi illustration p. 298)*				
Ère	Période	Époque	Début en millions d'années	Phénomènes
Archéozoïque	Précambrien		4 600	Origine de la Terre : formation de la croûte, des continents et des océans.
			4 000	Origine de la vie : premières molécules.
			3 800	Roches les plus anciennes connues.
			3 500	Plus anciennes traces fossiles d'organismes vivants.
Protérozoïque	Précambrien		2 500	Atmosphère oxygénée. Reproduction sexuée.
Paléozoïque (primaire)	Cambrien		550	Apparition dans les mers des principaux groupes d'invertébrés (coraux, mollusques…) et des premiers vertébrés.
	Ordovicien		505	Premiers poissons.
	Silurien		438	Premières plantes terrestres.
	Dévonien		408	Premiers insectes et tétrapodes.
	Carbonifère		360	Premiers reptiles.
	Permien		286	Surrection des montagnes hercyniennes et appalachiennes.
Mésozoïque (secondaire)	Trias		245	Premiers dinosaures et mammifères. Domination des reptiles jusqu'à la fin du méozoïque.
	Jurassique		208	Début de l'ouverture de l'océan Pacifique Sud (140-130 millions d'années). Premiers oiseaux.
	Crétacé		114	L'Inde se détache de l'Antarctique (105-100 millions d'années). Premières plantes à fleurs et colonisation des milieux terrestres.
Cénozoïque (tertiaire)	Paléogène	Paléocène	65	Formation des montagnes Rocheuses. Crise crétacé-tertiaire.
		Éocène	57,8	L'Australie se détache de l'Antarctique (45 millions d'années). Premières baleines, premiers singes.
		Oligocène	34	L'Inde entre en collision avec l'Asie (30 millions d'années). Formation des Alpes et de l'Himalaya. Premiers grands singes.
	Néogène	Miocène	23	Premiers hominidés.
		Pliocène	5,3	*Homo habilis.*
(quaternaire)		Pléistocène	1,8	Premiers hommes modernes *(Homo sapiens).* Glaciations.
		Holocène	0,01	Période moderne qui commence il y a environ 10 000 ans.

FIGURES DE GÉOMÉTRIE

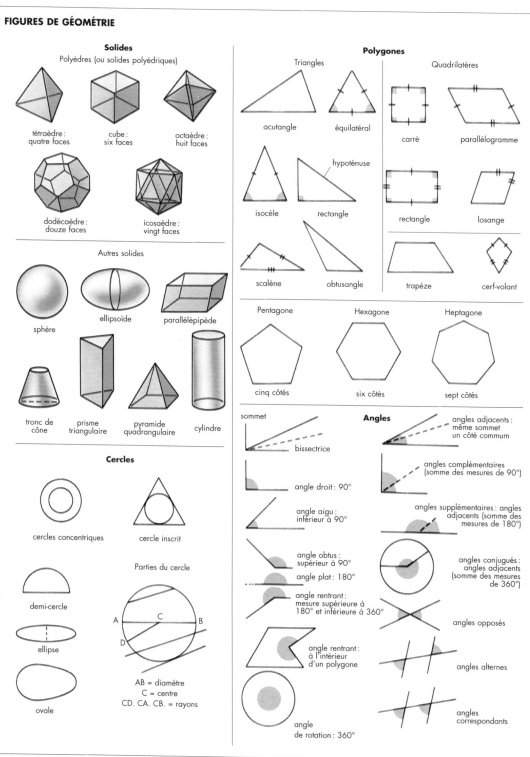

G

– Organe du goût **palais, papilles, langue**
– Vin qui a perdu son goût **éventé**
– Goût d'un aliment **saveur, sapidité**
– Sans goût **fade, insipide**
– Perte du goût **agueusie**
– S'habiller avec goût **élégance, raffinement, dandysme**
– Faire preuve de bon goût **finesse, tact, élégance, délicatesse, recherche, savoir-vivre**
– Avoir le goût des affaires **disposition, penchant, prédilection**
– Goûts diversifiés **éclectiques**

GOÛTER
– Goûter un mets **déguster, savourer, estimer, raffoler**
– Goûter le silence, le repos **apprécier, priser, aimer**
– Goûter du pouvoir **tâter de, expérimenter**

GOUTTE
– Une goutte de lait **nuage**
– Une goutte de vin **doigt, larme**
– Une goutte de rosée **perle**
– Couler goutte à goutte **dégouliner, dégoutter**
– Une substance s'écoulant goutte à goutte **stillatoire**
– Verser goutte à goutte **instiller**
– Compte-gouttes **stilligoutte, pipette**
– Une petite goute d'alcool **doigt, larme**
– Qui est atteint de la goutte **podagre**

GOUTTIÈRE
– Gouttière en zinc **chéneau**
– Gouttière d'un plafond **dégouttière**
– Gouttière d'une corniche **larmier**

GOUVERNAIL
– Gouvernail d'un navire **timon**
– Dispositif permettant d'actionner le gouvernail d'un navire **barre**
– Parties du gouvernail d'un navire **aiguillot, mèche, safran, étambot, fémelot**
– Gouvernail d'un avion **empennage, gouverne, palonnier**
– Tenir le gouvernail à la tête d'un pays **conduire, diriger**

GOUVERNANTE
– Gouvernante de jeunes enfants **nurse**
– Gouvernante qui veille sur une jeune fille **chaperon**
– Gouvernante espagnole **duègne**

GOUVERNEMENT
voir aussi **politique**
– Constituer un gouvernement **cabinet, ministère**
– Ensemble des institutions publiques dirigées par le gouvernement **Administration**

– Mode de gouvernement d'un pays **régime politique**
– Loi fondamentale fixant la forme du gouvernement dans une démocratie **Constitution**
– Gouvernement d'une monarchie par le suppléant du souverain légitime **régence**
– Forme de gouvernement autoritaire **dictature, totalitarisme, despotisme, fascisme, autocratie, tyrannie**
– Gouvernement exercé par une classe privilégiée **oligarchie**
– Gouvernement exercé par les classes riches **ploutocratie**
– Gouvernement où l'autorité de droit divin est exercée par le représentant ou ou le descendant du dieu **théocratie**
– Dans l'Antiquité, gouvernement de cinq dirigeants **pentarchie**

GOUVERNER
syn. **diriger, conduire**
– Gouverner une province **administrer**
– Gouverner un État **régner sur**
– Gouverner un bateau **tenir la barre, barrer**
– Gouverner ses sentiments, ses impulsions **maîtriser, dominer**

GOUVERNEUR
– Gouverneur d'un territoire annexé **vice-roi**
– Gouverneur d'une province dans la Rome antique **légat, procurateur, tétrarque, proconsul**
– Aux Pays-Bas, ancien gouverneur de province **stathouder**
– Gouverneur dans la Perse antique **satrape**
– Gouverneur dans l'Empire ottoman **pacha, bey, voïvode**

GRÂCE
– Se mouvoir avec grâce **aisance, élégance, légèreté**
– La grâce d'une femme **charme, attrait, agrément**
– La grâce alliée à la beauté **vénusté**
– Grâce étudiée, forcée **mignardise**
– Faire quelque chose de bonne grâce **volontiers, de bon gré**
– Obtenir une grâce **faveur**
– Demander grâce **pitié, indulgence, miséricorde, rémission, pardon**
– Don spirituel accordé par grâce divine **charisme**
– Doctrine sur la grâce **jansénisme, molinisme**
– Les Trois Grâces (beauté, bonté, amitié) **Aglaé, Euphrosyne, Thalie**

GRACIEUX
– Une personne gracieuse **charmante, plaisante, accorte**
– Des formes gracieuses **délicates, élégantes**

GRADE
Voir illustrations p. 279, 280
voir aussi **degré**
– Élévation à un grade supérieur **promotion, avancement**
– Grade honorifique élevé **dignité**
– Organisation et classification des grades **hiérarchie**
– Grade comme unité de mesure d'angle plan **gon**
– Sans grade **subalterne, obscur**
– Signe distinctif d'un grade militaire **galon**
– En prendre pour son grade **réprimande**
– Grade universitaire **titre**

GRADUER
– Fait de graduer ou diviser en degrés un thermomètre **graduation**

GRAIN
gren-, grani-
syn. **bourrasque, tempête**
– Grain de céréale **caryopse**
– Enveloppe des grains de céréales **balle**
– En viticulture, grain de raisin **grume**
– Triage du grain **criblage, vannage**
– Enlever les grains d'un épi **égrener**
– Détacher les grains de raisin, les groseilles de la grappe **égrapper**
– Composé de grains **granuleux**
– Lieu où l'on entrepose le grain **silo, grenier**
– Surface présentant des petits grains **grenue, grenée**
– Grain de beauté **nævus, lentigo**
– Métal réduit en petits grains **grenaille, cendrée**
– Un grain de sagesse **brin, pointe, once, goutte, pincée**

GRAINE
syn. **semence**
– Partie de la graine **albumen, tégument, cotylédon, gemmule, radicule**
– Enveloppe de la graine **cosse, glume**
– Graine de légumineuse **vesce**
– Graine de paradis **cardamome**
– Plantes dont les graines sont à l'intérieur d'un fruit **angiospermes**
– Végétaux à graines nues **gymnospermes**

GRAISSE
voir aussi **gras**
lip(o)-, stéar(o)-, stéat(o)-, adip(o)-
– Graisse du cochon **lard, panne**
– Graisse de porc fondue **saindoux, axonge**
– Graisse minérale **vaseline, paraffine, stéarine**
– En mécanique, graisse de lubrification noircie **cambouis**
– Une substance qui a l'aspect de la graisse **lipoïde**
– Formation de graisse de réserve dans l'organisme **adipogenèse**

– Surcharge de graisse dans le tissu cellulaire **adipose, embonpoint, obésité**
– Destruction des graisses de l'organisme **lipolyse**
– Aspiration de l'excès de graisse **liposuccion**
– Graisse animale **suif**

GRAISSER
– Graisser des bottes **oindre, enduire**
– Graisser un roulement à billes **lubrifier, huiler**
– Poêle à frire qui graisse les mains **salit, souille**
– Un vin qui graisse **altère (s')**

GRAMMAIRE
– Faute de grammaire **solécisme, barbarisme**
– Souci exagéré de l'application des règles de grammaire **purisme**

GRAND
voir aussi **géant**
syn. **important, abondant, avancé en âge**
mégalo-, magn-, macro-, méga-
– Un homme grand **élancé**
– Un grand appartement **spacieux**
– Un vêtement grand **ample, large**
– Une grande ville **étendue**
– Un grand trésor **considérable, imposant**
– Une grande douleur **violente, vive, intense**
– Un très grand bonheur **ineffable, indicible**
– Très grand **vaste, immense, démesuré**
– Un grand nom **auguste, illustre, fameux**

GRANDEMENT
– Faire les choses grandement **généreusement, majestueusement**

GRANDEUR
syn. **dimension, taille, étendue**
– Folie des grandeurs **mégalomanie**
– Grandeur d'un phénomène physique **amplitude**
– Grandeur d'un astre **magnitude**
– Grandeur d'âme **noblesse, magnanimité, générosité, élévation**
– Grandeur d'un pays **prospérité, gloire, puissance, richesse**

GRANDIOSE
– Un spectacle grandiose **majestueux, magnifique, sublime**
– Une œuvre grandiose **monumentale, imposante, impressionnante, gigantesque**

GRANDIR
syn. **croître, développer (se), pousser s'étendre, exagérer**

– La rumeur grandit **augmente, intensifie (s'), amplifie (s')**
– Grandir le caractère de quelqu'un **ennoblir, élever, exalter**

GRANGE
– Grange où l'on entrepose le foin **fenil, grenier**
– Grange où l'on conserve la paille **pailler**
– Mettre en grange **engranger**

GRANULÉ
syn. **granulaire, granuleux**

GRAPHIQUE
– Art graphique **dessin, peinture, bande dessinée, affiche**
– Représentation graphique de l'évolution d'un phénomène **courbe, tracé, diagramme**
– Représentation graphique d'une série statistique **histogramme**
– Représentation graphique d'une fonction **graphe**

GRAPPE
– Grappe de bananes **régime**
– Grappe de fleurs **inflorescence, girandole**
– Grappe de fleurs ou de fruits, en termes de botanique **trochet**
– Rameau de vigne avec feuilles et grappes **pampre**

GRAS
voir aussi **gros**
syn. **charnu, bouffi**
– Corps gras **graisse, lipide**

– Substance qui se fixe sur les corps gras des cellules **lipotrope**
– Personne grasse **ronde, replète, plantureuse, dodue, obèse**
– Avoir les cheveux gras **huileux, poisseux**
– Matière grasse sécrétée par des glandes **sébum**
– Membrane, cellule, tissu gras **adipeux**
– Plaisanterie grasse **obscène, licencieuse, graveleuse, vulgaire**
– Gras en art **important, épais, large**

GRATIFICATION
– Gratification remise à un serveur **pourboire**
– Gratification remise à un serveur en Belgique **dringuelle**
– Gratification versée par un employeur **prime, commission, guelte**
– Gratification remise en fin d'année **étrennes**
– Gratifications généreuses **libéralités, largesses**
– Gratification illégale **pot-de-vin, bakchich, dessous-de-table**

GRATIFIER
– Gratifier quelqu'un d'un avantage matériel **doter, nantir, pourvoir, allouer à**
– Gratifier quelqu'un d'un sourire **accorder à, honorer**
– Gratifier quelqu'un des fautes d'un autre **attribuer à, imputer à**

GRATIN
– Le gratin de la société **élite, crème, gotha, fine fleur**

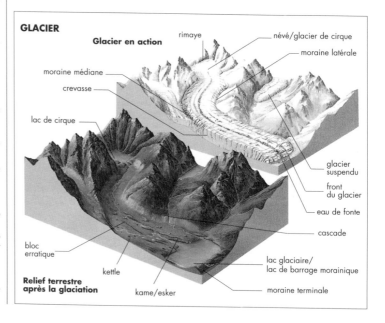

GLACIER

Glacier en action

rimaye
névé/glacier de cirque
moraine latérale
moraine médiane
crevasse
lac de cirque
glacier suspendu
front du glacier
eau de fonte
cascade
bloc erratique
kettle
lac glaciaire/ lac de barrage morainique
Relief terrestre après la glaciation
kame/esker
moraine terminale

GRADES DE LA GENDARMERIE

Officiers généraux
général de division général de brigade

Officiers supérieurs
colonel lieutenant colonel chef d'escadron

Officiers subalternes
capitaine lieutenant sous-lieutenant

Sous-officiers
major adjudant-chef adjudant maréchal des logis-chef gendarme

Gendarmes auxiliaires
maréchal des logis brigadier-chef brigadier 1re classe

képi des gendarmes auxiliaires

GRATITUDE
syn. reconnaissance, gré

GRATTER
– Gratter la surface de quelque chose **racler, râper**
– Gratter la terre **creuser, fouiller**
– Gratter une pierre à la manière d'un sculpteur **riper**
– Affection caractérisée par un violent besoin de se gratter **urticaire, prurigo, dermatose, eczéma**

GRATUIT
– Une entrée gratuite **libre**
– Un spectacle gratuit **gratis**
– À titre gratuit **gracieux**
– Une aide gratuite **bénévole, désintéressée**
– Une accusation gratuite **injustifiée, arbitraire, non fondée**
– Un acte gratuit **irrationnel, immotivé**

GRAVE
syn. décisif, crucial
– Une situation grave **critique, préoccupante, alarmante, dramatique, tragique**
– De graves ennuis **sérieux**
– Une maladie grave **dangereuse, fatale**
– Une personne grave **réservée, posée, circonspecte, austère**
– Un air grave **imposant, rigide, solennel**
– Un ton exagérément grave **doctoral, sentencieux, gourmé, compassé**
– Une voix particulièrement grave **caverneuse, sépulcrale, gutturale**
– La plus grave des voix de femme **contralto**

GRAVER
– Graver sur du métal **buriner**
– Graver une pierre fine **intailler**
– Art de graver les pierres fines ou précieuses **glyptique**
– Pierre gravée **camée, scarabée**
– Graver un bijou **ciseler**
– Cuivre, or gravé **guilloché**
– En archéologie, trait gravé en creux sur une pièce architecturale **glyphe**
– Outil servant à graver **ciseau, burin, échoppe, poinçon, gouge**
– Graver quelque chose dans l'esprit de quelqu'un **imprimer, fixer, incruster**

GRAVEUR
– Graveur de nielles **nielleur**
– Graveur à l'eau-forte **aquafortiste**
– Graveur de médailles **médailliste**

GRAVIR
syn. ascensionner, grimper, parcourir progressivement
– Gravir une montagne **escalader**
– Gravir les échelons **franchir**

GRAVITÉ
syn. sérieux, componction, dignité, majesté
– Lois de la gravité **attraction, gravitation, pesanteur**
– Centre de gravité d'un corps **barycentre**

GRAVURE
– Type de gravure **estampe, eau-forte, aquatinte, mezzotinto**
– Gravure accompagnant le titre d'un livre **frontispice**
– Gravure placée à la fin d'un chapitre **cul-de-lampe**
– Gravure encadrée d'un cartouche **vignette**
– Gravure sur pierre **lithographie**
– Gravure sur bois **xylographie**
– Gravure sur métaux **chalcographie**
– Gravure sur verre **hyalographie**
– Gravure sur bois faite au moyen d'une pointe chauffée **pyrogravure**
– Épreuve de gravure sur bois **fumé**

GREC
syn. hellénique
– Langue grecque contemporaine **démotique**
– Fantassin grec **hoplite, peltaste**
– Courtisane grecque **hétaïre**
– Poète grec **aède**
– Prêtre grec dans l'Antiquité **mystagogue, corybante**
– Partie d'un temple grec **naos, pronaos, opisthodome, propylée, adyton, stoa**
– Temple circulaire grec **tholos**
– Ordre de l'architecture grecque **corinthien, dorique, ionique**
– Vêtement grec dans l'Antiquité **chiton, himation, péplum, chlamyde**
– Ancien instrument de musique grec **diaule, sambuque**
– Dialecte grec ancien **achéen, éolien, ionien, dorien, attique**
– Jupe courte et plissée du costume traditionnel des hommes grecs **fustanelle**
– Soldat grec **evzone**
– Prince héritier grec **diadoque**
– Ancienne monnaie grecque **drachme**
– Vin grec additionné de résine **retsina**
– Relier à la grecque **grecquer, grecquage**

GRADES MILITAIRES

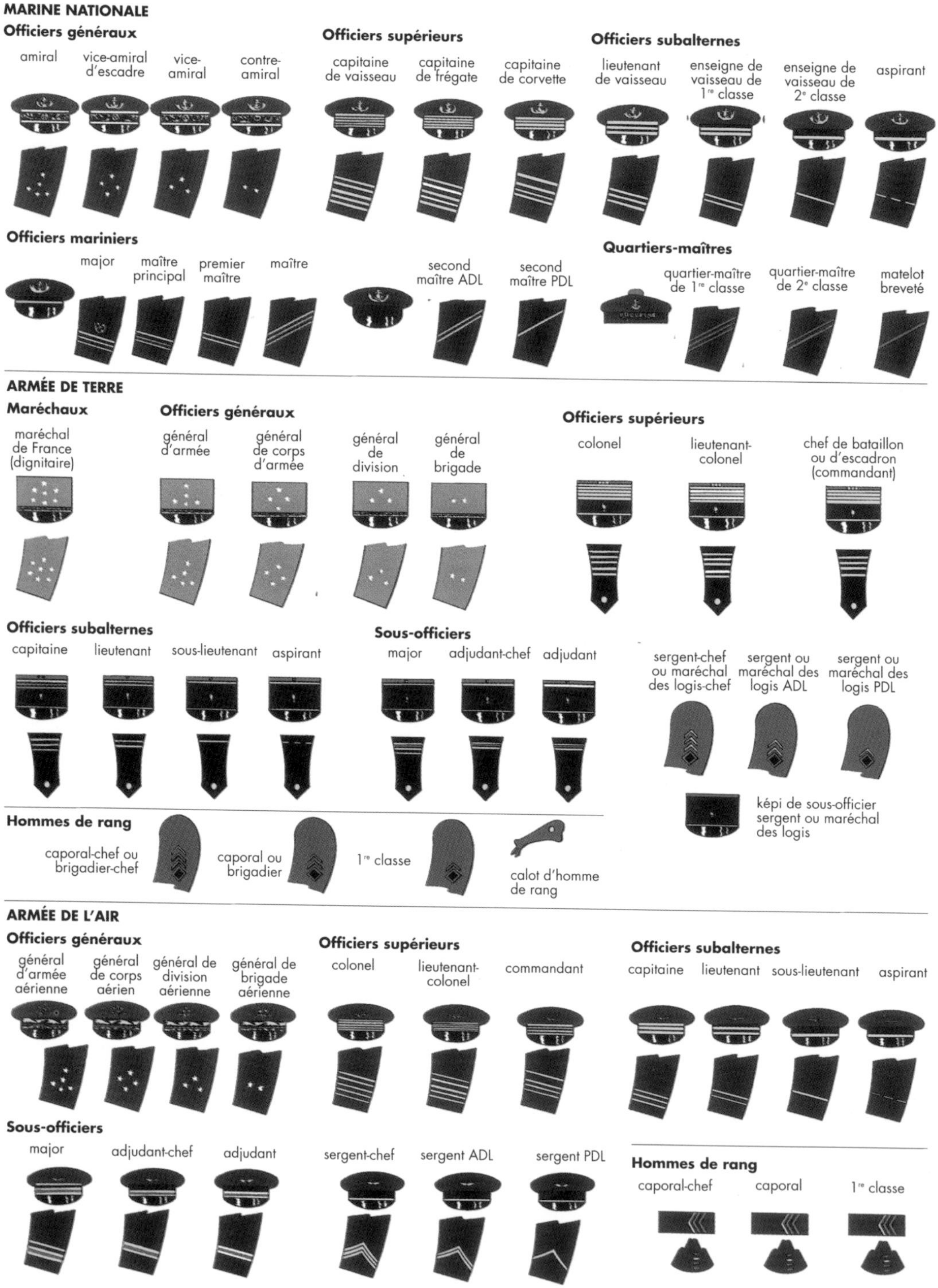
MARINE NATIONALE
Officiers généraux
amiral
vice-amiral d'escadre
vice-amiral
contre-amiral
Officiers supérieurs
capitaine de vaisseau
capitaine de frégate
capitaine de corvette
Officiers subalternes
lieutenant de vaisseau
enseigne de vaisseau de 1re classe
enseigne de vaisseau de 2e classe
aspirant
Officiers mariniers
major
maître principal
premier maître
maître
second maître ADL
second maître PDL
Quartiers-maîtres
quartier-maître de 1re classe
quartier-maître de 2e classe
matelot breveté
ARMÉE DE TERRE
Maréchaux
maréchal de France (dignitaire)
Officiers généraux
général d'armée
général de corps d'armée
général de division
général de brigade
Officiers supérieurs
colonel
lieutenant-colonel
chef de bataillon ou d'escadron (commandant)
Officiers subalternes
capitaine
lieutenant
sous-lieutenant
aspirant
Sous-officiers
major
adjudant-chef
adjudant
sergent-chef ou maréchal des logis-chef
sergent ou maréchal des logis ADL
sergent ou maréchal des logis PDL
képi de sous-officier sergent ou maréchal des logis
Hommes de rang
caporal-chef ou brigadier-chef
caporal ou brigadier
1re classe
calot d'homme de rang
ARMÉE DE L'AIR
Officiers généraux
général d'armée aérienne
général de corps aérien
général de division aérienne
général de brigade aérienne
Officiers supérieurs
colonel
lieutenant-colonel
commandant
Officiers subalternes
capitaine
lieutenant
sous-lieutenant
aspirant
Sous-officiers
major
adjudant-chef
adjudant
sergent-chef
sergent ADL
sergent PDL
Hommes de rang
caporal-chef
caporal
1re classe

GREFFE
– Greffe végétale **écusson, ente, scion**
– Arbre sur lequel l'arboriculteur peut implanter une greffe **sauvageon**
– Greffe chirurgicale **autoplastie, hétéroplastie, anaplastie, parabiose**
– Greffe de la cornée **kératoplastie**

GRÊLE /1
– Grêle printanière **grésil**

GRÊLE /2
syn. **gracile, fluet, filiforme, menu**
– Les deux zones de l'intestin grêle **jéjunum, iléon**
– Longueur de l'intestin grêle chez l'adulte **6-8 mètres**

GRENAT
– Variété de grenat **almandin, escarboucle**
– Grenat noir des Pyrénées **pyrénéite**

GRENIER
syn. **mansarde, attique, galetas**
– Grenier à foin **grange, fenil, pailler**
– Grenier à céréales **magasin**

GRÈVE
syn. **rivage**
– Se mettre en grève **débrayer**
– Briseur de grève **jaune**
– Fermeture d'une entreprise en réaction à un mouvement de grève **lock-out**

GRIEF
– Grief exprimé **plainte, doléance, récrimination, reproche**
– Nourrir des griefs contre quelqu'un **rancune, rancœur, ressentiment**
– Griefs d'accusation **réquisitoire**
– Faire grief de quelque chose à quelqu'un **blâmer, incriminer**

GRIFFE
syn. **style, marque**
– Griffes des rapaces **serres**
– Griffe du coq **ergot, éperon**
– Griffe d'un chien en termes de vénerie **harpe**
– La griffe d'un romancier **empreinte, style, marque**
– Vêtement auquel on a retiré sa griffe d'origine **dégriffé, démarqué**

GRIFFER
– Griffer légèrement **égratigner, érafler**

GRIGNOTER
syn. **ronger**
– Grignoter son héritage **manger, dissiper, dilapider**

GRILLE
syn. **barrière, clôture**
– Grille à l'entrée d'une forteresse **herse**

– Pointes et aspérités disposées au sommet d'une grille **barbelures**
– Montant renforçant une grille **pilastre**
– Grille de filtrage d'un bassin **crapaudine**

GRILLER
voir aussi **brûler**
– Faire griller une viande **rôtir**
– Plat à base de viande grillée **carbonnade**
– Être grillé par un feu trop intense **calciné**
– Griller du café, du tabac **torréfier**

GRIMACE
– Grimace expressive **mimique**
– Ne pas aimer les grimaces **simagrées, mines, minauderies**
– Grimace de dégoût ou de mécontentement **moue, lippe**
– Grimace de douleur **rictus, crispation**
– Grimace nerveuse **tic**

GRIMPER
– Grimper une côte **gravir**
– Grimper sur un rocher **escalader**
– Grimper à l'aide des bras et des jambes **hisser (se)**
– Un chat grimpé sur un arbre **perché, juché**

GRINÇANT
– Son grinçant **discordant, dissonant**
– Propos grinçants **mordants**
– Ton grinçant **amer, irrité**

GRINCER
syn. **crisser**
– La porte grince **crie, couine**
– Fait de grincer des dents pendant le sommeil ou la veille **bruxomanie, bruxisme**

GRINCHEUX
syn. **revêche, grognon, hargneux, acariâtre**

GRIPPE
– Grippe épidémique **influenza**
– Prendre en grippe **haïr, détester, avoir une antiphaie soudaine**

GRIPPE-SOU
syn. **avare, ladre, harpagon, fesse-mathieu**

GRIS
– Cheveux gris **argentés, poivre et sel**
– Devenir gris **grisonner**
– Être gris **éméché, gai**
– Matière grise **intelligence, réflexion**
– Une vie grise et triste **maussade, terne, morne**
– Un temps gris **couvert, brumeux**
– Être un peu gris **saoul, ivre**

GRISER
– Vin qui grise **enivre, saoule**
– Ses victoires l'ont grisé **étourdi, excité**
– Se griser de belles paroles **exalter (s'), repaître (se)**

GRIVE
syn. **draine**
– Ordre auquel appartient la grive **passériformes**
– Famille à laquelle appartient la grive **turdidés**
– Variété de grive **vendangette, jocasse, litorne, mauvis**
– Chant de la grive **babil**

GROGNER
– Grogner de contrariété **bougonner, maugréer**
– Grogner une injure **marmotter, marmonner**
– Grogner à la manière d'un sanglier **grommeler**

GROGNON
syn. **bougon, grincheux, bourru, rogue**

GROMMELER
syn. **bougonner, grogner, gronder, maugréer, ronchonner**

GRONDEMENT
– Grondement d'un avion **ronflement, vrombissement**

GRONDER
– Gronder un enfant **réprimander, chapitrer, admonester, gourmander, morigéner, tancer**
– L'orage gronde **tonne**

GROS
syn. **gras**
– Être gros **corpulent, fort, massif**
– Un homme gros et de petite stature **trapu**
– Excessivement gros **obèse**
– Homme qui a un gros ventre **bedonnant, pansu, ventripotent**
– Une bouche pourvue de grosses lèvres **lippue**
– Être dont la tête est excessivement grosse **macrocéphale**
– Une grosse poitrine **épanouie, opulente, généreuse**
– Une grosse ration **copieuse, abondante**
– Une grosse somme **rondelette, considérable, astronomique**
– Un gros fermier, un gros banquier **important, influent**
– En gros **dans l'ensemble, globalement**
– Gros mot **injure, grossièreté, insulte, juron**
– Un gros paquet **volumineux**

GROSSESSE

voir aussi **accouchement, fœtus**
syn. **gestation, maternité**
– Relatif à la grossesse **gravidique**
– Hormone favorisant l'évolution de la grossesse **progestérone**
– Grossesse extra-utérine **ectopique, tubaire, péritonéale, ovarienne**
– Interruption de grossesse **avortement**
– Masque de grossesse **chloasma**

GROSSEUR

syn. **dimension, largeur, taille, volume**
– Grosseur d'une personne **embonpoint, corpulence**
– Une grosseur excessive **obésité, polysarcie**
– Grosseur anormale d'un organe **hypertrophie**
– Grosseur d'un projectile **calibre**
– Grosseur inquiétante **abcès, excroissance, kyste, tumeur**

GROSSIER

syn. **inculte**
– Un individu grossier **discourtois, mal dégrossi, rustre**
– Un grossier personnage **mufle, goujat, malotru, malappris, butor**
– Des paroles grossières **inconvenantes, vulgaires, ordurières, crues, triviales**
– Une étoffe grossière **ordinaire**
– Des manières grossières **frustes, rudes**
– Une arme grossière **rudimentaire**
– Un mensonge grossier **cousu de fil blanc, maladroit**
– Un examen grossier **imparfait, sommaire, approximatif, élémentaire**

GROSSIÈRETÉ

– Dire des grossièretés **jurons, ordures, obscénités, incongruités, saletés**

GROSSIR

voir aussi **augmenter**
– Aliment faisant grossir **engraisser, empâter, forcir**
– L'abcès grossit **enfle, gonfle**
– Grossir un événement **exagérer, dramatiser, amplifier**
– Grossir le nombre des manifestants **accroître, augmenter, renforcer**

GROTESQUE

– Un personnage grotesque **extravagant, bouffon, ridicule, risible**
– Un costume grotesque **cocasse, burlesque**
– Le genre grotesque **caricatural**

GROTTE *Voir illustration ci-contre*

syn. **caverne**
– Une grotte naturelle **cavité, excavation**
– Grotte provençale **baume**
– Dans l'Antiquité, grotte consacrée aux nymphes **nymphée**
– Nymphes des grottes **oréades**
– Grotte servant de refuge à un animal **antre**
– Étude et exploration des grottes **spéléologie**
– Habitant d'une grotte **troglodyte**
– Concrétion calcaire à l'intérieur d'une grotte **stalactite, stalagmite**

GROUILLER

– Des vers grouillent sur le fromage **fourmillent, pullulent**
– Grouiller de monde **abonder en, être plein de**
– Se grouiller pour ne pas être en retard **hâter (se), dépêcher (se)**

GROUPE

voir aussi **clan, bande**
– Groupe nombreux et compact **essaim**
– Groupe littéraire ou artistique très exclusif **club, cercle, cénacle, chapelle**
– Groupe de personnes formant une élite **pléiade**
– Groupe de musiciens **trio, quatuor, quintette, sextuor, septuor, octuor**
– Groupe vivant en communauté **phalanstère**
– Groupe de plusieurs clans dans une société tribale **phratrie**
– Groupe de cyclistes ou de coureurs **peloton**
– Groupe militaire autonome **commando**

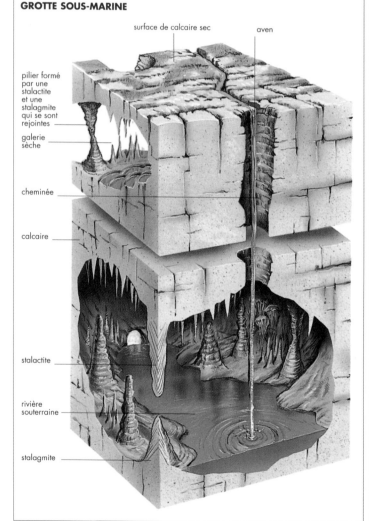

GROTTE SOUS-MARINE

surface de calcaire sec

aven

pilier formé par une stalactite et une stalagmite qui se sont rejointes

galerie sèche

cheminée

calcaire

stalactite

rivière souterraine

stalagmite

– Petit groupe de militaires **escouade**
– Groupe de pression **lobby**
– Groupe financier **trust, holding**
– Instinct, esprit de groupe **grégarisme**
– Groupe d'étoiles **constellation**
– Groupe de véhicules voyageant ensemble **convoi**
– Étude des divers groupes humains **ethnologie, anthropologie**

GROUPEMENT
voir aussi **union**
– Groupement politique **coalition, front**
– Groupement d'adhérents à la base d'un parti politique **cellule**
– Groupement d'hommes ou d'objets en un point précis **concentration**
– Groupement de plusieurs États **fédération**
– Groupement de plusieurs entreprises **trust, GIE (groupement d'intérêt économique)**
– Groupement d'éléments disparates **amalgame, macédoine**

GROUPER
syn. **assembler, réunir, coaliser**
– Grouper par catégories **classer**
– Grouper des objets **amasser, collectionner**

GRUE
– Ordre auquel appartient la grue **échassiers, ralliformes**
– Cri de la grue **craquètement, glapissement**
– Grue très puissante utilisée dans la marine **bigue**

GRUYÈRE *Voir tableau fromages, p. 257*
syn. **emmental, comté, vacherin**
– Liquide fermenté utilisé dans la fabrication du gruyère **aisy**

GUENILLE
– Individu misérable vêtu de guenilles **haillons, hardes, oripeaux, défroque, frusques**

GUÊPE
– Ordre auquel appartient la guêpe **hyménoptères**
– Famille à laquelle appartient la guêpe **vespidés**
– Grande guêpe **frelon, sphex**
– Variété de guêpes vivant dans nos régions **poliste**
– Désigne un nid de guêpes et le fait de se placer dans une situation critique **guêpier**

GUÉRIR
– Guérir d'une maladie **rétablir (se), recouvrer la santé**
– Traitement employé pour guérir **curatif, thérapeutique**

GUITARE

chevilles mécaniques
réglage de la barre de tension
sillet
barrette/frette
repères de touche
touche
micro de fréquences aiguës
micro de fréquences intermédiaires
micro de fréquences graves
caisse
chevalet
tête
première corde (aiguë)
manche
sixième corde (grave)
plaque de protection
bras de vibrato
sélecteur de micro
réglage du volume
réglage de la tonalité
prise jack

– Remède universel censé guérir toutes les maladies **panacée**
– Guérir un chagrin **soulager, adoucir, apaiser, atténuer, calmer**
– Guérir d'un défaut **corriger, débarrasser de (se), s'amender**

GUÉRISON
– En voie de guérison **convalescence**

GUÉRISSEUR
– Guérisseur qui soigne les fractures et les luxations **rebouteux**
– Prêtre guérisseur chez certaines peuplades primitives **chaman**
– Mauvais guérisseur, dans certaines régions **mége**

GUÉRITE
– Guérite à toit conique placée à l'angle d'un édifice **poivrière**
– Ancienne guérite en bois montée sur des remparts **échiffre**
– Par dérision, guérite où l'on se confesse **confessionnal**

– Guérite de guet en pierre **échauguette**

GUERRE
voir aussi **armée**
– Un peuple en guerre **belligérant**
– Tendance à prôner la guerre **bellicisme**
– Tout acte pouvant entraîner une déclaration de guerre **casus belli**
– Engager la guerre **hostilités**
– Guerre de harcèlement **guérilla**
– Soldat de la Première Guerre mondiale **poilu**
– Militaire qui passe à l'ennemi en temps de guerre **transfuge, traître**
– Droit pour une nation en guerre de réquisitionner des navires neutres dans ses eaux territoriales **angarie**
– Tribunal exceptionnel fonctionnant en temps de guerre **cour martiale**
– Interruption provisoire des combats pendant une guerre **trêve, armistice, cessez-le-feu**
– Étude sociologique de la guerre **polémologie**
– Guerre sainte chrétienne **croisade**

– Divinité de la guerre **Arès, Mars, Bellone**
– Nom donné à la guerre sainte islamique **djihad**
– La guerre des pierres **Intifada**
– Guerre éclair **blitzkrieg**

GUETTER
– Guetter l'apparition de quelque chose **être à l'affût, être aux aguets**
– Guetter inlassablement un ennemi **épier, surveiller**

GUEULE
– Gueule d'un haut fourneau par où s'effectue le chargement **gueulard**

GUEUX
– La vie misérable d'un gueux **vagabond, mendiant, hère, miséreux, va-nu-pieds**

GUICHET
– Petit guichet grillagé **judas**
– Guichet dans une administration **hygiaphone**
– Guichet automatique d'une banque **distributeur, billetterie**

GUIDE
voir aussi **conducteur**
– Guide des touristes dans un pays étranger **cicérone**
– Guide spirituel **gourou, égérie**
– Guide de bon conseil **mentor**
– Guide et porteur de montagne népalais **sherpa**
– Guide servant à conduire un animal **rêne**

GUIDER
syn. **conduire, mener, piloter**
– Guider quelqu'un intellectuellement ou moralement **conseiller, éclairer, orienter, aiguiller**
– Règles qui guident ses choix **dictent, déterminent, commandent**
– Engin guidé par la radio **téléguidé, radioguidé**
– Système de localisation qui guide les automobilistes ou les navigateurs par satellites **GPS**
– Se guider sur un astre **repérer (se)**

GUIDON
– Guidon servant d'emblème militaire **fanion, drapeau, étendard**
– Guidon adopté par les rois de France **oriflamme**
– Officier qui portait le guidon **enseigne**

GUIGNOL
syn. **pantin, charlot**

GUILLOTINE
– Plate-forme de la guillotine **échafaud**
– Supplice de la guillotine **décapitation, exécution**

GUINDÉ
– Air guindé **affecté, prétentieux, solennel, gourmé, compassé**
– Style guindé **emphatique, apprêté, pompeux, grandiloquent, ampoulé**

GUIRLANDE
– Guirlande de branchages sculptée ou peinte **rinceau**

– Guirlande de fleurs et de feuilles **feston**
– Guirlande de lanternes ou d'ampoules électriques **girandole**

GUITARE *Voir illustration p. 283*
– Petit accessoire utilisé pour jouer de la guitare **médiator, plectre**
– Barre permettant de changer la tonalité d'une guitare **capodastre**
– Figuration graphique des sons pour la guitare **tablature**

GYMNASE
voir aussi **stade**
– Gymnase de la Grèce antique **palestre**
– Partie couverte d'un gymnase antique **xyste**
– Magistrat chargé de la surveillance des gymnases dans l'Antiquité **gymnasiarque**

GYMNASTIQUE
syn. **athlétisme**
– Gymnastique naturelle **hébertisme**
– Appareil de gymnastique **barres asymétriques, barres parallèles, barre fixe, agrès, cheval d'arçon, haltère, trapèze, anneaux, espalier, poutre**

GYPSE
– Variété de gypse blanc **albâtre, alabastrite**

HABILE

– Il est habile de ses mains **adroit, fin**
– Un travailleur habile **exercé, compé- tent, expérimenté**
– Elle s'est fait opérer par un chirurgien très habile **émérite**
– Habile en affaires **malin, futé, roué, calculateur, machiavélique**
– Une manœuvre habile **subtile, astu- cieuse, ingénieuse**

HABILEMENT

– Passer habilement entre des obstacles **faufiler (se), slalomer**
– Éviter habilement **éluder, esquiver**

HABILETÉ

syn. **savoir-faire**
– Faire preuve d'habileté manuelle **dex- térité, adresse**
– Grande habileté dans l'exécution d'une œuvre musicale **virtuosité, brio, maes- tria, maîtrise**
– Habileté d'un politicien roué **artifices, machiavélisme**
– Habileté dans les relations sociales **doigté, diplomatie, entregent, finesse**
– Manque d'habileté dans la fonction que l'on exerce **impéritie, incompétence**

HABILLEMENT *Voir tableau couture, p. 158, et illustration modes et styles, p. 378-379*

syn. **vêtement, mode, prêt-à-porter, sur mesure, haute couture**
– Les métiers de l'habillement **confec- tion, couture, bonneterie, lingerie**
– Habillement propre à une région **cos- tume**
– Habillement extravagant **accoutre- ment, affublement**

HABILLER

– Habiller avec élégance et recherche **parer**
– Habiller quelqu'un de façon ridicule **affubler, accoutrer, attifer, endiman- cher**
– Il est toujours mal habillé **fagoté**
– Être habillé d'une large pièce d'étoffe **drapé**

HABILLER (S')

– S'habiller pour sortir **vêtir (se)**
– S'habiller chaudement **couvrir (se), s'emmitoufler**
– S'habiller pour un carnaval **déguiser (se), costumer (se), travestir (se)**

HABIT

syn. **vêtement, effets**
– Un habit de Pierrot, de Zorro **costume, déguisement**
– Habit militaire **uniforme, treillis**
– Habits misérables **frusques, oripeaux, haillons, guenilles, hardes**
– Habit de cérémonie **frac, smoking, queue-de-pie**
– Habits de couleur distinctive portés par un domestique **livrée**

HABITANT *Voir tableau p. 287*

– Les habitants d'une nation **citoyens**
– Habitant d'un royaume **sujet**
– Habitant originaire du pays où il vit **autochtone, aborigène, indigène**
– Habitant d'une île **insulaire**
– Habitant d'une grotte **troglodyte**
– Habitant d'autres planètes **extraterres- tre, martien**
– Habitant d'une ville **citadin, bourgeois**
– Habitant d'un village **villageois**
– Habitant d'une rue **riverain**
– Le maire s'adresse aux habitants de la commune **administrés**
– Un bourg de mille habitants **âmes**
– Nom donné aux habitants d'un endroit **gentilé**

HABITATION

syn. **logis, gîte, domicile**
– Il nous a décrit sa nouvelle habitation **demeure, logement, résidence**
– Habitation aménagée dans un ancien atelier **loft**
– Habitation modeste **masure, cabane, case, mansarde**
– Habitation repoussante **taudis, gale- tas**
– Habitation destinée à un membre du clergé **cure, presbytère, doyenné**
– Habitation russe **datcha, isba**
– Sans habitation fixe **nomade, SDF**
– Habitation amérindienne en forme de hutte ou tente **tipi, wigwam**

HABITER

– Habiter à la campagne **loger, résider, demeurer**
– Habiter un studio **occuper**
– Aller habiter dans un nouveau lieu **éta- blir (s'), fixer (se), emménager, élire domicile**
– Habiter un lieu de façon provisoire **séjourner**
– Être habité par une obsession **possédé, hanté, poursuivi, en proie à**

HABITUDE

– Formation d'une habitude **accoutu- mance**
– Habitude un peu ridicule **manie, tic, marotte**
– Habitude de faire quelque chose **auto- matisme, routine, réflexe**
– Habitudes communes à un groupe social **coutumes, usages, mœurs, us, pratiques, rites, traditions**
– Avoir l'habitude des enfants **pratique, expérience**

HABITUÉ

– Habitué d'un lieu **familier**
– Habitué à qui l'on garde sa place à table **commensal**
– Habitué des bars **pilier de bar**

HABITUEL

– Un procédé habituel **usuel, courant, normal, régulier**
– Une tâche habituelle **ordinaire, cou- tumière, machinale**
– Le discours habituel **rituel, tradition- nel**
– La formule habituelle **consacrée, classique**

HABITUER

– Habituer à une tâche **rompre à, exer- cer à, entraîner à**
– Habituer quelqu'un de force à une disci- pline **plier**
– Habituer à faire face à des difficultés **endurcir, aguerrir**

HABITUER (S')
– S'habituer à un nouveau milieu **adapter (s'), acclimater (s'), intégrer (s')**
– S'habituer à quelqu'un ou à quelque chose **familiariser avec (se)**

HACHE
– Hache de bûcheron **cognée, merlin**
– Hache de tonnelier **doloire, cochoir**
– Petite hache de boucherie **hansart**
– Hache à deux tranchants **bipenne**
– Petite hache à fer recourbé et à long manche **herminette**
– Ancienne hache de guerre à deux tranchants et emblème du gouvernement de Vichy **francisque**
– Instrument ancien servant de hache et de marteau **tille**
– Hache de guerre indienne **tomahawk**
– Forte hache montée sur un très long manche et utilisée pour la guerre **hache d'armes**

HACHER
– Le hoquet hache son discours **interrompt, entrecoupe**

HAIE
– Il a une haie dans son jardin **brise-vent**
– Plante utilisée pour les haies **lamier, aubépine, thuya, viorne, bryone**
– Haie de charmes **charmille**
– Petit bois ou taillis fermé de haies **breuil**
– Paysage composé de champs entourés de haies **bocage**
– Nom des haies dans le midi de la France **baragnes**
– Haie faite d'arbustes, dans les campagnes du centre de la France **bouchure**
– Petite échelle pour franchir les haies **échalier**

HAINE
mis(o)-
– Concevoir de la haine pour quelqu'un **animosité, inimitié, détestation**
– Haine sourde et persistante **ressentiment, rancune**
– Haine instinctive **antipathie**
– Haine profonde et violente **aversion, animadversion, répulsion, exécration**
– Paroles pleines de haine **fiel, venin**
– Haine des femmes **misogynie**
– Haine des hommes **androphobie, misandrie**
– Haine de l'humanité **misanthropie**
– Haine des étrangers **xénophobie**

HAINEUX
– Un ton haineux **agressif, hargneux, hostile**
– Un supérieur haineux **méchant, malveillant**

HAÏR
– Haïr une personne **détester**

– Haïr de façon instinctive et violente **exécrer, abhorrer, abominer, honnir**

HÂLÉ
syn. **tiré, remorqué**
– Une peau hâlée **dorée, bronzée, cuivrée, basanée, bistrée, mate**
– Le visage hâlé du marin **tanné, boucané**

HALEINE
– Hors d'haleine **essoufflé, haletant, à bout de souffle**
– Nous tient en haleine **suspense**

HALETANT
– Être haletant **essoufflé, pantelant, hors d'haleine**

HALL
– Ils sont reçus dans le hall **entrée, vestibule, antichambre**

HALLE
– Les halles du centre-ville **marché**
– Une halle aux vêtements **entrepôt, magasin**

HALLUCINATION
– Avoir des hallucinations **visions, apparitions, illusions**
– Hallucination éprouvée dans un désert **mirage**
– Provoque des hallucinations **drogue**
– Hallucination visuelle précédant le sommeil **hypnagogique**
– Hallucination consistant à voir des animaux effrayants **zoopsie**

HALTE
– Halte de courte durée **pause, répit**
– Longue halte **station**
– Halte au cours d'un voyage **escale, étape**
– Aménagement conçu pour les haltes sur l'autoroute **aire de repos**
– L'évolution de sa maladie n'a pas connu de halte **accalmie, pause, répit**

HANCHE
– La hanche en fait partie **bassin**
– De la hanche **sciatique, coxal**
– Relatif à l'articulation de la hanche **ischiatique**
– Os de la hanche **iliaque**
– Douleur de la hanche **coxalgie**
– Malformation congénitale de la hanche **luxation**

HANDICAP
– Souffrir d'un handicap **infirmité, malformation, invalidité**
– C'est un handicap **inconvénient, obstacle, désavantage, frein**
– En turf, handicap pour chevaux de trois ans et plus **omnium**

HANGAR
– Le matériel est rangé dans le hangar **entrepôt, remise**
– Petit hangar **resserre, appentis**
– Ensemble de hangars dans un port **docks**
– Petit hangar où l'on remise les charrues **chartil**
– Hangar à foin, à paille **fenil, pailler**
– Hangar à locomotives **rotonde**
– Hangar à bateaux aux Antilles **carbet**

HANTER
– Les souvenirs hantent sa mémoire **peuplent**
– Cette idée la hante **obsède, poursuit, persécute, harcèle, ronge**
– Dis-moi qui tu hantes **fréquentes**

HARAS
– Cheval mâle de haras **étalon**
– Objectif d'un haras **reproduction, élevage, sélection**

HARASSÉ
– Il est harassé par son travail **exténué, épuisé, fatigué, éreinté, lessivé, crevé, las, fourbu, rompu, brisé**

HARCELER
– Harceler quelqu'un de paroles **importuner, tarabuster**
– Harceler quelqu'un de critiques **houspiller**
– Harceler quelqu'un de questions **presser, assaillir, asticoter, mitrailler**
– Le remords vient sans cesse le harceler **tourmenter, obséder, talonner, miner, ronger**

HARDI
– Une personne hardie **décidée, résolue, déterminée, intrépide, téméraire**
– Une entreprise hardie **audacieuse**
– Hardi auprès des femmes **entreprenant**
– Quelques pages un peu hardies **osées, lestes, licencieuses**
– Une conception hardie **avant-gardiste, originale, novatrice**

HARDIESSE
– Il fait preuve d'une grande hardiesse **courage, bravoure, vaillance**
– Hardiesse imprudente **témérité**
– Hardiesse insolente **impudence, toupet, impertinence, arrogance, culot**

HARENG
– Famille et ordre à laquelle appartient le hareng **clupéidés, clupéiformes**
– Hareng salé et fumé **saur, kipper**
– Hareng séché depuis peu de temps **saurin**
– Hareng mariné au vin blanc **rollmops**
– Hareng sans œufs ni laitance **guai**
– Bateau de pêche aux harengs **trinquart**

COMMENT SE NOMMENT LES HABITANTS DE... ?

Ville	Habitants	Ville	Habitants	Ville	Habitants
Agde	Agathois	Erquy	Réginéens ou Rhoeginéens	Privas	Privadois
Aigle (L')	Aiglons	Eu	Eudois	Puteaux	Putéoliens
Aire-sur-l'Adour	Aturins	Évreux	Ébroïciens	Puy (Le)	Podiens, Ponots ou Aniciens
Aix-en-Provence	Aquisextains ou Aixois	Fère-Champenoise	Fertons ou Féretons		
Aubervilliers	Albertivilliariens	Firminy	Appelous	Rambervillers	Rambuvetais
Amboise	Amboisiens	Foix	Fuxéens	Rambouillet	Rambolitains
Angoulême	Angoumoisins	Fontainebleau	Bellifontains	Ré (île de)	Rhétais ou Rétais
Apremont-la-Forêt	Asperomontais	Fontenay-aux-Roses	Fontenaisiens	Remiremont	Romarimontains ou Remiremontains
Arras	Arrageois	Forges-les-Eaux	Forgions	Rive-de-Gier	Ripagériens
Athis-Mons	Athégiens	Fougères	Fougerais	Rodez	Ruthénois
Aubenas	Albenassiens	Gap	Gapençais	Rueil-Malmaison	Rueillois ou Reuillois
Auch	Auscitains	Gérardmer	Géromois	Sables-d'Olonne (Les)	Sablais
Auray	Alréens	Gex	Gessiens ou Gexois		
Bagnères-de-Bigorre	Bagnérais ou Bigourdans	Groix (île de)	Groisillons ou Grésillons	Saint-Amand-les-Eaux	Amandinois ou Saint-Amandinois
Bagneux	Balnéolais	Guéret	Guérétois		
Bains-en-Vosges	Benous	Issy-les-Moulineaux	Isséens	Saint-Brieuc	Briochins
Banyuls-sur-Mer	Banyulencs, Banyulencques ou Banyulais	Ivry-sur-Seine	Ivryens	Saint-Cloud	Clodoaldiens
		Joigny	Joviniens	Saint-Denis	Dionysiens
Bar-le-Duc	Barisiens	Lagny-sur-Marne	Laniaciens ou Latigniaciens	Saint-Dié	Déodatiens
Bar-sur-Aube	Baralbins ou Barsuraubois	Lapalisse	Lapalissois ou Palissois	Saint-Dizier	Bragards
Bar-sur-Seine	Barrois ou Barséquanais	Limoges	Limougeauds	Saint-Flour	Sanflorains
Bayeux	Bayeusains ou Bajocasses	Lisieux	Lexoviens	Saint-Jean-d'Angély	Angériens
Besançon	Bisontins	Lons-le-Saunier	Lédoniens	Saint-Junien	Saint-Juniauds
Béziers	Biterrois	Loupe (La)	Loupiots ou Loupéens	Saint-Lô	Saint-Lois ou Laudiens
Biarritz	Biarrots	Louviers	Lovériens	Saint-Mihiel	Sammiellois ou Saint-Mihielois
Blois	Blésois	Luchon	Luchonnais ou Bagnérais		
Bobigny	Balbyniens	Lusignan	Mélusins	Saint-Nicolas-en-Forêt	Nico-Forestiers
Bourg	Bourquais	Luxeuil-les-Bains	Luxoviens		
Bourg-en-Bresse	Bressans ou Burgiens	Malakoff	Malakoffiots	Saint-Omer	Audomarois
Bourges	Berruyers	Mans (Le)	Manceaux	Saint-Ouen	Audoniens
Bourg-la-Reine	Réginaborgiens ou Burgo-Réginiens	Martigues	Martégaux ou Martegallais	Saint-Paul-Trois-Châteaux	Tricastins ou Tricastinois
Bourg-Saint-Andéol	Bourguesans	Masseube	Massylvains		
Bourg-Saint-Maurice	Borains	Meaux	Meldois	Saint-Pierre-des-Corps	Corpopétrussiens
Briey	Briotins	Metz	Messins	Saint-Pol-de-Léon	Saint-Politains ou Léonards
Brive-la-Gaillarde	Brivistes	Meung-sur-Loire	Magdunois		
Cahors	Cadurciens	Millau	Millavois	Saint-Pol-sur-Ternoise	Saint-Polois ou Paulopolitains
Casteljaloux	Casteljalousains	Mirepoix	Mirapiciens		
Chantilly	Cantiliens	Mondoubleau	Mondoublotiers	Saint-Yrieix-la-Perche	Arédiens
Charleville-Mézières	Carolomacériens	Montaigu	Montacutains	Salses-le-Château	Salséens
Châteaudun	Dunois ou Casteldunois	Montauban	Montalbanais	Saulieu	Sédélociens
Château-Gontier	Castrogontériens	Mont-de-Marsan	Montois	Sceaux	Scéens
Châteaulin	Castellinois ou Châteaulinois	Montdidier	Montdidériens	Sées	Sagiens
Châteauroux	Castelroussins	Montélimar	Montiliens	Sens	Sénonais
Château-Thierry	Castrothéodoriciens	Morteau	Mortuaciens	Tain-l'Hermitage	Tainois
Châteauvillain	Castelvillanois	Moulins	Moulinois	Tartas	Tarusates
Châtenois	Castiniens	Nantua	Nantuatiens	Tourcoing	Tourquennois
Chatou	Catoviens	Nevers	Nivernais ou Neversois	Tour-du-Pin (La)	Turpinois ou Turripinois
Choisy-le-Roi	Choisyens	Nuits	Nuitons	Tréguier	Trégorrois ou Trécorrois
Ciotat (La)	Ciotadens	Orange	Orangeois	Tulle	Tullistes
Clermont-Ferrand	Clermontois	Paimbœuf	Paimblotins	Vannes	Vannetais
Collioure	Colliourencs	Pamiers	Appaméens	Vanves	Vanvéens ou Vanvistes
Coulommiers	Columériens	Paray-le-Monial	Parodiens	Vésinet (Le)	Vésigondins ou Vésinettois
Créteil	Cristoliens	Pau	Palois		
Creusot (Le)	Creusotins	Périgueux	Périgourdins ou Pétrocoriens	Villedieu-les-Poêles	Sourdins
Dax	Dacquois	Pézenas	Piscénois	Villefranche-sur-Saône	Caladois
Douarnenez	Douarnenistes	Plessis-Robinson (Le)	Robinsonnais dits Hibous	Villiers-le-Bel	Beauvillésois, Beauvillaisois ou Beauvois
Draguignan	Dracénois	Pont-à-Mousson	Mussipontains		
Dreux	Drouais ou Durocasses	Pontarlier	Pontissaliens	Vitry-le-François	Vitryats
Elbeuf	Elbeuviens	Pontault-Combault	Pontellois-Combalusiens	Vouvray	Vouvrillons
Épernay	Sparnaciens	Pont-l'Évêque	Pontépiscopiens ou Épiscopontins		
Épinal	Spinaliens	Pont-Saint-Esprit	Spiripontains		

– Entrailles du hareng servant d'appât pour pêcher **treuilles**
– Œufs de harengs servant d'appât **rogue**
– Barrique où l'on conserve les harengs **caque**

HARGNEUX

syn. **coléreux, teigneux, acariâtre**
– Un ton hargneux **revêche, acrimonieux, acerbe, hostile**
– Chien hargneux **méchant, agressif**

HARICOT

– Famille à laquelle appartient le haricot **papilionacées**
– Genre auquel appartient le haricot **phaseolus**

– Haricot blanc **chevrier**
– Haricot noir **dolic**
– Variété de haricot à cosse comestible **mange-tout, beurre**
– Variété de haricot nain **soissons, flageolet, coco**
– Haricot sec **fayot**
– Gousse du haricot **écale, cosse**

HARMONIE
– Harmonie au sein d'un ensemble **cohésion, homogénéité, équilibre, cohérence**
– Harmonie des idées **communion**
– Vivre en harmonie avec quelqu'un **dans la concorde, à l'unisson**
– Harmonie des traits d'un visage **régularité, élégance**
– Harmonie d'ensemble d'une œuvre artistique **eurythmie**
– Harmonie rythmique d'un vers **cadence**
– Harmonie des sons du langage **euphonie**
– Association de sons conforme aux règles de l'harmonie **accord**

HARMONIEUX
– Cela forme un tout harmonieux **équilibré, cohérent, homogène**
– Des sons harmonieux **euphoniques, mélodieux, musicaux,**

HARMONISER
– Harmoniser la présentation d'un travail **homogénéiser**
– Harmoniser un morceau de musique **orchestrer, arranger**

HARNAIS *Voir illustration ci-dessus*
voir aussi **cheval**
– Mettre un harnais à un cheval **harnacher**
– Fabricant de harnais **bourrelier**
– Lieu où l'on remise les harnais des chevaux **sellerie**

HARPE
– Harpe dans l'Antiquité grecque **sambuque**
– La harpe d'Apollon **lyre**
– Harpe à soixante-dix-huit cordes **harpe chromatique**
– Partie supérieure d'une harpe **console**

HASARD
– Les hasards de la vie **aléas, impondérables**
– Un heureux hasard **chance, aubaine, fortune**
– Coup du hasard **sort, fatalité, destin, coïncidence**
– Fait lié au hasard **contingent**
– Qui relève du hasard **stochastique**
– Par hasard **d'aventure, fortuitement, accidentellement**
– Au hasard **au petit bonheur**

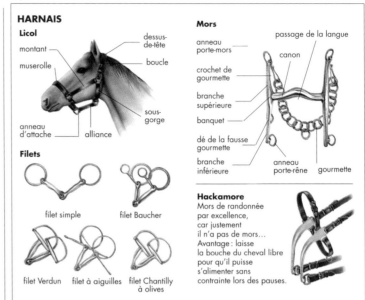

HARNAIS

Licol

montant
muserolle
anneau d'attache
alliance
dessus-de-tête
boucle
sous-gorge

Filets

filet simple
filet Baucher
filet Verdun
filet à aiguilles
filet Chantilly à olives

Mors

passage de la langue
canon
anneau porte-mors
crochet de gourmette
branche supérieure
banquet
dé de la fausse gourmette
branche inférieure
anneau porte-rêne
gourmette

Hackamore
Mors de randonnée par excellence, car justement il n'a pas de mors... Avantage : laisse la bouche du cheval libre pour qu'il puisse s'alimenter sans contrainte lors des pauses.

HASCHISCH
syn. **cannabis, chanvre indien, marijuana**
– Mélange de haschisch et de tabac **kif**
– Cigarette contenant du haschisch **joint, pétard**
– Pâte comestible à base de poudre de haschisch, d'amandes pilées et de miel **madjoun**
– Pipe à haschisch **shilom**
– Propriété du haschisch **hallucinogène, analgésique, antispasmodique, sédatif**

HÂTER
– Hâter le pas **presser**
– Hâter le cours des événements **précipiter, brusquer, accélérer, activer**
– Hâter la floraison des plantes **forcer**

HÂTER (SE)
– Se hâter de crainte d'arriver en retard **empresser (s'), faire diligence, dépêcher (se)**

HÂTIF
– Une croissance hâtive **accélérée, forcée**
– Légume hâtif **primeur**
– Une décision hâtive **précipitée, prématurée**
– Jugement hâtif **préjugé**

HAUSSE
syn. **augmentation, accroissement**
– Hausse du niveau des eaux **crue**
– Hausse du prix des marchandises **renchérissement, inflation**
– Hausse brutale des prix **flambée, boom**

– Hausse du cours d'une action **valorisation**
– Hausse des salaires **relèvement, majoration, revalorisation**

HAUSSER
– Hausser une étagère d'un cran **monter, élever**
– Hausser une route **remblayer**
– Hausser le ton **crier, vociférer**
– Altération qui hausse la note d'un demi-ton **dièse**

HAUSSER (SE)
– Se hausser sur la pointe des pieds **hisser (se)**

HAUT /1
– Le haut d'un mur, d'une montagne **crête**
– Le haut d'un arbre **cime, faîte**

HAUT /2
– Le point le plus haut **dominant, culminant**
– Une colline haute **élevée**
– Le plus haut niveau atteint **apogée, climax, zénith, paroxysme, summum, faîte**
– Haute mer **large**
– Mesure d'une haute précision **extrême**
– Une note haute **aiguë**
– La plus haute des voix d'homme **ténor**
– La plus haute des voix de femme **soprano**
– Une connexion à haut débit **rapide**
– Une haute personnalité **éminente**
– La plus haute autorité **suprême**

HAUT-FOURNEAU
– Partie inférieure d'un haut-fourneau qui recueille le métal fondu **creuset**
– Partie d'un haut-fourneau où s'effectue la réduction du minerai **cuve, ventre, étalage**
– Orifice supérieur d'un haut-fourneau par lequel on charge le minerai **gueulard**
– Conduit d'un haut-fourneau par lequel arrive l'air sous pression **tuyère**
– Usine comportant des hauts-fourneaux **fonderie**
– Produit de l'oxydation du fer dans un haut-fourneau **créma**
– Fonte sortant du haut-fourneau **gueuse**
– Résidu laissé par la combustion du zinc dans un haut-fourneau **cadmie**
– Tas de résidus provenant des hauts-fourneaux **crassier**

HAUT-PARLEUR
– Haut-parleur reproduisant les fréquences graves **woofer, boumeur**
– Haut-parleur reproduisant les sons aigus **tweeter**
– Les haut-parleurs d'une chaîne hi-fi **baffles, enceintes**

HAUTAIN
syn. **fier, orgueilleux**
– Il a un air hautain **dédaigneux, arrogant, méprisant, supérieur, condescendant, altier**

HAUTEUR
– La hauteur d'un individu **taille, stature**
– La hauteur d'un puits **profondeur**
– Hauteur maximale atteinte par un projectile **flèche**
– Construction dressée sur une hauteur **belvédère**
– Hauteur d'un avion en vol **altitude**
– Hauteur de sentiments **noblesse**
– Répondre avec hauteur **arrogance, condescendance, morgue, superbe, dédain, mépris**

HÉBÉTÉ
– Il avait l'air tout hébété **étonné, ahuri, abruti, abasourdi**

HÉBREU
– Le peuple hébreu **hébraïque, israélite, juif**
– Sanctuaire itinérant hébreu **tabernacle**
– Nom hébreu des cinq premiers livres de la Bible **Torah**
– Commentaire critique sur le texte hébreu de la Bible **massorah**
– Prêtre hébreu de la tribu de Lévi **lévite**
– Sorte d'écharpe portée dans l'Antiquité par les prêtres hébreux **éphod**
– Riche pièce d'étoffe que portait le grand prêtre hébreu **rational**

HÉCATOMBE
– Ce conflit a provoqué une hécatombe **carnage, massacre, tuerie, boucherie**
– Hécatombe rituelle **sacrifice, immolation**

VOCABULAIRE DE L'HÉRALDIQUE

Accolés : se dit de meubles qui se touchent.

Adossés : se dit de meubles ou de figures qui se tournent le dos sans nécessairement se toucher.

Affrontés : se dit de meubles ou de figures, surtout des animaux, qui se font face.

Alérion : aiglette mornée ou abaissée.

Alésé : qualifie une pièce dont la ou les extrémités ne touchent pas les bords de l'écu.

Animaux : subdivisés en :
– attributs (armé, lampassé) ;
– positions (ponant, rampant, naissant, issant, etc.).

Armé : se dit d'un animal représenté griffes visibles.

Armes : emblèmes héraldiques propres à une famille. Les armes figurent sur l'écu, mais peuvent aussi orner bannières, vêtements, tapisseries, etc.

Armes parlantes : elles évoquent le nom de la famille qui les porte. Ainsi, sur l'écu de La Tour du Pin figurent une tour et un pin.

Armoiries : ensemble constitué par l'écu et ses ornements (timbre, support, etc.).

Armorial : inventaire des armoiries d'une région ou d'une nation. Ex. : l'armorial de Bretagne.

Besant : pièce de monnaie, toujours d'or ou d'argent. Le tourteau, avec lequel il ne faut pas le confondre, est toujours d'émail.

Blason : 1. Synonyme d'écu et ses ornements. 2. Synonyme d'armes et d'armoiries. 3. Science des règles et du droit des armoiries ou héraldique.

Brochant : qualifie une pièce, souvent placée au cœur, qui en recouvre partiellement une ou plusieurs autres.

Champ : surface de l'écu.

Charges : terme générique qui regroupe :
– les pièces honorables ; au nombre de 30, elles touchent le bord de l'écu et recouvrent environ un tiers du champ (le chef, le pal, la fasce, etc.) ;
– les modifications de ces pièces quant à leur position, leur nombre, leurs dimensions, leur tracé ;
– les meubles ; ces pièces moins honorables, plus petites, doivent leur nom à leur mobilité sur le champ de l'écu ;
– les figures, empruntées au corps humain, à la nature (faune ou flore), à l'industrie humaine, etc. ; elles sont très nombreuses.

Contourné : qualifie une figure ou un meuble dirigé vers le flanc senestre (position inhabituelle).

Couard : se dit d'un animal représenté la queue entre les jambes.

Diffamé : désigne un animal représenté sans queue ni dents.

Engrêlé : qualifie une pièce en feston.

Éployé : désigne un oiseau représenté de face, les ailes ouvertes. C'est la position habituelle de l'aigle.

Éviré : se dit d'un animal, le lion surtout, représenté sans sexe.

Figures : *voir Charges.*

Issant : qualifie un animal dont seule la moitié supérieure du corps (tête, cou, torse, bout des pattes avant, queue) est représentée.

Lampassé : qualifie un animal représenté langue visible.

Listel : ornement extérieur qui surmonte l'écu et porte le cri de guerre.

Meubles : *voir Charges.*

Morné : qualifie un animal représenté sans langue ni griffes.

Partition : désigne les différentes manières de diviser l'écu au moyen de lignes géométriques (le mot « division » ne s'emploie pas en héraldique).
Les quatre principales sont dormées d'un seul trait (parti, coupé, tranché, taillé). Le nombre de partitions est variable à l'infini.

Passant : qualifie un quadrupède représenté en marche, la patte antérieure droite légèrement levée.

Point : case. L'écu est divisé en 9 points. Un écu divisé en 16 cases or et vertes se dit à 16 points d'or et de sinople.

Rampant : désigne la position habituelle du lion dressé, les antérieures levées. Dans la même position, le loup est dit « ravissant », le cerf « élancé », le cheval « cabré ».

Rebattement : multiplication des partitions. Les quatre principales sont le palé, le fascé, le sarré et le bandé.

Regardant : désigne un animal dont la tête est tournée vers l'arrière.

Rencontre : ce terme désigne une tête de cerf avec ses bois, représentée de face.

Séant : se dit d'un animal assis.

Semé : couvert de petits meubles. Par exemple, un écu où est représentée une multitude de fleurs de lis dit « semé de fleurs de lis ».

Soutiens, supports et **tenants :** ornements extérieurs. Les figures humaines, mythologiques ou angéliques se disent tenants, les animaux, réels ou chimériques, supports, et les objets inanimés (arbres, colonnes), soutiens.

Timbre : ornement extérieur qui coiffe l'écu (casque, couronne, cimier).

Vivré : se dit d'une pièce dont les bords sont découpés en dents de scie.

HÉRALDIQUE

Les 9 points de l'écu

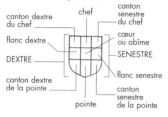

canton dextre du chef
chef
canton senestre du chef
flanc dextre
cœur ou abîme
DEXTRE
SENESTRE
flanc senestre
canton dextre de la pointe
canton senestre de la pointe
pointe

Émaux

gueules · sable

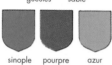

sinople · pourpre · azur

Métaux · Fourrures

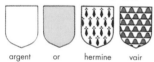

argent · or · hermine · vair

Partitions

parti · coupé · tranché · taillé

écartelé en croix · écartelé en sautoir · gironné · tiercé en pal

tiercé en fasce · tiercé en barre · tiercé en bande · tiercé en pairle

Meubles

lion · lion passant regardant · sanglier passant contourné · aigle éployée

chien séant · rencontre de cerf · besants · croissants

fleur de lis · lambel

Pièces

chef · fasce · champagne · flanc dextre

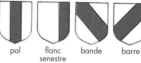

pal · flanc senestre · bande · barre

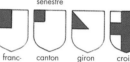

franc-quartier · canton · giron · croix

sautoir · chevron · pairle · gousset

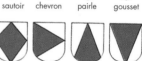

vêtement · embrasse · chappe · chausses

orle · bordure

Rebattements des partitions et modifications des pièces

fascé · palé · bandé · barré

coticé · vergeté · chevronné · contre-fascé

fasce dentelée · pal vivré · fasce crénelée · fasce bastillée

fasce bretessée · bande engrêlée · emmanché · barré nébulé

Ornements extérieurs

lambrequin · cimier
support · heaume
champ · écu · meuble
terrasse · devise · banderole

SOLA·BONA·QUAE·HONESTA

HECTARE
– Symbole de l'hectare **ha**
– Centième d'un hectare **are**

HÉGÉMONIE
– L'hégémonie d'une nation sur une autre **suprématie, domination**

HÉLICE
– Partie centrale de l'hélice **moyeu**
– Élément propulseur de l'hélice **pale**
– Fabricant d'hélices **hélicier**
– En forme d'hélice **hélicoïdal**
– Escalier en forme d'hélice **en colimaçon**
– Figure de voltige aérienne décrivant une hélice **vrille**

HÉLICOPTÈRE
– Type d'hélicoptère **Gazelle, Lama, Puma, Cobra Bell, Super Frelon**
– Grand hélicoptère pourvu de deux rotors **banane**
– Ensemble des éléments rotatifs d'un hélicoptère **rotor**
– Sorte d'hélicoptère **girodyne, autogire, hélicostat, héligrue**
– Aéroport conçu pour les hélicoptères **héliport**

HÉMISPHÈRE
– Hémisphère Nord **boréal, septentrional**
– Hémisphère Sud **méridional, austral**
– Voûte en hémisphère **coupole, calotte**
– Paroi de l'hémisphère cérébral **néocortex**
– Annexes des hémisphères cérébraux **méninges**

HÉMORRAGIE
– Affection caractérisée par des hémorragies répétées **hémogénie**
– Hémorragie cutanée **purpura, vibice**
– Hémorragie veineuse **phléborragie**
– Hémorragie utérine **métrorragie**
– Hémorragie nasale peu abondante **épistaxis**
– Vomissement dû à une hémorragie stomacale **hématémèse**
– Disposition héréditaire aux hémorragies **hémophilie**
– Arrêt de l'hémorragie **hémostase**
– Arrête une hémorragie **garrot, tourniquet**

HÉRALDIQUE *Voir tableau p. 289 et illustration ci-contre*

HERBE *Voir tableau p. 292*
syn. **graminée**
– Lieu planté d'herbe rase **boulingrin, gazon, pelouse, vertugadin**
– Champ d'herbe où l'on mène le bétail **pâturage, alpage, pré, prairie, pâtis**
– Herbe coupée et séchée **foin**
– Herbe de prairie qui repousse après une première fauche **regain**
– Mauvaise herbe **chiendent, ivraie**
– Arracher les mauvaises herbes **sarcler, désherber**
– Herbes médicinales **simples**
– Fines herbes **ciboulette, cerfeuil**
– Herbe-aux-chats **cataire, népète**
– Qui mange l'herbe **herbivore**

HÉRÉDITAIRE
– Un domaine héréditaire **transmissible**
– Prince héréditaire **successible**
– Caractère héréditaire dans une famille **hérédofamilial**
– Ensemble des éléments porteurs des caractères héréditaires **génotype**
– Une haine héréditaire **ancestrale**

HÉRÉDITÉ
– Théorie de l'hérédité **lamarckisme, mendélisme**
– Élément de la cellule porteur de l'hérédité **chromosome**
– Résurgence de caractères ancestraux transmis par l'hérédité **atavisme**
– Partie de la biologie qui étudie l'hérédité **génétique**

HÉRÉSIE
syn. **hétérodoxie, schisme, scission, dissidence**
– Auteur d'une hérésie **hérésiarque**
– Personne qui adhère à une hérésie **hérétique, schismatique**
– Hérésie politique **déviationnisme**
– Hérésie religieuse **adamisme, arianisme, catharisme, donatisme, montanisme, pélagianisme, sabellianisme, socinianisme**
– Tribunal constitué au XIIIe siècle pour juger les crimes d'hérésie **Inquisition**
– Catholique tombé dans l'hérésie une première fois **laps**
– Catholique retombé dans l'hérésie après l'avoir abjurée **relaps, apostat**

HÉRISSÉ
– Une chevelure toute hérissée **hirsute**
– Une tige hérissée de poils **barbue, hispide**
– Un système pileux hérissé sous l'action du froid **horripilation**
– Hérissé de piquants **épineux**
– Être hérissé par les propos de quelqu'un **irrité, agacé, révolté, exaspéré, excédé, courroucé**

HÉRISSON
– Ordre auquel appartient le hérisson **insectivores**
– Réaction défensive du hérisson lorsqu'il se roule en boule **volvation**
– Sorte de hérisson **tanrec, échidné**
– Hérisson de mer **oursin, tétrodon, diodon**

HÉRITAGE
syn. **succession**
– Ce tableau provient d'un héritage **legs**
– Biens de famille reçus en héritage **patrimoine**
– Biens que l'on pense obtenir en héritage **espérances**
– Transmission d'un héritage **succession**
– Droit à l'héritage **hérédité**
– Droit pour le seigneur féodal de disposer de l'héritage de son vassal **mainmorte, mortaille, échute**
– Droit à la possession d'un héritage en l'absence d'un testament **saisine**
– Loi franque excluant les femmes du droit à recevoir des terres en héritage **loi salique**
– Acte qui définit les conditions d'héritage **testament**
– Avance sur héritage **avancement d'hoirie**
– Prover d'héritage **exhéréder**

HÉRITIER
– Le notaire a réuni les héritiers **successeurs, ayants cause, légataires, donataires**
– Héritier présomptif exclu de la succession **exhérédé**
– Absence d'héritiers pour recevoir une succession **déshérence**
– Héritier de la couronne de France **Dauphin**
– Pâle héritier d'un courant de pensée **épigone**

HERMÉTIQUE
– Fermeture hermétique d'un bocal **étanche**
– Un visage hermétique **impénétrable, impassible**
– Un discours hermétique **abscons, ésotérique, incompréhensible, mystérieux, sibyllin, amphigourique**
– Il reste hermétique à tout ce courant de pensée **hostile**

HERMINE
syn. **martre blanche**
– Famille à laquelle appartient l'hermine **mustélidés**
– Hermine dans son pelage roux d'été **roselet**
– Animal apparenté à l'hermine **belette**

HERNIE
– Hernie abdominale **éventration, laparocèle**
– Hernie du foie **hépatocèle**
– Hernie du rein **néphrocèle**
– Hernie de l'utérus **métrocèle, hystérocèle**
– Hernie du hiatus œsophagien **hernie hiatale**
– Bandage servant à contenir une hernie **brayer**

Ail : appelés caïeux ou têtes, ses bulbes se divisent en gousses qu'on utilise crues ou cuites — surtout dans les pays méridionaux — dans les salades (tomates), les sautés et les fricassées (pommes de terre, champignons), en association avec du persil (escargots à la bourguignonne), dans les sauces (aïoli), piquées dans les rôtis (gigot, rosbif).

Aneth : ses feuilles fraîches, fines et souples, d'aspect duveteux et de saveur anisée, s'utilisent ciselées avec les poissons frais, le saumon mariné (gravlax), le concombre, les œufs, les pommes de terre, les sauces à la crème. On utilise aussi ses graines dans le bortsch, les cornichons à la russe, les pickles.

Anis vert : ses graines servent à préparer la plupart des apéritifs anisés (anisette, pastis méridional, ouzo grec), mais aussi de nombreuses pâtisseries traditionnelles du Sud-Ouest, comme le pastis landais (grosse brioche), les crêpes à l'anis du Périgord, ou encore les fouaces et le pain d'épice.

Badiane (anis étoilé) : elle doit son surnom à sa saveur fortement anisée et à la forme étoilée de ses fruits. Très présente dans la cuisine chinoise, où elle parfume courts-bouillons de poissons et de crustacés, soupe de bœuf (phô), plats de porc et de canard, elle s'emploie aussi en liquoristerie (apéritifs anisés).

Basilic : petites ou grandes, lisses ou cloquées, ses feuilles vert sombre ont une saveur fruitée et poivrée qui relève surtout les plats de la cuisine méridionale (tomates, soupe au pistou ou minestrone, pâtes, rouget et lapin). Pilé avec de l'ail et du parmesan, il est la base du pistou provençal (ou du pesto italien, avec des pignons). Il faut le ciseler ou le piler, mais ne surtout pas le hacher ni le cuire, sinon il devient noir.

Bouquet garni : composé d'une branche de thym, d'une feuille de laurier et de quelques branches de persil plat liées en fagot, il sert à aromatiser courts-bouillons, soupes et ragoûts. Le bouquet garni se retire après cuisson et ne se sert jamais à table.

Cannelle : écorce odoriférante d'un arbuste exotique qui se vend telle quelle (bâtons) après séchage et roulage, ou en poudre. La cannelle de Ceylan est douce et aromatique, celle de Chine plus foncée et plus âcre. Elle est très utilisée en Europe centrale, où elle parfume presque toutes les pâtisseries (desserts aux pommes), dans les pays du nord de l'Europe, où on en met dans les biscuits (speculoos) et le pain d'épice, et au Maroc (pastilla de pigeon). Elle parfume aussi le vin chaud, la sangria, le punch et le chocolat chaud.

Cerfeuil : les feuilles, ou pluches, de cette ombellifère au goût très délicat, à peine anisé, ne supportent pas la cuisson et ne s'ajoutent donc qu'en touche finale, hachées ou ciselées, surtout dans les veloutés de légumes (laitue), les consommés de volaille et les volailles à la crème, les sauces pour accompagner le poisson (beurre blanc ou citronné).

Ciboulette : ses fines tiges creuses et charnues ont une saveur fraîche et piquante qui convient bien au fromage blanc (cervelle de canut), aux œufs (omelette, œufs cocotte), aux asperges à la flamande (avec des œufs pochés et du beurre fondu), à la salade de betteraves, aux pommes de terre en robe des champs et à de nombreuses sauces (rémoulade, ravigote et tartare). La ciboule est une variété à grosses tiges. Ciboule et ciboulette ne s'utilisent que ciselées (aux ciseaux).

Condiments : ce sont des produits qui, après avoir subi une préparation culinaire, se présentent sous forme de pâte, de sauce ou de conserve, et servent à accompagner certains mets. Parmi les plus connus, citons la moutarde, les cornichons, les petits oignons et les câpres au vinaigre, le ketchup, les chutneys, les pickles et les piccalillis.

Coriandre (persil arabe, persil chinois) : ses feuilles ressemblent à celles du persil, d'où ses surnoms. Elles ont un goût fruité puissant très prisé au Maroc, en Asie et au Mexique. Elles s'utilisent hachées ou ciselées dans le caviar d'aubergine, le guacamole, les sautés et les tajines. On utilise aussi ses graines rondes au parfum citronné et musqué dans les champignons à la grecque, les cornichons et les boulettes de viande ou de volaille mijotées dans un coulis de tomates.

Cumin et **carvi :** on les confond souvent. Utilisées moulues, les graines du cumin, au parfum très typé, parfument les keftas turques, les tagines, les brochettes, les merguez et les salades de légumes de la cuisine maghrébine, mais aussi le chorizo espagnol, le guacamole et le chili con carne mexicains. Elles sont également employées en liquoristerie. Le carvi possède des graines presque similaires, mais plus brunes et plus arquées, d'une saveur anisée-citronnée plus amère. Il est surnommé cumin des prés par les Hollandais, qui en mettent dans les fromages au cumin (dont le gouda)… ce qui renforce la confusion ! Il parfume aussi de nombreux pains, accompagne traditionnellement certains fromages comme le munster et se retrouve dans le goulasch hongrois, la choucroute et l'irish stew irlandais.

Curry : mélange d'épices et d'herbes séchées et moulues originaire d'Inde, où on l'appelle massala. Il en existe de nombreuses formules, mais en principe cumin, coriandre, curcuma (qui lui donne sa couleur jaune d'or), girofle, cannelle, muscade, gingembre, cardamome, poivre et piment de Cayenne entrent dans sa composition. Il en existe aussi au goût plus ou moins prononcé : *mild* (doux), *hot* (fort), *very hot* (très fort). Cette épice parfume les currys indiens (poulet, agneau, légumes), mais aussi la cuisine créole, sous le nom de colombo, ainsi que certains plats chinois (porc au curry).

Échalote : petit bulbe allongé qui ressemble un peu à un oignon, mais dont le goût est plus fin. Les plus réputées sont la petite échalote grise et la grosse cuisse-de-poulet. Les échalotes sont parfaites dans la préparation des sauces (beurre blanc) ou confites dans les fonds de cuisson.

Estragon : ses feuilles lancéolées ont un parfum délicat mais puissant, très prisé en cuisine classique : plats en gelée (œufs, saumon, poulet) ou à la crème (poulet, lapin), sauté de veau, sauce béarnaise, ou comme condiment (pour aromatiser subtilement vinaigre, moutarde ou cornichons). Il s'utilise ciselé ou en branches.

Fenouil : on en consomme les feuilles, ou barbes, fraîches, mais aussi les tiges séchées, les graines, et même les bulbes. Les barbes, d'un goût anisé prononcé, s'utilisent entières ou ciselées et les tiges entières pour la braise des grillades ou pour en farcir la cavité ventrale d'un poisson avant de le griller ou de le faire cuire au four (loup, daurade).

Genièvre : ses graines rondes ont un fort parfum résineux et piquant, mais aussi un grand pouvoir antiseptique, raison pour laquelle on en met toujours dans les marinades des viandes fortes et des gibiers (daubes, civets, terrines). Elles condimentent aussi la choucroute et les poissons fumés, ou peuvent aromatiser certaines bières scandinaves, ou même être distillées pour donner des eaux-de-vie comme le genièvre, le gin britannique, l'aquavit danois et le schnaps.

Gingembre : c'est le rhizome de la plante, de saveur délicate et piquante à la fois, qui est utilisé, soit fraîchement râpé, soit conservé en saumure ou au vinaigre, soit encore séché puis réduit en poudre. On l'emploie aussi bien en cuisine salée que sucrée. Il se consomme également confit, au sirop ou cristallisé, comme une friandise. Très prisé en Inde et en Asie, il est aussi utilisé au Maroc et les Anglais ne sauraient s'en passer pour parfumer leurs gâteaux du *tea time* (*gingerbread*, cake, pain d'épice, pudding), ni pour aromatiser certaines de leurs bières (*ginger ale*).

Girofle : les clous de girofle sont les bourgeons floraux d'un arbre exotique. Très aromatiques, ils ont une saveur piquante et chaude qui aromatise et aseptise en même temps. Un oignon clouté (piqué de clous de girofle) parfume un court-bouillon, un pot-au-feu, une poule au pot ou une daube.

Herbes de Provence : ce sont les herbes aromatiques des garrigues méridionales utilisées en mélange (thym, sarriette, marjolaine, origan, romarin, serpolet) pour parfumer les grillades. Fraîches ou peu séchées, elles peuvent être plaisantes, mais trop sèches ou réduites en poudre, elles n'ont plus alors qu'un parfum de foin !

Laurier : ses feuilles ont un arôme très puissant, assez amer. Elles entrent dans la composition du bouquet garni ; elles s'utilisent entières ou fragmentées, surtout pour aromatiser les marinades, les courts-bouillons et les ragoûts.

Marjolaine, origan : plantes très proches, aux feuilles plus ou moins grandes et au parfum de maquis plus ou moins corsé, l'origan étant une variété sauvage à l'arôme plus puissant. Leurs feuilles s'emploient fraîches ou séchées sous forme de flocons (origan) dans la cuisine méditerranéenne (Italie, Grèce). Elles s'utilisent hachées, effeuillées une fois séchées, pour accommoder feta, pizza, poulet grillé, rôti de porc, lapin à la broche, chevreau rôti, ragoût de pommes de terre…

HERBES, AROMATES, ÉPICES ET CONDIMENTS (suite)

Menthe : il en existe de très nombreuses variétés. La menthe poivrée est plus couramment utilisée pour la préparation de boissons et de liqueurs (peppermint), mais c'est la menthe verte, rafraîchissante, qu'on utilise surtout en cuisine, hachée, ciselée, en feuilles ou en branches pour parfumer salade de concombres au yaourt, taboulé, nems, gigot à l'anglaise, pigeons aux petits pois, brochettes d'agneau, boulettes, fricadelles, sauce paloise, thé à la menthe.

Muscade et **macis :** séchés et débarrassés de leur coque, les fruits du muscadier libèrent une amande ronde et beige très dure dite noix de muscade, au parfum doux et délicat. Cette noix est entourée d'une sorte de résille rougeâtre appelée macis, qui constitue elle-même une épice.
Noix de muscade et macis peuvent également être commercialisés moulus. La muscade relève la béchamel, les préparations à base d'œufs (soufflés) ou de fromage et les gratins de pommes de terre (gratin dauphinois) d'une touche délicate et fruitée. Elle doit être râpée au dernier moment pour garder toute sa saveur.

Oignon : bulbe aromatique consommé cru en rondelles (salades), mais utilisé aussi pour aromatiser les courts-bouillons ou préparer les fonds de cuisson, ou encore en soupe. Il en existe de nombreuses variétés (blancs, jaunes, rouges).

Paprika : poudre écarlate et fruitée obtenue à partir d'une variété de piments hongrois séchés, plus ou moins piquants. Il parfume de nombreux plats d'Europe centrale (goulasch, paprikache, porkölt). En France, on n'utilise que le paprika doux. En Espagne, on utilise une poudre de piment très proche, le *pimenton*, élaborée à partir d'une variété de fruits très semblables, les *pimientos*.

Persil : universellement connues, qu'il s'agisse du persil plat (plus aromatique) ou du persil frisé

(plus décoratif), ses feuilles ont une saveur fraîche et acidulée, mais ses tiges sont également appréciées pour corser un court-bouillon, une soupe ou un liquide de mouillement (pot-au-feu). Il s'utilise haché, ciselé, frit ou en branches dans le bouquet garni et sert à préparer le beurre d'escargot ou maître d'hôtel,
la sauce poulette, le jambon persillé, les poissons meunière, les pommes de terre sautées ou à la crème, les champignons en persillade (girolles, cèpes).

Piment : il en existe plus de 90 variétés de toutes tailles, toutes formes, toutes couleurs et toutes forces — piments doux servant à préparer le paprika, piments vivaces, forts et effilés, de saveur plus ou moins brûlante (poivre de Cayenne, pili-pili), et piments vivaces dits enragés, encore beaucoup plus forts et de petite taille (piments-oiseaux, langues-d'oiseau, chiles).
Ils ont tous des vertus antiseptiques avérées, raison pour laquelle on en consomme beaucoup dans les pays chauds, entiers, concassés, en poudre ou en pâte, notamment en Amérique du Sud (chili con carne, feijoada), aux Antilles, dans les pays du Maghreb, en Asie, en Afrique, en Inde, etc. Ils entrent également dans la composition de diverses sauces condimentaires : Tabasco, harissa, sauce au piment asiatique.

Poivre : sa couleur et sa force changent en fonction de sa maturité. Plus il est mûr, plus il est piquant et fort. Quelle que soit sa couleur (vert, blanc ou noir), il faut le moudre au dernier moment — même si poivre noir et poivre blanc sont également commercialisés moulus. Le poivre noir peut aussi être concassé et s'appelle alors poivre mignonnette. Enfin, il existe des mélanges de ces trois poivres.

Quatre-épices : c'est un mélange typiquement français composé de poivre, de girofle, de gingembre et de muscade, mais dans des proportions qui peuvent varier.

Le quatre-épices est surtout utilisé en charcuterie, où l'on s'en sert pour assaisonner saucisses, pâtés et terrines.

Romarin : ses petits rameaux portent des feuilles très odorantes en forme d'aiguilles qui s'emploient fraîches ou sèches, surtout dans les marinades et pour parfumer les grillades.

Safran : c'est l'épice la plus chère du monde. Elle est constituée des stigmates floraux d'une variété de crocus, utilisés non seulement pour leur parfum très fruité, mais aussi pour leur pouvoir colorant. Les pistils peuvent être entiers (filaments) ou séchés et broyés (poudre). Le safran est traditionnellement présent dans la rouille qui accompagne la bouillabaisse, dans la paella, dans certains tagines marocains et la plupart des risottos. Il ne faut jamais ajouter le safran directement dans une préparation en train de rissoler, car il se mélange mal et perd de son pouvoir aromatique. Mieux vaut le faire infuser au préalable dans un peu d'eau ou de bouillon.

Sarriette : on utilise ses petites branches feuillues fraîches ou séchées. Leur parfum légèrement poivré a fait surnommer cette plante poivre d'âne en Provence. Elle s'emploie en branches ou effeuillée, avec les fèves fraîches ou les légumes secs, en raison de ses propriétés carminatives.

Sauge : ses feuilles veloutées s'utilisent fraîches ou séchées pour leur arôme légèrement camphré, notamment dans les marinades de gibier, les farces (charcuterie) ou certains plats méditerranéens comme l'aïgobouido et les tourins à l'ail ou à la tomate. La saveur de la sauge s'accorde également bien avec le foie de veau grillé, les paupiettes de veau, le lapin ou le porc.

Sel : le sel n'est pas considéré comme une épice à proprement parler puisqu'il s'agit d'un composé chimique simple. C'est pourtant un ingrédient essentiel

à l'assaisonnement et qui, depuis toujours, permet de conserver les aliments.

Serpolet : les feuilles minuscules du serpolet donnent un parfum de maquis aux plats qu'elles assaisonnent, notamment les soupes de légumes, les poissons et viandes cuits au four ou en cocotte (daurade, lapin).

Thym : arbuste dont les branchettes au parfum de garrigue (certaines variétés peuvent être légèrement citronnées) s'emploient dans les marinades et les plats de viande, non seulement pour leur saveur aromatique, mais aussi pour leurs vertus antiseptiques. Il s'utilise en brindilles dans le bouquet garni ou effeuillé (coulis de tomates, ratatouille, poulet, lapin, pommes de terre au four ou grillées).

Vanille : la vanille est le fruit (gousse) d'une variété d'orchidée tropicale grimpante qui, après traitement, exprime une saveur douce et un parfum généreux utilisés en pâtisserie et en parfumerie.
La vanille Bourbon, qui provient de Madagascar et de la Réunion, a des gousses très longues ; c'est l'une des plus appréciées, des plus rares et donc des plus chères, avec celle de Tahiti. La vanille est vendue en bâtons, c'est-à-dire en gousses (tubes de verre individuels pour le haut de gamme), en poudre, ou encore en extrait liquide. Elle est essentielle à la confection de nombreux desserts, notamment les entremets à base de lait ou de crème (crème anglaise, crème brûlée, œufs à la neige, petits pots de crème à la vanille, glace à la vanille). Pour qu'elle exprime mieux son parfum, il faut la fendre avant de la mettre dans le lait ou la crème, et la laisser infuser quelques minutes. Pour certaines recettes, il est même judicieux de gratter l'intérieur de la gousse avec la pointe d'un couteau afin de libérer les minuscules graines noires et parfumées dans le lait, la crème ou le sirop.

HÉROÏQUE
– Une attitude héroïque **vaillante, courageuse, valeureuse, chevaleresque**
– Héroïque face au malheur **stoïque**
– Une bataille héroïque **homérique**
– Poème héroïque **épique**
– L'époque héroïque de la conquête de l'Ouest **mémorable, prestigieuse**
– Poète héroïque et lyrique celte **barde**

– Poète héroïque et lyrique grec **aède**
– Poète héroïque et lyrique médiéval **troubadour (oc), trouvère (oïl)**

HÉROS
syn. **surhomme**
– Héros d'une histoire ou d'une aventure **protagoniste, personnage**
– Héros de l'Antiquité **demi-dieu**

– Héros du Moyen Âge **paladin, preux, chevalier**
– Héros qui donne son nom à un lieu **éponyme**
– Biographie embellie d'un héros **hagiographie**
– Chant ou poème à la gloire d'un héros **hymne, héroïde**
– Héros courageux au combat **brave**

HÉSITANT
– Une personne hésitante **incertaine, perplexe, indécise, indéterminée**
– Lecture hésitante **ânonnement**

HÉSITATION
– Montrer des signes d'hésitation **incertitude, perplexité, irrésolution, indécision, flottement**
– Dissiper les hésitations de quelqu'un **réserves, réticences**
– Accepter après bien des hésitations **errements, tergiversations, atermoiements**

HÉSITER
– Hésiter à faire quelque chose **rechigner à**
– Hésiter dans une démarche **tâtonner**
– Hésiter avant de prendre une décision **tergiverser, atermoyer, délibérer, barguigner**
– Hésiter entre plusieurs possibilités **balancer, osciller**
– Faire hésiter quelqu'un **désorienter, désemparer, décontenancer**
– Il est d'un tempérament à toujours hésiter **frileux, pusillanime**

HÉTÉRODOXE
– Église hétérodoxe **réformée, schismatique**
– Une thèse hétérodoxe **hérétique**
– Une opinion politique hétérodoxe **anticonformiste, dissidente**

HÉTÉROGÈNE
– Un groupe d'éléments hétérogènes **disparates, divers, dissemblables**
– Assemblage hétérogène **agrégat, amalgame**
– Une foule hétérogène **bigarrée, cosmopolite**
– Une œuvre hétérogène **hétéroclite, composite**

HÊTRE
– Famille à laquelle appartient le hêtre **fagacées**
– Nom régional du hêtre **fayard, fouteau**
– Plantation de hêtres **hêtraie**
– Fruit du hêtre **faine**

HEURE
voir aussi **méridien**
syn. **horo-**
– Relatif à l'heure **horaire**
– Permet de lire l'heure **montre, horloge, cadran solaire, pendule**
– Pièce portant l'heure à laquelle elle a été rédigée **horodatée**
– Art de déterminer l'heure à l'aide des ombres projetées par le Soleil ou la Lune **sciographie**
– Toujours à l'heure **ponctuel**

– Dans la liturgie romaine, heures où sont récitées les prières du bréviaire **heures canoniales**
– Petites heures canoniales **prime, tierce, sexte, none, complies**
– Grandes heures canoniales **matines, laudes, vêpres**

HEUREUX
voir aussi **bonheur**
– Être parfaitement heureux **comblé, transporté**
– J'ai été heureux de faire votre connaissance **enchanté, ravi, charmé, content**
– Une décision heureuse **opportune**
– Une opération financière heureuse **avantageuse, fructueuse, faste**
– Un heureux mariage de couleurs **harmonieux, juste, réussi**
– Un visage heureux **radieux, réjoui, épanoui, rayonnant**

HEURT
– Heurt entre deux voitures **choc, collision, emboutissage, tamponnement, accrochage**
– La discussion s'est passée sans heurt **conflit, friction**

HEURTER
syn. **accrocher**
– Heurter un véhicule **emboutir, percuter, télescoper**
– Heurter quelqu'un **bousculer**
– Heurter les verres pour porter un toast **trinquer**
– Heurter quelqu'un par ses paroles **froisser, offenser, offusquer, brusquer, vexer**

HEURTER (SE)
– Des voitures se sont heurtées **carambolées**
– Se heurter l'un contre l'autre **entrechoquer (s')**
– Se heurter contre quelque chose **buter, cogner (se)**
– Se heurter, comme le font les béliers **cosser**

HIBISCUS
syn. **ketmie**
– Famille à laquelle appartient l'hibiscus **malvacées**
– Hibiscus de la Martinique **abelmosque**
– Graine odorante de l'hibiscus de la Martinique **ambrette**

HIBOU
voir aussi **chouette**
– Ordre auquel appartient le hibou **strigiformes**
– Famille à laquelle appartient le hibou **strigidés**
– Espèce de hibou **petit duc, moyen duc, grand duc**
– Crier, pour le hibou **huer, ululer, boubouler**

HIDEUX
– Un visage hideux **horrible, affreux, repoussant, monstrueux**
– Un procédé hideux **répugnant, abject, ignoble, immonde, sordide**

HIÉRARCHIE
voir aussi **grade**
– La hiérarchie sociale **ordre**
– Dans une hiérarchie, dépendance par rapport à son supérieur **subordination**
– Représentation des liens de hiérarchie au sein d'une entreprise **organigramme**
– Niveaux d'une hiérarchie **degrés, échelons**
– Hiérarchie des valeurs **classification, échelle**

HIÉROGLYPHE
– Les hiéroglyphes d'un papyrus **hiérogrammes, idéogrammes**
– Stèle qui a permis le déchiffrement des hiéroglyphes **pierre de Rosette**
– Savant de l'Égypte antique versé dans les hiéroglyphes **hiéroglyphite**
– Le premier à avoir déchiffré les hiéroglyphes **Jean-François Champollion**

HILARANT
– Une histoire hilarante **drôle, comique, amusante, burlesque, cocasse, désopilante**

HINDOU
– Prince hindou **maharaja**
– Princesse hindoue **maharani**
– Soldat hindou **cipaye**

HINDOUISME *Voir tableau p. ci-contre*
– Religion proche de l'hindouisme **bouddhisme, tantrisme, lamaïsme, jaïnisme**

HIPPOPOTAME
– Sous-ordre auquel appartient l'hippopotame **porcins**
– Groupe auquel appartient l'hippopotame **artiodactyles**
– Ivoire de l'hippopotame **rohart**

HIRONDELLE
– Ordre auquel appartient l'hirondelle **passereaux**
– Famille à laquelle appartient l'hirondelle **sylviidés**
– Hirondelle des marais **glaréole**
– Nom régional de l'hirondelle de rivage **mottereau**
– Hirondelle de mer **sterne**
– Hirondelle de Malaisie dont le nid, à base d'algues, est comestible **salangane**
– Oiseau ressemblant à l'hirondelle **martinet**
– Crier, en parlant de l'hirondelle **trisser**
– En menuiserie, assemblage en forme de queue d'hirondelle **à queue d'aronde**

HISSER
syn. **élever, monter, soulever**

HISSER (SE)
– Se hisser sur la pointe des pieds **dresser (se), hausser (se)**

HISTOIRE *Voir tableau p. 297*
voir aussi **récit, narration**
– Époque située entre la préhistoire et l'histoire **protohistoire**
– Science de la datation en histoire **chronologie**
– Entrer dans l'Histoire **annales**
– Auteur mandaté pour écrire l'histoire de ses contemporains **historiographe**
– Muse de l'Histoire **Clio**
– Ensemble des documents relatifs à l'histoire d'une institution **archives**
– L'histoire des familles **généalogie**
– Histoire de la vie des saints **hagiographie, légende dorée**
– Récit de sa propre histoire **Mémoires, autobiographie**
– Histoire imaginée **fiction**
– Histoire drôle bruxelloise **zwanze**
– Petite histoire **anecdote**
– Ne me raconte pas d'histoires **balivernes, mensonges, sornettes**
– Il en a fait toute une histoire **affaire, plat, fromage**
– Sans histoire **incident, anicroche, complication, ennui, problème**

HISTORIQUE /1
– Historique d'un produit de consommation **traçabilité**

HISTORIQUE /2
– Valeur historique d'un fait **historicité**
– Linguistique historique **diachronique**
– Évolution historique de la linguistique **diachronie**
– Un jour historique **mémorable, inoubliable**

HIVER
– Plantes poussant en hiver **hiémales, brumales**
– État d'engourdissement de certains animaux pendant l'hiver **hibernation**
– Labourage des terres avant ou pendant l'hiver **hivernage**
– Brouillard d'hiver **frimas**
– Vent d'hiver **bise, bora, pampero**
– Sport d'hiver **ski, curling, surf, luge, bobsleigh, patinage**

HOBBY
– C'est son hobby **passe-temps, violon d'Ingres, dada**

HOCKEY
– Canne utilisée pour jouer au hockey **crosse, stick**
– Palet utilisé en hockey sur glace **rondelle, puck, disque**

HOLLANDAIS
– La population hollandaise **néerlandaise**
– Terme désignant jadis le peuple hollandais **batave**
– Titre de noblesse hollandais correspondant au rang d'écuyer **jonkheer**
– Ancien gouverneur de province hollandais **stathouder**
– Fromage hollandais **édam, leerdamer, gouda, mimolette, tête-de-maure**

HOLOCAUSTE
– Holocauste religieux **sacrifice, immolation**
– Holocauste du peuple juif **génocide, extermination, Shoah**

HOMARD
– Ordre auquel appartient le homard **décapodes**
– Homard de Norvège **langoustine**
– Élevage de homards **homarderie**
– Potage de coulis de homard **bisque**
– Préparation du homard **thermidor, à l'américaine**

HOMÉOPATHIE *Voir tableau médecines alternatives, p. 372*
– Fondateur de l'homéopathie **Samuel Hahnemann**
– Comprimé en homéopathie **granule**
– Les doses en homéopathie le sont **infinitésimales**
– Thérapeutique dérivée de l'homéopathie **gemmothérapie**

HOMMAGE
– Rendre hommage **gloire**
– En hommage à **en l'honneur de**
– Mes hommages **compliments, respects**
– Hommage d'un auteur **dédicace**
– Hommage rendu à une divinité **culte**

HOMME *Voir tableau évolution de l'homme, p. 298*
voir aussi **adolescent, humain anthropo-, andro-, vir-**
– L'ensemble des hommes **humanité**
– Processus de passage du primate à l'homme **hominisation**
– Science de l'homme **anthropologie, ethnologie**
– Haine des hommes **androphobie, misandrie, misanthropie**
– Idéologie prônant la suprématie de l'homme **phallocratie, machisme**
– Ensemble des caractères physiques et sexuels propres à l'homme **virilité**
– Diminution de l'activité sexuelle chez l'homme âgé **andropause**
– Homme marié à plusieurs femmes **polygame**
– Femme mariée à plusieurs hommes **polyandre**
– Homme qui attache une grande importance à l'élégance **dandy**
– Homme distingué et galant **gentleman**
– Homme ayant subi une castration **eunuque, castrat**
– Créature légendaire mi-homme mi-bête **faune, satyre, ægipan, centaure, Minotaure**
– Homme de paille **prête-nom**
– Il est devenu homme d'affaires **businessman, entrepreneur**
– Homme d'affaires puissant et riche **magnat**
– Homme d'affaires aux activités multiples **brasseur d'affaires**
– Homme d'affaires peu délicat **spéculateur, affairiste**
– Jeune homme d'affaires **yuppie, jeune loup**

HOMOSEXUEL /1
– Un homosexuel **homophile, uraniste, gay, sodomite**
– Une homosexuelle **lesbienne, tribade, gomorrhéenne**
– Jeune homosexuel, dans la littérature **mignon, giton, ganymède**
– Terme péjoratif désignant un homosexuel **pédé, pédale, tante, tapette**
– Terme péjoratif désignant une homosexuelle **gouine**

HOMOSEXUEL /2
– Penchant homosexuel d'une femme **lesbianisme, saphisme**
– Attirance homosexuelle d'un homme pour un jeune garçon **pédérastie**

HONGROIS

– Peuple hongrois **magyar**
– Vice-roi hongrois **palatin**
– Jadis, noble hongrois **magnat**
– Monnaie hongroise **forint, fillér**
– Ancien soldat hongrois **heiduque, pandour, hussard**
– Ragoût hongrois **goulasch**
– Vin liquoreux hongrois **tokay**
– Danse hongroise **czardas**

HONNÊTE

– Un homme honnête **droit, intègre, probe, scrupuleux**
– Un juge honnête **incorruptible, irréprochable**
– Policier peu honnête **ripou**
– Un marché peu honnête **frauduleux, illicite**
– Un résultat honnête **satisfaisant, convenable, correct**

HONNEUR

syn. **dignité**
– Marque d'honneur accordée à quelqu'un **distinction, décoration**
– Être l'honneur des siens **fierté, gloire, orgueil**
– Être traité avec tous les honneurs **égards, respects**
– Les honneurs d'une fonction **prérogatives**
– Faire à quelqu'un l'honneur de quelque chose **grâce, faveur**
– Faire une chose en l'honneur de quelqu'un **en hommage à**
– C'est son honneur qui est en jeu **réputation**
– Salir l'honneur de quelqu'un **entacher, calomnier, diffamer, discréditer**

HONNI

– Un homme honni **détesté, rejeté, haï, voué aux gémonies**

HONORABLE

– Pièce honorable d'un écu **chef, fasce, sautoir, champagne, croix, chevron, flanc**
– Il vient d'une famille honorable **respectable, digne**
– Il a eu une note honorable à son devoir **correcte, convenable, satisfaisante, acceptable**

HONORER

syn. **vénérer, révérer**
– Honorer par de nombreuses louanges **encenser, glorifier**
– Votre présence m'honore **flatte**
– Honorer un contrat **respecter**
– Honorer une dette **payer, acquitter de (s'), rembourser**

HONTE

– Faire honte à quelqu'un **mortifier**
– Être la honte de la famille **déshonneur**
– Cacher sa honte **humiliation**
– Couvrir quelqu'un de honte **opprobre**
– Se couvrir de honte **avilir (s')**
– Essuyer la honte d'un refus **affront**
– Étaler ses richesses sans honte **scrupule, vergogne, gêne, pudeur**
– C'est une honte **scandale, ignominie, abomination, infamie**

HONTEUX

– Un procédé honteux **méprisable, vil, ignominieux, abject, scandaleux**
– Une pensée honteuse **inavouable, turpide, infâme, choquante**
– Se sentir honteux **confus, penaud, contrit, gêné**

HÔPITAL

voir aussi **médecine, chirurgie**
– Hôpital principal dans certaines villes **hôtel-Dieu**
– Hôpital réservé aux personnes âgées **hospice**
– Hôpital spécialisé dans le traitement de la tuberculose **sanatorium**
– Hôpital associé à une faculté de médecine **CHU**
– Hôpital de région **CHR**
– Hôpital privé **clinique**
– Hôpital destiné autrefois aux lépreux **ladrerie, léproserie, maladrerie**

HORAIRE

– Appareil de stationnement intégrant un horaire **parcmètre, horodateur**
– Respect de l'horaire **ponctualité, exactitude**
– Prévoir selon un horaire précis **minuter**

HORIZON

– Horizon immense **vue, panorama**
– Cercle imaginaire sur la sphère céleste, parallèle à l'horizon **almicantarat**
– Point de l'horizon relatif à la position du Soleil **levant, orient, couchant, occident**
– Entrevoir de nouveaux horizons **perspectives, débouchés**
– Tour d'horizon **observation, passage en revue**

HORLOGE

– Petite horloge **pendule**
– Petite horloge ancienne décorée d'un cartouche **cartel**
– Horloge à eau dans l'Antiquité **clepsydre**
– Horloge musicale se déclenchant automatiquement pour marquer les heures **carillon, coucou**
– Horloge à balancier posée sur un socle **comtoise**
– Pièce d'une horloge **ancre, cadran, tambour, pendillon, détente**
– Coffre d'une horloge **gaine**
– Automate martelant les heures sur la cloche d'une horloge **jaquemart**
– Horloge interne **biorythme**

HORLOGERIE

– Boîte renfermant le ressort d'un mécanisme d'horlogerie **barillet**
– Remontoir, en roue dentée, d'un mécanisme d'horlogerie **rochet**
– Plaque supportant les pièces d'un mouvement d'horlogerie **platine**
– Pivot du balancier d'horlogerie **verge**
– Support du pivot supérieur du balancier d'horlogerie **coq**

HORMONE

– Hormone des glandes surrénales agissant sur le cœur et la tension **adrénaline**
– Hormone ayant une action anti-inflammatoire **cortisone**
– Hormone thyroïdienne **calcitonine, thyroxine**
– Hormone du pancréas favorisant l'utilisation du sucre dans l'organisme **insuline**
– Hormone antidiurétique **vasopressine**
– Hormone femelle **œstradiol, folliculine, progestérone**
– Hormone mâle **testostérone, androstérone**
– Taux d'hormones dans le sang **hormonémie**
– Taux d'hormones dans l'urine **hormoniurie**
– Hormone végétale **auxine, gibbérelline, phytohormone**

HOROSCOPE

voir aussi **astrologie, prédiction**
– Relatif à l'horoscope **généthliaque**
– Permet d'établir l'horoscope **thème astral**

HORREUR

– L'horreur d'un crime **abjection, ignominie, infamie, monstruosité**
– Les horreurs de la guerre **atrocités**
– Éprouver un sentiment d'horreur **aversion, répulsion, effroi, terreur**
– Les horreurs de l'agonie **affres**
– Horreur instinctive **phobie**
– Un film d'horreur **épouvante**
– Commettre des horreurs **vilenies**
– Avoir quelque chose en horreur **exécrer, abhorrer, abominer**
– Trembler d'horreur **frémir**

HORRIBLE

– Un meurtre horrible **abominable, horrifiant, répugnant, révoltant, effroyable, atroce**
– Une douleur horrible **insupportable, intolérable, insoutenable, paroxystique**
– Une plaie horrible **hideuse, atroce, effrayante, épouvantable**

LES GRANDES PÉRIODES DE L'HISTOIRE

L'ANTIQUITÉ
(5300 AVANT J.-C.- 476)
Période commençant vers 5300 av. J.-C. et se terminant par la chute de l'Empire romain, en 476.

Bible : recueil de textes sacrés des religions juive et chrétienne (Ancien et Nouveau Testament). *(Voir tableau Bible.)*

Christianisme : doctrine religieuse fondée sur les enseignements de Jésus-Christ et réunie dans les quatre Évangiles, écrits entre 70 et 80 pour les trois premiers et vers 100 pour le quatrième, par Matthieu, Jean, Luc et Marc. *(Voir tableau Bible.)*

Cité : communauté politique formée par les hommes libres en Grèce ancienne.

Démocratie : système d'organisation politique où le pouvoir appartient aux citoyens. La démocratie s'oppose à la monarchie (pouvoir d'un seul) et à l'oligarchie (pouvoir de quelques-uns).

Empire romain : système politique apparut à Rome en 27 av. J.-C. : l'empereur concentre entre ses mains les pouvoirs militaires, politiques et religieux, sur la totalité des territoires de l'Empire. Auguste (63 – 14 av. J.-C.) fut le premier des empereurs romains.

Esclavage : relation de subordination entre deux hommes dont l'un est la propriété de l'autre. Les esclaves constituaient l'essentiel de la main-d'œuvre des sociétés antiques.

Guerre du Péloponnèse : conflit militaire (431-404 av. J.-C.) entre des cités grecques, notamment Athènes et Sparte.

Guerres médiques : suite de conflits militaires entre les Grecs et les Perses. Les Grecs en sortent vainqueurs, notamment après la victoire navale de Salamine (480).

Mythologie : conception du monde fondée sur le pouvoir des dieux sur l'action des hommes. Trois dieux dominent le monde grec : Zeus, règne sur le ciel, Poséidon, la mer, et Hadès sur le monde des enfers.

Pharaon : souverain de l'ancienne Égypte, assimilé à un dieu.

Philosophie : ensemble des textes des grands philosophes, notamment Platon (427-347) et Aristote (384-322). La pensée philosophique est l'une des bases de la culture occidentale.

LE MOYEN ÂGE
(Vᵉ-XVᵉ SIÈCLE)
Période de dix siècles qui s'étend de la fin de l'Empire romain (476) à la découverte de l'Amérique (1492). Le Moyen Âge est divisé en trois périodes :
– le haut Moyen Âge (Vᵉ-Xᵉ siècle) ;
– le Moyen Âge classique (XIᵉ-XIIIᵉ siècle) ;
– le bas Moyen Âge (XIVᵉ-XVᵉ siècle).

Cathédrale : église où l'évêque a sa cathèdre (chaire), d'où il préside à la prière et aux offices religieux.

Chevalerie : classe militaire composée des hommes destinés au combat. L'entrée en chevalerie était marquée par la cérémonie de l'adoubement, où l'on remettait les armes au nouveau chevalier. La chevalerie donne naissance à l'ordre de la noblesse.

Croisades : expéditions militaires destinées à lutter contre les ennemis de la foi catholique (musulmans, hérétiques). Il y eut huit croisades vers l'Orient entre 1095 et 1270.

Féodalité : système de liens de subordination entre un seigneur et son vassal. Ce dernier rend hommage à son seigneur et l'assiste à titre militaire. En échange, le vassal bénéficie d'un fief, c'est-à-dire d'une terre et des revenus qui y sont attachés.

Grandes Invasions : expéditions militaires qui ont ravagé l'Europe du IVᵉ au Xᵉ siècles. Ces invasions furent le fait des sarrasins (musulmans du Moyen Âge), des Hongrois et des Normands.

Guerre de Cent Ans : conflit militaire ayant opposé la France à l'Angleterre au XIVᵉ siècle et durant la première moitié du XVᵉ. L'origine de la guerre de Cent Ans reposait sur la prétention des rois anglais au trône de France.

Islam : doctrine religieuse fondée par le prophète Mahomet au VIIᵉ siècle en Arabie. La religion islamique ne reconnaît qu'un seul Dieu, Allah. La doctrine de l'islam est réunie dans le Coran.

Jacqueries : nom donné aux révoltes des paysans contre les nobles. Les jacqueries se poursuivront jusqu'au XVIIIᵉ siècle.

Pèlerinage : déplacement géographique à vocation religieuse. Les destinations les plus célèbres des pèlerins furent Jérusalem, Saint-Jacques-de-Compostelle et Rome.

Université : institution d'enseignement supérieur créée à l'instigation de l'église au XIIIᵉ siècle. Les universités les plus célèbres furent celles de Paris, de Bologne et d'Oxford.

LES TEMPS MODERNES
(XVIᵉ-XVIIIᵉ SIÈCLE)
Période qui recouvre trois siècles, de la découverte de l'Amérique par Christophe Colomb (1492) au début de la Révolution française (1789).

Empires coloniaux : annexions territoriales liées aux grandes découvertes, menées par les Portugais et les Espagnols durant le premier moitié du XVIᵉ siècle, puis par les Anglais et les Français.

Grandes découvertes : expéditions maritimes organisées par les Portugais et les Espagnols dès la fin du XVᵉ siècle. Christophe Colomb découvrit l'Amérique (1492), Vasco de Gama doubla le cap de Bonne-Espérance (1497), Magellan fit le tour du monde (1519-1522).

Guerres de Religion : guerre civile entre catholiques et protestants (1562-1589). Henri IV mettra fin au conflit entre les deux confessions par l'édit de Nantes en 1598. Sa révocation par Louis XIV, en 1685, aura pour conséquences l'émigration ou la conversion forcée des réformés.

Humanisme : mouvement intellectuel né au début du XVᵉ siècle en Italie. L'humanisme prône la connaissance des auteurs de l'Antiquité, la recherche du bien et la réforme de l'organisation de la société.

Réforme : mouvement religieux créé à l'encontre de l'Église de Rome et du clergé catholique. Les principaux propagateurs de la Réforme furent Martin Luther (1483-1546), en Allemagne, et le Français Jean Calvin (1509-1564), à Genève.

Renaissance : mouvement artistique né en Italie au XVᵉ siècle après la prise de Constantinople par les Turcs (1453), puis en France avec les guerres d'Italie. Se traduit par une rupture avec l'esthétique médiévale et un retour aux canons de l'art antique. Florence, Rome, Venise furent les premiers foyers artistiques de la Renaissance. Les chefs-d'œuvre de la renaissance ont été financés par de généreux mécènes tels que les Médicis à Florence, les papes de Rome et les monarques français, particulièrement François Iᵉʳ.

L'HISTOIRE CONTEMPORAINE
(FIN XVIIIᵉ-À NOS JOURS)
La Révolution française (1789) marque le début de cette période.

Croissance économique : augmentation de la production des biens et des services d'un pays, mesurée par l'accroissement du produit intérieur brut (PIB).

Décolonisation : mouvement qui a mené les populations des anciennes colonies occidentales à l'indépendance politique et économique après la Seconde Guerre mondiale.

État-providence : intervention des pouvoirs publics dans les pays développés après 1945. L'État-providence a pour finalité de réduire les inégalités, de lutter contre le chômage et de contribuer à la croissance économique.

Organisation des Nations unies (ONU) : organisation internationale créée le 26 juin 1945 avec pour objectif de maintenir la paix et de favoriser la coopération entre les nations.

Première Guerre mondiale : conflit militaire ayant opposé de 1914 à 1918 les Empires centraux (Allemagne, Autriche-Hongrie) aux Alliés (France, Russie et Royaume-Uni). L'armistice fut signé à Rethondes le 11 novembre 1918.

Progrès technique : innovation technologique qui modifie la production (nouveaux produits), les façons de produire (innovation de procédés).

Seconde Guerre mondiale : conflit qui dura de septembre 1939 au 15 août 1945 (capitulation du Japon) et opposa la France, le Royaume-Uni, les États-Unis la Russie à l'Allemagne, à l'Italie et au Japon (50 millions de morts).

Socialisme : mode de production économique et social où les moyens de production font l'objet d'une appropriation collective. La Russie en 1917, les pays de l'Est après la Seconde Guerre mondiale et la Chine en 1949 se sont engagés dans cette voie. Depuis la disparition du mur de Berlin (1989), la Russie et les pays d'Europe centrale et orientale ont abandonné la référence au socialisme. La Chine se proclame économie socialiste de marché.

Syndicats : organisations professionnelles vouées à la défense des intérêts de ses membres. Ils sont reconnus en France depuis la loi Waldeck-Rousseau, de 1884.

– Une horrible potion **infecte, imbuvable, exécrable, détestable**
– Un papier peint horrible **laid, affreux, hideux**

HORS-D'ŒUVRE
syn. **amuse-gueule, entrée, apéritif**
– Petit plat pour les hors-d'œuvre **ravier**
– Hors-d'œuvre italiens **antipasti**
– Hors-d'œuvre russes **zakouski**
– Hors-d'œuvre variés libanais **mezze**
– Hors-d'œuvre espagnols **tapas**

HORS-LA-LOI
voir aussi **bandit, criminel**
– Hors-la-loi prêt à tout que plus rien n'arrête **desperado**
– Hors-la-loi anglo-saxon **outlaw**

HORTICULTURE
voir aussi **culture, élevage**
– Branche de l'horticulture **arboriculture, floriculture, maraîchage**

HOSPITALIER
– Personnel hospitalier **médecin, chirurgien, infirmier, aide-soignant, sage-femme, interne, externe**
– Une personne hospitalière **accueillante, ouverte**

HOSPITALITÉ
– Merci pour votre hospitalité **accueil**
– Celui, celle qui donne l'hospitalité **hôte, hôtesse**

HOSTIE
– Moment de la messe où le célébrant consacre l'hostie **eucharistie**
– Moment de la messe où on distribue l'hostie aux fidèles **communion**
– Présence réelle du corps de Jésus-Christ dans l'hostie **consubstantiation**
– Boîte où est conservée l'hostie **custode**
– Récipient sacré réservé à l'hostie **ostensoir, patène, ciboire**
– Hostie non consacrée **oublie**

HOSTILE
syn. **anti-, rival, adversaire**
– Être hostile à quelqu'un ou à quelque chose **défavorable**
– Des puissances hostiles **antagonistes, ennemies**
– Des paroles hostiles **inamicales, malveillantes, fielleuses**
– Un environnement hostile **inhospitalier**

HOSTILITÉ
voir aussi **guerre**
– Manifester de l'hostilité envers quelqu'un **antipathie, animosité, inimitié**
– S'attirer l'hostilité de quelqu'un **ressentiment, défaveur**

HÔTE
– Recevoir des hôtes **invités, convives**
– Hôte habituel d'une maison **commensal**
– Hôte qui reçoit des invités **maître de maison**
– Hôtesse d'accueil **réceptionniste**
– Hôte qui offre le repas **amphitryon**

HÔTEL
– Hôtel de luxe **palace**
– Hôtel modeste **pension de famille, gîte**
– Hôtel-restaurant à la campagne **auberge**
– Hôtel réservé aux automobilistes de passage **motel**
– Hôtel géré par l'État en Espagne **parador**
– Hôtel japonais typique **riokan**

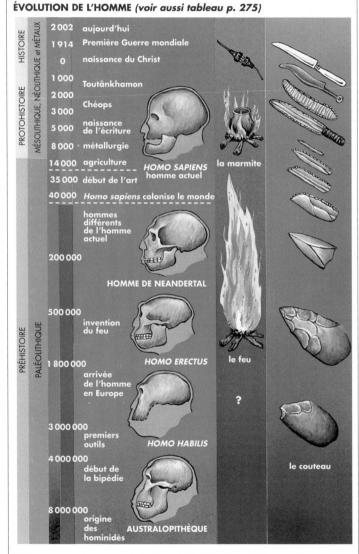

ÉVOLUTION DE L'HOMME (voir aussi tableau p. 275)

HISTOIRE	2 002	aujourd'hui
	1 914	Première Guerre mondiale
	0	naissance du Christ
PROTOHISTOIRE — MÉSOLITHIQUE, NÉOLITHIQUE et MÉTAUX	1 000	Toutânkhamon
	2 000	Chéops
	3 000	naissance de l'écriture
	5 000	
	8 000	métallurgie
	14 000	agriculture — HOMO SAPIENS homme actuel
	35 000	début de l'art
	40 000	Homo sapiens colonise le monde
PRÉHISTOIRE — PALÉOLITHIQUE		hommes différents de l'homme actuel
	200 000	HOMME DE NEANDERTAL
	500 000	invention du feu
	1 800 000	HOMO ERECTUS — arrivée de l'homme en Europe
	3 000 000	premiers outils — HOMO HABILIS
	4 000 000	début de la bipédie
	8 000 000	origine des hominidés — AUSTRALOPITHÈQUE

la marmite
le feu
?
le couteau

Cette chronologie retrace les principales étapes de l'évolution des hominidés, des origines à nos jours. Ce tableau met aussi l'accent sur deux éléments propres à l'homme : **le feu** (que l'on apprivoise puis que l'on apprend à allumer) et **l'outil** (que l'on taille puis façonne) et montre le temps qu'il a fallu pour passer du feu à la marmite et la continuité avec laquelle un outil comme le couteau traverse tous les temps en se perfectionnant lentement.

– Sorte d'hôtel oriental pour les voyageurs du désert **caravansérail**
– Appartement dans un hôtel **suite**
– Chambre d'hôtel pour une personne seule **single**
– Maître d'hôtel **majordome**
– Coursier dans un hôtel **groom, chasseur**
– Garçon d'ascenseur dans un hôtel **liftier**
– Sert au classement des hôtels **étoile**
– Hôtel de ville **mairie**

HOUILLE
voir aussi **charbon**
– Houille brute **tout-venant**
– Petit fragment de houille **tête-de-moineau**
– Poussière de houille **poussier, senisse**
– Résidu produit par la combustion de la houille **mâchefer, scorie**
– Morceau de houille mêlé aux cendres, après la combustion **escarbille**
– Extrémité d'une veine de houille **airure**
– Mine de houille **houillère**
– Gaz très inflammable qui peut se dégager dans des mines de houille **grisou**

HOUPPE
– Houppe de cheveux **toupet**
– Houppe de plumes sur la tête d'un oiseau **huppe, aigrette**
– Houppe de plumes sur un chapeau **panache**
– Petite houppe de fils ornant les uniformes **floche, pompon**
– Petite houppe de soie à l'extrémité d'un galon **freluche**
– Bordure de passementerie garnie de houppes **lambrequin**

HOUSSE
syn. **fourreau, gaine, enveloppe**
– Housse d'un instrument de musique **étui, boîte**
– Housse d'oreiller **taie**
– Édredon que l'on met dans une housse **couette**

HOUX
– Famille à laquelle appartient le houx **aquifoliacées**
– Endroit planté de houx **houssaie, houssière**
– Petit houx **fragon**
– Houx du Paraguay **maté**
– Baie du houx **cenelle**

HUER
– Huer une pièce de théâtre **siffler, conspuer**
– Il s'est fait huer **chahuter, vilipender, malmener**

HUILE
olé (o)-, olé (i)-
– Arbre à huile **aleurite**

– Graines, plantes qui fournissent de l'huile **oléagineuses**
– Palmier à huile **éléis**
– Huile de bouleau servant au traitement de certains cuirs **dioggot**
– Mélange d'huile et de cire employé en pharmacie **cérat**
– Huile parfumée utilisée autrefois comme brillantine **macassar**
– Huile essentielle de fleur d'oranger **néroli**
– Huile servant à atténuer les frottements **lubrifiant**
– Huile consacrée destinée aux onctions religieuses **chrême**
– Petit flacon où sont conservées les saintes huiles **burette, sainte ampoule**
– Dans le midi de la France, récipient métallique où l'on conserve l'huile **estagnon**
– Instrument servant à mesurer la densité des huiles **oléomètre**
– Faire cuire dans l'huile bouillante **frire, rissoler**
– Huile noire **cambouis**

HUILER
– Huiler un mécanisme **graisser, lubrifier**
– En filature, huiler les matières textiles **ensimer**

HUISSIER
– Acte officiel d'huissier **assignation, commandement, exploit**
– Huissier chargé autrefois de porter une masse lors de certaines cérémonies **massier**
– Huissier d'Afrique du Nord **chaouch**
– Témoin d'un huissier, autrefois **recors**
– Huissier dans une université **appariteur**

HUIT
oct (o)-
– Poème ou strophe de huit vers **huitain**
– Figure à huit côtés **octogone**
– Composition musicale pour huit instruments **octuor**
– Intervalle de huit degrés de l'échelle diatonique **octave**
– Ensemble de huit bits **octet**
– Le grand huit d'une fête foraine **montagnes russes**

HUÎTRE
– Famille à laquelle appartient l'huître **ostréidés**
– Variété d'huître **belon, fine de claire, marennes, perlot, gryphée, creuse**
– Huître provenant de gisements naturels **gravette**
– Huître perlière **pintadine, méléagrine**
– Larve d'huître **naissain**
– Parc à huîtres **clayère**
– Côté face à la mer d'un parc à huîtres **acul**

– Ouvrier affecté à l'entretien d'un parc à huîtres **amareyeur, parqueur**
– Séparer les jeunes huîtres pour les déposer dans le parc d'engraissement **détroquer**
– Élevage des huîtres **ostréiculture**
– Panier à huîtres **cloyère, bourriche**
– Ouvrir les huîtres **écailler**

HUMAIN
– L'être humain **homme, mortel**
– Robot ou automate ayant forme humaine **androïde**
– Science visant à améliorer biologiquement l'espèce humaine **eugénisme**
– Groupe humain partageant une même langue et une même culture **ethnie**
– Attribution de traits humains aux animaux ou aux choses **anthropomorphisme**
– Produit d'une création humaine **artefact**
– Être qui se nourrit de chair humaine **cannibale, anthropophage**
– Il n'est pas très humain **charitable, compatissant, secourable, bienveillant**

HUMANITÉ
– L'humanité dans son ensemble **monde, Terre**
– Amour de l'humanité **philanthropie**
– Haine de l'humanité **misanthropie**
– Faire preuve d'humanité **sensibilité, indulgence, clémence, compassion, bienveillance, pitié**

HUMBLE
– Une personne humble **modeste, effacée, discrète, simple**
– Une existence humble **obscure, pauvre**
– Un comportement excessivement humble **soumis, servile, obséquieux**
– Se faire humble devant un supérieur **aplatir (s'), ramper, plier l'échine, courber le front**

HUMEUR
– Je ne supporte plus ses sautes d'humeur **caprices, lubies**
– L'humeur générale d'une personne **tempérament, naturel**
– Humeur égale **équanimité, flegme**
– D'humeur changeante **lunatique, versatile**
– Relatif à l'humeur, en psychologie **thymique**
– Mauvaise humeur **maussaderie, esprit chagrin, acrimonie**
– Bonne humeur **entrain, enjouement**

HUMIDE
– Un linge légèrement humide **humecté**
– Un mur humide **suintant**
– Un temps humide **brumeux, pluvieux**
– Des terrains humides **uligineux**

– Terres humides **marécage, marais**
– Plante typique des régions humides **hygrophile**
– Une chaleur humide **moite**
– Un regard humide **embué**

HUMIDITÉ
– Dépourvu d'humidité **sec, lyophilisé**
– Trace d'humidité sur une tapisserie **mouillure**
– Appareil servant à mesurer le degré d'humidité de l'air **hygromètre, psychromètre**
– Appareil maintenant un degré d'humidité constant dans un lieu clos **hygrostat**
– Dispositif employé pour augmenter l'humidité de l'air **humidificateur, saturateur**
– Produit destiné à protéger de l'humidité **hydrofuge, humidifuge**
– Le plâtre rend son humidité **ressue**
– Plante qui recherche l'humidité **hygrophile**

HUMILIATION
– Infliger une humiliation à quelqu'un **affront, vexation, mortification, avanie, camouflet**
– Vivre dans l'humiliation **honte, avilissement, déshonneur**

HUMILIER
– Humilier par une remarque **blesser, vexer, offensé, offenser**

HUMILIER (S')
– S'humilier devant quelqu'un **aplatir (s'), ramper**

HUMOUR
voir aussi **comique, esprit**
– Forme d'humour incisif **ironie, persiflage, sarcasme**
– Forme d'humour propre à Bruxelles **zwanze**

HURLER
– Parler en hurlant **tonitruer, vociférer, époumoner (s'), crier**
– Hurler un ordre **rugir, beugler, glapir, aboyer**
– Un enfant qui hurle sans cesse **braille**
– Hurler sa colère **clamer**
– Le vent hurle dans la cheminée **mugit**

HUTTE
voir aussi **cabane**
– Hutte de paille et de branchages **paillote**
– Hutte de piètre qualité **cahute**
– Hutte antillaise **case, ajoupa**
– Hutte amérindienne **wigwam**
– Hutte de pierres sèches dans le sud de la France **borie**
– Hutte conique des peuplades sibériennes **yourte**

HYBRIDE
syn. **métis**
– Organisme hybride **chimère**
– Hybride d'animaux domestiqués **bardot, mulet, mule**
– Hybride de félins **tigron**
– Hybride de canard **mulard**
– Hybride d'agrumes **clémentine, tangerine, pomélo**
– Hybride de seigle et de blé **triticale**

HYDRAULIQUE
– Roue hydraulique **tympan**
– Élément de la roue hydraulique mû par la pression de l'eau **aube**
– Machine hydraulique **bélier hydraulique, noria**
– Ouvrage hydraulique **aqueduc, barrage, écluse**
– Orgue hydraulique de l'Antiquité **hydraule**
– Énergie hydraulique **houille blanche, houille bleue**

HYDROGÈNE
– Symbole chimique de l'hydrogène **H**
– Hydrogène lourd **deutérium**
– Acide contenant de l'hydrogène **hydracide**
– Composé de l'hydrogène avec un métal **hydrure**
– Noyau de l'atome d'hydrogène **proton**
– Premier physicien à avoir identifié l'hydrogène **Henry Cavendish**

HYÈNE
– Famille à laquelle appartient l'hyène **hyénidés**
– Animal nécrophage tel que l'hyène **charognard**
– Crier, en parlant de l'hyène **rire**
– Animal apparenté à l'hyène **lycaon, protèle**

HYGIÈNE
– Hygiène publique **salubrité**
– Hygiène corporelle **propreté**
– Des règles d'hygiène **sanitaires, prophylactiques**
– Mesure d'hygiène **désinfection, assainissement, asepsie**
– Méthode ayant pour objet l'hygiène et l'équilibre alimentaire lors d'un régime **diététique**

HYMNE
syn. **ode**
– Hymne religieux **psaume, cantique, hosanna**
– Hymne à la gloire de Dieu **gloria, sanctus, Te Deum**
– Hymne de l'Église protestante **choral**
– Recueil d'hymnes religieux **hymnaire**
– Hymne en l'honneur d'Apollon **péan**
– Hymne national de la France *la Marseillaise*

HYPNOSE
– État d'hypnose ressemblant à un coma **catalepsie, léthargie**
– Forme d'hypnose caractérisée par une activité automatique **somnambulisme**
– Hypnose due à l'absorption de certains médicaments **narcose**
– Hypnose provoquée par des pratiques magiques **envoûtement, ensorcellement**
– Forme d'hypnose caractéristique d'un médium **transe**
– Personne qui utilise l'hypnose à des fins thérapeutiques **magnétiseur**

HYPOCRISIE
– Parler sans hypocrisie **duplicité, dissimulation**
– Hypocrisie d'une attitude **fourberie, tartuferie**
– Scène d'une hypocrisie frappante **mascarade**
– Hypocrisie malveillante **perfidie**
– Hypocrisie dans l'expression des sentiments religieux **bigoterie, cagoterie, pharisaïsme, papelardise**

HYPOCRITE
– Une personne hypocrite **fausse, sournoise, artificieuse, retorse, fourbe**
– Un air hypocrite **chafouin, cauteleux, de chattemite**
– Un ton hypocrite **patelin, mielleux, doucereux**
– Un sourire hypocrite **affecté, simulé, feint**
– Larmes hypocrites **de crocodile**
– Un procédé hypocrite **jésuitique, insidieux**

HYPOTHÈSE
– Hypothèse scientifique **assomption, conjecture**
– Hypothèse de base en mathématiques **postulat, axiome**
– Émettre une hypothèse **supposition**
– Envisager une hypothèse **éventualité, possibilité**
– Analyse de toutes les hypothèses possibles **exhaustion**

HYPOTHÉTIQUE
– Tout cela reste hypothétique **incertain, aléatoire, improbable, douteux**

HYSTÉRIE *Voir tableau psychiatrie, p. 498*
– Terme de psychiatrie qualifiant les troubles dus à l'hystérie **pithiatiques**
– Forme d'hystérie arctique observée chez les Esquimaux **piblokto**

ICEBERG

– Formation d'un iceberg par détachement de la banquise **vêlage**
– Glacier continental des régions polaires dont se détachent les icebergs **inlandsis**
– Forme d'iceberg au ras de l'eau **tabulaire**

ICI

– Les gens d'ici **autochtones, indigènes, aborigènes**

IDÉAL /1

syn. **absolu, modèle, perfection**
– Idéal irréalisable **utopie**
– Idéal de beauté **canon**
– Idéal de vie **aspiration**

IDÉAL /2

– Donner un caractère idéal **sublimer, magnifier, embellir**
– Un monde idéal **imaginaire, rêvé, fictif, utopique**
– Le moment idéal **parfait, optimal**

IDÉE

syn. **concept, conception, notion**
– Idées formant système **doctrine, théorie**
– Il a une idée sur la question **opinion, avis**
– Idée d'une œuvre **sujet, fond, thème**
– Idée pouvant se réaliser **perspective, éventualité, projet**
– Expression imagée d'une idée **symbole, allégorie, métaphore**
– Avoir des idées **imagination, inventivité, créativité**
– Source d'une idée **inspiration**
– Idée de génie **plan, trouvaille, invention, découverte**
– Avoir des idées noires **cafard, bourdon, spleen, vague à l'âme, mélancolie, dépression**
– Idée reçue **préjugé**
– Se faire une idée de la situation **apprécier, estimer, évaluer**
– Donner une idée d'un projet **aperçu, échantillon, exemple**
– Avoir idée que… **l'impression, le pressentiment**

– Association d'idées **analogie, similitude, rapport**
– Se faire à l'idée **admettre, convenir, accepter**
– Se faire des idées **illusions, chimères**
– Être perdu dans ses idées **rêveries, fantaisies**
– Idée fixe **marotte, manie, obsession, hantise, obnubilation**
– Avoir les idées larges, c'est être **compréhensif, libéral, tolérant**
– Qui a une haute idée de sa personne **orgueilleux, prétentieux, vaniteux, imbu, infatué, présomptueux, fat, suffisant, arrogant**
– Qui a de la suite dans les idées **opiniâtre, persévérant, têtu, entêté, obstiné, acharné, tenace**

IDENTIQUE

– Arriver à des résultats identiques **semblables, pareils, analogues, équivalents, égaux, similaires**
– Personne physiquement identique à une autre **sosie, portrait craché**
– Rester identique à soi-même **constant, stable, égal**

IDENTITÉ

syn. **symétrie, analogie, gémélité**
– Identité parfaite **similitude, accord, coïncidence**
– Identité et unité de substance des personnes de la Trinité, en théologie **consubstantialité, coexistence**
– Processus de genèse de l'identité en psychanalyse **identification, introjection, incorporation, intériorisation, projection**
– Affirmer son identité **personnalité, subjectivité, tempérament, originalité, caractère, singularité**
– Principe d'identité en logique **relation**
– Identité remarquable en mathématiques **équivalence**
– Pièce d'identité établie à la mairie **fiche d'état civil, extrait de naissance, livret de famille**
– Se munir d'une pièce d'identité **carte d'identité, passeport, permis de conduire**

IDIOT

– Il est totalement idiot ! **sot, crétin, abruti, bête, stupide, dégénéré**
– Propos idiots **ineptes, absurdes, niais, insensés, incohérents**
– Ce serait idiot de ne pas le faire **dommage, stupide, malheureux, regrettable, fâcheux**

IDIOTIE

– Forme d'idiotie mentale **crétinisme, débilité, imbécillité, arriération, aliénation**
– Preuve d'idiotie dans le jugement **stupidité, bêtise, sottise, balourdise**
– Proférer des idioties **inepties, absurdités, niaiseries, insanités**

IDOLE

– Objet du culte des idoles **fétiche, statue, image**
– Idole des jeunes **vedette, coqueluche, célébrité, star**
– Considère un artiste comme son idole **fan, groupie**

IDYLLE

voir aussi **amour**
– Idylle poétique **églogue, pastorale, bucolique, bergerie, pastourelle, villanelle**
– Il a eu une idylle avec une ancienne collègue **amourette, béguin, passade, liaison, tocade, intrigue, aventure**

IGNOBLE

– Acte ignoble **odieux, honteux, bas, indigne, répugnant, sordide, méprisable**
– Individu ignoble **infâme, abject, obscène, dégoûtant, repoussant**
– Quartier ignoble **insalubre, sale, misérable, immonde**

IGNORANCE

– Individu d'une ignorance totale **ignare, illettré, inculte, analphabète, cancre**
– Faire preuve d'ignorance dans un domaine spécialisé **incompétence, impéritie, inaptitude**
– Travail qui révèle de sérieuses igno-

rances **lacunes, manques, méconnaissances, erreurs, omissions**
– Ignorance de son prochain **arrogance, dédain, mépris**
– Ignorance de l'enfance **inexpérience, innocence, ingénuité, naïveté, candeur**

IGNORÉ

– Vivre ignoré de tous **anonyme, incognito**
– Comédien ignoré **inconnu, obscur, méconnu**
– Des faits ignorés par la justice **négligés**
– Une île ignorée du reste du monde **inexplorée, vierge**

IGNORER

– Ignorer ses droits **méconnaître**
– Faire mine d'ignorer quelqu'un **mépriser, bouder**
– Ignorer le danger **braver, provoquer, faire fi de, affronter, défier**

ÎLE *Voir tableau ci-contre*

– Île rattachée à la terre **presqu'île**
– Île de sable et de limon dans les cours d'eau **atterrissement**
– Petite île rocheuse dangereuse pour la navigation **récif, brisant, écueil**
– Sorte d'île plate **banc, haut-fond**
– Grande presqu'île **péninsule**
– Groupement naturel d'îles **archipel**
– Petite île **îlot**
– Île formée de coraux **atoll**
– Habitant d'une île **insulaire**
– Langue parlée dans certaines îles **créole**
– Parfum des îles **exotique**
– Partir pour les Îles **Antilles**

ILLÉGAL

voir aussi **crime, droit, justice, loi**
– Exercice illégal de la médecine **illicite, usurpatoire, irrégulier, illégitime**
– Vente illégale d'un produit **interdite, prohibée, défendue**
– Acte illégal **délit, crime, infraction**

ILLÉGITIME

syn. **hors-la-loi**
– Un enfant illégitime **adultérin, bâtard, naturel**
– Une action illégitime **défendue, interdite, illicite**
– Une peur illégitime **injustifiée, infondée, déraisonnable**

ILLETTRÉ

syn. **ignorant**
– Lutte contre le nombre important d'illettrés **illettrisme**
– Individu totalement illettré **analphabète, ignorant, inculte**

ILLIMITÉ

– Une durée illimitée **indéterminée, indéfinie**
– Un nombre d'étoiles illimité **incalculable, immense, incommensurable**
– Avoir une confiance illimitée **totale, infinie, absolue**

ILLUMINATION

– Illumination soudaine du savant **inspiration, découverte, éclair, trait de génie**
– Illumination subite de la foi **conversion, révélation**
– Illumination pour une fête **lampion, girandole, projecteur, spot, feu d'artifice, fontaine lumineuse, guirlande**
– Veiller à l'illumination d'un quartier obscur **éclairage**
– Les *Illuminations* de Rimbaud **enluminures**

ILLUMINÉ

– Journée illuminée de soleil **éclairée, embrasée, ensoleillée**
– Visage illuminé de joie **embelli, rayonnant, resplendissant**
– Individu illuminé **inspiré, visionnaire, mystique, exalté**

ILLUMINER (S')

– Regard qui s'illumine **brille, pétille**

ILLUSION

– Vivre dans l'illusion **rêve, rêverie, utopie, songe**
– Illusion des sens **erreur, leurre, tromperie, vision, hallucination, délire**
– Marchand d'illusions **prestidigitateur, magicien, illusionniste, voyant, escamoteur, charlatan, truqueur, imposteur**
– Effet d'illusion **charme, enchantement, fantasmagorie, envoûtement, sortilège**
– Illusion qui prend les apparences de la réalité **mirage**
– Peinture qui donne l'illusion de la réalité **trompe-l'œil**
– Se faire des illusions **imaginer (s'), leurrer (se), aveugler (s'), tromper (se), flatter (se), abuser (s')**
– Préférer ses illusions à la réalité **utopie, chimères, fantômes, fantasmagories**
– Illusion pathologique **fabulation, affabulation, mythomanie**

ILLUSOIRE

– Un espoir illusoire **chimérique, faux, vain, apparent, fictif, inutile, stérile**

ILLUSTRATION

– Ceci est l'illustration de sa bêtise **manifestation**
– Les illustrations d'un manuscrit médiéval **enluminures, miniatures**
– Ensemble d'illustrations **iconographie**
– Faire l'illustration d'un livre pour enfants **dessins, images, gravures**

– Magazine composé d'illustrations et de légendes **illustré**

ILLUSTRE

– Un homme illustre **grand, célèbre, fameux, glorieux**
– Il est l'auteur de faits illustres **brillants, éclatants, extraordinaires**
– D'illustre naissance **noble, aristocrate**

ILLUSTRER

– Illustrer des livres d'art **orner, décorer**
– Illustrer une règle par un exemple **éclairer, expliquer, éclaircir**

IMAGE

– Récit qui parle par images **parabole, apologue, fable**
– Image poétique **métaphore, comparaison**
– Idée exprimée par une image **figure, symbole, allégorie, signe, emblème**
– Image banale et figée **cliché, lieu commun, stéréotype**
– Image d'un objet ou d'une personne dans les arts graphiques et plastiques **dessin, représentation, portrait, effigie, figure, peinture, illustration, caricature**
– Image obtenue par impression d'un dessin sur une pierre calcaire **lithographie**
– Image imprimée au moyen d'une planche gravée de bois ou de cuivre **estampe, aquatinte, mezzotinto, xylographie, vignette**
– Image qui illustre un texte **gravure, illustration, enluminure, frontispice, cul-de-lampe**
– Image religieuse exécutée dans l'Église d'Orient **icône**
– Image reproduite sur du bois ou du verre à l'aide d'un filtre **sérigraphie**
– Image découpée servant de moule **pochoir**
– Ensemble des images d'un ouvrage **iconographie**

LES PLUS GRANDES ÎLES DU MONDE		
Île	**Situation**	**Superficie (en km²)**
Groenland	Amérique du Nord	2 170 600
Nouvelle-Guinée	Australie/ Asie	785 000
Bornéo	Asie	736 000
Madagascar	Afrique	592 000
Sumatra	Asie	473 600
Terre de Baffin	Amérique du Nord	462 800

– Chaque image d'un film **photogramme**
– Création d'images avec des outils informatiques **infographie**
– Point constitutif d'une image sur un écran **pixel**
– Image reproduite sur un miroir **reflet**
– Image en trois dimensions **hologramme**
– Appareil servant à la transmission des images **télévision, bélinographe, pantographe, lanterne magique**
– Image déformée **anamorphose**
– Film pris image par image **film d'animation, dessin animé**
– Conservation des images sur microfilms constituée en dépôt d'archives **filmothèque**
– Science de l'image et du son **audiovisuel**
– Briseur d'images **iconoclaste**
– Culte des images **iconolâtrie**
– Être amoureux de sa propre personne, de son image **narcissisme**
– Image de marque d'une personnalité ou d'une firme **réputation, popularité, prestige, look, renommée**
– Formation d'images rétiniennes **vision**
– Image irréelle produite par l'esprit ou les sens **illusion, mirage**
– Garder une image d'un événement passé **souvenir**
– Un enfant sage comme une image **posé, calme, modèle**

IMAGINAIRE /1
– Le réel, le symbolique, l'imaginaire dans la psychanalyse selon Lacan **registre**

IMAGINAIRE /2
– Genre imaginaire dans l'art **fantastique, science-fiction**
– Créature imaginaire **troll, gnome, farfadet, lutin, vampire, fée, elfe**
– Animal imaginaire **dragon, licorne, centaure, sirène, Cerbère, hydre, Phénix, pégase**
– Nombre imaginaire **complexe**
– Malade imaginaire **hypocondriaque, mélancolique**
– Raisons imaginaires **feintes**
– Cas imaginaire **hypothétique**
– Danger imaginaire **illusoire, irréel, fictif**
– Un monde imaginaire **utopique, chimérique, idéalisé**

IMAGINATION
– N'existe que dans l'imagination **pensée, esprit**
– Imagination débordante **invention, fantaisie**
– Imagination qui évoque le passé **mémoire**
– Productions de l'imagination **fictions, fantômes, rêveries, fantasmagories**
– Imagination artistique **inspiration, créativité**

IMAGINER
– Imaginer une méthode de travail **créer, trouver, construire, forger, combiner, fabriquer, élaborer**
– Imaginer un monde meilleur **concevoir, envisager, figurer (se)**
– Imaginer quelqu'un d'inconnu **représenter (se), évoquer**
– Que vas-tu imaginer là ? **chercher**
– Contrairement à ce que tout le monde peut imaginer **croire, penser, supposer, admettre, conjecturer, supputer**
– Imaginer la réaction de quelqu'un **pressentir, deviner, anticiper**
– Imaginer la souffrance de quelqu'un **comprendre, savoir**

IMBÉCILE
syn. **aberrant, abruti, âne, arriéré, crétin, débile, dégénéré, demeuré, incapable, incohérent, insensé, niais, stupide**
voir aussi **bête, sot, idiot**

IMITATEUR
– Imitateur qui tourne en dérision **pasticheur, caricaturiste**
– Imitateur qui suit le style d'un créateur **épigone, suiveur**
– Imitateur malhonnête **copieur, faussaire, plagiaire, contrefacteur**

IMITATION
voir aussi **faux**
– Imitation comique **caricature, parodie, singerie, charge**
– Imitation fidèle **reproduction**
– Imitation qui cherche à tromper **simulacre, affectation**
– Imitation par le geste et par la voix **mime, mimologie**
– Reproduire par instinct d'imitation **mimétisme**
– Imitation du style d'artistes célèbres **pastiche**
– Imitation plate d'un modèle **copie, calque, reproduction, démarquage**
– Imitation frauduleuse **faux, contrefaçon, plagiat**
– Objet en imitation cuir **simili**
– À l'imitation de… **à l'instar de, à la manière de, à la façon de, sur le modèle de**

IMITER
– Imiter les gestes ou la voix de quelqu'un **mimer, reproduire, répéter, copier, simuler**
– Imiter quelqu'un pour se moquer **singer, caricaturer, parodier, charger**
– Imiter quelqu'un en le prenant comme modèle **suivre l'exemple de, marcher sur les pas de**
– Imiter la démarche d'un ouvrage **inspirer de (s'), emprunter, plagier, utiliser**

– Décor qui imite le bois **ressemble à**
– Imiter une écriture **contrefaire**
– Imiter le cri d'un oiseau **frouer**
– Imite le cri d'un animal **appeau**
– Imite pour piéger **leurre**

IMMATÉRIEL
– Une force immatérielle **incorporelle, spirituelle, céleste, divine**

IMMATURE
– Fœtus immature **prématuré**
– Une cellule immature **inachevée**
– Un adolescent immature psychologiquement **irresponsable, dépendant**
– Attitude immature **enfantillage, puérilité, gaminerie, niaiserie**

IMMÉDIAT
– Cause immédiate en philosophie **directe**
– Données immédiates de l'expérience **simples, primitives**
– Danger immédiat **imminent**
– Intérêt immédiat **présent, actuel**
– Réaction immédiate **rapide, prompte, instantanée**
– Crise immédiate **subite**

IMMENSE
syn. **herculéen, incalculable, incommensurable, titanesque**
– Groupe immense **énorme, gigantesque, démesuré, géant, colossal**
– Pouvoir immense **fabuleux, prodigieux, infini, illimité**
– Panorama immense **vaste, ample, étendu**
– Il a poussé un immense cri **effrayant**
– Affection immense **profonde, considérable**

IMMEUBLE
voir aussi **bien**
– Type d'immeuble en ville **habitation, logement, construction, bâtiment, building, édifice**
– Groupe d'immeubles **résidence**
– Grand immeuble construit en longueur **barre**
– Grand immeuble construit en hauteur **tour, gratte-ciel**
– Propriétaire d'un appartement dans un immeuble **copropriétaire**
– Bureau qui gère un immeuble pour ses propriétaires **syndic**
– Personne qui garde un immeuble **gardien, concierge**
– Droit réel dont est grevé un immeuble **hypothèque**
– Immeubles de la communauté dans un mariage **acquêts, conquêts**
– Nantissement d'un immeuble **gage, antichrèse**
– Bien immeuble par nature **bâtiment, sol**

– Droits réputés immeubles **immobiliers**
– Fortune composée de biens meubles et immeubles **patrimoine**

IMMIGRÉ

voir aussi **émigré**
– Immigré banni de son pays **expatrié, exilé**
– Immigré vivant sous les lois du pays d'accueil **ressortissant, résident**
– Immigré qui a fui son pays **réfugié, apatride**
– Papier qui permet à un immigré de travailler dans le pays d'accueil **permis de travail, carte de séjour**
– Octroi à un immigré de la nationalité du pays d'accueil **naturalisation**
– Mesure qui vise à faire participer l'immigré à la vie du pays d'accueil **intégration, assimilation**
– Pulsions de rejet et de haine vis-à-vis des immigrés **xénophobie, racisme**
– Fils ou fille d'immigrés maghrébins français **beur, beurette**

IMMOBILE

– Immobile sous l'effet d'une émotion forte **médusé, figé, paralysé, pétrifié, stupéfait, abasourdi, sidéré**
– Individu immobile après un accident **inanimé, inerte**
– Immobile sous l'effet du froid **gourd, engourdi, transi, perclus**
– Immobile et sans énergie **inactif, mou, apathique, aboulique**
– Véhicule immobile **à l'arrêt, en panne**
– Une eau immobile **dormante, stagnante, croupissante**
– Lois considérées comme immobiles **invariables, immuables, fixes**

IMMOBILISER

– Immobiliser une voiture **arrêter, bloquer**
– Immobiliser un navire **amarrer, ancrer**
– Voilier immobilisé par temps calme **encalminé**
– Immobiliser un mécanisme **visser, coincer, river, attacher**
– Immobiliser un membre fracturé **plâtrer**
– Immobiliser par la peur **figer, paralyser, pétrifier**
– Immobiliser des capitaux **geler**
– Immobiliser une évolution prometteuse **freiner, fixer, scléroser**

IMMORAL

– Écrits immoraux **indécents, licencieux, cyniques, obscènes, scandaleux, irrévérencieux**
– Actions ou conduites immorales par rapport aux normes du groupe social ou à ce que l'on considère comme les bonnes mœurs **malhonnêtes, malsaines, asociales**

– Individu foncièrement immoral **corrompu, dépravé, dévergondé, débauché, libidineux, libertin, pervers, vicieux**
– Ce qui n'est ni immoral, ni moral et, plus largement, étranger au domaine de la morale **amoral**
– Personne immorale selon André Gide, c'est-à-dire qui se reconnaît le droit de poser ses propres valeurs **immoraliste**

IMMORTEL

– Les immortels **académiciens**
– Immortelle des neiges **edelweiss**
– Immortel dans la mémoire des hommes **glorieux, célèbre, illustre**
– Monument immortel **impérissable, éternel**
– Être immortel dans la mythologie **dieu, déesse**
– Vie immortelle **éternité, au-delà, salut**
– Conception spiritualiste selon laquelle l'âme est immortelle **platonisme, christianisme, islamisme, kantisme**

IMMUABLE

– Une vérité immuable **absolue, continue, intemporelle**
– Une volonté immuable **inaltérable, constante, durable, invariable, ferme, fixe**
– Attribut métaphysique de Dieu qui en tant qu'être parfait est immuable **immutabilité**

IMMUNISÉ

– Immunisé contre les maladies infectieuses **vacciné, mithridatisé, protégé**
– Immunisé contre les tentations **invulnérable, blindé**

IMMUNITAIRE

– Déficience de la réaction immunitaire **immunodéficience, sida**
– Cellule intervenant dans la réaction immunitaire **globule blanc, lymphocyte**
– Substance intervenant dans la réaction immunitaire **immunoglobine, gammaglobuline, anticorps**
– Défenses immunitaires de l'organisme **cytokines**
– Substance aidant la réaction immunitaire **vaccin, sérum**
– Réaction immunitaire naturelle, innée **phagocytose, inflammation**
– Médicament augmentant la réaction immunitaire **immunostimulant, interféron**
– Dérèglement de la réaction immunitaire **allergie, maladie auto-immune, sclérose en plaques, rhumatisme articulaire**
– Réaction immunitaire **réponse**
– Médicament diminuant ou supprimant la réaction immunitaire **immunosuppresseur, immunodépresseur, corticoïde**

– Substance étrangère déclenchant la réaction immunitaire de l'organisme **antigène, facteur Rhésus**

IMMUNITÉ

– Immunité parlementaire **dispense, franchise, privilège, inviolabilité, exemption, décharge**
– Immunité acquise **tolérance, mithridatisation, accoutumance**
– Provoque l'immunité **immunisation, vaccination**
– Immunité cellulaire **immunocompétence**

IMPAIR

– Commettre un impair **gaffe, maladresse, erreur, bourde, bévue, faux-pas**
– Vers et rythme impairs **irréguliers, syncopés**
– Foliole impaire dans une feuille **unique**

IMPARFAIT

– Valeur aspectuelle de l'imparfait comme temps du passé **passé non accompli**
– Accord imparfait **dissonance**
– Avoir une idée imparfaite de la situation **vague, imprécise, approximative, rudimentaire, grossière**
– Objet dont l'exécution est imparfaite **inachevée, incomplète, insuffisante**
– Les modes de l'imparfait **indicatif, subjonctif**
– Imparfait à cause de nombreux défauts **inégal, défectueux, discutable, critiquable**

IMPASSE

– Habiter dans une impasse **cul-de-sac**
– Situation en impasse **sans issue, sans solution, difficile**
– Jeu de cartes où l'on tente une impasse **bridge, belote**

IMPASSIBILITÉ

– Impassibilité devant le danger **calme, flegme, sang-froid, fermeté, courage, impavidité**
– Impassibilité devant la souffrance **froideur, indifférence, insensibilité, stoïcisme, maîtrise de soi**
– Impassibilité des sages **ataraxie**
– Impassibilité des traits du visage **immobilité, imperturbabilité**

IMPATIENCE

– Manifester de l'impatience **agacement, énervement, irritation, colère, exaspération, agitation**
– Attendre des résultats avec impatience **inquiétude, fièvre**
– Attendre quelqu'un avec impatience **désir, hâte, empressement, fébrilité**
– Avoir des impatiences dans les jambes **fourmis, fourmillements**

IMPATIENT /1
– L'impatiente éclate quand on la touche **impatiens, balsamine, noli me tangere**

IMPATIENT /2
– Enfant très impatient **vif, nerveux, bouillant, ardent, impétueux, turbulent, fougueux**
– Individu impatient d'obtenir satisfaction **pressé, désireux, avide**

IMPECCABLE
– C'est un remède impeccable contre l'ennui **infaillible, parfait**
– Une tenue impeccable **irréprochable, sans défaut**
– Un rôle impeccable **formidable, sensationnel, magistral, excellent**

IMPÉRATIF
syn. **obligatoire**
– Ce qu'exprime l'impératif **commandement, ordre, souhait, prière, défense, exhortation, conseil**
– Les impératifs catégoriques et hypothétiques de Kant **moraux**
– Les impératifs de la mode **exigences, contraintes, lois, prescriptions**
– Parler sur un ton impératif **autoritaire, impérieux, bref, sec**
– Besoins impératifs **pressants, urgents, absolus**

IMPÉRIAL
– Barbe à l'impériale **barbiche**
– Symbole impérial **sceptre, aigle, couronne**
– Un air impérial **imposant, majestueux, solennel, noble**
– Pâté impérial **nem**
– Du papier impérial **supérieur**

IMPÉRIALISME
– Impérialisme politique et économique conquérant **colonialisme, expansionnisme**
– Pays que l'impérialisme domine **colonie, empire**
– États unis moralement par l'impérialisme britannique **Commonwealth**
– Opposition à l'impérialisme **anticolonialisme, décolonisation, autodétermination**
– Impérialisme d'une science sur un domaine de connaissances **suprématie**

IMPÉRIEUX
– Un chef impérieux **autoritaire, tyrannique, intransigeant**
– Un ton impérieux **impératif, tranchant, cassant, dogmatique**
– Un désir impérieux **irrésistible, pressant, absolu, incoercible, urgent**

IMPERMÉABLE /1
– Imperméable de marins **ciré**

– Imperméable à ceinture **trench-coat**
– Imperméable anglais **riding-coat, mackintosh**
– Imperméable en étoffe de laine croisée **gabardine**

IMPERMÉABLE /2
syn. **fermé, hermétique, impénétrable, inaccessible, indifférent, insondable, waterproof**
– Imperméable à l'eau **étanche**
– Matière imperméable **argile, silicone, plastique, caoutchouc**

IMPERSONNEL
– Verbe impersonnel **pleuvoir, neiger, falloir**
– Mode impersonnel du verbe **participe passé, infinitif, gérondif, participe présent**
– Dieu est impersonnel **immatériel**
– La loi est impersonnelle **universelle, collective**
– Jugement impersonnel **neutre, objectif, impartial**
– Ton impersonnel **froid, distant**
– Message impersonnel **anonyme**
– Style impersonnel **neutre, banal**

IMPERTINENCE
– Parler avec impertinence **effronterie, impolitesse, impudence, insolence, outrecuidance, irrévérence**

IMPERTINENT
– Un raisonnement impertinent **absurde**
– Un ton impertinent **désinvolte, irrévérencieux, impoli, incorrect, mutin, insolent, impudent, effronté, cavalier**

IMPÉTUEUX
– Vent impétueux **déchaîné, violent, fort, furieux**
– Comportement impétueux **vif, fougueux, ardent, emporté, pétulant, violent**
– Caractère impétueux **volcanique, bouillant**
– Demande impétueuse **effrénée, véhémente**
– Rythme impétueux **endiablé, frénétique**

IMPIE
syn. **agnostique, libre-penseur, libertin**
– Impie qui n'a pas de religion **incroyant, mécréant, païen, athée, irréligieux**
– Impie parce que ne professant pas la religion considérée comme vraie **hérétique, infidèle, gentil, schismatique**
– Impie qui insulte et renie sa religion **blasphémateur, apostat, profanateur, sacrilège**
– Paroles impies **blasphématoires**
– Vie d'impie **libertine**

IMPITOYABLE
– Individu impitoyable **insensible, cruel, inhumain, inflexible, intraitable, sans cœur**
– Jugement impitoyable **dur, féroce, sans appel, implacable, inexorable, sans merci, sévère**
– Un impitoyable bavard **intarissable, impénitent, infatigable**

IMPLIQUER
– Impliquer quelqu'un dans un scandale **compromettre, mêler, associer, mettre en cause**
– Juger implique une certaine réflexion **nécessite, suppose, présuppose, signifie**
– Il ne se sent pas impliqué dans la lutte contre l'exclusion **concerné par**
– S'impliquer totalement dans son travail **investir (s')**

IMPOLI
– Un individu impoli **goujat, malappris, mufle, malotru, rustre**
– Impoli en toutes circonstances **mal éduqué, désagréable, discourtois, mal élevé, inconvenant, incorrect, grossier, incivil**
– Impoli envers des personnes **insolent, irrespectueux, irrévérencieux, impertinent**

IMPOLITESSE
– Son absence trahit son impolitesse **incorrection, sans-gêne, grossièreté, désinvolture**

IMPORTANCE
– Événement qui a une importance non négligeable **intérêt, valeur, poids, force, portée, gravité, dimension**
– Avoir de l'importance **compter**
– Prendre de l'importance **étendre (s'), imposer (s'), affirmer (s'), alourdir (s'), aggraver (s'), accroître (s')**
– Attacher de l'importance à un livre **tenir à**
– Cet employé a beaucoup d'importance chez nous **valeur, autorité, influence, prestige, crédit**
– Il aime se donner plus d'importance qu'il n'en a **vanter (se), glorifier (se), pavoiser, fanfaronner**

IMPORTANT
– Il a fait d'importants progrès en dictée **substantiels, notables, sensibles, appréciables, conséquents, remarquables**
– Cette découverte marque une avancée importante dans nos recherches **considérable, majeure**
– Le point le plus important **principal, essentiel, décisif, fondamental, clef, crucial, vital, stratégique**

INFORMATIQUE

MATÉRIEL/HARDWARE

Binaire : langage, composé de deux chiffres (0 et 1), utilisé pour faire transiter une information entre les composants d'un ordinateur.

Bit *(binary digit)* : unité de base représentant une information numérique exprimée en binaire. Un ensemble de 8 bits s'appelle un octet.

Bus : dispositif qui assure le transport de signaux entre différents éléments d'un système informatique. Par exemple, le bus local met en liaison directe avec les périphériques.

Byte : unité de mesure composée de plusieurs bits (8, 16, 32, etc.).

Carte mère : support, composé de plastique et de connecteurs, situé dans l'unité centrale ; il comporte les éléments vitaux d'un ordinateur, comme le processeur ou la mémoire, et assure la liaison avec les autres cartes (son, vidéo, etc.).

CD *(Compact Disc)* : disque optique numérique à lecture laser permettant le stockage de données (CD-Rom), de sons (CD) ou de vidéos (CDV). Il peut être enregistrable une seule fois (CD-R) ou réinscriptible (CD-RW).

Chipset : ensemble des composants qui servent à relier les données entre le processeur, le bus et la mémoire.

Configuration : ensemble des caractéristiques des éléments matériels d'un système informatique (capacité de mémoire, nature des périphériques).

Crayon optique : crayon servant à écrire sur un écran électronique.

Domotique : ensemble des techniques de gestion automatisée liées à l'habitat (luminaire, chauffage, utilisation de l'électroménager, etc.).

Grappe : technique consistant à relier entre eux des ordinateurs autonomes à travers un réseau afin d'effectuer des calculs volumineux. On parle d'architecture en grappe ou de clustering.

Hub : appareil servant de relais sur lequel sont branchés tous les ordinateurs d'un réseau.

Lecteur : périphérique qui permet l'introduction de données par l'intermédiaire de disquettes, disques ou cassettes.

Mémoire : élément qui permet de stocker et de restituer des données. On distingue la mémoire morte *(ROM, read only memory)*, qui contient les informations essentielles au bon démarrage de l'ordinateur et ne peut être modifiée, de la mémoire vive ou active *(RAM, random access memory)*, qui se vide après extinction de l'ordinateur.

Modem (acronyme de modulateur/démodulateur) : boîtier placé entre un ordinateur et une prise téléphonique pour transformer un signal numérique en un signal analogique que la ligne de téléphone peut véhiculer.

Onduleur : appareil de secours fournissant une alimentation constante en cas de panne ou d'insuffisance électrique.

Pitch : distance entre deux pixels.

Pixel : la plus petite zone d'un écran, qui peut-être allumée ou éteinte. Le nombre de pixels détermine la qualité d'un écran, c'est-à-dire sa résolution.

Plug & Play (brancher et utiliser) : système permettant d'identifier un nouveau périphérique, de l'installer et de le configurer de manière automatique.

Processeur ou **microprocesseur :** circuit intégré situé au cœur de l'ordinateur dont la fonction est de traiter, calculer, exécuter et faire circuler les données.

Scanner : appareil servant à créer une copie numérique d'un document visuel (texte, photo, image).

Serveur : dans un réseau, ordinateur contenant une information destinée à être utilisée par d'autres ordinateurs, appelés clients.

Souris : accessoire complémentaire du clavier, qui permet d'aller d'un point à un autre sur un écran d'ordinateur et de lancer des commandes.

Table d'ondes : échantillon de sons numérisés. La carte son d'un ordinateur possède une table d'ondes.

Table graphique : périphérique sur lequel on peut créer des dessins ou tracer des schémas qui sont transmis à l'ordinateur.

LOGICIEL/SOFTWARE

Applet ou **appelette :** petite application écrite en langage java et associée à une page Web, qui est exécutée directement sur l'ordinateur de l'internaute.

Benchmark : logiciel qui permet l'analyse comparative des performances d'un matériel ou d'un logiciel.

Bogue/bug : erreur dans un programme qui entraîne des anomalies de fonctionnement.

Brider : limiter un logiciel informatique en interdisant l'accès à certaines de ses fonctions (dans le cas d'un shareware, par exemple).

Défragmenter : recomposer les emplacements (unités d'allocation) où sont enregistrées les données sur un disque dur afin de gagner de la place.

Économiseur d'écran (veille) : application qui affiche une animation, utilisée lors d'une interruption dans l'utilisation d'un ordinateur. À l'origine, cela permettait d'éviter de figer l'intensité lumineuse pouvant détériorer certaines parties de l'écran.

Émulation : application permettant de simuler l'utilisation d'un équipement externe (comme le Minitel) sur un ordinateur.

Freeware : logiciel que son auteur a choisi de rendre absolument gratuit (pour le tester ou en faire profiter la communauté). On parle parfois de graticiel.

Langage de programmation : ensemble de règles, de caractères, de symboles compréhensibles par l'ordinateur permettant de communiquer avec lui. Basic, cobol, pascal ou c sont des langages de programmation.

Logiciel : programme destiné à effectuer des tâches particulières sur un ordinateur (installation d'un périphérique, d'un traitement de texte, création d'une base de données, etc.).

Menu : fonctions présentées à l'écran et indiquant à l'utilisateur la marche à suivre pour utiliser le programme.

Patch : programme destiné à corriger les erreurs d'un autre programme.

Pilote : programme qui permet à l'ordinateur de reconnaître et d'utiliser un périphérique.

Plate-forme : architecture spécifique d'un système d'exploitation ou à une famille de logiciels. On parle de plate-forme PC ou Macintosh, par exemple.

Publipostage : systématisation de la création et de l'envoi de courrier.

Shareware : logiciel que l'on peut essayer gratuitement pendant une durée de temps définie, après laquelle il faut en acquitter les droits.

Système d'exploitation (*operating system* ou *os*, en anglais) : ensemble des programmes de base d'un ordinateur. Il prend en charge la gestion complète du système informatique, gère les périphériques, exécute les programmes, etc. Windows, MacOs, Unix et Linux sont des systèmes d'exploitation.

Version bêta : version d'un logiciel antérieure à la version commercialisée. Souvent distribuée à des partenaires pour la tester.

Zipper : compresser un fichier à l'aide d'un logiciel (Winzip) pour qu'il occupe moins d'espace mémoire.

– Responsabilités importantes **considérables, hautes, sérieuses, capitales**
– Quantité importante d'objets **grande, forte, élevée, grosse**
– Je n'ai rien d'important à ajouter **intéressant**

– Fait important à connaître **nécessaire, utile**
– Un individu important **influent, puissant**
– Personnage important **notable, potentat, cacique, magnat, ponte**

– Il fait l'important **suffisant, vaniteux, fat, caïd**

IMPORTATION

– Formalité fiscale lors de l'importation **dédouanement**

– Autorisation pour l'importation **licence**
– Il travaille dans une entreprise d'importation et d'exportation **commerce international, import-export**
– Pratique consistant à casser les prix de produits destinés à l'importation ou à l'exportation **dumping**
– Importation de nouvelles technologies **introduction, transfert**
– Politique de limitation des importations **protectionnisme, contingentement**
– Politique facilitant les importations et les exportations entre plusieurs pays **libre-échangisme**

IMPORTER /1

syn. **introduire, faire entrer, adopter**
– Refus d'un gouvernement de laisser un autre pays importer certains de ses produits **embargo**
– Refus d'importer certains produits venant d'un autre pays **boycott**
– Importer des données d'un ordinateur à un autre **transférer, copier**

IMPORTER /2

voir aussi **intérêt, importance**
– Peu m'importe **chaut**
– Son jugement m'importe **intéresse**
– N'importe qui fera l'affaire **quiconque**
– Il est prêt à réussir à n'importe quel prix **tout**
– N'importe comment **mal**

IMPOSANT

– Il aime se donner un air imposant **majestueux, noble, important, digne, impérial, sérieux, retenu, distingué, prestigieux**
– Le ministre prit une voix imposante **grave, solennelle, sévère, sentencieuse, emphatique**
– Un homme à la taille imposante **corpulent**
– Un monument imposant **grandiose, superbe**
– Une foule imposante **considérable, impressionnante**

IMPOSER

– Imposer quelqu'un dans un groupe **faire admettre, faire accepter**
– Imposer sa volonté **commander, exiger, obliger**
– Imposer des conditions **fixer**
– Imposer sa loi **dicter**
– Imposer une peine **infliger**
– En imposer par son comportement **subjuguer, impressionner**
– Imposer lourdement le contribuable **charger, frapper, grever, taxer, accabler**
– Imposer les mains **bénir**
– Prendre les mesures qui s'imposent **obligatoires, nécessaires, indispensables**

IMPOSITION

– Imposition appliquée au contribuable **contribution, impôt, prélèvement, charge, taxe**
– Imposition prélevée par la douane **droit**
– Imposition des mains par l'évêque **consécration, sacrement, bénédiction**
– Imposition des pages en imprimerie **disposition, regroupement**
– Ouvrier qui fait l'imposition dans l'imprimerie **imposeur**

IMPOSSIBLE

– Promettre l'impossible **la Lune**
– Situation impossible à vivre **difficile, pénible, insupportable, insoutenable, invivable**
– Histoire impossible à croire **invraisemblable, extravagante, saugrenue, incroyable, bizarre, improbable, irrecevable, inadmissible, inacceptable**
– Ennemi impossible à vaincre **inexpugnable, invincible**
– Besoin impossible à satisfaire **inextinguible, inapaisable, insatiable**
– Douleur impossible à dire **indicible, indescriptible, inexprimable, indéfinissable**
– Travail matériellement impossible **surhumain, inexécutable, infaisable, irréalisable**
– Un avenir impossible à imaginer **inenvisageable, irréel, impensable, inimaginable**
– Projet impossible à réaliser **utopique, chimérique, insensé**

IMPÔT

voir aussi **finances**
– Qui doit payer des impôts **assujetti, contribuable, imposable, redevable**
– Soumettre à l'impôt **fiscaliser**
– Perception de l'impôt **recouvrement, acompte, tiers provisionnel, mensualisation**
– Sanction appliquée pour non-paiement de l'impôt **poursuite, sommation, contrainte, majoration, saisie, vente**
– Réduction des impôts **dégrèvement, allégement**
– Dispense de paiement de l'impôt **exonération**
– Base de l'impôt **assiette**
– Bien sur lequel peut porter l'impôt **fortune, rente, revenu, salaire, valeur mobilière, valeur immobilière**
– Éléments entrant dans le calcul des impôts directs **quotient familial, charges, frais réels**
– Dénomination de l'impôt **droit, contribution, taxe, redevance, accises, tribut, patente**
– Impôt direct local **taxe foncière, taxe d'habitation**
– Impôt indirect **taxe sur la valeur ajoutée (TVA)**

– Impôt ancien **aide, dîme, capitation, gabelle, prestation, taille**
– Recouvrement ancien des impôts **fermage**
– Impôt sur les actes civils **timbre**
– Répartition de l'impôt **péréquation**
– Personnel chargé des impôts **percepteur, receveur, collecteur, contrôleur, inspecteur**
– Administration chargée des impôts **fisc, régie, Trésorerie, Trésor public**

IMPRÉCIS

– Un souvenir imprécis **confus, lointain, flou, incertain, vague**
– Une sensation imprécise **indistincte, diffuse, indéterminée**
– Une explication imprécise **ambiguë, approximative, grossière, évasive**

IMPRÉGNER

– Un tissu imprégné d'alcool **imbibé, trempé**
– Une chambre imprégnée de lumière **baignée, remplie, inondée**
– Il est imprégné de culture asiatique **marqué par, influencé par, pénétré de, imbu de, absorbé par**

IMPRESSION

voir aussi **imprimerie**
– Reproduire un motif par impression **graver, imprimer**
– Ancienne technique d'impression sur planches de bois gravées **xylographie, impression tabellaire**
– Impression sur pierre **lithographie**
– Impression sur soie **sérigraphie**
– Impression sur des supports en relief souples **flexographie**
– Impression à plat avec report sur verre **phototypie**
– Impression à plat avec report sur caoutchouc **offset**
– Impression photochimique en relief **photogravure, similigravure, héliogravure**
– Impression en quatre couleurs **quadrichromie**
– Impression appliquée sur une toile **fond, enduit**
– Nouvelle impression **réimpression**
– Faute d'impression **erreur, coquille, doublon, mastic**
– Impression de caractères d'écriture **typographie**
– Impression en série de documents écrits **reprographie, photocopie, xérographie**
– Appareil d'impression informatique **imprimante**
– Donner l'impression **paraître, sembler**
– Avoir l'impression que **croire, supposer, imaginer**
– Avoir une bonne impression de quelqu'un **opinion, appréciation**

– Impression soudaine **saisissement**
– Impression désagréable **dégoût, répugnance**
– Impression thermique ou gustative **sensation**
– Se fier à son impression **feeling, intuition**
– Quelle est votre impression sur cette affaire ? **sentiment, avis**
– Courant artistique reflétant les impressions créées par la lumière et les objets **impressionnisme**

IMPRESSIONNABLE
– C'est une personne très impressionnable **émotive, sensible, délicate**

IMPRESSIONNANT
– Leur ressemblance est impressionnante **frappante, saisissante**
– Cet édifice est impressionnant **imposant, grandiose**
– Il possède une collection de disques impressionnante **considérable, prodigieuse**
– Sa démonstration est impressionnante **brillante, éloquente, saisissante**

IMPRESSIONNER
– La nouvelle de sa mort l'a beaucoup impressionné **affecté, ému, bouleversé, choqué, touché, traumatisé, perturbé**
– Ce n'est pas avec des menaces que vous réussirez à m'impressionner **intimider, troubler, ébranler, bluffer**
– Son talent a impressionné tout le monde **étonné, épaté, sidéré**

IMPRÉVU /1
– Craindre l'imprévu **hasard, exceptionnel**

IMPRÉVU /2
– Situation imprévue **fortuite, accidentelle**
– Événement imprévu **subit, soudain, brusque, impondérable**
– Comportement imprévu **déconcertant, inattendu, inopiné, saugrenu, déroutant**
– Résultat imprévu **inespéré**

IMPRIMER
syn. **publier, éditer**
– Imprimer des dessins sur un tissu **appliquer**
– Imprimer un motif en relief, en creux **embosser, estamper**
– Imprimer un cachet **apposer**
– Imprimer un calque **décalquer**
– Imprimer en plusieurs exemplaires **dupliquer, tirer**
– On les imprime **brochure, catalogue, publicité, prospectus, journal, magazine, feuille, formulaire, tract**
– Presse à imprimer **rotative**

– Ouvrage imprimé avant 1500 **incunable**
– Imprimer une marque **stigmatiser, marquer**
– Imprimer un souvenir dans la mémoire d'une personne **graver, fixer**
– Imprimer un mouvement **communiquer, transmettre**
– Il a du mal à imprimer ce qu'on lui dit **comprendre, piger, capter**

IMPRIMERIE
voir aussi **livre**
– Dimension d'un caractère d'imprimerie **corps, chasse, œil**
– Technique d'imprimerie **lithographie, offset, phototypie, stéréotypie, héliogravure**
– Forme d'un caractère d'imprimerie **type**
– Métier de l'imprimerie **assembleur, clicheur, compositeur, correcteur, prote, imposeur, linotypiste, typographe, justificateur**
– Composition des caractères d'imprimerie **apprêter, blanchir, créner, marger, justifier**
– Défaut de tirage en imprimerie **bavure, gris, surimpression, maculage, foulage**

IMPROPRE
– Certains termes sont utilisés de manière impropre **incorrecte, inappropriée, inexacte, inadéquate, erronée**

IMPROVISÉ
– Une visite improvisée **impromptue**
– Un rassemblement improvisé **spontané**
– Un remplacement de poste improvisé **au pied levé**
– Une embarcation improvisée **de fortune**

IMPROVISTE
– Prendre la parole à l'improviste **inopinément, de manière impromptue, subitement**
– Il est venu dîner chez nous à l'improviste **de manière inattendue, de manière imprévue**

IMPRUDENCE
– Il fait preuve d'imprudence au volant **inattention, légèreté, irresponsabilité**
– Imprudence dans ses propos **témérité, hardiesse**
– Commettre une imprudence **étourderie, maladresse**
– Imprudence qui engage la responsabilité de son auteur **faute**

IMPRUDENT
– Sa confiance en soi le rend souvent imprudent **téméraire, audacieux, aventureux, écervelé, imprévoyant, insouciant**

– Il a toujours été imprudent **casse-cou, risque-tout**
– Il réagit de manière imprudente **dangereuse, inconsidérée**
– Un projet imprudent **hasardeux, osé**
– Des propos imprudents **malavisés, irresponsables, inconséquents**

IMPUISSANCE
– Son dépit exprimait son impuissance à agir **faiblesse, incapacité, impossibilité, inaptitude, inhabileté**
– Impuissance de la violence **inefficacité**
– Son air hautain cachait une grande impuissance **fragilité**
– Gardien de harem réduit à l'impuissance par castration **eunuque**

IMPULSIF
– Un caractère impulsif **irréfléchi, fougueux, emporté, violent, coléreux, irascible, irritable**
– Cet acteur a un jeu de scène très impulsif **spontané, imprévisible, incontrôlable, instinctif**

IMPULSION
syn. **mouvement**
– Donner une impulsion à un objet **pousser, mettre en branle**
– La nomination de ce directeur devrait donner une nouvelle impulsion à l'entreprise **élan, essor**
– Agir sous l'impulsion de la drogue **influence, emprise, empire, domination, effet, excitation**
– Avoir des impulsions contradictoires **penchants, tendances, pulsions**

IMPUR
– Une eau impure **boueuse, bourbeuse, non potable, sale**
– L'air impur de la métropole **vicié, pollué**
– Un être impur selon la doctrine religieuse **souillé, immoral, indigne, vil, infâme, infidèle, corrompu, dépravé, vicieux**
– Acte impur condamné par l'Église **péché**
– Un amour impur **impudique, déshonorant, indécent, incestueux, pervers, obscène, déshonnête, lubrique**

IMPURETÉ
– L'eau des égouts se caractérise par son impureté **souillure, pollution**
– Les impuretés relâchées par les usines **immondices, saletés, déchets**
– Retirer les impuretés **purger**
– Vivre dans l'impureté selon la religion **obscénité, impudicité, luxure, lubricité, dépravation, débauche, souillure**

IMPUTER
– Imputer à quelqu'un une faute **attri-**

buer à, accuser, charger, incriminer, rejeter sur, reprocher à
– Imputer les frais de structure aux charges d'un budget **appliquer, affecter**

INABORDABLE
– Un territoire inabordable **inaccessible, infranchissable, impénétrable**
– Les tarifs de cet hôtel sont inabordables **chers, exorbitants, faramineux, hors de prix, excessifs, ruineux, exagérés**
– Avoir l'air inabordable **arrogant, distant, hautain**
– Son caractère agressif le rend inabordable **insupportable**

INACCEPTABLE
– Une proposition inacceptable **scandaleuse, intolérable, révoltante, inadmissible, inconcevable, irrecevable, inconvenante**

INACCESSIBLE
– Un lieu inaccessible **impénétrable, hors d'atteinte, inabordable**
– Un chemin inaccessible **impraticable**
– Un langage inaccessible **hermétique, ésotérique, inintelligible**
– Être inaccessible à la compassion **fermé, insensible, imperméable**

INACTIF
– Une vie inactive **désœuvrée, oisive, paresseuse, indolente**
– Personne inactive **apathique, léthargique, aboulique**
– Ne reste donc pas inactif! **immobile, endormi, mou, inerte**
– Inactif qui vit aux dépens des autres **parasite, assisté**
– Individu considéré comme inactif en économie **enfant, étudiant, militaire, femme au foyer, retraité**
– Un médicament inactif **inefficace**

INACTION
syn. **aboulie, apathie, passivité**
– Se complaire dans l'inaction **oisiveté, fainéantise, inactivité, désœuvrement, inoccupation, paresse**
– Se laisser aller à l'inaction **dormir, croupir, végéter, fainéanter**
– Sortir de l'inaction **engourdissement, torpeur, assoupissement**

INALTÉRABLE
– Une matière aux qualités inaltérables **imputrescible, incorruptible, inusable**
– Du métal inaltérable **inoxydable, inattaquable**
– Des valeurs morales inaltérables **constantes, immuables, invariables, permanentes, perpétuelles, stables**

INANIMÉ
– Inanimé par essence **matière, objet**

– Le corps inanimé de la victime gisait à terre **inerte, immobile, évanoui, mort, sans vie**

INAPTE
– Un stagiaire inapte **inadapté, incompétent, incapable**

INATTAQUABLE
– Une armée inattaquable **invincible, imprenable**
– Un argument inattaquable **irréfutable, incontestable, certain**
– Un mode de vie inattaquable **irréprochable, parfait, impeccable, honnête**
– Un homme politique inattaquable **intouchable, protégé**

INATTENDU
– Visite inattendue **imprévue, inopinée, à l'improviste, surprise**
– Rencontre inattendue **fortuite, accidentelle**
– Personnage inattendu **étrange, surprenant, déconcertant, déroutant**
– Résultat inattendu **inespéré, insoupçonné**

INATTENTION
– L'inattention lui a fait commettre de nombreuses erreurs **distraction, inadvertance, insouciance, légèreté, négligence**
– Erreur d'inattention **étourderie, oubli, omission**
– Avoir un moment d'inattention **absence**

INAUGURATION
– Inauguration d'un édifice religieux **dédicace**
– Cérémonie d'inauguration d'un édifice public **ouverture**
– Inauguration d'une exposition de peinture **vernissage**
– Inauguration d'un spectacle **première**
– Inauguration de l'année scolaire **début, commencement, rentrée**

INCANTATION
– Incantation poétique **enchantement, évocation**
– Paroles d'incantation pour obtenir ce qui est recherché **invocations, supplications, prières, conjurations**

INCAPABLE /1
– Un incapable **médiocre, ignorant, nul, nullité, imbécile, bon à rien**
– Régime de prise en charge d'un incapable ou de ses biens **curatelle, tutelle**
– Majeur incapable **aliéné**

INCAPABLE /2
– Incapable d'accomplir un travail particulier **inapte, inhabile, maladroit, malhabile, incompétent**

– Animal incapable de faire du mal **inoffensif**
– Individu incapable de réagir **mou, apathique, impuissant, léthargique, aboulique**
– Incapable d'éprouver des sentiments **insensible**

INCENDIE
– L'incendie a détruit toute la forêt **feu, embrasement, brasier**
– Action physique de l'incendie **combustion, calcination, ignition**
– Instrument utilisé par les pompiers contre l'incendie **extincteur, échelle, pompe, pare-feu, avertisseur**
– Avion utilisé pour lutter contre l'incendie **Canadair, bombardier**
– Porte empêchant l'incendie de se propager **coupe-feu**
– Appareil qui asperge de l'eau automatiquement en cas d'incendie **gicleur**
– Personne qui s'engage pour lutter contre l'incendie **sapeur-pompier**
– Individu qui allume volontairement des incendies **incendiaire, pyromane**
– Bois endommagé par l'incendie **arsin**
– Femme qui allumait des incendies pendant la Commune **pétroleuse**

INCERTAIN
syn. **ambigu, confus, équivoque, obscur, imprécis, vague**
– Le nombre de disparus est toujours incertain **indéterminé, indéfini**
– Sa réussite à l'examen est encore incertaine **aléatoire, contingente, hypothétique, éventuelle**
– Aujourd'hui, le temps est très incertain **variable, instable, changeant**
– Sa date de naissance est incertaine **douteuse, contestable**

INCERTITUDE
– Incertitude du lendemain **précarité, fragilité**
– Incertitude de la science **doute, ambiguïté, obscurité**
– Incertitude du sort **hasard, chance, aléa**
– Incertitude devant une situation nouvelle et difficile **perplexité, embarras, tergiversation, oscillation, fluctuation**
– Moment d'incertitude avant une décision **hésitation, flottement, indécision, indétermination, irrésolution, tâtonnement, atermoiements**
– Incertitude des sentiments **instabilité, inconstance, frivolité, légèreté, versatilité**

INCIDENT /1
– Incident sans gravité **péripétie**
– Incident imprévu **aventure, obstacle**
– Incident fâcheux **difficulté, accroc, anicroche, souci, mésaventure**

– Incident suscitant des remous **chicane, dispute, querelle, rixe**
– Contexte d'un incident **circonstance, situation**

INCIDENT /2
– Demande incidente **adventice, accessoire, secondaire**
– Proposition incidente dans une phrase complexe **incise**

INCINÉRATION
– Incinération des cadavres **crémation**
– Lieu d'incinération des morts **crématorium**
– Vase pour le dépôt des cendres après l'incinération **urne cinéraire**
– Édifice où l'on place les urnes après l'incinération **columbarium, colombaire**

INCISER
– Inciser du bois **entailler, couper**
– Inciser pour recueillir un liquide **saigner**
– Inciser l'écorce d'un arbre **écorcer, scarifier**
– Inciser un abcès **débrider, ouvrir**

INCITER
syn. **conseiller, soutenir**
– Inciter un enfant à faire de la musique **entraîner, encourager**
– Inciter quelqu'un à changer de méthode **pousser, décider, engager, inviter**
– Inciter le peuple à se révolter **exhorter, exciter, motiver, porter, presser, stimuler, entraîner**
– Le soleil incite à la rêverie **convie**

INCLINAISON
– Inclinaison d'un terrain **pente, rampe, déclivité**
– Inclinaison pratiquée sur une face d'un mur pour diminuer son épaisseur **fruit**
– Appareil mesurant l'inclinaison d'une surface **clinomètre**
– Inclinaison d'un tuyau de gouttière **dévoiement**
– Inclinaison d'un bateau **bande, gîte**
– Lieu où l'inclinaison du champ magnétique terrestre est nulle **aclinique**
– Points à inclinaison égale **isoclines**
– Appareil mesurant l'inclinaison magnétique **inclinomètre**
– Ajuster correctement l'inclinaison d'un écran **position**

INCLINATION
– Avoir une inclination pour les plaisirs de la chair **appétit, envie, désir, goût, propension, tendance, penchant, attrait, disposition**
– Éprouver une forte inclination pour quelqu'un **amour, affection, sympathie, tendresse, attachement, préférence, attirance**

– Effectuer une inclination du corps en signe de bienvenue **salut, révérence, courbette**

INCLINER
– Incliner la nuque **courber, fléchir, plier, baisser**
– Incliner la tête **pencher**
– Incliner à la tolérance **tendre à, vers**
– Incliner l'avis de quelqu'un **influencer, persuader**
– Navire incliné **à la bande**

INCLINER (S')
– S'incliner devant une statue **prosterner (se)**
– S'incliner face au tyran **soumettre (se), obéir**
– S'incliner devant un fait **céder, abandonner, résigner (se)**
– S'incliner face à ses adversaires au jeu **coucher (se), perdre**

INCLUS
– Les dépenses incluses dans le budget **comprises, contenues, insérées, intégrées**
– Vous trouverez ci-inclus mon CV **ci-joint**

INCOHÉRENT
– Une argumentation incohérente **désordonnée, contradictoire, illogique, brouillonne, inepte**
– Ce qu'il raconte est tout à fait incohérent **absurde, insolite, extravagant, incompréhensible, décousu, sans queue ni tête, abracadabrant, saugrenu**

INCOMPARABLE
– Sa virtuosité est incomparable **admirable, inégalable, supérieure, unique, parfaite, remarquable, singulière, rare**

INCOMPATIBILITÉ
– Il y a incompatibilité entre leurs points de vue **antagonisme, contradiction, désaccord, opposition, antinomie**
– Incompatibilité des fonctions de député et de ministre **impossibilité légale de cumuler**

INCOMPATIBLE
– Éléments incompatibles entre eux **contraires, inconciliables, opposés, discordants, antinomiques**

INCOMPLET
– Un travail incomplet **inachevé, fragmentaire, imparfait**
– Une collection incomplète **dépareillée**
– Rendre un ensemble incomplet **décompléter**
– Définition incomplète **insuffisante, approximative**
– Comptes incomplets **défectueux**

– Vers incomplet dans un poème **boiteux**
– Verbe à conjugaison incomplète **défectif**
– Vue incomplète des événements **partielle, courte**
– Mesure incomplète **demi-mesure**

INCOMPRÉHENSIBLE
– Les secrets incompréhensibles de l'Univers **inconcevables, insondables, impénétrables,**
– Discours incompréhensible **obscur, abstrus, abscons, sibyllin, énigmatique, incohérent, inintelligible, hermétique, ésotérique**
– Problème incompréhensible **mystérieux, inexplicable, insoluble**
– Comportement incompréhensible **déconcertant, bizarre, curieux, étrange, aberrant, incohérent, déraisonnable**

INCONCEVABLE
– L'existence de Dieu lui semble inconcevable **impensable, impossible, inimaginable**
– Sa chance est tout bonnement inconcevable **étonnante, extraordinaire, incroyable, inouïe**
– De tels propos sont inconcevables **inadmissibles, inacceptables, irrecevables**

INCONGRU
– Une réflexion incongrue **déplacée, grossière, inconvenante, malséante, malvenue, impertinente, incorrecte, indécente, insolente**

INCONNU
– Porter plainte contre un inconnu **contre X**
– Avoir le goût de l'inconnu **nouveau, neuf, inédit**
– Il ne veut pas parler devant un inconnu **étranger**
– Destination inconnue **secrète, mystérieuse, énigmatique**
– Raisons inconnues **occultes, indéterminées, cachées, dissimulées**
– Elle préfère voyager en restant inconnue **incognito, anonymement**
– Un écrivain inconnu **méconnu, oublié, obscur**
– Être né de mère inconnue **sous X**
– Territoires inconnus **vierges, inexplorés**

INCONSCIENCE
– État d'inconscience dû à un traitement **insensibilité, narcose, anesthésie**
– État d'inconscience passagère **évanouissement, syncope, absence**
– État d'inconscience prolongée **coma**
– Faire preuve d'inconscience **folie, ignorance, irréflexion, irresponsabilité, aveuglement, légèreté**

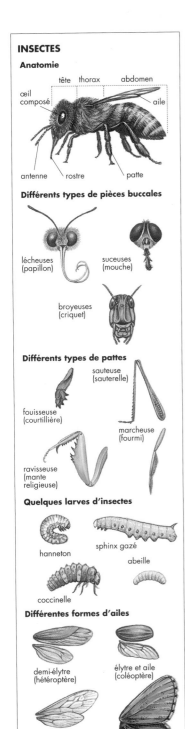

INSECTES

Anatomie

tête thorax abdomen

œil
composé   aile

antenne   rostre   patte

Différents types de pièces buccales

lécheuses   suceuses
(papillon)   (mouche)

broyeuses
(criquet)

Différents types de pattes

sauteuse
(sauterelle)

fouisseuse
(courtillière)

marcheuse
(fourmi)

ravisseuse
(mante
religieuse)

Quelques larves d'insectes

sphinx gazé

hanneton

abeille

coccinelle

Différentes formes d'ailes

demi-élytre   élytre et aile
(hétéroptère)   (coléoptère)

membraneuse
(hyménoptère)

azurée
(lépidoptère)

INCONSCIENT *Voir tableau psychanalyse, p. 497*
– Une image uniquement perçue par
l'inconscient **infraliminale, subliminale**
– Cet homme est inconscient **déraisonnable, irresponsable, incapable, fou,
téméraire**
– Une réaction inconsciente **spontanée,
instinctive, machinale, automatique,
irréfléchie**
– Constitution des contenus inconscients,
selon Freud **refoulement, censure**
– Mécanismes qui régissent les contenus
inconscients **processus primaires,
condensation, déplacement**
– Contenus inconscients **représentations, pulsions**
– Selon Freud, ensemble de pulsions
inconscientes qui exprime la poussée des
besoins corporels, c'est-à-dire la libido
cherchant à se satisfaire **ça**
– Principe inconscient qui régit le pôle
pulsionnel de la personnalité **principe de
plaisir**
– Nom donné au principe inconscient qui
fait que, sans renoncer au plaisir, nous
acceptons d'en différer la réalisation **principe de réalité**
– Entité inconsciente de défense contre
les pulsions du ça, et intériorisation des
exigences morales du moi selon Freud
surmoi

INCONSIDÉRÉ
– Une action inconsidérée **imprudente,
irréfléchie, inconséquente, absurde**
– Une parole inconsidérée **indiscrète,
maladroite, inopportune, irréfléchie,
étourdie, stupide**

INCONSTANCE
– Se laisser mener par l'inconstance
**versatilité, instabilité, caprice, mobi-
lité, incertitude**
– Inconstance amoureuse **infidélité, frivolité, légèreté, trahison, abandon,
adultère**

INCONTESTABLE
– Son innocence est incontestable **avérée, certaine, indiscutable, évidente,
inattaquable, indéniable, flagrante**

INCONVENANT
– Une remarque inconvenante **déplacée,
grossière, malséante, incongrue, choquante**
– Un style inconvenant **effronté, impertinent, sans-gêne, cynique, désinvolte**
– Ce film comporte des scènes inconvenantes **indécentes, licencieuses, cho-
quantes, osées**

INCONVÉNIENT
– C'est un inconvénient pour lui **gêne,
handicap, entrave**

– Je ne vois aucun inconvénient à sa
venue **obstacle, empêchement, objection, difficulté**
– Petit inconvénient **ennui, désagrément, embarras, problème, incommodité**
– Méthode intéressante présentant pourtant quelques inconvénients **défauts,
désavantages, écueils, risques**

INCORPORER
– Incorporer les jaunes d'œufs au chocolat fondu **mélanger, amalgamer, ajouter**
– Incorporer une citation dans un essai
insérer, introduire
– En quelle année l'Alsace a-t-elle été
incorporée à la France ? **annexée, rattachée, réunie, jointe, intégrée**
– Le dernier contingent incorporé dans
la marine **appelé, enrôlé, recruté**

INCORPORER (S')
– Cet ouvrier s'incorpore bien à sa nouvelle équipe **assimile (s'), fond (se)**
– Des fossiles se sont incorporés à la roche
agrégés

INCORRECT
– Terme incorrect **impropre, barbare,
fautif**
– Réponse incorrecte **mauvaise, fausse,
inexacte**
– Être incorrect **désobligeant, grossier,
impertinent, impoli, indélicat, insolent**
– Comportement incorrect **inconvenant,
déplacé, indécent**
– Agir de façon incorrecte par rapport à
une norme **déloyale**

INCRÉDULE
– Incrédule en religion **incroyant, irréligieux, mécréant, libre-penseur,
athée, agnostique, païen**
– Incrédule devant une affirmation **sceptique, perplexe, dubitatif, méfiant**

INCROYABLE /1
– Les incroyables et les merveilleuses sous
le Directoire **muscadins, élégant(e)s**

INCROYABLE /2
– Récit d'aventures incroyables **surpre-
nantes, effarantes, fabuleuses, prodigieuses, uniques, rocambolesques**
– Des progrès incroyables **étonnants,
extraordinaires, fantastiques, inouïs,
stupéfiants**
– C'est incroyable ! **inconcevable, renversant, invraisemblable, impensable,
inimaginable, fort**

INCROYANCE
– Incroyance en religion **agnosticisme,
athéisme**

– Être dans l'incroyance **doute, incrédulité, perplexité**

INCULTE
– Des hectares de terre inculte **en friche, sauvage, à l'abandon**
– Terre laissée volontairement et temporairement inculte **jachère**
– Terre définitivement inculte **aride, stérile, désertique, incultivable**
– Un homme inculte **ignare, ignorant, illettré, analphabète**

INCURABLE
– Un patient incurable **inguérissable, condamné, perdu**
– Il est d'une sottise incurable **irrémédiable, insondable, incorrigible**

INDÉCENT
– Une opulence indécente **choquante, déplacée, inconvenante, malséante**
– Une tenue indécente **impudique, osée, incorrecte**
– Une position indécente **déshonnête, immodeste, obscène, scabreuse**

INDÉCHIFFRABLE
– Une calligraphie indéchiffrable **incompréhensible, illisible, inintelligible**
– La nature humaine reste encore indéchiffrable **inexplicable, obscure, mystérieuse, énigmatique**

INDÉCIS
– De forme indécise **imprécise, indéterminée, floue, vague, indistincte, indéfinie**
– Résultat indécis **flottant, confus, équivoque, trouble, ambigu, approximatif, douteux**
– Se montrer indécis **hésitant, perplexe, embarrassé, irrésolu, désorienté**
– Un caractère indécis **faible, inconsistant, timoré, vacillant**

INDÉCISION
– Demeurer dans l'indécision **irrésolution, incertitude, hésitation, doute, perplexité, flottement, indétermination, tergiversation**
– Montrer de l'indécision devant un choix **flotter, balancer, ballotter, hésiter, atermoyer**

INDÉFINI
– Les possibilités de ce jeu sont indéfinies **illimitées, infinies**
– Une sensation indéfinie **indéterminée, incertaine, imprécise, vague**
– Article indéfini **un, une, des**
– Adjectif indéfini **aucun, autre, certain, chaque, plusieurs, quelconque, quelque, tout**
– Nominal indéfini **autrui, plusieurs, quelqu'un, quiconque, tous**

INDEMNITÉ
– Indemnité en réparation d'un tort **compensation, dédommagement, indemnisation**
– Indemnité pour compenser des frais **allocation, défraiement, prime**

INDÉPENDANCE
– Lutter pour l'indépendance **liberté, émancipation**
– Indépendance des villes au Moyen Âge **affranchissement, franchise**
– Esprit d'indépendance **indocilité, non-conformisme, individualisme, rébellion**
– Indépendance d'une région **particularisme, séparatisme, sécession, dissidence**
– Indépendance d'un pays auparavant dominé **autonomie, souveraineté, décolonisation**

INDÉPENDANT
– Cet enfant a déjà un caractère très indépendant **libre, autonome**
– Un journaliste indépendant **free-lance, pigiste**
– Travailler en indépendant **libéral**
– Un esprit indépendant **individualiste, indocile, libre, critique**
– Un État indépendant **autonome, non aligné**
– Valeur indépendante **constante, fixe, absolue**
– L'appareil possède deux moteurs indépendants **distincts, séparés**

INDÉTERMINÉ
– Un contrat à durée indéterminée **indéfinie, illimitée**
– Une douleur indéterminée **contingente**
– Une fin indéterminée **hasardeuse, incertaine**

INDICATEUR
– Le commissaire contacta son réseau d'indicateurs **délateurs, dénonciateurs, informateurs, espions, mouchards**
– Indicateur utile au pilote automobile **jauge, compteur, tachymètre**
– Indicateur utile au pilote de ligne **altimètre, manomètre**
– Indicateur utile au marin **baromètre**
– Indicateur radioactif **traceur, marqueur**
– Indicateur économique **indice**
– Indicateur routier **panneau, poteau, borne**
– L'indicateur des chemins de fer **horaire**

INDICATIF
– Ce qu'exprime le mode indicatif d'un verbe **réalité**
– À titre indicatif **pour information**
– Indicatif d'une émission de radio **générique, jingle, sonal**

– Pour appeler l'international, composer l'indicatif 00 **préfixe (téléphonique)**

INDICATION
– Sans indication de date **mention**
– Selon l'indication de quelqu'un **avis**
– Donner des indications **renseignements, tuyaux, précisions**
– Suivre les indications de son chef **instructions, directives**
– Indication thérapeutique **prescription**
– Indication scénique pour les comédiens dans le théâtre antique **didascalie**

INDIEN /1
voir aussi cow-boy, réserve
– Indien adepte de l'hindouisme **hindou**
– Indien d'Amérique **Amérindien**

INDIEN /2
– Femme indienne **squaw**
– Chef indien **sachem**
– Pièce d'étoffe drapée que portent les femmes indiennes **sari**
– Appartient au folklore indien **calumet, scalp, tomahawk, tipi**
– Nage indienne **over arm stroke**
– En file indienne **à la queue leu leu**

INDIFFÉRENCE
– État d'indifférence **insensibilité, désintéressement, assoupissement, indolence, apathie, ataraxie, inappétence**
– Indifférence pour quelque chose qui a de la valeur **détachement, éloignement, dédain, désintérêt, mépris, impassibilité**
– Indifférence religieuse **agnosticisme, scepticisme**
– Position d'indifférence politique **neutralité**
– Indifférence d'un volume qui ne subit aucune pression **équilibre**
– En philosophie, exemple type de la liberté d'indifférence **âne de Buridan**

INDIFFÉRENT
– Il est indifférent à la souffrance **insensible**
– Cela m'est indifférent **égal**
– Indifférent face à l'avenir **impassible, imperturbable, insoucieux, résigné, fataliste**

INDIGENCE
– Vivre dans l'indigence **misère, besoin, détresse, nécessité, pauvreté, privation**
– Ce roman dénote chez l'auteur une grande indigence d'esprit **insuffisance, médiocrité, manque**

INDIGÈNE
– La population indigène d'une région **autochtone, aborigène, native, originaire**

INDIGNATION
– Manifester de l'indignation **écœurement, dégoût, colère, révolte, fureur, rage**
– Clameurs d'indignation **tollé, haro, huées, vociférations**
– Événement provoquant une indignation publique **scandale, honte**

INDIGNE
– Un être indigne **méprisable, abject, vil, cruel, infâme, coupable, ignoble, immonde**
– Un père indigne **dénaturé**
– Des parents indignes **maltraitants**
– Effectuer un travail indigne **avilissant, déshonorant, inqualifiable**

INDIGNER
– Comportement qui indigne tout le monde **scandalise, écœure, révolte, choque**
– Être indigné **outré, atterré, affligé, furieux**

INDIGNER (S')
– S'indigner facilement **emporter (s'), fâcher (se), irriter (s'), offenser (s')**
– S'indigner contre quelqu'un **protester, vitupérer, fulminer, maudire, vouer aux gémonies**

INDIQUER
– Pouvez-vous m'indiquer le chemin qui mène au cimetière **signaler, expliquer, montrer**
– Manger autant n'est pas indiqué pour ton régime **recommandé, conseillé**
– Indiquer une méthode efficace **fournir, enseigner, apprendre**
– Indiquer une valeur en Bourse **coter**
– Indiquer des raisons théoriques **exposer, énumérer, donner, préciser**
– Rendez-vous à l'heure indiquée **fixée**
– Signe qui indique un fait **témoigne de, signale, révèle, dénote, annonce, trahit, atteste, manifeste**
– La montre indique l'heure **marque**
– Indiquer sommairement les contours des personnages sur un dessin **ébaucher, dessiner, esquisser, tracer**
– Indiquer un nom d'auteur **nommer, dénommer, citer, mentionner**

INDIRECT
– Trajet indirect **dévié, écarté, éloigné, détourné**
– Prendre un itinéraire indirect **faire un crochet, suivre une déviation**
– Propos indirect **insinuation, allusion, sous-entendu**
– Agir de façon indirecte **biaiser**
– Subir l'effet indirect **contrecoup**
– Influence indirecte **médiation**
– Dans la déclinaison, cas du complément indirect **oblique, datif**

INDISCRET
– Une voisine indiscrète **bavarde, fureteuse, curieuse, intruse, sans-gêne, fouineuse, commère, pipelette**
– Question indiscrète **dérangeante, malséante, déplacée, fâcheuse, inconvenante, importune**
– Tenir des propos indiscrets **cancaner, jaser, parler à tort et à travers**

INDISCRÉTION
– Excusez mon indiscrétion **curiosité, indélicatesse**
– Être à l'affût des indiscrétions **bavardages, racontars, révélations, ragots, cancans, potins**
– Nos concurrents ont profité d'une indiscrétion de notre personnel **fuite**
– Indiscrétion financière **délit d'initié**

INDISPOSER
– Le cigare ne vous indispose pas trop ? **gêne, incommode, importune**
– Sa blague a indisposé tout le monde **froissé, déplu à, désobligé, hérissé, fâché, mécontenté, énervé, agacé**
– La chaleur m'indispose **accable**

INDIVIDU
– Individu choisi comme représentant d'une espèce ou d'une série **spécimen, échantillon, exemplaire, unité**
– Les individus sur la Terre **animaux, plantes, êtres humains**
– Un individu quelconque **quidam, type**
– Nom que l'on donne à l'individu pour en marquer nettement le caractère propre et qui désigne soit son existence distincte, soit sa personnalité sociale **individualité**
– Théorie selon laquelle c'est dans l'individu que résident les valeurs essentielles, chaque homme ayant sa fin en lui-même **individualisme**
– Un drôle d'individu **zigoto, phénomène, énergumène, numéro, oiseau, zèbre, hurluberlu**
– Un individu louche **voyou, vaurien**
– Un triste individu **sire**

INDIVIDUALITÉ
– Être touché dans son individualité **identité, moi**
– Faire preuve d'individualité **personnalité, originalité, singularité**
– Il a une forte individualité **caractère, tempérament**
– Individualité centrée sur elle-même **égoïsme, individualisme, solipsisme, égocentrisme, narcissisme**

INDIVIDUEL
– Un avis individuel **subjectif, propre, singulier, personnel, particulier**
– Propriété individuelle **privée**
– Un cas individuel **isolé, spécial, unique, distinct**

INDOLENCE
– Faire preuve d'indolence **apathie, nonchalance, inertie, inaction, aboulie, insouciance, paresse, mollesse, langueur, indifférence, torpeur, passivité**

INDOLENT
– Avoir un caractère indolent **apathique, endormi, insouciant, nonchalant, fainéant, paresseux, lymphatique, mou**
– Un geste indolent **alangui, languissant, languide**

INDULGENCE
– Dieu, dans sa grande indulgence **bienveillance, mansuétude, miséricorde, bonté, charité**
– Compter sur l'indulgence des jurés **clémence, compréhension, générosité, humanité, tolérance**
– Montrer trop d'indulgence **laxisme, complaisance**
– Indulgence annuelle accordée par le pape **jubilé**
– Indulgence dans la souffrance morale **longanimité**

INDULGENT
– Les indulgents sous Robespierre **dantonistes**
– Un comportement indulgent **patient, large, bienveillant, généreux, magnanime, bon, tolérant, compréhensif, conciliant, miséricordieux, clément, charitable**
– Se montrer indulgent **oublier, tolérer, excuser, avoir pitié, absoudre, pardonner**
– Trop indulgent **laxiste, débonnaire, complaisant, coulant**

INDUSTRIALISER
– Industrialiser l'agriculture **mécaniser**
– Industrialiser une région **équiper**
– Industrialiser avec les technologies modernes **automatiser, robotiser, informatiser**
– Les pays industrialisés **développés**

INDUSTRIE
– Lieu de production dans l'industrie **atelier, entreprise, exploitation, fabrique, manufacture, établissement, groupe, usine**
– Personnel qui travaille dans l'industrie **technicien, contremaître, agent de maîtrise, chef d'équipe, manœuvre**
– Une industrie d'État **nationalisée**
– Petite industrie familiale **artisanat**
– Regroupement d'industries **cartel, trust, holding, multinationale, combinat**
– Optimisation des techniques dans l'industrie **spécialisation, standardisation, rationalisation, concentration**
– Industrie métallurgique **sidérurgie**

– Industrie de première transformation **distillerie, cokerie, fonderie, filature, raffinerie**
– Industrie du vêtement **prêt-à-porter, confection**
– Industrie intégrée **filière**

INDUSTRIEL
– Dirigeant d'une entreprise industrielle **entrepreneur, patron, P-DG**
– Type d'organisation industrielle **nationalisation, privatisation**
– Secteur industriel **secondaire**
– Des quantités industrielles **énormes, gigantesques, incroyables**
– Produits industriels **finis, semi-finis, préfabriqués**

INÉBRANLABLE
– Une forteresse inébranlable **robuste, imprenable, indestructible, inexpugnable, solide**
– Un juge inébranlable **ferme, constant, impassible, inflexible, intransigeant, stoïque, rigoureux**
– Un héros inébranlable **impavide, courageux, déterminé, robuste**
– Elle manifeste en tout une volonté inébranlable **de fer, inaltérable, à toute épreuve, indomptable**

INÉDIT
– Un résultat inédit **original, nouveau, inattendu, imprévu, inconnu**
– Faire une opération inédite **innovation, trouvaille**

INÉGAL
– Un triangle aux côtés inégaux **quelconque, scalène**
– Une surface inégale **rugueuse, raboteuse, rude, rêche, grenue**
– C'est une lutte inégale ! **disproportionnée**
– Un temps inégal **irrégulier, changeant, variable, capricieux, instable**
– Un travail inégal **inconstant, imparfait, en dents de scie**
– Des vers inégaux **libres**
– Un battement inégal **capricant, arythmique**
– Une personnalité inégale **versatile, fantasque, lunatique**

INÉGALITÉ
– Une planche pleine d'inégalités **aspérités, rugosités, creux**
– Il y a une forte inégalité entre les deux joueurs **disproportion, déséquilibre, différence, disparité**
– Inégalité de caractère **caprice, lubie, fantaisie, saute, incartade**
– Inégalité mathématique **inéquation**
– Inégalité sur un chemin **dénivellation, monticule, saillie, ornière, accident, cahot, anfractuosité, dos-d'âne**

INEPTIE
– Raconter des inepties **idioties, bêtises, sottises, stupidités, absurdités**
– Faire preuve d'ineptie **imbécillité, niaiserie, débilité**

INERTE
syn. **évanoui, sans vie**
– Un regard inerte **inanimé, immobile**
– Rester inerte devant le danger **passif, amorphe, apathique, aboulique**

INERTIE
– La force du centre d'inertie **barycentre, gravité**
– Répondre à la violence par l'inertie **non-violence, résistance passive**
– Inertie en électricité **inductance**
– Centrale à inertie **gyroscope**
– Inertie d'une partie du corps **atonie, paralysie, hémiplégie**
– Inertie naturelle ou involontaire du corps et de l'esprit **indolence, paresse, passivité, apathie, inaction, torpeur**
– Vivre dans l'inertie **végéter, sommeiller**
– Inertie du pouvoir en place **immobilisme, stagnation**
– Force d'inertie **résistance**

INESPÉRÉ
– Remporter un succès inespéré **imprévu, inattendu, inopiné**
– Une guérison inespérée **miraculeuse**

INÉVITABLE
– Un malheur inévitable **certain, fatal, inéluctable, assuré, imparable**
– Un discours inévitable **immanquable, rituel, obligatoire**
– Une mesure inévitable **indispensable, incontournable, nécessaire**
– Il vient avec son inévitable compagnon **inséparable, habituel, sempiternel**
– Un résultat inévitable **logique**

INEXACT
– Un calcul inexact **faux, erroné, incorrect, mauvais**
– Une traduction inexacte **déformée, approximative, infidèle**

INEXACTITUDE
– Inexactitude de jugement **erreur, faute**
– Un récit fondé sur des inexactitudes **à-peu-près**

INEXPRIMABLE
– Une sensation inexprimable **indescriptible, indicible, inexplicable, inénarrable, incommunicable, ineffable**

INFAILLIBLE
– Une réussite infaillible **certaine, assurée, immanquable**
– Un traitement infaillible contre le rhume **parfait, radical, efficace, souverain**

– Un système de sécurité infaillible **sûr, inviolable, imparable**
– Un agent infaillible **imbattable, loyal, imperturbable, inébranlable**

INFÂME
– Un acte infâme **déshonorant, dégradant, abject, ignoble, odieux, honteux, bas, avilissant, indigne**
– Un quartier infâme **immonde, sale, sordide, insalubre**
– Une puanteur infâme **infecte, répugnante, nauséabonde**

INFAMIE
– Faire rejaillir l'infamie sur une famille **déshonneur, honte, scandale**
– Un être capable de la pire des infamies **ignominies, horreurs, abjections, turpitudes, vilenies, bassesses, scélératesses**

INFANTERIE
voir aussi **armée, grade**
– Soldat appartenant à l'infanterie **fantassin, biffin, pioupiou**
– Ancien soldat d'infanterie nommé d'après l'arme qu'il portait **arquebusier, arbalétrier, archer, piquier, hallebardier, mousquetaire**
– Soldat d'infanterie aéroportée **parachutiste**
– Soldat d'infanterie chargé des travaux de terrassement **pionnier, sapeur**
– Soldat d'infanterie des territoires hors métropole **tirailleur**
– Soldat d'infanterie qui veille **guetteur**
– Soldat d'infanterie porteur d'un fusil **fusilier**
– Soldat d'infanterie d'un corps très mobile **voltigeur**
– Soldat français d'infanterie, par opposition aux tirailleurs indigènes **zouave**
– Hiérarchie chez les sous-officiers dans l'infanterie **sergent, sergent-chef, adjudant, adjudant-chef, major**

INFANTILE
– Une attitude infantile **irresponsable, immature, puérile, enfantine**
– Acte infantile **enfantillage, gaminerie, puérilité, badinerie**
– Médecine infantile **pédopsychiatrie, pédiatrie**

INFECT
– Des émanations infectes **écœurantes, pestilentielles, répugnantes, putrides, fétides**
– Un été infect **pourri, sordide**
– Être infect avec quelqu'un **dégoûtant, abject, ignoble, infâme**

INFECTION
voir aussi **maladie**
syn. **empoisonnement**

INSTRUMENTS DE MESURE

Acétimètre : concentration d'un vinaigre.

Actinomètre : intensité d'une radiation.

Altimètre : altitude d'un lieu.

Anémomètre : vitesse du vent.

Bathymètre : profondeur de la mer.

Calorimètre : chaleur dégagée ou reçue par un corps.

Cathétomètre : distance verticale entre deux points.

Chronomètre : temps.

Clinomètre : inclinaison d'un plan.

Colorimètre : intensité de coloration d'un liquide, par comparaison avec un modèle.

Cryomètre : température de congélation.

Densimètre : densité d'un liquide.

Dilatomètre : dilatation d'un solide ou d'un liquide.

Électromètre : grandeurs électriques.

Électroscope : charge électrique.

Geiger (compteur) : radiations.

Goniomètre : angles.

Gravimètre : intensité du champ de la pesanteur.

Hydromètre : propriétés physiques d'un liquide.

Hygromètre : degré d'humidité de l'air.

Hypsomètre : pression de l'air en altitude grâce à la mesure du point d'ébullition de l'eau.

Luxmètre : éclairement.

Machmètre : nombre de Mach d'un avion, c'est-à-dire sa vitesse par rapport au son.

Magnétomètre : intensité d'un champ magnétique.

Manomètre : pression d'un fluide.

Micromètre : petites longueurs.

Ondemètre : longueur des ondes électromagnétiques.

Optomètre : réfraction de l'œil en ophtalmologie.

Oromètre : relief d'un sol.

Photomètre : intensité lumineuse.

Piézomètre : compressibilité d'un liquide.

Planimètre : aire d'une surface plane.

Pluviomètre : quantité de pluie tombée pendant une période donnée dans un lieu donné.

Polarimètre : rotation du plan de polarisation de la lumière.

Posemètre : temps de pose.

Potentiomètre : différences de potentiel et forces électromotrices.

Psychromètre : degré d'humidité de l'air.

Pycnomètre : densité d'un solide, d'un liquide.

Pyrhéliomètre : rayonnement du Soleil.

Pyromètre : températures élevées.

Radiomètre : intensité d'un rayonnement lumineux.

Saccharimètre : quantité de sucre en dissolution dans un liquide.

Scléromètre : dureté d'un solide.

Sextant : hauteur d'un astre.

Sismographe : durée et amplitude d'un séisme.

Spectromètre : spectre.

Sphéromètre : courbure d'un élément sphérique.

Tachéomètre : levés de plans et altitude.

Tachymètre : vitesse de rotation.

Tensiomètre : déformations d'un corps soumis à une contrainte mécanique.

Théodolite : angles horizontaux et verticaux.

Thermomètre : température.

– Transmission d'une infection **contamination, contagion**
– Propagation d'une infection **épidémie**
– Infection dans le sang qui se répand dans tout l'organisme **septicémie**
– Substance produite par l'organisme contre l'infection **antitoxine**
– Pour prévenir l'infection **antisepsie**
– Infection non microbienne **infestation**
– Maladie éruptive transmise par infection **rougeole, rubéole, variole, scarlatine, varicelle**
– Maladie non éruptive transmise par infection **grippe, coqueluche, oreillons, typhus, fièvre jaune, diphtérie, peste, choléra, tuberculose**
– Maladie parasitaire transmise par infection **malaria, bilharziose, paludisme, filariose, maladie du sommeil, trichinose, mycose**
– Quelle infection dans cette pièce ! **puanteur, pestilence**

INFÉRIEUR

– Partie inférieure d'une construction **base, fondement, fondation, sous-sol, cave**
– Face inférieure d'un objet **envers, dessous, verso**
– D'une qualité inférieure **moindre, médiocre**
– Inférieur par l'importance **secondaire, mineur**
– Individu tenant une position sociale considérée comme inférieure **subordonné, subalterne**

– Inférieur au directeur **sous-directeur**
– Inférieur au président **vice-président**
– Un soldat de grade inférieur **sous-fifre, sous-ordre**

INFÉRIORITÉ

– Comparatif d'infériorité en grammaire **moins**
– Être dans une position d'infériorité **sous les ordres de, sous la coupe de**
– Un signe d'infériorité **faiblesse**
– État d'infériorité **servitude, subordination, dépendance, tutelle, sujétion, soumission, assujettissement**
– Mettre en état d'infériorité **défavoriser, handicaper, dévaloriser, complexer, affaiblir, désavantager**

INFIDÉLITÉ

– Infidélité à la parole donnée **traîtrise, tromperie, trahison, déloyauté, scélératesse, parjure, forfaiture, perfidie**
– Quelqu'un qui fait preuve d'infidélité morale **traître, parjure, scélérat**
– Faire preuve d'infidélité sentimentale **être coureur, avoir un cœur volage, avoir un cœur d'artichaut**
– Infidélité dans les sentiments **inconstance, instabilité, légèreté**
– Infidélité dans le mariage **adultère, liaison**
– Infidélité dans un rapport ou un compte rendu **inexactitude**

INFILTRATION

– Infiltration d'eau **écoulement, fuite**
– Infiltration d'idées nouvelles **envahissement, contagion, invasion, noyautage, entrisme**
– Infiltration graisseuse dans le corps **adiposité, obésité**
– Infiltration gazeuse **emphysème**
– Infiltration de liquides **épanchement, œdème**
– Infiltration de calcium dans un organe **calcification**
– Infiltration purulente **furoncle, phlegmon, abcès, anthrax, panaris**
– Infiltration de sang **ecchymose, purpura**
– Faire une infiltration d'un médicament **injection**

INFINI

– Ce qui paraît infini **immensité**
– Un amour infini **extrême, éternel, perpétuel, profond, absolu, incommensurable**
– Une étendue infinie **immense, illimitée, démesurée, vaste**
– Une quantité infinie d'éléments **incalculable, énorme, innombrable**
– Une discussion infinie **interminable**
– Une divinité infinie en tous ses attributs **absolue, parfaite, immuable**
– Le seul être infini **Dieu**

INFINITIF

– Infinitif ayant un sujet propre **proposition infinitive**
– Infinitif d'un verbe **forme nominale**

INFIRME

– Un corps infirme **mutilé, handicapé, invalide, difforme, disgracié, impotent**
– Infirme d'un membre **boiteux, éclopé, estropié**
– Infirme des deux membres inférieurs **paraplégique**

INFIRMIER

– Infirmier chargé d'appliquer les pansements **panseur**
– Infirmier d'un malade à domicile **garde-malade**
– Ni ambulancier ni infirmier, il transporte les blessés **brancardier**
– Individu sans diplôme d'État qui seconde l'infirmier **aide-soignant**
– Infirmière en chef à l'hôpital **surveillante**

INFIRMITÉ

– Infirmité de naissance ou accidentelle **malformation, difformité, disgrâce, tare, handicap, impotence, invalidité**
– Infirmité du pouvoir en place **fragilité, faiblesse, imperfection, médiocrité, impuissance**

INFLAMMABLE

– Facilement inflammable **combustible**
– Matière spontanément inflammable **pyrophore**
– rendre ininflammable **ignifugé**

INFLAMMATION

– Inflammation par sensibilisation **allergie**
– Inflammation des gencives **gingivite, parulie**
– Inflammation des parois vasculaires **phlébite, artérite,**
– Inflammation des muqueuses des voies respiratoires **coryza, catarrhe, rhume**
– Inflammation de la vessie **cystite**
– Inflammation après une brûlure **phlogose**
– Inflammation des reins **néphrite**
– Inflammation de la peau du visage **couperose**
– Inflammation et infection d'un doigt **panaris**
– Avoir une inflammation sur le corps **rougeur, irritation**
– Inflammation de la peau **dermite, éruption, intertrigo, prurigo**
– Réaction de défense de l'organisme par une inflammation **diapédèse**
– Remède qui permet de lutter contre l'inflammation **anti-inflammatoire, antiphlogistique**

INFLEXIBLE

– Un caractère inflexible que rien ne peut émouvoir **intransigeant, rigide, dur, ferme, rigoureux, sévère, intraitable, impitoyable, implacable**
– Une loi inflexible **absolue, incontournable**
– Une personnalité inflexible **psychorigide, indomptable, inexorable**
– Rester inflexible face à l'émotion **de fer, de glace, de marbre, insensible**

INFLIGER

– Infliger une peine **prononcer, appliquer, imposer**
– Infliger une correction **administrer, donner**
– Infliger un supplice **torturer, supplicier, martyriser**
– S'infliger des contraintes **imposer (s'), forcer à (se), obliger à (s')**

INFLUENCE

– Influence d'un phénomène **effet, incidence**
– Reconnaître l'influence de quelqu'un sur un projet **impulsion, empreinte, marque**
– Influence exercée par un individu sur un autre **pouvoir, puissance, emprise, ascendant, autorité, mainmise, pression, domination, tyrannie**
– Avoir de l'influence **prestige, poids, impact, crédit, créance, persuasion, le bras long**
– User de son influence **intercéder, intervenir, orienter, peser, influer**
– Influence d'un grand homme sur son époque **rôle, rayonnement**
– Influence inexplicable qui s'exerce par le charme **fascination, magnétisme, charisme, séduction**
– Influence de la Terre **tellurisme**

INSTRUMENTS MÉDICAUX ET CHIRURGICAUX (voir aussi p. 134)

Aspirateur : instrument qui aspire les liquides.

Attelle : petite planche ou lame, mince et résistante, en bois, métal, plâtre ou résine, pour maintenir un membre fracturé.

Bistouri : petit couteau chirurgical pour faire des incisions.

Burin : instrument tranchant destiné à entailler les os.

Canule : petit tuyau souple ou rigide qui sert à introduire un liquide dans une cavité de l'organisme.

Catgut : ancien fil chirurgical utilisé pour la suture des plaies. N'est plus en usage aujourd'hui.

Cathéter : tube long et mince destiné à être introduit dans un canal naturel, un vaisseau ou un organe creux, pour l'explorer, injecter un liquide ou vider une cavité.

Clamp : pince chirurgicale qui comprime des canaux.

Curette : instrument chirurgical en forme de cuiller et à long manche servant à effectuer un curetage.

Davier : sorte de tenaille utilisée en chirurgie osseuse et en chirurgie dentaire pour extraire des fragments osseux.

Drain : tube (souple ou rigide) percé de trous placé dans les plaies pour permettre l'écoulement de liquides pathologiques.

Écarteur : instrument qui sert à écarter les lèvres d'une plaie.

Éclisse : attelle.

Forceps : instrument en forme de pince à branches séparables destiné à saisir la tête du fœtus lors d'un accouchement difficile.

Garrot : lien servant à comprimer l'artère principale d'un membre de façon à interrompre l'écoulement sanguin.

Gouge : ciseau semi-circulaire utilisé pour racler les os.

Lancette : instrument à lame très tranchante pour pratiquer de petites incisions ; on l'utilisait pour les saignées et les scarifications.

Rétracteur : instrument utilisé pour repousser les organes.

Rugine : instrument chirurgical destiné à racler les os.

Scalpel : petit couteau chirurgical servant à pratiquer des incisions et utilisé dans les dissections.

Scarificateur : instrument utilisé pour pratiquer de petites incisions afin

de provoquer un écoulement de sang.

Scialytique : dispositif d'éclairage utilisé en chirurgie pour supprimer les ombres.

Sonde : instrument en forme de tuyau introduit dans les canaux afin d'y injecter ou d'en évacuer certaines substances.

Spatule : instrument muni d'une lame large pour étaler, aplatir.

Spéculum : instrument formant miroir destiné à maintenir ouverts les orifices de certaines cavités naturelles pour en permettre l'examen.

Stripper : instrument utilisé en chirurgie dans le traitement des varices pour dénuder les veines (synonyme : tire-veine).

Stylet : tige métallique destinée à explorer les canaux naturels ou les plaies.

Tourniquet : instrument destiné à augmenter la striction d'un garrot.

Trépan : instrument utilisé pour percer les os, en particulier la boîte crânienne.

Trocart : sorte de poinçon servant à pratiquer des ponctions évacuatrices.

– Manifestation de l'influence dans le comportement **imitation, osmose**

INFORMATION

– Ouvrir une information en justice **examen, instruction, notification, investigation, enquête**
– Prendre des informations pour se décider **indications, tuyaux, renseignements**
– Recueillir des informations orales **propos, on-dit, rumeurs**
– Source d'informations écrites **archives, document, fiche, annuaire, catalogue, livre, microfilm**
– Source d'informations dans une enquête **témoignage, indication, indice**
– Information publique d'un événement **nouvelle, annonce**
– Bulletin d'information dans la presse écrite, parlée, télévisée **journal, communiqué, actualités**
– Information brute, donnée sans commentaire **dépêche, flash, brève**
– Information donnée en exclusivité par une agence ou un journaliste **exclusivité, scoop**
– Forme d'information médiatique **reportage, interview, documentaire**
– Vice d'information par excès ou manque **désinformation, sous-information**
– Contrôle abusif de l'information publique **censure**
– Le canal d'information d'un parti, d'un syndicat **organe**
– Transmis pour information **avis**
– Réunion d'information **briefing**
– Source d'information publique **faire-part, placard, affiche, média, journal, télévision, compte rendu, gazette, bulletin, radio, revue**
– Traitement de l'information **informatique**
– Autoroute de l'information **Internet, Web**

INFORMATIQUE *Voir tableau p. 306*
– Outils informatiques **logiciel, programme, langage**
– Matériel informatique **ordinateur, calculateur, serveur, clavier, souris, lecteur, écran, imprimante, scanner**
– Professionnel de l'informatique **informaticien, programmateur**
– Application de l'informatique au travail **bureautique**
– Application de l'informatique à la maison **domotique**

INFORMER
syn. **annoncer, communiquer, publier**
– Être informé d'un fait **connaître, savoir, apprendre**
– Informer quelqu'un **prévenir, avertir, aviser, éclairer, notifier à, renseigner, faire part à**

– Informer en justice **instruire, notifier**
– S'informer **interroger, enquêter, renseigner (se), documenter (se), enquérir (s')**

INFRACTION
– Rapport d'infraction **procès-verbal**
– Forme d'infraction en France **contravention, crime, délit**
– Infraction à une règle **faute, manquement, entorse, dérogation, violation, transgression**

INGRAT
– Un individu ingrat **oublieux**
– Un enfant ingrat vis-à-vis de ses parents **négligent, désagréable**
– Un travail ingrat **pénible, ardu, difficile, infructueux, stérile, aride**
– Un environnement ingrat **hostile, agressif, inhospitalier**
– Ingrat d'apparence **laid, déplaisant, rébarbatif, disgracieux, disgracié**
– Qui n'est pas ingrat **obligé, reconnaissant**

INGRATITUDE
– Ingratitude d'un individu à qui un service a été rendu **méconnaissance, légèreté, désinvolture, oubli**

INHUMAIN
– Un comportement inhumain **dur, cruel, barbare, impitoyable**
– Se montrer inhumain **insensible, froid, lointain, implacable**
– Un acte inhumain **bestial, féroce, brutal, monstrueux**
– Un hurlement inhumain **terrible, terrifiant, insupportable, déchirant**

INITIAL
– Le stade initial **premier, originel, primitif**
– Un versement d'argent initial **acompte, arrhes**
– Le mot initial d'une phrase **en tête, au début, au commencement**
– Forme d'une lettre initiale **majuscule**
– Abréviation formée des lettres initiales d'une expression, d'un organisme **sigle, acronyme**
– Partie initiale d'un dérivé **préfixe**
– Entrelacement des lettres initiales d'un nom **chiffre, monogramme, marque**

INITIATION
voir aussi **rite**
– Initiation aux mystères des religions, des sciences occultes **mystagogie**
– Rites mystérieux d'initiation **ésotériques, hermétiques**
– Personne responsable de l'initiation d'un novice **parrain, maître**
– Initiation à une pratique **passage, baptême**

– Initiation permettant d'accéder à une société secrète ou à un culte **introduction, admission, affiliation**
– Initiation à la philosophie, à l'art, à la science **apprentissage, instruction, éducation**
– Initiation rituelle des étudiants de première année **bizutage**

INITIATIVE
– Prendre l'initiative de faire quelque chose **entreprendre, entamer, provoquer**
– Applaudir l'initiative de quelqu'un **action, intervention**
– Qualité d'initiative **dynamisme, originalité, inventivité, activité**
– Livré à sa seule initiative **volonté, fantaisie, intuition, bon vouloir**
– Rôle d'un syndicat d'initiative **informer, renseigner**
– Initiative de défense stratégique **IDS, guerre des étoiles**
– Il l'a secouru de sa propre initiative **spontanément**

INITIÉ
– Initié à une croyance **adepte, disciple, prosélyte**

INITIER
– Initier quelqu'un à une discipline **instruire, apprendre à, enseigner à, former**

INJECTER
– Injecter un remède **administrer, introduire**
– Injecter une fusée dans l'espace **envoyer**
– Injecter des capitaux dans une affaire **apporter**
– S'injecter une drogue **piquer (se), shooter (se)**

INJURE
– Quelle injure ! **outrage, affront, indignité, offense, camouflet, irrévérence, avanie, insolence**
– Proférer des injures **insultes, invectives**
– Injures et rumeurs malveillantes dans l'opinion publique **diffamation, calomnie, humiliation, médisance, attaque**
– Accabler quelqu'un d'injures **agonir, incendier, chanter pouilles à, blesser, traîner dans la boue, insulter, invectiver, vociférer, donner des noms d'oiseaux à**
– Injure grossière et violente **obscénité, ordure, horreur, infamie, vilenie**

INJUSTE
– Règlement injuste d'un problème de droit ou de société **illégal, inique, abusif, arbitraire, inadmissible, attentatoire, illégitime**

– Une sanction injuste **imméritée, partiale, indue, exagérée**
– Un impôt injuste **léonin, inéquitable**
– Action injuste **passe-droit, exaction, usurpation, malversation**

INJUSTICE
– Combattre l'injustice **partialité, abus, iniquité, arbitraire**

INNÉ
– Une aptitude innée pour l'art **foncière, naturelle, native**
– Un don inné **héréditaire, congénital**

INNOCENCE
– Innocence face au mal **pureté, candeur, fraîcheur, ingénuité**
– Âge de l'innocence **enfance**
– Profiter de l'innocence de quelqu'un **naïveté, crédulité**
– Innocence d'un remède **innocuité**
– Convaincre quelqu'un de l'innocence d'une personne **disculper**
– Déclaration d'innocence prononcée par la cour d'assises **acquitement**

INNOCENT /1
– L'innocent du village **idiot, simple d'esprit, demeuré, crétin**

INNOCENT /2
– Un enfant à l'air innocent **ingénu, candide, angélique, pur**
– Jeune homme encore innocent **ignorant, crédule, niais, naïf**
– Être innocent dans une affaire louche **irrépréhensible, blanc comme neige, non coupable, irréprochable, irresponsable**

INNOVER
– Être capable d'innover **progresser, créer**

INOFFENSIF
– Des propos inoffensifs **innocents, anodins, bénins**
– Individu considéré comme inoffensif **incapable de nuire**
– Des champignons inoffensifs **comestibles**

INONDATION
– Inondation d'une plaine **submersion, immersion**
– Cause d'une inondation **débordement, flot, torrent, tempête, déluge, crue, fonte des neiges, cataclysme**
– Inondation d'un marché économique par des produits étrangers **afflux, invasion, envahissement, déferlement**

INOPINÉ
– Un événement inopiné **inattendu, fortuit, imprévu, surprenant**

INOUÏ
– Accomplir un exploit inouï **surprenant, étonnant, formidable**
– Une chance inouïe **extraordinaire, incroyable, prodigieuse, fabuleuse, énorme, folle**
– Il tient un discours inouï **invraisemblable, étrange**
– Un projet inouï **inconcevable**
– C'est inouï ! **fort**

INQUIET
– Un regard inquiet **agité, troublé**
– C'est un esprit inquiet **impatient, fiévreux, insatisfait, exalté, pusillanime, timoré**
– Il a l'air inquiet **perplexe, embarrassé, soucieux, anxieux, angoissé, épouvanté, tourmenté**
– Un cheval inquiet **apeuré, effarouché, ombrageux**

INQUIÉTER
– Une difficulté qui inquiète **chagrine, perturbe, ennuie, tracasse, tourmente, trouble**
– Il craint d'être inquiété par la Mafia **harcelé, menacé**
– Sa maladie nous inquiète **alarme, chagrine, angoisse, émeut**
– Il ne faut pas trop l'inquiéter **effrayer, épouvanter**
– Un type inquiétant **louche, sinistre, patibulaire, menaçant**
– Une situation inquiétante **grave, critique**

INQUIÉTER (S')
– S'inquiéter du lendemain **soucier (se), préoccuper (se), affoler (s'), tracasser (se), faire du soucis (se), ronger les sangs (se), faire un sang d'encre (se)**

INQUIÉTUDE
– Inquiétude causée par une maladie ou un danger **émoi, crainte, appréhension, tracas, alarme, peine, peur, souci, tourment**
– Inquiétude très vive **panique, anxiété, épouvante, transe, angoisse, affres, terreur, affolement**
– Inquiétude diffuse **malaise, appréhension, désarroi**
– Inquiétude métaphysique **doute**

INQUISITION
– Tribunal de l'Inquisition établi en 1478 **Saint-Office**
– Employé laïque de l'Inquisition **familier**
– Nom que l'Inquisition donne à l'hérétique repenti **réconcilié**
– Nom que l'Inquisition donne à ceux qui ont été antérieurement réconciliés et qui retombent dans l'hérésie **relaps**
– Membre d'un tribunal ecclésiastique de l'Inquisition **inquisiteur**

– Cérémonie religieuse de grand apparat organisée par l'Inquisition **autodafé**
– Nom donné au Conseil qui dirigeait l'Inquisition **suprême**
– Se livrer à une véritable inquisition auprès de quelqu'un **interrogatoire, perquisition, enquête, investigation**

INSAISISSABLE
– Un voleur insaisissable **en fuite**
– Un son insaisissable **inaudible, indiscernable, imperceptible**

INSATIABLE
– Une passion insatiable **inextinguible, inapaisable, inassouvissable, dévorante**
– Un mangeur insatiable **vorace**
– Un caractère insatiable **insatisfait**

INSCRIPTION
– Support d'inscription **stèle, colonne, cippe, affiche, placard, écriteau, pancarte, étiquette, enseigne, panonceau,**
– Inscription qui annonce une profession libérale sur une porte **plaque**
– Ornement destiné à recevoir une inscription **cartouche**
– Inscription explicative sur un édifice ou au début d'un texte **épigraphe, exergue**
– Courte inscription sur un livre indiquant le propriétaire **ex-libris**
– Inscription au début d'une œuvre **titre**
– Inscription sous une illustration **légende**
– Inscription sur un blason **devise**
– Énoncé d'une inscription sur un blason **âme**
– Bande portant l'inscription sous un blason **listel**
– Un mur couvert d'inscriptions **graffitis, tags**
– Inscription sur une tombe **épitaphe**
– Étude des inscriptions **épigraphie**
– Science des inscriptions anciennes **paléographie**
– Inscription sur un registre officiel **enregistrement, immatriculation**
– Recueil d'inscriptions **corpus**
– Inscription d'un soldat sur un tableau d'honneur **citation**
– Inscription sur les listes de l'armée **conscription**
– Inscription indélébile sur la peau **tatouage**
– Inscription à une mutuelle **affiliation**
– Inscription à un parti politique **adhésion**
– Déchiffrer des inscriptions anciennes **hiéroglyphes, runes**

INSCRIRE
– Inscrire sur un carnet **écrire, noter**
– Inscrire des informations sur un registre **enregistrer, consigner, copier**
– Inscrire son témoignage sur papier **coucher, porter**

– Inscrire une formule sur un matériau dur **graver**
– Inscrire un contribuable à la Sécurité sociale **immatriculer**
– Registre où l'on inscrit les affaires au tribunal **rôle**
– Inscrire un créancier **colloquer**
– Inscrire quelqu'un dans une prison **écrouer, incarcérer**
– Tout est inscrit dans les règles du jeu **marqué, indiqué, mentionné**

INSCRIRE (S')

– S'inscrire dans l'armée **enrôler (s')**
– S'inscrire à un syndicat, un club ou un parti **adhérer, affilier (s'), entrer**
– Attendre qu'une image s'inscrive sur un écran **affiche (s')**
– S'inscrire en faux **contredire, démentir, nier, réfuter**

INSECTE *Voir illustration p. 311*

– Science des insectes **entomologie**
– Insectes sociaux **fourmis, abeilles, termites**
– Insecte du superordre des coléoptères **scarabée, dytique, coccinelle, ver luisant**
– Insecte du superordre des hémiptères **cigale, cochenille, puceron, punaise**
– Insecte du superordre des odonates **libellule, æschne, demoiselle**
– Insecte de l'ordre des diptères **moustique, taon, mouche**
– Insecte de l'ordre des lépidoptères **papillon**
– Insecte de l'ordre des isoptères **termite**
– Insecte de l'ordre des siphonaptères **puce**
– Insecte de l'ordre des orthoptères **sauterelle, criquet, grillon**
– Une plante qui se nourrit d'insectes **entomophage**
– Un animal qui mange les insectes **insectivore**
– Lutter contre les insectes **désinsectiser**
– Produit qui débarrasse des insectes **insecticide, insectifuge**

INSENSÉ

– Une idée insensée **absurde, extravagante, folle, insane**
– Un raisonnement insensé **aberrant, stupide, inepte, incohérent**
– Payer un prix insensé **excessif, exorbitant, prohibitif**

INSENSIBILITÉ

– Plongé dans une insensibilité totale **léthargie, inconscience, coma**
– Insensibilité d'un membre **ankylose, paralysie**
– Insensibilité due à la maladie ou à un traitement chimique **anesthésie**
– Montrer une certaine insensibilité **froideur, impassibilité, calme**

– Insensibilité à la douleur **analgésie**
– Insensibilité psychologique **indolence, apathie, indifférence, détachement, dureté**

INSENSIBLE

– Un cœur insensible **froid, glacial, dur, de pierre, de bronze, apathique**
– Un caractère insensible **implacable, imperturbable, impitoyable, endurci, inexorable, sec, égoïste, cruel**
– Avoir l'air insensible **détaché, distrait, indifférent**
– Un mouvement insensible **léger, doux, infime, imperceptible, invisible, graduel, progressif, insaisissable, faible**
– Des mains rendues insensibles par le froid **engourdies, gourdes, ankylosées**
– Il est resté insensible à ses explications **de marbre, sourd**
– Être insensible à la musique **fermé, étranger, réfractaire, inaccessible**

INSÉPARABLE

– Ces enfants sont inséparables **indissociables, unis, liés, soudés**
– La haine est inséparable de l'amour **inhérente à, attachée**
– Amis inséparables **compagnons, compères**
– Milou, l'inséparable compagnon de Tintin **fidèle, éternel, inévitable**

INSÉRER

syn. **imbriquer**
– Insérer une pièce dans un dossier **intercaler, interposer, ajouter, introduire, mettre, inclure**
– Insérer une pierre dans un bijou **sertir, enchatonner, enchâsser, orner**
– Insérer des ornements **incruster**
– Insérer une armoire dans un mur **encastrer**
– Insérer un document supplémentaire dans une brochure **encarter**
– Insérer une greffe végétale **implanter, enter**
– Insérer un rendez-vous **placer, caler, inscrire**

INSÉRER (S')

– Réussir à s'insérer dans la société **intégrer (s'), assimiler (s')**

INSIGNE

– Insigne de distinction honorifique **médaille, décoration**
– Insigne du maire et du parlementaire français **écharpe**
– Ancien insigne d'un serviteur **livrée**
– Insigne d'un roi **sceptre, couronne**
– Insigne de soutien à une cause **pin's, badge, broche, écusson, ruban, macaron**
– Une faveur insigne **remarquable, éclatante, fameuse, importante**

INSIGNIFIANT

– Un être insignifiant **quelconque, plat, effacé, terne, banal, falot, inconsistant, pâle**
– Un auteur insignifiant **obscur, ennuyeux, insipide, médiocre**
– Un indice insignifiant **infime, mince, négligeable, minime**
– Un prix insignifiant **dérisoire, misérable**
– Des bavardages insignifiants **futiles, frivoles, vains, creux, inconséquents, superficiels**
– Quelque chose d'insignifiant **bricole, broutille, bagatelle, vétille, futilité, peccadille**

INSINUER

syn. **prétendre, sous-entendre**
– Insinuer quelque chose dans l'esprit d'une personne **suggérer, faire allusion, instiller, souffler**

INSINUER (S')

– L'eau s'insinue partout **coule, pénètre, infiltre (s')**
– S'insinuer dans un endroit **introduire (s'), faufiler (se), glisser (se), immiscer (s'), mêler à (se), infiltrer (s')**

INSISTER

– Insister sur un point **souligner, accentuer, appuyer sur, arrêter sur (s')**
– Insister pour obtenir une faveur **prier, presser, obstiner (s')**
– Il faut insister pour réussir **persister, persévérer, continuer, s'acharner**
– Insister franchement et de manière énergique **enfoncer le clou, marteler, répéter, mettre les points sur les i**
– Insister un peu trop **appesantir (s'), harceler**

INSOLENCE

– Insolence envers quelqu'un **impertinence, effronterie, irrespect, irrévérence, impudence, impolitesse**
– Parler avec insolence **narguer, offenser, insulter, injurier, défier**
– Insolence méprisante **morgue, arrogance, orgueil, cynisme, désinvolture, hauteur, suffisance**

INSOLENT

– Comportement insolent **désagréable, impudent, effronté, impertinent, arrogant, désinvolte**
– Ton insolent **déplacé, impoli, irrespectueux, grossier, familier, cavalier, leste, irrévérencieux, cynique**
– Individu peu intéressant, insolent et prétentieux de surcroît **paltoquet, rustre**

INSOLITE

syn. **anormal, bizarre, rare, inhabituel, extraordinaire, étonnant**

– Un individu insolite **extravagant, singulier, excentrique, original**

INSONDABLE
– Un gouffre insondable **abyssal, sans fond, vertigineux**
– Une énigme insondable **impénétrable, incompréhensible, obscure, mystérieuse**

INSOUCIANT
– Jeune homme insouciant **léger, sans-souci, étourdi, négligent, imprévoyant, frivole, indolent, nonchalant, volage, futile, superficiel, vain**
– Insouciant du temps qui passe **insoucieux, indifférent à, oublieux**

INSPECTER
– Inspecter un chantier **visiter, surveiller, contrôler, conduire, vérifier**
– Inspecter un navire en procédant à différents contrôles **arraisonner**
– Inspecter un lieu **reconnaître, explorer, fouiller, sonder**
– Inspecter un régiment **passer en revue**
– Inspecter quelqu'un du regard **examiner, scruter**

INSPECTEUR
– Travail de l'inspecteur **contrôler, surveiller, vérifier**
– Inspecteur de police **divisionnaire, principal**

INSPECTION
– Inspection du chargement d'un cargo **arraisonnement, visite, examen, reconnaissance**
– Inspection militaire **revue**
– Durée d'une charge d'inspection **inspectorat**

INSPIRATEUR
– C'est leur inspirateur **conseiller, éminence grise, gourou, guide spirituel**
– Être l'inspirateur d'une réforme **instigateur, initiateur, promoteur, artisan**

INSPIRATION
– Agir sous l'inspiration de Dieu **esprit, grâce, illumination**
– Inspiration divinatoire **divination**
– Inspiration artistique **enthousiasme, ferveur, souffle, fureur, lyrisme, veine, verve**
– Créer sous l'inspiration de quelqu'un **influence, à l'instigation de**
– Inspiration de l'air dans les poumons **aspiration, inhalation**
– Mécanisme d'inspiration et d'expiration **respiration**

INSPIRÉ
– Individu inspiré **mystique, illuminé, exalté**

– Une œuvre inspirée par les derniers événements **dictée, suggérée**
– Il a été bien inspiré de fuir avant la tempête **avisé**

INSPIRER
– Inspirer une conduite **suggérer, conseiller, insuffler, diriger**
– Inspirer un sentiment **provoquer, causer, faire naître, imprimer**
– Inspirer une œuvre **animer**
– Elle inspire la création artistique **muse, égérie**
– S'inspirer de modèles **imiter**

INSTABILITÉ
– Instabilité d'un corps chimique **décomposition**
– Instabilité de la victoire **fragilité, précarité, incertitude**
– Faire preuve d'instabilité dans ses engagements **inconstance, versatilité**
– Vivre dans l'instabilité **errance, nomadisme**
– Instabilité de la fortune **vicissitudes, aléas**
– Instabilité du franc par rapport au dollar **fluctuation, variation**
– Provoquer l'instabilité chez l'ennemi **déstabiliser**

INSTABLE
– Préparation chimique instable **décomposable, altérable**
– Un échafaudage instable **déséquilibré, branlant, boiteux, bancal, mal assuré**
– Un temps instable **variable, changeant**
– Une politique instable **temporaire, fragile, mouvante, précaire, fluctuante, éphémère**
– Un individu instable **fuyant, inconstant, volage, immature, mobile, indécis, capricieux**

INSTALLATION
– Installation solennelle d'un cadre religieux **intronisation**
– Il a trouvé un emploi une semaine après son installation à Paris **emménagement, arrivée**
– Installation d'une cuisine **équipement**
– Célébrer son installation dans une nouvelle habitation **crémaillère**
– Installation provisoire d'un groupe **camp, baraque, campement, cantonnement**
– Installation d'une tente **montage**
– Installation illégale dans des locaux déserts **squat**
– Installation de fils **branchement**
– Installation d'un système sanitaire collectif **aménagement, établissement, pose**

INSTALLER
syn. **placer, poser**

– Installer quelqu'un chez soi **mettre, établir, loger, caser**
– Installer une nouvelle maison **aménager, arranger, agencer, disposer, équiper**

INSTALLER (S')
– S'installer à l'étranger **établir (s'), émigrer, expatrier (s')**
– Souvenir qui s'installe **fixe (se)**
– Avoir tendance à s'installer un peu trop longtemps **enraciner (s'), incruster (s')**

INSTANT
– Un instant, s'il vous plaît ! **seconde, minute, moment**
– En un instant **en un clin d'œil, en un tournemain, rapidement**
– Dans un instant, la suite de notre programme **bientôt, tout de suite**
– À cet instant même **aussitôt, soudain**
– Il râle à chaque instant **continuellement, sans cesse**
– Redouter l'instant fatal **mort**
– Profite de l'instant présent *Carpe diem*
– Dès l'instant où ce n'est plus nécessaire, il faut arrêter **puisque**
– Une attention de tous les instants **constante, perpétuelle**

INSTANTANÉ
– Un instantané de la vie **image, souvenir, cliché, photo**
– Une vision instantanée **brève, rapide**
– Une réaction instantanée **immédiate, soudaine, subite**
– Préparation instantanée en poudre **lyophilisée**

INSTINCT
– Instinct, selon Freud, dont la poussée et l'objet restent indéterminés **pulsion**
– Un instinct criminel **tendance, nature, penchant**
– Instincts comme pulsions conflictuelles en l'être humain selon Freud **sexualité, autoconservation, amour, faim**
– L'instinct sexuel **libido**
– Instinct opposé à la raison **sentiment, irrationnel**
– Instinct des animaux **grégaire, migratoire, reproducteur**
– Action accomplie par quelqu'un en fonction de son instinct **spontanée, irréfléchie, involontaire, réflexe**
– Comprendre une situation complexe par instinct **intuition, pressentiment, inspiration, flair**

INSTINCTIF
– Une peur instinctive du noir **viscérale, irraisonnée**
– Avoir une réaction instinctive **involontaire, irréfléchie, spontanée, machinale, mécanique, animale, inconsciente**

INSTITUT

– Institut de recherche **institution, académie, corps**
– Institut de beauté **salon**
– Institut d'enseignement **établissement, école, université**

INSTITUTEUR

– Instituteur à domicile chargé d'un ou de plusieurs enfant d'une même famille **précepteur**
– Instituteur de l'enseignement primaire **maître, maîtresse, enseignant, professeur des écoles**
– Lieu de travail des instituteurs **école, classe**

INSTITUTION

– Institution du droit aux congés payés **instauration, création, fondation, établissement**
– Institution d'héritiers en termes juridiques **nomination, désignation**
– Différentes institutions d'un pays **religieuses, juridiques, sociales, politiques**
– Elle garantit les institutions d'un pays **Constitution**
– Institution financière **banque, établissement de crédit**
– Institution d'éducation **pensionnat, foyer, institut, école, collège, lycée**

INSTRUCTION

– Instruction de la jeunesse **apprentissage, initiation, édification, enseignement, pédagogie**
– Instruction religieuse **catéchisme**
– Instruction générale **culture, formation**
– Avoir reçu une certaine instruction **éducation, savoir, connaissance, bagage, science, lettres, érudition**
– Frein à l'instruction et à ses bénéfices **obscurantisme, ignorance, préjugés**
– Auteur de la loi sur l'instruction laïque, gratuite et obligatoire **Jules Ferry**
– Donner une instruction **ordre, règle, prescription, consigne, directive, précepte, conseil**
– Instruction officielle ministérielle **note, circulaire, écrit, avis**
– Faire l'instruction d'une affaire en justice **information, interrogatoire, accusation, inculpation, procédure**
– Fin possible d'une instruction juridique **non-lieu, renvoi**

INSTRUIRE

– Instruire par la lecture **éclairer, édifier**
– Instruire à l'école **éduquer, enseigner, former, initier**
– Popos qui vise à instruire **didactique**
– Instruire quelqu'un d'un complot **avertir, aviser, informer, renseigner, prévenir, dénoncer, alerter**

INSTRUMENTS DE MUSIQUE

INSTRUMENTS À VENT

anches	**flûtes**
basson	flûte à bec
biniou	flûte de Pan
bombarde	flûte traversière
clarinette	ocarina
clarinette basse	piccolo
clarinette contrebasse	**cuivres**
contrebasson	bugle
cor anglais	clairon
cor de basset	cor
cornemuse	cornet
hautbois	hélicon
saxophone (soprano),	trombone
sopranino, alto,	trompette
ténor, baryton, basse)	tuba

INSTRUMENTS À CORDES

frappées	banjo
tympanon	cistre
cymbalum (Hongrie)	cithare
frottées	domra (Kirghizistan)
alto	dulcimer
contrebasse	guitare
vielle	harpe
viole	luth
violon	mandoline
violoncelle	oud (Maghreb,
pincées	Moyen-Orient)
balalaïka (Russie)	psaltérion
bandurria (Espagne)	sitar (Inde)

INSTRUMENTS À PERCUSSION
(voir aussi tableau percussions, p. 444)

les métaux	djembé
carillon	grosse caisse
charleston (hi-hat)	tam-tam
cloches	tambour
cymbales	tambourin
flexaton	timbale
gong	tom alto
guimbarde	tom basse
scie musicale	tom médium
sistre/triangle	**les « accessoires »**
les instruments	cabaza
à clavier	castagnettes
célesta	claves
glockenspiel	crécelle
(ou jeu de timbres)	grelots
marimba (Afrique,	guïro
Amérique du Sud)	maracas
métallophone	tempelblock
vibraphone	woodblock
xylophone	**Les percuteurs**
les peaux	baguette
bongo	balai
caisse claire	batan
caisse roulante	maillet
conga	mailloche
darbouka	verge

INSTRUMENTS À CLAVIER

aérophones	**instruments**
harmonium	**électroniques**
orgue	clavier (Clavinet)
serinette	ondes Martenot
instruments :	orgue (Hammond)
à cordes frappées	orgue électronique
clavicorde	piano (Rhodes)
piano	sampleur
à cordes pincées	synthétiseur (moog,
clavecin	Oberheim, Synthaxe,
épinette	Synclavier)

INSTRUIRE (S')

– S'instruire en s'amusant **apprendre, étudier, cultiver (se)**
– Personne qui s'est instruite toute seule **autodidacte**

INSTRUMENT *Voir tableaux instruments de mesure, p.315, instruments de musique, ci-contre, et instruments chirurgicaux, p. 316*

voir aussi **médical, mesure, musique**
– Instrument utilisé dans l'art, le travail manuel et intellectuel **appareil, outil, machine, ustensile, engin, accessoire, matériel**
– Instrument récepteur du son **microphone, téléphone**
– Instrument pour observer **télescope, microscope**
– Instrument pour enregistrer **chronographe, sismographe**
– Instrument pour mesurer **baromètre, thermomètre, centimètre**
– Instruments de musique **piano, violon, guitare, contrebasse, trompette, saxophone, vibraphone, orgue, tambour**
– Personne jouant d'un instrument **instrumentiste**
– Instrument de paiement **monnaie, chèque, carte de crédit, espèces**
– Il fut l'instrument de la répression **agent, bras**

INSU

– J'ai agi à mon insu **involontairement, inconsciemment**
– À l'insu de tous **dans l'ignorance**

INSUFFISANCE

– Insuffisance de moyens **carence, manque**
– Être en état d'insuffisance numérique face à l'ennemi **infériorité**
– Insuffisance de production **déficit, sous-production**
– Vivre dans l'insuffisance d'argent **pauvreté, misère, besoin, indigence, nécessité, gêne**
– Insuffisance d'alimentation **sous-alimentation**
– Insuffisance de qualification **sous-qualification**
– Insuffisance d'un individu dans l'accomplissement d'une tâche **imperfection, faiblesse, incapacité, ignorance, inaptitude, impéritie, médiocrité**
– Insuffisances d'une méthode **lacunes, déficiences, défauts**

INSUFFISANT

– Une expérience insuffisante **lacunaire, faible, limitée, pauvre, défaillante**
– Un travail insuffisant **médiocre, insatisfaisant, piètre**

INSULTE

– Cette grave insulte faite à ma famille demande réparation **outrage, affront, offense, vexation, mortification, humiliation, camouflet**
– Proférer des insultes envers quelqu'un **injures, grossièretés, invectives**
– Insulte au bon sens **défi**

INSULTER

– Insulter quelqu'un **injurier, mépriser, dédaigner, offenser**
– Insulter la morale publique **outrager, braver, défier**
– Insulter une croyance **blasphémer**
– Se laisser insulter **attaquer**

INSUPPORTABLE

– Ces images d'enfants mourrants de faim sont absolument insupportables **atroces, intolérables**
– Une souffrance insupportable **insoutenable, intenable, accablante**
– Un esprit insupportable **odieux, haïssable, détestable**
– Un caractère insupportable **agaçant, désagréable, pénible, imbuvable, épouvantable, impossible, invivable**
– Un enfant insupportable **infernal, turbulent, indocile, difficile**

INTACT

– Demeurer intact **inchangé, entier, complet**
– Être intact après une chute ou un accident **indemne, sauf**
– Une terre restée intacte **vierge, pure, inaltérée, inexplorée**

INTÉGRAL

– Texte intégral **complet**
– Changement intégral **total, entier, absolu**
– Calcul intégral en mathématiques **intégration**

INTÉGRER

– Intégrer un objet dans un ensemble **incorporer, introduire, inclure**
– Intégrer un raisonnement **assimiler, comprendre**
– Intégrer une grande école **entrer dans, être reçu**

INTÉGRER (S')

– S'intégrer à une culture **assimiler (s'), adapter (s')**

INTÉGRITÉ

– Respecter l'intégrité d'une œuvre **intégralité, plénitude, totalité**

– Une personne d'une grande intégrité **honnêteté, incorruptibilité, probité, impartialité, loyauté, droiture**

INTELLECTUEL

– Phénomène de la vie intellectuelle **mental, cérébral, spirituel, représentatif, psychique**
– Mouvement intellectuel d'une époque **idées**
– La classe intellectuelle **intelligentsia, mandarins, idéologues**
– Doctrine qui pose la primauté des fonctions intellectuelles **intellectualisme**

INTELLIGENCE

– Intelligence humaine **esprit, entendement, raison, pensée**
– Utiliser son intelligence **matière grise, intellect**
– Faculté de l'intelligence opposée à l'intuition et à l'imagination **abstraction, rationalisation, conception, théorisation**
– Faire preuve d'intelligence dans une situation complexe **jugement, réflexion, discernement, perspicacité, pénétration, clairvoyance**
– Une personne dotée d'une intelligence hors du commun **surdouée, brillante**

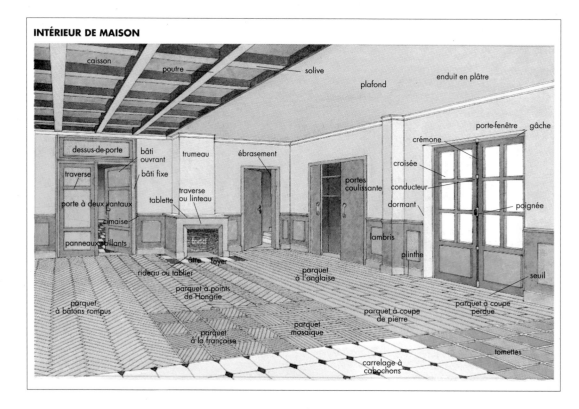

INTÉRIEUR DE MAISON

caisson — poutre — solive — plafond — enduit en plâtre — porte-fenêtre — gâche — crémone — dessus-de-porte — bâti ouvrant — trumeau — ébrasement — croisée — bâti fixe — traverse — conducteur — portes coulissante — dormant — poignée — porte à deux vantaux — tablette — traverse ou linteau — cimaise — lambris — panneaux saillants — plinthe — âtre — foyer — rideau ou tablier — parquet à l'anglaise — seuil — parquet à points de Hongrie — parquet à coupe perdue — parquet à bâtons rompus — parquet à coupe de pierre — parquet mosaïque — parquet à la française — tomettes — carrelage à cabochons

– Vivre en bonne intelligence **harmonie, entente, accord, concorde**
– Avoir l'intelligence de quelque chose **compréhension, perception, intellection, sens**
– Intelligence pratique et inventive **ingéniosité, inventivité, industrie, savoir-faire**
– Être d'intelligence avec quelqu'un **complicité, accointance, concert, connivence, collusion**
– Entretenir des intelligences secrètes avec quelqu'un **correspondance**

INTELLIGENCE ARTIFICIELLE
– Fonctionnement de l'intelligence artificielle **automatisme, procédure, règle, connexionnisme**
– Machine effectuant des procédures de l'intelligence artificielle **calculateur électronique, ordinateur, computer**
– Production d'intelligence artificielle **élaboration, construction**
– Objets sur lesquels s'appliquent les méthodes d'intelligence artificielle **jeux de société, théorèmes**

INTELLIGENT
– L'homme est un être intelligent **pensant, raisonnable**
– Enfant intelligent **éveillé, astucieux, ingénieux, malin, sagace, habile, perspicace, subtil, fin**
– C'est un individu extrêmement intelligent **surdoué, cerveau, tête, crack, as, aigle, génie, virtuose**

INTEMPÉRIE
– Braver les intempéries **pluie, vent, tempête, orage, ouragan, cataclysme, cyclone**

INTENDANCE
– Être chargé de l'intendance des biens **administration, gestion**
– Intendance d'un établissement scolaire **économat**
– Personne chargée de l'intendance d'un établissement scolaire **économe**
– Assurer l'intendance d'une armée **logistique**
– Chargé de l'intendance **intendant, factotum, régisseur, administrateur**

INTENSE
– Une émotion intense **grande, extrême, forte**
– Une couleur intense **vive, crue**
– Un regard intense **aigu, pénétrant, perçant, scrutateur, inquisiteur**
– Un bonheur intense **complet, plein, total, profond**
– Un désir intense **irrésistible, impérieux, véhément, tyrannique**
– Une douleur intense **violente, fulgurante**

INTENSIF
– Pratique intensive d'un sport **assidue, soutenue, régulière**

INTENSITÉ
– Jouer sur l'intensité de la lumière en photographie **brillance, luminosité**
– Mesurer l'intensité du courant électrique **ampérage**
– Le gouvernement doit faire face à une intensité accrue des troubles sociaux **exacerbation, recrudescence, aggravation**
– Point d'intensité extrême **paroxysme, summum, acmé**
– Une émotion d'une rare intensité **force, puissance, violence, véhémence**

INTENTION
– L'intention de cette démarche est la suivante **idée, propos, objet**
– Avoir une intention précise **but, visée, objectif, fin, dessein, projet**
– Avoir l'intention de faire quelque chose **compter, projeter**
– Chercher à connaître les intentions de quelqu'un **motifs, mobiles**
– Sa fatigue entravait toute intention de travail **disposition, velléité**
– Dans la seule intention de gagner **perspective, vue**
– S'opposer aux intentions de quelqu'un **volontés, désirs**
– Intention cachée **arrière-pensée, calcul, machination**
– Agir avec l'intention délibérée de nuire **détermination, résolution, décision, préméditation**

INTERCEPTER
– Il risque d'intercepter mon courrier en mon absence **détourner, emparer de (s')**
– Intercepter une conversation **saisir, surprendre**
– Intercepter des signaux **capter**
– Cet arbre intercepte la lumière du jour **cache, éclipse, arrête**

INTERDICTION
– Interdiction morale ou religieuse **tabou**
– Interdiction pour un individu d'exercer ses droits **suspension, privation**
– Interdiction de libre-échange **boycott, embargo, blocus**
– Interdiction faite à un citoyen de résider dans son pays **bannissement**

INTERDIRE
– Interdire de fumer dans un bureau **défendre**
– Interdire quelque chose formellement **proscrire, prohiber**
– Interdire la polygamie **condamner**
– Interdire entièrement ou partiellement une œuvre **censurer**
– Comportement qui interdit toute négociation **exclut, oppose à (s'), empêche**

– Interdire à un sportif de participer à une compétition **suspendre**

INTERDIRE (S')
– S'interdire d'en dire plus **éviter, refuser, empêcher (s'), abstenir (s')**

INTERDIT
– Prononcer l'interdit contre une personne ou un objet **exclusive, excommunication, veto**
– La vente de stupéfiants est interdite **prohibée, défendue, illicite, illégale**
– Individu interdit de séjour **banni, proscrit, exilé**
– Catalogue des livres anciennement interdits par le Saint-Siège **Index**
– Rester interdit devant un événement **ébahi, pantois, ahuri, déconcerté, stupéfait, déconfit**
– Être interdit par la crainte **interloqué, confondu, foudroyé, paralysé, désemparé, tétanisé**
– Rester interdit devant des arguments percutants **court, embarrassé**
– Sa réponse l'a laissé interdit **confus, interloqué, troublé, coi, consterné**

INTÉRESSANT
– Faire l'intéressant **malin, mariolle**
– Un travail intéressant **captivant, palpitant, prenant, attrayant, enrichissant**
– Un élément intéressant **important**
– Une anecdote intéressante **amusante, curieuse, piquante**
– Un individu intéressant **spirituel, passionnant, brillant, fascinant, séduisant**
– Un commerce intéressant **avantageux, profitable, lucratif, rentable, attractif**

INTÉRESSER
– Problème qui intéresse tout le monde **concerne, touche, passionne, captive, préoccupe**
– Intéresser quelqu'un aux bénéfices d'une affaire **associer**
– Une personne que l'argent intéresse **calculatrice, avide, cupide, vénale, avare, âpre au gain**

INTÉRESSER (S')
– S'intéresser à la musique **aimer, pratiquer, adonner à (s'), cultiver**
– S'intéresser à l'évolution des insectes **suivre, pencher sur (se), occuper de (s')**

INTÉRÊT
– Titre ou capital qui produisent des intérêts **rente, action, dividende, rapport, revenu**
– Intérêt dû à une banque **commission, agio, escompte**
– Intérêt public **bien**

– Montant échu des intérêts d'un capital **arrérages**

– Remboursement annuel avec intérêts **annuité**

– Taux d'un intérêt légal **pourcentage**

– Entreprendre par intérêt **calcul, cupidité, avarice, individualisme**

– L'intérêt d'une action concertée **utilité, avantage, profit, importance, attrait, bénéfice**

– Agir contre l'intérêt d'une personne **desservir, nuire à, faire du tort à, porter préjudice à, défavoriser**

– Ensemble de personnes qu'un intérêt commun réunit **coterie, clan, chapelle**

– Montrer de l'intérêt pour quelqu'un **bienveillance, attention, sollicitude, indulgence, affection, compassion, compréhension, curiosité**

– Travailler avec intérêt **ardeur, plaisir**

– Intérêt abusif **usure**

– Développer l'intérêt pour quelque chose **curiosité, penchant**

– Quel est ton centre d'intérêt ? **passion, hobby, violon d'Ingres, passe-temps**

– Un renseignement digne d'intérêt **utile, important**

– Ce film est sans intérêt **insignifiant, vide, superficiel, creux, vain**

INTÉRIEUR /1 *Voir illustration intérieur de maison, p. 322*

– À l'intérieur **dedans, dans**

– Examiner l'intérieur d'un cadavre **autopsier**

– Filmer en intérieur **en studio**

– Avoir un intérieur agréable **habitation, foyer, logis, chez-soi, logement**

– Observer l'intérieur de sa conscience **introspection**

– Individu tourné vers l'intérieur **introverti, égocentrique, replié sur lui-même, discret**

– À l'intérieur d'une ville **intra-muros**

– À l'intérieur de l'esprit humain **conscience, psychisme, cœur, âme**

– Qui est à l'intérieur d'un groupe **introduit, admis**

INTÉRIEUR /2

– Paroi intérieure **interne**

– Langage intérieur **endophasie**

– Dans son for intérieur **in petto**

INTERJECTION

– Interjection d'un appel en justice **introduction, intervention**

– Interjection en grammaire **onomatopée, exclamation, juron**

INTERMÉDIAIRE /1

– Passer par l'intermédiaire de quelqu'un **entremise, médiation, truchement, canal, voie**

– Intermédiaire financier **agent, courtier, broker, trader, commissionnaire**

– Intermédiaire qui sert de couverture dans une affaire plus ou moins honnête **homme de paille, prête-nom**

INTERMÉDIAIRE /2

– Accord intermédiaire **compromis**

– Agent intermédiaire **médiateur, entremetteur, négociateur, interprète, mandataire, transitaire, délégué**

– Une étape intermédiaire **transitoire**

– Niveau ou taille intermédiaire **moyen, médium, entre-deux**

– Une cause intermédiaire **indirecte, médiate**

INTERMINABLE

– Une conversation interminable **infinie, longue, incessante**

INTERMITTENT /1

– Intermittent du spectacle **musicien, chanteur, danseur, acteur, comédien, régisseur, éclairagiste, sonorisateur, technicien**

INTERMITTENT /2

– Un rythme intermittent **irrégulier, discontinu**

– Mouvement intermittent **soubresaut, saccade, tic**

– Une douleur intermittente **erratique, rémittente**

– Pause entre deux accès de fièvre intermittente **apyrexie**

– Feu intermittent **clignotant**

– Des apparitions intermittentes **sporadiques, épisodiques**

– Un travail intermittent **intérimaire, temporaire, transitoire**

– Folie intermittente **psychose maniaco-dépressive**

INTERNATIONAL

syn. **cosmopolite**

– Un championnat international **mondial**

– Un joueur international **sélectionné**

– Une popularité internationale **universelle**

– Commerce international **importation, exportation**

INTERNATIONALE

– Le fondateur de la Ière Internationale **Karl Marx**

INTERNE /1

– Interne dans un établissement d'enseignement **pensionnaire**

– Astreinte d'un interne dans un hôpital **gardes, urgences**

INTERNE /2

voir aussi **intérieur**

– Glandes à sécrétion interne **endocrines**

– La valeur interne d'une idée **intrinsèque**

INTERNET *Voir tableau p. 327-328*

INTERPELLATION

– Interpellation à haute voix **apostrophe, appel**

– Interpellation violente et grossière **insulte, injure**

– Interpellation adressée au gouvernement en séance publique **demande d'explication, question**

INTERPELLER

– Interpeller quelqu'un de loin **appeler, héler, apostropher**

– Interjection pour interpeller **eh !, hé !, hep !, holà !, ho !**

– Interpeller et mettre en demeure de répondre **sommer de, questionner, interroger**

INTERPOSER

– Interposer une feuille entre deux pages **intercaler, glisser**

INTERPOSER (S')

– Il a dû s'interposer dans leur dispute **intervenir, entremettre (s')**

INTERPRÉTATION

– Interprétation clarifiant ce qui est obscur **commentaire, note, glose, explication, paraphrase**

– Interprétation philosophique ou doctrinale d'un texte au sens obscur **exégèse, critique, lecture**

– Science de l'interprétation des textes philosophiques ou religieux **herméneutique**

– Interprétation des présages **divination**

– Interprétation des lignes de la main **chiromancie**

– Divination par l'interprétation du vol ou du chant des oiseaux **ornithomancie**

– Interprétation des rêves à des fins divinatoires **oniromancie**

– Les diverses interprétations d'un événement **versions**

– Donner l'interprétation d'un fait **traduire, expliquer, illustrer**

– Proposition acceptant plusieurs interprétations **amphibologie, ambiguïté, équivoque**

– Interprétation d'une œuvre musicale ou dramatique **exécution, accomplissement, réalisation, mise en scène**

– Faire une interprétation dans la cure analytique freudienne **communication, intervention**

– Interprétation erronée **faux-sens, contresens, non-sens, malentendu**

– Il porte une grande attention à l'interprétation au cinéma **jeu, distribution**

INTERPRÈTE

voir aussi **intermédiaire**

– Être l'interprète de quelqu'un auprès

d'une institution ou d'une personne **porte-parole, intermédiaire**
– Interprète de textes sacrés ou philosophiques **exégète, commentateur**
– Interprète en langues étrangères **traducteur**
– Un grand interprète **artiste, comédien, acteur, musicien, exécutant, instrumentiste, chanteur**

INTERPRÉTER

– Interpréter la Bible **expliquer, expliciter, commenter, gloser, éclaircir**
– Interpréter un texte en le dénaturant **déformer, travestir**
– Il interprète toujours mal ce qu'on lui dit **prend**
– Difficile d'interpréter sa réaction **comprendre**
– Interpréter un rôle à l'écran **incarner, jouer**
– Interpréter un air de musique **exécuter, chanter**
– Interpréter une commande en langage informatique **traduire**
– Interpréter des signes **deviner**

INTERROGATION

voir aussi **question**
– Interrogations posées à quelqu'un mis en position d'infériorité **interrogatoire**
– Interrogation faite en classe pour évaluer le travail des élèves **épreuve, test, contrôle, composition**
– Préparation orale à une interrogation d'examen ou de concours **colle**
– Forme de l'interrogation en grammaire française **directe, indirecte, rhétorique, partielle, totale**
– Marque de l'interrogation à l'écrit en français **point d'interrogation**
– Marque de l'interrogation à l'oral en français **intonation**
– Interrogation méthodique pour étudier un problème de société **enquête, gallup, sondage**

INTERROGER

voir aussi **questionner**
– Interroger avec insistance **tirer les vers du nez, cuisiner**
– Interroger quelqu'un pour en savoir plus **informer (s'), enquérir (s'), renseigner (se), enquêter**
– Interroger un futur électorat **pressentir, sonder, tâter le pouls**
– Être interrogé par un journaliste **interviewé**
– Interroger un spécialiste **consulter, adresser à (s')**
– Interroger quelqu'un brusquement **interpeller, presser de questions**

INTERROGER (S')

– S'interroger **poser des questions (se), demander (se), chercher, douter**

INTERROMPRE

syn. **arrêter, couper, mettre un terme**
– Des rires nerveux interrompaient son discours **entrecoupaient**
– Interrompre les combats **suspendre les armes, faire une trêve**
– Interrompre le rythme quotidien des séances d'un spectacle **suspendre, faire relâche**
– Le bruit va s'interrompre **cesser, finir**
– Interrompre une compétition **abandonner**
– Interrompre quelqu'un dans une activité **déranger, troubler, importuner, distraire, ennuyer, déconcentrer**
– Suite de deux voyelles différentes qui interrompt une continuité phonique **hiatus**
– Système qui interrompt un circuit électrique **interrupteur, disjoncteur**

INTERRUPTION

– Interruption d'activité **arrêt, cessation**
– Interruption de l'électricité **coupure, panne**
– Interruption en classe **pause, suspension, récréation, interclasse**
– Interruption d'un spectacle **entracte, relâche**
– Bavarder sans interruption **répit**
– Rouler vingt heures sans interruption **consécutivement, d'affilée, de suite, d'une seule traite, sans discontinuer**
– Interruption volontaire de grossesse **avortement, IVG**

INTERVALLE

– Intervalle entre deux points **distance, écart, écartement, espace, éloignement, interstice**
– Intervalle entre deux lattes de bois d'un plancher **interstice, fente**
– Laisser un intervalle **jalonner, interposer, échelonner, espacer**
– Intervalle entre deux lignes **interligne**
– Intervalle entre deux gouvernements successifs **transitoire, intermédiaire, intérim, régence**
– Intervalle entre deux sessions parlementaires **intersession**
– Intervalle entre deux saisons sportives **intersaison**
– Intervalle entre deux cours **interclasse**
– Intervalle entre deux moments d'un spectacle **entracte, intermède, interlude**
– Intervalle dans le temps **moment, battement, période, laps**
– Intervalle entre deux accès d'une maladie **rémission, répit**
– Dans un morceau de musique, intervalle entre deux notes jouées **silence, pause**
– Par intervalles **par moments, par intermittence, de temps à autre, de temps en temps**

– Intervalle séparant deux notes de musiques selon leur fréquence **demi-ton, ton, seconde, tierce, quarte, quinte, sixte, septième, octave**
– Dans l'intervalle **entre-temps**
– Qui se répète à intervalles réguliers **périodique**

INTERVENIR

– Cet événement intervient au bon moment **arrive, produit (se), survient**
– Intervenir en faveur de quelqu'un **plaider, intercéder, agir, prendre fait et cause, défendre**
– Intervenir dans une discussion privée **immiscer (s'), ingérer (s'), mêler à (se)**
– Intervenir dans une querelle **interposer (s'), entremettre (s'), prendre part à, faire l'intermédiaire, arbitrer, négocier, arranger, réconcilier, régler**

INTERVENTION

– Proposer son intervention **médiation, entremise, arbitrage, bons offices, services, ministère**
– Intervention pour aider quelqu'un **intercession, appui, concours, aide**
– Intervention brutale ou déplacée **intrusion, ingérence, immixtion**
– Subir une intervention chirurgicale **opération**
– Pratique d'intervention d'un État dans la politique d'un autre **interventionnisme**

INTERVERTIR

– Ils ont interverti leur place dans la classe **inversé, permuté, changé**
– Elle essaie toujours d'intervertir les rôles **renverser**

INTERVIEW

– Demander une interview **entretien, entrevue**
– Interview publique d'un personnage important **audience, conférence de presse**

INTESTIN

– Intestins utilisés en boucherie et charcuterie **entrailles, viscères, boyaux, tripes, fraise, crépine**
– Partie de l'intestin grêle **duodénum, iléon, jéjunum**
– Partie du gros intestin **cæcum, côlon, rectum**
– Membrane qui enveloppe les intestins **péritoine**
– Qui concerne l'intestin **entérique, cœliaque**
– Bruit de l'intestin **gargouillis, borborygme**
– Repli du péritoine reliant une partie de l'intestin à la paroi postérieure de l'abdomen **mésentère**
– Trouble intestinal **colique, constipation, diarrhée, flatulence, ballonnement**

– Inflammation des muqueuses des intestins **mésentérite, entérocolite, entérite, gastro-entérite, colite, entéralgie, occlusion, péritonite, iléus**
– Vaccin assimilé par l'intestin **entérovaccin**
– Grave inflammation des intestins **dysenterie**
– Liquide issu de la transformation des aliments dans l'intestin **chyle**
– Transformation des aliments dans l'intestin **digestion**
– Des révoltes intestines **civiles, intérieures, internes**

INTIME /1
– Un intime de la famille **proche, confident, ami**

INTIME /2
– Conviction intime **profonde**
– Part intime de l'être humain **âme, cœur, conscience, tréfonds, replis, recoins, for intérieur, psychisme**
– Une relation intime **étroite, sentimentale, particulière**
– Journal intime **secret, personnel**
– Une cérémonie intime **entre familiers, privée**
– Des amis intimes **inséparables**

INTIMIDER
– Elle était très intimidée par sa présence **effrayée, terrorisée, effarouchée**
– Ne crains rien : il cherche à nous intimider **tromper, bluffer**
– Rien ne peut l'intimider quand il est sur scène **impressionner, troubler, gêner**
– Sa voix intimide beaucoup les enfants **paralyse, glace, inhibe, pétrifie**

INTIMITÉ
– Entretenir une certaine intimité **familiarité**
– Intimité conjugale **union**
– Il est très différent dans l'intimité **privé**

INTOLÉRANCE
– Vivre dans l'intolérance **extrémisme, fanatisme**
– Faire preuve d'intolérance envers les autres **intransigeance, étroitesse d'esprit, sectarisme, autoritarisme**
– Intolérance innée à un médicament **idiosyncrasie**
– Intolérance acquise à un médicament **sensibilisation**
– Intolérance du corps au contact de certaines substances **allergie**

INTONATION
voir aussi **ton**
– De vibrantes intonations **inflexions, accents**
– Intonation dans l'analyse linguistique **prosodie, hauteur, mélodie**

INTOXICATION
– Intoxication alimentaire **empoisonnement, toxi-infection**
– Intoxication par absorption de drogues **toxicomanie**
– Intoxication endogène **toxicose**
– Intoxication par inhalation d'oxyde de carbone **asphyxie**
– Intoxication professionnelle **bromisme, saturnisme, benzolisme**
– Intoxication d'informations **désinformation, médiatisation, matraquage**
– Intoxication propre à affaiblir le sens critique **conditionnement, endoctrinement, lavage de cerveau**

INTRAITABLE
– Il reste intraitable sur la question du respect **inflexible, sévère, intransigeant**
– Un ennemi intraitable **impitoyable, irréductible**
– Avoir un caractère intraitable **difficile, désagréable, impossible, entier**

INTRANSIGEANT
– Un chef intransigeant **dur, intraitable, irréductible, inflexible**
– Suivre des principes moraux intransigeants **rigoristes**
– Des idées intransigeantes **intolérantes, sectaires, fanatiques**

INTRANSITIF
voir **verbe**

INTRÉPIDE
– Un cœur intrépide **brave, audacieux, courageux, impavide, vaillant**
– Une détermination intrépide **résolue, inébranlable, ferme, hardie**

INTRIGUE
– Intrigue amoureuse **affaire de cœur, aventure, idylle, liaison, flirt**
– Intrigue concertée contre une personne ou un pouvoir **conspiration, complot, cabale**
– Avoir vent d'une intrigue **machination, manigance, manœuvre, brigue, menées, agissements, escroquerie**
– Terme familier qui désigne une intrigue **magouille, combine, tripotage, grenouillage, mic-mac**
– Mener une intrigue **ourdir, tramer**
– Intrigue d'un roman ou d'un film **scénario, action, histoire, trame**
– Individu qui cherche à réussir par des intrigues **intrigant, arriviste, aventurier, escroc**

INTRODUCTION
– Introduction dans une école **admission, entrée**
– Introduction d'un discours **début, ouverture, présentation, entrée en matière, exorde**

– Lettre d'introduction d'une personne en faveur de quelqu'un **recommandation**
– Introduction de produits venus de l'étranger **importation**
– Introduction de mots étrangers dans une langue **emprunt, adoption**
– Introduction d'une valeur en Bourse **inscription**
– Introduction d'une sonde dans l'estomac **intromission**
– Introduction nécessaire pour aborder une science, étudier une question **préparation, formation, explication, initiation, prolégomènes**
– Texte d'introduction d'un livre **préface, avant-propos, préambule, prologue**
– Introduction d'une œuvre musicale **prélude, ouverture**

INTRODUIRE
– Introduire un nouveau venu **parrainer, admettre, présenter**
– Introduire la dernière mode italienne en France **implanter, importer, acclimater, lancer**
– Introduire un objet dans un autre **engager, enfoncer, insérer, fourrer**
– Introduire des éléments dans une préparation **inclure, incorporer, intégrer, plonger**
– Introduire un produit dans l'organisme **inoculer, injecter**
– Introduire un remède dans son corps par la bouche **absorber, avaler, ingérer**
– Introduire des produits étrangers dans le pays où l'on vit **importer**
– Introduire quelqu'un auprès d'une personne connue **présenter**
– Introduire des éléments clandestins dans un réseau d'espionnage **infiltrer**
– Personnage introduit dans une famille ou un groupe d'amis **familier**

INTRODUIRE (S')
– S'introduire dans un lieu d'accès difficile **glisser (se), faufiler (se), immiscer (s')**
– Individu qui s'introduit dans une fête sans invitation **intrus, pique-assiette, parasite, écornifleur**

INTROUVABLE
– Une personne introuvable **perdue, disparue, cachée**
– Un tableau introuvable **rare, précieux**

INTRUS
– Empêcher un intrus de prendre le pouvoir **usurpateur**
– Mettre les intrus à la porte **importuns, gêneurs, curieux, indésirables**

INTUITION
– Individu qui a de l'intuition **clairvoyant, pénétrant, fin, sensible**
– Intuition tournée vers l'avenir **perspicacité, sagacité, prospective**

Adresse électronique : adresse permettant d'envoyer un message électronique à un destinataire connecté au réseau Internet (dupont@readersdigest.tm.fr, par exemple).

Adresse IP : numéro identifiant chaque ordinateur lorsqu'il se connecte au réseau Internet (ex. : 255.255.55.00).

Applet ou **appelette :** petite application écrite en langage java et associée à une page Web, qui est exécutée directement sur l'ordinateur de l'internaute.

Arobase (symbole @) : caractère utilisé dans les adresses de courrier électronique pour séparer le nom de l'utilisateur du nom du domaine *(voir Adresse électronique).*

Bande passante *(bandwidth)* : quantité de données que peut véhiculer un canal de communication. Plus le débit est important, plus les données peuvent être transmises rapidement.

Browser : *voir Navigateur.*

Cc *(carbone copy)* : adresse à laquelle est envoyée une copie d'un message électronique. Si le destinataire principal ne doit pas être informé de cette copie, on utilise alors la bcc *(blind carbone copy),* ou cci (copie carbone invisible).

Chat : se prononce [tchate] et signifie « bavarder » en anglais ; ce système permet de communiquer en temps réel sur Internet. On parle aussi d'Internet relay chat (IRC).

Client : dans un réseau, ordinateur qui cherche et utilise les informations proposées par un serveur.

Cookie : dans le contexte d'Internet, petit fichier stocké sur le disque dur d'un internaute lorsqu'il consulte certains sites et sur lequel sont enregistrées des données réutilisables lors d'une prochaine visite.

Courrier électronique : se dit aussi mél ou courriel, e-mail ou mail. Message transitant entre deux machines connectées au réseau Internet par l'intermédiaire d'une adresse électronique.

Cybercafé : lieu public (souvent un café) où l'on peut utiliser un ordinateur pour se connecter à Internet en payant un forfait.

Cyberespace *(cyberspace* en anglais) : néologisme littéraire désignant les mondes virtuels composés par les réseaux informatiques.

DNS *(domain name server)* : ordinateur du réseau Internet chargé de faire la conversion entre une adresse Internet (www.readersdigest.tm.fr, par exemple) et l'adresse ip qui lui correspond et où se trouvent les informations.

E-mail : *voir Courrier électronique.*

Extranet : réseau externe privé et sécurisé mettant en relation, par exemple, différentes entreprises.

FAQ *(frequently asked questions)* : forum ou foire aux questions. Désigne l'ensemble des réponses aux questions le plus fréquemment posées par les internautes sur le Web ou les groupes de discussion rappelant aux nouveaux utilisateurs d'Internet les principes de base qu'il est conseillé de connaître.

Firewall (pare-feux en français) : dispositif permettant de filtrer les données entrantes et sortantes sur un ordinateur lorsqu'il est connecté (surtout de manière permanente) à Internet.

Forum de discussion : espace vivant du Web où les internautes réagissent par écrit à des sujets de discussion en ajoutant leur contribution sous forme de message.

Fournisseur d'accès Internet ou **FAI** *(isp, Internet service provider* ou *provider* en anglais) : entreprise qui fournit une connexion à Internet moyennant un abonnement. Lorsque le service est gratuit, c'est le prestataire téléphonique qui facturera la consommation.

Freeware : logiciel que son auteur a choisi de rendre absolument gratuit (pour le tester ou en faire profiter la communauté). On parle parfois de graticiel.

GIF *(graphics interchange format)* : format de fichier graphique.

Groupe de discussion : ensemble d'internautes abonnés à une liste de diffusion portant sur un thème particulier (par exemple : fr. emploi. offres).

Hacker (pirate) : personne qui utilise Internet pour décrypter ou diffuser des technologies et des données ou pour s'introduire illégalement sur d'autres machines connectées au réseau.

Hoax : nom donné aux faux virus ou aux courriers électroniques diffusant de fausses informations et qui profitent, par un effet « boule de neige », de la crédulité des internautes novices.

Homepage : désigne la page d'accueil d'un site Web, où se trouve le sommaire.

Host (hôte en français) : désigne un ordinateur connecté au réseau.

HTML *(hypertext markup language)* : langage permettant de décrire des documents hypertextes (des pages Web, par exemple) au moyen de marqueurs (ou balises). Ainsi, dans avion, le marqueur i permet d'afficher le mot avion en italique.

Hypertexte (ou lien hypertexte) : mot ou image d'un document doté d'un lien actif permettant d'accéder à un autre document.

Internaute *(netsurfer* en anglais) : usager d'Internet.

Internet : réseau mondial d'ordinateurs interconnectés.

Intranet : réseau interne de dimension limitée (au sein d'une entreprise, par exemple).

Java : langage de programmation.

JPEG : norme de compression d'images développée par le Joint photographic expert group.

Liste de diffusion *(mailing list* en anglais) : courrier électronique sur un thème donné que des internautes reçoivent par abonnement.

Login : mot ou expression servant d'identifiant à un internaute. Souvent utilisé dans un environnement personnalisé ou sécurisé, le login peut être suivi d'un mot de passe *(password* en anglais).

Mailing list : *voir Liste de diffusion.*

Modem (acronyme de modulateur/démodulateur) : boîtier placé entre un ordinateur et une prise téléphonique pour transformer un signal numérique (informatique) en un signal analogique que la ligne de téléphone peut véhiculer.

Modérateur : personne chargée de contrôler le contenu d'un forum ou d'une liste de diffusion pour vérifier s'il est légalement publiable et s'il n'encombre pas le réseau.

Moteur de recherche : site Web servant à chercher d'autres sites à l'aide de mots clefs.

MP3 *(MPEG layer 3)* : norme de compression du son développée par le Moving pictures expert group.

Navigateur ou **butineur** *(browser* en anglais) : logiciel permettant de lire les pages Web et d'interpréter, entre autres, les documents html. Netscape Navigator et Microsoft Explorer, par exemple, sont des navigateurs.

Newsgroup : *voir Groupe de discussion.*

Paquet : morceau d'information de taille réduite circulant sur le réseau. Sur Internet, l'information est divisée en paquets pour éviter les encombrements.

Passerelle *(gateway* en anglais) : système permettant le passage d'un protocole à un autre.

PDF *(portable document format)* : format d'échange de documents électroniques, développé par la société Adobe, qui permet de transmettre des documents contenant du texte et des images, quels que soient le matériel et le système d'exploitation utilisés.

Portail : site Web servant à chercher d'autres sites à l'aide de mots clefs parmi une sélection de sites référencés.

Protocole : convention de communication entre les ordinateurs reliés au réseau Internet hiérarchisée en couches superposées. Assujettis au protocole de transmission tcp/ip *(transmission control protocol/Internet protocol),* les protocoles d'application peuvent servir à faire transiter des données hypertextes sur le Web *(http, hypertext transfer protocol),* du courrier électronique à la réception *(pop, post office protocol)* ou à l'envoi *(smtp, simple mail transfer protocol),*

(suite du tableau page suivante)

VOCABULAIRE D'INTERNET (suite)

des groupes de discussion (*nntp, net news transfer protocol*) ou même des fichiers (*ftp, file transfer protocol*).

Proxy : ordinateur relais servant de barrière de sécurité entre un réseau interne et le réseau Internet ; il empêche ainsi les internautes d'accéder aux informations du réseau interne.

RNIS (réseau numérique à intégration de services) : réseau constitué uniquement de lignes numériques (comme Numéris en France).

Routeur : équipement destiné à aiguiller des paquets d'information.

Serveur : dans un réseau, ordinateur contenant une information destinée à être utilisée par d'autres ordinateurs, appelés clients.

Serveur miroir *(mirror)* : serveur de relais mis à jour régulièrement et contenant certaines informations identiques au serveur de destination auquel se connecte le client. Cela permet de réduire, en particulier, la surcharge des lignes transatlantiques et d'offrir un meilleur temps de réponse.

Shareware : logiciel que l'on peut essayer

gratuitement pendant une durée de temps définie, après laquelle on doit s'acquitter de droits. On parle aussi de partagiciel.

Signet ou **marque-page** (*bookmark* en anglais) : adresse d'un site que l'on enregistre sur son ordinateur pour la réutiliser ultérieurement. On parle aussi de favori.

Site Web (*Website* en anglais) : ensemble de pages et de données enregistrées sur les serveurs d'un hébergeur et consultables sur le réseau Internet par l'intermédiaire d'une adresse (*voir Url*).

Smiley (trombine) : petite figure symbolisée par des caractères typographiques et utilisée pour ajouter un peu d'expression à un message. Il faut pencher la tête à gauche pour regarder ceux qui suivent : ;-) ou 8- (ou encore < :°)

Spam : courrier électronique intrus, souvent commercial, qui, envoyé en grosses quantités sur les serveurs, encombre les boîtes aux lettres des internautes.

Télécharger : transférer un fichier depuis son ordinateur vers un autre (*upload* en anglais) ou depuis un ordinateur distant vers le sien (*download* en anglais) en passant par un réseau.

TLD (*top level domain*) : extension d'une adresse Internet permettant de préciser l'activité ou la nationalité d'un site (par exemple : . fr, . com,. net,. org).

URL (*uniform resource locator*) : adresse spécifiant la localisation d'un document du Web. Elle indique sur quel ordinateur et dans quel répertoire le navigateur pourra trouver une page ou une donnée spécifiques. Elle peut s'écrire en lettres (http://www.readersdigest.tm.fr) ou en chiffres (avec l'adresse ip).

Usenet : réseau de groupes de discussion appliquant un ensemble de règles d'utilisation appelé la « netiquette ».

Webmaster : personne chargée du bon fonctionnement d'un site Web et de son serveur.

WWW (*world wide web* ou *Web*, toile en français) : système diffusant des informations multimédias (texte, image, son, vidéo, etc.) transitant par le réseau Internet sous forme de document hypertexte. Pour y accéder, il est nécessaire d'utiliser un logiciel client appelé navigateur qui ira chercher l'information sur un serveur distant d'après son adresse url. Chaque lien hypertexte peut renvoyer vers une infinité de pages, ce qui rappelle la toile d'une araignée.

– Comprendre, découvrir par intuition **instinct, prémonition, inspiration, pressentiment, divination**
– Pressentir les raisons cachées d'une conduite grâce à son intuition **soupçonner, subodorer**
– Montrer de l'intuition dans une affaire difficile **flair, feeling**
– Doctrine qui donne à l'intuition une place essentielle dans la connaissance **intuitionnisme**

INUTILE
– Il y a de nombreux objets inutiles dans cette pièce **superflus, superfétatoires**
– Des paroles inutiles **creuses, oiseuses, vides**
– Une démarche inutile **vaine, infructueuse, stérile, inefficace**
– Personnage inutile **parasite**
– De longs discours inutiles **bavardages, verbiages, fadaises**
– Débarrasser son style de ce qui est inutile **élaguer, alléger, affiner, épurer**

INUTILISÉ
– Une expression aujourd'hui inutilisée **inusitée, désuète, obsolète**

INVALIDE /1
– Place réservée aux invalides **handicapés, infirmes, impotents**
– Invalide de guerre **mutilé, estropié, blessé**

– Les Invalides, institution fondée par Louis XIV **hospice**

INVALIDE /2
– Il est devenu invalide avec l'âge **impotent, infirme, grabataire**
– Un acte juridiquement invalide **nul**
– Rendre invalide **invalider, annuler**

INVARIABLE
– Invariable dans ses positions **ferme, constant, fixe, sûr**
– Des principes invariables **inaltérables, immobiles, universels, éternels, immuables**
– Une forme invariable en grammaire **indéclinable**

INVASION
– Invasion d'un territoire par une armée **attaque, envahissement, incursion, agression, occupation, dévastation**
– Invasion des enfants dans la cour de récréation **irruption, ruée**
– Invasion d'eau **débordement, inondation**
– Invasion de gaz dangereux **diffusion, propagation, pénétration**
– Dans une maladie infectieuse, période qui précède l'invasion **incubation**

INVENTAIRE
– Dresser un inventaire du stock **inventorier, passer en revue**

– Faire l'inventaire de ses biens **liste, état, catalogue, dénombrement, recensement, relevé**

INVENTER
– Inventer une machine **découvrir, créer, fabriquer, concevoir**
– Inventer des histoires **imaginer, forger, arranger, fabuler**
– Esprit qui invente **astucieux, ingénieux, fécond, imaginatif, inventif, créatif, innovateur**
– Il se plaît à inventer **mentir**
– Inventer des détails pour faire vrai **broder, exagérer**
– Tout est inventé dans ce récit **imaginaire, fictif, artificiel**
– Que vas-tu inventer là ? **chercher, supposer**
– Inventer sur-le-champ un prétexte plausible **improviser**

INVENTEUR
– Un talent d'inventeur **découvreur**

INVENTION
– La merveilleuse invention de l'imprimerie **découverte, création**
– Il a toujours une invention nouvelle **trouvaille**
– C'est une recette de son invention **cru, façon, fabrication**
– Invention romanesque ou cinématographique **fiction**

– Faculté d'invention **imagination, fantaisie, créativité, inspiration, inventivité**

INVERSE /1
– Inverse d'une idée **antithèse, contrepied**
– Soutenir l'inverse d'un propos **antipode, contrepartie, contraire**
– À l'inverse **vice versa, contrairement**

INVERSE /2
– Dans l'ordre inverse **contraire, renversé, opposé**
– Figures inverses en géométrie **réciproques**
– Aller en sens inverse **revenir sur ses pas, faire marche arrière, rétrograder, régresser**

INVERSION
– Inversion sujet-verbe **déplacement**
– Inversion d'un organe sur lui-même **invagination, repliement**
– Inversion du cœur **dextrocardie**

INVESTIGATION
– Investigation scientifique **démonstration, recherche**
– Investigation policière **perquisition**
– Faire une investigation approfondie sur un sujet **examen, enquête**
– Une investigation médicale **clinique**

INVESTIR
– Investir une place forte **cerner, encercler, assiéger, attaquer**
– Investir de l'argent **engager, placer**
– Investir un marché **implanter (s')**

INVESTIR (S')
– S'investir corps et âme dans un projet **impliquer (s')**

INVISIBLE
– Invisible à l'œil nu **imperceptible, microscopique**
– Encre invisible **sympathique**
– Un avion invisible **furtif**
– Couleur invisible à l'œil nu **ultraviolet, infrarouge**
– Il est toujours invisible **retiré, absent**
– Des sentiments invisibles **secrets, mystérieux**
– Quand l'ombre de la Terre rend la Lune invisible **éclipse**

INVITATION
– Une invitation à faire un travail **exhortation, incitation**
– Répondre à l'invitation pressante de quelqu'un **prière**
– Envoyer une invitation **carte, faire-part, billet, lettre, carton**
– C'est une invitation au voyage ! **invite, appel, tentation, sollicitation, attrait**

– Invitation menaçante d'un supérieur **avertissement, semonce, sommation**

INVITÉ
– Les personnes invitées **hôtes, convives**

INVITER
– Inviter de nombreuses personnes **convier, réunir, recevoir**
– Inviter quelqu'un à exécuter un acte **proposer à, demander à, engager**
– Je vous invite à la prudence **recommande**
– Inviter un visiteur à dîner **retenir, garder**
– Ces événements invitent à réfléchir **portent à, incitent à, poussent à, stimulent**

INVITER (S')
– Personne qui s'invite à une réception sans y être conviée **parasite, écornifleur, pique-assiette, intrus**

INVOLONTAIRE
– Des gestes involontaires **convulsifs, automatiques**
– Une parole involontaire **irréfléchie**
– Mouvement involontaire **réflexe, automatisme**
– Un cri involontaire **spontané, instinctif**
– Témoin involontaire **malgré soi**
– Une absence involontaire **forcée**

INVRAISEMBLABLE
– Une nouvelle invraisemblable **inouïe, impensable, extraordinaire, inimaginable, rocambolesque, incroyable**
– Un projet invraisemblable **chimérique, improbable**
– Juger un récit invraisemblable **illogique, incohérent, faux**
– Un déguisement invraisemblable **étonnant, extravagant, fantastique, fabuleux, ébouriffant, renversant**
– Une réaction invraisemblable **bizarre**
– Des richesses invraisemblables **fabuleuses, incommensurables**

IODE
– Iode utilisé en médecine **antiseptique, révulsif**
– Intoxication après absorption d'iode **iodisme**
– Iode utilisé dans l'industrie **iodure**
– Solution d'alcool et d'iode **teinture**

IRONIE
– Ironie légère **humour, plaisanterie**
– Ironie mordante **sarcasme, satire, persiflage, raillerie, moquerie**
– Ironie du sort **dérision**
– Procédé de l'ironie **antiphrase, pointe**
– Ironie qui consiste à interroger en feignant l'ignorance **socratique**

– Ironie de la nature **caprice, fantaisie**

IRONIQUE
– Un personnage ironique **narquois, persifleur, railleur, sarcastique**
– Prendre un air ironique **goguenard, moqueur**

IRONISER
– Ironiser à propos de quelqu'un **railler, moquer (se), tourner en dérision**
– Ironiser légèrement **blaguer**

IRRADIER
– Le soleil irradie à l'horizon **brille, resplendit**
– La douleur irradie dans tout le corps **diffuse (se), propage (se), rayonne**
– Victimes irradiées par l'explosion d'une centrale nucléaire **brûlées, contaminées**

IRRATIONNEL
– Un projet irrationnel **fou, absurde, farfelu, saugrenu, extravagant, insensé, déraisonnable**
– Une réaction irrationnelle **illogique, anormale, incohérente**
– Un comportement irrationnel **empirique, gratuit**

IRRÉALISABLE
– Un projet irréalisable **chimérique, utopique, irréaliste, idéaliste**
– Une mission irréalisable **impossible, inexécutable, infaisable**

IRRÉDUCTIBLE
– Une résistance irréductible **invincible, indomptable, obstinée, acharnée**
– Un chef irréductible **intransigeant, intraitable**

IRRÉEL
– Un concept irréel **abstrait, intangible, utopique**
– Un monde irréel **fantastique, imaginaire, fictif, virtuel**
– Mode formé de l'irréel et du potentiel latins **conditionnel**

IRRÉFLÉCHI
– Un caractère irréfléchi **étourdi, inattentif, imprévoyant, inconséquent, écervelé**
– Un geste irréfléchi **machinal, automatique, mécanique, spontané, intuitif**

IRRÉGULARITÉ
– La façade présente des irrégularités **défauts**
– Ce calcul comporte des irrégularités **anomalies, erreurs**
– Irrégularité du pouls **inégalité**
– Irrégularités dans l'orbite d'un astre **perturbations**

– Cela s'est passé à cause d'une irrégularité de procédure **passe-droit, illégalité, abus**
– Les irrégularités d'une règle **exceptions, entorses**

IRRÉGULIER
– Une forme irrégulière **anormale, biscornue**
– Balancement irrégulier **dissymétrique, heurté, discontinu, sporadique, déréglé, intermittent, haché, variable, saccadé**
– Pouls irrégulier du malade **arythmique, capricant, inégal, saccadé**
– Écrire des vers irréguliers **libres**
– Acte irrégulier **arbitraire, illégitime, abusif, illégal**
– Avocat irrégulier **marron, véreux**
– Une forme irrégulière en grammaire **barbarisme, incorrection, solécisme**

IRRÉLIGIEUX
– Il est irréligieux par conviction **athée, sceptique, incroyant, areligieux, agnostique**
– Un esprit irréligieux **libre-penseur, esprit fort**
– Un être irréligieux **mécréant, impie, libertin**

IRRÉMÉDIABLE
– Un mal irrémédiable **inguérissable, funeste, incurable**
– Des dégâts irrémédiables **irréparables**

IRREMPLAÇABLE
– Un moment irremplaçable **unique, spécial**
– Un être irremplaçable **indispensable, cher**

IRRÉPARABLE
– Un malheur irréparable **irrémédiable, définitif**

IRRÉPROCHABLE
– Une tenue irréprochable **impeccable, parfaite**
– Une attitude irréprochable **irrépréhensible, inattaquable**

IRRÉSISTIBLE
– Elle avait une irrésistible envie de chocolat **impérieuse, incoercible, irrépressible**
– C'est une preuve irrésistible **concluante, implacable, incontestable**
– Une femme irrésistible **séduisante, enivrante, adorable, charmante, délicieuse, craquante**
– Un acteur irrésistible **drôle, comique**

IRRESPONSABLE
– Droit qui rend un député irresponsable aux yeux de la loi **immunité**

– Se montrer irresponsable face au danger **insouciant, inconscient, insensé**

IRRÉVÉRENCIEUX
– Un pamphlet irrévérencieux **impertinent, insolent, irrespectueux**
– Un enfant irrévérencieux envers les adultes **impoli**

IRRÉVERSIBLE
– Une situation irréversible **irrévocable, définitive, sans retour, fatale**

IRRIGATION
– Irrigation artificielle des terrains **arrosage, baignage**
– Moyen d'irrigation créé par l'homme **barrage**
– Construction d'irrigation par déversement **rigole**
– Canal d'irrigation **colateur, buse, tuyau, conduit**
– Irrigation des organes du corps **circulation sanguine**

IRRITÉ
– Il est très irrité **énervé, agité, enragé, hors de lui, à cran, courroucé, exaspéré, fâché, furieux**

IRRITER
– Discours qui irrite tout le monde **contrarie, exaspère, agace, excède, crispe, horripile, impatiente**
– Irriter quelqu'un **piquer, courroucer, blesser, tourmenter, mettre en colère, faire sortir de ses gonds**
– S'irriter contre un tiers **indigner (s'), fâcher (se), monter (se), impatienter (s'), emporter (s')**
– Cette plante irrite la peau **enflamme, brûle**

ISLAM *Voir tableau ci-contre*
voir aussi musulman
– Celui qui professe l'islam, religion de Mahomet **musulman**
– Fêtes et rites de l'islam **ramadan, baïram, Aïd-el-Kébir**
– Croyant de l'islam qui a accompli le pèlerinage à La Mecque **hadji**
– Chef de prière dans l'islam **imam**
– Fonctionnaire religieux de l'islam qui appelle à la prière du haut du minaret **muezzin**
– Voile porté par les femmes de confession islamiste **tchador, hidjab**
– Tapis de prière du croyant de l'islam **sadjada**
– Livre sacré des croyants de l'islam **Coran**
– Lieu de prière et de prosternation pour les croyants de l'islam **masdjid, djami, mosquée**
– Successeur du prophète de l'islam **khalife**

– Croyant se réclamant de l'islam orthodoxe selon la codification des paroles et des actes de Mahomet, la sunna **sunnite**
– Croyant de l'islam partisan de Ali, gendre du prophète Mahomet **chiite**
– Branche de l'islam qui prône la recherche de Dieu à travers l'amour **soufisme**
– Loi canonique de l'islam **charia**
– Infidèle à l'islam **giaour**
– Groupement d'extrémistes de l'islam qui se présentent comme le « parti d'Allah » **Hezbollah**
– Conception de l'islam déformée par un radicalisme excessif **islamisme**
– Lutte contre ce qui est mauvais dans l'homme ou la société selon l'islam **djihad**

ISOLEMENT
– Isolement contre le froid, la chaleur, l'eau ou le bruit **isolation, protection**
– Vivre dans l'isolement **solitude, abandon, délaissement, esseulement**
– Isolement volontaire teinté de misanthropie **tour d'ivoire, repli**
– Isolement total d'un individu avec repliement pathologique sur soi **autisme**
– Isolement forcé dans un endroit clos **claustration, séquestration, captivité**
– Isolement dû à une mise à l'index **quarantaine, ségrégation, ostracisme**
– Isolement économique **autarcie, protectionnisme**
– Lutter contre l'isolement **désenclaver**

ISOLER
– Isoler deux pièces d'un tout **abstraire, éloigner, disjoindre, détacher, écarter**
– Isoler un son d'une mélodie **extraire, séparer, identifier, distinguer**
– Isoler une pièce contre le bruit **insonoriser**
– Isoler volontairement une personne **exclure, désocialiser, frapper d'ostracisme, pratiquer l'apartheid**
– Fait d'isoler une ville en interdisant toute entrée de marchandises **blocus**

ISOLER (S')
– S'isoler chez soi **retirer (se), enfermer (s'), replier (se), barricader (se), confiner (se), terrer (se)**
– Cabine où l'on s'isole pour voter **isoloir**

ISRAÉLITE
voir aussi juif
– Religion israélite **judaïsme**
– Culte israélite **hébraïque**

ISSUE
– Chercher une issue **sortie, porte, ouverture, dégagement**
– Voie sans issue **impasse, cul-de-sac**
– Trouver une issue à une situation complexe **solution, échappatoire, expédient**

VOCABULAIRE DE L'ISLAM *(voir aussi tableau p. 239)*

Allah : Dieu en arabe.

Aumône ou **zakat :** quatrième des cinq piliers de l'islam. Acte de charité envers les plus démunis.

Ayatollah : littéralement, verset de Dieu. Nom donné à un haut personnage religieux.

Cadi : magistrat musulman exerçant des fonctions civiles et aussi religieuses.

Calendrier musulman : son point de départ est l'Hégire, en 622, c'est-à-dire l'exil de Mahomet vers Médine. Il se divise en neuf mois lunaires, qui comptent chacun vingt-huit jours.

Calife : successeur de Mahomet, c'est le chef religieux et temporel des musulmans. Il a le titre de Commandeur des croyants.

Charia : droit islamique, qui repose à la foi sur le Coran et sur la sunna, et permet l'application de la loi islamique.

Chiisme : *voir tableau Religions et courants religieux.*

Cinq piliers de l'islam : ce sont les cinq actions obligatoires pour le croyant – la profession de foi, la prière rituelle, le jeûne du ramadan, l'aumône, le pèlerinage à La Mecque.

Circoncision : ablation rituelle du prépuce, signe de l'entrée dans la communauté des croyants.

Commandeur des croyants : *voir Calife.*

Confrérie : rassemblement pieux de plusieurs fidèles, assurant des tâches caritatives ou enseignantes. Certaines jouent un important rôle religieux, voire politique.

Coran : littéralement, la récitation. C'est le livre sacré de l'islam ; il contient les révélations de Dieu à Mahomet qui furent écrites par ses compagnons.

Croissant : symbole de l'islam.

Djihad ou **guerre sainte :** action, éventuellement militaire (mais pas seulement, il peut s'agir d'un combat personnel), qui a pour but de faire triompher l'islam et de le diffuser.

Fatwa : décret religieux pris au nom du Coran.

Hadith : *voir Sunna.*

Hégire : exil de Mahomet, qui quitte La Mecque pour Médine en 622. Cet exil est le point de départ du calendrier musulman.

Imam : celui qui dirige la prière des fidèles au sein de la mosquée.

Islam : littéralement, la soumission (à la volonté de Dieu). Nom donné à la religion des musulmans.

Jérusalem : une des trois villes saintes de l'islam. C'est de là que Mahomet s'est élevé vers le Ciel.

Koubba : tombeau d'un marabout devenu lieu de pèlerinage.

La Mecque : une des trois villes saintes de l'islam, en Arabie saoudite, où est né Mahomet. C'est le plus important lieu de pèlerinage pour les musulmans.

Mahomet : nom donné par les Occidentaux au prophète Muhammad, qui reçut de Dieu la révélation de la foi musulmane.

Mahométan : mot qui désignait autrefois les fidèles musulmans.

Marabout : pieux ermite considéré comme un saint personnage, dont le tombeau devient objet de pèlerinage.

Madrasa : école où sont enseignées les sciences religieuses.

Médine : une des trois villes saintes de l'islam, en Arabie saoudite. C'est là qu'est mort Mahomet.

Minaret : partie de la mosquée, généralement surélevée, depuis laquelle le muezzin lance l'appel à la prière.

Mirhab : niche située dans la mosquée indiquant, pour la prière, la direction de La Mecque.

Mohamed : *voir Mahomet.*

Mollah : docteur en droit islamique.

Mosquée : lieu de culte des musulmans.

Muezzin : celui qui lance l'appel à la prière du haut du minaret.

Mufti : littéralement, juge qui étudie et interprète la loi islamique.

Musulman : littéralement, le croyant. Nom qui désigne les fidèles professant l'islam.

Pèlerinage à La Mecque ou **hadj :** cinquième des cinq piliers de l'islam. Sauf impossibilité (maladie, indigence...), il doit être effectué au moins une fois dans la vie du croyant.

Prière : deuxième des cinq piliers de l'islam. Elle doit être dite cinq fois par jour.

Profession de foi ou **chahada :** premier des cinq piliers de l'islam. Prononcée par le croyant, elle lui permet de faire partie de la communauté des musulmans.

Prophète : *voir Mahomet.*

Ramadan : troisième des cinq piliers de l'islam. C'est l'abstention de boisson, de nourriture et de relations sexuelles entre le lever et le coucher du soleil pendant le neuvième mois de l'année musulmane.

Sarrasins : mot employé au Moyen Âge pour désigner les musulmans.

Soufi : mystique. Par extension, le soufisme désigne un courant religieux de l'islam.

Sourates : chapitres du Coran. Il y en a 114.

Sunna ou **hadith :** littéralement, la tradition. Ensemble des enseignements donnés par Mahomet et recueillis par ses compagnons. De là vient le mot sunnisme, qui désigne le principal courant de l'islam.

Sunnisme : *voir tableau Religions et courants religieux.*

Uléma : savant et professeur qui enseigne et interprète la loi islamique.

Umma : désigne l'ensemble de la communauté des croyants.

Versets : paragraphes qui constituent les sourates.

Zaouïa : école religieuse sous l'autorité d'une confrérie.

– Issue pour eaux sales **déversoir, évacuation, dégorgeoir**
– Histoire dont l'issue est positive **fin, aboutissement, résultat**
– Issues de la mouture des grains de blé **son, résidu**
– Issues d'agneau en boucherie **abats**
– Organe du corps servant d'issue aux déchets **émonctoire**
– Issue d'une filière universitaire **débouché, profession**

ITALIEN /1
– Nom familier donné aux Italiens immigrés en France vers 1900 **Rital**
– Manière de parler propre à l'italien et empruntée par le français **italianisme**

ITALIEN /2
– La péninsule italienne **transalpine**
– Ancienne monnaie italienne **lire**
– Plat de la cuisine italienne **macaroni, spaghetti, pizza, polenta, risotto**
– Comédie à l'italienne avec improvisation sur un scénario **commedia dell'arte**
– Titre donné au premier magistrat des villes italiennes au Moyen Âge **podestat**

ITINÉRAIRE
– Itinéraire touristique **voyage**
– Préparer son itinéraire **parcours, trajet, circuit, chemin, route**
– Itinéraire intellectuel ou spirituel **cheminement, pensée**
– Donne les itinéraires et les horaires des chemins de fer **indicateur**
– Mesure itinéraire pour indiquer les distances d'un lieu à un autre **stade, lieue, mille, nœud, kilomètre**

IVOIRE
– Ancien nom de l'ivoire brut non travaillé **morfil**
– Éclat propre à l'ivoire **ivoirin**
– Qui a la couleur ou la consistance de l'ivoire **éburnéen, éburné**
– Bijoux en ivoire **ivoirerie**
– Artisan de l'ivoire **ivoirier**

– Art de sculpter et de graver l'ivoire **toreutique**
– Travail du bois par incrustation d'ivoire **marqueterie**
– Statue d'or et d'ivoire sculptée **chryséléphantine**
– Matière plastique imitant l'ivoire **ivoirine**
– Poudre employée en peinture, à base d'ivoire et d'os calcinés **noir**
– Ivoire provenant de l'hippopotame ou du morse **rohart**
– Ivoire végétal **corozo**
– Ivoire provenant des défenses de mammouths fossiles **mort, bleu**
– Ivoire pris sur l'animal récemment abattu **vert**
– Ivoire des dents **dentine**

IVRE
– Rendu ivre par l'alcool **gris, aviné, soûl**
– Humeur de celui qui est à peine ivre **gai, émoustillé, éméché, parti, pompette, en goguette**
– Ivre dans le langage familier **noir, rond, blindé, schlass, plein, bourré, cuit, cuité, paf**
– Rendre ivre **enivrer, monter à la tête, griser**
– Cesser d'être ivre **dégriser (se), cuver son vin, dessoûler**
– Ivre d'émotion ou de passion **exalté, transporté, enchanté, grisé**

IVRESSE
– Être en état d'ivresse **ébriété, enivrement**

– Effet de l'ivresse **trouble, hébétude, transport, excitation, griserie**
– État d'ivresse chronique dû à des excès d'alcool **éthylisme, alcoolisme, intempérance**
– Ivresse de l'imagination **enchantement, extase, exaltation, enthousiasme**
– Ce qui peut transporter l'individu dans un état d'ivresse heureuse **volupté, idéal, création**

IVROGNE
– Ivrogne invétéré **alcoolique, buveur, débauché, dipsomane, éthylique**
– Terme familier pour désigner un ivrogne **soiffard, soûlographe, biberon, vide-bouteille, pilier de comptoir, poivrot**
– Voix d'ivrogne **voix de rogomme**

JACHÈRE
– Terre en jachère **guéret**
– Alternance entre périodes de culture et de jachère sur un terrain **assolement, rotation des cultures**
– Laisser un travail en jachère **en friche, à l'abandon**

JACINTHE
syn. **hyacinthe**
– Famille à laquelle appartient la jacinthe **liliacées**
– Jacinthe des bois **endymion, clochette**
– Plante apparentée à la jacinthe **muscari, scille**

JADE
– Type de jade **jadéite, néphrite**

JAILLIR
– Le sang jaillit de la plaie **gicle**
– Jaillir brusquement **surgir, bondir**
– Des rires jaillissent **éclatent, fusent**
– L'eau de source jaillit de terre **sourd, sort**

JALOUSER
– Jalouser une rivale **envier**

JALOUSIE
syn. **convoitise, mesquinerie, rivalité**
– Étouffer de jalousie **dépit, envie, haine**
– Éprouver de la jalousie du succès d'autrui **offenser de (s'), offusquer de (s'), inquiéter de (s'), prendre ombrage de**
– Fermer une jalousie **volet, persienne, store, contrevent**

JALOUX
syn. **désirer ardemment, être attaché à la conservation de**

– Être jaloux du bonheur de quelqu'un **envieux**
– Un homme jaloux **exclusif, soupçonneux, ombrageux**
– Critique jaloux et malveillant **détracteur, chicaneur**

JAMAIS
syn. **à aucun prix, certainement pas, pas, pour rien au monde**
– Si jamais vous souhaitez vous en débarrasser, je suis preneur **un jour**
– A-t-on jamais agi ainsi ? **déjà**
– À jamais **éternellement, pour toujours, définitivement, irrévocablement, sans retour**

JAMBE
– Os de la jambe **fémur, tibia, péroné, rotule**
– Une personne qui possède de bonnes jambes **ingambe**
– Des jambes déformées, arquées **tordues, torses, difformes**
– Paralysie des deux jambes **paraplégie**
– Personne privée de ses deux jambes **cul-de-jatte**
– Jambe de bois **pilon**
– Pièce d'habillement enveloppant la jambe **molletière, leggings, guêtre, houseau**
– Pièce d'une armure protégeant la jambe **jambière, grève, cnémide**
– Être mythologique doté de jambes de bouc ou de chèvre **Pan, satyre, chèvre-pied, faune**

JAMBON
– Extrémité d'un jambon **talon**
– La première tranche d'un jambon **entame**
– Jambon cru **bayonne, mayence, parme**

– Jambon dans le jargon des musiciens **guitare, violon**

JANVIER
– Dieu romain auquel le mois de janvier était consacré **Janus**
– Période du 21 décembre au 19 janvier dans le calendrier républicain **nivôse**
– Période du 20 janvier au 18 février dans le calendrier républicain **pluviôse**

JAPONAIS
syn. **nippon**
– Île japonaise **Honshu, Hokkaido, Shikoku, Kyushu**
– Monnaie japonaise **yen**
– Mafioso japonais **yakuza**
– Religion nationale japonaise **shintoïsme**
– Empereur japonais **mikado**
– Dictateur militaire japonais **shogun**
– Seigneur japonais au Moyen Âge **daimyo**
– Guerrier japonais du Moyen Âge **bushi, samouraï, rônin**
– Pilote d'un avion-suicide japonais **kamikaze**
– Suicide rituel japonais **hara-kiri, seppuku**
– Art martial japonais **aïkido, judo, karaté, jujitsu, kendo, sumo**
– Tapis utilisé pour les arts martiaux japonais **tatami**
– Tir à l'arc japonais **kyudo**
– Pièce d'habillement japonais **obi, kimono**
– Caractère idéographique employé dans l'écriture japonaise **kanji**
– Signe de l'écriture japonaise dont la valeur est syllabique **kana**
– Poème japonais **haïku, tanka**
– Dragon japonais légendaire **ryu**

– Peinture japonaise sur soie ou papier **kakemono, makimono**
– Théâtre de marionnettes japonais **bunraku**
– Genre théâtral japonais **kabuki, nô, kyogen**
– Danse japonaise traditionnelle **bugaku**
– Musique japonaise de cour **gagaku**
– Instrument de musique japonais **koto, shamisen, biwa, taiko, kakko, hichiriki, oteki, komafuyé, tsuzumi**
– Hôtesse japonaise pratiquant la danse et le chant traditionnels **geisha**
– Art floral japonais **ikebana**
– Arbre miniaturisé japonais **bonsaï**
– Préparation culinaire japonaise à base de poisson cru **sashimi, sushi**
– Beignet japonais de légumes ou de poisson **tempura**
– Plat japonais composé de brochettes de poulet, ciboule et foie de poulet **yakitori**
– Alcool de riz japonais **saké**

JARDIN *Voir tableau page ci-contre*
– Jardin où l'on cultive des légumes **potager, clos**
– Jardin planté d'arbres fruitiers **verger, fruitier**
– Jardin public **square, parc**
– Jardin où l'on dispose les orangers à la belle saison **orangerie**
– En Bourgogne notamment, jardin potager jouxtant la maison **ouche**
– Au XIXᵉ siècle, jardin parisien où l'on donnait des bals **closerie**
– Composition de fleurs et de gazon dans un jardin **parterre, massif**
– Décor de jardin mariant pierres et fleurs **rocaille**
– Aménagement de jardin servant de support aux plantes grimpantes **tonnelle, pergola**
– Petit pavillon de verdure aménagé dans un jardin **gloriette**
– Pavillon de jardin **kiosque**
– Petite construction d'agrément caractéristique des jardins anglais **fabrique**
– Décorateur chargé de l'agencement d'un jardin **paysagiste**
– Déesses romaines des jardins **Pomone, Flore**
– Dieu des jardins **Vertumne**
– Jardin d'enfants **garderie**
– Jardin dans lequel sont présentés des animaux **zoo**

JARDINIER
– Jardinier qui se consacre à la culture des fleurs **horticulteur**
– Jardinier qui cultive des jeunes plants à repiquer **pépiniériste**
– Patron des jardiniers **saint Fiacre**

– Jardinier qui cultive des légumes **maraîcher**
– Jardinier spécialiste des arbres **arboriculteur**

JASER
– Elle passent la journée à jaser gaiement **bavarder, causer, cancaner, caqueter, potiner**
– Cela risque de faire jaser **provoquer des commérages, médire, susciter des racontars, parler**

JASMIN
– Famille à laquelle appartient le jasmin **oléacées**
– Jasmin d'Arabie **sampac**
– Jasmin-trompette **bignone de Virginie**

JAUGE
– Jauge d'un navire **tonnage**

JAUGER
– Jauger un réservoir **mesurer, contrôler**
– Jauger quelqu'un ou quelque chose d'un simple coup d'œil **considérer, évaluer, estimer, apprécier, fixer la valeur, juger, examiner**

JAUNE
– Un jaune pâle **paille, chamois, nankin, beurre-frais**
– Un jaune vif **citron, canari, jonquille**
– Un jaune doré **flavescent, topaze, mordoré, ambre**
– Un jaune orangé **safrané**
– Un jaune roux **fauve**
– Un jaune tirant sur le brun **ocre, kaki, sauré**
– Un teint jaune **cireux, bilieux**
– Nénuphar jaune **jaunet d'eau**
– Papillon de nuit jaune **xanthie**
– La robe brun-jaune pâle d'un cheval **isabelle**

JAUNIR
– L'orge jaunit au soleil **blondit, dore**

JAUNISSE
syn. **ictère, dépit**
– Excès de bile dans le sang entraînant une jaunisse **cholémie**
– Maladie du foie fréquemment accompagnée de jaunisse **hépatite**
– Trouble de la vision causé par la jaunisse **xanthopsie**

JAVELOT
– Lourd javelot des soldats romains **pilum**
– Javelot du Moyen Âge **dard, lance**
– Javelot en usage chez de nombreuses peuplades **sagaie**

– Sorte de javelot fin, long et léger **javeline**
– Javelot des Francs **framée, angon**

JAZZ *Voir tableau p. 336*
– Musique à l'origine du jazz **negro spiritual, blues, ragtime**
– Partie principale d'un thème de jazz jouée par un soliste **chorus**
– Réunion de musiciens de jazz pour une improvisation **jam-session**
– En jazz, interruption de l'orchestre pour laisser jouer un soliste **break**
– Jazz des années trente **swing**
– Jazz des années quarante **be-bop**
– Jazz des années cinquante **jazz cool**
– Jazz des années soixante **free jazz**
– Forme populaire de jazz **rhythm and blues**
– Style vocal propre au jazz **scat**
– Jazz de La Nouvelle-Orléans **dixieland**

JÉSUS *Voir tableau apôtres de jésus, p. 339 ; Bible, p. 71*

JET
syn. **projection, avion**
– Jet continu de faible intensité **ruissellement**
– Jet de liquide **jaillissement, émission, giclée**
– Jet d'eau d'une fontaine **artichaut, gerbe**
– Jet de matières volcaniques **éruption**
– En athlétisme, jet de javelot ou de disque **lancer**
– Le premier jet d'une œuvre **ébauche, esquisse**

JETÉE
syn. **brise-lames, digue, môle**
– Extrémité arrondie d'une jetée **musoir**
– Jetée constituée de grands pieux **estacade**
– Jetée sur pilotis facilitant l'embarquement et le débarquement **embarcadère, débarcadère, quai**

JETER
– Il regarde les enfants se jeter le ballon **lancer (se), envoyer (s')**
– Jeter quelqu'un à terre **faire tomber, renverser, pousser, plaquer**
– Se jeter par la fenêtre **défenestrer (se)**
– Jeter un bandit en prison **enfermer, emprisonner, incarcérer, écrouer**
– Le propre d'un fleuve est de se jeter dans la mer **déboucher, déverser (se)**
– Jeter sa fortune par les fenêtres **gaspiller, dilapider**
– Il se refuse à jeter ses vieux vêtements **débarrasser de (se), défaire de (se), mettre au rebut**

– Il a juste jeté quelques indications sur un papier **griffonné, noté, écrit**
– Cette nouvelle l'a jeté dans le désespoir **plongé, anéanti**
– Le commerçant va se jeter sur le chapardeur **précipiter sur (se), fondre sur, assaillir, agresser, sauter sur, prendre au collet, prendre à la gorge**

– Jeter un sort à quelqu'un **ensorceler, envoûter**
– En Italie, personne qui jette des sorts **jettatore**

JETON
– Jeton de jeu de société **pion, cavalier, palet**
– Jeton d'entrée au théâtre **tessère**

– Jeton de casino **plaque, plaquette, marque**
– Jeton symbolisant les honoraires des membres d'un conseil d'administration **jeton de présence**
– Jeton destiné à contrôler la présence des ouvriers **marron**
– Avoir les jetons **peur, la frousse, la trouille**

VOCABULAIRE DU JARDINAGE

Horticulture : art et science du jardinage ; branche de l'agriculture qui s'occupe des plantes que l'on peut cultiver dans les jardins (légumes, fleurs, arbustes et arbres d'ornement).

Pépinière : terrain où l'on cultive, pendant une durée variable, de jeunes plants (arbres ou autres végétaux) destinés à être repiqués. On distingue les pépinières d'ornement, fruitières, viticoles et forestières.

TRAVAUX

Bassinage : arrosage léger en pluie fine sur le feuillage des plantes, sans détremper le sol.

Binage : opération consistant à ameublir la terre sur une faible profondeur afin qu'elle s'aère.

Bouturage : multiplication de plantes par prélèvement d'un fragment (ou bouture) en vue de le replanter.

Désherbage : opération qui consiste à supprimer l'herbe, soit à l'aide d'un outil de sarclage, soit par application d'un produit chimique (désherbant, herbicide).

Émottage : action de briser ou de réduire les mottes produites lors du labour en faisant passer un rouleau sur la terre.

Ensemencement/semis : enfouissement de graines (ou semence) dans la terre afin qu'elles germent pour donner vie à de nouvelles plantes.

Fertilisation : application de produits naturels ou chimiques, destinés à amender la terre (engrais, fumier, compost, terreau, etc.).

Greffe/greffage : opération servant à développer sur une plante (dite sujet ou porte-greffe) les caractères jugés meilleurs d'une autre plante, le greffon.

Marcottage : multiplication de plantes en mettant en contact avec le sol une tige aérienne afin qu'elle prenne racine avant de la séparer de la plante mère.

Plantation/repiquage : opération consistant à mettre en pleine terre des plants provenant d'une pépinière ou d'un semis.

Rempotage : transplantation dans un pot de taille supérieure permettant à une plante de continuer à se développer grâce à la régénération de la terre.

MATÉRIAUX

Compost : engrais mixte composé de résidus organiques fermentés mélangés à des matières minérales.

Engrais : produit organique (fumier) ou minéral (azote, phosphore, potassium, oligoéléments) qui, incorporé au sol, sert à le fertiliser.

Terre de bruyère : sorte de terreau résultant de la décomposition des bruyères.

Terreau : engrais naturel composé de terre et de matières animales ou végétales décomposées.

TRAITEMENTS

Échenillage : opération, chimique ou manuelle, destinée à supprimer les chenilles qui vivent sur les végétaux et les affaiblissent en se nourrissant de leurs feuilles.

Insecticide : produit chimique destiné à lutter contre les insectes nuisibles (chenilles, pucerons, araignées, doryphores, etc.).

Pesticide : produit chimique utilisé contre les parasites animaux ou végétaux.

Soufrage : traitement consistant à répandre du soufre sur des végétaux pour combattre certaines maladies cryptogamiques, c'est-à-dire causées par des champignons microscopiques, comme l'oïdium.

Sulfatage : traitement consistant à pulvériser du sulfate de cuivre sur des végétaux pour combattre certaines maladies cryptogamiques (causées par des champignons microscopiques) comme le mildiou.

OUTILS ET MATÉRIEL DIVERS

Arroseur : dispositif d'arrosage conçu pour réduire en pluie plus ou moins fine une arrivée d'eau sous pression.

Bêche : outil composé d'une lame rectangulaire métallique, fixée à un manche et servant à retourner et à labourer la terre.

Binette : instrument destiné à ameublir et aérer le sol ou à sarcler.

Cisaille : outil en forme de grands ciseaux servant à couper des rameaux et à élaguer des arbustes.

Cordeau : cordelette tendue entre deux petits piquets fichés en terre et servant à aligner les plants.

Débroussailleuse : machine servant à couper des broussailles, ou des herbes difficilement accessibles, grâce au mouvement rotatif de ses lames ou d'un fil.

Goutte-à-goutte : dispositif d'arrosage placé directement au pied de la plante ; composé d'un tuyau et de minigicleurs, son faible débit permet d'assurer un arrosage en douceur.

Houe : instrument de binage constitué d'une lame métallique ou de petits socs fixés à un manche.

Motoculteur : petit engin automoteur que l'on guide devant soi à l'aide de deux poignées et qui se déplace sur deux roues ; on y fixe des outils aratoires.

Plantoir : outil de forme cylindrique et conique servant à faire des trous dans la terre pour y mettre des plants ou y déposer des graines.

Râteau : instrument constitué d'une traverse munie de dents écartées et d'un manche, permettant d'égaliser la surface du sol.

Rouleau : instrument cylindrique muni d'une poignée et dont le poids permet d'écraser les mottes de terre ou de tasser un semis en l'aplanissant.

Sarcloir : instrument de binage constitué d'une lame métallique fixée à un long manche en bois et servant à ôter les mauvaises herbes.

Sécateur : outil en forme de ciseaux à ressort dont une lame, épaisse, sert de point d'appui et l'autre, tranchante, sert à découper des branches ou des tiges.

Soufreuse : appareil dont l'usage tend à disparaître ; il servait à épandre du soufre en poudre sur les végétaux.

Sulfateuse : composé d'un réservoir et d'une pompe, cet appareil sert à pulvériser du sulfate de cuivre (ou d'autres produits de traitement solubles) sur les végétaux.

Taille-haie : appareil électrique formé de deux lames superposées à dents triangulaires et servant à tailler des arbustes.

Tondeuse : machine constituée de lames rotatives permettant de couper le gazon à une hauteur déterminée.

Tourniquet : dispositif d'arrosage doté d'un élément rotatif mû par la force de l'eau sous pression et servant à répandre de l'eau en pluie fine sur une surface donnée.

Tronçonneuse : appareil à moteur servant à couper des arbres ou de grosses branches, grâce à une chaîne munie de dents de scie qui se déplace sur le pourtour d'une lame.

– C'est un vrai faux-jeton **hypocrite, flatteur, trompeur, simulateur**

JEU
syn. **amusement, divertissement, distraction, ludisme, récréation, passe-temps**
– Jeu plaisant et espiègle **batifolage, badinage**
– Jeu de mots **calembour, contrepèterie**
– Jeux de lettres et d'esprit **anagramme, devinette, charade, anastrophe, rébus, mots croisés, Scrabble, mots fléchés, lipogramme**
– Jeu de hasard **loterie, loto**
– Jeu d'argent **roulette, poker, baccara, black jack, bandit manchot**
– Argent que l'on mise au jeu **enjeu, cave, poule, mise**
– Jeux de Delphes, dans la Grèce antique **jeux Pythiques**
– Famille de jeux à l'orgue **fonds, mixtures, anches**

– Jeu qui permet l'étude critique de la personnalité **jeu de rôle**
– Jeux Olympiques **olympiades**

JEÛNE
syn. **abstinence, pénitence**
– Jeûne partiel observé par les catholiques avant Pâques **carême**
– Jours de jeûne observés jadis par les catholiques au début de chaque saison **quatre-temps**
– Jour de jeûne absolu chez les juifs **Yom Kippour**
– Jeûne diurne de trente jours prescrit par la religion musulmane **ramadan**
– Jeûne de protestation **grève de la faim**
– Jeûne prescrit pour des raisons médicales **diète**

JEUNE
– L'enfant le plus jeune d'une famille **cadet, benjamin, junior, puîné**

– Jeune homme **jouvenceau, adolescent**
– Jeune fille **jouvencelle, adolescente**
– Un visage, une âme jeune **juvénile**
– Jeune marin **mousse, novice**
– Un vin jeune **vert**

JEUNESSE
syn. **adolescence**
– Perdre, retrouver sa jeunesse **fraîcheur, vigueur, verdeur**
– La jeunesse, en termes poétiques **printemps de la vie**
– Fontaine mythique permettant de retrouver la jeunesse **de jouvence**
– Déesse grecque personnifiant la jeunesse **Hébé**

JOCKEY
– Casquette de jockey **toque**
– Veste de jockey **casaque**
– Jockey amateur **gentleman rider**
– Un régime jockey **maigre**

JAZZ

Né à la fin du XIXᵉ siècle dans les quartiers de plaisir de La Nouvelle-Orléans, le jazz fut longtemps, par excellence, la musique des Noirs américains, avant de conquérir un statut culturel universel. Caractérisé par le swing et laissant une large part à l'improvisation, le jazz prend ses racines dans les chants de travail des esclaves (blues), les chants religieux populaires (spirituals et gospels), les fanfares de rue (style New Orleans) et le piano de bar (ragtime). Entre les deux guerres, il est surtout assimilé à une musique de danse, interprétée par de grands orchestres (big bands). Dans les années 1940, le jazz subit une révolution décisive avec le be-bop. Il devient une expression musicale à part entière, parfois très sophistiquée, qui essaime dans des clubs et rayonne par le disque. La plupart des musiques populaires modernes (pop, rock, funk, disco, rap...) sont issues du jazz, en ligne plus ou moins abâtardie.

Le jazz traditionnel (1900-1925)
Le style New Orleans et dixieland s'implante à Storyville (à La Nouvelle-Orléans), puis à Chicago. Dans les églises, les spirituals et les gospels scandent la gloire de Dieu. Dans la rue et dans les clubs, le blues chante la misère des hommes.

Les pionniers Scott Joplin (1868-1917), maître du ragtime, Jelly Roll Morton (1890-1941), précurseur

du piano jazz. Le premier grand orchestre New Orleans : le Creole Jazz Band, de King Oliver (1885-1938).

Les maîtres La chanteuse Bessie Smith (1895-1937) gagne son surnom d'Impératrice du blues. En 1925, Louis Armstrong (1900-1971) crée son Hot Five, première formation sur le chemin d'une gloire inégalée. Vingt-cinq ans plus tard, Sidney Bechet (1897-1959), l'autre maître du style New Orleans, fera la conquête de l'Europe avec sa clarinette.

L'époque des big bands (middle jazz)
Les années 1930
L'ère du Swing fonde la suprématie des grands orchestres (big bands). À la fin des années 1930, le jazz, musique de danse par excellence, gagne le grand public américain grâce à la popularité des chefs blancs Benny Goodman (1909-1986) et Glenn Miller (1904-1944).

Les pionniers L'orchestre noir de Fletcher Henderson (1897-1952) montre la voie. Mais ce sont les formations de Duke Ellington (1899-1974) et de Count Basie (1904-1984) qui domineront de très loin l'histoire du jazz et révéleront la plupart des grands solistes de l'époque.

Les maîtres Au piano, Fats Waller (1904-1943), interprète jovial et, surtout, Art Tatum (1910-1956), le virtuose du clavier.

Au niveau vocal, Billie Holiday (1915-1959), la muse du saxophoniste Lester Young, surnommé Prez (le Président) [1909-1959], et Ella Fitzgerald (1917-1996), la reine du scat (chant par onomatopies), sont les plus grandes chanteuses de jazz. Coleman Hawkins (1901-1969), découvreur du saxo ténor, Johnny Hodges (1907-1970) et Benny Carter (né en 1907) à l'alto dominent les souffleurs. Lionel Hampton (né en 1913) donne ses lettres de noblesse au vibraphone.

La révolution du be-bop (Les années 1940 et l'après-guerre)
Bouleversement du langage rythmique et harmonique : le be-bop révolutionne le jazz. Il atteint son apogée dans les cabarets de la 52ᵉ Rue, à New York, en 1946. Le jazz moderne est né avec le be-bop.

Les pionniers Le saxophoniste Charlie Parker (1920-1955), surnommé Bird (oiseau), et le trompettiste Dizzy Gillespie (1917-1993), chefs de file du be-bop, qu'ils créèrent dans les années 1940 au cabaret new-yorkais Minton's, en compagnie du pianiste Thélonious Monk (1917-1982), du guitariste Charlie Christian (1916-1942) et du batteur Kenny Clarke (1914-1985).

Les maîtres Bud Powell (1924-1966) et Horace Silver (né en 1928) au piano, Clifford Brown (1930-1956) à la trompette, Milt Jackson (1923-1999) et Max Roach

(né en 1925) à la batterie, la chanteuse Sarah Vaughan (1943-1990) furent, avec les créateurs du bop, parmi les personnalités du jazz les plus marquantes des années 1950.

Le jazz moderne
De 1952 à 1956, le jazz cool, surtout représenté par des artistes blancs de la côte ouest, introduit un style détendu et raffiné, à l'opposé du hard bop (tendance dure, nerveuse du bop). Les années 1960 voient l'apparition du free jazz, qui désintègre la mélodie et le rythme et flirte avec l'atonalité.

Les pionniers Le pianiste Lennie Tristano (1919-1979), les saxophonistes Gerry Mulligan (1927-1996) et Lee Konitz (né en 1927) sont parmi les fondateurs du cool. La musique soul, nourrie du phrasé des gospels, est popularisée par Ray Charles (né en 1932), le hard bop par les Jazz Messengers d'Art Blakey (1919-1990). Ornette Coleman (né en 1930), au saxo, est l'initiateur du free.

Les maîtres Trois noms dominent le jazz moderne après Charlie Parker : Charlie Mingus (1922-1979), contrebassiste doué d'une imagination musicale exceptionnelle, John Coltrane (1926-1967), l'un des saxophonistes les plus créatifs et les plus attachants, et le trompettiste Miles Davis (1926-1991), qui fut de toutes les innovations du jazz moderne.

JOIE

syn. gaieté
– Joie débordante **allégresse, exultation, jubilation, enchantement, ravissement**
– Sentiment de joie profonde **euphorie, béatitude, extase**
– Être transporté de joie **aux anges, au septième ciel, comblé, ivre de joie, rayonnant, réjoui, enchanté, radieux, comblé**
– Manifestation de joie collective **réjouissance, liesse**
– Profiter des joies de la retraite **agréments, plaisirs, douceurs**
– Chant de joie **hosanna, alléluia, acclamation**
– Fille ou femme de joie **prostituée**

JOINDRE

syn. accoler, adapter, ajuster, faire se toucher, mettre en contact, rapprocher, assembler, superposer
– Joindre bout à bout **abouter**
– Joindre deux parties, deux éléments semblables **jumeler, accoupler**
– Joindre un élément à un ensemble déjà constitué **insérer, incorporer, intégrer, inclure, adjoindre, ajouter, lier, relier, regrouper**
– Joindre deux pièces de bois obliquement **embrever**
– Joindre deux métaux sous l'effet de la chaleur **souder, braser**
– Joindre deux cordages, deux câbles en entrelaçant leurs fils **épisser**
– En chirurgie, joindre deux vaisseaux sanguins, deux nerfs **anastomoser, aboucher**
– Nous devons joindre nos efforts pour être performants **unir, coupler, conjuguer, associer, allier**
– Je n'arrive pas à la joindre **toucher, contacter**
– Se joindre à un groupe, à une organisation **associer à (s'), adhérer à, agréger à (s'), intégrer, rejoindre**
– Se joindre à la conversation **participer à, mêler à (se), intervenir dans, immiscer dans (s'), prendre part à**

JOINT /1

– Joint en anatomie **jointure, articulation, attache, commissure**
– Combler les joints d'un mur **jointoyer**

JOINT /2

– Vous trouverez tous les renseignements sur le document joint **additionnel, ajouté, annexe, attaché**
– Un pli joint **clos, fermé, cacheté**

JOLI

– Joli en termes de navigation **brise**
– Joli à croquer **adorable, délicieux, mignon, exquis**
– Un joli visage **ravissant, gracieux, délicat, charmant, aimable**
– De jolis traits **fins, harmonieux, délicats**
– Une jolie maison **charmante, pimpante, coquette**
– Une jolie somme **coquette, rondelette, conséquente, importante, substantielle**

JONCTION

– Un point de jonction **contact, réunion, assemblage**
– Jonction de deux routes **carrefour, croisement, bretelle, fourche**
– Jonction de voies ferrées **bifurcation, aiguillage, embranchement, raccordement**
– Jonction de deux cours d'eau **rencontre, confluent**
– Assurer la jonction entre deux lieux **liaison, communication**
– Jonction dans un système informatique **interface, connexion, liaison**

JONGLER

syn. bateler
– Objet utilisé pour jongler **boule, torche, massue, assiette, cerceau**

JONQUILLE

syn. narcisse des prés, narcisse jonquille
– Famille à laquelle appartient la jonquille **amaryllidacées**

JOUE

– Joue pendante et très prononcée **abajoue, bajoue**
– Partie proéminente de la joue **pommette**
– Un visage pourvu de grosses joues **mafflu, joufflu**
– Relatif à la joue **malaire, jugal**
– Muscle de la joue **masséter, buccinateur, zygomatique**

JOUER

syn. amuser (s'), divertir (se), récréer (se), distraire (se)
– Jouer avec les mots **jongler**
– Jouer sa vie **exposer, hasarder, risquer**
– Jouer le rôle d'un personnage dans un spectacle **incarner, interpréter, représenter**
– Jouer un air de musique **interpréter, exécuter**
– Jouer une somme d'argent **parier, miser**
– Jouer en Bourse **spéculer, boursicoter, agioter**
– Se jouer d'une personne **tromper, abuser**

JOUET

– Jouet de bébé **hochet, crécelle**
– Jouet traditionnel **baigneur, bilboquet, diabolo, dînette, fronde, poupée, ours**
– Jouet en forme de toupie **toton**
– Être le jouet des événements **ludion**

JOUEUR

syn. parieur, turfiste
– Joueur passionné **flambeur**
– Les joueurs d'une équipe **équipiers, partenaires, coéquipiers**
– Être beau joueur **fair-play, loyal**
– Mauvais joueur **tricheur, dupeur, fraudeur, pipeur**

JOUIR

syn. tirer avantage, tirer agrément de
– Jouir de sa réussite **savourer, profiter de, délecter de (se), apprécier, goûter**
– Jouir d'une excellente santé **bénéficier de, être doté de**
– Jouir d'une grosse somme d'argent **posséder, avoir, disposer**
– Jouir de la maison d'un défunt **percevoir l'usufruit de, avoir la jouissance de, avoir l'usage de**

JOUISSANCE

syn. contentement, délectation, joie, satisfaction
– Doctrine morale privilégiant la jouissance matérielle **épicurisme, hédonisme**
– La vie lui procure jouissance et satisfaction **douceurs, délices, agréments**
– Recherche du plaisir et de la jouissance des sens **érotisme, sensualité, volupté, bien-être**
– Jouissance sexuelle **orgasme, plaisir**
– La jouissance d'un terrain **possession, propriété, usage**
– Jouissance d'un bien appartenant à autrui **usufruit**

JOUR

– Au petit jour **à l'aube, à l'aurore, dès potron-minet, au point du jour**
– La tombée du jour **crépuscule, tombée de la nuit, soir, brune, coucher du soleil**
– Une activité, un phénomène qui se produit le jour **diurne**
– Livret indiquant les faits qui ont eu lieu le même jour à diverses époques **éphéméride**
– Insecte ne vivant qu'un jour ou deux **éphémère**
– Époque de l'année où la durée des jours est égale à celle des nuits **équinoxe**
– Jour des Rois **Épiphanie**

– Se produisant chaque jour **quotidien**

– Jour du mois, dans le langage juridique ou administratif **quantième**

– Jour de repos sacré dans le judaïsme **sabbat**

– Premier jour du mois, dans la Rome antique **calendes**

– Jour du calendrier républicain **primedi, duodi, tridi, quartidi, quintidi, sextidi, septidi, octidi, nonidi, décadi**

– Percer à jour **découvrir**

JOURNAL

syn. **bulletin, périodique, hebdomadaire, magazine, mensuel, quotidien, revue, tabloïd, gazette**

– Journal qui diffuse les idées, les opinions d'un mouvement ou d'un parti politique **organe**

– Journal, tract ou article très polémique **brûlot**

– Journal chinois affiché au mur dans un lieu public **dazibao**

– Exemplaires invendus d'un journal **bouillons**

– Gros titre sur la première page d'un journal **manchette**

– Article de journal exprimant la position de la rédaction **éditorial**

– Article de journal très bref **entrefilet**

– Rubrique des naissances dans un journal **carnet**

– Rubrique des décès dans un journal **nécrologie**

– Dernière épreuve d'un journal avant le tirage **morasse**

JOURNALISTE

syn. **rédacteur**

– Journaliste chargé d'une chronique dans un journal **chroniqueur, courriériste, éditorialiste**

– Journaliste chargé de la rubrique des nouvelles locales ou mondaines **échotier**

– Journaliste de peu de talent **folliculaire, plumitif**

– Journaliste spécialisé dans les rubriques littéraires ou artistiques **critique**

– Journaliste satirique **libelliste, polémiste, pamphlétaire**

– Journaliste payé à l'article **pigiste**

– Journaliste envoyé en mission **correspondant, reporter, envoyé spécial**

– Désignation péjorative d'un journaliste **journaleux**

JOURNÉE

– Demi-journée **matinée, matin, après-midi**

– Ouvrier travaillant et payé à la journée **journalier**

JOVIAL

– Être d'humeur joviale **gai, enjoué, joyeux, rieur, réjoui**

– Un visage jovial **rayonnant, souriant, épanoui**

– Un rire jovial **bruyant, communicatif, contagieux, sonore, franc, éclatant**

– Homme jovial **gai luron, gaillard, joyeux drille, boute-en-train, bon vivant**

JOYEUX

syn. **enjoué, gai, heureux**

– Un visage joyeux **réjoui, jovial, rayonnant, radieux, hilare, riant, souriant**

– Une musique, une danse joyeuse **endiablée, entraînante, allègre**

JUDICIEUX

– Donner un conseil judicieux **sensé, raisonnable, sage**

– Une réflexion judicieuse **sagace, pertinente, intelligente**

JUDO

– Sport de combat à l'origine du judo **jujitsu**

– Judo pratiqué debout **nage-wasa**

– Judo pratiqué au sol **newasa**

– Personne pratiquant le judo **judoka**

– En judo, personne qui fait le mouvement **tori**

– En judo, personne qui subit le mouvement **uke**

– Manière de saisir son partenaire au judo **kumikata**

– Type de prise au judo **projection, immobilisation, strangulation, clef**

– Salle où l'on pratique le judo **dojo**

– Grade inférieur à la ceinture noire au judo **kyu**

– Au judo, grade d'une ceinture noire **dan**

JUGE

syn. **magistrat**

– Charge d'un juge sous l'ancien régime **judicature**

– Juge administratif suprême **conseiller d'État**

– Juge d'un tribunal de commerce **juge consulaire**

– Juge d'un tribunal de cour d'assises **président, conseiller**

– Juge d'un tribunal correctionnel **président, assesseur**

– Juge ecclésiastique **official**

– Juge, dans les pays musulmans **cadi**

– Juge andorran **viguier**

– Juge athénien dans la Grèce antique **héliaste**

– Juge suprême dans certaines peuplades gauloises **vergobret**

– Juge de paix, jadis, en Espagne **alcade**

JUGEMENT

– Émettre un jugement sur quelque chose **opinion, sentiment, avis, point de vue, façon de voir**

– Le tribunal prononce, donne un jugement **arrêt, sentence, verdict, décision, ordonnance**

– Faire preuve de jugement **lucidité, perspicacité, discernement, sagacité, clairvoyance, raison, finesse, intelligence, entendement**

– Dans la mythologie égyptienne, jugement de l'âme des morts **psychostasie**

– Au Moyen Âge, jugement de Dieu par l'eau et par le feu **ordalie**

JUGER

– Juger comme faculté de la pensée **bon sens, raison, intelligence,**

– Juger une affaire criminelle **statuer sur, prononcer sur (se)**

– Juger un litige **départager, donner raison, trancher, régler, arbitrer, donner tort**

– Juger la valeur de quelque chose, de quelqu'un **évaluer, mesurer, apprécier, estimer, examiner, peser, jauger**

– Juger d'un point de vue moral **estimer, considérer**

– Juger une attitude, une action répréhensibles **critiquer, condamner, blâmer, réprouver, désapprouver, stigmatiser, incriminer**

JUIF /1

– Juifs de l'Europe de l'Est **ashkénazes**

– Langue des populations juives d'Europe de l'Est **yiddish**

– Juifs des pays méditerranéens **séfarades**

– Juif d'Espagne converti au christianisme par la force et resté fidèle au judaïsme en secret **marrane**

– Nom donné par les juifs à un non-juif **goy, gentil**

– Interprétation mystique de l'Ancien Testament donnée par les juifs **Kabbale**

– Juifs noirs d'Éthiopie **Falachas**

– Châle de prière porté par les juifs **tallith**

– Étui contenant les versets de la Torah que portent les juifs orthodoxes pour la prière **phylactère, tefillin**

– Calotte portée par les juifs **kippa**

– Veille du sabbat dans la religion juive **parascève**

– Repos sacré des juifs le septième jour de la semaine (du vendredi soir au samedi soir) **sabbat**

– Tribunal religieux des Juifs de la Palestine antique **sanhédrin**

– Racisme à l'égard des juifs **antisémitisme**

JUIF /2
– Religion juive **judaïsme**
– Temple juif **synagogue**
– Recueil d'écrits religieux juifs **Talmud**
– Chef spirituel d'une communauté juive **rabbin**
– Acte rituel pratiqué sur les jeunes garçons juifs **circoncision**
– Cérémonie de profession de foi des jeunes garçons juifs **bar-mitsva**
– Profession de foi des jeunes filles juives **bat-mitsva**
– Nouvel an juif **Rosh ha-Shana**
– Pâque juive **Pessah**
– Grande fête juive appelée « jour du Grand Pardon » **Yom Kippour**
– Prière juive récitée à la fin de chaque partie de l'office à la synagogue **kaddish**
– Chandelier à sept branches, objet liturgique dans la religion juive **menora**
– Corne de bélier servant de cor dans le rituel juif **schofar**
– Aliment préparé selon les prescriptions rituelles de la religion juive **kasher**
– Dispersion des communautés juives hors de Palestine **Diaspora**
– Mouvement politique visant à l'établissement d'un État juif en Palestine **sionisme**
– Mouvement de masse dirigé contre une communauté juive **pogrom**
– Quartier juif dans les villes du Maroc **mellah**

JUMEAU
– Vrais jumeaux **univitellins, monozygotes**
– Faux jumeaux **bivitellins, dizygotes**
– Jumeaux unis l'un à l'autre par une partie de leur corps **siamois**
– Jumeau femelle stérile issu d'une vache ou d'une chèvre **free-martin**
– Personne semblant être le jumeau de quelqu'un **sosie**

JUMENT
– Jeune jument **pouliche**
– Jument docile qui servait autrefois de monture aux dames **haquenée**
– Jument racée, en termes poétiques **cavale**
– Jument qui donne naissance à des mulets **mulassière**
– Jument spécialement destinée à la reproduction **poulinière**
– Jument accompagnée de son poulain **suitée**
– Dans un pré, enclos réservé aux juments et à leurs poulains **paddock**
– Propriétaire de la jument lors de la mise bas **naisseur**

JUPE
– Accessoire que les femmes portaient sous leur jupe pour la faire bouffer **crinoline, panier, vertugadin**
– Vêtement porté autrefois sous la jupe **cotillon, jupon**
– Jupe portée jadis par les paysannes **cotte**
– Longue jupe de femme portée pour monter à cheval **amazone**
– Tissu de couleur vive drapé autour des reins et servant de jupe **pagne, paréo, sarong**
– Jupe courte des montagnards d'Écosse **philibeg**
– Jupe traditionnelle des Écossais **kilt**
– Jupe des femmes du Pays basque **basquine**
– Sorte de jupe d'homme du costume traditionnel grec **fustanelle**

JUPON
syn. **cotillon, cotte**
– Coureur de jupon **charmeur, tombeur, Casanova, don Juan, séducteur**

JURÉ
– Un ennemi juré **déclaré**

JURER
syn. **blasphémer, outrager, sacrer**
– Jurer contre quelque chose **pester, tempêter, maudire**
– Jurer sur l'honneur, sur la vie **prêter serment, donner sa parole**
– Jurer fidélité à quelqu'un **promettre**
– Jurer et ne pas tenir sa parole **parjurer (se)**
– Jurer que **déclarer, certifier, affirmer**
– Ces couleurs jurent **détonnent, tranchent, dissonent, opposent (s')**

JURISPRUDENCE
syn. **coutume, droit coutumier**

JURON
syn. **blasphème, gros mot, jurement, grossièreté, sacrilège, imprécation, injure, insulte**

APÔTRES DE JÉSUS	
Pierre	Thomas
André	Matthieu
Jacques (fils de Zébédée)	Jacques (fils d'Alphée)
Jean	Thaddée
Philippe	Simon
Barthélemy	Judas Iscariote

JUS
syn. **liquide, sauce, suc**
– Qui donne beaucoup de jus **juteux**
– Jus de raisin cueilli vert **verjus**
– Boisson à base de jus de réglisse **coco**
– Aux Antilles, jus de la canne à sucre **vesou**

JUSTE
– Le mot, le terme juste **convenable, conforme, adapté, approprié, adéquat, idoine**
– Un calcul juste **correct, exact, bon**
– Un vêtement un peu juste **étriqué, serré, trop court**
– Une personne juste **impartiale, droite, intègre, loyale, équitable, probe, honnête, sincère**
– Une remarque très juste **pertinente, judicieuse, sensée, fondée**
– De justes revendications **légitimes, fondées, motivées, raisonnables**

JUSTESSE
– Vérifier la justesse d'un instrument **exactitude, précision, correction, convenance**
– La justesse d'un geste **précision**
– Apprécier la justesse d'un raisonnement **logique, clarté, rigueur, rectitude, rationalité**
– De justesse **de peu**

JUSTICE
syn. **équité, légalité**
– Droit de rendre la justice **juridiction**
– Ensemble des décisions de justice sur une question donnée **jurisprudence**
– Intenter une action en justice **ester, poursuivre, soutenir**
– Faire comparaître quelqu'un en justice **déférer, traduire, citer, assigner**
– Temps imparti pour l'examen d'une affaire par la justice **vacation**
– Ministère de la Justice **chancellerie**
– Symbole de la justice **balance, glaive**

JUSTIFICATION
syn. **décharge, défense, excuse**
– Demander des justifications **explications, comptes**
– Fournir des justifications **arguments, raisons, preuves, alibis**
– Discours visant à justifier quelqu'un ou quelque chose **apologie**

JUSTIFIER
– Justifier quelqu'un **disculper, blanchir, décharger, dédouaner, innocenter**
– Justifier ses dires **prouver, démontrer, étayer, argumenter**

– Justifier une démarche **légitimer, fonder, motiver**
– Se justifier **expliquer (s'), excuser (s'), rendre des comptes**

KANGOUROU
– Ordre auquel appartient le kangourou **marsupiaux, didelphes**
– Famille à laquelle appartient le kangourou **macropodidés**
– Petit kangourou **wallaby**
– Poche ventrale des kangourous femelles **marsupium**
– Kangourou-rat **potorou**
– Animal apparenté au kangourou **pétrogale, dasyure,**

KARATÉ
– Personne pratiquant le karaté **karatéka**
– Tapis sur lequel se pratiquent le karaté et les arts martiaux en général **tatami**
– En karaté, mouvements destinés à apporter la maîtrise totale du geste **kata**
– Sabre utilisé dans l'exécution de certains katas de karaté **katana**
– En karaté, cri produit par une profonde expiration au moment de l'attaque **kiaï**
– Grade indiquant le niveau des pratiquants de karaté **kyu**

KÉPI
– Membre de l'armée de terre portant le képi en France **sous-officier, officier**
– Type de décoration du képi indiquant le grade de l'officier **tresse, nœud hongrois de tresses, triple liseré en croix**
– Képi des officiers généraux **de campagne**
– Képi des élèves officiers de l'école militaire de Saint-Cyr **shako**
– Sorte de képi porté par les lanciers français au XIXe siècle **chapska**

KERMESSE
– La kermesse de fin d'année d'une école **fête, festivité**
– Kermesse belge **ducasse**
– Kermesse de l'ouest de la France **frairie**

KILOGRAMME
– Abréviation de kilogramme **kilo, kg**
– Demi-kilogramme **livre**
– Cent kilogrammes **quintal**
– Mille kilogrammes **tonne**

KILOMÈTRE
– Abréviation de kilomètre **km**
– Mesurer une route en kilomètres **kilométrer**
– Utiliser des kilomètres de papier pour rien **quantités, tonnes**

KIMONO
– Ceinture du kimono féminin **obi**
– Bouton sculpté au bout des cordonnets en soie de l'obi du kimono **netsuke**
– Étui que les Japonais suspendaient à la ceinture de leur kimono **inrô**

KIOSQUE
syn. **édicule, pavillon**
– Kiosque de verdure, dans un parc **gloriette**
– Kiosque à journaux en Belgique **aubette**
– Personne qui travaille dans un kiosque à journaux **kiosquier**

KYSTE
– Kyste se développant à l'intérieur des bronches **hamartome**
– Kyste sébacé **loupe, tanne**
– Ablation d'un kyste **kystectomie**

LABEUR
syn. **besogne, occupation, ouvrage, tâche, travail**

LABORATOIRE
– Garçon de laboratoire **préparateur, laborantin**
– Laboratoire d'une pharmacie **officine**
– Animal destiné à subir des expériences dans les laboratoires **cobaye**
– Dans un laboratoire, lieu où sont élevés les animaux destinés à subir des expériences **animalerie**

LABORIEUX
– Une tâche laborieuse **pénible, ardue, malaisée, difficile**
– Un jeune homme laborieux **consciencieux, actif, diligent, zélé**
– Un discours, un style laborieux **lourd, embarrassé, amphigourique, gauche, maladroit, pesant**
– Les classes laborieuses dans le vocabulaire marxiste **travailleurs**

LABOUR
– Instrument utilisé pour le labour **bêche, houe, araire, charrue, herse**
– Labour réalisé avant l'hiver **hivernage**

LABOURER
– Labourer un champ **retourner**
– Égaliser la surface d'un terrain après l'avoir labouré **herser**
– Labourer autour des pieds de vigne **décavaillonner**
– Labourer de façon à former de petits talus de terre entre les sillons **billonner**
– Labourer légèrement la terre pour en briser la croûte superficielle **scarifier**
– Labourer très profondément avant l'hiver **biloquer**
– Labourer un champ en profondeur **défoncer**
– Labourer un terrain pour la troisième fois dans l'année **tiercer**
– Terre labourée mais pas ensemencée **guéret**
– Une terre pouvant être labourée **arable**
– Les éclats de verre lui ont labouré le visage **lacéré, tailladé, écorché**

LABYRINTHE
syn. **dédale, enchevêtrement**
– Le labyrinthe des lois, des sentiments **écheveau, méandres**
– Un labyrinthe de rues, de chemins **réseau, lacis**
– Dans la mythologie grecque, le gardien du Labyrinthe **Minotaure**

LAC *Voir tableau p. 342*
– La flore, la faune d'un lac **lacustre**
– Habitat préhistorique sur pilotis, bâti au-dessus d'un lac **palafitte**
– Lac artificiel **réservoir**
– Lac salé d'Afrique du Nord **sebkha, chott**
– Lac très allongé caractéristique de l'Écosse **loch**
– Mouvement des eaux d'un lac **seiche**
– Petit lac peu profond **étang**
– Petit lac salé fermé par un récif corallien **lagon**
– Science étudiant les phénomènes ayant trait aux lacs **limnologie**

LACER
syn. **attacher, ficeler, lier, nouer, serrer**

LACET
syn. **cordon**
– Un chemin en lacet(s) **en zigzag**
– Les lacets d'une route **virages, tournants, méandres**
– Tendre un lacet pour capturer du gibier **collet, lacs, piège**

LÂCHE
– Un individu lâche **peureux, poltron, couard, pleutre**
– Un procédé lâche **déloyal, honteux, méprisable, vil, ignoble, abject**
– Un ressort trop lâche **détendu**
– Un pull lâche **flottant, large, vague, fluide, ample**

LÂCHER
syn. **desserrer**
– Les anses du sac plastique vont lâcher sous le poids des provisions **casser, céder, rompre**
– Lâcher sa ceinture **desserrer, détendre**

– Lâcher les amarres **filer, larguer, détacher**
– Lâcher une bombe **envoyer, jeter, lancer**
– Lâcher des vivres, d'un avion **dropper, parachuter**
– Lâcher un cri **émettre, pousser**
– Lâcher ses amis **abandonner, quitter, délaisser**
– Ce coureur a lâché le peloton **distancé, semé**

LÂCHETÉ
– Lâcheté d'un crime **indignité, bassesse**
– Lâcheté d'une attitude **faiblesse, veulerie, pusillanimité, couardise**

LACUNE
– Avoir des lacunes en histoire **faiblesses, ignorances**
– Cette démonstration présente de nombreuses lacunes **insuffisances, incohérences, fautes**
– Cette autobiographie comporte de nombreuses lacunes **omissions, manques, trous, oublis**

LAGUNE
– Les eaux, la flore d'une lagune **lagunaires**
– En Belgique, lagune desséchée **moere**
– Lagune caractéristique des côtes de la mer Noire **liman**

LAID
syn. **inesthétique**
– Une chose très laide **affreuse, horrible, hideuse, abominable**
– Un visage laid **ingrat, disgracieux, vilain, repoussant**
– Un procédé, un acte laid **bas, honteux, ignoble, méprisable, odieux, répugnant**
– Un corps laid **difforme, disgracié**
– Homme ou femme laids **laiderons**

LAIDEUR
– La laideur d'un visage **disgrâce**
– La laideur d'un acte **noirceur, vilenie, ignominie, turpitude, abjection**
– La laideur d'un monument **lourdeur**

LAINE
– Bourre de laine **bourre lanice**
– Étoffe de laine et de soie **alépine, silésienne**
– Feuille ou insecte couvert d'un duvet rappelant la laine **lanugineux, lanigère, lanifère**
– Graisse contenue dans la laine brute **suint**
– La partie la plus épaisse et la plus longue de la laine d'un animal **riflard**
– Laine brute avant lavage et dégraissage **surge**
– Laine caractéristique du mouton d'Écosse **cheviotte**
– Laine cardée longue et très fine **étaim**
– Laine courte, de mauvaise qualité **couaille**
– Laine d'agneau courte et soyeuse, obtenue à la première tonte **agneline**
– Laine de mouton blanche et fine **mérinos**
– Laine de vigogne **carmeline**
– Laine très fine **mère laine**
– Laine très courte **blousse**
– Mélanger des laines de couleurs différentes **ploquer**
– Métier à filer la laine et le coton, en usage au XIXᵉ siècle **mule-jenny**
– Peigner grossièrement la laine pour la démêler **carder**
– Conditionnement de la laine **pelote, écheveau**
– Mettre une petite laine **chandail, pullover, gilet**
– Laine de verre **isolant**

LAISSER
– En droit, laisser un bien en propriété à quelqu'un **aliéner**
– Laisser quelqu'un derrière soi **quitter, abandonner**
– Laisser quelqu'un faire quelque chose **accepter, permettre, consentir**
– Laisser quelque chose de côté **négliger, omettre**
– Laisser quelque chose en garde à quelqu'un **confier, remettre**
– Laisser voir ses sentiments **dévoiler, démasquer**

LAISSER-ALLER
– J'envie le laisser-aller de nos voisins **désinvolture**
– Il y a trop de laisser-aller dans votre travail ! **légèreté, négligence, relâchement, incurie, gabegie**

LAISSEZ-PASSER
syn. **sauf-conduit**
– Laissez-passer imposé naguère aux non-Blancs par le gouvernement d'Afrique du Sud **pass book**
– Laissez-passer pour des marchandises, en usage au Moyen Âge **passe-debout**
– Laissez-passer délivré par les allemands

pour aller d'une zone à l'autre pendant l'Occupation **Ausweis**
– Laissez-passer officiel **coupe-file**
– Laissez-passer délivré aux bateaux de commerce, en temps de guerre **navicert**
– En droit commercial, laissez-passer pour des marchandises **passavant**

LAIT
– Commerce où sont vendus des produits à base de lait **crémerie, laiterie**
– Enzyme du lait **lactase**
– Glucide du lait **lactose**
– Tirer le lait de la vache **traire**
– Protéine du lait **caséine**
– Première crème du lait **crème fleurette**
– Petit lait filtré **puron**
– Petit bloc de lait caillé **caillebotte**
– Lait fermenté de jument ou d'ânesse **koumis**
– Lait de beurre **babeurre, lait ribot**
– Lait cru naturel **bourru**
– Boisson à base de petit lait fermenté **képhir**
– Instrument mesurant la quantité de matières grasses dans le lait **butyromètre, lactomètre**
– Appareil mesurant la densité du lait **galactomètre**
– De la couleur du lait **lactescent**
– Bidon à lait **bouille, berthe, boille**
– Sécrétions des seins que le bébé boit les premières heures de sa vie jusqu'à ce que le lait soit produit **colostrum**
– Absence de lait dans les mamelles, après l'accouchement **agalactie**

LES PLUS GRANDS LACS ET MERS

Lac/Mer	Pays	Surface (en km²)
Mer Caspienne (salée)	Russie/ Kazakhstan/ Turkménistan/ Azerbaïdjan/ Iran	367 000
Lac Supérieur (eau douce)	États-Unis/ Canada	81 350
Lac Victoria (eau douce)	Kenya/ Ouganda/ Tanzanie	68 100
Mer d'Aral (salée)	Kazakhstan/ Ouzbékistan/	64 500
Lac Huron (eau douce)	États-Unis/ Canada	61 800
Lac Michigan (eau douce)	États-Unis	58 100
Lac Tanganyika (eau douce)	Rep. Congo/ Tanzanie/ Zambie/ Burundi	31 900

– Arrêter d'alimenter en lait maternel un bébé, un jeune animal **sevrer**

LAITERIE
syn. **crémerie**

LAITUE *Voir tableau salades, p. 548*
– Famille à laquelle appartient la laitue **composées**
– Substance sédative extraite du suc de laitue **lactucarium, thridace**
– Variété de laitue **batavia, romaine, chicon**

LAMA
– Animal apparenté au lama **alpaga, vigogne**
– Famille à laquelle appartient le lama **camélidés**
– Lama sauvage du Chili **guanaco**
– Dans la religion bouddhiste tibétaine, le lama est un **prêtre, moine**

LAMBEAU
syn. **débris, morceau**
– Vêtement en lambeaux **loque, guenille, harde, haillon**
– Des lambeaux de souvenirs **bribes, bouts, fragments**

LAME
– Côté aiguisé de la lame **tranchant, fil**
– En biologie, structure composée de lames **lamellaire**
– Lame ayant perdu de son tranchant à l'usage **émoussée**
– Lame d'épée très large à la base **colichemarde**
– Lame d'une épée **fer**
– Lame de baleine, à l'intérieur d'un corset **busc**
– Parcelles de métal adhérant au tranchant d'une lame venant d'être affûtée **morfil**
– Petite encoche sur la lame d'un canif **onglet**
– Transformer, par compression, une masse de métal en lames **laminer**
– Le baigneur fut emporté par une lame **vague, rouleau**

LAMENTABLE
– Un résultat lamentable **piètre, piteux, désastreux**
– Une conduite lamentable **déplorable, inacceptable, exécrable**
– Une situation lamentable **navrante, désolante, pitoyable, douloureuse, affligeante**

LAMENTATION
– Des lamentations de douleur **cris, gémissements, sanglots**
– Se confondre en lamentations **plaintes, doléances, jérémiades**
– Lieu où se trouve le mur des Lamentations **Jérusalem**

LAMPE

syn. **luminaire**
– Lampe à huile **carcel**
– Lampe murale **applique**
– Lampe de bateau servant à éclairer les instruments de navigation **vérine**
– Lampe de sûreté **photophore**
– Lampe répandant une lumière très faible **lumignon**
– Lampe utilisée pour la pêche **lamparo**
– Dôme au-dessus de la flamme d'une lampe d'église **panache**
– Ancienne lampe à huile dont le réservoir était placé au-dessus de la mèche **quinquet**
– Préposé aux lampes dans les mines, les théâtres **lampiste**
– Changer une lampe grillée **ampoule**
– Type de fixation d'une lampe **baïonnette, vis, broches**
– Lampe dont les performances sont améliorées par la présence d'iode ou de brome **halogène**
– Lampe qui éclaire grâce à un tube fluorescent **néon**

LANCE

voir aussi **pique**
– Lance utilisée en athlétisme **javelot**
– Manche d'une lance **hampe**
– Lourde lance du Moyen Âge **hallebarde, guisarme, pertuisane**
– Longue lance des Macédoniens **sarisse**
– Fer de lance que l'on émoussait pour les tournois de joute **agrape**
– Au Moyen Âge, combat de cavaliers armés d'une lance **joute, tournoi**
– Anneau de protection dont on enveloppait le fer des lances de joute **morne**

LANCER

syn. **envoyer, projeter**
– Lancer une procédure judiciaire **déclencher, engager**
– Lancer un appel au secours **émettre**
– Se lancer dans les flammes **jeter (se), plonger, précipiter (se)**
– Se lancer dans une grande aventure **engager (s'), hasarder (se)**
– Machine de guerre utilisée autrefois pour lancer des projectiles **catapulte, baliste, perrière, trébuchet**
– Lancer une flèche **décocher**
– Lancer une bombe **lâcher, larguer**
– Lancer un regard **darder**
– Lancer un produit sur le marché **commercialiser**

LANDE

syn. **brande, friche, garrigue, maquis**

LANGAGE

voir aussi **parole**
– Ensemble des mots propres à un langage scientifique ou technique **terminologie**
– Étude de la signification dans le langage **sémantique, sémasiologie**
– Étude des sons du langage **phonétique, phonologie**
– Forme particulière de langage très affecté, sophistiqué **euphuisme, gongorisme**
– Science du langage **linguistique**
– Langage de gestes **gestuelle**
– Langage enfermé dans des stéréotypes idéologiques **langue de bois**
– Langage incompréhensible **charabia, jargon, baragouin, logogriphe**
– Langage manuel des sourds-muets **dactylologie**
– Langage télégraphique à base de traits et de points **morse**
– Langage utilisé pour décrire une langue **métalangage**
– Souci poussé à l'extrême de préserver la pureté du langage **purisme**
– Trouble du langage **aphasie, dysarthrie, écholalie, logorrhée, palilalie, psittacisme, bégaiement**
– Type de langage de programmation **pascal, basic, fortran, algol, cobol, prolog, C, perl, java**

LANGE

syn. **couche**

LANGOUREUX

– Un regard langoureux **énamouré, alangui, languide, transi**

LANGUE *Voir illustration p. 344, et tableaux p. 346, 347*

– Ablation de la langue **glossotomie**
– Bout de la langue **apex**
– Nerf de la langue **grand hypoglosse**
– Paralysie de la langue **glossoplégie**
– Repli muqueux retenant la langue **frein, filet**
– Affection de la langue qui prend alors un aspect chevelu **langue noire villeuse**
– Anomalie de la langue qui lui donne un aspect fissuré **langue plicaturée**
– Veines de la langue **veines ranines**
– Petites aspérités charnues à la surface de la langue **papilles**
– Relatif à la langue **lingual**
– Tumeur de la langue **grenouillette, ranule**
– Inflammation de la langue **glossite**
– Pellicule dure se formant parfois sur la langue des oiseaux **pépie**
– Expression, construction propre à la langue française **gallicisme**
– Étude historique d'une langue **diachronie**
– Expression, construction propre à une langue **idiotisme**
– Façon de parler une langue propre à un individu **idiolecte**
– Faculté surnaturelle de parler des langues **glossolalie**
– Forme régionale d'une langue **dialecte**
– Langue où une phrase s'exprime par un mot unique **holophrastique, agglutinante**
– Langue de communication pour des peuples de langue maternelle différente **langue véhiculaire, koinè**
– Langue composite à l'origine, puis devenue langue maternelle **créole**
– Langue propre à une communauté **langue vernaculaire, idiome**
– Langue composée d'éléments disparates provenant d'idiomes différents **sabir, pidgin**
– Langue artificielle à vocation universelle **espéranto, volapük, ido, interlingua, novial**
– Personne parlant plusieurs langues **polyglotte, multilingue, plurilingue**
– Étude d'une langue à travers l'analyse de textes écrits **philologie**
– Écrivain en langue d'oc **félibre**
– Ce que l'on croyait être la langue originelle **langue d'Adam**
– Il a proposé la création d'une langue parfaite **Liebniz**

LANGUIR

syn. **dépérir, ennuyer (s'), morfondre (se)**
– Une plante qui languit **dépérit, étiole (s'), flétrit, fane (se)**
– Une explication qui languit **traîne**
– Faire languir quelqu'un **attendre**
– Languir d'amour **consumer (se), mourir (se), être amoureux**

LANGUISSANT

– Un regard languissant **énamouré, langoureux, languide**
– Une conversation languissante **inintéressante, morne**
– La consommation des ménages est languissante **stagnante**

LANTERNE

– Grosse lanterne **falot, fanal**
– Lanternes d'une voiture **veilleuses, feux de position**
– Lanterne surmontant le toit de certains bâtiments **campanile**
– Les enfants participant au défilé portaient des lanternes vénitiennes **lampions**
– La lanterne rouge d'une compétition **dernier**

LAPIN

– Ordre auquel appartient le lapin **lagomorphes**
– Famille à laquelle appartient le lapin **léporidés**
– Élevage du lapin **cuniculiculture**
– Maladie infectieuse du lapin **myxomatose**
– Cage à lapin **clapier**
– Terrier de lapin **rabouillère**

– Lapin mâle **bouquin**
– Lapin sauvage **garenne**
– Le lapin se cache dans son terrier **clapit (se)**

LAQUE
– Arbre producteur de la laque **laquier, sumac**
– Enzyme contenue dans la laque **laccase**
– Ouvrier travaillant la laque **laqueur, laquiste**

LARD
– Fine tranche de lard dont on entoure les rôtis **barde**
– Lard du cochon **panne**
– Morceau de lard provenant du flanc du cochon **flèche**
– Résidu de lard frit **graillon**
– Petit morceau de lard **lardon**
– Nom donné au lard dans le Sud-Ouest **ventrèche**

LARGE
– Au sens large **lato sensu**
– Être large avec son argent **généreux, prodigue, munificent**
– Être large d'esprit **compréhensif, tolérant, libéral, ouvert**
– Trop large sur les questions de morale **laxiste, latitudinaire**
– Un large champ **étendu, vaste**
– Un large sourire **épanoui**
– Un vêtement large du bas **évasé**
– Une jupe particulièrement large **ample**
– Une large portion **copieuse**
– Respirer l'air du large **marin**
– Prendre le large **partir, aller (s'en)**

LARGEUR
– Largeur d'épaules **carrure**
– Largeur d'un avion, d'un oiseau, en partant de l'extrémité des ailes **envergure**
– Largeur d'un cylindre **diamètre, calibre**
– Largeur du papier en rouleau **laize, lé**

LARME
syn. **pleur, sanglot**
– Sécrétion excessive de larmes **larmoiement, épiphora**
– Glande sécrétant les larmes **glande lacrymale**
– Gaz provoquant les larmes **gaz lacrymogène**
– Une larme de whisky **doigt, soupçon, goutte**

LARVE
– Larve de batracien **têtard**
– Larve de crustacé **nauplius, zoé**
– Larve de la mouche à viande **asticot**
– Larve de la salamandre du Mexique **axolotl**
– Larve du hanneton **ver blanc, turc, man**
– Larve d'huître **naissain**

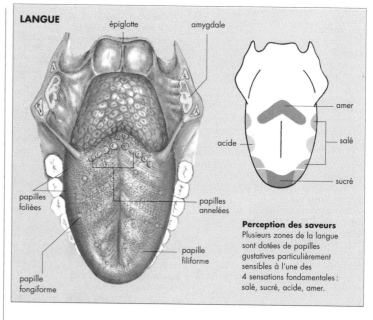

LANGUE
épiglotte
amygdale
amer
acide
salé
sucré
papilles foliées
papilles annelées
papille filiforme
papille fongiforme

Perception des saveurs
Plusieurs zones de la langue sont dotées de papilles gustatives particulièrement sensibles à l'une des 4 sensations fondamentales : salé, sucré, acide, amer.

– Larve de ténia **cénure**
– Larve du lépidoptère, ou papillon **chenille**

LARYNX
– Cartilage du larynx **cricoïde, aryténoïde, thyroïde, pomme d'Adam**
– Languette cartilagineuse ouvrant et fermant l'entrée du larynx **épiglotte**
– Ouverture du larynx **glotte**
– Étude du larynx **laryngologie**
– Examen du larynx **laryngoscopie**
– Ablation du larynx **laryngectomie**
– Incision du larynx **laryngotomie**
– Inflammation du larynx **laryngite**
– Fonctions du larynx **respiration, déglutition, phonation**

LASCIF
– Un regard lascif **libidineux, lubrique, luxurieux, pervers, vicieux, sensuel, concupiscent**
– Une danse lascive **érotique, voluptueuse, sensuelle**

LASER
– Dispositif fonctionnant comme le laser, mais sur d'autres longueurs d'onde **maser**
– Signification du mot laser **lumières amplifiées par stimulation de l'émission rayonnante**
– Image en trois dimensions obtenue à l'aide de faisceaux lasers **hologramme**
– Domaine d'application du laser médical **cardiologie, dermatologie, ophtalmologie, pneumologie, urologie, gynécologie, gastroentérologie, oto-rhino-laryngologie**

LASSER
syn. **fatiguer, importuner**
– Un appétit que rien ne lasse **dégoûte, écœure**
– Un discours qui lasse **ennuyeux**

LATÉRAL
– La partie latérale de la route est mauvaise **accotement, bas-côté, bord**
– Partie latérale d'un bâtiment, d'une voiture **aile**

LATIN
– Études de grec et de latin **humanités**
– Une langue dérivée du latin **romane**
– Un mauvais latin **macaronique**
– Tournure propre au latin **latinisme**

LAURÉAT
syn. **vainqueur, gagnant**

LAURIER
– Famille à laquelle appartient le laurier **lauracées**
– La feuille de laurier est un **aromate**
– La branche de laurier symbolise **gloire, victoire**

LAVABO
– Ancêtre du lavabo **aiguière, aquamanile**
– Petit lavabo **lave-mains**

LAVANDE
– Famille à laquelle appartient la lavande **labiacées**
– Grande lavande dont on extrait une huile utilisée en peinture **aspic**

– Lavande hybride utilisée en parfumerie **lavandin**

LAVE
syn. **magma**
– Variété de lave **basalte, andésite, trachyte, rhyolithe**
– Matière volcanique à la surface des coulées de lave refroidies **scorie**

LAVER
syn. **blanchir, détacher, lessiver, nettoyer, baigner, doucher**
– Laver à l'eau très chaude **échauder**
– Laver en frottant très fort **récurer**
– Faire tremper le linge avant de le laver **essanger**
– Produit lavant **détergent**
– Laver les laines pour en ôter les impuretés **dégorger**
– Une eau qui lave l'âme de ses péchés **lustrale**
– Laver quelqu'un d'une accusation **disculper, blanchir, innocenter**

LAVEUR
– Laveur de vaisselle dans une collectivité, dans un restaurant **plongeur**
– Laveuse de vêtements **blanchisseuse**
– Famille à laquelle appartiennent les poissons laveurs de carreaux **loricariidés**

LAVIS
– Dessiné au lavis **lavé**
– Procédé pictural qui imite le lavis **aquarelle, aquatinte**
– Substance colorante utilisée comme encre dans les lavis **sépia, bistre, encre de Chine**
– Teinte uniforme appliquée dans le lavis **aplat**

LAXATIF
– Fortement laxatif **purgatif, cathartique**
– Un produit laxatif **drastique**

LAYETTE
syn. **vêtement**

LÉCHER
– Se lécher les lèvres de plaisir **pourlécher (se)**
– Un travail bien léché **soigné, fignolé, peaufiné**

LEÇON
syn. **classe, cours, punition**
– Leçon magistrale **conférence**
– Dans une famille riche, personne donnant des leçons particulières **précepteur**
– Faire la leçon à quelqu'un **chapitrer, admonester, réprimander, sermonner**

LECTURE
– Lecture des textes liturgiques **leçon**
– Esclave romain chargé de faire la lecture à ses maîtres **anagnoste**
– Fatigue des yeux due à la lecture **asthénopie**
– Lecture laborieuse d'une écriture, d'un texte obscur **déchiffrement, décryptage**
– Lecture très hésitante **ânonnement**
– Livre d'apprentissage de la lecture **abécédaire**
– Trouble du mécanisme de lecture dont est atteint un sujet qui possède déjà la maîtrise de ce mécanisme **dyslexie**
– Caractéristiques de ce trouble du mécanisme de la lecture **confusion des lettres, difficulté d'assemblage en syllabes ou en mots**

LÉGAL
syn. **légitime, permis**
– Une disposition légale **juridique**
– Un moyen légal **licite, autorisé**
– Un contrat légal **réglementaire**

LÉGALISER
– Légaliser une signature, un document **authentifier, certifier, confirmer**
– Légaliser une union **légitimer, officialiser**

LÉGALITÉ
syn. **règlement, loi**
– Agir en toute légalité **régularité**

LÉGENDAIRE
– Un animal légendaire **fabuleux, imaginaire, mythique, merveilleux**
– Sa ruse était légendaire **proverbiale, notoire**

LÉGENDE
syn. **conte, fable, histoire, mythe**
– Ensemble des légendes et des traditions d'un pays, d'une région **folklore**
– Animal de légende **tarasque, chimère, dragon, griffon, licorne, loup-garou, sirène**
– Bordure encadrant la légende sur certaines monnaies **carnèle**

LÉGER
– Extrêmement léger **aérien, immatériel, impondérable, éthéré, ténu**
– Léger et flou **vaporeux**
– Un homme léger **volage, inconstant, infidèle, frivole**
– Un léger bruit **imperceptible, faible**
– Un parfum léger **délicat, discret**
– Un repas léger **frugal, digeste**
– Un voile léger **arachnéen**
– Une faute légère **vénielle, anodine**
– Une légère différence **infime, subtile, insignifiante, minime**
– Une terre trop légère **veule**
– Une argumentation légère **insuffisante, superficielle**
– Des propos légers **licencieux, grivois**

LÉGÈRETÉ
– Agir avec légèreté **désinvolture, insouciance, inconscience, imprudence, irréflexion, inconséquence**
– Légèreté d'un style **aisance, fluidité**
– Légèreté d'une démarche **grâce**

LÉGION
– Division de la légion romaine **cohorte, manipule, centurie**
– Soldat de la légion romaine **hastaire, triaire**
– Formation défensive adoptée par la légion romaine **tortue**
– Insigne de la Légion d'honneur **rosette, croix, étoile**
– Insigne des soldats de la Légion étrangère **grenade à sept branches**

LÉGISLATION
syn. **droit, loi, règlement**

LÉGITIME
– Une colère ou une sévérité légitime **juste, naturelle, compréhensible**
– Une requête légitime **fondée, justifiée, raisonnable, motivée**

LÉGITIMITÉ
– La légitimité d'une action **bien-fondé**

LÉGUER
– Léguer un savoir **transmettre, communiquer**
– Léguer de l'argent **donner, laisser**

LÉGUME
– Fruits ou légumes précoces **primeurs**
– Jardin où l'on cultive des légumes **potager**
– Marais où l'on cultive des légumes **hortillonnage**
– Producteur de légumes **maraîcher**
– Régime alimentaire strict, composé de légumes, de céréales et de fruits **végétalisme**
– Vendeur ambulant de légumes **marchand des quatre-saisons**
– Enlever la peau des légumes **éplucher, peler**
– Légume sec **lentille, pois chiche, haricot rouge ou blanc, pois cassé, fève**
– Légume dont on mange les feuilles **salade, chou, épinard, artichaut**
– Légume dont on mange les racines **betterave, carotte, navet, radis, rutabaga, céleri-rave, salsifis**
– Légume dont on mange les tiges et les bourgeons **asperge, fenouil, céleri, bette, cardon**
– Légume dont on mange les tubercules **pomme de terre, topinambour, crosne**
– Légume dont on mange le bulbe **ail, échalote, oignon**
– Déesse romaine des fruits et des vergers **Pomone**

LEITMOTIV
– Répéter toujours le même leitmotiv **couplet, refrain, rengaine, antienne**

LENDEMAIN
– Penser au lendemain **futur, avenir**
– Une relation sans lendemain **éphémère, sans suite**
– Une décision prise du jour au lendemain **rapidement, promptement, en un rien de temps**

LENT
– Un mouvement lent **indolent, tranquille, nonchalant, mou**
– Lent et sans ressort **apathique**
– De tempérament lent **flegmatique**
– Homme lent **lambin, traînard**
– Un débit de voix lent **traînant**
– Lent à prendre une décision **indécis, irrésolu, incertain**

LENTEMENT
– Conduire lentement **doucement, prudemment**
– Reprendre lentement confiance en soi **insensiblement, progressivement**

LENTILLE
– Porter des lentilles cornéennes **verres de contact**
– Type de lentilles **convergentes, divergentes**
– En optique, unité de mesure de la puissance d'une lentille **dioptrie**
– Lentille amovible ajoutée à un objectif pour en modifier la distance **bonnette**
– Famille à laquelle appartient la lentille **papilionacées**
– Lentille d'eau **lenticule**
– Petite lentille rouge **lentillon**

LÈPRE
– Bacille de la lèpre **de Hansen**
– Établissement où sont isolés les malades de la lèpre **léproserie**
– Tache sur la peau due à la lèpre **lépride**
– Tumeur nodulaire dépigmentées ou volumineuses de la peau caractéristique de la lèpre **léprome**
– Forme de lèpre dont les lésions cutanées sont peu étendues **lèpre tuberculoïde**
– Forme de lèpre caractérisée par l'extension des lésions cutanées, l'atteinte des muqueuses (nez) et des ganglions lymphatiques **lèpre lépromateuse**
– Étude de la lèpre **léprologie**

LÉSION
syn. **blessure, plaie**
– Lésion des vaisseaux sanguins **hématome, bleu, ecchymose**
– Lésion d'un os **fêlure, fracture**
– Lésion d'une articulation **entorse, foulure, luxation**

LES LANGUES LES PLUS PARLÉES

Langue	Nombre d'utilisateurs en tant que langue maternelle (en millions)	Nombre d'utilisateurs en tant que langue de communication (en millions)	Total
Chinois	1 000	200	1 200
Anglais	350	300	650
Hindi/ Ourdou	400	150	550
Espagnol	250	30	280
Russe	170	100	270
Indonésien	80	130	210
Portugais	160	30	190
Arabe	150	40	190
Bengali	170	-	170
Français	80	70	150
Japonais	125	-	125
Allemand	90	10	100

LESSIVE
– Ouvrière qui faisait autrefois la lessive à la main **buandière, lavandière**
– Cendre de bois utilisée autrefois pour la lessive **charrée**
– Mettre de la lessive pour laver son linge **détergent, détersif**
– Première lessive du fil textile brut **décrûment**
– Étendre sa lessive **linge**

LÉTHARGIE
– Léthargie pathologique **catalepsie**
– Tirer quelqu'un de sa léthargie **torpeur, prostration, apathie, atonie, langueur**

LETTRE
voir aussi **alphabet**
syn. **correspondance, missive, pli**
– Personne chargée de la distribution des lettres **facteur, coursier**
– Distribution des lettres **factage**
– Lettre envoyée pour annoncer mariage, naissance **faire-part**
– Lettre envoyée lors d'un événement heureux **lettre de félicitations**
– Lettre de remerciement envoyée après une invitation **lettre de château**
– Lettre de sympathie envoyée après un décès **lettre de condoléances**
– Lettre envoyée par avion **aérogramme**
– Lettre d'amour, en termes familiers **poulet, billet doux**
– Lettre administrative, diplomatique **dépêche**
– Lettre à l'intention de plusieurs destinataires **circulaire**
– Lettre papale **bulle, encyclique, bref, rescrit**
– Lettre écrite par l'un des Apôtres **épître**
– Formulation précise d'un document, d'une lettre officielle **libellé**
– Contenu d'une lettre **teneur**
– Une correspondance par lettres **épistolaire**
– Personne qui écrit des lettres anonymes **corbeau, délateur**
– Lettre composant l'alphabet **consonne, voyelle, semi-consonne**
– Lettre d'imprimerie **caractère**
– En imprimerie, lettre majuscule **capitale**
– En imprimerie, lettre minuscule **bas-de-casse**
– En imprimerie, hauteur d'une lettre **corps**
– En imprimerie, espace existant entre les lettres **approche**
– En imprimerie, marquer d'une entaille l'une des parties d'une lettre en plomb **créner**
– Barre verticale de certaines lettres **hampe, jambage**
– Partie renflée d'une lettre **panse**
– Lettre mise en valeur au début d'un texte **lettrine**
– Lettres initiales du nom d'une personne portées sur un vêtement, un objet **chiffre, monogramme**
– Abréviation formée par les lettres initiales de plusieurs mots **sigle**
– Mot obtenu en modifiant l'ordre des lettres d'un autre mot **anagramme**
– Ajout d'une lettre dans un mot par souci d'euphonie **épenthèse**
– Mot formé de quatre lettres **tétragramme**
– Appliquer le règlement à la lettre **rigoureusement, strictement**

LEURRER
syn. **bercer, berner, duper, endormir, mystifier, tromper**
– Se leurrer **raconter des histoires (se), illusionner (s')**

LEVÉE
– La levée du corps **enlèvement**
– La levée des brouillards matinaux **disparition, dissipation**
– La levée de la taxe foncière **collecte, perception**
– La levée des militaires **enrôlement, engagement**
– Une levée au tarot **pli**
– Ne réaliser aucune levée à la belote **être capot**

LEVER

– Le jour commence à se lever **poindre**
– Le vent se lève, en termes de marine **fraîchit**
– Le brouillard se lève **dissipe (se)**
– Le temps se lève **éclaircit (s'), dégage (se)**
– Lever l'ancre **appareiller**
– Lever la tête **dresser, redresser, relever**
– Lever les craintes, les scrupules de quelqu'un **écarter, ôter, dissiper, balayer**
– Lever les épaules **hausser**
– Lever un poids au moyen d'une machine **guinder**
– Lever un poids avec effort **hisser**
– Lever la séance **clore**
– Lever un barrage routier **supprimer, arrêter, suspendre**
– Lorsque le jour se lève **aube, aurore, point du jour**

LEVIER

syn. **commande, manette, pédale**
– Levier à tête fendue utilisé en mécanique, en menuiserie **pied-de-biche**
– Levier permettant de soulever la voiture pour changer de pneu **cric**
– Levier permettant d'enlever un pneu de sa jante **démonte-pneu**
– Levier servant à déplacer des poids importants **anspect**

LÈVRE

– Grosse lèvre inférieure **lippe**
– Inflammation de la commissure des lèvres **perlèche**
– Lésion des lèvres due au froid **gerçure**
– Le coin des lèvres **commissure**
– Lèvre du chien, du cheval **babine**
– Lèvre inférieure des insectes **labium**
– Lèvre supérieure des insectes **labre**
– Petites lèvres de la vulve **nymphes**
– Relatif aux lèvres **labial**

LEVURE

syn. **ferment**
– Domaine dans lequel la levure est utilisée **boulangerie, pâtisserie, brasserie**

LEXIQUE

– Un lexique du français **dictionnaire, glossaire**
– Ce terme appartient au lexique de la géophysique **terminologie, vocabulaire**
– Étude du lexique **lexicologie**

LÉZARD

– Acte réflexe par lequel le lézard en danger se sépare de sa queue **autotomie**
– Grand lézard d'Amérique du Sud **tupinambis**
– Grand lézard des forêts tropicales **iguane**
– Petit lézard vert des Antilles **anolis**
– Ordre auquel appartient le lézard **sauriens**

– Sous-ordre auquel appartient le lézard **lacertiliens**
– En Indonésie, lézard volant **dragon**
– Lézard dépourvu de membres **orvet**
– Grand lézard carnivore d'Australie et d'Afrique noire **varan**
– Lézard qui change de couleur en fonction de l'endroit où il se trouve **caméléon**

LIAISON

syn. **communication, contact, lien**
– Phrase assurant la liaison entre deux idées **transition**
– Liaison incorrecte entre les mots **cuir, pataquès, velours**
– Liaison entre deux faits, deux événements **correspondance, corrélation, connexion, interdépendance, rapport**

– Absence de liaison entre les éléments d'un énoncé **asyndète**

LIBÉRAL

syn. **antiprotectionniste**
– Libéral anglais des XVIIIe et XIXe siècles **whig**
– Politique libérale en matière de commerce international **libre-échange**
– Premiers économistes libéraux du XVIIIe siècle **physiocrates**

LIBÉRER

voir aussi **liberté**
– Libérer quelqu'un d'une promesse **délier**
– Libérer sa conscience **décharger, soulager, alléger**

LES FAMILLES DE LANGUES

Il existe huit grandes familles de langues (similitudes sur le plan grammatical, lexical et phonétique), qui regroupent les quelque 3 000 langues parlées dans le monde. Seuls le basque et le haoussa échappent à cette classification.

Les langues amérindiennes

Encore parlées en Amérique du Sud et du Nord. On distingue :
● le quechua, langue des Incas, qui a encore plusieurs millions de locuteurs ;
● les langues mayas et l'aztèque (nahuatl) en Amérique centrale, l'aymara en Bolivie, qu'utilisent plusieurs centaines de milliers de personnes ;
● le navajo en Amérique du Nord, avec quelques dizaines de milliers de locuteurs.

Le basque

N'appartient à aucune famille linguistique.

Les langues sémito-chamitiques

300 millions de locuteurs.
● Les langues sémitiques incluent l'arabe et l'hébreu, mais aussi l'amharique (Éthiopie), le tigrigna (Érythrée).
● Les langues dites chamitiques de la corne de l'Afrique (somali, afar) et les langues berbères (kabyle, chleuh).

Les langues bantoues

100 millions de locuteurs.
Ce groupe compte plus de mille langues, parmi lesquelles :
● le swahili, le kikongo et le zoulou.
Elles sont parlées en Afrique noire, au sud d'une ligne allant du Cameroun au Kenya.

Les langues d'Afrique noire

Ces langues, distinctes du groupe bantou, sont difficilement rattachables à une famille. On distingue cependant :
● l'haoussa, la plus parlée des langues africaines, qui n'appartient à aucune famille linguistique, tout comme le basque (voir ce mot) ;
● au nord de l'Équateur, à côté de l'haoussa, le peul ou le baoulé, notamment.

Les langues indo-européennes

200 langues parlées par plus de 2,5 milliards d'individus du nord de l'Asie à l'Europe. Ce groupe comprend :
● les langues latines (italien, espagnol, français, roumain...) ;
● les langues germaniques (allemand, anglais, néerlandais, suédois, polonais...) ;
● les langues celtes (breton, gallois...) ;
● les langues slaves (russe, serbo-croate) ;
● les langues iraniennes (farsi, baloutche, kurde...) ;
● la plupart des langues du nord de l'Inde (hindi, pandjabi, bengali, ourdou...).

Les langues dravidiennes

250 millions d'individus (au sud de l'Inde). Ce groupe comprend quatre langues principales :
● le tamoul, le télougou, le malayalam et le kannada.

Les langues ouralo-altaïques

400 millions de personnes, qui parlent :
● les langues turques (azéri, turkmène, kazakh...) ;
● les langues finno-ougriennes (hongrois, finnois, estonien) ;
● les langues ouraliennes (tchérémisse, samoyède) ou caucasiennes ;
● le japonais et le coréen.

Les langues sino-thaïes

2,5 milliards de locuteurs.
● Plusieurs dizaines de langues, dont le chinois, le thaï, le tibétain et le birman.

Les langues malayo-polynésiennes

300 millions de locuteurs. Ce groupe comprend :
● les langues d'Indonésie et des Philippines ;
● les langues polynésiennes parlées à Tahiti, aux Samoa, aux Fidji et à Hawaii, ainsi que le malgache.

Les langues d'Océanie

Un groupe hétérogène comprenant :
● les langues papoues de Nouvelle-Calédonie ;
● les langues aborigènes d'Australie ;
● les langues mélanésiennes, dont la trentaine de langues canaques de Nouvelle-Calédonie.

LITTORAL

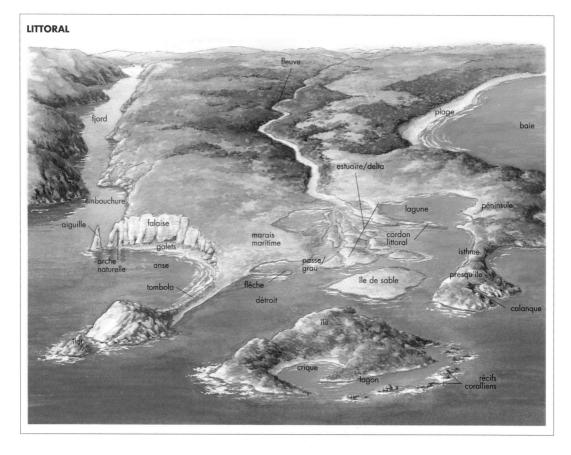

fleuve

plage

baie

fjord

estuaire/delta

péninsule

lagune

embouchure

cordon littoral

isthme

aiguille

falaise

marais maritime

arche naturelle

galets

passe/grau

presqu'île

anse

île de sable

tombolo

flèche

détroit

calanque

îlot

île

crique

lagon

récifs coralliens

– Libérer un prisonnier **relaxer, élargir, délivrer, relâcher**
– Libérer la route de la neige **déblayer, dégager**
– Se libérer d'une autorité, d'une tutelle **émanciper (s')**
– Se libérer des contraintes quotidiennes **évader de (s'), soustraire à (se)**

LIBERTÉ
– Avoir la liberté de faire quelque chose **droit, permission, autorisation**
– Avoir toute liberté pour faire quelque chose **latitude**
– Liberté dans l'expression **franchise, franc-parler**
– Son travail lui laisse de la liberté **loisirs**
– Liberté que recrouve un pays **indépendance, autonomie, souveraineté**
– Liberté, pour un peuple, de choisir son régime politique **autodétermination**
– Loi sauvegardant la liberté individuelle et les droits des prévenus **habeas corpus**
– Rendre sa liberté à un esclave **affranchir**
– S'autoriser des libertés **familiarités, privautés**

LIBERTIN
syn. **débauché, concupiscent, jouisseur, libidineux, luxurieux, noceur, sensuel, viveur, voluptueux, sybarite, irréligieux**
– Libertin séducteur célèbre **Casanova, don Juan**
– Sur ce sujet, c'est un libertin **incrédule, libre-penseur, impie, esprit fort**

LIBERTINAGE
– Libertinage des mœurs **dévergondage, dépravation, dissolution, licence**

LIBRE
syn. **autonome, indépendant**
– Être libre de toute obligation **dégagé, affranchi, exempt**
– Pouvoir de décision, libre de toute contrainte **libre arbitre**
– Tenir un langage un peu trop libre **cavalier, leste, gaulois, osé**
– Un acte libre **volontaire**
– Un État libre **souverain**
– Une place libre **disponible, vacante, inoccupée**
– Union libre **concubinage**

LICENCE
syn. **autorisation, permis**
– Forme de licence stylistique **hypallage, anacoluthe, zeugma, anastrophe, syllepse**
– Licence qui permet de tenir un débit de boissons **licence IV**

LICENCIER
voir aussi **grève**
– Licencier un employé **donner congé à, renvoyer, congédier, remercier**
– Licencier un haut fonctionnaire **relever de ses fonctions, démettre de ses fonctions, limoger**
– Licencier un officier, un magistrat **destituer, casser, révoquer**

LICHEN
– Classe à laquelle appartient le lichen **thallophytes**
– Organe reproducteur du lichen **apothécie**
– Variété de lichen **lécanore, parmélie, rocelle, orseille, usnée, verrucaire**
– Maladie de peau caractérisé par des papules **lichen plan**

LIÈGE

syn. **suber**

– Des végétaux producteurs de liège **phellogènes**

– Retirer le premier liège d'un arbre **démascler**

LIEN

syn. **attache, bride**

– En viticulture, lien avec lequel on attache la vigne à son support **accolure**

– Lien fixé aux pieds d'un homme ou d'un animal pour l'empêcher de partir **entrave, chaîne**

– Lien que l'on resserre par torsion **garrot**

– Lien servant à attacher des animaux **longe, licou**

– Lien servant à comprimer un vaisseau, un conduit naturel **ligature**

– Lien servant à maintenir quelque chose sur le porte-bagages d'un vélo **tendeur, Sandow, sangle**

LIER

voir aussi **attacher, joindre**

– En maçonnerie, lier des pierres, des briques **liaisonner**

– Être lié à quelqu'un par une relation de dépendance extrême **assujetti, asservi**

– Lier des branches, des tiges **fagoter**

– Lier des fleurs **botteler**

– Se lier avec quelqu'un **sympathiser, prendre en amitié, fréquenter, frayer avec**

– Se lier avec une personne pas fréquentable **acoquiner (s')**

LIEU

syn. **endroit, place, position**

– Cet événement va avoir lieu en mai **produire (se), dérouler (se), passer (se), arriver**

– En raison de la neige, nous avons pris le train au lieu de prendre la voiture **plutôt que de, à la place**

– Énoncer des lieux communs **banalités, clichés, poncifs**

– Les richesses d'un lieu **locales**

– Présence en plusieurs lieux, au même moment **ubiquité**

– Nom d'un lieu **toponyme**

– Lieu où se déroulent des opérations militaires **secteur, théâtre**

– Lieu où est établie officiellement une autorité, une société commerciale **siège**

– Lieu choisi pour un usage déterminé **emplacement**

– Lieu calme et retiré **thébaïde**

– Lieu agréable, pittoresque **site**

– Incapacité de reconnaître les lieux **topoagnosie**

– Caractéristiques physiques d'un lieu **topographie**

LIÈVRE

– Femelle du lièvre **hase**

– Ordre auquel appartient le lièvre **lagomorphes**

– Famille à laquelle appartient le lièvre **léporidés**

– Cri du lièvre **vagissement**

– Terrier du lièvre **gîte, forme**

– Lièvre de Patagonie **mara, dolichotis**

– Lièvre doré **agouti**

– Lièvre, en termes familiers **capucin**

LIFTING

syn. **déridage**

– Traduction recommandée du mot lifting **lissage, remodelage**

LIGNE

– Écriture ancienne dont les lignes allaient dans un sens puis dans l'autre **boustrophédon**

– En imprimerie, ligne plus ou moins fine **filet**

– Lecture divinatoire des lignes de la main **chiromancie**

– Ligne à l'intersection de deux surfaces **arête**

– Ligne imaginaire passant par les deux pôles terrestres **méridien**

– Ligne imaginaire séparant le globe terrestre en hémisphère Nord et Sud **équateur**

– Ligne délimitant les pays **frontière**

– Ligne partageant un angle en deux parties égales **bissectrice**

– Ligne coupant un segment en son milieu et étant perpendiculaire à celui-ci **médiatrice**

– Ligne passant par le centre d'un corps, d'un élément **axe**

– Ligne passant par les angles opposés d'une figure géométrique **diagonale**

– Lignes du visage **linéaments**

– Lignes fines, planes ou en relief, sur une surface **stries**

– Petite corde servant à tracer une ligne droite entre deux points **cordeau**

– Un tracé, une forme rappelant une ligne droite **linéaire**

– Se fixer des lignes de conduite **règles**

– Se faire une ligne **droguer (se)**

LIME

syn. **râpe**

– Grosse lime à métaux **riflard**

– Lime à section triangulaire **tiers-point**

– Lime carrée **carreau, carrelet**

– Lime recourbée aux deux extrémités **rifloir**

– Petite lime d'horloger **fraise**

– Petite lime ronde, pointue à l'extrémité **queue-de-rat**

LIMER

– Limer un morceau de fer **ébarber**

– Limer ses ongles **polir**

– Les pulls des étudiants sont limés aux coudes **élimés, usés, râpés**

LIMITE

syn. **borne**

– Limite autour d'un espace **enceinte**

– Limite d'une forêt **lisière, orée**

– Limites extrêmes d'un territoire **confins**

– Une ville, un pays à la limite d'un autre territoire **limitrophe**

– Limite ne pouvant être dépassée **plafond**

– Limite d'un délai **terme**

– Ligne marquant la limite entre deux choses **frontière, démarcation**

LIMITER

– Limiter un espace **circonscrire**

– Limiter l'extension d'un sinistre **localiser**

– Limiter la distribution d'un produit, d'une denrée **contingenter**

– Savoir se limiter **restreindre (se)**

– Devoir se limiter à une activité précise **cantonner à (se)**

LIMPIDE

– Une eau limpide **claire, pure, cristalline**

– Un raisonnement limpide **intelligible, compréhensible**

LIN

– Famille à laquelle appartient le lin **linacées**

– Graine de lin **linette**

– Lin de la Nouvelle-Zélande **phormium**

– Lin sauvage **linaire**

– Culture du lin **liniculture**

– Faire tremper le lin ou le chanvre pour en isoler les fibres textiles **rouir**

– Botte de lin que l'on va rouir **bongeau**

– Instrument servant à broyer les tiges, dans le travail du lin ou du chanvre **écang, macque**

– Peigne utilisé pour trier les graines de lin **drège**

– Dentelle en fil de lin **alençon**

– Fine toile de lin **batiste, cambrai**

LINGE

– Assortiment de linge destiné à une jeune mariée **trousseau**

– Linge de nouveau-né **layette**

– Linge dans lequel sont ensevelis les morts **linceul, suaire**

– Linge avec lequel le prêtre s'essuie les mains pendant la messe **manuterge**

– Linge sacré garni de dentelles et destiné aux offrandes, au pain **tavaïolle**

– Linge sacré servant à couvrir le calice pendant la messe **pale**

LINGUISTIQUE

– Fondateur de la linguistique **Ferdinand de Saussure**

– Domaine de la linguistique **morphologie, phonétique, syntaxe, sémantique, phonologie, lexicologie**

– Courant linguistique **générativisme**

LION

– Famille à laquelle appartient le lion **félidés**
– Hybride de tigre et de lionne **tigron**
– Lion d'Amérique **puma, couguar**
– Ressemblant au lion **léonin**
– Cri du lion **rugissement**
– Dieu à tête de lion **léontocéphale**
– Lion de mer **phoque**

LIQUEUR

syn. **digestif, spiritueux**
– Liqueur à base de noix **brou de noix**
– Liqueur à base d'eau-de-vie sucrée **ratafia**
– Liqueur à base d'épices **scubac**
– Liqueur à base d'herbes **Chartreuse, Bénédictine**
– Liqueur amère considérée aujourd'hui comme un stupéfiant **absinthe**
– Liqueur de cerise **marasquin**
– Liqueur obtenue par fermentation de riz ou de canne à sucre **arak**
– Liqueur obtenue par distillation du jus fermenté des fruits **eau-de-vie**
– Liqueur orientale anisée **raki**
– Marchand de liqueurs **liquoriste**
– Morceau de sucre imbibé de liqueur ou de café **canard**

LIQUIDE

syn. **fluide**
– En pharmacie, filtrage d'un liquide pour en éliminer le dépôt **colature**
– Instrument mesurant la compressibilité d'un liquide **piézomètre**
– Instrument servant à déterminer le poids spécifique d'un liquide **aréomètre**
– Liquide constitutif du sang **plasma, sérum**
– Liquide organique provenant de tissus animaux ou végétaux **suc**
– Liquide pharmaceutique obtenu par dissolution de substances actives **solution, soluté**
– Liquide produit par la digestion intestinale **chyle**
– Processus de solidification d'un liquide organique **coagulation**
– Transformation d'un corps gazeux en liquide **liquéfaction**
– Transformation d'un solide en liquide sous l'action de la chaleur **fusion**
– Payer en liquide **espèces**

LIRE

voir aussi **lecture**
– Lire à haute voix, avec emphase **déclamer**
– Lire les lettres une par une **épeler**
– Personne ne sachant ni lire ni écrire **analphabète**
– Personne ne sachant ni lire ni écrire couramment **illettré**
– Trouble pathologique entraînant l'incapacité de lire **alexie**
– Lire rapidement et superficiellement un texte **parcourir, survoler**
– Lire sélectivement des documents pour y trouver une information précise **compulser**
– Son écriture est difficile à lire **déchiffrer**
– Lire dans l'avenir **prédire**

LIS

syn. **lilium**
– Famille à laquelle appartient le lis **liliacées**
– Variété de lis **martagon**
– Lis de Saint-Jacques **amaryllis**
– Lis jaune **hémérocalle**
– Un teint de lis **lilial**
– Le lis blanc symbolise **pureté, virginité**

LISIÈRE

– Lisière d'un terrain **bord, bordure**
– Lisière d'un bois **orée**

LISSE

– Un menton, des joues lisses **glabres**
– Un caillou lisse **poli**
– Une mer lisse **étale**
– Une surface lisse **unie, plane**
– Un caractère lisse **calme, tranquille**

LISTE

syn. **énumération, série**
– Liste des biens appartenant à un particulier ou à une société commerciale **inventaire, récapitulation, dénombrement, état**
– Autrefois, registre contenant la liste des biens et des bénéfices **pouillé**
– Liste des éléments d'un ensemble, d'une collection **catalogue, nomenclature**
– Liste des erreurs d'impression dans une publication **errata**
– Liste des lauréats d'un prix, d'un concours **palmarès**
– Liste des livres interdits par le Saint-Siège **Index**
– Liste des martyrs d'une cause **martyrologe**
– Liste des membres de l'équipage d'un navire **rôle**
– Liste des œuvres régulièrement reprises par un théâtre **répertoire**

LIT

voir aussi **berceau**
syn. **couche, couchette**
– Canapé qui peut se transformer en lit **clic-clac, banquette, divan**
– Tête du lit **chevet**
– Armature, cadre d'un lit **châlit**
– Tenture ou tapisserie fixée horizontalement au-dessus d'un lit **ciel, baldaquin**
– Colonnette supportant le ciel d'un lit **quenouille**
– Dans une chambre, renfoncement destiné au lit **alcôve**
– Passage entre le lit et le mur **ruelle**
– Cloison entre deux lits dans un dortoir **bat-flanc**
– Couverture de lit en piqué **courtepointe**
– Ustensile servant à chauffer les lits **bassinoire, bouillotte**
– Toile ou filet suspendu par les extrémités et servant de lit **hamac**
– En Afrique, lit de feuillages **târa**
– Mauvais lit, symbole de misère **grabat, paillasse**
– Dans la Rome antique, salle à manger comprenant trois lits de table **triclinium**
– Garder le lit **être alité**
– Le lit d'un fleuve **cours**

LITANIE

– Je suis lassé d'entendre toujours la même litanie ! **antienne, refrain, histoire, rengaine**

LITIÈRE

voir aussi **chaise**
– Litière transportée à dos de mulets **basterne**
– Litière destinée au transport des malades **civière, brancard**
– En Orient, litière portée par des hommes ou des animaux **palanquin**

LITRE *Voir tableau bouteilles, p. 85*

– Bouteille de 1,5 litre **magnum**
– Bouteille de 3 litres **jéroboam**
– Bouteille de champagne de 12 litres **balthazar**
– Bouteille de champagne de 16 litres **nabuchodonosor**
– Bouteille de champagne de 4,5 litres **réhoboam**
– Bouteille de champagne de 6 litres **mathusalem**
– Bouteille de champagne de 9 litres **salmanazar**
– Verre de bière contenant 1,5 litre **baron, distingué**
– Verre de bière contenant 1 litre **parfait**
– Verre de bière contenant 2 litres **sérieux**
– Verre de bière contenant 3 litres **formidable**

LITTÉRAIRE

– Style littéraire très affecté, au XVIIᵉ siècle **préciosité**
– Tendance littéraire propre aux écrivains du XVIIᵉ siècle français **baroque**
– Tendance littéraire propre aux écrivains de l'Antiquité et du XVIIᵉ siècle français **classicisme**
– Tendance littéraire propre aux écrivains du XVIIIᵉ siècle français **lumières**
– Tendance littéraire issue des Lumières propre aux écrivains du XIXᵉ siècle français **romantisme**

– Mouvement littéraire du XIXe siècle créé en réaction au lyrisme romantique **Parnasse**
– Courant littéraire du XIXe siècle mettant l'accent sur le réalisme social **naturalisme, réalisme**
– Principaux courants littéraires au XXe siècle **surréalisme, dadaisme, existentialisme, unanimisme, nouveau roman, hussards, populisme ou prolétarien, situationnisme, oulipo**
– Un savoir purement littéraire **livresque**
– Qualité de l'écriture littéraire **littérarité**

LITTÉRAL

– Une traduction littérale **mot à mot**
– Copie littérale d'une œuvre **plagiat**
– Le sens littéral d'un mot **propre, exact**

LITTORAL *Voir illustration p. 348*

LITTÉRATURE *Voir tableau prix littéraires, p. 493*

– Recueil de morceaux choisis de littérature **anthologie, florilège**

– Prix de littérature **Goncourt, Médicis, Renaudot, Femina, Interallié**
– Mauvaise littérature **pathos, amphigouri, galimatias**
– Formation de l'esprit par l'étude de la littérature classique **humanisme**
– Il aime la littérature **lettres**
– Devoir de littérature **dissertation**

LITURGIE

syn. **cérémonial, culte**
– Objet utilisé dans la liturgie catholique **corporal, tabernacle, oblats, custode, autel, calice, ciboire, ostensoir, patène**
– Sacrement de la liturgie catholique **baptême, confirmation, eucharistie, pénitence, onction, funérailles, mariage**
– Rite de la liturgie catholique **sacrement**
– Recueil de chants de la liturgie romaine **antiphonaire**
– Livre utilisé dans la liturgie romaine **bréviaire, missel, eucologe, paroissien, évangéliaire**
– Forme de chant traditionnel de la liturgie catholique **plain-chant**

– Ensemble des cérémonies d'une liturgie **office**
– Catholique partisan de l'ancienne liturgie **intégriste**

LIVIDE

– Un teint livide **blême, blafard, hâve, plombé, crayeux, cadavérique, cireux, pâle**
– Des lèvres livides **exsangues**

LIVRAISON

syn. **délivrance, remise**
– Livraison de marchandises **arrivage**
– Chacune des parties d'une livraison échelonnée **lot**

LIVRE *Voir illustration ci-contre et tableau p. 352*

syn. **écrit, ouvrage, tome, volume**
– Amour des livres précieux **bibliophilie, bibliomanie**
– Livre contenant les points essentiels d'une science, d'une technique **abrégé, précis, épitomé**
– Livre de prières **bréviaire, eucologe, missel, psautier**
– Livre de sorcellerie **grimoire**
– Livre imprimé avant 1500 **incunable**
– Livre scolaire **manuel**
– Livres invendus **rossignols**
– Inscription, sur un livre, du nom ou de la devise de son propriétaire **ex-libris**
– Les tout premiers mots d'un livre **incipit**
– Côté du livre formé par l'épaisseur des pages **tranche**
– Fin ruban fixé au dos d'un livre et servant à marquer les pages **signet**
– Gravure placée en regard du titre d'un livre **frontispice**
– Notes ajoutées à la fin d'un livre **addenda, appendice, annexes**
– Numéro de page, dans un livre **folio**
– Numéro international d'identification de chaque livre publié **ISBN (international standard book number)**
– Page vierge au début ou à la fin d'un livre **page de garde**
– Petit livre **opuscule, plaquette**
– Pupitre destiné aux livres de chants liturgiques **lutrin**
– Livre des admissions **registre**
– Au Moyen Âge, livre indiquant les côtes, les ports et les marées **portulan**

LIVRE STERLING

– Ancienne unité monétaire représentant un vingtième de la livre sterling **shilling**
– Autrefois, une livre sterling plus un shilling **guinée**
– Centième de la livre sterling **penny**
– Livre sterling-or **souverain**

LIVRER

– Livrer quelqu'un à la justice **déférer**

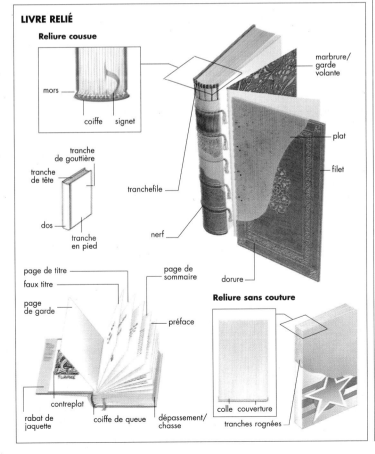

LIVRE RELIÉ

Reliure cousue

mors
coiffe signet
marbrure/garde volante

tranche de gouttière
tranche de tête
tranche en pied
dos

tranchefile
nerf

plat
filet

page de titre
faux titre
page de garde
contreplat
rabat de jaquette
coiffe de queue
dépassement/chasse

page de sommaire
préface
dorure

Reliure sans couture

colle couverture
tranches rognées

– Livrer quelqu'un à la police **dénoncer**
– Livrer un individu à une justice étrangère **extrader**
– Livrer un secret **confier, divulguer, trahir, dévoiler, révéler**
– Se livrer à la police **rendre (se)**
– Se livrer à des occupations ménagères, à un travail **vaquer à, atteler à (s')**
– Se livrer à l'étude, à la lecture **consacrer à (se), adonner à (s'), plonger dans (se)**
– Se livrer à la colère **abandonner à (s'), laisser aller à (se)**

LIVRET

syn. **brochure, carnet, programme**
– Livret d'opéra **libretto**
– Auteur de livrets d'opéra **librettiste**
– Pièce jointe au livret militaire et contenant des instructions **fascicule**

LOCAL

– Local où se retrouvent les membres d'une association **club, cercle**
– Local où se réunissent les membres d'une compagnie de francs-maçons **loge, atelier**
– Local professionnel transformé en appartement **loft**

LOCALISER

– Localiser un endroit sur une carte **situer**
– Localiser un suspect **repérer**
– Localiser le point de départ d'un incendie **déterminer**
– Localiser une émeute pour éviter qu'elle ne prenne de l'amplitude **circonscrire, limiter**

LOCALITÉ

syn. **agglomération, bourg, bourgade, village**

LOCATION

voir aussi **louage**
– Location-vente **leasing**
– Location d'une terre ou d'une mine moyennant une redevance **amodiation**
– Location d'une exploitation agricole **affermage, métayage**
– Contrat de location d'un appartement **bail**

LOCOMOTIVE

– Dispositif de transmission de courant placé sur les locomotives électriques **pantographe**
– Locomotive à moteur électrique ou thermique **locomotrice**
– Locomotive de faible puissance actionnée par un moteur Diesel **locotracteur**

LOCUTION

voir aussi **latin**
syn. **expression, formule, tournure**
– Locution propre au français **gallicisme**

LIVRES

Almageste : dans l'Antiquité, livre rassemblant des observations astronomiques.

Almanach : calendrier contenant des conseils pratiques de toute sorte.

Annales : ouvrage qui rapporte les événements dans l'ordre chronologique, année par année.

Annuaire : ouvrage publié tous les ans et contenant des informations qui peuvent varier d'une année sur l'autre, comme la liste des membres d'une profession, etc.

Anthologie : recueil de morceaux choisis littéraires ou musicaux, d'un seul auteur ou d'une période donnée.

Barème : recueil de tableaux contenant des tarifs, des comptes, etc.

Bestiaire : au Moyen Âge, recueil de fables dont les personnages étaient des animaux.

Bibliographie : recueil de titres d'ouvrages relatifs à un sujet donné.

Biographie : ouvrage relatant la vie d'une personne.

Bréviaire : recueil contenant les prières de l'office divin que les hommes d'Église doivent réciter chaque jour.

Catéchisme : livre d'enseignement religieux.

Chrestomathie : recueil de morceaux choisis d'auteurs classiques.

Chronique : recueil de faits historiques relatés dans l'ordre de leur déroulement.

Code : recueil de lois.

Codex : nom donné à la Pharmacopée jusqu'en 1963.

Concordance : index alphabétique reprenant tous les mots contenus dans un livre – en particulier la Bible – ou dans un texte, avec indication du contexte.

Dictionnaire : recueil de mots classés par ordre alphabétique et suivis de leur définition ou de leur équivalent dans une langue étrangère.

Digest : ouvrage contenant des résumés de livres ou d'articles.

Digeste : recueil de droit.

Épitomé : abrégé d'un livre d'histoire antique.

Florilège : recueil de poèmes.

Formulaire : recueil de formules destiné aux pharmaciens, aux notaires, etc.

Grimoire : livre de magie contenant des formules mystérieuses.

Hagiographie : biographie embellie.

Herbier : collection de planches de plantes séchées.

Heures : recueil de prières de l'office divin.

Itinéraire : terme vieilli désignant un ouvrage dans lequel un auteur décrit un voyage.

Lectionnaire : livre de textes lus ou chantés en chœur.

Missel : livre qui contient les prières et les textes de la messe pour toute l'année.

Monographie : étude approfondie qui porte sur un sujet précis.

Pharmacopée : recueil officiel d'informations sur les médicaments destiné aux pharmaciens.

Vade-mecum : livre que l'on porte généralement sur soi.

Format des livres

Nom	Nombre de feuillets	Nombre de pages
in-plano	1	2
in-folio	2	4
in-quarto	4	8
in-octavo	8	16
in-douze	12	24
in-seize	16	32
in-trente-deux	32	64
in-quarante-huit	48	96

– Locution propre à une langue **idiotisme**

LOGE

– Dans une salle de théâtre, loge de rez-de-chaussée **baignoire**
– En imprimerie, loges de la boîte où sont rangés les caractères **cassetins**
– En termes de botanique, loge renfermant les graines, les pépins d'un fruit **locule**
– Loge de francs-maçons **atelier**
– Loge individuelle, dans une écurie **box, stalle**

LOGEMENT

syn. **appartement, domicile, foyer, toit, habitation, logis, maison**
– Changer de logement **déménager, emménager**
– Logement inhabité occupé illégalement **squat**
– Personne ne possédant pas de logement **sans domicile fixe (SDF), clochard**
– Il faut trouver un logement à cet homme **hébergement**

LOGER

syn. **demeurer, habiter, occuper, vivre, résider, séjourner**
– Loger quelqu'un chez soi **héberger**
– Ce chalet peut loger huit personnes **abriter, accueillir, recevoir**
– Loger un objet dans une cavité **placer, introduire, engager**

LOGIQUE /1

syn. **raison, raisonnement, sens commun**
– En logique, proposition complexe toujours vraie **tautologie**
– En logique, proposition servant de point de départ à un raisonnement **prémisse**
– En logique, principe de base indémontrable mais admis **postulat**
– Dans la philosophie kantienne, logique de l'apparence **dialectique**
– Personne versée dans la logique **logicien**

LOGIQUE /2

– Raisonnement logique dont la conclusion est fausse **sophisme**
– Raisonnement logique permettant de passer d'une proposition à sa conclusion **déduction**
– Raisonnement logique déduisant une conclusion de deux autres propositions **syllogisme**
– Un esprit logique **rationnel, cartésien, cohérent, conséquent, rigoureux**
– Une réponse logique **sensée, judicieuse**

LOI

voir aussi **décret**
– Contraire à la loi **illégal, illicite**
– Conforme à la loi **légal, licite, légitime**
– Personne qui enfreint la loi **hors-la-loi**
– Une loi n'ayant plus cours **caduque**
– Ensemble des lois propres à un domaine, à un pays **législation**
– Établir des lois **légiférer**
– Chaque point d'un texte de loi **disposition**
– Absence de lois dans un système, une société **anomie**
– Enfreindre une loi **contrevenir à, transgresser**
– Étude sur l'interprétation des lois **nomographie**
– Expert en matière de loi **légiste, juriste**
– Modification proposée à un projet de loi **amendement**
– Supprimer une loi **abroger**
– Subdivision d'un texte de loi **article**
– Recueil de textes de loi **code**
– Publier officiellement une loi pour la rendre applicable **promulguer**
– Projet de loi, en Grande-Bretagne **bill**
– Loi de l'Église catholique **canon**
– Loi autorisant l'intervention de l'armée pour le maintien de l'ordre **loi martiale**
– Loi instituée par un roi **ordonnance, édit**

LOIN

syn. **distant, éloigné**
– Loin de tout **isolé, retiré**
– Indication renvoyant le lecteur plus loin dans le texte **infra**
– Il disparut au loin **à l'horizon**

LOINTAIN /1

– Sa voiture disparut dans le lointain **à l'horizon**
– Sur cette photo, on peut apercevoir dans le lointain notre maison **à l'arrière-plan, au fond**

LOINTAIN /2

– Une région lointaine **éloignée, isolée, retirée, reculée**
– Paul a l'air lointain **absent, distrait, distant, vague**
– Avoir une influence lointaine sur quelque chose, sur un événement **indirecte**

LOISIR

syn. **hobby, violon d'Ingres, passe-temps**
– S'accorder des plages de loisir **détente, repos, vacances, farniente, distraction**
– Avoir le loisir de faire quelque chose **temps, occasion, liberté**
– Je te donne le loisir de partir en vacances **permission**

LONG

– Forme, objet plus long que large **oblong**
– Plus long d'un côté que de l'autre **barlong**
– Un discours trop long **prolixe, verbeux, interminable**
– Cette personne a le bras long **de l'entregent, de l'influence**
– Un jeune homme aux dents longues **ambitieux, arriviste**
– Un long corps **grand, élancé, étiré**
– À la longue, ces histoires sont lassantes **avec le temps**
– Il n'a cessé de se plaindre tout au long de la journée **pendant**

LONGTEMPS

syn. **longuement**
– Il y a longtemps qu'il ne parle plus à ses parents **belle lurette, une éternité**

LONGUEUR

– Ancienne mesure de longueur **aune, coudée, empan, pied, pouce, toise**
– Dans le sens de la longueur **longitudinal**
– En astronomie, unité de longueur **année-lumière, parsec (pc)**
– Mesure de longueur en Angleterre, aux États-Unis **mile**
– Unité de longueur dans la marine **mille marin**
– Unité de longueur actuelle en France **mètre**

LOQUE

– Son manteau tombe en loques **lambeaux**
– Il ne porte que des loques **guenilles,** haillons, hardes, défroque, chiffons
– Depuis qu'il est alcoolique, c'est une véritable loque **épave, déchet**

LORGNER

syn. **désirer, épier**
– Ce jeune homme lorgne ton décolleté **reluque, louche sur**
– Il lorgne le poste de chef de projet depuis quelque temps **convoite, guigne**

LOSANGE

– Figure géométrique en forme de losange **rhombique, rhomboïdale**
– Parallélépipède à six faces en forme de losange **rhomboèdre**
– Vêtement fait de losanges de différentes couleurs **arlequin**

LOTERIE

syn. **tombola**
– Chaque tirage d'une loterie **tranche**
– Loterie associée à une course hippique **sweepstake**
– Loterie italienne populaire au XVIᵉ siècle **blanque**

LOTO

– Au loto, série de cinq numéros sur une des lignes horizontales du carton **quine**
– Loto anglais et canadien **bingo**
– Loto sportif italien **totocalcio**

LOUABLE

– Une intention louable **honorable, estimable, bonne**
– Une action louable **méritoire**

LOUANGE

syn. **éloge, félicitations**
– Discours à la louange de quelqu'un **apologie, panégyrique**
– Louange exagérée **dithyrambe**
– Louange servile et hypocrite **flagornerie**
– Des paroles de louange **laudatives**
– Célébrer les louanges de quelqu'un, de quelque chose **glorifier, encenser**
– Biographie pleine de louanges **hagiographie**
– Office religieux du matin composé de psaumes de louange à la gloire de Dieu **laudes**

LOUCHE

– Un endroit louche **malfamé, malsain**
– Un individu louche **suspect, douteux**
– Un monde, un milieu louche **interlope**
– Une relation louche **trouble, ambiguë, équivoque**

LOUCHER

– Maladie dont sont atteintes les personnes qui louchent **strabisme**
– Loucher sur la place de son supérieur hiérarchique **convoiter, guigner, lorgner**

LUNE

La formation de la Lune

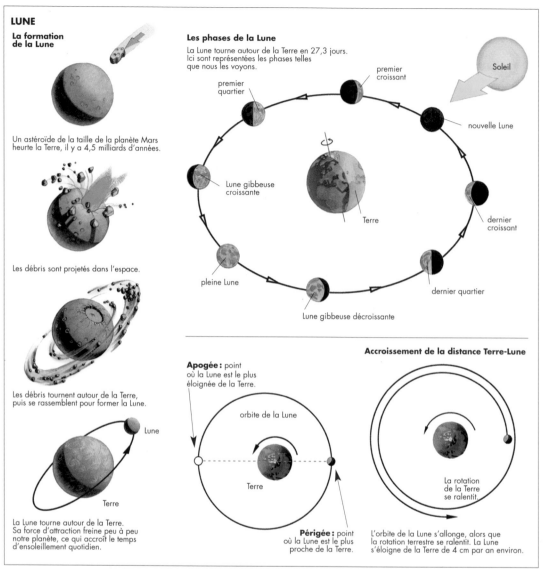

Un astéroïde de la taille de la planète Mars heurte la Terre, il y a 4,5 milliards d'années.

Les débris sont projetés dans l'espace.

Les débris tournent autour de la Terre, puis se rassemblent pour former la Lune.

Lune

Terre

La Lune tourne autour de la Terre. Sa force d'attraction freine peu à peu notre planète, ce qui accroît le temps d'ensoleillement quotidien.

Les phases de la Lune

La Lune tourne autour de la Terre en 27,3 jours. Ici sont représentées les phases telles que nous les voyons.

premier quartier

premier croissant

Soleil

nouvelle Lune

Lune gibbeuse croissante

Terre

dernier croissant

pleine Lune

dernier quartier

Lune gibbeuse décroissante

Apogée : point où la Lune est le plus éloignée de la Terre.

orbite de la Lune

Terre

Périgée : point où la Lune est le plus proche de la Terre.

Accroissement de la distance Terre-Lune

La rotation de la Terre se ralentit.

L'orbite de la Lune s'allonge, alors que la rotation terrestre se ralentit. La Lune s'éloigne de la Terre de 4 cm par an environ.

– Loucher sur une jeune femme élégante **reluquer**

LOUER

voir aussi **location**
syn. **affermer, donner un salaire, prendre à gage, complimenter, féliciter**
– Louer des terres en contrepartie d'une redevance **arrenter**
– Louer les bienfaits de quelque chose **prôner**
– Louer les mérites, les qualités de quelqu'un **exalter, magnifier, vanter, glorifier, faire l'éloge de**
– Louer un navire **affréter, noliser**

– Louer quelqu'un sans retenue **flatter, porter aux nues, porter au pinacle, encenser**

LOUP

– Famille à laquelle appartient le loup **canidés**
– Jeune loup de six mois **louvart**
– Jeune loup non sevré **louveteau**
– Loup-cervier **lynx**
– Mettre bas en parlant de la louve **louveter**
– Tanière du loup **liteau**
– Femelle du loup **louve**
– Loup doré **chacal**

– Famille à laquelle appartient le loup de mer **perciformes**
– Autre nom du loup de mer **bar**
– Croyance au loup-garou **lycanthropie**
– Dans la Rome antique, fêtes célébrées en l'honneur du dieu-loup **lupercales**
– Mettre un loup pour aller à un bal costumé **masque**
– Jean est un vieux loup de mer **marin expérimenté**

LOUPE

– À la loupe **minutieusement**
– Loupe d'un diamant **givrure, crapaud, jardinage, gendarme**

– Loupe d'un bois **broussin, madrure, nœud, gerce, lunure, roulure, gélivure**
– Loupe siégeant généralement dans le cuir chevelu **kyste**

LOURD
syn. **pesant**
– Très lourd **pondéreux**
– Un mobilier lourd **massif, encombrant**
– Une personne lourde **grosse, corpulente**
– Un humour lourd **grossier, épais**
– Une chaleur lourde **étouffante, oppressante, accablante, suffocante**
– Une lourde tâche **écrasante**
– Une nourriture lourde **indigeste**
– Une charge très lourde financièrement **onéreuse**
– Il a un sommeil lourd **profond**
– Le terrain de l'hippodrome est lourd **détrempé, collant**
– Avoir la main lourde **frapper fort**

LOURDEMENT
– Sa mère l'a lourdement puni **durement, sévèrement**
– Il s'est trompé lourdement sur les intentions de sa fille **grossièrement**
– Il a lourdement insisté pour partir avec nous en week-end **impoliment**

LOURDEUR
– La lourdeur d'un bagage **pesanteur**
– La lourdeur d'une plaisanterie **maladresse, gaucherie**

LOYAL
– Chevalier, vassal loyal envers son suzerain **féal**
– Loyal en affaires **droit, franc, probe, honnête, régulier**
– Loyal en amitié **fidèle, sincère, sûr, dévoué**

LOYAUTÉ
syn. **droiture**
– La loyauté envers un concurrent **franc-jeu, fair-play, régularité**
– La loyauté envers son employeur **honnêteté, dévouement, fidélité**

LUCARNE
– Lucarne d'un avion, d'un bateau **hublot**
– Lucarne d'une maison, d'un bâtiment **œil-de-bœuf, tabatière, vasistas**

LUCIDE
– Être lucide en ce qui concerne l'avenir **clairvoyant, perspicace, sensé**
– Ton grand-père n'est plus très lucide **n'a plus toute sa tête, n'est plus très conscient**

LUEUR
syn. **nitescence**

– Vive lueur dans l'atmosphère **éclair de chaleur, fulguration**
– Lueurs à la surface de la mer **brasillement**
– Lueur discontinue **scintillement**

LUGUBRE
– Un spectacle lugubre **funèbre, funeste, macabre**
– Un paysage lugubre **triste, sinistre, maussade, mortuaire**

LUIRE
syn. **chatoyer, étinceler, flamboyer, briller, miroiter, scintiller**

LUISANT
– Une surface luisante **brillante, étincelante, flamboyante, rutilante, chatoyante, nitescente**
– Ver luisant **lampyre**

LUMIÈRE
syn. **clarté**
– Unité de mesure de la lumière **lumen (lm), lux (lx), phot (ph)**
– Unité de mesure de l'intensité de la lumière **candela (cd)**
– Répandre ou réfléchir la lumière **luire**
– Réflexion et diffusion de la lumière **réverbération**
– Production de lumière **photogénie**
– Animal qui émet une lumière **lampyre, ver luisant, méduse acalèphe, luciole, salpe**
– Matière laissant partiellement passer la lumière **translucide, diaphane**
– Lumière tamisée **pénombre, clair-obscur**
– Vive lumière **éclat, splendeur**
– Un insecte, un poisson qui craint la lumière **lucifuge**
– Horreur de la lumière **photophobie**
– Émission de lumière à basse température **luminescence**
– Dispositif de sécurité réfléchissant la lumière **cataphote, catadioptre**
– Corpuscule de lumière **photon**
– Une affection causée par la lumière **actinique**

LUMINEUX
– Lumineux dans l'obscurité **phosphorescent**
– Un exposé lumineux **limpide, clair**
– Un regard lumineux **rayonnant, radieux**
– Une couleur lumineuse **éclatante**
– Une idée lumineuse **brillante, ingénieuse, éblouissante**
– Une pierre précieuse lumineuse **étincelante, chatoyante**

LUNE *Voir illustration page ci-contre et illustration marées, p. 368*
– Cratère de la Lune **sélénite**

– Limite entre la zone obscure et la zone éclairée de la Lune **terminateur**
– Âge de la Lune la veille du 1ᵉʳ janvier **épacte**
– Conjonction ou opposition de la Lune avec le Soleil **syzygie**
– Déesse de la Lune, dans la mythologie grecque **Séléné**
– Description et étude de la Lune **sélénographie**
– En astronomie, balancement de la Lune **libration**
– Fête grecque célébrée autrefois à la nouvelle lune **néoménie**
– Premier et dernier quartiers de la Lune **quadrature**
– Premier homme à avoir marché sur la Lune **Neil Armstrong**
– Présence simultanée de la Lune et du Soleil dans une même partie **conjonction**
– Se poser sur la Lune **alunir**
– Temps qui s'écoule entre deux nouvelles lunes **lunaison**
– Lune de vingt-neuf jours **cave**

LUNETTE
– Dérivé moderne de la lunette astronomique **télescope**
– Lunette grossissante **longue-vue**
– Lunette servant à mesurer la hauteur d'un astre par rapport à l'horizon **théodolite**
– Lunette utilisée pour mesurer le diamètre des astres **héliomètre**
– Système optique de la lunette qui grossit l'image **oculaire**
– Système optique de la lunette qui fournit l'image **objectif**

LUNETTES
– Fabricant de lunettes **opticien**
– Lunettes rondes d'autrefois **besicles**
– Lunettes sans branches maintenues sur le nez par une pince **binocle, lorgnon, pince-nez**
– Lunettes sans branches tenues à la main par un manche **face-à-main**
– Monture d'un verre de lunettes **châsse**
– Lunettes composées d'un verre que l'on fait tenir dans une arcade sourcilière **monocle**
– Troubles de la vision nécessitant le port de lunettes **myopie, hypermétropie, astigmatisme**

LUSTRE
– La salle à manger est éclairée par deux lustres **luminaires, suspensions**
– Le lustre d'un parquet **brillant, éclat**
– Cela fait des lustres qu'il n'est pas venu nous voir **éternité**

LUSTRER
– Lustrer un meuble **cirer, patiner**
– Lustrer une glace **doucir, égriser**
– Lustrer un tissu **satiner, moirer**

– Lustrer un papier **calandrer, lisser, glacer**

LUTH

– Ancien luth de petite dimension **mandore**
– Grand luth à deux manches **théorbe**
– Instrument voisin du luth **angélique, cistre, pandore**
– Personne qui fabrique des luths **luthier**

LUTIN

syn. **farfadet**

LUTTE

syn. **bagarre, combat, pugilat, rixe**
– Dans la Grèce antique, exercice associant la lutte et le pugilat **pancrace**
– Lutte entre deux forces, deux principes contraires **conflit, antagonisme**
– Lutte où ne sont admises que les prises au-dessus de la ceinture **gréco-romaine**
– Lutte japonaise masculine **sumo**
– Pratiquant de lutte japonaise **sumotori**
– Lutte japonaise féminine **onnazumo**
– Nourriture donnée aux pratiquants de lutte japonaise **chankonabé**
– Sorte de lutte américaine brutale et spectaculaire **catch**
– Variété de lutte pratiquée au Maghreb **rahba**
– Lutte pratiquée en Turquie **karakuçak, yagli guresh**
– Lutte bretonne **gouren**
– Tenue des pratiquants de lutte bretonne **bragoù, roched**

LUTTER

syn. **rivaliser**
– Lutter contre quelqu'un **mesurer à (se), battre (se)**
– Deux forces qui luttent **affrontent (s')**
– Lutter pour une cause au sein d'un parti **militer**
– Lutter contre la maladie **combattre, affronter**

LUXE

– Dans la Rome antique, une loi contrôlant les dépenses de luxe **somptuaire**
– En droit, des dépenses destinées aux produits de luxe **voluptuaires**
– Étalage d'un certain luxe **ostentation**
– Les petits luxes de la vie **superfluités**
– Luxe déployé dans une cérémonie, une fête **faste, magnificence, somptuosité, pompe, splendeur**
– Vie de grand luxe **opulence**

LUXURE

syn. **lascivité**
– Goût pour la luxure **lubricité**
– Condamner la luxure **débauche, vice, stupre, dépravation, dévergondage**

MACABRE
– Une histoire macabre **funèbre, lugubre, sinistre**

MACÉRER
– Alcool obtenu par distillation dans lequel on fait macérer des fruits **eau-de-vie**
– Faire macérer dans de l'eau bouillante un mélange de plantes **infuser**
– Macérer son corps en guise d'autopunition **châtier, mortifier**
– Préparation culinaire dans laquelle on laisse macérer viandes ou poissons **marinade**

MÂCHER
syn. **mastiquer**
– Dents qui permettent de mâcher les aliments **molaires**
– Gomme à mâcher **chewing-gum**
– Mâcher du tabac **chiquer**
– Préparation que l'on mâche en Inde et en Extrême-Orient **bétel**
– Substance que l'on garde dans la bouche pour la mâcher longuement **masticatoire**
– Aliments mâchés que l'on déglutit **bol alimentaire**

MACHINATION
syn. **complot, intrigue, manœuvre, cabale, brigue, menées**
– Groupe d'individus qui ourdit une machination **faction**
– Machination contre le pouvoir en place **conspiration, conjuration**
– Petite machination sans gravité **manigance**
– Préparer une machination **tramer, fomenter, ourdir**

MACHINE
mécan(o)-
syn. **appareil, engin, dispositif**
– Entretien de machines techniques **maintenance**
– Individu agissant comme une machine **automate**
– Dispositif reproduisant fictivement le fonctionnement d'une machine **simulateur**

– Multiplication des machines pour remplacer le travail de l'homme **robotique**
– Machine de guerre **bélier, catapulte, baliste**
– Organisation du travail reposant sur l'utilisation de nombreuses machines **taylorisme**
– Personne chargée de l'entretien et de la réparation d'une machine **mécanicien**
– Pièce d'une machine à écrire **clavier, chariot, rouleau, tabulateur, ruban**
– Pièce d'une machine simple en mécanique **levier, plan, poulie, treuil, vis**
– Type de machine-outil **aléseuse, emboutisseuse, fraiseuse, laminoir, mortaiseuse, tenonneuse**

MÂCHOIRE
– Être dépourvu de mâchoire **agnathe**
– Individu qui a une mâchoire proéminente **prognathe**
– Mâchoire des insectes **mandibule**

MAÇON
– Enduit que le maçon applique sur un mur sans le lisser **crépi**
– Instrument qu'utilise le maçon pour pétrir du mortier **bouloir**
– Machine utilisée par les maçons pour mélanger granulat et eau **bétonnière**
– Maçon qui supervise la taille et la pose des pierres **appareilleur**
– Outil de maçon en forme de cœur **langue-de-bœuf**
– Récipient dans lequel un maçon délaie du plâtre ou du mortier **auge, oiseau**
– Rouleau qu'utilise le maçon pour lisser une surface en mortier **boucharde**
– Sables, graviers qu'utilise le maçon pour faire du béton ou du mortier **granulat**
– Spatule de maçon **truelle**
– Tâche du maçon qui consiste à mouiller et à malaxer du béton ou du mortier **gâchage**

MAÇONNERIE
voir aussi **brique**
– Maçonnerie à joints obliques **en échiquier**
– Maçonnerie réalisée avec des moellons et du mortier **limousinage**

– Maçonnerie composée d'éléments homogènes posés sur des lits de mortier ou de plâtre **d'appareil**
– Maçonnerie composée de matériaux divers jetés pêle-mêle dans un mortier **de blocage**
– Maçonnerie réalisée avec des moellons irréguliers à joints lissés ou rocaillés **opus incertum**
– Maçonnerie sans matériau de liaison **en pierres sèches**
– Massif de maçonnerie en fortification **orillon**
– Massif de maçonnerie qui soutient une voûte **butée, culée**
– Matériau modulaire utilisé en maçonnerie **pierre de taille, moellon, meulière, parpaing**
– Mélange d'argile, de paille et d'eau qui sert de matériau en maçonnerie **pisé, bauge, torchis**
– Principaux travaux de maçonnerie dans un bâtiment **gros ouvrage**
– Surface apparente d'une maçonnerie **parement**
– Type de liant utilisé en maçonnerie **mortier, plâtre**
– Type de maçonnerie grossière en plâtras ou en moellons **hourdage**

MADÈRE
– Madère très doux **malvoisie**
– Madère très sec **sercial**

MAFIA
– Branche de la Mafia infiltrée aux États-Unis **Cosa Nostra**
– Équivalent de la Mafia, à Naples **Camorra**
– Individu membre de la Mafia **mafioso**
– La Mafia va infiltrer ce milieu **noyauter, mafioter**
– Loi du silence que fait régner la Mafia **omerta**
– Mafia chinoise **triades**
– Membre de la mafia japonaise **yakuza**

MAGASIN
– Petit magasin **boutique, échoppe, commerce, officine**
– Rayon d'un grand magasin **linéaire**

– Vitrine d'un magasin **devanture**
– Local d'un magasin où sont stockées les marchandises **resserre, réserve, arrière-boutique, entrepôt**
– Annexe d'un magasin **succursale**
– Fondateur du grand magasin parisien *Au Bon Marché* **Aristide Boucicaut**
– Magasin à vins **chai**
– Magasin à blé **silo**
– Magasin d'armes et d'explosifs **arsenal, poudrière**
– En géologie, roche-magasin **roche-réservoir**

MAGE

syn. **astrologue, devin, prophète, vaticinateur, voyant**
– Fête des Rois mages **Épiphanie**
– Les Rois mages **Gaspar, Melchior, Balthazar**
– Présent des Rois mages **or, encens, myrrhe**

MAGICIEN

syn. **enchanteur, sorcier**
– Ce magicien est célèbre pour ses tours de passe-passe **prestidigitateur, illusionniste**
– Magicien des rues **bateleur**
– Magicien qui feint de parler sans ouvrir la bouche **ventriloque**
– Magicien qui fait des miracles **thaumaturge**
– Livre de formules à l'usage des magiciens et des sorciers **grimoire**
– Magicien de la forêt de Brocéliande, compagnon de la fée Viviane **Merlin**

MAGICIENNE

– Célèbre magicienne de l'Odyssée **Circé**
– Magicienne infanticide dans la mythologie grecque **Médée**

MAGIE

syn. **occultisme**
– Dans l'Antiquité, magie qui consiste à invoquer les mauvais esprits **goétie**
– Magie qui invoque les esprits surnaturels et célestes **théurgie**
– Déesse grecque de la magie **Hécate**
– Magie noire pratiquée à Haïti et aux Antilles **vaudou**
– La magie d'une rencontre **charme, séduction**

MAGIQUE

– Breuvage magique **philtre**
– Des signes magiques **kabbalistiques**
– Formule magique **sésame, incantation**
– Objet doté d'un pouvoir magique **amulette, grigri, talisman, fétiche, phylactère**
– Opération magique **apparition, conjuration, envoûtement, maléfice, métamorphose, sortilège**

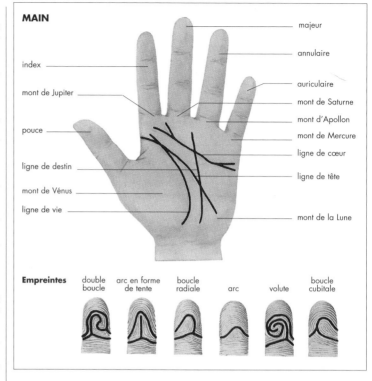

MAIN

index
mont de Jupiter
pouce
ligne de destin
mont de Vénus
ligne de vie

majeur
annulaire
auriculaire
mont de Saturne
mont d'Apollon
mont de Mercure
ligne de cœur
ligne de tête
mont de la Lune

Empreintes
double boucle — arc en forme de tente — boucle radiale — arc — volute — boucle cubitale

– Racine à laquelle on attribuait jadis un pouvoir magique **mandragore**
– Spectacle magique qui repose sur des illusions d'optique **fantasmagorie**
– Un phénomène magique **miraculeux, prodigieux, surnaturel**

MAGISTRAL

– Le ton magistral du professeur **doctoral, solennel, dogmatique, impérieux, péremptoire**
– Interprétation magistrale d'une œuvre **parfaite, remarquable, excellente**
– Réussir un coup magistral **de maître, irréprochable, impeccable**

MAGISTRAT

– Assurance qu'ont certains magistrats de ne pas être mutés contre leur gré **inamovibilité**
– Carrière des magistrats romains **cursus honorum**
– Citoyen tiré au sort pour être magistrat en cour d'assises **juré**
– Coiffure que portent certains magistrats **mortier**
– Étole de fourrure que portent certains magistrats **hermine**
– Magistrat qui assiste le président du tribunal **assesseur**
– Magistrat représentant du ministère public près la cour d'appel **substitut**

général, avocat général, procureur général
– Magistrat représentant du ministère public près le tribunal de grande instance **substitut, procureur de la République**
– Ornement d'étoffe que portent certains magistrats sur l'épaule **épitoge**
– Robe que portent certains magistrats **toge**
– Type de magistrat **du parquet, du siège**
– Supérieur hiérarchique des magistrats du parquet **garde des Sceaux**

MAGISTRATURE

– Type de magistrature **assise, debout**
– Magistrature plébéienne romaine **tribunat, édilité de la plèbe**
– Magistrature patricienne romaine avant la dictature **consulat, préture, censure, édilité, magistrature curule, questure**

MAGNÉSIUM

– Symbole du magnésium en tant qu'élément chimique **Mg**
– Four dans lequel on prépare du magnésium **cornue**
– Carbonate contenant du magnésium **dolomie**
– Carbonate de magnésium **magnésite, giobertite**
– Oxyde de magnésium **magnésie, périclase**

– État pathologique provoqué par une carence en magnésium **spasmophilie, déficience hépatique, tétanie, troubles neurologiques**
– En pharmacie, le magnésium est utilisé sous forme de **bromure, carbonate, chlorure, citrate, iodure, lactate**
– Silicate de magnésium **talc, stéatite**

MAGNÉTIQUE
– Exerce une influence magnétique sur les êtres **fluide**
– Ordre magnétique **ferromagnétisme, antiferromagnétisme, ferrimagnétisme**
– Persistance de l'aimantation après arrêt de l'influence magnétique **rémanence**
– Quotient de résistance magnétique **réluctance**
– Unité de mesure internationale de l'induction magnétique **tesla (T)**
– Unité de mesure internationale du champ magnétique **ampère par mètre (A/m)**

MAGNÉTISER
– Endormir quelqu'un en le magnétisant **hypnotiser**
– Magnétiser un morceau de métal **aimanter**
– Magnétiser une foule **fasciner, charmer, captiver, ensorceler**

MAGNÉTISME
– Magnétisme animal **biomagnétisme**
– Magnétisme terrestre **géomagnétisme**

MAGNIFIQUE
– Un coucher de soleil magnifique **splendide, superbe, éblouissant**
– Une propriété magnifique **somptueuse, grandiose, luxueuse, fastueuse**
– Un acte de bravoure magnifique **admirable, remarquable, insigne**

MAI
– Premier mai **fête du Travail**
– Huit mai **victoire de 1945**
– Fête catholique fériée au mois de mai **Ascension**
– Fleur de mai **maianthemum, muguet**

MAIGRE
– Un individu très maigre **squelettique, étique**
– Un adolescent un peu maigre **fluet, gringalet, chétif**
– Un visage trop maigre **creusé, émacié, hâve**
– Des jambes toutes maigres **grêles, filiformes**
– Personne maigre et très grande **échalas**
– Un animal très maigre **décharné, efflanqué, famélique**
– Une allée d'arbustes bien maigres **rabougris, rachitiques**

– Un sol maigre **stérile, aride, infertile, infécond**
– Un maigre butin **insignifiant, dérisoire, piètre**
– Du lait maigre **écrémé**

MAIGREUR
– Extrême maigreur d'un malade **cachexie**
– Extrême maigreur d'un nourrisson malade **athrepsie**
– Refus d'ingérer de la nourriture provoquant la maigreur **anorexie**

MAILLE
– Un vêtement en maille unie **jersey**
– Pull dont les mailles ne peuvent filer **indémaillable**
– Partie d'une maille **tête, aile, pied**
– Protection en mailles métalliques que portaient jadis les guerriers **cotte, haubert, jaseran**
– Équivalait, comme la maille, à un demi-denier **obole**
– Maille d'une chaîne **maillon, chaînon**

MAILLOT
– Maillot de bain formé d'un slip et d'un soutien-gorge **Bikini, deux-pièces**
– Maillot de bain sans soutien-gorge **monokini**
– Maillot de corps **tricot de peau**
– Maillot de gymnaste **justaucorps**
– Maillot jaune, au Tour de France **vainqueur**

MAIN *Voir illustration page ci-contre*
chir(o)-
– De jolies petites mains **menottes**
– Elle soigne et embellit les mains **manucure**
– Pour avoir chaud aux mains **gants, moufles, mitaines, manchon**
– Voyant qui lit dans les lignes de la main **chiromancien**
– Fonction essentielle de la main **préhension**
– Capable d'utiliser ses deux mains **ambidextre**
– Une main de fer **poigne**
– Creux de la main **paume**
– Muscle de la paume de la main **petit palmaire, grand palmaire**
– Doigt de la main **pouce, index, majeur, annulaire, auriculaire**
– Os des doigts de la main **phalange**
– Squelette de la main entre le poignet et les doigts **métacarpe**
– Nerf qui innerve les muscles de la main **radial, cubital, médian**
– Dans la main, saillie charnue à la base du pouce **thénar**
– Longueur entre le pouce et l'auriculaire d'une main ouverte **empan**
– Une main couverte de durillons **calleuse**

– Eczéma qui attaque les mains **dysidrose**
– Position anormale de la main qui dénote une maladie **main d'accoucheur, main ataxique, main de prédicateur, main de singe, main succulente, main thalamique**
– Déformation congénitale de la main **main bote**
– Animal qui, comme le singe, a quatre mains **quadrumane**
– Un bijou fait main **artisanal**
– Bijou en forme de main porté par les musulmans **main de Fatma**
– En couture, petite main **débutante, apprentie**
– Homme de main **tueur à gages, séide**
– Main courante **rampe**
– Vendre un véhicule de première ou de seconde main **d'occasion**
– Forcer la main à quelqu'un **obliger, contraindre**
– Prendre les négociations en main **charger de (se), occuper de (s')**
– Se frotter les mains **réjouir (se)**
– Faire main basse sur un trésor **emparer de (s'), piller**
– Négocier un contrat en sous-main **secrètement**

MAIN-D'ŒUVRE
– Facture des pièces et de la main-d'œuvre **façon**
– Une pénurie de main-d'œuvre **personnel, ouvriers, travailleurs, ressources humaines**

MAINTENANCE
– Maintenance d'un ordinateur **entretien, dépannage**

MAINTENANT
syn. **actuellement, présentement**
– À partir de maintenant **désormais, dorénavant**
– Signez maintenant ! **sur-le-champ**

MAINTENIR
– Maintenir des relations pacifiques **garder, entretenir**
– Maintenir sa position **conserver**
– Il maintient qu'il ne ment pas **certifie, soutient, prétend**
– Cette poutre a pour fonction de maintenir toute la charpente **retenir, étayer, supporter**
– Maintenir une invitation **confirmer**
– Se maintenir en vie tant bien que mal **subsister**
– Un état qui se maintient **stationnaire**

MAINTIEN
syn. **attitude, contenance, port**
– Un maintien imposant **prestance, allure**
– Un maintien étudié **pose**
– Maintien d'une loi **conservation**

MAISON

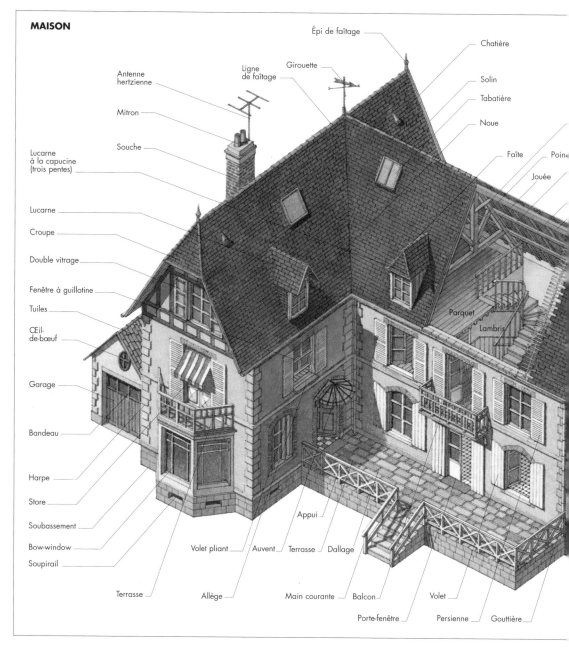

Épi de faîtage
Chatière
Ligne de faîtage
Girouette
Solin
Antenne hertzienne
Tabatière
Mitron
Noue
Souche
Faîte
Poin
Lucarne à la capucine (trois pentes)
Jouée
Lucarne
Croupe
Double vitrage
Parquet
Fenêtre à guillotine
Lambris
Tuiles
Œil-de-bœuf
Garage
Bandeau
Harpe
Store
Soubassement
Bow-window
Soupirail
Terrasse
Allège
Volet pliant
Auvent
Terrasse
Dallage
Appui
Main courante
Balcon
Volet
Porte-fenêtre
Persienne
Gouttière

MAIRE
– Élit le maire d'une commune **conseil municipal**
– Subdivision administrative à la tête de laquelle se trouve le maire **commune, municipalité**
– Mission du maire **mandat**
– Compétences confiées par le maire à ses adjoints **délégations**

– Équivalent du maire dans certaines grandes villes britanniques **lord-maire**
– Équivalent du maire dans les villages et les villes belges **maïeur**
– Équivalent du maire en Allemagne, en Suisse et en Hollande **bourgmestre**
– Équivalent du maire en Espagne **alcade**
– Date du décret qui institutionnalise la fonction de maire **1789**

MAIRIE
syn. **hôtel de ville, maison de ville, maison commune**
– Service de la mairie chargé de dresser des actes **état civil**

MAÏS
– Famille à laquelle appartient le maïs **graminées**

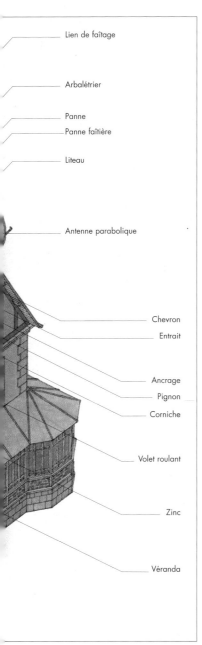

Lien de faîtage

Arbalétrier

Panne

Panne faîtière

Liteau

Antenne parabolique

Chevron

Entrait

Ancrage

Pignon

Corniche

Volet roulant

Zinc

Véranda

– Partie centrale d'un épi de maïs sur laquelle poussent les grains **rafle, râpe**
– Bractées qui enveloppent les épis de maïs **spathes**
– Touffe à l'extrémité supérieure de l'épi de maïs **soies**
– Agriculteur qui cultive du maïs **maïsiculteur**
– Protéine du maïs **maïsine**

– Conservation du maïs fourrager haché **ensilage**
– Substance extraite du maïs **amidon, gluten, glucose**
– Fécule de maïs utilisée en cuisine **Maïzena**
– Préparation culinaire à base de farine de maïs **polenta**
– Friandise faite de grains de maïs soufflés **pop-corn**

MAISON *Voir illustration ci-contre*
– Aménager et équiper un terrain pour pouvoir y construire une maison **viabiliser**
– Cour intérieure découverte d'une maison **patio**
– Dépendent d'une maison mère **filiales, succursales**
– Disposition des pièces d'une maison **aîtres**
– Entrée d'une maison **vestibule**
– Fronton triangulaire au sommet d'une maison **pignon**
– Grande maison **bâtisse**
– Une maison à poutres apparentes **à colombages**
– Maison de campagne cossue **cottage, folie, gentilhommière**
– Maison de vacances à la campagne ou à la montagne **gîte rural**
– Maison dont un ou plusieurs étages sont en avancée **à encorbellement**
– Maison provençale **mas, bastide**
– Maison que l'on occupe temporairement **pied-à-terre**
– Maison secondaire **résidence, villa**
– Maison vétuste **taudis, masure, galetas**
– Maisons de mineurs **coron**
– Modeste maison rustique **chaumière**
– Panneaux qui, une fois assemblés, permettent de construire une maison **préfabriqués**
– Partie sous la charpente d'une maison **combles**
– Personne ou société chargée de financer et de commercialiser des maisons **promoteur**
– Petit groupe de maisons perdues dans la campagne **hameau, écart**
– Petite maison de vacances au confort rudimentaire **bungalow**
– Petite maison très modeste **bicoque, cassine**
– Rentrer à la maison **regagner ses pénates, rentrer au bercail**
– Rester à la maison **foyer, domicile, logis**
– Spécialiste chargé de dessiner les plans d'une maison **architecte**
– Spécialiste chargé de la construction d'une maison **entrepreneur**
– Tassement dans une maison juste après sa construction **faix**
– Maison de prostitution **lupanar**

– Terrain divisé en parcelles occupées par des maisons individuelles **lotissement**
– Une maison de chasse au milieu d'un bois **pavillon, rendez-vous**
– Maison de religieux **couvent, monastère, abbaye, cloître**

MAÎTRE /1
syn. **pédagogue, professeur, enseignant**
– Un maître d'école **instituteur**
– Maître qui enseigne au domicile de son élève **précepteur**
– Un maître de maison accueillant **hôte, amphitryon**
– Maître queux **cuisinier**
– Maître coq **chef cuisinier**
– Maître de chai **sommelier**
– Maître spirituel **gourou, directeur de conscience, maître à penser**
– S'établir en maître quelque part **impatroniser (s')**

MAÎTRE /2
– Il est passé maître en la matière **expert, compétent, virtuose**
– L'idée maîtresse **clef, essentielle, directrice**
– Rester maître de soi **dominer (se), contrôler (se)**

MAÎTRESSE
syn. **amante**
– Personne mariée qui a une maîtresse **adultère**

MAÎTRISE
– Maîtrise de soi **calme, sang-froid, self-control**
– Maîtrise des mers **suprématie, hégémonie, empire, domination, prépondérance**
– Exécuter un morceau de piano avec maîtrise **maestria, virtuosité, brio, adresse, habileté**
– Son fils chante dans la maîtrise de l'église **manécanterie**

MAÎTRISER
– Maîtriser un fou furieux **immobiliser**
– Maîtriser sa peur **réprimer, contenir, surmonter, vaincre, refouler**
– Maîtriser un incendie **circonscrire, éteindre, arrêter**
– Maîtriser les déchaînements de la nature **discipliner**
– Maîtriser un animal **dompter, dresser, apprivoiser**
– Maîtriser une crise économique **juguler, enrayer**
– Se maîtriser **contrôler (se), dominer (se)**

MAJESTÉ
syn. **grandeur, dignité, noblesse, gloire**
– Crime commis contre la majesté d'un souverain **lèse-majesté**

– Abréviation du titre « Vos Majestés » **VV. MM.**
– Abréviation du titre « Leurs Majestés » **LL. MM.**

MAJESTUEUX
– Un personnage majestueux **imposant, respectable, vénérable, auguste**
– Un air majestueux **grave, digne, noble, solennel, olympien**
– Un site majestueux **impressionnant, grandiose, prodigieux**
– Une majestueuse bâtisse **monumentale, colossale**
– Un ton trop majestueux **pompeux, pontifiant, sentencieux, grandiloquent, emphatique, ampoulé**

MAJEUR /1
– Un majeur protégé par la loi peut être placé sous **tutelle, curatelle, sauvegarde de justice**
– Le majeur de la main **médius**
– Raisonnement philosophique dont l'un des termes est appelé majeur **syllogisme**

MAJEUR /2
– Un événement majeur **marquant, essentiel, capital, fondamental, crucial, décisif**
– Un ennui majeur **insurmontable**
– Chez les catholiques, ordre majeur **diaconat, prêtrise, épiscopat**

MAJORER
– Majorer le prix d'un produit **augmenter, élever, hausser, gonfler**

MAJORITÉ
– En France, dix-huit ans est l'âge de la majorité **civile, électorale, pénale**
– N'a pas atteint l'âge de la majorité, mais est responsable civilement **émancipé**
– Dans un vote, la majorité peut être **absolue, relative, renforcée**
– Souvent hostile aux projets de la majorité politique **opposition**

MAJUSCULE
syn. **capitale**
– Plus petite que la majuscule **minuscule, bas de casse**
– Grande majuscule souvent ornée, au début d'un texte **lettrine**
– Dans les manuscrits anciens, majuscule peinte et ornée **enluminée**

MAL /1
syn. **dommage, préjudice, tort, dam**
– Mal moral **douleur, blessure, épreuve, souffrance, peine, affliction**
– Mal atroce **calvaire, supplice**
– Individu fasciné par le mal **pervers**
– Verser dans le mal **péché, vice**
– Faire du mal à un individu **nuire à, desservir, léser**

– Dire du mal d'un individu **médire de, calomnier, discréditer, diffamer**
– Partager les maux de quelqu'un **compatir**
– Réparer le mal que l'on a fait **indemniser, dédommager**
– Mal du pays **nostalgie**
– Mal de mer **naupathie**
– Mal de tête **migraine, céphalée**
– Ensemble des troubles liés au mal des montagnes **dysbarisme**
– Mal blanc **panaris**
– Religion qui partage le monde entre le bien et le mal **manichéisme**
– Incarnation du mal **diable, Satan, Méphistophélès, Belzébuth, Lucifer**

MAL /2
– Il marche mal **difficilement, péniblement, malaisément**
– Il s'exprime mal **maladroitement, incorrectement, lourdement, gauchement**
– Cela fonctionne mal **imparfaitement**
– Mal tourner **gâter (se), dégénérer**
– Mal à propos **déplacé, inopportun, intempestif, incongru**
– Se trouver mal **défaillir, évanouir (s')**

MALADE
syn. **souffrant, indisposé, incommodé**
– Malade qui ne peut pas guérir **incurable, condamné**
– Malade constamment alité **grabataire**
– Malade qui se meurt **moribond, agonisant**
– Malade imaginaire **hypocondriaque**
– Malade mental **aliéné, fou**

MALADIE *Voir tableau maladies de civilisation, page ci-contre*
patho-
syn. **affection**
– Attraper une maladie **contracter**
– Une maladie très grave **maligne, mortelle**
– Une maladie qui n'a aucun caractère de gravité **bénigne**
– Une maladie dont on ne connaît pas l'origine **cryptogénétique**
– Une maladie liée à des facteurs psychiques **psychosomatique**
– Une maladie due à des troubles métaboliques **dyscrasique**
– Une maladie contractée par quelques individus **sporadique**
– Une maladie qui sévit habituellement dans une région **endémique**
– Une maladie contractée à l'hôpital **nosocomiale**
– Maladie dévastatrice **épidémie, pandémie**
– Maladie infectieuse qui atteint un grand nombre d'animaux **épizootie**
– Maladie qui ravage un grand nombre de plantes **épiphytie**

– Science des maladies **pathologie**
– Classification des maladies **nosographie**
– Recherche des causes d'une maladie **étiologie**
– Prévention d'une maladie **prophylaxie**
– Un microbe à l'origine d'une maladie **pathogène**
– Période entre la contagion et l'apparition de la maladie **incubation**
– Signe qui caractérise une maladie **symptôme**
– Ensemble des symptômes qui permettent de diagnostiquer une maladie **syndrome**
– Détermination d'une maladie **diagnostic**
– Détermination de l'évolution d'une maladie **pronostic**
– Atténuation temporaire des symptômes d'une maladie **rémission, rémittence**
– Moyen de combattre la maladie **thérapeutique**
– Après une maladie, période au cours de laquelle on recouvre peu à peu la santé **convalescence**
– Diminution physique qui persiste après une maladie grave **séquelle**
– Injecter dans le corps le germe d'une maladie pour s'en prémunir **vacciner, inoculer**
– Peur de contracter une maladie **pathophobie, nosophobie**

MALADIF
– Un jeune garçon maladif **débile, malingre, souffreteux**
– Un vieil homme maladif **valétudinaire, cacochyme, égrotant**
– Une tendance maladive **morbide, malsaine**

MALADRESSE
syn. **inhabileté**
– Commettre une maladresse en société **gaffe, bourde, impair, bévue**
– Maladresse dans l'exercice de son métier **impéritie, ignorance, incompétence**

MALADROIT
– Un enfant maladroit **gauche, malhabile**
– Un chiot maladroit **pataud**
– Un convive maladroit **balourd, lourdaud**
– Fait défaut à un interlocuteur maladroit **tact, circonspection, diplomatie**
– Un style maladroit **lourd, embarrassé**
– Une ruse maladroite **grossière, cousue de fil blanc**

MALAISE
syn. **vapeurs, indisposition, gêne, embarras**
– Malaise avec perte de connaissance **évanouissement, syncope, pâmoison**

MALADIES DE CIVILISATION

MALADIES INFECTIEUSES

Hépatite C : affection des cellules du foie liée au virus de l'hépatite C (post-transfusionnelle).

Sida (syndrome d'immunodéficience acquise) : ensemble des manifestations liées à l'infection de l'organisme par le virus de l'immunodéficience humaine (VIH), qui entraîne un déficit de l'immunité cellulaire, favorisant le développement d'infections opportunistes et de cancers.

MALADIES MÉTABOLIQUES

Obésité : hypertrophie générale du tissu adipeux (ou de la masse grasse), définie à partir d'un indice de masse corporelle (IMC) supérieur à P (poids en kilos) divisé par T2 (taille au carré en mètres).

Obésité androïde : obésité prédominant dans la partie haute du corps (tronc, haut de l'abdomen) et s'accompagnant souvent de diabète, d'hypertension artérielle et d'un retentissement artériel (infarctus du myocarde, accident vasculaire cérébral, artérite, etc.).

Obésité gynoïde : obésité prédominant dans la partie basse de l'abdomen, les fesses et les cuisses, et s'accompagnant rarement d'un retentissement artériel (infarctus du myocarde, accident vasculaire cérébral, artérite, etc.).

Diabète de la maturité (type II) : trouble du métabolisme des glucides, lié à une résistance anormale à l'action de l'insuline (hormone faisant passer le sucre du sang vers les cellules), d'où une accumulation de glucose dans les vaisseaux des tissus. La glycémie (taux de sucre dans le sang) à jeun est élevée (supérieure à 1,26 g/l).

Hypercholestérolémie : augmentation de la quantité de cholestérol contenue dans le sang sur un terrain génétique prédisposé ; souvent aggravée par une alimentation trop riche en matières grasses d'origine animale (viande, charcuterie, fromage, beurre).

MALADIE DU VIEILLISSEMENT

Démence : diminution irréversible des facultés intellectuelles (mémoire, pensée abstraite, jugement) d'origine dégénérative (maladie d'Alzheimer) ou vasculaire.

– Malaise intense sans perte de conscience **lipothymie, collapsus**
– Malaise cardiaque **attaque, infarctus**
– Malaise dû à une baisse du taux de sucre dans le sang **crise d'hypoglycémie**
– Malaise qui s'accompagne de violentes contractures musculaires **crise de tétanie**
– Sensation éprouvée lors d'un malaise **vertige, nausée, sudation**
– Position recommandée pour la victime d'un malaise **PLS (position latérale de sécurité)**
– Le malaise plane dans l'assemblée **embarras, gêne, trouble**
– Un grave malaise touche ce secteur économique **crise, marasme**

MALARIA
voir aussi **paludisme**
– Moustique qui transmet la malaria **anophèle**
– Médicament contre la malaria **quinine**

MALCHANCE
syn. **déveine, guigne, poisse, infortune**
– Vie marquée par la malchance **adversité, malédiction**
– Événement marqué par la malchance **mésaventure**

MÂLE
syn. **viril, masculin**
– Gamète animal mâle **spermatozoïde**
– En botanique, gamète mâle **anthérozoïde**
– Organe mâle d'une fleur **étamine**

– Animal à la fois mâle et femelle **hermaphrodite**
– Hormone sexuelle mâle **testostérone**
– Glande génitale mâle **testicule**

MALÉDICTION
syn. **imprécation, anathème, exécration**
– La malédiction le poursuit **fatalité, malchance**
– Malédiction divine à l'égard d'un pécheur **réprobation**
– Écarter une malédiction **conjurer**
– Il lance des malédictions **jeteur de sort**
– En Italie du Sud, type de malédiction **jettatura**

MALENTENDU
syn. **méprise, quiproquo, maldonne, erreur, confusion**
– Une réponse susceptible de provoquer des malentendus **obscure, ambiguë, nébuleuse**
– Un discours qui évite tout malentendu **sans équivoque, sans ambages**
– Situation qui peut provoquer un malentendu **imbroglio**
– Un malentendu les oppose **désaccord, différend**

MALFAISANT
– Un esprit malfaisant **nuisible, mauvais, méchant**
– Une théorie malfaisante **pernicieuse, nocive**
– Un être malfaisant **maléfique**

MALFAITEUR
voir aussi **bandit, malhonnête**
syn. **criminel, hors-la-loi, gangster, truand, malfrat, scélérat, crapule, canaille**
– Malfaiteur coupable de larcins **voleur**
– Malfaiteur de grand chemin **brigand, pillard, détrousseur, malandrin**
– Malfaiteur des mers **pirate, flibustier, boucanier, forban**
– Malfaiteur qui vit de tromperies ou de fraudes **escroc, filou, aigrefin, faussaire, falsificateur, contrefacteur**
– Bande de malfaiteurs organisée **gang, mafia**

MALFORMATION
syn. **infirmité, difformité**
– Une malformation présente à la naissance **congénitale**
– Maladie de la mère pouvant entraîner des malformations chez le fœtus ou l'embryon **rubéole, toxoplasmose**
– Malformation entre l'estomac et le duodénum dont souffrent certains bébés **sténose du pylore**
– Malformation de la main ou du pied caractérisée par l'existence d'un doigt supplémentaire **sexdigitisme**

MALHEUR
– Un grand malheur imprévisible **fléau, catastrophe, drame, désastre, calamité, cataclysme**
– Un petit malheur **ennui, désagrément, inconvénient**
– Redouter un malheur **échec, défaite, revers**
– Malheur irréparable **deuil**
– Raconter tous ses malheurs **déboires, tribulations**
– Vivre dans le malheur **misère, détresse, adversité**
– Engendré par le malheur **désarroi, consternation, souffrance, abattement, détresse, affliction**
– Ces paroles signifient « malheur aux vaincus » et rappellent que le vaincu est à la merci du vainqueur *Vae victis*
– Quel oiseau de malheur ! **de mauvais augure**
– Par malheur **malencontreusement, fâcheusement**
– Détourner un malheur **conjurer**
– Appeler le malheur sur un individu **maudire, anathématiser**
– Attribue à certains objets le pouvoir de porter malheur **superstitieux**
– Pour comble de malheur **de surcroît**

MALHEUREUX
syn. **infortuné, éprouvé, désespéré**
– Un sort malheureux **cruel, noir, implacable**
– Une rencontre malheureuse **préjudiciable, regrettable, fâcheuse**

– Un choix malheureux **déplorable, affligeant**
– Un garçon avec un air malheureux **triste, pitoyable, piteux, affligé**
– Un malheureux pourboire **piètre, insignifiant, misérable, dérisoire, maigre**

MALHONNÊTE

syn. **déloyal, indélicat, improbe**
– Une proposition malhonnête **inconvenante, indécente, incorrecte, immorale**
– Individu malhonnête **escroc, canaille, crapule**
– Un spéculateur malhonnête **véreux**
– Personne malhonnête qui s'approprie une somme d'argent **concussionnaire**
– Détournement malhonnête de l'argent public **péculat**
– Méfait d'un individu malhonnête **corruption, exaction, extorsion, malversation**
– Procédé malhonnête **bakchich, combine, dessous-de-table**
– Attribution malhonnête de passe-droits **favoritisme, népotisme**
– Des propos malhonnêtes **captieux, fallacieux, insidieux, spécieux**

MALICE

syn. **ruse, astuce**
– Petit être plein de malice **lutin, farfadet**
– Enfant plein de malice **polisson, diablotin**
– Agir sans malice **malveillance, malignité, perfidie**
– Un commentaire plein de malice **moquerie, raillerie**

MALICIEUX

syn. **espiègle**
– Un petit garçon malicieux **malin, coquin, fripon**
– Une personne malicieuse **fine, vive, spirituelle**
– Une remarque malicieuse **piquante, taquine, ironique**
– Un sourire malicieux **narquois**

MALIN /1

– Faire le malin **faraud**
– Le Malin est un autre de ses noms **le diable**

MALIN /2

syn. **futé, astucieux, débrouillard, roué**
– Malin sans en avoir l'air **finaud, matois, madré**
– Une petite fille maligne **éveillée, dégourdie**
– Un interlocuteur malin **habile, subtil, sagace**
– Individu malin **fine mouche**
– Malin et sournois **cauteleux**

– Une force maligne **néfaste, nocive, maléfique, pernicieuse**
– Une tumeur maligne **cancéreuse, gravissime, sournoise**
– Ce n'est pas bien malin ! **sorcier, compliqué, difficile**

MALINGRE

– Un enfant malingre **chétif, frêle, délicat, faible, fragile**
– Un vieillard malingre **cacochyme, débile, valétudinaire, égrotant, souffreteux**

MALLE

– Malle métallique **cantine**
– Malle des commis voyageurs **marmotte**
– Ancienne malle à chapeaux, bombée et compartimentée **chapelière**
– Fabricant de malles **malletier**
– Fermer une malle **boucler, cadenasser, sangler**
– Type de serrure d'une malle **housset**
– Élément de fermeture d'une malle **moraillon**
– Acheminée jadis par une malle-poste **dépêche**

MALLÉABLE

– Un métal malléable **ductile**
– La cire est malléable **plastique**
– Un caractère malléable **influençable, docile, maniable, souple, obéissant, flexible**

MALMENER

voir aussi **rudoyer, maltraiter**
– Malmener sa femme **brutaliser**
– Le politicien s'est fait malmener par la foule **bousculer, molester**
– Le romancier s'est fait malmener par la critique **esquinter, éreinter**
– Malmener quelqu'un en paroles **houspiller, secouer**

MALOTRU

– Quelle bande de malotrus ! **goujats, mufles, rustres, hurons, butors**

MALPROPRE

syn. **sale**
– Un tablier malpropre **crasseux, maculé**
– Un logement malpropre et malsain **insalubre**

CLASSIFICATION DES MAMMIFÈRES		
Sous-classe	**Ordre**	**Exemples**
Monotrèmes : ovipares, sans dents.		ornithorynque, échidné. 3 espèces.
Marsupiaux : vivipares ; le fœtus finit de se développer hors de l'utérus, dans la poche ventrale de la mère.		kangourou, sarigue (ou opossum de Virginie), wombat, koala. Environ 270 espèces en Australie et Amérique du Sud.
Euthériens ou mammifères placentaires : vivipares ; le nouveau-né est entièrement constitué.	xénarthres	paresseux, tatou, fourmilier. Environ 29 espèces.
	pholidotes	pangolin. 7 espèces.
	scandentia	tupaïa (ou toupaye). 16 espèces.
	macroscélides	rat à trompe. 15 espèces.
	dermoptères (écureils volants)	galéopithèque. 2 espèces.
	chiroptères	chauve-souris. 950 espèces.
	carnivores	chien, ours, panda, belette, mangouste, hyène, chat, phoque, éléphant de mer, morse, otarie. 266 espèces.
	insectivores	taupe, hérisson. 343 espèces.
	siréniens	lamantin, dugong. 5 espèces.
	tubulidentés	oryctérope. 1 espèce.
	proboscidiens	éléphant. 2 espèces.
	hyracoïdes	daman. 8 espèces.
	périssodactyles (doigts impairs)	rhinocéros, cheval. 18 espèces.
	artiodactyles (doigts pairs)	sanglier, hippopotame, vache, chameau, girafe, cerf. 192 espèces.
	rongeurs	écureuil, rat. 1 700 espèces.
	lagomorphes	lapin, lièvre. 59 espèces.
	cétacés *(voir aussi tableau)*	baleine, dauphin. 128 espèces.
	primates	maki, lémurien, singe, homme. 181 espèces.

– Des mains malpropres **négligées**

– Une duègne malpropre **souillon, maritorne**

– Des propos malpropres **grossiers, indécents, malsains, inconvenants, malsonnants, obscènes, orduriers**

MALSAIN

– Un air malsain **nocif, nuisible, vicié, délétère**

– Une odeur malsaine **fétide, méphitique, nauséabonde, putride, pestilentielle**

– Des eaux stagnantes malsaines **contaminées, miasmatiques**

– Un penchant malsain **morbide**

– Un ascendant malsain **pernicieux**

– Une lecture malsaine **obscène, licencieuse**

– Lieu particulièrement malsain **cloaque**

MALT

– Céréale avec laquelle on fabrique du malt **orge, blé, riz**

– Transformer une céréale en malt **malter**

– Procédé de base qui permet la fabrication du malt **germination**

– Séchage à l'air chaud du malt vert **touraillage**

– Sucre fermentescible obtenu lors de la fabrication du malt **maltose, dextrine**

– Faire griller du malt **torréfier**

– Substance obtenue à partir du malt pour faire de la bière **moût**

MALTRAITER

– Maltraiter un enfant **frapper, brutaliser, rosser, rudoyer, molester**

– Maltraiter son propre corps **châtier, mortifier, macérer**

– Maltraiter la couverture d'un livre **abîmer, esquinter, malmener, corner**

– Maltraiter un artiste dans un article **critiquer, blâmer, décrier, dénigrer, éreinter, vitupérer**

MALVEILLANCE

syn. **haine, hostilité, animosité, inimitié, agressivité**

– Malveillance sournoise **malignité, perfidie, machiavélisme**

– Acte de malveillance **sabotage**

– Circonstance aggravante d'un acte de malveillance **préméditation**

MAMELLE

– Mamelle d'une vache **pis**

– Mamelle d'une truie **tétine**

– Extrémité de la mamelle d'une vache **trayon**

– Extrémité de la mamelle de la laie, de la louve et de la renarde **tette**

– La mamelle est une glande **lactéale, galactophore**

– Infection de la mamelle **mammite**

– Herbe-aux-mamelles **lampsane**

MAMMIFÈRE *Voir tableau p. ci-contre*

– Mammifère dont l'embryon, nourri par un placenta, naît à un stade avancé **placentaire, euthérien, monodelphe**

– Mammifère dont le petit, né à un stade précoce, grandit dans une poche **marsupial, méthathérien, didelphe**

– Mammifère ovipare **monotrème, protothérien, ornithodelphe**

– Étude des mammifères **mammalogie**

MANCHE

– Relever ses manches **retrousser**

– Fixer une manche au reste du vêtement **monter**

– Endroit où la manche s'ajuste au vêtement **emmanchure, entournure**

– Pièce triangulaire sous le bras d'une manche pour donner de l'aisance **gousset**

– Manche exécutée séparément puis cousue au vêtement **manche montée, manche raglan**

– Manche qui n'est qu'une extension du corsage **manche kimono**

– Manche qui s'arrête au coude **manche d'ange**

– Manche bouffante et courte **manche en béret, manche ballon**

– Manche longue très ample à l'épaule et resserrée à partir du coude **manche gigot**

– Manche très ample près de l'épaule et serrée au poignet **manche à la bombarde, manche à l'imbécile**

– Manche collante boutonnée au niveau du poignet **manche en amadis**

– Manche flottante en vogue aux XVIᵉ et XVIIᵉ siècles **manche en aileron**

– Manche dont l'extrémité s'évase à partir du coude jusqu'au poignet **manche pagode**

– Manche dont l'emmanchure est très large **manche chauve-souris**

– Petite manche qui couvre le haut du bras **mancheron**

– Au jeu, deuxième et troisième manche **revanche, belle**

– Une manche au tennis **set**

– En géographie, une manche relie deux mers **détroit**

– Manche de certains outils de travail **manicle**

– Se saisir du manche d'un pinceau **ente**

– Manche d'une arme de jet **hampe**

– À l'extrémité du manche des instruments à corde **chevillier**

– Pièce permettant d'adapter un manche à un outil **douille**

– Extrémité pointue d'une lame de couteau que l'on encastre dans le manche **soie**

MANCHON

– Manchon cylindrique permettant de joindre deux pièces dans divers domaines **bague, anneau, douille, collier, bride**

– Manchon cylindrique en tissu ou fourrure, permettant de protéger les mains **chien de manchon**

MANDARIN

syn. **intellectuel, lettré**

– Un grand mandarin de la presse **patron, pontife, potentat, ponte**

– Parler le mandarin, norme linguistique du chinois **pékinois**

– Famille à laquelle appartient le canard mandarin **anatidés**

MANDAT

– Personne qui donne mandat **mandant, commettant**

– Personne à qui l'on donne mandat **mandataire, fondé de pouvoir, commissionnaire**

– Donner mandat à un ami **procuration**

– Charger quelqu'un d'un mandat **mission, délégation**

– Durée d'un mandat politique **mandature**

– Mandat de député **députation**

– Territoire sous mandat **tutelle**

– Mandat de versement postal établi par des moyens électroniques **mandat optique**

– Mandat indispensable pour procéder à l'ordination d'un prêtre **mandat apostolique**

– Type de mandat en droit pénal **mandat d'arrêt, mandat de dépôt, mandat de comparution, mandat d'amener**

MANDATAIRE

– Mandataire nommé par le tribunal et chargé de représenter les créanciers **liquidateur, syndic**

MANÈGE

– Utile au cavalier qui monte en manège **garde-botte**

– Fouet à long manche utilisé en manège **chambrière**

– En équitation, course régulière en manège **passade**

– Manège découvert **carrière**

– Ancien manège de chevaux de bois souvent richement décoré **carrousel**

– Un manège inquiétant **agissements, manœuvres, manigances**

– Observez bien son petit manège ! **jeu**

MANGEOIRE

syn. **auge**

– Mangeoire pour le bétail **crèche, râtelier**

– Mangeoire pour les oiseaux ou la volaille **trémie**

MANGER

phag(o)-

syn. **nourrir (se), alimenter (s'), restaurer (se), sustenter (se)**

– Manger du bout des lèvres **grignoter, chipoter, pignocher, picorer**
– Manger avec plaisir **savourer, déguster, régaler (se), délecter (se)**
– Manger jusqu'à plus faim **rassasier (se)**
– Manger goulûment **dévorer, engloutir, engouffrer**
– Manger des sucreries avec excès **gaver de (se), bourrer de (se)**
– Individu qui ne mange pas de viande **végétarien**
– Individu qui ne mange que des aliments d'origine végétale **végétalien**
– Être vivant qui mange de l'herbe **herbivore**
– Être vivant qui mange du poisson **ichtyophage**
– Être vivant qui mange de la viande **carnivore**
– Être vivant qui mange de tout **omnivore**
– Individu qui mange de la chair humaine **cannibale, anthropophage**
– Un repas au cours duquel on mange chichement **frugal**
– Aime bien manger **gastronome, gourmet**
– Mange avec excès et fait bombance **intempérant**
– Qui mangent à la même table **commensaux**
– Un convive qui a mangé à sa faim **repu**
– Un produit que l'on peut manger **comestible**
– En physiologie, action de manger **manducation**
– Fléau décimant certaines populations qui ne mangent pas à leur faim **malnutrition, famine**
– S'abstenir de manger **jeûner**
– Apporter à manger **approvisionner, ravitailler**
– Refus de manger lié à un trouble psychique **anorexie**
– Besoin irrépressible de manger lié à un trouble psychique **boulimie**
– De grandes mèches lui mangent tout le visage **cachent, dissimulent**
– La rouille a mangé le métal **rongé, entamé**

MANGEUR
– Le roi des mangeurs **Gargantua**
– Mangeur indésirable **parasite, pique-assiette, écornifleur**
– Mangeur vorace **glouton, goinfre**

MANIABLE
– Un outil très maniable **commode, pratique**
– Une machine maniable **manœuvrable**
– Un appareil maniable **portatif**
– Une matière maniable **malléable**
– Un caractère maniable **docile, souple, flexible, influençable, traitable**

MANIES	
Nom	**Objet de la manie**
Anglomanie	anglais (imite les usages des Anglais)
Anthomanie	fleurs
Bibliomanie	livres
Cynomanie	chiens
Dipsomanie	alcool
Égomanie	soi-même
Ergomanie	travail
Érotomanie	sexe
Hédonomanie	plaisir
Hippomanie	chevaux
Kleptomanie	vol
Logomanie	parole
Mégalomanie	grandeur, pouvoir
Monomanie	objet ou idée unique
Mythomanie	mensonge, exagération
Nymphomanie	sexe (pour les femmes)
Onomatomanie	répétition d'un ou de plusieurs mots ou chiffres
Pyromanie	feu
Sitiomanie	nourriture

MANIAQUE /1
– Un maniaque hante le quartier **déséquilibré, détraqué, désaxé, obsédé**

MANIAQUE /2
– Une ménagère maniaque **pointilleuse, tatillonne, vétilleuse**
– Succession d'accès maniaques et de mélancolie **cyclothymie**

MANIE *Voir tableau ci-dessus*
voir aussi **psychose**
syn. **fureur, passion, rage, dada**
– Avoir une manie disgracieuse **tic**
– C'est sa nouvelle manie **marotte, lubie, foucade**
– Manie invalidante **hantise, obsession, idée fixe, monomanie**

MANIEMENT
– Le maniement d'un outil **manipulation, usage, emploi**
– Passer maître dans le maniement des affaires **gestion, administration, direction**

MANIER
syn. **manipuler**
– Manier des bêtes de trait **conduire, mener**
– Manier la truelle **utiliser, servir de (se)**
– Manier un véhicule **manœuvrer**

– Manier des idées abstraites **employer, recourir à**
– Manier des sommes d'argent importantes **brasser**
– Manier le fer **façonner**

MANIÈRE
– Une manière de faire très personnelle **façon**
– Une manière originale de fabriquer des santons **méthode, procédé, technique**
– La manière d'un artiste **genre, style, savoir-faire**
– Des manières rustres **comportement, conduite**
– Des manières répréhensibles **manigances, menées, agissements**
– Bonnes manières **savoir-vivre, politesse, bienséance, urbanité**
– Faire des manières **façons, chichis, simagrées, embarras, minauderies**
– Des manières qui manquent de naturel **guindées, affectées, apprêtées, compassées, empruntées**
– Midinette qui fait des manières **mijaurée**
– Femme aristocrate du XVIIᵉ siècle qui entreprit de réformer les manières et le langage **précieuse**

MANIFESTATION
– Manifestation de confiance **signe, marque, témoignage**
– Manifestation culturelle **exposition, Salon, festival**
– Organiser une manifestation **rassemblement, cortège, démonstration collective**
– Manifestation non violente **sit-in**
– Donnent le ton d'une manifestation **banderoles, slogans**
– Devraient être satisfaits après une manifestation de mécontentement **desiderata, exigences, revendications**

MANIFESTE /1
– Un manifeste pompeux **proclamation, déclaration, profession de foi**
– Manifeste proclamé par des insurgés dans les pays hispaniques **pronunciamiento**

MANIFESTE /2
– Une inégalité manifeste **patente, flagrante**
– Un fait manifeste **notoire, avéré**
– Une preuve manifeste **incontestable, indéniable, irréfutable, tangible**

MANIFESTER
– Manifester sa joie **exprimer, extérioriser**
– Manifester ses intentions **annoncer, révéler, dévoiler, divulguer**
– Le mécontentement va se manifester par un fort taux d'abstention **traduire (se)**

– Cette maladie peut se manifester par des démangeaisons **déclarer (se)**
– Qui manifeste vivement ses émotions **exubérant, expansif, démonstratif, extraverti**
– Manifester sa présence **signaler, trahir**

MANIPULATION

syn. **maniement**
– Manipulations chromosomiques **génie génétique**
– Manipulation de l'opinion publique **emprise, influence**
– Douleurs dans le dos que certains thérapeutes traitent par manipulations **lumbago, lombalgie, dorsalgie, cervicalgie**
– Des manipulations politiques manifestes **tripotages, intrigues, manigances, fraudes, trafics**

– Thérapeute qui traite certaines douleurs en pratiquant des manipulations **rhumatologue, ostéopathe, chiropracteur, étiopathe**
– Crée la surprise par ses manipulations **prestidigitateur, illusionniste**
– Manipulation frauduleuse du cours des valeurs en Bourse **agiotage**

MANIVELLE

– Avec une manivelle, constitue un système qui transforme le mouvement **bielle**
– Pièce de la manivelle de mise en marche d'une voiture ancienne **levier, crabot, vilebrequin**
– Appareil à manivelle avec lequel on soulève des objets lourds **cric**
– Donner le premier tour de manivelle d'un film **début du tournage**

– Partie d'une manivelle **maneton, nille**

MANŒUVRE

voir aussi **manipulation**
syn. **manouvrier**
– Manœuvre qui travaille dans les mines **gaïibot**
– La manœuvre d'un navire **appareillage, pilotage, mouillage**
– Ensemble d'appareils permettant la manœuvre d'un navire **gréement**
– Boucles des manœuvres dormantes d'un bateau **capelage**
– Fixer une manœuvre **bosser**
– Militaire qui dirige des grandes manœuvres **stratège**

MANQUE

– Manque d'originalité **absence**

MANTEAUX

MANTEAUX COURTS
mixtes
  alpaga
  blazer
  blouson
  bombardier
  caban
  kabig
  surveste
  vareuse
  veste
de femme
  boléro
  jaquette
  saharienne
  spencer
  veste cintrée
  veste de tailleur

MANTEAUX TROIS QUARTS
  canadienne
  doudoune
  duffel-coat
  parka
  redingote
  trois-quarts

MANTEAUX LONGS
avec manches
  loden
  pardessus
  pelisse
  raglan
  surtout
sans manches
  cape
  houppelande
  limousine
  macfarlane
  mante
  pèlerine

MANTEAUX IMPERMÉABLES
courts
  anorak
  coupe-vent
  K-way

bombardier

caban

spencer

duffel-coat

longs
  ciré
  gabardine
  imperméable
  mackintosh
  trench-coat
  waterproof

MANTEAUX DE FOURRURE
  astrakan
  mouton retourné
  vison

MANTEAUX DE CÉRÉMONIE
  frac
  habit
  jaquette
  queue-de-morue
  queue-de-pie
  smoking
  veston

MANTEAUX DE BÉBÉ
  burnous
  nid d'ange

MANTEAUX...
de marin
  caban
de cavalier
  rotonde
de militaire
  capote
  battle-dress
d'ecclésiastique
  chape
  douillette
  mantelet
de moine
  cagoule
de Mexicain
  poncho
de Maghrébin
  burnous
de paysan russe
  touloupe
de Grec dans l'Antiquité

raglan

nid
d'ange

burnous

chlamyde
himation
de Romain dans l'Antiquité
  épitoge
  pallium
de Gaulois
  saie
  sagum
de femme au Moyen Âge
  manteline
d'homme au Moyen Âge
  balandran
d'homme d'armes au Moyen Âge
  hoqueton
  tabard
de hussard
  dolman
de mousquetaire
  casaque
  soubreveste
de laquais aux XVIe et XVIIe siècles
  mandille
d'homme sous le règne de Louis XIV
  roquelaure

poncho

dolman

FERMETURES D'UN MANTEAU
  bouton
  brandebourg
  fermeture à glissière
  pression
  zip

PATTE D'AJUSTEMENT D'UN MANTEAU
  martingale

– Manque de nourriture **pénurie, disette**
– Combler un manque **lacune**
– Manque de vitamines **carence**
– Manque dans un texte **omission**
– Vivre dans le manque **besoin, indigence, dénuement**
– Remédier à un manque **pallier, suppléer à**
– Crée un état de manque chez les toxicomanes **dépendance, assuétude**

MANQUER

syn. **faire défaut**
– Manquer de tact **être dépourvu de, être dénué de**
– Manquer à son devoir **faillir, soustraire (se), dérober (se)**
– Manquer à une règle **enfreindre, transgresser, violer**
– Manquer à sa parole **dédire (se), trahir, tromper**
– Manquer à la politesse **offenser**
– Manquer à l'honneur **forfaire, déroger, contrevenir**

MANTEAU *Voir illustration p. 367*

syn. **pardessus**
– Manteau qui protège de la pluie **imperméable, gabardine, trench-coat, ciré**
– Long manteau léger **cache-poussière**
– Manteau assez court à capuche **duffel-coat, parka, kabig**
– Manteau assez court **trois-quarts**
– Manteau très chaud porté notamment par les marins **caban**
– Manteau en lainage épais **loden**
– Manteau sans manches **pèlerine, cape, macfarlane**
– Long manteau ecclésiastique sans manches **chape, cappa**
– Manteau garni de fourrure **pelisse**
– Manteau de bébé **douillette**
– Manteau féminin en forme de cape **mante**
– Manteau mixte ajusté à la taille **redingote**
– Manteau antique **chlamyde, himation, pallium, sagum**
– Manteau médiéval porté sur l'armure **tabard**
– Manteau des valets de comédie **à la Crispin**
– Manteau de berger **limousine**
– Grand manteau de laine que portent les Arabes **burnous**
– Manteau fait d'une seule pièce porté surtout en Amérique latine **poncho**
– Élément du manteau d'une cheminée **piédroit, linteau, plate-bande**
– Sous le manteau **clandestinement, discrètement, secrètement, en sous-main**

MANUEL

syn. **cours**
– Manuel contenant les notions essentielles d'une matière **abrégé, aide-mémoire, mémento, vade-mecum**
– Manuel de littérature ou de philosophie rassemblant des morceaux choisis **anthologie**
– Tout manuel scolaire se doit d'être **instructif, didactique**

MANUFACTURE

syn. **usine, fabrique**
– Dirigeant d'une manufacture **manufacturier**

MANUSCRIT

– Peau d'animal sur laquelle on copiait des manuscrits **parchemin**
– Végétal sur lequel on copiait des manuscrits **papyrus**
– Personne qui copiait des manuscrits **scribe, copiste**
– Artisan qui ornait des manuscrits **enlumineur**
– Première forme des manuscrits **rouleau**
– Manuscrit sur parchemin que l'on gratte pour écrire un nouveau texte **palimpseste**
– Lecture difficile d'un manuscrit **déchiffrement**
– Ensemble des annotations concernant les variantes d'un manuscrit **apparat critique**
– Conserver des manuscrits en les classant **archiver**
– Lorsqu'un manuscrit a été dactylographié **tapuscrit**
– Étude des manuscrits **manuscriptologie**

– Confronter plusieurs manuscrits pour les comparer **collationner**
– Testament manuscrit **holographe**

MAQUEREAU

– Ordre auquel appartient le maquereau **perciformes**
– Famille à laquelle appartient le maquereau **scombridés**
– Jeune maquereau **lisette**
– Appât qui permet d'attirer les maquereaux et d'autres poissons **boëte**
– Maquereau ayant déjà frayé, qui n'a plus d'œufs ni de laitance **chevillé**

MAQUILLAGE

– Boîte contenant un assortiment de produits de maquillage **palette**
– Maquillage qui résiste à l'eau **waterproof**
– Produit utilisé pour le maquillage du visage **blush, fard, poudre, fond de teint**
– Produit utilisé pour le maquillage des yeux **mascara, Rimmel, eye-liner, khôl**
– Étude relative aux produits de maquillage **cosmétologie**

MAQUILLER

– Maquiller un acteur **grimer**
– Utile pour se maquiller **houppette**
– Maquiller un crime **camoufler, déguiser**
– Maquiller la réalité **fausser, dénaturer, travestir**
– Maquiller une pièce d'identité **falsifier**
– Se maquiller avec soin **farder (se)**

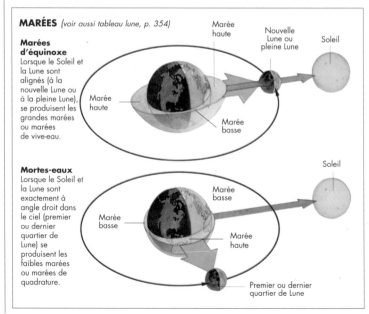

MARÉES *(voir aussi tableau lune, p. 354)*

Marées d'équinoxe
Lorsque le Soleil et la Lune sont alignés (à la nouvelle Lune ou à la pleine Lune), se produisent les grandes marées ou marées de vive-eau.

Mortes-eaux
Lorsque le Soleil et la Lune sont exactement à angle droit dans le ciel (premier ou dernier quartier de Lune) se produisent les faibles marées ou marées de quadrature.

Marée haute

Nouvelle Lune ou pleine Lune

Soleil

Marée haute

Marée basse

Soleil

Marée basse

Marée basse

Marée haute

Premier ou dernier quartier de Lune

MAQUIS

– Sol sur lequel se développe le maquis **siliceux**
– Buisson ou arbrisseau qui pousse dans le maquis **arbousier, myrte, ciste, lentisque, calycotome**
– Chêne qui pousse dans le maquis **chêne kermès, chêne-liège**
– Ils se sont réfugiés dans le maquis pendant la Seconde Guerre mondiale **résistants, maquisards**
– Un maquis inextricable **imbroglio**

MARAIS

syn. **marécage**
– Marais acide couvert de mousses et de carex **tourbière**
– Marais insalubre en Italie **maremme**
– Petit marais situé sur une hauteur dans les Ardennes **fagne**
– Marais boisé des côtes tropicales **mangrove**
– Marais littoral asséché **polder**
– Marais littoral transformé en vignoble dans le Bordelais **palus**
– Marais consacré à la culture maraîchère en Picardie **hortillonnage**
– Un animal qui vit dans les marais **paludéen, palustre**
– Jonc qui pousse dans les marais **roseau, massette, typha**
– Fleur qui égaie un marais **nénuphar**
– Plante qui flotte sur les eaux stagnantes des marais **lenticule, azolla, salvinia, eichhornia**
– Vase boueuse au fond d'un marais **bourbe**
– Gaz des marais **méthane**
– Fièvre des marais **paludisme, malaria**
– Assécher un marais **assainir, drainer**
– Chasse pratiquée dans les marais **à la botte, à l'affût, à la hutte, à la passée**
– Marais salant **saline**
– Ouverture qui laisse passer l'eau de mer dans un marais salant **varaigne**
– Réservoir d'un marais salant où est stockée l'eau entre deux marées **vasière, jas**
– Endroit dans un marais salant où le sel se cristallise **œillet**
– Ouvrier qui travaille dans un marais salant **paludier**

MARBRE

– Cristaux qui composent le marbre **calcite, dolomite**
– Carrière de marbre **marbrière**
– Phase de fabrication du marbre **extraction, tranchage, débitage, façonnage, polissage**
– Polissage du marbre **égrésage, adoucissage, lustrage**
– Ligne dessinée dans le marbre **veine**
– Marbre bigarré **jaspé**
– Marbre formé de débris de coquilles fossiles **brocatelle**
– Imite le marbre en décoration **stuc**

– Marbre de teinte claire constitué de cristaux de calcite **cipolin**
– Marbre rougeâtre ou verdâtre **griotte**
– Marbre très dur et donc difficile à travailler **fier**
– Marbre de mauvaise qualité qui se délite **pouf**
– Porcelaine qui imite le marbre de Paros **parian**
– Un visage de marbre **marmoréen**
– Rester de marbre **impassible, impavide**

MARCHAND

syn. **commerçant, négociant**
– Approvisionne les marchands en produits divers **fournisseur**
– Marchand intermédiaire entre les fabricants et les détaillants **grossiste**
– Marchand qui fait du porte-à-porte **colporteur, représentant, VRP (voyageur représentant placier)**
– Marchand ambulant qui vend des babioles **camelot**
– Marchand ambulant qui vend des fruits et des légumes sur une charrette **des quatre-saisons**
– Marchand qui vend des produits en fraude sur la voie publique **à la sauvette**
– Marchand malhonnête **mercanti, margoulin**
– Marchand de tabac **buraliste**

MARCHANDER

– Marchander son soutien **chicaner, lésiner**

MARCHANDISE

– Marchandise au détail **article, produit**
– Marchandise alimentaire **denrée**
– Garantit la qualité d'une marchandise **label**
– Technique visant à améliorer la distribution des marchandises **marchandisage, merchandising**
– Conserver des marchandises **stocker, entreposer, emmagasiner**
– Emballage des marchandises **conditionnement**
– Mode de conditionnement des marchandises **containérisation, conteneurisation**
– Transport des marchandises **fret**
– Marchandises entreposées à bord d'un navire **cargaison, facultés**
– Inventaire des marchandises transportées à bord d'un navire **manifeste, connaissement**

MARCHE

voir aussi **escalier**
– Marche d'un escalier tournant **marche balancée, marche dansante, marche gironnée**
– Dernière marche d'un escalier **marche palière**

– Marche d'un escalier **degré**
– Rapidité de la marche **allure**
– Longue marche agréable **randonnée**
– Sentier balisé sur lequel on peut pratiquer la marche **sentier de grande randonnée (GR)**
– Une marche silencieuse émouvante **manifestation**
– La meilleure marche à suivre **méthode, processus, tactique**
– La bonne marche d'un appareil **fonctionnement**

MARCHÉ

– Marché où l'on vend des objets d'occasion **puces, brocante**
– Marché noir **clandestin**
– Conclure un marché **affaire, transaction, contrat**
– Annuler un marché **résilier**
– Marché arabe **souk**
– Marché oriental **bazar**
– Marché où quiconque peut s'improviser vendeur **braderie**
– Bâtiment qui abrite les marchés **halles**
– Marché réglementé entre l'Administration et un particulier **adjudication**
– Stratégie commerciale qui s'appuie, entre autres, sur des études de marché **marketing, mercatique**
– Marché des valeurs mobilières **Bourse des valeurs**
– Le contraire de l'économie de marché **économie dirigiste, économie planifiée**
– Marché caractérisé par un plus grand nombre de vendeurs que d'acheteurs **oligopole**
– Accaparement du marché par une seule entreprise **monopole**

MARCHER

syn. **avancer**
– Marcher à grands pas **enjambées**
– Un individu qui marche bien **ingambe**
– Aime marcher la nuit **noctambule**
– Personne qui marche pendant son sommeil **somnambule**
– Acrobate qui marche sur un fil **funambule, fildefériste**
– Marcher au hasard des rues **déambuler, errer, flâner, vagabonder**
– Marcher difficilement au milieu d'une foule **piétiner**
– Marcher à pas de géant **arpenter**
– Marcher dans la boue d'un sentier **patauger**
– Marcher en boitant **clopiner, claudiquer, clocher**
– Marcher derrière quelqu'un en le suivant de très près **talonner**
– Marcher en balançant les hanches **déhancher (se), dandiner (se)**
– Marcher en balançant les épaules **chalouper**
– Ne pas marcher droit **zigzaguer**

– Marcher à petits pas pressés **trotter, trottiner**
– Cet animal marche en avançant les deux pattes droites puis les deux pattes gauches **va l'amble**
– Animal qui marche sur les doigts **digitigrade**
– Animal qui marche sur la plante des pieds **plantigrade**
– Animal qui marche sur des sabots **onguligrade**
– Faire marcher un appareil **fonctionner**
– Faire marcher quelqu'un **tromper, berner, abuser**

MARÉE *Voir illustration p. 368*
– Marée montante **flux**
– Marée descendante **reflux, perdant**
– Époque de grandes marées **vives-eaux**
– Époque de faibles marées **mortes-eaux**
– Courant de marée pendant le flux **courant de flot**
– Courant de marée pendant le reflux **courant de jusant**
– Différence de hauteur d'eau entre la marée haute et la marée basse **marnage**
– Caractéristique de la mer au renversement de marée **étale**
– Addition de l'influence de la Lune et du Soleil dans les marées de vive-eau **syzygie**
– Opposition de l'influence de la Lune et du Soleil dans les marées de morte-eau **quadrature**
– Partie du littoral couverte puis découverte au rythme des marées **estran, étage mésolittoral**
– Haute vague dans un estuaire provoquée par le choc entre la marée montante et le reflux **mascaret**
– Les étals du marchand de marée **mareyeur, poissonnier**
– Odeur de marée **fraîchin**

MARELLE
– Pierre que l'on jette dans les cases d'une marelle **palet**

MARGE
syn. **bord, lisière, bordure**
– Marge supérieure de la page d'un livre **blanc de tête**
– Marge inférieure de la page d'un livre **blanc de pied**
– Marge centrale située à la reliure d'un livre **marge au pli, petit fond**
– Marge latérale de la page d'un livre située à la coupe **grand fond**
– Portée en marge d'un texte **annotation, apostille, manchette**
– Annotations écrites en marge **marginales**
– Écrire des remarques dans la marge d'un livre **marginer**
– Machine qui rogne les marges d'un livre **massicot**

– Marge de sécurité à respecter **réserve, volant**
– Accorder une marge de réflexion **délai**
– Conserver une marge de sécurité entre deux voitures **distance, intervalle**
– Marge brute d'autofinancement d'une entreprise **MBA, cash-flow**
– Disposer d'une certaine marge de manœuvre **latitude**

MARGINAL
– Des activités marginales **secondaires, accessoires, illicites**
– Des théories marginales **singulières, fantaisistes, novatrices**
– Personne marginale qui refuse la société de consommation **baba, beatnik, clochard, anticonformiste, hippie, paria**

MARGUERITE
– Famille à laquelle appartiennent les marguerites **composées**
– Type d'inflorescence des marguerites **capitule**
– Minuscule fleur qui forme le cœur jaune des marguerites **fleuron**
– Retirer un à un les pétales d'une marguerite **effeuiller**
– Petite marguerite **pâquerette**
– Marguerite du Transvaal **gerbera**

MARI
syn. **époux, conjoint**
– Mari dont la femme est décédée **veuf**
– La responsabilité du mari **maritale**
– Dans certaines civilisations, droit accordé au mari de renvoyer sa femme **répudiation**
– Loi musulmane qui permet au tuteur d'une femme de lui choisir un mari **djabr**
– Femme qui a plusieurs maris **polyandre**

MARIAGE
voir aussi **anniversaire**
gam(o)-
syn. **noces, épousailles, hymen, conjungo**
– Avant le mariage **prénuptial**
– Contrat de mariage **communauté conventionnelle, séparation de biens, participation aux acquêts**
– Leur présence est indispensable à la célébration du mariage **témoins**
– Publiés avant un mariage **bans**
– Air de musique joué à l'église au cours de la cérémonie de mariage **marche nuptiale**
– Mariage entre deux personnes de nationalité ou de religion différentes **mixte**
– Mariage célébré en l'absence d'un des deux prétendants **par procuration**
– Mariage célébré exceptionnellement après la mort d'un des deux époux **posthume**
– Mariage contracté dans un dessein tout

autre que l'union matrimoniale **simulé, blanc**
– Mariage entre un prince et une femme de rang inférieur **morganatique**
– Femme qui arrange des mariages **marieuse, entremetteuse**
– En Europe, biens apportés par une femme au moment de son mariage **dot, trousseau**
– Tradition populaire régionale qui a lieu au cours d'un mariage **charivari, jarretière, pot de chambre**
– Poème lyrique en l'honneur des époux, déclamé jadis au cours d'un mariage **épithalame**
– Mariage de rite orthodoxe **couronnement**
– Cérémonie de mariage juif **quiddoushim**
– Dais sous lequel sont placés les futurs époux au cours d'un mariage juif **houppa**
– Mariage hindouiste **vivaha**
– Divinité grecque qui préside au mariage **Héra**
– Chant nuptial grec **Hyménée**
– Divinité romaine qui préside au mariage **Junon**

MARIER
syn. **unir**
– Marier des teintes **associer, combiner, assortir, harmoniser**
– Se marier **contracter mariage, convoler**
– Délai que doit respecter une veuve avant de pouvoir se marier à nouveau **de viduité**

MARIN /1
voir aussi **pêche**
syn. **homme d'équipage**
– Un peuple de marins **navigateurs**
– Piètre marin **marin d'eau douce**
– Marin émérite **loup de mer**
– Jeune marin **mousse**
– Marin, sous-officier de carrière dans la Marine nationale **cadre de maistrance**
– Marin employé à terre **fusilier**
– Marin qui veille sur la passerelle et s'occupe des signaux **timonier**
– Marin chargé de la manœuvre d'un navire **gabier**
– Marin préposé à l'alimentation en combustible des chaufferies d'un navire **soutier**
– Marin guetteur **vigie**
– Redoutable marin qui hantait les mers **pirate, écumeur, forban, flibustier, boucanier, corsaire**
– Tenue du marin pêcheur **caban, suroît, vareuse**

MARIN /2
– Unité de mesure de longueur marine **mille**
– Plate-forme marine **off-shore**

SYMBOLES MATHÉMATIQUES

addition	$+$	implication	$\Rightarrow$
appartenance	$\in$	inclusion	$\subset$
assertion	« »	inférieur à	$<$
complémentarité	$\complement$	inférieur ou égal à	$\leqslant$
contenance	$\supset$	infini	∞
correspond à	$\triangleq$	intersection	$\cap$
croît	$\nearrow$	multiplication	$\times$
décroît	$\searrow$	non-appartenance	$\notin$
différent de	$\neq$	non-contenance	$\not\supset$
division	$\div$	non-inclusion	$\not\subset$
égal à	$=$	parallèle à	$//$
ensemble des nombres complexes	$\mathbb{C}$	perpendiculaire à	$\perp$
		pi	π
ensemble des entiers naturels	$\mathbb{N}$	plus ou moins	$\pm$
ensemble des nombres rationnels	$\mathbb{Q}$	quantificateur existentiel (il existe)	$\exists$
ensemble des nombres réels	$\mathbb{R}$	quantificateur universel (pour tout)	$\forall$
ensemble des entiers relatifs	$\mathbb{Z}$	racine	$\sqrt{\ }$
		réunion	$\cup$
ensemble vide	$\varnothing$	somme	Σ
environ égal à	$\approx$	soustraction	$-$
équivalence	$\Leftrightarrow$	supérieur à	$>$
identique à	$\equiv$	supérieur ou égal à	$\geqslant$
		tend vers	$\rightarrow$

– Carte marine utilisée à la fin du Moyen Âge **portulan**
– Phénomène marin aux conséquences souvent catastrophiques **raz de marée, tsunami**
– Faune marine **necton, plancton**

MARINE
voir aussi **navigation, grade**
– Marine nationale française **Royale**
– Instrument de marine **sonar, asdic, loch**
– Ancien instrument de marine **astrolabe, compas, sextant**
– Embarque et débarque les marchandises transportées par la marine **aconier**

MARINER
– Faire mariner du poisson dans une préparation vinaigrée **macérer**

MARIONNETTE
syn. **pantin**
– Dirige un spectacle de marionnettes **montreur**

– Théâtre de marionnettes **castelet**
– Marionnette mue à la main **à gaine**
– Marionnette actionnée avec des fils **fantoche**
– Marionnette d'origine lyonnaise qui plaît aux enfants **Guignol**
– Marionnette bossue **Polichinelle**
– Marionnette italienne à gaine **pupazzo, burattino**
– Marionnette anglaise **Punch**
– Marionnette allemande **Kasperl**

MARITIME
– Une grande puissance maritime **navale**
– Les vertus du climat maritime **marin**

MARIVAUDAGE
syn. **badinage**

MARMELADE
syn. **compote, confiture**
– En marmelade **écrasé**

MARMITE
syn. **faitout**

– Marmite hermétique permettant de cuire des aliments sous pression **autoclave, autocuiseur, Cocotte-Minute**
– Marmite de terre sans pieds ou à pieds bas **huguenote**
– Marmite en fonte **daubière, braisière, cocotte**
– Permettait de suspendre une marmite dans une cheminée **crémaillère**
– Marmite utilisée par le peintre pour délayer sa peinture **camion**

MARMOTTE
– Ordre auquel appartient la marmotte **rongeurs**
– Famille à laquelle appartient la marmotte **sciuridés**
– Marmotte qui vit dans les steppes eurasiennes **bobak**
– Petit rongeur qui ressemble beaucoup à la marmotte **souslik**
– Engourdissement qui peut durer jusqu'à huit mois chez les marmottes **hibernation**
– Fourrure de marmotte utilisée en pelleterie **murmel**

MAROTTE
– Il a une nouvelle marotte : les courses hippiques **manie, dada, folie, passion, lubie, tocade**

MARQUANT
syn. **mémorable, impressionnant, remarquable**

MARQUE
syn. **signe, empreinte, trace**
– Faire une marque sur une page d'un livre **croix, astérisque**
– Marque dans un tronc d'arbre **encoche, entaille**
– Marque sur la portière d'une voiture **rayure**
– Poser des marques **repères, jalons**
– Marque en orfèvrerie **poinçon**
– Marque garantissant l'authenticité d'un objet **estampille**
– Marque apposée derrière une lettre **sceau, cachet**
– Marque garantissant la qualité d'un produit **label**
– Marque de qualité **critère**
– Marque dans un tissu **éraillure**
– Marque composée d'initiales gravées sur des couverts **chiffre, monogramme**
– Une marque servant de repère en construction **d'appareil**
– Une marque gravée dans une pierre par l'ouvrier qui l'a taillée **de tâcheron**
– Marque laissée par un animal que l'on poursuit **connaissance**
– Symbole d'une marque commerciale **logotype**
– Marque de coups **tuméfaction, zébrure, ecchymose**

MÉDECINES ALTERNATIVES

MÉDECINES MANUELLES

ACUPUNCTURE
Insertion d'aiguilles très fines en des points précis sur l'ensemble du corps, le long des méridiens correspondant aux viscères.
Indications : douleurs articulaires, viscérales et musculaires.
Origine : médecine traditionnelle chinoise.

AURICULOTHÉRAPIE
(branche de l'acupuncture)
Insertion d'aiguilles très fines ou utilisation de petites billes en des points précis de l'oreille, reflet du corps (la forme de l'oreille évoquant un fœtus inversé).
Indications : douleurs articulaires, viscérales et musculaires.
Origine : médecine traditionnelle chinoise.

CHIROPRAXIE
Manipulations de la colonne vertébrale et des articulations.
Indications : torticolis, cervicalgies, dorsalgies, lumbagos, lombalgies, douleurs dans les membres supérieurs.

CRANIOPATHIE
(dérivée de l'acupuncture)
Insertion d'aiguilles très fines en des points précis du crâne reliés à différents organes ou à différentes fonctions du corps.
Indications : douleurs articulaires, viscérales et musculaires.
Origine : médecine traditionnelle chinoise.

DIGITOPUNCTURE
(branche de l'acupuncture)
Pressions exercées du bout des doigts en des points précis sur l'ensemble du corps, le long des méridiens.
Indications : douleurs articulaires, viscérales et musculaires.
Origine : médecine traditionnelle chinoise.

ÉTIOPATHIE
Recherche causale de la douleur suivie de manipulations.
Indications : douleurs articulaires, viscérales et musculaires.

FASCIATHÉRAPIE
Mobilisation et étirement des enveloppes musculaires.
Indications : troubles articulaires,

circulatoires, digestifs et gynécologiques.

OSTÉOPATHIE
Techniques de torsion, d'élongation et de pression sur l'ensemble du corps (articulations, muscles, tissus vivants et organes).
Indications : pathologies articulaires, pulmonaires, digestives, ORL, génitales.

RÉFLEXOTHÉRAPIE
(dérivée de l'acupuncture)
Massage de points précis de la plante des pieds correspondant à un organe ou à une fonction physiologique.
Indications : douleurs articulaires, viscérales et musculaires.

SHIATSU
(dérivé de l'acupuncture)
Pression, étirement, mobilisation, pétrissage de points précis sur l'ensemble du corps, situés le long des méridiens.
Indications : douleurs articulaires et musculaires, troubles psychosomatiques liés à la nervosité, insomnies.
Origine : médecine japonaise dérivée de la médecine traditionnelle chinoise.

MÉDECINES MÉDICAMENTEUSES

ALGOTHÉRAPIE
Utilisation thérapeutique des algues : enveloppements, massages.
Indications : pathologies articulaires et circulatoires.

AROMATHÉRAPIE
(branche de la phytothérapie)
Utilisation thérapeutique des huiles essentielles en ingestion, massage ou inhalation.
Indications : pathologies circulatoires, respiratoires, articulaires et dermatologiques

FANGOTHÉRAPIE
Traitement par des bains de boue chaude.
Indications : pathologies articulaires et musculaires.

HOMÉOPATHIE
Prescription à dose infinitésimale d'une substance (d'origine animale, végétale ou minérale) capable,

à forte dose chez un sujet sain, de produire des troubles semblables à ceux traités.
Indications : traitement et prévention des maladies infectieuses récidivantes chez l'enfant et l'adulte, pathologies allergiques respiratoires, dermatologiques et gynécologiques, troubles psychosomatiques, digestifs.

OLIGOTHÉRAPIE
Utilisation thérapeutique des oligoéléments (aluminium, zinc, fer, soufre, cuivre, iode, cobalt, manganèse, phosphore, magnésium).
Indications : états infectieux, troubles neuropsychiques, pathologies articulaires et musculaires.

PHYTOTHÉRAPIE
Utilisation thérapeutique des plantes médicinales : infusions, décoctions, teintures, inhalations, comprimés, lotions, suppositoires.
Indications : pathologies articulaires, musculaires, circulatoires, digestives et gynécologiques.

VITAMINOTHÉRAPIE
Utilisation thérapeutique des vitamines (A, B, C, D, E, F, H, K, P, PP).
Indications : carences en vitamines à l'origine de troubles circulatoires, neurologiques et dermatologiques, d'anémie, de rachitisme, de stérilité.

MÉDECINES UTILISANT LES PROPRIÉTÉS DE L'EAU

BALNÉOTHÉRAPIE
(branche de l'hydrothérapie)
Traitement par immersion dans l'eau.
Indications : rééducation et massages après un traumatisme.

CRÉNOTHÉRAPIE
(branche de l'hydrothérapie)
Traitement par l'eau minérale : boisson, bains, inhalations.
Indications : diététique, pathologies respiratoires, rhumatismales et dermatologiques.

HYDROTHÉRAPIE
Traitement par les eaux : bains, douches, affusions, enveloppements, irrigations.
Indications : pathologies respiratoires, rhumatismales

et dermatologiques, rééducation après un traumatisme.

THALASSOTHÉRAPIE
(branche de l'hydrothérapie)
Traitement utilisant l'eau et les boues marines alliées au climat marin : bains, douches, affusions, enveloppements.
Indications : pathologies respiratoires, rhumatismales et dermatologiques, rééducation après un traumatisme.

MÉDECINES RECOURANT À LA RELAXATION

MUSICOTHÉRAPIE
Traitement par la musique.
Indications : troubles psychiatriques essentiellement, quelquefois utilisée pour des handicaps physiques (contrôle du souffle, des mouvements, coordination, etc.).

QI GONG
Exercices respiratoires combinés à des mouvements du corps et à la méditation.
Indications : amélioration de la santé physique et psychique.
Origine : médecine traditionnelle chinoise.

SOPHROLOGIE
Traitement par l'hypnose, la relaxation et l'imagerie mentale.
Indications : préparation à l'accouchement, angoisse, pathologies psychosomatiques, troubles sexuels.

TAI-CHI-CHUAN
Méditation associée à des séries de mouvements du corps.
Indications : amélioration de la santé physique et psychique.
Origine : médecine traditionnelle chinoise.

YOGA
Techniques de respiration et de positionnement du corps.
Indications : amélioration de la santé physique et psychique.
Origine : discipline traditionnelle indienne.

ZEN
Technique de méditation et d'autodiscipline.
Indications : lutte contre le stress, l'anxiété, la dépression.
Origine : née en Inde, s'est développée au Japon et a pris le nom de zen au XIIe s.

– À l'annonce « à vos marques », les athlètes ont encore les pieds dedans **starting-blocks**
– Marque sur la peau à la suite d'une plaie **cicatrice, stigmate, balafre**
– Marques rouges ou violacées qui apparaissent sur le visage **couperose, marbrure**
– Marque produite par incision de la peau **scarification**
– Marque sur le corps due à une distension de la peau **vergeture**
– Marque au fer rouge que l'on infligeait aux criminels **flétrissure**
– Marque de gentillesse **preuve, témoignage**
– Image de marque **réputation**

MARQUER
syn. **délimiter, baliser**
– Marquer une réunion dans son agenda **noter, inscrire**
– Marquer d'une croix un nom sur une liste **cocher**
– Ruban servant à marquer un endroit dans un livre **signet**
– Marquer des documents pour les classer **coter**
– Marquer un arbre afin qu'il ne soit pas coupé au cours d'un déboisement **layer**
– Marquer avec un poinçon **insculper**
– Marquer la peau à l'encre indélébile **tatouer**
– Marquer son discours d'exclamations **souligner, ponctuer, scander**
– Certains animaux marquent leur territoire **délimitent, circonscrivent**
– Le thermomètre marque 0 °C **indique**
– Marquer son étonnement **manifester**
– Marquer un événement exceptionnel **fêter, célébrer**
– Tradition régionale selon laquelle on marque le bétail au fer rouge **ferrade**
– Les joueurs cherchent à le marquer au football, au rugby et au basket **but, essai, panier**

MARQUETERIE
voir aussi **menuiserie, essence**
– Bois utilisé en marqueterie **ébène, noyer, cèdre, érable, anis**
– Matériau précieux utilisé en marqueterie **nacre, ivoire, écaille, marbre, corozo**
– Procédé de marqueterie **placage**
– Artisan qui pratique la marqueterie **marqueteur, ébéniste, tabletier**
– Procédé décoratif qui a supplanté à certains siècles la marqueterie **incrustation**

MARRAINE
– Personne dont on est la marraine **filleul, filleule**

MARRON /1
– Marron non comestible **marron d'Inde**

– Marron comestible **châtaigne**
– Capsule épineuse qui entoure le marron **bogue**
– Gâteau à la crème de marron **mont-blanc**

MARRON /2
syn. **brun, châtain, tabac, chocolat**
– Marron clair **beige, havane**
– Un notaire marron **malhonnête, véreux**

MARTEAU
– Partie d'un marteau de menuiserie **manche, table, œil, angrois, panne**
– Type de gros marteau **masse, maillet**
– Marteau utilisé par les maçons **boucharde**
– Marteau utilisé par les vitriers **bisaiguë**
– Marteau utilisé par les couvreurs **asseau**
– Marteau utilisé par les forgerons **frappe-devant, taillet**
– Marteau utilisé par les maréchaux-ferrants **ferratier, brochoir, mailloche**
– Marteau utilisé par les carriers **picot, têtu**
– Marteau utilisé par les tailleurs de pierre **smille, laie, rustique**
– Marteau utilisé par les sculpteurs **marteline**
– Marteau utilisé par les tonneliers **batte, hutinet**
– Marteau utilisé par les charrons **châsse**
– Marteau utilisé par les serruriers **martoire**
– Marteau utilisé par les sabotiers **renard**
– Marteau utilisé par les luthiers **longuet**
– Marteau employé pour assommer un bœuf **merlin**

MARTYR
voir aussi **saint**
– Chrétien martyr **confesseur**
– Cercle qui entoure la tête des martyrs **auréole, nimbe**
– Symbole du sacrifice d'un martyr **palme**
– Restes d'une partie du corps d'un martyr **relique**
– Lieu saint où a été enseveli un martyr **martyrium**
– Liste des martyrs **martyrologe**
– Premier martyr **saint Étienne**
– Un enfant martyr maltraité par ses camarades **souffre-douleur**

MARTYRE
syn. **supplice, torture, calvaire**
– Le martyre des premiers chrétiens **persécution, baptême du sang**

MARXISTE
voir aussi **socialisme, communisme**
– Théorie marxiste **matérialisme historique, matérialisme dialectique**
– Étude des textes marxistes **marxologie**

– Fondateur de la théorie marxiste **Marx, Engels**
– Ouvrage qui a exposé les théories marxistes *le Capital*
– Doctrine chinoise influencée par la méthode d'analyse marxiste **maoïsme**

MASCARADE
syn. **carnaval, défilé**
– Mascarade de carnaval **déguisement, masque, chienlit**
– Cette élection n'a été qu'une mascarade **imposture, hypocrisie, comédie**

MASCULIN
syn. **mâle**
– Ensemble des attributs et caractéristiques masculins **virilité, masculinité**
– Femme d'allure et d'attitude masculines **hommasse, virago**
– Mot qui ne varie pas morphologiquement selon le genre masculin ou féminin **épicène**

MASOCHISME
– Masochisme associé au sadisme **sado-masochisme**

MASQUE
– Masque de tissu, souvent de velours noir **loup, touret de nez, domino**
– Fête où l'on porte des masques **carnaval, mardi gras, mi-carême**
– Masque d'apiculteur **voile**
– Masque sculpté en pierre servant d'ornement architectural **mascaron**
– Masque de grossesse **chloasma**
– Masque de souffrance **air, expression**
– Arracher son masque à quelqu'un **confondre, démasquer**

MASQUER
syn. **falsifier, travestir**
– Masquer des preuves **camoufler**
– Ses audaces masquent une inhibition maladive **recouvrent**
– Masquer la réalité **voiler, estomper, farder**
– Le mur masque la vue **cache, dérobe, dissimule**

MASSACRE
– C'est un vrai massacre **tuerie, carnage, boucherie, hécatombe**
– Massacre d'un peuple **génocide**
– Massacre des juifs par les nazis pendant la Seconde Guerre mondiale **holocauste, Shoah**
– Massacres révolutionnaires de septembre 1792 **septembrisades**
– Conduit au massacre **barbarie, inhumanité**

MASSACRER
– Massacrer une population **exterminer, anéantir**

– Massacrer un innocent **lyncher**
– Massacrer une œuvre **défigurer, dénaturer, gâcher**

MASSAGE
syn. **friction**
– Soigne, entre autres méthodes, par des massages **masseur-kinésithérapeute**
– Type de massage à visée thérapeutique **pression, vibration, percussion**
– Massage effectué par pressions **effleurage, pétrissage, roulade, malaxation, pincement**

MASSE
voir aussi **tas, marteau**
– La route est bloquée par une masse de rochers et de gravats **agrégat, agglomérat**
– Masse minérale en fusion **magma**
– En physique nucléaire, nombre de masse **baryonique**
– Il a toujours eu une attitude méprisante vis-à-vis des masses **foule, peuple**
– S'en remettre à l'opinion de la masse **majorité**
– Masse utilisée par les paveurs **hie, dame, demoiselle**
– Masse utilisée pour enfoncer un pieu **mouton**
– Masse d'armes **casse-tête, massue, plommée**

MASSER
– Masser les élèves dans la cour **rassembler, réunir, regrouper**

MASSIF /1
– Un massif de fleurs **corbeille, parterre**
– Un massif d'arbrisseaux **bosquet**
– Massif antérieur d'une église médiévale **antéglise, westbau**

MASSIF /2
– Un édifice massif **trapu, pesant, mastoc**
– Une carrure massive **corpulente**

MASSUE
– S'armer d'une massue **matraque, gourdin**
– Des arguments massue qui laissent abasourdi **décisifs, chocs, de poids, écrasants**

MASTIQUER
– Mastiquer un aliment **mâcher**
– Substance à mastiquer pour exciter la sécrétion salivaire **masticatoire**
– Phase qui suit l'action de mastiquer **déglutition**

MAT
– Le carrelage, de brillant qu'il était, est devenu mat **terne**
– Un teint très mat **basané, bistre, tanné**

– Un bruit mat **sourd, étouffé**
– Rendre mat un métal précieux **matir**

MÂT
voir aussi **voilier**
– Faire descendre un mât supérieur le long de celui qui le soutient **caler**
– Cordage qui maintient le mât d'un voilier **hauban**
– Sommet d'un mât **pomme**
– Petit mât **mâtereau**
– Les trois mâts d'une mâture commune **mât d'artimon, grand mât, mât de misaine**
– Mât incliné à la poupe d'un voilier **mât de beaupré**
– Mât d'un seul tenant **mât à pible**
– Petit mât sur les anciens voiliers en arrière du bas-mât **mât de senau**
– Mât qui se hisse au-dessus du bas-mât **mât de hune**
– Mât qui se hisse au-dessus du mât de hune **mât de perroquet**
– Haut du mât de perroquet **mât de cacatois**
– Mât sans vergues ni mât de perroquet **mât de flèche**
– Mât sur lequel on envergue un drapeau **mât de pavillon**
– Mât de remplacement **mât de fortune**
– Mât enduit de savon sur lequel on grimpe lors d'une fête foraine **mât de cocagne**

MATCH
syn. **compétition, rencontre, confrontation**
– Match de boxe, de lutte **combat**
– Match disputé en escrime **assaut**
– Série de matchs **tournoi**

MATELAS
– Support du matelas dans un lit **sommier**
– Rembourrure d'un matelas **matelassure**
– Ensemble des ressorts d'un matelas **carcasse**
– Toile avec laquelle on confectionne des housses de matelas **coutil, futaine**
– Rembourrer un matelas en piquant l'étoffe par endroits pour maintenir la matelassure **capitonner**
– Remettre en état un matelas de laine **rebattre**
– Peigner la laine d'un matelas **carder**
– Sac que l'on bourre de végétaux séchés et qui sert de matelas rudimentaire **paillasse**
– Toile imperméable destinée à protéger le matelas **alèse**

MATELOT
syn. **marin**
– Matelot qui fait l'apprentissage du métier **mousse**

– Jeune matelot de 16 à 18 ans **novice**

MATER
– Mater des insoumis **soumettre**
– Mater une rébellion **vaincre, réduire, maîtriser, réprimer**
– Mater ses envies **réprimer, réfréner, modérer, dominer**
– Mater du verre **dépolir**
– Mater un métal précieux **matir**
– Outil utilisé pour mater une soudure **matoir**

MATÉRIALISER
– Matérialiser un projet **accomplir, réaliser, concrétiser**
– Chemin matérialisé par des pavés **signalisé**
– La colombe matérialise la paix **symbolise, représente**

MATÉRIAU
syn. **matière**
– Matériaux de construction **acier, zinc, ciment, pierre, bois, fer, verre, plâtre, aluminium**
– Matériaux d'une enquête **pièces, données, documents**
– Ensemble de matériaux destinés à constituer une base de données terminologique **corpus**

MATÉRIEL /1
– As-tu le matériel nécessaire ? **équipement, outillage, armement**
– En informatique, le matériel par opposition au logiciel **hardware**

MATÉRIEL /2
syn. **concret, réel, existant**
– Une preuve matérielle **visible, palpable, tangible**
– S'oppose, en philosophie, à la vérité matérielle **vérité formelle**
– Individu dont les préoccupations sont purement d'ordre matériel **matérialiste**
– Un esprit trop matériel **terre à terre, prosaïque**

MATERNEL
– Mode de filiation maternelle **matrilinéaire**
– Lait non maternel **maternisé**
– École maternelle **jardin d'enfants**

MATERNITÉ
syn. **clinique, enfantement, génération, procréation**
– Médecin spécialiste de l'accouchement dans une maternité **obstétricien**

MATHÉMATIQUE *Voir tableau p. 371*
syn. **logique, rigoureux, précis**
– Propriété mathématique **théorème**
– Type de raisonnement mathématique **déduction, induction**

MÉDICAMENTS

GROUPES DE MÉDICAMENTS

Analeptique : rétablit les forces et stimule les fonctions d'un organe.

Analgésique : diminue ou supprime la douleur (parfois synonyme d'antalgique).

Anorexigène : réduit la sensation de faim.

Antalgique : calme la douleur.

Antibiotique : traite les infections liées à une bactérie.

Anticoagulant : s'oppose à la coagulation du sang.

Anticonvulsivant : s'oppose aux convulsions, à l'épilepsie.

Antihistaminique : s'oppose aux effets inflammatoires de l'histamine. Utilisé notamment dans le traitement des états allergiques.

Antipyrétique : combat la fièvre.

Antiscorbutique : prévient ou guérit le scorbut.

Antitussif : calme ou supprime la toux.

Anxiolytique : apaise l'anxiété ou l'angoisse.

Bêtabloquant : diminue l'hypertension artérielle et certains troubles du rythme cardiaque.

Carminatif : facilite l'expulsion des gaz intestinaux.

Collutoire : calme la douleur des gencives et des parois de la cavité buccale.

Cytotoxique : utilisé pour détruire les cellules tumorales.

Diurétique : stimule ou accroît la sécrétion d'urine.

Émétique : provoque des vomissements ; utilisé en cas d'absorption de poisons.

Emménagogue : provoque ou régularise le flux menstruel.

Expectorant : facilite l'expectoration des sécrétions contenues dans les bronches.

Fébrifuge : *voir Antipyrétique.*

Hypnotique : *voir Somnifère.*

Laxatif, purgatif : combat la constipation.

Neuroleptique : exerce une action calmante sur le système nerveux.

Parégorique (élixir) : calme les douleurs intestinales ; a des propriétés antidiarrhéiques.

Résolutif : calme l'inflammation.

Sédatif : diminue le stress, l'insomnie.

Sialagogue : active la salivation.

Somnifère : provoque le sommeil.

Sternutatoire : provoque l'éternuement.

Stomachique : facilite la digestion gastrique.

Tranquillisant : calme l'angoisse, le stress, diminue l'insomnie et dilate les vaisseaux sanguins.

Vermifuge ou **anthelminthique :** provoque l'expulsion des vers intestinaux.

SUBSTANCES MÉDICAMENTEUSES

Benzodiazépines : combattent l'anxiété (Valium ®).

Codéine : calme la toux.

Cortisone : combat les inflammations, les allergies.

Curare : est utilisé en anesthésie et en réanimation.

Digitaline : est utilisée dans le traitement des maladies cardiaques.

Disulfirame : aide à ne pas absorber d'alcool, est utilisé dans les cures de désintoxication alcoolique.

Héparine : empêche la coagulation du sang et est notamment utilisée dans le traitement des thromboses artérielles ou veineuses (phlébite).

Insuline : entre dans le traitement du diabète ; abaisse le taux de sucre dans le sang (glycémie), en favorisant l'utilisation du glucose par les tissus. .

Morphine : exerce une action calmante et analgésique puissante.

Paracétamol : combat la fièvre et la douleur.

Phénobarbital : a un effet calmant, en particulier en cas de convulsions.

Quinine : est utilisée dans le traitement du paludisme.

Tétracycline : combat certaines infections.

MATHÉMATIQUES
voir aussi **géométrie**
syn. **calcul**
– Cycle universitaire médiéval enseignant les mathématiques **quadrivium (arithmétique, géométrie, musique, astronomie)**

MATIÈRE
syn. **substance**
– Constituant de la matière **molécule, atome**
– Changement d'une matière en une autre **transmutation**
– Transformation de la structure de la matière **désintégration**
– Substance inhérente à toute matière vivante **hyaloplasme**
– Matière servant à la construction **matériau**
– En pareille matière **dans ce domaine, à ce sujet, sur ce chapitre**
– Doctrine philosophique selon laquelle la matière prévaut sur l'esprit **matérialisme**
– Ancienne doctrine philosophique selon laquelle toute matière est vivante **hylozoïsme**
– En peinture contemporaine, tendance à l'accumulation de matière **matiérisme**
– Fournir matière à sourire **sujet, occasion, motif, cause, prétexte**
– C'est sa matière préférée **discipline**

MATIN
– Petit matin **aube, aurore, point du jour**
– Dès le matin **dès potron-jaquet, dès potron-minet, dès matines**
– Perles d'eau qui rendent le jardin humide au petit matin **rosée**
– Le matin de la vie **commencement, début**

MATINAL
– Un individu matinal **matineux**
– Un astre matinal **matinier**
– Des douleurs matinales **matutinales**
– Concert matinal **aubade**

MATRAQUE
syn. **gourdin, trique**
– Parce qu'elle meurtrit sans couper, la matraque est une arme **contondante**

MATRICE
syn. **utérus**
– La matrice d'un disque **moule, forme**
– Mise en forme d'un produit par application contre une matrice **matriçage**
– Matrice de l'administration des Contributions **registre**
– En linguistique, matrice simplifiée d'une structure **pattern**

MATRICULE
– Les matricules d'un régiment **registres**
– Inscription sous forme de numéro sur un matricule **immatriculation**

MATURATION
– Maturation des fruits **mûrissement**
– Maturation du raisin caractérisée par un changement de couleur **véraison**
– Procédé consistant à hâter la maturation d'une fleur ou d'une plante **forçage**

MATURITÉ
syn. **épanouissement**
– Faire preuve de maturité **sagesse, circonspection**
– Mûrissement d'un fruit jusqu'à complète maturité **mûrissage, maturation**
– Maturité hâtive d'un fruit **précocité**
– Maturité longue à venir d'un fruit **tardiveté**

MAUDIRE
syn. **anathématiser**
– Maudire publiquement un adversaire **vouer aux gémonies, honnir**

– Maudire un despote **abominer, exécrer, abhorrer, haïr**
– Maudire le jury **récriminer contre, réprouver**
– Il est maudit des dieux **condamné, damné**

MAUSSADE
– Un temps maussade **triste, ennuyeux**
– Avoir un air maussade **boudeur, renfrogné, rechigné, morose, chagrin**
– Il est toujours très maussade **revêche, désagréable, grognon**
– Un ton maussade **acrimonieux, acerbe, acariâtre, hargneux**
– Être d'un tempérament maussade **désabusé, mélancolique, sombre, pessimiste**

MAUVAIS
caco-
– Un mauvais moment **inopportun, inadéquat**
– Un mauvais jour **défavorable, néfaste, funeste**
– Un mauvais temps **maussade**
– Une très mauvaise nouvelle **horrible, épouvantable, abominable, effroyable**
– Une mauvaise décision **fâcheuse, déplorable**
– Une mauvaise traduction **inexacte, incorrecte, erronée**
– Un sketch très mauvais **lamentable, affligeant**
– De mauvais tours **pendables**
– Un mauvais outil **défectueux**
– Mauvaises herbes **adventices**
– Un plat tout à fait mauvais **infect, immangeable**
– Une très mauvaise odeur **répugnante, ignoble, immonde, fétide, putride, nauséabonde**
– Un mauvais sujet **malfaisant, malveillant, dépravé, pervers**
– Une mauvaise humeur **massacrante**
– C'est une mauvaise langue **langue de vipère, diffamateur, détracteur, médisant**
– Avoir de mauvaises mœurs **corrompues, immorales, dissolues, dépravées**

MAXIMUM
syn. **comble, summum, apogée, acmé, sommet, paroxysme**
– Atteindre le maximum **culminer, plafonner**
– En météorologie, maximum barométrique **anticyclone**

MAYONNAISE
– Mayonnaise utilisée pour préparer des aspics ou des salades moulées **mayonnaise collée**
– Sauce à base de mayonnaise, de safran, de jus d'orange et de poivre **mayonnaise maltaise**

– Mayonnaise à l'ail et à l'huile d'olive **aïoli**
– Sauce à base de mayonnaise, de poivron, de tomate, de paprika et de safran **mayonnaise andalouse**
– Sauce à base de mayonnaise, de câpres, de cornichons et de fines herbes **rémoulade**

MAZOUT
syn. **fuel-oil, fioul**
– Mazout domestique **FOD (fuel-oil domestique), gasoil de chauffe**
– Opération qui permet à partir du pétrole brut d'obtenir du mazout **distillation**
– Paramètre de base qui permet la classification des différents mazouts **viscosité**

MÉANDRE
– Méandre d'un cours d'eau **sinuosité, courbe, contour, détour**
– Suivre les méandres de la route **lacets, coudes, zigzags, virages**
– Méandre ornant un décor en architecture **frette, grecque**
– Les méandres de la politique **ruses, biais**

MÉCANICIEN
– Mécanicien qui conduit une locomotive **conducteur**

MÉCANIQUE /1
– Les trois grandes sections de la mécanique classique **cinématique, statique, dynamique**
– Mécanique qui se réfère à la théorie des quanta **ondulatoire, quantique**
– En mécanique, évaluation des forces **dynamométrie**

– Partie de la mécanique qui étudie les conditions d'équilibre d'un liquide **hydrostatique**
– Partie de la mécanique qui étudie les mouvements des corps lancés dans l'espace **balistique**

MÉCANIQUE /2
– Des gestes mécaniques **automatiques, machinaux, réflexes, involontaires**

MÉCHANCETÉ
syn. **malveillance, vilenie**
– La méchanceté de sa conduite **noirceur, bassesse, indignité**

MÉCHANT
– Un individu méchant **dur, cruel, malveillant, malfaisant**
– Un air méchant **haineux, hargneux, fielleux**
– Une remarque méchante **acerbe, caustique, perfide, venimeuse, acrimonieuse**
– Un rire moqueur et méchant **sarcastique, sardonique**
– Aussi méchant que le diable **démoniaque, satanique, méphistophélique**
– Attention ! chien méchant **féroce**

MÈCHE
– Extrémité de la mèche d'une chandelle allumée **lumignon**
– Bout rougeoyant de la mèche d'une bougie que l'on vient d'éteindre **moucheron**
– Extrémité renflée d'une mèche de bougie qui a du mal à brûler **champignon**
– Mèche de cheveux bouclée plaquée sur les tempes ou le front **accroche-cœur, guiche**

LES MINÉRAUX ET LEURS UTILISATIONS

Albâtre : objets d'art, sculpture.

Albite : verre, céramique.

Anhydrite : ciment, engrais.

Bauxite : aluminium.

Calcite : ciment, peinture, verre, engrais, instruments optiques.

Cassitérite : c'est un oxyde dont on tire l'étain.

Corindon : joaillerie, abrasion.

Dolomite : ciment, pierre de construction.

Fluorine : verre, bijouterie, émail.

Galène : c'est un sulfure naturel de plomb utilisé notamment comme semi-conducteur pour détecter les signaux radioélectriques.

Graphite/plombagine : mines de crayon, creusets, pâtes d'entretien pour objets en fonte.

Gypse : plâtre, craie, ciment.

Halite : autre nom du sel gemme. Elle est notamment utilisée pour les glaçures.

Hématite : fer.

Jais : bijouterie, tabletterie.

Kaolin : porcelaine.

Malachite : c'est un carbonate basique de cuivre dont on fait des objets d'art.

Mica : peinture, verre, isolation thermique.

Microlithe : verre, céramique.

Pyrite : c'est un sulfure naturel de fer utilisé dans la préparation de l'acide sulfurique.

Quartz : abrasion, verre, appareils optiques, joaillerie, ciment.

Rutile : joaillerie.

Serpentine : amiante, objets de décoration.

Talc : poudre de talc, objets d'art…

– Retirer la partie carbonisée d'une mèche de chandelle **moucher**
– Substance végétale utilisée comme mèche de briquet **amadou**
– Mèche lente qui sert à allumer des explosifs **cordeau, bickford**
– Mèche pour percer des trous **foret, fraise**
– Se faire faire des mèches chez le coiffeur **balayage**
– Dompter une mèche rebelle avec du gel **épi**

MÉCONNAÎTRE
– Méconnaître les qualités de quelqu'un **mésestimer, déprécier, sous-estimer, méjuger, méprendre sur (se), dédaigner**
– Méconnaître ses devoirs **ignorer, négliger, oublier**

MÉCONTENTER
syn. **contrarier**
– Mécontenter son auditoire **affliger, navrer, contrister, déplaire à, ennuyer**

MÉCRÉANT /1
– Un peuple de mécréants **incroyants, incrédules, impies, athées**

MÉCRÉANT /2
– Une âme mécréante **irréligieuse**

MÉDAILLE
voir aussi **monnaie**
– Portrait sur une médaille **effigie**
– Médaille bénie frappée de l'image de l'Agneau mystique **agnus-Dei**
– Petit meuble à compartiments dans lequel on range les médailles **médaillier**
– Collectionneur de médailles ou de pièces de monnaie **numismate**

MÉDECIN
syn. **docteur, thérapeute, praticien, clinicien**
– Visite chez le médecin **consultation**
– Déterminé par le médecin à partir des symptômes du malade **diagnostic**
– Le médecin en rédige une à la fin d'une consultation **ordonnance, prescription**
– Personne qui fait profession de guérir sans avoir les diplômes requis pour être médecin **rebouteux, guérisseur**
– Mauvais médecin **médicastre, charlatan, diafoirus**
– Hiérarchie chez les médecins **externe, interne, chef de clinique, praticien hospitalier, chef de service**
– Instrument avec lequel un médecin vous ausculte **stéthoscope**
– Symbole des médecins **caducée**
– Un médecin lié à la Sécurité sociale par un accord de tarifs **conventionné**
– Règles et devoirs des médecins **déontologie**

– Problèmes d'éthique auxquels sont confrontés les médecins **bioéthiques**
– Institution qui regroupe tous les médecins en exercice **Conseil de l'ordre**
– Serment que prête un futur médecin **d'Hippocrate**
– Médecin qui prescrit des médicaments classiques **allopathe**
– Médecin non allopathe **homéopathe**
– Médecin expert auprès des tribunaux **légiste**
– Médecin non spécialiste **généraliste, omnipraticien**
– Médecin spécialiste des enfants **pédiatre**
– Médecin spécialiste des personnes âgées **gériatre**
– Médecin spécialiste des femmes **gynécologue**
– Médecin et chirurgien spécialiste des accouchements **obstétricien**
– Médecin spécialiste des troubles psychiques **psychiatre**
– Médecin spécialiste des rhumatismes **rhumatologue**
– Médecin spécialiste du cancer **cancérologue**
– Médecin spécialiste des maladies du tube digestif **gastro-entérologue**
– Médecin spécialiste des maladies du système nerveux **neurologue**
– Médecin spécialiste des maladies du sang **hématologiste**
– Médecin spécialiste des maladies du cœur **cardiologue**
– Médecin spécialiste des maladies des yeux **ophtalmologiste**
– Médecin spécialiste des maladies des reins **néphrologue**
– Médecin spécialiste des maladies des poumons **pneumologue**
– Médecin spécialiste des maladies des oreilles, du nez et de la gorge **oto-rhino-laryngologiste (ORL)**
– Médecin spécialiste des maladies de peau **dermatologue**
– Médecin spécialiste des maladies de la bouche **stomatologue**
– Médecin spécialiste des allergies **allergologue**
– Médecin spécialiste des affections du squelette, des muscles et des tendons **orthopédiste**
– Médecin spécialiste de l'appareil urinaire **urologue**
– Médecin spécialiste des veines et de leur traitement **phlébologue**
– Médecin spécialiste de l'anesthésie **anesthésiste**
– Médecin spécialiste en radiologie **radiologue**
– Médecin qui soigne les animaux **vétérinaire**
– Dans l'Antiquité romaine, premier médecin de l'empereur, aujourd'hui médecin du pape **archiatre**

MÉDECINE
Voir tableaux interventions chirurgicales, p. 133, vocabulaire de la chirurgie, p. 134, douleur, p. 182, médecines alternatives, p. 372, médicaments, p. 375, pédiatrie, p. 439, psychiatrie, p. 498
voir aussi **médical**
– Discipline fondamentale de la médecine **anatomie, physiologie, biochimie, pathologie, pharmacologie, cytologie, histologie, biologie, bactériologie**
– En médecine, mesures prises pour prévenir l'apparition ou le développement d'une maladie **prophylaxie**
– Étudiant en médecine qui participe au fonctionnement d'un service hospitalier **interne, externe**
– Surnom de l'étudiant en médecine **carabin**
– Dieu de la médecine dans l'Antiquité grecque **Asclépios**
– Dieu de la médecine dans l'Antiquité romaine **Esculape**
– Médecine parallèle **acupuncture, phytothérapie, ostéopathie, oligothérapie, sophrologie, thalassothérapie, auriculothérapie, chiropraxie**
– Principes positif et négatif sur lesquels s'appuie la médecine chinoise **yin, yang**
– Individu qui exerce la médecine illégalement **médecin marron**
– Auxiliaire en médecine **infirmier, kinésithérapeute, pédicure, sage-femme, aide-soignant**
– Médecine des accidents **traumatologie**
– Médecine des épidémies **épidémiologie**

MÉDIATEUR
syn. **intermédiaire, arbitre, conciliateur, négociateur**
– Médiateur dans les pays scandinaves **ombudsman**
– En biologie, médiateur chimique **neuromédiateur**

MÉDIATION
syn. **entremise, intervention**
– Médiation diplomatique **bons offices**

MÉDICAMENT
Voir tableau p. 375
voir aussi **médical, remède**
– Recueil officiel des médicaments **Pharmacopée, Codex**
– Médicament dont le brevet est tombé dans le domaine public, commercialisé sans marque donc moins cher **générique**
– Quantités et modalités d'administration d'un médicament **posologie**
– Circonstance qui empêche la prise d'un médicament **contre-indication**
– Substance neutre à laquelle est ajouté le principe actif d'un médicament **excipient**
– Liquide qui sucre et aromatise un médicament **julep**
– Médicament qui résulte du mélange ou de la transformation de plusieurs substances **galénique**

MODES ET STYLES

1900-1920

Mode féminine
tailleur
tunique
jaquette
jupe ample resserrée dans le bas
large chapeau à plumes
Mode masculine
complet veston
paletot
smoking
chapeau melon

LES ANNÉES 1920

Mode féminine
robe chemisier
manteau kimono
chapeau cloche
bas à couture derrière
chaussures à bride
Style garçonne (féminin)
veste de smoking
jupe droite au genou
nœud papillon
fume-cigarette
Mode masculine
chemise à pans, qui se boutonne
knickerbockers
pull-over et sweater
Oxford bags (pantalon très large
 des excentriques anglais)

LES ANNÉES 1930

Mode féminine
jupe chemisier
vêtements ajustés,
 moulants et sophistiqués
chapeau porté
 de manière asymétrique
Mode masculine
veston croisé
 avec un large revers pointu

LES ANNÉES 1940

Style zazou (mixte)
long veston et pantalon
 court et flottant
jupe longue et ample
chaussures en cuir
 à semelles épaisses en crêpe
Mode féminine
robe à large carrure et taille fine
manteau trapèze
béret
socquettes et chaussures
 à talons trotteurs
sac cabas en bandoulière

LES ANNÉES 1950

Mode féminine
tailleur avec veste décintrée
 et jupe droite
robe cocktail
robe sans manches à col montant
robe bain de soleil
corsaire
Bikini
babydoll

Les années 1900

Les années 1910

Mode masculine
pull à col polo
chemise hawaïenne
tee-shirt
jean
blouson
duffel-coat
veston court et pantalon
 court et étroit
chaussures
 à bouts pointus

LES ANNÉES 1960

Mode féminine
robe de coupe trapèze
 à col bénitier ou bateau
robe chasuble

minijupe et minirobe en trapèze
collant
pantalon
minishort, pantamini ou hot pants
twin-set
manteau très long
chaussures plates à bouts carrés
bottes et cuissarde
sac à main à anses
Mode masculine
jean étroit retroussé, style rocker
blouson de cuir
pantalon à fermeture à glissière
veste à col Mao

Les années 1940

Les années 1920

Les années 1930

Style mods (masculin)
longue veste de velours
pantalon retroussé
pull en shetland étriqué,
 aux tons acidulés
chemise à col pointu
cravate de laine
Style beatnik (mixte)
jean râpé
pull usé
veste élimée
bijoux d'Extrême-Orient
Style hippie ou **baba cool**
(mixte)
jean de forme lâche
chemise multicolore
ou liquette
chemise indienne à franges
ample robe à fleurs
châle
chemisier de dentelle
poncho
veste afghane

Les années 1950

Les années 1960

Les années 1970

Les années 1980

Les années 1990

sandales
serre-tête
à l'indienne
coiffe esquimaude
sac crocheté
sacoche de cuir
à franges

LES ANNÉES 1970

Mode mixte
vêtements tricotés
ou crochetés maison
vêtements en patchwork
jean unisexe
pantalon
à pattes d'éléphant
et à taille basse
tenue de jogging
ou de training
sweat-shirt
en molleton
Mode féminine
pull chaussette
cardigan
à pressions
saharienne
tee-shirt et débardeur
pantalon de smoking
salopette
pantacourt, knickers,
bermuda, short
tailleur-pantalon
pantalon de karting
avec un pli permanent
jupe maxi,
midi ou mini
chaussures à semelles
compensées

Mode masculine
pantalon collant
et large ceinturon
pantalon cigarette
sous-pull à col cheminée
en maille
chemise à col pelle à tarte
pull à col polo
large cravate
ou kipper tie
sacoche ou sac à main
Style punk (mixte)
tee-shirt lacéré
pantalon étroit
à carreaux écossais
tenue de cuir
rangers
ou Docmartens
ceinture cloutée
piercing, épingles à nourrice,
croix gammée
Style disco (mixte)
vêtements moulants
à paillettes
jupe longue fendue
jusqu'en haut des cuisses
Mode ad lib (mixte)
chemise indienne
djellaba
poncho
pantalon de moujik
veste afghane
manteau cache-poussière

LES ANNÉES 1980

Total look
port de vêtements
et d'accessoires
d'une seule marque
Mode féminine
pantalon en stretch, en lin,
à la coupe destructurée

robe du soir moulante
et décolletée
escarpins à talons hauts
réapparition des guêpières
et des bas
prédominance de la couleur noire
Mode masculine
sweat à capuche
pantalon en molleton
jean extralarge
baggy
surveste
gilet sans manches
parka et doudoune
Style gentleman-farmer
(masculin)
pantalon écossais
polo
gros pull irlandais

Style grunge (mixte)
jean déchiré
treillis
vêtements de différentes
longueurs superposés
rangers
Mode mixte et adolescente
emprunts aux sixties
et aux seventies

LES ANNÉES 1990

Tendance minimaliste (mixte)
dépouillement des formes
et recherche de matières
confortables
Style misérabiliste ou
paupériste (mixte)
tenues à l'allure usagée
vieux vêtements décousus
puis rassemblés et
superposés
Style outwear (féminin)
port des sous-vêtements
à la place des vêtements
ou par-dessus
Style Spice Girls (féminin)
vêtements transparents
minijupe ou robe à bretelles
style lingerie
pantalon étroit
à pattes d'éléphant
rangers ou chaussures
à semelles compensées
Style casual wear (masculin)
costume sombre, chemise en maille
manteau court
slip à ouverture horizontale

– Médicament pour les yeux **collyre**
– Médicament spécial préparé en pharmacie d'après une ordonnance **magistral**
– Médicament liquide administré par voie orale **sirop, soluté, ampoule, gouttes, élixir**
– Médicament en spray pour la gorge **collutoire**
– Médicament solide administré par voie orale **cachet, comprimé, granulé, pastille, gélule, dragée**
– Médicament avec lequel on se rince la gorge **gargarisme**
– Médicament que l'on applique sur la peau en massant **pommade, crème, baume, onguent, liniment, embrocation**
– Médicament que l'on pose sur une partie du corps **emplâtre, cataplasme, diachylon**
– Médicament administré par injection **parentéral**
– Médicament administré par voie rectale **suppositoire**
– Médicament administré par voie vaginale **ovule**
– Ancien médicament de consistance molle, à base de poudres et de miel **électuaire, opiat, thériaque**
– Appareil qui permet d'inhaler un médicament sous forme de vapeur **fumigateur**
– Médicament qui guérit tous les maux **panacée**
– Substance inactive administrée à la place d'un médicament **placebo**
– Dépendance à l'égard des médicaments **pharmacodépendance**
– Boîte à médicaments japonaise en laque décorée **inro**

MÉDIÉVAL
voir aussi **féodal**
syn. **moyenâgeux**
– Nom que l'on donne au spécialiste d'histoire ou de littérature de l'époque médiévale **médiéviste**
– Étude de la civilisation et de l'histoire médiévales **médiévisme**
– Poème épique médiéval relatant les exploits de héros historiques ou imaginaires **chanson de geste**
– Fête médiévale où s'affrontaient des chevaliers à cheval **tournoi, joute**
– Association médiévale qui regroupe les personnes d'une même profession **guilde**

MÉDIOCRE
– Un résultat médiocre **quelconque, ordinaire, piètre, insuffisant**
– Une rémunération médiocre **maigre, modeste, modique**
– Une indemnisation très médiocre **négligeable, dérisoire, minime, insignifiante**
– Mener une vie médiocre **mesquine, étriquée, morose, fade, terne, banale**

MÉDIOCRITÉ
– La médiocrité d'un ouvrage **platitude, pauvreté, banalité**

MÉDIRE
syn. **déconsidérer, calomnier, décrier**
– Médire de ses collègues **critiquer, dénigrer, diffamer, déprécier, attaquer**
– Cette personne se plaît à médire **jaser, clabauder, cancaner**

MÉDISANCE
syn. **commérage, méchanceté, potin, racontar, ragot**

MÉDITER
– Méditer sur un texte **concentrer sur (se), réfléchir sur, étudier**
– Méditer tout seul **songer, rêver**
– Méditer dans un lieu de prière **recueillir (se)**
– Méditer sur une question philosophique **spéculer**
– Méditer des actions d'intervention **combiner, échafauder, mûrir, élaborer**
– Méditer un voyage **projeter, préparer**
– Méditer un mauvais coup **manigancer, mijoter, ourdir, tramer**

MÉFIANT
– Être méfiant vis-à-vis de son interlocuteur **soupçonneux, suspicieux, défiant, ombrageux**
– Un intervenant méfiant **prudent, précautionneux, circonspect, avisé, cauteleux**
– Rester méfiant à l'annonce d'une nouvelle incroyable **sceptique, incrédule**
– Un individu trop méfiant pour prendre le moindre risque **timoré, pusillanime**
– Il était très méfiant au milieu de la foule **sur ses gardes, aux aguets, sur le qui-vive**

MEILLEUR /1
– Le meilleur d'une armée **élite, fleuron**
– Le meilleur d'un ouvrage **quintessence**

MEILLEUR /2
syn. **supérieur, excellent**
– Ce qu'il y a de meilleur **nec plus ultra**
– Dans les meilleures conditions **optimales**
– Au meilleur moment **favorable, propice**
– Devenir meilleur **améliorer (s'), amender (s')**
– Rendre un vin meilleur en le laissant vieillir **bonifier**

MÉLANCOLIE
– Accès de mélancolie passager **cafard, blues, vague à l'âme, spleen**
– Nom de la mélancolie dans l'ancienne médecine des humeurs **humeur noire, atrabile**
– Être enclin à la mélancolie **abattement, neurasthénie, dépression**
– Personnage en proie à la mélancolie **sombre, ténébreux, chagrin**
– Visage dénotant la mélancolie **morne, morose**

MÉLANGE
syn. **alliage, assemblage, association, combinaison, fusion**
– Mélange inextricable **emmêlement, embrouillement, enchevêtrement, imbroglio**
– Mélange disparate **amalgame, salmigondis**
– Mélange d'objets hétéroclites **fouillis, fatras, méli-mélo, pêle-mêle, capharnaüm**
– Mélange d'articles divers reliés en un recueil **miscellanées**
– Mélange d'idées ou de thèses d'origine disparate **syncrétisme**
– Un mélange d'absurdités **ramassis, tissu**
– En pharmacie, mélange de plusieurs substances **préparation, mixture**
– En chimie, dépôt résultant d'un mélange de plusieurs éléments **précipité**
– Mélange de fleurs séchées odoriférantes **pot-pourri**
– Mélange de boissons **cocktail**
– Mélange de salades **mesclun**
– Mélange de peuples **brassage**
– Mélange de races **métissage**

MÉLANGER
– En cuisine, mélanger des ingrédients **incorporer, délayer**
– Mélanger avec les doigts **malaxer**
– Mélanger un liquide avec un peu d'eau **couper, étendre, mouiller, allonger**
– Robot ménager qui sert à mélanger des ingrédients **batteur, mixeur**
– Récipient qui permet de mélanger les ingrédients d'un cocktail **shaker**
– Mélanger plusieurs ingrédients pharmaceutiques **mixtionner**
– Mélanger les cartes à jouer **battre, mêler**
– Mélanger des noms **confondre**

MÊLÉ
– Groupe très mêlé **bigarré, composite, hétéroclite, hétérogène**

MÊLER
voir aussi **mélanger**
syn. **participer à, avoir affaire à**
– Mêler l'activisme à l'inefficacité **allier**
– Mêler un proche à un projet compromettant **associer à, impliquer dans**
– Se mêler à un groupe d'opposants **joindre à (se), rallier à (se)**
– Se mêler indûment des affaires d'un autre **entremettre dans (s'), ingérer dans (s'), immiscer dans (s')**

MÉLODIE
– Siffler une mélodie **air, aria**
– Mélodie monotone **mélopée**
– Mélodie vocale d'origine germanique **lied**

MELON
– Famille à laquelle appartient le melon **cucurbitacées**
– Variété de melon **cantaloup, sucrin, cavaillon**
– Terre ou serre où l'on cultive des melons **melonnière**
– Un melon d'hiver **de garde**
– Melon d'eau **pastèque**
– En viticulture, melon de Bourgogne **muscadet**

MEMBRANE
– Petite membrane **membranule, membranelle**
– Membrane du corps humain humectée de mucus **muqueuse**
– Membrane constituée de deux feuillets qui délimitent une cavité **membrane séreuse**
– Membrane qui recouvre les surfaces externes et internes du corps **épithélium**
– Membrane fibreuse qui entoure les os du corps humain **périoste**
– Membrane qui enveloppe les muscles du corps humain **aponévrose**
– Membrane conjonctive qui entoure les cartilages non articulaires **périchondre**
– Membrane qui enveloppe le cœur **péricarde**
– Membrane qui tapisse l'intérieur du cœur **endocarde**
– Membrane, appelée méninge, entourant le cerveau et la moelle épinière **dure-mère, arachnoïde, pie-mère**
– Membrane séreuse qui tapisse la cavité abdominale **péritoine**
– Membrane séreuse qui enveloppe les poumons **plèvre**
– Membrane musculeuse qui sépare l'abdomen du thorax **diaphragme**
– Membrane logée dans l'oreille **tympan**
– Membrane de l'œil **rétine, choroïde, sclérotique**
– Mince membrane à l'entrée du vagin d'une jeune fille vierge **hymen**
– Membrane qui entoure le fœtus **chorion, amnios, caduque**
– Membrane qui enveloppe les viscères de certains animaux de boucherie **crépine**
– Instrument de musique muni d'une ou deux membranes que l'on fait vibrer **membranophone**

MEMBRE
– Les membres supérieurs chez l'homme **thoraciques**
– Les membres inférieurs chez l'homme **abdominaux**

MOIS DU CALENDRIER RÉPUBLICAIN

Automne	Hiver
Vendémiaire	Nivôse
Brumaire	Pluviôse
Frimaire	Ventôse
Printemps	**Été**
Germinal	Messidor
Floréal	Thermidor
Prairial	Fructidor

– Développement excessif des membres **macromélie**
– Rôle des membres supérieurs de l'homme **toucher, préhension**
– Rôle des membres inférieurs de l'homme **sustentation, locomotion**
– Ensemble osseux qui unit un membre au tronc **ceinture**
– La ceinture qui unit les membres supérieurs au tronc **scapulaire**
– La ceinture qui unit les membres inférieurs au tronc **pelvienne**
– Sectionner un membre malade **amputer**
– Perception parfois douloureuse d'un membre amputé **membre fantôme**
– Ce qui reste d'un membre ayant subi une amputation **moignon**
– Remplace un membre ou un organe **prothèse**
– Membre des animaux vertébrés tétrapodes **chiridium**
– Être membre d'une association **adhérent**
– Un membre qui jouit d'un titre honorifique sans exercer de fonction **honoraire**

MÉMOIRE
voir aussi **souvenir**
mném(o)-
– Perte partielle ou totale de la mémoire **amnésie**
– Trouble de la mémoire **paramnésie, ecmnésie**
– Hyperactivité de la mémoire **hypermnésie**
– Un procédé qui permet de garder en mémoire **mnémotechnique**
– Aide une mémoire défaillante **agenda, pense-bête, mémento, mémorandum**
– Divinité grecque, personnification de la mémoire **Mnémosyne**
– Écrire ses Mémoires **autobiographie**

MENAÇANT
– Le danger est menaçant **imminent**
– Des paroles menaçantes **agressives, comminatoires**

MENACE
syn. **avertissement, intimidation**

– Sévère menace assorties de reproches **admonestation, admonition, semonce**
– Procédé déloyal qui repose sur des menaces **chantage**
– Dernière menace avant le déclenchement d'un conflit **ultimatum**
– Lancer des menaces **fulminer**
– Menace sans fondement **rodomontade, bluff**

MÉNAGER
– Ménager ses forces **économiser, épargner**
– Ménager ses propos **mesurer, modérer**
– Ménager une rencontre entre deux adversaires politiques **arranger, combiner, organiser**
– Ménager son interlocuteur **avoir des égards pour**

MENDIANT /1
syn. **chemineau, clochard, gueux**
– Pièce donnée à un mendiant **obole**
– Petit récipient que tendaient les mendiants pour obtenir une pièce **sébile**
– Fruit sec entrant dans la composition du dessert appelé mendiant **amande, figue, noisette, raisin**

MENDIANT /2
– Communautés religieuses catholiques appelées ordres mendiants **Augustins, Carmes, Dominicains, Franciscains**

MENDIER
syn. **tendre la main, demander l'aumône, quêter**
– Mendier un morceau de pain **quémander**

MENER
syn. **conduire, diriger**
– Cela ne peut mener à rien **aboutir**
– Mener à bien **réaliser, exécuter, accomplir**
– Bien mener son affaire **gérer**
– Jusqu'où ses agissements vont-ils le mener ? **entraîner**
– Mener au score **avoir l'avantage**
– Mener le jeu **dominer**
– Le pouvoir mène le monde **gouverne, guide**

MENHIR
syn. **peulven**
– Monument mégalithique autre que le menhir **dolmen**
– Cercle de menhirs **cromlech**
– Édification de menhirs **mégalithisme**
– D'un seul bloc, le menhir est **monolithe**

MÉNINGE
– Les trois méninges qui entourent le cerveau et la moelle épinière **dure-mère, arachnoïde, pie-mère**

LES SEPT MERVEILLES DU MONDE

Le colosse de Rhodes

Le temple d'Artémis à Éphèse

Le mausolée d'Halicarnasse (Asie Mineure)

La statue de Zeus à Olympie

Les pyramides de Gizeh

Le phare d'Alexandrie

Les jardins suspendus de Sémiramis (Babylone)

– Les deux méninges molles **leptoméninges**
– Grave inflammation des méninges **méningite**
– Tumeur due à une hernie des méninges **méningocèle**

MENSONGE

– Ce n'est que pur mensonge **fiction, illusion**
– Accusation qui repose sur des mensonges **calomnie, diffamation**
– Il raconte des mensonges **imposteur**
– Victime d'un mensonge **dindon, dupe**
– Une argumentation fondée sur des mensonges **fallacieuse**
– Un mensonge par omission **obreptice**
– S'embrouiller dans ses propres mensonges **enferrer (s')**
– Tendance pathologique à dire des mensonges **mythomanie**
– Mensonge par vanité **hâblerie, vantardise, fanfaronnade**
– L'amour est un mensonge **duperie, mirage**

MENSTRUATION

– Âge où débute la menstruation **ménarche, puberté**
– Des douleurs se produisant lors de la menstruation **cataméniales**
– Menstruation anormalement douloureuse **dysménorrhée**
– Absence de menstruation **aménorrhée**

– Menstruation abondante et prolongée **ménorragie**
– Cessation définitive des menstruations **ménopause**

MENSURATION

– Ensemble des procédés de mensuration des différentes parties du corps humain **anthropométrie**
– Méthode d'identification des criminels fondée sur les mensurations **bertillonnage**

MENTAL

– Un trouble mental **psychique**
– Catégorie de troubles mentaux **névrose, psychose**
– Médecin spécialiste des maladies mentales **psychiatre**
– Structure de la vie mentale d'une personne **psychisme**
– Calculé à partir de l'âge mental d'un individu par rapport à son âge réel **quotient intellectuel (QI)**

MENTEUR

– Ne vous fiez pas à cet homme, il est menteur **faux, hypocrite**
– Des propos menteurs **mensongers, trompeurs**

MENTHE

– Famille à laquelle appartient la menthe **labiées**

– Menthe officinale **poivrée**
– Camphre de menthe **menthol**
– Liqueur de menthe **peppermint**

MENTION

– Rayer certaines mentions d'un formulaire **biffer**
– Faire mention d'un auteur **référence à**
– Faire mention d'un article de la loi **citer, énoncer, alléguer**
– Faire mention par écrit d'une constatation **consigner**
– Une mention écrite dans la marge **marginale**

MENTIR

– Mentir à quelqu'un **tromper, duper, mystifier**
– Faire mentir sa réputation **faillir à**
– Mentir afin d'embellir un récit **enjoliver, broder**

MENTON

– Individu au menton très saillant **prognathe**
– Partie osseuse à laquelle appartient le menton **maxillaire inférieur, mandibule**
– Chirurgie esthétique du menton **mentoplastie**
– Petite barbe sur le menton **barbiche, bouc, impériale**
– Courroie d'un casque qui passe sous le menton **jugulaire**

– Cordon ou ruban d'une coiffure qui passe sous le menton **mentonnière**
– Un menton proéminent **en galoche**

MENU /1
– Par le menu **en détail**

MENU /2
– Une fillette menue **fluette, frêle, gracile**
– Une taille menue et élancée **svelte, déliée**
– Des morceaux très menus **minuscules, microscopiques, ténus**
– De menus frais **négligeables, dérisoires**

MENUISERIE
voir aussi **fenêtre, moulure, porte**
– Décoration sur des ouvrages de menuiserie **marqueterie**
– Menuiserie d'art spécialisée dans la fabrication de mobilier de luxe **ébénisterie**
– Menuiserie spécialisée dans la fabrication d'articles de jeu **tabletterie**
– Ouvrage de menuiserie **huisserie, cloison, placard, croisée, persienne**
– En menuiserie, travail qui consiste à décorer une pièce de grands panneaux **lambrissage**
– Égaliser une surface de bois, en menuiserie **raboter, dégauchir, varloper**
– Travailler une pièce de bois, en menuiserie **chantourner, chanfreiner**
– Assemblage en menuiserie **à tenon et mortaise, à queue d'aronde, à mors d'âne, à onglet, à goujons, à enfourchement**

MENUISIER
– Menuisier spécialiste des huisseries **de bâtiment**
– Menuisier chargé de l'installation intérieure des magasins et bureau **d'agencement**
– Menuisier qui fabriquait les carrosses **en voiture**
– Table de travail du menuisier **établi**
– Rabot du menuisier **bouvet, doucine, gorget, guillaume, riflard, guimbarde**
– Ciseau à bois du menuisier **bédane, gouge**
– Outil à main du menuisier utilisé pour percer des trous dans le bois **chignole, vilebrequin**
– Outil du menuisier qui sert à tracer des lignes parallèles à un chant **trusquin**
– Barre de fer recourbée à un bout en crampon utilisée par le menuisier **davier**

MÉPRIS
– Afficher son mépris **dégoût, dédain, mésestime**
– Expression pleine de mépris **péjorative, dépréciative**

– Fanfaron qui témoigne du mépris à son entourage **arrogant, hautain, condescendant, altier**
– Personnage qui inspire le mépris **ignoble, abject, vil**

MÉPRISANT
– Personnage méprisant à l'égard des autres **contempteur, dénigreur, arrogant**

MÉPRISER
syn. **dédaigner**
– Mépriser un conseil **négliger, fouler aux pieds, faire fi de**
– Mépriser une loi **transgresser**
– Mépriser les honneurs **désintéresser de (se), dédaigner**
– Mépriser la mort **braver**
– Mépriser un ennemi **abhorrer**
– Mépriser un orateur **honnir, conspuer, vilipender**

MER *Voir tableau p. 342*
voir aussi **algue, marée, marin, vague hal(o)-, hali-, thalasso-**
– la mer est très calme **étale**
– Période de calme plat en mer **bonace**
– Accalmie en mer **embellie**
– Agitation de la mer **houle, lame**
– La mer est mauvaise **grosse, démontée**
– Gouttelettes d'eau de mer **embruns, poudrin**
– Bruit de la mer déchaînée **mugissement**
– Corps simple présent dans l'eau de mer **iode**
– La mer scintille la nuit **brasille**
– Terrain plat en bordure de mer **grève**
– Étendue d'eau marine isolée de la mer par un cordon littoral **lagune**
– Endroit où un fleuve se jette dans la mer **embouchure**
– Bras de mer entre deux terres **détroit**
– Bras de terre entre deux mers **isthme**
– Ancienne vallée glaciaire envahie par la mer **fjord**
– Vallée envahie par la mer **ria**
– Fond de la mer situé à plus de 2 kilomètres de profondeur **abysse**
– Terre gagnée sur la mer endiguée et asséchée **polder**
– Organismes microscopiques en suspension dans l'eau de mer **plancton**
– Un organisme vivant en haute mer **pélagique**
– Un organisme vivant sur le fond de la mer **benthique**
– Topographie qui établit les plans du fond des mers **hydrographie**
– Mal de mer **naupathie**
– Traitement mettant à profit les propriétés de l'eau de mer **thalassothérapie**
– Divinité grecque de la mer **Poséidon, Nérée, Amphitrite**
– Divinité romaine de la mer **Neptune**

MERCENAIRE /1
– Mercenaire en Italie au Moyen Âge **condottiere**
– Mercenaire allemand entre le XVe et le XVIIe siècle **reître**

MERCENAIRE /2
– Un personnage à l'âme mercenaire **vénal, cupide, avide, intéressé**

MERCERIE
– Garniture utilisée en ameublement ou en habillement et vendue en mercerie **passementerie**
– Article de mercerie utilisé pour fermer **bouton, pression, agrafe, fermeture à glissière, bande Velcro**
– Article de mercerie utilisé pour froncer **élastique, Lastex, ruflette**
– Article de mercerie utilisé pour border **ruban, biais, extra-fort, gros-grain, tresse, ganse**
– Article de mercerie utilisé pour consolider **toile tailleur, triplure, pièce thermocollante**

MERCI
syn. **remerciement, miséricorde, grâce, pitié**
– Être à la merci de quelqu'un **dépendre de**
– Engager une lutte sans merci **acharnée, impitoyable**

MERCURE
– Symbole du mercure **Hg**
– Minerai de mercure **cinabre**
– Nom ancien du mercure **vif-argent, hydrargyre**
– Protochlorure de mercure **calomel**
– Transformation du mercure métallique en mercure organique très toxique **méthylation**
– Désinfectant pharmaceutique à base de mercure **mercurescéine, mercurobutol**
– Amalgame de mercure et d'étain au dos des miroirs **tain**

MÈRE
– Des frères qui ont la même mère mais un père différent **utérins**
– Nom de famille qu'on tient de sa mère **matronyme**
– Un système de filiation par la mère **matrilinéaire**
– Régime juridique ou social donnant l'autorité légale à la mère **matriarcat**
– En psychanalyse, attirance du jeune garçon pour sa mère **complexe d'Œdipe**
– Meurtre de sa mère **matricide**
– Belle-mère ou mauvaise mère **marâtre**
– Mère des dieux dans la mythologie **Cybèle**

MÉRIDIEN
– Méridien d'origine **méridien de Greenwich**

– Calculée à partir du méridien de Greenwich **longitude**
– Heure calculée à partir du méridien de Greenwich **GMT, UTC**

MÉRITE
– Récompenser le mérite de quelqu'un **qualités, valeur, capacités**
– Un homme de mérite **remarquable, incomparable, admirable**
– Un des mérites de cette méthode **avantages**

MÉRITER
syn. **valoir, être digne**
– Mériter une sanction **exposer à (s'), être passible de, encourir**
– Ce roman mérite d'être relu **gagne à**
– Tout travail mérite salaire **vaut**

MERLE
– Ordre auquel appartient le merle **passereaux**
– Famille à laquelle appartient le merle **muscicapidés**
– Espèce de merle **noir, à plastron, bleu, de roche**
– Petit du merle **merleau**
– Cri du merle **sifflement**

MERVEILLE *Voir illustration sept merveilles du monde, p. 382*
syn. **chef-d'œuvre**
– C'est merveille que, en ancien français **surprenant, extraordinaire**

MERVEILLEUX
– Un endroit merveilleux **magnifique, splendide, superbe, paradisiaque**
– Un spectacle merveilleux **prodigieux, magique, féerique, enchanteur**
– Une merveilleuse générosité **extraordinaire, exceptionnelle, hors du commun**
– Il a été merveilleux sur scène **éblouissant, admirable, remarquable**

MÉSANGE
– Ordre auquel appartient la mésange **passereaux**
– Famille à laquelle appartient la mésange **paridés**
– Espèce de mésange **charbonnière, boréale, huppée, sultane, nonnette, rémiz**
– Mésange bleue **meunière**
– Mésange à longue queue **ægithale**

MESQUIN
– Un individu à l'esprit mesquin **étroit, médiocre, étriqué**
– Excessivement mesquin **sordide**
– Une récompense mesquine **piètre, insignifiante, dérisoire**
– Une gestion mesquine **chiche, parcimonieuse, avare**

MESQUINERIE
syn. **bassesse, petitesse, parcimonie**

MESSAGE
syn. **communication, lettre**
– Prendre connaissance d'un message **annonce, avis**
– Message télévisé du Premier ministre **allocution, déclaration**
– Envoyer un message écrit **pli, missive, dépêche**
– Message envoyé par télégraphie **télégramme**
– Procédé moderne qui permet de transmettre un message graphique dans les meilleurs délais **télécopie, fax**
– Message électronique en informatique **mél, e-mail**
– Message composé à partir d'un téléphone portable **texto, SMS**
– Message transmis par phototélécopie **bélinogramme**
– Message expédié jadis d'un bureau de poste à un autre **pneumatique**
– Bande de fréquence utilisée par les particuliers pour envoyer des messages **citizen band (CB), bande publique**
– Message publicitaire **spot**
– Était chargé au Moyen Âge de transmettre des messages **héraut**

MESSAGER
syn. **coursier, envoyé, porteur, ambassadeur, émissaire**
– Ce premier colchique, qui est le messager de l'automne **annonciateur, précurseur, avant-coureur**

MESSE
– Déroulement de la messe **liturgie**
– Voile que le prêtre porte sur les épaules pendant la messe **amict, huméral**
– Phase du déroulement d'une messe **rite d'ouverture, liturgie de la Parole, eucharistie, rite de conclusion**
– Temps de la liturgie de la Parole lors de la célébration d'une messe **lectures, psaume, homélie, profession de foi, prière universelle**
– Temps de l'eucharistie lors de la célébration d'une messe **offertoire, consécration, communion**
– Le pain et le vin consacrés lors de la célébration d'une messe **oblats**
– Livre rassemblant les textes de la liturgie de la messe **missel**
– Livre rassemblant les textes tirés des Évangiles lus à la messe **évangéliaire**
– Table sur laquelle l'officiant célèbre la messe **autel**
– Tribune depuis laquelle l'officiant prêchait pendant la messe **chaire**
– Vêtement qu'endosse le prêtre pour célébrer la messe **chasuble**
– Vêtement qu'endossent les enfants de chœur pour servir la messe **aube**

– En musique, messe chantée par un chœur sans accompagnement **polyphonique a cappella**
– En musique, messe chantée par un chœur accompagné par des instruments **concertante**
– Une messe célébrée en présence du chapitre **capitulaire**
– Messe des morts **requiem**

MESSIE
– Le Messie dans la théologie chrétienne **Jésus-Christ**
– Attente du Messie dans la Bible **messianisme**
– Second avènement du Messie chez les chrétiens **parousie**

MESURE *Voir tableau instruments de mesure, p. 315*
voir aussi **instrument, unité, évaluation**
métr(o)-
– Prendre les mesures d'une chambre **dimensions**
– Prendre les mesures de quelqu'un pour lui faire un vêtement **mensurations**
– Une mesure d'avoine **ration, picotin**
– Scander la mesure **cadence, rythme**
– Appareil utilisé par les musiciens pour marquer la mesure **métronome**
– Parler avec mesure **modération, pondération, ménagement, circonspection**
– Dépenser sans mesure **réserve, retenue**

MESURER
syn. **déterminer, calculer**
– Instrument qui permet de mesurer la taille d'un individu **toise**
– Mesurer la profondeur d'un puits **sonder**
– Mesurer un morceau de terre **arpenter, chaîner**
– Mesurer l'incidence d'un phénomène **estimer, évaluer**
– Mesurer le volume d'un objet **cuber, jauger**
– Mesurer le volume d'une quantité de bois **stérer**
– Mesurer la grosseur de fruits **calibrer**
– Mesurer une dose **doser**
– Se mesurer à quelqu'un **battre contre (se), lutter contre, affronter**

MÉTAL
voir aussi **élément**
– Mélange de métaux **alliage**
– Infimes parcelles de métal **limaille**
– Propriété de certains métaux **conductibilité, ductilité, fusibilité, malléabilité, ténacité**
– Matière que l'on chauffe avec un métal pour donner à ce dernier une certaine propriété **cément**
– Dégradation des métaux **corrosion**

MONNAIE

MONNAIE MÉTALLIQUE

Coin : instrument présentant une empreinte en creux utilisé pour la frappe des pièces métalliques.

Droit : face d'une pièce de monnaie où apparaît une représentation allégorique.

Effigie : représentation allégorique (généralement un souverain ou un symbole national).

Flan : disque de métal vierge prêt à être frappé pour devenir une pièce de monnaie.

Revers : face d'une pièce de monnaie où apparaît l'indication de sa valeur.

Valeur faciale : valeur d'une pièce de monnaie figurant sur son revers.

MONNAIE FIDUCIAIRE

Convertibilité-or : possibilité de convertir la valeur des billets de banque émis par la Banque centrale en espèces métalliques (or ou argent).

Cours forcé : décision politique, prise en période de guerre ou de crise, de suspendre la convertibilité-or des billets de banque. Le cours forcé a été instauré à titre définitif en France en 1936.

Inconvertibilité : suppression de la convertibilité-or des billets de banque.

Monnaie fiduciaire : au sens large, monnaie fondée sur la confiance que lui accordent ses détenteurs (du latin *fides*, confiance). Au sens strict, il s'agit des billets de banque (monnaie de papier) convertibles en espèces métalliques (or ou argent). Aujourd'hui, la monnaie fiduciaire désigne les billets de banque et les coupures métalliques (pièces de monnaie) mis en circulation par la Banque de France.

MONNAIE SCRIPTURALE

Chèque : moyen de paiement permettant la circulation de la monnaie scripturale.

Monnaie scripturale : avoirs monétaires des agents économiques gérés par les établissements bancaires.

Porte-monnaie électronique (PME) : cartes prépayées qui permettent d'effectuer des paiements sans le recours aux billets de banque ou aux pièces de monnaie. Les porte-monnaie électroniques sont encore au stade expérimental.

Virement (ordre de) : opération consistant à créditer un compte par une opération de débit sur un autre compte.

MONNAIE ET PAIEMENTS INTERNATIONAUX

Change : opération qui permet de transformer une certaine quantité de monnaie en une autre quantité de monnaie libellée en une devise différente de la précédente.

Changes fixes : système dans lequel chaque monnaie est définie par un rapport fixe à un étalon de référence (or, dollar) en vue d'assurer les opérations de change. L'opération de change consiste à comparer chaque monnaie à l'étalon de référence afin d'établir la conversion.

Changes flottants : système dans lequel le cours de chaque monnaie fluctue librement en fonction des offres et des demandes de devises sur les marchés des changes. Système institutionnalisé lors de la conférence de la Jamaïque, en 1976.

Cours d'une monnaie : valeur d'une monnaie par rapport à une autre monnaie sur les marchés des changes. Le cours des monnaies varie au jour le jour.

Dépréciation : diminution du cours d'une devise sur les marchés des changes dans un système de changes flottants.

Dévaluation : décision des pouvoirs publics qui donne une nouvelle parité à la monnaie nationale par rapport à l'étalon de référence dans un système de changes fixes.

Devise : monnaie étrangère par rapport à la monnaie nationale.

Fonds monétaire international (FMI) : organisation monétaire et financière internationale créée par les accords de Bretton Woods, en juillet 1944. Le rôle du FMI a consisté à assurer le fonctionnement du système des changes fixes, de sa création jusqu'en 1976. Depuis cette date, le FMI se consacre à des activités de conseil et de prêt auprès des pays en développement.

Marché des changes : marché constitué par la confrontation des offres et des demandes de devises sur le plan international. Les principaux opérateurs des marchés des changes sont les grandes banques.

Monnaie de réserve : monnaie nationale utilisée par les Banques centrales en l'absence d'une véritable monnaie internationale. La livre sterling a joué le rôle de monnaie de réserve au XIXe siècle, avant d'être remplacée par le dollar au XXe siècle.

Réévaluation : décision prise par les autorités monétaires d'une nation d'augmenter la valeur d'une monnaie nationale (parité) par rapport à un étalon de référence dans un système de changes fixes.

Système monétaire international (SMI) : ensemble de règles adoptées par les nations en vue de permettre les opérations de change nécessaires au règlement des échanges internationaux (commerce international).

– Recouvrir d'une couche de métal **galvaniser, métalliser**
– Transformation des métaux en or à laquelle rêvaient les alchimistes **transmutation**
– Les sept métaux des alchimistes **plomb, étain, fer, or, cuivre, vif-argent, argent**

MÉTALLURGIE

– Métallurgie du fer **sidérurgie**
– Travaille dans la métallurgie **ajusteur, chaudronnier, fondeur, riveur, fraiseur**
– Machine utilisée en métallurgie pour comprimer le métal **laminoir**
– Machine utilisée en métallurgie pour écraser le minerai **bocard**

MÉTAPHYSIQUE

voir aussi **philosophie**
– Partie de la métaphysique qui étudie l'être en soi **ontologie**

MÉTÉORE

syn. **étoile filante**
– Météore aqueux **hydrométéore**

MÉTÉORITE

syn. **météoroïde**
– Groupe de météorites **essaim**
– Trou dans le sol que creuse une météorite en tombant sur une planète **cratère**
– Météorite qui contient du fer et du nickel **sidérite**
– Météorite pierreuse **aérolithe**
– Météorite qui contient du fer-nickel et des silicates **sidérolithe**
– Météorite pierreuse qui contient des éléments qui n'existent pas sur la Terre **chondrite**

MÉTÉOROLOGIE

voir aussi **nuage, temps**
– Champ de pression qui figure sur une carte de météorologie **dépression, anticyclone**
– Sur une carte de météorologie, ligne reliant des points où la température est la même **isotherme**
– Sur une carte de météorologie, ligne reliant des points où la pression est la même **isobare**
– En météorologie, étude des climats **climatologie**
– Météorologie agricole **agrométéorologie**
– En météorologie, appareil qui mesure la pression atmosphérique **baromètre**
– En météorologie, appareil qui mesure la quantité de pluie tombée **pluviomètre**
– En météorologie, appareil qui mesure le taux d'humidité contenu dans l'air **hygromètre**
– En météorologie, appareil qui mesure la force des vents **anémomètre**
– En météorologie, appareil qui mesure

– Usine où l'on extrait le métal du minerai **fonderie**
– Usine où l'on fabrique du fil en métal **tréfilerie**
– Lingot de métal **saumon**

– Résidu provenant de l'industrie des métaux **scorie**
– Art du métal **orfèvrerie, ferronnerie, dinanderie, damasquinage**
– Polir un métal **doucir**

l'intensité d'un tremblement **sismographe**
– Satellite européen utilisé en météorologie **Météosat**
– Unité de mesure de pression utilisée en météorologie **bar**
– En météorologie, taux de variation d'un élément en fonction de la distance **gradient**

MÉTÈQUE
syn. **étranger**

MÉTHODE
syn. **système**
– Une méthode de fabrication originale **procédé, technique**
– Quelle est la méthode à suivre ? **procédure, marche**
– Quel manque de méthode ! **logique, organisation**
– En philosophie, méthode qui considère la contradiction comme moteur de la pensée **dialectique**
– En logique, étude des différentes méthodes **méthodologie**

MÉTHODIQUE
– Un esprit méthodique **logique, rationnel, cartésien**
– Un élève méthodique **ordonné, organisé**
– Une analyse méthodique **rigoureuse, serrée**
– Un tri méthodique **systématique**

MÉTICULEUX
syn. **scrupuleux, soigneux, consciencieux**
– Un individu trop méticuleux **pointilleux, maniaque**
– Un travail méticuleux **précis, minutieux**
– Un récit méticuleux **détaillé**

MÉTIER
syn. **profession, situation**
– Il apprend son métier **apprenti**
– Ils exercent le même métier **collègues, confrères**
– Ensemble de personnes exerçant le même métier **corporation**
– Personne qui cherche dans son métier à satisfaire ses ambitions **carriériste**
– Avoir du métier **expérience, pratique, savoir-faire**
– Le dur métier de parents **fonction, rôle**

MÉTIS /1
– Métis né d'un Noir et d'une Blanche ou d'une Noire et d'un Blanc **mulâtre**
– Métis né d'un Asiatique et d'une Européenne ou d'une Asiatique et d'un Européen **eurasien**
– Métis ayant un quart de « sang de couleur » **quarteron**

– Métis ayant un huitième de « sang de couleur » **octavon**

MÉTIS /2
– Animal métis **croisé, hybride**

MÈTRE
– Un mètre carré **centiare**
– Un mètre cube de bois **stère**
– En poésie antique, analyse des mètres d'un vers **scansion**
– Vers grec ou latin composé de trois ou quatre mètres **trimètre, tétramètre**
– Pied qui compose les mètres d'un vers grec ou latin **iambe, trochée, dactyle, anapeste, spondée, tribraque**

MÉTRO
syn. **métropolitain**
– Accès au métro **bouche**
– Appareil qui permet de valider son ticket de métro **composteur**
– Ensemble des voitures d'un métro **rame**
– Siège pliant dans un métro **strapontin**
– Métro qui sort de terre **aérien**
– Métro automatique **Val (véhicule automatique léger)**

METTRE
– Il a mis l'étagère trop haut **posé, fixé, installé**
– Mettre la table **dresser**
– Mettre un manteau **passer, revêtir, endosser**
– Mettre deux termes l'un à côté de l'autre **juxtaposer**
– Mettre un nombre en mètres, en kilomètres **convertir**
– Mettre un signet entre deux pages **glisser, intercaler, insérer**
– Mettre la clef dans la serrure **introduire, engager**
– Mettre un cube sur un autre **empiler, superposer**
– Mettre le désordre **causer, semer, provoquer, susciter**
– Mettre un ruisseau à sec **tarir, assécher**
– Mettre une ville à sac **saccager, dévaster, ravager, piller**

MEUBLE
– Meuble à tiroirs **commode, chiffonnier, semainier**
– Meuble de repos **divan, sofa, canapé, méridienne, ottomane, causeuse, tête-à-tête**
– Meuble où l'on range de la vaisselle **buffet, dressoir, crédence, vaisselier**
– Meuble décoratif **console, guéridon, psyché**
– Meuble d'angle **encoignure, écoinçon**
– Artisan qui fabrique des meubles d'art **ébéniste**
– Artisan qui restaure certains meubles couverts de tissu **tapissier**

– Marchand de meubles et d'objets anciens **antiquaire, brocanteur**
– Garniture de tissu ou de fil décorant certains meubles **passementerie**
– Placage précieux sur certains meubles **marqueterie**

MEUNIER
syn. **minotier**
– Dirigé par un meunier **moulin, meunerie**

MEURTRE
syn. **crime, homicide volontaire**
– Commettre un meurtre **perpétrer**
– Circonstance aggravante d'un meurtre **préméditation**
– Meurtre avec préméditation **assassinat**
– Meurtre d'un enfant **infanticide**

MEURTRIER /1
– Meurtrier de son père, de sa mère ou d'un de ses ascendants **parricide, matricide**
– Meurtrier de son frère ou de sa sœur **fratricide**
– Meurtrier d'un roi **régicide**
– Meurtrier d'un dieu **déicide**
– Meurtrier payé pour commettre des crimes **tueur à gages, sicaire**

MEURTRIER /2
– Un attentat meurtrier **sanglant**
– Une épidémie meurtrière **destructrice, dévastatrice, ravageuse**

MEURTRIR
voir aussi **blesser**
syn. **contusionner**
– Meurtrir l'œil de son adversaire dans un combat de boxe **pocher**
– Meurtrir un fruit **endommager, taler, cotir**

MEURTRISSURE
– Ce corps est marqué de meurtrissures

coups, bleus, ecchymoses, contusions
– Meurtrissure de l'âme peine, plaie, douleur

MEUTE
– En vénerie, détacher la meute et la lancer à la poursuite d'un animal découpler
– En vénerie, cri de la meute devant l'animal arrêté aboi
– En vénerie, portion de l'animal tué donnée en pâture à la meute curée
– Rallier les chiens en meute ameuter

MICROBE
syn. germe, micro-organisme
– Étude des microbes microbiologie
– Microbe végétal protophyte
– Microbe animal protozoaire
– Microbe qui n'appartient ni au règne animal ni au règne végétal bactérie, virus
– Type de microbe bactérien de différentes formes bacille, spirille, spirochète
– Microbe qui vit sur un hôte sans provoquer d'infection saprophyte
– Microbe qui engendre des maladies pathogène
– Mode de reproduction de certains microbes scissiparité
– Produite par certains microbes toxine
– Remède qui tue les microbes microbicide, antibiotique
– Ensemble des méthodes visant à détruire les microbes antisepsie
– Absence de tout microbe asepsie
– Opération qui consiste à détruire tous les microbes d'un aliment pour le conserver pasteurisation

MICROPHONE
– Support d'un microphone perche
– Capuchon dont on coiffe un microphone bonnette
– Sifflement intempestif d'un haut-parleur placé dans l'axe d'un microphone larsen
– Type de microphone électromagnétique, piézoélectrique, électrodynamique, électrostatique

MICROSCOPE
– Type de microscope optique, électronique, acoustique
– Observation scientifique au microscope micrographie
– Partie d'un microscope optique platine, oculaire, prisme, objectif, condensateur, miroir
– Plaquette en verre sur laquelle on pose l'objet à observer au microscope lame
– Mince feuillet de verre que l'on place sur l'objet à observer au microscope lamelle, couvre-objet

MIDI
syn. Sud
– Accent du Midi méridional
– Chaleur en plein midi méridienne

– Position du soleil à midi, heure solaire culmination, zénith

MIEL
– Il élève des abeilles pour récolter leur miel apiculteur
– Fleur dont le nectar est prélevé par les abeilles pour faire du miel mellifère
– Fabrication du miel par les abeilles mellification
– Cavité dans laquelle l'abeille dépose le miel dans la ruche alvéole
– Miel médicinal mellite
– Gâteau à base de miel et d'épices pain d'épice
– Gâteau oriental au miel baklava, zlebia
– Confiserie à base de miel nougat
– Boisson alcoolisée à base de miel hydromel
– Dans l'Antiquité, boisson des dieux à base de miel nectar
– Dans l'Antiquité, nourriture des dieux à base de miel ambroisie
– Doux comme du miel melliflue

MIETTE
syn. fragment, débris, éclat, morceau
– Ne prendre qu'une miette de gâteau parcelle
– Miettes de pain très fines utilisées en cuisine chapelure, panure
– Les miettes d'un héritage bribes

MIEUX /1
– Un léger mieux amélioration
– Il y a du mieux progrès
– Il choisit toujours le mieux fin du fin, nec plus ultra

MIEUX /2
syn. préférable
– À qui mieux mieux à l'envi

MIGNON /1
– Les mignons du roi Henri III favoris

MIGNON /2
– Sa fille est très mignonne gracieuse, délicieuse, adorable, exquise
– Un mignon petit appartement charmant, ravissant, coquet

MIGRAINE
syn. hémicrânie
– Comme tous les maux de tête, la migraine est une forme de céphalée, céphalgie
– Trouble visuel accompagnant une migraine scotome, phosphène
– Individu sujet à la migraine migraineux

MIGRATION
– Migration de populations émigration, immigration, expatriation
– Migration en masse d'une population exode

– Migration des troupeaux transhumance
– Migration des saumons pour frayer montaison
– Migration pathologique des globules blancs diapédèse
– Migration de cellules cancéreuses par voie sanguine ou lymphatique métastase
– Migration d'un caillot dans un vaisseau sanguin embolie
– Migration de l'âme d'un corps dans un autre transmigration, métempsycose

MIJOTER
– Faire mijoter du bœuf cuire, bouillir
– Mijoter un bon petit plat mitonner
– Mijoter un mauvais coup manigancer, tramer, fricoter, préparer, ourdir, comploter

MILICE
– Milice supplétive pendant la guerre d'Algérie harka
– Supplétif algérien qui servait dans la milice harki
– Membres de la milice haïtienne créée par le président François Duvalier tontons macoutes

MILIEU
més(o)-
syn. centre, cœur, entourage, mitan
– Situé au milieu médian
– Un milieu bénéfique environnement, cadre de vie
– Un milieu chaleureux entourage, voisinage
– Un milieu apaisant atmosphère, décor, cadre, ambiance
– En écologie, milieu où cohabitent plusieurs espèces biotope, station
– Ensemble formé par des plantes et des animaux vivant dans un milieu écosystème
– Faire partie du milieu pègre
– Milieu de table surtout
– Joueur de milieu de terrain au football libero
– Doigt du milieu de la main médius, majeur

MILITAIRE /1 *Voir illustrations grades, p. 279, 280*
voir aussi armée, grade, soldat
– Lieu où logent les militaires caserne, base, quartier
– Militaire de carrière engagé
– Ancien militaire susceptible d'être rappelé en cas de conflit réserviste
– Militaires chargés de faciliter la progression des troupes génie
– Équipement d'un militaire paquetage
– Militaire responsable de l'équipement d'une unité fourrier
– Tenue de combat que portent les militaires treillis

– Cordelière que portent les militaires sur l'épaule gauche **fourragère**
– Prison où sont incarcérés les militaires condamnés à de lourdes peines **forteresse**
– Établissement réservé aux fils de militaires **prytanée**

MILITAIRE /2

– Jeune homme qui accomplissait son service militaire **appelé, conscrit**
– Ensemble des jeunes appelés à faire leur service militaire la même année **contingent**
– Troupes militaires casernées dans une ville **garnison**
– Ensemble des officiers qui assistent un chef militaire **état-major**
– École militaire française **Saint-Cyr, Polytechnique**
– Coup d'État militaire **putsch, pronunciamiento**
– Art militaire **polémologie**

MILITANT

syn. **partisan**
– Activité des militants d'une organisation **militantisme**
– Militante politique très active **pasionaria**

MILITER

– Militer pour une cause **agir, prendre part à, œuvrer, lutter**
– Cet argument milite pour sa thèse **plaide**

MILLE

myrio-, myria-
syn. **millier, mil**
– Mille ans **millénaire**
– Mille kilos **tonne**
– Chiffre d'une date exprimant le nombre mille **millésime**

MILLION

– Mille millions **milliard**
– Un million de millions **billion**
– Un million de billions **trillion**
– Un million de trillions **quatrillion**
– Un million de quatrillions **quintillion**

MIME

– Pièce jouée par un mime **pantomime**
– Gestuelle du mime **mimique**
– Théâtre d'improvisation joué par des mimes, en vogue jadis en Italie **commedia dell'arte**
– Œuvre dramatique présentée sous forme de mime **mimodrame**
– Écrivain auteur de mimes **mimographe**

MIMER

syn. **parodier**
– Mimer quelqu'un pour se moquer **singer, imiter**

MINABLE

– Une allure vraiment minable **misérable, pitoyable**
– Une réaction minable **lamentable, déplorable**
– Un tapis minable **miteux**
– Une vie minable **étriquée, médiocre**
– Un salaire minable **dérisoire, ridicule, insignifiant**

MINAUDERIE

syn. **façons, manières, chichis, simagrées, agaceries**

MINCE

– Une paroi très mince **fine, ténue**
– Une silhouette mince et élancée **svelte, gracile, déliée**
– Un enfant trop mince **frêle, fluet, grêle**
– Des jambes très minces **filiformes**
– Un mince bénéfice **négligeable, insignifiant, dérisoire**

MINE

syn. **apparence, façade, visage, air, physionomie**
– Passer son temps à faire des mines **minauder**
– Nature d'une mine de crayon **graphite, plombagine**
– Cavité que l'on creuse pour placer des mines **fourneau, chambre**
– Type d'amorçage d'une mine **détonateur**
– Immerger des mines **mouiller**
– Bateau qui détecte et élimine des mines sous-marines **dragueur**
– Mine de charbon **houillère**
– Ensemble des installations qui sont regroupées à la surface d'une mine **carreau**
– Montagne de déblais à côté d'une mine **terril**
– Permet l'accès aux différentes galeries d'une mine **puits, descenderie**
– Galerie horizontale dans une mine **travers-banc**
– Puits vertical reliant plusieurs galeries d'une mine **bure**
– Revêtement qui consolide les parois d'un puits de mine **cuvelage**
– Galeries rassemblant les venues d'eau dans une mine **albraque**
– Conduit d'aération dans une mine **buse**
– Appareil servant à l'extraction du minerai dans une mine **skip**
– Petit wagon utilisé dans les galeries d'une mine **berline**
– Dans une mine, volume de minerai non extrait pour des raisons de sécurité **stot**
– Gaz qui provoque des explosions dans les mines de charbon **grisou**

MINER

– Le cours d'eau mine lentement ses berges **cave, creuse, sape, érode**
– Miner les forces de quelqu'un **user, affaiblir, diminuer, abattre**
– La solitude le mine **brûle, consume, ronge, corrode**
– Miner un pouvoir politique **détruire, désintégrer**

MINERAI

– Lame de minerai qui traverse différentes couches du sol **filon, veine**
– Substance stérile autour d'un minerai **gangue**
– Site riche en minerai exploitable **gisement, gîte**
– Minerai broyé en grains **schlich**
– Transformer un métal en minerai **minéraliser**
– Navire qui transporte du minerai **minéralier**

MINÉRAL /1 *Voir tableau p. 376*

voir aussi **pierre**
– Branche de la géologie qui étudie les minéraux **minéralogie**
– Éclat d'un minéral **métallique, nacré, cireux, vitreux**
– Manière dont certains minéraux se brisent **clivage**
– Minéral qui se clive en minces feuilles parallèles **mica**
– Minéral précieux **gemme**
– Minéral qui existe dans le granite **quartz, feldspath**
– Minéral de couleur verte **malachite**
– Minéral de couleur rouge **réalgar**
– Minéral de couleur bleue **azurite**
– Minéral qui a la couleur de l'arc-en-ciel **fluorine**

MINÉRAL /2

– La chimie minérale **inorganique**
– Transformation des matières minérales en produits utilisés dans l'industrie **minéralurgie**
– Liste des composés minéraux **nomenclature**

MINEUR

– Contremaître d'une équipe de mineurs **porion**
– Jeune mineur employé au service des voies **galibot**
– Mineur qui s'occupe du boisage des galeries **raucheur**
– Tâche du mineur de fond **abattage, havage, herchage, roulage**
– Machine que dirige un mineur pour creuser un boyau **haveuse**
– Pic qu'utilise le mineur **rivelaine**
– Maisons de mineurs **coron**
– Affection pulmonaire fréquente chez les mineurs **silicose**
– Mineur à qui l'on accorde la pleine capacité juridique **émancipé**
– Personne responsable d'un mineur non émancipé **tuteur**

MOTEUR À ARBRE À CAMES EN TÊTE

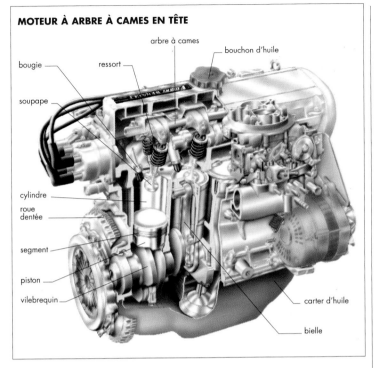

MINIATURE
– Miniature colorée ornant les manuscrits au Moyen Âge **enluminure**
– En miniature **en abrégé, en raccourci, en réduction**
– Peintre de miniatures **miniaturiste**

MINIME /1
– Jeune sportif appartenant à la catégorie d'âge précédant celle des minimes **benjamin**
– Jeune sportif appartenant à la catégorie d'âge succédant à celle des minimes **cadet**

MINIME /2
– Des détails minimes **infimes**
– Une récompense minime **dérisoire, médiocre, piètre**
– Des reproches minimes **insignifiants**

MINISTÈRE
– Nom du magistrat placé à la tête du ministère public **procureur général**
– Nom du magistrat placé à la tête du ministère public auprès du tribunal de grande instance **procureur de la république**
– Personnels judiciaires qui appartiennent au ministère public, chargés de veiller aux intérêts de la société **magistrat du parquet**
– Ministère exercé dans l'Église catholique **sacerdoce**

MINISTÉRIEL
– Officier ministériel **huissier, notaire, commissaire-priseur, avoué**
– Décision exécutoire ministérielle **arrêté**

MINISTRE
– Attribut du ministre **portefeuille, maroquin**
– Groupe de collaborateurs d'un ministre **cabinet**
– Ancien nom du Premier ministre en France **président du Conseil**
– Ministre d'un prince musulman **vizir**
– Ministre du culte **ecclésiastique, pasteur, prêtre, aumônier, prédicant**

MINORITÉ
– Une minorité de séditieux **frange**

MINUIT
– Dîner fin pris aux alentours de minuit **médianoche**

MINUSCULE
– En typographie, lettre minuscule **bas de casse**
– Une chambre minuscule **exiguë**
– Une étagère couverte de bibelots minuscules **miniatures**
– Un organisme minuscule **infime, infinitésimal, microscopique**
– Des personnages minuscules **lilliputiens**

MINUTE
– À la minute **immédiatement**
– À la minute où **dès que, au moment où**
– Minute d'un acte notarié **original**
– En droit, copie d'une minute comportant la formule exécutoire **grosse**
– Registre réunissant les minutes des actes notariés **minutier**

MINUTIEUX
– Être minutieux dans son travail **consciencieux, méticuleux, scrupuleux, appliqué**
– Un individu trop minutieux **tatillon, pointilleux, maniaque, vétilleux, formaliste**
– Une reproduction minutieuse **soignée, léchée, rigoureuse**

MIRACLE
syn. **prodige**
– Personne qui fait des miracles **thaumaturge**
– Un miracle d'intelligence **merveille**
– Crier au miracle **extasier (s'), émerveiller (s')**

MIRACULEUX
– Une apparition miraculeuse **surnaturelle**
– Tout cela est miraculeux **étonnant, extraordinaire**

MIRAGE
– Le mirage de la passion **illusion, mensonge, chimère**

MIROIR
syn. **glace**
– Grand miroir inclinable qui permet de se regarder en pied **psyché**
– Miroir placé dans le pare-soleil du passager avant d'une automobile **miroir de courtoisie**
– Miroir fixé sur un véhicule **rétroviseur**
– Miroir ornant le dessus d'une cheminée ou d'une porte **trumeau**
– Appareil muni de miroirs et destiné à réfléchir des rayonnements **réflecteur**
– Industrie et commerce des miroirs **miroiterie**
– Miroir aux alouettes **piège, leurre**
– Les textes de cet auteur sont le miroir de notre société **représentation, reflet**

MIROITER
– L'étang miroite au soleil **scintille, brille, étincelle, chatoie**

MISANTHROPE /1
– *Le Misanthrope*, de Molière ***l'Atrabilaire amoureux,*** **Alceste**

MISANTHROPE /2
– Individu misanthrope **ours, sauvage**

– Être misanthrope **farouche, solitaire, insociable**

MISE

– Déposer une mise au jeu **enjeu, poule**
– Rajuster sa mise **tenue, toilette, parure**
– Art de la mise en scène **scénographie**
– Mise de fonds **investissement, placement**
– Mise en demeure **sommation, injonction**
– Mise en garde **avertissement, remontrance, semonce, admonestation**
– Mise à pied d'un salarié **renvoi, licenciement**
– Mise bas des animaux **parturition**

MISÉRABLE /1

syn. **vagabond, gueux, mendiant**
– Des misérables sillonnaient les chemins **miséreux, pauvres hères**

MISÉRABLE /2

– Une population misérable **déshéritée, indigente, nécessiteuse**
– Des vêtements misérables **loques, haillons, guenilles, hardes**
– Une misérable rétribution **dérisoire, minime, piètre, insignifiante, lamentable, minable**

MISÈRE

– Vivre dans la misère **besoin, dénuement, gêne**
– Tenter de se battre contre la misère **colleter avec (se)**
– Misère qui frappe une population **paupérisme**
– Misère collective **disette, pénurie**
– Quartier touché par la misère à la périphérie d'une grande ville **bidonville**
– En littérature et en art, exposé systématique de la misère humaine **misérabilisme**
– En médecine, misère physiologique **dénutrition**
– Quelle misère ! **calamité, infortune, tristesse**
– Les petites misères de tout un chacun **ennuis, tracas, soucis**
– Faire des misères à quelqu'un **taquineries**
– Ce n'est qu'une misère ! **vétille, bagatelle**

MISÉRICORDE

– Un coupable qui implore miséricorde **clémence, indulgence, pardon, grâce**
– Miséricorde accordée au nom de Dieu **absolution**
– Ayez miséricorde **pitié**
– La miséricorde des moines **bonté, charité, commisération, compassion**

MISSION

syn. **charge, mandat, commission**
– Envoyer un individu en mission de reconnaissance **détacher, dépêcher**
– Personne chargée d'une mission **émissaire, ambassadeur**
– Dépêcher une mission sur le terrain **délégation, députation**
– La mission principale d'un organisme **rôle, vocation**
– Rôle d'une mission catholique **évangélisation**
– Prêtre de la Mission **lazariste**

MISSIVE

syn. **lettre, pli, courrier, billet**

MITONNER

– Mitonner un bon petit plat **mijoter, préparer, cuisiner, cuire**

MITRAILLEUSE

syn. **canon automatique**
– Tir d'une mitrailleuse **mitraillade, rafale**
– Support de tir d'une mitrailleuse **affût**

MIXTE

– Une salade mixte **composée, mélangée**
– Un mariage mixte **interracial**
– Une société d'économie mixte associe les capitaux **privés, publics**

MIXTURE

syn. **mélange, cocktail, amalgame**
– Mixture de plusieurs substances pharmaceutiques **mixtion**

MOBILE /1

– Mobile qui pousse à une action **cause, motif, motivation**

MOBILE /2

– Éléments mobiles **amovibles**
– Poser une cloison mobile **coulissante, repliable, pivotante**
– Des feuillets mobiles **détachables**
– Un ciel mobile **changeant, instable**
– Les reflets mobiles du soleil sur la mer **chatoyants, miroitants**
– Téléphone mobile **portable**
– Fête mobile **Pâques, Ascension, Pentecôte**

MOBILISATION

syn. **rassemblement, réunion**
– Mobilisation militaire **appel aux armes, mise sur le pied de guerre**
– Citoyen appelé en priorité lors d'une mobilisation militaire **réserviste**
– Mesures de sécurité précédant les opérations d'une mobilisation militaire **mise en garde**
– Formule de mobilisation militaire partielle **dérivation**
– Type de mobilisation thérapeutique pratiquée en kinésithérapie **active, passive**
– En psychologie, mobilisation d'un individu **activation**
– Mobilisation de créances **escompte**
– En finance, mobilisation des créances en titres négociables **titrisation**

MOBILISER

– Mobiliser une armée **lever, recruter**
– Mobiliser des soldats **enrégimenter, enrôler**
– Mobiliser des ressources **rassembler**

MOULINS À VENT ET MOULINS À EAU

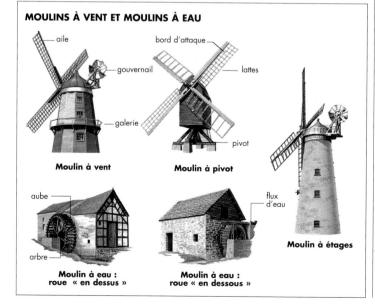

aile
gouvernail
galerie

Moulin à vent

bord d'attaque
lattes
pivot

Moulin à pivot

flux d'eau

Moulin à étages

aube
arbre

Moulin à eau : roue « en dessus »

Moulin à eau : roue « en dessous »

MOBILITÉ
– Mobilité physiologique **mouvement, motilité, motricité**
– Mobilité d'un peuple **migration**
– Mobilité du caractère **inconstance, fluctuation, instabilité, versatilité, variabilité**
– Doctrine philosophique qui parle de la mobilité incessante des choses **mobilisme**

MODALITÉ
syn. **moyen, manière, particularité, façon, circonstance**
– Définir les modalités de paiement **formules, modes**
– Adverbe de modalité **de phrase**

MODE *Voir illustration p. 378-379*
cosm(o)-
syn. **façon, genre, style**
– Les modes d'une époque **mœurs, pratiques, coutumes**
– Un vêtement très à la mode **en vogue, in, branché, tendance**
– Défilé de mode **haute couture, prêt-à-porter**
– Spécialiste de mode **styliste, créateur, couturier**
– En musique, mode usité du XVIIᵉ au XIXᵉ siècle **majeur, mineur**
– Mode d'emploi **notice**

MODÈLE /1
– Sert de modèle **étalon, archétype**
– Modèle original **prototype**
– Modèle qui sert à la fabrication d'un objet standard **gabarit**
– Modèle représentatif **échantillon, spécimen**
– En droit, modèle d'un acte **formule**
– Modèle de couture **patron**
– Modèle de tapisserie, de vitrail **carton**
– Mot qui sert de modèle en grammaire **paradigme**
– Modèle réduit d'une construction **maquette**
– Personne qui fabrique des modèles réduits **modéliste**
– Ouvrier qui fabrique des modèles **modeleur**
– Personne nue qui sert de modèle à un artiste **académie**
– Établissement de modèles scientifiques **modélisation**
– Modèle d'une structure en linguistique **pattern, matrice**
– Un modèle de vertu **exemple, parangon**

MODÈLE /2
– Une vie modèle **exemplaire, édifiante**
– Une école modèle **pilote**

MODELER
plast-
syn. **façonner, sculpter**
– Modeler de la glaise **pétrir, travailler**

MODÉRATEUR
– Modérateur d'un thermostat **régulateur**
– Modérateur dans un réacteur nucléaire **ralentisseur**

MODÉRATION
– Il a fait preuve de modération dans ses propos **circonspection, mesure, prudence, retenue, réserve, sagesse**
– Ce convive se distingue par sa modération à table **sobriété, frugalité, tempérance**
– Une mère de famille qui achète avec modération **économe**

MODÉRÉ
– Un individu modéré **mesuré, pondéré**
– Homme politique modéré **centriste, modérantiste**
– Pratiquer des prix modérés **raisonnables, modiques**
– Habitation à loyer modéré **HLM**
– Morceau de musique d'un mouvement modéré **moderato**

MODÉRER
syn. **adoucir, amortir**
– Modérer sa fougue **réprimer, tempérer**
– Modérer ses envies **borner, limiter, réduire**
– Modérer sa vitesse au volant **freiner, ralentir**
– Modérer la brutalité d'une déclaration **adoucir, atténuer, mitiger, affaiblir**
– Se modérer **retenir (se), contenir (se), assagir (s'), calmer (se)**

MODERNE
– Une technique moderne **de pointe**
– Un matériel très moderne **ultramoderne**
– Un ameublement moderne **récent, nouveau**
– Un esprit moderne **novateur**
– En histoire, l'époque qui fait suite à l'époque moderne **contemporaine**
– Prédilection pour tout ce qui est moderne **modernité**
– Individu opposé à toute idée moderne **rétrograde, réactionnaire**

MODERNISER
– Il faut moderniser ces installations **rénover, transformer**
– Moderniser des programmes scolaires **réformer**
– Moderniser des méthodes de travail **actualiser, adapter**

MODESTE
– Un individu modeste **simple, humble, effacé, réservé, discret**
– Une surface modeste **restreinte, limitée**
– Une rémunération modeste **maigre, modique**

MODESTIE
– Le pluriel de modestie employé par un prince **de majesté**

MODIFICATION
voir aussi **transformation**
syn. **changement, fluctuation, variation**
– Modification d'un bâtiment vétuste **amélioration, embellissement, réfection, restauration**
– Modification d'une situation financière jugée précaire **aggravation**
– Petite modification apportée à un texte **correction, rectification**
– Modification importante d'un ouvrage **refonte**
– Modifications apportées à un vêtement pour l'ajuster à la taille de l'acheteur **retouches**
– Modification complète de la forme d'un individu **métamorphose**
– Modification d'un gouvernement **remaniement**
– Proposer la modification d'un texte de loi **amendement**
– En géologie, modification d'une roche **altération**

MODIFIER
syn. **métamorphoser, reprendre, réviser, amender**
– Modifier totalement **transmuer, transformer**
– La situation se modifie au fil des jours **change, varie, évolue**

MODULATION
– Modulation dans l'émission d'un son **inflexion**
– Modulation de fréquence **FM**
– Récepteur de modulation de fréquence **tuner**
– Modulation par impulsion et codage **MIC**
– Unité de vitesse de modulation d'un signal **baud**
– Dispositif réalisant le processus de modulation **modulateur**
– Dispositif électronique permettant de restituer les caractéristiques de la modulation d'un signal **démodulomètre**
– Effet indésirable de modulation dû à une déformation du signal **transmodulation**

MODULE
– Module comme unité de mesure **gabarit**
– Module d'un pilastre **calibre**
– Module d'une monnaie, d'une médaille **diamètre**
– Module d'un vecteur **norme**

– Module d'une cuisine intégrée **élément**
– Choisir un module d'histoire de l'art à l'université **UV (unité de valeur), cours**
– Module en informatique **sous-programme**
– Module lunaire **engin**

MOELLE
myél(o)-
– Une affection de la moelle osseuse ou de la moelle épinière **médullaire**
– Gaine osseuse qui entoure la moelle épinière **canal rachidien**
– Ensemble formé par le cerveau et la moelle épinière **névraxe**
– Propre au cerveau et à la moelle épinière **cérébro-spinal**
– Radiographie de la moelle épinière **myélographie**
– Affection inflammatoire de la moelle épinière **myélite**
– Maladie provoquée par la lésion de la corne antérieure de la moelle épinière **poliomyélite**
– Affection chronique de la moelle épinière **syringomyélie**
– Morceaux de moelle épinière de veau, de bœuf ou de mouton utilisés en cuisine **amourettes**
– Qualificatif de la moelle osseuse, qui produit des globules **hématopoïétique**
– Résultat de l'examen de la moelle osseuse **myélogramme**
– Infection de la moelle osseuse **ostéomyélite**
– Prolifération tumorale de la moelle osseuse **maladie de Kahler, myélomatose**
– Diminution de la formation des globules par la moelle osseuse **hypoplasie, aplasie**

MOELLEUX
– Un canapé moelleux **confortable, mollet, douillet, doux**
– Un potage moelleux **onctueux, velouté**
– Un alcool moelleux **liquoreux**
– La courbe moelleuse de ses hanches **gracieuse, souple**
– Rendre moelleux un tissu de laine **lainer**

MŒURS
éth(o)-
syn. **habitudes, coutumes, usages, us, traditions**
– Étude des mœurs d'une civilisation **ethnologie**
– Grande austérité de mœurs **rigorisme, puritanisme**
– Dérèglement des mœurs **débauche, libertinage, dévergondage, décadence, corruption, licence, dissolution**
– Attentat aux mœurs **outrage**
– Conforme aux bonnes mœurs **correct, convenable, bienséant, décent**

– Contraire aux bonnes mœurs **immoral, obscène, licencieux, honteux**

MOI
syn. **ego**
– Tendance à tout rapporter au moi **égocentrisme**
– Culte du moi **narcissisme, égotisme**
– Instance qui, avec le moi, compose la personnalité de l'individu, selon Freud **surmoi, ça**

MOINDRE
syn. **inférieur, mineur, secondaire, subalterne**
– Le moindre de nos soucis **dernier, cadet**

MOINE
– Clergé auquel appartiennent les moines **régulier**
– Association de moines **congrégation**
– Vie de moine **monachisme**
– Édifice où les moines vivent en communauté **monastère, abbaye, couvent, chartreuse, prieuré, trappe**
– Partie d'un couvent dont l'accès est réservé aux moines **cloître**
– Caractère inaliénable des biens d'une communauté de moines **mainmorte**
– Habit des moines **froc**
– Robe à capuche que portent certains moines **coule**
– Capuchon porté par certains moines **cuculle**
– Vêtement du moine composé d'un capuchon et de deux pans d'étoffe qui tombent jusqu'aux pieds **grand scapulaire**
– Jadis, espace rasé au sommet de la tête des moines **tonsure**
– Cérémonie au cours de laquelle un moine prononce ses vœux **profession**
– Prise d'habit d'un moine **vêture**
– Moine ayant prononcé ses vœux **profès**
– Offices auxquels assistaient les moines avant Vatican II **matines, laudes, prime, tierce, sexte, none, vêpres, complies**
– Chant liturgique des moines **grégorien, plain-chant**
– Jeune moine **novice**
– Moine qui fait partie d'une communauté **cénobite**
– Moine chargé de l'intendance d'un monastère **cellérier**
– Moine qui se retire pour vivre seul **ermite, anachorète**
– Moine errant **gyrovague**
– Moine qui a renoncé à la vie religieuse **défroqué**
– Laïque qui se joint à une communauté de moines **oblat**
– Moine de l'Église d'Orient **caloyer**
– Moine bouddhiste d'Asie du Sud-Est **bonze**
– Moine bouddhiste tibétain **lama**

MOINEAU
– Ordre auquel appartient le moineau **passereaux**
– Famille à laquelle appartient le moineau **plocéidés**
– Nom familier du moineau domestique des villes **pierrot, piaf**
– Moineau des campagnes qui porte un point noir sur la joue **friquet**

MOINS
– Rendre moins fort **affaiblir, diminuer, miner**
– Rendre moins grand **amoindrir, réduire, amenuiser**
– Rendre moins rude **adoucir, amortir, atténuer**

MOIRÉ
syn. **chatoyant, miroitant, ondé**
– Reflet moiré **moirure**
– Donner à un tissu un aspect moiré **calandrer**
– Acier offrant une surface moirée **damas**

MOIS *Voir tableau p. 381*
voir aussi **calendrier**
– Journal qui paraît une, deux ou quatre fois par mois **mensuel, bimensuel, hebdomadaire**
– Revue qui paraît tous les deux mois **bimestrielle**
– Revue qui paraît tous les trois mois **trimestrielle**
– Revue qui paraît tous les six mois **semestrielle**
– Mois lunaire **lunaison**
– Système qui permet d'étaler un paiement sur plusieurs mois **mensualisation**
– Somme payée ou reçue chaque mois **mensualité**
– En droit, jour du mois indiqué par un chiffre **quantième**

MOISIR
– Moisir en prison **croupir, morfondre (se), languir**

MOISISSURE
voir aussi **champignon**
syn. **chancissure, efflorescence**
– Phase qui succède à la moisissure **pourriture, décomposition**
– Moisissure qui apparaît sur les vieux murs **salpêtre**
– Moisissure qui apparaît à la surface du vin **fleur de vin**

MOISSON
syn. **récolte**
– Instrument avec lequel on faisait la moisson à la main **faucille**
– Machine utilisée pour faire la moisson **moissonneuse-batteuse**
– Déesse des moissons dans l'Antiquité **Déméter, Cérès**

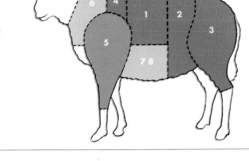

MOUTON

1re CATÉGORIE
1 carré
(côtes premières
et côtes secondes)
2 selle anglaise
et côtes dans le filet
3 gigot
4 côtes découvertes

2e CATÉGORIE
5 épaule

3e CATÉGORIE
6 collier
7 haut de côtes
8 poitrine

MOISSONNER
– Moissonner les distinctions **cueillir, engranger, gagner, ramasser, récolter**

MOITE
syn. **humide**
– La peau moite d'un malade fiévreux **halitueuse**
– Rendre moite **moitir**

MOITEUR
– Moiteur d'une atmosphère **touffeur**
– Mesure de la moiteur de l'air **hygrométrie**
– Éponger la moiteur de son front **transpiration, sudation**

MOITIÉ
semi-, hémi-, mi-
– Moitié du globe **hémisphère**
– Moitié d'un vers **hémistiche**
– Paralysie qui touche une moitié du corps **hémiplégie**
– Partager une somme moitié-moitié **fifty-fifty**

MOLÉCULE
– Ils composent la molécule **atomes**
– Dont la molécule est composée de deux atomes **biatomique**
– Molécule géante **macromolécule**
– Particule constituée d'un agrégat de molécules semblables et donnant une émulsion **micelle**
– Assemblage de molécules **combinaison**
– Symbole de la molécule d'eau H_2O
– Qui se produit à l'intérieur d'une molécule **intramoléculaire**
– Molécule qui a la valence 2 **bivalente**

MOLLEMENT
– Le chat s'étire mollement **indolemment, nonchalamment, doucement**
– Le ruisseau coule mollement **paresseusement, lentement, tranquillement**
– Réagir mollement **faiblement, timidement**

MOLLET
– Muscle du mollet **sural**
– Muscles qui composent le triceps du mollet **jumeaux, soléaire**

MOLLUSQUE
– Membrane qui recouvre le corps des mollusques **manteau**
– Les six classes de mollusques **gastéropodes, lamellibranches, scaphopodes, céphalopodes, amphineures, monoplacophores**
– Mollusque gastéropode (ou gastropode) **limace, escargot, patelle, ormeau, porcelaine, fuseau**
– Mollusque lamellibranche (ou bivalve) **moule, huître, peigne, couteau, praire, palourde**
– Mollusque céphalopode **seiche, calmar, argonaute, pieuvre, poulpe, nautile**
– Mollusque scaphopode **dentale**
– Mollusque amphineure **chiton**
– Mollusque monoplacophore **néopilina**

MOMENT
syn. **laps de temps**
– Choisir le moment adéquat **occasion, circonstance**
– Un bonheur qui ne dure qu'un moment **momentané, éphémère, fugace**

MOMIE
– Préparatifs nécessaires à la transformation d'un cadavre en momie **dessiccation, embaumement**
– Transformer un cadavre en momie **momifier**
– Petite bande de tissu enveloppant les momies **bandelette**
– Vase funéraire de l'Égypte antique destiné à recevoir les viscères d'une momie **canope**

MONARCHIE
voir aussi **roi**
syn. **royaume, couronne**
– Dirige une monarchie **roi, monarque, souverain**
– Monarchie où les pouvoirs du souverain sont sans limites **absolue**
– Monarchie où le souverain règne par la volonté de Dieu **de droit divin**
– Monarchie où les pouvoirs du souverain sont régis par une constitution **constitutionnelle**
– Monarchie où le souverain est un parent de son prédécesseur **héréditaire**
– Type de monarchie constitutionnelle **parlementaire**
– Monarchie où le souverain est élu **élective**
– Emblème de la monarchie française **lis**
– Individu favorable à la monarchie **monarchiste**

MONARQUE
syn. **souverain, roi, prince, empereur**
– Monarque disposant d'un pouvoir absolu **potentat, despote, tyran, dictateur, autocrate**
– Assassin d'un monarque **régicide**

MONASTÈRE
syn. **couvent, prieuré, chartreuse**
– Ancien terme désignant un monastère **moutier**
– Partie fermée d'un monastère réservée aux moines **cloître**
– Cour intérieure du cloître d'un monastère **préau**
– La salle d'un monastère où se réunit le chapitre **capitulaire**
– Recueil de titres de propriété d'un monastère **cartulaire**
– Monastère de religieuses en Belgique et aux Pays-Bas **béguinage**
– Monastère de bonzes **bonzerie**
– Monastère tibétain **lamaserie**
– En Inde, monastère où se rassemblent les adeptes d'un gourou **ashram**

MONDAIN /1
– Une demi-mondaine **courtisane**
– Auteur du poème le Mondain **Voltaire**

MONDAIN /2
– Synonyme de mondain en termes de religion **profane, séculier, laïque**
– Des conversations mondaines **frivoles, légères, superficielles, futiles**
– Chronique mondaine dans un journal **carnet**
– Aimer la vie mondaine et la haute société **mondanités**
– Propre à la société mondaine des salons **salonnier**

MONDE
Voir illustration sept merveilles du monde, p. 382
– Le monde entier **Univers, cosmos, macrocosme**
– Monde à l'échelle réduite **microcosme**

MOTS DU MULTIMÉDIA

Analogique : signal électrique dont les variations sont représentées sous la forme d'une courbe périodique continue. S'oppose à numérique.

APS (advanced photographic system) : système photographique qui mélange les procédés argentique et numérique.

ASCII (american standard code for information interchange) : système de codage des caractères alphanumériques.

Bannière : bandeau publicitaire qui s'affiche sur certaines pages Web.

Bouquet : ensemble de chaînes de télévision numériques proposées par un opérateur.

CD (Compact Disc) : disque optique numérique à lecture laser permettant le stockage de données (CD-Rom), de son (CD) ou de vidéo (CDV). Il peut être enregistrable une seule fois (CD-R) ou réinscriptible (CD-RW).

Cryptage : codage de données.

Cyberculture : tout ce qui touche au multimédia, aux réseaux informatiques et aux nouvelles technologies de l'information et de la communication (NTIC).

DAT (digital audio tape) : cassette audionumérique.

Débit : quantité d'informations transmises sur un réseau mesurée en bits par seconde (bps).

DVD (digital versatile disc) : disque compact de haute densité permettant d'enregistrer jusqu'à 18 Go (gigaoctets) de données. Il en existe plusieurs formats : DVD vidéo, DVD audio, DVD-Rom ou SD-DVD.

GPS (global positionning system) : système informatique permettant de localiser une position partout sur la Terre grâce aux signaux satellites.

GSM (global system for mobile communications) : norme européenne de communications mobiles numériques.

Hybride : produit combinant l'utilisation d'un CD-Rom et celle d'un site Internet.

Hypermédia : technique proche de l'hypertexte reliant des documents textuels à du son et à l'image.

Hypertexte (ou lien hypertexte) : mot ou image d'un document muni d'un lien actif qui permet d'accéder à un autre document.

Interactivité : procédé par lequel un utilisateur peut modifier le déroulement d'un programme selon son désir.

Internet : réseau mondial d'ordinateurs interconnectés.

Lissage : technique permettant de supprimer des imperfections d'affichage à l'écran ou d'impression.

Matrice : procédé d'affichage sur des écrans à cristaux liquides.

Micropaiement : paiement d'une petite somme d'argent sur un réseau informatique en échange d'un service.

Mobile : voir Portable.

Morphing : technique d'animation permettant de créer une transition visuelle entre deux images.

MP3 (MPEG layer 3) : norme de compression du son développée par le MPEG (moving pictures expert group).

Multimédia : technique qui utilise plusieurs supports en même temps (textes, sons, images fixes ou animées).

Numérique : technique de transmission de données par signaux binaires.

Opérateur : intermédiaire proposant une connexion à un réseau (comme Internet) en service payant à des fournisseurs d'accès ou même à des particuliers.

Organiseur : ordinateur électronique de poche servant d'agenda, de répertoire. Quand il permet d'envoyer et de recevoir des données, on parle de PDA (personal digital assistant).

Paiement à la séance (pay-per-view en anglais) : procédé de télévision interactive où le spectateur paie pour choisir le contenu du programme qu'il souhaite regarder.

Portable : désigne soit un ordinateur portable, soit un téléphone mobile.

Rafraîchissement : opération de renouvellement complet d'une image sur un écran afin de la rendre visible.

RDS (radio data system) : système radio permettant de recevoir une station de radio à bord d'un véhicule en mouvement avec une qualité continue, sans interférence ni brouillage.

Réalité augmentée : technique d'imagerie numérique combinant images réelles et images de synthèse.

Reconnaissance vocale : technique permettant de traiter, de mémoriser et de reconnaître des sons (en particulier la voix)

afin de les utiliser pour créer des commandes ou des actions sur des appareils informatiques.

Réseau : système connectant plusieurs ordinateurs entre eux pour partager des informations.

SMS (short message service) : mode de communication écrite entre les mobiles qui permet d'envoyer des messages courts (160 caractères au maximum), depuis un mobile ou le Web, à quelqu'un qui les recevra sur son mobile.

SSII (société de services en ingénierie informatique) : société employant des ingénieurs en informatique et électronique pour des missions courtes auprès de clients.

Streaming : technique de diffusion en temps réel de séquences vidéo sur Internet.

Télétravail : nouvelle organisation du travail à distance (depuis son domicile, par exemple) grâce aux liaisons avec les réseaux de communication.

UMTS (universal mobile telecommunications system) : nouvelle génération de communication par téléphonie mobile après le GSM et le GPRS (general packet radio service).

Visioconférence : technique permettant de communiquer en temps réel avec plusieurs personnes éloignées géographiquement grâce à l'image et au son.

WAP (wireless application protocol) : ensemble de standards qui permet de faire fonctionner des programmes sur un terminal sans fil (téléphones portables, PDA), en particulier l'accès à Internet.

— Mot à l'origine ironique qui désigne la déflagration originelle qui serait à l'origine de la formation du monde **big bang**
— Théorie, système expliquant la formation du monde **cosmogonie**
— Livre de la création du monde dans la Bible **Genèse**
— Fin du monde **apocalypse**
— Les hommes du monde entier **humanité**
— Éviter le monde **foule, affluence**
— Mettre un enfant au monde **enfanter, accoucher**
— Le Nouveau Monde **Amérique**

MONDIAL
syn. **international, universel, planétaire**

MONÉTAIRE
— Métal choisi pour déterminer la valeur d'une unité monétaire **étalon**
— Système monétaire établi sur un étalon unique **monométallisme**
— Système monétaire à deux étalons **bimétallisme**
— Ancienne unité monétaire de l'Union européenne finalement abandonnée pour l'euro **écu (European Currency Unit)**

— Nouvelle unité monétaire européenne **euro**
— Fonds monétaire international **FMI**

MONGOLISME
syn. **trisomie 21**
— Individu atteint de mongolisme **mongolien**
— Faciès caractéristique d'une personne atteinte de mongolisme **mongoloïde**

MONITEUR
— Formation ou fonction de moniteur **monitorat**

– Moniteur de voile **instructeur, entraî-neur**
– Moniteur de natation **maître nageur**
– Moniteur d'escrime **maître d'armes, prévôt d'armes**
– Moniteur en langage informatique **écran**
– Moniteur assurant une surveillance électronique médicale **monitoring, monitorage**

MONNAIE *Voir tableau p. 385*
– Se livrer à l'étude des monnaies **numismatique**
– Côté face d'une pièce de monnaie **avers, droit, obvers**
– Côté pile d'une pièce de monnaie **envers, revers**
– Une monnaie de papier **fiduciaire**
– Une monnaie de banque **scripturale**
– Visage d'une célébrité sur une pièce de monnaie **effigie**
– Figure sur une pièce de monnaie **type**
– Date d'émission d'une monnaie **millésime**
– Inscription sur une pièce de monnaie **légende**
– Bordure d'une pièce de monnaie réservée à la légende **carnèle**
– Rebord autour du flanc d'une pièce de monnaie **cordon**
– Cordon gravé sur une pièce de monnaie **crénelage**
– Relief sur le pourtour d'une pièce de monnaie **listel, grènetis**
– Marque sur la tranche d'une pièce de monnaie **cordonnet**
– Fabriquer des pièces de monnaie **battre monnaie**
– Phase de la fabrication d'une pièce de monnaie **fonderie, laminage, découpage, cordonnage, recuit, frappe**
– Transformer en monnaie **monnayer, monétiser**
– Outillage qui permet de frapper une monnaie **coin, virole**
– Balance que l'on utilisait autrefois pour peser des pièces de monnaie **trébuchet**
– Titre d'une monnaie **aloi**
– Individu qui fabrique de la fausse monnaie **faux-monnayeur, faussaire**
– Système d'échange que la monnaie a remplacé **troc**
– Monnaie-du-pape **lunaire**

MONNAYER
– Monnayer un secret **tirer argent de**
– Monnayer une action **vendre**

MONOPOLE
syn. **exclusivité**
– Une personne ou une société qui détient un monopole **monopoliste, monopoleuse**
– Entreprise publique qui peut détenir un monopole **régie**

– Concentration d'entreprises qui peut aboutir à un monopole **cartel, trust**

MONOTONE
– Un discours monotone **ennuyeux, lassant, insipide**
– Un clapotis monotone **régulier, continuel, ininterrompu**
– Un air monotone **monocorde**
– Il voyait défiler un paysage monotone **uniforme**

MONSTRE
térat(o)-
– Étude scientifique des monstres **tératologie**
– Médicament qui, pris par une femme enceinte, peut lui faire enfanter un monstre **tératogène**
– En architecture, monstre de pierre sculpté d'où s'écoulent les eaux de pluie **gargouille**
– Tête de monstre ou de créature imaginaire qui décore une façade ou une fontaine **mascaron**
– Monstre de la mythologie **Minotaure, Chimère, griffon, Cerbère, Harpie, Hydre de Lerne, Sphinx, centaure, Léviathan**
– Monstre légendaire de la terre et de la mer **kraken, yeti, monstre du loch Ness, dragon, poulpe colossal, loup-garou, Dracula**

MONSTRUEUX
– Un carnage monstrueux **affreux, épouvantable, abominable, effroyable**
– Un animal d'une taille monstrueuse **immense, démesurée, gigantesque, colossale**
– Des proportions monstrueuses **éléphantesques**

MONSTRUOSITÉ
syn. **malformation, difformité**
– Monstruosité du tronc **ectrosomie**
– Monstruosité des membres **hémimélie, phocomélie, ectromélie**
– Monstruosité de la tête **méningocèle, hydrocéphalie, anencéphalie, encéphalocèle**
– La monstruosité d'un attentat **atrocité, horreur**

MONT
voir aussi **montagne**
syn. **butte, colline, élévation, hauteur**
– Un paysage formé de monts **montueux**
– Mont-de-piété **crédit municipal, clou, ma tante**
– En anatomie, mont de Vénus **pénil**

MONTAGNE
oro-
– Étude des montagnes **orographie**
– Ensemble des mouvements qui ont

déterminé la formation des chaînes de montagnes **orogenèse**
– Montagne pointue **pic, aiguille, dent**
– Montagne arrondie dans les Vosges **ballon**
– En Auvergne, montagne volcanique en forme de cratère ou de dôme **puy**
– Montagne au Maghreb **djebel**
– Sommet d'une montagne **cime, faîte, crête**
– Sommet d'une montagne en forme de coupole **dôme**
– Chaîne de montagnes dans les pays hispanophones **sierra**
– Amphithéâtre de hautes montagnes dominant une région couverte de glace **cirque glaciaire**
– Voie de passage entre deux montagnes **col, pas**
– Flanc d'une montagne exposé au sud **adret, soulane**
– Flanc d'une montagne exposé au nord **ubac**
– Versant d'une montagne constitué de pierriers, d'éboulis et d'escarpements ruiniformes **casse**
– Ligne de séparation entre les deux flancs d'une montagne **arête**
– En montagne, plaque de neige tassée qui recouvre la glace **névé**
– Pâturage en montagne **alpage, estive**
– Sentier de la montagne par lequel s'effectuait la transhumance vers les alpages **draille**
– Économie traditionnelle des montagnes fondée sur l'élevage extensif **pastoralisme**
– Escalade en montagne **alpinisme, varappe**
– Construction en haute montagne à l'usage des alpinistes et des randonneurs **refuge**
– En montagne, ascension qui se fait à partir d'un refuge **course**
– Matériel nécessaire pour une ascension en montagne **chaussures à semelles de caoutchouc, pitons, étriers, marteau, mousquetons, tamponnoir, cordes**
– Matériel du sportif de montagne pour une ascension sur la glace **chaussures à crampons, cordes, broches à glace, vis à glace, piolet**
– Nymphe des montagnes **oréade**

MONTÉE
– Montée des prix **hausse, flambée, augmentation**
– Montée des revendications **progression**
– Montée des eaux **crue**
– Au milieu de la montée **rampe, côte, raidillon**

MONTER
– L'enfant essayait de monter sur un tabouret **grimper, hisser (se)**
– Monter une étagère en kit **assembler**

– Monter avec difficulté un escalier **gravir**
– Monter à bord d'un bateau ou d'un avion **embarquer**
– Monter une applique de quelques centimètres **relever, hausser**
– Monter un bijou **sertir, enchâsser**
– Monter un mauvais coup **combiner, ourdir, tramer**
– Se monter en ustensiles ménagers **équiper (s')**

MONTRE
– Une montre à quartz à affichage numérique **à cristaux liquides**
– Une montre à quartz à aiguilles **analogique**
– L'une des premières montres de poche **œuf, oignon**
– Montre ancienne à double boîtier **savonnette**
– Petite poche dans laquelle on glisse sa montre **gousset**
– Dans le sens des aiguilles d'une montre **dextrorsum**

MONTRER
– Montrer son laissez-passer à l'entrée **présenter**
– Montrer sa nouvelle toilette **arborer, exhiber**
– Montrer ses talents **dévoiler, étaler**
– Montrer des réalités méconnues **révéler, évoquer, dépeindre, décrire**
– Montrer à un ouvrier le fonctionnement d'une machine **indiquer, apprendre, enseigner**
– Montrer à son interlocuteur qu'il est dans le faux **prouver, expliquer**
– Montrer son étiquette politique **afficher**
– Montrer une vive satisfaction **exprimer, manifester, extérioriser, témoigner**
– Se montrer en public **apparaître**
– Se montrer totalement inefficace **révéler (se), avérer (s')**

MONTURE
syn. **cheval de selle**
– Monture d'une ligne de pêche **avançon**
– Élément de la monture d'une épée **garde, fusée, pommeau**

MONUMENT *Voir tableau p. 386*
syn. **bâtiment, construction, édifice**
– Monument commémoratif **mémorial, panthéon**
– Remise en état d'un monument historique **restauration**
– Ensemble des monuments d'une ville **patrimoine**
– Inscription sur un monument **épigraphe**

MONUMENTAL
– D'une taille monumentale **colossale, gigantesque, immense**

– Faire une erreur monumentale **incommensurable, inouïe, impardonnable**
– Une œuvre cinématographique monumentale **prodigieuse, grandiose, imposante, impressionnante**

MOQUER (SE)
syn. **ridiculiser, persifler**
– Se moquer de quelqu'un **rire de, dauber, railler, gausser de (se)**
– Se moquer d'un avertissement **dédaigner, mépriser, faire fi de**
– Se moquer de l'opinion **braver, narguer**

MOQUERIE
syn. **persiflage**
– Moquerie acerbe **flèche, quolibet, sarcasme, épigramme, brocard**
– Moqueries bouffonnes **lazzi**

MOQUEUR
– Un individu moqueur **pince-sans-rire, facétieux, gouailleur**
– Un esprit moqueur **railleur, persifleur, frondeur**
– Un regard moqueur **goguenard, narquois**
– Un ton moqueur **ironique, caustique, sardonique**
– Une caricature moqueuse **parodie, charge, satire**

MORAL
– Des historiettes morales **édifiantes**
– Règle morale qui guide la conduite **principe**
– Code moral d'une profession **déontologie, éthique**

MORALE
– Partie de la philosophie qui étudie les problèmes fondamentaux de la morale **éthique**
– Partie de la morale qui a pour objet de résoudre les cas de conscience ; argumentation spécieuse visant à justifier n'importe quelle conduite **casuistique**
– Formule brève résumant un principe de morale **maxime**
– La morale d'une fable **moralité, enseignement, conclusion**
– Récit en prose ou en vers contenant une morale **apologue**

MORALISER
– Moraliser quelqu'un **admonester, sermonner, morigéner**

MORALISTE
– Qui s'érige en moraliste **moralisateur**

MORALITÉ
– La moralité d'un acte **mérite**
– Sa moralité n'est pas mise en doute **loyauté, honnêteté, conscience**

MORCEAU
syn. **partie, portion, segment, tronçon**
– Petit morceau **bribe, parcelle**
– Les morceaux d'une porcelaine brisée **fragments, débris, éclats**
– Un morceau de pain **quignon**
– Premier morceau que l'on coupe **entame**
– Morceau de terrain **lopin**
– Une couverture composée d'un assemblement de morceaux de tissus différents **en patchwork**
– Recueil composé de morceaux choisis **anthologie, florilège, chrestomathie**

MORCELER
syn. **diviser, fractionner**
– Morceler un domaine **lotir, démembrer, partager**
– Morceler de façon excessive **émietter**

MORDANT /1
– Avoir du mordant sur un terrain de sport **énergie, ressort, punch, pep**
– Le mordant d'un discours **impétuosité, fougue, vivacité, virulence**
– Imprégner un tissu de mordant afin de fixer sa couleur **mordancer**

MORDANT /2
– Un ton mordant **agressif, acerbe, sarcastique, caustique, acrimonieux**
– Un froid mordant **âpre, piquant, vif, cuisant**

MORDRE
– Mordre dans une pomme **croquer**
– Le lion mord sa proie à pleines dents **déchiquette**
– Mordre le bout de son stylo **mordiller, mâchonner**
– Qui empêche un animal de mordre **muselière**
– Le poisson y mord **hameçon, appât**
– En gravure, l'acide mord le métal **ronge, attaque, entame**
– Mordre sur la ligne blanche **marcher sur, empiéter sur**

MORNE
– Un homme à l'air morne **triste, abattu, morose, sombre**
– Un regard morne **éteint, inexpressif**
– Un paysage morne **maussade, terne, monotone**

MOROSE
– Une vie morose **morne, terne**
– Un temps morose **maussade**
– Un air morose **revêche, rechigné, renfrogné**
– Une humeur morose **mélancolique, sombre, chagrine**

MORPHOLOGIE
– Étude scientifique des liens entre la

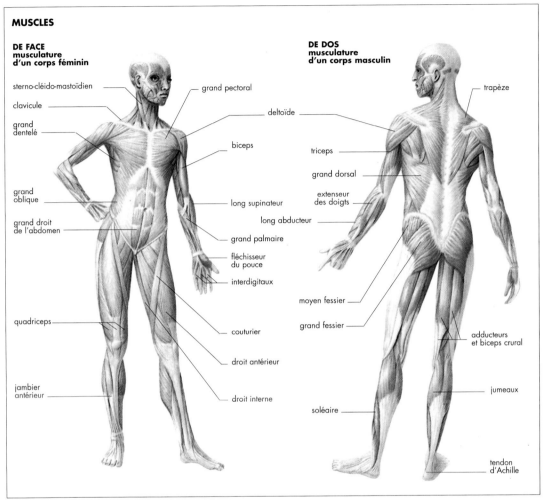

MUSCLES

DE FACE
musculature
d'un corps féminin

- sterno-cléido-mastoïdien
- clavicule
- grand dentelé
- grand oblique
- grand droit de l'abdomen
- quadriceps
- jambier antérieur

- grand pectoral
- deltoïde
- biceps
- long supinateur
- grand palmaire
- fléchisseur du pouce
- interdigitaux
- couturier
- droit antérieur
- droit interne

DE DOS
musculature
d'un corps masculin

- trapèze
- triceps
- grand dorsal
- extenseur des doigts
- long abducteur
- moyen fessier
- grand fessier
- soléaire

- adducteurs et biceps crural
- jumeaux
- tendon d'Achille

morphologie et la personnalité d'un individu **morphopsychologie, physiognomonie**
— Morphologie des reliefs de la Terre **géomorphologie**
— Morphologie des êtres vivants **anatomie**

MORSE
— Ordre auquel appartient le morse **pinnipèdes**
— Famille à laquelle appartient le morse **odobénidés**
— Animal du même ordre que le morse **otarie, phoque, éléphant de mer**

MORT /1
nécr(o)-, thanato-
syn. **décès, trépas**
— Nom donné à la mort **la Faucheuse, la Fossoyeuse, la Camarde**

— Les tourments de la mort **affres**
— Les derniers moments qui précèdent la mort **agonie**
— Cadavre après la mort **dépouille**
— Tintement de cloche qui annonce la mort ou les obsèques d'un individu **glas**
— Une œuvre publiée après la mort de son auteur **posthume**
— Provoquer la mort d'un malade incurable pour abréger ses souffrances **euthanasie**
— La mort d'une activité économique **anéantissement, ruine, fin, extinction, disparition**
— Étude de la mort **thanatologie**
— En psychanalyse, pulsion de mort **thanatos**
— Salle d'un hôpital où reposent les morts **morgue**
— Étoffe destinée à ensevelir un mort **linceul, suaire**

— Réduire un mort en cendres **incinérer**
— Registre d'une paroisse où sont inscrits les noms des morts **nécrologe**
— Personne chargée d'enterrer les morts au cimetière **fossoyeur**
— Dieu des morts dans l'Antiquité grecque **Hadès**
— Dieu des morts dans l'Antiquité romaine **Pluton**
— Dans l'Antiquité romaine, spectre d'un mort **lémure, larve**
— Aux Antilles, spectre d'un mort **zombi**
— Évocation des morts **nécromancie**

MORT /2
voir aussi **funèbre**
— Personne morte **défunte, décédée**
— Rubrique d'un journal donnant la liste des personnes mortes **nécrologie**
— Peut précéder le nom d'une personne morte **feu**

MORTALITÉ
– Taux de mortalité **létalité**
– Taux de mortalité intra-utérine **morti-natalité**
– La mortalité due à une maladie ou à un accident **exogène**
– La mortalité due au vieillissement **endogène**
– La mortalité des bébés de zéro à un an **infantile**
– La mortalité des femmes durant l'accouchement **maternelle**

MORTEL
– Un accident mortel **fatal, funeste**
– Un champignon mortel **vénéneux, vireux**
– Une conférence mortelle **ennuyeuse, pénible, fastidieuse**
– Un sermon mortel **mortifère**

MORTIER
– Ensemble de graviers et de cailloux concassés avec lesquels on fabrique du mortier **granulat**
– Délayer du mortier dans de l'eau **gâcher**
– Instrument utilisé pour broyer une substance dans un mortier **pilon**

MORTIFIER
– Au sens religieux, mortifier sa chair **châtier, macérer**
– Ce refus brutal l'a mortifié **humilié, blessé, froissé, vexé**

MORTUAIRE
syn. **funèbre, funéraire, macabre**

MORUE
– Ordre auquel appartient la morue **gadiformes**
– Morue noire **églefin**
– Morue du Groenland **ogac**
– Morue fraîche **cabillaud**
– Morue séchée **merluche, stockfish**
– Morue noire fumée **haddock**

MOSAÏQUE
– Artiste qui crée des mosaïques **mosaïste**
– Petit élément d'une mosaïque **tesselle, abacule**
– Sol de mosaïque **pavement**

MOSQUÉE *Voir tableau islam, p. 331*
voir aussi **musulman**
– Salle de prière sous la coupole d'une mosquée **haram**
– Chaire d'une mosquée **minbar**
– Niche creusée dans le mur d'une mosquée pour donner la direction de La Mecque **mihrab**
– Dans une mosquée, salle voûtée ouverte d'un côté par un large porche **iwan**
– Tour d'une mosquée depuis laquelle sont lancés les appels à la prière **minaret**

MUSES	
Clio	Histoire
Euterpe	Musique
Thalie	Comédie
Melpomène	Tragédie
Terpsichore	Danse
Érato	Chœur lyrique
Polymnie	Poésie
Uranie	Astronomie
Calliope	Épopée

– Musulman qui lance les appels à la prière du haut du minaret d'une mosquée **muezzin**

MOT
voir aussi **rhétorique, lettre, syllabe**
– Analyse de la structure interne des mots **morphologie**
– Étude des relations liant le mot à son origine **étymologie**
– Science de l'étude des mots **lexicologie**
– Étude du sens des mots **sémantique**
– Sens d'un mot **acception, signification**
– Dans un ouvrage, petit dictionnaire des mots difficiles ou spécialisés **lexique, glossaire**
– Ensemble des mots spécialisés d'une discipline **terminologie, nomenclature**
– Mot imitant un bruit **onomatopée**
– Mot de création très récente **néologisme**
– Mot vieilli **archaïsme**
– Mot qui n'apparaît qu'une fois dans un corpus **hapax**
– Mot formé à partir des lettres d'un mot différent **anagramme**
– Mot formé à partir des initiales d'un groupe de mots **acronyme**
– Mot exprimant plusieurs sens **polysémique**
– Mots de même sens **synonymes**
– Mots dont le sens est proche **analogues**
– Mots de sens opposé **antonymes**
– Mots de prononciation identique mais de sens différent **homonymes, homophones**
– Mots de graphie identique mais de sens différent **homographes**
– Mots de forme voisine mais de sens différent **paronymes**
– Transcription écrite d'un mot **alphabétique, syllabaire, idéogrammatique**
– Élément de base commun à tous les mots d'une même famille **racine**
– Forme que prend la racine d'un mot **radical**
– Constituant significatif d'un mot **morphème**
– Morphème adjoint au radical d'un mot **affixe**
– Affixe placé avant le radical d'un mot **préfixe**

– Affixe placé après le radical d'un mot **suffixe**
– Affixe inséré dans le radical d'un mot **infixe**
– Groupe de mots formant une unité de sens **expression, locution, syntagme, tournure**
– Emploi incorrect d'un mot **impropriété**
– Emploi d'un mot pour un autre **lapsus**
– Emploi d'un mot pour un autre pour adoucir une expression trop crue **euphémisme**
– Élision d'un mot ou d'un groupe de mots **ellipse**
– Mot ou phrase que l'on lit indifféremment de gauche à droite et de droite à gauche **palindrome**
– Couple de mots de même étymologie **doublet**
– Mot formé par l'amalgame de deux ou plusieurs mots **mot-valise**
– Énoncer des mots à haute et intelligible voix **articuler**
– Énoncer une à une les lettres qui composent un mot **épeler**
– Une traduction mot à mot **littérale**
– Mot d'esprit **trait, boutade, saillie**
– Mot d'esprit satirique **épigramme**
– Faire des jeux de mots **calembours, contrepèteries**
– Discussion qui n'est qu'une querelle sur les mots **logomachie**
– Amateur de mots croisés **cruciverbiste**

MOTEUR *Voir illustration p. 389*
voir aussi **arbre, soupape**
moto-
– Un moteur à piston rotatif **Wankel**
– Un moteur à huile lourde **Diesel**
– Les quatre temps du moteur à explosion **admission, compression, combustion, échappement**
– Pièce essentielle d'un moteur de voiture **arbre à cames, bielle, piston, culasse, bloc-cylindres, vilebrequin**
– Protège les pièces mobiles du moteur **carter**
– Mélange l'air et l'essence qui sont aspirés dans le moteur **carburateur**
– Disposition des cylindres d'un moteur **en ligne, à plat, en V**
– Partie mobile d'un moteur électrique **rotor**
– Partie fixe d'un moteur électrique **stator**
– Constructeur industriel de moteurs **motoriste**

MOTIF
voir aussi **ornement**
syn. **cause, raison, mobile**
– Un motif controuvé **prétexte**
– Un motif inavoué **intention, motivation**
– Motif invoqué dans un jugement **considérant, attendu**

– Motif décoratif en architecture **ornement**

– En musique, motif conducteur **leitmotiv**

– Peindre sur le motif **d'après nature**

– Motif ornemental représentant une tête de bœuf **bucrane**

MOTOCYCLE

– Type de motocycle **cyclomoteur, vélomoteur, motocyclette, scooter**

– Commerçant qui vend et répare les motocycles **motociste**

– Motocycle pourvu de skis avec lequel on se déplace sur la neige **motoneige, motoski**

MOTOCYCLETTE

– Siège placé derrière la selle d'une motocyclette **tansad**

– Démarreur de motocyclette **kick**

– Motocyclette pourvue sur le côté d'un habitacle prévu pour une personne **side-car**

– Motocyclette destinée à un usage mixte (route et tout-terrain) **trail**

– Motocyclette tout-terrain légère et très maniable **trial**

– Motocyclette à quatre roues utilisée en compétition **quad**

– Motocyclette ou véhicule sportif au moteur très puissant **dragster**

– Épreuve de motocyclettes sur terrain accidenté **motocross**

– Épreuve d'endurance en motocyclette **enduro**

– Sport qui s'apparente au football mais où les joueurs se déplacent à motocyclette **motoball**

MOU

– Un ressort trop mou **flasque, lâche**

– Un lit un peu mou **moelleux, douillet, mollet**

– Un canapé trop mou **avachi**

– Un sol mou et gorgé d'eau **spongieux**

– Une glaise très molle **malléable, plastique**

– Une terre molle facile à labourer **meuble**

– Être mou de nature **nonchalant, apathique, indolent, amorphe**

– Un caractère mou **faible, veule**

– Individu complètement mou **chiffe**

– Le tempérament mou selon l'ancienne médecine des humeurs **flegmatique, lymphatique**

MOUCHE

myi-

– Embranchement auquel appartient la mouche **arthropodes**

– Ordre auquel appartient la mouche **diptères**

– Famille à laquelle appartient la mouche **muscidés**

– Larve de mouche à viande **asticot**

– Mouche verte **lucilie**

– Mouche de mai **éphémère**

– Mouche du vinaigre **drosophile**

– Mouche charbonneuse qui pique le bétail **stomoxe**

– Mouche d'Afrique qui transmet la maladie du sommeil **tsé-tsé**

– Parasitisme dû aux larves de certaines mouches **myiase**

– Mouche dont les larves sont à l'origine de myiases **œstre**

– Mouche à miel **abeille**

MOUCHER

– Il s'est fait moucher et a fini par se taire **réprimander, gronder, rembarrer**

– Ciseaux en métal utilisés pour moucher une chandelle **mouchettes**

MOUCHOIR

– Petit mouchoir qui orne la poche de poitrine d'une veste d'homme **pochette**

– Grand mouchoir dont on se couvre la tête **fichu, foulard, madras, pointe**

MOUDRE

– Moudre du café **broyer, écraser**

– Moudre du poivre **égruger, concasser**

– Cylindre massif servant à moudre **meule**

– Machine utilisée pour moudre les grains des céréales **moulin**

MOUFLE

syn. **gant**

– Terme régional pour désigner une moufle au Québec ou en Suisse **mitaine**

MOUILLAGE

– Mouillage d'un navire **ancrage, embossage**

– Dispositif de mouillage fixe **corps-mort**

– Un mouillage non protégé **forain**

– Quitter le mouillage **appareiller**

– Mouillage frauduleux d'une boisson par addition d'eau **coupage**

MOUILLÉ

– Consonne mouillée en phonétique **palatalisée**

MOUILLER

– Mouiller légèrement du linge avant de le repasser **humidifier, humecter**

– Il a mouillé copieusement ses amis avec un tuyau d'arrosage **aspergé, éclaboussé**

– Mouiller un coton **imprégner, imbiber**

– Mouiller l'ancre **donner fond**

– Mouiller les sucs de cuisson pour obtenir une sauce **déglacer**

MOULAGE

– Moulage d'un objet en métal **fonte**

– Moulage d'une clef **empreinte**

– Moulage fait à partir d'un moulage **surmoule**

VOCABULAIRE DE LA MUSIQUE

Accelerando : en accélérant le mouvement.

Accident : signe qui sert à altérer les notes (dièse, bémol, bécarre).

Accord : groupe de sons résonnant simultanément. L'étude des accords fait l'objet de l'harmonie.

Adagio : lentement (entre largo et andante).

Ad libitum : au gré de l'exécutant. S'oppose à obbligato.

Affettuoso : tendrement.

Aperto : franchement.

Appassionato : avec passion.

Appogiature : petite note d'ornement étrangère à la note d'harmonie qu'elle précède, et plus appuyée.

Arpège : accord exécuté note à note.

Cantabile : chantant, à caractère mélodique.

Coda : partie terminale d'une composition ou d'un mouvement.

Con brio : avec verve.

Con fueco : avec flamme.

Con sordino : en sourdine.

Contrepoint : technique de composition consistant à écrire, par rapport à une partie mélodique donnée, une ou plusieurs autres parties qui se superposent.

Crescendo : en augmentant progressivement l'intensité du son.

Da capo (DC) : signe sur une partition renvoyant l'exécutant au début du morceau ou du thème.

Decrescendo : en diminuant progressivement l'intensité du son.

Demi-ton : le plus petit intervalle entre deux degrés conjoints.

Diapason : appareil permettant de déterminer la hauteur absolue

d'un son. Certains diapasons n'émettent qu'une note (la), d'autres mesurent en hertz de manière électronique tous les sons émis par l'instrument.

Diatonisme : nom donné au système musical occidental, composé de cinq tons et de deux demi-tons, et qui repose sur sept sons de base (nommés en français do, ré, mi, fa, sol, la, si).

Dodécaphonisme : technique musicale, appelée aussi atonale ou sérielle, fondée sur la division de la gamme en douze demi-tons égaux, remplaçant le système d'harmonie traditionnel par des conventions nouvelles.

Forte : fortement.

Gamme : série de sons conjoints selon leur hauteur.

Gamme chromatique : gamme procédant par demi-tons, soit en montant (notes diésées), soit en descendant (notes bémolisées).

Gamme diatonique : gamme composée de sept sons placés à un intervalle d'un ton ou d'un demi-ton.

Gamme pentatonique : gamme constituée de cinq sons.

Glissando : technique de jeu consistant à réaliser un intervalle ascendant ou descendant en glissant rapidement sur tous les sons intermédiaires.

Grave : tempo analogue au largo.

Harmonique : son produit sur un instrument à cordes en effleurant la corde au lieu de la presser.

Intervalle : distance qui sépare deux sons. Tierce, quinte, septième sont des noms d'intervalle.

Largo : lentement.

Legato : en liant les notes, par opposition à spicato.

Leitmotiv : terme choisi par Wagner pour désigner un motif conducteur et caractéristique, qui

revient à plusieurs reprises dans la partition.

Maestoso : majestueusement.

Non troppo : pas trop. Indication modérant une instruction.

Note : représentation d'un son selon sa durée dans le temps ou sa hauteur sur la portée.

Obbligato : obligé, essentiel, qui ne peut pas être omis. S'oppose à ad libitum.

Octave : huitième degré de la gamme diatonique, ou encore notes contenues dans l'intervalle de huit degrés.

Ostinato ou **basse obstinée, basse contrainte :** motif de notes d'accompagnement qui se répètent obstinément tout au long d'un morceau.

Piano : doucement, en parlant de l'intensité et non du tempo.

Pizzicato : en pinçant les cordes sur les instruments à archet.

Point d'orgue : placé au-dessus d'une note, ce signe permet à l'exécutant d'en prolonger librement la durée (à la fin d'un morceau, par exemple).

Presto : vite.

Prestissimo : très vite.

Récitatif : partie d'un opéra ou d'un oratorio librement déclamée et se rapprochant du langage parlé.

Reprise : partie d'un morceau de musique destinée à être répétée.

Ritardando : en ralentissant progressivement.

Rubato : technique d'abandon de la mesure consistant à retarder ou accélérer librement certaines notes de la mélodie alors que l'accompagnement reste strictement mesuré.

Segue : enchaîner immédiatement.

Sforzando : en renforçant

soudainement l'intensité d'une note ou d'un accord.

Sostenuto : de façon égale et soutenue.

Spiccato ou **staccato :** en détachant les notes.

Syncope : prolongation d'un temps fort sur un temps faible ou sur la partie faible d'un temps fort, provoquant un déplacement de l'accentuation.

Tablature : système de notation musicale dans lequel la portée et les notes sont remplacées par des signes et des chiffres représentant de manière plus visuelle les positions à adopter sur l'instrument.

Tempo : mouvement ou vitesse d'exécution d'un morceau.

Ton : distance la plus grande entre deux notes ou degrés d'une gamme.

Tonalité : organisation hiérarchique des sons par rapport à un son de référence, la tonique. Organisés en hauteur, ces sons forment une gamme. L'ordre de succession des intervalles de la gamme détermine le mode (majeur ou mineur).

Transcription : adaptation d'une composition pour un ou des instruments différents de celui ou de ceux pour lesquels elle a été écrite.

Trémolo : alternance rapide et répétée de deux notes. Quand l'intervalle entre les deux notes est très court (un ton ou un demi-ton), il s'agit d'un trille.

Tutti : tous ensemble. S'oppose à solo.

Unisson : émission par plusieurs instruments ou voix de deux sons de même hauteur ou à une ou plusieurs octaves de distance.

Vibrato : légère variation répétitive de la hauteur d'une note, produite, dans le cas des instruments à cordes, par l'oscillation du poignet ou du doigt.

– Moulage de forme humaine utilisé pour la confection de vêtements **mannequin**
– Moulage en staff ou en stuc ornant un plafond **pâtisserie**
– Le moulage du fromage s'inscrit dans ces différentes phases de fabrication **emprésurage, démoulage, égouttage, caillage, salage, affinage**

MOULE /1

syn. **forme, matrice**
– Moule utilisé en pâtisserie **à charlotte, à savarin, à brioche, à tarte, à kouglof, à soufflé, à gaufre, à manqué, à cake**
– Moule à fromage frais **cagerotte, caserette, faisselle**

MOULE /2

– Classe à laquelle appartient la moule **lamellibranches**

– Filaments qui permettent à la moule de s'attacher au rocher **byssus**

– Petit crabe qui se loge dans la coquille des moules **pinnothère**

– Élevage des moules **mytiliculture**

– Toxine contenue dans une moule contaminée et à l'origine de paralysies **mytilotoxine**
– Moule d'étang **anodonte**
– Pieux sur lesquels on élève des moules **bouchots**
– Barque utilisée dans les parcs à moules **acon**
– Moule de rivière **mulette**

MOULER
– Mouler des soldats de plomb **fondre, couler**
– Sa robe moule sa silhouette **modèle, épouse, sculpte**

MOULIN *Voir illustration p. 390*
voir aussi **farine**
– Dans un moulin, cylindre en pierre qui écrase le grain **meule**
– Dans un moulin, appareil qui trie les moutures **plansichter**
– Canal qui conduit l'eau jusqu'à la roue d'un moulin **bief**
– Canal par où coule l'eau qui fait tourner la roue d'un moulin **abée**
– Palettes de la roue d'un moulin à eau **aubes**
– Godets parfois fixés à la roue d'un moulin **augets**
– Moulin à huile **oliverie**

MOULURE
– Moulure décorative en forme de demi-cylindre utilisée en architecture **boudin**
– Petite moulure à section carrée sans décor **listel**
– Moulure à double courbe en S **doucine**
– Moulure de faible relief avec des bossages en forme d'œuf **cordon d'oves**
– Moulure saillante entourant les bases des colonnes ioniques et corinthiennes **tore**
– Moulure en creux **cavet**
– Moulure pleine **quart-de-rond**
– Moulure plate **bandeau, plate-bande**
– Moulure creusée en forme de gorge, prise entre deux parties plates, au bas d'une colonne **scotie**
– Moulure à hauteur d'appui, appliquée sur un mur **cimaise**
– Moulure arrondie et saillante à l'angle d'une pierre **nervure**
– Moulure ou ensemble de moulures ornant les courbures d'un arc **archivolte**

MOURANT
syn. **moribond, agonisant**
– Des regards mourants **alanguis, langoureux, languides, languissants**
– Une lumière mourante **évanescente, faiblissante, déclinante**

MOURIR
syn. **disparaître, expirer, périr, éteindre (s'), trépasser, décéder**
– Mourir de faim **d'inanition**

– Mourir d'une grave maladie **succomber à**
– Sur le point de mourir **agonisant, moribond, mourant**

MOUSQUETAIRE
– Arme à feu des mousquetaires **mousquet**
– Auteur du roman *les Trois Mousquetaires* **Alexandre Dumas**
– Poignet mousquetaire **manchette**
– Gants à la mousquetaire **à crispin**
– Bottes à la mousquetaire **à revers**

MOUSSE /1
– Catégorie de plantes dans laquelle on range les mousses **bryophytes, muscinées**
– Mousse très commune **hypne**
– Mousses utilisées en horticulture **sphaignes**
– Mousse fleurie des montagnes **silène acoule**
– Mousse de mer **zostère**
– Mousse d'Irlande **carragheen**
– Filament d'une mousse qui donne naissance à de nouvelles tiges **protonéma**
– Structures chevelues qui enracinent une mousse **rhizoïdes**
– Mousse blanche qui ourle les vagues **écume**
– Mousse qui se forme à la surface de la bière dans un bock **faux col**

MOUSSE /2
– Pointe mousse **émoussée**

MOUSSER
– Brosse utilisée pour faire mousser le savon à barbe **blaireau**
– Ustensile de cuisine servant à faire mousser le chocolat **moussoir**
– La bière mousse lorsqu'elle fermente **roche**

MOUSSEUX
– Vin blanc mousseux du Midi **blanquette, clairette**
– Vin blanc mousseux de Champagne, de Bourgogne ou d'Alsace **crémant**
– Vin blanc mousseux italien **asti**
– Vin blanc rendu mousseux **champagne**
– Un tissu mousseux **vaporeux, léger**

MOUSTACHE
syn. **bacchante**
– Moustaches d'un chat **vibrisses**

MOUSTIQUE
– Ordre auquel appartient le moustique **diptères**
– Famille à laquelle appartient le moustique **culicidés**
– Moustique aux grandes pattes qui ne pique pas **cousin, culex**
– Moustique des pays tropicaux ou du

Canada parasite de l'homme **maringouin**
– Moustique qui transmet le paludisme **anophèle**
– Moustique qui transmet la fièvre jaune **stégomyie**

MOUTARDE
– Famille à laquelle appartient la plante herbacée appelée moutarde **cruciféracées**
– Moutarde sauvage qui pousse dans les champs **sénevé, sanve**
– Fabricant de moutarde **moutardier**
– Utilisation pharmaceutique de la moutarde **cataplasme, pédiluve**
– Cataplasme de farine de moutarde **sinapisme, Rigollot**
– Remède qui contient de la farine de moutarde **sinapisé**
– Gaz moutarde **ypérite**

MOUTON *Voir illustration p. 393*
– Famille à laquelle appartient le mouton **bovidés**
– Pelage des moutons **toison**
– Parasite qui suce le sang des moutons **mélophage**
– Mouton dont la laine, douce et fine, est très recherchée **mérinos**
– Mouton d'Asie prisé pour sa fourrure, appelée astrakan **karakul**
– Mouton sauvage d'Asie **mouflon, argali, bharal**
– Mouton sauvage d'Amérique du Nord **bighorn**
– La viande de mouton **ovine**
– Viande de mouton qui a engraissé dans des pâturages au bord de la mer **pré-salé**
– Préparer un ragoût de mouton **navarin, haricot**
– Repas au cours duquel on mange du mouton cuit à la broche **méchoui**
– Peau de mouton tannée que l'on utilise en maroquinerie, en reliure **basane**
– Graisse de mouton ou d'autres bovidés utilisée jadis pour faire des chandelles **suif**
– Suivre sans réfléchir, tels des moutons **de Panurge**
– Mouton utilisé pour enfoncer des pieux **hie**

MOUVANT
– Sable mouvant au bord de la mer **lise**
– Les formes mouvantes des nuages de fumée **mobiles, instables, fugitives**
– Des opinions mouvantes **inconstantes, flottantes, fluctuantes, changeantes**

MOUVEMENT
syn. **déplacement, remuement**
– Étude du mouvement **cinématique, dynamique**
– Mouvement d'un objet projeté au loin **course, trajectoire**
– Mouvement vers l'avant **progression**

– Mouvement vers l'arrière **recul, régression, récession, rétrogradation, rétrogression**
– Mouvement alternatif **ondulation, battement**
– Mouvements dans la même direction **convergents**
– Mouvements dans des directions opposées **divergents**
– Mouvement circulaire **rotation, torsion**
– Mouvement autour d'un axe **hélicoïdal**
– Mouvement d'un pendule **va-et-vient, balancement, oscillation**
– Mouvement d'un bateau **roulis, tangage**
– Mouvement d'oscillation d'une voiture mal chargée **ballant**
– Mouvement de la flamme d'une bougie **vacillation**
– Mouvement des blés sous la brise **ondoiement**
– Mouvement au niveau de l'écorce terrestre **glissement, plissement, soulèvement**
– Les mouvements du sol lors d'un tremblement de terre **sismiques**
– Le mouvement des particules microscopiques dans un liquide ou un gaz **brownien**
– Type de mouvement d'un membre du corps **abduction, adduction, extension, flexion, pronation, supination**
– Mouvement automatique involontaire d'un membre du corps en réponse à une stimulation **réflexe**
– En musique, mouvement d'un morceau **tempo**
– Mouvements musicaux, du plus lent au plus rapide **largo, larghetto, adagio, andante, allegretto, presto, allegro, prestissimo, andantino**
– Mouvement de la population **migration**
– Mouvements dans une foule **agitation, remous, remue-ménage**
– Le mouvement incessant des véhicules sur une autoroute **trafic, circulation**

MOUVEMENTÉ
– Terrain mouvementé **accidenté**
– Mener une existence mouvementée **agitée, tumultueuse, trépidante**
– Un débat mouvementé **houleux, orageux**

MOUVOIR
– Mouvoir une partie de son corps **bouger, remuer**
– Être mû par une ambition démesurée **animé, porté, poussé, stimulé, motivé**
– Une machine mue par un moteur **propulsée, actionnée, enclenchée, ébranlée**
– Se mouvoir **déplacer (se), avancer, progresser, reculer, replier (se)**

– Se mouvoir dans un monde de tromperie **évoluer, vivre**

MOYEN /1
– Trouver un moyen pour parvenir à ses fins **procédé, méthode, solution, formule, système, voie, recette**
– User de moyens détournés **biais, ruses, artifices, astuces, manœuvres, subterfuges, stratagèmes**
– Moyen provisoire **expédient, palliatif**
– Moyen pour se tirer d'embarras **échappatoire, excuse, prétexte, détour, dérobade**
– Au moyen de **à l'aide de, grâce à**
– Par le moyen de **intermédiaire, entremise, canal, truchement**
– Les moyens dont dispose un élève **aptitudes, capacités, facultés**
– Vivre en fonction de ses moyens **ressources, revenus**

MOYEN /2
– Un prix moyen **modéré, raisonnable**
– L'opinion du lecteur moyen **courant, ordinaire, moyen**
– Des résultats scolaires moyens **médiocres, passables, honnêtes**
– Opter pour une solution moyenne **intermédiaire**
– Course de moyenne distance **demifond**

MOYENNE
syn. **norme**
– Une moyenne proportionnelle en mathématiques **géométrique**
– Moyenne des carrés des écarts en statistique **variance**

MUE
syn. **métamorphose, transformation, changement**
– Peau morte dont se débarrassent certains animaux lors de la mue **exuvie, dépouille**
– On enferme les volailles à engraisser dans une mue **épinette**
– La plus haute des voix de jeune garçon avant la mue **soprano**

MUET
– Handicap d'une personne muette **mutité**
– Handicap d'une personne sourde et muette **surdimutité**
– Langage utilisé pour une meilleure communication avec une personne sourde et muette **dactylologie**
– Rester muet de plein gré **s'enfermer dans le mutisme**
– Demeurer muet pendant tout un débat **silencieux, taciturne**
– Il est resté muet de surprise **coi, pantois, bouche bée**
– En phonétique, E muet **caduc, latent**

– Œuvre dramatique muette **mimodrame, pantomime**

MUFLE
– Le mufle du chien **truffe**
– Se comporter comme un mufle **goujat, malotru, butor, malappris, rustre**

MUGIR
– Entendre les bovins mugir **beugler, meugler**
– Entendre les flots mugir **gronder, rugir**

MUGUET
– Famille à laquelle appartient le muguet **liliacées**
– Tige de muguet **brin**
– Jour symbolisé par le muguet **fête du Travail**
– Affection des muqueuses, buccale ou intestinale, que l'on désigne également sous le terme de muguet **candidose, blanchet**

MULTIMÉDIA *Voir tableau p. 394 et tableau Internet, p. 327-328*

MULTIPLE
syn. **divers, varié**
– Le plus petit commun multiple d'une série de nombres **ppcm**
– Questionnaire à choix multiple **QCM**

MULTIPLICATION
syn. **accroissement, augmentation**
– La table de multiplication **de Pythagore**
– Facteur d'une multiplication **multiplicande, multiplicateur**
– Résultat d'une multiplication **produit**
– La multiplication des rongeurs **prolifération, pullulement**
– Mode de multiplication en biologie **bourgeonnement, gemmation, scissiparité, sporulation**
– Multiplication artificielle des végétaux **bouturage, marcottage**
– Multiplication cellulaire **mitose**

MULTIPLIER
– Multiplier les tentatives **répéter, réitérer, développer**

MULTITUDE
– Une multitude de gens s'agglutinait devant la salle **essaim, nuée, cohorte, légion, flot**
– Se noyer dans la multitude **foule, troupe, masse, cohue**

MUNICIPAL
syn. **communal**
– Ancien nom du crédit municipal **mont-de-piété**
– Taxe municipale perçue autrefois à l'entrée d'une ville **octroi**

MUNIR

syn. **garnir, pourvoir, doter, nantir**
– Se munir des instruments nécessaires à la réalisation d'une tâche **équiper (s'), outiller (s')**
– Se munir d'un objet **prendre, emporter**
– Se munir de courage **armer de (s')**

MUNITION

– Stock d'armes et de munitions **arsenal**
– Consommation théorique de munitions par arme, pendant une journée **unité de feu**

– Il s'occupe, entre autres, d'organiser le ravitaillement en munitions **logisticien**
– Chargé de la construction des dépôts de stockage des munitions **génie**
– Munitions pour les armes à feu **cartouches, balles, obus**

MUR

voir aussi **maçonnerie**
– Mur extérieur situé à l'extrémité d'une construction **mur-pignon**
– Mur bâti parallèlement à un autre, sans liaison avec lui **contre-mur**

– Mur qui double un conduit ou un poteau **d'enveloppe**
– Mur soulagé par des arcades **en décharge**
– Mur porteur formant une division intérieure dans une construction **de refend**
– Mur léger et non porteur qui divise les espaces intérieurs d'une maison **cloison**
– Mur non porteur suspendu au plancher et à la structure d'une construction **mur rideau**
– Mur de fortification entre deux bastions **courtine**

MUSIQUES NOUVELLES

Acid house : branche de la house music apparue à Chicago au milieu des années 1980, qui mélange le style house de l'époque avec le son et la ligne de basse soutenue typique du synthétiseur TB-303 Roland. Artistes représentatifs : Technotronic, S'Express, Lords of acid.

Acid jazz : style mélangeant jazz, funk et hip-hop apparu à la fin des années 1980. Artistes représentatifs : The Brand New Heavies, Galliano, James Taylor Quartet, Incognito ou Jamiroquai.

Ambient : branche de la techno aux textures sonores aériennes dont le rythme, contrairement à la techno hardcore, est ralenti. En club, l'ambient est un moment de pause pour se reposer des rythmes effrénés de l'acid house ou de la techno hardcore. On parle aussi d'ambient house (chez Orbital), d'ambient techno (chez Aphex Twin) ou même d'ambient pop (chez Air).

Disc-jockey (DJ) : personne qui, le temps d'une soirée, est chargée de programmer la musique d'un club ou d'une boîte de nuit. Plus qu'un simple animateur, le DJ dirige l'enchaînement des morceaux qu'il s'approprie en effectuant des remixages. Certains DJ enregistrent même leur propre album (Laurent Garnier).

Downbeat : style hybride issu de l'ambient, du trip-hop et de l'électro-techno, se distinguant par une musique aux phrases rythmiques plus marquées, plus destinée à l'écoute qu'à la danse.

Électro : style du début des années 1980, mélangeant funk et hip-hop, et inspiré, entre autres, par le fameux *Rock it* d'Herbie Hancock. L'électro a rapidement été remplacé par les samples moins synthétiques du hip-hop. Artistes représentatifs : Afrikaa Bambaataa (Planet Rock), Grandmaster Flash (The Message).

Funky breaks : style, apparu à la fin des années 1990, mélangeant trance, hip-hop et jungle. C'est l'un des styles les plus populaires et commerciaux des musiques électroniques. Artistes représentatifs : The Chemical, Brothers, Propellerheads, Fatboy Slim.

Garage : style dance très proche du disco et des sensations soul, qui mélange synthétiseurs et gospel.

Goa : style de trance plus psychédélique, proche du mysticisme de la musique indienne et qui intègre souvent des sons de sitar ou de tabla – son nom reprend d'ailleurs celui de la région côtière du sud-ouest de l'Inde. Artiste représentatif : DJ Paul Oakenfold.

Hip-hop : genre musical issu du rap désignant plus généralement toute la culture du graffiti, de la breakdance ou du scratching sur platines et du rap lui-même. Musicalement, le hip-hop utilise les rythmes électroniques et le bruitage par échantillonnage.

House : genre musical apparu au début des années 1980 et influencé par la culture disco/dance. Cependant, son rythme, plus mécanique et à la basse plus soutenue, intègre des éléments soul, reggae, rap et jazz au synthétiseur. Souvent instrumental, il fait parfois appel à des voix féminines chantant des mélodies sans paroles. L'un des plus gros tubes de la house est *Pump up the jam*, de Technotronic. Après s'être divisée en diverses branches, la house a été remise au goût du jour à la fin des années 1990. Artistes représentatifs : Daft Punk, Technotronic.

Indus ou industriel : genre musical ayant fusionné aussi bien avec le rock (Einstürzende Neubauten, Ministry, Nine Inch Nails) que la dance (Skinny Puppy, Front 242, Nitzer Ebb) et qui intègre des expérimentations électroniques avant-gardistes à des sonorités mécaniques dans un esprit parfois proche du punk.

Jazz house : style hybride de nombreuses branches techno ou house regroupant des artistes inspirés par les premières tentatives de Miles Davis ou Herbie Hancock et qui mêle aux musiques électroniques des rythmes jazzy (comme Swayzak, Jazzanova), voire des solos de jazz (comme Saint-Germain).

Jungle : branche de la techno hardcore au rythme presque aussi effréné et agrémenté de phrases rythmiques reggae-dub, dance et R & B. Apparu au milieu des années 1990, c'est le style techno le plus complexe rythmiquement. On l'appelle aussi drum'n'bass. Artiste représentatif : Goldie *(Timeless)*.

Musique électronique : plus qu'un style, c'est une recherche des possibilités offertes par la technologie pour générer des sons électroniques. Découverte par des artistes d'avant-garde comme Edgard Varèse, puis John

Cage ou Karlheinz Stockhausen, la musique électronique a connu une véritable popularité dans les années 1970 avec l'apparition des séquenceurs, synthétiseurs puis échantillonneurs. Artistes représentatifs : Kraftwerk, Tangerine Dream ou Brian Eno.

Rave : grande fête techno, apparue à la fin des années 1980, où l'on danse sur des rythmes hardcore ou acid house mixés par des DJ. Toujours considérées comme illégales, les raves se tiennent dans des endroits dont l'emplacement est communiqué par le bouche-à-oreille ou la circulation de tracts appelés flyers.

Techno : genre musical apparu au milieu des années 1980, à Detroit ; inspirée par la house, mais sans l'influence disco, sa composition est entièrement électronique. Les premiers artistes de la techno (Kevin Saunderson, Juan Atkins, Derrick May) ont développé les rythmes électroniques et synthétiques des précurseurs (comme Kraftwerk). Au début des années 1990, la techno s'est divisée en plusieurs branches (hardcore, ambient ou jungle) dont se servaient à l'origine les DJ pour leurs mix dans les clubs. Mais, au milieu des années 1990, face au succès commercial, les premières stars de la techno ont commencé à enregistrer des albums qui n'étaient pas destinés à être mixés. Artistes représentatifs : The Orb, Aphex Twin, The Prodigy, Goldie.

Techno hardcore : branche frénétique de la techno, apparue en Grande-Bretagne à la fin des années 1980, et dont le battement par minute (bpm) est accéléré. La techno hardcore s'est aujourd'hui transformée (happy hardcore) ou radicalisée (gabber).

Trance : inspirée par la techno allemande et le hardcore des années 1990, cette musique répète à l'infini des lignes simples de synthétiseur agrémentées de quelques changements rythmiques et atmosphériques, plongeant l'auditeur dans un état proche de la transe.

Trip-hop : style apparu au début des années 1990. Influencé par les samples rythmiques du hip-hop, du downbeat, du jazz, de la funk et de la soul, et caractérisé par des atmosphères expérimentales proches de l'ambient, il est aujourd'hui très populaire. Artistes représentatifs : Portishead, Tricky, DJ Shadow, UNKLE, Morcheeba ou Massive Attack.

– Mur enterré sur l'une de ses faces qui contient la poussée des terres **de soutènement**
– Mur de soutènement qui consolide les berges d'un cours d'eau **perré, bajoyer**
– Petit mur qui protège du vide **parapet, garde-fou**
– Surface apparente d'un mur **parement**
– Dévers intérieur et extérieur d'un mur par rapport à la verticale **fruit, contrefruit**
– Partie supérieure en forme de triangle d'un mur-pignon ou d'un mur de refend **pignon**
– Couronnement d'un mur assurant l'écoulement des eaux de pluie **chaperon, bahut**
– Ceinture de métal ou de béton armé qui augmente la résistance d'un mur **chaînage**
– Ouverture dans un mur destinée à recevoir une porte ou une fenêtre **embrasure**
– Pièce de bois, de béton armé ou de métal qui décharge une partie d'un mur **chevêtre**
– Couche d'enduit projetée sur un mur **crépi, rusticage**
– Système de protection d'un mur exposé aux intempéries **essentage**
– Élément d'attente sortant d'un mur en vue d'une prolongation possible **harpe**
– Fissure dans un mur **lézarde**
– Nettoyage et réfection des murs d'une construction **ravalement**
– Remettre un mur en état **renformir**
– À l'intérieur et à l'extérieur des murs d'une ville **intra-muros, extra-muros**

MÛR
– Une pomme trop mûre **avancée, blette**
– Un fruit mûr avant la saison **précoce, hâtif**
– Un légume mûr après la saison **tardif**
– Un enfant qui n'est pas mûr **immature**
– Une fillette très mûre pour son âge **raisonnable, réfléchie, sage, posée**

MURER
– Murer une fenêtre **condamner, boucher, aveugler**
– Se murer dans le silence **enfermer (s'), claustrer (se)**
– Se murer chez soi **cacher (se), cloîtrer (se)**

MÛRIR
– Mûrir longuement un projet **échafauder, combiner, élaborer, préparer, étudier**
– Mûrir une réflexion **assimiler, digérer, méditer, réfléchir**
– Endroit où on laisse mûrir certains fruits comme les bananes **mûrisserie**

MURMURE
syn. **bourdonnement**

CRÉATURES MYTHOLOGIQUES

Égyptiennes	griffon
Phénix	Harpies
sphinx	hydre
	Minotaure
Grecques	Naïades
centaure	Néréides
Cerbère	Pégase
Chimère	satyre
Cyclopes	
driades	**Scandinaves**
Érinyes	kraken
Euménides	Fafner
Gorgones	troll

– Les murmures de mécontentement **plaintes, grognements, protestations**
– Le murmure des vésicules pulmonaires en termes médicaux **respiratoire**

MURMURER
syn. **marmonner, marmotter**
– Murmurer des protestations **maugréer, grommeler**
– Murmurer des mots doux **chuchoter, susurrer**
– Le feuillage se mit à murmurer sous la brise **frémir, bruire**

MUSCLE *Voir illustration p. 397*
my(o)-
– Attache un muscle à un os **tendon**
– Muscle amoureux **muscle oculaire**
– Membrane conjonctive qui enveloppe un ou plusieurs muscles **aponévrose, fascia**
– Perception consciente des mouvements et donc des muscles de son corps **kinesthésie**
– Traumatisme provoqué par l'élongation d'un muscle **claquage**
– Tumeur bénigne qui atteint un muscle **myome**
– Inflammation des muscles **myosite**
– Affection qui entraîne l'atrophie progressive des muscles **myopathie**
– Insuffisance rénale mortelle provoquée par l'écrasement de nombreux muscles **syndrome de Bywaters**
– Un torse aux muscles développés **musculeux**
– Activité qui vise à développer le volume des muscles **culturisme, body-building**

MUSE *Voir tableau p. 398*
syn. **inspiratrice, égérie**
– Séjour des Muses **Hélicon**
– Fontaine autour de laquelle les Muses se réunissaient **Hippocrène**
– Apollon, conducteur des Muses **musagète**

MUSEAU
– Entoure le museau d'un animal pour l'empêcher de mordre **muselière**

– Museau du porc et du sanglier **groin**
– Extrémité du museau des ruminants **mufle**
– Extrémité du museau du chien et du chat **truffe**
– En charcuterie, museau de porc **hure**

MUSÉE
– Est chargé de l'organisation, de la gestion et de la mise en valeur des expositions d'un musée **conservateur**
– Musée d'histoire naturelle **muséum**
– Musée de peinture **pinacothèque**
– Musée où sont exposées des sculptures **glyptothèque**
– Notions techniques nécessaires à la conservation et à la présentation des collections d'un musée **muséographie**
– Science de l'organisation des musées **muséologie**

MUSICIEN
– Musicien auteur **compositeur**
– Musicien qui compose en superposant des lignes mélodiques **contrapuntiste**
– Musicien qui exécute les œuvres d'un compositeur **interprète**
– Musicien qui joue seul sur scène **soliste**
– Musiciens d'un orchestre **exécutants**
– Musicien, célèbre compositeur ou chef d'orchestre **maestro**
– Musicien doué d'un rare talent **virtuose**
– Musicien spécialiste de la musique de chambre **chambriste**
– Musicien qui se produit en concert **concertiste**
– Musicien qui animait les fêtes dans les campagnes **ménétrier**
– Musicien ambulant de condition modeste, au Moyen Âge **ménestrel**
– Donne le *la* au musicien **diapason**
– Donne la mesure au musicien **métronome**

MUSIQUE *Voir tableaux jazz, p. 336, formes musicales, p. 399, vocabulaire de la musique, p. 400, musiques nouvelles, p.403, symboles musicaux, p. 579*
voir aussi **fanfare, mode, mouvement, orchestre**
mélo-
– Qui aime la musique **mélomane**
– École de musique et d'art dramatique **conservatoire**
– Apprentissage des notes de musique **solfège**
– Les cinq lignes sur lesquelles on inscrit les notes de musique **portée**
– En musique, série de notes comprises dans une octave **gamme**
– Feuille sur laquelle on peut lire un morceau de musique **partition**
– Support qui permet aux exécutants d'un orchestre de suivre leur partition de musique **pupitre**

– En musique, science des accords **harmonie**
– Air de musique qui accompagne un texte **mélodie**
– En musique, indication qui sert à situer une œuvre dans la production d'un compositeur **opus**
– En musique, technique de composition qui utilise douze sons **dodécaphonisme**
– Étude scientifique et historique de musique **musicologie**
– Auteur d'ouvrages sur la musique et les musiciens **musicographe**
– Utilisation de la musique à des fins médicales **musicothérapie**
– Muse qui présidait à la musique **Euterpe**

MUSULMAN /1 *Voir tableau islam, p. 331, fêtes religieuses, p. 239*
voir aussi **mosquée**
syn. **mahométan**
– Religion des musulmans **islam**
– Dieu des musulmans **Allah**
– Les cinq observances des musulmans **piliers**, *arkan*
– Excision rituelle du prépuce chez les jeunes musulmans **circoncision**
– Profession de foi du musulman **chahada**
– Prière rituelle du musulman **salat**
– Aumône légale du musulman **zakat**
– Mois pendant lequel les musulmans jeûnent du lever au coucher du soleil **ramadan**
– Jeûne de ramadan du musulman **sawm**
– Pèlerinage à La Mecque du musulman **hadj**
– Édifice de La Mecque dans la paroi duquel est scellée la Pierre noire **Ka'ba**
– Guerre sainte menée par les musulmans pour défendre l'islam **djihad**
– Musulman qui s'engage dans la guerre sainte **moudjahidin**
– Saint ermite, vivant ou mort, que vénèrent certains musulmans **marabout**
– Ère des musulmans, qui commence en 622 de l'ère chrétienne **hégire**
– Livre sacré des musulmans **Coran**
– Musulman chef de prière dans une mosquée **imam**
– Chef suprême des musulmans, successeur de Mahomet **calife**
– Musulman docteur de la loi coranique **mollah**
– Musulman orthodoxe **sunnite**
– Musulman partisan d'Ali **chiite**
– Musulman resté en Espagne après la reconquête du pays par les chrétiens **mudéjar**
– Longue robe à capuche portée par les musulmans du Maghreb **djellaba**
– Calotte en laine portée par certains musulmans **fez**
– Grande pièce d'étoffe dans laquelle les musulmanes se drapent pour sortir **haïk**

– Voile noir que portent les musulmanes chiites **tchador**
– Longue robe recouvrant intégralement le corps avec un filet à hauteur des yeux que portent notamment les musulmanes afghanes **burqa, tchadri**

MUSULMAN /2
– Prince musulman, descendant de Mahomet **chérif**
– Juge musulman **cadi**
– Interprète du droit canonique musulman **mufti**
– Théologien musulman **uléma**
– Autrefois, souverain de certains États musulmans **sultan**
– Université ou collège musulmans **madrasa**
– Fête musulmane **Achoura, Mouloud, Aïd-el-Fitr, Aïd-el-Kébir**
– Fêtes musulmanes après le ramadan chez les Turcs **baïram**
– Courant musulman puritain **kharidjisme, wahhabisme**
– Viande d'un animal abattu selon les rites musulmans **halal**
– Loi islamique en vigueur dans certains pays musulmans **charia**
– Monument funéraire musulman **turbé**

MUTATION
– Sa mutation l'a poussé à déménager **affectation**
– C'est une mutation intéressante **promotion**
– Les alchimistes rêvaient de la mutation des métaux en or **conversion, transmutation**
– En biologie, qualifie ce qui peut provoquer des mutations **mutagène**
– Individu qui a subi une mutation génétique **mutant**

MUTILER
– Il a été mutilé lors d'un accident **blessé, amputé, écharpé, estropié**
– Mutiler un monument **dégrader, abîmer, endommager, détériorer**
– Mutiler une pièce de théâtre **expurger, tronquer, censurer**
– Acte consistant à se mutiler soi-même **automutilation**
– Mutiler quelqu'un de ses organes génitaux **castrer, châtrer**

MUTISME
– S'enfermer dans le mutisme **claustrer (se), barricader (se), retrancher (se), réfugier (se)**
– Forme physiologique du mutisme **mutité**

MUTUEL
– Un amour mutuel **réciproque, partagé**
– Système de solidarité à base d'entraide mutuelle **mutualité, mutualisme**

MYCOSE
– Mycose vaginale provoquée par une levure (*Candida albicans*) **candidose**
– Mycose de la muqueuse buccale **blanchet, muguet**
– Mycose du cuir chevelu **teigne, favus**
– Traitement des mycoses **antifongique, antimycosique, fongicide**
– En botanique, mycose du tronc ou des branches d'un arbre **chancre**
– En botanique, mycose du châtaignier **encre**

MYOPIE
– Trouble de la vue à l'origine de la myopie, de l'hypermétropie et de l'astigmatisme **amétropie**
– Verres de lunettes qui corrigent la myopie **concaves**
– À la différence du sujet atteint de myopie, il voit bien de loin et mal de près **hypermétrope, presbyte**

MYSTÈRE
– Les mystères de la diplomatie **secrets, arcanes**
– Initiation aux mystères d'une religion **mystagogie**
– Dans l'Antiquité grecque, il présidait aux mystères d'Éleusis **hiérophante**
– Décors de théâtre juxtaposés lors de la représentation d'un mystère au Moyen Âge **mansions**
– Mystère de la religion catholique **la Trinité, l'Incarnation, la Rédemption**

MYSTÉRIEUX
– Un fait mystérieux **étrange, insolite**
– Une transformation mystérieuse **inexplicable, incompréhensible**
– Ce sont des signes mystérieux **kabbalistiques**
– Des propos mystérieux **obscurs, énigmatiques, sibyllins**
– Mystérieux pour qui n'est pas initié **ésotérique, hermétique**
– Un regard mystérieux **impénétrable, insondable**

MYSTIFIER
– Mystifier quelqu'un **abuser, berner, duper, tromper**
– Plaisanterie destinée à mystifier **canular, farce, blague, fumisterie, galéjade**

MYSTIQUE /1
– Mystique croyant être inspiré par Dieu **illuminé, inspiré**

MYSTIQUE /2
– Élévation de l'âme dans la contemplation mystique **anagogie**
– Extase mystique **contemplation, ravissement, transport, vision**
– Doctrine mystique chrétienne du théologien Miguel de Molinos **quiétisme**

– Doctrine mystique de l'islam **soufisme**
– Confrérie mystique apparue en Allemagne au XVe siècle **Rose-Croix**
– L'Agneau mystique **Jésus-Christ**
– Le corps mystique du Christ **l'Église**
– Élan mystique **élancement**

MYTHE

syn. **fable, légende, conte**
– Le mythe platonicien de la caverne **allégorie**

– Le myhte de l'égalité entre les hommes **utopie, illusion, chimère**
– Détruire des mythes **démythifier**
– Auteur de l'essai le *Mythe de Sisyphe* **Albert Camus**

MYTHOLOGIE *Voir tableau créatures mythologiques, p. 404*
voir aussi **muse**
– Les divinités d'une mythologie **panthéon**

– Les récits de la mythologie gréco-romaine **la Fable**
– Mont sur lequel siègent les dieux de la mythologie grecque **Olympe**
– Les trois principaux dieux de la mythologie scandinave **Odin, Thor, Freyr**
– Séjour des guerriers héroïques morts au combat, dans la mythologie germanique **walhalla**

NAGE
– Les différentes nages **brasse, crawl, dos crawlé, indienne, over arm stroke, brasse papillon, brasse coulée, marinière**
– Servir des crustacés à la nage **au court-bouillon**
– Être en nage **transpirer, suer**

NAGEOIRE
– Les diverses nageoires **caudale, dorsale, anale, pelvienne, pectorale**
– Nageoire caudale à lobes égaux **homocerque**
– Nageoire caudale à lobes inégaux **hétérocerque**
– Nageoire du requin **aileron**
– Poisson pourvu de longues nageoires **macropode**
– Rôle des nageoires **locomotion, équilibre**

NAGER
voir aussi **nageur**
– Nager en termes maritimes **ramer**
– S'agiter dans l'eau sans nager **barboter**
– Des flaques d'huile nagent sur la mer **flottent, surnagent**
– Nager dans le luxe et l'aisance **baigner**

NAGEUR
– Nageur qui pratique la brasse **brasseur**
– Nageur qui pratique le crawl **crawleur**
– Nageur de combat **homme-grenouille**
– Rameur dit nageur de l'arrière en termes maritimes **chef de nage**
– Rameur dit nageur de l'avant en termes maritimes **brigadier**

NAÏF
– Un enfant au regard naïf **candide, confiant, innocent, pur**
– Être naïf au point de se faire abuser **niais, benêt, crédule, ingénu, novice**

NAIN
syn. **avorton, nabot**
– Populations naines africaines **Pygmées**
– Personnage nain d'un récit imaginaire **farfadet, gnome, korrigan, lilliputien, lutin**
– Arbre nain cultivé au Japon **bonsaï**
– Palmier nain **chamérops, doum**
– Armoise naine **génépi**
– Traiter une plante afin qu'elle reste naine **nanifier**
– Chèvre naine d'Afrique **cabri**

NAISSANCE
– Acte de naissance **état civil**
– Naissance humaine **accouchement, enfantement, gésine**
– Vie qui précède la naissance **utérine, prénatale, anténatale**
– De naissance **congénital, infus, inné, naturel**
– Haute naissance **extraction, lignage, origine, lignée**
– Contrôle des naissances **orthogénie, planification, contraception**
– Limitation des naissances **malthusianisme**
– Rapport des naissances à l'effectif moyen d'une collectivité **taux de natalité**
– Naissance de Jésus, de la Vierge ou de saint Jean-Baptiste **nativité**
– Fait de donner naissance chez les animaux **mise bas, parturition**
– Fait de donner naissance pour la brebis, la vache **agnelage, vêlage**
– Naissance des végétaux **éclosion, épanouissement, floraison**
– Naissance d'un fleuve **source**
– Naissance d'un projet **genèse, élaboration, constitution, création**
– La naissance du jour **aube, aurore, point du jour**

NAÎTRE
syn. **venir au monde, voir le jour**
– Né avant terme **prématuré**
– Nés d'une même mère **utérins**
– Nés d'un même père **consanguins**
– Naître à **ouvrir à (s'), éveiller à (s')**
– Faire naître la jalousie **éveiller, engendrer, générer, provoquer, susciter**
– Ce travail est né d'une intense collaboration **résulte, provient**

NAÏVETÉ
syn. **candeur, ingénuité, innocence, insouciance, pureté**
– Apprécier la naïveté d'un dessin d'enfant **simplicité, fraîcheur**
– Être victime de sa trop grande naïveté **crédulité, confiance, inexpérience, niaiserie, jobarderie**

NAPPE
– Tissu épais placé sous la nappe pour protéger la table **bulgomme**
– Nappe imperméable **toile cirée**
– Une nappe d'eau souterraine **aquifère, phréatique**
– Conduit percé pour atteindre une nappe phréatique **puits artésien**
– Nappe d'eau peu profonde et souvent vaseuse **étang, fagne, marais, mare, marécage**
– Large nappe de substance polluante à la surface de la mer **marée noire**

NARCOTIQUE
– Propriété des narcotiques **anesthésique, assoupissante, calmante, hypnotique, sédative, soporifique**
– Sommeil induit par des narcotiques **narcose**
– Plante aux vertus narcotiques **datura, jusquiame**
– Crème à base de végétaux narcotiques et de bourgeons de peuplier **populéum**

NARINE
– Poil des narines **vibrisse**
– Narines du cheval **naseaux**
– Narines des cétacés **évents**
– Tenaille pour serrer les narines d'un animal et le maîtriser **moraille**

NARRATION
– Narration d'un événement **relation, rapport, exposé, compte rendu, récit**
– Narration à l'école **composition française, rédaction**
– Narration d'événements simultanés sans faire de transition **simultanéisme**
– Parenthèse de l'auteur dans une narration **parabase**
– Retour en arrière dans une narration **flash-back**
– Faire une narration **conter, exposer, narrer, raconter, rapporter, relater**

NASAL *Voir illustration bouche, nez, gorge, p. 81*
– Cavités nasales **fosses**
– Cavités en arrière des fosses nasales **choanes**
– Séparation des fosses nasales **cloison, septum**
– Partie arrondie des fosses nasales **cornet**
– Membrane à l'intérieur des fosses nasales **membrane pituitaire**
– Cartilage postérieur des fosses nasales **vomer**
– Os facial qui constitue les côtés et la partie supérieure des fosses nasales **ethmoïde**
– Inflammation des fosses nasales **coryza, rhume de cerveau, rhinite**
– Saignement nasal **épistaxis**
– Excrément nasal **mucus, morve**

– Bruit nasal nocturne **ronflement**
– Écoulement nasal chez les animaux **jetage**
– Symbole de la prononciation nasale d'une syllabe ou d'un mot **tilde**

NATALITÉ *Voir tableau population, p. 483*
– Baisse de la natalité **dénatalité**
– Explosion de la natalité **boom**

NATATION
voir aussi **nage, nageur**
– Professeur de natation **maître nageur**
– En natation, tour sur soi-même à la fin d'une longueur pour repartir **culbute**
– Natation artistique **synchronisée**
– Sport en lien avec la natation **plongeon acrobatique, water-polo**

NATIF
syn. **aborigène, autochtone, indigène, originaire**
– Natif d'un lieu **originaire**
– Qui vit dans un lieu sans en être natif **allogène, étranger, immigré, naturalisé**
– Métal natif **brut**

NATION
– Territoire d'une nation **région, contrée, pays**
– Individus composant la nation **peuple**
– Organisme de gouvernement et d'administration de la nation **État**
– Attachement à la nation **patriotisme**

NATIONAL
– Étude des drapeaux nationaux **vexillologie**
– Cohabitation de deux cultures nationales sur un même territoire **biculturalisme**
– Regroupement national des syndicats **centrale**
– Membre d'une société secrète italienne de défense de la liberté nationale au début du XIXe siècle **carbonaro**

NATIONALISER
– Politique économique incitant un État à nationaliser **interventionnisme, dirigisme, étatisme**
– Statut de l'État dans les secteurs nationalisés **entrepreneur direct**

NATIONALISME
– Nationalisme exacerbé doublé d'hostilité à l'égard de l'étranger **chauvinisme, xénophobie**
– Partisan du nationalisme politique **autonomiste, sécessionniste, séparatiste, indépendantiste**
– Mise en œuvre d'un nationalisme économique **protectionnisme**

NATIONALITÉ
– Concession de la nationalité du pays d'accueil **naturalisation**
– Personne déchue de sa nationalité **apatride, heimatlos, sans-patrie**
– Un pays riche de nombreuses nationalités **cosmopolite**

NATURALISATION
– Observer la naturalisation d'une espèce animale ou végétale **acclimatation, adaptation**
– Procéder à la naturalisation d'un animal **empaillage, taxidermie**

NATURALISTE
syn. **biologiste, botaniste, géologue, entomologiste, minéralogiste, zoologiste**
– Faire empailler un faisan par un naturaliste **taxidermiste, empailleur**

NŒUDS

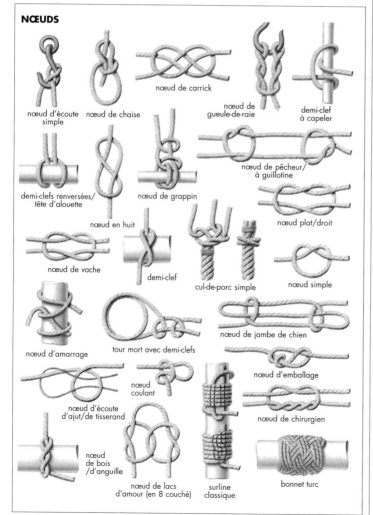

nœud d'écoute simple

nœud de chaise

nœud de carrick

nœud de gueule-de-raie

demi-clef à capeler

demi-clefs renversées/tête d'alouette

nœud de grappin

nœud de pêcheur/à guillotine

nœud en huit

nœud plat/droit

nœud de vache

demi-clef

cul-de-porc simple

nœud simple

nœud d'amarrage

tour mort avec demi-clefs

nœud de jambe de chien

nœud coulant

nœud d'emballage

nœud d'écoute d'ajut/de tisserand

nœud de chirurgien

nœud de bois /d'anguille

nœud de lacs d'amour (en 8 couché)

surline classique

bonnet turc

NATURE
– La nature d'une personne **caractère, tempérament, naturel, idiosyncrasie**
– Un enfant d'une nature fragile **constitution, complexion**
– Appréhender la nature des choses **essence**
– La nature considérée comme un objet de science **biosphère, environnement, monde, univers**
– Des obstacles de toute nature **sorte, espèce, genre, ordre, catégorie**
– Par nature **en soi, intrinsèquement**
– Une attitude de nature à choquer **propre à, capable de, susceptible de**

NATUREL
– Un penchant naturel **inné**
– Un rire naturel **franc, sincère, spontané**
– Affecter un air naturel **dégagé, libre**
– Une malformation naturelle **congénitale, héréditaire**
– Un enfant naturel **illégitime, adultérin**
– Un phénomène naturel **normal, régulier, habituel**
– Une laine naturelle **brute, pure**
– Branche des sciences naturelles **géologie, zoologie, botanique, entomologie, minéralogie**

NAUFRAGE
– Embarcation menacée de faire naufrage **en perdition, en détresse**
– Faire naufrage **couler, sombrer, périr, disparaître, abîmer (s'), engloutir (s')**
– Précipiter le naufrage d'un empire **effondrement, perte, ruine**

NAUSÉE
– Avoir des nausées **envie de vomir, haut-le-cœur**
– Douleur crânienne accompagnée de nausées **migraine, hémicrânie**
– Manger jusqu'à la nausée **écœurement, dégoût**
– Nausée causée par le tangage d'un bateau **naupathie, mal de mer**
– Médicament contre la nausée **chlorpromazine**

NAUTIQUE
– Sport nautique **aviron, canotage, ski nautique, canoë, planche à voile, surf, barefoot, canyoning, yachting à voile**

NAVAL
– Ensemble des forces navales d'un pays **flotte, marine**

NAVETTE
– Faire la navette entre deux endroits **allers-retours, va-et-vient**
– Embarcation qui fait la navette entre les bateaux et le quai **youyou, chaloupe**
– Embarcation qui fait la navette entre deux rives **bac, ferry-boat, car-ferry, transbordeur, bachot, traille**
– Bobine de fil à l'intérieur de la navette **canette**

NAVIGATION
– Navigation en haute mer **hauturière**
– Navigation côtière **cabotage, bornage**
– Navigation fluviale **batellerie**
– Navigation de plaisance **yachting**
– Type de navigation **à l'estime, en vue de terre, astronomique, radioélectrique**
– Instrument pour la navigation radioélectrique **decca, loran**
– Endroit du navire qui abrite les appareils de navigation **timonerie**
– Navigation aérienne **aéronautique**

NAVIGUER
syn. **voguer**
– Naviguer sur la même route **de conserve**
– Bateau qui navigue sans utiliser ses voiles **à sec de toile**
– Bâtiment qui navigue sous l'eau **sous-marin, submersible**
– Partie d'un fleuve où l'on ne peut pas naviguer **portage**
– Autorisation de naviguer en temps de guerre **navicert**
– Naviguer sur Internet **surfer**

NAVIRE
voir aussi **bateau**
– Propriétaire ou exploitant d'un navire **armateur**
– Drapeau que l'on hisse sur un navire **pavillon**
– Mât arrière d'un navire **artimon**
– Mât avant d'un navire **beaupré**
– Navire à deux mâts **brick, brigantin, deux-mâts, dundee, ketch, schooner**
– Navire pour la navigation arctique **brise-glace**
– Gros navire de guerre **cuirassé**
– Navire de série **sistership**
– Navire des Vikings **drakkar**
– Navire de guerre antique à voiles et à rames **galère**

NÉANT
– Voir ses efforts réduits à néant **détruits, anéantis, annihilés**

NÉBULEUX
– On ne peut voir les étoiles par ciel nébuleux **brumeux, chargé, embrumé, couvert, nuageux, voilé**
– Un style nébuleux **abstrus, alambiqué, confus, filandreux, inintelligible, incompréhensible, fumeux**
– Distinguer une forme nébuleuse dans l'ombre **floue, confuse, indécise, indistincte, vague**
– Partie nébuleuse autour de la tête d'une comète **chevelure**

NÉCESSAIRE
– Une conclusion nécessaire **inévitable, inéluctable, obligée**
– L'Être nécessaire en philosophie **premier, inconditionné, absolu**
– Vérité nécessaire en philosophie **apodictique, irrécusable, irréfragable, irréfutable**

NÉCESSITÉ
syn. **besoin, contrainte, exigence, obligation**
– Vivre dans la nécessité **indigence, gêne, pauvreté, dénuement, misère**
– Théorie selon laquelle la nécessité régit les phénomènes **déterminisme**

NÉFASTE
syn. **fatal, funeste**
– Subir une influence néfaste **déplorable, dommageable, nuisible, mauvaise, désastreuse**

NÉGATIF
– Un résultat négatif **nul**
– Image négative en photographie **cliché, contretype**
– Électrode négative **cathode**
– Électron négatif **négaton**
– Adoption d'une attitude négative **négativisme**
– Théologie négative **apophatique**

NÉGATION
– Doctrine fondée sur la négation de tout absolu **nihilisme**
– Négation de l'existence de Dieu **athéisme**
– Négation d'une réalité psychique ou d'un désir inacceptable pour le sujet **déni, dénégation, scotomisation, forclusion**

NÉGATIVE
– Montre que l'on persiste dans la négative **refus**
– Répondre par la négative **démentir, nier**

NÉGLIGÉ /1
syn. **déshabillé, peignoir, petite tenue, sortie de bain, tenue d'intérieur**

NÉGLIGÉ /2
– Une tenue vestimentaire négligée **peu soignée, débraillée, relâchée**

NÉGLIGEABLE
– Des arguments tenus pour négligeables **futiles, vains**
– Exhiber des preuves négligeables **insignifiantes, dérisoires**
– En quantité négligeable **infime**

NÉGLIGENCE
– Commettre des négligences **omissions, oublis, bévues, erreurs, fautes, imprudences**

– Déplorer les négligences du service d'encadrement **carences, dysfonctionnements, manquements**
– Négligence délibérée à l'égard des normes sociales **désinvolture, laisser-aller, indolence, non-conformisme**

NÉGLIGER

– Négliger certains aspects d'une situation **omettre, oublier**
– Négliger ses amis **délaisser, abandonner**
– Négliger un devoir **bâcler, expédier**
– Négliger les conseils d'une personne **faire fi de, dédaigner, méconnaître, passer outre**
– Négliger une occupation **désintéresser de (se)**

NÉGLIGER (SE)

– Se négliger **relâcher (se), laisser aller (se)**

NÉGOCE

syn. commerce, import-export, trafic, traite

NÉGOCIATION

– Un entretien qui précède des négociations **préalable, préliminaire, préparatoire, exploratoire**
– Personne avec laquelle on entre en négociation **interlocuteur, porte-parole**
– Entrer en négociation **pourparlers, tractations**
– Conséquence possible d'une négociation **terrain d'entente, compromis, protocole d'accord, accommodement, accord, convention**

NÉGOCIER

– Négocier ses services **monnayer**
– Personne chargée de négocier en cas de litige ou de conflit **arbitre, conciliateur, médiateur**

NÈGRE

voir aussi noir
– Navire qui servait au transport des nègres **négrier**
– Nègre qui a fui pour vivre libre **marron**
– Tête-de-nègre **bolet bronzé**

NEIGE

– Neige fraîche semblable à de la poudre **poudreuse**
– Amas de neige **congère**
– Masse de neige se détachant du versant d'une montagne **avalanche**
– Épaisse couche de neige durcie, parfois base d'un glacier **névé**
– De la neige fondue qui a regelé **tôlée**
– Matériel permettant de se déplacer sur la neige **raquettes, skis, traîneau, luge, motoneige, surf des neiges, monoski, motoski**

– Chaussures de neige **snow-boots, après-ski**
– Une plante qui pousse dans la neige **nivéale**
– Régime fluvial dans lequel la neige et la pluie alimentent les cours d'eau **nivo-pluvial**

NERF

– Partie principale d'un nerf **tronc**
– Membrane enveloppant un nerf **névrilème**
– Division d'un nerf **ramification**
– Nerfs centripètes **afférents, sensitifs**
– Nerfs centrifuges **efférents, moteurs**
– Entrelacement de nerfs **plexus**
– Distribution des nerfs dans un tissu ou un organe **innervation**
– Communication entre deux nerfs **anastomose**
– Douleur éprouvée sur le parcours d'un nerf **névralgie**
– Lésion inflammatoire ou dégénérative des nerfs **névrite**
– Chirurgie des nerfs **neurochirurgie**
– Section d'un nerf pratiquée de manière chirurgicale **névrotomie, neurotomie**
– Supprimer le nerf d'une dent **dévitaliser**

NERVEUX

– Système nerveux central **névraxe**
– Élément du système nerveux central **encéphale, moelle épinière**
– Type de système nerveux **système neurovégétatif, système cérébro-spinal**
– Cellule nerveuse **neurone**
– Prolongement d'une cellule nerveuse **axone**
– Refuser une viande trop nerveuse **dure, filandreuse, tendineuse**
– Un enfant nerveux **émotif, sensible**
– Une écriture nerveuse **incisive**
– Un cheval nerveux **vif, fougueux**

NERVOSITÉ

– L'attente exacerbait sa nervosité **impatience, fébrilité, agitation, excitation**
– Manifester des signes de nervosité **agacement, énervement, exaspération, irascibilité, irritation**

NET

– Des vêtements toujours nets **propres, immaculés, impeccables, soignés**
– Conscience très nette d'une situation **lucidité, clairvoyance, perspicacité**
– Dire tout net son opinion **crûment, sans ambages, sans détours**
– Opposer un refus très net **catégorique**
– Se justifier en des termes très nets **formels, explicites**
– Un souvenir très net **vif, précis**
– Une attitude très nette **droite, franche**
– Une voix très nette **claire, distincte**
– Une fracture nette **régulière**

– Faire place nette **débarrasser, vider**
– Observer une nette différence **sensible, marquée**
– Net d'impôt **exempté de**

NETTOYAGE

– Nettoyage des vêtements **blanchissage, dégraissage, détachage, nettoyage à sec, lavage, nettoyage à la vapeur**
– Professionnel du nettoyage vestimentaire **teinturier**
– Nettoyage des métaux **décapage, dérochage**
– Nettoyage d'un conduit de cheminée **ramonage**
– Nettoyage d'une façade **ravalement**
– Nettoyage d'une forêt **nettoiement**

NETTOYER

– Nettoyer des bouteilles **écouvillonner**
– Nettoyer le visage d'un enfant **laver, débarbouiller**
– Nettoyer une plaie, un ulcère **désinfecter, déterger, absterger**
– Nettoyer des chaussures **faire briller, cirer, décrotter, faire reluire**
– Nettoyer un tapis **battre, housser**
– Méthode employée pour nettoyer les laines brutes **arçonnage, ébrouage, dessuintage, sabrage**
– Nettoyer du grain **vanner, cribler, monder**
– Nettoyer un canal **curer, draguer**
– Nettoyer un navire **briquer, fauberter**
– Nettoyer un terrain **défricher, sarcler, débroussailler, désherber, ratisser**
– Nettoyer des pièces en argent **fourbir, blanchir**
– Nettoyer les cuivres **astiquer, frotter, briquer**
– Nettoyer un cheval **bouchonner, brosser, étriller, panser**

NEUF /1

– Groupe de neuf individus **ennéade**
– Polygone à neuf côtés **ennéagone**
– Poème ou strophe de neuf vers **neuvain**
– Phénomène se produisant tous les neuf jours **novénaire**
– Acte de dévotion accompli pendant neuf jours consécutifs **neuvaine**

NEUF /2

– Remettre à neuf **réparer, rénover, restaurer**
– Faire peau neuve **métamorphoser (se), muer**
– Une pensée très neuve en regard de l'époque **novatrice, inconnue, révolutionnaire, originale**
– Se sentir tout neuf dans une discipline **novice, inexpérimenté**

NEUTRALISATION

– Art martial fondé sur la neutralisation de la force de l'adversaire **aïkido**

NŒUDS ET CRAVATES

TYPES DE CRAVATE

Ascot : cravate d'apparat dont les larges pans, généralement fixés par une épingle, forment une sorte de plastron. Portée avec l'habit.

Bola ou **bolo :** cravate lacet en cuir fermée par une boucle de métal.

Bootlace (lacet) : papillon formé d'un mince ruban noir aux longues extrémités. À la mode chez les rockers des années 1950.

Cravate club : cravate portant l'emblème d'un club (rayures ou écusson).

Cravate hareng ou **kipper tie :** cravate très large (15 cm) à la mode dans les années 1970.

Ascot

Cravate à nouer : cravate classique, dont on doit faire le nœud soi-même.

Cravate montée : cravate déjà nouée que l'on fixe par un système d'attache.

Cravate ruban : cravate étroite (5 -7 cm) à la mode dans les années 1950.

Lavallière : ainsi nommée car ce papillon à larges pans était le préféré de la duchesse de La Vallière. Cette cravate fut surtout portée par les intellectuels et artistes de la fin du XIXᵉ et du début du XXᵉ siècle. Aujourd'hui portée par les femmes.

Lavallière

Nœud papillon : nom donné à partir de 1904 à toute cravate ressemblant à cet animal. Le nœud papillon proprement dit a des extrémités pointues, le battoir a des extrémités carrées ou arrondies.

Régate : cette cravate extrêmement sobre à deux pans tombants est l'ancêtre de la cravate actuelle. Commode, sobre, rapide à nouer (par un nœud marin très simple à exécuter), elle connut un vif succès.

Régate

Nœuds de cravate les plus courants

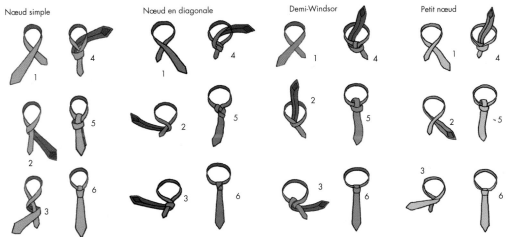

Nœud simple — Nœud en diagonale — Demi-Windsor — Petit nœud

Nœud croisé — Double simple

Windsor

QUELQUES MOTS DE LA CRAVATE

Bandana : petit foulard en soie, de couleurs en général vives, porté autour du cou.

Bouteille : coupe de certaines cravates évoquant cet ustensile.

Chou : nom donné au nœud bouffant qui ornait certaines cravates au début du XIXᵉ siècle.

Main : sensation que la cravate donne au toucher.

Régimental : cravate à rayures diagonales aux couleurs d'un régiment.

Windsor : large nœud popularisé par le duc de Windsor dans les années 1930.

– Neutralisation d'une mine, d'une bombe **déminage, désamorçage**

NEUTRALISER

– Neutraliser le trafic **suspendre, arrêter temporairement**
– Neutraliser les manœuvres d'un individu **empêcher, anéantir, contrecarrer, annihiler**
– Neutraliser un adversaire **immobiliser, tuer**
– Neutraliser une épidémie **enrayer**
– Neutraliser une couleur trop vive **atténuer, amoindrir, estomper**

NEUTRALISER (SE)

– Deux nombres se neutralisent **annulent (s')**
– Les forces engagées se neutralisent **équilibrent (s')**

NEUTRALITÉ

– Partisan de la neutralité **neutraliste**
– Expression de la neutralité lors d'une élection **vote blanc**
– Pays ayant opté pour la neutralité lors du conflit américano-soviétique **non alignés, non engagés**

NEUTRE

– Particule électriquement neutre **neutron, neutrino**
– Cellule présentant des attirances pour les colorants neutres **neutrophile**
– Insectes neutres **eunuques gardiens**
– Recourir à un observateur neutre **objectif, impartial**
– Une couleur neutre **discrète, passe-partout**
– Une voix neutre **atone, inexpressive, impassible, monocorde**

NEVEU

– Faveur excessive accordée par un pape à son neveu au sein de l'administration du Saint-Siège **népotisme**

NEZ

– Fonction du nez **olfaction**
– Forme de nez **aquilin, busqué, bourbonien, camard, camus, crochu, en pied de marmite, retroussé, en trompette**
– Poil du nez **vibrisse**
– Humeur s'écoulant du nez **morve**
– Saignement de nez **épistaxis**
– Affection du nez **catarrhe, coryza, ozène, rhinite, rhume**
– Parler du nez **nasiller**
– Aspirer du tabac par le nez **priser**
– Intervention chirurgicale du nez **rhinoplastie**
– Domaine de la médecine traitant des maladies du nez **rhinologie**
– Nom donné au nez de certains animaux **groin, mufle, museau, trompe, naseaux**

– Nez d'un navire **proue**
– Avoir du nez **prévoyance, sagacité, clairvoyance, intuition, flair**
– Nez à nez **face à face**

NIAIS

syn. **godiche, jobard, jocrisse, nigaud, naïf**
– Un sourire niais **béat, idiot, mièvre**

NIAISERIE

– Dire des niaiseries **âneries, sottises, fadaises, stupidités, idioties, bêtises, futilités, balivernes**
– Profiter de la niaiserie de quelqu'un **naïveté, crédulité, jobarderie, candeur**

NICHE

– Niche destinée à recevoir un lit **alcôve**
– Objet autrefois placé dans les niches **statue, vase, buste**
– Niche destinée au culte des ancêtres et divinités du foyer dans une maison romaine **laraire**
– Niche funéraire dans un mur d'église **enfeu**
– Niche dans le mur d'une mosquée **mihrab**
– Dans un tunnel ferroviaire, niche pour s'abriter **caponnière**
– Niche écologique **biotope**
– Niche des oiseaux de proie **aire**
– Niche dans un pigeonnier **boulin**

NICHER

voir aussi **nid**
– Nicher pour un oiseau de proie **airer**
– Oiseau sud-américain qui niche sur le sol **tinamou**

NICHER (SE)

– Le chat va se nicher sous l'escalier **blottir (se), cacher (se), pelotonner (se)**

NICKEL

– Alliage à base de nickel et de cuivre **argentan, constantan, cupronickel, monel, maillechort, manganin, pacfung**
– Alliage à base de fer et de nickel **invar, ferronickel, platinite, supermalloy, permalloy**
– Alliage à base de chrome et de nickel **nichrome**
– Corps contenant du nickel **nickélifère**
– Emploi du nickel **galvanoplastie, galvanisation, métallisation, nickelage**

NID

– Construire son nid **nicher, nidifier**
– Nid des oiseaux de proie **aire**
– Petits habitant le nid **nichée, couvée**
– Nid de guêpes **guêpier**
– Nid de fourmis **fourmilière**
– Nid de termites **termitière**
– Nid-de-poule dans une chaussée **excavation, dépression, ornière**

– Un nid de trafiquants **repaire, refuge**

NIER

– Nier une hypothèse au moyen d'une expérience **détruire, infirmer, contredire, mettre en doute, rejeter**
– Nier la véracité de certaines allégations **démentir**
– Nier ce que l'on tenait pour juste **désavouer, dénier**
– Nier la compétence d'une institution **récuser, contester**
– Nier solennellement une opinion religieuse **abjurer, renier**

NITRATE

– Minerai dont on extrait des nitrates **caliche**
– Nitrate de potassium **salpêtre, nitre**
– Transformation de l'ammoniac en nitrate **nitrification**
– Utilisation des nitrates en agriculture **engrais, fertilisant**

NIVEAU

– Niveau maximal **plafond**
– Niveau minimal **plancher, seuil**
– Niveau de langue **registre**
– Niveau d'instruction **degré**
– Niveau d'un fleuve **hauteur**
– Niveau de la mer **niveau zéro**
– Mettre à un même niveau **niveler, aplanir, égaliser, uniformiser**
– Mettre de niveau un mur **affleurer, araser**
– Instrument pour mesurer un niveau de pente **clinomètre, inclinomètre**
– Le niveau de vie des Français **standing, train de vie**
– Au niveau régional **échelon**

NIVELER

– Niveler un chemin **aplanir, régaler**
– Niveler un terrain à bâtir **déblayer, écrêter**
– Niveler les revenus **égaliser**

NIVELLEMENT

– Instrument utilisé pour le nivellement **niveau, cathétomètre, tachéomètre, mire**
– Professionnel du nivellement **géomètre, arpenteur géomètre**
– Nivellement trigonométrique **triangulation**

NOBLE

syn. **aristocrate**
– Petit noble de campagne **hobereau**
– Noble anglais **lord**
– Noble allemand de petite extraction **junker**
– Au XVIIe et XVIIIe siècle, noble espagnol de vieille souche chrétienne **hidalgo**
– Noble dans l'Antiquité romaine **patricien**

– Ancien noble russe **boyard**
– Ancien noble japonais **daimyo, daï-mio**
– Degré de filiation dans une famille noble **quartier de noblesse**
– Un air noble **altier, majestueux, distingué, imposant**
– Une âme noble **grande, magnanime, généreuse, sublime**
– Un style noble **élégant, raffiné, soutenu**
– Des sentiments nobles **élevés**
– Un métal noble **précieux**

NOBLESSE
– Insigne de noblesse **couronne, blason, armoiries, armes**
– Titre de noblesse **prince, duc, comte, marquis, vicomte, baron, chevalier**
– Noblesse anglaise possédant des armoiries mais pas de titre **gentry**
– Noblesse acquise grâce à des hauts faits militaires **noblesse d'épée**
– Particule indiquant ou ayant indiqué l'appartenance à la noblesse **de, Van, von, don**
– Accorder un titre de noblesse **anoblir**

NOCE
voir aussi **anniversaire, mariage**
– Garçon de noce **garçon d'honneur**
– Rompre ses noces **divorcer, répudier**

NOCTURNE
– Rapace nocturne **chat-huant, effraie, chouette, duc, harfang, hibou, hulotte**
– Ordre auquel appartiennent les rapaces nocturnes **strigiformes**
– La paupière qui protège les yeux des oiseaux nocturnes **nictitante**
– Animal nocturne **chauve-souris, loir, hérisson, antilope, belette, blaireau, hermine, chinchilla, aye-aye**
– Papillon nocturne **acidalie, noctuelle, cossus, liparis, phalène, zeuzère**
– Chenille de certains papillons nocturnes **hérissonne**
– Réunion nocturne de sorcières **sabbat**
– Fête nocturne et clandestine consacrée à la musique techno **rave**

NOËL
– Période préparant et précédant Noël **avent**
– Étable de Noël **crèche**
– Repas de la nuit de Noël **réveillon**
– Brioche de Noël italienne **panettone**

NŒUD *Voir illustrations p. 408 et p. 411*
– Bâton possédant de nombreux nœuds **noueux**
– Nœud coulant employé pour la capture du gibier **lacs, collet, lacet**
– Corde à nœud coulant utilisée par les éleveurs **lasso**

NUAGES

cirrus
cirrocumulus
cirrostratus
5 000 m
altocumulus
altostratus
2 000 m
strato-cumulus
stratus
cumulus
cumulo-nimbus

– Nœud permettant d'attacher les cheveux **catogan, chouchou**
– Nœud servant d'insigne honorifique **rosette, cocarde**
– Religieux ceint d'une corde à trois nœuds **cordelier, franciscain**
– Technique de confection des nœuds marins **matelotage**
– Nœud du bois **excroissance, loupe, nodosité**
– Nœud pourri dans une pièce de bois **malandre**
– Tige portant des nœuds **noduleuse**
– Observer les nœuds du python **replis, anneaux**
– Nœud ferroviaire **jonction**
– Le nœud d'un scénario **intrigue, action**
– Nœud gordien **difficulté, dilemme, problème**

NOIR
– Noir de fumée **suie**
– Noir sur les plantes **fumagine**
– Noir du blé **charbon**
– Noir des céréales **ergot**
– Un cheval d'un noir luisant **moreau**
– Travail au noir **clandestin, illégal**
– Traite des Noirs **trafic d'esclaves**
– Appartenance à la race noire **négritude**
– Des cheveux noirs **de jais**
– Un visage noir **sale, crasseux**
– Une peau noire **hâlée, foncée, ébène, basanée**

– Teinte noire rappelant la suie **fuligineuse, noirâtre**
– Un café noir **fort, corsé, serré**
– Avoir peur du noir **ténèbres, obscurité, nuit**
– Avoir des idées noires **mélancoliques, pessimistes, tristes, sombres**
– Un noir projet **fatal, funeste, funèbre, macabre, ténébreux**

NOIRCIR
– Noircir à l'aide de charbon **charbonner**
– Noircir un linge propre **tacher, salir, maculer, souiller**
– Noircir une personne **calomnier, diffamer, dénigrer**
– Noircir une situation **assombrir, exagérer, dramatiser**

NOISETTE
– Classification de la noisette en botanique **akène**
– Arbre à noisettes **noisetier, coudrier**
– Noisette de forme oblongue **aveline**
– Ensemble de trois noisettes représenté sur un blason **coquerelle**

NOIX
– Écorce verte de la noix **brou, écale**
– Couper l'écorce pour retirer la noix **cerner, écaler**
– Noix à peine mûre ôtée de sa coque **cerneau**
– Faire tomber les noix **gauler, chabler, locher**
– Noix comestible **noix de cajou, noix de muscade, noix de kola, noix de coco, noix d'arec**

NOM
voir aussi **mot, rhétorique**
– Nom de baptême **prénom**
– Nom de famille **patronyme**
– Nom honorifique **titre**
– Nom marquant l'affection ou la moquerie **diminutif, surnom, sobriquet**
– Écrire son nom **signer, parapher, émarger, endosser**
– Personnes portant le même nom **homonymes**
– Recherche sur l'origine des noms de personnes **anthroponymie**
– Sans nom **anonyme, incognito**
– Nom d'emprunt d'un auteur, d'un compositeur **pseudonyme**
– Étude des noms propres **onomastique**
– Nom de lieu **toponyme**
– Le nom en grammaire **substantif**
– Nom s'appliquant à une personne, une ville, un pays **nom propre**
– Nom s'appliquant aux genres, aux espèces et aux choses **nom commun**
– Personnalité ou divinité dont le nom est donné à quelque chose à titre d'hommage **éponyme**

– Proposition dont les termes se réduisent à des noms **nominale**
– Événement auquel on ne peut donner un nom **innommable, indicible**
– Se faire un nom **réputation, renommée**

NOMADE
– Commerçants nomades **forains**
– Vie nomade **vagabondage, errance**
– Peuple nomade circulant à travers l'Europe **Gitans, Tsiganes**
– Peuple nomade d'Afrique du Nord **Touareg, Bédouins**
– Peuple nomade de Sibérie **Samoyèdes**
– Mode de subsistance des populations nomades **cueillette, chasse**
– Oiseau nomade **migrateur**

NOMBRE
– Le plus grand nombre portant un nom **centillion**
– Nombre attribué à un élément dans une série **numéro**
– Nombre marquant l'ordre de succession **ordinal**
– Nombre indiquant la quantité **cardinal**
– Nombre composé dont l'ensemble ne suit pas la numération décimale **nombre complexe**
– Nombre présenté sous forme de fraction **fractionnaire**
– Nombre fractionnaire qui a pour dénominateur dix ou une puissance de dix **décimal**
– Nombre formé d'une ou de plusieurs unités **entier**
– Nombre entier égal à la somme de tous ses diviseurs **parfait**
– Nombre entier qui n'est divisible que par lui-même et par l'unité **premier**
– Nombre considéré comme le canon des proportions **nombre d'or**
– Nombre divisé par un autre **dividende**
– Nombre par lequel on divise un autre **diviseur**
– Nombre énoncé le premier dans une multiplication **multiplicande**
– Nombre énoncé le second dans une multiplication **multiplicateur**
– Nombre multipliant la valeur d'une quantité algébrique **coefficient**
– Nombre n'ayant pas de mesure commune avec l'unité **irrationnel, incommensurable**
– Nombre formé d'un carré et de sa racine **planique**
– Nombre indiquant la puissance à laquelle est élevée une quantité **exposant**
– Nombres qui se compose des mêmes facteurs premiers **homogènes**
– Système régissant l'écriture et les opérations sur les nombres **numération**
– Données représentées par des nombres **numériques**

– Nombre indiquant la quantité de protons ou d'électrons d'un atome **atomique**
– Nombre exprimant le rapport entre la vitesse d'un avion et celle du son **nombre de Mach**
– Nombre indiquant un seuil au-delà duquel une admission n'est plus possible **numerus clausus**
– Nombre d'individus composant un groupe **effectif**
– Nombre de fois où un phénomène se reproduit **fréquence**
– Étude des nombres **algèbre, arithmétique**
– Domaine de l'arithmétique étudiant les propriétés des nombres **arithmétique formelle, théorie des nombres**
– Interprétation ésotérique des nombres **numérologie**
– Un grand nombre d'objets **collection, accumulation, amas**
– Un grand nombre de gens **armada, cortège, foule, masse, ribambelle**
– Un grande nombre d'étoiles **multitude, myriade**
– Des reproches en grand nombre **kyrielle**
– Bon nombre de **beaucoup, plusieurs, la plupart, la majorité, pas mal de**
– Sans nombre **très nombreux**
– Au nombre de **parmi**

NOMBREUX
– Une foule nombreuse attendait **dense, compacte, considérable**
– De nombreuses possibilités **multiples, diverses**
– Trop nombreux pour être comptés **innombrables, incommensurables**
– Enseignement embrassant de nombreux domaines **pluridisciplinaire, polyvalent**
– Un vers nombreux **rythmé, cadencé, harmonieux**

NOMBRIL
– Le nombril du monde **centre**
– Nombril d'un fruit **œil**

NOMENCLATURE
– Nomenclature des éléments naturels et des formes vivantes **taxinomie**
– Nomenclature d'un domaine **terminologie**

NOMINATION
syn. **titularisation**
– Nomination accordée à titre de récompense **promotion**
– Nomination d'un nouveau membre par une assemblée déjà constituée **cooptation**
– Nomination inespérée **parachutage**
– Nomination légale d'un héritier **institution, désignation**
– Recevoir sa nomination **affectation**

– Bénéficiaire d'une nomination **récipiendaire**
– Ne récolter qu'une nomination lors d'un concours **mention**

NOMMER
syn. **appeler**
– Nommer un enfant **prénommer**
– Nommer un représentant **élire, choisir**
– Nommer d'office un expert **désigner, commettre**
– Nommer successivement les parties d'un ensemble **énumérer**

NOMMER (SE)
– Se nommer **présenter (se)**

NONCHALANCE
– S'asseoir avec nonchalance sur un divan **abandon, indolence, négligence, mollesse, langueur**
– Faire un travail avec nonchalance **lenteur, paresse, tiédeur, peu d'entrain**

NONCHALANT
– Un geste nonchalant **languissant, langoureux**
– Une pose nonchalante **alanguie, indolente**
– Un élève nonchalant **fainéant, mou, paresseux, apathique**

NON CONFORMISTE
– Une pensée non conformiste **originale, singulière, indépendante, révolutionnaire**
– Une vie non conformiste **marginale**
– Église ou doctrine non conformiste **dissidente, hérétique, hétérodoxe, schismatique**

NON-CROYANT
syn. **agnostique, athée, libre-penseur, rationaliste, sceptique**

NON-VIOLENCE
– Précurseur de l'utilisation de la non-violence comme arme politique **Gandhi**
– Signification contemporaine de la non-violence **résistance passive**

NORD
– Région située au nord **septentrionale**
– Partisan des États du Nord lors de la guerre de sécession en Amérique **nordiste**
– Vents du nord **bise, vents étésiens, mistral**
– Vent du nord-ouest **noroît, tramontane**
– Terme poétique désignant le vent du nord **aquilon, borée**
– Sentir en mer le vent tourner au nord **nordir**
– Hémisphère Nord **boréal**
– Pôle Nord **arctique**

NORMAL
– Droite normale en mathématiques **perpendiculaire**
– Des circonstances normales **ordinaires, habituelles**
– Un phénomène normal **régulier, constant**
– Un tarif normal **correct, honnête, raisonnable**
– Une intelligence plutôt normale **moyenne**
– Il est normal de protester **compréhensible, naturel, légitime**

NORMALISATION
syn. **standardisation, uniformisation**
– Association française de normalisation **AFNOR**

NORMAND
– Maison normande **à colombages**
– Paysage typiquement normand **bocage**
– Boisson normande à base de pommes et/ou de poires fermentées **halbi, cidre, calvados, poiré**
– Fromage normand **neufchâtel, brillat-savarin, camembert, livarot, pont-l'évêque, bondon**
– Ancienne cour de justice normande **échiquier**

NORME
syn. **règle**
– Norme juridique **loi, législation**
– Les normes de la beauté **canons, idéaux, modèles**
– Un produit conforme aux normes de fabrication **standard**
– Tailler une pièce conformément à une norme **gabarit, format, cote**
– Sert de norme **étalon**
– Norme en matière de téléphonie mobile, en Europe **GSM**
– Reconnaître conforme aux normes en vigueur **homologuer**
– Hostile aux normes **anticonformiste, marginal, libertaire**

NOSTALGIE
syn. **mélancolie**
– Nostalgie éprouvée à l'étranger **mal du pays**

NOTABLE
– Observer des différences notables **sensibles, importantes**
– Faire des progrès notables **appréciables, considérables, remarquables**
– Absence d'évolution notable **stagnation, piétinement**

NOTAIRE
– Cabinet d'un notaire **étude**
– Enseigne de notaire **panonceau**
– Nom donné autrefois aux clercs de notaire **saute-ruisseau**
– Employé chez un notaire **clerc**
– Titre donné à un notaire **maître**
– Rôle d'un notaire **authentifier**
– Acte rédigé par un notaire **notarié**
– Registre des actes d'un notaire **minutier**
– En présence du notaire **par-devant**
– Signature officielle sans la présence d'un notaire **seing privé**

NOTAMMENT
– Les intellectuels, et notamment les philosophes **entre autres, particulièrement, singulièrement, spécifiquement**

NOTE
– Note ajoutée à un texte **annotation, apostille, glose, nota bene, notule, post-scriptum, scolie**
– Quelques notes jetées sur le papier **pensées, réflexions, considérations**
– Note portée sur un devoir **appréciation, observation, commentaire**
– Note transmise au personnel d'une entreprise **avis, notice, communication, communiqué**
– Note d'un diplomate à son gouvernement **mémorandum**
– Régler une note **addition, facture, compte, mémoire**
– Une note de mélancolie **touche, soupçon, nuance**

NOTER
– Noter les déclarations d'un témoin **inscrire, consigner, enregistrer**
– Noter les progrès d'un enfant **constater, remarquer, relever**

NOTION
– Quelques notions de géométrie **éléments, rudiments, connaissances**
– Notion antérieure à toute expérience **présupposé, a priori**
– Sens donné à la notion en philosophie **idée, concept, représentation**
– Perdre la notion de l'espace **conscience**

NOTOIRE
– Des différences notoires **manifestes, évidentes, flagrantes**
– Un incident notoire **public, connu de tous**
– Un chercheur notoire **célèbre, en vue, reconnu, réputé**
– Un homme à la générosité notoire **proverbiale, légendaire, fameuse**
– En concubinage notoire **maritalement, en union libre**

NOTORIÉTÉ
syn. **célébrité, renommée, réputation, renom**

NOUER
– Nouer un bouquet de fleurs avec du raphia **attacher, lier**
– Nouer ses lacets **lacer**
– Ouvrage en fils de coton noués **macramé**
– Nouer des liens d'amitié **tisser**
– Avoir la gorge nouée par l'émotion **serrée, contractée**

NOURRICE
– Nourrice qui travaille dans une crèche **assistante maternelle**
– Épingle de nourrice **de sûreté, double, anglaise**
– Une nourrice d'essence **bidon, jerrycan**

NOURRIR
syn. **abreuver (s'), repaître (se), sustenter (se), alimenter (s')**
– Nourrir des volailles **gaver, gorger, engraisser, embecquer**
– Nourrir un enfant au sein **allaiter**
– Nourrir l'esprit **former, éduquer**
– Nourrir la trame d'un récit **enrichir, étoffer**
– Nourrir les soupçons **entretenir, alimenter**

NOURRISSANT
– Le pain est un aliment nourrissant **nutritif, énergétique**
– Évitez les plats trop nourrissants **riches, substantiels, caloriques**

NOURRISSON
– Soins médicaux apportés à un nourrisson **néonatals**
– Grave amaigrissement chez un nourrisson **athrepsie**
– Réflexe du nourrisson qui saisit tout ce qui l'environne **agrippement, grasping-reflex**

NOURRITURE *Voir tableaux cuisine, p. 162, gâteaux régionaux et étrangers, p. 270, spécialités étrangères, p. 571*
– Substance constituant une nourriture **comestible**
– Nourriture inespérée et providentielle **manne**
– Nourriture destinée aux animaux **pâtée, pâture, pitance**
– Conséquence du manque de nourriture **atrophie, dénutrition, inanition, faim, amaigrissement**

NOUVEAU
– Terme nouveau **néologisme**
– Un film nouveau **inédit**
– Une construction nouvelle **récente, moderne**
– Une nouvelle pousse **jeune, verte**
– Un style nouveau **original, novateur**
– Nouveau riche **parvenu**
– Trouver un nouvel usage d'un objet, d'un concept **inconnu, inhabituel, inusité, inaccoutumé, insolite**

– Individu hostile à tout ce qui est nouveau **misonéiste**

NOUVEAUTÉ
syn. invention, trouvaille

NOUVELLE
syn. bruit, rumeur, écho
– Qui écrit des nouvelles **nouvelliste**
– Faire parvenir des nouvelles **signes de vie, renseignements**
– Nouvelles télévisées **journal télévisé, actualités, informations**
– Nouvelle inédite **scoop**
– Lire une nouvelle **conte, historiette, récit**

NOYAU
– Fruit à noyau **drupe**
– Retirer le noyau d'un fruit **dénoyauter**
– Cellule à plusieurs noyaux **polynucléaire, nucléée**
– Cellule constituée d'un seul noyau **mononucléaire**
– Noyau d'une cellule **nucléus**
– Élément constitutif du noyau d'une cellule **chromatine, acide désoxyribonucléique, nucléoprotéine, acide ribonucléique**
– Type de division du noyau d'une cellule **méiose, mitose**
– Élément du noyau atomique **neutron, proton**
– Physique du noyau **nucléaire**
– Noyau du globe terrestre **centre**
– Noyau de combattants **groupe**

NOYER
– Noyer un animal **asphyxier**
– Ce déluge va noyer les terres **inonder, immerger, submerger, engloutir**
– Noyer du vin **diluer**
– Noyer la contestation **étouffer**
– Noyer le poisson lors d'une entrevue difficile **tergiverser, louvoyer, biaiser**

NOYER (SE)
– Se noyer en pleine mer **couler, sombrer**
– Se noyer dans les détails **perdre (se), égarer (s')**

NU /1
– Mettre à nu **découvrir, dévoiler**

NU /2
– Épaules nues **décolletées, découvertes**
– Un crâne nu **dégarni, chauve**
– Un homme nu **dévêtu, déshabillé**
– Un espace nu **vide, dépouillé, sobre, austère**
– Une montagne nue **pelée**

NUAGE *Voir illustration p. 413*
– Nuage en forme de boule **cumulus**
– Nuage noir annonçant la pluie **nimbus**
– Nuage formant des filaments dans le ciel **cirrus**
– Nuages étalés en couche uniforme **stratus**
– Un ciel couvert de nuages blancs et floconneux **moutonné, pommelé**
– Un ciel assombri par les nuages **nébuleux, nuageux, brumeux, couvert**
– Un nuage d'insectes **nuée**
– Être dans les nuages **distrait, rêveur, dans la lune, songeur**

NUANCE
– Nuances d'un tableau **tons, teintes, couleurs**
– Peinture exécutée dans les diverses nuances d'une même couleur **camaïeu**
– Un caractère sans nuances **intransigeant, absolu, entier**
– Un jugement sans nuances **sans mesure, sans finesse**

NUIRE
– Intention de nuire **malveillance, malfaisance**
– Nuire à une personne **déconsidérer, discréditer, médire de, desservir, faire du tort à**
– Nuire aux intérêts d'une personne **léser, préjudicier, spolier**
– Nuire au bon déroulement d'une entreprise **contrarier, gêner, compromettre**
– Nuire aux récoltes **abîmer, détériorer, endommager**

NUISIBLE
– Des animaux nuisibles **venimeux, destructeurs, parasites, porte-virus, vulnérants**
– Un climat nuisible **anémiant, débilitant, insalubre, malsain**
– Gaz nuisible **toxique, nocif, délétère**
– Substance nuisible **dangereuse, mortelle, vénéneuse, toxique**
– Idéologie nuisible **mauvaise, pernicieuse**
– Étude des phénomènes nuisibles à la vie de l'homme en société **noxologie**
– Excès peut être nuisible **funeste, dommageable, néfaste**
– Qualité de ce qui est nuisible **nocuité, nocivité**

NUIT
voir aussi nocturne
– Individu aimant à vivre la nuit **noctambule**
– Individu ou animal doué de la faculté de voir la nuit **nyctalope**
– Animaux vivant la nuit **nocturnes**
– Papillon de nuit **noctuelle**
– Belle-de-nuit **mirabilis**
– Nuit la plus longue de l'année **solstice d'hiver**
– Nuit la plus courte de l'année **solstice d'été**
– Nuit passée sans dormir **veille, nuit blanche**
– Un bleu nuit **sombre, foncé, profond**

NUL
– Rendre nul un décret, une décision **infirmer, invalider, annuler**
– Un acte juridique déclaré nul **caduc**

NUMÉRIQUE *Voir tableau multimédia, p. 394*
– Transcrire des données en numérique **digitaliser**
– Enregistreur numérique **DAT**
– Type de disque numérique **CD-ROM, DVD, DVD-ROM**
– Réseau de communication numérique **Internet**
– Dispositif de transmission de données numériques **modem**

NUMÉRO
– Numéro d'enregistrement **matricule**
– Numéro porté sur une marchandise **marque, cote**
– Numéro d'une revue **livraison, exemplaire, tome**
– Apprécier le numéro d'un clown **prestation, spectacle, attraction**

NUMÉROTER
– Numéroter les feuillets d'un manuscrit **coter, paginer, folioter**

NUPTIAL
– Poème ou chant nuptial **épithalame**

NUTRITION
– Phase d'assimilation du processus de nutrition **alimentation, anabolisme**
– Phase de dégradation du processus de nutrition **digestion, catabolisme**
– Carence de la nutrition **dénutrition, malnutrition**

NYMPHE
– Nymphe des insectes de l'ordre des lépidoptères **chrysalide**
– Nymphes des sources et des fontaines **naïades, camènes**
– Nymphes changées en astres **hyades**
– Nymphes des arbres **dryades, hamadryades**
– Nymphes des montagnes et des grottes **oréades**
– Nymphes des prairies **napées**
– Nymphes des eaux profondes **ondines**
– Nymphes des mers **néréides, océanides**
– Petit temple consacré aux nymphes **nymphée**

OASIS
– Habitant d'une oasis **oasien**
– Une oasis de paix au cœur du tumulte **refuge, havre**

OBÉIR
– Obéir à ses parents **écouter**
– Obéir à un pouvoir, un parti **inféoder à (s')**
– Obéir à un règlement **observer, respecter, soumettre à (se)**
– Obéir à un ordre **exécuter (s'), obtempérer**
– Obéir aux traditions **suivre, sacrifier à, respecter**
– Obéir à ses désirs **céder à**

OBÉISSANCE
syn. **allégeance, dépendance, discipline, servilité**
– Rapport d'obéissance obligée d'un individu à l'égard d'un autre **subordination, assujettissement, soumission**
– Obéissance manifestée au sein d'une hiérarchie ecclésiastique **obédience**
– Obéissance à une règle religieuse **observance**
– Exiger l'obéissance d'un animal **docilité**

OBÉISSANT
– Un enfant obéissant **sage, discipliné, docile**

OBÈSE
– État d'une personne obèse **obésité**
– Il est obèse **adipeux, gras, gros, ventripotent, énorme, volumineux**

OBJECTIF /1
– Un objectif très précis **but, visée**
– Objectif utilisé en photographie **grand angle, téléobjectif, zoom**
– Objectif militaire **cible**

OBJECTIF /2
– Le monde objectif **réel, concret**
– Rendre objective une sensation **objectiver**
– Une description objective **équitable, impartiale, neutre**

OBJECTION
– Cette nouvelle n'a suscité aucune objection **opposition, protestation, contestation**
– Émettre une objection **remarque, critique, réfutation**
– Figure de rhétorique consistant à réfuter à l'avance une objection possible **prolepse**
– Formuler des objections spécieuses **chicaner, ergoter, épiloguer**
– Si vous n'y voyez pas d'objection **obstacle, inconvénient**

OBJECTIVITÉ
– Cette critique manque d'objectivité **équité, impartialité, neutralité**
– L'objectivité en métaphysique **ce qui existe en soi**

OBJET
– Objet affecté à un usage précis **outil, ustensile, instrument**
– Objet commercialisé **article**
– Objet de peu de valeur **babiole, bagatelle, bibelot, broutille, colifichet**
– Saint patron des objets perdus **Antoine de Padoue**
– Objet d'une conférence **matière, question, thème, sujet**
– Relation à des objets autres que l'individu lui-même en psychanalyse **relation objectale**
– Verbe appelant un complément d'objet direct **transitif**

OBLIGATION
– Acheter des obligations **titres**
– Annulation d'une obligation **prescription**
– Honorer ses obligations **dettes**
– Manquer à ses obligations **promesses, engagements**
– Obligations liées à une profession **responsabilités, exigences, servitudes, astreintes**
– Obligation morale **devoir, impératif**
– Obligation de l'impôt et du sang **tribut**
– Être dans l'obligation d'hypothéquer sa maison **contraint de, devoir, obligé de, tenu de**

OBLIGATOIRE
– Le port de la ceinture de sécurité est obligatoire **exigé, imposé**

OBLIGÉ
– Je vous serais obligée de vous retirer **reconnaissante, redevable**
– Il faut nettoyer, c'est obligé ! **nécessaire, indispensable**
– Dans son état, il a eu un accident, c'était obligé ! **inévitable, certain**

OBLIGEANCE
– Avoir l'obligeance d'un ami **être disposé à rendre service, faire plaisir**
– Auriez-vous l'obligeance de vous taire ? **amabilité, gentillesse, bonté**

OBLIGER
– Votre contrat vous oblige à prévenir votre employeur un mois avant votre départ **engage, stipule, impose**
– Obliger une personne à faire quelque chose **contraindre à, astreindre à, forcer à, condamner à**
– Vous m'obligeriez beaucoup en faisant telle chose **rendriez service, aideriez**

OBLIQUE
– Bord taillé en oblique **biseau, biais, chanfrein**
– Tissu tendu en oblique **en diagonale, en écharpe**
– Une revanche oblique **détournée, indirecte**

OBSCÈNE
– Des propos obscènes **gras, graveleux, crus, licencieux, grossiers, salaces**
– Homme obscène **satyre**
– Une attitude obscène **inconvenante, impudique, indécente, immorale**
– Une publication obscène **pornographique**

OBSCÉNITÉ
– L'obscénité de certains passages de ce film **indécence, inconvenance, impudicité**
– Dire des obscénités **grivoiseries, grossièretés, saletés, cochonneries**

OBSCUR

– De source obscure **approximative, incertaine, inconnue, trouble**
– Des agissements obscurs **secrets, dissimulés, mystérieux**
– Des propos obscurs **confus, énigmatiques, équivoques, amphibologiques**
– Ses explications sont des plus obscures **inintelligibles, floues, vagues**
– Texte dont le sens est délibérément obscur **ésotérique, hermétique, kabbalistique, sibyllin**
– Un obscur pressentiment **imprécis, indistinct**
– Un texte obscur **difficile, abscons, abstrus, incompréhensible**
– Une forêt obscure **ombreuse, sombre**

OBSCURCIR

– Cet arbre énorme obscurcit ma chambre **assombrit**

OBSCURCIR (S')

– Le ciel s'obscurcit **couvre (se)**
– Les nombreux flash-back obscurcissent ce film **compliquent, embrouillent, alourdissent**

OBSCURITÉ

– Une maison plongée dans l'obscurité **noir, nuit, ombre, ténèbres**
– Peur de l'obscurité **kénophobie**
– Vivre dans l'obscurité **anonymat**

OBSÉDÉ

– Désir pathologique de l'obsédé(e) sexuel(le) **satyriasis, nymphomanie, priapisme**
– C'est une obsédée sexuelle **nymphomane**
– Obsédé par le ménage **maniaque**

OBSÉDER

– Le remords obsède cet homme **hante, harcèle, poursuit, accable, tourmente, obnubile, tracasse, travaille**

OBSÈQUES

– Ses obsèques auront lieu lundi **funérailles, enterrement, incinération, crémation, inhumation**
– Service chargé d'organiser les obsèques **pompes funèbres**
– Personne préparant un mort pour les obsèques **croque-mort, employé des pompes funèbres**
– Lieu où est exposé le corps du mort avant les obsèques **funérarium**
– Voiture transportant le corps du mort aux obsèques **corbillard**

OBSERVATEUR

– Assister à une bataille en observateur **témoin, spectateur**
– Un esprit observateur **attentif, critique**

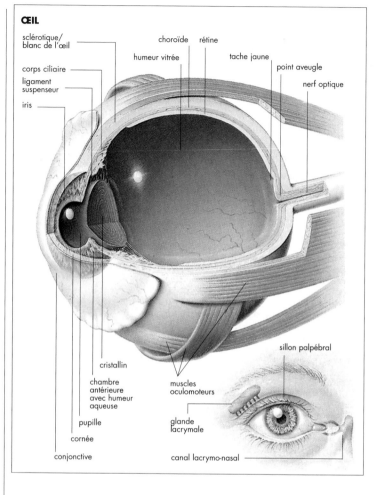

ŒIL

sclérotique/blanc de l'œil — choroïde — rétine
humeur vitrée — tache jaune — point aveugle
corps ciliaire — nerf optique
ligament suspenseur
iris
cristallin
chambre antérieure avec humeur aqueuse — muscles oculomoteurs
pupille — sillon palpébral
cornée — glande lacrymale
conjonctive — canal lacrymo-nasal

OBSERVATION

– Demeurer en observation à l'hôpital **surveillance**
– Se livrer à l'observation attentive d'un phénomène **examen, étude**
– Subir les observations de ses parents **avertissements, blâmes, reproches, réprimandes, remontrances**
– Poste d'observation **vigie, mirador**
– Faire part de ses observations **critiques, réflexions, considérations**
– Observation judicieuse **constatation, remarque, commentaire**
– Fait de veiller à l'observation de préceptes moraux **obéissance, observance, respect**
– Instrument d'observation astronomique **télescope**
– Petite embarcation utilisée pour l'observation en mer **vedette**

OBSERVATOIRE

syn. **mirador, poste d'observation**

OBSERVER

– Observer une prescription **suivre, conformer à (se), respecter**
– Observer attentivement une personne **scruter, surveiller, examiner, étudier**
– Observer avec insistance et indiscrétion **lorgner, guigner, dévisager, fixer**
– Observer sans être vu **épier, espionner**
– Observer un fait **constater, remarquer, noter**
– Faire observer **signaler**

OBSESSION

syn. **monomanie**
– En ce moment, il n'a qu'une obsession, sa propre mort **hantise, psychose, idée fixe**
– L'obsession du ménage **manie**

OBSTACLE

– Buter sur un obstacle **achopper sur, heurter**

– Course d'obstacles **course de haies, steeple-chase**
– La vie réserve de nombreux obstacles **chausse-trapes, difficultés, écueils, embûches**
– Obstacle élevé par des manifestants **barricade**
– Obstacle utilisé lors d'un concours hippique **barrière, palanque, mur, barrière de spa, rivière, oxer, talus, haie barrée**
– Sa bêtise est un obstacle à ses ambitions **entrave, frein, gêne**

OBSTINATION
– Obstination dans le refus **constance, insistance, acharnement, persévérance, ténacité**

OBSTINÉ
– Il est obstiné dans tout ce qu'il fait **persévérant, acharné, tenace, volontaire**
– Il n'a qu'un seul défaut, il est obstiné **buté, entêté, têtu, opiniâtre**

OBSTRUER
– Obstruer le passage dans une avenue **bloquer, gêner, encombrer, barrer**
– Obstruer la vue **cacher, dissimuler**
– Obstruer une conduite d'eau **boucher, engorger, oblitérer**

OBTENIR
– Obtenir un prix **remporter, décrocher**
– Obtenir par la force ou la ruse **extorquer, emparer de (s'), conquérir, ravir, usurper**
– Obtenir les faveurs d'une personne **gagner, acquérir, concilier (se)**
– Dissimulation d'une vérité pour obtenir quelque chose **obreption, subreption**

OBUS
– Partie supérieure d'un obus **ogive**
– Obus employé pour percer les blindages **perforant, plein**
– Obus à mitraille **shrapnel**
– Dimension d'un obus **calibre**
– Arme à obus **canon, mortier, obusier**

OCCASION
– À l'occasion **le cas échéant, éventuellement**
– Attendre l'occasion **moment**
– Il est des occasions où le silence est préférable **circonstances, conjonctures**
– Cette rencontre est encore une fois l'occasion d'une discorde **motif, cause, sujet, raison, prétexte**
– Grand marché parisien d'occasion **les puces**
– Marchand d'occasions **brocanteur, bouquiniste, ferrailleur, antiquaire**
– Objet d'occasion **de seconde main**
– Occasion heureuse et inespérée **chance, aubaine, affaire**

– Saisir l'occasion **possibilité, opportunité**
– Donner l'occasion à une personne de s'expliquer **permettre**

OCCASIONNEL
– Leur rencontre était occasionnelle **accidentelle, exceptionnelle, fortuite**

OCCASIONNER
syn. **susciter**
– La tempête a occasionné beaucoup de dégâts **amené, causé, créé, engendré, donné lieu à, entraîné, produit, provoqué**

OCCIDENT
syn. **couchant, ouest, ponant**

OCCLUSION
syn. **fermeture, obstruction, obturation**

OCCULTE
– Un financement occulte **caché, secret, inconnu**
– Science occulte **alchimie, astrologie, cartomancie, chiromancie, sorcellerie, magie, radiesthésie, télépathie, nécromancie**

OCCULTISME
syn. **ésotérisme, hermétisme**

OCCUPANT
– Occupant d'un appartement titulaire d'un bail **locataire**
– Occupant illégal d'un appartement **squatteur**
– Occupant militaire d'un pays **envahisseur**

OCCUPATION
– Occupation dont le but avoué est la distraction **passe-temps, hobby, loisir, violon d'Ingres**
– Fournir une occupation à une personne désœuvrée **besogne, tâche, travail**
– Occupation illégale d'un appartement vide **squat**
– Occupation d'une usine **grève sur le tas**
– Occupation d'un pays **envahissement, annexion**

OCCUPER
– Les Allemands ont occupé la France **envahi, conquis**
– Occuper légalement une maison **habiter**
– Occuper illégalement une maison vide **squatter**
– Occuper un espace **emplir, meubler**
– Occuper le temps **tuer**
– Cette activité occupe toute son attention **requiert, absorbe, accapare**

– Ce jeu occupera les enfants **distraira, amusera**
– Occuper une place de prestige **détenir**

OCCUPER (S')
– S'occuper à une activité **atteler à (s'), consacrer à (se), employer à (s'), travailler à**
– S'occuper d'une affaire **suivre**
– S'occuper de politique **mêler de (se), intéresser à (s'), adonner à (s')**
– S'occuper du bien-être d'une personne **soucier de (se), préoccuper de (se)**
– S'occuper du feu **alimenter, entretenir, surveiller**

OCÉAN
– Les trois océans **Atlantique, Indien, Pacifique**
– Domaine de la géographie traitant des océans **hydrographie, océanographie**
– Recherches menées sur les océans **océanologie**
– Climat relatif à l'océan **océanique**
– Faune vivant au plus profond des océans **abyssale, pélagique**
– Dieu des océans, dans l'Antiquité grecque et latine **Poséidon, Neptune**
– Nymphe des océans **océanide**

ODEUR
– Fonction permettant la perception des odeurs **olfaction**
– Sens de la perception des odeurs **odorat**
– Des aromates ou des plantes dégageant une odeur agréable **odoriférants**
– Odeur des fleurs **parfum, fragrance, senteur**
– Odeur d'un vin **bouquet, arôme**
– Odeur de cuisine **fumet**
– Odeur peu agréable **relent, remugle, miasme, empyreume**
– Qui a une mauvaise odeur **fétide, nauséabond, malodorant, miasmatique, puant, putride**
– Traité scientifique des odeurs **osmologie**

ODIEUX
– Se montrer odieux **arrogant, antipathique, déplaisant, haïssable, insupportable, mauvais**
– D'une humeur odieuse **détestable, exécrable**
– Un acte odieux **abominable, abject, infâme, ignoble, ignominieux**

ODORAT
– Odorat animal **flair**
– Organe récepteur de l'odorat **tache olfactive**
– Diminution ou perte de l'odorat **anosmie, dysosmie**
– Trouble psychique de l'odorat **parosmie**

ŒIL *Voir illustration p. 418*
– Rides situées au coin de l'œil **pattes-d'oie**
– Blanc de l'œil **cornée**
– Cavité contenant le globe de l'œil **orbite**
– Humeur de l'œil **chassie**
– Membrane de l'œil **sclérotique, uvée, rétine, choroïde**
– Muscle de l'œil **muscle amoureux**
– Œil dont la vision est normale **emmétrope**
– Terme générique des affections de l'œil **ophtalmie**
– Maladie de l'œil **blépharite, cataracte, conjonctivite, kératite, rétinite, glaucome, iritis, dystrophie cornéenne, rétinoblastome, uvéite, iridocyclite**
– Anomalie chromatique de l'œil **daltonisme**
– Spécialiste des maladies des yeux **ophtalmologiste, oculiste**
– Examen du fond de l'œil **ophtalmoscopie**
– Greffe pratiquée sur l'œil **ophtalmoplastie**
– Enlever un œil **énucléer, éborgner**
– Personne qui a perdu un œil **borgne**
– Monstrueux géant pourvu d'un seul œil **cyclope**
– Coup d'œil furtif à l'adresse d'une personne **œillade, clin d'œil**
– Œil d'une porte **judas**
– Les yeux d'un arbre **bourgeons**
– Œil d'un cyclone **centre**
– Il faut avoir l'œil sur ton frère **surveiller**
– Aux yeux de sa mère, c'est un ange **d'après, pour, selon**
– Œil-de-bœuf **lucarne, oculus**
– Œil-de-chat **pierre**
– Œil-de-perdrix **cor**

ŒILLET
– Famille de l'œillet **caryophyllacées**
– Type d'œillet **grenadin**
– Œillet d'Inde **tagète**
– Œillet d'une veste **boutonnière**

ŒUF *Voir illustration ci-contre*
– Animal dont les œufs éclosent à l'intérieur du corps de la mère **ovovivipare**
– Animal pondant des œufs **ovipare**
– Blanc d'œuf **albumen**
– En forme d'œuf **ovale, ovoïde, oviforme**
– Enveloppe de l'œuf **coquille**
– Tortillon d'albumine maintenant le jaune de l'œuf **chalaze**
– Œuf dépourvu de jaune **nain**
– Œuf pondu sans coquille **hardé**
– Œuf fécondé résultant de l'union des gamètes **zygote**
– Œuf non fécondé **clair**
– Période de développement de l'œuf après la ponte **couvaison, incubation**
– Œuf de pou **lente**
– Œufs d'insectes **couvain**

– Œufs d'esturgeon **caviar**
– Œufs de seiche ou de poulpe **raisins de mer**
– Poisson femelle ayant des œufs **œuvé**
– Œuf factice destiné à attirer les oiseaux dans un nid **nichet**
– Œuf de poisson servant d'appât **rogue**
– Regarder un œuf à contre-jour **mirer**
– Ustensile permettant de cuire plusieurs œufs en même temps **œuffrier, coquetière**
– Ornement architectural en forme d'œuf **ove**

ŒUVRE
– Œuvre littéraire **écrit, livre, ouvrage**
– Œuvre picturale **tableau, toile**
– Œuvre la plus accomplie d'un artiste **chef-d'œuvre**
– Participer aux bonnes œuvres **charité, bienfaisance**
– Œuvres mortes d'un navire **accastillage**
– Œuvres vives d'un navire **carène**
– Occuper le poste de maître d'œuvre **chef de chantier**
– Mettre en œuvre des moyens peu licites **employer, recourir à, utiliser**
– Œuvre de chair **coït**

OFFENSE
– Offense à caractère public **avanie, affront, camouflet, insulte, outrage**
– Offense faite à Dieu **faute, péché**
– Offense au nom de Dieu **blasphème**

OFFENSER
– Offenser le bon goût **attenter au**
– Offenser la sensibilité d'une personne **heurter, choquer, vexer, scandaliser, froisser**

OFFENSER (S')
syn. **fâcher (se), formaliser (se), froisser (se), indigner (s'), offusquer (s'), vexer (se)**

OFFENSIF
– Une intervention offensive **agressive, violente**

OFFICE
– Remplir son office **charge, emploi, fonction**
– Dans cette réception, je vais faire office de barman **servir de, tenir lieu de, jouer le rôle de**
– Office de tourisme **agence de tourisme, syndicat d'initiative**
– Office de notaire **étude**
– Aller à l'office du dimanche **messe, service**
– Remercier quelqu'un pour ses bons offices **services**
– Autrefois, les domestiques mangeaient à l'office **dépense**

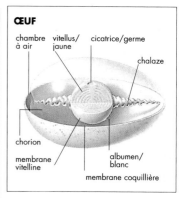

ŒUF
chambre à air — vitellus/jaune — cicatrice/germe — chalaze — chorion — membrane vitelline — albumen/blanc — membrane coquillère

OFFICIEL
– Un acte officiel **authentique**
– S'en tenir à la version officielle **consacrée, autorisée**
– Une décision officielle **gouvernementale, administrative**
– Une nouvelle désormais officielle **certaine, publique, notoire**

OFFICIER
– Officier de police **commissaire**
– Officier municipal **maire**
– Officier public **avoué, notaire, agent de change, huissier**
– Officier de culte **célébrant**
– Officier de la chambre du pape **camérier**

OFFRANDE
syn. **aumône, cadeau, don, présent**
– Offrande d'animaux à un dieu **sacrifice, holocauste, hécatombe**

OFFRE
– Offre d'emploi **proposition**
– Offre publique d'achat **OPA**
– Offre publique d'échange **OPE**
– Offre d'un prix supérieur à ceux annoncés lors d'une vente **enchère**
– Offre de contrat non encore acceptée **pollicitation**
– Faire une offre de paix dans un conflit **ouvertures**
– Offre faite à Dieu **oblation**

OFFRIR
syn. **donner**
– Offrir un très bon repas à des amis **régaler**
– Offrir de nombreux avantages **fournir, procurer**
– Offrir ses hommages **présenter**
– Offrir sa vie **sacrifier, vouer, dédier**

OFFRIR (S')
– S'offrir une journée de détente **accorder (s'), octroyer (s')**
– Cette occasion ne s'offrira pas à toi deux fois **présentera (se)**

– S'offrir aux regards **montrer (se), exhiber (s')**

OFFUSQUER
voir aussi **offenser (s')**
– Tes paroles ont offusqué ta mère **heurté, choqué, déplu à, froissé, scandalisé**
– S'offusquer d'une remarque **froisser (se), vexer (se)**

OIE
– Ordre auquel se rattache l'oie **ansériformes**
– Famille à laquelle se rattache l'oie **anatidés**
– Oie commune **séquanienne**
– Oie dont on utilise le duvet **eider**
– Oie sauvage **bernache, cendrée, cravant, rieuse**
– Le mâle de l'oie **jars**
– S'accoupler pour une oie et un jars **jargauder**
– Petit de l'oie **oison**

– Entendre crier les oies **criailler, siffler, cacarder, cagnarder**

OIGNON
– Famille à laquelle se rattache l'oignon **liliacées**
– Membrane intercalée entre les couches du bulbe de l'oignon **pelure**
– Conditionnement des oignons **botte, chapelet**
– Plantation d'oignons **oignonière**
– Plat à base d'oignons **oignonade**
– Planter des oignons de tulipe **bulbes**
– L'oignon sur mon orteil me fait souffrir **cor, durillon**

OISEAU *Voir illustration ci-dessous et tableau p. 422*
– Oiseau à pattes palmées **palmipède**
– Oiseau de basse-cour **volaille, volatile**
– Oiseau de proie **rapace**
– Oiseau pourvu de longues pattes **échassier**

– Oiseau-lyre **ménure**
– Oiseau-mouche **colibri**
– Oiseau qui ne vole pas **autruche, cormoran des Galápagos, cagou, canard aptère, casoar, émeu, kiwi, manchot, nandou**
– Oiseau qui parle **perroquet, mainate, étourneau, corbeau, corneille, pie, geai, alouette-calandre, ménure**
– Cri des oiseaux de nuit **hululement**
– Oiseau symbole de la paix **colombe**
– Les oiseaux crient **gazouillent, dégoisent, sifflent, fredonnent, frouent, gringottent, chantent, ramagent**
– Oiseau qui fait le printemps **hirondelle**
– Oiseau de bon, mauvais augure **bon, mauvaix présage**
– Oiseau associé aux lettres anonymes **corbeau**
– Excréments d'oiseau **fiente**
– Excréments d'oiseau de mer **guano**
– Appareil digestif de l'oiseau **cloaque, gésier, jabot, ventricule succenturié**
– Membrane recouvrant le bec de certains oiseaux **cire**
– Plume de l'oiseau **penne, plume tectrice, rémige, plume rectrice, duvet**
– Glande sécrétant une substance protégeant les plumes des oiseaux **uropygienne**
– Terminaison du tronc chez les oiseaux **croupion**
– Accouplement d'oiseaux **pariade**
– Maladie des oiseaux **pépie**
– Maladie transmise à l'homme par les oiseaux **ornithose, psittacose**
– Élevage d'oiseaux **oisellerie**
– Éleveur d'oiseaux **aviculteur**
– Ensemble des oiseaux d'un territoire donné **avifaune**
– Dresser un oiseau pour le vol **oiseler**
– Vendeur d'oiseaux **oiseleur**
– Étude des oiseaux **ornithologie**
– Peur des oiseaux **ornithophobie**

OISIF
syn. **désœuvré, inactif, inoccupé**

OLIVE
– En forme d'olive **olivaire**
– De couleur olive **olivâtre, olivacé**
– Pressoir à olives **maillotin**
– Récolte des olives **olivaie, olivaison**
– Récipient destiné à recevoir l'huile d'olive dans un pressoir **malle**
– Cueilleur d'olives **oliveur**
– Lieu où l'on procède à l'extraction de l'huile d'olive **oliverie**
– Insecte nuisible à la culture de l'olive **hylésine**
– Olive verte consommée en hors-d'œuvre **picholine**

OLIVIER
– Plantation d'oliviers **oliveraie, olivaie, olivette**

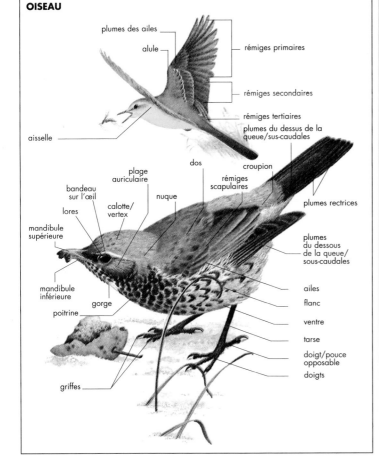

OISEAU

plumes des ailes

alule

rémiges primaires

rémiges secondaires

rémiges tertiaires

plumes du dessus de la queue/sus-caudales

aisselle

dos

croupion

plage auriculaire

rémiges scapulaires

bandeau sur l'œil

nuque

calotte/vertex

lores

plumes rectrices

mandibule supérieure

plumes du dessous de la queue/sous-caudales

mandibule inférieure

gorge

ailes

poitrine

flanc

ventre

tarse

doigt/pouce opposable

doigts

griffes

CLASSIFICATION SIMPLIFIÉE DES OISEAUX

NÉORNITHES	
Paléognathes	
Ratites (ne volent pas, coureurs)	autruche, nandou, émeu, kiwi
Tinamous	tinamou
Néognathes	
Procellariiformes (bons voiliers ; haute mer)	albatros, pétrel
Sphénisciformes (ne volent pas, adaptés à la nage)	manchot
Gaviiformes (bons plongeurs)	plongeon, grèbe
Pélécaniformes (4 doigts réunis par une palmure)	phaéton, pélican, fou, cormoran, frégate
Ciconiiformes (hautes pattes, long cou)	héron, savacou, bec-en-sabot, ombrette, cigogne, spatule
Phœnicoptériformes	flamant
Ansériformes	kamichi, cygne, oie, tadorne, canard, sarcelle, macreuse, harle
Falconiformes (bec crochu, serres, généralement prédateurs)	condor, serpentaire, aigle, buse, balbuzard, faucon pèlerin
Galliformes (ailes courtes et arrondies, bec court et fort)	mégapode, hocco, coq de bruyère, faisan, coq, caille, paon, pintade, dindon, hoazin
Gruiformes (échassiers, ailes arrondies)	mésiste, turnix, grue, courlan, agami, poule d'eau, grébifoulque, kagou, caurale, cariama, outarde
Charadriiformes (échassiers de taille petite ou moyenne, ailes pointues, généralement en mers et marais)	jacana, rhynchée, huîtrier, gravelot, bécasse, échasse, phalarope, drome, œdicnème, glaréole, courvite, thinocore, bec-en-fourreau
Alciformes	pingouin, guillemot, macareux
Lariformes (palmipèdes, bons voiliers)	labbe, goéland, mouette, bec-en-ciseaux
Columbiformes (bec et pattes faibles)	ganga, pigeon, tourterelle, dronte
Psittaciformes (bec crochu, coloration vive et variée)	perroquet, perruche
Cuculiformes (souvent parasites)	coucou, touraco
Strigiformes (nocturnes, carnivores et insectivores)	chouette, hibou, effraie
Caprimulgiformes (crépusculaires et nocturnes)	engoulevent, podarge, ibijau, ægothèle, guacharo
Apodiformes (bons voiliers, pattes courtes)	martinet, salangane, colibri
Coliiformes	coliou
Trogoniformes	couroucou
Coraciadiformes (colorés)	martin-pêcheur, todier, momot, guêpier, rollier, courol, huppe, moqueur, calao
Piciformes (grimpeurs)	jacamar, paresseux, barbu, indicateur, toucan, pic, torcol
Passériformes (petite taille, doués pour le chant)	eurylaime, dendrocolapte, fournier, fourmilier, conopophage, tapaculo, cotinga, manakin, gobe-mouche américain, rara, brève, xénique, philépitte, oiseau-lyre de l'Ancien Monde, atrichorne, alouette, hirondelle, drongo, loriot, corbeau, corneille, gymnorhine, cassican, gralline, oiseau à berceaux, paradisier, mésange, sitelle, grimpereau, paradoxorni, akafat, échenilleur, bulbul, verdin, cincle, troglodyte, moqueur, merle, rossignol, rouge-gorge, fauvette, roitelet, gobe-mouche, accenteur, bergeronnette, jaseur, langrayen, vanga, pie-grièche, bagadai, corneille mantelée, mainate, méliphage, souï-manga, dicée, oiseau à lunettes, viréo, sucrier, drépani, fauvette américaine, moineau, troupiale, tangara-hirondelle, pinson, serin, bruant

— Symbolisée par le rameau d'olivier **paix**

OMBRAGE
— Se reposer sous l'ombrage d'un arbre **feuillage, ombre**
— Prendre ombrage d'une remarque **froisser (se), formaliser (se), offenser (s'), offusquer (s')**

OMBRE
— Ombre d'un arbre **ombrage**
— Ombre d'un corps **contour, silhouette, image**
— Un lieu à l'ombre **ombragé**
— Zone d'ombre partielle **pénombre, demi-jour**
— Accessoire utilisé pour faire de l'ombre **parasol, store, ombrelle**
— Couvrir d'ombre **obombrer**

— Détermination de l'heure au moyen d'ombres projetées **sciographie**
— Éclairage supprimant les ombres portées **scialytique**
— Agir dans l'ombre **obscurément, secrètement**
— Il n'y a pas l'ombre d'un doute **pas le moindre soupçon**
— Il y a une ombre au tableau **défaut, problème, inconvénient**
— Sortir de l'ombre **tirer de l'oubli**
— Terre brune servant à faire des ombres **terre de Sienne**
— Technique picturale de distribution des ombres et des lumières **clair-obscur**
— Ajouter des ombres à une peinture **ombrer**
— Terre d'ombre **ocre**
— Mettre à l'ombre **emprisonner**

OMBRELLE
syn. **parasol**

OMELETTE
— Omelette espagnole **tortilla**
— Ingrédient d'une omelette norvégienne **glace, meringue**

OMISSION
syn. **lacune, oubli**
— Par omission **distraction, négligence, mégarde**
— Omission délibérée d'un fait **réticence, dissimulation, obreption**
— Utilisation de l'omission comme figure de rhétorique **prétérition**

OMNIBUS
syn. **train**

OMOPLATE

voir aussi **os, squelette**
– Os qui relie l'omoplate au sternum **clavicule**
– Forte saillie prolongeant l'épine de l'omoplate **acromion**

ONCLE

– Relatif à un oncle **avunculaire**

ONCTUEUX

– Un fromage onctueux **crémeux**
– Un yaourt onctueux **velouté**

ONDE

– Émission d'ondes en nombre restreint **train d'ondes**
– Instrument basé sur le principe de la réflexion des ondes sonores **sonar, radar**
– Onde créée par un objet dont la vitesse est supérieure à celle du son **onde de choc**
– Onde de contraction musculaire de certains organes **péristaltisme**
– Onde en milieu liquide **cercle, ride, rond**
– Ondes courtes **décimétriques, HF**
– Ondes longues **kilométriques, BF**
– Ondes moyennes **hectométriques, MF**
– Ondes se diffusant dans le vide hors de tout support matériel **électromagnétiques**
– Ondes sonores se propageant par vibration de la matière **mécaniques**
– Premier détecteur d'ondes hertziennes **cohéreur**
– Se mouvoir en décrivant des ondes **ondoyer**
– Unité de mesure des longueurs d'onde **angström**
– Unité de mesure des longueurs d'onde radio **mégahertz**

ONDOYANT

– L'herbe ondoyant sous l'effet du vent **frémissant, frissonnant**
– Un chemin ondoyant **sinueux**
– Avoir un caractère ondoyant **capricieux, changeant, inconstant, lunatique**

ONDULATION

syn. **ondoiement**
– Ondulation du sol **pli, repli**

ONÉREUX

syn. **cher, coûteux, dispendieux**

ONGLE *Voir illustration p. 424*

– Peau qui protège la base de l'ongle **cuticule**
– Base de l'ongle, près de sa racine **lunule**
– Peaux entourant l'ongle **envies**
– Nécessaire à ongles **onglier**
– Personne chargée du soin des ongles et des mains **manucure**
– Accessoire pour l'entretien des ongles **coupe-ongles, lime à ongles, polissoir**
– Maquillage pour les ongles **vernis**
– Démaquillant pour les ongles **dissolvant**
– Abcès situé dans la proximité d'un ongle **panaris, tourniole**
– Infection du derme de l'ongle **onyxis**
– Manie consistant à se ronger les ongles **onychophagie**
– Ongles de chat **griffes**
– Ongles de rapace **serres**

ONGUENT

syn. **pommade, crème, baume**

ONZE

– Sport dans lequel l'équipe est composée de onze joueurs (sans compter les remplaçants) **football, football américain, hockey sur gazon**
– Anniversaire célébrant onze années de mariage **noces d'acier**

OPAQUE

– Un brouillard opaque **épais, dense**
– Une nuit opaque **obscure, impénétrable, sombre, ténébreuse**
– Un texte opaque **abscons, abstrus, hermétique, incompréhensible, inintelligible, insaisissable**

OPÉRA

– Art du chant dans l'opéra italien **bel canto**
– Chanteuse d'opéra tenant le premier rôle **prima donna**
– Compositeur de livrets d'opéra **librettiste**
– Ensemble de quatre opéras **tétralogie**
– Grande chanteuse d'opéra **diva**
– Opéra avec épisodes parlés et chantés **opéra-comique**
– Opéra dont le sujet et la forme empruntent à la comédie **opéra-bouffe**
– Partie chantée par un soliste dans un opéra **aria**
– Texte chanté séparant les airs dans un opéra **récitatif**
– Texte sur lequel un musicien compose la musique d'un opéra **livret, libretto**
– Pièce instrumentale exécutée entre deux scènes d'un opéra **interlude, intermezzo**
– Opéra de Paris **palais Garnier, Opéra de la Bastille**
– Opéra royal de Londres **Covent Garden**
– Opéra de Milan **la Scala**
– Opéra de Venise **la Fenice**

OPÉRATEUR

– Opérateur chargé de la prise de vues sur un plateau de télévision **cadreur, cameraman**
– Opérateur boursier **courtier, donneur d'ordres**
– Opérateur mathématique **symbole**
– Opérateur téléphonique **standardiste**

OPÉRATION *Voir tableau p. 425*

– C'est une opération périlleuse **action, tâche, travail, entreprise**
– Opération arithmétique **addition, division, soustraction, multiplication**
– Opération financière **transaction, spéculation**
– Opération militaire **manœuvre, offensive, attaque, combat, invasion**
– Opération publicitaire **campagne**
– Subir une opération chirurgicale **intervention**

OPÉRER

– Opérer le sauvetage d'une personne en plusieurs étapes **effectuer, exécuter, pratiquer**
– Le changement s'est opéré doucement **accompli, fait, produit, déroulé**

OPINIÂTRE

– Être de nature opiniâtre **persévérante, déterminée, résolue, tenace, volontaire**
– Trop opiniâtre **buté, têtu, entêté, obstiné**
– Un mal de tête opiniâtre **persistant, tenace**

OPINIÂTRETÉ

– Lutter avec opiniâtreté **vaillance, fermeté, constance, ténacité, détermination**
– Discourir avec opiniâtreté **obstination, entêtement, acharnement, véhémence, pugnacité**

OPINION

– Exprimer son opinion sur quelque chose **avis, point de vue, manière de penser, position, jugement**
– Opinion acceptée sans critique ni mise à l'épreuve **préjugé, parti pris, prévention**
– Opinion peu assurée **présomption, conjecture, supposition**
– Opinion très ferme **croyance, conviction, foi**
– Avoir une mauvaise opinion de quelqu'un **sous-estimer, mépriser, mésestimer**
– Avoir une bonne opinion de quelqu'un **estimer, apprécier**

OPIUM

– Plante dont on extrait l'opium **pavot**
– Principal lieu de production de l'opium **Triangle d'or**
– Alcaloïde extrait de l'opium **codéine, narcotique, morphine, paraphrénie, thébaine**
– Accoutumance à l'opium **opiomanie**
– Consommateur d'opium **opiomane**

– Consommer de l'opium **fumer, ingérer**
– Qui contient de l'opium **opiacé**
– Teinture alcoolique d'opium utilisé comme sédatif **laudanum**
– Produit dérivé de l'opium **héroïne**

OPPORTUN
– Un moment opportun **approprié, bon, favorable, propice**
– Il est opportun de partir **indiqué, judicieux, recommandé, souhaitable, expédient**

OPPORTUNISME
– Opportunisme politique **attentisme**

OPPORTUNITÉ
– Opportunité d'une loi **à-propos, pertinence**
– Avoir l'opportunité de partir en voyage gratuitement **chance, occasion, possibilité**

OPPOSANT
– Les opposants dans un jeu **adversaires, concurrents**
– Les opposants dans un conflit **rivaux, ennemis**
– Les opposants à un régime **détracteurs**

OPPOSÉ
– Aller dans une direction opposée **inverse, contraire**
– Côtés opposés d'une pièce de monnaie **pile, face, avers, envers**
– Courir pour la partie opposée **adverse, rivale, antagoniste**
– Des éléments semblables mais opposés **symétriques**
– Des intérêts opposés **inconciliables, incompatibles**
– Des positions opposées **divergentes**
– Endroit diamétralement opposé à un autre **antipode**
– Être opposé à une action **hostile, défavorable**
– Les côtés opposés d'une feuille de papier **recto, verso, endroit, envers**
– Mot de sens opposé **antonyme**
– Propositions opposées **antinomiques, antithétiques, contradictoires**

OPPOSER
– Quel argument a-t-il opposé à votre opération ? **allégué, invoqué, objecté**
– Opposer des points de vue **comparer, mettre en parallèle, confronter**
– La jalousie les a opposés pendant de nombreuses années **divisés, désunis**

OPPOSER (S')
– Il s'oppose à tous les projets qui lui sont proposés **combat, contrecarre, dresse contre (se), élève contre (s'), rejette, met son veto à**

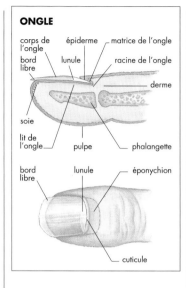

ONGLE

corps de l'ongle — épiderme — matrice de l'ongle
bord libre — lunule — racine de l'ongle
— derme
soie
lit de l'ongle — pulpe — phalangette

bord libre — lunule — éponychion
— cuticule

– Aux élections municipales, deux listes s'opposaient **affrontaient (s')**
– S'opposer à un pouvoir **braver, faire face à, contrer**
– Le noir de son pantalon s'opposait au rouge de son pull **contrastait, tranchait**

OPPOSITION
– Opposition à un processus **obstacle, obstruction, barrage**
– Opposition à une personne **conflit, dispute**
– Faire opposition à une décision **mettre son veto**
– Opposition à un pouvoir **désobéissance, résistance, révolte, rébellion**
– Opposition à un projet **désapprobation, répugnance**
– Opposition de conceptions **désaccord, dissension, antagonisme**
– Opposition de couleurs **contraste, dissonance, disparité, discordance**
– Opposition de proportions **asymétrie, dissemblance, dissimilitude**
– Opposition verbale **objection, contestation**

OPPRESSION
syn. **coercition, contrainte, domination, joug**
– Maintenir le peuple dans l'oppression **assujettissement, asservissement**
– Régime d'oppression **tyrannie, dictature**
– Sensation d'oppression **asphyxie, suffocation**

OPPRIMER
– Opprimer un peuple **asservir, assujettir, martyriser, tyranniser**
– Opprimer une femme **exploiter**

– Opprimer les consciences **étouffer, museler**
– Se sentir opprimé **écrasé, humilié**

OPTIMISTE
syn. **confiant, positif**

OPTIQUE
– Instrument d'optique **lunette, lentille, loupe, microscope, lunette astronomique, longue-vue, jumelle**
– Personne qui vend des instruments d'optique **opticien**
– Ils n'ont pas la même optique sur les choses **point de vue, vision**

OPULENT
– Une société opulente **riche, fortunée, luxueuse**
– Une femme aux formes opulentes **forte, ronde, bien en chair**
– Un mode de vie opulent **fastueux**
– Une poitrine opulente **lourde, généreuse, plantureuse**

OPUSCULE
syn. **brochure, livret**

OR
– Alliage imitant l'or **chrysocale**
– Argent recouvert d'or **vermeil**
– Statue en or et en ivoire **chryséléphantine**
– Aspect de l'or brut **paillette, pépite, poudre**
– Aspect de l'or travaillé **barre, lingot**
– Chercheur d'or **orpailleur**
– Fil d'or utilisé en broderie **cantille**
– Gisement d'or **placer**
– Marque attestant la pureté de l'or **poinçon**
– Pièce d'or **louis, napoléon**
– Quantité d'or fin renfermée dans un alliage **carat**
– Technique consistant à battre l'or pour en obtenir des feuilles **batte**
– Tissu broché de fils d'or **brocart**
– Titre légal de l'or **aloi**
– Travailler l'or **amatir, dépolir, brunir, dégrossir**
– Un terrain contenant de l'or **aurifère**
– Or noir **pétrole**
– Une affaire en or **avantageuse, fructueuse**
– Une personne au cœur d'or **généreuse, charitable, bonne, philanthrope**

ORACLE
– Les oracles de Nostradamus **prédictions, prophéties**

ORAGE
– Manifestation de l'orage **éclair, grêle, pluie, tonnerre**
– Vent violent accompagnant un orage **bourrasque, ouragan, rafale, tempête**

– Traverser les orages de la vie **difficultés, tumultes, troubles, vicissitudes**

ORAGEUX
– Un climat orageux **tendu, explosif**
– Un temps orageux **lourd, accablant**
– Une entrevue orageuse **agitée, mouvementée, tumultueuse, houleuse**

ORAL
– Témoignage oral **verbal**
– Récit de la tradition orale **conte, geste**

ORANGE
– Les morceaux d'une orange **quartiers**
– Écorce d'orange **zeste**
– Écorce d'orange confite **orangeat**
– Liqueur d'écorce d'orange **curaçao**
– Orange cueillie avant maturité et utilisée en confiserie **orangette**
– Variété d'orange amère **bigarade**
– Boisson faite de vin rouge, d'oranges et d'autres fruits **sangria**
– Orange à chair rouge **sanguine**
– Boisson à base de jus d'orange, d'eau et de sucre **orangeade**

ORANGER
– Plantation d'orangers **orangeraie**
– Pièce où sont entreposés les orangers cultivés en caisse pendant l'hiver **orangerie**

ORATEUR
– Orateur dont le discours constitue une véritable plaidoirie **tribun, apologiste**
– Orateur grandiloquent et peu sincère **phraseur, rhéteur**
– Orateur religieux **prêcheur, prédicateur**
– Qualité attendue d'un orateur **éloquence**
– Cette conférence réunira plusieurs orateurs **intervenants**
– Mauvais orateur **déclamateur**

ORBITE
– Pour un astre, quitter son orbite **dérober**
– Satellite qui a quitté son orbite **désorbité**
– Attirer une personne dans son orbite **sphère, sillage, milieu**
– Mouvement relatif à l'orbite **orbital**
– Œil sorti de son orbite **exorbité**
– Orbite de l'œil **cavité**
– Orbite des planètes **ellipse**
– Partie inférieure de l'orbite **arcade**
– Point de l'orbite d'un astre le plus éloigné de la Terre **apogée**
– Point de l'orbite d'un astre le plus rapproché de la Terre **périgée**

ORCHESTRATION
– Traité d'orchestration **instrumentation**
– Orchestration d'un morceau de musique **arrangement, harmonisation**

ORCHESTRE *Voir illustration p. 426*
– Composition écrite pour un orchestre et un instrument soliste **concert, symphonie**
– Élément d'un orchestre **instrumentiste**
– Instrument du chef d'orchestre **baguette**
– Musique d'orchestre **orchestrale, symphonique**
– Orchestre de chambre **trio, quatuor, quintette, sextuor, septuor, octuor**
– Orchestre de cuivres parfois accompagnés de percussions **fanfare, harmonie**
– Orchestre restreint **orchestre de chambre**

ORCHESTRER
– Orchestrer un morceau de musique **arranger, harmoniser**
– Orchestrer une manifestation sportive **organiser**

ORCHIDÉE
– Famille à laquelle appartient l'orchidée **orchidacées**
– Espèce d'orchidée la plus répandue en Europe **orchis, ophrys, cattleya, sabot-de-Vénus**
– Espèce d'orchidée produisant un fruit très connu **vanillier**
– Pétale supérieur de la corolle de l'orchidée **labelle**
– Une orchidée vivant fixée sur d'autre végétaux **épiphyte**
– Amateur d'orchidées **orchidophile**

ORDINAIRE
– Agir selon l'usage ordinaire **admis, général, traditionnel, établi**
– Des manières très ordinaires **grossières, vulgaires, triviales, communes**
– En temps ordinaire **habituellement, normalement, ordinairement**
– Un individu tout à fait ordinaire **quelconque**
– Un officier chargé de l'ordinaire **alimentation, nourriture, cuisine**
– Un phénomène ordinaire **banal, classique, familier**
– Une intelligence ordinaire **moyenne, médiocre**

ORDINATEUR
voir aussi **informatique**
– Programme qui donne son intelligence à l'ordinateur **système d'exploitation**
– Programmes qui font fonctionner un ordinateur **logiciels**
– Propre au monde créé par les ordinateurs **cybernétique, virtuel**

ORDONNANCE
– Admirer l'ordonnance d'un tableau **composition, agencement**
– Ordonnance d'un juge **décision**
– Ordonnance juridique **décret, arrêt, jugement, règlement**
– Ordonnance militaire **aide de camp**
– Ordonnance médicale **prescription**
– Papier sur lequel les médecins rédigent leurs ordonnances **ordonnancier**

EXEMPLES D'OPÉRATIONS CHIRURGICALES

Adénomectomie : ablation d'un adénome.

Appendicectomie : ablation de l'appendice iléo-cæcal.

Artériotomie : incision d'une artère.

Cholécystectomie : ablation de la vésicule biliaire.

Cholédochotomie : incision du canal cholédoque afin d'extraire les corps étrangers (calculs biliaires) qui l'obstruent.

Colostomie : création d'un anus artificiel en abouchant le côlon à la peau.

Cystectomie : résection totale ou partielle de la vessie.

Embryotomie : opération consistant à écraser ou morceler un fœtus mort pour permettre son extraction.

Épisiotomie : incision du périnée pratiquée au cours d'un accouchement.

Gastrectomie : résection totale ou partielle de l'estomac.

Hystérectomie : ablation de l'utérus.

Iléostomie : création d'un anus artificiel par abouchement de la dernière partie de l'intestin grêle (iléon) à la peau.

Iridectomie : résection partielle de l'iris.

Laparotomie : ouverture de la paroi abdominale.

Laryngectomie : ablation du larynx.

Lithotritie : broiement de calculs pour en faciliter l'élimination par les voies naturelles.

Lobotomie/leucotomie : section de fibres nerveuses à l'intérieur du cerveau.

Néphrectomie : ablation totale ou partielle d'un rein.

Neurotomie/névrotomie : section d'un nerf.

Ostéotomie : section d'un os long.

Phlébotomie : incision d'une veine.

Thoracotomie : ouverture du thorax.

Trachéotomie : ouverture de la trachée.

Vasectomie : résection des canaux déférents.

Vasotomie : section des canaux déférents ou ligature pratiquée sur les canaux déférents.

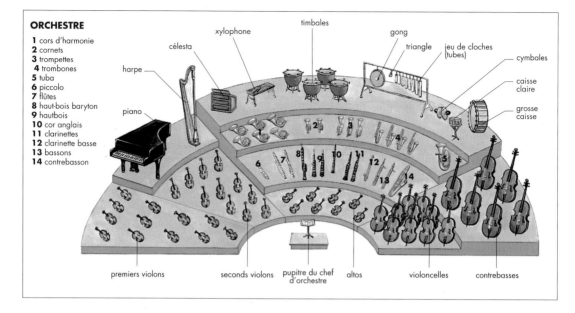

ORCHESTRE

1 cors d'harmonie
2 cornets
3 trompettes
4 trombones
5 tuba
6 piccolo
7 flûtes
8 haut-bois baryton
9 hautbois
10 cor anglais
11 clarinettes
12 clarinette basse
13 bassons
14 contrebasson

xylophone · timbales · gong · triangle · jeu de cloches (tubes) · cymbales · caisse claire · grosse caisse · célesta · harpe · piano

premiers violons · seconds violons · pupitre du chef d'orchestre · altos · violoncelles · contrebasses

ORDONNER

– Ordonner à quelqu'un de faire telle chose **commander, imposer, obliger, exiger**
– Ordonner au nom de Dieu **prier, supplier, adjurer**
– Ordonner des éléments épars **rassembler, ranger, classer, regrouper, agencer**
– Ordonner très fermement et très clairement **enjoindre, intimer, sommer**
– Ordonner un prêtre **consacrer**

ORDRE

– Annulation d'un ordre **contrordre**
– Expression de l'ordre public **loi**
– Faire régner l'ordre **discipline, calme, paix, sécurité**
– Forces de l'ordre **armée, police, gendarmerie**
– Les trois ordres de la société avant la Révolution française **noblesse, clergé, tiers état**
– Ordre architectural **style**
– Ordre architectural grec **corinthien, dorique, ionique**
– Ordre architectural romain **toscan, composite**
– Ordre logique **série, succession, filiation, enchaînement, gradation**
– Appartient à un ordre mineur de l'Église catholique romaine **acolyte, exorciste, lecteur, portier**
– Ordre n'admettant pas de réplique **diktat, oukase, ultimatum**
– Ordre professionnel **association, corporation**
– Ordre religieux **communauté, société, confrérie**

– Ordres de la hiérarchie ecclésiastique **degrés**
– Ordres majeurs de la hiérarchie catholique romaine **sous-diaconat, diaconat, sacerdoce**
– Rappel à l'ordre **blâme, admonestation, semonce, réprimande**
– Ordre formel **injonction, consigne, instruction, commandement, directive**
– Règles grammaticales régissant l'ordre des mots **syntaxe**
– Ordre informatique **directive, indication, commande**

ORDURE

– Ramasser les ordures **détritus, déchets**
– Boîte à ordures **poubelle**
– Vide-ordures dans un immeuble **dévaloir**
– Préposé au ramassage des ordures **boueux, éboueur**
– Lieu de stockage des ordures **dépotoir, décharge**
– Moyen utilisé pour optimiser le traitement des ordures **tri sélectif**
– Traitement des ordures **incinération, compostage, broyage, recyclage**
– Ordures animales **excréments**
– Proférer des ordures **grossièretés, obscénités**

OREILLE *Voir illustration p. 429*

– Fonction de l'oreille **audition, équilibre**
– Caisse de résonance de l'oreille **tympan**
– Osselet de l'oreille **marteau, enclume, étrier**
– Partie charnue de l'oreille **lobe**

– Partie de l'oreille responsable de l'audition **limaçon, cochlée**
– Ourlet du pavillon de l'oreille **hélix**
– Excavation de l'oreille **conque**
– Zone de l'oreille **auriculaire**
– Substance sécrétée dans l'oreille **cérumen**
– Écoulement par l'oreille d'une substance organique **otorrhée**
– Domaine de la médecine étudiant l'oreille **otologie**
– Instrument permettant l'examen de l'oreille **otoscope**
– Douleur d'oreille **otalgie**
– Maladie de l'oreille interne **otospongiose**
– Inflammation de l'oreille **otite**
– Courbe de la sensibilité de l'oreille aux différents sons **audiogramme**
– Couper les oreilles d'un chien **essoriller**
– Oreille de fauteuil **oreillard**
– Oreille-de-souris **myosotis**
– Oreille-de-mer **haliotide, ormeau**
– Saisir une marmite par les oreilles **anses, poignées**

OREILLER

– Oreiller long **traversin, polochon**
– Pièce de tissu enveloppant l'oreiller **taie**
– Garniture d'un oreiller **plume, mousse**

ORGANE

– Formation et développement des organes **organogenèse**
– Implantation d'un organe **greffe**
– Une lésion d'un organe **organique**
– Organe comptable **journal, grand-livre, balance**
– Organes d'une machine **mécanisme**

– Organe d'un parti **bulletin, publication**
– Posséder un bel organe **voix**
– Utilisation d'organes à des fins thérapeutiques **opothérapie, organothérapie**
– Ensemble d'organes concourant à une même fin **appareil**

ORGANISATION
– Admirer l'organisation du corps humain **économie**
– Avoir l'esprit d'organisation **entreprise, décision, direction, méthode**
– Critiquer l'organisation d'une entreprise **structure, infrastructure**
– Manque d'organisation **laisser-aller, négligence, incurie, gabegie**
– Organisation politique **formation, association, parti, groupe**
– Plan d'organisation **planning, emploi du temps, tableau**
– Tableau schématique indiquant l'organisation d'une administration **organigramme**
– Veiller à l'organisation d'un dîner **agencement, arrangement, préparation**

ORGANISER
– Organiser une entrevue **préparer, prévoir, ménager**
– Organiser une mise en scène **diriger, régler, orchestrer**
– Personne qui organise quelque chose **organisateur**

ORGANISME
– Organisme de décision **instance**
– Organisme élémentaire **cellule**
– Organisme microscopique **microorganisme**

ORGASME
syn. **acmé, jouissance**
– Absence d'orgasme **anorgasmie, frigidité**

ORGE
– Grains d'orge débarrassés de leur première enveloppe **orge mondé**
– Grains d'orge débarrassés de tout leur son **orge perlé**
– Orge à deux rangs utilisée pour la fabrication de la bière **paumelle, marsèche**
– Orge broyé pour faire de la bière **brai**
– Orge hâtif d'automne **escourgeon**
– Transformation de l'orge en malt **maltage**
– Boisson à base d'orge **bière, orgeat, whisky**

ORGUE
– Fabricant d'orgues **facteur d'orgues, organier**
– Groupes de jeux d'orgue **jeux de fond, jeux d'anche, jeux de mutation**
– Commande d'un jeu d'orgue **registre**
– Joueur d'orgue **organiste**
– Meuble renfermant le mécanisme d'un orgue **buffet**
– Orgue portatif à manivelle **orgue de Barbarie, limonaire**
– Partie de l'orgue ou plan sonore correspondant aux différents claviers **positif, grand orgue, bombarde, récit, écho, pédale**
– Pièce pour orgue **toccata, passacaille, fugue**
– Série de tuyaux d'un orgue de même espèce et de même timbre **jeu d'orgue**
– Touche d'un orgue **marche**

ORGUEIL
– Attitude empreinte d'orgueil **dédain, arrogance, outrecuidance, morgue, mépris**
– Être blessé dans son orgueil **fierté, amour-propre**
– Animal associé à l'orgueil **paon, pou**

ORGUEILLEUX
– Une attitude orgueilleuse **arrogante, dédaigneuse, hautaine**
– Être orgueilleux **fier, présomptueux, prétentieux, vaniteux, fat, infatué**

ORIENT
syn. **levant**
– Le soleil se lève à l'orient **est**
– Le Grand Orient de France **obédience de la franc-maçonnerie**
– Apprécier l'orient d'une perle **reflet**

ORIENTAL
– Rendre oriental **orientaliser**
– Étude de la civilisation orientale **orientalisme**
– Personne qui étudie la civilisation orientale **orientaliste**

ORIENTATION
– Choisir l'orientation d'une maison **situation, position, exposition**
– Définir une orientation politique **direction, tendance, ligne**
– Instrument d'orientation **boussole, carte, compas, table d'orientation**
– Instrument utilisé pour connaître l'orientation d'un lieu **orienteur**
– Organisme spécialisé dans l'orientation professionnelle **assistance, conseil**
– Réaction d'orientation manifestée par un animal ou une plante **tropisme**

ORIENTER
– Orienter une maison au sud **exposer**
– Orienter une personne désemparée **guider, aiguiller, renseigner**

ORIENTER (S')
– S'orienter vers une filière **diriger (se), choisir**

– Ne pas arriver à s'orienter quelque part **repérer (se)**

ORIFICE
syn. **ouverture, trou**
– Orifice d'un égout **bouche**
– Orifice dans lequel on insère une clé pour ouvrir une porte **serrure**
– Orifice de la peau **pore**
– En couture, un orifice décoratif **jour**

ORIGINAL
– Produire l'exemplaire original d'un acte notarié **minute**
– Un auteur original **inventif, créatif, génial, novateur, inspiré**
– Un document original **authentique**
– Un style original **personnel, singulier**
– Une enfant originale **excentrique, fantaisiste, fantasque, extravagante**
– Une manière originale de se vêtir **étonnante, rare, surprenante, curieuse, bizarre, insolite, baroque**
– Une technique originale **nouvelle, inconnue, moderne**

ORIGINALITÉ
– Faire preuve d'originalité **innovation, créativité, fantaisie, hardiesse, invention, nouveauté, drôlerie, fraîcheur**
– Originalité d'une œuvre **particularité, spécificité**
– Originalité d'un comportement **bizarrerie, étrangeté, excentricité, extravagance, marginalité, singularité**

ORIGINE
– Découvrir l'origine d'un vin **provenance**
– Effectuer des recherches sur ses origines **arbre généalogique, extraction, lignée, ascendance, parenté, souche**
– Le lieu d'origine d'une tradition, d'une civilisation **berceau**
– Rechercher l'origine d'un mot **étymologie**
– S'attaquer à l'origine du mal **racine, source**
– S'interroger sur l'origine d'un conflit **cause, motif, prétexte**
– Moyen permettant de connaître l'origine d'une viande bovine **traçabilité**

ORIGINEL
– Le sens originel d'un mot **initial, originaire, premier, primitif**
– Capacité originelle **congénitale, innée**

ORNEMENT
– Ajouter un ornement à une toilette **parure, fanfreluche, colifichet, accessoire**
– Artiste chargé des ornements en plâtre ou en stuc **ornemaniste**
– Entrelacement de lignes, de dessins servant d'ornement **arabesque**

– Ornement en architecture **frise, bandeau, moulure, applique**
– Ornement musical **fioriture**
– Ornement peint des livres anciens **enluminure, miniature**
– Ornement utilisé en typographie **fleuron, vignette**

ORNER
syn. **embellir, parer**
– Orner de lumières un édifice, une avenue **illuminer**
– Orner son récit de mots drôles **agrémenter, émailler, enrichir, enjoliver, égayer**
– Orner un ouvrage de motifs, de dessins **illustrer, décorer**
– Orner un tissu, un vêtement **broder, brocher, galonner**
– Orner une pièce d'orfèvrerie **nieller, guillocher, incruster**

ORTHODOXE
– Condamné pour ses positions politiques non orthodoxes **dissident**
– Église orthodoxe **autocéphale, bulgare, grecque, roumaine, russe, serbe**
– Ils furent pourchassés pour leurs positions religieuses non orthodoxes **hérétiques, schismatiques**
– Une attitude très orthodoxe **traditionaliste, conformiste**
– Utiliser des moyens peu orthodoxes **douteux, critiquables, illicites**

ORTHOGRAPHE
– Difficultés dans l'apprentissage de l'orthographe **dysorthographie**
– Mots de même orthographe **homographes**
– Énoncer l'orthographe d'un mot **épeler**

OS
voir aussi **squelette**
– Ensemble des os **squelette**
– Domaine de l'anatomie étudiant les os **ostéologie**
– Type d'os **plat, long, court**
– Cancer des os **ostéosarcome**
– Formation et développement des os **ostéogenèse**
– Fragment d'os **esquille**
– Type d'articulation des os **diarthrose, suture, symphyse, synarthrose**
– Inflammation des os **ostéite, ostéomyélite**
– Membrane entourant l'os **périoste**
– Os épars dépouillés de leur chair **ossements**
– Partie extrême d'un os long **épiphyse**
– Partie moyenne d'un os long **diaphyse**
– Sectionnement d'un os long **ostéotomie**
– Ramollissement généralisé des os **ostéomalacie**

– Substance constitutive des os **osséine**
– Protubérance sur un os **apophyse**
– Substance contenue dans les os **moelle**
– Thérapeutique fondé sur la manipulation des os **ostéopathie, chiropraxie**

OSCILLATION
– Forme qui représente les oscillations **sinusoïde**
– Appareil utilisé pour mesurer les oscillations électriques **oscillographe**
– Les oscillations d'un bateau **roulis, tangage, balancement**
– Les oscillations du cours du pétrole **variations, fluctuations**

OSCILLER
– Le bateau oscille **tangue, ballotte**
– La pile de livres a oscillé avant de tomber **brimbalé, bringuebalé, chancelé, vacillé, chaviré**
– Osciller entre deux partis **balancer, tergiverser, tâtonner, flotter, hésiter**

OSÉ
– Des propos osés **légers, lestes, libres, libertins**
– Un comportement osé **audacieux, téméraire**
– Une entreprise osée **risquée, hardie**
– Une scène très osée **scabreuse, licencieuse, indécente**

OSER
– Un homme capable de tout oser **entreprendre, risquer, tenter**
– S'il ose me menacer à nouveau, j'informerai la police **aventure à (s'), avise de (s'), hasarde à (se), risque à (se)**

OSIER
– Famille à laquelle appartient l'osier **salicacées**
– Culture de l'osier **osiériculture**
– Plantation d'osiers **oseraie**
– Marchand d'osier **osiériste**
– Utilisation majeure de l'osier **vannerie**
– Partie de l'osier utilisée en vannerie **rameau**

OSSATURE
syn. **squelette**
– Ossature d'un toit **charpente**
– L'ossature d'une pièce de théâtre **canevas, plan, scénario, trame, intrigue**

OSSEUX
– Cellule responsable de la destruction du tissu osseux **ostéoclaste**
– Cellule responsable de la reconstruction du tissu osseux **ostéoblaste**
– Cellule osseuse à maturité **ostéocyte**
– Formation du tissu osseux **ostéogenèse, ossification**
– Tumeur osseuse se situant près des articulations **ostéophyte, exostose**

– Tumeur osseuse bénigne **ostéoblastome, ostéome, ostéome ostéoïde**
– Tumeur osseuse maligne **ostéosarcome**
– Affection osseuse **ostéopathie**
– Raréfaction de la substance osseuse **ostéoporose, déminéralisation**
– Technique utilisée pour mesurer la densité osseuse **densitométrie osseuse, tomodensitométrie quantitative**
– Maladie causant des fissurations osseuses **ostéomalacie**
– Maladie infectieuse des tissus osseux **ostéite aiguë, ostéomyélite aiguë, spondylodiscite, arthrite septique**
– Mort du tissu osseux **nécrose**
– Une main osseuse **maigre, squelettique**

OSSIFICATION
– Ossification augmentant les os en épaisseur **périostique**
– Ossification augmentant les os en longueur **enchondrale**
– Ossification pathologique du périoste **ostéophyte, bec-de-perroquet**

OSTENSIBLE
syn. **apparent, évident, flagrant, manifeste, patent, visible, voyant**

OSTENTATION
– Agir par goût de l'ostentation **vanité, gloriole, suffisance, fatuité**
– Ostentation certaine à prodiguer ses largesses **parade, étalage, affectation**

OTAGE
– Prix exigé pour la libération d'un otage **rançon**
– Utilisation de l'otage **gage, garant, répondant**

ÔTER
– Ôter tout espoir chez quelqu'un **tuer, annihiler**
– Ôter les allumettes des mains d'un enfant **confisquer, prendre, retirer**
– Ôter un objet gênant **déplacer, enlever**
– Ôter un vêtement **quitter, débarrasser de (se)**
– Ôter une partie d'un tout **soustraire, déduire, retrancher**
– Ôter un nom d'une liste **barrer, effacer, radier, rayer, supprimer**
– Ôter une épine du pied **soulager, soigner**
– Ôter une croûte **arracher**

OUATE
– Des coussins remplis de ouate **bourre**
– Nettoyer une plaie avec de la ouate **coton**

OUBLI
– Fleuve de l'oubli dans la tradition grecque **Léthé**

– Oubli volontaire **dissimulation**
– Oubli de soi **abnégation, désintéressement, dévouement, renoncement, sacrifice**

– Motif de l'oubli dans la théorie freudienne **refoulement**
– Avoir un oubli **absence, trou**
– Oubli pathologique **amnésie**

– Oubli pathologique des événements les plus récents survenus depuis le début des troubles **amnésie antérograde**
– Oubli pathologique des événements les plus récents survenus avant le début des troubles **amnésie rétrograde**
– Oubli regrettable **négligence, étourderie**
– Désolé, c'est un oubli! **distraction, inattention, omission**
– Il y a des oublis dans sa démonstration **lacunes**
– Oubli de ses promesses **manquement, rétractation, dédit**
– Oubli des péchés **absolution, pardon**
– Craindre l'oubli des autres **indifférence, ingratitude**

OUBLIER
– Oublier délibérément un interdit **transgresser, enfreindre**
– Oublier les connaissances acquises **désapprendre, régresser**
– Oublier les règles de bienséance **manquer à, déroger à**
– Oublier ses amis **délaisser, abandonner, désintéresser de (se), négliger**
– Oublier une offense **pardonner, excuser**
– Oublier de faire quelque chose **omettre de**

OUBLIEUX
– Il est oublieux de l'aide reçue **ingrat**
– Être oublieux de ses devoirs **négligent, insouciant**

OURAGAN
syn. **cyclone, tornade, typhon**

OURLET
syn. **repli**
– Bâtir un ourlet **faufiler**

OURS
– Famille à laquelle appartient l'ours **ursidés**
– Bruit émis par l'ours **grondement, grognement**
– Habitat de l'ours **tanière**
– Ours brun d'Amérique du Nord **grizzli**
– Ours noir d'Amérique du Nord **baribal**
– Ours du Sud-Est asiatique **ours malais, ours des cocotiers, ours lippu**
– Ours géant d'Alaska **kodiak**
– Ours polaire **ours blanc**
– Petit de l'ours **ourson**
– Cet individu est un véritable ours **rustre, sauvage, misanthrope, solitaire**

OUTIL
syn. **appareil, instrument**
– Concepteur et fabricant d'outils **outilleur**
– Outils de cuisine **ustensiles**

OREILLE

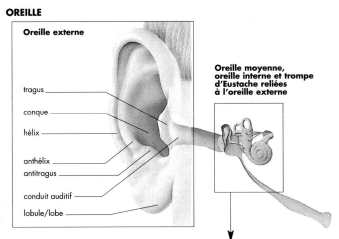

Oreille externe

tragus
conque
hélix
anthélix
antitragus
conduit auditif
lobule/lobe

Oreille moyenne, oreille interne et trompe d'Eustache reliées à l'oreille externe

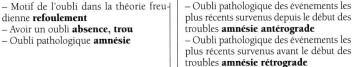

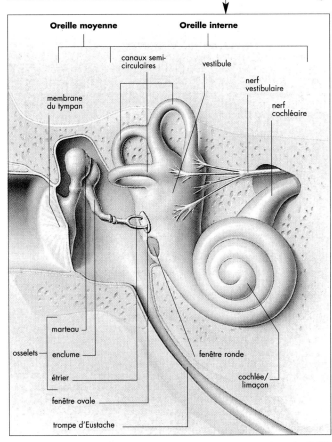

Oreille moyenne | Oreille interne

canaux semi-circulaires
vestibule
membrane du tympan
nerf vestibulaire
nerf cochléaire
marteau
enclume
osselets
étrier
fenêtre ovale
fenêtre ronde
trompe d'Eustache
cochlée/limaçon

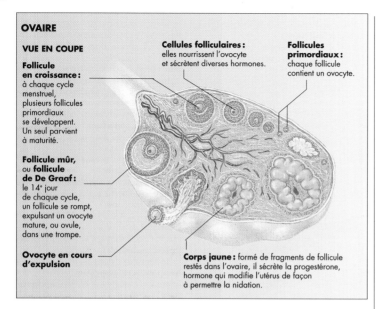

OVAIRE

VUE EN COUPE

Follicule en croissance : à chaque cycle menstruel, plusieurs follicules primordiaux se développent. Un seul parvient à maturité.

Follicule mûr, ou follicule de De Graaf : le 14e jour de chaque cycle, un follicule se rompt, expulsant un ovocyte mature, ou ovule, dans une trompe.

Ovocyte en cours d'expulsion

Cellules folliculaires : elles nourrissent l'ovocyte et sécrètent diverses hormones.

Follicules primordiaux : chaque follicule contient un ovocyte.

Corps jaune : formé de fragments de follicule restés dans l'ovaire, il sécrète la progestérone, hormone qui modifie l'utérus de façon à permettre la nidation.

– Outils utilisés par un artisan **matériel, équipement**
– Pouvoir d'outils **outiller**

OUTILLAGE
syn. **équipement, instrument, matériel**

OUTRAGE
syn. **affront, injure, insulte, offense**
– Un outrage à la dignité humaine **atteinte**

OUTRANCE
syn. **démesure, exagération, excès**

OUTRE
– Outre votre bourse d'études, avez-vous des aides ? **en dehors de, indépendamment de, en plus de**
– Il n'a pas travaillé outre mesure **excessivement, trop, démesurément**
– En outre **de plus, de surcroît, en plus**

OUTREPASSER
syn. **dépasser, excéder, franchir**

OUVERT
– Afficher une opposition ouverte à un projet **déclarée, manifeste, publique, patente**
– Les fleurs sont ouvertes **épanouies**
– Parler à cœur ouvert **simplement, franchement, directement**
– Recevoir une personne à bras ouverts **cordialement, chaleureusement**
– Rester bouche ouverte **bouche bée, stupéfait**
– Un esprit ouvert **éveillé, curieux, vif**

OUVERTURE
– Ouverture pratiquée dans un mur **baie, meurtrière, jour, embrasure, soupirail, fenêtre**
– Ouverture pratiquée dans une porte **chatière, judas, guichet**
– Première ouverture au public d'un établissement **inauguration, vernissage**
– Ouverture de la pêche **début**
– Ouverture d'une œuvre musicale **prélude**
– Ouverture d'esprit **tolérance**
– Faire des ouvertures à l'ennemi **propositions, avances, offres**
– Ouverture d'un compas **écartement**

OUVRAGE
– Ouvrage féminin traditionnel **couture, broderie, tapisserie**
– Ouvrages d'art **pont, tunnel, tranchées**
– Ouvrage militaire **fortification**
– Se mettre à l'ouvrage **œuvre, travail, tâche, labeur**

OUVRAGÉ
– Un plafond très ouvragé **décoré, travaillé**
– Un texte ouvragé **fignolé, soigné, léché**

OUVRIER
– Ouvrier dépourvu de toute qualification **manœuvre**
– Nom donné à l'ouvrier pour l'opposer à l'employé de bureau **col-bleu**
– Ouvrier agricole rétribué à la journée **journalier**
– Doctrine politique accordant aux ouvriers une place prééminente **ouvriérisme**
– Classe ouvrière **prolétariat**

OUVRIR
– Ouvrir à peine une porte **entrouvrir, entrebâiller**
– Ouvrir démesurément les yeux **écarquiller**
– Ouvrir des négociations **entreprendre, entamer, amorcer**
– Ouvrir l'appétit **aiguiser, exciter**
– Ouvrir les hostilités **déclencher**
– Ouvrir les huîtres **écailler**
– Ouvrir un puits **creuser, forer**
– Ouvrir une bouteille **déboucher**
– Ouvrir une enveloppe **décacheter**
– Ouvrir un chemisier **dégrafer, déboutonner**
– Ouvrir une porte en la forçant **crocheter, enfoncer**
– Ouvrir un abcès **inciser, percer**
– Ouvrir un commerce **créer, fonder, établir, implanter**
– Ce qu'il m'a dit m'a ouvert les yeux quand à son honnêteté **dessillé**
– L'oiseau ouvre ses ailes **déploie**

OUVRIR (S')
– S'ouvrir d'un projet à un ami **confier**
– S'ouvrir un passage **frayer (se)**
– S'ouvrir sur un jardin **avoir vue sur, donner sur**
– Les fleurs s'ouvrent **épanouissent (s'), éclosent**

OVAIRE *Voir illustration ci-contre*
– Ablation d'un ovaire **ovariectomie**
– Cellule produite par les ovaires **ovule**
– Hormone sécrétée par les ovaires **folliculine, œstrogène, progestérone**
– Inflammation des ovaires **ovarite**
– Relatif à l'ovaire **ovarien**

OVALE
– Élément ayant pris une forme ovale **ovalisé, elliptique**
– Pratique du ballon ovale **rugby**

OVATION
syn. **acclamation, applaudissement, clameur, cri, vivat**

OVULE
syn. **gamète femelle**
– Relatif à l'ovule **ovulaire**
– Expulsion d'un ovule **ovulation**

OXYGÈNE
– Combinaison d'oxygène et d'hydrogène **eau**
– Eau fortement additionnée d'oxygène **eau oxygénée**
– Utilisation de l'oxygène à des fins thérapeutiques **oxygénothérapie**
– Combinaison d'oxygène avec un autre corps **oxyde**
– Combinaison contenant le plus grand nombre d'atomes d'oxygène **peroxyde**
– Prendre un bol d'oxygène **air pur**

PACHA
– Ancien territoire soumis au gouvernement d'un pacha **pachalik, sandjak**

PACIFIER
– Ils cherchaient à pacifier leurs relations conflictuelles **apaiser, calmer, détendre, rasséréner (se)**

PACIFIQUE
– Archipel de l'océan Pacifique **Carolines, Mariannes, Marshall**
– Pratique pacifique **non-violence**
– Entente pacifique entre États **non-agression**
– Attitude pacifique affichée en dépit des conflits **irénisme**
– Il est d'un caractère plutôt pacifique **paisible, calme, débonnaire, placide, serein**

PACIFISTE
– Symbole des pacifistes **colombe, rameau d'olivier**

PACOTILLE
– Ce bijou est de la pacotille **verroterie, toc, camelote, bimbeloterie**

PACTE
– Les États ont signé un pacte **accord, traité, convention, entente**
– Pacte religieux **alliance, testament**
– Pacte commercial **marché**

PAGE
voir aussi **feuille**
– Face d'une page **recto, verso**
– Assemblage de plusieurs pages **cahier**
– Chiffre qui numérote chaque page d'un livre **folio**
– La numérotation des pages d'un livre **pagination**
– Mise en pages **maquette, composition, PAO**
– Disposition des pages pour l'impression **imposition**
– Pages à corriger avant l'impression **épreuves**
– Dernière épreuve d'une page de journal **morasse**

– Règle servant à mesurer la hauteur d'une page **pige**

PAIEMENT
– Paiement d'une facture **acquittement**
– Paiement d'un achat **règlement**
– Paiement à tempérament **mensualité, annuité**
– Paiement partiel **acompte, arrhes, à-valoir**
– Paiement d'un employé **salaire**
– Paiement d'un fonctionnaire **traitement, émoluments**
– Paiement d'un artiste **cachet**
– Paiement d'un soldat **solde**
– Mode de paiement **argent, chèque, carte de crédit, virement, lettre de change, mandat, TIP (titre interbancaire de paiement), TEP (titre électronique de paiement)**
– Reçu prouvant un paiement **décharge, acquit, quittance, récépissé, facture, facturette**

PAÏEN
– Païen considéré du point de vue des religions judéo-chrétiennes **incroyant, mécréant, idolâtre, impie, gentil**
– Païen nouvellement converti au judaïsme **prosélyte**
– Païen qui attribue aux choses une âme semblable à l'âme humaine **animiste**
– Gens d'Église chargés d'évangéliser les païens **missionnaires**
– Religion dite païenne **polythéiste**
– Désignation des religions païennes par les chrétiens **paganisme**

PAILLASSON
– Il essuie ses chaussures sur le paillasson avant d'entrer **essuie-pieds, gratte-pieds, tapis-brosse**

PAILLE
– Paille restant en terre après la moisson **chaume, éteule**
– Mortier constitué de paille et de terre **bousillage, bauge, pisé, torchis**
– Tas de paille **meule, meulon, botte**
– Chapeau de paille **canotier, panama, capeline**

– Paille provenant du seigle et dont on couvre les toits **glui**
– Brin de paille **fétu**
– Couvrir de paille le pied d'un arbre **pailler, enchausser**
– Manchon de paille servant d'enveloppe aux bouteilles **paillon**
– Paille et foin dont on nourrit les animaux **fourrage**
– Frotter un cheval avec de la paille **bouchonner**
– Boire une limonade à la paille **chalumeau**

PAILLETTE
– Chercheur de paillettes d'or dans les sables **orpailleur, pailleteur**
– Paillette constituant le ressort d'une targette **paillet**
– Paillette constituant un défaut dans un diamant **paille, gendarme**
– Paillette de soudure d'orfèvrerie **paillon**

PAIN
– Forme de pain long **flûte, saucisson, ficelle, baguette**
– Forme de pain rond **miche, boule, couronne**
– Pain de 250 grammes **bâtard**
– Pain régional **fouace, gressin, bretzel**
– Fabrication du pain **panification**
– Apprenti spécialisé dans la fabrication du pain **mitron, gindre**
– Matériel de fabrication du pain **blutoir, étouffoir, doroir, four, rouable**
– Lieu de fabrication du pain **fournil**
– Corbeille où la pâte à pain est mise en forme avant l'enfournage **paneton, banneton**
– Coffre dans lequel on pétrit le pain **pétrin**
– Coffre où l'on conservait le pain **maie, huche, panetière**
– Pâte à pain **pâton**
– Agent de fermentation du pain **levure, levain**
– Petite fente sur le dessus du pain **grigne**
– Son tamisé dont on saupoudre le pain **fleurage**
– Pain au lait belge **cramique**
– Pain au lait anglais **bun**

– Pain séché **croûton, biscotte**
– Pain que l'on trempe dans l'œuf à la coque **mouillette**
– Préparation à base de pain **panade, garbure, sandwich, pan-bagnat, pain perdu**
– Pain du rituel juif **azyme**
– Le pain de vie **eucharistie**

PAIR

– Chambre des pairs en Angleterre **Chambre des lords**
– Être jugé par ses pairs **semblables, collègues, égaux**
– Un courage hors pair **rare, étonnant, exceptionnel, sans égal, extraordinaire**
– Aller de pair **ensemble**

PAISIBLE

– Une personne paisible **placide, calme**
– Une soirée paisible **tranquille, sereine, peinarde**

PAÎTRE

– Lieu où paissent des animaux domestiques **pâtis, pacage, pâture, pré, alpage**
– Personne gardant les bêtes qui paissent **berger, bouvier, vacher, pâtre, pasteur, chevrier**
– Paître, pour le chevreuil, le cerf **viander**
– Envoyer paître quelqu'un **chasser, débarrasser de (se)**

PAIX

syn. **calme, repos, tranquillité**
– Faire régner la paix **pacifier**
– Doctrine prônant le maintien de la paix **pacifisme**
– Traité qui apporte la paix **armistice**
– Traité qui procure un moment de paix **trêve, cessez-le-feu**
– Symbole de la paix **colombe, rameau d'olivier**
– Sentiment de paix intérieure **quiétude, sérénité**
– Paix spirituelle **béatitude, contemplation**
– Faire la paix **réconcilier (se)**

PALAIS

syn. **château**
– Palais épiscopal **évêché**
– Palais en Espagne **alcazar**
– Palais à Venise **procuratie**
– Palais de l'Empire ottoman **sérail**
– Palais-Bourbon **Assemblée nationale**
– Palais Brongniart **Bourse**
– Un dignitaire du palais au Moyen Âge **palatin**
– Gens du palais **magistrats, avocats**

PÂLE

– Une couleur pâle **légère, claire, douce, pastel, tendre**

FORMATS DE PAPIER

Format	Dimensions (en cm)
A4	21 X 29,7
cloche	29 X 39
pot	31 X 40
tellière	34 X 44
couronne	37 X 47
écu	40 X 52
coquille	44 X 56
carré	45 X 56
double couronne	47 X 74
raisin	50 X 64
jésus	56 X 76
soleil	58 X 80
colombier	60 X 80
double carré	56 X 90
petit aigle	60 X 94
double raisin	65 X 100
quadruple couronne	74 X 94
grand aigle	74 X 105
double jésus	76 X 112
double colombier	80 X 120
quadruple coquille	88 X 112
quadruple carré	90 X 112
grand monde	93 X 123
monde	94 X 111
quadruple raisin	100 X 130

– Une lumière pâle **faible, tamisée, voilée**
– Un tissu pâle **délavé, déteint**
– Un teint pâle **blême, blafard, livide, hâve, anémique, chlorotique, cireux**
– Un discours bien pâle **fade, terne, insipide**

PALETTE

– L'eau glisse sur la palette de la roue **aube, jantille**
– Une palette de couleurs **nuancier, gamme**
– Palette servant à battre **battoir, férule, tapette**

PÂLIR

– Il va pâlir en entendant la nouvelle **blêmir, décomposer (se)**
– Les couleurs risquent de pâlir **passer, estomper (s'), ternir (se), déteindre**

PALISSADE

– Ils posent une palissade autour du terrain **clôture, barrière, lice**

PALLIER

– Pallier un manque **combler, remédier à, parer à**

PALMIER

– Classe à laquelle appartient le palmier **monocotylédones**
– Plantation de palmiers **palmeraie**
– Palmier nain **chamérops**
– Palmier dont provient le rotin **rotang**
– Palmier dont on extrait la fibre **latanier, raphia, piassava**

– Palmier d'Afrique **doum**
– Palmier d'Asie du Sud-Est **sagoutier**
– Palmier d'Afrique dont les fruits fournissent de l'huile **éléis, palmiste**
– Palmier d'appartement **kentia, rhapis, phœnix**
– Arbre de la famille des palmiers **cocotier, dattier, aréquier**
– Moelle de palmier propre à la consommation **palmite**
– Fécule alimentaire extraite du palmier sagoutier **sagou**
– Fruit du palmier aréquier **noix d'arec**
– Tige du palmier **stipe**

PALPABLE

– Une forme palpable **concrète, réelle, matérielle**
– Une preuve palpable **évidente, claire, certaine, tangible, manifeste**

PALPER

– Le médecin lui palpe l'abdomen **tâte, ausculte**
– Palper sans délicatesse **tripoter, peloter**

PALPITANT

– Une aventure palpitante **excitante, passionnante, exaltante**
– Un récit palpitant **prenant, captivant, fascinant**

PALUDISME

syn. **malaria, fièvre des marais, fièvre palustre**
– Type du parasite du paludisme **sporozoaire**
– Parasite animal provoquant le paludisme **plasmodium**
– Agent de transmission du paludisme **anophèle**
– Individu atteint de paludisme **impaludé, paludéen**
– Remède contre le paludisme **quinine**
– Expert en paludisme **paludologue**
– Étude du paludisme **paludologie, malarialogie**

PÂMER (SE)

– Il y a de quoi se pâmer devant un tel spectacle **extasier (s'), émerveiller (s')**

PAMPHLET

– Il a écrit un pamphlet contre le gouvernement **satire, diatribe, libelle, factum**
– Pamphlet grossier **pasquinade**
– Pamphlet contre Mazarin **mazarinade**

PAMPLEMOUSSE

– Arbre produisant des pamplemousses **pamplemoussier**

PAN

– Un pan de la maison **côté, face**
– Pan de mur **cloison**

– Pan de tissu **lé, coupon**
– Pan de chemise **bannière, basque**
– Il revoit de grands pans de son passé **épisodes, moments, morceaux, parties, phases**

PANACÉE
– Ce n'est pas la panacée **solution, remède**

PANACHE
syn. **gloire, prestige**
voir aussi **ornement**
– Panache porté par certains oiseaux **huppe, houppe, aigrette**
– Panache d'invertébré **lophophore**
– Panache de l'écureuil **queue**
– Animal dont on utilise les plumes pour constituer des panaches **paon, cygne, autruche**
– Panache surmontant un casque **plumet**
– Avoir du panache **allure, élégance**
– Décorer d'un panache **empanacher**

PANACHÉ
– Un tissu panaché **bariolé, bigarré**

PANACHER
– Panacher les plaisirs **varier, mélanger**

PANCARTE
– Il a lu les indications figurant sur la pancarte **panneau, écriteau**
– Les manifestants brandissent leur pancarte **banderole, calicot**

PANCRÉAS
– Maladie du pancréas **mucoviscidose, pancréatite**
– Hormone produite par le pancréas **glucagon, insuline**
– Pancréas du porc **fagoue**

– Sécrétion du pancréas **suc pancréatique**

PANIER
– Élément supérieur d'un panier **anse**
– Élément inférieur d'un panier qui en renforce la base **torche**
– Contenu d'un panier **panerée**
– Matière employée pour la fabrication d'un panier **rotin, osier, jonc, spart(e)**
– Petit panier plat **maniveau**
– Grand panier d'osier **banne, manne, panière**
– Panier servant au transport des provisions **cabas**
– Large panier d'osier que portaient les fleuristes **éventaire**
– Panier de vendangeur **hotte**
– Panier dans lequel lève la pâte à pain **banneton, paneton**
– Large panier à fond plat servant à vanner le grain **van**
– Panier de basse-cour **nichoir, pondoir**
– Panier d'horticulteur **mannequin**
– Grand panier utilisé pour le transport du fumier **gabion**
– Panier à huîtres **bourriche, cloyère**
– Panier à bonde, utilisé pour la pêche aux homards, aux langoustes **casier, nasse**
– Petit panier contenant les objets du culte dans l'Antiquité grecque **ciste**
– Panier d'une montgolfière **nacelle**
– Panier constitué de baleines employé pour faire bouffer les robes **vertugadin**

PANIQUE
– Il a été pris de panique **effroi, peur, terreur, angoisse, épouvante**
– Semer la panique **effrayer**
– Fuite due à la panique **déroute, débandade, débâcle**

– Mouvement de panique dans un lieu **désordre, trouble, affolement**

PANNE
– Panne faîtière d'une charpente **ferme**
– Panne sablière d'une charpente **chantignole**
– Panne subite **interruption**
– Cause d'une panne informatique **virus, bug, bogue**

PANNEAU
– Les résultats sont affichés sur le panneau **pancarte, tableau, écriteau**

PANSEMENT
voir aussi **bande, compresse, gaze**
– Ancien pansement constitué de fils tirés d'une toile usée **charpie**
– Maintient le pansement sur la peau **sparadrap**
– Pansement au doigt **poupée**
– Médicament utilisé avec un pansement **topique**
– Pansement dentaire **eugénate**

PANTALON
– Désignation familière du pantalon **falzar, futal, fendard, froc**
– Pantalon bouffant **sarouel**
– Pantalon moulant **caleçon**
– Pantalon de toile **jean**
– Pantalon avec plastron **salopette**
– Pantalon court **pantacourt, corsaire, bermuda, short**
– Pantalon d'équitation **jodhpur**
– Pantalon gaulois **braies**

PANTHÈRE
– Famille à laquelle appartient la panthère **félidés**
– Panthère des régions froides de l'Asie centrale **once**
– Panthère d'Afrique **léopard**

PANTIN
syn. **marionnette, polichinelle, poupée**
– Quel pantin, ce garçon ! **charlot, guignol, bouffon, girouette**

PANTOMIME
– À l'origine, pantomime italienne **commedia dell'arte**
– Personnage de la pantomime italienne **Arlequin, Pantalon**
– Personnage de la pantomime vêtu de blanc **Pierrot, Colombine**
– Dans le théâtre populaire italien, bouffonnerie issue de la pantomime **lazzi**
– Expression gestuelle de la pantomime **mimique**
– Jeu de pantomime dans l'Antiquité **saltation, orchestique**
– Interprète de pantomime dans l'Antiquité **histrion**

PÂTES

cannellonis
spaghettis
cheveux d'ange
conchiglies/collerettes
fettucinis/nids de tagliatelles
malfades
lasagnes vertes
macaronis
tagliatelles vertes
raviolis
pâtes à potage

PANTOUFLE
syn. **chausson, mule, savate**
– Pantoufles françaises **charentaises**
– Pantoufles orientales **babouches**
– Fabricant de pantoufles **pantouflier, chaussonnier**
– Un individu aimant beaucoup ses pantoufles **pantouflard, casanier**
– Pantoufle due par un fonctionnaire qui rompt son contrat avec l'État **dédit**

PAPAUTÉ
– Relatif à la papauté **papal, pontifical**
– Ensemble des propositions émanant de la papauté **syllabus**
– Lettre émanant de la papauté **bref, encyclique, bulle, rescrit, décrétale, motu proprio**
– Traité de 1929 reconnaissant la papauté comme un État **accords du Latran**
– Catalogue des livres frappés d'interdit par la papauté **Index**
– Premier des notaires de la papauté **protonotaire**
– Garde de la papauté **papalin, zouave pontifical**
– Lieu recelant les archives secrètes de la papauté **caves du Vatican**
– Tribunal de la papauté qui statue sur les demandes d'annulation de mariage **rote**

PAPE
– Nom donné au pape par les catholiques **vicaire de Jésus-Christ, souverain pontife, évêque de Rome, pasteur suprême, successeur de saint Pierre**
– Adresse (formule de politesse) réservée au pape **Sa Sainteté**
– État sur lequel règne le pape **Vatican**
– Insigne du pape **tiare, anneau du pécheur, clefs de saint Pierre, pallium**
– Voiture du pape **papamobile**

– Officier de la chambre du pape **camérier**
– Officier chargé de porter la queue de la robe du pape **caudataire**
– Délégué du pape **ablégat**
– Ambassadeur du pape **nonce, légat**
– Église chrétienne d'Orient reconnaissant l'autorité du pape **uniate**
– Faveur accordée par le pape à un de ses parents **népotisme**
– Privilège accordé par le pape à un particulier **indult**
– Bénédiction solennelle du pape **urbi et orbi**
– Collège des cardinaux qui procède à l'élection du pape **conclave**

PAPIER *Voir tableau p. 432*
– Papier fait à base de chiffons **vergé**
– Papier souple, soyeux et très résistant **alfa**
– Papier sans grain et satiné **vélin**
– Papier grené, ferme et solide **de Hollande**
– Papier préparé avec l'écorce du bambou **chine**
– Papier issu de l'écorce d'arbrisseaux **japon**
– Matière employée pour la fabrication du papier **chiffon, bois**
– Adjuvant servant à opacifier la pâte à papier **kaolin, talc, colle, sulfate**
– Fils du papier cuve **vergeures, pontuseaux**
– Marque du fabricant d'un papier **filigrane**
– Franges du papier vergé **barbes**
– Papier d'emballage **kraft, interkraft, calandre**
– Catégories du papier moderne **bible, bouffant, apprêté, satiné, offset, hélio**
– Support de l'écrit avant le papier **tablette, papyrus, parchemin**

– Classer des papiers **documents, paperasse, feuillets, notes**
– Écrire un papier **article, pige, billet, chronique, éditorial**
– Papier cartonné **bristol**

PAPILLON
– Ordre auquel appartient le papillon **lépidoptères**
– Papillon nocturne **noctuelle, phalène**
– Groupe des papillons nocturnes **noctuéliens**
– Papillon diurne **vanesse**
– Papillon dont on utilise les larves pour la production de la soie **bombyx**
– Larve de papillon **chenille**
– Stade de la métamorphose du ver en papillon **nymphe, chrysalide**
– Papillon dont la chenille est nuisible **cochylis, cossus, eudémis, liparis, pyrale**
– Le plus grand papillon (35 cm) **thysanie**
– Arbre aux papillons **buddleia**

PAPILLOTE
– Bonbon enveloppé dans une papillote **diablotin**

PAQUEBOT
– Paquebot assurant les liaisons entre l'Europe et l'Amérique **transatlantique**
– Paquebot célèbre *France (Norway), Titanic*
– Circuit touristique effectué à bord d'un paquebot **croisière**

PÂQUERETTE
– Famille à laquelle appartient la pâquerette **composées**
– Variété de pâquerette **marguerite, bellis**

PAQUET
– Paquet préparé pour les transports **balle**
– Paquet du soldat en campagne **barda**
– Paquet d'effets **ballot, balluchon, pacson, paquetage**
– Paquet de journaux **pile, tas**
– Billets mis en paquet **liasse**
– Paquet de feuilles **rame, bloc**
– Dix paquets de cigarettes **cartouche**
– Envoyer un paquet **colis**
– Paquet d'emballage **sac, sachet, poche**

PARABOLE
– Récit sous forme de parabole **allégorie, apologue, fable, conte, légende**
– Courbe engendrée par une parabole **hélicoïde**

PARACHUTE
– Type de parachute **ventral, dorsal**
– Partie d'un parachute **voilure, coupole, élévateurs, suspente, harnais**
– Parachute sur neige **paraski**

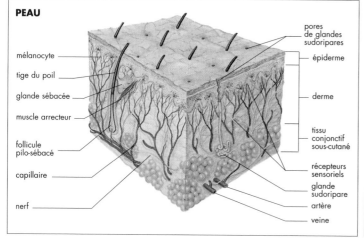

PEAU

mélanocyte
tige du poil
glande sébacée
muscle arrecteur
follicule pilo-sébacé
capillaire
nerf

pores de glandes sudoripares
épiderme
derme
tissu conjonctif sous-cutané
récepteurs sensoriels
glande sudoripare
artère
veine

– Parachute à voilure rectangulaire qui permet la pratique du vol libre **parapente**
– Parachutiste employant un parachute à ouverture retardée **chuteur**
– Ouverture incomplète d'un parachute **mise en torche**
– Larguer un parachute **parachuter**
– Utilisation du parachute-frein **avion, capsule de fusée**

PARADE
– Parade militaire **défilé, revue**
– Parade de cavaliers **carrousel**
– Faire parade de quelque chose **arborer, étaler, afficher, faire montre de, exhiber**

PARADIS
– Paradis chrétien **ciel**
– Ils furent les premiers au paradis **Adam et Ève**
– Antichambre du paradis **purgatoire**
– Portier du paradis **saint Pierre**
– Paradis des héros morts au combat dans la légende scandinave **Walhalla**
– Paradis d'un théâtre **pigeonnier, poulailler, galerie**
– Contrée semblable au paradis **éden, eldorado**
– Une félicité digne du paradis **paradisiaque, céleste**

PARAFFINE
– Hydrocarbure de la série des paraffines **alcane**
– Cire de paraffine **cérésine**

PARAGRAPHE
– Paragraphe en typographie **entrefilet**
– Paragraphe d'un texte sacré **verset**
– Paragraphe d'un poème **strophe**
– Symbole du paragraphe **§**
– Titre de paragraphe **intertitre**
– Renfoncement au début d'un paragraphe **alinéa**
– Première lettre d'un paragraphe lorsqu'elle occupe plusieurs lignes de hauteur **lettrine**

PARAÎTRE
– Paraître subitement **survenir, surgir, émerger**
– Paraître progressivement **percer, poindre, dessiner (se), profiler (se)**
– Paraître au sein d'un groupe **figurer**
– Paraître à tous les cours **assister**
– Faire paraître un ouvrage **publier, éditer**
– Paraître heureux **sembler, avoir l'air**

PARALLÈLE
voir aussi **géométrie**
– Mettre en parallèle **comparer, rapprocher, confronter**
– Parallèle du globe terrestre **cercle, tropique**

– Deux situations parallèles **comparables, analogues, similaires**
– Médecine parallèle **acupuncture, homéopathie, ostéopathie, sophrologie**

PARALYSER
– Certains psychotropes paralysent le système nerveux **engourdissent, neutralisent, inhibent**
– Les formulaires paralysent l'Administration **asphyxient, sclérosent**
– Membre paralysé par une mauvaise posture **ankylosé**
– Se sentir paralysé par une forte personnalité **intimidé, glacé, tétanisé**

PARALYSIE
– Type de paralysie **organique, fonctionnelle**
– Personne atteinte de paralysie **paralytique, handicapé**
– Paralysie partielle ou générale due à une lésion cérébrale **apoplexie**
– Paralysie des quatre membres **tétraplégie**
– Paralysie des membres inférieurs **paraplégie**
– Paralysie d'un côté du corps **hémiplégie**
– Paralysie se traduisant par l'affaiblissement de la contractilité musculaire **parésie**
– Paralysie du neurone moteur **poliomyélite**
– Paralysie émanant d'un état dépressif **prostration**

PARAMÈTRE
– Il prend en compte tous les paramètres de la situation **données, facteurs, éléments**
– Il installe le logiciel en fonction de certains paramètres **critères, caractéristiques**

PARAPET
– Parapet d'un circuit automobile **rail de sécurité**
– Parapet sur le pont d'un bateau **bastingage**
– Parapet de terre érigé le long d'une route **banquette**
– Parapet édifié pour protéger une fortification **muret, talus, parados**
– Ouverture percée dans un parapet permettant de tirer sur l'ennemi **créneau, meurtrière, embrasure**

PARAPHRASE
– La paraphrase d'un texte **commentaire, interprétation, analyse, explication**

PARASITE
– Parasite intestinal de l'homme **ténia, oxyure, ascaride**

– Parasite pathogène pour l'homme **protozoaires (amibes), métazoaires (vers), arthropodes (punaises)**
– Parasite des crabes **sacculine**
– Parasite des pommes de terre **doryphore**
– Parasite des arbres fruitiers **gui**
– Parasite de la vigne **phylloxéra**
– Parasite de la gale chez les mammifères **sarcopte**
– Parasite de la face **demodex**
– Parasite du sang chez l'homme **trypanosome**
– Parasite des animaux domestiques **tique**
– Étude des parasites **parasitologie**
– Maladie due à un parasite **parasitose**
– Individu se comportant en parasite **pique-assiette, écornifleur**
– Parasites d'une émission radiophonique **perturbations, brouillage**
– Plante parasite de certains végétaux **cuscute**
– Ver parasite de certains vertébrés **filaire**
– Champignon parasite de la betterave **péronospora**
– Maladie déterminée par des champignons parasites **mycose**
– Nom générique des maladies humaines causées par un ver parasite **helminthiases**

PARASOL
– Petit parasol de femme **ombrelle**

PARATONNERRE
– Élément d'un paratonnerre **tige, pointe en cuivre, câble**
– Enduit placé sur la pointe d'un paratonnerre **oxyde de baryum, strontium, thorium**
– Paratonnerre Melsens **cage de Faraday**

PARC
– Parc public **jardin, square**
– Parc exclusif de Louis XV à Versailles **parc aux Cerfs**
– Type de parc récréatif **parc d'attractions, parc de loisirs, jardin d'acclimatation, parc nautique, parc aquatique**
– Parc réservé au pâturage **pacage, pâquis, pâtis**
– Parc à bestiaux **enclos, corral, kraal**
– Parc d'élevage des volailles **parquet**
– Parc à huîtres **bassin, claire**
– Parc pour l'élevage des moules **vasière**
– Parc animalier **zoo, ménagerie, réserve**
– Parc de stationnement **parking, garage, aire de repos**

PARCELLE
– Posséder une parcelle de terre **pièce, lopin, carré**
– Terrain divisé en parcelles **lotissement**
– Parcelle infime **miette, once, atome, brin**

PARCHEMIN

– Parchemin de luxe très mince obtenu à partir de cuir de veau mort-né **vélin**
– Cuir utilisé pour un parchemin **agneau, mouton, chèvre**
– Rouleau de parchemin sur lequel figure le texte du Pentateuque **Torah**
– Parchemin dont on a gratté (ou sur lequel on a lavé) le premier texte pour en écrire un autre **palimpseste**
– Roseau taillé servant à écrire sur un papyrus ou un parchemin **calame**
– Supprimer les inégalités d'un parchemin **raturer**

PARCOURIR

– Parcourir une distance **franchir, couvrir**
– Parcourir les océans **sillonner, traverser**
– Parcourir un site touristique **visiter**
– Parcourir la campagne **battre**
– Parcourir une pièce de long en large **arpenter**
– Parcourir du regard **survoler, balayer**
– Parcourir les événements d'une journée **recenser, remémorer (se), passer en revue**
– Parcourir le journal **feuilleter**

PARDON

– Pardon des péchés **rémission**
– Pardon dans les pays musulmans **aman**
– Jour du pardon dans le rituel juif **Yom Kippour**
– Pardon public du jeudi saint **absoute**
– Souffrance physique que l'on s'impose pour obtenir le pardon de Dieu **pénitence, mortification**
– Sacrifice offert à Dieu pour obtenir le pardon **propitiation**
– Pardon accordé par le prêtre **absolution**
– Pardon du pape **jubilé**
– Prière de pardon **déprécation**
– Demander le pardon de quelqu'un **implorer**
– Demander pardon **repentir (se), excuser (s')**
– Pardon ? **comment ?**

PARDONNER

– Pardonner à la suite d'une confession **absoudre, remettre les péchés**
– Pardonner une petite faute **excuser, oublier**
– Un acte que l'on ne peut pardonner **impardonnable, irrémissible**
– Qui pardonne facilement **magnanime, indulgent, miséricordieux, clément, généreux**

PAREIL / 1

– Il n'a pas son pareil **égal**
– Sans pareil **unique, incomparable**
– Rejoindre ses pareils **congénères, pairs**

PAREIL / 2

– Sa voiture est pareille à la mienne **semblable à, identique, analogue**
– Un pareil événement **tel**

PARENT   *Voir tableau population, p. 483*

voir aussi **descendant, famille**
– Les parents **procréateurs, géniteurs**
– Nom familier donné aux parents **vieux, darons**
– Parents des parents **grands-parents**
– Parents du conjoint **beaux-parents**
– Un parent du côté maternel **utérin**
– Un parent du côté paternel **consanguin**
– Un parent hors de la ligne directe **collatéral**
– Des enfants nés de mêmes parents **germains**
– Parent et ascendant **ancêtre, aïeul, bisaïeul, trisaïeul**
– Une famille dans laquelle un seul parent élève ses enfants **monoparentale**
– Caractères génétiques hérités de ses parents **génotype**
– Réapparition chez un descendant de traits d'un parent lointain **atavisme**
– Faveur ou autorité accordée à un ou plusieurs de ses parents **népotisme**
– Parent spirituel **parrain, marraine**

PARENTÉ

voir aussi **descendance, famille**
– Parenté naturelle **filiation**
– Tableau de degrés de parenté **généalogie**
– Distinction des lignes de parenté **directe, collatérale**
– Paramètre permettant d'établir la parenté **ligne, degré**
– Parenté entre deux ou plusieurs choses, idées, espèces **rapport, relation, analogie, concordance, similitude**

PARENTHÈSE

– Mettre un mot entre parenthèses **insérer**
– Faire une parenthèse lors d'un discours **digression**
– Mettre un problème entre parenthèses **négliger, exclure, éluder**
– Par parenthèse **incidemment, en passant**
– C'était une parenthèse dans sa carrière **interruption, pause, break**

PARER

– Les enfants ont paré le sapin de Noël **décoré, orné**
– Parer de vêtements **vêtir, apprêter**
– Parer à une difficulté **remédier à, obvier à, pallier, prévenir, prémunir contre (se)**
– Parer un coup **esquiver, éviter, détourner**
– Parer un cap en mer **doubler**

– Se parer avec coquetterie **pomponner (se), bichonner (se)**

PARESSE

syn. **fainéantise, flemme, incurie, oisiveté**
– Expression suprême de la paresse **inertie**
– Un geste empreint de paresse **lenteur, mollesse**
– Il s'accorde un temps de paresse **farniente**
– Paresse d'esprit **apathie**
– Paresse des fonctions digestives **atonie**

PARESSEUX

– Caractéristique du paresseux **indolence, nonchalance, langueur, mollesse**
– Mammifère du Brésil appelé paresseux **aï, unau, bradype**
– Paresseux comme un(e) **loir, couleuvre, lézard**

PARFAIT

– Un travail parfait **rigoureux, impeccable, excellent, irréprochable, exemplaire**
– Une exécution parfaite **magistrale, prodigieuse, admirable, exceptionnelle**
– Une sérénité parfaite **inexprimable, indicible, ineffable, céleste**
– Un lieu parfait **idéal, incomparable, idyllique**
– Un silence parfait **total, plein, absolu**
– Summum du parfait **nec plus ultra**
– Un parfait goujat **fieffé, sacré, fameux**

PARFAITEMENT

– Chanter parfaitement **divinement, excellemment**
– C'est parfaitement exact ! **absolument, rigoureusement**
– Parfaitement ! **certainement, bien sûr**

PARFUM

– Parfum provenant de substances végétales, aromatiques **coumarine, opoponax, nard, cinnamome, myrrhe, ilang-ilang, néroli, vétiver, benjoin**
– Parfum concentré extrait des végétaux **essence, huile essentielle**
– Parfum composé de bergamote et de santal **chypre**
– Substance d'origine animale utilisée comme fixateur de parfum **ambre, musc, civette, castoréum**
– Substance destinée à donner un parfum à une préparation alimentaire **arôme**
– Charger une huile du parfum de certaines fleurs par macération **enfleurer**
– Parfum d'un vin **bouquet, fumet**
– Parfum se dégageant d'un corps **effluve, émanation, exhalaison**

PÊCHE

Amorce : sert à attirer le poisson en un point déterminé. On distingue les amorces de surface, de fond, d'appel, d'excitation.

Anneau à décrocher : accessoire qui sert à libérer l'hameçon de son appât.

Ansière : filet tendu dans des anses.

Appât : nourriture fixée à l'hameçon.

Arondelle : grosse ligne.

Avançon : bas de ligne d'acier.

Bâillon : pince à ressort qui sert à maintenir la gueule du poisson ouverte au moment du décrochage.

Balance : piège à écrevisses.

Bannière : partie de la ligne située entre le scion et le flotteur.

Bosselle : nasse en jonc utilisée pour la pêche à l'anguille.

Bouchon : flotteur d'une ligne grâce auquel on peut surveiller le fil.

Bouille : longue perche utilisée pour agiter l'eau et déplacer le poisson.

Bourriche : panier servant à conserver le poisson vivant.

Calme d'un cours d'eau : endroit dépourvu de courant.

Canne à pêche : perche flexible à l'extrémité de laquelle est fixée une ligne. Les matières utilisées sont le bambou jaune, le bambou noir, le bambou refendu, le riz, le roseau, le verre.

Caudrette : filet à crustacés en forme de poche.

Cendrée : très petit plomb.

Claver : ferrer de gros poissons.

Crinelle : bas de ligne d'acier utilisé pour la pêche au brochet.

Dégorgeoir : accessoire qui sert à récupérer l'hameçon dans la gueule du poisson.

Devon : leurre muni d'ailettes et qui tourne sur lui-même.

Émerillon : attache de cuivre qui permet d'éviter le vrillage dû au leurre.

Engamer : se dit d'un poisson qui avale l'appât.

Ferrer : faire pénétrer l'hameçon dans la gueule du poisson.

Fil pêchant : partie immergée de la ligne.

Fouetter : projeter la ligne en donnant des coups de poignet brefs et secs.

Gaffe : crochet monté sur un manche et servant à mettre au sec les poissons

trop grands pour entrer dans une épuisette.

Gobage : remous provoqués par le poisson quand il saisit une mouche.

Hameçon : crochet d'acier fixé au bout d'une ligne et auquel on fixe l'appât. Il comprend la hampe, ou tige (terminée par une palette, un œillet ou une pointe), la courbure et l'ardillon. On dit d'un hameçon qu'il est fin de fer si la section du fer est faible.

Harouelle : grosse ligne utilisée pour la pêche à la morue et au maquereau.

Leurre : appât artificiel fixé à un hameçon.

Ligne : fil pour pêcher composé d'un corps de ligne et d'un bas de ligne, au bout duquel est attaché l'hameçon.

Madrague : enceinte de filets servant à capturer le thon.

Mouche : leurre imitant un insecte.

Moulinet : bobine fixée à la canne à pêche et sur laquelle s'enroule la ligne.

Pêche au coup : pratiquée pour pêcher des poissons blancs.

Pêche au lancer : on distingue le lancer vertical, renversé, horizontal, arbalète, rasant, sous la main, léger, lourd et mi-lourd.

Pêche à la mouche : pêche utilisant un leurre imitant un insecte. On distingue notamment la pêche à la mouche noyée, à la mouche sèche ou à la mouche coulée.

Pêche au vif : elle consiste à exciter l'appétit d'un poisson carnassier à l'aide d'un poisson vivant fixé à l'hameçon.

Perruque : fil qui s'emmêle sur la bobine d'un moulinet.

Plioir : planchette de bois ou de plastique sur laquelle la ligne est enroulée après usage.

Plombée : plomb qui permet d'équilibrer le flotteur quand on pêche à la ligne flottante.

Queue-de-rat : ligne s'amincissant lentement vers son extrémité.

Récupérer : rembobiner le fil sur le moulinet.

Relâcher : abandonner la ligne dans le courant.

Scion : partie la plus fine de la canne à pêche et à laquelle est fixée la ligne (baleine, fin ou mi-fin).

Trimmer : flotteur sur lequel est enroulée la ligne, utilisé pour la pêche au brochet.

Truble : petit filet de pêche, emmanché ou non.

– Qui n'a plus son parfum **éventé**
– Parfum agréable et délicat **fragrance**
– Qualité d'un parfum **capiteux, suave, subtil, fleuri**

PARI
– Somme versée lors d'un pari **enjeu, mise**
– Pari qui relève du défi **gageure**
– Le mot du pari **chiche**

PARIER
– Parier aux courses **miser, jouer**
– Je parie qu'il reviendra **soutiens, suis sûr, affirme**

PARITÉ
– Il y a une certaine parité entre ces deux cas **similitude, égalité, ressemblance**
– Parité hommes-femmes **répartition égale**

PARKING
– Parking à louer **box, garage**

– Le parking est complet **parc de stationnement**
– Encaisse le paiement du parking **horodateur**

PARLANT
– Il n'est pas très parlant **causant, bavard, loquace**
– Un regard parlant **expressif, éloquent**
– Un exemple parlant **significatif, probant, démonstratif**

PARLEMENT
– Instance du Parlement français **Assemblée nationale, Chambre des députés, Sénat**
– Réunion de travail du Parlement **séance, session**
– Initiative de loi due au Parlement **proposition**
– Élections des députés au Parlement **législatives**
– Élections du Parlement européen **européennes**

– Question orale des membres du Parlement à l'égard du gouvernement **interpellation**

PARLER
syn. **communiquer, dire, discourir, exprimer (s'), prononcer**
– En parlant de **à propos de, au sujet de**
– Parler avec quelqu'un **deviser, discuter, converser, dialoguer**
– Parler seul **monologuer, soliloquer**
– Parler à une foule **haranguer, exhorter, prêcher**
– Parler en faveur d'une personne **plaider, intercéder**
– Parler longuement sur un sujet **disserter**
– Parler d'une manière emphatique **pérorer**
– Parler beaucoup **bavarder, babiller, tailler une bavette**
– Disposition à beaucoup parler **loquacité, bagout, volubilité, éloquence**
– Parler distinctement **articuler**

– Parler confusément **bredouiller, bafouiller, baragouiner, bégayer**
– Parler à voix basse **chuchoter, murmurer, susurrer**
– Parler sans détours **sans ambages, franchement**
– Moyen employé pour parler indirectement **circonlocution, périphrase**
– Refus de parler **mutisme**

PARODIE

– Parodie en littérature **burlesque, caricature, pastiche**
– Tout cela n'est qu'une parodie **imitation, simulacre**

PAROI

– Paroi qui sépare deux pièces **cloison, mur**
– Paroi ajourée **claustra, moucharabieh**
– Paroi de brique **galandage**
– Paroi d'une écluse **bajoyer**
– Paroi d'un boyau souterrain **éponte**
– Paroi rocheuse **falaise, à-pic**
– Une peinture effectuée sur les parois d'une caverne **pariétale**

PAROISSE

– Fidèles d'une paroisse **ouailles, paroissiens**
– Conseil de paroisse **conseil presbytéral**
– Paroisse chez les protestants **congrégation**
– Livre de prières d'une paroisse **paroissien, eucologe, missel**
– Querelle de paroisse **de clocher**

PAROLE

– Parole pleine de brio **verve**
– Flot de paroles rapides, prolixe, centré ou non sur un thème **logorrhée**
– Avoir la parole facile **éloquence, volubilité**
– Parole futile **baliverne, billevesée, calembredaine, fadaise**
– Parole douée d'un pouvoir spirituel dans l'hindouisme et le bouddhisme **mantra**
– Parole mémorable d'un personnage éminent **maxime, apophtegme, formule, mot**
– Parole de bébé **gazouillis, babil**
– Trouble de la parole et du langage **aphasie, logopathie, dysarthrie, anarthrie, tachyphémie**
– Perte de la parole **aphémie**
– Trouble de la parole dû à une difficulté d'articulation **mussitation**
– Formulation de paroles en partie inventées **glossolalie**
– Répétition de paroles entendues mais non comprises **psittacisme**

PARQUET *Voir illustration intérieur de maison, p. 322*

– Ossature d'un parquet **lambourdes, solives**
– Type d'assemblage d'un parquet **à l'anglaise, au point de Hongrie, à bâtons rompus, en mosaïque, Versailles**
– Fabrication de parquet **parqueterie**
– Type de pose de parquet **flottant, collé**
– Essence utilisée pour la fabrication d'un parquet **chêne, châtaignier, hêtre, pin, sapin, épicéa**
– Produit d'entretien des parquets **cire, encaustique, vitrificateur**
– Lattes de bois posées sur un mur à la manière d'un parquet **lambris, frises, frisettes**
– Parquet affecté aux magistrats du ministère public **salle d'audience, barreau**
– Magistrat responsable du parquet général **procureur général**
– Magistrat responsable du petit parquet **substitut**
– Parquet de la Bourse **corbeille**

PARRAIN

– Enfant tenu sur les fonts baptismaux par le parrain **filleul**
– Lien de parenté rituel entre le parrain et la marraine **compérage**
– Recours à un parrain pour être introduit dans un cercle **parrainage, soutien**
– Être le parrain d'une œuvre **parrainer, garantir, cautionner**

PARSEMER

– Parsemer de fleurs **joncher**
– Parsemer d'étoiles **consteller, brillanter, étoiler, pailleter**
– Parsemer de petites taches **moucheter, cribler**
– Parsemer un plat de sucre **saupoudrer, couvrir**
– Parsemer une histoire d'anecdotes **émailler**

PART

– Part d'un terrain **lotissement, parcelle, portion**
– Recevoir sa part d'héritage **contingent, attribution, quotité**
– Part financière **action**
– Il a repris une part **ration, morceau**
– Diviser en parts **parcelliser, partager**
– Payer sa part **contribution, quotepart, écot, participation**
– Prendre part à une activité **participer à, contribuer à**
– Faire part **annoncer, informer, communiquer**
– Pour une part **en partie**
– Occuper une place à part **particulière, privilégiée, marginale**
– À part lui **excepté, sauf, hormis**

PARTAGE

– Partage d'une terre **démembrement, morcellement, parcellisation**

– Le partage de la collecte **distribution, répartition**
– Partage illicite d'honoraires entre médecins **dichotomie**
– Ligne de partage **limite, frontière, confins**

PARTAGER

– Partager en plusieurs éléments **subdiviser, fragmenter, sectionner, scinder**
– Partager un travail **répartir, distribuer, dispatcher**
– Partager une opinion **adopter, embrasser, adhérer à**
– Partager la revendication d'une personne **solidariser (se)**
– Partager la peine de quelqu'un **compatir à**

PARTENAIRE

– Partenaire de travail **adjoint, collègue, confrère, collaborateur, associé**
– Partenaire sportif **coéquipier, joueur, allié**
– Partenaire dans une danse **cavalier**
– Elle nous a présenté son nouveau partenaire **compagnon, ami, conjoint**
– Partenaire des mauvais coups **affidé, acolyte, complice**

PARTI

– Se constituer en parti **formation, association, union, organisation, rassemblement**
– Subdivision d'un parti **cellule, section, fédération, comité**
– Réunion d'un parti **congrès, assises, meeting**
– Ligne d'un parti **idéologie, doctrine**
– Journal d'un parti **organe**
– Moyen de diffusion des idées d'un parti **propagande**
– Instance de décision d'un parti **bureau politique, comité central**
– Personnes composant un parti **membres, militants, adhérents**
– Personne qui soutient un parti sans y adhérer **sympathisant**
– Membre influent dans un parti **leader, apparatchik**
– Membre en désaccord avec la ligne de son parti **dissident, contestataire**
– Rupture au sein d'un parti **scission, schisme**
– Exclusion massive au sein d'un parti **purge, épuration**
– Parti en lutte contre le pouvoir **faction**
– Réunion de plusieurs partis **coalition, front, cartel**

PARTICIPANT

– Participant à titre gratuit **bénévole**
– Participant financier **actionnaire, sociétaire**
– Participant à une compétition **candidat, compétiteur, concurrent**

APPENDICITE

Inflammation aiguë de l'appendice (situé à l'extrémité du cæcum, au début du côlon ascendant). Rare avant 3-4 ans.
SYMPTÔMES : douleurs abdominales, en fosse iliaque droite, spontanées et/ou provoquées, fièvre (38 °C), vomissements, altération de l'état général.
TRAITEMENT : appendicectomie.

ASTHME

État permanent d'hyperréactivité bronchique, en équilibre précaire, pouvant se rompre à l'occasion d'un facteur déclenchant (allergie, infection des voies aériennes supérieures, pollution…), aboutissant à un paroxysme bronchoconstricteur donnant la crise d'asthme. L'atopie est impliquée une fois sur deux dans la survenue de l'asthme chez l'enfant.
SYMPTÔMES : crise d'asthme, souvent durant la seconde partie de la nuit, difficulté expiratoire (respiration lente et difficile avec gêne expiratoire, distension thoracique, sensation d'étouffement ou d'asphyxie), sifflement expiratoire (wheezing).
Évolution spontanée ou plus rapide sous traitement vers une atténuation progressive de la gêne expiratoire avec apparition d'une toux productive.
La prolongation de la crise fait redouter l'état de mal asthmatique, dont les signes de gravité sont : respiration irrégulière, rapide et inefficace ; symptôme d'hypo-oxygénation telle la cyanose (coloration violette des ongles et des lèvres) ; battement des ailes du nez ; symptômes d'élévation du CO_2 (dioxyde de carbone) : augmentation de la fréquence cardiaque, sueurs, troubles de la conscience.
TRAITEMENT : bêta-mimétiques, théophylline, antihistaminiques ; kinésithérapie respiratoire.

ATOPIE

Aptitude à développer, isolément ou en association, certaines pathologies (rhinite allergique, asthme bronchique, urticaire, eczéma, allergie alimentaire…) au contact d'allergènes (pollens, poussières…) sans effets sur des sujets non allergiques.

BRONCHIOLITE OU BRONCHITE ASTHMATIFORME

Affection virale le plus souvent liée au virus respiratoire syncitial (VRS).
SYMPTÔMES : début banal par une rhino-pharyngite pendant 1 à 2 jours ; puis augmentation de la fréquence respiratoire, signes de lutte, distension thoracique, expiration active, sifflement expiratoire, toux peu productive.
TRAITEMENT : position semi-assise, humidification de l'air, alimentation fractionnée, traitement bronchodilatateur par bêta-mimétiques, kinésithérapie respiratoire, antibiotiques si fièvre.

BRÛLURES

Fréquentes chez l'enfant. La gravité de la situation sera évaluée en fonction de l'existence d'une détresse vitale (déshydratation, insuffisance respiratoire) ; la nature de l'agent causal (brûlure thermique – 90 % des cas –, chimique, électrique ou par irradiation), la localisation (face, yeux, oreilles, mains, plis de flexion, orifices, circulaires au niveau des membres), la surface cutanée, la profondeur.
TRAITEMENT : lavage immédiat (dans les 5 minutes) à l'eau froide, puis prise en charge en milieu spécialisé.

CONVULSIONS HYPERTHERMIQUES

Épisode convulsif survenu dans un contexte fébrile (38,5 °C) et dont la fièvre est la seule cause présumée, au cours d'une infection ORL, pulmonaire ou irruptive. Intervient de 6 mois à 4-5 ans ; 50 % entre 1 et 2 ans ; légère prédominance chez les garçons.
SYMPTÔMES : mouvements convulsifs (séries de rapides contractions musculaires involontaires) suivis d'une brève perte de connaissance (avec révulsion oculaire), l'ensemble n'excédant pas quelques secondes à quelques minutes.
TRAITEMENT : antithermiques (déshabillage de l'enfant, bain frais – à 2 °C au-dessous de la température corporelle –, enveloppement frais), anticonvulsifs préventifs au cours des épisodes de fièvre ultérieurs par diazépam – Valium ©).

CORPS ÉTRANGERS DES VOIES AÉRIENNES

Pathologie accidentelle fréquente. Intervient entre 1 et 6 ans, pic de fréquence entre 18 mois et 2 ans, le plus souvent chez les garçons.
SYMPTÔMES : brutal accès de suffocation, toux violente et quinteuse, reprise inspiratoire retardée, difficile, bruyante et inquiétante… voire asphyxie aiguë avec aphonie et risque mortel immédiats si le corps étranger est complètement obstructif au niveau laryngé (portion la plus étroite et inextensible, de 7 à 9 mm à 2 ans).
TRAITEMENT : préventif (sensibilisation préventive), désobstruction au doigt ou endoscopique.

CROISSANCE STATURO-PONDÉRALE

Reflet de l'état de santé global de l'enfant, de son potentiel génétique et de ses conditions de vie. *Voir tableau Enfant (croissance de).*
SYMPTÔMES :
De 0 à 4 ans, croissance rapide (la première année, le gain statural est de plus de 50 %).
Entre 4 ans et la puberté, croissance grossièrement linéaire avec gain annuel de 4 à 5 cm.
À la puberté, poussée de croissance essentiellement rachidienne, suivie d'une décélération et d'un arrêt définitif.

DÉSHYDRATATION AIGUË

Urgence pédiatrique fréquente liée le plus souvent à des pertes digestives, diarrhées et vomissements. Chez le nourrisson de moins de 1 an.
SYMPTÔMES : accélération de la fréquence cardiaque, marbrures, extrémités froides, hypotension ; pli cutané persistant, dépression de la fontanelle, yeux creux et excavés ; perte de poids.
Puis signes de gravité : fièvre, sécheresse des muqueuses, troubles de la conscience.
TRAITEMENT : réhydratation.

DIABÈTE INSULINODÉPENDANT

Touche 1 enfant sur 3 000. Lié à une sécrétion d'insuline insuffisante et responsable d'une mauvaise utilisation des sucres au niveau des cellules. Pic de fréquence entre 6 et 8 ans et entre 11 et 13 ans.
SYMPTÔMES : altération de l'état général, fatigue, amaigrissement avec faim augmentée, émission d'urines abondantes et soif excessive.
TRAITEMENT : injections sous-cutanée d'insuline plusieurs fois par jour, alimentation régulière.

DIARRHÉE AIGUË DU NOURRISSON

Émission trop fréquente de selles très liquides. La normalité est appréciée en fonction de l'âge, de la courbe de poids et du nombre de selles par jour : 5 ou 6 selles jaunes et grumeleuses en cas d'allaitement ; 2 ou 3 selles molles ou pâteuses en cas d'allaitement artificiel ; 1 ou 2 selles moulées et marron chez l'enfant au régime diversifié.
SYMPTÔMES : l'état des selles (aqueuses, glaireuses, sanglantes, graisseuses…) varie en fonction de l'origine de la diarrhée (virale, bactérienne…).
TRAITEMENT : réhydratation, utilisation d'un lait de remplacement, traitement de la cause.

ECZÉMA

La plus fréquente des dermatoses chroniques. Touche 1 à 3 % des enfants. Lien avec l'atopie. Débute vers 8 à 9 mois.
SYMPTÔMES : une petite vésicule ; suintante sur une base surélevée rouge ; se regroupant en placards avec tendance à la surinfection (pustules ou croûtes jaunâtres dont l'apparition est favorisée par la démangeaison).
Prédominant chez le nourrisson : sur les joues ou le front, sur la face d'extension des membres, sur les fesses. Au-delà de 2 ans, l'eczéma siège aux plis de flexion (coudes, creux du genou), aux mains et au niveau de la bouche. Évolue par poussées successives.
TRAITEMENT : antisepsie locale, lutte contre la sécheresse de la peau, corticothérapie locale.

ÉRYTHÈME FESSIER

Atteinte cutanée et irritative des fesses provoquée par l'effet occlusif des couches.
SYMPTÔMES : touche les convexités : fesses, face interne des cuisses, scrotum et grandes lèvres, pubis ; respecte les plis et les orifices ; rougeurs sèches ou suintantes, quelquefois érosives.
TRAITEMENT : préventif : changement fréquent des couches ; toilette à chaque change avec un savon doux, rinçage et séchage doux. Curatif : antisepsie locale.

EXANTHÈME SUBIT, ROSÉOLE OU 6ᵉ MALADIE

Infection due au virus du groupe *Herpes*. Survient entre 6 et 18 mois.
SYMPTÔMES : incubation silencieuse de 10 jours ; fièvre élevée à 39-40 °C en plateau ; sans foyer infectieux habituel ; au 3ᵉ jour, éruption brève et correspondant à la disparition de la fièvre : boutons rose pâle, renflés, de 2 à 3 mm de diamètre, sur le tronc, la racine des membres et le cou.
TRAITEMENT : faire chuter la fièvre.

HYPOACOUSIE

Acuité auditive insuffisante. Dépistage chez tous les nouveau-nés avant 10 jours (par étude grossière des réponses réflexes à des stimuli sonores calibrés) ; chez les bébés lors du bilan de santé obligatoire des 9ᵉ et 24ᵉ mois (par réflexe d'orientation-investigation, recherche du bruit par mouvement de la tête) ; chez les enfants à l'entrée en maternelle.

(suite du tableau page suivante)

PÉDIATRIE (suite)

HYPOTHYROÏDIE CONGÉNITALE

Touche 1 enfant sur 5 000 à 6 000. Déficit en hormones thyroïdiennes responsable d'un retard du développement psychomoteur et intellectuel.
Dépistage au 5ᵉ jour de vie par ponction en microméthode pour dosage d'hormones.
TRAITEMENT : traitement de substitution avec prise d'hormones thyroïdiennes à vie.

LUXATION CONGÉNITALE DE LA HANCHE

Touche de 6 à 20 nouveau-nés sur 1 000, soit 15 000 cas annuels, dont la moitié se normalisent spontanément.
SYMPTÔMES : À la recherche d'une limitation de l'abduction, d'un bassin asymétrique, avec asymétrie des plis fessiers, ou d'anomalies associées (membre plus court que l'autre, torticolis...), un examen est pratiqué sur tous les nouveau-nés, et ensuite à 1, 2 et 3 mois.
TRAITEMENT : position en abduction et flexion, maintenue par une attelle ou un plâtre ; recours possible à la chirurgie.

MÉNINGITE

Atteinte infectieuse des méninges (enveloppes du système nerveux central) ; de gravité variable en fonction de l'agent causal (viral ou bactérien) ; risque de mortalité élevé dans la méningococcie avec purpura-fulminans (lésions rouge violacé, en relief, extensives de minute en minute).
SYMPTÔMES : classique syndrome méningé, chez le grand enfant (de plus de 7 ans) ; céphalées, vomissements en jets, rejet en arrière de la nuque, dont la flexion forcée entraîne une flexion des cuisses sur le bassin. Tableau plus fruste chez le nouveau-né et le jeune enfant avec fièvre, modifications du comportement, troubles digestifs, refus du biberon, hypotonie axiale (nuque molle, fontanelle tendue et bombante).
TRAITEMENT : antibiotique adapté.

OSTÉOMYÉLITE

Infection simultanée de l'os et de la moelle osseuse, avec menace d'atteinte du cartilage de croissance. Urgence médicale, voire chirurgicale. Chez le garçon de 6 à 12 ans.
SYMPTÔMES : dans la forme typique (rare), douleur d'un os long brutale « loin du coude, près du genou », refus de marcher ou de s'appuyer sur le membre atteint, fièvre 40 °C.

Mais tableau habituellement plus banal, avec douleur osseuse secondaire à un petit traumatisme, boiterie, simple fébricule.
TRAITEMENT : plâtre antalgique, antibiotiques et éventuellement chirurgie si abcès.

PHÉNYLCÉTONURIE

Touche 1 enfant sur 1 500. Trouble du métabolisme de la phénylalanine lié à un manque d'enzyme, avec accumulation d'acide phénylpyruvique ; troubles neurologiques et du comportement. Dépistage par test de Guthrie entre le 3ᵉ et le 5ᵉ jour de vie, avec dosage de phénylalanine sur une goutte de sang.
TRAITEMENT : régime pauvre en phénylalanine jusqu'à 8 ans.

RHUME DE LA HANCHE OU SYNOVITE AIGUË TRANSITOIRE DE LA HANCHE

Inflammation des membranes tapissant la face interne des articulations. Chez le garçon plutôt, entre 3 et 10 ans (pic entre 3 et 5 ans).
SYMPTÔMES : douleur d'apparition récente à l'appui, souvent au décours d'un banal épisode rhino-pharyngé ; douleur à la mobilisation de la hanche ;

limitation des mouvements ; absence de signes infectieux ; évolution favorable en 10 jours.
TRAITEMENT : mise en décharge de l'articulation (repos au lit), anti-inflammatoires (aspirine).

SCOLIOSE

Déviation rachidienne s'observant dans les trois plans (frontal, sagittal et horizontal), et constituant une gibbosité (bosse) au niveau dorsal.
SYMPTÔMES : le défaut de réductibilité et la rotation vertébrale affirment la scoliose.
À ne pas confondre avec une attitude scoliotique, due à une asymétrie de longueur d'un membre inférieur.
TRAITEMENT : en fonction du degré. Surveillance, traitement par le port d'un corset ou recours à la chirurgie.

TROUBLES VISUELS

Cécité : évoquée par l'absence de réaction du nouveau-né à la lumière, par l'étude de son visage.

Malvoyance : dépistée lors des examens des 9ᵉ et 24ᵉ mois.

– Réunion entre des participants qui se trouvent dans des lieux différents **audioconférence, visioconférence, téléconférence**

PARTICIPATION

– Participation assidue à des réunions **présence**
– Avec la participation d'Untel **collaboration, concours**
– Participation aux charges communes **contribution**
– Participation aux gains d'une société **intéressement, stock-option**
– Participation financière versée par les membres d'une société **apport, commandite, mise de fonds**

PARTICIPE

– Participe présent à valeur de verbe **gérondif**
– Participe présent à valeur d'adjectif **adjectif verbal**

PARTICIPER

– Faire participer activement quelqu'un à une activité **associer**
– Participer à une réunion **joindre à (se), mêler à (se), intervenir, prendre la parole**

– Participer à une affaire malhonnête **tremper dans**
– Participer contre la volonté de quelqu'un **immiscer (s'), ingérer (s')**
– Participer à l'effort d'une équipe **encourager**

PARTICULARITÉ

– La particularité d'un phénomène **spécificité, caractéristiques**
– Notre cas présente cette particularité **qualité, propriété**
– Cela constitue une particularité **exception, anomalie, aberration, irrégularité**
– Particularité dialectale **régionalisme**

PARTICULE

– Particule composante d'un noyau d'atome **nucléon, proton, neutron**
– Distinction des particules **virtuelles, élémentaires**
– Particule élémentaire composée de protons et de neutrons **quark**
– Particule élémentaire constituant l'antimatière **antiparticule**
– Particule élémentaire subissant l'influence de la force nucléaire **hadron, baryon, lepton**
– Particule de lumière **quantum d'énergie**

– Particule de composition d'un mot **affixe, préfixe, suffixe, désinence**

PARTICULIER

– Un cas particulier **spécial, précis, déterminé**
– Un lieu particulier **défini**
– Une correspondance particulière **privée, intime**
– Un style particulier **personnel**
– Un intérêt particulier **individuel, propre**
– Un don particulier **remarquable**
– Un individu particulier **singulier, original, étrange, bizarre**
– Caractère particulier à une région, un pays **particularisme**
– Langue particulière d'une communauté, d'un peuple **idiome**
– Réaction particulière d'un individu face aux agents extérieurs **idiosyncrasie**

PARTICULIÈREMENT

– Elle voyage beaucoup et particulièrement sur le continent africain **spécialement, notamment, principalement, surtout**
– Il gagne particulièrement bien sa vie **exceptionnellement, admirablement, remarquablement, singulièrement**

PARTIE
– Partie d'un espace **région, secteur**
– Partie latérale **côté**
– Partie centrale **cœur, milieu, noyau, centre**
– Partie finale **extrémité, queue**
– Partie d'un livre **passage, scène, chapitre, citation, préambule, avant-propos, introduction, conclusion, index, table des matières, extrait, fragment, morceau, page**
– Partie infime d'une substance **molécule, atome, particule**
– La majeure partie **la plupart**
– Faire partie d'un ensemble **appartenir à, relever de**

PARTIEL
– Des résultats partiels **incomplets, fragmentaires**
– Travail à temps partiel **mi-temps, quatre cinquièmes, trois cinquièmes, trois quarts**
– Paiement partiel **acompte, à-valoir, arrhes, mensualité, versement**

PARTIR
– Partir d'un point précis **émaner, provenir**
– Partir de son pays **expatrier (s'), exiler (s'), émigrer**
– Partir du domicile conjugal **quitter, abandonner**
– Partir en courant **sauver (se), enfuir (s'), détaler, déguerpir**
– Partir discrètement **éclipser (s'), retirer (se)**
– Partir quelque temps **absenter (s')**
– Partir dans ses pensées **absorber (s'), évader (s'), abîmer (s'), plonger (se)**
– Partir subitement **jaillir, éclater, fuser**
– La tache va partir au lavage **effacer (s'), désincruster (se), disparaître**
– Faire partir quelqu'un **chasser, évacuer, éconduire, expulser**

PARTISAN
– Partisan politique **militant, propagandiste**
– Partisan d'un courant de pensée **adepte, tenant**
– Partisan d'une cause **défenseur, zélateur, apôtre**
– Partisan d'une lutte armée **résistant, maquisard, guérillero, franc-tireur**
– Partisan nouvellement acquis à une doctrine **recrue, prosélyte, néophyte**
– Partisan du progrès **progressiste**
– Émettre un jugement partisan **partial, subjectif, sectaire**

PARTITION
– Élément d'une partition **portée, note, clef, indication, nuance, rythme, silence**
– Support de partition **pupitre, lutrin**
– Changement de page dans une partition **tourne**
– Lire une partition pour la première fois **déchiffrer**

PARTOUT
– Capacité à être partout présent **omniprésence, ubiquité**
– Être réclamé partout **de tous côtés**
– Répandre partout **urbi et orbi, sur tous les toits, en tous lieux**

PARURE
voir aussi **bijou, toilette**
– Parure du sapin de Noël **guirlande, décoration, boule**

PARVENIR
– Parvenir au sommet **accéder à, atteindre**
– Le soleil ne parvient pas à l'intérieur **pénètre, rentre**
– Faire parvenir **acheminer, porter, transmettre**
– Parvenir malgré les difficultés **aboutir, réussir, vaincre**
– Tenter de parvenir à ses fins **efforcer (s'), appliquer (s'), évertuer (s'), essayer**
– Être parvenu au terme de son développement **adulte, mature, mûr**

PARVENU
– C'est un parvenu **nouveau riche**
– En littérature, modèle du parvenu **Rastignac**

PAS /1
– Rythme des pas **cadence, allure, démarche**
– Marcher à grands pas **enjambées, foulées**
– Marque de pas **trace, empreinte**
– Pas sonore et ample **pas de géant**
– Pas lent **pas de tortue**
– Pas feutré **pas de loup**
– Faire les cent pas **attendre**
– Faire un pas en arrière **reculer**
– Au pas de course **rapidement**
– Pas à pas **graduellement, progressivement**
– Salle des pas perdus **antichambre**
– Faire un faux pas **trébucher, achopper**
– Pas de clerc **imprudence**
– Un pas vers le progrès **étape, tournant**
– C'est à deux pas ! **tout près**
– Pas d'une demeure **seuil**

PAS /2
– Ne pas **ne point, aucunement**
– Pas un n'était absent **aucun, personne**

PASSABLE
– Un vêtement encore passable **mettable**
– Un devoir passable **moyen, médiocre, piètre**
– Un enregistrement passable **supportable, honnête, convenable**

PASSAGE
voir aussi **canal, col**
– Passage d'un état à un autre **changement, mutation, transformation**
– Degré de passage **transition, gradation**
– Il y a beaucoup de passage dans cette avenue **trafic, circulation**
– Acquitter un droit de passage **péage**
– Passage en ville **artère, rue**
– Passage étroit en ville **ruelle, venelle, sente, traboule**
– Passage souterrain **tunnel, galerie, boyau**
– Faire un passage dans une forêt **trouée, percée**
– Effectuer le passage d'une rivière **franchissement, traversée**
– Un hôte de passage **provisoire**
– Passage d'un livre **scène, chapitre, citation, préambule, avant-propos, introduction, conclusion, index, table des matières, extrait, fragment, morceau, page**

PASSAGER /1
– Passager des transports **voyageur, usager**

PASSAGER /2
– Une accalmie passagère **précaire**
– Une difficulté passagère **transitoire, temporaire, momentanée**
– Un succès passager **fugitif, fugace, éphémère**
– Un boulevard très passager **fréquenté, passant, animé**

PASSANT
– Une rue très passante **passagère, fréquentée, animée**

PASSÉ /1
– Localisation du passé **date, chronologie**
– Avec le passé, les deux autres dimensions du temps **présent, futur**
– Lien avec le passé **souvenir, mémoire**
– Qui se réfère au passé **diachronique**
– Passé constitutif d'un pays **histoire, tradition, civilisation**
– Un lourd passé **antécédents, hérédité**
– Conserver les coutumes du passé **d'antan, d'autrefois**
– Passé proche **hier, naguère**
– Passé lointain **autrefois, auparavant, jadis, antiquité, préhistoire**
– Un effet agissant sur le passé **rétroactif**
– Retour sur le passé **rétrospective, flash-back**
– Un air du passé **démodé, désuet, vieillot, archaïque**
– Forme temporelle du passé en français **passé simple, passé composé, impar-**

fait, plus-que-parfait, futur antérieur, passé antérieur

PASSÉ /2
– Un temps passé **accompli, révolu**

PASSEMENTERIE
– Usage de la passementerie **vêtement, ameublement**
– Passementerie de boutonnière **brandebourg**
– Bordure de passementerie **crépine, passepoil**
– Tresse de passementerie **câblé, lacet**
– Fil de passementerie **cannetille**

PASSEPORT
– Lieu où l'on fait la demande de passeport **préfecture, mairie**

PASSER
– Passer ses vacances à l'hôtel **séjourner**
– Passer son temps à une activité **employer, consacrer**
– L'émission passe à 20 heures **est retransmise, est diffusée**
– Passer par un intermédiaire **recourir à**
– Passer le pouvoir **transmettre, léguer**
– Passer un acte juridique **libeller, dresser**
– Passer par les armes **tuer, exécuter, fusiller**
– Passer chez une amie **rendre visite à, faire un saut chez**
– Passer sa voiture **remettre, confier, prêter**
– Passer sa soif **assouvir, étancher**
– Passer un examen médical **subir**
– Passer un fleuve **franchir, traverser**
– Passer une clôture **enjamber, escalader**
– Passer chef **devenir, être promu**
– Passer à un degré supérieur **progresser, avancer**
– Passer les limites **excéder, outrepasser**
– Passer outre **transgresser, enfreindre, violer**
– Passer une ligne en lisant **oublier, sauter, omettre**
– Passer sur un problème **éviter, éluder, glisser sur, ignorer**
– On lui passe tous ses caprices **cède à, pardonne, satisfait**
– Se passer un excès **permettre (se), accorder (s')**
– Se passer de manger **priver de (se), abstenir de (s'), dispenser de (se), renoncer à**
– Faire une remarque en passant **incidemment**

PASSERELLE
– Rambarde d'une passerelle **garde-fou**
– Passerelle d'un sous-marin **baignoire**
– Passerelle reliant des pilotis **traversine**

PASSE-TEMPS
– Se consacrer à son passe-temps favori **hobby, violon d'Ingres, dada**
– Un passe-temps agréable **détente, loisir**

PASSIF
– Avoir un lourd passif **casier, antécédents**
– Passif d'une entreprise **dette, charge, arriéré, débit**
– Un verbe latin à la forme passive et au sens actif **déponent**
– Rester passif devant un événement **indifférent, amorphe, inerte, lâche, veule**
– Passif à force d'accablement **résigné, soumis, docile**

PASSION
– Passion amoureuse **coup de foudre, désir, ardeur, feu**
– Passion amoureuse passagère **tocade, passade, foucade, idylle**
– Thème de la passion amoureuse partagée **obsession, suspicion, jalousie, trahison, abandon**
– Passion pleine de respect **dévotion, admiration**
– Passion créatrice **excitation, exaltation, éréthisme**
– Passion de l'argent **avarice, convoitise, cupidité, avidité**
– Passion religieuse **ferveur, adoration, vénération**
– Symptôme de la passion **fièvre, frénésie, agitation, tension, consomption, insomnie**
– Paroxysme de la passion **folie, délire**
– Aimer avec passion **adorer, idolâtrer**
– Expression de la passion au théâtre **lyrique, pathétique**
– Purification des passions **catharsis**
– Livre relatant la Passion **passionnaire**
– Fruit de la Passion **grenadille, maracuja**

PASSIONNANT
– Un récit passionnant **captivant, prenant, poignant, exaltant, fascinant, palpitant**

PASSIONNÉ
– Un homme passionné **ardent, fougueux**
– Être passionné par quelque chose **conquis, emballé, grisé, épris**
– Un homme passionné de sport **fanatique, fervent, féru, mordu, toqué**

PASSIONNER
– Passionner quelqu'un **subjuguer, captiver, conquérir, fasciner**
– Passionner une foule **enflammer, galvaniser, exalter, enthousiasmer**
– Passionner par ses discours **enivrer**

PASSIONNER (SE)
– Se passionner pour quelqu'un **enticher de (s'), éprendre de (s'), embraser pour (s')**
– Se passionner pour quelque chose **emballer (s'), engouer (s'), raffoler de**
– Se passionner à l'extrême **consumer (se), brûler**

PASSOIRE
– Passoire utilisée dans les cuisines **couloire, passette**
– Petite passoire en forme d'entonnoir **chinois**
– Passoire à thé **passe-thé**
– Ustensile servant de passoire **écumoire**
– Passoire servant à sélectionner des matières selon leur grosseur **tamis, crible, blutoir, filtre**

PASTEUR
– Fonction de pasteur **pastorat**
– Lieu de prédication du pasteur **temple**
– Pasteur protestant **ministre, prédicant**
– Titre attribué au pasteur anglican **révérend**
– Assemblée de pasteurs et de laïques **presbyterium**
– Le Bon Pasteur **Jésus-Christ**

PASTILLE
– Pastille pharmaceutique **pilule, capsule, gélule, dragée, cachet, comprimé**
– Pastille homéopathique **granule**
– Pastille collée sur la peau à visée thérapeutique **patch, timbre**
– Fabrication de pastilles en confiserie **pastillage**
– Pastille servant de succédané du sucre **sucrette**
– Pastille utilisée dans un circuit intégré **puce, chip**

PASTORAL
syn. agreste, bucolique, champêtre
– Chanson pastorale **pastourelle, ranz**
– Poésie pastorale **églogue, idylle, villanelle**

PATAUGER
– Les enfants aiment patauger dans l'eau **patouiller, barboter**
– Patauger dans son raisonnement **embrouiller (s'), empêtrer (s'), perdre (se), égarer (s')**
– Il patauge en math **nage, coule, est noyé**

PÂTE *Voir illustration p. 433*
– Pâte alimentaire **nouille, coquillette, spaghetti, tagliatelle, macaroni, penne, ravioli**
– Pâte alimentaire très fine **cheveu d'ange, vermicelle**
– Pâte boulangère **pâton**
– Pâte à faïence **barbotine**

PEINTURE ET DÉCORATION

Aquarelle : peinture qui utilise des couleurs transparentes délayées dans de l'eau.

Art abstrait : se dit d'un style qui utilise les couleurs, les lignes, les formes pour elles-mêmes et ne cherche pas à représenter des objets ou des personnages.

Art figuratif : se dit d'un style qui s'efforce de représenter les objets, par opposition à l'art abstrait.

Clair-obscur : effet produit par le contraste de la lumière et des ombres, rendu célèbre par Rembrandt.

Collage : composition faite de matériaux divers qui sont collés sur la peinture ou y sont intégrés.

Craquelage : fendillement sur une peinture.

Divisionnisme : pointillisme.

Fresque : peinture murale réalisée sur un enduit frais avec des couleurs délayées dans de l'eau.

Frise : bandeau ornemental utilisé pour décorer un mur, une cheminée.

Frottage : procédé de reproduction qui consiste à frotter à l'aide d'une mine de plomb une toile ou une feuille appliquée sur une surface présentant des reliefs.

Gouache : procédé pictural qui consiste à utiliser des matières colorantes délayées dans de l'eau et liées avec de la gomme.

Grisaille : peinture dans les tons de gris qui donne une impression de relief.

Grotesques : ornement représentant des figures fantastiques.

Nature morte : tableau représentant des objets tels que des fruits ou des fleurs.

Op art : forme d'art moderne qui consiste à utiliser des effets d'optique pour créer une impression de mouvement.

Pastel : œuvre, généralement polychrome, réalisée avec des bâtonnets de couleur, aussi appelés pastels.

Pastorale : représentation de scènes champêtres.

Pietà : représentation de la Vierge Marie tenant sur ses genoux le corps de Jésus après la descente de Croix.

Pointillisme : procédé qui consiste à peindre par petites touches juxtaposées sur la toile.

Putto : représentation de l'amour sous les traits d'un bébé ou d'un angelot.

Sgraffite : procédé de décoration murale qui consiste à gratter un enduit clair appliqué sur un mur en stuc.

Tondo : tableau de forme circulaire.

Trompe-l'œil : procédé de peinture qui a pour but de créer l'illusion d'objets réels en relief grâce à la perspective.

– Type de pâte **feuilletée, brisée, sablée, à pizza**
– Travailler une pâte **pétrir, malaxer, modeler**
– Pâte en maçonnerie **mortier, colle, gâchis**

PÂTÉ
– Pâté de viande **terrine, mousse**
– Pâté feuilleté **friand, rissole**
– Pâté rond à la viande **tourte**
– Pâté chaud dont la croûte est croquante **croustade**
– Pâté chaud à base de hachis de veau **godiveau**
– Pâté de sable **château**
– Pâté d'encre **tache, bavure, éclaboussure**
– Un pâté de maisons **îlot, groupe, ensemble, bloc**

PATERNITÉ
syn. **engendrer**
– Paternité divine **paterne**
– Degré de paternité **légitime, naturelle, adoptive**
– Action juridique contestant la paternité **désaveu de paternité**
– Votre paternité **dignité d'un abbé**

PATHÉTIQUE
– Le pathétique d'un chant **emphase**

– Une scène pathétique **émouvante, bouleversante, poignante, captivante, dramatique**

PATIENCE
– Patience à toute épreuve **persévérance, ténacité, opiniâtreté, obstination**
– Patience dans les épreuves morales **longanimité**
– Faire preuve de patience à l'égard d'un enfant **indulgence, tolérance**
– Source de la patience **foi**
– Allié de la patience **temps, confiance**
– Jeu de patience **réussite, casse-tête, puzzle**
– Patience en héraldique **salamandre**

PATIENT /1
– Le patient d'un médecin **malade, client**

PATIENT /2
– Un caractère patient **doux, débonnaire, tolérant, indulgent**

PATIN
– Nouvelle génération de patins à roulettes **roller, skate**
– Variante du patin à roulettes **wind skating, char à voile**
– Matière des premiers patins à glace **os**
– Sport d'équipe sur patins à glace **hockey**

PATINAGE
– Épreuve de patinage artistique **libre, imposée, short-program**
– Figure de saut en patinage artistique **axel, salchow, boucle, lutz, flip-flap, renversement arrière, huit, dehors**

PATINE
– Patine d'un cuir **poli**
– Patine se formant sur le cuivre, le bronze **vert-de-gris, oxydation**
– Patine artificielle servant de protection **vernis, vitrificateur**

PATINER
– Les roues patinent dans la boue **glissent, dérapent, ripent, chassent**
– L'ordinateur patine **mouline**

PÂTIR
syn. **endurer, subir**
– L'entreprise va pâtir de cette mauvaise conjoncture **souffrir de**

PÂTISSERIE
voir aussi **gâteau**
– Apprenti en pâtisserie **patronnet**
– Matériel utilisé en pâtisserie **tourtière, fouet, marbre, moule, planche, rouleau**
– Table de pâtisserie **pâtissoire**
– Pâtisserie orientale **baklava, corne de gazelle, loukoum, kadaïf**

PATRIARCHE
– C'est le patriarche de la famille **arrière-grand-père, grand-père, père, chef, pater familias**
– Le patriarche de Ferney **Voltaire**

PATRIE
– Amour de la patrie **patriotisme**
– Personnes originaires de la même patrie **compatriotes**
– Individu sans patrie **apatride, sans-patrie, heimatlos**
– Quitter sa patrie **expatrier (s'), émigrer, exiler (s')**
– Faire revenir une personne dans sa patrie **rapatrier**
– Symbole de la patrie **drapeau, hymne, devise**

PATRIMOINE
– Patrimoine familial **héritage, propriété, fortune**
– Le patrimoine d'une société **capital, créances, biens immeubles, biens meubles**
– Le patrimoine culturel d'une région **richesse, trésor**
– Patrimoine génétique **génotype**

PATRIOTE
– Patriote anglais **jingo**
– Patriote juif qui refusait l'occupation romaine **zélote**

PERCUSSIONS *(voir aussi tableau Instruments de musique, p. 321)*

Percuteurs : baguette, balai, battant, maillet, mailloche, verge.

Métaux : carillon, cloche, cloche deux tons, flexaton, gong, guimbarde, scie musicale, sistre, triangle.

Instruments à clavier : célesta, glockenspiel, marimba (Afrique, Amérique du Sud), métallophone, vibraphone, xylophone.

Accessoires : afuche, berimbau (Brésil), cabaza, castagnettes, claves, crécelle, didjeridoo, fouet, grelots, guïro, kalimba (Afrique), kazoo, maracas, tempelblock, washboard, woodblock.

Peaux : bongo, caisse roulante, conga, doundounba (Afrique), darbouka (Maghreb), djembé (Afrique), tabla (Inde), tambour, tambour de basque, tambourin, timbale, timbales (Amérique latine).

Batterie : cymbales, tom basse, tom médium, tom alto, grosse caisse, caisse claire, charleston (ou hi-hat).

Marimba

Baguette

Mailloche   **Balai**

Cloche deux tons (Afrique occidentale)

Sistre   **Djembé**

Batterie   **Washboard**

– Un patriote chauvin **cocardier**

PATRON *Voir tableau saints patrons, p. 544*
– Patron d'une grande entreprise **PDG**
– Patron d'une entreprise de moins de dix salariés **artisan, entrepreneur**
– Grand patron d'un service hospitalier **mandarin, chef**
– Patron de ferme **agriculteur**
– Patron de pêche **commandant, capitaine**

– Grand patron **boss, dirlo**
– Ensemble des patrons **patronat**
– Saint patron **protecteur**
– Faire le patron d'un vêtement **modèle, forme, gabarit**

PATRONAGE
– Cérémonie placée sous le patronage d'une personne influente **égide, auspices**
– Demander le patronage d'une personnalité **protection, appui, recommandation, soutien**

PATRONNER
– Le député patronne la manifestation **appuie, soutient, protège, parraine**

PATROUILLE
– Tâche d'une patrouille **surveillance, ronde, guet, garde, reconnaissance**
– Avion de patrouille **ailier**

PATTE
– Extrémité d'une patte animale **palme, pince, griffe, serre**

– Animaux dépourvus de pattes **apodes**

PÂTURAGE
voir aussi **champeau, herbage, prairie**
– Pâturage où se pratique l'engraissement du bétail **embouche**
– Pâturage en montagne **alpage, estive**

PÂTURE
– Les restes sont donnés en pâture aux cochons **nourriture, pitance**
– La pâture du chien **soupe, pâtée**

PAUME
– Recouvre la paume **empaumure**
– Protège la paume **gantelet, paumelle**
– Empreintes de la paume **dermatoglyphes**
– Largeur de la paume prise comme mesure **palme**

PAUPIÈRE
– Spécifique aux paupières **palpébral**
– Contraction fréquente des paupières **nictation**
– Renversement de la paupière en dehors **ectropion, éraillement**
– Renversement de la paupière en dedans **entropion**
– Inflammation de la paupière **blépharite**
– Furoncle ou kyste sur le bord de la paupière **compère-loriot, orgelet, chalazion**
– Chirurgie plastique de la paupière **blépharoplastie**
– Muscle de la paupière **releveur, orbiculaire**
– Croûte sur le bord des paupières **chassie**
– Produit servant au maquillage des paupières **eye-liner, crayon, fard, khôl**

PAUSE
syn. **arrêt, halte, interruption**
– Faire une pause au cours d'une réunion **suspension, break**
– Pause lors d'un spectacle **entracte**
– Pause scolaire **interclasse, récréation**
– Pause sportive **mi-temps**
– Pause dans la notation musicale **silence**

PAUVRE
– Une terre pauvre **aride, stérile, infertile**
– Une pauvre récolte **minime, piètre, négligeable**
– Un organisme pauvre en vitamines **faible, dépourvu de, dénué de**
– Une allure pauvre **déplorable, misérable, pitoyable**
– Ensemble des pays pauvres **tiers monde, pays en voie de développement, PMA (pays moins avancés)**
– Population pauvre d'un pays **quart monde**

– Les quartiers pauvres **populeux**
– Concentration d'habitations précaires où vivent les gens pauvres **bidonville**

PAUVRETÉ
– Vivre dans la pauvreté **misère, détresse, dénuement, gêne, nécessité, privation, indigence**
– Couche de la population le plus atteinte par la pauvreté **sous-prolétariat, quart monde**
– État de pauvreté d'une partie de la société **paupérisme**
– Processus d'accroissement de la pauvreté **paupérisation**
– Domaines le plus gravement touchés par la pauvreté **alimentation, soins médicaux, hygiène, alphabétisation, scolarisation**
– Lutte contre la pauvreté **Secours populaire, Secours catholique**
– Pauvreté d'un discours **banalité, platitude, médiocrité**

PAVAGE
– Pavage d'une route **pavement, revêtement**
– Pavage constitué de cailloux et de pierres **rudération**
– Matière rocheuse utilisée pour le pavage **roche pavimenteuse**
– Se trouve sous le pavage **couchis**

PAVÉ
– Il y a un joli pavé dans cette maison **carrelage, dallage**
– Matériau dont on fait les pavés **pierre, bois**
– Elle est sur le pavé **à la rue, sans emploi**
– Le pavé de l'ours **maladresse, bourde**

PAVILLON
– Pavillon de jardin **kiosque, gloriette, belvédère**
– Pavillon circulaire **rotonde, tonnelle**
– Pavillon de chasse **muette, rendez-vous**
– Petit pavillon d'habitation **chalet, bungalow**
– Pavillon de banlieue **meulière, villa**
– Pavillon luxueux du XVIIIe siècle **folie**
– Pavillon recouvrant le ciboire **custode**
– Pavillon pour malentendant **cornet**

PAYER
– Payer une facture **régler**
– Payer une dette **dédommager, indemniser, liquider un passif, acquitter, éteindre, solder**
– Payer des notes de frais **rembourser, défrayer**
– Payer un salaire **rémunérer, rétribuer, appointer**
– Payer une pension **verser**
– Il paie sa tournée **offre**

– Payer la réalisation d'un projet **financer**
– Payer une personne pour commettre un acte illicite **acheter, corrompre, soudoyer, stipendier**

PAYS
voir aussi **État, nation, province, région**
– Première ville d'un pays **capitale, métropole**
– Organisation politique d'un pays **république, royaume, empire, confédération**
– Représentation diplomatique d'un pays dans un autre **ambassade, consulat**
– Immixtion d'un pays dans la politique intérieure d'un autre pays **ingérence, intervention**
– Pays riche **puissance**
– Habitant n'étant pas originaire du pays où il vit **résident, allogène, immigré, naturalisé**
– Habitant originaire d'un pays **natif, indigène, autochtone, aborigène**
– Voir du pays **voyager**

PAYSAGE
– Elle admire le paysage **panorama, site, vue, point de vue**
– Paysage fictif **décor, scène, diorama**
– Personne qui ordonne le paysage d'un site dans une ville **architecte, paysagiste, jardinier, urbaniste**
– Plate-forme en bordure de route permettant d'admirer le paysage **belvédère**
– Paysage audiovisuel français **PAF**

PAYSAN /1
voir aussi **agriculteur**
– Qualificatif s'appliquant à un paysan **rural, terrien**
– Nom péjoratif donné aux paysans **bouseux, cul-terreux, péquenaud, pedzouille**
– Paysan russe **moujik, koulak**
– Paysan arabe **fellah**
– Sobriquet ancien repris afin de désigner un paysan en révolte **jacques, croquant**

PAYSAN /2
– Une fête paysanne **folklorique**

PÉAGE
– Téléspectateur d'une chaîne à péage **abonné**

PEAU *Voir illustration p. 434*
voir aussi **tégument**
– Spécifique à la peau **cutané**
– Tissu constitutif de la peau **épiderme, derme, hypoderme**
– Couche graisseuse de la peau **pannicule**
– Chute naturelle des cellules mortes à la surface de la peau **desquamation**

– Tache sur la peau **nævus, envie, grain de beauté, mélanome**
– Tache de rousseur de la peau **éphélide**
– Absence de pigmentation de la peau **albinisme**
– Petite poche de la peau **ampoule, phlyctène, cloque**
– Boutons sur la peau **herpès, eczéma, urticaire, acné, furonculose, varicelle, rougeole, rubéole, peste**
– Substance microbienne se fixant sur la peau **dermotrope**
– Inflammation de la peau **dermatite**
– Maladie de la peau **dermatose**
– Lésion bénigne de la peau **papillome, papule**
– Étude et médecine de la peau **dermatologie**
– Produit de protection et d'embellissement de la peau **cosmétique, maquillage**

PÊCHE *Voir tableau p. 437*
– Art de la pêche **halieutique**
– Type de pêche **maritime, fluviale, lacustre**
– La pêche en haute mer **hauturière**
– La pêche près du rivage **littorale**
– Harpon employé dans la pêche en mer **foène**
– Filet de pêche que l'on laisse traîner **ableret, chalut, drague, senne, araignée**
– Bateau de pêche industrielle **morutier, thonier, harenguier, sardinier, trinquart, chalutier**
– Embarcation de pêche à la ligne **barque, bachot**
– Œufs de poisson servant d'appât pour la pêche à la sardine **rogue**
– Appât constitué de poisson cru haché pour la pêche au gros **strouille, stronk**
– Morceau de peau servant d'appât pour la pêche **gueulin**
– Appât employé pour la pêche à la ligne **amorce, esche, ver, mouche, chènevis, asticot**
– Accessoire de la pêche à la ligne **dégorgeoir, épuisette, bourriche**
– Canne à pêche **ligne, gaule, canne à lancer**
– Ligne de canne à pêche pourvue de plusieurs hameçons **palangre, turlutte**
– Pantalon de caoutchouc utilisé pour la pêche **waders**

PÉCHÉ
voir aussi **faute, offense, sacrilège, vice**
– Petit péché **peccadille, faiblesse**
– Il vit dans le péché **débauche, stupre, vice, luxure**
– Péché à l'égard du nom de Dieu **blasphème**
– Péché inhérent à la condition humaine selon la religion chrétienne **péché originel**

– Opinion contraire au dogme et pouvant être considérée par l'Église catholique comme un grand péché **hérésie**
– Tribunal ecclésiastique qui statue sur les péchés jugés très graves **pénitencerie**
– Les sept péchés capitaux **avarice, colère, envie, gourmandise, luxure, orgueil, paresse**
– Regret des péchés **contrition**
– Sacrement de la religion catholique où se fait la confession des péchés **réconciliation**
– Formule de reconnaissance de ses péchés **mea culpa**
– Pardon des péchés **absolution**
– Commettre un péché **faillir, succomber, pécher**
– Personne susceptible de commettre un péché **peccable**

PÉDALE
– Les pédales d'une voiture **accélérateur, frein, embrayage**
– Deux-roues à pédales **bicyclette, vélocipède, tandem, cyclomoteur, vélomoteur, Solex**
– Petite embarcation à pédale **Pédalo**
– La pédale douce du piano **sourdine**

PÉDANT
– Un air pédant **affecté, suffisant, fat, vaniteux, cuistre, pontifiant**
– Une femme pédante **bas-bleu**

PÉDIATRIE *Voir tableau p. 439-440*

PEIGNE
– Peigne utilisé pour séparer la graine de lin de sa capsule **drège**
– Matière employée pour la fabrication des peignes **corne, ivoire, écaille, ébonite**
– Passer une région au peigne fin **ratisser**

PEIGNOIR
– Elle enfile un peignoir **sortie de bain**

PEINDRE
– Peindre un tableau **figurer, portraiturer**
– Peindre une façade **ravaler**
– Peindre selon un modèle **reproduire, représenter**
– Peindre de façon soignée et par petites touches **pignocher**
– Peindre de façon maladroite **peinturlurer, barbouiller**
– Peindre à la manière de **pasticher**
– Peindre verbalement une scène **conter, dépeindre, traduire**
– Peindre les personnages d'une histoire **camper, décrire, brosser**

PEINE
voir aussi **condamnation, pénalité, punition, sanction, supplice**

– Peine disciplinaire **blâme**
– Peine d'emprisonnement **réclusion, détention, relégation**
– La peine de mort **peine capitale**
– Exécution de la peine de mort **décapitation, pendaison, électrocution, fusillade**
– Alléger une peine **commuer**
– Être dans la peine **détresse, misère, affliction**
– Sa peine est immense **chagrin, tourment, désolation, douleur, malheur**
– Réussir à grand-peine **laborieusement**
– Avoir de la peine à faire quelque chose **embarras, difficulté, mal**
– À peine **tout juste**

PEINER
– Peiner sur un travail **fatiguer (se), épuiser (s'), besogner, évertuer (s')**
– Peiner quelqu'un **affecter, chagriner, contrarier, affliger, éprouver, froisser**

PEINTRE
– Matériel du peintre **godet, palette, spatule, brosse, pinceau, pincelier, chevalet**
– Couteau du peintre servant à délayer les couleurs **amassette**
– Lieu de travail du peintre **atelier**
– Peintre qui travaille sur les effets de lumière **luministe**
– Peintre s'inspirant de l'Orient, de l'Asie **orientaliste**
– Peintre des manuscrits anciens **enlumineur, miniaturiste**
– Peintre sans talent **rapin, gribouilleur, barbouilleur**
– Saint patron des peintres **Lazare, Luc**

PEINTURE *Voir tableau p. 443*
voir aussi **art**
– Support d'une peinture **toile, papier, carton**
– Cadre d'une peinture sur toile **châssis**
– Matière utilisée pour la confection d'une toile de peinture **lin, coton, jute**
– Traitement d'une toile vierge pour la peinture **encollage, enduit**
– Genres en peinture à l'huile **paysage, portrait, marine**
– Technique de peinture **gouache, aquarelle, huile, acrylique**
– Procédé de peinture **détrempe, tempera, glacis, lavis, bombage**
– Diluant pour les peintures à l'huile **médium, essence de térébenthine, essence de pétrole, huile de lin, huile d'œillette, huile de noix, white-spirit**
– Produit permettant d'accélérer le séchage d'une peinture à l'huile **siccatif**
– Film protecteur d'une peinture **vernis**
– Peinture murale **fresque, tag**
– Altérations d'une peinture **craquelures, rides, encrassement, écaillement**

– Peinture murale en camaïeu sur une surface de couleur enduite d'un mortier gratté et incisé **sgraffite**
– Spécifique à la peinture **pictural**
– Aspect de finition d'une peinture **mat, brillant, satiné**
– Aspect terne d'une peinture **embu**
– Restauration d'une peinture **repiquage, rentoilage, marouflage**
– Lieu d'exposition de peintures **galerie, musée, pinacothèque**
– Inauguration d'une exposition de peinture **vernissage**

PÉJORATIF

– Sens péjoratif d'un mot **défavorable, dépréciatif**

PELAGE

– Le lion a un beau pelage **fourrure, poil**
– Pelage des moutons **toison, laine**
– Pelage d'un cheval **robe**
– Tache sur le pelage **moucheture**
– Rayure sur le pelage **zébrure**

PÊLE-MÊLE

– Ses affaires se trouvent pêle-mêle sur le sol **en désordre, en vrac, sens dessus dessous**
– Endroit où tout se trouve pêle-mêle **bazar, souk, fouillis, chantier, capharnaüm**

PELER

– Peler un arbre **écorcer**
– Peler un œuf **éplucher, écaler**

PÈLERIN

– Saint patron des pèlerins **Jacques le Majeur**

VOCABULAIRE DE LA PHILOSOPHIE

Béhaviorisme
Fondée aux États-Unis en 1913 par J. B. Watson, cette méthode scientifique appliquée à l'étude de l'homme et de l'animal se borne à l'analyse du comportement comme réponse à un stimulus extérieur, à l'exclusion de toute référence à la conscience.

Déterminisme
Doctrine selon laquelle tout l'Univers, y compris la volonté humaine, est soumis à la nécessité extérieure.

Empirisme
Fondé dès l'Antiquité en réaction aux dogmatismes aristotélicien, épicurien et stoïcien, l'empirisme s'oppose à la théorie des idées innées et au rationalisme. Il a pour ambition de démontrer que toute connaissance dérive de l'expérience sensible.

Épicurisme
Doctrine d'Épicure selon laquelle le plaisir est le bien. L'homme sage se contente des plaisirs simples, naturels et nécessaires (boire, manger...), qui n'engendrent pas d'autres plaisirs inutiles et contraignants. Il évite ainsi la douleur, et peut atteindre le bonheur, qui n'est que l'absence de troubles (ataraxie).

Épistémologie
Discipline qui prend la ou les sciences pour objet et qui comprend la critique de la connaissance scientifique, la philosophie des sciences et l'histoire des sciences.

Esthétisme
Attitude qui ne reconnaît comme critère de valeur, de jugement et de conduite que la beauté et qui ignore toute référence à la morale.

Éthique
Partie de la philosophie qui a pour objet les problèmes fondamentaux des mœurs et de la morale et prône une conduite cohérente de la vie.

Existentialisme
Au sens large, philosophie qui prend l'existence humaine pour centre de sa réflexion et qui prône la primauté de l'existence sur l'essence. L'existentialisme chrétien considère l'homme dans son rapport à la transcendance. L'existentialisme athée considère l'homme jeté dans le monde, sans appui et sans référence : il doit créer ses valeurs par sa propre liberté et sous sa propre responsabilité.

Hédonisme
Doctrine qui prend la recherche du plaisir et le fait d'éviter la souffrance comme principes de la morale.

Humanisme
Doctrine qui pose la dignité inaliénable de toute personne et vise à procurer à chacun les conditions de son plein épanouissement intellectuel et physique.

Idéalisme
Nom donné à tous les systèmes qui, s'opposant à l'empirisme et au sensualisme, ramènent l'être ou la réalité des choses à la pensée, aux idées ou à la conscience du sujet qui les conçoit ; ou font de la pensée le point de départ de toute connaissance de l'être ou de la réalité. Platon, par exemple, sépare nettement le monde des idées, formes éternelles, parfaites et intelligibles, du monde sensible, où les choses ne sont que le reflet imparfait des idées pures et parfaites.

Matérialisme
Doctrine qui n'admet comme réalité que la matière, et conçoit le mouvement de celle-ci comme son attribut essentiel. On distingue deux types de matérialisme. Le matérialisme mécaniste, représenté par Leucippe, Démocrite, Lucrèce, d'Holbach, La Mettrie, tente de rendre compte

des lois de la nature, de la pensée, etc., par des lois mécaniques. Le matérialisme historique, fondé par Marx, conçoit l'Histoire comme le mouvement, l'évolution et les changements des moyens de production.

Métaphysique
Recherche des principes et des causes premières, indépendamment de toute référence à l'expérience sensible et aux sciences positives.

Nihilisme
Doctrine selon laquelle rien n'existe d'absolu, et qui par conséquent nie toute hiérarchie de valeurs. Doctrine anarchiste fondée sur une critique de l'organisation sociale et qui appelle à la révolution, au besoin par la violence.

Nominalisme
Doctrine selon laquelle les idées générales comme les concepts n'ont aucune réalité et sont seulement des noms.

Ontologie
Partie centrale de la philosophie qui étudie l'être indépendamment de ses déterminations particulières et dans ce qui constitue son intelligibilité propre, son essence.

Phénoménologie
Au sens large, étude descriptive d'un phénomène tel qu'il est donné dans l'expérience. Chez Husserl, philosophie qui tend à revenir aux choses mêmes, aux phénomènes, et à les décrire tels qu'ils se donnent à la conscience.

Probabilisme
Inspirée par le scepticisme, cette doctrine prône que l'on ne peut accéder à aucune connaissance certaine et qu'il faut opter, par défaut, pour ce qui est le plus probable.

Rationalisme
Au sens large, qualifie toute doctrine qui attribue à la seule

raison humaine la capacité de connaître et d'établir la vérité sans aucune référence au sentiment ou au surnaturel. Qualifie aussi toute doctrine qui pose que chaque chose a une raison d'être et qu'il n'y a donc rien que la raison ne puisse connaître ou qui, s'opposant à l'empirisme, pose que c'est par la connaissance de principes a priori universels et nécessaires que l'on accède à la vérité.

Relativisme
Doctrine qui professe la relativité de la connaissance.

Scepticisme
Doctrine qui se fonde sur les erreurs des sens et du raisonnement pour prôner l'incapacité de la raison et de l'esprit à accéder à des connaissances certaines. Défendu dans l'Antiquité par Pyrrhon et Sextus Empiricus, le scepticisme a influencé le probabilisme et fut utilisé méthodiquement par Descartes dans ses *Méditations métaphysiques* et par Hume pour fonder sa *Critique des sciences expérimentales*.

Scolastique
Méthode fondée sur la dialectique aristotélicienne et l'autorité des textes sacrés, qui réduit la pensée à un formalisme figé – mais rigoureux. En réaction contre cette sclérose de l'Université médiévale, François Iᵉʳ décide, en 1530, de créer le Collège [des trois langues] des lecteurs royaux, futur Collège de France.

Utilitarisme
Philosophie anglaise selon laquelle la fin de la conduite est l'utile, c'est-à-dire le plaisir réfléchi et calculé. Stuart Mill, l'un des plus illustres représentants de ce courant, est l'auteur d'un utilitarisme moral où le bien et le mal ne sont pas des valeurs en soi mais où c'est l'expérience qui enseigne ce qui est utile, et donc ce qui est bon.

– Pèlerin au XIIe-XIIIe siècle **croisé**
– Objet des déplacements d'un pèlerin **culte, dévotion**

– Ancien attribut du pèlerin **bâton, bourdon, coquille, gourde**
– Criquet pèlerin **sauterelle**

PHOBIES

	Peur irraisonnée de		
Aérophobie	air, vent	**Sitiophobie**	nourriture
Acrophobie, vertige	altitude	**Kainotêtophobie**	nouveauté
Zoophobie	animaux	**Nyctophobie**	nuit
Dysmorphophobie	anomalie anatomique	**Kénophobie**	obscurité
		Autodysosmophobie	odeurs (répandre de mauvaises)
Arachnophobie	araignées	**Ornithophobie**	oiseaux
Machairophobie	armes blanches	**Cheimophobie**	orages, tempêtes
Aérodromophobie	avion (voyages en)	**Leucoselophobie**	page blanche
Bacillophobie	bacilles	**Logophobie**	parler
Bitrochosophobie	bicyclettes	**Orophobie**	pente (lieux en), montagnes
Cancérophobie	cancer		
Ailourophobie	chats	**Phobophobie**	peur (avoir)
Sidérodromophobie	chemins de fer	**Cénophobie**	pièces vides
Cynophobie	chiens	**Trichophobie**	poils
Apopatho-diaphulatophobie	constipation	**Achmophobie**	pointes et objets pointus
Stasophobie	debout (avoir à rester)	**Koréphobie**	poupées
		Myxophobie	poussière
Odontophobie	dents (atteintes des)	**Blemmophobie**	regard d'autrui
Algophobie	douleur	**Potamophobie**	rivières
Hydrophobie	eau	**Éreutophobie**	rougir
Astrophobie ou		**Dromophobie**	rues et croisements
Astrapéphobie	éclairs		
Graphophobie	écrire (devoir)	**Rupophobie**	saleté
Toxicophobie	empoisonnement	**Hématophobie** ou	
Épidémiophobie	épidémies	**Hémophobie**	sang
Bélonéphobie	épingles	**Ophiophobie**	serpents
Claustrophobie	espaces clos	**Pornophobie**	sexualité
Agoraphobie	espaces libres	**Autographophobie**	signer (devoir)
Taphéphobie	être enterré vivant	**Hypnophobie**	sommeil
Gynéphobie	femmes	**Musophobie**	souris
Pyrophobie	feu	**Spélaionophobie**	sous-sols, grottes
Physiophobie	fonctionnement corporel (anomalie du)	**Saccharophobie**	sucre
		Autocheiro-thanatophobie	suicide
Psychopathophobie	fou (devenir)	**Téléphonophobie**	téléphone
Ochlophobie	foule	**Scotophobie**	ténèbres
Carpophobie	fruits	**Géophobie**	terre (contact avec de la)
Enduophobie	habiller (devoir s')		
Acrophobie	hauteurs	**Tonitrophobie, bronthémophobie**	tonnerre
Anthropophobie	hommes		
Élaïonophobie	huile	**Pantophobie, tautophobie**	tout
Hystérophobie	hystérie	**Diapnophobie**	transpiration
Entomophobie	insectes	**Triskaidekaphobie**	treize à table (être)
Aupniaphobie	insomnie		
Glossophobie	langue (maladies de la)	**Phtisiophobie**	tuberculose
Lachanophobie	légumes	**Anémophobie**	vent
Topophobie	lieu	**Hyalophobie**	verre
Photophobie	lumière	**Créatophobie**	viande
Nosophobie	maladies	**Clinophobie**	vide
Basophobie	marcher (devoir)		
Thalassophobie	mer		Aversion, hostilité à l'égard de :
Métallophobie	métaux		
Microbiophobie	microbes		
Nécrophobie, thanatophobie	mort	**Anglophobie**	Anglais
		Xénophobie	étrangers
Onomatophobie	mots (entendre ou prononcer des)	**Francophobie**	Français

PÈLERINAGE

– Haut lieu de pèlerinage au Moyen Âge **Saint-Jacques-de-Compostelle**
– Lieu de pèlerinage de l'islam **La Mecque**

PELLE

– Pelle à enfourner **enfourneuse**
– Pelle de jardinier **bêche, houlette, louchet, palot**
– Pelle en bois en forme de godet, employée pour puiser de l'eau **écope**
– Pelle mécanique **pelleteuse, excavatrice, drague**
– Accompagne la pelle à poussière **balayette**

PELLICULE *Voir tableau photographie, p. 451-452*

– Pellicule fine couvrant les feuilles ou les tiges d'une plante **cuticule, pruine**
– Pellicule dure des graines **écalure**
– Pellicule d'emballage **cellophane**
– Pellicule appliquée sur le bois pour le protéger **vernis**
– Pellicule photographique produisant des images dites négatives **film, bande**

PELOTE

– Petite pelote de fils **peloton**
– Pelote de cordage **manoque**
– Pelote faite de drap entouré de ficelle **paume**
– Pelote basque **rebot**
– Matériel utilisé pour jouer à la pelote basque **chistera, gant**
– Joueur de pelote basque **pelotari**

PELOTONNER (SE)

– Elle aime se pelotonner contre lui **blottir (se), recroqueviller (se), lover (se)**

PELOUSE

syn. **gazon**
– Herbe à pelouse **ray-grass, fétuque, pâturin, agrostis**
– Pelouse entourée de bordures **boulingrin**
– Aménagement en pelouse d'un jardin à la française **vertugadin**

PENAUD

– Rester penaud face à une remarque **déconcerté, quinaud, confus**
– Un air penaud **déconfit, embarrassé, gêné**

PENCHANT

– Avoir un penchant pour une personne **attrait, attirance, affection, sympathie, béguin, affinité, attachement**
– Avoir un penchant pour une activité **goût, inclination, préférence**
– Un mauvais penchant **défaut, faiblesse, travers**
– Céder à ses penchants **impulsions, désirs**

PENCHER (SE)
– Il a du mal à se pencher **courber (se)**, **incliner (s')**, **baisser (se)**
– Se pencher sur une cause **occuper de (s')**, **intéresser à (s')**
– Se pencher sur un dossier **examiner**, **compulser**, **étudier**, **analyser**

PENDAISON
– Corde de pendaison **hart**
– Instrument de supplice utilisé pour la pendaison **potence**, **gibet**

PENDANT /1
– Le pendant exact d'un tableau **réplique**, **double**, **correspondant**
– Pendant d'une écriture en comptabilité **contrepartie**
– Faire pendant **être symétrique**

PENDANT /2
– Une affaire pendante **en instance, en cours, en attente**
– Les bras pendants **ballants**

PENDANT /3
– Pendant les vacances **au cours de, durant**
– Pendant que **lorsque, quand, tandis que**

PENDENTIF
– Pendentif que l'on porte aux oreilles **pendeloque**, **girandole**, **pendant**
– Collier supportant un pendentif **sautoir**, **châtelaine**

PENDERIE
– On peut y aménager une penderie **placard**, **armoire**
– Élément d'une penderie **cintre**, **tringle**
– Ses vêtements sont dans la penderie **garde-robe**
– Penderie dans un lieu public **vestiaire**

PENDRE
– Laisser pendre le feuillage d'une plante **tomber**, **descendre**, **reposer**, **retomber**
– Pendre jusqu'à terre **traîner**
– Pendre le linge **étendre**
– Ustensile servant à pendre **crochet**, **esse**, **croc**, **pendoir**, **tringle**, **séchoir**
– Corde qui servait à pendre un condamné **hart**
– Objet utilisé pour pendre des vêtements **cintre**, **patère**, **valet**

PENDULE /1
voir aussi **balancier**, **régulateur**
– Réception de radiations au moyen d'un pendule **radiesthésie**
– Mouvement d'un pendule **oscillation**

PENDULE /2
– Pendule dans une armoire **horloge comtoise**

– Pendule qui sonne **carillon**, **coucou**
– Pendule murale **cartel**

PÉNÉTRANT
– Un esprit pénétrant **perspicace**, **subtil**, **lucide**, **clairvoyant**, **sagace**
– Un regard pénétrant **profond**, **perçant**, **aigu**, **intense**
– Un vent pénétrant **vif**, **mordant**, **incisif**

PÉNÉTRATION
– Faculté de pénétration intellectuelle **compréhension**, **finesse**, **acuité**, **sagacité**, **perspicacité**
– Pénétration d'une chose dans une autre **introduction**, **intromission**
– Pénétration d'un liquide **infiltration**, **imprégnation**, **imbibition**
– Pénétration de troupes ennemies **invasion**, **envahissement**
– Pénétration d'un groupe hostile dans un parti politique adverse **noyautage**, **entrisme**

PÉNÉTRER
– Pénétrer au travers **infiltrer (s')**, **insinuer (s')**, **traverser**, **transpercer**
– Pénétrer dans un lieu **entrer**, **introduire (s')**, **avancer (s')**
– Pénétrer dans une forêt **engager (s')**, **enfoncer (s')**
– Pénétrer une pensée **saisir**, **appréhender**
– Pénétrer l'intention de quelqu'un **pressentir**, **deviner**
– Se laisser pénétrer par un sentiment **imprégner**, **atteindre**, **toucher**, **émouvoir**

PÉNIBLE
– Un emploi pénible **harassant**, **éreintant**, **usant**, **ardu**, **morne**
– Une charge pénible **astreignante**, **contraignante**, **pesante**
– Un instant pénible **douloureux**, **poignant**, **cruel**, **difficile**
– Une pénible défaite **amère**, **âpre**, **rude**, **affligeante**

PÉNINSULE
– Partie étroite reliant une péninsule à la terre **langue**, **passage**, **isthme**

PÉNITENCE
voir aussi **châtiment**, **punition**, **sanction**
– Acte de pénitence **contrition**, **repentir**, **expiation**, **résipiscence**
– Temps de pénitence **carême**, **avent**, **ramadan**
– Souffrance physique que l'on s'impose en pénitence **jeûne**, **abstinence**, **privation**, **austérité**, **mortification**, **macération**, **flagellation**
– Pénitence imposée par le prêtre lors de la confession **satisfaction**

– Chemise de crin ou d'étoffe très rude portée en pénitence **cilice**, **haire**

PÉNOMBRE
– La pénombre envahit peu à peu la campagne **clair-obscur**, **demi-jour**
– La pénombre du soir **crépuscule**

PENSÉE
– Préambule à l'élaboration d'une pensée **réflexion**, **intuition**, **sensation**
– Instance mise en œuvre par la pensée **esprit**, **raison**, **imagination**, **intelligence**
– Opération de la pensée **raisonnement**, **spéculation**
– Pensées formant système **doctrine**, **théorie**, **philosophie**
– Objet de la pensée abstraite **concept**, **notion**
– Représentation consciente d'une pensée **idée**, **image**
– Domaine privilégié de réflexion sur la pensée **philosophie**, **métaphysique**
– Activité de la pensée agissant comme un affect **souvenir**, **oubli**, **réminiscence**
– Contester la pensée d'un auteur **point de vue**, **position**, **opinion**
– Dégager la pensée d'un texte **sens**, **contenu**, **essence**
– Pensée affranchie du dogme **libre-pensée**
– Domaine fondamental dans lequel s'exerce la pensée **langage**, **langue**, **parole**
– Être plongé dans ses pensées **rêveries**
– Fonctionnement d'une pensée en proie à la folie **délire**
– Ascèse où la pensée est concentrée et dirigée vers un idéal spirituel **méditation**
– Transmission de pensée **télépathie**
– Dévoiler sa pensée **dessein**, **intention**
– Pensée sentencieuse ou populaire **aphorisme**, **maxime**, **dicton**, **adage**, **proverbe**

PENSER
– Penser dans son ensemble **concevoir**, **raisonner**
– Penser que tout va bien **estimer**, **considérer**, **supposer**, **présumer**
– Penser qu'une chose est vraie **croire**
– Penser au passé **évoquer**, **revoir**, **souvenir de (se)**, **remémorer (se)**
– Penser réaliser quelque chose **espérer**, **compter**, **avoir l'intention de**
– Penser interminablement à une même chose **ruminer**, **cogiter**, **ressasser**
– Penser avec inquiétude **être préoccupé**
– Penser à une personne, à une chose **soucier de (se)**, **intéresser à (s')**, **songer à**
– Penser à l'avenir **conjecturer**, **envisager**, **projeter**
– Faculté de penser **réflexion**, **intelligence**

– Faculté de penser par concepts **intellect, entendement**

PENSION

syn. **allocation, retraite, revenu**
– Leur fils est en pension **pensionnat, internat, institution**
– Pension versée à un étudiant **bourse**
– Pension de fin d'activité professionnelle **retraite**
– Pension versée à certains hauts membres de l'État **dotation**

PENTE

– Pente de chacun des côtés d'une montagne **versant, pan**
– Pente exposée au nord d'une montagne **ubac**
– Pente exposée au sud d'une montagne **adret**
– En pente **en déclive, pentu, incliné**
– Portion en pente d'un terrain **rampe**
– Terrain en pente d'un parcours équestre **calade**
– Pente d'une planche en bois **dévers**
– Pente d'un toit **inclinaison, obliquité, déclivité**
– Pente pour l'évacuation des eaux **glacis**

PÉPIN

– Culture des fruits à pépins **pomoculture**
– Retirer les pépins **épépiner, monder**
– Elle a de sérieux pépins en ce moment **ennuis, difficultés, problèmes**

PERÇANT

– Instrument perçant **poinçon, burin, alène, foret**
– Un froid perçant **mordant, piquant, incisif**
– Un regard perçant **vif, subtil, pénétrant**
– Un esprit perçant **perspicace, lucide, clairvoyant**
– Un bruit perçant **strident, déchirant**
– Un douleur perçante **taraudante, térébrante**

PERCÉE

– Percée dans un mur **ouverture, porte, fenêtre**
– La percée de cet artiste est spectaculaire **réussite, succès, développement**

PERCEPTIBLE

– Une somme perceptible **recouvrable, percevable**
– Perceptible au toucher **tangible, palpable, concret**
– Perceptible à l'œil **visible, discernable**
– Perceptible à l'oreille **audible**
– Perceptible à l'esprit **appréciable, saisissable, connaissable**
– À peine perceptible **insensible, ténu, liminal, microscopique**

PERCEPTION

– Perception d'une somme **collecte, recouvrement, levée, encaissement**
– Bureau de perception **recette**
– Faculté de perception **sensibilité**
– Perception intellectuelle **intuition**
– Perception sensorielle **impression, sensation, image**
– La perception du non-visible **occultisme**
– Trouble de la perception d'une réalité **hallucination, agnosie**

PERCER

– Percer de plusieurs trous **larder, cribler**
– Percer de toutes parts **transpercer, traverser**
– Percer d'un pieu **empaler**
– Percer un abcès **crever**
– Percer un ticket **poinçonner, composter**
– Percer une ouverture dans un mur **pratiquer, ménager**
– La dent perce **apparaît, sort, pointe**
– Rien ne doit percer du projet avant son exécution **transpirer, ébruiter (s'), filtrer**
– Percer un secret **découvrir, déceler, pénétrer**
– Cet artiste est en train de percer **réussir, monter**

PERCEUSE

– Type de perceuse **vilebrequin, taraudeuse, perforateur**
– Perceuse de bricolage **chignole, drille, perce**
– Perceuse employée pour forer **tarière, sonde, foreuse**
– Foret de perceuse **mèche, taraud, vrille**
– Perceuse chirurgicale **trépan**

PERCEVOIR

– Percevoir un impôt **encaisser, prélever, recueillir, recouvrer**
– Percevoir les nuances d'un tableau **distinguer, noter, remarquer**
– Percevoir la chaleur **sentir, éprouver**
– Percevoir un son **entendre, déceler, capter**
– Percevoir les subtilités d'un raisonnement **discerner, pénétrer, saisir**

PERCHE

– Perche servant à faire tomber les noix de l'arbre **gaule**
– Perche de signalisation aéronautique **balise**
– Perche d'un échafaudage **écoperche, étamperche**
– Longue perche employée par le boulanger pour sortir les braises du four **rouable**
– Perche sur un thonier **tangon**

– Perche munie d'un croc et servant à manœuvrer une barque **gaffe**
– Longue perche à crochet **croc**
– Perche servant à troubler l'eau et à chasser le poisson **bouille**
– Perche de prise de son **girafe**

PERCHER

– Elle perche au dixième **habite, loge, crèche, demeure, niche**

PERCHER (SE)

– L'oiseau vient de se percher sur la branche **jucher (se), poser (se), monter**

PERCUSSION *Voir illustration p. 444*

– Les percussions de l'orchestre symphonique **timbales, glockenspiel, triangle, tambour, carillon, cloches, cymbales, gong, xylophone**
– Instrument de percussion dans une formation de jazz **batterie**
– Instrument de percussion à clavier **marimba, glockenspiel, vibraphone, xylophone, métallophone**
– Percussions africaines **balafon, djembé**
– Baguette de percussion **maillet, mailloche, balai**

PERDANT

syn. **battu, loser, vaincu**

PERDRE

– Il a perdu ses lunettes **égaré, paumé**
– Perdre sa liberté **être dépendant, être aliéné, être asservi**
– Perdre un match **échouer, être vaincu**
– Perdre un procès **être débouté, être condamné**
– Perdre son emploi **être licencié, être limogé, être remercié**
– Perdre espoir **désespérer, décourager (se)**
– Perdre contenance **être déconcerté, démonter (se), troubler (se)**
– Perdre son sang-froid **paniquer, affoler (s')**
– Perdre connaissance **défaillir, évanouir (s'), pâmer (se)**
– Perdre ses forces **affaiblir (s'), étioler (s')**
– Perdre la réputation de quelqu'un **discréditer, déconsidérer, démolir**
– Perdre ses illusions **être désenchanté, être désabusé**
– Se perdre **fourvoyer (se), être désorienté**

PERDRIX

– Ordre auquel appartient la perdrix **gallinacés**
– Perdrix grise **chanterelle**
– Perdrix rouge de montagne **bartavelle**
– Perdrix du sud de la France **perdrix rouge**
– Perdrix des neiges **lagopède**

VOCABULAIRE DE LA PHOTOGRAPHIE

Argentique : procédé de photographie reposant sur le traitement physico-chimique des effets de la lumière.

Agrandisseur : sorte de projecteur servant à agrandir l'image d'un négatif afin de la reproduire sur un support positif.

Armer : mettre l'obturateur d'un appareil photo en état d'être déclenché, le plus souvent en actionnant le levier d'avancement du film.

ASA : de l'anglais *American Standards Association.* Unité qui sert à définir l'indice de sensibilité d'un film et qui tend maintenant à être remplacée par le standard international de l'échelle ISO *(voir ce mot)* avec les mêmes valeurs. Les plus utilisés sont : 50 ASA, 100 ASA, 200 ASA et 400 ASA.

Autofocus : système de mise au point automatique grâce à un rayon infrarouge.

Bague allonge/tube allonge : bague ou tube utilisés pour effectuer des prises de vue en macrophotographie. Placée entre le boîtier et l'objectif lorsque celui-ci a une longueur supérieure à 15-20 mm, la bague (ou le tube) sert à augmenter la distance entre les deux, assurant ainsi un rapport de grossissement déterminé.

Bain d'arrêt : solution chimique à base d'acide acétique destinée à neutraliser l'action du révélateur, et donc à interrompre le processus de développement avant l'utilisation du produit de fixage.

Boîtier : partie principale d'un appareil photo reflex, sur laquelle viennent se fixer les objectifs interchangeables et les autres accessoires (flash, déclencheur souple, etc.).

Chambre noire/chambre photographique : principe fondamental de la photographie, selon lequel une enceinte obscure percée d'un petit trou (appelé sténopé) procure une image renversée d'un objet suffisamment éclairé et placé devant le trou. Dans un appareil photo, la fonction du petit trou est assurée par des lentilles plus ou moins sophistiquées, qui constituent l'objectif.

Compact : appareil photo dont la taille réduite rend l'utilisation très facile mais qui peut néanmoins posséder des fonctions très sophistiquées (zoom, autofocus, flash intégré, etc.).

Compact APS : appareil de type compact, utilisant des pellicules spécifiques compatibles avec le système APS *(Advanced Photo System,* système photo évolué). Ce système permet d'enregistrer sur le film, en même temps que des images, les informations relatives aux paramètres de prise de vue (format de cadrage, exposition, etc.), de façon à pouvoir les exploiter lors du tirage.

Déclencheur : commande d'un appareil photo qui déclenche le mécanisme d'ouverture de l'obturateur une fois que celui-ci a été armé.

Déclencheur souple : sorte de gaine à l'intérieur de laquelle coulisse un câble, fixée au déclencheur afin de pouvoir le commander à distance sans risquer de faire bouger l'appareil photo.

Développement : opération réalisée au moyen d'un produit chimique appelé révélateur et qui permet de faire apparaître l'image latente impressionnée sur une émulsion photographique.

Diaphragme/ouverture : disque opaque intégré dans un objectif, dont l'ouverture réglable permet de modifier la quantité de lumière qui pénètre dans l'appareil et qui impressionne l'émulsion. Les valeurs exprimant le degré d'ouverture (du maximum au minimum) sont notées ainsi : f : 1,4/f : 2/f : 2,8/f : 4/ f : 5,6/f : 8/f : 11/f : 16 et f : 22 (voire 32 et 45). Le chiffre qui suit le *f* indique la valeur par laquelle est divisée la distance focale pour obtenir le diamètre du diaphragme (ainsi, sur un objectif normal de 50 mm, f : 4 correspond à un diamètre d'ouverture réel de 12,5 mm (50 mm : 4).

Diapositive : image positive translucide obtenue directement à partir du traitement d'un film inversible ; elle peut être regardée par projection.

DIN : de l'allemand *Deutsche Industrie Normunité.* Unité qui servait à définir l'indice de sensibilité d'un film parallèlement à l'unité ASA et qui est maintenant reprise par l'unité de l'échelle ISO. (Les valeurs utilisées s'exprimaient de la façon suivante : 18 DIN = 50 ASA, 21 DIN = 100 ASA, 24 DIN = 200 ASA, 27 DIN = 400 ASA.)

Doubleur/tripleur : sorte d'objectif intermédiaire qui se place entre le boîtier et l'objectif proprement dit et qui permet de doubler (ou tripler) la focale de ce dernier. Un objectif normal de 50 mm devient ainsi un petit téléobjectif de 100 (ou 150) mm.

Émulsion/couche sensible : couche de gélatine renfermant du bromure d'argent, qui a la propriété d'être sensible à la lumière, et dont sont recouverts les papiers et films photographiques.

Exposition : quantité de lumière à laquelle une émulsion photographique doit être soumise pour produire une image exploitable. Cette quantité est déterminée grâce à deux paramètres : la durée (réglée par la vitesse d'obturation) et l'intensité lumineuse (déterminée par l'ouverture du diaphragme). L'exposition correcte varie en outre en fonction de la sensibilité du film.

Film/pellicule : support plastique recouvert d'une émulsion et produisant, après développement, des images dites négatives.

Film inversible : support plastique recouvert d'une émulsion telle qu'un traitement approprié permet d'obtenir des images positives appelées diapositives.

Filtre : lamelle de verre ou de gélatine plus ou moins transparente qui, placée devant un objectif, sert à absorber certaines radiations du spectre solaire (par exemple, les ultraviolets ou des couleurs particulières).

Fish-eye : mot anglais signifiant littéralement œil de poisson à cause de sa vision panoramique. Objectif très grand angulaire (de 160 à 360°), dont la focale, fixe, avoisine les 20 mm. La forte courbure de la lentille a pour effet de produire une déformation de l'image, qui devient circulaire dans le cas maximal.

Fixateur : produit chimique de type acide, à base de sulfite de sodium, qui a pour fonction, une fois le développement terminé, d'éliminer les sels d'argent non exposés présents sur l'émulsion (film ou papier) et ainsi d'assurer la durabilité de l'image photographique.

Flash : lampe qui produit un éclair de lumière intense et sert lors de prises de vue en intérieur ou dans la pénombre, ainsi que pour atténuer certaines ombres en extérieur.

Focale : distance qui sépare le foyer principal d'un objectif et le plan où se forme l'image sur le film.

Elle est dite normale lorsque l'angle qu'elle permet d'embrasser est semblable à celui de la vision humaine (soit environ 52°).

Grand-angle : objectif dont la focale, fixe, est inférieure à 50 mm (soit généralement de 21 à 38 mm). Son angle de vue élargi (supérieur à 50°) permet en quelque sorte d'éloigner le sujet à photographier.

Hyperfocale : distance minimale d'un objet à photographier, à partir de laquelle un objectif réglé sur l'infini donne une image nette. Cette distance peut être réduite par la fermeture du diaphragme, qui augmente la profondeur de champ.

Image latente : image formée par l'action de la lumière sur une émulsion photographique (film ou papier) mais qui ne devient visible qu'après le traitement chimique appelé développement.

ISO : de l'anglais *International Standard Organization.* Unité servant au standard international pour définir l'indice de sensibilité d'un film photographique, reprenant les mêmes valeurs proportionnelles que celles de l'unité ASA (suivi parfois de l'indication du degré DIN).

Lampe inactinique : lampe dont la lumière est filtrée – généralement par un écran de couleur rouge – de telle sorte qu'elle n'ait pas d'action sur les émulsions photographiques lors du développement en laboratoire.

Macrophotographie : prise de vue très rapprochée qui donne des images dont la taille sur le film peut atteindre de 1/10 à 10 fois la grandeur réelle de l'objet. Ce type particulier de photographie nécessite des accessoires de grossissement que sont des bagues allonge ou un soufflet. Ses contraintes (profondeur de champ quasi nulle, faible luminosité) exigent aussi l'utilisation d'un trépied.

Mise au point : réglage de la netteté de l'image lors de la prise de vue, selon la distance qui sépare l'appareil de l'objet à photographier. Sur la plupart des appareils, le réglage s'effectue à l'aide d'une échelle des distances repérée sur l'objectif. Mais sur les appareils de type reflex, elle peut se faire directement sur l'image que l'on voit à travers l'objectif. Lorsque la mise au point se fait automatiquement, on l'appelle autofocus.

(suite du tableau page suivante)

Négatif : image intermédiaire obtenue à partir du traitement d'un film, dans laquelle les zones les plus éclairées du sujet apparaissent sombres, tandis que les surfaces les moins exposées sont claires ou même transparentes. Le négatif sert ensuite à effectuer des tirages qui, par les mêmes principes, produisent une image finale positive.

Objectif : accessoire optique constitué d'un système de lentilles organisé de telle façon qu'il forme une image possédant des qualités définies sur une émulsion photographique.

Objectif normal/standard : objectif dont la focale, fixe, est sensiblement égale à 50 mm (soit généralement de 45 à 58 mm) et dont l'angle de vue correspond à environ 45°. Sert à la plupart des situations de prise de vue.

Obturateur : mécanisme d'un appareil photographique qui sert à déterminer la durée d'exposition (exprimée par la vitesse, ou temps de pose) d'un film à la lumière du sujet.

Pare-soleil : sorte de bague conique et opaque qui se fixe à l'avant d'un objectif afin de protéger la prise de vue de certains rayons lumineux qui pourraient la perturber.

Polaroïd : type d'émulsion dotée d'un réactif capable de polariser la lumière, de telle sorte que l'image photographiée par un appareil utilisant ce procédé devient visible au bout de quelques instants.

Posemètre/cellule : dispositif indépendant (ou intégré dans la plupart des appareils photo) qui permet de mesurer l'intensité de la lumière afin de déterminer l'exposition correcte d'une photographie (durée, ouverture).

Profondeur de champ : plage de distance au-delà et en deçà de laquelle une image n'est plus nette. Pour améliorer la netteté du premier plan et de l'arrière-plan, il faut donc accroître cette plage en réduisant à son minimum l'ouverture du diaphragme (autrement dit, en fermant le diaphragme au maximum).

Reflex : appareil photo possédant un jeu de miroirs situé dans le viseur, ce qui permet d'effectuer la mise au point et le cadrage de l'image directement à travers l'objectif. À l'intérêt appréciable que procure ce système s'ajoute la possibilité d'utiliser des objectifs interchangeables.

Retardateur : dispositif qui permet, à partir du déclenchement, de différer la prise de vue d'un nombre de secondes déterminé (environ cinq à dix).

Révélateur : produit chimique de type alcalin, à base d'hydroquinone, permettant d'assurer le développement de l'image latente.

Sensibilité/rapidité : réponse d'une émulsion photographique à l'action de la lumière qui lui est soumise. L'indice de cette caractéristique est exprimé au moyen des unités ISO et ASA et anciennement DIN.

Les valeurs utilisées indiquent une sensibilité proportionnelle : ainsi un film de 200 ISO est-il deux fois plus sensible qu'un film de 100 ISO. (On dit aussi qu'il est deux fois plus rapide, puisque le temps d'exposition propre à une intensité lumineuse donnée doit être divisé par deux.)

Soufflet : dispositif utilisé en macrophotographie. Placé entre le boîtier et l'objectif, il permet d'augmenter en continu la distance entre les deux, accroissant ainsi le rapport de grossissement de la prise de vue.

Sous-exposé : état d'un film dont le degré d'exposition n'est pas suffisant. Dans le cas d'un négatif, cela se manifeste par une densité de noircissement trop faible (et inversement pour une diapositive, qui est donc trop sombre).

Surexposé : état d'un film dont le degré d'exposition est trop élevé. Dans le cas d'un négatif, cela se manifeste par une densité de noircissement trop importante (et inversement pour une diapositive, qui est donc trop claire).

Téléobjectif : objectif dont la focale, fixe, est supérieure à 50 mm (soit généralement de 85 à 200 mm) et qui sert à rapprocher ou à grossir l'image que l'on souhaite photographier. Au-delà de 200 mm, on parle de grands téléobjectifs (pouvant atteindre par exemple 800 ou 1 000 mm), mais leur coût et leur poids sont tels qu'ils sont plutôt réservés à un usage professionnel.

Temps de pose/vitesse d'obturation : durée pendant laquelle une émulsion doit être exposée à la lumière pour être correctement impressionnée. Cette durée, qui est déterminée au moyen de l'obturateur, varie en fonction de deux facteurs : l'intensité lumineuse et la sensibilité de l'émulsion. Les vitesses les plus courantes sont exprimées en fractions de seconde (1/30, 1/60, 1/125, 1/250, 1/500, 1/1 000), mais, selon les conditions de prise de vue, le temps de pose peut être allongé et durer plusieurs secondes.

Tirage : cette opération permet d'obtenir une épreuve positive à partir d'une image négative.

Trépied/pied photo : support composé de trois branches télescopiques réglables et d'une tête inclinable, sur laquelle on fixe un appareil photo ou une caméra pour leur assurer une stabilité maximale dans la position désirée.

Viseur : la fenêtre de visée d'un appareil photo sert à déterminer le cadrage et la mise au point de la prise de vue. Certains appareils y affichent en outre les paramètres propres à la prise de vue, tels que vitesse d'obturation, diaphragme, etc.

Zoom : objectif à focale variable, couvrant généralement du grand-angle au petit téléobjectif (par exemple : 28–80 mm) ou du petit téléobjectif au grand téléobjectif (par exemple : 105–300 mm).

PHOTOGRAPHIE NUMÉRIQUE

Numérique : technique de photographie dans laquelle les images des objets sont traitées par un microprocesseur et un logiciel, puis stockées sur une carte mémoire sous forme de données numériques. Elles sont immédiatement visibles sur un écran vidéo et peuvent être imprimées.

Câble USB/câble série RS-232 : il relie l'appareil photo à un ordinateur, afin de permettre le transfert des images stockées sur la carte mémoire vers le disque dur de l'ordinateur.

Capteur CCD : de l'anglais *Charge Coupled Device*. Dispositif de saisie d'images dans un appareil photo numérique. Il s'agit d'un rectangle composé d'une mosaïque de cellules sensibles, dont le nombre détermine la qualité de l'enregistrement, ou résolution.

Carte mémoire : support d'enregistrement informatique doté d'une puce capable de stocker une grande quantité de données, bien qu'il soit plus petit qu'une disquette. Sa capacité atteint déjà plusieurs dizaines de mégaoctets (Mo), soit plusieurs dizaines (voire centaines) d'images selon leur résolution. Les modèles courants sur le marché sont : SmartMedia, CompactFlash, MemoryStick.

Dpi/ppp : de l'anglais *dots per inch*, points par pouce. Unité exprimant la qualité d'impression d'une image, correspondant à la densité des pixels qui la composent.

Format de fichier : codification du type des données et de leur mode d'enregistrement dans un système informatique. Les formats les plus utilisés pour le stockage des images sont : Bitmap (.bmp), JPEG (.jpg), TIFF (.tif), GIF (.gif), TARGA (.tga).

Lecteur de carte : dispositif relié à un ordinateur et servant à lire des cartes mémoire, c'est-à-dire à transférer les images des cartes vers le disque dur de l'ordinateur, sans mobiliser l'appareil photo et à une vitesse beaucoup plus rapide.

Pixel : de l'anglais *picture element*, élément d'image. Unité de surface représentant la plus petite partie de la mosaïque que constitue une image enregistrée par des moyens informatiques. Il s'agit d'un petit carré caractérisé par sa couleur et sa luminosité. Le nombre de pixels d'une photo numérique dépend de la résolution de cette dernière.

Résolution : qualité d'une image numérique résultant de la quantité des pixels qui la composent. Elle peut varier entre 1 et 5 mégapixels.

Avantages

- Visualisation immédiate/possibilité de faire une autre photo
- Possibilité de recadrer et de retoucher soi-même ses photos
- Possibilité de les imprimer aussitôt après la prise de vue
- Possibilité de les transmettre via divers réseaux tels qu'Internet
- Nombre illimité de photos à la prise de vue, mais aussi quasiment en stockage

Inconvénients

- Qualité assez médiocre, surtout en agrandissement ; cependant, elle ne cesse de s'améliorer
- grande consommation d'énergie (batteries)
- investissement encore coûteux en matériel (si l'on n'a pas déjà un ordinateur et une imprimante)

– Famille à laquelle appartient la perdrix **phasianidés**
– Jeune perdrix **perdreau**
– Petit de la perdrix grise **pouillard**
– Mâle de la perdrix grise **bourdon**
– Accouplement des perdrix **appariement**
– Moucheture du plumage de la perdrix adulte **maille**
– Crier, pour la perdrix **cacaber, criailler**
– Filet utilisé pour chasser la perdrix **tirasse, tonnelle**

PERDU
– Un titre perdu **adiré**
– Un vêtement perdu à cause d'une tache **abîmé, gâché**
– Ce malade est perdu **condamné, incurable**
– Il a un air perdu **hagard, déboussolé, désorienté, dérouté, largué**
– Un village perdu dans la montagne **éloigné, isolé, écarté, reculé, retiré, paumé**

PÈRE
voir aussi **famille, géniteur, procréateur**
– Appellation du père **papa, dab, vieux, daron**
– Père du conjoint **beau-père**
– Le père supposé **putatif**
– Acte par lequel on affirme être le père d'un enfant **reconnaissance**
– Mauvais père **parâtre**
– Père spirituel au sens religieux **parrain**
– Nom transmis par le père **patronyme**
– Père fondateur d'une lignée **patriarche**
– Propre au père **paternel**
– Attitude empreinte de sollicitude et d'autorité comme celle d'un père **paternalisme**
– Fonction symbolique du père **loi, interdit, autorité**
– Meurtre du père **parricide**
– Biens transmis par le père **patrimoine, héritage**
– Une filiation fondée sur l'ascendance du père **patrilinéaire**
– Habitation d'un couple située sur le lieu de résidence du père de l'époux **patrilocale**
– Organisation sociale fondée sur l'autorité du père **patriarcat**
– Père de l'Église **docteur, théologien**
– Étude des Pères de l'Église **patristique, patrologie**
– La prière du Notre Père **pater**

PÉREMPTOIRE
– Un ton péremptoire **autoritaire, tranchant, catégorique**

PERFECTION
– Sommet de la perfection **summum, sublimité, nec plus ultra**
– Rêve de perfection **idéal**

– Élaboration raffinée visant à la perfection **sophistication**
– Perfection aristotélicienne **entéléchie**
– Perfection d'un visage **beauté, grâce, pureté, finesse**
– Perfection d'un travail **raffinement, achèvement, excellence**
– Perfection dans l'exécution **maestria**
– Individu avide de perfection **perfectionniste**

PERFECTIONNEMENT
– Elle a apporté des perfectionnements à l'organisation de l'entreprise **progrès, améliorations**
– Classe de perfectionnement **soutien**

PERFECTIONNER
– Perfectionner sa connaissance d'une langue **accroître, parfaire, compléter**
– Perfectionner le rendement d'une machine **optimaliser, optimiser, maximiser, augmenter**
– Perfectionner un tableau **retoucher**
– Perfectionner un texte **rectifier, épurer**
– Que l'on peut perfectionner **perfectible**

PERFECTIONNER (SE)
syn. **progresser, évoluer, mûrir, améliorer (s')**

PERFIDE
– Un raisonnement perfide **captieux, spécieux, fallacieux**
– Tenir des propos perfides **fielleux, insidieux, empoisonnés**
– Des agissements perfides **sournois, pervers, machiavéliques**
– Un amant perfide **déloyal, infidèle, fourbe, menteur, traître**

PERFORER
syn. **percer, transpercer, trouer**
– Perforer un ticket pour le valider **poinçonner, composter**
– Instrument servant à perforer des feuilles **perforatrice, trouilloteuse**

PERFORMANCE
– Performance sportive **exploit, record, prouesse, succès**
– Confirmation d'une performance **validation, homologation**

PÉRIL
syn. **risque**
– Signe de péril **menace, alarme**
– Péril extérieur **danger**
– Être en péril **risquer de**
– Mettre en péril **compromettre, exposer**

PÉRILLEUX
– Ils ont vécu une aventure périlleuse **dangereuse, hasardeuse, redoutable, risquée**

– Exercice périlleux **cascade, acrobatie**
– Un sujet périlleux **brûlant, délicat, scabreux**

PÉRIMÉ
– Un modèle économique périmé **anachronique, archaïque, dépassé, obsolescent**
– Un usage périmé **désuet, suranné, obsolète**

PÉRIODE
voir aussi **époque, étape, phase**
– Période d'une onde vibratoire **intervalle**
– Période intermédiaire entre deux grandes périodes climatiques **oscillations mineures**
– Point culminant d'une période **apogée, summum, zénith, paroxysme, climax**
– Période climatique **glaciaire, interglaciaire**
– Période astronomique **rotation, révolution**
– Période de l'âge de pierre **paléolithique, néolithique**
– Période inscrite dans un temps donné **époque, ère, durée**
– Première partie d'une période dans un procédé littéraire **protase**
– Seconde partie d'une période dans un procédé littéraire **apodose**
– Division en périodes **périodisation**

PÉRIODIQUE
– Acheter un périodique **journal, revue, magazine**
– Phénomène se produisant de façon périodique **systématique, régulier**
– Vent périodique annuel **étésien**
– Une publication périodique **quotidienne, hebdomadaire, mensuelle, trimestrielle**

PÉRIPÉTIE
syn. **accident, aventure, imprévu, incident, mésaventure**
– Péripétie d'une histoire **épisode, rebondissement**
– Péripétie théâtrale **changement, nœud, intrigue**
– Où les péripéties se succèdent **rocambolesque, extravagant**

PÉRIPHÉRIE
– Ligne de périphérie **contour, pourtour**
– Périphérie d'une ville **banlieue, faubourgs, couronne, ceinture**
– Qui va de la périphérie vers le centre **afférent, centripète**
– Qui va du centre vers la périphérie **efférent, centrifuge**

PÉRIPHRASE
– Forme ou emploi pouvant être utilisé dans une périphrase **euphémisme, allusion, métalepse**

– S'exprimer sans périphrases **sans détours, sans ambages, sans circonlocutions**

PÉRIPLE
– Elle nous a fait le récit de son périple **voyage, circuit, expédition**

PÉRIR
syn. **disparaître, éteindre (s'), expirer, mourir, succomber, trépasser**
– Faire périr **tuer, assassiner, immoler**
– Faire périr un grand nombre de gens **exterminer, décimer**
– Périr progressivement **anéantir (s'), écrouler (s'), tomber en ruine**

PÉRISSABLE
– Toute chose est périssable **passagère, précaire, éphémère**
– Une denrée périssable **corruptible, altérable**

PERLE
– Forme d'une perle **ronde, baroque, en poire**
– Couleur des perles **rosé, crème, vert clair, vert foncé, gris, noir**
– Aspect iridescent d'une perle **orient, irisation**
– Éclat lumineux d'une perle **lustre**
– Collier de perles dont la dimension est croissante **chute**
– Collier de perles de dimension égale sur toute la longueur **chocker**
– Mollusque d'eau douce produisant une perle **moule perlière, mulette**

PERLER
– La sueur perle à son front **suinte, goutte**
– Perler des céréales **dépouiller**
– Perler une note lors d'une exécution musicale **détacher, porter**

PERMANENCE
– Permanence d'un équilibre **stabilité**
– Permanence d'un sentiment **constance, persistance, immuabilité**
– Permanence d'une conjugaison **invariabilité**
– En permanence **constamment, toujours, à demeure**
– Assurer la permanence dans une association **réception, accueil**
– L'association a une permanence dans le centre-ville **bureau, local**

PERMANENT
– Un silence permanent **durable, perpétuel, constant, continu**

PERMÉABLE
– Un corps perméable **poreux**
– Elle est très perméable aux critiques **sensible, ouverte, influençable**

PERMETTRE
– Permettre un caprice **tolérer, passer, souffrir, supporter**
– Je ne permettrais jamais une telle ignominie **accepterais, admettrais**
– Permettre la mise en œuvre d'un projet **aider à, concourir à, contribuer à**
– Se permettre de dire quelque chose **oser, aviser de (s'), risquer à (se)**

PERMIS
– Un acte permis **légal, licite, légitime, autorisé**

PERMISSION
– Il a ma permission **accord, acquiescement, autorisation, consentement**
– Permission de circuler **laissez-passer, sauf-conduit, passeport**
– Permission de déroger à la règle **dispense, décharge, exemption**
– Donner la permission **loisir, licence**

PERPENDICULAIRE
– Perpendiculaire abaissée de l'angle d'un triangle au côté opposé **hauteur**
– Perpendiculaire abaissée du centre d'un polygone sur un de ses côtés **apothème**
– Perpendiculaire tracée du milieu d'un côté d'un triangle à son sommet **médiatrice**

PERPÉTUEL
– Un amour perpétuel **éternel, immuable, impérissable**
– Un bruit perpétuel **constant, continuel, incessant, sempiternel**
– Un mouvement perpétuel **permanent**

PERPÉTUER
– Perpétuer une tradition **maintenir, poursuivre, reproduire**
– Perpétuer un savoir **enseigner, transmettre**
– Perpétuer la mémoire d'un mort **entretenir, immortaliser**

PERPÉTUITÉ
– La perpétuité de l'être **éternité, persistance, pérennité**

PERPLEXE
– Il écoute le discours d'un air perplexe **dubitatif, sceptique**
– Qui rend perplexe **troublant**

PERPLEXITÉ
– La perplexité l'envahit **doute, hésitation, indécision, embarras, incertitude**

PERROQUET
– Famille à laquelle appartient le perroquet **psittacidés**
– Perroquet gris d'Afrique **jacquot**
– Perroquet originaire d'Océanie **lori**
– Perroquet de mer **macareux**

– Perroquet d'Amérique du Sud **ara, papegai**
– Perroquet de petite taille **perruche**
– Oiseau d'Australie de la famille du perroquet **cacatoès, rosalbin**
– Poisson-perroquet **scare**
– Manie de répéter comme un perroquet **psittacisme**

PERSAN
– Empire persan avant la conquête arabe **Perse**
– Auberge persane **caravansérail**
– Auteur des *Lettres persanes* **Montesquieu**
– Animal qualifié de persan **chat, cheval**

PERSE /1
– Nom moderne des Perses **Iraniens**
– Souverain des Perses **chah**
– Première religion des Perses **mazdéisme, mithraïsme**
– Texte fondateur de la religion des Perses **Avesta**
– Perse fondateur du manichéisme **Mani**
– Religion des Perses fondée sur la lutte du bien et du mal **manichéisme**
– Perse réformateur du mazdéisme **Zoroastre (Zarathoustra)**
– Descendants modernes des Perses et adorateurs du zoroastrisme **Guèbres, Parsis**

PERSE /2
– Famille à laquelle appartiennent les langues perses **indo-iranienne**
– Langue perse **farsi**
– Descend de la langue perse **iranien**
– Alphabet utilisé pour transcrire la langue perse actuelle **arabe**
– Ancienne écriture utilisée pour la langue perse **cunéiforme**
– Dynastie perse dans l'Iran ancien prémusulman **Achéménides, Sassanides**
– Dynastie non perse dans l'Iran ancien **Séleucides, Parthes**
– Population indo-européenne ayant occupé l'actuel territoire perse **Aryens**
– Descendants non perses des Aryens dans l'Iran ancien **Mèdes**
– Titre de gouverneur perse **satrape**

PERSÉCUTER
syn. **martyriser**
– Persécuter un individu **acharner sur (s'), tarauder, tourmenter**
– Persécuter un peuple **opprimer**
– Persécuter un débiteur **poursuivre, harceler, presser**
– Persécuter physiquement **molester, brutaliser, brimer, torturer**

PERSÉCUTION
– Persécution physique **supplice, torture**
– Persécution morale **humiliation, chantage, harcèlement**
– Délire de persécution **paranoïa**

454

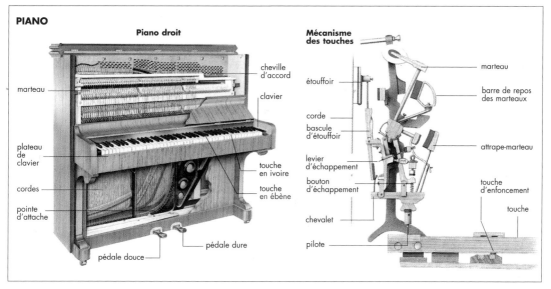

PIANO

Piano droit

- marteau
- plateau de clavier
- cordes
- pointe d'attache
- pédale douce
- pédale dure
- cheville d'accord
- clavier
- touche en ivoire
- touche en ébène

Mécanisme des touches

- étouffoir
- corde
- bascule d'étouffoir
- levier d'échappement
- bouton d'échappement
- chevalet
- pilote
- marteau
- barre de repos des marteaux
- attrape-marteau
- touche d'enfoncement
- touche

– Persécution menée par les catholiques **Inquisition**
– Persécution contre les protestants sous Louis XIV **dragonnade**
– Persécution contre les personnes d'un ancien gouvernement **chasse aux sorcières, maccarthysme, épuration**
– Persécution exercée à l'égard d'un groupe social **pogrom**

PERSÉVÉRANCE
syn. **constance**
– Qualité induite par la persévérance **patience, courage, volonté, fermeté, opiniâtreté, ténacité**

PERSÉVÉRER
syn. **continuer**
– Persévérer malgré des obstacles **acharner (s'), obstiner (s'), résister**
– Persévérer à demander quelque chose **insister, persister**
– Persévérer dans une mauvaise voie **entêter (s'), enfermer (s')**

PERSISTANCE
– Persistance d'un phénomène malgré la disparition de la cause **rémanence, persévération**
– Persistance dans le péché **impénitence**

PERSISTER
– Persister malgré les difficultés **obstiner (s'), persévérer, poursuivre, continuer**
– La douleur persiste **dure, subsiste, reste**

PERSONNAGE
– Personnage principal d'un roman **protagoniste, héros**

– Interprète un personnage **comédien, acteur, rôle**
– Acteur interprétant un personnage muet **comparse, figurant**
– Personnage très connu et influent **personnalité, célébrité**

PERSONNALITÉ
– Paramètre de la personnalité **ego, moi, soi**
– Phénomène concourant à la création de la personnalité **différenciation, identification, individuation**
– Caractère virtuel de la personnalité **unicité, intériorité, autonomie**
– Trouble de la personnalité **psychose, névrose**
– Une forte personnalité **caractère, tempérament, nature**
– Les personnalités d'un village **notables, dignitaires, sommités**

PERSONNE
– Personne indésirable **persona non grata**
– Personne éminente **sommité, personnage**
– Une personne peu scrupuleuse dans les affaires **marronne**
– C'est une personne peu connue **individu, quidam, citoyen lambda**
– Groupe de personnes **gens**
– Ensemble des personnes habitant un pays **population, nation**
– Terme désignant une personne **autrui, quelqu'un**
– Propre à une personne **intime, privé, personnel, individuel, particulier**
– Contemplation de sa personne **narcissisme**
– Doctrine philosophique posant la per-

sonne comme valeur suprême, par opposition à l'individualisme, au communisme et au matérialisme **personnalisme**
– Personne de La Trinité considérée dans ses caractères distinctifs **hypostase**

PERSONNEL /1
– Personnel d'une usine **travailleurs, ouvriers, employés, dirigeants, cadres**
– Personnel de l'Administration **fonctionnaires**
– Personnel de maison **domesticité**

PERSONNEL /2
– Souvenir personnel **intime, privé**
– Un jugement personnel **subjectif**
– Un style personnel **original, particulier, propre, singulier**
– Caractère d'une personne tournée vers son plaisir, ses intérêts personnels **égocentrisme, égoïsme, individualisme**

PERSONNIFIER
– Personnifier la sagesse **exprimer, évoquer, symboliser**
– Accompagne ce que l'on a personnifié **attribut**
– Figure de rhétorique par laquelle on personnifie **prosopopée**
– Personnifier Don Juan au théâtre **incarner**

PERSPECTIVE
– Aller à la découverte de nouvelles perspectives **domaines, horizons**
– Avancer des perspectives pessimistes **considérations, optiques, points de vue, visions**
– Paraître sous une perspective nouvelle **jour, lumière, éclairage, angle, aspect**

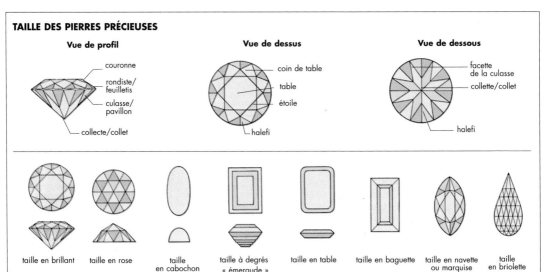

TAILLE DES PIERRES PRÉCIEUSES

Vue de profil

couronne
rondiste/feuilletis
culasse/pavillon
collecte/collet

Vue de dessus

coin de table
table
étoile
halefi

Vue de dessous

facette de la culasse
collette/collet
halefi

taille en brillant | taille en rose | taille en cabochon | taille à degrés « émeraude » | taille en table | taille en baguette | taille en navette ou marquise | taille en briolette

– Perspective de vente **marché**
– Perspective d'emploi **débouché**
– Envisager une perspective d'avenir **éventualité, probabilité**
– Élément de perspective d'un dessin **dimension, éloignement, disposition, profondeur de champ, volume, angle**

PERSPICACE
– Un esprit perspicace **lucide, clairvoyant, pénétrant, sagace**

PERSPICACITÉ
– Un esprit doué d'une grande perspicacité **sagacité, pénétration**
– Apprécier la perspicacité d'une observation **acuité, finesse, lucidité, subtilité**

PERSUADER
– Je n'ai pas réussi à le persuader **décider, convaincre**
– Persuader à tout prix **exhorter**
– Persuader de ne pas faire **dissuader**
– Persuader par l'exemple **inspirer, suggérer, inculquer**
– Art, technique visant à persuader par la parole **éloquence, rhétorique**

PERTE
– Perte financière, matérielle **dommage, préjudice, amputation, dégât**
– La perte d'un droit **déchéance, forclusion, péremption, privation**
– Perte d'un être cher **deuil, séparation**
– Perte d'un combat **échec, défaite**
– Perte de vitesse **décélération**
– Perte de ses forces physiques **asthénie**
– Perte abondante de sang **hémorragie**
– Perte de la vue **cécité**

– Perte de l'audition **surdité**
– Perte de l'odorat **anosmie**
– Perte de la parole **aphasie, aphonie**
– Perte d'énergie **déperdition**
– Perte de l'appétit **anorexie**
– Perte de la mémoire **amnésie**
– Permet une perte de poids **régime**

PERTINENT
– Faire une démonstration pertinente **convaincante**
– Une remarque pertinente **appropriée, congrue, fine, judicieuse, juste, sensée**

PERTURBATION
syn. **confusion, désordre, trouble**
– Perturbation émanant d'un groupe **chambardement, pagaille**
– Perturbation sociale **agitation, crise, grève, secousse**
– Perturbation d'un système **dysfonctionnement, désorganisation, déséquilibre**
– Perturbation sonore **brouillage, friture, parasites**
– Perturbation atmosphérique **cyclone, orage, ouragan, pluie, tempête, tornade, typhon, vent**

PERTURBER
– Cette histoire le perturbe **trouble, bouleverse, déstabilise**
– Ils ont perturbé le cours **dérangé, gêné**

PERVERS
– C'est un homme pervers **vicieux, corrompu, dépravé, cruel**
– Des intentions perverses **pernicieuses, perfides**
– En psychiatrie, qualifie le pervers, sou-

vent un jeune enfant, dont les pulsions ne sont pas fixées **pervers polymorphe**

PERVERSITÉ
– La perversité de l'homme **méchanceté, malignité, perfidie, cruauté, fourberie**

PERVERTIR
– Pervertir la pensée d'un auteur **dénaturer, déformer, travestir**
– Pervertir une personne **dépraver, avilir, corrompre**

PESANT
syn. **dense, massif**
– Rendre pesant **alourdir, appesantir**
– Rendre moins pesant **alléger, soulager**
– Un aliment pesant **indigeste**
– Un dossier pesant **épais, important, lourd**
– Un échec pesant **pénible, douloureux, cuisant, accablant**
– Une personne pesante **encombrante, importune, stupide, ennuyeuse**

PESER
– Cette situation lui pèse **l'importune, le gêne, l'accable**
– Peser un emballage avant d'y déposer une marchandise **tarer**
– Un objet que l'on peut peser **pondérable**
– Peser avec la main **soupeser**
– Objet servant à peser **bascule, peson, trébuchet, balance**
– Peser de tout son poids contre une porte pour l'ouvrir **presser, appuyer**
– Toute la responsabilité va peser sur la secrétaire **incomber à, retomber sur**

– Peser la justesse d'une décision **estimer, évaluer, considérer, apprécier, jauger**

PESSIMISME

syn. **morosité**
– Pessimisme philosophique **désenchantement, nihilisme**
– Pessimisme collectif **sinistrose**

PESSIMISTE

– Un caractère pessimiste **anxieux, défaitiste, inquiet, mélancolique, sombre, morose, hypocondriaque**
– Des prévisions pessimistes **alarmistes, désespérées**
– Se montrer pessimiste quant à l'issue d'une maladie **sceptique, sans illusion**

PESTE

– Type de peste **bubonique, pulmonaire**
– Qui tient de la peste **pestilentiel**
– La peste des volailles **aviaire**
– Atteint par la peste **pestiféré**
– Animal porteur de la peste **rat noir, puce**
– Tache cutanée due à la peste **pétéchie**
– Prévention contre la peste **quarantaine**

PÉTALE

– Ensemble des pétales d'une fleur **corolle**
– Fleur à pétales unis **gamopétale**
– Fleur constituée de pétales séparés **dialypétale**
– Partie feuillue de couleur verte, protégeant la fleur et les pétales **sépale, calice**

PIERRES PRÉCIEUSES ET SEMI-PRÉCIEUSES	
Incolores diamant zircon	**Bleues** aigue-marine lapis-lazuli/lazulite saphir turquoise
Blanchâtres opale pierre de lune	**Vertes** alexandrine amazonite chrysoprase émeraude héliotrope jade malachite péridot/olivine
Jaunes chrysobéryl citrine héliodore hyacinthe topaze	
Rouges almandin cornaline grenat rubis sardoine	**Noires** jais onyx pyrénéite
Rose morganite	**Colorations multiples** jaspe spinelle tourmaline
Violette améthyste	

– Fleur sans pétales **apétale**

PÉTARD

– Composant d'un pétard **papier, poudre, mèche**
– Bonbon enveloppé dans une papillote avec un pétard **diablotin**
– Il fume un pétard **joint**
– Être en pétard **en colère**

PÉTILLANT

– Du vin pétillant **mousseux, crémant**
– De l'eau pétillante **gazeuse**
– Une jeune femme pétillante **vive, délurée, intelligente, malicieuse, espiègle**

PÉTILLER

– Le feu pétille **craque, crépite**
– Ses yeux pétillent d'enthousiasme **brillent, rayonnent, luisent**

PETIT /1

– Les petits d'un animal **couvée, nichée, portée**

PETIT /2

– Une substance très petite **imperceptible, microscopique**
– Extrêmement petit **ténu**
– Plus petit **moindre**
– Une petite quantité **minuscule, infinitésimale, infime, dérisoire**
– Petit homme **nain, lilliputien, myrmidon, gnome, homuncule, Pygmée**
– Petit nom **diminutif, surnom, sobriquet**
– Petit à petit **progressivement, graduellement**

PETITESSE

– La petitesse d'un logement **exiguïté, étroitesse**
– Petitesse d'un don **modicité**
– Petitesse d'esprit **mesquinerie, médiocrité, ladrerie, bassesse**

PÉTITION

– Personne ou groupe faisant une pétition **pétitionnaire**
– Pétition judiciaire **requête**

PÉTRIFIÉ

– Ville pétrifiée **Pompéi, Herculanum**
– Lave pétrifiée **ponce, pegmatite, migmatite**
– Eau pétrifiée **stalagmite, stalactite**
– Demeurer pétrifié **médusé, ébahi, saisi, paralysé, interdit, stupéfait**

PÉTRIFIER

– Monstre de la mythologie qui pétrifiait les imprudents **Méduse, Gorgone**

PÉTRIFIER (SE)

– Se pétrifier sous l'effet d'un choc **figer (se), statufier (se), immobiliser (s')**

PÉTROLE

voir aussi **carburant, huile de pierre, naphte, or noir**
– Roche dont est extrait le pétrole **roche mère, roche-réservoir**
– Zone étanche du sous-sol renfermant du pétrole **piège, gisement**
– Lieu d'exploitation des gisements de pétrole sous-marins **plate-forme**
– Échantillon de roche contenant du pétrole **carotte**
– Exploration du sous-sol contenant du pétrole **prospection**
– Méthode de forage d'un puits de pétrole **rotary, turboforage, drainage**
– Chevalement sur lequel est disposé le trépan de forage d'une nappe de pétrole **derrick**
– Forage en mer d'un gisement de pétrole **offshore**
– Première étape de l'exploitation d'un puits de pétrole **torpillage, fracturation, acidification, perforation**
– Conduit de transport du pétrole **oléoduc, pipeline, feeder, sea-line**
– Traitement du pétrole brut **raffinage**
– Procédés principaux du raffinage du pétrole **séparation, conversion, épuration**
– Étape constituant le procédé de séparation lors du raffinage du pétrole **distillation atmosphérique, désasphaltage, extraction, cristallisation**
– Étape constituant le procédé de conversion lors du raffinage du pétrole **craquage, reformage, isomérisation**
– Étape constituant le procédé d'épuration lors du raffinage du pétrole **dessalage, désulfuration**
– Pétrole non raffiné **brut**
– Résidu de pétrole **brai**
– Unité de mesure du pétrole brut, équivalent à 159 litres **baril**
– Pétrole vendu par des intermédiaires percevant des bakchichs **brut mollah (princier)**
– Négociant en pétrole **trader**
– Industrie chimique dérivée du pétrole **pétrochimie, pétroléochimie**

PÉTULANCE

– Pétulance d'un discours **brio, vigueur**
– Pétulance de la jeunesse **fougue, impétuosité, vitalité, exubérance, flamme, vivacité, enthousiasme, turbulence**
– Avec pétulance **entrain**

PEU

– Un peu de lait **goutte, larme, nuage, doigt**
– Dans peu de jours **bientôt, incessamment**
– S'exprimer en peu de phrases **brièvement, succinctement**
– Un fait de peu d'importance **mince, minime, insignifiant, dérisoire**

– Le radiateur chauffe peu **faiblement, médiocrement**
– Aller très peu au cinéma **à peine, rarement**
– Donner peu **chichement, parcimonieusement**
– Être peu informé **vaguement**
– Manger peu **modérément, frugalement**
– À peu près **approximativement, environ, quasiment**
– Peu à peu **insensiblement, doucement, lentement**
– Peu après **ensuite, après quoi**
– Un peu de pain **bouchée, miette**

PEUPLADE
– Les peuplades de la contrée **tribus**
– Peuplade nomade **Touareg**

PEUPLE
voir aussi ethnie, peuplade, tribu
– Les coutumes d'un peuple **pays, nation**
– Du peuple **populaire**
– La voix du peuple **vox populi**
– Description et étude des différents peuples **ethnographie, ethnologie, anthropologie**
– Étude de la répartition et de l'évolution d'un peuple **démographie**
– Tradition orale ou écrite propre à un peuple **coutume, croyance, folklore, civilisation, culture**
– Gouvernement du peuple **démocratie**
– Flatterie tendant à obtenir la faveur du peuple **populisme, démagogie**
– Rendre accessible au peuple **populariser, vulgariser, démocratiser**

PEUPLER
– Différentes tribus peuplent la contrée **habitent, occupent**
– De noires idées peuplent son esprit **hantent, obsèdent**

PEUPLIER
voir aussi arbre
– Famille à laquelle appartient le peuplier **salicacées**
– Plantation de peupliers **peupleraie**
– Peuplier blanc **ypréau**
– Peuplier noir **liard**
– Peuplier gris **grisard**
– Peuplier devant son nom à la sensibilité de son feuillage **tremble**
– Ravage les peupliers **leucome**
– Bourgeon de peuplier travaillé en pommade **populéum**
– Propriété de l'écorce de peuplier **analgésique**

PEUR
syn. **alarme, effroi, frayeur, panique, affolement**
– Forte peur **épouvante, terreur**

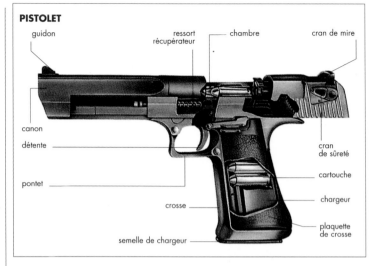

PISTOLET

guidon
ressort récupérateur
chambre
cran de mire
canon
détente
pontet
crosse
semelle de chargeur
cran de sûreté
cartouche
chargeur
plaquette de crosse

– Être envahi par la peur **crainte, inquiétude, anxiété**
– Peur éprouvée à l'égard de certains animaux **aversion, répulsion**
– Peur instinctive **angoisse, appréhension**
– Peur maladive **hantise, phobie**
– Peur avant un examen **trac**
– Nom familier donné à la peur **frousse, trouille, pétoche, chocottes, jetons**

PEUREUX
– Individu excessivement peureux **lâche, couard, poltron, pleutre**
– Le contraire d'un homme peureux **impavide**
– Peureux face à la nouveauté **timide, timoré, pusillanime**

PHALLUS
syn. **pénis, sexe, verge**
– Relatif au phallus **ithyphallique**
– Semblable au phallus **phalloïde**
– Phallus artificiel utilisé pour la recherche du plaisir sexuel **godemiché**
– En médecine, érection douloureuse et persistante du phallus **priapisme, satyriasis**
– Protection du phallus afin d'éviter les maladies sexuellement transmissibles **préservatif, condom**
– Culte du phallus **phallisme**
– Domination exercée par les hommes sur les femmes et fondée sur la symbolique du phallus **phallocratie, phallocentrisme**

PHARE
– Type de phare marin **à feu fixe, à feu tournant**
– Système servant de phare **balise, bouée-phare**

– Phares automobiles **veilleuses, codes, feux de route**
– Phare puissant à l'avant d'un véhicule **projecteur**
– Dispositif réfléchissant les rayons lumineux des phares d'une voiture **catadioptre**

PHARMACIE
voir aussi médicament
– Type de pharmacie **hospitalière, biomédicale, industrielle**
– Mise en forme des médicaments vendus en pharmacie **galénique**
– Profession de la pharmacie **pharmacien, préparateur, laborantin, assistant**
– Une préparation faite en pharmacie, suivant la formule du médecin **magistrale**
– Une préparation faite en pharmacie selon une formule fixe **officinale**
– Constitution médicamenteuse réalisée en pharmacie **médicament, préparation, formule, remède, drogue**
– Recueil des médicaments et produits de pharmacie **Pharmacopée**
– Recueil des formules en pharmacie **Codex**
– Pharmacie ou boutique spécialisée dans les plantes médicinales **herboristerie**
– Local souvent attenant à la boutique d'une pharmacie **laboratoire, officine**
– Propre à la pharmacie **pharmaceutique**

PHASE
– Phase d'une maladie **épisode, stade**
– Phase de décompression sous-marine **palier, échelon, degré**
– Phase de la Lune et des planètes **aspect, changement, succession, apparence**

– Cycle des phases lunaires **lunaison**
– Traverser une phase difficile **étape, période**

PHÉNOMÉNAL
– Cela représente un travail phénoménal **considérable, énorme, monstrueux, monumental, inimaginable, colossal**

PHÉNOMÈNE
– Phénomène tangible **fait, apparence, manifestation**
– Phénomène inexplicable **événement**
– Phénomène extraordinaire **miracle, prodige, merveille**
– Phénomène accessoire apparaissant en liaison avec un autre **épiphénomène**
– Déclencheur d'un phénomène **catalyseur**
– Appréhension d'un phénomène **sensibilité, entendement, intuition**
– Phénomène sonore **infrason, ultrason**
– Phénomène périodique en physique **mouvement vibratoire, onde, propagation, fréquence**

PHILOSOPHIE *Voir tableau p. 447*
– Fondement d'une philosophie **idée, pensée, principe, conception**
– Ensemble des pensées d'une philosophie **idéologie, théorie, système, doctrine**
– Ensemble des connaissances auquel appartient la philosophie **épistémè**
– Partie de la philosophie **éthique, logique, métaphysique, esthétique**
– Principe de la philosophie taoïste **yang, yin**
– Elle a pris son échec avec philosophie **résignation, détachement, calme**

PHOBIE *Voir tableau p. 448*
– Phobie de ceux qui se croient entourés d'espions **espionite**
– Il a la phobie des anglicismes **horreur, haine**

PHOQUE
– Classe à laquelle appartient le phoque **mammifères**
– Ordre auquel appartient le phoque **pinnipèdes**
– Phoque à ventre blanc **phoque moine**
– Phoque macrorhine **éléphant de mer**
– Phoque des mers du Sud **léopard de mer**
– Phoque du Pacifique Nord **phoque à rubans**
– Phoque de Terre-Neuve **phoque à capuchon**
– On la confond souvent avec le phoque **otarie**

PHOSPHORESCENT
– Lumière phosphorescente **fluorescente, luminescente**

– Animal phosphorescent **ver luisant, lampyre, luciole**
– Une mer phosphorescente **luisante, brasillante, scintillante**

PHOTOGRAPHIE *Voir tableau p. 451-452*
voir aussi **cliché, épreuve, instantané**
– Support de photographie **film, pellicule, bobine, papier, plaque**
– Procédé de photographie mis au point à la fin du XXᵉ siècle **numérique**
– Photographie tirée à partir d'un négatif papier **calotype**
– Photographie que l'on projette sur un écran **diapositive**
– Photographie prise sur une plaque de cuivre **daguerréotype**
– Photographie stéréoscopique en deux couleurs complémentaires **anaglyphe**
– Double d'un négatif en photographie **contretype**
– Film d'une photographie où les valeurs sont directes **positif**
– Film d'une photographie où les valeurs sont inversées **négatif**
– Norme d'expression de la sensibilité d'un film en photographie **ISO, ASA, DIN**
– Particule d'argent métallique noir dont la quantité détermine le degré de noircissement d'une photographie **grain**
– Procédé de photographie en relief **holographie, stéréoscopie**
– Objectif employé en photographie **grand-angle, zoom, fish-eye, téléobjectif, objectif anastigmat, objectif macrophotographique**
– Type d'objectif en photographie **à focale fixe, à focale variable**
– Appareil servant à déterminer l'exposition appropriée à une photographie **posemètre**
– Père de la photographie **Daguerre, Niepce**

PHRASE
voir aussi **discours, énoncé, texte**
– Type de phrase **nominale, verbale, interrogative, exclamative, impérative, déclarative, négative**
– Élément constituant une phrase **mot, lexie**
– Constituant de la phrase **sujet, verbe, complément, proposition**
– Ordre régissant les éléments d'une phrase **syntaxe**
– Phrase célèbre **citation, mot, formule, proverbe**
– Employer des phrases toutes faites **clichés, stéréotypes, banalités, lieux communs**
– Phrase longue et grandiloquente **tirade**
– Usage de phrases vides de sens **phraséologie**
– Propre à la phrase **phrastique**

– Personne qui aime à faire des phrases **phraseur, bavard**
– Dire en une phrase ce qui peut être dit en un mot **périphrase**
– Famille de phrases ayant approximativement le même sens **paraphrases**

PHYSIONOMIE
– Être attiré par la physionomie d'une personne **expression, air, traits**
– Étude du caractère d'une personne d'après sa physionomie **morphopsychologie**
– La physionomie mentale de quelqu'un **profil psychologique**
– Ne pas juger quelqu'un à sa physionomie **apparence, allure**
– Bouleverser la physionomie d'une ville **aspect, caractère**
– Recourir à des jeux de physionomie **grimaces, mimiques, mines**

PHYSIQUE
– Un trouble physique **physiologique, somatique**
– Une douleur physique **organique**
– Une relation physique **charnelle, sexuelle**
– Éducation physique **gymnastique, sport**

PIANO *Voir illustration p. 455*
voir aussi **instrument, musique**
– Type de piano **à queue, demi-queue, quart de queue, droit, crapaud**
– Élément d'un piano **caisse, mécanique, cadre, pédale, clavier**
– Constitution du cadre d'un piano formant la table d'harmonie **sommier, cheville, cordes, table d'harmonie**
– Constitution de la mécanique d'un piano **touches, marteaux, étouffoirs**
– Pivot auquel sont fixées les pédales d'un piano à queue **lyre**
– Fabricant de pianos **facteur**
– Piano mécanique **pianola**
– Ancêtre du piano **clavicorde, épinette, virginal, clavecin, pianoforte**
– Œuvre pour piano **concerto, sonate, valse, nocturne, étude, novelette, prélude, fugue, invention**

PIE /1
– Ordre auquel appartient la pie **passériformes**
– Famille à laquelle appartient la pie **corvidés**
– Nom scientifique de la pie *Pica pica*
– On dit de la pie qu'elle est **voleuse, bavarde**
– Entendre la pie crier **jacasser, jaser**
– Petit de la pie **piat**
– Pie d'Asie **pie bleue**
– Pie de mer **huîtrier**
– Saut de la pie dans l'Antiquité grecque **danse lacédémonienne**

– Ils sont symbolisés par la pie en Chine **bonheur conjugal, joie**

PIE /2
– Un cheval pie **bicolore**
– Une œuvre pie **pieuse**

PIÈCE
– Pièce d'un moteur **organe, élément, partie**
– Pièce de tissu **coupon, morceau, lé**
– Pièce officielle **acte, diplôme, document, titre**
– Pièce de monnaie ancienne **écu, jaunet, louis, napoléon**
– Pièce de monnaie utilisée comme modèle **pied-fort**
– Acheter un meuble dont les pièces sont à monter **en kit**
– Pièce de théâtre **comédie, tragédie, drame**
– Petite pièce servant à ranger des outils, des provisions **resserre, cellier, office, souillarde, débarras**
– Pièce d'eau **bassin, étang, lac, plan d'eau**

PIED
– Anatomie du pied **cou-de-pied, plante, talon**
– Os du pied formant le talon **calcanéum, astragale**
– Doigt de pied **orteil**

– Étude du pied **podologie**
– Maux de pied **durillon, cor, oignon, œil-de-perdrix**
– Inflammation des doigts de pied **goutte, podagre**
– Déformation d'un doigt de pied, le gros orteil **hallus valgus**
– Soins du pied **pédicurie**
– Individu au pied difforme **pied-bot**
– Animal dépourvu de pieds **apode**
– Animal marchant sur les doigts des pieds **digitigrade**
– Animal marchant sur la plante des pieds **plantigrade**
– Animal se tenant sur deux pieds **bipède**
– Pied d'une colonne **base, assise**
– Pied d'un arbre **racine, souche**
– Pied de vigne **cep**
– Une promenade à pied **pédestre**
– Mettre une affaire sur pied **organiser, constituer, échafauder**
– Mettre à pied **licencier, limoger, renvoyer**

PIÉDESTAL
– Piédestal servant de support à une statue **socle, acrotère**
– Petit piédestal dont l'assise est circulaire ou carrée **piédouche**
– Élément d'un piédestal **base, corniche, dé**
– Mettre quelqu'un sur un piédestal **admirer, aduler, exalter**

PIÈGE
– Piège employé pour les rongeurs **ratière, souricière, tapette**
– Piège à oiseau **filet, tirasse, tendelle, trébuchet, reginglette, gluau**
– Piège à lapin **collet, lacs, lacet**
– Piège à fauve **fosse, chausse-trape, traquet**
– Instrument imitant le cri des oiseaux pour les attirer dans un piège **appeau, courcaillet, pipeau**
– Oiseau vivant utilisé comme piège **appelant, chanterelle**
– Personne posant des pièges **braconnier**
– Pratique de chasse dans laquelle on emploie des pièges **pipée, tenderie**
– Tendre un piège à une personne **traquenard, embuscade, guet-apens**

PIERRE *Voir tableau roches p. 531*
voir aussi **minéral, roche**
– Un cœur de pierre **dur, froid, de glace**
– Petite pierre **caillou, gravier, galet**
– Bloc de pierre **roc, rocher, boulder**
– Transformation en pierre **pétrification, lapidification**
– Semblable à la pierre **lithoïde**
– Spécifique aux pierres **lithique**
– Science et étude des pierres **pétrographie, pétrologie, minéralogie**
– Gravure sur pierre **pétroglyphe**
– Fissure dans une pierre **lithoclase**
– Une substance produisant des pierres **lithogène**
– Âge de la pierre taillée **paléolithique**
– Âge de la pierre polie **néolithique**
– Grandes pierres sacrées souvent disposées en alignement **mégalithes, monolithes**
– Monument mégalithique constitué de pierres formant une large table **dolmen**
– Monument mégalithique constitué de pierres dressées en cercle **cromlech**
– Monument mégalithique constitué de pierres levées **menhir, peulven**
– Pierre sacrée en Phénicie **bétyle**
– Pierre tombale **dalle, stèle**
– Bloc de pierre provenant de l'espace **météore, bolide, aérolithe**
– Morceaux de pierre provenant d'un édifice démoli **gravats**
– Pierre de construction **ardoise, cliquart, lambourde, lauze, meulière, porphyre**
– Outil employé pour travailler la pierre **biveau, couteau, laie, boucharde, smille**
– Côté d'une pierre opposé au sens de la stratification, en maçonnerie **délit**
– Poser une pierre en délit **déliter**
– Manière d'assembler les pierres d'un édifice **appareillage**
– Pierre pouvant se poser à la main, en maçonnerie **jectisse**
– Tuer ou blesser une personne à coup de pierres **lapider**

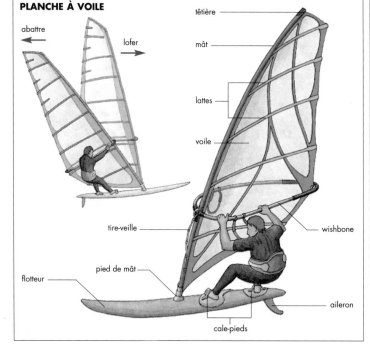

PLANCHE À VOILE

abattre

lofer

têtière

mât

lattes

voile

tire-veille

wishbone

pied de mât

flotteur

aileron

cale-pieds

– Lutte que les Palestiniens mènent à coups de jets de pierres **intifada**

PIERRE PRÉCIEUSE *Voir illustration p. 456 et tableau p. 457*
voir aussi **diamant**
– Nom générique des pierres précieuses et des pierres fines **gemmes**
– Professionnel de la taille et du polissage des pierres précieuses **lapidaire**
– Feuille de métal rehaussant l'éclat d'une pierre précieuse **paillon**
– Pierre précieuse qui présente un défaut de cristallisation **loupe**
– Défaut d'une pierre précieuse **crapaud, glace, givrure, gendarme**

PIÉTÉ
– Faire preuve de piété religieuse **ferveur, dévotion**
– Piété religieuse excessive **bondieuserie, bigoterie, tartuferie**
– Acte de piété **exercice, pratiques, neuvaine**
– Endroit où l'on vend des articles de piété **procure**
– Marque de piété à l'égard des morts **culte des ancêtres**
– Piété à l'égard des parents **attachement, amour, respect**

PIÉTINER
– Ils ont piétiné les fleurs **écrasé, marché sur**
– Piétiner sous l'action de la colère **trépigner**
– Piétiner d'impatience **piaffer**
– Le projet piétine **stagne, patine**

PIÈTRE
– De piètres résultats **médiocres, tristes, mauvais, minables, dérisoires**
– Il est dans un piètre état **piteux**

PIEU
voir aussi **bâton**
– Petit pieu **piquet**
– Petits pieux pointus constituant une clôture **palis**
– Gros pieu ferré et cerclé **pilot**
– Pieu servant de tuteur à un arbuste **échalas, paisseau**
– Ensemble de pieux servant d'assise à une construction **pilotis**
– Assemblage de pieux pour soutenir un terrain **clayonnage, palée**
– Outil servant à enfoncer les pieux **bélier, mouton, sonnette**

PIEUX
– Un individu pieux **fervent, croyant, religieux, dévot**
– Personne excessivement pieuse **bigote, zélée**
– Une vie pieuse **exemplaire, édifiante**
– Une association pieuse **charitable**

LES PLANÈTES DU SYSTÈME SOLAIRE (*voir aussi p. 564*)		
Planète	**Distance moyenne au Soleil en millions de km**	**Distance minimale à la Terre en millions de km**
Mercure	57,9	80
Vénus	108,2	41
Terre	149,6	—
Mars	227,9	56
Jupiter	778	590
Saturne	1 429	1 200
Uranus	2 875	2 700
Neptune	4 504	4 320
Pluton	5 900	5 715

PIGEON
– Ordre auquel appartient le pigeon **columbiformes**
– Famille à laquelle appartient le pigeon **columbidés**
– Espèce de pigeon commune en France **biset, colombin, ramier, palombe**
– Petit pigeon **pigeonneau**
– Femelle du pigeon **pigeonne**
– Pigeon couronné **goura**
– Élevage de pigeons **colombophilie**
– Abri où sont élevés des pigeons **pigeonnier, fuie, colombier**
– Tir au pigeon **ball-trap**
– Maladie due aux déjections de pigeon **cryptococcose**

PIGMENT
– Type de pigment **végétal, animal, minéral**
– Pigment vert des plantes **chlorophylle**
– Pigment jaune colorant feuilles et pétales **xanthophylle**
– Pigment sanguin **hémoglobine**
– Pigment biliaire **urobiline, bilirubine**
– Pigment donnant la coloration de la peau, des cheveux **mélanine**
– Qui produit un pigment **chromogène**

PILE
– Pile électrique **accumulateur, générateur**
– Pile produisant de l'électricité à partir d'un mélange d'oxygène et d'hydrogène gazeux ou liquide **à combustible**
– Pile transformant une source lumineuse en énergie électrique **photoélectrique**
– Pile transformant la chaleur en énergie électrique **thermoélectrique**
– Conducteurs d'une pile **électrodes, pôles**
– Électrode négative d'une pile **cathode**
– Électrode positive d'une pile **anode**
– Pile atomique **réacteur**
– Pile de journaux, de livres, de vieux papiers **amas, amoncellement, entassement, monceau, tas**
– Mettre en pile **empiler, entasser**

PILER
– Piler de la glace **broyer, concasser, écraser**
– Piler du blé **réduire, pulvériser**
– Instrument utilisé pour piler **pilon, bourroir, moulin**
– Récipient servant à piler **mortier, égrugeoir**

PILIER
– Piliers d'un édifice **colonnes, pylônes, pilastres**
– Pilier servant d'appui **contrefort**
– Piliers d'un pont **piles**
– Un pilier de bar **habitué, familier**

PILLAGE
syn. **exaction, rapine, vol**
– Des actes de pillage ont été commis la nuit dernière **déprédation, dévastation, mise à sac, saccage, vandalisme**
– Expédition faite en vue d'un pillage **razzia, incursion**
– Produit d'un pillage **butin**
– Acte de pillage dans les finances publiques **concussion, malversation, détournement**

PILLER
syn. **voler**
– Piller une ville **dévaster, écumer, ravager, saccager**
– Piller des bateaux en mer **pirater**
– Piller une banque **dévaliser, cambrioler**

PILON
– Broyer le mil avec un pilon **broyeur**
– Pilon utilisé pour tasser **dame, hie, demoiselle**
– Petit pilon de pharmacien **molette**

PILOTE
voir aussi **conducteur**
– Pilote d'un avion **aviateur, commandant de bord**
– Pilote d'un bateau **barreur, timonier, nautonier, nocher, lamaneur**
– Pilote d'un dirigeable **aérostier, aéronaute**
– Sans pilote **téléguidé, automatique**
– Partie d'un véhicule où se trouve le pilote **cabine, habitacle, cockpit**
– Industrie pilote **exemplaire, avant-gardiste, phare**
– Poisson pilote **rémora**

PILULE
– Il doit prendre une pilule avant les repas **granule, gélule, dragée, cachet**
– Petite pilule **globule**
– Pilule contraceptive **micropilule, minipilule**
– Pilule d'hormone introduite sous la peau et se résorbant lentement **implant, pellet**

– Procédé d'enrobage des pilules **kératinisation**
– Conditionnement des pilules **plaquette**
– Moule dans lequel sont fabriquées les pilules **pilulier**

PIMENT
– Famille à laquelle appartient la plante du piment **solanacées**
– Piment doux **poivron**
– Piment d'Amérique du Sud **chile**
– Piment en poudre **paprika**
– Préparation à base de piment **curry, harissa, pili-pili, rouille**
– Spécialité basque à base de piment doux **piperade**

PIN
voir aussi **arbre**
– Famille à laquelle appartient le pin **abiétacées**
– Ordre auquel appartient le pin **conifères**
– Espèce de pin **pin sylvestre, pin d'Alep, pin parasol**
– Pin maritime **pinastre**
– Pin noir **laricio d'Autriche**
– Inflorescence femelle du pin **cône, pomme de pin, pigne**
– Inflorescence mâle du pin **strobile**
– Résine du pin **galipot, gemme**
– Résine fournie par le pin maritime **térébenthine**
– Incision pratiquée sur le pin pour en recueillir la résine **gemmage**
– Bois du pin d'Amérique **pitchpin**
– Forêt de pins **pinède, pineraie**
– Bâton de Bacchus surmonté d'une pomme de pin **thyrse**

PINCE
– Pince de menuiserie **tenailles**
– Petite pince d'horloger et de typographe **brucelles**
– Pinces de verrier **morailles**
– Pince chirurgicale **clamp, forceps, davier**
– Pince coupante **cisailles, coupe-ongle, bec-de-corbeau**
– Pince à sucre **pincette**
– Ustensile qui, comme la pince, sert à entretenir le feu **tisonnier, pique-feu**

PINCEAU
– Pinceau pour les peintures courantes **pouce, brosse à rechampir**
– Pinceau pour couvrir des surfaces rugueuses **brosse à badigeon**
– Pinceau employé dans la peinture en bâtiment **spalter**
– Pinceau utilisé pour la peinture sur porcelaine **putois**
– Pinceau large et plat employé pour laquer **brosse à laquer, queue-de-morue**
– Manche d'un pinceau **hampe, ente**

– Bague métallique enserrant le manche d'un pinceau **virole**
– Petit récipient servant à nettoyer les pinceaux **pincelier**
– Animal dont on utilise les poils pour la confection de pinceaux **martre, mangouste, porc, blaireau, veau**

PINCEMENT
– Éprouver un pincement au cœur **picotement, serrement, douleur**
– Marque de pincement de la peau **pinçon**

PINCER
syn. **écraser, presser, serrer**
– Pincer la peau très fort **contusionner, meurtrir**
– Manière de pincer les cordes d'un instrument en jouant **pizzicato**
– Le cambrioleur s'est fait pincer **attraper, surprendre**

PINGOUIN
– Famille à laquelle appartient le pingouin **alcidés**
– Ordre auquel appartient le pingouin **palmipèdes**
– Oiseau marin proche du pingouin **mergule, macareux, guillemot**
– Oiseau palmipède comme le pingouin, à bec long et au plumage gris et blanc **manchot empereur**
– Oiseau noir et blanc, palmipède comme le pingouin **manchot Adélie**

PIOCHE
– Pioche à deux dents **bigot**
– Pioche de jardinage **houe, hoyau**
– Pioche servant à creuser le roc **pic**
– Pioche d'alpiniste **piolet**
– Pioche de terrassier **sape**
– Pioche de mineur **rivelaine**

PIOCHER
– Il pioche la terre **défonce, retourne, creuse, herse**
– Piocher dans le tas **puiser**

PION
– Plateau du jeu sur lequel on pose les pions **damier, échiquier**
– Il est pion dans un lycée **surveillant**

PIONNIER
– Pionnier s'installant sur des terres incultes **colon, défricheur**
– Pionnier américain **squatter**
– Pionnier de l'ère industrielle **bâtisseur, promoteur, initiateur**
– Pionnier d'une nouvelle voie artistique **créateur, protagoniste, avant-gardiste, innovateur**

PIPE
– Fabricant de pipes **pipier**

– Matière employée pour la fabrication des pipes **terre, porcelaine, bois, écume**
– Contenu d'une pipe **pipée**
– Partie d'une pipe **tuyau, fourneau**
– Reste au fond de la pipe **culot**
– Pipe orientale rattachée à un vase d'eau parfumée **narguilé**
– Pipe indienne à réservoir **houka**
– Pipe turque **chibouque**
– Pipe des Indiens d'Amérique du Nord **calumet**
– Pipe à tuyau court **brûle-gueule, bouffarde**
– Pipe pour le haschisch **shilom**

PIQUANT / 1
– Piquant de la rose **épine**
– Plante à piquants **houx, ortie, cactus**
– Enveloppe avec des piquants **bogue**
– Piquant de la guêpe **aiguillon, dard**
– Piquant d'une ceinture **ardillon**
– Le piquant d'un récit, d'une aventure **attrait, piment**

PIQUANT / 2
– Objet piquant **pointe, aiguille, pique**
– Très piquant **aciculaire**
– Un outil piquant **pointu, acéré, perforant**
– Buis piquant **fragon**
– Un froid piquant **vif, mordant, pénétrant, pinçant**
– Une remarque piquante **acerbe, acide, caustique, satirique**
– Un détail piquant **original, curieux**
– Une situation piquante **pittoresque, excitante**
– Un plat piquant **pimenté, poivré, relevé, épicé, assaisonné**
– Une eau piquante **gazeuse, pétillante**
– Une douleur piquante **aiguë, cuisante, térébrante**

PIQUE / 1
voir aussi **dard, esponton, hallebarde, lance, pertuisane**
– Ancêtre du violoncelle, sans pique **viole de gambe**
– Lancer des piques **allusions, méchancetés, pointes, invectives**

PIQUE / 2
– Roi, dame, valet de pique **David, Pallas, Ogier**

PIQUÉ
– Une page de livre piquée **mouchetée, tachetée, piquetée**
– Du vin piqué **aigre, tourné**
– Manière de jouer des notes piquées **staccato**

PIQUER
voir aussi **percer**
– Piquer un vêtement **coudre**
– Piquer un cheval **éperonner**

AIL *Allium sativum*
Partie utilisée : le bulbe
Indications : hypertension artérielle, prévention de l'athérosclérose, infection intestinale, troubles circulatoires

ANANAS *Ananas comosus*
Partie utilisée : la tige
Indications : cellulite, œdèmes, hématomes, entorses, foulures

ANGÉLIQUE
Angelica archangelica
Partie utilisée : la racine
Indications : aérophagie, ballonnements, colite, douleurs et spasmes intestinaux, digestion difficile

ARMOISE *Artemisia vulgaris*
Partie utilisée : la feuille
Indications : syndrome prémenstruel, règles douloureuses

ARTICHAUT *Cynara scolymus*
Partie utilisée : la feuille
Indications : troubles du foie et de la vésicule biliaire

AUBÉPINE *Crataegus laevigata*
Partie utilisée : la sommité fleurie
Indications : palpitations, anxiété, nervosité, insomnie, troubles coronariens

BARDANE *Arctium lappa*
Partie utilisée : la racine
Indications : acné, eczéma, furoncles, traitement adjuvant du diabète

BLÉ *Triticum sativum*
Partie utilisée : l'huile extraite du germe de la graine
Indications : excès de cholestérol, prévention des maladies cardio-vasculaires, prévention du dessèchement de la peau et des rides

BOURRACHE *Borago officinalis*
Partie utilisée : l'huile extraite de la graine
Indications : prévention du vieillissement de la peau, sécheresse cutanée, vergetures

BUSSEROLE
Arctostaphylos uva-ursi
Partie utilisée : la feuille
Indications : infections urinaires et intestinales, inflammation du système urinaire

CAROTTE *Daucus carota*
Partie utilisée : la racine
Indications : beauté de la peau, préparation et accélération du bronzage, troubles de la vision nocturne

CASSIS *Ribes nigrum*
Partie utilisée : la feuille
Indications : douleurs rhumatismales et articulaires

CHARDON-MARIE
Silybum marianum
Partie utilisée : le fruit
Indications : insuffisance hépatique, cirrhose du foie, hépatite, alcoolisme, saignements de nez, règles abondantes

ÉCHINACÉE
Echinacea purpurea
Partie utilisée : la racine
Indications : infections bactériennes ou virales, prévention des maladies hivernales

ÉLEUTHÉROCOQUE
Eleutherococcus senticosus
Partie utilisée : la racine
Indications : fatigue physique ou intellectuelle, préparation aux compétitions sportives et aux examens scolaires, tonique masculin

EUCALYPTUS
Eucalyptus globulus
Partie utilisée : la feuille
Indications : bronchite aiguë ou chronique, toux, rhume, sinusite

FENOUIL
Foeniculum vulgare
Partie utilisée : le fruit
Indications : colite, digestion difficile, aérophagie, ballonnements

FRÊNE *Fraxinus excelsior*
Partie utilisée : la feuille
Indications : douleurs articulaires et rhumatismales, problèmes de rétention d'eau

GINGEMBRE
Zingiber officinale
Partie utilisée : le rhizome
Indications : fatigue sexuelle, impuissance, prévention du mal des transports, digestion difficile

GINKGO *Ginkgo biloba*
Partie utilisée : la feuille
Indications : lutte contre le vieillissement, troubles circulatoires cérébraux, insuffisance artérielle

GINSENG *Panax ginseng*
Partie utilisée : la racine
Indications : fatigue, surmenage, convalescence, amélioration des performances physiques et intellectuelles

GUARANA
Paullinia cupana
Partie utilisée : la graine
Indications : obésité, surcharge pondérale, fatigue due à un régime amincissant

GUI
Viscum album
Partie utilisée : la feuille et la tigette
Indications : hypertension artérielle, stimulation des défenses immunitaires

HAMAMÉLIS
Hamamelis virginiana
Partie utilisée : la feuille
Indications : couperose, jambes lourdes, varices, hémorroïdes

HARPAGOPHYTUM
Harpagophytum procumbens
Partie utilisée : la racine secondaire
Indications : rhumatismes, arthrose, arthrite, tendinite et douleurs articulaires chez le sportif

LAVANDE
Lavandula angustifolia
Partie utilisée : la fleur
Indications : anxiété, nervosité, insomnie

MARRONNIER D'INDE
Aesculus hippocastanum
Partie utilisée : l'écorce
Indications : hémorroïdes, varices, jambes lourdes, fragilité capillaire

MÉLILOT *Melilotus officinalis*
Partie utilisée : la sommité fleurie
Indications : risque de phlébite, varices, jambes lourdes, troubles de la ménopause

MENTHE *Mentha piperita*
Partie utilisée : la feuille
Indications : crampes digestives, ballonnements, nausées

ONAGRE
Oenothera biennis
Partie utilisée : l'huile extraite de la graine
Indications : syndrome prémenstruel

ORTHOSIPHON
Orthosiphon stamineus
Partie utilisée : la feuille
Indications : drainage des toxines, perte de poids, calculs biliaires et urinaires

ORTIE *Urtica dioica*
Partie utilisée : la partie aérienne
Indications : ongles cassants, chute des cheveux, acné, fatigue, convalescence

PASSIFLORE
Passiflora incarnata
Partie utilisée : la partie aérienne fleurie
Indications : insomnie, sevrage des traitements par hypnotiques ou anxiolytiques, nervosité

PENSÉE SAUVAGE *Viola tricolor*
Partie utilisée : la partie aérienne fleurie
Indications : acné, eczéma, psoriasis, urticaire, toux

PIN SYLVESTRE *Pinus sylvestris*
Partie utilisée : le bourgeon
Indications : bronchite, sinusite, rhume, toux, trachéite

PISSENLIT
Taraxacum officinale
Partie utilisée : la racine
Indications : stimulation du foie et de la vésicule biliaire, dépuratif

PRÊLE *Equisetum arvense*
Partie utilisée : la partie aérienne stérile
Indications : reminéralisant osseux, douleurs articulaires, consolidation des fractures, tendinite

RADIS NOIR
Raphanus sativus
Partie utilisée : la racine
Indications : digestion difficile, troubles hépatiques

REINE-DES-PRÉS
Filipendula ulmaria
Partie utilisée : la sommité fleurie
Indications : cellulite, œdèmes, rhumatismes chroniques, arthrose, fièvre

ROMARIN
Rosmarinus officinalis
Partie utilisée : la feuille
Indications : insuffisance hépatique, inflammation chronique de la vésicule, ballonnements et douleurs abdominales associées

SAUGE
Salvia lavandulifolia
Partie utilisée : la feuille
Indications : digestion difficile, troubles liés à la ménopause, règles douloureuses

THÉ VIERGE
Camellia sinensis
Partie utilisée : le bouton
Indications : obésité, surcharge pondérale, fatigue due à un régime amincissant

THYM *Thymus vulgaris*
Partie utilisée : la partie aérienne fleurie
Indications : toux, infections pulmonaires et intestinales, troubles digestifs

TILLEUL *Tilia sylvestris*
Partie utilisée : L'aubier (deuxième écorce)
Indications : foie paresseux, insuffisance hépatique, calculs biliaires, ballonnements, aérophagie, flatulences

VALÉRIANE
Valeriana officinalis
Partie utilisée : la racine
Indications : insomnie, désintoxication tabagique, anxiété, angoisse

VIGNE ROUGE *Vitis vinifera*
Partie utilisée : la feuille
Indications : jambes lourdes, varices, fragilité capillaire cutanée, hémorroïdes

– Piquer une photo au mur **épingler, punaiser, accrocher, fixer**
– Piquer les yeux **irriter, picoter, brûler**
– Piquer un animal condamné **euthanasier**
– Piquer la curiosité **éveiller, exciter, intriguer**
– Piquer l'amour-propre d'une personne **froisser, vexer, offenser, blesser**
– Se piquer d'un savoir **prétendre à, vanter de (se)**

PIQÛRE
voir aussi **drogue**
– Type de piqûre **intraveineuse, intramusculaire**
– Piqûre de prélèvement sanguin **prise de sang**
– Piqûre de prélèvement d'un liquide organique **ponction**
– Piqûre introduisant dans le corps un produit médicamenteux à l'aide d'une aiguille creuse **injection, transfusion, vaccination, perfusion**
– Instrument utilisé pour faire une piqûre **seringue**
– Piqûre d'un serpent **morsure**
– Trace laissée sur le bois par les piqûres des vers **vermoulure**
– Piqûre d'un miroir **rousseur**
– Piqûre décorative **surpiqûre**

PIRATE
– Les pirates ont pillé le bateau **écumeurs, forbans**
– Contrairement au pirate, il écumait les mers pour le compte du roi **corsaire**
– Pirate des XVIᵉ et XVIIᵉ siècles aux abords des Antilles **boucanier**
– Pirate des mers américaines du XVIᵉ au XVIIIᵉ siècle **flibustier**
– Activité des pirates **piraterie, flibuste**
– Attribut du pirate **bandeau, tête de mort**
– Pirate de la finance **escroc, requin**
– Une publication pirate **clandestine, interdite, illicite**

PIRE
– C'est pire qu'avant **pis**
– Rendre pire **dégrader, aggraver, détériorer**

PIROUETTE
– Les enfants font des pirouettes dans l'herbe **culbutes, galipettes**
– Pirouette au cirque **acrobatie, saut périlleux**
– Sa réponse n'est qu'une pirouette **dérobade, échappatoire**

PISSENLIT
syn. **dent-de-lion, fausse chicorée**

– Famille à laquelle appartient le pissenlit **composacées**
– Fruit du pissenlit **akène**

PISTE
– Piste à travers la forêt **sentier**
– Piste suivie par les troupeaux transhumants **draille**
– Piste de ski **tracé, couloir, goulet**
– Piste d'atterrissage **aérodrome, aire d'atterrissage**
– Piste des cirques dans l'Antiquité **hippodrome, arène**
– Piste cyclable **voie**
– Piste magnétique sur une carte **bande**
– Piste d'un stade **anneau**
– Piste automobile **circuit, autodrome**
– Piste de glace pour le patinage **patinoire, glissoire**
– Jeu de quilles qui se pratique sur une piste **bowling**
– Suivre la piste d'un animal **trace, passage, foulée, erres**

PISTIL
– Élément du pistil renfermant les ovules **ovaire**
– Extrémité du pistil sur laquelle est déposé le pollen **stigmate**
– Partie du pistil supportant le stigmate **style**

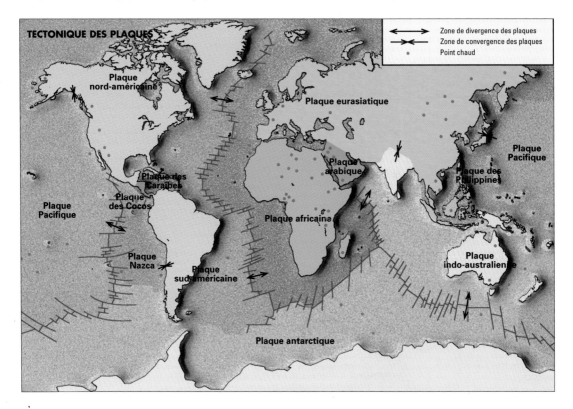

TECTONIQUE DES PLAQUES

Zone de divergence des plaques
Zone de convergence des plaques
Point chaud

Plaque nord-américaine
Plaque eurasiatique
Plaque Pacifique
Plaque arabique
Plaque des Philippines
Plaque des Caraïbes
Plaque Pacifique
Plaque des Cocos
Plaque africaine
Plaque Nazca
Plaque indo-australienne
Plaque sud-américaine
Plaque antarctique

– Feuilles modifiées constituant le pistil **carpelles, gynécée**
– Plante qui n'a pas de pistil **agame**

PISTOLET *Voir illustration p. 458 et illustration revolver, p. 522*
voir aussi **arme, fusil, revolver**
– Pistolet automatique **colt, browning**
– Pistolet automatique de gros calibre **parabellum**
– Pièce d'alimentation automatique d'un pistolet **chargeur**
– Pistolet-mitrailleur **kalachnikov**

PITEUX
– Être dans un piteux état **piètre, mauvais, pitoyable, triste, lamentable**
– Se sentir piteux **confus, contrit, honteux**

PITIÉ
– Faire preuve de pitié **charité, miséricorde, clémence**
– Inspirer de la pitié **compassion, commisération**
– Avoir pitié **plaindre, apitoyer (s'), émouvoir (s'), compatir**
– Une situation qui inspire la pitié **pathétique**
– Sans pitié **impitoyable, implacable**

PITOYABLE
– Être dans un état pitoyable **déplorable, misérable, douloureux**
– Une allure pitoyable **lamentable, piteuse, navrante**
– Un discours pitoyable **affligeant, consternant, médiocre, minable**
– Se montrer pitoyable **humain**

PITTORESQUE
– Un paysage pittoresque **enchanteur, captivant, typique**
– Un récit pittoresque **évocateur**
– Un caractère pittoresque **original, truculent, amusant**
– Un langage pittoresque **coloré, imagé, savoureux**
– Situation plutôt pittoresque **folklorique, surréaliste, cocasse**

PIVOT
– Le pivot d'un mécanisme **axe**
– Elle est le pivot de notre action **centre, base, fondement**

PLACARD
– Placard pour les vêtements **penderie, garde-robe**
– Il y a de nombreux placards dans l'appartement **rangements**
– Il dort dans un placard **réduit, débarras**

PLACE
– C'est une belle place **lieu, endroit**

– Changer la place des meubles dans une maison **disposition, emplacement, agencement**
– Disposer d'une large place **espace, volume**
– Place devant l'église **parvis**
– Place découverte devant un édifice **esplanade**
– Place publique de la cité grecque **agora**
– Place publique de la cité romaine **forum**
– Place militaire **forteresse, fort, fortin, citadelle**
– Place de théâtre **fauteuil, loge, baignoire, strapontin**
– Acheter une place de concert **billet, entrée**
– Se trouver une place **emploi, métier, job, poste, situation, travail**
– Prendre place dans une hiérarchie **position, rang**
– Prendre la place d'une personne **supplanter, substituer à (se)**

PLACEMENT
– Placement en hôpital psychiatrique **internement**
– Placement financier **investissement, immobilisation, épargne**
– Type de placement **sicav, obligation**
– Placement dans des circuits financiers internationaux **recyclage**

PLACER
– Placer une personne à table **installer, faire asseoir**
– Placer des gardes **poster**
– Placer des objets **ranger, ordonner, classer**
– Placer deux éléments l'un contre l'autre **ajuster, abouter**
– Placer contre **adosser, appuyer**
– Placer sur **appliquer, coucher, étendre**
– Placer le couvert **dresser**
– Placer ses économies **investir**

PLACIDE
– C'est un homme placide **doux, calme, paisible, serein, tranquille, amène**

PLAFOND *Voir illustration intérieur de maison, p. 322*
– Gros œuvre de la charpente d'un plafond **solive, sapine**
– Grandes pièces de bois sur lesquelles reposent les solives d'un plafond **poutres, madriers, bastings**
– Portée d'une poutre de plafond **travée**
– Compartiment d'un plafond **caisson**
– Revêtement d'un plafond **lambris, frisette**
– Plafond à caissons orné de décorations **soffite**
– Plafond placé au-dessus d'un lit **ciel, dais, baldaquin**
– Système d'éclairage fixé au plafond **plafonnier, lustre, suspension**

– Seuil minimal, contraire au plafond **plancher**
– Le plafond des ressources **limite, maximum**

PLAGE
– Plage maritime **grève, rivage**
– Plage d'un lac **rive, berge**
– Indispensable à la plage **maillot de bain, transat, parasol, crème à bronzer, lunettes de soleil**
– Célèbre plage de Venise **Lido**
– Plage musicale **intervalle, intermède, interlude, piste**

PLAIDER
voir aussi **tribunal**
– Personne plaidant devant un tribunal **avocat, plaideur**
– Discours d'un avocat qui plaide la cause de son client **plaidoirie, plaidoyer, défense**
– Endroit où plaide le défenseur à l'audience **barre**
– Plaider en faveur d'une personne **parler pour, défendre, soutenir**
– Plaider pour sa propre cause **pro domo**
– Plaider contre quelqu'un **introduire une instance, intenter une procédure, accuser**

PLAIE
– L'infirmière a soigné sa plaie **coupure, balafre, blessure, brûlure, écorchure, entaille**
– Chacun des bords d'une plaie **lèvre**
– Recouvre une plaie **pansement**
– Opération par laquelle on répare une plaie **suture**
– Trace laissée par une plaie **cicatrice, stigmate**
– Plaie du cœur **peine, chagrin, déchirure**

PLAINDRE
syn. **émouvoir (s')**
– Être à plaindre **misérable, pauvre**
– Qui cherche à se faire plaindre **dolent**

PLAINDRE (SE)
– Se plaindre sans cesse **maugréer, grogner, râler**
– Je l'ai entendu se plaindre **larmoyer, gémir, geindre**
– Se plaindre de son sort **apitoyer sur (s'), attendrir sur (s')**
– Elle ira se plaindre auprès de la direction **réclamer, protester**

PLAINE
– Plaine arrosée par un fleuve **bassin**
– Plaine crayeuse **champagne**
– Plaine désertique **steppe, pampa, veld**
– Plaine d'Andalousie **huerta**
– Grande plaine des régions arctiques **toundra**

PLAINTE

– Une longue plainte **gémissement, larmoiement, lamentation**
– Plainte incessante **jérémiade**
– Exprimer une plainte **récrimination, réclamation, protestation, requête, revendication, doléance, grief**
– Interjection exprimant une plainte **hélas**
– Porter plainte **accuser, incriminer**

PLAIRE

syn. **amadouer, captiver, charmer, courtiser, fasciner**
– Plaire à l'oreille, au regard **enchanter, ravir, réjouir**
– Plaire à l'esprit, au goût **exalter, enthousiasmer, transporter**
– Chercher à plaire **flagorner, flatter**
– Se parer pour plaire **attirer, séduire**

PLAIRE (SE)

– Se plaire à **prendre plaisir à, régaler à (se), délecter à (se)**
– Cette plante se plaît à la lumière **croît, développe (se), prospère**

PLAISANT

– Un spectacle plaisant **amusant, divertissant, joyeux, réjouissant, récréatif**
– Un site plaisant **attrayant, agréable**
– Un caractère plaisant **séduisant, spirituel, sympathique, aimable**
– Un visage plaisant **adorable, délicat, charmant, gracieux, joli**

PLAISANTER

– Elle aime plaisanter **amuser (s'), blaguer, bouffonner, batifoler, rire, rigoler, badiner**
– Plaisanter quelqu'un gentiment **taquiner, moquer de (se), chiner, charrier**

PLAISANTERIE

– Il nous a raconté une plaisanterie **boutade, blague, calembour, galéjade**
– Faire une plaisanterie à quelqu'un **farce, facétie, niche**
– Plaisanterie destinée à abuser quelqu'un **canular, mystification**
– Plaisanterie moqueuse **raillerie, lazzi, quolibet, goguenardise, gausserie**
– Plaisanterie licencieuse **gaillardise, gauloiserie, grivoiserie**

PLAISIR

syn. **agrément, réjouissance**
– Plaisir visant à distraire **divertissement, délassement, distraction**
– Plaisir que l'on savoure intensément **délectation, ravissement**
– Plaisir des sens **volupté, sensualité, érotisme**
– Éprouver un grand plaisir **contentement, joie, bonheur, félicité, euphorie**
– Faire plaisir **charmer, ravir, enchanter**

– Plaisir de la table **régal, délices**
– Recherche du plaisir sexuel **libido**
– Point culminant du plaisir sexuel **acmé, orgasme, jouissance**
– État de plaisir consécutif à une prise de drogue **flash**
– Doctrine philosophique qui fait du plaisir le souverain bien **hédonisme**
– Doctrine qui fait du plaisir le souverain bien de l'homme, et par extension, toute doctrine qui prend la recherche du plaisir comme principe de la morale **épicurisme**
– Doctrine qui considère que la fin de l'action morale est la recherche du plaisir ou du bonheur **eudémonisme**
– En philosophie, sentiment désintéressé de plaisir éprouvé en présence du beau **jugement esthétique**

PLAN

– Plan d'une construction **coupe, croquis, dessin, schéma**
– Plan d'une œuvre littéraire **cadre, squelette, canevas, synopsis, trame**
– Plan d'un film **scénario**
– Élaboration d'un plan **projet, dessein, combinaison**
– Plan d'attaque **stratégie, tactique**
– Plan de production d'une entreprise **planning, organisation, programme**
– Mettre une affaire au second plan **reléguer**
– Chacun des plans constituant par leur réunion la surface d'un corps **méplat**
– Plan de jeu au casino **martingale**

PLANCHE

– Planche garnie de son écorce **dosse**
– Planche de sapin **sapine**
– Planche jointe à une autre pour l'élargir **alaise**
– Planche utilisée en reliure **ais**
– Planche incurvée utilisée pour la fabrication de tonneaux **douve, douelle, douvelle, jable**
– Planche soutenant les tuiles d'une toiture **bardeau, volige, chanlatte**
– Entaille d'assemblage à l'extrémité d'une planche **onglet**
– Tenon pratiqué sur la longueur d'une planche pour entrer dans une rainure **languette**
– Monter sur les planches **scène, tréteaux**

PLANCHE À VOILE *Voir illustration p. 460*

– Élément d'une planche à voile **flotteur, dérive, voile, mât**
– Matière de fabrication d'une planche à voile **polyéthylène, polyuréthanne**
– Arceau permettant l'orientation d'une planche à voile **wishbone**
– Adepte de la planche à voile **planchiste, véliplanchiste**

– Épreuve de planche à voile, en compétition **course racing, régate, slalom, saut**
– Planche à voile employée pour la vitesse et les sauts de vagues **funboard**
– Planche à voile sur quatre roues ou sur pneumatiques **char à voile, speed-sail**

PLANCHER

– La maison a de beaux planchers **parquets**
– Plancher surélevé **estrade, podium**
– Le prix plancher **minimal**

PLANÈTE *Voir tableau p. 461 et illustration p. 564*

– Étude physique des planètes **planétologie**
– Un spécialiste des planètes **planétologue**
– Planète en formation **planétoïde, protoplanète**
– Science de la formation des planètes **cosmogonie**
– Une planète située entre le Soleil et la Terre **inférieure**
– Une planète du système solaire située au-delà de l'orbite terrestre **supérieure**
– Planètes supérieures **Mars, Jupiter, Saturne, Uranus, Neptune, Pluton**
– Planètes inférieures **Mercure, Vénus**
– Planètes mineures gravitant entre Mars et Jupiter **astéroïdes**
– Planètes telluriques **Terre, Mercure, Vénus, Mars**
– Planètes gazeuses **Jupiter, Saturne, Uranus, Neptune**
– Période de révolution d'une planète autour du Soleil **période sidérale**
– Intervalle entre deux oppositions successives d'une planète supérieure **période synodique**
– Énergie lumineuse réfléchie ou diffusée par une planète **albédo**
– Angle formé par le plan de l'orbite d'une planète par rapport à l'écliptique **inclinaison**
– Position d'une planète par rapport à l'astre autour duquel elle tourne **aphélie, apoastre, périastre, périhélie, syzygie**
– Corps en mouvement orbital autour d'une planète **satellite**

PLANIFIER

– Tout a été planifié **programmé, organisé, prévu, projeté**
– Planifier l'exécution d'un travail par plusieurs personnes **dispatcher, répartir**

PLANT

– Plant provenant de graines **semis**
– Jeune plant **plançon, plantard, plantule**
– Plant de vigne **provin, cépage**
– Arracher certains plants pour laisser de la place aux autres **éclaircir, démarier**

– Plant obtenu à partir de la feuille ou de la tige d'une plante **scion, bouture, rejet, marcotte**
– Lieu où poussent de jeunes plants avant repiquage **pépinière, complant, serre**

PLANTE *Voir tableau plantes médicinales, p. 463*
voir aussi **fleur, végétal**
– Substance d'une plante **chlorophylle, sève, suc, cutine, lignine**
– Plante à fleurs **phanérogame**
– Plante sans fleurs **cryptogame, ptéridophyte**
– Plante à fruits **angiosperme**
– Plante sans fruits **gymnosperme**
– Plante sans feuilles, ni tiges, ni racines **thallophyte**
– Plante ligneuse **arbre, arbuste**
– Tissu conducteur des plantes **bois, xylème, liber, phloème**
– Plante croissant dans l'eau **hydrophyte**

– Plante qui effectue elle-même la dissémination de sa semence **autochore**
– Plante dont la semence est disséminée par le vent **anémochore**
– Plante dont la pollinisation est réalisée par les insectes **entomophile**
– Plante recherchant le froid **cryophile**
– Plante recherchant la lumière **héliophile**
– Plante ayant un cycle biologique très court **éphémérophyte**
– Plante dont la croissance s'effectue dans la vase **hélophyte**
– Plante qui s'enfouit dans le sol quand arrive la mauvaise saison **géophyte**
– Plante croissant dans le sable **psammophyte**
– Floraison descendante de certaines plantes **cyme**
– Floraison ascendante de certaines plantes **grappe**
– Traitement des maladies par les plantes fraîches ou desséchées **phytothérapie**

– Branche de la phytothérapie utilisant les bourgeons ou la substance aromatique des plantes **gemmothérapie, aromathérapie**
– Plante médicinale **simple**
– Étude des plantes **botanique**
– Étude et fabrication de produits protégeant les plantes contre les parasites **phytopharmacie**
– Étude des maladies des plantes **phytopathologie**
– Collection de plantes séchées **herbier**
– Pharmacien spécialisé dans la vente et la préparation de plantes médicinales **herboriste**
– Plante carnivore **grassette, utriculaire, dionée, drosera, sarracénie**
– Ensemble des plantes d'une région, d'un pays **flore, végétation**

PLANTER *Voir tableau jardinage, p. 335*

PLATS RÉGIONAUX

Alicot (Périgord) : ragoût d'abattis et de gésiers d'oie, de légumes (navets, pommes de terre) et de marrons.

Aligot (Aveyron) : plat de pommes de terre à la tomme de Cantal fraîche.

Bäckeoffe (Alsace) : plat de morceaux de viande (agneau, bœuf, veau, porc) déposés par couches dans une terrine en alternance avec des couches d'oignons et de pommes de terre, puis longuement mijotés au four.

Bouillabaisse (Marseille) : plat de poissons (rascasse, galinette…) servi avec de la rouille (sauce au safran) et des tranches de pain grillées, et dont le bouillon de cuisson est consommé comme soupe.

Bourride (Sète) : soupe de poissons, à base de baudroie principalement, à l'aïoli.

Brandade (Nîmes) : plat de morue préparé avec de la morue salée pochée et effeuillée, montée en crème avec de l'huile d'olive et du lait. L'ajout d'ail ou de pommes de terre est considéré comme une hérésie par les gens du cru.

Caillettes (Dauphiné) : petits pâtés d'échine et de foie de porc cuits dans des crépinettes.

Canard à la rouennaise (Rouen) : canard étouffé et cuit en civet, la sauce étant liée avec le sang du canard.

Cassoulet (Toulouse, Castelnaudary, Carcassonne) : plat longuement cuit au four et gratiné, composé de haricots blancs garnis de confit d'oie, de longe et de travers de porc, et/ou de poitrine de mouton et de saucisson à cuire ou de saucisse de Toulouse, avec ou sans tomates, plusieurs recettes existent selon la ville.

Cervelle de canut (Lyon) : fromage blanc agrémenté de crème fraîche, de vin blanc et de fines herbes, bien relevé et servi en entrée.

Choucroute garnie (Alsace) : plat de chou en saumure cuit au vin blanc avec du saindoux ou de la graisse d'oie et des baies de genièvre puis garni de viande de porc demi-sel (lard, jarret, jambonneau, travers), de saucisses et de pommes de terre.

Citrouillat (Berry) : tourte à la citrouille salée.

Cotriade (Bretagne) : soupe de poisson.

Cous d'oie farcis (Quercy) : cous d'oie désossés et farcis avec un mélange de porc et de porc haché, truffé ou non, puis confits à la graisse d'oie.

Enchaud périgourdin (Périgord) : plat de filet et pieds de porc longuement braisés au saindoux avec des aromates.

Entrecôte à la bordelaise (Bordeaux) : entrecôte servie avec une sauce aux échalotes et au vin rouge et garnie de moelle pochée.

Escargots à la bourguignonne (Bourgogne) : escargots garnis de beurre persillé à l'ail et passés au four.

Farcis (Provence) : légumes (aubergines, courgettes, tomates, pâtissons) farcis de chair à saucisse relevée d'aromates.

Flamiche aux poireaux (Picardie) : tarte aux poireaux.

Garbure (Béarn) : soupe de haricots blancs aux légumes et au confit d'oie ou de canard.

Gougère bourguignonne (Bourgogne) : couronne en pâte à choux au comté.

Goyère (Valenciennes) : tarte au maroilles.

Gratin dauphinois (Dauphiné) : gratin de pommes de terre à la crème, sans œufs ni fromage.

Hochepot (Picardie) : pot-au-feu de bœuf, de mouton, de petit salé, de chipolatas et de légumes.

Marmite dieppoise (Dieppe) : plat de poissons et de coquillages.

Mouclade (Charente) : moules à la crème, au vin blanc et au cognac.

Omelette brayaude (Auvergne) : omelette au jambon ou au lard et au cantal.

Pâté creusois (Creuse) : tourte aux pommes de terre.

Pieds et paquets (Marseille) : plat composé de tripes de mouton et de fraise de veau farcies et ficelées, mijotées avec des pieds de mouton dans un bouillon aux légumes et au vin blanc.

Pochouse verdunoise (Doubs) : matelote de poissons d'eau douce au vin blanc.

Poularde au vin jaune (Jura) : poularde (ou coq) mijotée au vin jaune et aux morilles.

Poulet basquaise (Pays basque) : poulet fricassé avec des oignons, des piments verts doux (ou à la rigueur des poivrons) et lié par un coulis de tomate.

Ratatouille (Nice) : plat de légumes (oignons, courgettes, aubergines, poivrons) cuits séparément à l'huile d'olive et liés ensemble par un coulis de tomate relevé d'ail.

Soupe au pistou (Provence) : soupe de légumes liée au pistou, sauce à base de basilic et de parmesan.

Tourte lorraine (Lorraine) : tourte en pâte feuilletée composée d'une farce de veau et de porc.

Tripous (Auvergne) : plat de tripes et de pieds de mouton en partie hachés, enveloppés dans des morceaux d'estomac de mouton et cuits en terrine au vin blanc.

Ttoro (Pays basque) : soupe de poissons, de fruits de mer et de légumes.

VOCABULAIRE DE LA POÉSIE

PARTIES D'UN POÈME

Antistrophe : dans la poésie grecque, deuxième strophe d'un poème, dont la structure est identique à celle de la première.

Épode : dans la poésie grecque, troisième partie d'un poème composé d'une strophe, d'une antistrophe et de l'épode.

Refrain : reprise des mêmes vers à la fin de chaque strophe.

Strophe : première partie des stances grecques ou ensemble de plusieurs vers constituant une composante du poème (tercet : trois vers ; quatrain : quatre vers ; septain : sept vers, etc.).

Vers : suite de mots formant une unité rythmique définie par les règles de la versification (tétramètre : vers composé de trois mètres ; alexandrin : vers composé de douze syllabes ; hexamètre : vers composé de six pieds, etc.).

Vers blanc : vers qui n'est pas rimé.

Vers libre : vers qui n'est pas soumis aux règles de la versification.

Verset : long vers libre rythmé d'une seule respiration et composé d'une ou de plusieurs phrases.

PARTIES D'UN VERS

Anapeste : pied composé de deux syllabes brèves et d'une syllabe longue.

Césure : pause ou coupe qui, à l'intérieur d'un vers, s'effectue après une syllabe accentuée.

Dactyle : pied composé d'une syllabe longue et de deux syllabes brèves.

Enjambement : rejet dans le vers suivant d'un ou de plusieurs mots qui complètent le sens du vers qui précède.

Hémistiche : moitié du vers qui est marquée par une césure.

Iambe : pied de deux syllabes dont la première est brève et la seconde longue.

Mètre : structure du vers qui est déterminée dans la versification grecque et latine par le nombre et la suite de pieds, et dans la versification française par le nombre de syllabes.

Pied : dans la versification grecque et latine, groupement de syllabes qui constitue une unité rythmique, et dans la versification française, chaque syllabe d'un vers.

Rejet : *voir Enjambement.*

Rime : retour de sons identiques placés à la fin de deux vers (rime féminine : rime se terminant par un *e* muet ; rime masculine : rime ne se terminant pas un *e* muet ; rimes plates : alternance de deux vers à rimes masculines et deux vers à rimes féminines ; rimes embrassées : succession de rimes féminines et masculines selon un ordre de type *baab, dccd* ; rimes croisées : alternance d'une rime féminine et d'une rime masculine, etc.).

Spondée : pied constitué de deux syllabes longues.

Trochée : pied composé d'une syllabe longue et d'une syllabe brève.

TYPES DE VERSIFICATION

Allitération : répétition d'une ou de plusieurs consonnes dans un même vers.

Assonance : répétition du même son, généralement d'une voyelle, à la fin de chaque vers.

Diérèse : prononciation qui divise une diphtongue en deux syllabes (ex. : crier).

Hiatus : rencontre de deux voyelles qui appartiennent à des syllabes différentes à l'intérieur d'un mot (ex. : chaos) ou entre plusieurs mots (ex. : elle a eu).

Métrique : mesure d'un vers qui relève de sa composition en syllabes brèves ou longues.

Syllabique : qui se mesure en fonction du nombre de syllabes.

Synérèse : prononciation en une seule syllabe de deux voyelles se suivant dans un même mot (ex : ciel). Contraire : hiatus.

TYPES DE POÈMES

Acrostiche : poème où les lettres initiales de chaque vers forment, quand elles sont lues à la verticale, un nom, un mot ou une phrase.

Ballade : poème composé de trois strophes au minimum et qui comporte un refrain et un envoi.

Bergerie : poème qui dépeint les amours des bergers.

Calligramme : poème dont la disposition des vers forme un dessin lié au thème du texte.

Dithyrambe : poème lyrique écrit en l'honneur de Dionysos. Plus généralement, éloge outrancier et emphatique.

Églogue : petit poème bucolique ou champêtre.

Élégie : poème lyrique dans lequel l'auteur exprime une plainte et des sentiments douloureux.

Épigramme : petit poème qui se termine par une note satirique.

Épithalame : poème écrit en l'honneur de nouveaux mariés.

Épopée : long poème qui célèbre un héros ou un fait important.

Fatrasie : poème du Moyen Âge, composé de proverbes, de phrases absurdes et d'allusions satiriques.

Iambe : poème composé d'iambes. L'iambe est un pied de deux syllabes dont la première est longue et la seconde brève.

Lai : petit poème lyrique ou narratif du Moyen Âge qui peut être chanté.

Ode : poème lyrique destiné à être chanté ou accompagné de musique.

Palinodie : poème dans lequel l'auteur revient et infirme ce qu'il a énoncé dans un autre poème.

Quatrain : poème composé de quatre vers.

Rondeau : poème du Moyen Âge sur deux rimes dont certains vers sont répétés.

Sonnet : poème composé de quatorze vers en deux quatrains à rimes embrassées et deux tercets.

Stances : poème lyrique, généralement d'inspiration morale ou religieuse, composé d'un nombre variable de strophes du même type.

Virelai : poème du Moyen Âge sur deux rimes, composé de quatre strophes avec refrain.

– Action de planter des graines **ensemencer, semer**
– Planter un terrain d'arbres **boiser, peupler**
– Planter des espèces différentes sur une même terre **complanter**
– Planter des boutures **repiquer, bouturer, marcotter**
– Objet servant à planter **plantoir, taravelle**
– Planter un pieu en terre **enfoncer, fixer, ficher**
– Planter un mât portant les couleurs d'un pays **dresser, élever, hisser**

PLANTUREUX
– Une personne plantureuse **corpulente, dodue, grosse, forte**
– Elle a une poitrine plantureuse **avantageuse, généreuse, rebondie, opulente**
– Un plantureux repas **copieux, abondant, riche**

PLAQUE *Voir illustration tectonique des plaques, p. 464*
– Plaque de pierre **lauze**
– Une plaque de médicaments **plaquette**
– Plaque de chocolat **tablette**
– Plaque électrique servant à la cuisson

des aliments **plan de cuisson, table de cuisson**
– Mouvement des plaques terrestres **tectonique, subduction**
– Couche sur laquelle flottent les plaques terrestres **asthénosphère**
– Plaque sur la peau **rougeur, tache**

PLAQUER
syn. **aplatir**
– Plaquer sa main contre le mur **appuyer, appliquer, coller**
– Il a plaqué sa femme **laissé tomber, largué, abandonné, quitté**

– Plaquer son adversaire au tapis **vaincre**

PLASTIQUE /1
– Famille de plastiques **phénoplastes, polyéthylènes, polystyrènes, polyuré-thannes, élastomères, PVC**
– Un plastique ramollissant à chaque fois qu'on le chauffe **thermoplastique**
– Un plastique ramollissant à la chaleur et durcissant lors d'une seconde chauffe **thermodurcissable**
– Conditionnement en plastique **blister**
– Plastique remplaçant l'ambre **bakélite**
– Plastique remplaçant le verre **Plexiglas**
– Pain de plastique **explosif**
– Marque de plastique **Rhodoïd, Teflon**
– Type de plastique **artificiel, naturel, synthétique**

PLASTIQUE /2
– Art plastiques **sculpture, architecture, modelage, peinture**
– Chirurgie plastique **esthétique**

PLASTIQUE /3
– La plastique d'un corps **beauté**

PLAT /1 *Voir tableau plats régionaux, p. 467*

PLAT /2
– Un objet plat **mince**
– Une surface plate **nivelée, plane, unie, régulière**
– Rendre plat **écraser, comprimer, aplanir, aplatir**
– Un nez plat **camus, camard, écaché**
– Terrain plat **plaine, plateau**
– Un style plat **banal, médiocre, prosaïque, fade, insipide, quelconque**

PLATE-FORME
– Plate-forme montagneuse **épaule, replat**
– Plate-forme en terre sur laquelle est installée une batterie militaire **barbette**
– Plate-forme de tir militaire **banquette**
– Construction en plate-forme **balcon, terrasse, belvédère**
– Plate-forme où a lieu un match de boxe **ring**
– Plate-forme servant au Moyen Âge d'estrade aux spectateurs d'un tournoi **hourd**
– Plate-forme d'une salle de conférence **estrade, tribune, podium**
– Plate-forme aménagée dans une pièce entre le sol et le plafond **mezzanine**
– La plate-forme d'un parti politique **programme, base**

PLATEAU
– Type de plateau **causse, mesa, puna, hamada, planèze**
– Plateau sous-marin **haut-fond**
– Plateau de théâtre **tréteaux, scène, planches**

– Plateau en osier jadis porté à la ceinture par une fleuriste **éventaire, corbeille**
– Plateau d'une balance **bassin, plat**
– Plateau de jeu **damier, échiquier, - goban**
– Petit plateau utilisé pour faire la quête **bassinet**
– Petit plateau de laboratoire **platine**
– Véhicule dont l'arrière est aménagé en plateau **pick-up**

PLATINE /1
– Platine servant à écouter des disques **lecteur laser, tourne-disque**

PLATINE /2
– Qui renferme du platine **platinifère**
– Extrait des minerais de platine **rhodium, ruthénium, osmium**
– Utilisation du platine **joaillerie, bijouterie, soudure**

PLATITUDE
– Platitude d'un récit **fadeur, insipidité, banalité**
– Platitude de langage **fadaise, lieu commun, cliché, truisme, stéréotype**

PLATONIQUE
– Amour platonique **chaste, pur, éthéré**
– Un combat platonique **abstrait, théorique**

PLÂTRE
– Pierre à plâtre **gypse**
– Plâtre pour crépir **gobetis**
– Mortier à base de plâtre **gâchis**
– Mélange de plâtre fin, de poussière, de marbre et de gélatine **stuc**
– Mélange de plâtre fin, de fibres végétales et de glycérine **staff**
– Poignée de plâtre délayé **pigeon**
– Récipient servant à la préparation du plâtre **auge**
– Spatule de maçon pour délayer le plâtre **gâche**
– Faire des raccords de plâtre **ruiler**
– Enduire de plâtre **hourder, lambrisser**
– Espace garni de plâtre entre deux poteaux d'une maison **entrevous**
– Débris de plâtre **plâtras**
– Spécialiste des décorations en plâtre **ornemaniste**

PLAUSIBLE
– Cela est plausible **possible, probable, vraisemblable**
– Une histoire plausible **crédible, concevable, pensable**
– Une excuse plausible **acceptable, recevable, admissible**

PLECTRE
– Instrument pour lequel on utilise le plectre **bouzouki, cithare, guitare, mandoline**

– Plectre du guitariste **médiator**

PLEIN
– Une salle pleine **complète, comble, bondée, saturée**
– Être trop plein **regorger, déborder**
– Une joie pleine **totale, entière, absolue, parfaite**
– Une matière pleine **dense, compacte, massive**
– Une voix pleine **chaude, ample, suave**
– La pleine mer **haute**
– Avoir le ventre plein **être rassasié, être repu**
– Personne à qui l'on donne les pleins pouvoirs **plénipotentiaire**
– Être plein de soi-même **imbu, infatué**

PLÉNITUDE
syn. **abondance**
– Plénitude d'un sentiment **ampleur, intégralité, profondeur**
– État de plénitude **contentement, bonheur, épanouissement**
– Plénitude de l'âge **maturité, force de l'âge**
– Plénitude d'un droit **totalité, intégralité**

PLÉONASME
syn. **périssologie, redondance, répétition, tautologie**
– Pléonasme courant **descendre en bas, monter en haut, prévenir à l'avance, comme par exemple, voire même, dune de sable, au jour d'aujourd'hui**

PLEUR
– Elle a fondu en pleurs **larmes, sanglots**
– Verser des pleurs **répandre des larmes, pleurer, sangloter**
– Pleurs d'un nouveau-né **vagissements**
– Gémissement accompagnant les pleurs **plaintes, lamentations, jérémiades**

PLEURER
– Elle pleure beaucoup **larmoie, sanglote**
– Pleurer pour peu de chose **pleurnicher**
– Pleurer de douleur **hurler**
– Se mettre subitement à pleurer **fondre en larmes**
– Un enfant qui pleure toute la journée **braille**
– Pleurer la mort d'une personne **affliger de (s'), déplorer, lamenter sur (se)**

PLEUVOIR
– Pleuvoir très légèrement **bruiner, pleuvoter, pleuvocher**
– Les sauterelles pleuvent de tous côtés **abondent, pullulent**

PLI
– Pli d'un pantalon **pince**

– Pli d'un corsage **bouillon, fronce, smocks**
– Petit pli cylindrique en couture **godron, tuyau**
– Pli effectué sur un vêtement pour le raccourcir **troussis**
– Faux pli **froissure, godage**
– Style de pli en couture **platine, creux, en accordéon, pli soleil**
– Plis d'une étoffe **drapé**
– Marque d'un pli sur du papier **pliure, corne, oreille**
– Pli de la peau **bourrelet**
– Pli du bras **saignée**
– Pli des lèvres **commissure**
– Pli du visage **ride**
– Pli du cou de certains animaux **fanon**
– Faire un pli aux cartes **levée**
– Envoyer un pli **courrier, lettre, message, missive**
– Prendre un mauvais pli **habitude**
– Ne pas faire un pli **ne faire aucune difficulté, ne pas poser de problème**
– Type de pli de l'écorce terrestre **sinuosité, ondulation, plissement, éminence**
– Pli concave en géologie **synclinal**
– Pli convexe en géologie **anticlinal**
– Partie d'un pli anticlinal **noyau, axe, charnière**

PLIER
– Plier le journal **fermer, rabattre**
– Plier une étoffe **plisser, rouler**
– Plier le coin d'une page **corner**
– Plier un bout de bois **arquer, courber, fausser, cintrer**
– Plier les genoux **fléchir**
– Plier le torse **incliner (s'), pencher (se)**
– Plier sous l'effet d'un poids **affaisser (s'), ployer**
– À force de trop plier, cela peut **casser, rompre, céder**
– Se plier à un travail **discipliner (se), astreindre à (s'), contraindre à (se)**
– Se plier à un règlement, un ordre **obéir à, conformer à (se), résigner à (se), soumettre à (se)**

PLISSER
– Plisser une pièce de tissu **froncer, godronner**
– Bande cousue sur un rideau servant à le plisser **ruflette**
– Plisser les yeux **cligner**

PLISSER (SE)
– Peau qui se plisse **ride (se)**

PLOMB
– Principal minerai de plomb **galène, cérusite**
– Minerai de plomb **plombifère**
– Symbole chimique du plomb **Pb**
– Oxyde de plomb **massicot, litharge, minium**
– Étape de transformation du plomb

grillage, agglomération, fusion réductrice, affinage, épuration
– Procédé permettant de séparer le plomb de l'argent **pattinsonage**
– Alliage de plomb et de cuivre **cuproplomb**
– Alliage de cuivre, d'étain et de plomb **potin**
– Industrie du plomb **métallurgie**
– Colorant blanc à base de carbonate de plomb **céruse**
– Crayon à mine de plomb **graphite, plombagine**
– Lingot de plomb **saumon**
– Table sur laquelle on coule le plomb **éponge**
– Plomb dans une cartouche **chevrotine, cendrée, grenaille, menuise, dragée**
– Vérifié par le fil à plomb **aplomb, verticalité**
– Machine à composer au plomb en imprimerie **linotype**
– Maladie causée par l'absorption du plomb **saturnisme**
– Un teint bleuâtre qui rappelle la couleur du plomb **plombé, céruléen**

PLOMBER
– Plomber le bas d'un voilage **lester**
– Plomber un colis **sceller**
– Plomber en argot **contaminer**

PLONGEON
– Il a fait un beau plongeon **saut**
– Mode d'exécution d'un plongeon **droit, carpé, groupé**
– Figure de plongeon **coup de pied à la lune, saut de l'ange**
– Catégorie de plongeon **avant, arrière, renversé, retourné, tire-bouchon, en équilibre**

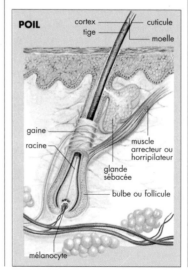

POIL

cortex
tige
cuticule
moelle
gaine
racine
muscle arrecteur ou horripilateur
glande sébacée
bulbe ou follicule
mélanocyte

PLONGER
– Plonger d'un pont **sauter**
– Planche servant à plonger **plongeoir, tremplin**
– Appareil employé pour plonger très profondément **bathyscaphe, bathysphère**
– Plonger sa main dans l'eau **tremper, immerger, baigner**
– Plonger une main dans une poche **enfouir, introduire, mettre, enfoncer, fourrer**
– Plonger sur une cible avec un avion **piquer, fondre, abattre (s')**
– Plonger son regard dans un tableau **scruter, examiner, observer**
– Plonger une personne dans l'embarras **jeter, précipiter**

PLONGER (SE)
– Se plonger dans ses pensées **abîmer (s'), perdre (se)**
– Se plonger dans un roman **absorber (s'), abstraire (s')**

PLONGEUR
– Type de plongeur **homme-grenouille, scaphandrier**
– Équipement du plongeur **combinaison, palmes, lunettes, torche, bouteille d'oxygène, tuba, mélangeur**
– Ouvrier plongeur en faïencerie **trempeur**
– Ouvrier plongeur en papeterie **puiseur**
– Objet du travail du plongeur dans un restaurant **vaisselle, plonge**

PLOYER
voir aussi **courber**
– Capacité à se ployer **flexibilité, élasticité, souplesse**

PLUIE
syn. **précipitation**
– Phase de la pluie **saturation, condensation, déclenchement**
– Pluie extrêmement fine **brouillasse, bruine, crachin**
– Pluie subite et forte **averse, giboulée, ondée, drache, pluie d'abat, rincée**
– Pluie torrentielle **déluge, cataracte, douche, trombe d'eau**
– Pluie qui accompagne un vent violent **grain**
– Spécifique à la pluie **pluvial**
– Pluie constituée de petits glaçons **grêle, grésil**
– Gouttelettes de pluie provenant des vagues qui se brisent **embruns, poudrin**
– Étude de la répartition géographique des pluies **pluviométrie**
– Bassin destiné à récupérer l'eau de pluie dans l'Antiquité romaine **impluvium**
– Conduit dans lequel se déverse l'eau de pluie qui tombe sur le toit **gouttière, chéneau**

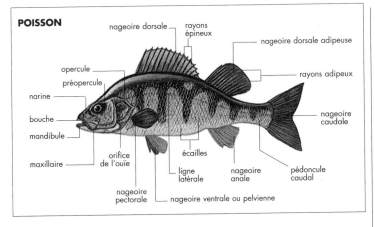

POISSON

nageoire dorsale
rayons épineux
nageoire dorsale adipeuse
rayons adipeux
opercule
préopercule
narine
bouche
mandibule
maxillaire
orifice de l'ouïe
écailles
nageoire caudale
ligne latérale
nageoire anale
pédoncule caudal
nageoire pectorale
nageoire ventrale ou pelvienne

PLUME

– Ensemble des plumes **plumage, pennage**
– Éléments constituant le squelette d'une plume **barbes, barbules**
– Plume du dos d'un oiseau **tectrice**
– Longue plume des ailes **rémige, penne**
– Longue plume de la queue **rectrice**
– Petite plume **plumule**
– Plumes dressées sur la tête de certains oiseaux **aigrette, huppe**
– Zone d'implantation des plumes **ptérylie**
– Porte les plumes de la queue **croupion**
– Premières plumes des oisillons **duvet**
– Literie de plumes **édredon, couette, oreiller**
– Ustensile constitué de plumes et servant à épousseter **plumeau, houssoir**
– Prendre la plume **écrire**
– Nom de plume **pseudonyme**
– Un poids plume **léger**
– Semblable à une plume **penniforme**

PLUMEAU

syn. houssoir
– Passer le plumeau **épousseter**

PLUMER

– Il s'est fait plumer **dépouiller, voler, escroquer**

PLUPART (LA)

– La plupart du temps **souvent, généralement, d'ordinaire, d'habitude**
– La plupart de mes amis **la majorité, le plus grand nombre**

PLURIEL

– Entre le singulier et le pluriel **duel**

PLUS

– Plus d'un **beaucoup, bon nombre**
– La plus grande partie **majeure**
– Le plus petit de mes soucis **moindre**
– Avoir plus de loisir **davantage**

– Aimer une chose plus qu'une autre **principalement, particulièrement**
– Manger plus qu'il ne faut **trop**
– De plus **en outre, au demeurant, d'autre part, de surcroît**
– Ni plus ni moins **exactement, juste**
– Plus ou moins **peu ou prou**
– Ne plus faire quelque chose **arrêter, cesser, interrompre**

PLUSIEURS

– En plusieurs endroits **multiples, différents, divers**
– Plusieurs fois **maintes**
– Plusieurs personnes **de nombreuses**
– Un mot ayant plusieurs sens **plurivoque, polysémique**
– Un homme marié à plusieurs femmes **polygame**
– Une femme mariée à plusieurs hommes **polyandre**
– Une personne ayant plusieurs activités **polyvalente**
– Un système où coexistent plusieurs tendances **pluraliste**
– Un enseignement réunissant plusieurs disciplines **pluridisciplinaire, multidisciplinaire, interdisciplinaire**

PNEU

– Partie d'un pneu **flanc, épaulement, bande de roulement**
– Structure antidérapante d'un pneu **crampon, barrette**
– Protection d'un pneu **chape**
– Dispositif donnant son élasticité à un pneu **boyau, chambre à air**
– Matière composant la carcasse d'un pneu **coton, rayonne, caoutchouc, Buna**
– Équipement des pneus par temps de neige **chaînes, clous**
– Un ancien pneu refait à neuf **rechapé**

POCHE

– Poche d'un vêtement **gousset**

– Poche servant d'enveloppe à des marchandises **pochon, pochette, sachet, sac**
– Librairie qui vend des livres de poche **pochothèque**
– Poche anatomique **cavité, saillie**
– Poche de pus **abcès**
– Poche des eaux, se rompant lors de l'accouchement **amnios**
– Poche formée par l'œsophage de certains oiseaux et insectes **jabot**
– Poche utilisée pour la chasse au lapin **bourse, gilet**

POÊLE

– Poêle profonde **sauteuse**
– Partie d'un poêle **foyer, grille, magasin, cendrier, tuyau**
– Contenu d'une poêle **poêlée**
– Poêle à crêpes **crêpière**
– Petite poêle utilisée dans un laboratoire **creuset**
– Poêle à charbon, à bois **fourneau, salamandre, insert**

POÈME

– Poème antique **palinodie, élégie, ode, dithyrambe, rhapsodie, priapée**
– Poème instaurant un dialogue dans une tragédie **stichomythie**
– Poème religieux hébraïque **psaume**
– Poème du Moyen Âge **cantilène, lai, rotruenge, tenson, virelai, ballade**
– Poème satirique du Moyen Âge **sirventès, fatrasie**
– Poème de la Renaissance **blason, villanelle**
– Court poème japonais **haïku**
– Poème d'origine malaise **pantoum**
– Poème allemand **lied**
– Poème bucolique **idylle, églogue, pastorale**
– Poème lyrique **stances, canzone, hymne**
– Poème écrit sous forme de dessin **calligramme**
– Poème où les initiales de chaque vers forment un mot **acrostiche**
– Poème écrit en l'honneur des mariés **épithalame**
– Identité phonique à la fin de deux ou plusieurs vers d'un poème **rime**
– Vers d'un poème qui forment un ensemble **strophe**
– Procédé marquant le rythme d'un poème **cadence**
– Poème qui n'est pas soumis à la versification **en prose, en vers libres**
– Recueil de poèmes **florilège, anthologie**

POÉSIE *Voir tableau p. 468*

voir aussi littérature
– Structure d'une poésie **versification, prosodie, métrique**
– Figure utilisée en poésie **symbole, allégorie, métaphore**

CLASSIFICATION SIMPLIFIÉE DES POISSONS				
Agnathes (sans mâchoires)				myxine, lamproie
Gnathostomes (avec mâchoires)	**Chondrichtyens** (squelette interne cartilagineux)	Holocéphales (4 paires de fentes branchiales recouvertes par un faux opercule membraneux)		chimère, chimère-éléphant, chimère à long nez (31 espèces)
		Élasmobranches (5 à 7 paires de fentes branchiales apparentes, latérales chez les requins, 359 espèces, et ventrales chez les raies, 456 espèces)	Squalimorphes	requin à collerette, squale bouclé, sagre, requin-scie
			Squatinimorphes	ange de mer
			Galéimorphes	requin-dormeur, requin-zèbre, requin-pèlerin, roussette, requin-tigre
			Batoïdes	raie, poisson-scie, torpille, pastenague, mante
	Ostéichtyens (squelette interne ossifié, écailles ganoïdes ou élasmoïdes)	Actinoptérygiens (nageoires paires soutenues par des rayons osseux)	Chondrostéens (squelette peu ossifié, vessie natatoire)	esturgeon, poisson-spatule (26 espèces)
			Holostéens (squelette bien ossifié, poissons dulcicoles)	lépisostée, amia (8 espèces)
			Téléostéens (squelette très ossifié)	arapaïma, mormyre, tarpon, anguille, sardine, carpe, piranha, gymnote, poisson-chat, saumon, brochet, poisson-crapaud, porte-écuelle, baudroie, morue, grenadier, prêtre, exocet, daurade rose, saint-pierre, lampris, épinoche, hippocampe, rascasse, grondin, perche, mulet, barracuda, capitaine, morue, vive, blennie, lançon, dragonnet, gobie, poisson-chirurgien, thon, turbot, sole, baliste, poisson-lune (23 637 espèces)
		Brachioptérygiens (écailles losangiques, osseuses et très épaisses)		polyptère, poisson-roseau (10 à 16 espèces)
		Dipneustes (respiration branchiale et pulmonaire)		protoptère, cératodus, lépidosirène, cœlacanthe (6 espèces)

– Instrument de musique souvent associé à la poésie lyrique, bucolique **lyre, luth, pipeau, flûte de Pan**

– Poésie chantée dans l'Antiquité grecque **mélique**

– Muse de la poésie épique et de l'éloquence dans la Grèce antique **Calliope**

– Muses de la poésie lyrique dans la Grèce antique **Érato, Polymnie**

– Poésies orientales réunies en recueil **divan**

POÈTE

– Femme poète **poétesse**

– Mauvais poète **rimailleur, poétereau**

– Attribut du poète **laurier, luth, lyre**

– Séjour des poètes **Parnasse**

– Poète épique de l'Antiquité grecque **aède, rhapsode**

– Poète de langue d'oc **félibre**

– Poète jongleur au Moyen Âge en France septentrionale **trouvère**

– Poète chantant l'amour courtois **troubadour**

– Poète chanteur itinérant ne créant pas lui-même de poèmes **jongleur, ménestrel**

– Poète chanteur au Moyen Âge en Allemagne **minnesänger**

– Réunion de sept poètes de la Renaissance **Pléiade**

– Poète celtique **barde**

– Poète scandinave **scalde**

– Poète musicien qui transmet la tradition orale en Afrique **griot**

POIDS

– Poids des soucis **fardeau, faix**

– Poids d'une charge **lourdeur, pesanteur**

– Un objet dont on peut déterminer le poids **pondérable**

– Une masse dont le poids est incalculable **impondérable**

– Un objet ayant un très grand poids **pondéreux**

– Poids de l'emballage d'une marchandise **tare**

– Perte de poids d'une marchandise **discale, freinte**

– Effet exercé par un poids **pression, poussée, traction**

– Unité de mesure du poids **kilogramme, quintal, tonne**

– Évaluation des poids par des mensurations **barymétrie**

– Sensibilité au poids, en médecine **baresthésie**

– Sport qui consiste à soulever des poids **haltérophilie**

– Poids d'une parole, d'une action **force, valeur, autorité, influence, portée**
– Un argument de poids **prépondérant**

POIGNÉE
– Saisir la poignée d'une porte **béquille, clenche, bouton**
– La poignée d'une casserole **manche, queue**
– Poignée d'une manivelle **maneton, manette**
– Dispositif de fermeture de fenêtre à poignée tournante **espagnolette**
– Petit cordon fixé à une poignée **dragonne**

POIGNET
– Os du poignet **pisiforme, carpe**
– Bijou porté au poignet **bracelet, gourmette**
– Poignets d'une chemise **manchettes**

POIL *Voir illustration p. 470*
– Poils du menton **barbe**
– Poils sous le nez **moustache**
– Poil des narines **vibrisses**
– Petite touffe de poils entre les sourcils **taroupe**
– Ensemble des poils **pilosité**
– Composant d'un poil **racine, gaine, tige, cortex, cuticule, moelle**
– Cavité dans laquelle loge le poil **follicule, bulbe**
– Matière du poil **kératine, pigment**
– Le muscle redresseur du poil **arrecteur, horripilateur**
– Absence de poils **atrichie**
– Développement anormal des poils **pilosisme, hirsutisme, hypertrichose**
– Chute des poils **alopécie**
– Chute naturelle des poils chez certains animaux **mue**
– Maladie inflammatoire des poils du menton **mentagre**
– Un jeune homme dépourvu de poils au menton **imberbe, glabre**
– Une crème provoquant la chute des poils **dépilatoire**
– Arracher les poils avec leur racine **épiler**
– Amas de poils dans l'estomac de certains ruminants **ægagropile, bézoard**
– Ensemble des poils de certains animaux **robe, pelage, toison, fourrure**
– Animal portant des poils **velu, villeux**
– Poil du porc **soie**
– Poil du cheval **crin**
– Une plante couverte de poils **pilifère, tomenteuse**
– Poils de l'artichaut **foin**

POINÇON
– Poinçon servant à marquer de la vaisselle ou un bijou **coin**
– Poinçon d'horloger **pointeau**
– Poinçon de forge **mandrin, emboutissoir**

– Poinçon de cordonnier **alène**
– Poinçon de menuisier **ciseau, traçoir**
– Poinçon utilisé en marine pour écarter des torons **épissoir**
– Poinçon servant à écrire, à graver sur une surface dure **style, stylet, étampe, greffe**
– Poinçon apposé sur un objet pour en garantir la marque ou la valeur **estampille, label, timbrage**
– Marquer un objet d'un poinçon **insculper**
– Marquer un billet de train d'un poinçon **composter**

POINT
– Se diriger vers le même point **endroit, lieu**
– Repérer un point sur une carte **position, emplacement**
– Système de nombres servant à situer la position d'un point en géométrie **coordonnées**
– Coordonnées d'un point sur le globe terrestre **latitude, longitude**
– Point céleste fictif situé au-dessus de la tête d'un observateur **zénith**
– Point situé à l'opposé du zénith **nadir**
– Point de la sphère céleste d'où semblent émaner les météores **radiant**
– Point de départ **origine**
– Point d'eau **puits, source, mare, fontaine, étang**
– Point culminant **sommet, pic, crête**
– Atteindre le plus haut point de la gloire **faîte, apogée, summum, paroxysme**
– Éprouver une joie au plus haut point **degré, intensité**
– Faire le point d'une situation **analyse, examen**
– Exprimer son point de vue **opinion, sentiment**
– Étudier point par point un dossier **méthodiquement, minutieusement, exhaustivement**
– Arriver à point **à propos, opportunément**
– Médecine opérant sur des points énergétiques **acupuncture**
– Ligne sur laquelle sont situés les points d'acupuncture **méridien**
– Discuter les différents points d'un règlement **articles, paragraphes**
– Approfondir un point délicat **sujet, question, problème**
– Point litigieux **controverse**
– Mener aux points, lors d'un match **score, marque**
– Point chirurgical **point de suture**
– Point de côté **pleurodynie**
– Point en photographie **pixel**
– Les points d'un texte **ponctuation**

POINTAGE
– Pointage des élèves **appel**
– Carte de pointage **badge**

– Il procède au pointage des personnes présentes **contrôle, vérification, enregistrement, comptage**

POINTE
voir aussi **pique, poinçon**
– Pointe d'une montagne **sommet, pic, aiguille**
– Pointe d'un arbre **cime, faîte**
– Pointe d'un obélisque **flèche**
– La pointe du nez **extrémité, bout**
– Pointe d'une épée **estoc**
– Pointe d'une boucle de ceinture **ardillon**
– Pointe à tête large, enfoncée dans du bois pour retenir un enduit **rappointis**
– Pointe sèche servant à graver le cuivre **burin, ciseau**
– Dispositif en pointe sur lequel on brûle des bouts de bougie **binet**
– Pointe d'un organe animal **apex, dard**
– Pointe d'une plante **épine, cuspide, mucron**
– Une remarque mêlée d'une pointe d'humour **dose, grain, soupçon, pincée**
– Il ne s'est pas privé de lancer des pointes **piques, allusions blessantes**
– Un secteur de pointe **d'avant-garde**

POINTER
– Pointer une liste **contrôler, marquer, cocher, vérifier, enregistrer, émarger**
– Machine servant à pointer les entrées et les sorties du personnel d'une entreprise **pointeuse, composteur**
– Pointer une arme vers une cible **viser, braquer**
– Pointer un télescope vers un astre **orienter, diriger**
– Flèche d'une église qui pointe vers le ciel **élève (s'), monte, élance (s')**
– Pointer subitement de terre **jaillir, surgir, émerger, percer, poindre**

POINTILLÉ (EN)
– Il en a parlé en pointillé **discrètement, implicitement**

POINTILLEUX
– Raisonnement pointilleux **chicane, argutie, pointille**
– Un individu pointilleux dans son travail **minutieux, méticuleux, consciencieux, scrupuleux**
– Trop pointilleux **vétilleux, ergoteur, tatillon**
– Une propreté par trop pointilleuse **maniaque**
– Être pointilleux sur la morale **formaliste**

POINTU
– Un couteau pointu **acéré, piquant**
– Une voix pointue **aiguë, criarde**
– Un sujet très pointu **précis, technique, spécialisé**

POIRE

– Poire fondante **bergamote, beurré, crassane, doyenné, mouille-bouche, guyot, comice, williams**
– Poire à chair ferme **conférence**
– Poire grise **liard**
– Poire d'hiver **muscadelle**
– Poire d'été à peau roussâtre **rousselet**
– Poire de grosse taille **bon-chrétien**
– Poire trop mûre **blette**
– Boisson élaborée à base de poires **poiré, halbi**
– Confiserie faite à base de poires et de pommes **poiret**
– En forme de poire **piriforme**
– Couper la poire en deux **transiger, négocier, partager**
– Être une bonne poire **naïf, dupe**

POIREAU

– Famille de plantes à laquelle appartient le poireau **liliacées**
– Racine du poireau **bulbe**
– Tarte au poireau **flamiche**
– Qui a la couleur vert clair du poireau **porracé**
– Faire le poireau **attendre**

POISON

syn. **toxique**
– Poison d'origine minérale **cyanure, soude, arsenic, phosphore, acide sulfurique**
– Poison sécrété par certains reptiles **venin**
– Poison dû à un microbe **toxine**
– Poison extrait du pavot **morphine, opium**
– Poison extrait du colchique **colchicine**
– Poison extrait de la ciguë **cicutine**
– Poison extrait de la belladone **atropine**
– Type de poison alcaloïde **strychnine, caféine, codéine, nicotine**
– Poison qu'utilisent les indigènes pour leurs flèches **upas, curare**
– Arbre de poison **mancenillier**
– Nom générique des poisons organiques **alcaloïde**
– Étude des poisons **toxicologie**
– Effet d'une forte dose de poison **empoisonnement, intoxication, toxémie**
– Immunité contre les poisons **mithridatisation**
– Substance antipoison **contrepoison, antidote, alexitère**

POISSON *Voir illustration p. 471 et tableau p. 472*

voir aussi **pêche**
– Petits filaments olfactifs placés sur la bouche de certains poissons **barbillons**
– Organes respiratoires des poissons **branchies**
– Organes digestifs des poissons **brouailles**
– Reproduction des poissons **frai**

– Type de nageoire du poisson **dorsale, pelvienne, pectorale, anale, caudale**
– Substance spermatique du poisson **laitance, laite**
– Lieu de frai du poisson **frayère**
– Jeune poisson servant à repeupler les eaux **alevin, nourrain**
– Petit poisson rejeté à l'eau lors de la pêche **fretin**
– Petit poisson à frire **menuise, friture**
– Odeur du poisson frais **fraîchin**
– Technique d'élevage et de reproduction des poissons **pisciculture**
– Semblable au poisson **ichtyoïde, pisciforme**
– Qui se nourrit principalement de poissons **ichtyophage, piscivore**
– Intoxication due à du poisson avarié **ichtyosisme**
– Poisson fossile **ichtyolithe**
– Branche de la zoologie traitant des poissons **ichtyologie**

POITRAIL

– Se situe entre le poitrail et les pattes avant d'un cheval **ars**
– Partie du harnachement qui passe sous le poitrail **poitrinière, bricole**
– Poitrail du sanglier **bourbelier**

POITRINE

syn. **buste, thorax, torse**
– Poitrine des équidés et de certains ruminants **poitrail**
– Poitrine du sanglier **bourbelier**
– Poitrine féminine **seins, gorge**
– Laisse apparaître le haut de la poitrine **décolleté**
– Muscles de la poitrine **pectoraux**
– Muscle séparant la poitrine de l'abdomen **diaphragme**
– Organes contenus dans la poitrine **bronches, poumons, plèvre, cœur**
– Douleur oppressante au niveau de la poitrine **angor**
– Maladie de poitrine **tuberculose, fluxion, angine, pneumonie**

POIVRE

– Différentes sortes de poivre **blanc, noir, gris, rose, vert, de Cayenne, de Guinée, long, sauvage**
– Poivre concassé **mignonnette**
– Sauce à base de poivre et de vinaigre **poivrade**
– Liqueur de menthe avec un goût de poivre **peppermint**
– Alcaloïde qui se trouve dans les graines de poivre noir **pipérine**
– Poivre et sel **grisonnant**

POIVRIER

– Famille de plantes à laquelle appartient le poivrier **pipéracées**
– Poivrier de Polynésie **kawa**
– Poivrier de Malaisie **bétel**

– Espèce de poivrier dont on obtient une huile médicinale **cubèbe**

POKER *Voir tableau page ci-contre*

PÔLE

– Le pôle Sud céleste et terrestre **austral**
– Le pôle Nord céleste et terrestre **boréal**
– Une région du pôle Sud terrestre **antarctique, méridionale**
– Une région du pôle Nord terrestre **arctique, septentrionale**
– Une région située près de l'un des pôles terrestres **polaire, circumpolaire**
– Demi-cercle de la sphère céleste limité aux pôles **méridien**
– Mouvement de déplacement du pôle de la sphère céleste **précession, nutation**
– Pôle d'un axe **extrémité**
– Pôles d'un circuit électrique **électrodes**
– Pôle d'attraction **centre, noyau, cœur**

POLI /1

– Le poli d'un marbre **brillant, lustre, patine, polissure**
– Le poli d'un objet en or **brunissage**

POLI /2

syn. **affable, aimable, courtois, galant, obligeant, prévenant, respectueux**
– Un individu trop poli **obséquieux, maniéré, révérencieux**
– Un ton poli **amène**
– Refuser de manière plus ou moins polie **éconduire**

POLICE *Voir tableau p. 476 et illustration p. 477*

– Branche de la police **administrative, judiciaire**
– Service de police chargé du renseignement **RG (Renseignements généraux)**
– Brigade de la police judiciaire qui combat le banditisme **antigang**
– Police des polices **IGPN (Inspection générale de la police nationale), IGS (Inspection générale des services)**
– Rôle de la police judiciaire **répressif**
– Rôle de la police administrative **préventif**
– Organisation internationale de police criminelle **Interpol**
– Police chargée du contre-espionnage en France **DST (Direction de la surveillance du territoire)**
– Autorité de tutelle de la police **ministère de l'Intérieur**
– A un rôle similaire à celui de la police **BAC (brigade anticriminelle), CRS (compagnie républicaine de sécurité), gendarmerie**
– Personnel de la police **commissaire, inspecteur, enquêteur, gardien de la paix, brigadier, îlotier, agent, enquêteur, détective**
– Méthode des services de police se rap-

portant à l'identification des criminels **anthropométrie, bertillonnage**
– Descente de police au domicile de quelqu'un **perquisition**
– Fournit des renseignements à la police **indicateur, dénonciateur, balance**
– Local de police **commissariat**

POLICHINELLE
– C'est un drôle de polichinelle **guignol, gus, pantin**

POLICIER /1
– Nom argotique du policier **flic, poulet, perdreau, vache, keuf**
– Policier anglais **bobby**
– Policier italien **carabinier, sbire**

POLICIER /2
– Roman policier **polar, thriller**
– Un État policier **répressif, autoritaire, tyrannique**
– Pouvoir policier **arbitraire, abusif**

POLIR
– Polir son langage **châtier, corriger**

– Polir la rédaction d'un texte **fignoler, peaufiner, perfectionner, lécher**
– Polir les cuivres **astiquer, fourbir, frotter, lustrer**
– Polir une glace, une pierre précieuse **doucir, égriser, gréser, engrener**
– Polir une planche de bois **ébarber, raboter, poncer, varloper**
– Polir du marbre, du métal **égaliser, dresser, planer, équarrir, brunir**
– Matière servant à polir **abrasif**
– Substance minérale couramment employée pour polir **émeri, bort, égrisée, kieselguhr, ponce, sablon, tripoli**
– Petit outillage à polir **lime, meule, lustroir, lissoir, polissoir, mouche**

POLISSON /1
– Cet enfant est un petit polisson **coquin, chenapan, canaille, fripon**

POLISSON /2
– Des propos polissons **grivois, licencieux, osés, lestes, rabelaisiens, paillards, libidineux, gaulois**

POLITESSE *Voir tableau p. 479*
– Agir par politesse **respect, civilité, amabilité, tact, convenance**
– Les règles de la politesse **savoir-vivre, bienséance, bonnes manières, usages**
– Geste manifestant de la politesse **égard, empressement**
– Code de la politesse **cérémonial, étiquette, protocole, décorum**
– Politesses excessives **salamalecs, courbettes, ronds de jambe**

POLITICIEN
– Les politiciens du gouvernement **politiques, hommes d'État**
– Jeune politicien ambitieux **loup**
– Politicien sans intérêt **politicard**

POLITIQUE
voir aussi **parti**
– Domaine relevant de la politique extérieure d'un pays **diplomatie**
– Domaine relevant de la politique intérieure d'un pays **économique, social, financier, industriel, commercial, agricole, culturel**
– Adopter une politique au sein d'une entreprise **direction, tactique, stratégie**
– Science politique **politologie**
– Doctrine politique **anarchisme, libéralisme, communisme, pacifisme, socialisme**
– Régime politique **monarchie, dictature, oligarchie, république**
– Afficher ses idées politiques **convictions, couleur, opinions**
– Choix d'une direction politique par un peuple **autodétermination**
– Gouvernement composé de tendances politiques opposées **cohabitation**
– Scandale qui touche le monde politique **affaire**

POLLEN
voir aussi **pistil**
– Étude des pollens **palynologie, pollénographie**
– Spécifique au pollen **pollinique**
– Transport du pollen de l'anthère au stigmate **pollinisation**
– Transport du pollen par les insectes **entomophilie**
– Transport du pollen par le vent **anémophilie**
– Organe mâle d'une fleur renfermant le pollen **étamine**
– Amas compact de pollen dans certaines fleurs **pollinie**
– Insecte étant le principal agent de transport du pollen **abeille**
– Ensemble des poils des insectes destinés à récolter le pollen **brosse**
– Allergie au pollen **rhume des foins**

POLLUTION
voir aussi **environnement**

POKER		
BUT DU JEU : AVOIR EN MAIN LA PLUS FORTE COMBINAISON		

Blind : mise que dépose le voisin de droite du donneur pour avoir le droit de parler en dernier.

Blindeur : joueur qui achète le droit de parler en dernier.

Bluffer : battre un adversaire qui détient un meilleur jeu.

Brelan : 3 cartes de la même valeur (trois rois).

Carré : 4 cartes de la même valeur (quatre 3).

Cartes (valeur des) : dans l'ordre croissant, 2, 3, 4, 5, 6, 7, 8, 9, 10, valet (V ou J), dame (D ou Q), roi (R ou K), as (1 ou A).

Cave : somme d'argent que chaque joueur engage dans une partie et qu'il pose sur le tapis.

Chip : montant minimal de la mise.

Combinaison : elles sont neuf par ordre croissant de valeur – carte isolée, paire, double paire, brelan, quinte, flush, full, carré, quinte flush.

Couleur : famille de cartes – carreau, cœur, pique, trèfle. Au poker, il n'existe pas de hiérarchie des couleurs. *Voir aussi Flush.*

Donne : distribution de cinq cartes par joueur en commençant par la gauche.

Donneur : joueur qui distribue les cartes.

Double paire : 2 paires de valeur différente.

Écart : fait de rejeter de son jeu, avant la seconde donne, les cartes jugées inutiles pour en demander le même nombre au donneur.

Filer ses cartes : faire glisser les cartes l'une sur l'autre à l'aide du pouce et de l'index, par des mouvements saccadés du poignet.

Flush : 5 cartes de la même couleur (qui ne forment pas de quinte). Se dit aussi couleur.

Frapper : action d'un joueur pour signaler qu'il se retire momentanément du jeu. Syn. : « sans moi », « c'est bon ».

Full : 1 brelan et 1 paire.

Main : ensemble de cinq cartes formant une combinaison.

Ouvrir : le joueur qui entame la phase de mises dépose la sienne dans le pot.

Paire : 2 cartes de la même valeur (deux rois, deux 6, etc.).

Passer : le joueur ne mise rien et abandonne le coup.

Pot : lieu où sont regroupées toutes les mises d'un coup.

Quinte : suite de 5 cartes de couleurs différentes (ex. : as, 2,3,4,5).

Quinte flush : suite de 5 cartes de la même couleur.

Recaver : prendre une nouvelle cave lorsque l'on a perdu la première.

Relancer : déposer une mise supérieure à celle de son adversaire.

Surblinder : mettre le double de la mise déposée par le blindeur pour parler en dernier.

Tapis :
● jetons posés devant le joueur ;
● faire tapis : faire une relance dont le montant est équivalent au tapis dont le joueur dispose.

Tenir : déposer une mise égale à celle qui vient d'être jouée par l'adversaire.

Direction générale de la police nationale (DGPN)

Les différents services et directions qui en dépendent ont pour mission d'assurer la sécurité des personnes et des biens, le respect des lois, le maintien de la paix et de l'ordre publics, la défense des institutions et des intérêts nationaux.

● **UNITÉ DE COORDINATION DE LA LUTTE ANTITERRORISTE (UCLAT)** Chargée de coordonner l'action des services de police sur le territoire en matière de lutte contre le terrorisme. Elle assure la liaison avec les autres administrations concernées par sa prévention et sa répression, y compris au niveau européen.

● **UNITÉ DE RECHERCHE, D'ASSISTANCE, D'INTERVENTION ET DE DISSUASION (RAID)** Participe sur le territoire à la lutte contre toutes les formes de terrorisme ou de banditisme. Elle intervient lors d'événements graves afin de neutraliser des individus dangereux.

● **UNITÉ DE COORDINATION ET DE RECHERCHE ANTIMAFIA (UCRAM)** Lutte contre le crime organisé et les phénomènes mafieux.

● **SERVICE DE SÉCURITÉ DU MINISTÈRE DE L'INTÉRIEUR (SSMI)** Assure la surveillance et la sécurité des sites propres à ce ministère, à Paris et en banlieue, ainsi que certaines missions d'escorte et la protection de personnalités.

● **MISSION INTERMINISTÉRIELLE DE LUTTE ANTIDROGUE (MILAD)** Lutte contre le trafic et la consommation de stupéfiants. Elle coopère avec la gendarmerie nationale et la douane.

● **SERVICE CENTRAL AUTOMOBILE (SCA)** Administre et entretient le parc automobile de l'Administration, des directions et services centraux de la police nationale.

Direction de l'administration de la police nationale (DAPN)

S'occupe du recrutement et de la carrière des fonctionnaires de la police.

Inspection générale de la police nationale (IGPN)

Aussi appelée la police des polices, elle est principalement chargée de veiller au respect, par ses personnels, des lois et règlements en vigueur, ainsi que des dispositions du code de déontologie. C'est à ce titre

qu'elle mène des enquêtes judiciaires et/ou à caractère disciplinaire.

Direction centrale de la police judiciaire (DCPJ)

Lutte contre le crime et la délinquance organisés et spécialisés. Elle gère des organes tels que le bureau central de l'Organisation internationale de police criminelle – Interpol (OIPC). Elle est constituée de 8 offices qui centralisent les informations, coordonnent l'action des services et peuvent mener des enquêtes.

● **OCBC :** Office central de lutte contre le trafic des biens culturels.
● **OCRB :** Office central pour la répression du banditisme.
● **OCRTEH :** Office central pour la répression de la traite des êtres humains.
● **OCRFM :** Office central pour la répression du faux monnayage.
● **OCRGDF :** Office central pour la répression de la grande délinquance financière.
● **OCRTAEMS :** Office central pour la répression du trafic des armes, des munitions, des produits explosifs et des matières sensibles (nucléaires, biologiques et chimiques).
● **OCRTIS :** Office central pour la répression du trafic illicite des stupéfiants.
● **OCLCTIC :** Office central de lutte contre la criminalité liée aux technologies de l'information et de la communication.

Au niveau territorial, la DCPJ comprend 19 services régionaux de la police judiciaire (SRPJ) et une Direction régionale de la police judiciaire (DRPJ), à Paris. Certains SRPJ disposent de brigades de recherche et d'intervention (BRI) ou de brigades régionales d'enquête et de coordination (BREC). Il existe en outre 5 laboratoires de police scientifique (LPS).

Direction de la surveillance du territoire (DST)

Sa mission consiste à rechercher, prévenir et neutraliser, sur le territoire, les activités engagées, inspirées ou soutenues par des puissances étrangères et qui sont de nature à menacer la sécurité du pays ou la sûreté de l'État. Elle participe aussi à la protection du patrimoine économique, industriel, scientifique et technologique.

Direction centrale de la sécurité publique (DCSP)

Elle définit la doctrine générale, anime l'action et contrôle l'emploi

des services et des unités de la sécurité publique, en vue d'assurer aide et assistance aux personnes, protection des biens, tranquillité et ordre publics. Plus de la moitié des effectifs de la police nationale relèvent de cette direction.

Direction centrale de la police aux frontières (DCPAF)

Elle veille au respect de la réglementation relative à la circulation transfrontalière et coordonne la lutte contre l'immigration irrégulière et l'emploi des clandestins. Elle concourt à la sûreté des transports internationaux, des réseaux ferrés et aéronautiques. Elle dispose d'autre part d'un Office central pour la répression de l'immigration irrégulière et l'emploi d'étrangers sans titres (OCRIEST).

Direction centrale des renseignements généraux (DCRG)

Elle participe à la défense des intérêts fondamentaux de l'État et concourt à la mission générale de sécurité intérieure. Elle recherche et centralise les renseignements d'ordre politique, économique et social destinés à informer le gouvernement dans ces domaines. D'autre part, elle est chargée de la surveillance des établissements de jeu et des champs de courses.

Direction de la formation de la police nationale (DFPN)

Chargée de la formation initiale et continue des personnels de la police nationale.

Service central des compagnies républicaines de sécurité (SCCRS)

Composé d'unités mobiles, ce service assure l'ordre public et renforce les autres services de police dans le maintien de l'ordre, ainsi que dans la prévention de la délinquance et de la criminalité. Il contribue également à la sécurité du réseau autoroutier et participe aux missions de police en montagne et sur le littoral. Il contrôle 9 groupements de CRS, de dimension régionale, rassemblant 61 compagnies.

Service de coopération technique internationale de police (SCTIP)

Il participe à la mise en œuvre de la politique étrangère de la France en matière de sécurité intérieure. Il étudie, conçoit, programme et réalise des actions de coopération technique, et en assure le suivi

et l'évaluation. Il est chargé de la gestion de la plupart des policiers français expatriés.

Service de protection des hautes personnalités (SPHP)

Chargé des mesures nécessaires à la sécurité générale du président de la République et des hautes personnalités françaises et étrangères.

Préfecture de police de Paris (PPP)

Officiellement rattachée depuis 1966 à la police nationale, la PPP n'en dispose pas moins d'un régime particulier. Celui-ci est lié à la spécificité des missions qui lui incombent dans la capitale, où siègent notamment la présidence, le gouvernement, les assemblées parlementaires et des représentations diplomatiques. Mais il tient aussi à son organisation originelle, qui date de Bonaparte, destinée à placer la surveillance de la capitale sous la tutelle directe du gouvernement.

● **SECRÉTARIAT GÉNÉRAL POUR L'ADMINISTRATION DE LA POLICE (SGAP)**
● **BRIGADE DE SAPEURS-POMPIERS DE PARIS**
● **INSPECTION GÉNÉRALE DES SERVICES** (IGS) Théoriquement rattachée à l'IGPN, l'IGS dispose d'une certaine autonomie, qui découle de l'histoire de la préfecture de police. (Les inspecteurs de l'IGS ont été surnommés les bœuf-carottes car lorsqu'ils avaient pour réputation, avant d'interroger leurs « clients », de les laisser mijoter longuement dans leur jus.)

POLICE MUNICIPALE

Placée sous le contrôle du maire, cette police particulière, aux pouvoirs limités, dispose en fait d'un statut et de moyens en relation avec ceux de la municipalité.

Quelques autres sigles

APJ : agent de police judiciaire
BRI : Brigade de recherches et d'intervention
CPP : Code de procédure pénale
CRS : compagnie républicaine de sécurité
GIPN : Groupe d'intervention de la police nationale
FAED : Fichier automatisé des empreintes digitales
OPJ : officier de police judiciaire
SEF : Section économique et financière

– Pollution de la nature **agression, destruction**
– Pollution de l'atmosphère **viciation, pestilence, miasmes**
– Pollution de l'air due à des vapeurs toxiques **méphitisme**
– La pollution des mers **pélagique**
– Pollution sonore **nuisances, bruit**
– Principaux agents de la pollution de l'air **aérosols, fumées d'usine, hydrocarbures**
– Principaux agents de la pollution du sol **pesticides, insecticides, herbicides, désertification**
– Principaux agents de pollution de la mer **dégazage, marées noires**
– Étude des différentes pollutions **molysmologie**
– Lutte contre la pollution **antipollution, écologie**
– Action menée pour lutter contre la pollution **tri des déchets, recyclage**
– Pollution nocturne **masturbation**

POLTRON
– C'est un poltron **couard, peureux, pusillanime**
– Il s'est enfui comme un poltron **pleutre, lâche**

POLYGONE
voir aussi **géométrie**
– Type de polygone **convexe, concave, régulier**
– Polygone convexe **quadrilatère, triangle, pentagone, hexagone**
– Solide dont les faces sont des polygones **polyèdre**

POMMADE
– Elle s'enduit de pommade **crème**
– Pommade constituée de blanc de plomb **uve**
– Pommade calmante à base de peuplier **populéum**
– Pommade ayant un effet calmant **baume, onguent, liniment, embrocation**
– Pommade antibiotique **néomycine**
– Action d'une pommade **topique**
– Substance extraite de la laine des moutons et entrant dans la préparation de la pommade **lanoline**
– Pommade qui donne du brillant aux cheveux **brillantine, gomina**
– Pommade qui donne de la tenue aux cheveux **gel**
– Passer de la pommade à quelqu'un **complimenter, flatter, flagorner**

POMME
– Variété de pommes d'août **rambour**
– Variété de pommes tardive **calville**
– Variété de pommes très parfumée **reine des reinettes, reinette du Canada, reinette clochard**

GRADES DE LA POLICE

 Commissaire
 Commissaire principal
 Commissaire divisionnaire
 Contrôleur général
 Inspecteur général
 Gardien de la paix stagiaire
 Gardien de la paix
 Brigadier
 Brigadier major
 Lieutenant
 Capitaine
Commandant

– Variété de pommes à chair acidulée **boskoop, granny**
– Variété de pommes rouge **capendu**
– Variété de pommes d'origine américaine **golden**
– Petite pomme d'origine grecque **d'api**
– Boisson à base de pommes **jus, cidre, calvados, pommeau**
– Pomme épineuse **stramonium**
– Pomme cannelle **anone, corossol**
– Pomme de merveille **momordique**
– Culture des fruits à pépins, dont la pomme **pomoculture**

POMME DE TERRE
– Famille de plantes à laquelle appartient la pomme de terre **solanacées**
– Ce que l'on consomme dans la pomme de terre **tubercule**
– Tige et feuille de la pomme de terre **fanes**
– Travaux d'entretien de la culture de la pomme de terre **binage, buttage**
– Parasite de la pomme de terre **doryphore**
– Maladie de la pomme de terre **mildiou**
– Ils sont contenus dans la pomme de terre **potassium, fer, vitamine C, iode, amidon**
– Pomme de terre dont la fécule est transformée pour un usage industriel **kaptah, vandel, daresa, brettor**
– Pomme de terre de consommation courante **bintje**
– Pomme de terre à chair ferme **belle de Fontenay, rosa, roseval, stella, ratte**
– Plat à base de pommes de terre **gratin dauphinois, tartiflette, hachis parmentier**
– Pommes de terre cuisinées servies en accompagnement **frites, purée, chips, pommes noisette, pommes dauphine, pommes boulangère, pommes sautées**
– Région d'origine de la pomme de terre **Andes**

POMPE
syn. **apparat, éclat, faste, gloire, luxe, magnificence, majesté, splendeur**
– La pompe d'un style **emphase, pédantisme, grandiloquence**

POMPER
– Pomper la substance d'un corps **aspirer, extraire, prélever, ponctionner**
– Pomper de l'eau au puits **tirer, puiser**
– Sa voiture pompe beaucoup **consomme**

POMPEUX
– Un ton pompeux **pédant, déclamatoire**
– Un style pompeux **emphatique, grandiloquent**

POMPIER
syn. **sapeur-pompier**
– Devise des sapeurs-pompiers de Paris **Sauver ou périr**
– Saints patrons des pompiers **Laurent, Barbe**

POMPON
– Fleur en pompon **boule-de-neige, rose, dahlia, chrysanthème**
– Pompon sur une coiffure militaire **aigrette**
– C'est le pompon! **bouquet**

PONÇAGE
– Ponçage d'une pièce de métal **polissage, brunissage**
– Ponçage des huisseries **décapage, rabotage**

PONCER
– Machine utilisée pour poncer **ponceuse**
– Sert à poncer **papier de verre, pierre ponce, lime, toile émeri**

PONCTION
voir aussi **piqûre**

– On lui a fait une ponction **prélèvement**
– Ponction d'une parcelle du tissu organique **biopsie**
– Ponction lombaire **rachicentèse**
– Ponction d'une cavité naturelle du corps **paracentèse**
– Ponction du liquide amniotique **amniocentèse**
– Instrument servant à faire des ponctions **trocart, aiguille, bistouri**

PONCTUALITÉ

– J'apprécie sa ponctualité **exactitude**
– Ponctualité d'un employé **assiduité, régularité**

PONCTUATION

– Signe de ponctuation **point, virgule, point-virgule, point d'exclamation, point d'interrogation, deux-points, points de suspension, tiret, guillemet, crochet, tiret, parenthèse**
– Signe de ponctuation indiquant un énoncé faux en linguistique *
– Signe de ponctuation indiquant un énoncé douteux en linguistique ?
– Ponctuation musicale **cadence parfaite, demi-cadence, cadence rompue, cadence plagale**

PONCTUER

– Bien ponctuer certains passages d'un discours **souligner, préciser**
– Ponctuer un discours en insistant sur certains mots **scander**
– Un parcours ponctué de pauses **marqué par**

PONDÉRATION

– Elle agit avec pondération **réflexion, calme**
– Il fait preuve de pondération **mesure, modération**
– Pondération entre les mouvements d'une œuvre musicale **équilibre, balance**
– Pondération entre les différents éléments d'un tableau **symétrie, correspondance, répartition**

PONDRE

– Les oiseaux y pondent leurs œufs **nid**
– Un poisson de mer qui va pondre dans les fleuves **anadrome**
– Un insecte qui pond ses œufs sur les cadavres d'animaux **nécrophore**

PONT Voir illustration p. 480
voir aussi **architecture**

– Principaux types de ponts **suspendu, à poutres, en arc, mobile, flottant**
– Matériau employé pour la construction d'un pont **acier, bois, pierre, béton armé, béton précontraint**
– Appuis intermédiaires d'un pont **piles**
– Plate-forme supérieure d'un pont **tablier**

– Soubassement maçonné servant de fondation à un pont **radier**
– Appuis de rive d'un pont **culées**
– Pont de grande longueur sur lequel passe une route ou une voie ferrée **viaduc**
– Pont servant à la conduite des eaux **aqueduc**
– Pont suspendu, sans câbles **cantilever**
– Pont piétonnier **passerelle**
– Petit pont **ponceau, pont muletier**
– Petit pont flottant servant d'embarcadère **ponton**
– Pont d'accostage d'un navire **appontement, wharf**
– Pont d'un navire **spardeck, tillac**
– Construction surélevée sur le pont d'un navire **gaillard, dunette, rouf**
– Poutres transversales soutenant le pont d'un navire **baux**
– Partie du pont d'un navire servant de communication entre l'avant et l'arrière **passavant**

POPULAIRE

– Rendre populaire **populariser, propager, vulgariser, démocratiser**
– Une personne populaire **considérée, connue, estimée, renommée**
– Une mesure populaire **appréciée, reconnue**
– Un langage populaire **commun, argotique, vulgaire, familier, plébéien**
– Maxime populaire **adage**
– Une chanson populaire **réaliste**
– Musique populaire **folklore**
– La classe populaire **ouvrière, prolétarienne, laborieuse**
– Un gouvernement populaire **démocratique**

POPULARITÉ

– Il jouit d'une grande popularité **crédit, faveur**
– Baisse de popularité d'un homme d'État **décote**

POPULATION Voir tableau p. 483
voir aussi **peuple**

– Entrée de populations dans le pays où elles viennent s'établir **immigration**
– Déplacement de populations allant s'établir dans un autre pays **migration, émigration**
– La population active d'un pays **travailleurs**
– Étude de la composition, de la répartition et de l'évolution d'une population **démographie**
– Dénombrement de la population d'un pays **recensement**
– Un système favorable à l'accroissement de la population **populationniste**

PORC Voir illustration p. 484
voir aussi **cochon**

– Porc adulte reproducteur **verrat**

– Sous-ordre auquel appartient le porc **porcins**
– Famille à laquelle appartient le porc **suidés**
– Femelle du porc **truie**
– Jeune porc **cochonnet, goret, nourrain, porcelet**
– Porc domestique **cochon**
– Porc sauvage **sanglier**
– Nourriture du porc **son, pomme de terre, farine d'orge, glands, châtaignes, faines**
– Poil du porc **soie**
– Tête du porc **hure**
– Museau du porc **groin**
– Cri du porc **grognement**
– Maladie du porc **ladrerie, trichinose, rouget**
– Animal appartenant à la famille du porc **babiroussa, pécari, phacochère, sanglier, potamochère**
– Partie du porc vendue en boucherie-charcuterie **jambon, rouelle, côtelette, filet mignon, travers, palette, échine, pied, longe**
– Action de mener les porcs paître des glands **paisson**

PORCELAINE

– Type de porcelaine **tendre, dure**
– Matière servant de liant dans la pâte de porcelaine **quartz**
– Argile très blanche entrant dans la composition de la porcelaine **kaolin**
– Élément fondant de la pâte de porcelaine, se vitrifiant lors de la cuisson **feldspath**
– Une porcelaine dont la glaçure s'est fendillée lors de la cuisson **truitée**
– Dessin en creux sur une porcelaine translucide **lithophanie**
– Objet en porcelaine qui ressemble au marbre **biscuit, parian**
– Figurine de porcelaine chinoise **magot, pagode**
– Porcelaine vert pâle **céladon**
– Four à porcelaine **moufle**
– Vend de la porcelaine **porcelainier**
– Haut lieu de fabrication de porcelaine **Sèvres, Limoges, Rouen, Hollande, Saxe, Chine**
– Être en porcelaine **fragile**

PORCHE

– Porche d'une église **avant-corps**
– Porche d'un immeuble **hall, vestibule, entrée**
– Partie d'une église faisant suite au porche **narthex**

PORE

– Passer au travers des pores de la peau **suer, transpirer, transsuder**
– Amas qui obstrue un pore de la peau **comédon, point noir**
– Criblé de très petits pores **microporeux**

FORMULES DE POLITESSE D'UNE LETTRE

DESTINATAIRE	EN-TÊTE	FORMULE FINALE	TRAITEMENT*
Ambassadeur	Monsieur l'Ambassadeur,	Daignez agréer, Monsieur l'Ambassadeur, l'assurance de mes très respectueux sentiments.	Excellence (pour les ambassadeurs étrangers)
Ambassadrice (en titre)	Madame,	Veuillez agréer, Madame, l'hommage de mon respect.	Madame
Archevêque et évêque	Monseigneur, ou Excellence,	Daignez agréer, Monseigneur, l'hommage du profond respect avec lequel j'ai l'honneur d'être, de Votre Excellence, le très humble et très dévoué serviteur. Ou Veuillez agréer, Monseigneur, l'expression de ma très respectueuse considération.	Votre Excellence Excellence Monseigneur
Avocat et notaire	Maître, ou Monsieur,	Veuillez agréer, Maître, l'assurance de mes sentiments distingués.	Maître Monsieur
Cardinal	Éminence,	J'ai l'honneur d'être, avec le plus profond respect, de Votre Éminence, le très humble et très dévoué serviteur. Ou Veuillez agréer, Éminence, l'hommage de mon profond respect.	Éminence Monsieur le Cardinal (officiel)
Colonel	Les hommes écriront : Colonel, ou Mon Colonel, Les femmes écriront : Colonel, ou Monsieur,	Veuillez croire, Colonel, à mes sentiments très respectueux.	Colonel Mon Colonel Monsieur
Curé	Monsieur le Curé,	Veuillez agréer, Monsieur le Curé, l'expression de mes sentiments respectueux.	Mon Père Monsieur le Curé
Député	Monsieur le Député, ou Monsieur, ou Madame,	Veuillez recevoir, Monsieur le Député, l'expression de ma considération distinguée.	Monsieur Madame
Maire	Monsieur le Maire,	Veuillez agréer, Monsieur le Maire, l'expression de ma parfaite considération.	Monsieur
Ministre	Monsieur le Ministre,	Veuillez agréer, Monsieur le Ministre, l'expression de mes sentiments déférents et dévoués.	Excellence (pour les ministres étrangers)
Pape	Très Saint Père,	Prosterné aux pieds de Votre Sainteté et implorant Sa bénédiction apostolique, j'ai l'honneur d'être, Très Saint Père, avec le plus profond respect, de Votre Sainteté, le très humble et très obéissant fils et serviteur.	Votre Sainteté (écrire à la troisième personne)
Président de l'Assemblée nationale	Monsieur le Président,	Veuillez agréer, Monsieur le Président, l'assurance de ma très haute considération.	Monsieur le Président
Président de la République	Monsieur le Président, ou Monsieur le Président de la République,	Veuillez agréer, Monsieur le Président de la République, le profond respect avec lequel j'ai l'honneur d'être votre très obéissant serviteur. Ou Je vous prie d'agréer, Monsieur le Président, l'hommage de mon profond respect.	Votre Excellence Monsieur le Président.
Prêtre	Monsieur l'Abbé, ou Mon Père,	Je vous prie d'accepter, Monsieur l'Abbé, l'expression de mes sentiments respectueux.	Monsieur l'Abbé Mon Père
Professeur de faculté	Monsieur le Professeur, ou Madame, (même si ce professeur est célibataire)	Je vous prie d'agréer, Monsieur le Professeur, l'expression de ma parfaite considération.	Monsieur Madame
Rabbin	Monsieur le Rabbin,	Je vous prie d'accepter, Monsieur le Rabbin, l'expression de mes sentiments respectueux.	Monsieur le Rabbin
Recteur d'université	Monsieur le Recteur,	Veuillez agréer, Monsieur le Recteur, l'assurance de ma très haute considération.	Monsieur
Roi	Sire,	Je suis, avec le plus profond respect, Sire, de Votre Majesté, le très respectueux et très dévoué serviteur.	Votre Majesté (écrire à la troisième personne)
Sénateur	Monsieur le Sénateur,	Veuillez agréer, Monsieur le Sénateur, l'assurance de ma très respectueuse considération.	Monsieur

* Le traitement est la formule à employer dans le corps de la lettre.

PORT

– Ils ont fait une balade sur le port **rade**
– Grand port maritime de commerce **port autonome**
– Port où les marchandises peuvent transiter sans droit de douane **port franc**
– Petit port à l'entrée d'un fleuve **havre**
– Partie du port dans laquelle les bateaux sont à flot **bassin**
– Entrée resserrée d'un port **goulet**
– Entrée d'un port dans le sud de la France **boucau**
– Endroit d'un port réservé à l'embarquement ou au débarquement **embarcadère, débarcadère**
– Terre-plein préservant le port des attaques de la mer **brise-lames, digue, jetée, môle**
– Ouvrier du port **docker, déchargeur, délesteur, débardeur**
– Port d'armes effectué par un soldat **présentation**
– Admirer le port d'une femme **maintien, allure, attitude, tenue, prestance**

PORTABLE

– Téléphone portable **mobile, GSM**
– Accessoire du téléphone portable **cordon d'alimentation, batterie, housse, kit piéton, kit voiture**
– Service proposé par le téléphone portable **messagerie, texto, double appel, WAP, renvoi d'appel**

PORTE *Voir illustration p. 485*

voir aussi ouverture, passage
– Battant d'une porte **vantail**
– Partie supérieure d'un bâti de porte **linteau**
– Trou percé dans une porte pour voir ce qui se passe derrière **judas, guichet**
– Barre de métal ou de bois fermant une porte **bâcle**
– Pas de la porte **seuil**
– Porte de grande dimension **portail**
– Porte qui peut être franchie par une voiture **porte cochère, porte charretière**
– Porte de jardin **portillon, grille**
– Porte dérobée d'une fortification **poterne**
– Aller de porte en porte dans l'espoir de vendre une marchandise **démarcher**
– Mettre une personne à la porte **chasser, renvoyer, congédier, remercier**

PORTE-AVIONS *Voir illustration p. 486*

PORTE-BONHEUR

– Il a toujours un porte-bonheur sur lui **fétiche, mascotte**
– Objet rituellement consacré et censé agir comme porte-bonheur **amulette, talisman, gri-gri, phylactère**
– Considéré comme porte-bonheur **trèfle à quatre feuilles, fer à cheval**

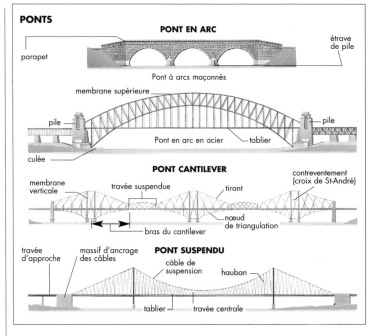

PONTS

PONT EN ARC

parapet
étrave de pile
Pont à arcs maçonnés

membrane supérieure
pile
pile
Pont en arc en acier
tablier
culée

PONT CANTILEVER

membrane verticale
travée suspendue
tirant
contreventement (croix de St-André)
bras du cantilever
nœud de triangulation

PONT SUSPENDU

travée d'approche
massif d'ancrage des câbles
câble de suspension
hauban
tablier
travée centrale

PORTÉE

– Ce livre est à la portée des enfants **hauteur, niveau**
– La portée d'un chien, d'un oiseau **nichée, couvée, petits, progéniture**
– Signe noté sur la portée **clef, note, altération, barre de mesure, nuance, rythme, tempo**

PORTER

– Porter des meubles **transporter, transbahuter, convoyer, charrier, transférer, apporter, emporter**
– Les colonnes qui portent la voûte **soutiennent, supportent**
– Porter une charge sur la base du cou **coltiner**
– Porter avec ostentation **arborer, exhiber**
– Cet arbre porte de nombreux fruits **produit, donne**
– Porter son nom sur un registre **inscrire**
– Porter un ami sur son testament **coucher**
– Porter une œuvre littéraire à l'écran **adapter**
– Porter de l'intérêt à un sujet **accorder, attacher, prêter**
– La querelle porte sur la politique **concerne**
– Porter préjudice **nuire**
– Porter quelqu'un aux nues **vanter, louer, exalter**
– Porter un candidat au pouvoir **nommer, élire**
– Être porté à **enclin à, sujet à**

PORTIER

– Portier d'un immeuble **concierge, gardien**
– Ancienne appellation du portier **huissier**
– Nom donné autrefois au portier d'une grande demeure **suisse**
– Portier dans la hiérarchie catholique **clerc**
– Portier sévère **cerbère**
– Portier du paradis **saint Pierre**

PORTION

– Portion de terrain **lot, lopin, parcelle**
– Portion d'autoroute **section, tronçon**
– Portion de droite **segment**
– Portion de cercle **arc**
– Portion de légumes **part, ration**
– Portion de viande **part, tranche, morceau**

PORTIQUE

– Portique en architecture **galerie**
– Portique formé par une rangée de colonnes **prostyle**
– Portique grec décoré de peintures **pœcile**
– Portique à l'entrée de certaines églises **narthex**
– Portique japonais **torii**
– Élément d'un portique de jardin **agrès, corde, balançoire, échelle**

PORTRAIT

– Elle a gardé un portrait de lui **image, effigie, figure, médaillon**

– Faire le portrait d'une personne **portraiturer**
– Artiste exécutant des portraits **portraitiste**
– Faire son propre portrait **autoportrait**
– Portrait dont les traits sont délibérément exagérés **caricature**
– Portrait de profil **silhouette**
– Portrait-robot **signalement**
– Le correspondant brossa un portrait peu avantageux de la situation **tableau, description**

PORTUGAIS
– Qui parle le portugais **lusophone**
– Style architectural portugais **manuélin**
– Chant portugais **fado**

POSE
– Le modèle prend une nouvelle pose **attitude, position, posture**

POSER
– Poser les assiettes sur la table **mettre, arranger, disposer**
– Poser les bases d'un projet **jeter, établir, fixer**
– Poser une question **formuler, énoncer**
– Poser sa voix **placer**
– Il pose pour les magazines **mannequin**

POSER (SE)
– L'oiseau s'est posé **perché, juché**
– Voir l'avion se poser **atterrir**
– Se poser en défenseur de la justice **ériger (s')**

POSITIF
voir aussi **attesté, certain, incontestable, patent, sûr**
– Une réponse positive **favorable**
– Un esprit positif **réaliste, rationnel, entreprenant, créateur**
– Fait preuve d'un esprit positif **optimiste**
– Une objection positive **constructive**
– Formuler une réponse positive **affirmer, approuver, acquiescer**
– Constater une manifestation positive d'un phénomène **effective, visible, réelle, concrète**
– Le droit positif **écrit, prescrit**
– Électron positif **positron**

POSITION
– Définir la position d'une troupe **emplacement, positionnement, localisation**
– Position du fœtus au moment de l'accouchement **présentation**
– Position d'un corps reposant horizontalement **décubitus**
– Trouver la bonne position à cheval **assiette, assise**
– Rectifier sa position **attitude, pose, posture**
– Elle occupe une bonne position dans le classement **place**

– Une position sociale enviable **situation, condition, rang, niveau**
– Être dans une position critique **circonstance, conjoncture**
– Avoir des positions très arrêtées **opinions, jugements, idées, principes**

POSSÉDÉ
– Comme un possédé **fou, agité, furieux**

POSSÉDER
– Cet homme est possédé du diable **envoûté, ensorcelé**
– Posséder de nombreux biens **avoir, détenir, disposer de, jouir de**
– Posséder en soi **contenir, receler, renfermer**
– Posséder une technique **connaître, maîtriser**
– Posséder un ennemi **tromper, duper**

POSSÉDER (SE)
– Il sait se posséder **dominer (se), contrôler (se), maîtriser (se)**

POSSESSIF
– Possessif en grammaire **adjectif, pronom**
– Un mari possessif **jaloux, exclusif, abusif**
– Attitude de celui qui est possessif **possessivité, vampirisme**

POSSIBILITÉ
– Connaître ses possibilités **facultés, moyens, limites, forces**
– Développer les possibilités de l'individu **potentialités, virtualités, capacités, compétences**
– Si vous en avez la possibilité **occasion, loisir, opportunité**
– Étudier chaque possibilité **cas, solution, hypothèse, éventualité**

POSSIBLE
– Ce qui est possible **contingent, éventuel**
– C'est très possible **probable**
– Une hypothèse possible **recevable, envisageable, concevable, vraisemblable**
– Une tâche possible **réalisable, faisable**

POSTE
voir aussi **lettre**
– Demeurer à son poste **place**
– Poste d'observation **observatoire, vigie, mirador**
– Poste d'essence **pompe, distributeur, station-service**
– Se rendre au poste de police **commissariat**
– Occuper un poste éminent **emploi, fonction, charge, situation**
– Inscrire des postes sur un registre comptable **opérations**

– Poste de télévision **appareil, récepteur, téléviseur**
– Poste de jeu vidéo **console**
– Poste de travail informatique **terminal, écran**

POSTÉRIEUR /1
– Tomber sur le postérieur **arrière-train, fesses**

POSTÉRIEUR /2
– Œuvrer pour les générations postérieures **futures, ultérieures, suivantes**
– Les membres postérieurs **arrière**

POSTICHE
– Un élément postiche **faux, artificiel, factice**
– Coiffure postiche **perruque, extension, moumoute**

POSTURE
– Il a une drôle de posture **attitude, allure, comportement, maintien**
– Posture du cavalier **assise, assiette**
– Il se trouve dans une mauvaise posture **situation, position**

POT
– Verser de l'eau dans un pot **récipient**
– Pot à eau **cruche, carafe**
– Pot à lait **bidon**
– Pot de chambre **vase de nuit**
– Élément d'un pot d'échappement **tube, tuyau, silencieux**
– Cuiller à pot **louche, pochon**
– Tourner autour du pot **louvoyer, biaiser, tergiverser**
– Découvrir le pot aux roses **secret, mystère**

POTABLE
– Une eau potable **buvable, consommable**
– Un travail potable **acceptable, passable**

POTAGE
voir aussi **soupe**
– Boire un potage **bouillon, brouet, velouté**
– Potage aux légumes **julienne**
– Potage à la purée de carottes **à la Crécy**
– Potage aux crustacés **bisque**
– Potage italien **minestrone**
– Potage d'origine espagnole, assez épicé et consommé glacé **gaspacho**
– Un potage très maigre **aveugle**

POTEAU
– Poteau de bois **pieu**
– Poteau de béton **pilier**
– Assemblage de poteaux autour d'une propriété **clôture, barrière**
– Poteau qui porte les voiles d'un bateau **mât**

– Poteau servant à guider, à signaler **balise**
– Poteau portant la roue des suppliciés **pilori**

POTENCE

– Condamner une personne à la potence **pendaison, gibet, estrapade**
– Élément d'une potence **poteau, corde**
– Un individu digne de la potence **patibulaire**
– Potence du preneur de son **girafe**
– Des éléments disposés en potence **équerre, tau**

POTENTIEL /1

voir aussi **électricité**
– Différence de potentiel électrique **tension**
– Appareil utilisé pour mesurer les différences de potentiel électrique **potentiomètre**
– Unité de potentiel électrique du système international **volt**
– Potentiel économique d'un pays **ressources**
– Augmenter le potentiel militaire **puissance**
– Elle a en elle un grand potentiel **possibilités, capacités, force**
– Mode grammatical exprimant le potentiel **conditionnel**

POTENTIEL /2

– Des facultés potentielles **virtuelles, hypothétiques**

POTERIE

– Nature d'une poterie **mate, vernissée**
– Poterie vernissée **faïence**
– Art de la poterie **céramique**
– Technique de travail en poterie **modelage, moulage, tournage**
– Cuire une poterie au four **biscuiter**
– Instrument utilisé en poterie **tour**
– Mélange de terre et de sable dont on fait les poteries **grès**

POTION

– Il a pris une potion **médicament, remède, purge**
– Potion contenant une émulsion huileuse **looch**
– Potion aromatisée aux essences végétales **julep**

POU

– Famille du pou **pédiculidés**
– Le pou vit en **parasite**
– Il a des poux **totos**
– Œuf du pou **lente**
– Pou se logeant dans les poils du pubis **morpion, phtirius**
– Ôter les poux à un enfant **épouiller**
– Maladie transmise par les poux **rickettsiose, typhus**

– Affection engendré par la présence de poux **pédiculose, phtiriase**
– Pou de mammifère **trichodecte**
– Pou de bois **psoque**
– Herbe aux poux **pédiculaire des marais, staphisaigre**

POUCE

– Pouce du pied **gros orteil**
– Dont les deux mains ont des pouces opposables **bimane**
– Longueur entre le pouce et l'auriculaire **empan**
– Gaine de cuir couvrant le pouce **poucier**
– Ne pas céder un pouce de terrain **parcelle, miette, morceau**
– Valeur du pouce anglo-saxon **0,0254 mètre**

POUDRE

voir aussi **explosif**
– Réduire en poudre **pulvériser, moudre, broyer, léviger, piler, triturer**
– Poudre de diamant **égrisée**
– Poudre insecticide **poudre de pyrèthre**
– Les douaniers ont trouvé de la poudre dans son coffre **héroïne**
– Poudre de riz **fard**
– Boîte à poudre de riz **poudrier**
– Tampon utilisé pour étaler la poudre de riz **houppe, houppette**
– Instrument utilisé pour réduire les épices en poudre **pilon, moulin**
– Une substance devenue poudre **pulvérulente**
– Une neige légère semblable à de la poudre **poudreuse**

POUILLEUX

– Il est tout pouilleux **sale, miteux, déguenillé, misérable, repoussant**
– Le pouilleux aux cartes **valet de pique**

POULAIN

– Entre le poulain et la jument **pouliche**
– Poulain pur sang de moins de 6 mois **foal**
– Poulain pur sang de 1 an **yearling**
– Poulain sur lequel le propriétaire d'une écurie de course fonde ses espoirs **crack**
– C'est son poulain **favori, préféré, chouchou**

POULE

– Ordre auquel appartient la poule **gallinacés**
– Jeune poule **poulette**
– Jeune poule engraissée **poularde**
– Petit de la poule **poussin, poulet**
– Poule chez les enfants **cocotte**
– Race de poule **houdan, leghorn, wyandotte**
– Cri de la poule **gloussement, caquètement**
– Poule d'eau **gallinule**

– Poule des bois **gélinotte commune**

POULET

– Poulet destiné à la consommation **poularde, chapon, coquelet**
– Un poulet nourri au grain **fermier**
– Cage où est placé le poulet soumis à l'engraissement **épinette**
– Morceau de poulet **aile, blanc, cuisse, croupion, abattis, pilon**
– Cri du poulet **piaulement**
– Envoyer un poulet à son ami **billet doux, lettre, message, missive**

POULIE

– Élément d'une poulie **moyeu, jante, bras**
– Roue à gorge d'une poulie **réa**
– Anneau auquel est suspendu une poulie **estrope**
– Structure étayant l'axe d'une poulie **chape**
– Poulie tournant librement autour de son axe **poulie folle**
– Poulie calée sur son axe et tournant avec lui **poulie fixe**
– Poulie coupée **galoche**
– Assemblage de poulies **marionnette, palan**
– Dispositif de levage comportant une poulie **chèvre**
– Agencement de poulies dans une même chape **moufle**
– Soulever une charge à l'aide d'une poulie **guinder**
– Méthode de kinésithérapie recourant à l'emploi des poulies **pouliethérapie**

POULS

– Battement du pouls **pulsation**
– Un pouls dont la pulsation est double **dicrote**
– Un pouls très faible **filant, filiforme**
– Appareil qui est utilisé pour mesurer les battements du pouls **sphygmographe**
– Prendre le pouls d'une situation **mesure**

POUMON *Voir illustration appareil respiratoire, p. 519*

voir aussi **respirer**
– Description du poumon **pneumographie**
– Élément de la structure du poumon **alvéole, lobe, lobule**
– Membrane séreuse enveloppant les poumons **plèvre**
– Sillons limitant les lobes des poumons **scissures**
– Zone du thorax séparant les poumons **médiastin**
– Dilatation anormale des alvéoles du poumon **emphysème**
– Maladie du poumon due à la présence du bacille de Koch **tuberculose**
– Inflammation et infection des lobes du poumon **pneumonie**

POPULATION

MOUVEMENTS NATURELS

Accroissement naturel : solde positif entre le nombre des naissances et celui des décès pour une population donnée.

Fécondité : comportement démographique à l'origine de la reproduction des générations. Le taux de fécondité établit une relation entre le nombre de naissances vivantes annuelles et le nombre de femmes âgées de 15 à 49 ans en milieu de période.

Génération : ensemble des personnes nées la même année.

Indicateur conjoncturel de fécondité : nombre moyen d'enfants par femme en âge de procréer.

Mortalité : constat statistique du nombre de décès annuels pour un pays. Le taux de mortalité établit une relation entre le nombre de décès annuels et la population totale en milieu de période.

Natalité : constat statistique du nombre de naissances annuelles pour un pays. Le taux de natalité établit une relation entre le nombre de naissances vivantes et la population totale en milieu de période.

Population : ensemble des personnes physiques résidant dans un pays, quelle que soit leur nationalité.

Vieillissement de la population : phénomène démographique et social qui se traduit par la croissance de la représentation des personnes âgées de plus de 65 ans dans la population totale.

MOUVEMENTS MIGRATOIRES

Émigration : sortie d'un individu, ou d'un groupe d'individus, du territoire national.

Étrangers : notion juridique qui désigne les personnes n'ayant pas la nationalité française mais qui peuvent résider sur le territoire national.

Immigration : entrée dans un pays de personnes nées à l'étranger.

Migration : déplacement d'individus d'un pays à un autre. Les migrations ont souvent des mobiles professionnels.

Solde migratoire : différence entre le nombre de personnes qui quittent le territoire national (émigration) et le nombre de personnes qui entrent sur le territoire national (immigration).

POPULATION ACTIVE

Actifs ou **population active :** personnes qui exercent une activité professionnelle rémunérée ou qui sont en recherche d'emploi.

Catégories socioprofessionnelles : classement de la population active en grands groupes présentant une relative homogénéité sociale. Il existe huit groupes socioprofessionnels : agriculteurs, artisans, cadres supérieurs, professions intermédiaires, employés, ouvriers, retraités, sans activité.

Chômage : phénomène économique défini par le Bureau international du travail (BIT). Le dénombrement des chômeurs résulte d'enquêtes emploi réalisées périodiquement par les services statistiques nationaux — en France, l'Institut national de la statistique et des études économiques (INSEE). On considère qu'une personne est au chômage si elle n'a pas exercé d'activité rémunérée lors de la semaine de l'enquête, si elle est disponible pour occuper un emploi dans un délai de quinze jours et, enfin, si elle est effectivement à la recherche d'un emploi.

Inactifs : personnes qui ne participent pas directement à l'activité productive nationale (produit intérieur brut), comme les élèves et étudiants, les retraités et les femmes au foyer.

Population active occupée : ensemble des actifs moins les demandeurs d'emploi.

Secteurs d'activité : les activités productives d'une économie nationale sont réparties entre les secteurs primaire (l'agriculture), secondaire (l'industrie) et tertiaire (les services).

Taux d'activité : proportion d'actifs par rapport à la population totale. On peut également mesurer le taux d'activité en relation avec une catégorie spécifique de la population (taux d'activité féminin, taux d'activité par âge, etc.).

FAMILLE

Famille : groupe domestique constitué par un ensemble d'individus que réunissent des liens de parenté ou d'alliance.

Famille monoparentale : groupe domestique constitué d'un des deux parents et d'un ou plusieurs enfants. Les familles monoparentales sont le plus souvent la conséquence du divorce des conjoints.

Famille nucléaire : groupe domestique composé des deux parents et des enfants vivant sous le même toit.

Famille recomposée : groupe domestique composé de deux adultes, mariés ou non, et d'au moins un enfant né d'une union précédente de l'un des conjoints.

Homogamie : contraction d'une alliance matrimoniale entre conjoints présentant les mêmes caractéristiques socioculturelles (professionnelle, religieuse, etc.).

Nuptialité : contraction d'une alliance matrimoniale entre deux conjoints. La nuptialité se différencie de la cohabitation, ou union libre, qui caractérise l'union de deux conjoints en dehors des liens du mariage.

– Maladie du poumon due à l'inhalation de poussières minérales ou végétales **pneumoconiose**
– Ablation d'un poumon **pneumonectomie**
– Examen du poumon par introduction d'un tube dans la trachée **bronchoscopie**
– Échange gazeux se produisant dans les poumons au cours de la respiration **hématose**
– Crier à pleins poumons **époumoner (s')**

POUPÉE

– Elle joue avec sa poupée **baigneur, poupon**
– Poupées russes emboîtées les unes dans les autres **matriochkas**

POURCHASSER

– Ils ont pourchassé le criminel **poursuivi, traqué**

POURPRE /1

– Coquillage dont on extrayait autrefois la pourpre **murex**
– Symbolisme de la pourpre dans l'Antiquité à Rome **dignité consulaire**
– Symbolisme de la pourpre dans l'Église catholique **dignité cardinalice**

POURPRE /2

– Un tissu pourpre **rouge foncé, amarante, cramoisi, grenat**
– De couleur pourpre **pourpré, purpurin**
– Roche volcanique de couleur pourpre **porphyre**

POURRI

– Partie pourrie du bois **malandre**
– C'est un enfant pourri **gâté, capricieux**
– Cette nourriture est pourrie **avariée, faisandée, fétide, décomposée, corrompue, putride, putréfiée**

POURRIR

– Susceptible de pourrir **putrescible, putréfiable**
– Laisser pourrir des aliments **abîmer (s'), avarier (s'), corrompre (se), décomposer (se), faisander, gâter (se), putréfier**
– Voir pourrir une situation **dégrader (se), détériorer (se), dégénérer**
– Pourrir en prison **croupir, moisir**

POURRITURE

– Pourriture d'un cadavre **putréfaction, décomposition**
– Des relents de pourriture **putrides**
– Pourriture de la vigne **rot**

POURSUITE

– Ils se sont lancés à la poursuite du voleur **aux trousses**
– Dressée à la poursuite du gibier **meute**
– Jeu de poursuite **chat**

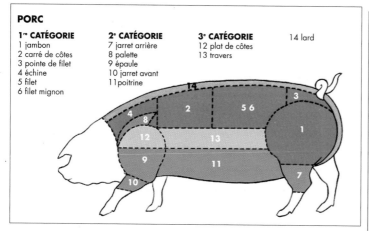

PORC

1re CATÉGORIE	**2e CATÉGORIE**	**3e CATÉGORIE**	14 lard
1 jambon	7 jarret arrière	12 plat de côtes	
2 carré de côtes	8 palette	13 travers	
3 pointe de filet	9 épaule		
4 échine	10 jarret avant		
5 filet	11 poitrine		
6 filet mignon			

– La poursuite du projet est remise en cause **continuation**

– Type de poursuite judiciaire **mise en cause, action, procès, mise en examen**

POURSUIVRE

– Poursuivre un animal **pourchasser, traquer, forcer**

– Poursuivre de très près une personne **serrer, talonner, cerner**

– Poursuivre une personne de ses assiduités **harceler, importuner, presser, persécuter**

– Poursuivre en justice **ester**

– Poursuivre ses recherches **continuer, persévérer dans, persister**

– Poursuivre des traditions **perpétuer, maintenir, prolonger**

– Poursuivre un idéal **rechercher, viser, aspirer à**

– Être poursuivi par le remords **hanté, obsédé, tourmenté, rongé**

POURVOIR

– Pourvoir une personne du nécessaire **munir, nantir**

– Pourvoir aux besoins d'une personne **subvenir à, assurer**

– Pourvoir une personne d'un emploi **fournir, procurer**

– Pourvoir une ville en électricité **équiper, alimenter, approvisionner**

– Pourvoir au manque de moyens **pallier, suppléer à, remédier**

POUSSE

– Pousse printanière des taillis **brout**

– Pousse sortant directement de la graine **germe**

– Pousse produisant des racines adventives **drageon, rejet, surgeon**

– Jeune pousse **plantule**

– Pousse d'arbre **scion**

– Pousse du vin **tourne**

POUSSÉE

– La poussée d'un mur **pression, charge, poids**

– Construction capable de supporter une poussée **butée, digue**

– Construction servant à contenir la poussée d'un mur **culée, arc-boutant**

– Une poussée de fièvre **accès, montée**

– Poussée de boutons sur la peau **éruption**

POUSSER

– Cette plante semble pousser à vue d'œil **grandir, développer (se), croître**

– Faire pousser des céréales **cultiver**

– Pousser malencontreusement une personne **bousculer**

– Pousser un objet **déplacer, écarter, décaler**

– Pousser plus avant une étude **approfondir, poursuivre, prolonger**

– Pousser un élève à travailler **exhorter, inciter, encourager, stimuler**

– Être poussé à commettre un acte **conduit, entraîné, contraint de**

– Pousser un soupir **exhaler**

– Pousser des cris violents **hurler**

POUSSIÈRE

– Ôter la poussière dans une maison **balayer, épousseter, essuyer**

– Petit amas de poussière **mouton, chaton**

– Poussière de bois **sciure**

– Poussière de fleurs **pollen**

– Poussière de charbon **poussier**

– Poussières radioactives **retombées**

– Maladie provoquée par l'inhalation de poussières de différents matériaux **anthracose, asbestose, sidérose**

POUTRE

voir aussi **charpente**

– Poutre de charpente **entrait, arbalétrier, faîte**

– Petite poutre **poutrelle**

– Poutre soutenant la maçonnerie d'une porte **linteau**

– Poutre maîtresse d'un pont métallique **longeron**

– Espace compris entre deux poutres **travée**

– Agencement de poutres **poutrage, poutraison**

– Poutre de gymnastique **agrès**

POUVOIR

– Pouvoir chargé d'élaborer les lois **législatif**

– Pouvoir chargé de faire appliquer les lois **exécutif**

– Pouvoir chargé de rendre la justice **judiciaire**

– Critiquer le pouvoir en place **gouvernement, régime**

– Pouvoir suprême d'un dirigeant **souveraineté**

– Pouvoir incontestable d'un peuple sur un autre **hégémonie, suprématie**

– Il exerce un pouvoir sans partage **domination, tyrannie, oppression, absolutisme**

– Personne qui se voit confier les pleins pouvoirs **fondé de pouvoir, plénipotentiaire, mandataire**

– Convoiter le pouvoir **autorité, commandement**

– Donner les pleins pouvoirs **entière liberté, carte blanche, blanc-seing**

– Outrepasser ses pouvoirs **attributions, mission, charge, mandat**

– Je n'ai pas le pouvoir de faire cela **faculté, moyen, possibilité, capacité**

– Pouvoir d'exercer un office **droit**

– Exercer un pouvoir évident sur une personne **influence, emprise, ascendant**

– Mettre en lumière les pouvoirs d'un corps **propriétés, vertus, qualités**

– Admirer le pouvoir d'évocation d'un conteur **puissance**

PRAIRIE

voir aussi **bétail**

– Les vaches sont dans la prairie **pré, pacage, pâturage**

– Prairie fertile que l'on réserve à l'engraissement du bétail **embouche, herbage**

– Une prairie cultivée **artificielle**

– Une prairie cultivée une partie de l'année **temporaire**

– Une prairie n'ayant jamais été cultivée **naturelle, permanente**

– Terre lourde cultivée en prairie **noue**

– Herbe séchée des prairies **foin**

PRATIQUE /1

– Avoir une longue pratique du sport **expérience, habitude, entraînement**

– Il préfère la pratique à la théorie **action, réalisation**

– Une connaissance acquise par la pratique **empirique, expérimentale**
– Mise en pratique **en application, en œuvre, en exercice, à exécution**
– Des pratiques étonnantes **agissements, conduite, comportement, coutumes, façons, procédés, méthodes, traditions**
– Accomplir des pratiques religieuses **rituels**

PRATIQUE /2
– Un être doué d'un sens pratique très aigu **réaliste, pragmatique**
– Un objet très pratique **commode, maniable, utile, fonctionnel**

PRATIQUER
– Pratiquer une méthode **adopter, appliquer, suivre, employer**
– Pratiquer un métier **exercer**
– Pratiquer une langue **connaître, parler, maîtriser**

PRÉ
voir aussi **prairie**
– Prés entourés de haies en Normandie **bocage**
– Séné des prés **gratiole**
– Safran des prés **colchique**
– Cumin des prés **carvi**

PRÉALABLE /1
– Il n'a posé aucun préalable **condition**
– Au préalable **avant, auparavant, en premier lieu, d'abord, premièrement**

PRÉALABLE /2
– Des accords préalables **préliminaires, préparatoires**
– Avertissement préalable **préavis**

PRÉCAUTION
– C'est une précaution utile **disposition**
– Agir avec précaution **adresse, circonspection, prudence**
– Manipuler avec précaution **attention, délicatesse, soin**
– Parler avec précaution **diplomatie, mesure, ménagement, tact**
– Prendre des précautions **prémunir contre (se), garantir de (se)**
– Précaution oratoire **circonlocution, euphémisme**
– Précaution devant la maladie **prévention, prophylaxie**
– Manque de précautions **négligence, inconscience, imprudence**

PRÉCÉDENT /1
– Cela crée un précédent **exemple, référence, analogie**
– Précédent en matière de justice **jurisprudence**
– Un résultat sans précédent **exceptionnel, unique, inouï**

PRÉCÉDENT /2
– La semaine précédente **dernière, passée**
– Un état précédent **antérieur**
– Le jour précédent **veille**
– Sa précédente femme **ex-femme**

PRÉCÉDER
– Celui qui l'a précédé **prédécesseur, précurseur**
– Les générations qui nous précèdent **ancêtres, aïeuls, aïeux**
– Précéder quelqu'un dans une rangée **devancer, dépasser, distancier**
– Cet événement en précède d'autres **annonce, anticipe, prépare, prévient**

PRÊCHE
– Allez entendre le prêche de cet homme **prédication, sermon, homélie, discours**

PRÊCHER
– Celui qui prêche **prédicateur**
– Prêcher l'Évangile **évangéliser, catéchiser**
– Prêcher une doctrine **annoncer, enseigner**

– Prêcher la révolte **louer, prôner, préconiser, exhorter à, recommander**
– Ils furent les premiers à prêcher la bonne parole **apôtres**

PRÉCIEUX
– Un objet précieux **rare, luxueux, de prix**
– Un instrument précieux **appréciable, irremplaçable**
– Une matière précieuse **fine, raffinée, délicate**
– Un conseil précieux **profitable, salutaire**
– Une découverte précieuse **utile, avantageuse, importante**
– Un style précieux **affecté, ampoulé, alambiqué, maniéré, recherché, apprêté**
– Cette amitié m'est précieuse **chère, capitale, inestimable**

PRÉCIPICE
syn. **abîme, crevasse, gouffre**
– Route longeant un précipice **corniche**
– Être financièrement au bord du précipice **ruine, faillite, catastrophe, anéantissement, désastre, déconfiture**

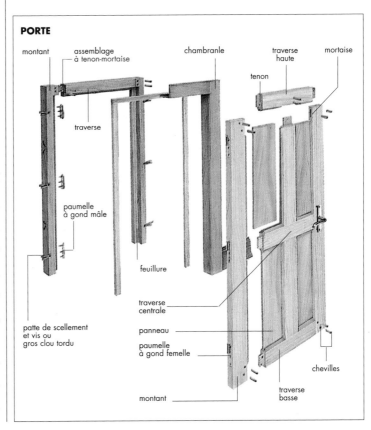

PORTE

montant — assemblage à tenon-mortaise — chambranle — traverse haute — mortaise — tenon — traverse — paumelle à gond mâle — feuillure — traverse centrale — patte de scellement et vis ou gros clou tordu — panneau — paumelle à gond femelle — chevilles — montant — traverse basse

PRÉCIPITATION

syn. **affolement, brusquerie**
– Précipitation dans les mouvements **agitation, accélération, bousculade**
– Parler avec précipitation **excès, frénésie, impatience, impétuosité, vivacité, volubilité**
– Détaler avec précipitation **empressement, hâte, vitesse**
– Mort par précipitation **défenestration**
– Enregistrer les précipitations météorologiques **brouillard, grêle, grésil, neige, pluie**
– Qui reçoit beaucoup de précipitations **arrosé**
– Phénomène de précipitation en chimie **agglutinement, floculation**

PRÉCIPITER

– Précipiter une personne dans le vide **pousser**
– Précipiter une décision **accélérer**
– Précipiter un départ **avancer, brusquer, activer, hâter**

PRÉCIPITER (SE)

– Se précipiter sur un adversaire **assaillir, foncer sur, ruer sur (se)**
– Se précipiter au-devant d'un ami **courir, accourir**
– Le vautour va se précipiter sur sa proie **fondre sur**
– Se précipiter dans un passage **engouffrer (s')**
– Se précipiter du haut d'une falaise **jeter (se)**

PRÉCIS

– Un endroit précis **circonscrit, délimité, défini**
– Un récit précis **circonstancié, détaillé, rigoureux, scrupuleux, méticuleux**
– Une idée précise **claire, distincte, arrêtée, particulière**
– Un style précis **concis**
– Un ordre précis **catégorique, exprès, explicite, formel, net**
– Un geste précis **sûr, ferme, assuré**
– Au moment précis **juste, exact**

PRÉCOCE

– Fruit précoce **hâtiveau, hâtif**
– Légumes précoces **primeurs**
– Sa décision était un peu précoce **prématurée, anticipée**
– Un enfant précoce **avancé, prodige, doué, surdoué**
– Sénilité précoce **gérontisme**

PRÉCURSEUR

– Les signes précurseurs d'un événement **avant-coureurs, annonciateurs**

PRÉDICTION

– Sa prédiction s'est avérée juste **vaticination, annonce, oracle, prévision**

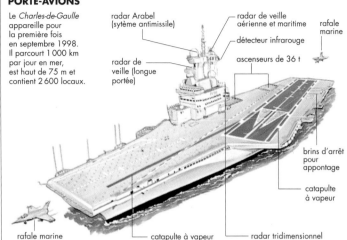

PORTE-AVIONS

Le *Charles-de-Gaulle* appareille pour la première fois en septembre 1998. Il parcourt 1 000 km par jour en mer, est haut de 75 m et contient 2 600 locaux.

radar Arabel (sytème antimissile)
radar de veille aérienne et maritime
rafale marine
détecteur infrarouge
radar de veille (longue portée)
ascenseurs de 36 t
brins d'arrêt pour appontage
catapulte à vapeur
rafale marine
catapulte à vapeur
radar tridimensionnel

– Prédiction faite à partir d'une révélation **prophétie**
– Prédiction faite à partir d'une étude de signes **divination**
– Prédiction raisonnée fondée sur des données tangibles **pronostic**
– Signe sur lequel se fondent les prédictions **présage, augure**
– Prédiction de l'avenir suivant les signes du zodiaque **horoscope**
– Dans la mythologie grecque, qui fait des prédictions **pythie**

PRÉDILECTION

– Une prédilection pour une activité **penchant, préférence, goût, inclination**
– Une prédilection pour une personne **faible**
– Qui est l'objet de prédilection d'une personne **favori, préféré**

PRÉDIRE

– Prédire l'avenir **prophétiser, vaticiner, augurer, conjecturer, présager**
– La météo prédit du beau temps pour la semaine **annonce, prévoit, promet**
– Prédire les résultats d'une compétition **pronostiquer, parier**

PRÉDISPOSITION

– Témoigner de prédispositions certaines pour la peinture **aptitudes, dons, talent, vocation**
– Une fâcheuse prédisposition à abuser de l'alcool **tendance, penchant, propension**
– Prédisposition à éprouver certaines affections pathologiques **diathèse**

PRÉFACE

– J'ai lu la préface **préambule, avant-**

propos, avertissement, prologue, prolégomènes
– Auteur d'une préface **préfacier**

PRÉFECTURE *Voir tableau organisation de la police nationale, p. 476*

voir aussi **administration**
– Fonctionnaire supérieur d'une préfecture **préfet**
– Territoire administré par la préfecture **département**
– Ville où siège la préfecture **chef-lieu**
– Pièce délivrée par la préfecture **carte d'identité, carte grise, certificat de non-gage, permis de conduire, passeport**
– Préfecture maritime **port de guerre**

PRÉFÉRENCE

– C'est sa préférence **choix**
– Manifester une préférence évidente pour quelque chose **attachement, prédilection**
– Accorder ses préférences **faveurs, privilèges**
– Préférence reconnue pour un acheteur **droit de préemption**
– De préférence **plutôt**

PRÉFÉRER

– Tu préfères l'aile ou la cuisse ? **choisis, optes pour**
– Préférer une chose plutôt qu'une autre **avantager, favoriser, privilégier**
– Celui que l'on préfère **favori, chouchou, crack**

PRÉFET

– Charge de préfet **préfecture**
– Arrêté du préfet de police de Paris **ordonnance**

– Préfet de Constantinople **éparque**

PRÉHISTOIRE
voir aussi **histoire, temps**
– Âge de la préhistoire **pierre, bronze, fer**
– Période de la préhistoire **épipaléolithique, mésolithique, néolithique, paléolithique**
– Période concluant la préhistoire **protohistoire**
– Spécialiste de la préhistoire **préhistorien**
– Étudie la préhistoire **géologue, anthropologue, paléontologue**

PRÉHISTORIQUE
– Homme préhistorique **australopithèque, néandertalien, homme de Cro-Magnon**
– Habitation préhistorique **abri-sous-roche, caverne, grotte**
– Des temps préhistoriques **reculés, lointains**

PRÉJUDICE
– Constitue un préjudice **tort, dommage**
– Imitation d'une œuvre faite au préjudice de son auteur **contrefaçon, plagiat**
– Complicité secrète au préjudice de quelqu'un **collusion, conspiration**
– Au préjudice de **détriment**

PRÉJUGÉ
– C'est un préjugé contre lequel il faut lutter **parti pris, prévention, a priori**
– Affranchi de tout préjugé **ouvert, large d'esprit**
– Indépendant des préjugés **objectif, impartial**

PRÉLÈVEMENT
voir aussi **impôt**
– Prélèvement d'un liquide organique **ponction, prise de sang**
– Prélèvement pratiqué sur un tissu ou un organe **biopsie**
– Prélèvement gynécologique **frottis**
– Prélèvement de graisse sous la peau **liposuccion**
– Prélèvement sur un salaire **retenue, charges**
– Prélèvement effectué sur le compte d'un particulier redevable d'une dette **saisie**
– Prélèvement sur un héritage **prélibation d'hérédité**

PRÉLIMINAIRE
– Test préliminaire **préalable, préparatoire**
– Texte préliminaire **introduction, préface, prologue, préambule**

PRÉLUDE
syn. **commencement, début**
– Prélude dans un opéra **ouverture**

– Prélude d'un événement **annonce, préliminaire**
– Prélude amoureux chez les animaux **parade**

PRÉMÉDITER
syn. **prévoir, projeter**
– Préméditer un coup **calculer, combiner, manigancer, mijoter, tramer**

PREMIER
voir aussi **commencement, primitif**
– En premier **primo, premièrement**
– Le premier dans une compétition **vainqueur**
– Le premier parmi ses pairs **primus inter paris**
– Joue au jeune premier **séducteur**
– Principe premier **axiome**
– Est premier de sa promotion **major**
– Est reçu premier à un concours **cacique**
– Première partie **début, commencement**
– Première lettre **initiale**
– Premier enfant d'une famille **aîné**
– Premier ministre **chef du gouvernement**
– Écrire un premier jet **ébauche, esquisse, brouillon**
– Première édition **originale, princeps**
– De première importance **fondamental, capital, essentiel, indispensable, primordial, prépondérant**
– Matière première **brute**
– De première jeunesse **prime**
– De première qualité **meilleur, supérieur**
– Lors de notre première rencontre **antérieure, précédente**
– Transmettre les premiers éléments d'un rite **initier**

PRÉMISSE
– Prémisse dans un raisonnement **proposition, axiome, principe**
– Les prémisses d'un syllogisme **majeure, mineure**
– Les prémisses d'un dénouement **antécédent, prodrome**

PRENDRE
– Prendre avec les mains **saisir, attraper**
– Prendre violemment **happer**
– Prendre dans ses bras **embrasser, étreindre**
– Prendre fortement par le corps **agripper, empoigner**
– Prendre au passage un objet destiné à une autre personne **intercepter**
– Prendre frauduleusement des objets **approprier (s'), dérober, emparer de (s'), emporter, enlever, ravir, soustraire, voler**
– Prendre sa voiture **utiliser, conduire**
– Prendre un titre auquel on n'a pas droit **usurper**

– Prendre des aliments **absorber, avaler, ingérer**
– Prendre une femme de ménage **engager, employer**
– Prendre le nécessaire **équiper de (s'), munir de (se), nantir de (se)**
– Prendre une chambre **louer, réserver**
– Prendre conseil **recourir à**
– Prendre des habitudes **contracter**
– Prendre son temps **paresser, flâner**
– Prendre un passage **emprunter**
– Laisser prendre la béchamel **épaissir**
– Elle prend la situation avec optimisme **considère, envisage**
– S'en prendre à une personne **attaquer, accuser, incriminer**
– Son travail le prend totalement **occupe, accapare, monopolise**
– Je ne sais comment m'y prendre **agir, procéder, intervenir**

PRÉOCCUPER
– La tension mondiale le préoccupe fortement **tracasse, tourmente, travaille, ennuie**
– Seul son travail le préoccupe **absorbe, obsède**
– Ne pas se préoccuper d'un événement **inquiéter de (s'), soucier de (se)**

PRÉPARATION
– Préparation d'un remède **élaboration, fabrication, composition**
– Préparation culinaire **mets, recette, plat**
– Préparation d'une œuvre **gestation, conception**
– Préparation d'un voyage **organisation**
– Préparation militaire **apprentissage, entraînement, formation, instruction**
– Préparation à la prêtrise **séminaire**
– Préparation de la voix avant de chanter **échauffement, vocalise**
– Préparation d'un tissu **apprêt**

PRÉPARATOIRE
– Travail préparatoire **prospection, projet, étude**
– Dressage préparatoire d'un jeune cheval **débourrage**
– Classes préparatoires littéraires et scientifiques **hypokhâgne, khâgne, mathématiques supérieures, mathématiques spéciales, corniche**
– Après le cours préparatoire **cours élémentaire**

PRÉPARER
– Préparer un espace **arranger, agencer, décorer, aménager**
– Préparer un plat **concocter, cuisiner**
– Préparer une conclusion **amener, ménager**
– Préparer un complot **machiner, tramer, fomenter, ourdir, mûrir, élaborer, concevoir, organiser**

– Préparer un crime **préméditer**
– Préparer sa retraite **anticiper**
– Préparer une table **dresser, mettre**
– Cet événement prépare une catastrophe **annonce, présage**
– Se préparer à mourir **disposer à (se), apprêter (s')**

PRÉPONDÉRANCE

syn. précellence, prééminence, primauté, supériorité
– La prépondérance de la télévision **prédominance**
– Prépondérance d'une puissance **hégémonie, domination**

PRÉPOSITION

– Groupe de mots ayant la valeur d'une préposition **locution prépositive**

PRÉPUCE

– Excision du prépuce pratiquée dans les religions juive et musulmane **circoncision**
– Étroitesse du prépuce **phimosis**
– Inflammation du prépuce **posthite**

PRÉROGATIVE

– La raison est une prérogative tout humaine **faculté, apanage, attribut**
– Prérogative due à un rang **préséance**
– Prérogative due à un titre **avantage, faveur, privilège, honneur, immunité**
– Ensemble de personnes jouissant de prérogatives particulières **nomenklatura**

PRÈS

– Près du port **aux abords, à proximité de, voisin de**
– La mer est tout près d'ici **proche, à deux pas**
– Être tondu de près **à ras**
– Il a gagné près de mille euros **presque, quasiment**
– À peu près deux mille personnes sont venues **environ**
– Elle est près d'avoir fini **sur le point de**
– Le dénouement est près d'advenir **imminent**
– Surveiller de près **attentivement**

PRÉSAGE

syn. annonce, augure, signe
voir aussi divination
– Voir là un présage inquiétant **hypothèse, présomption, conjecture, prévision, supputation**
– Interprétait les présages dans l'Antiquité romaine **haruspice**

PRESCRIRE

– Prescrire expressément **ordonner, imposer, commander, enjoindre**
– Prescrire au moyen d'une loi **fixer, arrêter, légiférer, édicter**

– L'honneur lui prescrit la démission **réclame, exige**
– Prescrire une méthode **conseiller, préconiser, prôner**
– Prescrire une dette **libérer de**

PRESCRIRE (SE)

– Se prescrire, en termes juridiques **cesser, périmer (se)**

PRÉSENCE

– Présence régulière et appliquée en un lieu **assiduité**
– Présence en plusieurs lieux à la fois **ubiquité**
– Présence en tout lieu **omniprésence**
– Présence brève **apparition**
– Croire en la présence du Christ dans l'eucharistie **existence, consubstantiation, transsubstantiation**
– Présence physique imposante **prestance**
– Cette artiste a une présence très forte **personnalité, tempérament**
– Présence d'esprit **vivacité, promptitude, à-propos**

PRÉSENTATEUR

voir aussi **télévision**
– Présentateur des informations télévisées **journaliste**
– Présentateur des programmes télévisés **speaker, annonceur**
– Présentateur d'une émission **animateur**
– Présentateur de marchandises destinées à la vente **démonstrateur**

PRÉSENTER

– Présenter un projet **exposer, développer, montrer**
– Présenter les conclusions d'une enquête **dévoiler, divulguer, révéler**
– Présenter des excuses **formuler, exprimer**
– Présenter un candidat **proposer**
– Présenter un ami à ses proches **introduire, faire connaître**
– Une solution qui présente des avantages **comporte, offre**
– Se présenter à un procès **comparaître**
– Si l'occasion se présente **arrive, produit (se), survient**

PRÉSERVER

– Nous devons préserver la nature **protéger, sauvegarder, sauver**
– Un droit que les salariés veulent préserver **défendre, garder, maintenir**
– Objet censé préserver du malheur **amulette, gri-gri, porte-bonheur, phylactère**

PRÉSIDENT

– Président dans l'Antiquité grecque **phylarque**
– Président d'une académie **recteur**

– Nommer un président-directeur général **PDG**
– Président d'un tribunal **magistrat**
– Président de la République **chef d'État**
– Résidence du président en France, aux États-Unis **Élysée, Maison-Blanche**
– Tribune réservée au président de l'Assemblée nationale **perchoir**

PRÉSIDER

– Présider les débats **diriger, régler, mener, animer**
– Présider au bon déroulement d'un rituel **veiller à, orchestrer**

PRÉSOMPTION

– C'est une simple présomption **supposition, conjecture, hypothèse, opinion**
– De fortes présomptions pèsent sur cet individu **soupçons, charges**
– Sert à la constitution de la preuve par présomption **indice**
– Faire preuve d'une insupportable présomption **prétention, vanité, fatuité, outrecuidance**

PRESSANT

– Un besoin pressant **urgent, pressé**
– Une sollicitation pressante **insistante, appuyée**

PRESSE

– Presse écrite, parlée et télévisée **médias**
– Photographes de la presse à scandale **paparazzi**
– Avoir bonne presse **réputation**
– Type de presse en imprimerie **mécanique, rotative**

PRESSENTIMENT

syn. appréhension
– J'ai le pressentiment qu'il va revenir **sensation, intuition, prémonition**

PRESSENTIR

– Rien ne laissait pressentir un tel dénouement **prévoir, soupçonner, subodorer**
– Il a pressenti le piège **flairé, deviné, entrevu, redouté**
– Faire pressentir une menace **alarmer, alerter, inquiéter**
– Ce qui permet de pressentir **intuition, instinct, flair**
– Que l'on n'avait pas pressenti **insoupçonné**

PRESSER

– Presser des objets de manière à les aplatir **comprimer, laminer**
– Presser le raisin **fouler**
– Presser des aliments pour en obtenir un liquide **pressurer, centrifuger**
– Presser un bouton **enfoncer, appuyer sur**
– Presser le pas **hâter, précipiter, activer, accélérer**

– Il n'a pas supporté d'être pressé de questions **harcelé, assailli**
– Presser le bouton de la souris **cliquer**
– La foule se presse autour du mausolée **agglutine (s'), bouscule (se), entasse (s'), rassemble (se)**

PRESSION

– Pression artérielle **tension**
– Maintenir une structure sous une pression atmosphérique normale **pressuriser**
– Pression qui s'exerce sur une digue **force, poussée**
– Groupe de pression économique **lobby**
– Exercer une pression sur un individu **violence, contrainte, chantage**
– Céder à la pression d'une personnalité politique **poids, influence**

PRESTATION

– Une merveilleuse prestation **spectacle, représentation**
– Prestation sociale **allocation, aide, indemnité, subvention**
– Prestation de service **sous-traitance**

PRESTIDIGITATION

– Un spectacle de prestidigitation **escamotage, illusionnisme, passe-passe, magie**
– Expérience de prestidigitation **tour**
– Les secrets de la prestidigitation **trucs**

PRESTIGIEUX

– C'est un nom prestigieux **célèbre, connu, illustre, réputé**
– Les prestigieuses richesses de la région **prodigieuses, magnifiques, remarquables**

PRÉSUMER

– C'est ce que j'avais présumé **pensé, supposé, conjecturé, imaginé**
– Il est présumé innocent **censé être**

PRÊT

syn. **avance**
– Prêt à intérêt **crédit, emprunt**
– Ce que l'on rembourse dans un prêt **intérêt, principal, capital**
– Prêt à usage **commodat**
– Prêt consenti à une personne qui s'engage sur l'honneur à le rembourser **prêt d'honneur**
– Personne accordant des prêts à usure **usurier**
– Lieu où sont consentis des prêts sur gages **mont-de-piété**

PRÉTENDRE

– Il prétend qu'il nous a vus **soutient, affirme, allègue**
– Il prétend décider de tout **veut, exige de**
– Prétendre à un poste **souhaiter, aspirer à, désirer**

– Prétendre à un droit **demander, réclamer, revendiquer**

PRÉTENTIEUX

– Un homme prétentieux **vaniteux, présomptueux, crâneur, arrogant, fat, hautain, imbu de lui-même**
– Un ton prétentieux **affecté, maniéré, suffisant**
– Un style prétentieux **alambiqué, ampoulé, enflé, pédant, ronflant, grandiloquent**

PRÉTENTION

– Signifier ses prétentions en matière d'emploi **conditions**
– Afficher des prétentions excessives **exigences, revendications, desiderata**
– Je n'ai pas la prétention de vous convaincre **intention, dessein**
– Cette personne est d'une prétention incroyable **vanité, fatuité, présomption, arrogance**
– Sans prétention **simple, humble, honnête**

PRÊTER

– Prête-moi ton crayon **confie, donne**

– Prêter de l'argent **avancer**
– Prêter secours **porter, accorder**
– Prêter des propos à une personne **attribuer, imputer**
– Prêter à confusion **être sujet à, être propice à**
– Prêter serment **jurer**
– Prêter l'oreille **tendre, dresser, écouter**

PRÉTEXTE

– Il a un bon prétexte pour ne pas venir **motif, raison, excuse, allégation**
– Sous aucun prétexte **en aucun cas**
– Cet événement fut prétexte à une interminable querelle **point de départ**

PRÊTRE

voir aussi **clergé**
– Il est prêtre **ministre du culte, vicaire, ecclésiastique, abbé, archiprêtre, aumônier, chanoine, chapelain, coadjuteur, curé, doyen**
– Prêtre chargé de la responsabilité d'une paroisse **curé**
– Un prêtre appartenant à un ordre religieux **régulier**
– Un prêtre vivant dans le monde **séculier**

PRIÈRES ET OFFICES DE L'ÉGLISE CATHOLIQUE ROMAINE

Absoute : prières dites à la fin des cérémonies funèbres.

Agnus Dei : prière de la messe dite au moment où les saintes espèces sont mélangées et commençant par ces mots (« Agneau de Dieu... »).

Angelus : prière de dévotion à la Vierge Marie dite le matin, le midi et le soir.

Ave Maria : prière adressée à la Vierge Marie.

Bénédicité : prière dite avant le repas.

Chapelet : prières récitées en égrenant son chapelet.

Complies : dernière des sept heures canoniales.

Confiteor : prière par laquelle on se repent de ses péchés.

Credo : symbole des apôtres, contenant les articles fondamentaux de la foi catholique.

De profundis : prière pour les morts.

Doxologie : prière de louange à Dieu (« Gloria Patri... »).

Gloria : prière de la messe récitée ou chantée en louange à Dieu.

Grâces : prière de remerciement dite après le repas.

Heures canoniales : offices (et heures) où l'on récite les différentes parties du bréviaire (matines, prime, tierce, sexte, none, vêpres, complies) ; ces parties elles-mêmes.

Kyrie eleison : invocation débutant les litanies (« Seigneur, aie pitié »)

Laudes : psaumes à la louange de Dieu chantés après matines.

Litanies : prières de la messe composées d'une suite d'invocations récitées par les fidèles.

Matines : première des sept heures canoniales.

Miserere : l'un des sept psaumes de la pénitence.

Neuvaine : séries d'exercices et de prières que l'on fait pendant neuf jours consécutifs.

None : cinquième des sept heures canoniales.

Offertoire : prières de la messe dites au moment de la bénédiction du pain et du vin.

Oraison : courte prière récitée par le célébrant au nom de tous lors d'un office.

Ordinaire de la messe : prières de la messe dont le texte ne varie pas.

Pater : prière qui commence par les mots latins *Pater Noster*, Notre Père.

Prime : deuxième des sept heures canoniales.

Salve Regina : prière dite en l'honneur de la Vierge.

Sanctus : prière de la messe chantée en louange à Dieu.

Sexte : quatrième des sept heures canoniales.

Te Deum : hymne de louange qui se dit à la fin de l'office de nuit.

Tierce : troisième des sept heures canoniales.

Vêpres : sixième des sept heures canoniales.

PRIX CINÉMATOGRAPHIQUES *(voir aussi tableau cinéma, p. 138)*

Academy Awards. *Voir Oscars.*

Césars.
Les césars récompensent chaque année les professionnels du cinéma français : acteurs, réalisateurs, scénaristes, techniciens, etc. Créés en 1976 par Georges Cravenne, à l'imitation des oscars, les césars sont ainsi nommés en hommage à Raimu, qui joua le rôle de César écrit par Pagnol, mais également à César Baldaccini, qui réalisa les statuettes du prix.

Golden Globes.
Créés en 1943, ils sont remis chaque année par l'association de la presse étrangère d'Hollywood, The Hollywood Foreign Press Association. Ils récompensent les professionnels du cinéma et de la télévision américains.

Grand Prix ISC (Institut supérieur de commerce) de la jeunesse.
Créé en 1984 par une association étudiante, ce prix récompense le film français que les 15-25 ans jugent être le meilleur.

Lion d'or.
Voir Prix du festival du film de Venise.

Oscars.
Fondée aux États-Unis en 1927 par Louis Mayer, l'Académie des arts et des sciences du cinéma remet chaque année à des professionnels du cinéma américain : acteurs,

réalisateurs, techniciens, etc., un trophée en forme de statuette, nommé oscar.

Ours d'or.
Voir Prix du festival international du film de Berlin.

Palme d'or.
Voir Prix du festival de Cannes.

Prix du cinéma européen.
Organisé par l'Académie européenne du film, fondée en 1991. Récompense les professionnels du cinéma européen : prix du meilleur film, prix du meilleur acteur, etc., en leur attribuant des trophées appelés félix.

Prix du festival américain de Deauville.
Fondé en 1975, devait à l'origine promouvoir le cinéma américain en Europe. Depuis 1995, récompense des films américains indépendants. Depuis 1997, le prix Michel-d'Ornano y est aussi décerné à un jeune réalisateur français.

Prix du festival d'Annecy.
Voir Prix du festival international du film d'animation.

Prix du festival d'Avoriaz.
Voir Prix du festival international du film fantastique.

Prix du festival de Cannes.
Fondé en 1939 pour concurrencer le Prix du festival du film de Venise.

Il fallut attendre l'après-guerre (1946) pour qu'ait lieu le premier festival à Cannes, en mai. Ses nombreux prix, dont le plus célèbre est la palme d'or du meilleur film, couronnent les professionnels du cinéma : prix d'interprétation féminine et masculine, prix de la mise en scène, grand prix du jury, prix du meilleur scénario, etc.

Prix du festival de Gérardmer.
Voir Prix du festival international du film fantastique.

Prix du festival du film de Venise.
Créé en 1932, le célèbre festival du film de Venise, aussi appelé la Mostra de Venise, décerne de nombreux prix aux professionnels du cinéma international : prix de la meilleure mise en scène, prix du meilleur acteur, etc. Le prix suprême est le lion d'or, qui couronne le meilleur film.

Prix du festival du film policier de Cognac.
Fondé en 1982, il décerne un grand prix, un prix spécial du jury et un prix de la critique.

Prix du festival international du film d'animation.
Ce prix, créé à Cannes en 1956, est attribué depuis 1960 à Annecy fin mai-début juin.

Prix du festival international du film de Berlin.

Fondé en 1951. Récompense les professionnels du cinéma international. Son trophée, l'ours d'or, est attribué au meilleur film.

Prix du festival international du film fantastique.
Remis de 1973 à 1993, lors du festival d'Avoriaz, les prix du festival international du film fantastique : grand prix du jury, prix du jury, etc., sont maintenant attribués lors d'un festival annuel qui se déroule à Gérardmer.

Prix Louis-Delluc.
Créé en 1937 par Maurice Bessy et Marcel Idzkowski, le prix annuel Louis-Delluc, ainsi nommé en hommage au premier journaliste français spécialisé dans le cinéma, récompense le meilleur film français de l'année.

Prix Michel-Simon.
Le Prix annuel Michel-Simon est remis à un jeune comédien et à une jeune comédienne révélés dans un film sorti dans l'année.

Prix René-Clair.
Ce prix annuel, créé en 1994 par l'Académie française, récompense l'auteur d'un film. Les critères de sélection sont principalement la qualité de l'écriture des dialogues et celle du scénario.

Prix Michel-d'Ornano.
Voir Prix du festival américain de Deauville.

– Prêtre qui a choisi de partager la vie des ouvriers **prêtre-ouvrier**
– Prêtre de l'Église orthodoxe **pope**
– Consécration d'un prêtre **ordination**
– Lieu de formation des prêtres **séminaire**
– Condition nécessaire pour être prêtre catholique **célibat**

PREUVE
– Elle devait fournir la preuve de son inscription **justificatif, attestation, certificat**
– C'est une belle preuve d'amitié **marque, signe, témoignage**
– Faire, par le feu ou l'eau, la preuve de son innocence **ordalie**
– Apporter la preuve de la culpabilité d'un prévenu **démontrer**
– Faire preuve d'indulgence **montrer, manifester**

PRÉVENANT
– Elle est toujours prévenante à son égard **attentionnée, aimable, serviable, obligeante, complaisante**

PRÉVENIR
– Prévenir une personne d'une décision **aviser, avertir, informer**
– Prévenir une personne d'un danger **mettre en garde, alerter, alarmer**
– Prévenir une maladie **prémunir contre**

PRÉVENTION
– Prévention des maladies **prophylaxie**
– Établissement de prévention médicale **dispensaire**
– Prévention routière **sécurité routière**

PRÉVISION
– Prévision de l'avenir **augure, présage, prophétie**
– Se livrer à des prévisions sur l'issue d'une course **pari, hypothèse, pronostic, supposition**
– Prévision s'appuyant sur des apparences **conjecture**
– Science de l'évolution du monde dégageant des éléments de prévision **futurologie, prospective**
– Elle établit des prévisions atmosphériques **météorologie**

PRÉVOIR
– On aurait pu le prévoir **anticiper, pressentir, attendre à (s')**
– Il faut prévoir tous les cas de figure **envisager, imaginer, concevoir, penser à**
– Nostradamus a prévu la fin du monde **prédit, prophétisé**

PRÉVOYANT
– C'est un homme prévoyant **prudent, vigilant, sage, circonspect**

PRIER
– Prier un saint **invoquer, adorer**
– Prier avec insistance **supplier, implorer, solliciter, conjurer**
– Je vous prie d'obéir sans délai **enjoins, ordonne**
– Je vous prie d'assister à la cérémonie **invite à, convie à**

PRIÈRE *Voir tableaux p. 331 et 489*
– Prière muette **prière mentale**
– Prière de l'Église lors de ses offices **liturgique**

– Prière instante adressée à Dieu **adjuration, déprécation, obsécration, supplication**
– Prière récitée à la première heure du jour, vers 6 heures **prime**
– Prière de confession dans le rituel catholique **mea culpa**
– Prière formulée oralement **prière vocale**
– Prière célébrant la gloire de Dieu **doxologie**
– Prière commémorant l'Incarnation **Angélus**
– Prière précédant la confession dans le rituel catholique **confiteor**
– Prière courte et pleine de ferveur **oraison jaculatoire**
– Prière accompagnée d'invocations répétées **litanie**
– Prière qui sollicite une grâce **supplique**
– Prière chantée **psaume**
– Termine la prière **amen**
– Objet de piété rythmant la prière **chapelet, rosaire**
– Livre de prières **bréviaire, eucologe, missel**
– Représentation iconographique d'une personne en prière **orant**
– Prière de remerciement avant le repas **bénédicité**
– Prière des morts dans le rituel juif **kaddish**
– Objet de prière utilisé par les moines tibétains **moulin à prières**
– Religieux musulman chargé de l'appel à la prière **muezzin**

PRIMAIRE
– Les symptômes primaires **premiers**
– Dégager la structure primaire d'un ensemble **originelle, fondamentale, constitutive**
– Un raisonnement quelque peu primaire **simpliste, grossier, sommaire, caricatural**
– Couleur primaire **bleu, rouge, jaune**
– Couleur primaire en photographie **cyan, magenta**
– École primaire **premier degré, école élémentaire**
– Appartient au secteur primaire **agriculture, pêche**
– Ère primaire, en termes de géologie **paléozoïque**

PRIME
– Une prime est offerte à qui capturera Billy the Kid **récompense**
– Régler la prime d'assurance **forfait, cotisation**
– Majoration de la prime d'assurance **malus**
– Réduction de la prime d'assurance **bonus**
– Elle a touché une prime **indemnité, gratification**
– Recevoir un objet en prime **cadeau**

PRIMITIF
– Un état primitif **premier, initial, originel**
– Retrouver les formes primitives d'une écriture **archaïques**
– Notez l'agencement très primitif du lieu **simple, rudimentaire, sommaire, élémentaire**
– Position primitive en logique **principe, axiome**
– Couleur primitive en physique **violet, indigo, bleu, vert, jaune, orangé, rouge**

PRINCE
voir aussi **noblesse**
– Prince à la tête d'une nation **monarque, souverain**
– État dont le dirigeant détient le titre de prince **principauté**
– Dignité de prince **principat**
– Prince héritier présumé de la couronne au temps où la France était un royaume **dauphin**
– Prince époux d'une reine **prince consort**
– Prince hindou **maharaja**
– Prince arabe **chérif, émir**
– Prince puîné en Espagne **infant**
– Les princes de l'Église **cardinaux, évêques**
– Reconnaître en cet auteur le prince des poètes **premier, meilleur**
– Implorer le prince des ténèbres **démon**
– Vêtu comme un prince **superbement, magnifiquement, splendidement**
– Gouverner selon le fait du prince **arbitrairement**
– Se montrer bon prince **accommodant, conciliant, généreux, magnanime**

PRINCIPAL /1
– Acquitter le principal d'une dette **capital**
– Le principal d'un collège **directeur**
– Occuper la fonction de principal dans une étude **premier clerc**

PRINCIPAL /2
– Un élément principal **fondamental, primordial, capital, essentiel, majeur, central**
– Plat principal **de résistance**
– Obtenir le rôle principal dans une distribution **premier rôle**
– Tient le rôle principal dans une affaire **protagoniste, héros**
– Dépend d'une proposition principale **subordonnée**

PRINCIPE
– Principes moraux que se fixe un individu **règles, normes, lois**
– Posséder les principes d'une technique **éléments, rudiments, bases**

– La curiosité est le principe de la réussite **fondement, agent**
– Principe premier **axiome**
– Le principe d'un événement **cause première, source, origine, prémisse, ferment, germe**
– Principe logique **d'identité, de non-contradiction, du tiers-exclu**
– Principe admis comme base de travail **hypothèse, postulat**
– En principe **théoriquement, normalement, logiquement**

PRINTEMPS
– De printemps **vernal, printanier**
– Elle annonce le printemps **hirondelle**
– Étymologiquement, fleur du début du printemps **primevère**
– Regretter son printemps passé **jeunesse**

PRIORITÉ
– Donner la priorité à une question **primauté**
– Carte de priorité **coupe-file**
– Droit de priorité pour le passage des écluses **trématage**
– En priorité **en premier lieu, d'abord**

PRISE
– La prise d'une drogue **absorption, ingestion, injection**
– Médicament à prendre en trois prises **fois**
– Il n'a aucune prise sur son frère **ascendant, emprise, influence**
– Prise d'otages **rapt, kidnapping, enlèvement, capture**
– Prise de vue **photographie**
– Prise de bec **dispute, altercation, querelle**

PRISON
– La prison de la ville **pénitencier**
– Prison recevant les individus condamnés à des peines supérieures à deux ans **maison centrale**
– Prison recevant les individus dont les peines sont inférieures à deux ans **maison d'arrêt**
– Prison souterraine de l'Antiquité romaine **ergastule, latomies**
– Prison d'un couvent **in pace**
– Célèbre prison parisienne **Conciergerie, Bastille**
– Quartier de haute sécurité dans une prison **QHS**
– Subir une peine de prison **détention, réclusion**
– Local du commissariat faisant office de prison **dépôt, violon**
– Punition infligée au sein de la prison **cachot, mitard**
– Lieu d'une prison réservé aux visites **parloir**
– Gardien de prison **surveillant, maton, geôlier**

– Il est en prison **cabane, taule**
– Qui concerne la prison **carcéral, péni-tentiaire**

PRISONNIER
– Il est prisonnier depuis dix ans **détenu**
– Prisonnier en révolte **mutin**
– Prisonnier de guerre **captif, otage**
– Se constituer prisonnier **livrer (se), rendre (se)**
– Prisonnier de ses principes **esclave**

PRIVATION
syn. **défaut, frustration, manque, pénurie**
– Privation volontaire de nourriture **jeûne, abstinence**
– Privation en matière de plaisirs **continence, chasteté, renoncement**
– Ne pas supporter la privation de liberté **perte, absence**
– Être condamné à la privation des droits civiques **retrait, suppression**
– Période de privation demandée par la religion **carême, ramadan, Yom Kippour**

PRIVÉ
– Préserver sa vie privée **intime, personnelle, familiale**
– Confier une entreprise publique au secteur privé **privatiser**
– De source privée **officieuse**
– École privée **libre, confessionnelle**
– Il prend des cours privés **particuliers**
– En privé **seul à seul, en aparté**

PRIVER
– Priver une personne d'un avantage qui lui échoit **frustrer, déposséder**
– Priver d'un bien **appauvrir, démunir, dépouiller, enlever, spolier**
– Priver une personne de sa part d'héritage **déshériter**
– Priver un jeune animal du lait de la mère **sevrer**
– Priver un enfant de dessert **punir**

PRIVILÈGE
– C'est un privilège qu'on lui a accordé **avantage, faveur, prérogative**
– Privilège reconnu aux membres du corps diplomatique **immunité**
– Privilège abusif **passe-droit, subreption**
– Privilège accordé par le pape **indult**
– Jouir du privilège de la jeunesse **bénéfice**

PRIX *Voir tableaux prix littéraires, p. ci-contre, et prix cinématographiques, p. 490*
voir aussi **récompense**
– Prix d'un objet **coût, montant, valeur**
– Prix d'un service **tarif, facture**
– Prix d'une réparation **frais, dépenses**
– Prix de location d'un navire **fret, nolis**

– Prix payé pour l'acheminement des marchandises **factage, port**
– Prix des valeurs boursières **cours, cote**
– Hausse massive des prix **inflation, flambée**
– Baisse des prix **déflation, discount, rabais, réduction, remise, solde**
– Casser les prix **brader, solder**
– Porte le prix **étiquette**
– Tableau officiel indiquant le prix des denrées vendues sur le marché public **mercuriale**
– Discuter le prix d'une marchandise **marchander**
– Prix artistique **prix de Rome**
– Prix littéraire **distinction, récompense**

PROBABILITÉ
– La probabilité qu'un événement se produise **chance, éventualité, possibilité, vraisemblance**
– Étude des probabilités **statistique**
– Opinion qui ne se fonde que sur des probabilités **conjectures, présomptions**

PROBABLE
– C'est probable **admissible, plausible, possible, vraisemblable**

PROBLÈME
voir aussi **mathématiques**
– C'est un problème dont il faudrait débattre **question, sujet, thème, affaire**
– Problème de conscience **dilemme**
– Une situation qui pose problème **difficile, embarrassante, problématique**
– Problème quasi insoluble **énigme, mystère, casse-tête**
– Problème insoluble **quadrature du cercle**

PROCÉDER
– Comment allons-nous procéder ? **faire, agir, opérer**
– Procéder à la réalisation d'un travail **exécuter, effectuer, réaliser, accomplir**

PROCÉDURE
voir aussi **droit**
– Je ne connais pas la procédure **règle, consigne**
– Suivre la procédure normale **méthode, filière**
– Procédure visant à contrôler la gestion d'une entreprise **audit**

PROCÈS *Voir tableau termes de droit, p. 191*
– Faire le procès d'une méthode **attaquer, critiquer, condamner, mettre en cause**
– Faire le procès d'un individu **blâmer, charger, accuser, incriminer**
– Aime les procès **procédurier, chicaneur**
– Intenter un procès **procédure, poursuite**

– Engager un procès à titre de demandeur ou de défendeur **ester**
– Pour un avocat, défendre un accusé lors d'un procès **plaider**
– Qui passe en procès devant une cour d'assises **accusé**
– Qui passe en procès devant le tribunal correctionnel ou de police **prévenu**
– Le procès en linguistique **prédicat**
– Étudier le procès d'un organe **processus, prolongement**

PROCESSION
– Élément d'une procession **cortège, chant**
– Participant à une procession **pèlerin, pénitent, dévot**
– Livre renfermant les prières chantées lors d'une procession **processionnal**
– Suivre une procession **défilé, file**
– Procession du 14 Juillet **retraite aux flambeaux**

PROCESSUS
– Étudier le processus économique **évolution, développement**
– C'est le processus habituel **procédure, technique**

PROCHAIN
– Le prochain arrêt **suivant, ultérieur**

PROCHE
– Elle compte sur ses proches **famille, amis, entourage, parentèle**
– De proche en proche **progressivement, graduellement**
– Dans un avenir proche **imminent**
– Leur maison est toute proche de la mienne **contiguë, attenante, adjacente**
– Les pays proches de la France **voisins, limitrophes**
– Deux situations proches **analogues, similaires, comparables**
– Faire un récit proche de la vérité **approchant**

PROCLAMER
– Proclamer les résultats d'un concours **révéler, divulguer, annoncer, communiquer, publier**
– Proclamer avec certitude et assurance une théorie **affirmer, professer**
– Il n'a cessé de proclamer son innocence **clamer, crier**
– Proclamer l'état de siège **décider, déclarer, décréter**
– Proclamer haut et fort **carillonner**

PROCURER
– Procurer des vivres à une population **donner, attribuer, fournir, approvisionner**
– Cela m'a procuré beaucoup de satisfactions **apporté, offert, occasionné, causé**

PRIX LITTÉRAIRES

Booker Prize.
Depuis 1968, le Booker Prize est l'un des plus grands prix littéraires britanniques.

**Grand prix
de la Francophonie.**
Créé en 1986 par les gouvernements canadien, français, marocain et la principauté de Monaco. Décerné par l'Académie française, il couronne l'œuvre d'un auteur francophone et s'élève à 300 000 F (46 000 €).

Grand prix de littérature de la Société des gens de lettres.
La Société des gens de lettres décerne chaque année de nombreux prix, dont le plus connu est le grand prix de littérature, qui couronne l'ensemble d'une œuvre (50 000 F, 7 622 €).

Grand prix de littérature Paul-Morand.
Ce prix de 300 000 F (46 000 €), est décerné en juin tous les deux ans depuis 1977 par l'Académie française à un auteur dont les ouvrages « se recommandent par leur qualité de pensée et de style et par leur esprit d'indépendance et de liberté ».

Grand prix de poésie de l'Académie française.
Ce prix annuel créé en 1957 et dont la récompense s'élève à 50 000 F (7 622 €) est décerné par l'Académie française à un auteur pour l'ensemble de son œuvre poétique.

Grand prix du roman de l'Académie française.
Créé en 1918, il est l'un des prix littéraires les plus réputés en France et a pour objectif de récompenser chaque année un jeune auteur (100 000 F, 15 240 €).

Prix Cino-del-Duca.
Fondé en 1969, ce prix mondial récompense chaque année

un auteur dont l'œuvre est porteuse d'un message humanitaire (200 000 F, 30 490 €).

Prix Claude-Le-Heurteur.
Créé en 1999, ce prix dont l'objectif est de couronner un roman francophone original tire son nom de celui d'un auteur dont on ne connaît aucun écrit et qui est présenté ainsi dans un registre paroissial : « Le 6 octobre 1625 fut enterré Claude Le Heurteur, enfant trouvé, bon grammairien, poète excellent. »

Prix de Flore.
Créé en 1994, ce prix de 40 000 F (6 100 euros), est remis par un jury de 13 journalistes à un auteur dont le talent est jugé prometteur.

Prix Décembre.
Voir Prix Novembre.

Prix des Deux-Magots.
Créé en 1933, ce prix d'environ 50 000 F (7 622 euros) est décerné chaque année fin janvier dans le célèbre café de Saint-Germain-des-Prés : les Deux Magots.

Prix du Quai-des-Orfèvres.
Fondé en 1946, ce prix est décerné annuellement à un écrivain francophone pour un roman policier inédit. Il est présidé par le directeur de la police judiciaire et son jury est composé d'une vingtaine de lecteurs.

Prix Femina.
Fondé en 1904 par des femmes journalistes à *la Vie heureuse,* ce prix annuel qui récompense la meilleure œuvre française en vers ou en prose est décerné le premier mercredi du mois de novembre. Depuis 1986 est aussi décerné un prix Femina étranger.

Prix Goncourt.
Ce prix, fondé en 1903 sur testament par Edmond Huot de Goncourt (1822-1896) est, malgré

la modicité de sa récompense, 50 F (7,62 €), l'un des plus reconnus en France. Décerné chaque année par les 10 membres de l'Académie des Goncourt début novembre au restaurant Drouant, à Paris, il couronne l'auteur d'un roman.

Prix Goncourt des lycéens.
Créé en 1988 à l'initiative de la FNAC et du ministère de l'Éducation nationale, ce prix annuel est décerné le même jour que le Goncourt à un ouvrage sélectionné par des lycéens.

Prix Inter.
Fondé en 1975, ce prix annuel, qui récompense un roman sélectionné par des auditeurs de France Inter, est remis en mai de chaque année à la Maison de la radio, à Paris.

Prix Interallié.
Fondé en 1930 par une trentaine de journalistes, ce prix non rémunéré couronne de préférence le roman d'un journaliste. Il est attribué en novembre de chaque année au restaurant Lasserre, à Paris.

Prix Jacques-Fouchier.
Ce prix annuel, créé en 1998 et dont la récompense s'élève à 150 000 F (22 870 €), est décerné par l'Académie française à un auteur qui n'appartient pas au milieu littéraire professionnel.

Prix Jeune Écrivain.
Fondé en 1984, ce prix récompense des jeunes talents littéraires qui sont premièrement sélectionnés par des lecteurs bénévoles et finalement jugés par un jury d'écrivains renommés.

Prix Marguerite-Yourcenar.
Ce prix, créé en 1995 et doté d'une récompense de 10 000 dollars, est décerné tous les deux ans à un écrivain

francophone qui réside en permanence aux États-Unis.

Prix Médicis.
Fondé en 1958, ce prix annuel est décerné le même jour que le Femina à un auteur de romans. Depuis 1970, le Médicis récompense aussi un ouvrage étranger et, depuis 1985, un essai.

Prix Nobel de littérature.
Fondé en 1901, ce prix annuel dont la récompense s'élève à 250 000 F (38 000 €) est décerné le 10 décembre par l'Académie de Stockholm à l'auteur de l'ouvrage littéraire « d'inspiration idéaliste le plus remarquable ».

Prix Novembre.
Suite à une scission entre le jury et Philippe Dennery, créateur du prix en 1989, le prix Novembre, d'un montant de 200 000 F (30 490 euros) s'appelle maintenant prix Décembre. Actuellement organisé par Pierre Bergé, il est toujours décerné en novembre dans les salons de l'hôtel Meurice, à Paris.

Prix Pulitzer.
Créés en 1917 aux États-Unis, ces douze prix de 500 dollars chacun, qui portent le nom du journaliste Joseph Pulitzer, récompensent chaque année des agences de presse pour leurs reportages ainsi que six auteurs de genres différents : biographie, poésie, récit, fiction, roman historique et théâtre.

Prix Théophraste-Renaudot.
Fondé en 1925, ce prix annuel non rémunéré, qui porte le nom d'un médecin et journaliste français du XVIIe s., est décerné au restaurant Drouant, à Paris, le même jour que le prix Goncourt et couronne un ouvrage en prose.

PROCURER (SE)
– Il doit se procurer ce livre **acquérir, acheter, obtenir, trouver**

PRODIGUER
– Prodiguer sa fortune **dilapider, dissiper, gaspiller**
– Prodiguer son énergie sans compter **dépenser, déployer**
– Prodiguer des marques appuyées d'affection **câliner, cajoler, choyer, dorloter**
– Prodiguer ses faveurs à une personne **accorder, dispenser**
– Prodiguer des soins **donner**

PRODUCTEUR
– Intermédiaire entre le producteur et le détaillant **grossiste**
– En vente directement chez le producteur **fabricant**
– Producteur agricole **céréalier, betteravier, éleveur, vigneron**

PRODUCTION
– Production d'automobiles **construction, fabrication**
– Production excessive de marchandises **surproduction**
– Recul de la production dans un pays **récession**

– Production évaluée selon des critères donnés **rendement**
– Production d'emplois **création**
– Production cinématographique **film**
– Production littéraire **œuvre, ouvrage, livre**
– Production scénique **spectacle**
– Production de gaz **formation, dégagement**
– Production de sons **émission**

PRODUCTIVITÉ
– La direction cherche à améliorer la productivité **rendement, efficacité**
– Gain de productivité **surplus**

– Système qui prône la productivité **productivisme**

PRODUIRE
– Cette terre produit en abondance **porte, donne**
– Produire en quantité suffisante **créer, fabriquer**
– Produire une œuvre cinématographique **financer**
– Produire une descendance nombreuse **engendrer, procréer**
– La tempête a produit des dégâts considérables **causé, occasionné**
– Cette activité produit de nombreux effets **entraîne, génère, déclenche**
– Son attitude produit chez moi un malaise certain **suscite, provoque**
– Produire une pièce d'identité **montrer, présenter**
– Produire des preuves **exhiber, fournir**

PRODUIRE (SE)
– Un incident fâcheux risquerait de se produire **arriver, survenir**
– Se produire sur les plus grandes scènes **jouer, chanter**

PRODUIT
voir aussi **économie**
– Produit de consommation non comestible **article, marchandise**
– Produit comestible **denrée**
– Voir diminuer le produit de son placement **gain, rapport, revenu**
– Produit de remplacement **ersatz, succédané**

PROFANER
– Profaner la mémoire **avilir, souiller, dégrader**
– Profaner le nom de Dieu **blasphémer**
– Profaner une sépulture **violer**

PROFESSEUR
syn. **enseignant**
– Fonction de professeur **professorat**
– Professeur des écoles **maître, instituteur**
– Professeur particulier **précepteur, répétiteur**
– Professeur d'équitation **instructeur, écuyer, maître de manège**
– Professeur de natation **maître nageur**
– Professeur de ski **moniteur**
– Concours pour devenir professeur **agrégation, CAPES, CAPET**

PROFESSION
– Être momentanément sans profession **activité, travail, emploi**
– La profession de magistrat **charge, fonction**
– Désigne la profession de diplomate **carrière**
– Profession exercée durant un court moment **job**
– Exerce une profession libérale **indépendant, free-lance**
– Donner à une activité le statut de profession **professionnaliser**
– Faire profession de vertu **piquer de (se)**
– Profession de foi **manifeste, déclaration**

PROFESSIONNEL
– Il a fait appel à un tueur professionnel **spécialiste, expert**
– Formation professionnelle **recyclage, reconversion, stage**
– Lycée professionnel **technique**

PROFIL
– Profil d'un objet **aspect, silhouette, galbe**
– Profil d'un terrain **coupe**
– Profil du visage **contour**
– Profil laissant davantage voir l'arrière de la tête **perdu, fuyant**
– De profil **de côté**
– Une vue de profil **profilée**
– Opération consistant à donner à une pièce un certain profil **profilage**
– Présenter un profil bas **modérer, tempérer**
– Le candidat présente le profil que nous recherchons **aptitudes, compétences**

PROFIT
– C'est un profit intéressant **avantage**
– Profit réalisé par une entreprise **gain, bénéfice, plus-value**
– Les études ont été pour lui une source de profits **enrichissement**
– Tirer profit **utiliser, exploiter, tirer parti**

PROFITER
– Profiter d'un avantage **bénéficier, jouir**
– Profite bien de tes vacances **apprécie, savoure**
– Il profite honteusement de la situation **abuse de, exploite**

PROFOND
– Endroit profond **fosse, abîme, gouffre, précipice, crevasse**
– Un puits très profond **abyssal**
– Un profond silence **total, absolu**
– Un profond sommeil **lourd**
– Un mépris profond **complet, fort, vif, immense**
– Une nuit profonde **noire, obscure, épaisse**
– Une foi profonde **ardente, fervente**
– Une joie profonde **extrême, intense**
– Une voix profonde **basse, caverneuse, grave, sépulcrale**
– Un esprit profond **pénétrant, perspicace, réfléchi**
– Réapparition de caractères très profonds au sein d'une famille **atavisme**

PROFONDÉMENT
– Creuser profondément **loin**
– Respirer profondément **à fond**
– Elle l'aime profondément **intensément, durablement, viscéralement, sincèrement**
– C'est profondément injuste **très, foncièrement, particulièrement**
– Votre mot m'a profondément touché **beaucoup, extrêmement**

PROFONDEUR
– Engin utilisé pour descendre dans les grandes profondeurs marines **bathyscaphe**

PROSTITUTION

LIEU DE PROSTITUTION

bordel
boxon
clandé
eros-center
hôtel de passe
lupanar
maison close

PROSTITUÉE

amazone/voiturière: prostituée racolant à bord d'une voiture.
bucolique: prostituée travaillant dans les bois et les parcs.
call-girl: prostituée que l'on appelle au téléphone.
caravelle: prostituée fréquentant les gares et les aérogares.

chandelle/grue: prostituée demeurant à une place fixe.
échassière: prostituée attendant le client juchée sur un tabouret de bar.
entôleuse: prostituée qui en profite pour voler son client.
étoile filante/ occasionnelle: femme qui se prostitue pour arrondir ses fins de mois.
marcheuse/ arpenteuse: prostituée arpentant le trottoir.
michetonneuse: prostituée des terrasses de café.
radasse: prostituée qui tapine dans les bars.

PROSTITUÉ

tapineur
michetonneur

PROXÉNÈTE

barbeau
barbillon
brochet
dos-vert
fiche
goujon
hareng
hareng saur
mac
maquereau
marlou
poiscaille
protecteur
proxémaq
proxo
souteneur

CLIENT

micheton
miché

– Effet de profondeur en peinture **perspective, trompe-l'œil**
– Mesurer la profondeur d'une cavité **sonder**
– Mesure des profondeurs marines **bathymétrie**
– Appareil utilisé pour explorer les grandes profondeurs marines **bathysphère**
– Région de l'océan d'une très grande profondeur **abysse**
– Engin utilisé pour explorer les moyennes profondeurs marines **mésoscaphe**

PROFUSION

– Une profusion de biens **excès, surabondance, pléthore**
– Il ne s'y retrouve pas dans cette profusion de sites **pullulement, foisonnement**
– Profusion de paroles **logorrhée, flot**
– Cette profusion de couleurs incendie la toile **débauche, richesse, munificence**
– Avoir à profusion **à foison, à satiété**

PROGRAMME

voir aussi **informatique**
– Programme informatique **logiciel, prologiciel**
– Programme destiné à détruire des données informatiques **virus**
– Spécialiste chargé de la création de programmes informatiques **programmeur, analyste**
– Programme économique **plan**
– Douter de la véracité d'un programme politique **exposé, projet, plate-forme**
– Quel est votre programme pour demain ? **intentions, desseins, objectifs**
– Programme de travail **timing, emploi du temps, planning**
– Demandez le programme ! **imprimé, livret, brochure**

PROGRÈS

syn. **avancement, essor**
– Progrès d'une maladie **évolution, aggravation, développement**
– Progrès d'une épidémie **progression, propagation**
– Progrès fait dans l'acquisition d'une technique, d'une science **perfectionnement**
– Progrès social **amélioration, acquis**
– Science qui étudie les progrès de l'espèce humaine **eugénisme**
– À la pointe du progrès **moderne, futuriste, d'avant-garde**
– Refuse le progrès **réactionnaire**

PROGRESSER

– Cet élève progresse **améliore (s'), perfectionne (se)**
– Le mal progresse **empire, aggrave (s'), amplifie (s'), développe (se)**

– En médecine, empêcher un mal de progresser **enrayer**

PROGRESSION

voir aussi **évolution, mutation**
– Il suit la progression des événements **suite, gradation**
– Empêcher la progression de l'ennemi **marche, avancée, mouvement**
– Progression dans l'échelle des salaires **ascension, promotion, augmentation**
– En pleine progression **essor, développement, accroissement, extension**
– Mois de progression en astronomie **de consécution**

PROHIBER

syn. **défendre, empêcher, interdire, proscrire**
– Le port d'armes est prohibé **exclu, condamné, illicite**

PROIE

– La proie d'un chasseur **prise, capture, butin**
– Être la proie d'une bande de truands **victime**
– Oiseau de proie **rapace, prédateur**
– Être en proie au remords **tourmenté, hanté, harcelé, obsédé**

PROJECTILE *Voir illustrations arcs et arbalète, p. 37, et cartouches, p. 102*
voir aussi **artillerie**
– Projectile de combat **balle, bombe, grenade, obus, missile, fusée**
– Engin autrefois utilisé pour le lancement des projectiles **baliste, catapulte, perrière**
– Étude du mouvement des projectiles **balistique**
– Trajectoire suivie par un projectile **parabole**
– Trace d'un projectile **impact**
– Taille d'un projectile **calibre**
– Projectile des enfants à la cantine **boulette**
– Projectile des spectateurs mécontents **tomate**

PROJECTION

– Projection géométrique d'une figure **représentation**
– Projection d'affects, de sentiments sur un objet autre que le sujet **déplacement, transfert, identification**
– Projection de vapeur **émission, jet, giclée**
– Préposé à la projection d'un film **projectionniste**
– Appareil de projection **projecteur, diascope**

PROJET

– Quel est son projet ? **intention, dessein, visée, but**

– Projet d'architecte **croquis, devis, étude, maquette, plan**
– Projet de roman **canevas, schéma, ébauche, esquisse, brouillon**
– Projet de scénario **synopsis**
– Projet professionnel **orientation, vocation**
– Projet électoral **programme**

PROJETER

– Projeter un départ **envisager, prévoir, préparer**
– Projeter un mauvais coup **préméditer, combiner, comploter, manigancer, imaginer**
– Projeter un objet au loin **lancer, propulser, éjecter**
– Projeter un film **passer, visionner**

PROLONGATION

– On lui a accordé une prolongation supplémentaire **sursis, délai**
– La prolongation d'un contrat **poursuite, prolongement**
– Prolongation d'une note de musique **point d'orgue**

PROLONGER

– Prolonger un bâtiment **agrandir, étendre**
– Prolonger un entretien **continuer, poursuivre**
– Prolonger la durée de validité d'une loi **proroger**
– Prolonger sciemment une discussion afin de retarder une décision **tergiverser, atermoyer**
– Prolonger le suspens **accroître, entretenir, augmenter**

PROMENADE

– Promenade en montagne **randonnée, marche**
– Promenade en mer **excursion, croisière**
– Promenade en centre-ville pour voir les boutiques **shopping, lèche-vitrines**

PROMENER

– Promener son chien **sortir**
– Promener son regard **observer, scruter**

PROMENER (SE)

– Se promener en forêt **marcher, balader (se), cheminer**
– Se promener au hasard **flâner, déambuler, baguenauder**

PROMESSE

– Il n'a pas su tenir sa promesse **parole, engagement**
– Promesse solennelle **serment**
– Promesse légalement consentie **accord, contrat, convention**
– Promesse de vente **compromis**
– Promesse de mariage **fiançailles**

PROMETTRE
voir **jurer**

PROMIS
– Une entreprise promise au succès **destinée, vouée**

PROMOTION
– Bénéficier d'une promotion **avancement**
– Promotion sociale **ascension**
– Article en promotion **au rabais, en solde**
– Promotion des ventes **développement**
– Service chargé de la promotion des ventes **marketing**
– De la même promotion **condisciple**
– Élève de la promotion supérieure **année**

PROMPTITUDE
– Agir avec promptitude **rapidité, célérité, diligence, hâte**
– Réagir avec promptitude **emportement, fougue**
– Promptitude mêlée d'agilité **prestesse**
– Promptitude d'esprit **vivacité**

PRONONCÉ
– Des traits très prononcés **accentués, marqués, soulignés, accusés**

PRONONCER
syn. **dire, énoncer, réciter**
– Prononcer des mots distinctement **articuler**
– Prononcer un discours peu brillant **débiter**
– Prononcer des menaces **formuler, émettre, exprimer, proférer**
– Prononcer une sentence **juger, statuer**
– Prononcer une condamnation **infliger**
– Prononcer ses vœux **prendre le voile**

PRONONCER (SE)
– Il est trop tôt pour se prononcer **décider, choisir, déterminer (se), trancher**

PRONONCIATION
syn. **accent, débit, élocution**
– Prononciation d'un arrêt **lecture**
– Discipline formulant les règles de prononciation **phonétique normative, orthoépie**
– Prononciation parisienne du R **grasseyement**
– Trouble de la prononciation **dystomie**
– Défaut de prononciation **bégaiement, blésité, deltacisme, iotacisme, lambdacisme, nasillement, rhotacisme, zézaiement**
– Rééducation d'une mauvaise prononciation **orthophonie, logopédie**
– Mots de même prononciation **homophones**
– Mots de même prononciation et de sens différent **homonymes**

– Prononciation en rhétorique **déclamation**

PROPAGANDE
syn. **endoctrinement**
– Objectif de la propagande **intoxiquer, influencer, endoctriner, entraîner**
– Propagande électorale **discours, programme, campagne**
– Zèle déployé par la propagande **prosélytisme**
– Les supports de la propagande **médias**
– Moyen mis en œuvre par la propagande **slogan, tract**
– Agitation politique mêlée de propagande **agit-prop**
– Propagande commerciale **publicité**

PROPAGER
– Propager un virus **transmettre, donner, véhiculer, contaminer, disséminer**
– Propager une doctrine **diffuser, enseigner, vulgariser**
– Propager une nouvelle **répandre, colporter, divulguer**

PROPAGER (SE)
– Le feu se propage rapidement **progresse, gagne, étend (s')**

PROPHÈTE
– Les premiers prophètes hébreux **Abraham, Moïse**
– Quatre grands prophètes **Isaïe, Jérémie, Ézéchiel, Daniel**
– Le prophète-roi **David**
– Le prophète chez les musulmans **Mahomet**
– Nom donné aux prophètes dans la tradition juive **nabis**
– Moyen par lequel Dieu fait ses révélations aux prophètes **parole, vision, songe**
– Le texte rapporte les paroles du prophète **devin, augure, visionnaire**
– Prophétesse grecque **pythie**
– Faux prophète **imposteur**
– Prophétesse peu crédible **pythonisse**

PROPICE
– C'est le moment propice **opportun, bon, favorable**
– Un endroit propice **adapté, convenable**

PROPORTION
– Proportion entre deux grandeurs **rapport**
– L'affaire a pris des proportions considérables **dimensions, ampleur, étendue**
– Des efforts hors de proportion **démesurés**
– Une forte proportion d'autochtones **pourcentage**
– Trouver les justes proportions **eurythmie, équilibre, harmonie**

– En proportion de **au prorata de, proportionnellement à, selon**
– Proportion mathématique **égalité**

PROPOS /1
– Il a tenu des propos aimables à votre égard **paroles, mots, discours**
– J'ai bien compris son propos **dessein, but, objectif, intention**
– Le propos d'un discours **sujet, thème, objet, sens**

PROPOS /2
– Son discours n'est pas à propos **opportun, convenable**
– À propos, j'ai quelque chose à vous rappeler **au fait, à ce sujet**

PROPOSER
– Proposer une hypothèse **soumettre, avancer, suggérer**
– Proposer des marchandises **étaler, présenter**
– Proposer aux regards **montrer, exhiber, exposer**

PROPOSITION
– Recueillir les propositions des intervenants **conseils, idées, suggestions**
– Proposition de mariage **demande**
– Proposition en mathématiques **théorème, axiome, postulat**
– Déposer une proposition à l'Assemblée nationale **motion**
– Proposition en grammaire **coordonnée, relative, indépendante, interrogative, principale, participiale, subordonnée**
– Sur la proposition d'un tiers **à l'initiative de**

PROPRE
– La pensée conceptuelle est propre à l'homme **apanage, prérogative, privilège, monopole**
– Un vêtement propre **immaculé, net, impeccable**
– Une maison propre **nettoyée, entretenue**
– Une eau totalement propre **pure, limpide, claire**
– Un homme propre **honnête, probe, intègre**
– Ce trait de caractère est propre au chimpanzé **caractéristique, intrinsèque, particulier, spécifique, typique**
– Ce matériau est propre à la construction **apte à, fait pour**
– Mouvement propre d'un astre **réel**
– Au sens propre **littéral, premier**
– Nom propre **patronyme**

PROPREMENT
– Elle plie proprement ses habits sur sa chaise **soigneusement**
– Proprement humain **spécifiquement, typiquement**

VOCABULAIRE DE LA PSYCHANALYSE

Acte manqué : type d'acte, tel que lapsus, oubli, accident, perte d'objets, où le sujet commet une action ou prononce des paroles imprévues et sans rapport avec le projet qu'il vise. Apparemment dû à la négligence ou à l'inattention, cet acte est en réalité, selon Freud, révélateur des désirs inconscients du sujet.

Adler (Alfred) : d'après ce collaborateur de Freud, l'on peut rendre compte de la vie psychique de l'individu, non à partir de la pulsion sexuelle, selon la théorie psychanalytique, mais à partir du sentiment d'infériorité lié à l'état de dépendance subie par chaque individu dans l'enfance. Sur cette idée, il fonde un nouveau courant : la psychologie individuelle.

Affect : terme général désignant l'ensemble des sentiments humains, des plus agréables aux plus désagréables.

Analyse didactique : psychanalyse obligatoirement suivie par un futur analyste afin que ses propres résistances inconscientes ne troublent pas le travail d'analyse qu'il entreprendra avec ses patients.

Anna O. : le cas d'Anna O., considérée comme la première patiente de l'histoire de la psychanalyse, est fondamental, car c'est par ce qu'elle a nommé elle-même « la cure par la parole », autrement dit la méthode cathartique de Breuer, que ses symptômes hystériques ont disparu.

Association (méthode de libre) : méthode, mise au point par Freud, où le patient peut et doit dire tout ce qui lui passe par la tête, même si cela lui paraît hors de propos, incohérent ou impudique, car cela permet le surgissement des représentations inconscientes et dévoile les mécanismes de résistance.

Breuer (Josef) : collaborateur de Freud lors de l'étude du cas d'Anna O., il fit des découvertes fondamentales sur l'hystérie, anticipa la méthode analytique en mettant au point la méthode

cathartique et permit de développer les prémisses de la théorie de l'inconscient.

Ça : l'une des trois instances de l'appareil psychique (avec le moi et le surmoi), régie par le besoin de satisfaire les pulsions inconscientes dont elle est le réservoir.

Complexe d'Œdipe : ensemble de désirs et de sentiments ambivalents qu'éprouve l'enfant à l'égard de ses parents. Le complexe d'Œdipe débute par une identification primaire au parent du même sexe, considéré comme idéal. À la suite de cette identification surgit chez lui le désir de séduire le parent de sexe opposé au sien, et dès lors il considère le parent du même sexe non plus comme un idéal mais comme un rival dont il est jaloux et qu'il veut remplacer. Mais il peut aussi adopter la position contraire : tendresse à l'égard du même sexe et hostilité envers le sexe opposé. On parle alors d'œdipe inversé. Ces deux positions, œdipe et œdipe inversé, sont complémentaires et forment l'oedipe complet.

Compulsion : contrainte intérieure qui pousse le sujet à accomplir un geste ou à penser à une chose qu'il ressent comme inutile ou absurde mais à laquelle il ne peut résister.

Contre-transfert : réactions affectives, conscientes ou inconscientes, que l'analyste éprouve envers son patient. Considérant qu'elles constituent des obstacles à l'analyse, certains courants psychanalytiques estiment que l'analyse didactique *(voir ce mot)* doit être obligatoire.

Freud (Sigmund) : inventeur de la psychanalyse et auteur de la théorie de l'inconscient ; c'est en pratiquant une autoanalyse qu'il a découvert le complexe d'Œdipe.

Inconscient : partie du psychisme qui échappe à la conscience et qui constitue le ça. L'inconscient tente d'envahir la conscience mais, rencontrant la résistance du surmoi, il ne s'exprime alors que dans des processus imaginaires : rêves, actes manqués, etc.

Inconscient collectif : il est constitué, selon Jung, de la totalité des expériences de l'humanité et s'exprime à travers des archétypes qui sont présents dans les mythes, les contes et les rêves.

Jung (Carl Gustav) : connu pour son opposition à Freud au sujet de la libido, qu'il considère comme l'expression psychique d'une énergie vitale qui n'est pas uniquement d'origine sexuelle, Jung est aussi l'inventeur de la théorie de l'inconscient collectif. La prise de conscience par le patient de l'expression de celui-ci dans son inconscient individuel est au centre de sa thérapie.

Lacan (Jacques-Marie) : il défend l'idée que l'inconscient est structuré comme un langage et introduit la thèse d'un moi constitué par sa relation à sa propre image qu'il considère comme autre, comme un idéal. Cette théorie du moi est illustrée par ce que Lacan nomme le stade du miroir : stade où l'enfant, qui se vit comme morcelé et non comme un corps, prend conscience, en se voyant dans le miroir, qu'il est homme.

Lapsus : forme d'acte manqué qui consiste à substituer – à l'oral ou à l'écrit – un mot inattendu à celui qu'on veut dire.

Libido : manifestation dynamique de la pulsion sexuelle dans la vie psychique.

Méthode cathartique : méthode thérapeutique *(voir Breuer)* dont le but est de débarrasser le patient de ses troubles psychiques en rappelant à la conscience l'idée ou le souvenir refoulés qui les produisaient.

Moi : instance psychique qui est le centre des conflits entre le surmoi, le ça et le principe de réalité, et qui tente de maintenir l'unité de la personnalité malgré ces conflits.

Névrose : affection nerveuse caractérisée par des troubles affectifs et émotionnels dont le sujet est conscient, sans pouvoir s'en débarrasser. Contrairement à la psychose, elle n'altère pas sa personnalité.

Plaisir/réalité (principes de) : ces deux principes régissent le fonctionnement de la vie psychique. Le premier a pour objectif de procurer le plaisir et d'éviter le déplaisir, sans entraves ni limites ; le second modifie le premier en lui imposant les limites de la réalité extérieure.

Psychanalyse : terme inventé par Freud en 1896 pour désigner une théorie du psychisme, issue du procédé cathartique, qui met en avant le rôle de l'inconscient et l'importance des conflits. Ce type d'investigation du psychisme inconscient se fait par la méthode de la libre association (analyse des oublis, des lapsus, des actes manqués et surtout des rêves) pour le patient et l'interprétation du côté de l'analyste.

Psychose : maladie mentale qui altère profondément le comportement du sujet et dont celui-ci ne peut prendre conscience, contrairement à la névrose.

Pulsion : processus inconscient et dynamique qui, défini par sa poussée, sa source, son objet et son but, pousse l'individu à agir.

Refoulement : processus dynamique et inconscient de défense du moi, qui repousse dans l'inconscient les pulsions et désirs incompatibles avec les exigences de la conscience morale ou surmoi.

Stade du miroir : *voir Lacan.*

Sublimation : une pulsion est sublimée quand elle est détournée de son but sexuel pour se diriger vers un objet socialement acceptable.

Surmoi : instance psychique dotée d'une fonction de jugement héritée des interdits sociaux et parentaux.

Symptôme : manifestation pathologique liée à un traumatisme qu'elle permet d'identifier.

Transfert : déplacement sur l'analyste des désirs et des sentiments éprouvés par le sujet pour ses parents ou pour des personnalités marquantes de son expérience infantile.

– Proprement dit **stricto sensu**

PROPRETÉ
– Propreté corporelle **hygiène**
– Veiller à la propreté d'outils chirurgicaux **désinfection, stérilisation**
– La propreté d'un travail **soin, netteté**

– Veiller à la propreté d'un lieu public **salubrité**
– S'occupe de la propreté des animaux de compagnie **toiletteur**
– Travaux extérieurs entrepris pour retrouver l'état de propreté d'une maison **ravalement**

PROPRIÉTAIRE
– Se porter propriétaire **acquéreur**
– Régler le loyer à son propriétaire **bailleur, logeur**
– Ensemble des propriétaires d'un même immeuble **copropriété**
– Le propriétaire d'un chien **maître**

Aboulie : absence ou diminution de la volonté. Impuissance à vouloir pouvant conduire à l'inhibition psychique observée dans la mélancolie.

Affects : qualifie tous les phénomènes de l'affectivité, c'est-à-dire toutes les nuances du désir, du plaisir et de la douleur.

Affects dépressifs (douleur, angoisse) : expriment l'insatisfaction et la tension des pulsions.

Affects expansifs (joie et plaisir) : expriment la jubilation qui s'attache à la satisfaction des besoins vitaux et à l'accomplissement de certaines pulsions.

Agoraphobie : peur des espaces découverts (appréhension quand il s'agit de traverser les places, les ponts…).

Agnosie : trouble de la reconnaissance des objets.

Aphasie : impossibilité de traduire la pensée par des mots ou défaut d'adaptation du mot à l'idée.

Aphaso- ou **agnoso-apraxie :** association de troubles caractéristiques de la démence.

Apraxie : impossibilité de conformer les mouvements au but visé.

Autisme : trouble qui se traduit chez les jeunes enfants par la perte de contact avec la réalité et la prédominance d'une non-communication avec le monde extérieur.

Claustrophobie : peur des espaces clos.

Délire : modification des rapports de réalité du moi à son monde ; désordre des facultés intellectuelles caractérisé par une suite d'idées erronées, choquant l'évidence, inaccessibles à la critique.

Électrochoc ou **sismothérapie :** crise convulsive déclenchée par le passage d'un courant électrique pulsé entre deux électrodes placées de part et d'autre du crâne pendant une dizaine de secondes, sous anesthésie générale (indiqué et utilisé dans certains états dépressifs graves à haut risque suicidaire, résistant aux traitements antidépresseurs ou encore maniaques ou délirants résistant aux traitements neuroleptiques).

Éreutophobie : crainte angoissante de rougir en public, accompagnée d'une rougeur effective.

Gilles de La Tourette (maladie de) : forme majeure de la « maladie des tics », mouvements stéréotypés, brusques et intempestifs, s'imposant au sujet, s'étendant à tout le corps, dans une gesticulation intense et incoercible.

Hallucination : perception sans objet à percevoir.

Hospitalisme : retard de développement psychomoteur, pouvant conduire à la mort de l'enfant à la suite d'une hospitalisation prolongée qui le prive des relations affectives avec la mère.

Humeur : tendance affective régissant les états d'âme.

Inconscient : ensemble des éléments exclus de la conscience par un processus de refoulement.

Lapsus : manifestation verbale orale ou écrite de rupture du refoulement, échappée de la censure.

Manie : état de surexcitation des fonctions psychiques caractérisé par l'exaltation de l'humeur et un déchaînement des pulsions instinctivo-affectives.

Mégalomanie : expansion délirante du moi se manifestant par des idées de grandeur.

Mélancolie : état de dépression intense vécu avec un sentiment de douleur morale et caractérisé par le ralentissement et l'inhibition des fonctions psychiques et psychomotrices.

LES NÉVROSES : maladies de la personnalité caractérisées par des conflits intrapsychiques qui inhibent les conduites sociales. Le sujet est conscient du caractère pathologique de ces symptômes, sans pouvoir s'en débarrasser.

● **Névrose d'angoisse :** caractérisée, sur un fond d'instabilité émotionnelle, par l'émergence d'une tension anxieuse forte, dont la source est variable d'un personne à l'autre. Par exemple, peur d'un départ, d'une prise de fonction, etc.
● **Hystérie** ou **névrose hystérique :** des idées, des images et des affects inconscients s'expriment par des symptômes organiques. Par exemple, la paralysie fonctionnelle avec perte de la voix haute, de l'usage d'un membre, etc., sans raison organique.
● **Névrose phobique :** caractérisée par la systématisation du rejet de l'angoisse sur des personnes, des choses, des situations ou des actes, qui deviennent l'objet d'une terreur paralysante. Exemple : peur des araignées, des tunnels, etc.
● **Névrose obsessionnelle :** se définit par le caractère forcé (compulsionnel) de sentiments, d'idées ou de conduites qui s'imposent au sujet et l'entraînent dans une lutte épuisante, sans qu'il cesse pourtant de considérer lui-même ce parasitisme incoercible comme dérisoire. Par exemple, personnes qui s'adonnent à des rites de vérification compulsifs et qui regardent 100 fois si la porte est fermée, etc.

Psychiatrie : partie de la médecine consacrée à l'étude, le prévention et la thérapie des maladies mentales.

Psychologie : étude de l'organisation et du système relationnel de l'individu normal avec son milieu.

Psychopathe : personnalité présentant, dans des proportions variables, une inadaptation à la vie sociale, une instabilité du comportement ou une facilité du passage à l'acte, associée éventuellement à des troubles psychiatriques divers (dépression, excitation, bouffées de délire, toxicomanie, perversion sexuelle…).

LES PSYCHOSES : nom générique donné aux maladies mentales qui altèrent profondément le comportement du sujet et dont celui-ci ne peut prendre conscience.

● **Psychose paranoïaque :** psychose avec délires chroniques systématisés ancrés dans le caractère du sujet (méfiance, hypertrophie du moi, fausseté du jugement, psychorigidité). Se développe dans l'ordre et la cohérence (construction logique à partir d'éléments faux ou d'illusions qui sont le postulat du roman délirant).
Il existe notamment :
— les délires de revendication, où les sujets se ruinent en procès pour faire triompher une revendication parfois dérisoire, ils ont la conviction qu'ils sont victimes d'un acharnement aussi implacable que le leur ;
— les délire passionnels : jalousie, délire d'infidélité et de rivalité, érotomanie (illusion délirante d'être aimé) ;
— les idéalistes passionnels : leur revendication idéologique est servie par une volonté farouche et agressive. Les pamphlets, les attentats individuels sont les armes habituelles qu'ils mettent au service de leur inépuisable désir de réforme et de justice.
● **Psychoses hallucinatoires chroniques :** elles débutent brutalement. Le malade entend des voix intérieures, généralement menaçantes, se livrer à un commentaire de ses actes et de ses pensées, il perçoit des odeurs étranges, trouve un goût suspect aux aliments, ressent des fluides dans son corps. Il se sent deviné et espionné avec parfois l'impression que ses idées lui sont imposées.
● **Psychoses délirantes fantastiques :** elles sont illustrées par la paraphrénie, état mental pathologique où coexistent d'une part des constructions délirantes fantastiques, et d'autre part une conservation de la lucidité et de l'adaptation au monde réel, le passage de l'un à l'autre s'effectuant aisément. L'exemple le plus célèbre est celui de Louis II de Bavière.
● **Psychose maniaco-dépressive :** maladie mentale caractérisée par la succession, à des intervalles variables, d'accès de manie et de mélancolie.
● **Psychoses schizophréniques :** processus de désagrégation mentale avec dissociation autistique (voir Autisme) de la personnalité et perte de son unité, aboutissant à des difficultés d'intégration sociale. Invasion progressive du délire qui indique la fissuration du moi.
● **Psychose puerpérale du post-partum :** état confuso-onirique à tonalité anxieuse, pouvant survenir dans les 2 à 10 jours qui suivent un accouchement.

Refoulement : mécanisme inconscient fondamental consistant à repousser et à maintenir dans l'inconscient des représentations liées à une pulsion.

Troubles des conduites alimentaires

Anorexie mentale : restriction progressive et systématique de l'alimentation pouvant mener à la mort. Les principaux signes de l'anorexie sont l'aigrissement et l'aménorrhée.

Boulimie : besoin incoercible de manger et de se faire vomir.

Dipsomanie : besoin ou impulsion incoercible qui poussent à boire en excès des liquides toxiques, généralement alcoolisés.

Potomanie : besoin incoercible de boire un liquide quelconque, souvent de l'eau, en abondance.

PROPRIÉTÉ
– La propriété d'un bien **détention, possession, jouissance, usage**
– Acte attestant la propriété d'une invention **brevet**
– Habiter une magnifique propriété **domaine**
– Les propriétés des corps **qualités, constantes, attributs**
– Signification de la propriété en grammaire **convenance, adéquation**

PROPULSER
– Propulser une fusée **lancer, envoyer**
– C'est un candidat que le parti a propulsé dans la ville **catapulté, bombardé, parachuté**

PROSE
– Ouvrage en prose **roman, essai, nouvelle**
– J'aime beaucoup la prose de cet auteur **style, écrits**

PROSPÉRER
– Son entreprise prospère **développe (se), étend (s'), progresse, réussit**
– Les plantes prospèrent ici **plaisent (se), croissent, poussent**

PROSTATE
voir aussi **glande**
– Relatif à la prostate **prostatique**
– Inflammation de la prostate **prostatite**
– Ensemble de troubles engendrés par une hypertrophie de la prostate **prostatisme**
– Ablation de la prostate **prostatectomie**

PROSTITUÉE
– Il va toujours voir la même prostituée **péripatéticienne, fille**
– Nom donné aux prostituées **putain, pute, tapineuse, catin**
– Prostituée en voiture **amazone**
– Prostituée de l'Antiquité **hétaïre, courtisane**
– Prostituée de luxe des temps modernes **call-girl**
– Individu vivant aux dépens d'une prostituée **entremetteur, maquereau, proxénète, souteneur**
– Appel du client par la prostituée **racolage**
– Rencontre de la prostituée et de son client **passe**
– Établissement où exercent les prostituées **maison close, bordel, lupanar**

PROSTITUTION *Voir tableau p. 494*
– Déplorer la prostitution de ses talents **avilissement, dégradation**

PROTECTEUR
– Protecteur des arts **mécène, bienfaiteur**
– Agir en protecteur de la foi **défenseur, apôtre, gardien**
– Protecteur des citoyens suédois devant l'Administration **ombudsman**
– Protecteur juridique d'une personne **tuteur**
– Divinité protectrice **tutélaire**
– Afficher un air protecteur **supérieur, hautain, condescendant, dédaigneux**
– Saint protecteur **patron**

PROTECTION
syn. **aide, assistance, secours**
– Bénéficier d'une protection en haut lieu **faveur, soutien, appui**
– La municipalité veille à la protection des citoyens **sécurité, sûreté, défense**
– Personne chargée de la protection d'une personnalité **garde du corps, gorille**
– Mesures de protection contre la maladie **prophylaxie, prévention**
– Système de protection commerciale des marchandises étrangères **protectionnisme**
– Protection en matière d'achat **garantie**
– Protection sociale **couverture**
– Protection de la nature **écologie, sauvegarde, préservation**
– Protection hygiénique féminine **serviette, tampon, protège-slip**

PROTÉGER
– Protéger des matériaux de l'eau **hydrofuger**
– Protéger l'artisanat **encourager, favoriser**
– Protéger un candidat **appuyer, soutenir, pistonner**

PROTÉGER (SE)
– Se protéger des intempéries **abriter (s'), préserver de (se)**

PROTÉINE
– Type de protéine **gélatine, kératine, albumine, globuline**
– Protéine composée d'acides aminés **holoprotéine**
– Protéine agissant comme un catalyseur des réactions chimiques **enzyme**
– Taux de protéines dans le plasma sanguin **protéinémie**
– Présence anormale de protéines dans l'urine **protéinurie**
– Carence en protéines survenant lors du sevrage chez certains enfants **syndrome de Kwashiorkor**

PROTESTANT
– Nom donné autrefois aux protestants **huguenots, parpaillots**
– Église protestante **réformée**
– Les quatre grandes confessions des Églises protestantes **luthérienne, calviniste réformée, baptiste, méthodique**
– Ministre protestant **pasteur**

– Rassemblement de ministres protestants **synode, consistoire**
– Membre d'une secte protestante **anabaptiste, piétiste, puritain, quaker**
– Édit de pacification signé en 1598 accordant le libre exercice du culte protestant et l'égalité des droits civiques **édit de Nantes**

PROTESTER
– Protester contre l'arbitraire d'une décision **contester, élever contre (s'), insurger contre (s'), nier, opposer à (s'), refuser, rebeller (se), récrier (se), résister**
– Protester sans véritable raison **clabauder, rouscailler, rouspéter**
– Protester de sa bonne foi **crier, clamer**

PROTOTYPE
syn. **étalon**
– Prototype d'une sculpture **archétype, modèle, original**
– Ils ont exposé le prototype de leur prochaine automobile **essai, maquette**

PROUESSE
– C'est une véritable prouesse **exploit, réussite, haut fait**
– Prouesse sportive **record, performance**

PROUVER
– Prouver la culpabilité du prévenu **démontrer, établir**
– Prouver l'innocence de quelqu'un **disculper, justifier**
– Son attitude prouve qu'il a compris **indique, signifie, montre**
– Ses résultats prouvent sa formidable capacité à apprendre **témoignent de, révèlent, dénotent**
– Qui prouve **probant**

PROVENANCE
– De toute provenance **origine, source**
– Formule annonçant la provenance d'un produit **made in**

PROVENÇAL
– Langue provençale **langue d'oc, occitan**
– Spécialité culinaire provençale **pistou, tapenade, aïoli, pissaladière**
– Danse provençale **farandole, olivette**
– Jeu de boules provençal **pétanque**

PROVENIR
– Son retard provient de ses difficultés psychologiques **découle, dérive, résulte, vient**
– Le pouvoir provient de l'État **émane, procède**

PROVERBE
– Un recueil de proverbes **maximes,**

adages, aphorismes, apophtegmes, dictons, sentences
– Étude des proverbes **parémiologie**
– Ont donné lieu à de nombreux proverbes **fables**

PROVIDENCE
– Il s'en remet à la providence **chance, destin, fortune, hasard, volonté divine**
– Tu es ma providence ! **salut, sauveur, secours**

PROVINCE
– C'est une belle province **région, territoire, pays**
– Les traditions d'une province **folklore**
– Gouverneur d'une province dans l'Empire perse **satrape**
– Gouverneur d'une province dans l'Antiquité romaine **proconsul**
– Province allemande **land**
– Province au Canada **État**
– Propre à une province **terroir**

PROVISION
– Provision bancaire **solde**
– Verser une provision à son avocat **acompte, avance, arrhes**
– Provision *ad litem* **aide, allocation**
– Provisions de chasse **munitions**
– Constituer une provision de bois **réserve, stock**
– Provisions de bouche **ravitaillement, aliments, nourriture, vivres, victuailles**
– Faire des provisions **courses, commissions**
– Sac à provisions **cabas, filet**

PROVISOIRE
– Une activité provisoire **temporaire, passagère, précaire**
– Une solution provisoire **transitoire, momentanée**
– Gouvernement provisoire **intérimaire**

PROVOQUER
– Provoquer l'indignation de son entourage **soulever**
– Provoquer la colère **susciter, déchaîner, exciter, déclencher**
– Provoquer des réactions tout à fait inattendues **engendrer, amener, entraîner, occasionner, produire, causer**
– Provoquer une personne **agresser, attaquer, défier, narguer, braver, harceler, agacer**

PRUDENCE
– Il fait preuve d'une grande prudence **sagesse, vigilance**
– Agir avec prudence **attention, précaution, réflexion**
– Parler avec prudence **modération, circonspection**
– Incitation à la prudence **avertissement**

– Statut conféré à la prudence dans l'Antiquité **vertu**
– Personne d'une prudence excessive **pusillanime, timorée**

PRUDENT
syn. **circonspect, discret**
– Une décision prudente **avisée, judicieuse**
– Se montrer prudent dans la conduite d'une affaire **averti, prévoyant, vigilant**

PRUNE
– Fruit à noyau, la prune est une **drupe**
– Variété de prune **mirabelle, quetsche, reine-claude**
– Prune séchée **pruneau**
– Petite prune sauvage très âcre **prunelle**
– Confiture de prunes **prunelée**
– Poussière blanche recouvrant les prunes **pruine**
– Couleur des prunes **violet, rouge, jaune-vert**
– Prune de coton **icaque**

PRUNELLE
– La prunelle des yeux **pupille**
– Jouer de la prunelle **provoquer**

PRUNIER
– Prunier sauvage **myrobolan, prunellier**
– Prunier bordant les avenues des rues **prunus**

PSYCHANALYSE *Voir tableau p. 497*

PSYCHIATRIE *Voir tableau p. 498*
– Objet d'étude de la psychiatrie **maladies mentales**
– Les tendances de la psychiatrie contemporaine **antipsychiatrie, psychiatrie institutionnelle, psychiatrie organiciste**
– Domaine de la psychiatrie traitant du lien entre système nerveux et maladie **neuropsychiatrie**
– Psychiatrie de l'enfant **pédopsychiatrie**
– Psychiatrie des malades internés **aliénisme**
– Psychiatrie appliquée aux sociétés autres qu'occidentales **ethnopsychiatrie**
– Utilisation des chocs comme méthode thérapeutique en psychiatrie **électrochoc, électronarcose, sismothérapie**
– Médicament utilisé en psychiatrie **camisole chimique, tranquillisant**
– Intervention sur le cerveau en psychiatrie **lobotomie, neurochirurgie**

PSYCHOLOGIE
– Objet d'étude de la psychologie **psychisme**
– Psychologie des types psychiques **caractérologie**

– Psychologie du comportement **béhaviorisme**
– Psychologie de la forme **gestalt-thérapie**
– Psychologie expérimentale **psychométrie, psychotechnique**
– Application de la psychologie à la linguistique **psycholinguistique**
– Spécialiste de psychologie **psychologue, psychothérapeute**
– La psychologie d'un personnage **caractère, personnalité**
– Être dépourvu de toute psychologie **finesse, intuition**

PSYCHOSE
– La psychose d'un individu **démence, folie, aliénation**
– Type de psychose **paranoïa, schizophrénie, mélancolie**
– Psychose maniaco-dépressive **cyclothymie**
– Psychose infantile **autisme**
– Psychose collective **angoisse, obsession**

PUBLIC /1
– Un public très attentif **assemblée, assistance, auditoire**
– Le public dans une salle de spectacle **spectateurs**
– Les applaudissements du public **salle**
– Avis au public **population, peuple**
– Le public visé par un produit **cible, marché**

PUBLIC /2
– Domaine des affaires publiques **politique**
– Les pouvoirs publics **État, gouvernement**
– Service public **Administration**
– Travaille dans la fonction publique **fonctionnaire**
– Œuvrer pour l'intérêt public **commun, général, collectif**
– Rendre public **publier, divulguer, révéler**
– C'est maintenant public **officiel, manifeste, notoire**
– Jardin public **square, parc, aire de jeux**
– Relations publiques dans une entreprise **communication**
– École publique **laïque, républicaine**

PUBLICATION
– Publication d'un décret au *Bulletin officiel* **édition, promulgation, parution**
– Recevoir les publications du CNRS **revues, brochures, périodiques, bulletins**
– Publication périodique **quotidien, hebdomadaire, mensuel, bimensuel**
– Ensemble des publications d'un auteur **bibliographie**
– Interdire toute publication **écrit, ouvrage**

– Publication assistée par ordinateur **PAO**

PUBLICITAIRE
– Film publicitaire **spot, clip**
– Message publicitaire **slogan**
– Moyen publicitaire **annonce, encart, affiche, banderole, prospectus, placard**
– Reportage rédigé à des fins publicitaires **publireportage**
– Fait passer un message publicitaire dans les médias **annonceur**
– Introduction sonore des messages publicitaires **jingle, sonal**

PUBLICITÉ
– Regarder les publicités à la télévision **réclames**
– Support de la publicité **médias**
– Société recourant à la publicité **annonceur**
– Personne travaillant dans la publicité **publicitaire**
– Ensemble des opérations de publicité **campagne**
– Publicité excessive **battage**
– Faire connaître un produit par la publicité **lancer**
– Passionné de publicité **publivore**
– Individu hostile à la publicité **publiphobe**
– Publicité vivante et ambulante **homme-sandwich**

PUBLIER
– Publier les résultats d'un concours **annoncer, communiquer, proclamer, exposer**
– Publier un ouvrage **imprimer, éditer, sortir, faire paraître**
– Publier ses œuvres à ses frais **à compte d'auteur**

PUCE
voir aussi **insecte**
– Famille à laquelle appartient la puce **pulicidés**
– Puce s'enfonçant sous la peau de l'homme **chique**
– Puce de mer **talitre**
– Puce d'eau **daphnie, gammare**
– Herbe aux puces **psyllion**
– Cela lui a mis la puce à l'oreille **intrigué**
– Couleur puce **rouge-brun**
– Puce des cartes magnétiques **chip**

PUDEUR
– Préconiser la pudeur **chasteté, décence**
– Pudeur exagérée **pruderie, pudibonderie**
– Pudeur de l'expression **réserve, retenue, discrétion, délicatesse, tact**
– Sans pudeur **indécent, grossier, dévergondé, vulgaire, indélicat, impudique, libidineux**
– Objet de pudeur **tabou**

PUISSANCE
– Sens du concept de puissance en philosophie **virtualité, potentialité**
– Puissance divine **omnipotence**
– Refuser la puissance paternelle **domination, autorité, pouvoir**
– Développer la puissance d'une machine **capacité, efficacité**
– Unité de puissance mécanique d'un moteur **cheval-vapeur**
– Unité de puissance électrique **watt**
– Puissance mondiale **nation, pays, État**
– Puissance d'un nombre **exposant**

PUISSANT
– Un corps puissant **robuste, vigoureux, résistant, fort, musclé**
– Un remède puissant **énergique, efficace, drastique**
– Un homme puissant **influent, haut placé**
– Un pays puissant **riche, opulent, nanti**

PUITS
– Il est tombé dans le puits **trou, excavation**
– Puits d'où l'eau jaillit **artésien**
– Puits destiné aux eaux usées **puisard**
– Un puits recueillant les eaux superficielles **pleureur**
– Creuser un puits **forer**
– Ouvrier chargé de creuser ou de réparer les puits **puisatier**
– Un puits de science **érudit**

PULVÉRISER
– Pulvériser du grain **broyer, égruger, moudre, piler, brésiller**
– Pulvériser un insecticide **vaporiser**
– Appareil servant à pulvériser un liquide **aérosol, bombe, pulvérisateur**
– Pulvériser l'ennemi **écraser, détruire, anéantir, exterminer**
– Pulvériser un record **battre, dépasser**

PUMA
syn. **couguar**
– Famille à laquelle appartient le puma **félidés**
– Puma de petite taille vivant au Brésil **eyra**

PUNIR
syn. **sévir**
– Il faudrait le punir **châtier, blâmer**
– Punir un soldat **consigner**
– Punir un automobiliste pour un excès de vitesse **verbaliser**
– Punir un enfant par un châtiment corporel **corriger**
– Le vol à main armée est sévèrement puni **réprimé, condamné, sanctionné**

PUNITION
– Il mérite une bonne punition **leçon, châtiment, sanction**

– Punition infligée à un élève **piquet, retenue, pensum, lignes**
– Punition donnée par le prêtre au fidèle **pénitence**
– Punition infligée à un délinquant **peine**
– Punition donnée à un joueur **gage**
– Punition donnée à un footballeur **pénalité, carton**
– Punition pécuniaire **amende, contravention**

PUPITRE
– Pupitre d'écolier **bureau**
– Pupitre d'église **lutrin**
– Pupitre d'un ordinateur **table de commande, console**
– Être au pupitre **diriger**

PUR
– Un corps pur **simple**
– Une eau pure **claire, limpide, propre, transparente, inaltérée**
– Une âme pure **intègre, intacte**
– Un jeune homme pur **innocent, candide, vierge, chaste**
– Une pure joie **totale, authentique, parfaite**
– Un style très pur **correct, châtié**
– Une ligne très pure **dépouillée**
– Une voix pure **cristalline**
– Un ciel pur **bleu, serein**
– Se consacrer à la recherche pure **théorique, fondamentale**
– Un pur mensonge **absolu**

PURÉE
– Purée de pommes de terre battue **mousseline**
– Purée faite de carottes et de pommes de terre **aurore**
– Purée de pommes de terre et de fromage **aligot**
– Purée de pommes de terre à la morue **brandade**
– Purée d'oignons **soubise**
– Purée de fruits **compote**
– Purée liquide de fruits **coulis**
– Une purée de pois s'étend sur la ville **brouillard**

PURETÉ
syn. **authenticité, candeur, clarté, intégrité, netteté, virginité**
– Symbolise la pureté **colombe, lis**
– Qui tient de la pureté des anges **séraphique**
– Pureté du style **élégance**

PURGE
– Prendre une purge **purgatif, laxatif, mucilage**
– Purge d'un radiateur **vidange**
– Robinet réservé à la purge d'un radiateur **purgeur**
– Purge stalinienne **épuration, élimination**

PURGER
– Purger des canalisations pour l'hiver **vider, mettre hors gel**
– Purger une peine **accomplir, subir**

PURIFICATION
– Purification de l'eau **épuration, verdunisation, javellisation, chloration**
– Procéder à la purification d'une atmosphère **désinfection, assainissement**
– Purification des enfants dans la religion chrétienne **baptême, aspersion**
– Rites de purification religieux **ablutions**
– Purification rituelle pratiquée sur les nouveau-nés à Rome **lustration**

PURITAIN
– Se montrer vraiment puritain en matière d'éducation **austère, rigide, sévère, rigoriste, prude, intransigeant, sectaire**

PUS
voir aussi **infection**
– Amas de pus **abcès**
– Amas de pus et de tissu mort dans un furoncle **bourbillon**
– Microbe générateur de pus **pyogène**
– Écoulement de pus **pyorrhée, suppuration**
– Plaie d'où s'écoule le pus **purulente**
– Présence de pus dans les urines **pyurie**
– Ancien nom désignant le pus mêlé au sang **sanie, ichor**

PUTRIDE
– Peut devenir putride **putrescible, putréfiable**
– Une viande putride **pourrie, putréfiée, faisandée**
– Une odeur putride **nauséabonde, pestilentielle, fétide, délétère**

– Émanation putride provenant d'un corps en décomposition **miasme**

PUZZLE
voir aussi **jeu**
– Élément d'un puzzle **pièce**
– Puzzle chinois **tangram**

PYRAMIDE
– Pyramide en géométrie **polyèdre**
– Pyramide égyptienne **tombeau**
– Pyramide tronquée **mastaba**
– Personnage enseveli dans une pyramide **pharaon**
– Pyramide des Babyloniens **ziggourat**
– Petite pyramide terminant les obélisques **pyramidion**
– Une pyramide de mangues **pile, entassement**

QUADRILATÈRE
– Quadrilatère régulier **rectangle, parallélogramme, losange, carré**
– Quadrilatère dont seulement deux côtés sont parallèles **trapèze**
– Qui a un quadrilatère pour base **quadrangulaire**

QUADRILLAGE
– Quadrillage sur une feuille **grille**
– Indispensables à un quadrillage **carreaux, lignes**
– Des collants avec un quadrillage **résille**
– Tissu avec un quadrillage **vichy, écossais**

QUAI
– Bassin entouré de quais et destiné aux navires marchands **dock**
– Sorte de quai permettant l'amarrage des navires **appontement, wharf**
– Partie du quai aménagée pour l'embarquement, le débarquement des passagers **embarcadère, débarcadère**
– Partie inclinée du quai **cale**
– Bitte d'amarrage sur un quai **bollard**
– Surface supérieure d'un quai de gare **plate-forme**
– Tourniquet à l'entrée d'un quai **tripode**

QUALIFICATION
– Qualification donnée à un projet **appellation, dénomination, titre, désignation**
– Qualification professionnelle **aptitude, capacité, compétence**
– Atteste la qualification **diplôme**
– Qualification d'un athlète **sélection**

QUALIFIÉ
– Officiellement qualifié **autorisé**
– Suffisamment qualifié pour accomplir une tâche **capable, compétent, apte**

QUALIFIER
– Qualifier quelqu'un de menteur **taxer, traiter**

QUALITÉ
– Qualité propre à quelque chose **particularité, spécificité**
– Qualité première et constitutive d'une chose **essence**
– Qualités d'une matière **propriétés, attributs**
– Qualité innée **don, disposition**
– N'avoir que des qualités **mérites, vertus**
– Qualité professionnelle **compétence, capacité, aptitude**
– Qualité de magistrat **fonction, titre, condition**
– Nom, prénoms et qualité **profession**
– Un homme de grande qualité **envergure, valeur**

QUANTITÉ
– Quantité fixée **quantum, numerus clausus**
– Quantité précise **dose**
– Quantité importante **monceau**
– Grande quantité de reproches, de compliments **flot, avalanche, kyrielle**
– Quantité importante d'armes **arsenal**
– Grande quantité d'êtres présentant une agitation confuse **essaim, nuée, pullulement, foule, foisonnement**
– Quantité d'enfants **ribambelle, flopée**
– En droit, quantité maximale de marchandises autorisées à l'importation **contingent**
– Grande quantité de détails, de couleurs **abondance, accumulation, débauche, luxe, orgie, profusion**
– Quantité infime **bribe, grain, parcelle, soupçon**
– Petite quantité de liquide **doigt, goutte, larme, nuage**

QUARANTAINE
– Quarantaine à titre préventif **isolement**
– Mettre un collègue en quarantaine **boycotter, isoler, mettre à l'index, ostraciser, repousser**

QUARANTE
– Environ quarante ans **quarantaine**
– Durée de quarante ans **quarantenaire**
– Personne entre quarante et cinquante ans **quadragénaire**
– Ils sont quarante **immortels, académiciens**
– Dure quarante jours **carême**

QUART
– Moulure ayant la forme d'un quart de cercle **congé, cavet**
– Prendre un quart de vin au restaurant **pichet**
– Un quart de beurre **demi-livre**
– Passer un sale quart d'heure **moment**
– Démarrer au quart de tour **immédiatement**
– Être de quart **garde, surveillance, veille**
– Deux quarts **moitié**

QUARTIER
– Quartiers situés à la périphérie d'une ville **faubourg, banlieue**
– Quartiers situés à l'intérieur d'une ville **îlot, arrondissement**
– Quartier où se concentre une communauté défavorisée **ghetto, cité, ZUP**
– Quartier juif dans les villes du Maroc **mellah**
– Quartier général **QG, siège**
– Dans l'armée, prendre ses quartiers **cantonnements, casernements**
– Quartier de Lune **croissant, phase**
– Chaussures sans quartier **babouche, claquette, sandale, tong**

QUARTZ
– Roche composée partiellement de quartz **micaschiste, jaspe, gneiss**
– Quartz de couleur rougeâtre **aventurine**
– Quartz de couleur violette **améthyste**
– Quartz jaune **citrine**
– Quartz transparent très dur **hyalin**
– Quartz hyalin **diamant, girasol**
– Quartz à reflets changeants **œil-de-chat**

QUATRE
– Qui comprend quatre parties **quadripartite**
– Figure géométrique à quatre côtés **quadrilatère**
– Tous les quatre ans **quadriennal**
– Sanglier âgé de quatre ans **quartanier**
– Ensemble de quatre œuvres **tétralogie**
– Vertébrés à quatre pattes **quadrupèdes**

– Animal dont les pattes ont quatre doigts **tétradactyle**
– Vertébrés dont les quatre membres sont pourvus d'une main **quadrumanes**
– Paralysie des quatre membres **tétraplégie**
– Strophe de quatre vers **quatrain**
– Système de transmission télégraphique envoyant quatre messages à la fois **quadruplex**

QUATRE-VINGT-DIX
– Quatre-vingt-dix en Suisse et en Belgique **nonante**
– Personne de quatre-vingt-dix ans **nonagénaire**

QUATRE-VINGTS
– Quatre-vingts en Suisse **huitante**
– Personne de quatre-vingts ans **octogénaire**

QUELCONQUE
– Un individu tout à fait quelconque **banal, commun, insignifiant, insipide**
– Une étoffe, un mobilier très quelconque **médiocre, ordinaire**

QUERELLE
– Avoir une querelle avec quelqu'un **différend, démêlé, algarade, accrochage, dispute, esclandre, altercation**
– Querelle sur un sujet scientifique **débat, polémique, controverse**

QUESTION
– Poser une question **demander, interroger, questionner, sonder, enquêter, consulter**
– Question à laquelle on ne sait pas répondre **colle**
– Suit parfois la question dans un exercice **consigne**
– Petite question plaisante **devinette**
– Débat sur une question déterminée **controverse, polémique**
– Évoquer une question particulière **problème, point, sujet**

QUESTIONNAIRE
– Questionnaire sociologique et statistique **enquête, sondage**
– Feuille sur laquelle figure un questionnaire **carte-réponse, coupon-réponse, formulaire**
– Questionnaire proposant une liste de réponses **questionnaire à choix multiples (QCM)**

QUESTIONNER
– Questionner quelqu'un dans l'intention de diffuser ses propos **interviewer**
– Questionner quelqu'un pour mettre au jour ses intentions **sonder**
– Questionner quelqu'un sur sa santé, ses projets **enquérir de (s'), informer de (s')**
– Questionner quelqu'un sur un sujet **consulter, renseigner (se)**

QUÊTE
– La quête d'un idéal **recherche**
– La quête a permis de réparer les vitraux **collecte**

QUEUE
– Queue d'une fleur ou d'un fruit **pédoncule**
– Queue d'une feuille **pétiole**
– Queue d'un champignon **pédicule**
– Relatif à la queue d'un animal **caudal**
– Queue des oiseaux de proie **balai**
– Queue des crustacés **uropode**
– Amphibiens pourvus d'une queue **urodèles**
– Amphibiens sans queue **anoures**
– Chien ou cheval à la queue coupée **courtaud**
– Poissons, crustacés à longue queue **macroures**
– Poils à l'extrémité de la queue d'un animal **fouet**
– Queue d'un violon **cordier**
– Pièce de cuir à l'extrémité d'une queue de billard **procédé**
– Queue de casserole **manche**
– Petite queue **couette**
– Être en queue de liste **bout, fin**
– Queue devant un magasin **file**

QUILLE
– Jeu de quilles **bowling**
– Ensemble des neuf quilles au bowling **quillier**
– Partie renflée de la quille **pomme**
– Ancien jeu de quilles où l'on lançait un disque **siam**
– Dans un navire, pièce de renforcement en bois parallèle à la quille **carlingue**

QUINCAILLERIE
– Quincaillerie d'outillage **taillanderie**
– Quincaillerie marine **accastillage**
– C'est de la quincaillerie ! **bimbeloterie, pacotille**

QUINZE
– Nombre d'environ quinze **quinzaine**
– Joueur de rugby à quinze **quinziste**
– Polygone à quinze côtés **pentadécagone**

QUIPROQUO
– Enchaînement de quiproquos **imbroglio, embrouillamini**

QUITTER
– Quitter temporairement un lieu **absenter (s')**
– Quitter son pays **émigrer, expatrier (s')**
– Il est capable de nous quitter sans crier gare **planter là**
– Quitter quelqu'un **abandonner, divorcer, lâcher, plaquer, rompre avec, séparer de (se)**
– Quitter sa femme, dans certains pays étrangers **répudier**
– Quitter son manteau **enlever, retirer, ôter, débarrasser de (se), défaire de (se), dépouiller de (se)**
– Quitter ses fonctions **abdiquer, démissionner, déserter, résigner, démettre de (se)**

QUOTE-PART
– Montant d'une quote-part **quotité**
– Quote-part d'un impôt **cote**
– Quote-part du bénéfice net perçue par les administrateurs d'une entreprise, d'une société anonyme **tantième**
– Quote-part à payer pour un repas pris en commun **écot**

QUOTIDIEN
syn. **journalier**
– Pour un usage quotidien **courant**
– Les petits soucis quotidiens **banals, communs, habituels, ordinaires, routiniers**

QUOTIENT
– Opération qui permet de déterminer un quotient **division**
– Quotient de deux valeurs **rapport, ratio**

RABÂCHER
– Il rabâche sans cesse la même chose **radote, répète, redit, ressasse**

RABAIS
– Rabais sur le prix d'une marchandise **discount, promotion, remise, solde, ristourne**
– Rabais sur un contrat financier **bonification, escompte**
– Rabais sur un impôt à payer **abattement**

RABAISSER
syn. **amoindrir, diminuer, réduire**
– Rabaisser moralement **avilir, dégrader, déprécier, humilier**

RABATTRE
– Rabattre le gibier vers les chasseurs **traquer, forcer, ramener**
– Rabattre la pointe d'un clou **aplatir, coucher, river, replier**
– Rabattre la TVA du prix d'un produit **décompter, déduire, défalquer**
– Dispositif servant à rabattre la lumière **réflecteur**

RABATTRE (SE)
– Se rabattre brusquement sur le côté **ranger (se)**
– Se rabattre sur des merles, faute de grives **contenter de (se), satisfaire de (se)**

RABBIN
– Fonction actuelle du rabbin **culte, enseignement**
– Assiste le rabbin au temple **lévite**
– Chante l'office et remplace le rabbin en cas de besoin **ministre officiant**
– Le rabbin est docteur de cette loi **loi mosaïque**
– Fut chargé du culte divin avant les rabbins et jusqu'à la destruction du Temple **kohen**
– Grand rabbin de la communauté juive d'un pays **représentant**
– Assemblée présidée par un grand rabbin **consistoire**
– Le rabbin y célèbre le culte **synagogue**

– Des rabbins les ont rédigés **Kabbale, Talmud**
– Langue liturgique utilisée par le rabbin **araméen, hébreu**
– Le rabbin y enseigne **schuhl, yeshiva**
– Nourriture supervisée par le rabbin **kasher**

RABOT
– Rabot de menuisier **bouvet, gorget, doucine, guillaume, tarabiscot, varlope, colombe**
– Rabot de tailleur de pierre **rabotin**
– Rabot mécanique **dégauchisseuse**
– Ouvrier utilisant un rabot **ébéniste, menuisier, raboteur**
– Éclats formés sous l'action du rabot **copeaux**

RABOTEUX
– Surface raboteuse au toucher **rugueuse, inégale, rêche**

RABROUER
– Il rabroue sans cesse ses enfants **gronde, rembarre**
– Rabrouer quelqu'un pour s'en débarrasser **éconduire, envoyer au diable, rejeter, renvoyer**

RACCOMMODER
– Raccommoder un vêtement **rapetasser, rapiécer, réparer, rafistoler**
– Raccommoder en cousant **repriser, ravauder, recoudre, stopper**
– Raccommoder en tricotant **remmailler, renforcer**
– Raccommoder des ennemis **accorder, concilier, réunir**

RACCOMMODER (SE)
– Se raccommoder après une longue dispute **rabibocher (se), réconcilier (se)**

RACCORDER
– Deux éléments qu'il faut raccorder **raccrocher, rattacher**
– Raccorder deux objets **assembler, joindre, relier, unir, jumeler, ajuster**
– Raccorder avec du plâtre **ruiler**

– Raccorder deux conduites d'eau **rabouter, souder**

RACCOURCI
– Prendre un raccourci **couper**
– Raccourci stylistique **ellipse**
– Raccourci en architecture **perspective**

RACCOURCIR
– Raccourcir les branches d'un arbre **ébouter, écimer, élaguer, émonder, tailler**
– Raccourcir la mèche d'une chandelle **moucher**
– Raccourcir un texte **abréger, diminuer, écourter, réduire, résumer, condenser**

RACCOURCIR (SE)
– Se raccourcir en desséchant **racornir (se), réduire (se), ratatiner (se)**

RACE
– La race humaine **espèce**
– Théorie d'amélioration des races fondée sur l'hérédité **eugénisme**
– Race d'hommes de même origine **ethnie, lignée, peuple**
– De même race, dans une famille **sang, ascendance, descendance, extraction, lignage, parage, branche, maison, racines, filiation**
– Continuité de la race **génération, postérité**
– Discrimination fondée sur la notion de race **racisme, ségrégation**
– Race définie d'après la forme de la tête, en anthropologie **brachycéphale, dolichocéphale, mésocéphale**
– Origine de la race **souche**
– Initiateur de la race **aïeul, ancêtre**
– Subdivision de la race **sous-race, variété**
– Race de chien en zoologie **sous-espèce**
– Livre généalogique des races chevalines **stud-book**
– Livre généalogique des races bovines **herd-book**
– un caractère biologiquement régressif d'une race **dysgénique**
– Mélange de races **croisement, métissage, brassage, hybridation**

– Un animal résultant d'un croisement de races **bâtard, croisé, mâtiné**
– Cheval de race **pur-sang**
– Façon péjorative de désigner une race **engeance, sorte, genre**

RACHETER

– Racheter ses fautes morales **effacer, expier**
– Racheter les erreurs passées de quelqu'un **réhabiliter**
– Racheter une dette **rédimer (se)**
– Racheter par la rédemption **pardonner, relever, sauver**
– Racheter sa liberté **libérer (se), affranchir (s')**
– Racheter les défauts d'une construction **compenser, corriger, pallier, réparer**

RACHETER (SE)

– Heureusement, il va se racheter ! **rattraper (se)**

RACINE

– Base des racines d'une plante **souche**
– Racine principale **pivot, racine primaire, rhizome**
– Racine secondaire **fibrille, racine adventive, radicelle**
– Séparation de la racine et de la tige **collet**
– Extrémité supérieure de la racine **culasse**
– Extrémité d'une racine **coiffe**
– Racine renflée **bulbe, bulbille, oignon, tubercule**
– Une racine qui s'enfonce verticalement **pivotante**
– Une racine horizontale **traçante**
– Racine aérienne **crampon**
– Un système à racines nombreuses **chevelu, fasciculé**
– Racine de l'embryon d'une plante **radicule**
– Rejet poussant sur la racine **boulure**
– Organe de la racine d'une plante parasite **suçoir**
– Association d'une racine et d'un champignon **mycorhize**
– Plantes sans racines, comme les champignons **thallophytes**
– Prendre racine **enraciner (s'), raciner, implanter (s')**
– Déterrer les racines **déchausser, déraciner**
– Une douleur provenant de la racine d'un nerf rachidien **radiculaire**
– Une dent aux racines recourbées **barrée**
– La racine d'un problème **essence, principe, source**
– Racines d'une culture **bases, commencements, naissance, origines, ascendance**
– Étude historique des racines linguistiques **étymologie**
– Une langue où les mots sont constitués

de racines et d'affixes **flexionnelle**
– Racine d'un mot **formant, monème, radical**
– Élément s'adjoignant à la racine d'un mot **infixe, préfixe, suffixe**
– Symbole mathématique d'une racine **radical**
– Degré d'une racine mathématique **indice**

RACISME

– Ce racisme est intolérable **discrimination, ségrégation raciale**
– Racisme envers les juifs **antisémitisme**
– Système fondé sur le racisme envers les Noirs d'Afrique du Sud et officiellement pratiqué jusqu'en 1994 **apartheid**

RACONTER

syn. **expliquer**
– Raconter un fait **conter, narrer, rapporter, relater, retracer, rendre compte**
– Raconter une période historique **décrire, dépeindre, exposer**
– Raconter en détail **détailler, historier**
– Raconter des médisances sur quelqu'un **baver sur, médire de, cancaner, décrier, diffamer, déconsidérer**
– Raconter des histoires inventées **fabuler**
– Raconter une histoire **inventer, forger, imaginer**
– Raconter en quantité **débiter, réciter**
– Raconter en ajoutant des éléments inventés **broder**

RADAR

– Ils ont installé un radar **balise, détecteur, mouchard**
– Radar monté sur un avion **AWACS**
– Un engin que les radars ne peuvent déceler **furtif**

RADIATEUR

– Radiateur électrique **convecteur**
– Type de radiateur électrique **à bain d'huile, soufflant**
– Cache le radiateur d'un moteur de voiture **calandre**

RADIATION

– Ils doivent se protéger des radiations **émanations, rayons**
– Radiations lumineuses **émissions, irradiations**
– Radiations non visibles **rayons X, rayons gamma, ultraviolets**
– Radiations artificielles pour bronzer **UVA**
– Unité de mesure des radiations **sievert**
– Un corps faisant obstacle aux radiations calorifiques **athermane**
– Un corps laissant passer les radiations calorifiques **diathermane**
– Étude des radiations comme procédé divinatoire **radiesthésie**

RADICAL /1

– Radical d'un mot **racine, thème**
– Radical étymologique d'un mot **étymon**
– Élément s'ajoutant au radical **infixe, préfixe, suffixe, désinence, augment**
– Thèses d'un radical en politique **radicalisme**

RADICAL /2

syn. **absolu, foncier, fondamental**
– Un changement radical **complet, essentiel, total**
– Une réforme radicale **drastique, draconienne**
– Une politique radicale **extrémiste, révolutionnaire**
– Une lettre radicale dans une racine en langues sémitiques **primitive**

RADIEUX

– Elle a une mine radieuse **rayonnante, resplendissante**
– Un sourire radieux **joyeux, heureux, ravi, éclatant, épanoui**
– Nous avons eu un temps radieux **beau, ensoleillé, splendide**

RADIO

voir aussi **fréquence, onde, télécommunication**
– Poste de radio **émetteur-récepteur, transistor, tuner**
– Radio portative **baladeur**
– Radio dans une voiture **autoradio**
– Émission de radio **plage, programme**
– Celui qui écoute la radio **auditeur**
– Radio médicale **radiographie, radioscopie, scanner**

RADIOACTIF

– Atomes radioactifs contenus dans un corps **radioéléments, radio-isotopes**
– Rayons émis par des éléments radioactifs **bêta**
– Déchet radioactif **effluent**
– Unité de mesure de l'activité d'un élément radioactif **becquerel, curie**

RADIOACTIVITÉ

– Signe extérieur de radioactivité **fluorescence, radiation, rayonnement**
– Traitement visant à supprimer la radioactivité **décontamination**

RADIOCOMMUNICATION

– Technique de radiocommunication **radiodiffusion, radiophonie, téléphonie sans fil**
– Spécialiste assurant les radiocommunications sur terre ou sur mer **radiotélégraphiste, radionavigant**

RADIOÉLECTRIQUE

– Types d'ondes radioélectriques **électromagnétiques, hertziennes, courtes, longues, moyennes**

– Substance utilisée autrefois pour la détection des signaux radioélectriques **galène**
– Onde radioélectrique **signal**
– Recevoir un signal sonore par l'intermédiaire d'un dispositif radioélectrique **capter**
– Unité de mesure de longueur et de fréquence des ondes radioélectriques **mètre, kilohertz, mégahertz, hertz**

RADIOGRAPHIE
– Technique utilisant la radiographie médicale **radiologie, scanner**
– Technique utilisant des images médicales autres que la radiographie **échographie, IRM (imagerie par résonance magnétique), scintigraphie**

RADIUM
– Minerai contenant du radium **pechblende**
– Dérivé radioactif du radium **bismuth 210, plomb 214, polonium 218, radioplomb**
– Émanation du radium dans l'atmosphère **radon**
– Thérapie par le radium **curiethérapie**
– Métal proche du radium **baryum**

RAFALE
– Une rafale de vent **bourrasque, tourbillon, tornade, trombe**
– Une rafale de mitrailleuse **tir, salve, décharge, fusillade**

RAFFINAGE
– Raffinage du pétrole **distillation, fractionnement, hydrocraquage, reformage**
– Raffinage du sucre **décoloration, blanchissage, réduction, recuite**

RAFFINÉ
– Pétrole raffiné **essence, hydrocarbures**
– Une personne raffinée **délicate, polie, évoluée, exquise, spirituelle**
– Excessivement raffiné **affecté, alambiqué, sophistiqué, précieux**
– Au goût raffiné **subtil**
– Une substance raffinée à l'extrême **pure, quintessenciée**
– Un ton raffiné **distingué, recherché, aristocratique**

RAFFINER
– Raffiner une substance **affiner, purifier**
– Raffiner du sucre **candir, édulcorer**
– Raffiner en alchimie **sublimer, épurer**
– Raffiner un texte **améliorer, fignoler, ciseler, perfectionner**

RAFRAÎCHIR
– Rafraîchir une boisson **frapper, réfrigérer, refroidir, glacer**

– Appareil servant à rafraîchir l'air **ventilateur, climatiseur**
– Se rafraîchir avec un verre d'eau **boire, désaltérer (se)**
– Rafraîchir les couleurs d'un tableau **rajeunir, raviver, revivifier, ranimer**
– Rafraîchir un mur **nettoyer, rénover, restaurer, retaper**
– Rafraîchir une coupe de cheveux **coiffer, tailler**
– Rafraîchir la mémoire **rappeler, aider à se souvenir**

RAFRAÎCHISSEMENT
– Rafraîchissement des températures **chute**
– Prendre un rafraîchissement à la terrasse d'un verre **boisson**

RAGE
– Symptôme de la rage **bave, hydrophobie, spasmes, hallucinations, paralysie**
– Plante à laquelle on attribuait des vertus de remède contre la rage **passerage**
– Vaccin contre la rage **antirabique**
– Provoquer la rage **faire bisquer, faire enrager**
– En proie à la rage **en rogne, en colère, en furie**
– Exprimer de la rage **fulminer, maronner, maugréer, rouspéter, rugir**
– Éprouver de la rage **écumer, enrager**
– Le vent fait rage **sévit**
– La rage d'écrire **fièvre, passion, fureur**
– Rage de dents **abcès, infection**

RAGOÛT
– Ragoût de veau **blanquette**
– Ragoût de bœuf **bourguignon**
– Ragoût de lièvre **civet**
– Ragoût du Sud-Ouest **cassoulet**
– Ragoût nord-africain **tagine**
– Ragoût hongrois **goulasch**
– Ragoût immangeable **ragougnasse**

RAID
– Raid de l'ennemi **incursion**
– Raid militaire ou policier **commando, descente, coup de main**
– Raid aérien **attaque, bombardement**
– Raid en Bourse **OPA, OPE**
– Raid en voiture **course, rallye**

RAIL
voir aussi chemin de fer, voie
– Ensemble des rails mis bout à bout **voie**
– Se déplace sur des rails **train, locomotive, wagon, tramway**
– Attraction sur rails dans les fêtes foraines **montagnes russes, chenille, grand huit**
– Rail déclenchant un signal sonore au passage d'un train **crocodile**
– Sortir des rails **dérailler**
– Rail de sécurité sur l'autoroute **glissière**

RAISIN
voir aussi cépage, vin
– Relatif au raisin **uval**
– Grain de raisin **grume**
– Raisin de table **chasselas, muscat, olivette**
– Raisins secs **de Corinthe, de Malaga, de Smyrne**
– Cueillette du raisin **vendange**
– Le raisin chez les poètes **pampre**
– Raisin de renard **parisette**
– Mi-figue, mi-raisin **mitigé**

RAISON
– La raison lui dicte sa conduite **bon sens, discernement, jugement**
– Exercice de la raison **compréhension, connaissance, pensée, intelligence, entendement**
– Activité de la raison **raisonnement**
– Science des lois de la raison **logique**
– La raison cartésienne est l'instrument du jugement **justesse, rectitude, sagesse, sens**
– Règles de la raison selon Descartes **lois, principes**
– Raison intuitive dans la philosophie grecque **noêsis**
– Raison discursive dans la philosophie grecque **dianoia**
– La raison écrite dans l'Antiquité romaine **droit**
– Raison morale chez Kant **pratique**
– Livre de raison **de comptes**
– Système de pensée fondé sur la prééminence de la raison **rationalisme**
– Doctrine contestant l'existence de la raison a priori **associationnisme, empirisme, sensualisme**
– Raison métaphysique **cause première, origine**
– Courant artistique prétendant affranchir la création du contrôle de la raison **surréalisme**
– Prééminence de la foi sur la raison **fidéisme, mysticisme**
– Philosophie de la raison au XVIIIᵉ siècle **Lumières**
– Connaissance provenant de la raison **rationnelle**
– Connaissance ne provenant pas de la raison seule **empirique, expérimentale**
– Âge de raison **maturité**
– Un jugement conforme à la raison **bien fondé, juste, légitime, sensé**
– Une opinion allant à l'encontre de la raison **absurde, déraisonnable, folle, insane, insensée, irraisonnée**
– Il n'a plus toute sa raison **conscience, lucidité, esprit, tête**
– Faire entendre raison **convaincre, soumettre, persuader**
– Se faire une raison **admettre, consentir, résigner à (se), tolérer**
– Raison vacillante **déraison, égarement**
– Perdre la raison **délirer, divaguer**

– Sans rime ni raison **sans signification**
– Raison démontrant le contraire d'une affirmation **réfutation**
– Raison justifiant une action **considération, excuse, motif**
– Quelles raisons opposez-vous à cette accusation ? **arguments, allégations, preuves**
– Quelle est la raison de ce vacarme ? **cause, explication, origine, source**
– La raison d'un crime **mobile**
– Raison fallacieuse **prétexte**
– Raison de droit **moyen**
– Donner raison **approuver, soutenir**
– Sa petite fille est sa seule raison de vivre **but**
– À plus forte raison **a fortiori**
– Demander raison d'un affront **réparation**
– Avoir raison d'un obstacle **franchir, passer, vaincre, dépasser**
– Comme de raison **de juste, bien entendu**
– Raison d'une progression mathématique **rapport**
– Raison directe de deux quantités **fonction, proportion**
– Raison sociale d'une entreprise **désignation, nom**

RAISONNABLE
– L'homme est un animal raisonnable **intelligent, pensant**
– Une attitude raisonnable **judicieuse, mûre, sage, prudente, responsable**
– Une conclusion raisonnable **naturelle, normale, logique, cohérente**
– Un effort raisonnable **mesuré**
– Fixer un montant raisonnable **acceptable, correct, modéré, honnête**
– Sa conduite n'est pas raisonnable **irréfléchie, légère, exagérée**
– Un tempérament peu raisonnable **excessif, passionné**
– S'habiller de manière peu raisonnable **excentrique, extravagante, inconvenante, indécente**

RAISONNEMENT
– Opération d'un raisonnement **composition, construction, élaboration**
– Matière d'un raisonnement **concept, idée, notion**
– But d'un raisonnement **analyse, conclusion, preuve, réfutation**
– Science du raisonnement **logique**
– Raisonnement logique **déduction, inférence, sorite, syllogisme**
– Raisonnement par l'absurde **raisonnement ab absurdo, apagogie**
– Raisonnement mathématique **démonstration, théorème**
– Raisonnement qui s'appuie sur des données antérieures à l'expérience **a priori**
– Raisonnement qui s'appuie sur des faits constatés **a posteriori**

– Un raisonnement construit dans une discussion **argumentatif, dialectique**
– Un raisonnement par analogie **inductif**
– Raisonnement induit par la folie **délire, paranoïa**
– Point de départ d'un raisonnement **postulat, principe**
– Point de départ d'un raisonnement logique **prémisse, énoncé, lemme, proposition**
– Aboutissement d'un raisonnement **conclusion**
– Faux raisonnement **paralogisme, sophisme**
– Un raisonnement trompeur **captieux, fallacieux, spécieux**
– Impasse dans un raisonnement **aporie**
– Un raisonnement irréfutable **apodictique**
– Vain raisonnement **argutie, chicane**
– Contradiction dans un raisonnement **antinomie, paradoxe**
– Contrer un raisonnement **attaquer, critiquer, réfuter**
– Énoncé mathématique donné sans raisonnement **axiome, évidence**
– Affirmation ne résultant pas d'un raisonnement **adage, apophtegme, maxime, sentence, prédiction**

RAISONNER
– Raisonner avant de prendre une décision **calculer, réfléchir**
– Raisonner logiquement **déduire, induire**
– L'homme raisonne **pense, philosophe, disserte**
– Rien ne sert de raisonner **discuter, objecter, répliquer**
– Raisonner pour convaincre **argumenter, controverser, disputer**
– Raisonner verbeusement **ratiociner, sophistiquer, ergoter**
– Raisonner quelqu'un **admonester, chapitrer, moraliser, réprimander, semoncer**

RAISONNER (SE)
– Il aurait dû se raisonner **contrôler (se), dominer (se), reprendre (se)**

RALENTIR
– Le véhicule ralentit **décélère**
– À faire pour ralentir **freiner, rétrograder**
– Incitent les automobilistes à ralentir **ralentisseurs, bandes sonores, gendarmes couchés, dos d'âne**
– Ralentir la production **diminuer, réduire, modérer**

RAMIFICATION
– Ramification de l'arbre **branche**
– Ramification du pédoncule qui porte la fleur **pédicelle**
– Ramification d'une racine **radicelle**

RAPACES

faucon

buzard

épervier

buse

balbuzard

aigle

– Ramification d'un neurone permettant la connexion avec d'autres neurones **dendrite**
– Ramification des bois des cervidés **andouiller, cor**
– Ramification en deux branches **dichotomie**
– Ramification de la botanique **subdivision, branche, spécialité**

RAMPE
– Rampe d'escalier **main courante**
– Premier poteau d'une rampe d'escalier **pilastre**
– Rampe de protection **rambarde, garde-fou**

RANCUNE
– Elle n'éprouve aucune rancune à son égard **rancœur, ressentiment, animosité, vindicte, hostilité**
– Garder rancune à quelqu'un **en vouloir à**

RANG
– Les enfants sont en rang **colonne, file, queue**
– Rang de chaises **rangée, ligne**
– Rang dans un classement **position, place**
– Rang dans une hiérarchie **grade, titre**
– Trois heures de rang **d'affilée, à la suite**

RANGER
syn. **mettre en ordre**
– Ranger une pièce **arranger**
– Ranger ses affaires **ordonner, rassembler**
– Ranger des papiers **classer, trier**
– Ranger sa voiture **garer, stationner, parquer**

RANGER (SE)
– À quarante ans, elle aimerait se ranger **poser (se), caser (se), marier (se)**

RAPACE *Voir illustration page ci-contre*
– Ordre de rapaces diurnes **falconiformes**
– Rapace diurne **aigle, gypaète, faucon, vautour, balbuzard, buse, épervier, milan**
– Rapace nocturne **chouette, hibou, duc, chat-huant, orfraie, effraie**

RAPIDE
– Il marche d'un pas rapide **pressé, soutenu**
– Il est rapide dans ses décisions **prompt, vif, diligent, expéditif**
– Train rapide **TGV**
– Une descente rapide **abrupte, raide**

RAPPEL
– Le rappel des jours heureux **souvenir, mémoire, évocation, remémoration**
– Rappel à l'ordre **avertissement**
– Prolongation d'un spectacle à cause d'un rappel **bis**

RAPPORT
– La secrétaire tape le rapport **compte rendu, procès-verbal, résumé**
– Le rapport d'un témoin **témoignage, récit, relation, exposé**
– Il n'y a aucun rapport entre ces deux choses **lien, relation, analogie, similitude, ressemblance, corrélation**
– Établir un rapport entre deux événements **rapprochement, parenté**
– J'ai de bons rapports avec lui **contacts**
– Rapport sexuel **accouplement, copulation, fornication**
– Le rapport d'un bien placé **bénéfice, gain, rendement, revenu, intérêt**

RAPPORTEUR
syn. **cafteur, délateur, dénonciateur, indicateur, mouchard, sycophante**

RARE
– C'est un cas plutôt rare **insolite, inhabituel, inaccoutumé**
– Se faire rare **raréfier (se), disparaître**
– Elle est d'une rare générosité **exceptionnelle, extraordinaire, remarquable**

RAS
– Tondre ras **court**
– Herbe rase d'un terrain de golf **green**
– Étoffe rase **lasting**
– Tête rase **rasée**
– À ras bord **rempli, plein**
– Passer au ras du mur **frôler, effleurer, longer**

RATIFICATION
– Il a reçu la ratification de la décision **confirmation, approbation, entérinement, validation, homologation**

RATIONNEL
– Des propos rationnels **cohérents, conséquents, sensés, raisonnables**
– Expliquer de manière rationnelle **rationaliser**
– Une pensée rationnelle **exacte, fonctionnelle, méthodique, rigoureuse**
– Un esprit rationnel **cartésien, déductif, logique**
– Organisation rationnelle d'une entreprise **automatisation, normalisation, planification, standardisation**
– Un rapport rationnel **algébrique, géométrique**
– Science des nombres rationnels **arithmétique**

RATISSER
– Ratisser les feuilles **ramasser, râteler**
– Ratisser une région **fouiller**

RATTACHER
syn. **joindre, réunir**
– Rattacher un câble à une installation **adapter, brancher**
– Rattacher ses lacets **attacher, nouer**
– Rattacher un territoire à un État **annexer, incorporer**
– Rattacher à un organisme **affilier**
– On rattache certains phénomènes magnétiques aux lois climatiques **attribue**
– Le hongrois est rattaché aux langues finno-ougriennes **relié**

RATTACHER (SE)
– Perles se rattachant les unes aux autres **enchaînant (s')**
– Une conclusion se rattache à ses prémisses **dépend de**

RATTRAPER
– Rattraper un objet **attraper, saisir, retenir**
– Il a fini par nous rattraper **rejoindre**
– Rattraper un évadé **arrêter, retrouver, reprendre**
– Rattraper une erreur **corriger, réparer**
– Rattraper son retard **réduire, combler, récupérer**
– Il a finalement rattrapé sa mayonnaise **réussi**
– Pour rattraper de mauvais résultats **repêchage**

RATTRAPER (SE)
– Il a finalement pu se rattraper à une prise **raccrocher (se), retenir (se), agripper (s')**
– Il s'est rattrapé à temps **racheté, ressaisi, repris**
– Il a supprimé la pâtisserie mais se rattrape sur le chocolat **compense avec**

RAVAGE
– Ravage d'origine naturelle **bouleversement, cataclysme, désolation, sinistre**
– Ravage causé par l'homme **dégât, destruction, dévastation, pillage, ruine, sac, pollution**
– Les ravages du temps **rides, vieillesse**
– Il fait des ravages chez les filles **attire, séduit, tourneboule**

RAVI
– Quel beau cadeau ! Je suis ravi **comblé, content, heureux, satisfait**

RAVIR
– Elle ravit ceux qui la contemplent **attire, charme, enchante, ensorcelle, séduit, plaît à**
– Ce roman l'a ravi **captivé, emballé, enthousiasmé, transporté, passionné**
– Propre à ravir **beau, exaltant, magnifique, ravissant, superbe**
– Ravir des biens **approprier (s'), emparer de (s'), souffler, usurper, subtiliser, voler, spolier de**
– Ravir une personne **emmener, enlever, kidnapper, prendre en otage**
– Ravir officiellement **confisquer**

RAVITAILLEMENT
– Ravitaillement d'un particulier **provisions, vivres, victuailles**
– Lieu de ravitaillement militaire **camp, base**
– Service chargé du ravitaillement **intendance, logistique**
– Ravitaillement en blé dans l'Antiquité romaine **annone**

RAYER
– Rayer la mention inutile **barrer, biffer, raturer**
– Rayer un candidat d'une liste **retirer, éliminer, enlever, radier, supprimer**
– Rayer du verre **érafler**

RAYON
– Rayon lumineux **jet, rai, trait**
– Émission et propagation de rayons **rayonnement**
– Dérivation des rayons lumineux **réfringence, biréfringence, réfraction**
– Dérive et disperse les rayons lumineux **prisme**
– Un rayon dérivé **réfracté**
– Un rayon pénétrant une substance **immergent**
– Un rayon sortant d'une substance **émergent**
– Rayons lumineux parallèles **faisceau**
– Réfléchit les rayons lumineux **miroir, catadioptre, cataphote**
– Disposé en rayons **radiaire, radié, stellaire**
– Le soleil darde ses rayons **brille, éclaire, étincelle, luit, irradie**

– Émettre des rayons **irradier**
– Relatif au rayon d'un cercle **radial**
– Double du rayon **diamètre**
– Le rayon des légumes **étalage, éventaire, stand, console**
– Rayon d'une bibliothèque **degré, étagère, rayonnage, tablette**
– Rayon de cire d'abeille **alvéoles, gâteau**
– Rayon d'action **envergure, étendue, champ**
– Ce n'est pas mon rayon **affaire, domaine, juridiction, branche, de mon ressort, de ma compétence, dans mes cordes**

RAYONNER

– Point d'où tout rayonne **centre**
– Son visage rayonne d'allégresse **éclate de, brille de**
– Une personne rayonnant d'allégresse **radieuse, ravie**
– La culture grecque rayonna dans le monde occidental **étendit (s'), répandit (se), développa (se), propagea (se)**

RÉACTION

– Mouvement contraire et égal à la réaction, qui la détermine **action**
– Dispositif de propulsion par réaction **réacteur, turbine**
– Moyen de transport à réaction **avion, fusée**
– Réaction chimique **catalyse, dialyse, électrolyse**
– Substance provoquant une réaction chimique **catalyseur**
– Produit chimique détectant la présence d'une substance par réaction **réactif**
– Réaction biochimique déclenchée par la lumière **photosynthèse**
– Réaction nucléaire **désintégration, explosion, fission, fusion**
– Réactions propres à un individu **idiosyncrasie**
– Réaction violente de l'organisme à un agent étranger **anaphylaxie, allergie**
– Réaction médicalement provoquée **cuti-réaction**
– Excitation provoquant la réaction du système nerveux **stimulus**
– Réaction à un stimulus **réflexe, réponse**
– Réaction contre un événement historique **opposition, résistance**
– Réaction contre un changement historique visant à rétablir l'ordre antérieur **contre-révolution, restauration**
– Partisan de la réaction **conservateur, réactionnaire, passéiste, rétrograde**
– Réaction de la population en colère **manifestation, grève, protestation**
– Réaction suivant un événement **conséquence, contrecoup, effet, sursaut**

RÉAGIR

– Comment réagir face à cette situation ?

– Elle n'a pas su réagir à ces attaques **protester, répliquer, riposter, répondre**
– Vos résultats baissent, réagissez ! **reprenez-vous, ressaisissez-vous**
– Qui ne réagit pas **apathique, indifférent, mou, amorphe, inerte**

RÉALISER

– Réaliser une propriété en argent **convertir, transformer, vendre, liquider, brader**
– Réaliser un bénéfice **obtenir**
– Réaliser une tâche **effectuer, exécuter, mener à bien**
– Réaliser un projet **accomplir, concrétiser**
– Réaliser un film **tourner**
– Réaliser les désirs de quelqu'un **combler, exaucer**
– Il réalise à ses yeux la bonté **incarne, personnifie, représente**
– Il vient de réaliser l'importance de la situation **comprendre, rendre compte de (se), saisir, voir**

RÉALISER (SE)

– Ses fantasmes se réalisent dans sa peinture **expriment (s'), traduisent (se)**
– Il se réalise pleinement dans ses études **épanouit (s'), mûrit**

RÉALISME

– Le réalisme d'un récit **véracité, vérité, vraisemblance**
– Le réalisme d'un portrait **fidélité, ressemblance**
– Attitude pleine de réalisme **pragmatisme, utilitarisme**
– Réalisme excessif **cynisme, opportunisme**
– Réalisme rabelaisien **crudité, verdeur**
– Réalisme littéraire au XIXe siècle en Italie **vérisme**
– Réalisme politique **realpolitik**

RÉALITÉ

– Réalité d'un fait **matérialité, vérité, authenticité, véracité, historicité**
– Réalité de la matière **substance**
– Ce qui constitue pour nous une réalité **chose, être, fait, objet**
– Aspect extérieur pas forcément conforme à la réalité **apparence**
– Réalité incontestable **évidence**
– La réalité qui nous entoure **monde, nature, univers, réel**
– Théorie définissant l'esprit comme réalité supérieure **spiritualisme**
– Courant artistique s'attachant à reproduire exactement la réalité **hyperréalisme**
– Concept n'ayant pas de correspondant avec la réalité vécue **abstraction**
– Théorie définissant la matière comme seule réalité **matérialisme**

– Interprétation de la réalité **allégorie, chimère, conte, fiction**
– Constituer une réalité **exister**

REBELLE

– Type d'action menée par une population rebelle **insurrection, rébellion, révolte, soulèvement, trouble, mutinerie, émeute**
– Cheveux rebelles **tignasse, crinière, épi**
– Esprit rebelle **factieux, insurgé, mutin, révolté, séditieux, contestataire, libertaire**
– État d'un esprit rebelle **opposition, refus, résistance, insubordination**
– Un enfant rebelle **désobéissant, indiscipliné, indocile, récalcitrant**
– Se montre rebelle à l'armée **déserteur, insoumis**
– Rebelle à une idéologie **dissident**
– Rebelle à tout conseil **fermé, opposé, sourd, imperméable, réfractaire**

REBONDIR

– Une pierre rebondit à la surface de l'eau **ricoche**
– La balle rebondit **rejaillit, saute**
– Événement qui fait rebondir le cours des choses **coup de théâtre, contrecoup, développement, imprévu**
– Faire rebondir un scandale **repartir, reprendre, recommencer**

RÉCALCITRANT

– C'est un homme récalcitrant **indocile, insoumis, rebelle**
– Être récalcitrant à une proposition **réfractaire, opposé**

RÉCAPITULER

– Elle essayait de récapituler ces dernières années **souvenir de (se), rappeler (se), remémorer (se)**
– Récapitulons ! **faisons le point, résumons, reprenons**

RECENSEMENT

– Recensement de la population **compte, comptage, dénombrement**
– Recensement du contingent **appel, conscription**
– Résultats d'un recensement **relevés, statistiques**
– Recensement des richesses de quelqu'un **énumération, inventaire, évaluation, détail**

RÉCENT

– C'est tout récent **nouveau**
– Un mobilier récent **moderne, neuf**
– Une nouvelle toute récente **chaude, fraîche**
– Le passé récent **proche**
– Constituée par les faits récents **actualité**
– Géologiquement récent **jeune**

– Amnésie concernant les faits récents **dysmnésie**

RÉCEPTEUR
– Récepteur du point de vue linguistique **destinataire, interlocuteur, allocutaire**
– Récepteur de télévision, de radio **poste, téléviseur, transistor, tuner**
– Il applique le récepteur contre son oreille **écouteur**

RÉCEPTION
– Sert à la réception des sons **collecteur, récepteur, tympan**
– Accusé de réception **avis, récépissé**
– Réception à l'Académie française **admission, intronisation**
– Se rendre à une réception **buffet, cérémonie, fête, gala, soirée**
– Nom donné à une réception en Afrique du Nord **diffa**
– Réception d'une personnalité **accueil**
– Organise les réceptions **amphitryon, hôte**
– Hante les réceptions **parasite, pique-assiette, écornifleur**
– Réception de travaux sur un chantier **acceptation, approbation, contrôle**

RECETTE
– Recette infaillible pour réussir **truc, méthode, moyen, procédé**
– Recette alchimique **formule**
– Recette d'un commerce **rentrée, caisse**
– Compte des recettes et des dépenses **balance, budget**
– Bénéfice dégagé par la recette **boni, gain, plus-value, profit, revenu**
– Recettes du fisc **contributions, impôts**
– Collecte les recettes du fisc **percepteur, receveur**
– S'adresser à la recette principale **perception**

RECEVOIR
– Recevoir un colis **réceptionner**
– Recevoir de l'argent **empocher, percevoir, toucher**
– Recevoir un coup de poing **encaisser, prendre, récolter, attraper**
– Recevoir un prix **décrocher, obtenir**
– Recevoir des excuses **accepter, agréer**
– Recevoir des injures **endurer, essuyer**
– Recevoir un choc à l'annonce d'une mauvaise nouvelle **éprouver, ressentir, être frappé, subir**
– Une amphore destinée à recevoir l'huile de palme **contenir, recueillir**
– Recevoir une demande pour valable **reconnaître**
– Il ne reçoit pas les idées opposées aux siennes **souffre, supporte, admet, tolère**
– Ce qu'il a reçu de sa mère **hérité**
– La leçon reçue de cette expérience **tirée**
– Être reçu à un concours **admis**

– Recevoir des hôtes de passage **loger, accueillir, héberger, abriter**
– Proposer à des amis de les recevoir à dîner **convier, inviter**
– On reçoit mal dans cette région reculée **capte**

RÉCHAUFFÉ
– C'est du réchauffé **connu, désuet**

RÉCHAUFFER
– Sert à réchauffer **réchaud, chauffe-rette, chauffe-plat, bouillotte, radiateur, poêle**
– Réchauffer ses doigts engourdis **dégeler, ranimer**
– Réchauffer l'atmosphère **détendre, briser la glace**
– Cela réchauffe le cœur **réconforte, console**

RECHERCHE
– Recherche de minéraux ou de nouveaux clients **prospection**
– Recherches archéologiques **excavations, fouilles**
– Recherche d'informations **enquête**
– Recherches judiciaires **investigations, perquisitions**
– Recherche d'aveux par des coups et des sévices **torture**
– Recherche intellectuelle **étude**
– Travail de recherche scientifique **examen, expérience, observation**
– Organisme chargé de la recherche fondamentale en France **CNRS (Centre national de la recherche scientifique)**
– Recherche littéraire **essai**
– Recherche théorique **spéculation**
– Recherche au hasard **tâtonnement**
– Recherche par analyse de chacun des éléments d'un problème **dissection**
– Recherche du bonheur **poursuite, quête**
– Recherche du profit **lucre**
– Recherche dans l'habillement **soin, art, raffinement, élégance**
– Recherche excessive d'un style littéraire **cultisme, euphuisme, gongorisme, préciosité**
– Recherche exagérée dans les manières **affectation, afféterie, mièvrerie, mignardise, pose**

RECHERCHÉ
– Un livre recherché **rare, demandé**
– Une denrée recherchée **prisée**
– Un spectacle recherché **couru, à la mode, en vogue**
– Un goût recherché **délicat, exquis, subtil, raffiné**
– Un style recherché **étudié, soigné, travaillé, sophistiqué, élégant**
– Un langage exagérément recherché **mignard, précieux, affecté, snob, ampoulé**

RECHERCHER
syn. chercher, enquérir (s'), enquêter, explorer, fouiller, fouiner, fureter, perquisitionner
– Rechercher un fugitif **pourchasser, poursuivre, traquer**
– Rechercher les causes d'un phénomène naturel **analyser, déterminer**
– Rechercher les faveurs de quelqu'un **désirer, quêter, solliciter**

RÉCIPIENT
voir aussi cuisine, vaisselle
– Grand récipient **réservoir, tonneau, cuve, Cubitainer, conteneur**
– Récipient utilisé en laboratoire **cornue, coupelle, tube à essai, éprouvette, mortier, creuset**
– Récipient réservé à l'alimentation des animaux **auge, abreuvoir**
– Ferme un récipient **couvercle, bouchon, capuchon, capsule**

RÉCIPROQUE /1
– Je lui ai rendu la réciproque **pareille**

RÉCIPROQUE /2
– Lien réciproque **corrélation, correspondance, solidarité, interdépendance**
– Action réciproque **interaction**
– Un accord réciproque **synallagmatique, bilatéral**
– Une décision résultant d'un accord réciproque **concertée**
– Achat réciproque dans l'Antiquité romaine **coemption**
– Un amour réciproque **mutuel, partagé**
– Violence réciproque **représailles, loi du talion, vengeance, vendetta**
– En logique, une proposition réciproque **converse, inverse**
– En géométrie, des figures réciproques **inverses, duales**
– Un pronom réciproque **réfléchi**

RÉCIT
– Récit sur un point précis **communication, conférence, exposé, laïus, rapport, flash**
– Récit didactique **cours, enseignement, leçon**
– Récit écrit **nouvelle, roman**
– Récit présentant des faits comme étant réels **biographie, compte rendu, confession, description, reconstitution, témoignage**
– Récit imaginaire **conte, épopée, fable, fiction, légende, mythe**
– Récit historique **annales, chronique**
– Il a écrit le récit de sa propre vie **autobiographie, journal, Mémoires**
– Récit juridique **factum, mémoire, minute, procès-verbal**
– Récit journalistique **article, papier, reportage**

– Récit moral **apologue, parabole**
– Récit médiéval en vers **fabliau**
– Récit symbolique **allégorie**
– Quelques récits religieux fondateurs **Avesta, Bible, Coran, Évangiles, Mahabharata, Popol-Vuh**
– Récit épique **l'Énéide, l'Iliade, l'Odyssée**
– Récit mythologique **théogonie**
– Récit à suivre **feuilleton**
– Long récit **cycle, somme, saga, trilogie, tétralogie, geste, épopée**
– Récit de moindre importance **anecdote, historiette**
– Structure d'un récit **canevas, construction, intrigue, scénario, trame, action**
– Partie d'un récit **chapitre, détail, épisode, péripétie, scène, tableau**
– Fin de récit **conclusion, dénouement, épilogue, moralité**
– Retour en arrière dans le récit **flash-back**
– Récit dans le récit **mise en abyme**
– Changement brusque dans le fil du récit **coup de théâtre, rebondissement**
– Récit chanté **cantate, opéra, opérette, oratorio**
– Récit parlé dans un opéra **déclamation, mélopée, récitatif**
– Un récit d'anticipation **futuriste, de science-fiction**
– Recueil de récits **anthologie, fablier, florilège**

RÉCITAL
– Donner un récital **audition, concert, spectacle**
– Série de récitals **tournée**
– Récital romantique **aubade, sérénade**
– Récital de variétés **one-man-show, one-woman-show, gala**

RÉCITER
– Réciter un texte **énoncer, prononcer**
– Réciter sa leçon **débiter, dire**
– Réciter avec difficulté **ânonner, bafouiller, balbutier, bredouiller**
– Réciter d'une façon monotone **psalmodier**

RÉCLAMATION
– Quel est l'objet de votre réclamation ? **demande, doléance, pétition, plainte, requête, revendication**
– Réclamation à haute et vive voix **clameur, cri, protestation**

RÉCLAME /1
– Cette réclame passe à la télévision **publicité, spot publicitaire, annonce**
– Réclame intensive **campagne, battage**
– Sa meilleure réclame, c'est son doux caractère **atout**
– Vendu en réclame **solde, promotion**
– Faire la réclame d'un spectacle **éloge**

– Réclame à la fin d'une tirade au théâtre **signal**
– Réclame dans un plain-chant **reprise**

RÉCLAME /2
– Le fauconnier fait revenir son oiseau par un réclame **cri, rappel**

RÉCLAMER
– Il ne cesse de réclamer **gémir, plaindre (se), protester, râler, rouspéter, récriminer, récrier (se)**
– Réclamer des dommages et intérêts devant le tribunal **répéter**
– Réclamer du pain **demander, exiger, quémander, vouloir**
– Réclamer l'indulgence de quelqu'un **implorer, solliciter**
– Réclamer une responsabilité **prétendre à, revendiquer**
– Réclamer en faveur de quelqu'un **intercéder**
– La pratique d'un instrument réclame patience et passion **appelle, requiert, suppose, nécessite, commande**

RÉCLAMER (SE)
syn. **prévaloir (se), recommander (se)**

RÉCOLTE
– Récolte d'argent **butin, collecte, gain, profit, recette**
– Récolte de produits cultivés **moisson, ramassage**
– Récolte des foins **fenaison**
– Récolte du raisin **vendange**
– Récolte des glands **glandée**
– Récolte de baies sauvages **arrachage, cueillette**
– Récolte du sel **saunage**
– Les récoltes y sont entreposées **fenil, grange, grenier, pailler, silo**
– Impôt sur la récolte **champart, dîme**

RECOMMANDER
– Recommander un envoi **assurer, garantir**
– Je vous recommande la discrétion **demande, conseille**
– Il lui recommande de se tenir tranquille **exhorte**
– Je recommande ce vin **préconise, prône**
– Recommander son âme à Dieu **prier**
– Recommander quelqu'un pour un emploi **appuyer, épauler, patronner, pistonner, soutenir, introduire, présenter, parrainer**

RECOMMANDER (SE)
– Se recommander d'une personne **réclamer (se), prévaloir (se)**
– Se recommander au bon souvenir de quelqu'un **rappeler (se)**

RECOMMENCER
– Recommencer une expérience **refaire,**

réitérer, renouveler, répéter, retenter
– Les combats ont recommencé **repris**
– Recommencer les mêmes erreurs **récidiver, persévérer dans**
– Le mécontentement recommence **ranime (se), ravive (se)**
– Il va recommencer sa terminale **redoubler**
– Recommencer sa vie **renaître, repartir, reconvertir (se), changer**
– Recommencer à chanter à la demande du public **bisser**
– Sermonner quelqu'un pour qu'il ne recommence pas **admonester**

RÉCOMPENSE
Voir tableaux prix cinématographiques, p. 490, prix littéraires, p. 493
– Justifie une récompense **effort, mérite**
– Attribuer une récompense **décerner, couronner, féliciter**
– A obtenu une récompense **lauréat, vainqueur**
– Tu auras une récompense pour ta peine **compensation, dédommagement**
– Classement des récompenses **palmarès**
– Ancienne récompense scolaire **bon point, image**
– Récompense militaire **citation, décoration, médaille**
– Récompense honorifique **accessit, couronne, distinction, mention, prix, satisfecit**
– Récompense sportive **coupe, médaille, trophée**
– Récompense cinématographique **césar, oscar, ours, palme, lion**
– Récompense théâtrale **molière**
– Récompense musicale **victoire**
– Récompense académique **palmes**
– Récompense en argent **don, gratification, pourboire, prime, paiement, rétribution**

RÉCONCILIER
syn. **accorder, concilier, réunir**
– Action visant à réconcilier deux parties **entremise, entrevue, médiation, négociation**
– Réconcilier un hérétique avec l'Église **reconvertir**

RÉCONCILIER (SE)
– Se réconcilier après une brouille **pardonner, renouer, raccommoder (se), rabibocher (se)**

RÉCONFORT
– Chercher du réconfort **consolation, soulagement, apaisement**
– Apporter son réconfort à un ami **soutien, appui, aide, secours**

RÉCONFORTER
– Réconforter un ami **aider, consoler, relever, soutenir**

– Un doigt d'alcool réconforte **stimule, réchauffe, ragaillardit, revigore, remonte**

RECONNAISSANCE

– Signe de reconnaissance entre deux personnes **code, mot de passe, signal**
– Signe de reconnaissance dans une enquête **empreinte, indice, marque, signalement**
– Reconnaissance d'un enfant **filiation, légitimation**
– Reconnaissance de dette **reçu, acquit**
– Reconnaissance d'un territoire inconnu **découverte**
– Envoyer un groupe d'hommes en reconnaissance **exploration, inspection, investigation, recherche**
– Soldat chargé de la reconnaissance de terrain **éclaireur**
– Petit bateau de reconnaissance **mouche**
– Reconnaissance aérienne **observation**
– Reconnaissance d'une autorité **acceptation, soumission, allégeance**
– Reconnaissance envers Dieu **dévotion, ex-voto, action de grâces, louange**
– Preuve de reconnaissance **obligation, remerciement**
– Éprouver de la reconnaissance **gratitude**

RECONNAÎTRE

– Reconnaître un objet parmi d'autres **distinguer, différencier, retrouver, remarquer**
– Reconnaître une personne **identifier, rappeler (se), remettre (se), souvenir de (se)**
– Reconnaître un fond sous-marin **prospecter, sonder**
– Les gardes-côtes ont reconnu un navire suspect **arraisonné**
– Reconnaître la complexité d'un problème **constater, discerner**
– On lui reconnaît certaines qualités **attribue, concède, prête**
– Il a bien dû reconnaître ta version des faits **croire**
– Reconnaître une erreur **admettre, avouer, confesser, assumer**
– Reconnaître un défaut **deviner, juger, découvrir**
– J'ai tort, je le reconnais **l'accorde, en conviens, entends bien, l'accepte**

RECONSTITUER

– Reconstituer des troupes en désordre **rappeler, rassembler, regrouper**
– Reconstituer des tissus organiques **régénérer**
– Produit permettant de reconstituer ses forces **remontant, stimulant, tonique**
– Permet de reconstituer par assemblage **pièces**
– Permet de reconstituer des faits par raisonnement **déduction, recoupement**

– Reconstituer un service de table **réassortir**

RECORD

– Record sportif **exploit, performance, prouesse**
– Détenteur d'un record **champion, recordman, recordwoman, as**
– Faire tomber un record **battre, dépasser, pulvériser**
– L'eau atteint un niveau record **extrême, maximal**

RECOUVRER

– Recouvrer ses forces **reconstituer (se), rétablir (se), ressaisir (se)**
– Recouvrer un impôt **encaisser, percevoir, toucher, recevoir**
– Recouvrer l'argent prêté **reprendre, retrouver, récupérer, regagner**

RECOUVRIR

– Des débris recouvrent le sol **jonchent, parsèment, couvrent**
– Recouvrir un objet **cacher, dissimuler, masquer, voiler**
– Recouvrir un mur **enduire, habiller, tapisser, revêtir**
– Recouvrir un coussin **envelopper**
– Recouvrir un chemin **asphalter, bitumer, goudronner, paver**
– Recouvrir de terre **ensevelir, enterrer, inhumer**
– Recouvrir de chocolat **enrober**
– Recouvrir d'or un métal **doubler, plaquer**
– Le mot recouvre plusieurs concepts **embrasse, applique à (s'), regroupe**

RECOUVRIR (SE)

– Se recouvrir partiellement **chevaucher (se), imbriquer (s'), superposer (se)**

RÉCRÉATION

syn. **divertissement**
– Il a besoin d'une récréation après tout ce travail **amusement, délassement, répit, détente, jeu**
– L'heure de la récréation **pause**
– La lecture est sa seule récréation **loisir, passe-temps, plaisir, distraction**
– Lieu de récréation pour les enfants **cour, aire de jeux**

RECRUTER

– Recruter des militants **convaincre, embrigader, attirer**
– Recruter des fidèles **convertir**
– Recruter des soldats **engager, enrégimenter, enrôler, incorporer, mobiliser**
– Soldat récemment recruté **bleu, conscrit, recrue**
– Moyen de recruter par force de loi **appel, conscription, service**
– Action de recruter des volontaires **engagement, enrôlement**

– Service chargé de recruter le personnel d'une entreprise **ressources humaines, service du personnel**
– Recruter des travailleurs **embaucher**
– Professionnel qui aide à recruter **chasseur de têtes**
– Recruter un salarié en poste dans une entreprise concurrente **débaucher**

RECTIFIER

syn. **améliorer, changer, modifier, rétablir, retoucher**
– Rectifier une pièce tordue **redresser, rajuster**
– Rectifier une erreur **effacer, réparer**
– Rectifier une démonstration **corriger, revoir, réviser**
– Rectifier un texte de loi **amender, réformer, refondre, transformer**
– Rectifier un style **châtier**
– Rectifier un alcool **distiller, épurer, traiter**
– Rectifier quelqu'un **tuer**

RECTITUDE

– Rectitude morale **droiture, fermeté, franchise, honnêteté, justesse, rigueur, probité**
– Rectitude d'un raisonnement **conformité, exactitude, logique, justesse, solidité**

RECUEIL

– Recueil de textes choisis **analectes, anthologie, florilège**
– Recueil de fables **bestiaire, fablier, ysopet**
– Recueil d'essais d'auteurs divers **miscellanées, variétés, mélanges**
– Recueil d'anecdotes et de bons mots d'un auteur **ana**
– Recueil des gaffes des personnalités **bêtisier, sottisier**
– Recueil de notes ou de documents **archives, corpus, mémoire, spicilège**
– Recueil des chartes d'une église, d'un couvent **cartulaire, chartrier**
– Recueil de textes juridiques **bulletin, code, coutumier**
– Recueil des décisions de jurisconsultes en droit romain **digeste, pandectes**
– Recueil historique **annales, chronique**
– Recueil d'informations pratiques **almanach, annuaire, catalogue, guide, registre, répertoire**
– Recueil de références **bibliographie**
– Recueil de mots **dictionnaire, glossaire, index, lexique, nomenclature, thésaurus, vocabulaire**
– Recueil de formules médicales **Codex, formulaire, Pharmacopée**
– Recueil de textes d'enseignement **abrégé, cours, manuel, chrestomathie**
– Recueil de cartes **atlas, portulan**
– Recueil de textes religieux chrétiens **bullaire, canon**

513

– Recueil de textes religieux musulmans **sunna, hadith**
– Recueil de préceptes sanskrits **sutra**
– Recueil de textes religieux juifs **Kabbale, Aggada, Talmud, Torah**
– Recueil de photos **album**
– Recueil de chansons **chansonnier**
– Recueil d'armoiries **armorial**
– Recueil de plantes séchées **herbier**
– Constituer un recueil de textes **colliger, compiler**

RECUEILLIR
– Recueillir des informations **réunir, enregistrer, glaner, rassembler**
– Recueillir en grande quantité **amasser, thésauriser**
– Recueillir de l'argent **collecter, hériter, quêter**
– Recueillir des impôts **lever, percevoir**
– Dispositif recueillant les eaux de pluie **gouttière, impluvium**
– Recueillir des sans-abri **héberger, loger, abriter**
– Ce téléphone recueille les messages **capte**
– Recueillir la sympathie de quelqu'un **gagner**

RECUEILLIR (SE)
– Se recueillir un moment **absorber (s'), concentrer (se), méditer, prier, réfléchir, replier (se)**

RECUL
syn. **marche arrière, récession, régression**
– Recul d'un bataillon **repli, décrochage, retraite**
– Il n'a aucun recul par rapport à la situation **distanciation, détachement, réflexion**

RECULER
– Marcher en reculant **à reculons**
– Le navire dut reculer **culer**
– Reculer en escrime **rompre**
– L'armée recule **décroche, fléchit, replie (se), rétrograde**
– Faire reculer des manifestants **refouler, repousser**
– Les gens reculèrent soudain **refluèrent**
– Reculer un objet **déplacer, ramener**
– Reculer devant l'ampleur de la tâche **hésiter, dérober (se), céder, renoncer, abandonner, caler**
– Reculer les limites de la connaissance **accroître, agrandir, étendre**
– L'épidémie recule **diminue, régresse**
– Reculer l'échéance fatidique **ajourner, différer, retarder**

RÉCURRENT
– Un phénomène récurrent **itératif, réduplicatif, répétitif**
– Une règle récurrente **récursive**

RELIGIONS ET COURANTS RELIGIEUX

Animisme : religion qui attribue aux animaux et aux choses une âme analogue à celle des êtres humains.

Babisme : mouvement réformiste de l'islam chiite fondé en Iran au XIXe s. par Mirza Ali Muhammad, surnommé le Bab (la Porte).

Bahaïsme : courant religieux dérivé du babisme et fondé au XIXe s. par Baha'Allah.

Bouddhisme : religion fondée au VIe s. av. J.-C. par l'ascète indien Gautama, qui prit ensuite le nom de Bouddha (l'Éveillé).

Chamanisme : ensemble des pratiques religieuses centrées autour du chaman, prêtre-sorcier. Surtout répandu en Sibérie et en Asie centrale.

Chiisme : schisme de l'Islam, apparu dès le VIIe s. Contestant la légitimité du pouvoir d'Ali, gendre et successeur du Prophète, le chiisme considère que le pouvoir du calife ne doit pas être temporel, mais purement spirituel.

Christianisme : religion des chrétiens, apparue au Ier s. de notre ère avec le prophète Jésus-Christ.

Confucianisme : religion chinoise fondée sur l'enseignement de Confucius, philosophe du VIe s. av. J.-C.

Druzisme : religion émanant de l'islam chiite et empruntant certains principes au messianisme, au gnosticisme et au néoplatonisme. Pratiquée en Syrie, au Liban et en Israël.

Hindouisme/Brahmanisme : religion de l'Inde liée au système social des castes. Il existe différents courants dans l'hindouisme : le vishnouisme, le shivaïsme, le tantrisme.

Islam : religion des musulmans, fondée au VIIe s. par le prophète Muhammad, ou Mahomet. On distingue deux courants majeurs dans l'islam : le chiisme et le sunnisme *(voir ces mots)*.

Ismaïliens (secte des) : courant issu de l'islam chiite extrémiste reconnaissant Ismaïl comme dernier imam et ayant adopté l'ésotérisme comme base doctrinale.

Jaïnisme : courant réformiste du brahmanisme qui prône la non-violence. Il fut fondé en Inde par Jina au VIe s. av. J.-C.

Judaïsme : religion juive. Première des grandes religions monothéistes.

Manichéisme : doctrine religieuse issue du mazdéisme, enseignée par Mani du IIIe s.

Mazdéisme/Zoroastrisme/Parsisme : religion de la Perse qui repose sur l'enseignement du prophète Zarathoustra (VIe s. av. J.-C.). Religion dualiste selon laquelle le monde est régi par l'opposition de deux principes divins : le Bien et le Mal.

Monothéisme : religion qui ne vénère qu'un seul dieu.

Polythéisme : religion qui vénère plusieurs dieux.

Rastafarisme : mouvement religieux jamaïquain qui considère l'ancien empereur d'Éthiopie, ras Tafari, comme le rédempteur du peuple noir et prône le retour en Afrique.

Shintoïsme : religion officielle du Japon qui fait de l'empereur un représentant divin.

Sikhisme : religion de l'Inde, fondée au Pendjab au XVe s. par le gourou Nanak, qui n'admet qu'un seul dieu créateur et refuse le système des castes.

Soufisme : courant ésotérique de l'islam né au VIIe s. et qui prône un retour au mysticisme et à l'ascétisme.

Sunnisme : littéralement, qui suit la sunna, c'est-à-dire la tradition. Courant majoritaire de l'islam, acceptant les quatre premiers califes comme successeurs du Prophète.

Taoïsme : religion chinoise enseignée par le philosophe Lao Tseu au VIe s. av. J.-C.

Wahhabisme : mouvement réformiste de l'islam à tendance puritaine qui s'est développé en Arabie saoudite et prêche l'observation rigoureuse du Coran.

Zen : école bouddhiste japonaise apparue à la fin du XIIe s. Son enseignement repose sur une méthode de méditation.

– Inutilement récurrent **redondant, pléonastique**

RÉCUSER
– Récuser un témoignage **refuser, rejeter, réfuter, nier, démentir**
– Récuser l'autorité d'un tribunal **contester**
– Un fait impossible à récuser **irréfragable, irrécusable, irréfutable**

RÉCUSER (SE)
syn. **abstenir (s')**

RÉDACTEUR
– Rédacteur d'un quotidien **chroniqueur, critique, échotier, éditorialiste, feuilletoniste, journaliste, agencier**
– Rédacteur qui améliore un texte **rewriter**

– Rédacteur qui rédige ou prépare un texte à la place d'un autre, sans le signer **nègre**
– Rédacteur payé à la page **pigiste**
– Rédacteur dans l'Égypte ancienne **scribe**

REDEVANCE
– Payer une redevance **impôt, taxe, droit, contribution**
– Redevance au Moyen Âge **banalité, cens, fouage, taille, dîme, capitation**

RÉDIGER
– Cette dissertation est mal rédigée **conçue, formulée, écrite**
– Rédiger à la hâte **gribouiller, griffonner**
– Rédiger à l'ordinateur **saisir**
– Rédiger son journal **tenir**

– Rédiger un contrat **dresser, établir, libeller**
– Rédiger un acte officiel **minuter**
– Il rédige pour le compte d'une autre personne **nègre**

REDOUTER
– Il redoute son départ **alarme de (s'), appréhende, craint, a peur de**

REDRESSER
syn. **améliorer, rectifier**
– Redresser un pylône **replanter, relever**
– Redresser un sabre **défausser**
– Redresser une poutre **dégauchir**
– Redresser les roues de la voiture **braquer**
– Appareil permettant de redresser la colonne vertébrale **corset**
– Redresser un défaut **corriger**
– Redresser la situation **rattraper**

REDRESSER (SE)
– Lorsque la verge se redresse **érection**

RÉDUCTION
– Réduction chimique **élimination, désoxydation, désoxygénation**
– Réduction d'une expression mathématique en éléments simples **analyse**
– Permet la réduction d'une fracture **attelle, plâtre**
– Réduction d'une mesure en une unité différente **conversion**
– Réduction d'impôt **dégrèvement, allégement, déduction**
– Réduction du temps de travail **RTT**

RÉDUIRE
– Réduire un texte **résumer, condenser, abréger, raccourcir**
– Réduire ses dépenses **limiter, baisser, diminuer**
– Réduire la boisson **modérer**
– Réduire sa vitesse **décélérer, freiner, rétrograder**
– Réduire en poudre **pulvériser, piler, concasser, moudre, broyer**

RÉEL
syn. **actuel, effectif, donné, positif**
– Un fait réel **authentique, certain, démontré, exact, historique, indubitable**
– Une émotion réelle **sincère**
– L'origine réelle d'un mot **exacte, véritable**
– Un privilège bien réel **existant, palpable, patent, tangible, visible**
– Une valeur non réelle d'une action **nominale**
– Peut devenir réel **potentiel, possible, virtuel**
– Rendre réel **concrétiser, réaliser**
– Données accessibles en temps réel **immédiatement**

– Type de nombre réel **algébrique, transcendant**

RÉFÉRENCE
– Référence d'un livre de bibliothèque **cote**
– Référence dans un texte **note, renvoi**
– Liste de mots clefs donnés avec leur référence dans un ouvrage **index**
– Citer ses références **sources**
– Référence en matière de mesure **étalon**
– Ouvrage de référence **dictionnaire, encyclopédie**
– Par rapport à une référence **relatif**

RÉFÉRENDUM
– La population est amenée à se prononcer lors du référendum **plébiscite, consultation, scrutin, suffrage, vote**
– Référendum en Suisse **votation**

RÉFLÉCHI
– Une décision réfléchie **avisée, habile, prévoyante, prudente, raisonnable**
– Un acte réfléchi **calculé, délibéré, prémédité, projeté**
– Une attitude réfléchie **calme, concentrée, mûre, pondérée, posée, sage**
– Un verbe réfléchi **pronominal, réflexif**

RÉFLÉCHIR
syn. **penser, songer**
– Réfléchir sur un problème **arrêter sur (s'), considérer, étudier, examiner, peser, analyser, calculer, chercher, cogiter, observer, gamberger**
– Réfléchir avant d'agir **mijoter, mûrir, préméditer, projeter**
– Le conseil se retira pour réfléchir **délibérer, consulter (se)**
– Y réfléchir à deux fois **regarder**
– Le miroir réfléchit l'image **reflète, renvoie**

RÉFLÉCHIR (SE)
– Les derniers rayons du couchant se réfléchissaient sur la façade **brillaient, luisaient, miroitaient, réverbéraient (se), reflétaient (se)**

REFLÉTER
– Ses déclarations reflètent une certaine inquiétude **indiquent, expriment, montrent, traduisent**
– Les surfaces vitrées reflètent la lumière **renvoient, réfléchissent, réverbèrent**

RÉFLEXE
– Le médecin vérifie les réflexes du patient **automatismes, mouvements, réactions**
– Agir par réflexe **instinctivement, involontairement, machinalement**
– Le bon réflexe d'un automobiliste **coup d'œil, présence d'esprit, sang-froid**

– Un réflexe pavlovien **associatif, conditionné**
– Absence de réflexe **aréflexie**

RÉFLEXION
– Réflexion de la lumière **diffusion, rayonnement, reflet, réverbération**
– Réflexion du son **écho**
– Il est capable de réflexion **application, attention, concentration, discernement, intelligence**
– Un sujet digne de réflexion **approfondissement, délibération, étude, méditation**
– Réflexion personnelle **annotation, considération, idée, note, pensée, observation**
– Réflexion morale exprimée par une formule **adage, aphorisme, maxime, précepte, sentence, proverbe**
– Décider après mûre réflexion **sciemment**
– Agir sans réflexion **aveuglément, au hasard, inconsciemment**
– Faire des réflexions **remarques, observations, critiques**

REFLUX
– Reflux des eaux **baisse, jusant, marée, perdant**
– Le flux et le reflux **balancement, fluctuation, va-et-vient**
– Conséquence du flux et du reflux **mascaret**
– Dispositif empêchant le reflux d'un liquide **valvule**
– Reflux des soldats **recul, retrait, repli**

RÉFORME
– Réforme d'une institution, de la société, d'une idée **amélioration, changement, modification, remaniement**
– Réforme d'une loi **amendement, refonte, révision**
– Se contente de réformes **réformiste**
– Va au-delà des réformes **révolutionnaire**
– Réforme d'un jugement **annulation**
– Réforme militaire **ajournement, exemption**
– Réforme du christianisme **calvinisme, luthéranisme, Réformation**
– Opposition à la Réforme **Contre-Réforme, Ligue**

REFOULEMENT
– Refoulement conscient d'un désir **autocensure, inhibition**
– Refoulement freudien **défense, oubli, rejet**
– Libération d'un refoulement affectif **abréaction, catharsis**

REFOULER
– L'eau de la rivière grossie refoulait jusqu'au pied des habitations **refluait**

– Refouler un métal **mater, repousser**
– Refouler un étranger **bannir, exclure, expulser, rejeter**
– Refouler un agresseur hors du pays **battre, chasser, bouter**
– Refouler ses sentiments **contraindre, dissimuler, étouffer, réfréner, réprimer, retenir, maîtriser**
– Il a refoulé sa colère **contenu, rentré**

REFUGE
– Refuge de montagne **gîte, halte, chalet**
– L'évadé a trouvé un refuge **abri, cachette, havre, retraite**
– Refuge dans le désert **oasis**
– Refuge pour indigents **hospice**
– Refuge d'un animal **repaire, tanière, antre**
– Faire sortir de son refuge **débusquer**
– Demander refuge **asile, hospitalité**
– L'insulte est le refuge de cet être fruste **recours, ressource**
– La drogue est un refuge pour certains **échappatoire**
– Vous êtes mon ultime refuge **salut, soutien, secours**
– Une valeur refuge **sûre**

RÉFUGIER (SE)
– Se réfugier chez un parent **cacher (se), dissimuler (se), sauver (se), enfuir (s')**
– Se réfugier à l'étranger **émigrer, expatrier (s'), exiler (s')**
– Se réfugier dans un couvent **retirer (se)**
– Se réfugier dans les bras de quelqu'un **blottir (se), jeter (se)**

REFUS
syn. rebuffade
– Refus catégorique **veto, rejet**
– Refus de l'autorité quelle qu'elle soit **anarchisme**
– Refus d'accepter la réalité en psychanalyse **déni, dénégation**

REFUSER
– Je refuse cet argument **conteste, contredis, dénie, disconviens de, récuse, rejette**
– Refuser de continuer **abandonner, renoncer**
– Refuser l'accès d'un lieu **défendre, empêcher, interdire**
– Refuser une proposition **décliner, dédaigner, repousser**
– Refuser une permission à un soldat **consigner**
– Refuser une chose promise **dédire (se), démettre (se), rétracter (se)**
– Refuser un prétendant **écarter, éloigner, évincer, éconduire**
– Refuser un candidat à un examen **ajourner, coller, éliminer, recaler**
– Refuser de se soumettre **protester, rebeller (se), rebiffer (se), regimber, révolter (se)**

– Refuser de laisser publier un livre **censurer**
– Refuser de garder un employé **exclure, remercier, renvoyer, révoquer, suspendre, licencier**
– Refuser d'acheter **boycotter**
– Refuser d'exprimer ses sentiments **refouler, étouffer, comprimer**
– Refuser l'utilisation d'un produit **prohiber**
– Se refuser un plaisir **abstenir de (s'), priver de (se), frustrer (se)**
– Se refuser à l'évidence **dérober (se), nier**

RÉFUTER
– Réfuter un témoignage **démentir, désavouer, infirmer, récuser, rejeter**
– Réfuter une thèse **contester, contredire, objecter à, contrer, opposer à (s')**
– Réfuter une croyance, un préjugé **combattre, démystifier, détruire**
– Nécessaire pour réfuter **argument, preuve**
– On n'en peut réfuter l'existence **indéniable, incontestable**
– Permet, en rhétorique, de réfuter une affirmation **contradiction**
– Permet, en rhétorique, de réfuter une objection **réfutation, prolepse**

RÉGAL
– Ce dessert est un vrai régal **délice, délectation**
– Le spectacle fait le régal de tous **plaisir, joie, bonheur**

REGARD
– Regard déviant **strabisme**
– Regard rapide **coup d'œil**
– Un regard intense **pénétrant, perçant**
– Un regard attentif **appuyé, inquisiteur, insistant, indiscret**
– Regard séducteur **œillade, clin d'œil**
– Regard intérieur **introspection, conscience**
– Un certain regard sur le monde **interprétation, jugement, opinion**
– Capter le regard de quelqu'un **attirer**
– Diriger son regard sur quelque chose **porter, poser**
– Jeter des regards autour de soi **lancer, promener**
– Placer aux regards de tous **étaler, exposer, déployer, exhiber**
– Soustraire au regard **cacher, recouvrir, dissimuler, masquer**
– Mettre en regard **comparer**
– La traduction est en regard du texte **en face, en vis-à-vis**
– Un regard donne dans la cave **soupirail, ouverture**

REGARDER
syn. voir
– Regarder avec admiration **contempler**

– Regarder une personne **considérer, examiner**
– Regarder pour la première fois **aviser, découvrir, remarquer**
– Regarder avec insistance **fixer, inspecter, scruter, dévisager, dévorer du regard, surveiller**
– Regarder bêtement, bouche ouverte **béer, bayer aux corneilles**
– Regarder de côté **guigner, lorgner, loucher**
– Regarder sans être vu **guetter, épier, espionner**
– Regarder avec condescendance **toiser**
– Regarder alentour **parcourir**
– Regarder d'un seul œil **bornoyer, cligner, viser**
– Regarder partout **fouiller, fureter**
– Regarder un film **visionner**
– Regarder dans un dictionnaire **consulter**
– Regarder une idée comme dépourvue d'intérêt **estimer, juger, trouver, tenir, réfuter**
– Regarder le danger en face **affronter, braver, envisager**
– Cela ne me regarde pas **concerne, intéresse, touche**
– Regarder à la dépense **compter, économiser**

REGARDER (SE)
– Se regarder dans une glace **mirer (se)**
– Aime à se regarder **narcissique, nombriliste, égocentrique**

RÉGIE
– Régie communale **gestion**
– Régie en matière d'impôts **trésorerie, perception**
– Activité de la régie dans les spectacles **lumière, son**
– À la tête d'une régie **régisseur**
– Principales régies françaises **RATP, Renault**

RÉGIME
– Faire un régime **cure**
– Régime alimentaire strict **diète, rationnement**
– Régime sans sel **alimentation**
– Un régime sans viande **végétarien**
– Un régime sans aucun produit d'origine animale **végétalien**
– Un produit de régime **diététique, allégé**
– Indispensable dans un régime **balance, pèse-personne**
– Régime d'un moteur **allure, rythme, vitesse**
– Régime d'un cours d'eau **débit, étiage**
– Régime des précipitations **fréquence, quantité**
– Régime indirect d'un groupe nominal **complément**
– Régime de dattes **grappe**

– Un régime climatique **glaciaire, nival, océanique, fluvial, tropical**
– Régime matrimonial **contrat, communauté**
– Régime politique **constitution, institution, pouvoir, système, structure**
– Un régime autoritaire **absolutiste, autocratique, policier, totalitaire, dictatorial**
– Les régimes se succèdent dans l'histoire **administrations, gouvernements**
– L'Ancien Régime en France **monarchie**

RÉGION

– La région a été souvent occupée **pays, province, territoire**
– Une région reculée **contrée, coin**
– Région administrative **secteur, circonscription, collectivité territoriale**
– Région parisienne **Île-de-France**
– Une région du corps **partie, zone**

REGISTRE

– Elle a acheté un nouveau registre **agenda, cahier, calepin, carnet**
– Registre de comptes **brouillard, journal**
– Double d'un registre de comptes **contrepartie, contrôle**
– Registre des sommes dues **échéancier**
– Registre des impôts **matrice, rôle, sommier, censier**
– Registre foncier **cadastre**
– Registre d'actes notariés **minutier**
– Registre d'une assemblée **protocole**
– Ancien registre du parlement de Paris **olim**
– Registre des emprisonnements **écrou**
– Registre ecclésiastique **pouillé**
– Registres de faits mémorables **fastes, annales**
– Registre des décès **nécrologie, obituaire**
– Registre des races bovines **herd-book**
– Registre des races chevalines **stud-book**
– Noter dans un registre **enregistrer, consigner**
– Registres sculptés **motifs**
– Le registre d'admission d'une machine à vapeur **valve**
– Registre d'une voix **tessiture, étendue**
– Le registre des couleurs **éventail, gamme, palette**

RÈGLE

– Règle imposée **consigne, contrainte, norme, ordre, prescription**
– Règle traditionnelle **coutume, habitude, rite, us, usage**
– Règle de conduite sociale **convention, exemple, gouverne, modèle, norme, précepte**
– Ensemble de règles de conduite **code, discipline, régime, règlement, ligne**
– Règle d'un ordre catholique **constitution, institut, observance, statut**

– Règles de conduite religieuse chrétienne **canon, catéchisme, commandement, Credo, dogme**
– Un ordre soumis à la règle **régulier**
– Le clergé non soumis à la règle **séculier**
– Règle sanskrite **sutra**
– Règle scientifique **critère, fondement, formule, loi, postulat**
– Système de règles scientifiques **méthode, théorie**
– Règle mathématique **opération, procédé, théorème**
– Règle mathématique donnée **axiome**
– Illustre une règle **exemple**
– Règles de civilité **bienséance, cérémonial, décorum, étiquette, protocole**
– Confirme la règle **exception**
– Règle procédurale **formalité**
– Règles juridiques **droit**
– Ensemble des règles d'une langue **grammaire**
– Une règle grammaticale non descriptive **normative**
– Règle formelle **logique**
– Règles du discours chez Aristote **rhétorique**
– Respect scrupuleux des règles **conformisme, convenances, correction, formalisme, régularité**
– Conforme à la règle **normal, réglementaire, réglo**
– Manquement à la règle **défaut, écart, faute, irrégularité**
– Une décision en dehors de toute règle **arbitraire**
– Possède ses propres règles **autonome**
– Règles des femmes **menstrues**

RÈGLEMENT

– Règlement amiable **accommodement, arrangement, conciliation**
– Règlement d'un conflit international par la force **guerre**
– Règlement administratif **décret, arrêté, ordonnance**
– Règlement en matière de sécurité **consignes**
– Règlement d'une association **statuts**
– Effectuer un règlement par chèque **payer, régler**
– Règlement immédiat d'une somme **cash, comptant**
– Règlement judiciaire **redressement**

RÉGLER

– Régler un problème **liquider, expédier**
– Régler un litige **résoudre, conclure, arranger**
– Régler un programme **prévoir, fixer, déterminer, organiser, établir, mettre au point**
– Régler un moteur **ajuster**
– Régler une somme **payer, acquitter**

RÈGNE

– Règne d'un monarque **souveraineté**

– Le règne de l'audiovisuel **prédominance, primauté, domination, suprématie**
– Début de règne **avènement**
– Règne de la nature **animal, végétal, minéral**

REGRET

– Regret du temps passé **blues, nostalgie, spleen, mélancolie**
– Regret dû à un espoir trompé **déception, désespoir, tristesse, chagrin, amertume**
– Expression du regret **doléance, lamentation, plainte, soupir**
– Regret d'une faute commise **remords, repentir**
– Regret d'un péché **attrition, componction, contrition, pénitence, résipiscence, repentance**
– À regret **à contrecœur**

REGRETTABLE

– Une regrettable erreur **stupide, fâcheuse, bête, malencontreuse**
– Son attitude est regrettable **déplorable, navrante, désolante, désespérante, pitoyable, déplaisante**

REGRETTER

– Regretter une mauvaise action **repentir de (se)**
– Il va regretter ton absence **déplorer, plaindre de (se), désapprouver**
– Regretter les beaux jours **pleurer**

RÉGULIER

– Des efforts réguliers **appliqués, assidus, continus, soutenus**
– C'est la procédure régulière **habituelle, normale**
– Des voyages réguliers **fréquents, périodiques**
– Un battement régulier **uniforme, cadencé, mesuré**
– Débit régulier **constant**
– À intervalles réguliers **égaux**
– D'une qualité régulière **homogène**
– Une figure régulière **symétrique**
– Des traits réguliers **harmonieux, proportionnés, équilibrés**
– Salaire régulier **fixe**
– Ce type n'est pas régulier **loyal, scrupuleux, sincère, juste**
– L'armée régulière **officielle**
– Le clergé non régulier **séculier**

REIN

– Relatif au rein **rénal, néphrétique**
– Hormone produite par les reins **érythropoïétine**
– Maladie des reins **néphrite, coliques néphrétiques, pyélonéphrite, néphropathie**
– Tour de rein **lumbago**
– Ablation d'un rein **néphrectomie**

– Creuser les reins **cambrer (se)**
– Qui a la forme d'un rein **réniforme**
– Rein, en boucherie **rognon**

RÉINCARNATION
– Croire en la réincarnation **palingénésie**
– Doctrine de la réincarnation **bouddhisme, brahmanisme, hindouisme, métempsycose**
– A achevé le cycle des réincarnations **bodhisattva**

REINE
voir aussi **roi**
– Mari de la reine souveraine **prince consort**
– Reine dans un concours de beauté **miss**
– Reine aux jeux **dame**
– La petite reine **bicyclette**
– Bouchée à la reine **vol-au-vent**

REJET
– Rejets sur la souche d'un arbre **cépée**
– Jeune rejet **scion**
– Empêche les rejets de greffe **cyclosporine**

REJETER
– Rejeter par la bouche **vomir, cracher, expectorer, régurgiter**
– Rejeter un candidat **éliminer, blackbouler, éjecter, renvoyer, exclure**
– Rejeter un étranger hors du pays **expulser**
– Rejeter une demande en justice **débouter**
– Rejeter une offre **refuser, repousser, dédaigner, décliner**
– Rejeter une pulsion **refouler**

RÉJOUIR
syn. **dérider, divertir, distraire, égayer, enchanter, mettre en joie, régaler**

RÉJOUIR (SE)
– Cela me réjouit **plaît, ravit**
– Ils auront l'occasion de se réjouir **rire, bicher, amuser (s'), jubiler**
– Se réjouir d'un choix **applaudir à, délecter de (se), féliciter de (se)**
– Se réjouir d'une réussite personnelle **exulter, pavoiser, triompher**
– Il empêche les autres de se réjouir **trouble-fête**

RÉJOUISSANCE
– Une journée de réjouissance **liesse, allégresse**
– De nombreuses réjouissances vous attendent **festivités, divertissements**
– Réjouissances publiques **fête, foire, kermesse, carnaval**

RELAIS
– Relais de chevaux **poste**
– Une station relais **étape**

– Relais routier **auberge, hôtel, restaurant**
– Un prêt relais **intermédiaire**
– Relais de télécommunication **satellite**
– Relais amplificateur d'un téléphone **répéteur**
– Prendre le relais d'une personne **relayer, remplacer**

RELANCER
– Il faut relancer la balle **renvoyer, rejeter**
– Relancer l'exécution d'un logiciel **redémarrer**
– Relancer les retardataires **rappeler à l'ordre, harceler**
– Relancer le débat **ranimer, raviver**

RELATIF
– Relatif à **concernant**
– Des importances relatives **comparées, correspondantes, corrélatives**
– Un enthousiasme relatif **mesuré, modéré, moyen, partiel, limité**
– Tout est relatif **proportionnel**
– Théorie du mouvement relatif **relativité**
– Pronom relatif **qui, que, quoi, dont, où**
– Adjectif relatif **quel, lequel**
– Introduit une proposition relative **pronom relatif**
– Mot auquel le pronom relatif se substitue **antécédent**
– Une proposition relative peut être **appositive, restrictive**
– Point commun de deux gammes relatives **armure**
– Gamme relative d'une gamme majeure **mineure**

RELATION
– Type de relation **appartenance, causalité, coexistence, égalité, différence, identité**
– Relation distinctive **antithèse, contraste, opposition**
– Relation étroite entre deux faits **dépendance, interdépendance**
– Relation de ressemblance **analogie, similitude, concordance**
– Relation d'un objet à une norme **conformité**
– Relation d'identification entre deux termes **métaphore, métonymie**
– Faire la relation entre deux faits **comparer, rapporter, rapprocher**
– Relation entre deux objets **connexion, corrélation, correspondance, liaison, lien**
– Relation d'amitié **attaches, tendresse, affection, affinités, sympathie**
– Relation amoureuse **flirt, intrigue, histoire, marivaudage, passion, passade, toquade, idylle**
– Relation sexuelle **coït, rapport, fornication**

– Relation d'entraide **solidarité, union**
– Relation régulière **commerce, fréquentation, société**
– Relation distante **accointances, connaissance**
– Entrer en relation avec quelqu'un **communication, contact, liaison**
– Ensemble des relations **ordre, organisation, structure, système**
– Représentation des relations hiérarchiques au sein d'une entreprise **organigramme**
– Relations formelles **civilités, convenances, manières, politesse, bienséance**
– Relations internationales **diplomatie**
– Relation épistolaire **correspondance**
– Relations entre des intervalles ou entre des accords musicaux **dissonance, harmonie**
– Théorie définissant ses objets par les relations qu'ils entretiennent **structuralisme**
– Sans relation **indépendant, autonome**
– Sa relation des faits est contestable **récit, témoignage, version, narration**

RELÉGUER
– Reléguer de vieux outils à la cave **remiser, ranger**
– Reléguer un cadre à un emploi sans responsabilités **mettre au placard, confiner**

RELEVER
– Relever le buste **raidir, redresser**
– Relever sa jupe **retrousser, soulever**
– Relever un régime politique exsangue **conforter, rétablir**
– Relever une ville de ses ruines **rebâtir, reconstruire**
– Relever une maille de tricot **rattraper**
– Relever une réputation **ennoblir, grandir, rehausser**
– Relever l'énergie de quelqu'un **ranimer, raviver**
– Relever le moral **consoler, réconforter, remonter, ravigoter, revigorer**
– Relever le niveau de la conversation **améliorer, élever**
– Relever un salaire **augmenter, hausser, majorer, revaloriser**
– Relever des informations **copier, inscrire, consigner**
– Relever les fautes dans un texte **noter, souligner, remarquer, observer, constater, trouver**
– Relever des copies **ramasser**
– Je n'ai pas relevé ses insultes **réagi à, repris**
– Relever un plat **assaisonner, épicer**
– Relever un récit par des détails amusants **agrémenter, pimenter**
– Ce problème relève de la sociologie **appartient à, concerne, touche à, tient de**

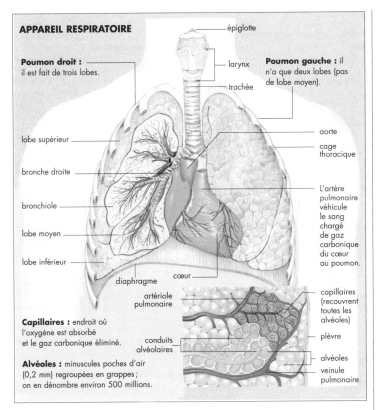

APPAREIL RESPIRATOIRE

Poumon droit :
il est fait de trois lobes.

épiglotte

larynx

trachée

Poumon gauche : il
n'a que deux lobes (pas
de lobe moyen).

lobe supérieur

aorte

cage
thoracique

bronche droite

bronchiole

L'artère
pulmonaire
véhicule
le sang
chargé
de gaz
carbonique
du cœur
au poumon.

lobe moyen

lobe inférieur

diaphragme

cœur

artériole
pulmonaire

capillaires
(recouvrent
toutes les
alvéoles)

plèvre

Capillaires : endroit où
l'oxygène est absorbé
et le gaz carbonique éliminé.

conduits
alvéolaires

alvéoles

veinule
pulmonaire

Alvéoles : minuscules poches d'air
(0,2 mm) regroupées en grappes ;
on en dénombre environ 500 millions.

– Relever quelqu'un de ses fonctions **destituer, limoger, révoquer, suspendre**
– Relever quelqu'un de sa promesse **délier, délivrer, dégager**
– Relever d'une autorité **dépendre de, ressortir de**
– Relever l'équipe de nuit **relayer, remplacer**

RELEVER (SE)
– Se relever d'une chute **redresser (se)**
– Le phénix se relève toujours de ses cendres **renaît, ressuscite**
– Une douleur dont on ne se relève pas **remet (se), guérit, rétablit (se)**

RELIEF
– Étude du relief **altimétrie, géographie, géomorphologie, géophysique, hypsométrie, topographie**
– Relief d'une région **configuration, modelé**
– Type de relief formant un pli concave **synclinal**
– Type de relief formant un pli convexe **anticlinal**
– Représentation graphique du relief **atlas, carte, coupe, projection**
– Sert à représenter le relief **côte, courbe, échelle, niveau**

– Usure du relief **érosion, arasement**
– Donne à une image un relief apparent **stéréoscope**
– Inscription en relief **anaglyphe**
– Un décor en relief **bosselé, estampé, gaufré, repoussé**
– Relief sculpté **bas-relief, enlevure, frise, haut-relief**
– Une broderie en relief **brillantée, brochée**
– Relief sur une surface **bosse, excroissance, proéminence, protubérance, saillie**
– Supprimer les reliefs **aplanir, poncer**
– Donner du relief à un récit **profondeur, éclat, lustre, panache, épaisseur**
– Mise en relief d'une idée par rapport à une autre **contraste, opposition, valeur**
– Mettre un argument en relief **souligner, faire ressortir, accentuer**
– Droit de relief au Moyen Âge **impôt**
– Reliefs d'un repas **bribes, débris, miettes, restes**

RELIGIEUX /1
– Religieux communautaires dans les premiers siècles de la chrétienté **cénobites**
– Religieux ayant fait vœu de solitude **anachorète, ermite**
– Religieux dirigeant un couvent **prieur**

– Communauté de religieux **congrégation, ordre**
– Religieux faisant partie d'un ordre régulier **chanoine, clerc, ecclésiastique, moine, oblat**
– Religieux demeurant dans l'état laïque **convers, lai, servant**
– Religieux administrant la vie matérielle d'un couvent **économe, obédiencier, intendant**
– Religieux dirigeant un ordre **général, supérieur**
– Religieux exerçant temporairement dans un couvent **hebdomadier, semainier**
– Religieux administrant un ordre **définiteur, procureur, provincial**
– Futur religieux n'ayant pas encore prononcé ses vœux **novice, séminariste**
– Religieuse chrétienne **nonne, abbesse**
– Pour s'adresser à une religieuse **mère, sœur**
– Pour s'adresser à un religieux **dom, frère, père, révérend, abbé**
– Religieux catholique de haut rang **pape, cardinal, archevêque, évêque, prélat**
– La salle où se tiennent des assemblées de religieux **capitulaire**
– Religieux chrétien grec **archimandrite**
– Religieux chrétien orthodoxe **pope**
– Religieux protestant **pasteur, ministre**
– Religieux indien **brahmane**
– Religieux juif **hassid, rabbin, lévite**
– Religieux musulman **derviche, imam, mollah, muezzin, mufti, marabout, santon**
– Religieux lamaïste **lama**
– Religieux bouddhiste **bonze**
– Religieuse de l'Antiquité romaine **vestale, prêtresse**
– Charge d'un religieux **diaconat, ministère, prêtrise, sacerdoce**
– Assemblée de religieux catholiques **chapitre**
– Assemblée de religieux juifs ou protestants **consistoire, synode**
– Abrite des religieux **abbaye, cathédrale, couvent, église, monastère, prieuré**
– Tissu dont est faite la robe d'un religieux catholique **bure**
– Partie de l'habit d'un religieux catholique **chape, cordelière, sandales, scapulaire**
– Partie de l'habit d'une religieuse catholique **barbette, cornette, fronteau, guimpe, voile**

RELIGIEUX /2
– Sentiment religieux **croyance, dévotion, foi, illumination**
– Sentiment religieux aveugle **fanatisme, superstition**
– Un esprit religieux **mystique, saint, spirituel**
– Règle religieuse **constitution, institut, observance**

– Ensemble de préceptes religieux **doctrine, dogme**
– Mode de vie religieux chez les chrétiens **claustral, monastique, régulier, séculier**
– Vœux religieux chrétiens **chasteté, obédience, pauvreté**
– Une personne religieuse **pieuse, pratiquante**
– Gouvernement religieux **théocratie**
– Cérémonie religieuse **culte, liturgie, rite, rituel, service, messe**
– Principales cérémonies religieuses chrétiennes **baptême, onction, mariage, office, sacre, profession de foi, confirmation, obsèques**
– Cérémonie d'entrée dans un ordre religieux **prise de voile, vêture**
– Lieu d'études religieuses chrétiennes **séminaire**
– École religieuse juive **yeshiva**
– École religieuse musulmane **medersa**
– La musique religieuse **sacrée**
– Adore les images religieuses **iconolâtre**
– Détruit les images religieuses **iconoclaste**
– Avoir un respect religieux de certains principes **vénérer**

RELIGION *Voir tableau p. 514*
syn. **culte, dévotion, mysticisme, spiritualité**
– La religion en postule l'existence **dieu, divinité**
– Fondement de la religion **croyance, foi**
– Religion divinisant des principes naturels **animisme**
– Désir d'union des différents courants de la religion chrétienne **œcuménisme**
– Mélange de plusieurs religions **syncrétisme**
– Éclectisme en religion **gnose, gnosticisme**
– Principe d'une religion **déisme, panthéisme, théisme**
– Croyance en une religion particulière **communion, confession, credo, culte, foi**
– Scission au sein d'une religion **schisme, secte**
– Adepte d'une religion **catéchumène, converti, croyant, fidèle, pratiquant, prosélyte**
– Adopter une religion **embrasser, convertir à (se)**
– De même religion **coreligionnaire**
– Opinion condamnée par une religion **hérésie, hétérodoxie**
– Condamné par sa religion **hérésiarque, excommunié, hérétique**
– Attaque contre une religion ou ses symboles **blasphème, profanation**
– Indépendant de la religion **laïque, profane, libre-penseur**
– Ne professe pas la religion admise **impie, infidèle, mécréant, païen**

– Ne professe aucune religion **libertin, athée, agnostique, non-croyant**
– Ne professe pas la religion juive **gentil, goy**
– A renié sa religion **abjure, apostat, relaps, renégat**
– Convertir à une religion **catéchiser, évangéliser**
– Extrémisme provoqué par une adhésion aveugle à une religion **fanatisme, Inquisition, intolérance, sectarisme**
– Récit de la naissance des dieux d'une religion **théogonie**
– La religion le promet **salut, paradis, éternité**
– Une religion consacrée à un dieu unique **monothéiste**
– Une religion consacrée à plusieurs dieux **polythéiste**
– Religion du mystère et de l'occulte **ésotérisme, mystagogie, sorcellerie**
– Il s'est fait une religion d'aimer son prochain **devoir, mission, obligation**
– Il a une véritable religion pour l'art abstrait **adoration, culte, vénération, idolâtrie**

RELIQUE
– Célèbre relique **saint suaire**
– Endroit où sont conservées les reliques **châsse, reliquaire, trésor**

RELIURE
– Ce livre a une belle reliure **couverture**
– Partie d'une reliure **plat, dos**
– Dos de reliure indépendant des cahiers **brisé**
– Reliure sans décoration **janséniste**
– Reliure richement décorée **à la fanfare**
– Peau utilisée en reliure **basane, parchemin, vélin, chagrin**
– Procédé de reliure dans un service de reprographie **spirale, baguette, colle**

REMARQUER
– Remarquer des fautes dans un texte **voir, observer**
– Remarquer l'absence de quelqu'un **constater, relever**
– Remarquez bien le changement d'adresse **notez, faites attention à**
– C'est une personne que l'on remarque tout de suite **repère, distingue**
– Faire remarquer **signaler, souligner, aviser**

REMÈDE
voir aussi **médicament, pharmacie**
– Remède universel **panacée**
– Remède contre un poison **antidote, contrepoison**
– Une affection sans remède **incurable, inguérissable**
– Un remède administré à des doses infinitésimales **homéopathique**
– Un remède de grand-mère **recette, truc**

REMETTRE
– Remettre un objet à sa place **ramener, rapporter, replacer**
– Remettre un coude démis **remboîter**
– Remettre les idées en place **éclaircir**
– Remettre en état **arranger, réparer**
– Remettre un objet d'aplomb **redresser, relever**
– Remettre un colis à quelqu'un **confier, livrer, laisser, passer, restituer, déposer, rendre**
– Remettre un suspect à la justice **livrer**
– Remettre un jugement **renvoyer, surseoir à**
– Remettre un rendez-vous **ajourner, différer, reporter, retarder, suspendre, repousser**
– Remettre une décision **atermoyer, tergiverser**
– Remettre une peine de mort **commuer, gracier**
– Remettre les péchés de quelqu'un **absoudre, pardonner**
– Remettre quelqu'un sur pied **retaper, réconforter, remonter, revigorer**
– Remettre dans le droit chemin **guider, conseiller, diriger**
– Remettre à flot **renflouer**
– Remettre quelqu'un à sa place **rembarrer, reprendre, réprimander**
– Remettre quelqu'un **rappeler (se), reconnaître, souvenir de (se)**
– Remettre en cause **contester, objecter, questionner, réviser, reconsidérer**

REMETTRE (SE)
– Se remettre à boire **recommencer à**
– Se remettre d'une maladie **guérir, rétablir (se), relever de (se), récupérer**
– Se remettre avec quelqu'un **réconcilier (se), rabibocher (se)**
– S'en remettre à quelqu'un **confier à (se), fier à (se), reposer sur (se)**
– S'en remettre à un tribunal **en appeler à, déférer à, en rapporter à (s')**

REMONTANT
– Elle a besoin d'un remontant **fortifiant, cordial, stimulant, tonique**

REMORDS
– Il n'éprouve aucun remords **chagrin, peine, regret, repentir**
– Remords religieux **attrition, componction, contrition, pénitence, repentance, résipiscence**
– Se libérer d'un remords **poids**

REMPLIR
– Remplir un vide **meubler, combler**
– Remplir des bouchées à la reine **garnir**
– Des meubles remplissent la pièce **occupent, encombrent, obstruent**
– Remplir une maison **peupler**
– Remplir un tonneau **ouiller, rembouger, bonder**

– Le public a rempli la salle **envahi**
– La pluie va remplir le bassin **inonder**
– La lumière du matin remplit le jardin **baigne, éclaire**
– Une odeur d'encens remplit la salle **parfume**
– Ce texte est rempli de fautes **semé, truffé, criblé**
– Cette joie qui le remplit **anime, habite**
– Remplir l'attente de quelqu'un **couronner, répondre à, satisfaire**
– Remplir une mission **acquitter de (s'), exécuter, réussir, assurer**
– Remplir une fonction **exercer**
– Remplir un rôle **jouer**
– Remplir un engagement **observer, tenir**
– Le stratagème a rempli son office **fonctionné**
– Regard rempli de nostalgie **empreint**
– Le ciel est rempli de nuages **couvert**
– Remplir ses journées **employer**
– Il est rempli de sa propre importance **bouffi, imbu, pétri, infatué**
– Sa réussite l'a rempli d'orgueil **enflé, enflammé, enivré, gonflé**
– Remplir l'esprit **abreuver**

REMUER

– Un enfant qui remue **agite (s'), gigote, bouge, gesticule**
– Remuer fortement **secouer, agiter**
– Des bras remuant dans le vide **ballants**
– Remuer une pâte **pétrir, malaxer**
– Remuer une sauce **tourner, touiller**
– Remuer la tête **hocher, dodeliner**
– Ce départ l'a beaucoup remuée **troublée, touchée, affectée, émue, perturbée, ébranlée**

RÉMUNÉRATION

– Rémunération d'un travail **revenu, gain, profit, rétribution, paiement**
– Rémunération d'un employé **salaire, paie**
– Rémunération d'un fonctionnaire **traitement, émoluments**
– Rémunération d'un soldat **solde**
– Rémunération d'un indépendant **honoraires**
– Rémunération d'une femme de ménage **gages**
– Rémunération d'un journaliste payé à la page **pige**
– Rémunération d'un musicien, d'un artiste, d'un acteur **cachet**
– Rémunération donnée à titre de remerciement pour le service **pourboire**
– Rémunération versée en proportion des ventes réalisées **commission**
– S'ajoute à la rémunération habituelle **prime**
– Rémunération d'un placement **intérêts**
– Rémunération souhaitée **prétentions**
– Rémunération d'un actionnaire **dividende**

RENCONTRE

– Rencontre sportive **compétition, concours, championnat, épreuve, match, partie**
– Rencontre publique **confrontation, débat, face-à-face**
– Rencontre intime **entrevue, tête-à-tête**
– Rencontre entre spécialistes **colloque, forum, symposium, séminaire, conférence, congrès**
– Rencontre militaire **bataille, combat, échauffourée, engagement, escarmouche, heurt**
– Rencontre d'honneur **duel**
– Rencontre planifiée **rendez-vous**
– Nouvelle rencontre **retrouvailles, réunion**
– Rencontre fortuite **coïncidence, conjonction, conjoncture, hasard, occasion, occurrence**
– Au hasard des rencontres **aventures, circonstances, événements, éventualités, possibilités, situations**
– Point de rencontre **carrefour, confluence, contact, croisement, jonction, rond-point**
– Rencontre de deux ondes **interférence**
– Rencontre de deux voyelles **hiatus**
– Rencontre brusque **choc, collision, télescopage, heurt**

RENDEMENT

– Méthodes propres à augmenter le rendement **stakhanovisme, taylorisme, optimisation, ergonomie**
– Améliore le rendement d'une terre **engrais**
– Rendement d'un placement **rentabilité**

RENDEZ-VOUS

– Rendez-vous chez le médecin **consultation, visite**
– On y inscrit ses rendez-vous **agenda, calepin, assistant personnel, palm, organiseur**

RENDRE

– Rendre ce que l'on a emprunté **redonner, remettre, renvoyer, restituer, retourner**
– Rendre de l'argent **acquitter (s'), rembourser**
– Les concombres rendent beaucoup d'eau **dégorgent**
– Rendre une odeur **exhaler, répandre**
– Rendre un son **émettre**
– Rendre les armes **déposer**
– Rendre coup pour coup **battre (se), réagir, venger (se)**
– Rendre la pareille **aider, compenser, dédommager, répondre**
– Rendre un jugement **prononcer**
– Rendre compte **relater, exposer**
– Rendre des comptes **justifier (se)**
– L'espoir l'a rendu à la vie **ramené, ranimé, ressuscité**

– Rendre l'âme **mourir, expirer, décéder, succomber, éteindre (s'), agoniser**
– Rendre son repas **rejeter, vomir, régurgiter**
– Rendre une impression par un moyen d'expression **donner, exprimer, représenter, reproduire, traduire**
– Son affaire ne rend pas beaucoup **produit, rapporte**

RENDRE (SE)

– L'ennemi a dû se rendre **capituler, soumettre (se), tomber**
– Il se rendit à la police **dénonça à (se), livra à (se)**
– Se rendre compte **comprendre, réaliser**
– Se rendre quelque part **aller, voyager**
– Se rendre à l'avis de quelqu'un **acquiescer, approuver, ranger à (se)**
– Se rendre aux charmes de quelqu'un **céder à, succomber à, donner à (se)**
– Se rendre aux exigences de quelqu'un **accéder à, accepter, condescendre à**
– Se rendre aux ordres de son supérieur **obéir, obtempérer**
– Se rendre agréable **montrer (se), devenir**

RENFORT

– Il a besoin de renfort **aide, secours, assistance, soutien**
– Renforts militaires **soldats, troupes**
– Procéder au renfort d'une construction **consolidation**
– Renfort de soutènement **arc-boutant, béquille, étançon**
– Renfort métallique **étai, étrier**
– Renfort de proue sur un bateau **doublage**
– Renfort métallique d'une semelle **fer**

RENFROGNÉ

– Caractère renfrogné **acariâtre, bourru, grincheux, morose, rabat-joie, revêche**
– Visage renfrogné **assombri, chagrin, froncé, maussade, boudeur**

RENIER

– Renier sa religion **abjurer, apostasier**
– Renier un engagement **abandonner, renoncer à, désavouer**
– Renier sa femme **répudier**

RENONCER

– Renoncer à un projet **sacrifier**
– Renoncer à un plaisir **passer de (se)**
– Renoncer à la drogue **désaccoutumer (se), désintoxiquer (se), arrêter**
– Renoncer à un idéal **abjurer, répudier, détourner de (se), écarter de (s'), trahir**
– Renoncer à sa religion **apostasier, renier**
– Renoncer à un droit **dépouiller (se), délaisser**

– Renoncer à un contrat **annuler, délier de (se), dissoudre, résilier**
– Renoncer à ses fonctions **démettre de (se), démissionner, laisser, quitter**
– Renoncer au trône **abdiquer**
– Renoncer à sa fortune **défaire de (se), départir de (se), dessaisir de (se), priver de (se), séparer de (se)**
– Il ne peut pas renoncer à son idée **en démordre**
– Renoncer provisoirement **ajourner, remettre, renvoyer, reporter**
– Inciter quelqu'un à renoncer **dissuader, décourager**
– Il a préféré renoncer **abandonner, abstenir (s')**
– Renoncer un parent **déshériter, rejeter, renier**

RENOUVELER

syn. **changer, régénérer, rénover**
– Renouveler un décor mural **rajeunir, rhabiller**
– Renouveler l'air d'une pièce **aérer**
– Renouveler un contrat **nover, proroger, reconduire**
– Renouveler une requête **recommencer, refaire, réitérer, répéter**
– La vieillesse a renouvelé les douleurs de sa jeunesse **ranimé, ravivé, réveillé**

RENOUVELER (SE)

– Rythme auquel se renouvelle le personnel d'une entreprise **turn-over**
– Ses récriminations se renouvellent en toute occasion **reproduisent (se), répètent (se)**
– Cette plante se renouvelle tous les ans **renaît, repousse**
– Qui se renouvelle sans cesse **perpétuel, éternel**

RÉNOVATION

– Rénovation de maisons anciennes **restauration, réhabilitation, réfection**

RENSEIGNEMENT

– C'est lui qui m'a donné le renseignement **avis, communication, donnée, indication, information, message, tuyau**
– Renseignement confidentiel **secret, révélation**
– Renseignement explicatif **éclaircissement, indice, lumière, précision**
– Renseignements pour un travail de recherche **corpus, documentation**
– Fournir des renseignements **avertir, renseigner, informer, instruire, révéler, apprendre**
– Renseignements sur la santé de quelqu'un **nouvelles**
– Chercher des renseignements **enquêter, investiguer, espionner**
– Chercher des renseignements dans un livre **compulser, consulter**

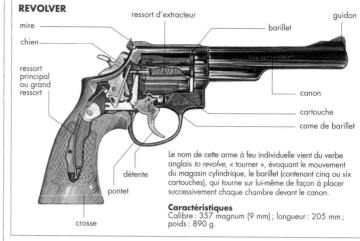

REVOLVER

mire
chien
ressort principal ou grand ressort
ressort d'extracteur
barillet
guidon
canon
cartouche
came de barillet
détente
pontet
crosse

Le nom de cette arme à feu individuelle vient du verbe anglais *to revolve*, « tourner », évoquant le mouvement du magasin cylindrique, le barillet (contenant cinq ou six cartouches), qui tourne sur lui-même de façon à placer successivement chaque chambre devant le canon.

Caractéristiques
Calibre : 357 magnum (9 mm) ; longueur : 205 mm ; poids : 890 g.

– Fournir des renseignements à quelqu'un sur le compte de quelqu'un d'autre **édifier, fixer**
– Chercher des renseignements sur Internet **naviguer, surfer**
– Source de renseignements **document, dossier, fichier, moteur de recherche, Toile, www (World Wide Web)**
– Source de renseignements pratiques **almanach, annuaire, Bottin, calepin, répertoire**
– En quête de renseignements **espion, agent, enquêteur, détective, taupe**

RENTABLE

– Une activité rentable **rémunératrice, fructueuse, payante, lucrative, avantageuse**
– Rendre plus rentable **optimiser**

RENTE

– Somme versée à titre de rente **redevance, pension**
– Bénéficiaire d'une créance de rente **crédirentier**
– Termes échus d'une rente **arrérages**
– Rente dont on jouit durant sa vie entière **viager**
– Vit de ses rentes **rentier**

RENTRÉE

– Rentrée d'une personnalité après une certaine absence **come-back, retour**
– Rentrée d'argent **revenus, recette, crédit, recouvrement, collecte**
– Rentrée de devises **exportation**

RENVERSER

– Renverser un objet **basculer, culbuter, jeter**
– Renverser une muraille **démolir, enfoncer, écrouler, détruire, raser, saccager, ruiner**

– Renverser du liquide **répandre**
– Renverser la tête en arrière **rejeter, incliner, pencher**
– Renverser quelqu'un **bousculer, étendre, plaquer, terrasser**
– La voiture l'a renversé **écrasé**
– Son cheval l'a renversé **désarçonné, démonté**
– Renverser un obstacle **vaincre, surmonter**
– Renverser toute résistance **briser, broyer, foudroyer, laminer**
– Renverser un roi **détrôner**
– Renverser un gouvernement **abattre, défaire, destituer, jeter bas, saper**
– Renverser une statue **déboulonner**
– La nouvelle l'a renversé **déconcerté, surpris, troublé, bouleversé, abasourdi, ébranlé**
– Renverser les membres d'une opération **intervertir, inverser**
– Renverser une métaphore **transposer**

RENVOI

– Renvoi d'un procès **ajournement, remise, report**
– Renvoi d'une accusation contre quelqu'un **réhabilitation, relaxe**
– Renvoi d'une décision de justice **annulation, infirmation, invalidation**
– Renvoi d'une vente **rescision**
– Renvoi d'un projet de loi devant la commission **examen**
– Renvoi d'un employé **congédiement, exclusion, expulsion, licenciement**
– Renvoi d'un homme d'État **destitution, exil, révocation**
– Renvoi d'un colis postal **retour, réexpédition**
– Renvoi dans un texte **apostille, appel, astérisque, note, marque, référence**
– Renvoi dans un fichier informatique **signet, lien hypertexte**

– Renvoi d'une peine de prison **sursis**
– Renvoi gastrique **éructation, régurgitation, rot, pyrosis**

REPAIRE
– Le repaire d'une bête sauvage **antre, tanière, gîte**
– Un repaire de brigands **cachette, retraite, refuge**

RÉPANDRE
– Répandre sur le sol autour de soi **disperser, disséminer, éparpiller, répartir, parsemer, paver, semer, joncher**
– Répandre des graines **ensemencer**
– Répandre de l'engrais **épandre, étendre**
– Répandre une odeur **dégager, exhaler**
– Répandre une odeur agréable **embaumer, fleurer, parfumer**
– Répandre une odeur désagréable **empester, empuantir**
– Répandre des bienfaits **dispenser, distribuer, prodiguer**
– Répandre un usage **généraliser, lancer, propager, universaliser**
– Répandre une science **populariser, vulgariser**
– Répandre une confidence **divulguer, ébruiter, éventer**
– Répandre une rumeur **colporter**
– Répandre l'étonnement **distiller, jeter**
– Répandre une grande chaleur **diffuser, émettre**

RÉPANDRE (SE)
– Une rougeur se répandit instantanément sur son visage **manifesta (se), parut**
– L'eau se répand sur le sol **coule, déborde, extravase (s'), épanche (s'), ruisselle, suinte, sourd**
– L'odeur se répand dans toute la pièce **emplit, envahit, pénètre**
– Un verger d'où se répand un délicieux parfum **émane, échappe (s')**
– La nouvelle se répandit comme une traînée de poudre **circula, courut, gagna**
– Se répandre en injures **déborder, éclater**

RÉPARER
– Réparer ce qui est détérioré **arranger, refaire, améliorer**
– Réparer un moteur **dépanner**
– Réparer un navire **caréner, raccastiller, radouber, ragréer**
– Réparer un tableau **restaurer**
– Réparer un pneu **rechaper**
– Réparer un vêtement **rapetasser, rapiécer, ravauder, repriser, stopper, raccommoder**
– Réparer des chaussures **ressemeler**
– Réparer une cloison **consolider, recrépir, rempiéter**
– Réparer une maison **moderniser, rénover, retaper**

– Réparer une blessure **recoudre, suturer, panser**
– Réparer un oubli **corriger, remédier à**
– Réparer les torts **redresser**
– Réparer un tort causé à quelqu'un **compenser, dédommager, indemniser**
– Réparer un péché **effacer, expier**
– Réparer une offense **laver, venger**
– Réparer ses forces **rétablir (se)**
– Réparer provisoirement **rafistoler, rabibocher, replâtrer**

RÉPARTIR
– Répartir en lots **allotir, lotir, distribuer, partager, rationner**
– Répartir en parts égales **proportionner**
– Répartir de l'argent **assigner, attribuer, impartir, octroyer, contingenter**
– Répartir des tâches **dispatcher, ventiler**
– Répartir des objets dans un espace **classer, disposer, ranger**
– Répartir dans le temps **échelonner, étaler**

REPAS
voir aussi **cuisine, plat**
– Repas du matin **petit déjeuner, brunch, breakfast**
– Repas de midi **déjeuner**
– Repas de fin d'après-midi **goûter, thé, collation**
– Repas du soir **dîner**
– Repas nocturne **médianoche, souper**
– Repas froid **buffet**
– Repas à emporter **casse-croûte, gamelle, sandwich**
– Repas en plein air **pique-nique, barbecue, grillade, méchoui**
– Repas copieux **orgie, bombance, ripaille**
– Très bon repas en langage familier **gueuleton**
– Repas de fête **banquet, gala**
– Repas d'apparat **festin**
– Repas frugal **croustille, dînette, pitance, diète**
– Compose un repas **menu, mets, pièce, plat**
– Début de repas **entrée, hors-d'œuvre**
– Avant le repas **apéritif, collation, encas, mise en bouche**
– Prière avant le repas **bénédicité**
– Après le repas sur la table **rogatons, reliefs, restes**
– À prendre après le repas **café, digestif, liqueur**
– Repas en commun des premiers chrétiens **agape**
– Dernier repas de Jésus **Cène**
– On ne l'a pas invité au repas **écornifleur, parasite, pique-assiette**
– Participer à un bon repas **festoyer, banqueter**
– Amateur de bons repas **gastronome, gourmet**

– Invité à un repas **convive, hôte**
– Se priver de repas **jeûner**
– On y prend ses repas **cantine, réfectoire, restaurant**
– Des militaires y prennent leurs repas **mess**
– Sert le repas des autres **garçon, serveur**
– Sert les vins durant le repas **sommelier**
– Repas du chien **pâtée, soupe, croquettes**

REPENTIR
– Le repentir occupe son esprit **remords, regret, contrition, repentance**

RÉPERCUSSION
– Il n'a pas mesuré les répercussions de sa décision **conséquences, retombées, contrecoup, incidences, suites**
– Répercussion d'un son **écho, réflexion, renvoi, réverbération**

REPÈRE
– Les organisateurs ont placé des repères sur le trajet **balises, jalons**
– Repère kilométrique **borne**
– Repère en métrologie **étalon**
– Coordonnée dans un repère cartésien **abscisse, ordonnée, cote**
– Sert de repère **cran, entaille, marque, coche, encoche**
– Repère autocollant **Post-it**
– Repère de lecture **signet, marque-page**
– Une valeur repère **témoin**
– Il a perdu tous ses repères **références, valeurs, normes**

RÉPERTOIRE
– Inscrire des données dans un répertoire **catalogue, classeur, index, fichier**
– Répertoire d'adresses **carnet**
– Répertoire de fichiers informatiques **dossier**
– Subdivision d'un répertoire informatique **sous-répertoire**
– Répertoire d'une troupe de théâtre **pièces**
– Au répertoire d'un chanteur **compositions, œuvres**

RÉPÉTER
– Répéter ce que quelqu'un a dit **raconter, rapporter, redire, colporter, divulguer, communiquer**
– Répéter une demande **réitérer**
– Répéter un son en physique **réverbérer**
– Répéter sa leçon **apprendre, repasser**
– Répéter jusqu'à l'ennui **prêcher, rabâcher, rebattre, ressasser, seriner**
– Répéter un geste **multiplier, recommencer, renouveler, récidiver**
– Répéter les idées des autres **emprunter, imiter, plagier**
– Répéter une image **réfléchir, reproduire, dupliquer, photocopier**

RÉPÉTER (SE)
– Plus il vieillit, plus il se répète **radote**

RÉPÉTITION
– Répétition d'un méfait **récidive**
– Répétition d'une image **copie, imitation, réplique, reproduction, duplication**
– Répétition d'un son **écho, réverbération, redoublement**
– Répétition d'un motif musical **leitmotiv, refrain, ritournelle**
– Répétition à plusieurs **ensemble, chorus**
– Répétition de mots au début de propositions **anaphore, antanaclase**
– Répétition de sons propre à la stylistique **allitération, assonance, homéotéleute, paronomase**
– Répétition inutile **doublon, périssologie, pléonasme, redondance, superfluité, tautologie**
– Répétition détaillée **récapitulation**
– Répétition fatigante **accumulation, rengaine, redite**
– Pour éviter les répétitions dans un texte **idem, susdit**
– Verbe marquant la répétition **fréquentatif, itératif**
– Répétition incontrôlée de syllabes **bégaiement**
– Répétition dans le temps **cycle, fréquence, période, retour**
– Répétition d'une maladie **rechute, reprise**
– Répétition d'un spectacle **filage, générale, avant-première**

RÉPIT
syn. **délai, sursis**
– Moment de répit **repos, pause, détente**
– Répit dans un combat **trêve**
– Répit dans une maladie **rémission**
– Répit dans les intempéries **accalmie**
– Qui ne laisse aucun répit **harcelant, obsédant**

RÉPLIQUE
– Je n'ai pas entendu sa réplique **réponse**
– Ton qui interdit toute réplique **cassant, impérieux, péremptoire, tranchant**
– Réplique blessante **pique**
– Elle a le sens de la réplique **repartie**
– Réplique d'une œuvre **plagiat, double, réédition, reproduction, copie**
– Réplique d'une personne **jumeau, sosie, clone**

RÉPONDRE
– Répondre promptement **repartir, répliquer, rétorquer**
– Répondre du tac au tac **défendre (se), riposter**
– Répondre pour s'opposer **contrecarrer, contredire, protester, refuser**
– Répondre à une critique **objecter, récriminer, réfuter**
– Répondre par l'affirmative **accepter**
– Répond en l'absence de l'abonné **répondeur**
– Répondre à un appel **réagir**
– Répondre à un regard **rendre, soutenir**
– Répondre à l'attente du public **accorder à (s'), concorder avec, correspondre à, satisfaire à**
– Répondre de la sécurité de quelqu'un **assurer, garantir**
– Les commandes de l'avion ne répondent plus **fonctionnent, obéissent**

RÉPONSE
– Je ne connais pas la réponse **solution, explication**
– Il est resté sans réponse **muet, coi, interdit**
– A réponse à tout **incollable, omniscient**
– Sa réponse ne s'est pas fait attendre **réplique, réaction**
– Réponse de l'organisme **réflexe**

REPORTAGE
– Reportage filmé **documentaire**
– Reportage en direct **live**
– Publicité rédigée sous forme de reportage **publireportage**
– Journaliste chargé de reportage **reporter, envoyé spécial**

REPOS
– Repos après le travail **loisirs**
– Repos annuel **congés**
– Repos scolaire **vacances**
– Repos des acteurs **entracte, relâche**
– Repos d'après-midi **méridienne, sieste**
– S'accorder un peu de repos **délassement**
– Il travaille sans trêve ni repos **arrêt, répit**
– Interrompre le repos de quelqu'un **réveiller, déranger**
– Jour de repos national **férié**
– Meuble consacré au repos **canapé, divan, hamac, lit, sofa, méridienne, ottomane, chaise longue, fauteuil**
– Trouver le repos **calme, paix, quiétude, tranquillité, sérénité**
– Repos en zoologie **hibernation**
– Repos en botanique **dormance**
– Laisser un champ au repos **en friche, en jachère**
– Repos après un conflit **accalmie, détente, trêve**
– Un mécanisme au repos **immobile, inactif, inerte**
– Un travail de tout repos **sinécure**
– Le champ du repos éternel **cimetière**
– Repos au milieu d'un vers **césure**

REPRÉSAILLES
– Mesure de représailles **riposte, vengeance, revanche, rétorsion**
– Les représailles ont été sévères **punition, châtiment**

REPRÉSENTANT
– Représentant de l'État à l'étranger **ambassadeur, consul, diplomate**
– Représentant d'un mineur **tuteur, correspondant, mandataire**
– Représentant de commerce **VRP (voyageur représentant placier), commercial, technico-commercial, démarcheur**
– Représentant d'une compagnie d'assurances **agent, courtier**
– Élire son représentant à une assemblée **délégué, député**

REPRÉSENTATION
– Représentation abstraite **écriture, emblème, symbole, logo**
– Représentation des programmes et des fichiers à l'écran **icône**
– Représentation par la pensée **évocation, imagination, visualisation**
– Représentation linguistique **signe**
– Système de représentations linguistiques **langage, langue**
– Mise en œuvre de représentations linguistiques **discours, parole**
– Représentation du discours d'un autre **rapport, récit**
– Représentation discursive d'une situation **description**
– Représentation graphique **diagramme, effigie, figuration, illustration, schéma, tableau**
– Adorent les représentations de la divinité **iconolâtres**
– Détruisent les représentations de la divinité **iconoclastes**
– Représentation d'une idée par l'écriture **idéogramme**
– Représentation écrite descriptive et symbolique **pictogramme**
– Représentation indirecte des sons par l'écriture **lettre, phonème**
– Permet la représentation directe des sons par l'écriture **phonétique**
– Étude de la représentation dans les arts **iconologie**
– Représentation d'une construction **coupe, plan**
– Représentation de sons musicaux **notation, partition**
– Représentation fidèle à la réalité **imitation, reproduction, duplication**
– Représentation déformante et sarcastique **caricature, parodie, pastiche**
– Représentation théâtrale **comédie, matinée, spectacle**
– Représentation par l'un des cinq sens **perception**
– Représentation diplomatique **ambassade, consulat, mission**
– Représentation du peuple dans l'exercice du gouvernement **délégation, mandat**

– Représentation proportionnelle **scrutin**

– Représentation syndicale **chambre, délégation**

– Représentation du pays **assemblée, parlement**

REPRÉSENTER

syn. **montrer**

– Représenter par le langage et la pensée **désigner, évoquer, exprimer, mentionner**

– Représenter par l'écriture ou la parole **décrire, dépeindre, exposer, retracer**

– Représenter artistiquement **dessiner, figurer, peindre, photographier, rendre, tracer**

– Représenter en déformant **caricaturer, contrefaire, simuler, singer**

– Représenter avec le corps **mimer, gestuer, imiter**

– Le peintre le représente **modèle, motif, sujet, paysage**

– Représenter un personnage en peinture **portraiturer**

– Représenter un personnage dans une pièce **incarner, jouer**

– Représenter une pièce **donner, interpréter, monter, produire**

– Représenter en justice **postuler**

– Il représente la bêtise même **évoque, rappelle, personnifie**

– L'argent représente tout pour certains **constitue, correspond à**

– Elle représente beaucoup pour lui **compte**

– Cet événement représente les problèmes de notre société **reflète, résume, symbolise**

– Se faire représenter **remplacer**

REPRÉSENTER (SE)

– Se représenter une idée **concevoir, figurer (se), imaginer (s')**

– Se représenter le passé **souvenir du (se), remémorer (se)**

RÉPRESSION *Voir tableau police, nationale p. 476*

– La répression d'un crime **punition, sanction, châtiment**

– Loi demandant l'intervention de l'armée pour une répression intérieure **loi martiale**

– Brigade chargée de la répression du trafic de drogue **Mondaine, brigade des stupéfiants**

RÉPRIMANDE

– Il craint une réprimande **remontrance, admonition, semonce, admonestation, mercuriale, engueulade**

– Réprimande à l'adresse d'un enfant **gronderie**

– Réprimande adressée à un élève **blâme, avertissement**

RÉPROBATION

– Elle a manifesté sa réprobation **désapprobation, condamnation, animadversion**

– Cris de réprobation **huées**

REPROCHE

syn. **admonestation, remontrance, réprimande**

– Accumulation de reproches **réquisitoire**

– Reproches incessants **récriminations**

– Reproche modéré **observation, remarque**

– Reproches faits à soi-même **remords**

– Reproches faits à une théorie **objections, réfutations, critiques**

– Recevoir des reproches **essuyer, subir**

– Encourir les reproches de quelqu'un **foudres**

– Faire des reproches à quelqu'un **critiquer, gronder, gourmander, morigéner, tancer, incendier, incriminer, attraper**

– Sans reproche **irréprochable, parfait, impeccable**

REPRODUCTEUR

– Organe reproducteur des vertébrés supérieurs femelles **ovaire**

– Organe reproducteur des vertébrés supérieurs mâles **testicule**

– Mâle reproducteur **étalon**

– Cellule reproductrice chez les végétaux **anthérozoïde, oosphère**

– Cellule reproductrice chez les animaux **gamète, spermatozoïde, ovule**

– Organe reproducteur d'une fleur **pistil**

– Union de deux cellules reproductrices de sexes opposés **zygote, œuf**

REPRODUCTION

voir aussi **étamine, fleur, graine**

– Reproduction d'une espèce **génération**

– Reproduction d'un individu **enfantement, engendrement, fécondation**

– Reproduction sans élément mâle **parthénogenèse**

– Reproduction à partir d'une cellule unique **clonage**

– Technique de reproduction des végétaux **bouture, ensemencement**

– Technique de reproduction animale utilisée par l'homme **croisement, hybridation, sélection**

– Acte de reproduction **accouplement, coït**

– Acte de reproduction pour les animaux **appareillement, monte, saillie**

– Mode de reproduction animale **ovipare, ovovivipare, vivipare**

– Mode de reproduction non sexuée **bipartition, fissiparité, sporulation, scissiparité**

– Les organes de reproduction des animaux **génitaux**

– Contient des cellules de reproduction mâles **semence, sperme**

– Cellule sexuée servant à la reproduction **gamète, anthérozoïde, oosphère, ovocyte, ovule, spermatozoïde**

– Période de reproduction chez les animaux **chaleurs, rut**

– Premier fruit de la reproduction **germen, œuf**

– Transmission par la reproduction **hérédité**

– Reproduction d'un texte **copie, édition**

– Exemplaire de reproduction d'un texte **duplicata, épreuve, fac-similé, placard, réplique**

– Reproduction certifiée authentique **ampliation**

– Reproduction frauduleuse **plagiat, contrefaçon, falsification, piratage**

– Droits sur la reproduction d'un texte **droits d'auteur, copyright**

– Technique de reproduction d'un texte ou d'une image **photographie, héliochromie, impression, lithographie, photocopie, polycopie, numérisation**

– Reproduction d'un CD **duplication, gravure**

– Reproduction d'une cassette **enregistrement, repiquage**

– Opération servant à la reproduction de fichiers informatiques **copier, coller, glisser**

– Reproduction de la réalité **image, imitation**

– Reproduction inversée **reflet**

REPTILE

– Reptiles fossiles de l'ère primaire **cotylosauriens**

– Reptiles fossiles de l'ère secondaire **dinosauriens, placodontes, ptérosauriens, sauroptérygiens**

RÉPUBLICAIN

– Républicain pendant la Révolution française **sans-culotte, citoyen**

– S'opposent aux républicains, chez les Américains **démocrates**

RÉPUBLIQUE *Voir tableau rois et chefs d'État de la France, p. 534*

voir aussi **État, gouvernement**

syn. **démocratie**

– Fondement d'une république **Constitution**

– Système politique contraire à la république **autocratie, dictature, empire, monarchie, tyrannie**

– Élu temporairement à la tête d'une république **président, chef d'État**

– Une république dirigée par un gouvernement qui n'agit que dans ses propres intérêts **bananière**

– République antique **cité**

– La république, étymologiquement parlant **chose publique**

FIGURES DE RHÉTORIQUE

Allitération : réitération des mêmes phonèmes dans une phrase ou un vers. *Pour qui sont ces serpents qui sifflent sur vos têtes ?* (Racine.)

Anacoluthe : d'un mot grec signifiant « qui n'est pas compagnon ». Construction commencée, oubliée et faisant place à une autre – souvent la marque d'une émotion.

Anastrophe : renversement de l'ordre habituel des mots dans une phrase. *D'amour vos beaux yeux, marquise, mourir me font.* (Molière.)

Antiphrase : procédé ironique consistant à dire le contraire de ce qu'on veut suggérer. *C'est du joli ! Ne vous gênez pas !*

Antithèse : d'un mot grec signifiant « opposition ». Construction qui met en relief le sens de deux mots en les opposant. *Ô merveille ! Ô néant !* (Hugo.)

Antonomase : utilisation d'un nom propre pour désigner une personne dotée des mêmes qualités. *Un harpagon, un einstein, une lorette.*

Aposiopèse : interruption d'une phrase par un silence brusque dû à l'hésitation ou à la menace. *Je pourrais vous dire encore… Mais à quoi bon insister !*

Apostrophe : interpellation d'un objet animé ou inanimé, réel ou abstrait, sous la forme d'une construction exclamative. *Ô justice, entends-moi !*

Assonance : d'un mot latin signifiant « retentir, résonner ». En poésie, réitération de deux voyelles identiques suivies de consonnes finales différentes. *Sombre/tendre ; éclaire/s'élève.*

Asyndète : absence des mots de liaison (conjonctions notamment) dans une phrase ou entre deux phrases, pour donner plus de force. *Bon gré, mal gré.*

Calembredaine : absurdité ludique rapprochant des mots de même sonorité. *Le vin/la veine ; le verrat/la verrue ; le mausolée/la muselière ; le vent/la vente.*

Catachrèse : métaphore qui consiste à employer un mot en dehors de son sens strict. *À cheval sur mon vélo.*

Contrepèterie : inversion des lettres ou des syllabes d'un ensemble de mots, de façon à en obtenir d'autres dont l'assemblage est aussi doté d'un sens, cocasse de préférence. *Femme folle à la messe* pour *femme molle à la fesse.* (Rabelais.)

Ellipse : d'un mot grec signifiant « suppression, retranchement ». Suppression de mots qui seraient nécessaires à une construction

complète mais ne sont nullement indispensables à la compréhension. *Je fais mon travail et lui le sien.*

Euphémisme : emploi d'un mot de sens voilé afin d'atténuer une certaine violence. *Vous avez bu* pour *Vous êtes soûl. Je vous remercie* pour *Je vous congédie.*

Hiatus : juxtaposition de deux voyelles ou éléments vocaliques à l'intérieur d'un mot *(aérer)* ou entre deux mots énoncés sans pause *(la haie a été élevée).*

Hypallage : report grammatical de l'adjectif épithète sur un autre mot que celui auquel il se rapporte par les sens. *Ce marchand accoudé sur un comptoir avide.* (Hugo.)

Hyperbole : exagération dans les termes. Fréquente dans la conversation, plus rare en littérature. *Un événement invraisemblable* pour *un événement surprenant.*

Litote : le contraire de l'hyperbole. Dit peu pour suggérer beaucoup. *Va, je ne te hais point.* (Corneille.)

Métaphore : établit une comparaison dont elle n'énonce qu'un terme. *Un plat soleil d'été tartinait ses rayons.* (Verlaine.)

Métonymie : glissement de sens sans étape intermédiaire. Consiste à désigner, par exemple, le contenu par le contenant : *boire*

une bonne bouteille ; l'agent par l'instrument : *une fine lame.* »

Oxymore ou **oxymoron :** consiste à réunir deux mots en apparence contradictoires. *Voilà un beau jeune vieillard.* (Molière.) *Un silence éloquent.*

Pléonasme : d'un mot grec signifiant « abondance ». Emploi de deux mots dont l'un est superflu. *Monter en haut. Une dune de sable.*

Prétérition : consiste à feindre de ne pas vouloir dire ce que l'on dit tout de même, souvent avec force détails. *Je ne m'étendrai pas sur le sujet.*

Prosopopée : procédé par lequel on fait agir et parler une personne, un être inanimé, un absent ou un mort. *Platon a fait parler les lois.*

Syllepse : accord selon le sens et contre l'usage grammatical. *Minuit sonnèrent.*

Synecdoque : désigne un objet par l'une de ses parties. *Avoir un toit* pour *avoir une maison.*

Tmèse : disjonction, séparation de deux éléments phoniques habituellement liés dans un mot. *Lors même que vous auriez raison.*

Zeugme : d'un mot grec signifiant « connexion ». Lien grammatical entre plusieurs compléments exprimé par la non-répétition du prédicat. *L'air était plein d'encens et les prés de verdure.* (Hugo.)

– La république des savants **communauté**

RÉPUTATION
– Bonne réputation **considération, estime, gloire, honneur, popularité, renommée**
– Donne mauvaise réputation **discrédit, infamie, ruine, scandale, affaire**
– Il use de sa réputation pour obtenir des faveurs **autorité, importance**
– La réputation de ce produit prend de l'importance **renom, vogue, image de marque**
– Personne de grande réputation **célébrité, notoriété, personnalité, VIP**
– Salir la réputation de quelqu'un **calomnier, déshonorer, diffamer, flétrir, noircir, vilipender**

REQUÊTE
– Nous n'avons pu accéder à sa requête **demande, sollicitation**
– Requête pressante **instance, prière,**

réclamation, revendication
– Ce que permet une requête dans une base de données **extraction**

RÉQUISITIONNER
– Réquisitionner les hommes pour la défense nationale **mobiliser**
– Ils ont été réquisitionnés pour poser les affiches **embauchés, recrutés**

RÉSEAU
voir aussi **informatique, Internet, télécommunication**
– Élément d'un réseau **entrelacs, maille**
– Une réseau optique **de diffraction**
– Réseau de tissu **lacis, résille**
– Réseau de nerfs **plexus**
– Un tissu de fibres organiques en réseau **conjonctif, réticulé**
– Réseau de cordages **filet, rets**
– Réseau inextricable **confusion, enchevêtrement, labyrinthe**
– Réseau formé par les nervures d'une rose gothique **remplage**

– Un réseau fluvial caractérisé par sa densité **dendritique**
– Le réseau des chemins de fer **ferroviaire**
– Réseau de défenses **barbelés, fortifications, tranchées**
– Réseau clandestin **organisation, mafia**
– Réseau mythique **dédale**
– Membres du réseau téléphonique **abonnés, correspondants**
– Le réseau des réseaux **Internet, la Toile**
– Technologie des réseaux d'ordinateurs **connectique**
– Donne accès au réseau **serveur**
– Réseau reliant des micro-ordinateurs en nombre restreint **nanoréseau**

RÉSERVATION
– Voyage en avion qui n'a pas fait l'objet d'une réservation **stand-by**
– Pratique de la réservation en surnombre **surbooking**
– Réservation à bord d'un TGV sans garantie de place assise **surréservation**

– Frais de réservation **acompte, arrhes**

RÉSERVE

– Réserves de nourriture **approvisionnement, stock, vivres**
– On y stocke les réserves **cave, entrepôt, grenier, magasin, silo, office, cellier**
– Réserves d'argent **économies, épargne, placement**
– Faire des réserves **accumuler, amasser, cacher, engranger, garder, épargner, thésauriser**
– Réserve de poissons **réservoir, vivier**
– Réserve naturelle **parc, sanctuaire**
– Réserve indienne aux États-Unis **camp, territoire**
– Réserve dans une aquarelle **blanc, épargne**
– Troupes de réserve **réservistes**
– Il y a beaucoup de réserve dans ses propos **circonspection, dignité, discrétion, modération, prudence, quant-à-soi**
– Un charme non dénué de réserve **décence, pudeur, retenue**
– Émettre des réserves **critiques, doutes, hésitations, réticences, scrupules**
– Sous réserve **condition**
– Sans réserve **exception, restriction**
– Un enthousiasme sans réserve **complet, entier, total**

RÉSERVOIR

– Un réservoir d'eau **cuve, citerne, bassin, château d'eau**
– Dispositif servant à vider un réservoir **bonde, déversoir**
– Réservoir sur rails **wagon-citerne**
– Cette école est un grand réservoir d'ingénieurs **pépinière, réserve**

RÉSIDENCE

voir aussi **habitation, maison**
– Résidence principale **domicile**
– Résidence urbaine **immeuble**
– Résidence luxueuse **demeure, propriété**
– Résidence royale **palais, château**
– Résidence pour personnes âgées **hospice, maison de retraite**

RÉSIDU

syn. **sédiment**
– Résidu provenant de la combustion de minerai **scorie, brai, cadmie, coke**
– Résidu d'un feu de cheminée **cendres, suie**
– Résidu nucléaire **déchet**
– Résidus de viande obtenus lors de la cuisson dans la graisse de porc **grattons, fritons, rillons**
– Résidu de fruits pressés **marc**
– Résidus ménagers **détritus, ordures**

RÉSINE

– Résine de pin **galipot, gemme**
– Résine de l'hévéa **latex**
– Résine recueillie sur certains conifères **térébenthine**
– Résine de l'arbre laquier **gomme, laque**
– Récolte de la résine par incision des troncs **gemmage**
– Gomme-résine aromatique **assafœtida, calamite, encens, myrrhe, oliban, opopanax, ladanum**
– Arbre à résine **résineux, liquidambar, pin, courbaril**
– Résine employée en parfumerie ou en pharmacie **baume, aliboufier, benjoin, styrax**
– Résine récoltée par les abeilles **propolis**
– Résine fossile **ambre, succin**
– Résines synthétiques **aminoplaste, bakélite, plastique, polystyrène**
– Résine produite par distillation de térébenthine **arcanson, colophane**
– Chandelle de résine **oribus**
– Solution protectrice à base de résine **enduit, laque, vernis**

RÉSISTANCE

– Résistance d'un matériau **dureté, fermeté, force, solidité**
– Résistance de l'air **frottement, pression**
– Résistance d'un liquide **viscosité**
– Résistance d'une force à une autre force **effort**
– Essai de résistance d'un matériau **fatigue**
– Unité de résistance en électricité **ohm**
– Capacité de résistance d'un conducteur électrique **résistivité**
– Résistance électrique variable **rhéostat**
– Résistance élastique d'un tissu organique à une pression **rénitence**
– Se laisser convaincre sans résistance **difficulté, opposition, réaction**
– Vaincre les dernières résistances de quelqu'un **hésitations, réticences, doutes, réserves**
– Absence de résistance **mollesse, veulerie**
– Ne pas offrir de résistance **capituler, céder, rendre (se), soumettre (se)**
– Résistance active **insurrection, lutte, mutinerie, rébellion, sédition**
– Résistance non violente active **désobéissance, objection, désertion, insoumission, blocage, frein**
– Résistance passive **refus, sit-in, force d'inertie**
– Résistance dans le temps **endurance, longévité, ténacité**
– Résistance d'un territoire **défense, libération**
– Résistance naturelle **obstacle**

RÉSISTANT /1

– Les résistants sont parvenus à libérer le pays **rebelles, maquisards, francs-tireurs**

RÉSISTANT /2

– Une personne résistante **infatigable, robuste, vigoureuse, solide, athlétique**

RÉSOLUTION

– Les bonnes résolutions de la nouvelle année **décisions, choix**
– Renoncer à ses résolutions **mollir, céder**
– Faire preuve de résolution **ténacité, détermination, volonté, opiniâtreté**
– Ce à quoi doit mener la résolution d'un problème **solution**
– Aide à la résolution d'un problème **analyse, démonstration, simulation**
– Résolution d'un contrat **annulation, résiliation, révocation**
– Résolution musicale **cadence**
– Résolution optique **dépolarisation**

RÉSONNER

– La cloche résonne **sonne, retentit, tinte**
– Un son qui résonne clairement **argentin, cristallin, limpide**
– Une voix qui résonne bien **timbrée**
– Une salle qui résonne **sonore**
– Faire résonner avec force **marteler, tambouriner**
– Entendre résonner un bruit dans les oreilles **bourdonner**

RÉSOUDRE

syn. **conclure**
– Résoudre un problème **analyser, démêler, régler, trancher, trouver une solution**
– Difficile à résoudre **énigmatique, inextricable, insoluble**
– Résoudre provisoirement **pallier**
– Ne résout qu'en apparence **expédient**

RÉSOUDRE (SE)

– Il ne peut se résoudre à partir **décider à (se), déterminer à (se)**

RESPECT

– J'ai beaucoup de respect pour lui **considération, déférence, estime, révérence**
– Respect de soi-même **amour-propre, dignité, honneur**
– Attitude de respect **réserve, politesse, chaleur, sympathie**
– Manque de respect **insolence, impertinence, irrévérence, profanation**
– Mérite le respect **digne, honorable, auguste**
– Imposer le respect **attirer (s'), commander**
– Tenir en respect **contenir, menacer, soumettre**
– Respect mondain **civilité, courtoisie, galanterie, protocole, bienséance**
– Respect religieux **adoration, crainte, culte, dulie, vénération**
– Au respect de **par rapport à**

– Par respect envers quelqu'un **devoir, égard**
– Qui tient au respect absolu des principes **strict, sévère, puritain**

RESPIRATION *Voir illustration p. 519*
– Sa respiration est normale **souffle, haleine**
– Phase de la respiration **inspiration, aspiration, expiration**
– Organe de la respiration chez les vertébrés **poumon, branchie**
– Respiration végétale **photosynthèse**
– Suspension provisoire de la respiration **apnée**
– Réactive la respiration **bouche-à-bouche, insufflation**

RESPIRER
– Respirer une odeur **humer, renifler, sentir**
– Respirer un gaz **absorber, inhaler**
– Respirer difficilement **ahaner, anhéler, haleter, panteler, suffoquer**
– Respirer bruyamment **renifler, ronfler, siffler, râler**
– Empêcher de respirer **asphyxier, étouffer, étrangler**
– Laisse-le respirer un peu ! **souffler, vivre**
– Il respire la bonté **exhale, exprime, représente, personnifie**

RESPLENDISSANT
– Elle est resplendissante dans cette robe **belle, magnifique, splendide**
– Une mine resplendissante **rayonnante, éblouissante**
– Un temps resplendissant **lumineux, radieux, brillant, éclatant, superbe**

RESPONSABILITÉ
– C'est une lourde responsabilité **charge, mission, obligation**
– Poste à responsabilité dans une entreprise **direction, encadrement, maîtrise**
– Société à responsabilité limitée **SARL**

RESPONSABLE
– Le responsable d'un délit **auteur, coupable**
– Le responsable d'une organisation **chef, dirigeant, directeur, leader**
– Le responsable d'une mission **pilote, chef de projet**
– Responsable juridique **caution, tuteur**
– Personne responsable dans un procès **répondant**
– Être responsable de ses actes **répondre de, assumer**
– Responsable des actes des autres **solidaire de**
– Rendre quelqu'un responsable d'un acte **accuser, imputer, suspecter**
– Le pétrole est responsable de pollutions dramatiques **cause, origine**

RESSAISIR
– L'envie de cigarette le ressaisit **reprend, rattrape**

RESSAISIR (SE)
– Elle a su se ressaisir à temps **maîtriser (se), contrôler (se), réagir**

RESSEMBLANCE
– J'ai trouvé une certaine ressemblance entre ces deux faits **analogie, correspondance, parité, rapport, rapprochement**
– Grande ressemblance **proximité, similitude**
– Ressemblance complète **égalité, équivalence, identité**
– Ressemblance de la position dans l'espace **symétrie**
– Ressemblance d'un portrait **fidélité, réalisme, vérité**
– Personnes présentant une ressemblance frappante **jumeaux, ménechmes, sosies**
– Ressemblance héréditaire **parenté**
– Ressemblance de la forme des mots **homonymie, homographie, homophonie, paronymie, à-peu-près**
– Ressemblance des syllabes **consonance, rime**
– Ressemblance du sens des mots **synonymie**
– Ressemblance des goûts et des idées **accord, affinité, communauté, concordance, conformité, harmonie**
– Une musique recherchant la ressemblance avec la réalité **descriptive**
– Chercher à établir des ressemblances **comparer, rapprocher**
– Qui présente une certaine ressemblance **voisin, proche**

RESSENTIR
– Je ne sais pas ce qu'elle a pu ressentir à ce moment **éprouver, connaître**
– Ressentir une douleur **souffrir**

RESSORT
– Cour de ressort **appel**
– Être du ressort d'une juridiction **relever de, dépendre de**
– Cette affaire n'est pas de mon ressort **compétence, domaine, portée, attributions, pouvoir, autorité**
– En dernier ressort **extrémité, ressource**
– Il a du ressort **énergie, résistance, dynamisme, allant, ardeur, vaillance, punch, tonus, force**
– Manque de ressort **amorphe, faible, inerte, mou, aboulique, veule**
– Ressorts servant à absorber les vibrations **amortisseurs, suspensions**
– Remplace aujourd'hui le ressort dans les montres **pile**
– Donner du ressort à une histoire **activité, rythme, suspense, vivacité**

– Tendre un ressort **bander, remonter**
– L'argent, ressort principal de l'économie capitaliste **force, moteur**
– Par quel secret ressort a-t-il réalisé son dessein ? **machination, moyen**

RESSORTIR
syn. **dépasser, pointer, saillir**
– Faire ressortir **accentuer, souligner, contraster, détacher (se), trancher**
– Il ressort que **apparaît, dégage (se), résulte, révèle (se), avère (s')**
– Il nous ressort toujours les mêmes arguments **avance, expose, redit, répète, rabâche**

RESSOURCE
syn. **expédient, moyen, possibilité, recours, remède, secours**
– Ressources financières **argent, bourse, économies, fonds, fortune, richesses**
– Sans ressources **démuni, pauvre**
– Ressources de l'État **budget, contributions, impôts, trésorerie**
– Ressources naturelles **matières premières, faune, flore**
– Groupement de ressources **pool**
– Ressources humaines dans une entreprise **personnel**
– Le cœur a des ressources de bonté inépuisables **capacités, facultés, réserves**
– Un homme de ressources **débrouillard, futé, habile, ingénieux**
– Avoir de la ressource **résistance, ressort, énergie, dynamisme**
– Dernière ressource **espérance, refuge, planche de salut**

RESTAURANT
– Café-restaurant **brasserie, taverne**
– Hôtel-restaurant **auberge**
– Restaurant lyonnais **bouchon, mâchon**
– Restaurant italien **pizzeria, trattoria**
– Mauvais restaurant **boui-boui, gargote**
– Restaurant pour les gens pressés **fast-food, snack-bar**
– Restaurant de la gare **buffet**
– Restaurant sur l'autoroute **restoroute**
– Restaurant en libre service **self-service, cafétéria**
– Restaurant d'entreprise **cantine**
– Ce que propose le restaurant **menu, carte**
– Personnel d'un restaurant **cuisinier, serveur, sommelier, plongeur, maître d'hôtel, chef de rang, maître queux**
– Facture au restaurant **addition, note**
– Sert à classer les restaurants **étoile**

RESTE
– Le reste de votre commande vous parviendra sous peu **solde, suite, complément**
– Le reste d'une somme **reliquat, différence**

– Les restes d'un édifice détruit **ruines, débris, déblais, cendres**
– Les restes d'un repas **déchets, rebuts, reliefs, résidus**
– Les restes humains **ossements**
– Les restes d'une civilisation **survivance, traces, vestiges**

RESTRICTION

– Accepter avec quelques restrictions **réserves, conditions**
– Sans restriction **absolu, entier, intégral, total, complet**
– Restriction du budget **diminution, baisse, réduction, limitation**
– Politique économique visant la restriction des naissances **malthusianisme**
– Marque la restriction **concessif, restrictif**

RÉSULTAT

– Résultat d'une série d'événements **conséquence, contrecoup, effet, fin, issue, suite**
– Sa décision eut un résultat fâcheux **entraîna, produisit**
– Être le résultat de **dépendre de, naître de, ensuivre (s'), ressortir de, venir de**
– Approcher du résultat **progresser**
– Atteindre un résultat **aboutir à, arriver à, réussir, toucher au but**
– Résultat d'un raisonnement **conclusion**
– Résultat d'un problème **réponse, solution**
– Résultat positif **aboutissement, réussite, succès**
– Mauvais résultat **échec**
– Résultat tangible **œuvre, ouvrage, travail**
– Sert à obtenir un résultat **instrument, moyen, opération, procédé**
– Opérations électorales du dépôt des bulletins jusqu'à l'obtention des résultats **scrutin**
– Résultat sportif **score, performance**
– Résultats scolaires **notes**
– Résultat positif d'un concours **admission**
– Résultat d'un examen médical **bilan**
– Sans résultat **infructueux, inutile, stérile, vain**

RÉSUMÉ /1

– Il nous a présenté un résumé **abrégé, compendium, condensé, digest, raccourci, synthèse**
– Résumé d'une situation **bilan**
– Résumé détaillé **analyse, récapitulation**
– Résumé pratique **mémento, notions, précis**
– Résumé de la situation d'un compte en banque **extrait, relevé**
– Résumé d'un film **synopsis, scénario**
– Résumé du contenu d'un livre **sommaire, table des matières, condensé**
– Faire le résumé d'un texte **diminuer, écourter, réduire**

– Résumé d'une théorie scientifique **aperçu, éléments, rudiments**
– Résumé d'histoire antique **épitomé**
– Résumé des informations à la radio **flash**

RÉSUMÉ /2

– Un texte résumé **concis, court, lapidaire, simplifié, succinct**

RETARD

– Retard dans la prise d'une décision **ajournement, atermoiement, hésitation, remise, retardement, tergiversation, délai, procrastination, temporisation**
– En retard dans la croissance **immature, attardé, ralenti, handicapé**
– Je suis en retard **en arrière, à la traîne, à la bourre**
– En retard sur la mode **archaïque, démodé, périmé, désuet, ringard, arriéré**
– Nous sommes en retard sur les progrès scientifiques actuels **en décalage**
– Pays dont le développement est en retard **sous-développé**
– Retard dans le travail **lenteur, piétinement, ralentissement**
– Cause d'un retard scolaire **redoublement**
– Retard voulu **manœuvre, temporisation**
– Qui ne supporte aucun retard **urgent**

RETENIR

– Retenir quelque chose en l'attachant **accrocher, amarrer, fixer, maintenir**
– Retient l'eau **barrage, retenue, écluse**
– Retenir un objet sur le point de tomber **arrêter, saisir, rattraper**
– Retenir quelqu'un contre sa volonté **emprisonner, enchaîner, séquestrer**
– Retenir un soldat à la caserne **consigner**
– Retenir un ami à dîner **convier, inviter, garder**
– Une crise de rhumatisme le retient chez lui **immobilise, cloue, cloître**
– Tout ce qui le retient ici, ce sont tes beaux yeux **attache, attire**
– Retenir par mesure de rétorsion **confisquer**
– Retenir ses sentiments **contraindre, refouler, maîtriser, brider**
– Retenir ses larmes **étouffer, ravaler, réprimer**
– Un rire impossible à retenir **incoercible, irrépressible**
– Retenir les velléités de quelqu'un **modérer, ralentir, freiner**
– Retenir une somme due **déduire, prélever, défalquer, soustraire**
– Retenir un chef d'accusation dans un procès **admettre, approuver, confirmer**
– Retenir une chambre **louer, réserver**

– Retenir une leçon **apprendre, mémoriser, souvenir de (se), enregistrer**

RETENIR (SE)

– Se retenir à une branche **cramponner (se), rattraper (se)**
– Se retenir de faire quelque chose **abstenir de (s'), empêcher de (s')**

RETENUE

– Il y a beaucoup de retenue dans son attitude **décence, discrétion, réserve, modestie, pondération, mesure, modération**
– Sans retenue **libre, effréné, débridé**
– Retenue d'eau naturelle **lac, étang, mare**
– Retenue d'eau artificielle **barrage, réservoir**
– Retenue scolaire **consigne, colle**

RÉTICENCE

– Il a fait preuve d'une certaine réticence **retenue, réserve, restriction, hésitation, scrupule**
– Parler sans réticence **détour, ménagement, artifice**

RETIRER

– Retirer un vêtement **déshabiller (se), dévêtir (se)**
– Retirer une écharde du pied **ôter, arracher, extraire, enlever**
– Retirer une somme d'argent **défalquer, soustraire, déduire, prélever**
– Retirer un droit à quelqu'un **priver de, reprendre, spolier**
– Retirer une plainte **annuler**
– C'est une expérience dont il a retiré un grand bénéfice **tiré, obtenu, reçu**
– Endroit où l'on peut retirer de l'argent **banque, guichet, distributeur**

RETIRER (SE)

– Se retirer de la course **abandonner, désister de (se)**
– Se retirer à la campagne **réfugier (se), isoler (s'), replier (se)**

RETOUR

– Être de retour **revenir**
– Précède généralement le retour **aller**
– Retour en arrière **régression, réversion**
– Retour en arrière dans le temps **flashback, rétrospective**
– Retour périodique **alternance, cycle, fluctuation, variation, révolution**
– Retour d'une période, d'une époque **recommencement, renaissance**
– Retour de jeunesse **regain, verdeur**
– Retour à la vie **résurrection, réanimation**
– Retour d'âge **vieillesse**
– Retour des âmes **palingénésie**
– Le retour du printemps **réapparition, réveil**

– Retour de marée **contre-courant**
– Retour de fièvre **rechute**
– Retour de bâton **conséquence, contre-coup, répercussion, retentissement**
– Brusque retour de fortune **changement, revirement, vicissitudes**
– C'est un retour à l'envoyer **repartie, réplique**
– Retour scolaire **rentrée**
– Retour d'une personnalité sur la scène publique **come-back**
– Retour au calme **apaisement, accalmie**
– Retour des mêmes sons **période, répétition, reprise, rythme, allitération**
– Retour d'un colis **renvoi, réexpédition**
– Retours de librairie **invendus**
– Retour d'équerre **angle droit**
– Exiger quelque chose en retour **réciproquement, en récompense**
– Une décision sans retour **définitive, irréversible, irrévocable**

RETRAITE
– Départ à la retraite avant l'âge normal **préretraite**
– Bénéficie d'une retraite **retraité, pensionné**
– Retraite aux flambeaux **défilé**
– Battre en retraite **reculer, abandonner, retirer (se), replier (se)**
– Il vit dans sa retraite à la campagne **havre, asile, refuge, abri, thébaïde, ermitage**

RÉTRÉCIR
– Rétrécir un vêtement **diminuer, réduire**
– Tissu qui rétrécit au lavage **raccourcit, resserre (se), rétracte (se)**
– Cela rétrécit beaucoup son champ d'action **restreint, limite**

RÉTRÉCIR (SE)
– Le col de la bouteille se rétrécit **resserre (se)**

RÉTROGRADE
– Il a des idées très rétrogrades **démodées, vieillottes, passéistes, arriérées, réactionnaires**
– Déplacement dans le sens rétrograde des points équinoxiaux **précession**
– Similitude rétrograde **inverse**
– Mot rétrograde **palindrome**

RETROUVER
– Comment peut-on se retrouver dans ce labyrinthe ? **orienter (s'), diriger (se), repérer (se)**
– Vous pourrez me retrouver à la gare **rejoindre**
– Il a retrouvé sa santé **recouvré, récupéré**
– C'est un trait de caractère que l'on retrouve souvent chez lui **reconnaît**

– Elle a retrouvé sa liberté **reconquis**
– Retrouver ses esprits **reprendre**

RÉUNION
voir aussi **assemblée, communauté, rencontre**
– Processus de réunion de deux éléments **assemblage, groupement, jonction, rassemblement, liaison, rapprochement**
– Réunion d'objets divers **entassement, mélange**
– Réunion de nombreux éléments **accumulation, agglomération, agrégation**
– Réunion d'éléments selon un ordre prescrit **combinaison, composition, organisation**
– Réunion d'idées ou d'objets hétéroclites ou incompatibles **amalgame, confusion, mélange**
– Réunion d'objets **amas, bloc, masse, ensemble, tas, groupe, fatras**
– Réunion d'objets par deux **couple, paire**
– Réunions harmonieuses **conjonction, synthèse, union, fusion**
– Réunion des idées dans un raisonnement **concaténation, enchaînement, synthèse**
– Réunion de textes divers **collection, recueil, anthologie, florilège**
– Réunion de tracés lumineux **concentration, convergence**
– Réunion volontaire **accord, mariage, alliance**
– Réunion d'un territoire à un État **adjonction, annexion, incorporation, rattachement**
– Réunion d'États **fédération, confédération**
– Réunion d'êtres humains en société **clan, colonie, communauté, tribu, groupe, population**
– Réunion de religieux **chapitre**
– Réunion d'évêques **concile, synode**
– Réunion de cardinaux **consistoire, conclave**
– Réunion de religions différentes **syncrétisme**
– Réunion syndicale ou politique **meeting**
– Réunion de spécialistes **colloque, forum, symposium, séminaire**
– Réunion de scientifiques **comité, commission, conférence, rencontre, congrès**
– Réunion de commerçants **foire, salon, carrefour**
– Réunion des corps de métiers **compagnonnage, confrérie, corporation**
– Réunion rassemblant des scouts du monde entier **jamboree**
– Réunion de circonstance **coalition, entente**
– Réunion mal considérée **clique, coterie, ramassis**

– Réunion officielle **assemblée, assises, comices, séance, conseil**
– Réunion à un parti **adhésion**
– Public d'une réunion **assistance, auditoire**
– Réunion privée **cénacle, cercle, club**
– Réunion tardive **veillée**
– Réunion festive **bal, célébration, raout, soirée, jubilé, cérémonie**

RÉUNIR
– Réunir deux éléments **assembler, attacher, raccorder, relier, joindre, marier, apparier**
– Réunir des informations **recueillir, récolter**
– Réunir les fragments d'une œuvre **collecter, collectionner**
– Réunir en sa seule possession **accaparer, cumuler, monopoliser**
– Réunir tous ses proches **convier, inviter, rassembler, regrouper**
– Réunir des amis fâchés **réconcilier, raccommoder, rabibocher**

RÉUSSITE
– Réussite personnelle **accomplissement, perfection, victoire, bonheur**
– Cette soirée fut une réussite **triomphe, apothéose**
– Réussite financière **succès, prospérité**
– Réussite à un examen **admission**
– Réussite sportive **prouesse, exploit, performance**
– Réussite éditoriale **best-seller**
– Réussite dans le monde du spectacle **percée**
– Individu avide de réussite **carriériste, ambitieux**
– Faire inlassablement des réussites **patiences**

REVANCHE
– Sa revanche sera cruelle **vengeance**
– Accorde-moi une revanche **deuxième partie**
– Revanche militaire **représailles**
– En revanche **en compensation, en contrepartie, au contraire, par contre**

RÊVE
– Il a fait un curieux rêve **songe**
– Rêve chargé d'angoisse **cauchemar**
– Cela appartient au domaine des rêves **onirique**
– Étude des rêves **onirologie**
– Théorie dans laquelle s'intègre, entre autres, l'interprétation des rêves **psychanalyse**
– Rêve à l'état de veille **rêverie, fantasme**
– Réaliser un vieux rêve **désir, projet, aspiration, souhait, vœu**
– Poursuivre un rêve insensé **utopie, chimère, mirage**
– Une créature de rêve **parfaite, idéale**
– Pays de rêve **éden, eldorado, cocagne**

ROCHES ET MINERAIS

Andésite : roche volcanique de couleur grise, formée de cristaux le plus souvent microscopiques et parfois vacuolaires. La pierre de Volvic est une roche andésitique.

Argile : roche meuble formée de grains très fins. Imbibée d'eau, elle devient plastique et imperméable [la marne est composée d'un mélange d'argile et de calcaire].

Basalte : roche volcanique de couleur noire, de densité voisine de 3 et dont les éléments essentiels sont le feldspath (à l'état de microlites dans une pâte vitreuse), l'olivine et les minéraux secondaires (magnétite, ilménite).

Bauxite : du village des Baux-de-Provence. Roche argileuse de couleur rose ou rougeâtre qui renferme des hydrates d'alumines cristallisés ou amorphes. La bauxite, argile résiduelle ancienne, déposée en couches irrégulières avec poches entre les calcaires de l'urgonien et ceux du crétacé supérieur, est utilisée comme minerai d'aluminium. En France, elle est exploitée dans la région des Baux et de Toulon.

Calcaire : concrétions contenant 95 % de calcite, blanche ou colorée par des sels métalliques. Calcaires lacustre ou oolithique (marin), stalactites, stalagmites, perles des cavernes, travertins des sources karstiques.

Calcaire coquiller : accumulation de tests d'animaux morts (calcaire à entroques, foraminifères, cérithes, lumachelles).

Calcaire corallien : édifié par des organismes, les coraux ; contient au moins 50 % de calcite.

Calcaire détritique : roche essentiellement formée par des débris cimentés d'origine calcaire. Le calcaire lithographique et le calcaire grossier appartiennent à ce type.

Calcschiste : roche schisteuse, cristalline, formée de l'alternance de lits de calcite, de quartz et de mica blanc ; on la trouve dans la zone des schistes lustrés alpins.

Cinérite : roche volcanique formée de lapilli et de cendres stratifiés par l'action de l'eau ; la finesse de grain des cinérites explique que les fossiles les plus fragiles, comme certains végétaux ou insectes, aient pu s'y conserver remarquablement.

Conglomérat : fragments de roche anguleux (brèches) ou galets arrondis (poudingues) cimentés.

Craie : roche blanche à grain très fin, poreuse et friable, formée d'accumulation de squelettes de très petits organismes du plancton marin.

Dacite : roche microlitique, d'origine volcanique, à feldspath calcosodique.

Diabase : roche de la famille des gabbros, de texture ophitique et comprenant des cristaux de plagioclase moulés par de l'argile.

Diatomite, radiolarite : roches siliceuses composées de tests de radiolaires (radiolarite, colorée en rouge, noir, vert pâle) ou de diatomées (diatomite, roche claire).

Diorite : roche éruptive granitoïde constituée de cristaux blancs (feldspath) et verts (amphibole).

Domite : roche volcanique du type trachyte. Particulièrement riche en silice (jusqu'à 70 %), elle est de couleur blanche et constitue la masse des roches volcaniques du Puy-de-Dôme.

Embréchite : roche métamorphique de la série des migmatites, comprise, dans le cadre d'un métamorphisme général, entre les granites d'anatexie et les diadysites, roches intermédiaires entre les granites et les gneiss.

Gabbro : roche éruptive associant un feldspath calcosodique basique avec un pyroxène également basique et parfois de l'olivine. Cette roche constitue des filons dans les massifs anciens.

Gaize : roche siliceuse se présentant souvent sous forme de rognons, incluse dans les marnes de l'oxfordien et les argiles du crétacé inférieur, et très abondante dans l'Ardenne et en Argonne.

Géode : roche creuse, tapissée intérieurement de magnifiques cristaux de quartz, de calcite, de dolomie ou de gypse.

Gneiss : roche métamorphique où les minéraux sont disposés en lits.

Granite : du latin *granum*, « grain ». Roche éruptive composée principalement de quartz, de feldspath – potassique (orthose), sodique (albite) ou calcosodique (andésine) – et de mica (amphibole ou pyroxène).

Grès : roche cohérente et résistante comprenant au moins 85 % de grains de quartz soudés par un ciment calcaire ou siliceux (quartzite sédimentaire) [L'arkose est un grès riche en feldspath à ciment très argileux].

Gypse : roche blanche translucide, formée de sulfate de calcium hydraté. C'est une évaporite (se concentre et précipite par évaporation d'eau salée).

Houille, lignite, tourbe : roches formées de débris végétaux accumulés en grande quantité et ayant subi une transformation chimique à l'abri de l'air. Évolution : tourbe, lignite, charbon, graphite (métamorphisé).

Leptynite : roche blanche, quartzeuse, chargée de petits grenats rouges, de la famille des granites.

Lherzolite : de Lherz, village de l'Ariège. Roche de la famille des péridotites, caractérisée par un mélange d'olivine dominante et de pyroxènes, et formée par le métamorphisme d'une dolomie.

Marbre : calcaire ou dolomie cristallisé par métamorphisme ; roche blanche ou à grands cristaux de calcite, colorée (marbrures) par d'anciens lits d'argile ou des oxydes métalliques.

Marne : roche de transition entre les calcaires et les argiles. À partir de 30 % de calcaire, une argile est considérée comme une marne, c'est-à-dire une roche cohérente, de cassure nette à l'état sec, mais qui peut devenir plastique sous l'action de l'humidité.

Molasse : dans le Bassin aquitain, désigne une formation détritique se présentant comme un grès à ciment calcaire.

Ophite : roche de la famille des gabbros, de couleur verte, comprenant de gros microlites de feldspath englobés dans des cristaux de pyroxène et que l'on trouve dans les terrains triasiques des Pyrénées.

Pétrole : roche liquide résultant de la transformation de matières organiques accumulées dans l'eau sous l'influence de bactéries anaérobies.

Phonolithe : du grec *phônê*, « son », et *lithos*, « pierre ». Roche éruptive, plus ou moins sonore, de la famille des syénites. Les phonolithes sont des trachytes chargés de feldspath, se présentant en plaquettes grisâtres ou verdâtres et facilement clivables ; très répandues dans le Massif central.

Phtanite : roche siliceuse, plus ou moins chargée de matières graphiteuses et se présentant sous la forme de silex noirs dans les terrains primaires.

Phyllade : roche cristallophyllienne, variété d'ardoise, composée de quartz et de feldspath visibles seulement au microscope et associés à de l'argile.

Poudingue : de l'anglais *pudding*. Roche formée de gros cailloux arrondis et réunis par un ciment ; lorsque les cailloux prennent la taille de graviers, la roche est appelée micropoudingue.

Pouzzolane : de la ville italienne de Pouzzoles. Roche volcanique de la famille des trachytes se présentant sous la forme de scories et de cendres.

Pyroméride : roche microlitique de la famille du granite, caractérisée par de gros sphérolites à croix noire noyés dans une pâte vitreuse avec opale et calcédoine.

Quartzite : roche siliceuse compacte très dure, constituée de grains de quartz liés par un ciment siliceux recristallisé par métamorphisme.

Sable : roche meuble constituée principalement de grains de quartz (silice) ; les grains plus gros sont des graviers.

Schiste : du grec *schistos*, « fendu ». Roche feuilletée pouvant se cliver en minces feuillets. Les schistes résultent de la métamorphisation incomplète des argiles et des marnes. Le talc (silicate de magnésium), roche tendre et feuilletée, se trouve dans les généralement dans les schistes cristallins.

Sel gemme : roche blanchâtre appelée aussi halite, composée de cristaux de chlorure de sodium.

Silex : roche siliceuse à grain très fin à l'intérieur de couches de craie, parfois en lits continus, souvent en morceaux arrondis appelés rognons.

Tourbe : roche combustible, d'origine récente, formée de fibres végétales, d'humus, de matières minérales et d'eau ; la proportion de carbone ne dépasse pas 50 %. La tourbe séchée est un combustible médiocre.

Trachyandésite : roche volcanique vitreuse, de la famille des syénites, mais moins siliceuse que les trachytes.

Trachyte : Roche volcanique, de teinte grise, rugueuse, composée de fins cristaux de feldspath noyés dans une pâte faite d'une multitude de microlites.

REVÊCHE
– Se montrer revêche **rétif, récalcitrant, acariâtre, hargneux, maussade, rogue**
– Une mine revêche **bourrue, rébarbative, renfrognée**
– Un vin revêche **âpre**
– Un tissu revêche **rugueux, rêche, rude**

RÉVEIL *Voir illustration sommeil, p. 568*
– Appareils qui sonnent pour permettre le réveil **réveille-matin, radio-réveil, alarme, horloge**
– Le réveil de la nature au printemps **renouveau, résurrection, renaissance**
– Le réveil d'une douleur **retour**
– Pour le moment, il est sur son nuage, mais le réveil risque d'être dur **chute**

RÉVEILLER
– Réveiller une personne endormie **éveiller**
– Réveiller une douleur **raviver, ranimer**
– Réveiller des sensations oubliées **provoquer, ressusciter**
– Réveiller une passion amoureuse **rallumer**
– Réveiller la mémoire **stimuler**
– Réveiller un membre ankylosé **dégourdir, dérouiller**

RÉVÉLATION
– Faire une révélation **confidence, aveu, déclaration**
– Exiger la révélation des résultats d'une enquête **divulgation, communication, dévoilement**
– Le concours a permis la révélation de nouveaux talents **découverte**
– Avoir une révélation **illumination, inspiration**
– La révélation de Dieu aux hommes **manifestation**
– Doctrine faisant de la révélation divine le principe même de toute vérité **fidéisme**
– Révélation mystique **vision, apparition**

RÉVÉLER
– Révéler ses projets **exposer, communiquer, divulguer**
– Révéler un complot **découvrir, dénoncer, dévoiler**
– Son rythme cardiaque révèle une immense fatigue **indique, trahit**
– Son attitude révèle sa très grande sagesse **prouve, atteste, montre, témoigne de**

REVENDICATION
– Entendre les revendications lycéennes **réclamations, desiderata**
– Revendication en direction des pouvoirs publics **pétition**
– Ses revendications en matière d'emploi **prétentions, exigences, demandes**
– Moyen utilisé par les salariés pour faire entendre leurs revendications **grève, manifestation**
– Tendance pathologique à la revendication **quérulence**

REVENIR
– Revenir à son lieu d'origine **regagner, retourner à, rentrer**
– Revenir sur ses pas **rebrousser chemin, repartir**
– Thème musical qui revient dans une partition **leitmotiv, refrain**
– Un phénomène qui revient avec régularité **récurrent, périodique, cyclique**
– Revenir sur une décision **annuler, dédire (se), rétracter (se)**
– Cette responsabilité lui revient **incombe, appartient, retombe sur**
– Cette fortune lui revient **échoit**
– Revenir d'une grave maladie **guérir de, réchapper de, remettre de (se), sortir de (se)**
– Cela revient cher **coûte**
– Faire revenir le lard et les oignons **dorer, blondir, roussir, rissoler**

REVENU
– Revenus apportés par le travail **salaire, rémunération, traitement, gains, appointements, émoluments**
– Revenu provenant de biens immobiliers **produit, rente, usufruit**
– Revenu provenant d'un placement **intérêt**
– Revenu imposable **net**
– Revenu attribué à un ecclésiastique **prébende, mense**
– Revenu versé à un chef d'État **dotation**
– Revenus de l'État **deniers publics, impôts**
– Acompte versé pour le paiement de l'impôt sur le revenu **tiers provisionnel**

RÊVER
voir aussi **sommeil**
syn. **divaguer, imaginer, songer**
– Rêver d'une autre vie **souhaiter, désirer, aspirer à**

RÉVÉRENCE
– Faire une révérence **courbette, salut**
– Révérences exagérées **salamalecs**
– Une attitude pleine de révérence à l'égard des aînés **considération, respect, déférence, vénération**

REVERS
voir aussi **tennis**
– Revers d'une médaille **envers**
– Revers d'une monnaie **pile**
– Revers de la main **dos**
– Revers fait sur un vêtement **retroussis, parement**
– Partie du manteau formant le revers du col **parmenture**
– Essuyer des revers **défaites, insuccès, échecs, vicissitudes, infortunes**
– Revers d'une page **verso**

REVÊTEMENT
– Revêtement de sol **carrelage, linoléum, moquette, parquet**
– Revêtement en bois couvrant les murs ou le plafond d'une maison **lambris**
– Revêtement de la chaussée **asphalte, goudron, bitume, macadam**
– Revêtement appliqué sur un mur **crépi**
– Revêtement de protection **chape, chemise, enveloppe**
– Revêtement de protection pour le bois **vernis, lasure**
– Revêtement d'une feuille d'or **placage**
– Revêtement retenant la terre d'un fossé **soutènement**

REVIREMENT
syn. **changement, retournement, renversement**
– Revirement brusque et imprévu **volte-face, pirouette**
– Sujet à des revirements soudains **versatile, lunatique**
– Revirement manifesté lors d'une discussion, d'un discours **rétractation, palinodie, désaveu**

RÉVISION
– Révision d'un texte de loi **modification, mise à jour, amendement, refonte**
– Révision superficielle **toilettage**
– Procéder à une révision de l'arsenal **vérification, examen, contrôle**
– Révisions scolaires courtes et intensives **bachotage**

REVOIR /1
– Suivre les revoirs du cerf **traces, empreintes**

REVOIR /2
– Revoir un manuscrit **retoucher, remanier, réécrire, relire, reprendre**
– Revoir une épreuve **corriger**
– Revoir une leçon **réviser**
– Au revoir **salut, bye-bye, adieu, tchao, ciao**

REVOIR (SE)
– Ils ne se sont pas revus depuis plus d'un an **retrouvés, rencontrés, fréquentés**

RÉVOLTE
syn. **émeute, insurrection, rébellion, sédition, soulèvement**
– Révolte menée contre un pouvoir par un groupe armé **putsch, pronunciamiento, coup d'État**
– La révolte dans les casernes **mécontentement, contestation, insoumission, insubordination**

– Révolte de prisonniers **mutinerie**
– Révolte de paysans **jacquerie**
– Révolte d'une province **dissidence**
– Patriote juif qui encouragea la révolte contre les Romains envahisseurs **zélote**
– Révolte contre la bêtise humaine **indignation, colère**

RÉVOLTER
– Tant de mauvaise foi me révolte **choque, dégoûte, écœure, indigne, scandalise, révulse**

RÉVOLTER (SE)
– Se révolter contre l'arbitraire d'une décision **contester, insurger (s'), protester**
– Cet enfant ne cesse de se révolter **regimber, opposer (s'), rebeller (se)**

RÉVOLUTION
– Révolution d'un corps autour d'un axe géométrique **rotation**
– Révolution d'un astre **mouvement**
– Révolution des saisons **succession, alternance, cycle**
– La révolution provoquée par la robotique **changement, mutation, bouleversement**

RÉVOLUTIONNAIRE
– Un révolutionnaire notoire **agitateur, factieux, extrémiste, mutin, rebelle, insurgé**
– Des menées révolutionnaires **subversives**
– Tribunal révolutionnaire **tribunal d'exception**
– Se montrer révolutionnaire dans le domaine des arts **avant-gardiste, futuriste**
– C'est une invention révolutionnaire **novatrice, inédite**

REVOLVER *Voir illustrations p. 458, 522*
– Revolver américain **colt**
– Voisin du revolver **pistolet**
– Nom familier du revolver **pétard, flingue, soufflant, rif, rigolo, calibre**
– Réservoir à cartouches d'un revolver **barillet**

RÉVOQUER
– Révoquer un fonctionnaire **démettre, destituer, limoger, casser**
– Révoquer un contrat **annuler, résilier, rompre**
– Révoquer un militaire **dégrader**
– Impossible à révoquer **irrévocable, inamovible**

REVUE
– S'abonner à une revue **magazine, périodique, gazette, journal**
– Revue scientifique **bulletin, annales, cahier**
– Revue d'amateurs **fanzine**

– Auteur de revue **revuiste**
– Liste de ceux qui ont contribué à la revue **ours**
– Une revue de presse **compte rendu**
– Passer en revue les événements de l'année **recenser, récapituler, inventorier**
– Faire la revue des troupes **inspection, examen**
– Apprécier les revues militaires **parades, défilés**
– Assister à une revue aux Folies-Bergère **spectacle**

RHAPSODIE
– Rhapsodie dans l'Antiquité grecque **poème épique**

RHÉSUS
voir **sang**

RHÉTORIQUE *Voir tableau p. 526*
– Objet de la rhétorique **discours**
– Objectif de la rhétorique **éloquence**
– Les trois parties de la rhétorique **invention, disposition, élocution**
– Rhétorique des sermons **homilétique**
– Maîtres de la rhétorique dans l'Antiquité grecque **sophistes**

RHINITE
syn. **coryza, rhume, rhume des foins, rhume commun**
– Pharyngite accompagnée d'une rhinite **rhino-pharyngite**
– Rhinite chronique caractérisée par une haleine fétide **ozène, punaisie**
– Rhinite chronique du chien **linguatulose**

RHODODENDRON
– Famille à laquelle appartient le rhododendron **éricacées**
– Ancien nom du rhododendron **rosage**

RHUMATISME
– Individu sujet aux rhumatismes **rhumatisant**
– Domaine de la médecine traitant des affections induites par les rhumatismes **rhumatologie**
– Rhumatisme dégénératif **arthrose**
– Rhumatisme chronique **arthrite**
– Rhumatisme articulaire aigu **maladie de Bouillaud**
– Une douleur semblable à celle des rhumatismes **rhumatoïde**

RHUME
syn. **coryza, rhinite**
– Avoir un rhume **être enchifrené**
– Rhume des foins **pollinose, allergie**
– Virus transmettant le rhume **rhinovirus**
– Ancien nom du rhume **catarrhe**

RICHE /1
– Nouveau riche **parvenu**

RICHE /2
– Un homme riche **fortuné, aisé, nanti**
– Une personne très riche **richissime**
– Individu extrêmement riche **nabab, crésus, millionnaire, milliardaire**
– Une idée riche **intéressante, profonde**
– Un pays riche **prospère, opulent, florissant**
– De riches étoffes **somptueuses, coûteuses, luxueuses**
– Une terre riche **fertile, féconde, généreuse**
– Un repas riche **abondant, plantureux, copieux**
– Une alimentation riche **nourrissante, nutritive, énergétique**
– Gouvernement des plus riches dans l'Antiquité grecque **ploutocratie**

RICHESSE
– Richesses d'une personne **argent, biens, fortune, ressources**
– Source de richesse considérable **pactole**
– Richesse d'une région **patrimoine**
– Apprécier la richesse d'un décor **faste, luxe, magnificence, somptuosité, apparat, splendeur**
– Vanter la richesse d'une langue **éclat, diversité, polysémie**

RICIN
– Famille à laquelle appartient le ricin **euphorbiacées**
– Grain de ricin **capsule**
– Utilisation fameuse de l'huile de ricin **purgatif**
– Une solution d'huile de ricin **ricinée**
– Un acide obtenu à partir de l'huile de ricin **adipique**

RIDE
– Les rides de la peau **plis**
– Rides situées au coin des yeux **pattes-d'oie**
– Petite ride **ridule**
– Un visage plein de rides **raviné, flétri**
– Traitement contre les rides **lifting, lissage, déridage**
– Provoque l'apparition des rides sur la peau **vieillissement, déshydratation, déssèchement, amaigrissement**
– Rides d'une terre **plissement, sillons**
– Ride apparaissant sur l'eau **onde, vaguelette, ondulation**
– Ride utilisée en marine **cordage**
– Apparition de rides **réticulation**

RIDEAU
voir aussi **draperie, étoffe, toile**
– Rideaux légers et transparents **voilages**
– Fait office de rideau **store**
– Rideau recouvrant une porte **portière, tenture**
– Galon servant au fronçage des rideaux **ruflette**

MÉROVINGIENS (481-751)

De Mérovée, ancêtre de Clovis.

Clovis Ier (481-511, unificateur du royaume des Francs)
Partage du royaume entre ses fils : roix locaux
● AUSTRASIE
Thierry Ier (511-534)
Théodebert (534-547)
Théodebald (547-555)
● ORLÉANS
Clodomir (511-524)
● PARIS
Childebert Ier (511-558)
● SOISSONS
Clotaire Ier (511-561, réunificateur du royaume)
Partage du royaume entre ses fils : rois locaux
● PARIS
Caribert (561-567)
● ORLÉANS ET BOURGOGNE
Gontran (561-592)
● AUSTRASIE
Sigebert Ier (561-575)
Childebert II (575-595)
Théodebert II (595-612, Austrasie)
Thierry II (595-613, Orléans et Bourgogne)
Sigebert II (613)
● NEUSTRIE
Chilpéric Ier (561-584)
Clotaire II (584-629, réunificateur du royaume)
Dagobert Ier (629-639, dernier roi à exercer un pouvoir que vont accaparer les maires du palais)
Partage du royaume.
Roix locaux.
● AUSTRASIE
Sigebert III (639-656)
Dagobert II (656-679)
● NEUSTRIE
Clovis II (639-657)
Partage du royaume :
Clotaire III (657-673, Neustrie et Bourgogne)
Childéric II (657-673, Austrasie)
Thierry III (673-691, réunificateur du royaume)
Clovis III (691-694)
Childebert II (694-711)
Dagobert III (711-715)
Chilpéric II (715-721, à qui est opposé le candidat du maire du palais d'Austrasie, Clotaire IV, entre 717 et 719)
Thierry IV (721-737)
interrègne de 737 à 743
Childéric III (743-déposé en 751)

LA FIN DES MÉROVINGIENS : Pépin le Bref dépose en 751 le dernier roi mérovingien, Childéric III.

CAROLINGIENS (751-987)

Pépin le Bref (751-768)
Charlemagne (entre 768 et 814, partage le pouvoir avec Carloman, crée l'empire d'Occident entre 768 et 771)
Louis Ier le Pieux (814-840)
Partage de l'Empire entre ses fils. La France échoit à :
Charles II le Chauve (840-877)
Louis II le Bègue (877-879)
Louis III (879-882)
Carloman (879-884)
Charles Le Gros (884-887)
Eudes*, comte de Paris (888-893)
Charles III le Simple (893-détrôné en 922)
Robert Ier* (922-923, durant la minorité de Louis IV)
Raoul* de Bourgogne (923-936, durant la minorité de Louis IV)
Louis IV d'Outremer (936-954)
Lothaire (954-986)
Louis V (986-987)

* ancêtres de la branche des Capétiens directs.

LA FIN DES CAROLINGIENS : Hugues Capet est élu successeur de Louis V, mort sans descendance.

CAPÉTIENS DIRECTS

Hugues Capet (987-996, fondateur de la dynastie)
Robert II le Pieux (996-1031)
Henri Ier (1031-1060)
Philippe Ier (1060-1108)
Louis VI le Gros (1108-1137)
Louis VII le Jeune (1137-1180)
Philippe II Auguste (1180-1223)
Grand accroissement du domaine royal.
Louis VIII le Lion (1223-1226)
Louis IX ou Saint Louis (1226-1270) Création du Parlement
Philippe III le Hardi (1270-1285)
Philippe IV le Bel (1285-1314)
Mise en place d'une administration puissante.
Louis X le Hutin (1314-1316)
Jean Ier le Posthume (1316)
Philippe V le Long (1316-1322)
Charles IV le Bel (1322-1328)

LA FIN DES CAPÉTIENS : Charles IV meurt sans descendance masculine ; son cousin Philippe VI de Valois hérite du trône.

CAPÉTIENS INDIRECTS : VALOIS

Philippe VI (1328-1350)
Jean II le Bon (1350-1364)
Charles V le Sage (1364-1380)
Triomphe sur les Anglais.
Charles VI (1380-1422, roi fou)
Guerre civile et étrangère.
Charles VII (1422-1461)
Réunification du royaume.
Louis XI (1461-1483)
Annexe de la Bourgogne.
Charles VIII (1483-1498)
Début des expéditions en Italie.

CAPÉTIENS INDIRECTS : VALOIS-ORLÉANS

Louis XII (1498-1515)

CAPÉTIENS INDIRECTS : VALOIS-ANGOULÊME

François Ier (1515-1547)
Défaite en Italie et victoire des Habsbourg.
Henri II (1547-1559)
François II (1559-1560)
Charles IX (1560-1574)
Début des guerres de Religion.
Henri III (1574-1589)

LA FIN DES VALOIS : Henri III meurt sans héritier ; Henri IV lui succède.

CAPÉTIENS INDIRECTS : BOURBONS

Henri IV (1589-1610)
Retour de la paix religieuse.
Louis XIII (1610-1643)
Louis XIV (1643-1715)
Création de Versailles et mise en place de la monarchie absolue.
Louis XV (1715-1774)
Louis XVI (1774-déposé en 1792)

Ire RÉPUBLIQUE : 1792-1804

PREMIER EMPIRE : 1804-1814/1815

Napoléon Ier

BOURBONS

Louis XVIII (1814/1815-1824)
Charles IX (1824-1830)

CAPÉTIENS INDIRECTS : BOURBONS-ORLÉANS

Louis-Philippe Ier (1830-1848)

IIe RÉPUBLIQUE (1848-1852)

Louis Napoléon Bonaparte (1848-1852)

SECOND EMPIRE

Napoléon III (1852-1870)

IIIe RÉPUBLIQUE (1870-1940)

Adolphe Thiers (1871-1873)
Edme Patrice de Mac-Mahon (1873-1879)
Jules Grévy (1879-1887)
Sadi Carnot (1887-1894)
Jean Casimir-Perier (1894-1895)
Félix Faure (1895-1899)
Émile Loubet (1899-1906)
Armand Fallières (1906-1913)
Raymond Poincaré (1913-1920)
Paul Deschanel (févr.-sept. 1920)
Alexandre Millerand (1920-1924)
Gaston Doumergue (1924-1931)
Paul Doumer (1931-1932)
Albert Lebrun (1932-1940)

ÉTAT FRANÇAIS (1940-1944)

Philippe Pétain (1940-1944)

GOUVERNEMENT PROVISOIRE (1944-1946)

IVe RÉPUBLIQUE (1946-1959)

Vincent Auriol (1947-1954)
René Coty (1954-1959)

Ve RÉPUBLIQUE (depuis 1959)

Charles de Gaulle (1959-1969)
Georges Pompidou (1969-1974)
Valéry Giscard d'Estaing (1974-1981)
François Mitterrand (1981-1995)
Jacques Chirac (1995- 2002)
Jacques Chirac (2002-

– Ce qui cache le haut des rideaux **cantonnière**
– Cordelière retenant un rideau **embrasse**
– Rideau placé autour d'un lit afin de l'isoler des insectes **moustiquaire**
– Rideaux de lit en usage autrefois **courtine, baldaquin**
– Encadrement représentant des rideaux de théâtre relevés **manteau d'arlequin**
– Rideau de cheminée **tablier, trappe**

RIDICULE
– Elle est vraiment ridicule **niaise, sotte, cloche**
– Un entêtement ridicule **absurde, déraisonnable, insensé, stupide**
– Une réflexion ridicule **saugrenue, grotesque**
– Une tentative ridicule **risible**
– Un prix ridicule **insignifiant, dérisoire, minime**

RIDICULISER
– Ridiculiser une personne en usant d'ironie **moquer de (se), railler, brocarder, persifler**
– Ridiculiser une personne en forçant le trait **caricaturer, charger, parodier**
– Ridiculiser une personne en usant de mépris **bafouer**
– Tromper et ridiculiser **berner**

RIEN
syn. **néant, nul, zéro**
– Un petit rien **babiole, bagatelle, vétille, broutille**
– Réduire à rien **annihiler, anéantir**
– Un homme de rien **méprisable, vil**
– Un coup pour rien **vain**

RIGIDE
– Un objet rigide **raide, dur**
– Rendre rigide **rigidifier, durcir, amidonner**
– Rendre moins rigide **assouplir**
– Une morale rigide **sévère, austère, rigoureuse, stricte**
– Adopter une attitude des plus rigides **intransigeante, intraitable, inflexible**

RIGOUREUX
– Un hiver rigoureux **froid, glacial, âpre, inclément**
– Une règle de vie rigoureuse **austère, rigide, stricte, sévère**
– Un châtiment rigoureux **dur, draconien, implacable**
– Un exposé rigoureux **exact, précis, clair, logique**
– Un soin rigoureux **méticuleux**
– Une preuve rigoureuse **incontestable, indubitable, irréfutable**

RIME
voir aussi **poésie**

– Type de rimes **plates, croisées, embrassées, mêlées, redoublées, riches**
– Une rime se terminant par une syllabe tonique **masculine**
– Une rime se terminant par une syllabe muette **féminine**
– Principe de la rime **assonance**

RINCER
– Rincer à grande eau **nettoyer, laver**
– Instrument utilisé pour rincer les bouteilles **goupillon**
– Eau qui a été utilisée pour rincer **rinçure**
– Il s'est fait rincer en rentrant **doucher, tremper**

RINCER (SE)
– Se rincer la bouche **gargariser (se)**

RIPOSTER
– Riposter verbalement **répondre, répliquer, rétorquer, repartir**
– Riposter physiquement **réagir, contre-attaquer, défendre (se), repousser, lutter**

RIRE /1
– Mimique analogue au rire survenant de façon inappropriée **rire spasmodique**

RIRE /2
– Elle aime rire **divertir (se), réjouir (se), amuser (s')**
– Rire en poussant de petits cris **glousser**
– Rire bruyamment **esclaffer (s')**
– Rire méchamment ou ironiquement **ricaner**
– Rire aux dépens d'une personne **moquer de (se), gausser de (se), railler**
– Rire malgré soi **pouffer**
– Rire jaune **à contrecœur**
– Qui fait rire **drôle, comique, amusant, hilarant, cocasse, risible, ridicule**
– Faire rire une fille maussade **dérider**
– Muscles servant à rire **zygomatiques**

RISIBLE
– C'est plutôt risible **drôle, comique, plaisant**
– Un événement particulièrement risible **hilarant, désopilant**
– Une situation risible **cocasse, grotesque, ridicule, saugrenue**

RISQUE
– Il n'a pas conscience du risque **péril, danger, hasard**
– Les risques d'une entreprise **aléas, inconvénients**
– Contre les risques d'accident **assurance**

RISQUER
syn. **entreprendre, lancer (se), oser, tenter**

– Risquer sa vie **jouer**

RISQUER (SE)
– Se risquer dans des ruelles obscures **aventurer (s'), hasarder (se)**

RITE
– C'est le rite **cérémonial, culte**
– Accomplir tous les rites prescrits **pratiques, rituel, protocole**
– Rites propres à une société **us, usage, coutumes, habitudes**
– Un rite destiné à se concilier les dieux **propitiatoire**
– Rites religieux **liturgie, office**
– Rite de purification avant la prière **ablutions**

RIVAGE
– Rivage maritime **côte, littoral, bord**
– Rivage de sable ou de galets **plage, grève**
– Rivage du fleuve **berge, rive**
– Atteindre le rivage **aborder**

RIVAL
– Distancer ses rivaux **concurrents, adversaires**
– Triompher des forces rivales **antagonistes, antagoniques, adverses, ennemies**

RIVALITÉ
syn. **antagonisme, concurrence, émulation**

– Expression de la rivalité **combat, lutte, conflit, débat, joute, tournoi**
– Rivalité amoureuse **jalousie**
– Rivalité politique **divergence, opposition**

RIVIÈRE
– Très grosse rivière **fleuve**
– Affluent d'une rivière **ruisseau**
– Endroit peu profond d'une rivière **gué**
– Mouvement décrit par une rivière **courbe, sinuosité, méandre**
– Bord d'une rivière **berge, rivage, rive**
– Niveau d'une rivière au moment des basses eaux **étiage**
– Brusque dégel des glaces d'une rivière **débâcle**
– Un animal ou une plante vivant au bord des rivières **amnicole**
– Une végétation poussant dans une rivière **fluviatile**
– Gouffre dans lequel se jette une rivière **bétoire**
– Rivière d'Afrique du Nord **oued**
– Nymphe des rivières **naïade**

RIZ
– Nom savant du riz **oryza**
– Riz non décortiqué **paddy**
– Espace réservé à la culture du riz **rizière**
– Culture du riz **riziculture**

– Usine où l'on décortique le riz **rizerie**
– Riz parfumé **basmati, thaï**
– Préparation du riz en cuisine **pilaf, créole**
– Plat à base de riz **paella, risotto**
– Alcool de riz **saké**
– Fécule de riz utilisée pour le maquillage **poudre de riz**
– Céréale voisine du riz **zizanie**

ROBE
voir aussi **animal, habit**
– Robe féminine très étroite et moulante **fourreau**
– Fond de robe **combinaison**
– Robe portée par les professeurs d'université lors de cérémonies officielles **épitoge**
– Robe d'avocat **toge**
– Homme de robe **magistrat**
– Robe de moine **froc**
– Robe de prêtre **soutane**
– Robe blanche revêtue par les communiants **aube**
– Robe portée par les hommes en Afrique du Nord **djellaba**
– Robe de chambre **déshabillé, saut-de-lit, peignoir, douillette**
– Robe d'un animal **pelage**
– Robe d'un vin **couleur**
– Robe d'un légume **enveloppe, pelure, écorce**
– Robe d'un cigare **cape**

ROBINET
– Ensemble des robinets d'un appareil **robinetterie, plomberie**
– Robinet permettant le mélange d'eau chaude et d'eau froide **mitigeur, mélangeur**
– Robinet stylé **col-de-cygne**
– Robinet à double voie **by-pass**
– Robinet de radiateur **purgeur**
– Robinet fixé sur un tonneau **cannelle, chantepleure**
– Robinet à vanne **valvule**
– Fabricant de robinets **robinetier**

ROBOT
– Les robots ont remplacé les hommes **machines, appareils**
– Ancêtre du robot **automate**
– Équiper un atelier de robots spécifiques **robotiser**
– Robot de science-fiction auquel on attribue une forme humaine **humanoïde**
– Robot guidé à distance **téléguidé, télécommandé**
– Robot ménager **mixeur, batteur, éminceur**
– Intervention du robot dans la vie domestique **domotique**
– Le robot est un exemple des applications de la **cybernétique**
– Domaine de recherche et d'élaboration des robots **robotique**

ROBUSTE
– Un homme robuste **costaud, fort, musclé, infatigable, puissant, athlétique**
– Gars robuste **gaillard**
– Une plante très robuste **vivace, résistante, rustique**
– Un robuste appétit **solide**
– Une robuste intervention **énergique, vigoureuse**

ROC
– Un roc se dresse au milieu de la clairière **pierre, rocher**
– Roc à pic **paroi**
– Peinture exécutée à même le roc **rupestre, pariétale**
– Habitation creusée dans le roc **troglodytique**
– Temple égyptien creusé dans le roc **spéos, syringe**

ROCHE *Voir tableau p. 531*
voir aussi **pierre**
– Les différentes catégories de roches **volcaniques, plutoniques, sédimentaires, métamorphiques**
– Étude de la genèse des roches **pétrologie**
– Étude de la genèse des roches sédimentaires **sédimentologie**
– Étude microscopique des roches **lithologie**
– Description et classement des différentes roches **pétrographie**
– Roche ayant pris naissance dans les profondeurs de l'écorce terrestre **endogène**
– Roche imprégnée d'hydrocarbures **roche-réservoir, roche-magasin**
– Roche à partir de laquelle se forme un sol **roche mère**
– Coq de roche **rupicole**

ROCHER
– Rocher à fleur d'eau **écueil, récif, brisant**
– Rocher situé le long d'une côte **étoc**
– Faune ou flore des rochers **saxatile, saxicole, rupestre**
– Ascension des rochers **varappe, escalade, grimpe**
– Alpiniste spécialiste de l'escalade des rochers **rochassier, varappeur**
– Faire une chute en escaladant un rocher **dévisser, décrocher**
– Déguster un rocher au chocolat **bouchée**

ROCOCO
– Apprécier le style rococo en vogue sous Louis XV **rocaille**
– Ce décor fait tout à fait rococo **suranné, démodé, vieux, vieillot**

RODÉO
– Cheval de rodéo **mustang**

– Pays dont le rodéo est originaire **Argentine**

ROGNER
– Rogner le papier à l'aide d'une machine **massicoter**
– Rogner une peau **échantillonner**
– Rogner le verre **gréser**
– Rogner l'aile d'un oiseau **éjointer**
– Rogner les branches d'un arbre **élaguer, tailler, émonder**
– Rogner sur le budget **prélever, réduire**

ROI *Voir tableau p. 534*
syn. **monarque, prince, souverain**
– Titre conféré au roi **majesté, sire**
– Futur roi de France **dauphin**
– Accession d'un roi au trône **avènement, intronisation, sacre, couronnement**
– Meurtre du roi **régicide**
– Rétablissement d'un roi dans ses fonctions **restauration**
– Partisan et propagandiste du roi **camelot, royaliste**
– Jour des Rois **Épiphanie**

RÔLE
– Un rôle au théâtre **personnage**
– Premier rôle **héros**
– Rôle de peu d'importance dans une pièce **panne, utilité**
– Personnage tenant un rôle muet au cinéma **comparse, figurant**
– Répartition des rôles au théâtre ou au cinéma **casting, distribution**
– Remettre en cause le rôle des enseignants **mission, métier, vocation, tâche**
– Rôle d'un organe **fonction**
– Énumérer le rôle d'équipage **liste, relevé**
– Inscrire une affaire sur le rôle **registre**

ROMAN /1
voir aussi **littérature**
– Forme dans laquelle sont aujourd'hui écrits les romans **prose**
– Roman médiéval **roman courtois, poème**

ROMAN /2
voir aussi **architecture, église**
– Les langues romanes **italien, sarde, espagnol, portugais, français, catalan, occitan, rhéto-roman, corse, roumain**
– Langue dont est issu, comme les langues romanes actuelles, le roman jadis parlé en France **latin populaire**

ROMANESQUE
– Un esprit romanesque **rêveur, sentimental, idéaliste, passionné, chevaleresque**
– Mièvre et romanesque **fleur bleue**
– Une aventure romanesque **épique, rocambolesque**

– Une histoire romanesque **extraordinaire, fabuleuse, fantastique, chimérique**

ROMANTIQUE
– Un caractère romantique **enthousiaste, passionné, généreux, exalté, idéaliste, mélancolique, fervent**
– Leur histoire est très romantique **poétique, romanesque, intense**

ROMPRE
– Rompre un lien **briser, casser**
– La corde a rompu **lâché, craqué, cassé**
– L'ouragan a rompu les digues **démoli, défoncé, disloqué, fracassé**
– Rompre sous une charge **céder**
– Rompre les rangs **disperser (se), éparpiller (s'), égailler (s')**
– Rompre ses engagements **dédire (se), annuler, rétracter (se)**
– Rompre définitivement un contrat **résilier, dénoncer**
– Rompre son mariage **divorcer, répudier**
– Rompre avec une personne **quitter, séparer de (se), abandonner, laisser, libérer de (se)**

ROND /1
voir aussi cercle
– Il est sans un rond **argent**

ROND /2
– Une forme ronde **sphérique, circulaire, cylindrique**
– Bord rond **arrondi**
– Un homme rond **replet, rondelet, grassouillet**
– Un ventre rond **bombé, rebondi**
– Un visage rond **joufflu, mafflu**
– Un poupon tout rond **dodu, potelé**
– Une taille ronde **pleine, large**
– Des chiffres ronds **entiers**
– Un homme aux manières rondes **franc, direct, honnête, loyal, simple**

RONDE
voir aussi note
– Exécuter une ronde **danse**
– Leitmotiv d'une ronde **ritournelle**
– Ronde dansée par les révolutionnaires **carmagnole**
– Faire sa ronde **tournée, visite, inspection**
– Personne à la ronde **alentour**

RONDELLE
– Une rondelle de salami **tranche**
– Rondelle évidée utilisée en plomberie **joint**
– Rondelle frite de pomme de terre **chips**
– Rondelle utilisée en sculpture **ciseau**

RONFLEMENT
– Ronflement du cheval **ébrouement**

– Petit ronflement doux et discret **ronronnement, ronron**
– Une respiration avec ronflement **stertoreuse**
– Ronflement émis par un moteur **vrombissement**

RONGER
– Les souris viennent ronger les livres **grignoter**
– Le bois est rongé par les vers **piqué, mouliné, vermoulu, usé**
– Le métal a été rongé par l'acide **attaqué, corrodé, entamé, érodé**
– Manie de se ronger les ongles **onychophagie**
– L'angoisse le ronge petit à petit **mine, tourmente, consume, tenaille**

RONGEUR
– Rongeur se rencontrant dans nos contrées **castor, écureuil, loir, marmotte, souris, rat, hamster, cobaye**
– Le plus grand des rongeurs **cabiai**
– Produit destiné à éliminer les rongeurs **rongicide, raticide**

ROSACE
– Rosace décorant un mur **ornement**
– Rosace ornant une église **rose, vitrail**
– Rosace à cinq lobes **quintefeuille**

ROSACÉE
– Arbre de la famille des rosacées **aubépine, pommier, cerisier, pêcher**
– Prescrire un traitement contre la rosacée **couperose**

ROSE
voir aussi fleur
– Rose sauvage **églantine**
– Rose de Noël **ellébore noir**
– Rose d'Inde **tagète**
– Bois de rose **palissandre**
– Liqueur à base de pétales de rose **rossolis**
– Essence de roses blanches **nizeré**
– Couleur d'un rose pas très net **rosâtre**

ROSEAU
– Lieu planté de roseaux **roselière, canier, cannaie**
– Roseau très répandu au bord des étangs **phragmite**
– Tige souterraine du roseau **rhizome**
– Roseau taillé pour écrire **calame**
– Instrument de musique taillé dans le roseau **chalumeau, mirliton, pipeau, syrinx**
– Roseau-massue **massette, typha**
– Roseau aromatique **acore**

ROSÉE
– La rosée du matin **condensation, vapeur d'eau**
– Rosée poitevine **aiguail**

– Gouttes de rosée **perles**
– Arrosage en gouttelettes aussi fines que la rosée **irroration**

ROSSER
syn. **battre, châtier, corriger, frapper, rouer de coups**

ROT
– Faire un rot **renvoi, éructation**
– Gêne gastrique associant le rot, la somnolence et le ballonnement **dyspepsie hyposthénique**
– Traiter le raisin contre le rot **pourriture**

ROTATION
– Mouvement de rotation **giration, circumduction, précession**
– Faire une rotation **pivoter, tourner**
– Rotation d'un angle **transformation**
– Rotation d'un astre **révolution**
– Rotation des vents **variation**
– Rotation de la main et de l'avant-bras **supination, pronation**
– Rotation des cultures **alternance, assolement**
– Rotation des effectifs dans une entreprise **roulement, turn-over**

RÔTI /1
voir aussi viande
– Morceau de bœuf apprêté en rôti **rosbif**
– Cuisse d'agneau préparée en rôti **gigot**
– Entoure le rôti **barde**
– Ustensile permettant la cuisson de rôtis **rôtissoire, tournebroche**
– En cuisine, spécialiste des rôtis **rôtisseur**

RÔTI /2
– Du pain rôti **grillé, toasté**
– Sandwich nord-africain composé de viande rôtie coupée en fines lamelles **kebab**

RÔTIR
– Faire rôtir un poulet **cuire, dorer, rissoler**
– Le soleil finit par rôtir la végétation **dessécher, brûler, griller**

ROUE
– Roue d'un véhicule **pneu**
– Rayon d'une roue **rai**
– Circonférence d'une roue **jante**
– Centre d'une roue **moyeu**
– Axe d'une roue **fusée**
– Dispositif évitant le blocage des roues d'une voiture lors du freinage **ABS**
– Deux-roues **bicyclette, vélomoteur, vélo, cyclomoteur, moto, Solex, scooter**
– Une roue mue par la force du courant **hydraulique**
– Roue de transmission **poulie**
– Faire la roue devant ses amis **plastronner, pavaner (se), rengorger (se), parader**

ROUGE

syn. **carmin, écarlate, pourpre, garance, vermeil, vermillon**
– Il a le visage tout rouge **enluminé, rougeaud, rubicond, congestionné, cramoisi**
– Pierre rouge **cornaline, grenat, porphyre, rubis**
– Poisson rouge **cyprin doré, carassin doré**
– Orange rouge **sanguine**
– Des cheveux rouges **roux, auburn**
– Tisonner des braises très rouges **incandescentes**
– Prendre peu à peu une teinte rouge **rougeoyer, rougir**
– Élément qui a tendance à devenir rouge **rubescent**
– Armée rouge **ex-soviétique**

ROUGIR

– Rougir d'émotion **empourprer (s'), enflammer (s'), piquer un fard**
– Manie de rougir **érubescence**
– Crainte maladive de rougir en public **éreutophobie**
– Que rien ne fait rougir **effronté, insolent, impudent**
– Des mains rougies par le sang **ensanglantées**

ROUILLE

syn. **oxyde de fer**
– Une lame couverte de rouille **rouillée, rubigineuse, oxydée**
– Traitement des métaux ferreux contre la rouille **bondérisation, parkérisation**
– Peinture à l'oxyde de plomb préservant de la rouille **minium**
– Phénomène dû à la formation de rouille **altération**
– Propriété de la rouille **attaquer, ronger, corroder**
– Rouille de la vigne **anthracnose, mildiou, charbon**
– Rouille des fraisiers **rougissure**

ROUILLER

– La pluie rouille les persiennes **oxyde, corrode, attaque**

ROUILLER (SE)

– Après cette longue période d'immobilité, son corps s'est rouillé **engourdi, ankylosé**
– Entretenir sa mémoire afin qu'elle ne se rouille pas **amoindrisse (s')**

ROULEAU

– Rouleau d'une presse d'imprimerie **cylindre**
– Rouleau utilisé par les tailleurs de pierre pour déplacer les blocs **roule**
– Rouleau de pellicule **bobine**
– Rouleau utilisé pour la mise en plis **bigoudi**

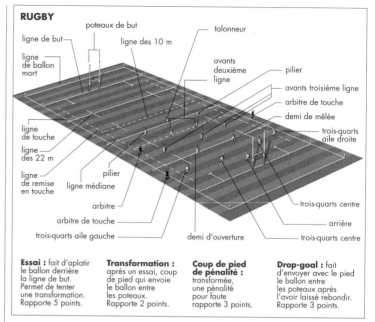

RUGBY

poteaux de but · talonneur · ligne de but · ligne des 10 m · ligne de ballon mort · avants deuxième ligne · pilier · avants troisième ligne · arbitre de touche · demi de mêlée · ligne de touche · trois-quarts aile droite · ligne des 22 m · ligne de remise en touche · pilier · ligne médiane · arbitre · trois-quarts centre · arbitre de touche · arrière · trois-quarts aile gauche · demi d'ouverture · trois-quarts centre

Essai : fait d'aplatir le ballon derrière la ligne de but. Permet de tenter une transformation. Rapporte 5 points.

Transformation : après un essai, coup de pied qui envoie le ballon entre les poteaux. Rapporte 2 points.

Coup de pied de pénalité : transformée, une pénalité pour faute rapporte 3 points.

Drop-goal : fait d'envoyer avec le pied le ballon entre les poteaux après l'avoir laissé rebondir. Rapporte 3 points.

– Rouleau de feuilles de tabac **carotte**
– Surfer à vive allure sur les rouleaux **déferlantes, vagues, lames**

ROULEMENT

– Roulement de tambour **battement, batterie, ban**
– Établir un roulement **rotation, alternance**
– Roulement du personnel dans une entreprise **turn-over**
– Encourager le roulement des capitaux **circulation**

ROULER

– Les larmes roulaient sur son visage **coulaient**
– Rouler dans les escaliers **tomber, dégringoler**
– Sentir les cailloux rouler sous ses pas **bouler, ébouler (s')**
– Rouler une terre fraîchement labourée **émotter, aplanir**
– Exercice consistant à rouler sur soi-même **galipette, culbute, cabriole, roulé-boulé**
– Rouler un objet dans une feuille **envelopper, enrouler**
– Rouler sa bosse **voyager, bourlinguer**

ROULETTE

– Petite roulette utilisée en mécanique et destinée à réduire le frottement **galet**
– Roulette fort redoutée utilisée pour les soins dentaires **fraise**
– Chaussures équipées de roulettes **rollers, patins**

– Planche à roulettes **skate-board, speed-sail**
– Roulette de couture **molette**

ROUTE

voir aussi **voie**
– Route à péage et à plusieurs voies **autoroute**
– Jonction de plusieurs routes **embranchement, carrefour, patte-d'oie, rond-point, intersection, échangeur**
– Quelle sera votre route ? **itinéraire, chemin, trajectoire**
– Faire route **diriger (se)**
– Faire fausse route **égarer (s'), écarter (s'), fourvoyer (se), divaguer, errer, vagabonder**

ROUTIER

– Il est routier **chauffeur, conducteur, camionneur, tractionnaire**
– C'est un vieux routier **vétéran**
– Grade de routier chez les scouts **ranger**

ROUTINE

– C'est la routine **habitude, ronron, train-train**
– Routine en matière de goût **conformisme, traditionalisme, misonéisme**
– Une enquête de routine **banale, courante, systématique**
– Observateur aérien accomplissant une mission de routine **reconnaissance**

ROUX

– Des cheveux bruns aux reflets roux **auburn**

– Des cheveux blonds aux reflets roux **blond vénitien**
– Des cheveux très roux **rouges**
– Un pelage roux **fauve**
– Un cheval roux **alezan, baillet**

ROYAL
voir aussi **roi**
– Résidence royale **palais, château**
– Monnaie royale **tournois**
– Droit en lien avec la souveraineté royale **régalien**
– Une cérémonie royale **magnifique, grandiose, fastueuse**
– Un port royal **altier, majestueux, souverain**
– La voie royale **suprême**
– la Royale **marine nationale française**

ROYAUME
voir aussi **roi**
– Défendre un royaume **territoire**
– Partie du royaume sous l'Ancien Régime **province**
– Interdiction de pénétrer dans son royaume **domaine, fief**
– Royaume des cieux **paradis**

RUBAN
– Ruban d'ornement **jalon, ganse, liseré**
– Ruban utilisé en couture pour renforcer le tissu **extra-fort, talonnette**
– Ruban servant à tenir les cheveux **catogan**
– Étroit ruban de soie **faveur**
– Nœud de ruban **coque, chou, bouffette, rosette**
– Ruban porté au bras en signe de deuil **brassard**
– Ruban servant à ficeler des cadeaux **bolduc**
– Commerce de rubans **rubanerie**
– Fabricant de rubans **rubanier**
– Ruban rouge **Légion d'honneur**
– Ruban violet **Palmes académiques**
– Entourer de rubans **enrubanner**
– Ruban adhésif **scotch**
– Ruban d'eau **sparganier**

RUBRIQUE
– Placer tel élément sous telle rubrique **catégorie, section, titre**
– Rubrique d'un journal **éditorial, faits divers, nécrologie, annonces, courrier, chronique, échos**

RUCHE
voir aussi **abeille**
– Compartiment d'une ruche **cadre**
– Élément du corps de la ruche **hausse, panneau alvéolé, croisée, trou de vol**
– Plateau supportant une ruche **tablier**
– Toit d'une ruche **chapiteau**
– Ces abeilles abandonnent l'ancienne ruche pour en constituer une nouvelle **essaiment**

– Fausse teigne des ruches **gallérie**

RUDE
– Un hiver rude **cruel, rigoureux, inclément**
– Un vent rude **brutal, âpre, mordant, incisif**
– Un rude métier **pénible, éreintant, difficile**
– Des manières rudes **rustiques, frustes, bourrues, sauvages**
– Un style rude **raboteux, rocailleux**
– Une matière rude au toucher **rugueuse, rêche, râpeuse**
– Une pente rude **abrupte, raide**
– Un rude adversaire **redoutable, farouche**

RUDOYER
syn. **brutaliser, brusquer, houspiller, malmener, maltraiter, molester, secouer**

RUE
– Grande rue **artère, avenue, boulevard, cours**
– Petite rue **venelle, chemin**
– Rue sans issue **impasse, cul-de-sac**
– Rue bordée d'arbres **mail**
– Rue couverte **galerie, passage**
– À Lyon, petite rue couverte **traboule**
– Partie carrossable d'une rue **chaussée**
– Aménagement de chaque côté de la rue pour les piétons **trottoir**
– Au milieu d'une rue, emplacement prévu pour permettre aux piétons de traverser en deux temps **refuge**
– Les habitants d'une rue **riverains**
– Entretien des rues et des chemins publics **service de voirie**
– Arpenter les rues **macadam, asphalte**

RUGBY *Voir illustration page ci-contre*
– Joueur de rugby **rugbyman, quinziste, treiziste**
– Joueur de rugby qui transforme les essais **botteur**
– Regroupement de joueurs autour du ballon de rugby **mêlée, maul**
– Au rugby, espace au-delà de la ligne de but **en-but**
– Ligne à l'extrémité d'un terrain de rugby **ligne de ballon mort**
– Ligne avant d'une équipe de rugby **pack**
– Poser le ballon de rugby derrière la ligne de but adverse **marquer un essai**
– Au rugby, marquer un but à la suite d'un essai **transformer**
– Faire tomber le porteur du ballon de rugby en le prenant aux jambes **plaquer**
– Faire sortir le ballon de rugby de la mêlée avec le pied **talonner, ratisser**
– Au rugby, coup de pied en demi-volée **drop-goal**
– Faute, au rugby **en-avant, tenu, obs-**

truction, incorrection, faute vénielle
– Au rugby, sanction imposée par l'arbitre **coup de pied de pénalité, coup franc**

RUGIR
– Rugir de colère **hurler, crier, vociférer**
– La tempête rugit **mugit, gronde**

RUINE
– Ruines d'un édifice **décombres, vestiges**
– La ruine d'une civilisation **chute, décadence, désagrégation, déliquescence, délabrement**
– Menacer ruine **chanceler, craquer**
– Guerres qui sèment la ruine **désolation, dévastation, destruction**
– Cet homme n'est plus qu'une ruine **épave, loque**
– Causer sa propre ruine **perte, fin**
– Entreprise au bord de la ruine **faillite, banqueroute, effondrement, débâcle, naufrage**
– Aller vers la ruine **dépérir, péricliter**

RUINER
– Les cultures ont été ruinées par les intempéries **saccagées, ravagées, dévastées**
– Ruiner quelqu'un au jeu **dépouiller, décaver**
– Ruiner sa santé **altérer, miner, nuire à**
– Ruiner les espoirs de quelqu'un **saper, anéantir, annihiler, abattre**
– Ruiner la réputation de quelqu'un **battre en brèche, briser**

RUISSEAU
voir aussi **rivière**
– Ruisseau de montagne **torrent**
– Ruisseau encaissé **ravine**
– Petit ruisseau **ruisselet, ru**
– Ancien lit de ruisseau souvent inondé **noue**
– La flore, la faune des ruisseaux **rivulaire**
– Fissure creusée dans les terrains calcaires par les eaux d'un ruisseau **lapiaz**

RUMEUR
– Avoir vent d'une rumeur **bruit, potin, ragot, on-dit, médisance, calomnie, ouï-dire, écho**
– Rumeur confuse **brouhaha, bourdonnement, murmure**

RUMINER
– La vache rumine **remâche**
– Ruminer des regrets **ressasser**
– Ruminer sa colère **entretenir, nourrir**

RUPTURE
– Rupture au sein d'une relation **conflit, clash, cassure**
– Rupture au sein d'un couple **désunion, séparation, divorce**

– Rupture des relations diplomatiques **suspension, cessation**
– Rupture de ton **écart, opposition**
– Rupture de contrat **annulation, dénonciation, résiliation**
– Rupture dans la syntaxe d'une phrase **anacoluthe**
– Rupture d'un os **cassure, fracture**

RURAL

voir aussi **campagne**
syn. **agricole, paysan**
– Un mode de vie rural **campagnard, rustique, agreste**
– Dépeuplement des zones rurales **déruralisation, exode**
– Expert en droit rural **ruraliste**

RUSE

– User de ruse **artifice, rouerie, machiavélisme, malice, perfidie, sournoiserie, finesse**
– Déjouer une ruse **stratagème, subterfuge, supercherie, piège, feinte**
– Les ruses de la profession **astuces, ficelles, combines**

RYTHME

voir aussi **durée, intervalle, musique, répétition**
– Rythme musical **tempo, mesure**
– Base de rythme du jazz **syncope**
– Rythme dans le jazz **beat, swing**
– Instrument privilégiant le rythme **à percussion**
– Donne le rythme **métronome**
– Danser au rythme d'une musique **son**
– Rythme de la phrase **harmonie, mouvement**
– Unité de rythme dans les langues naturelles **accent, syllabe**
– Marque le rythme en poésie **césure, pied, rime**
– Rythme de la lecture **scansion, débit**
– Rythme des volumes en architecture **disposition, distribution, équilibre, eurythmie, harmonie, répétition**
– Rythme d'une onde **période**
– Rythme d'une action **allure, rapidité, vitesse, cadence**
– Marquer le rythme **rythmer, scander**

SABLE

– Sable aux grains très fins **sablon, limon, lœss**
– Sable résultant de la décomposition de granite et formé de grains de quartz **arène**
– Sable riche en dépôts coquilliers fossiles **falun**
– Amas de sable **banc**
– Butte de sable **dune, barkhane**
– Étendue de sable au bord de la mer **grève, plage, rivage**
– Cordon de sable avançant dans la mer **tombolo**
– Nom donné autrefois aux sables mouvants **syrtes**
– Plante graminée utilisée pour fixer le sable des dunes **oyat, ammophile, gourbet**
– Petit ver vivant dans le sable **arénicole**
– Dépôt de sable entraîné par les eaux **alluvion, atterrissement**
– Île de sable formée à la suite du débordement d'un cours d'eau **javeau**
– Empreinte laissée dans le sable par un navire échoué **souille, gîte**
– Dont le milieu naturel est le sable **arénicole, ammophile**
– De même nature que le sable **arénacé, sableux, sablonneux**
– Carrière d'où l'on extrait le sable **sablière, sablonnière**
– Mélange de sable et de ciment **mortier**
– S'échouer dans le sable **ensabler (s'), engraver (s')**
– Couleur sable **beige grisé**

SABOT

syn. **galoche, socque**
voir aussi **chaussure**
– Sabot des ruminants, des porcins et des éléphants **onglon**
– Qui n'a qu'un seul sabot par patte **solipède**
– Ôter la partie inférieure du sabot d'un cheval **dessoler**
– Maladie du sabot du cheval **fourbure, encastelure, bleime, crapaud**
– Partie du sabot d'un équidé **fourchette, lacune médiane, lacune latérale, glome, muraille, quartier, sole, pince, talon**
– Outil utilisé pour tailler et creuser les sabots **rogne**

– Garnit le dessus du sabot **panoufle**

SABRE

– Sabre à lame recourbée **cimeterre, alfange, yatagan**
– Sabre de la cavalerie au XIXᵉ siècle **bancal, latte**
– Sabre court des fantassins et artilleurs aux XVIIIᵉ et XIXᵉ siècles **sabre-briquet**
– Couteau espagnol qui ressemble à un petit sabre **navaja**
– Cordon fixé à la poignée du sabre **dragonne**
– Lanière qui fixait le sabre au ceinturon **bélière**

SAC

syn. **bagage**
– Petit sac à main **réticule, pochette, baguette**
– Petit sac renfermant de l'argent **bourse, porte-monnaie, escarcelle, aumônière**
– Sac à deux poches **besace, bissac**
– Sac à provisions **filet, cabas**
– Sac de toile **musette**
– Sac d'écolier, de professeur **cartable, serviette, sacoche, porte-documents**
– Sac de chasseur **gibecière, carnassière, carnier**
– Sac à cartouches **cartouchière**
– Sac à dos du militaire **havresac**
– Sac dans lequel on met du tabac **blague**
– Sac de peau de bouc utilisé pour conserver et transporter un liquide **outre**
– Sac porté au ceinturon à côté du sabre **sabretache**
– Mise à sac d'une ville **pillage, saccage, dévastation, ravage**

SACCAGER

– Le chat saccage tous les fauteuils **abîme, détériore, endommage, dégrade**
– Les cambrioleurs ont saccagé la maison **bouleversé, chambardé, vandalisé**
– La tempête a saccagé les récoltes **dévasté, désolé, détruit, gâché**
– Saccager un pays, une ville **piller, ravager, ruiner, mettre à sac**

SACRÉ

syn. **béni, divin, saint**

– Ensemble des pratiques sacrées d'une religion **liturgie, rite, culte, cérémonial**
– Espace sacré du temple juif **sanctuaire, saint des saints, oracle**
– Interdiction appliquée à une chose sacrée **tabou**
– Le temple est un lieu sacré **inviolable, intouchable, intangible, sacro-saint, vénérable**
– Non-respect du caractère sacré d'un lieu ou d'un objet **profanation, sacrilège**
– Parole irrévérencieuse prononcée à l'encontre d'une personne, d'une chose sacrée **blasphème**
– Qui se rapporte à une tradition sacrée **hiératique**
– Une institution sacrée **respectable, vénérable, auguste**
– Ôter le caractère sacré **désacraliser**
– Un sacré culot **extraordinaire, incroyable, fameux**

SACREMENT *Voir tableau p. 542*

– Sacrement de la religion catholique **baptême, confirmation, eucharistie, pénitence, mariage, extrême-onction, ordre**
– Application des saintes huiles lors de certains sacrements **onction**

SACRIFICE

syn. **immolation, offrande**
– Esprit de sacrifice **dévouement, abnégation, renoncement, résignation, désintéressement**
– Faire un gros sacrifice financier **saigner (se), priver (se)**
– Lieu où se déroule le sacrifice **autel, laraire**
– Jeune fille qui portait les offrandes dans une corbeille lors d'un sacrifice **canéphore**
– Offrande de liquide à une divinité lors d'un sacrifice **libation**
– Prêtre qui tuait la victime lors du sacrifice **victimaire, sacrificateur, immolateur**
– Sacrifice d'animaux dans l'Antiquité **holocauste, hécatombe, taurobole, criobole**
– Sacrifice effectué pour réparer une faute **expiatoire, piaculaire, rédempteur**

– Sacrifice fait pour écarter un maléfice **apotropaïque**
– Sacrifice offert pour rentrer dans les bonnes grâces d'une divinité **propitiatoire**

SACRIFIER

syn. **mettre à mort, offrir**
– Sacrifier à la tendance actuelle **suivre, obéir à, conformer à (se)**
– Sacrifier sa carrière **délaisser, négliger, renoncer à, abandonner**
– Se sacrifier **dévouer (se), renoncer**

SACRILÈGE

– Quel sacrilège ! **outrage, irrévérence, hérésie**
– Sacrilège commis dans un cimetière **profanation, violation**
– Volonté de destruction sacrilège des images saintes **iconoclasme**
– Parole sacrilège **blasphème**
– Action sacrilège **impiété**

SAGE

– Des pensionnaires bien sages **obéissants, disciplinés, dociles, tranquilles, gentils, raisonnables**
– Donner de sages recommandations **avisées, sensées, éclairées, judicieuses, raisonnables**
– Porter une robe très sage **décente, convenable, bienséante, pudique**
– Prendre une sage décision **mesurée, pondérée, juste, réfléchie**
– Mener une vie sage **chaste, vertueuse, continente, monacale, sereine**
– Le sage conseiller d'un jeune homme **mentor**

SAGE-FEMME

– Terme ancien désignant une sage-femme **matrone**

SAGESSE

– Déesse de la sagesse dans la mythologie gréco-romaine **Athéna, Minerve**
– Se conduire avec sagesse **bon sens, jugement, modération, tempérance, circonspection, discernement, prudence**
– La sagesse d'un vieillard **détachement, sérénité**
– La sagesse s'acquiert avec l'âge **expérience, maturité**

SAIGNÉE

– Saignée d'une veine **phlébotomie**
– Saignée d'une artère **artériotomie**
– Instrument permettant de pratiquer une saignée locale **ventouse, sangsue, scarificateur, lancette**

SAIGNEMENT

syn. **hémorragie, flux menstruel, ménorrhée, menstruation, pertes, règles**
– Saignement nasal **épistaxis**

SACREMENTS CATHOLIQUES

Baptême : sacrement destiné à laver du péché originel, par lequel un individu entre dans la communauté des chrétiens.

Confirmation : renouvellement du sacrement du baptême.

Eucharistie : sacrement par lequel les fidèles, consomment le pain et le vin, symboles du corps et du sang du Christ, commémorent, lors de la messe, le sacrifice de celui-ci.

Extrême-onction : sacrement administré par le prêtre à un fidèle agonisant.

Mariage : sacrement unissant un homme et une femme devant Dieu.

Ordre : sacrement faisant entrer un fidèle dans la hiérarchie cléricale de l'Église catholique.

Pénitence : sacrement donné par le prêtre au fidèle qui vient avouer ses fautes (confession), lui donnant ainsi le pardon (absolution).

– Saignement à l'intérieur de l'œil **hémophtalmie**
– Le saignement s'arrête lorsque le sang se fige **coagule**
– Utiliser un produit qui stoppe le saignement **hémostatique**

SAILLANT

– D'étranges yeux saillants **globuleux, proéminents**
– Faire une critique saillante **frappante, remarquable, notable, marquante**
– Type de moulures saillantes **échine, corbeau, console**
– Édifice bastionné à angles saillants **redan**

SAILLIE

– Lancer une saillie dans la conversation **plaisanterie, boutade, bon mot, trait d'esprit**
– Mener la femelle à la saillie **monte, lutte, appareillage, accouplement, appareillement**
– Saillie d'un étalon **service**
– Saillie en anatomie **protubérance, épine, crête, tubercule, tubérosité, apophyse, exophtalmie**
– Saillie en architecture **projecture, jarret, ressaut, forjet, balèvre, bossage, redan**
– Partie d'un édifice construite en saillie **corniche, encorbellement, entablement, bow-window, balcon, surplomb, auvent, chapiteau, oriel**

SAIN

– Une promenade saine **stimulante, vivifiante, tonique, hygiénique**
– Cette viande est-elle saine ? **consommable**

– Le retour à une alimentation plus saine **naturelle, biologique, diététique, équilibrée**
– Un environnement sain **salubre, salutaire**
– Un jeune homme sain **robuste, vigoureux**
– Un vieil homme sain et alerte **ingambe, gaillard**
– Il en est sorti sain et sauf **indemne, sans dommage**

SAINT /1 *Voir tableau p. 544*

syn. **bienheureux**
– Acte par lequel le pape admet un personnage au nombre des saints **canonisation**
– Conteste la mise au nombre des saints d'un personnage **avocat du diable**
– Hiérarchie des saints **apôtre, évangéliste, martyr, confesseur**
– Cercle représenté autour de la tête d'un saint **auréole, nimbe**
– Restes du corps d'un saint **reliques**
– Objet contenant les restes du corps d'un saint **reliquaire, châsse**
– Liste des saints **martyrologe, ménées, ménologe**
– Hommage religieux rendu à un saint **culte de dulie**
– Jour de la fête de tous les saints **Toussaint**
– Longue prière où l'on invoque les saints **litanie**
– Évocation d'un saint lors d'une prière ou d'un office **commémoraison**
– Récit de la vie d'un saint **hagiographie, légende**
– Saint musulman **marabout**
– Ce que renferme le saint des saints **arche d'alliance**

SAINT /2

– Lieu saint **consacré, sanctifié, sacré**
– Le peuple saint **élu, glorieux, juif**
– Une sainte parole **vénérable, auguste, sacrée, vertueuse**

SAISIE

– Fait suite à une saisie **enchères, adjudication**
– Saisie d'un bien par l'autorité publique **confiscation, réquisition, séquestre, expropriation, prise, embargo**
– Saisie par un créancier **saisie-arrêt, opposition**
– Saisie d'une récolte sur pied par un huissier **saisie-brandon**
– Saisie des biens d'un défunt par ses héritiers légitimes **saisine**

SAISIR

syn. **capter, capturer, attribuer (s')**
– Saisi de surprise **ahuri, ébahi, pétrifié, stupéfait, étonné**
– Saisi par le froid **transi**

– L'auditoire était saisi par son discours **ému, impressionné, frappé, captivé, ébranlé, troublé, touché**
– Saisir le manche d'un couteau **empoigner, agripper**
– Le chien veut saisir la balle **attraper, intercepter, happer**
– Le voleur tentait de se saisir de mon sac **emparer de (s'), arracher**
– Saisir dans ses bras **étreindre**
– Organe permettant de saisir **préhensile**
– Saisir des bribes de conversation **percevoir, discerner**
– Saisir des propos mystérieux **pénétrer**
– Saisir la situation **comprendre, concevoir, appréhender, deviner**
– Saisir le paysage d'un seul regard **embrasser**
– Saisir un débiteur **exécuter**

SAISON *Voir illustration p. 547*
– C'est la meilleure saison pour voyager **moment, époque, période**
– Ce manteau n'est plus de saison **de circonstance, approprié**
– Marque le début d'une saison **équinoxe, solstice**

SALACE
– Tenir des propos salaces **indécents, obscènes, licencieux, graveleux, orduriers, grivois**

SALADE *Voir tableau p. 548*
– Mélange composé de jeunes salades et de plantes aromatiques **mesclun**
– Salade de fruits **macédoine**

SALAIRE
syn. **paie, rémunération, rétribution, revenu, traitement**
– Part régulière d'un salaire **fixe**
– Pourcentage accordé en plus du salaire fixe et en fonction des ventes effectuées **commission, courtage, guelte**
– Salaire au travail effectué **cachet, pige**
– Salaire des professions libérales **honoraires, vacation, émoluments, appointements**
– Salaire versé à un militaire **solde**
– Somme accordée en plus du salaire pour compenser des frais **indemnité**
– Somme d'argent ajoutée au salaire par l'employeur **prime, étrennes, bonus, participation, gratification, intéressement**
– Pièce symbolisant le salaire des membres d'un conseil **jeton de présence**
– Terme ancien désignant le salaire d'un employé de maison **gages**
– Un emploi qui procure un important salaire **lucratif, rentable, rémunérateur**

SALE
– De l'eau sale **croupie, fétide**
– Un meuble sale **encrassé, poussiéreux**

– Des chaussures bien sales **poussiéreuses, boueuses, terreuses, crottées, fangeuses**
– Un bleu de travail très sale **crasseux, graisseux, taché, maculé, souillé**
– Des mains sales **grasses, poisseuses, collantes**
– Un visage tout sale **barbouillé, mâchuré**
– Endroit sale et misérable **taudis, bouge, galetas, turne**
– Lieu sale où se vautrent certains animaux **bauge, souille**
– Sale au point de provoquer le dégoût **repoussant, répugnant, immonde, sordide**
– Quel sale individu ! **antipathique, odieux, exécrable**
– Faire preuve d'une sale mentalité **basse, ignoble, infâme, abjecte**
– Une sale manie **fâcheuse, haïssable, détestable, vilaine, déplorable**

SALÉ
– Une plaisanterie salée **osée, corsée, grivoise, grossière, licencieuse, poivrée, épicée, gaillarde, crue, scabreuse, salace**
– Eau très salée dans laquelle on conserve certaines denrées alimentaires **saumure**

SALER
– Consiste à saler pour la conservation **salaison, saumurage**
– Hareng salé et séché à la fumée **saur**

SALETÉ
– Dire des saletés **grossièretés, obscénités, infamies, cochonneries, saloperies**
– Endroit destiné à recevoir des saletés **décharge, dépotoir, cloaque**
– Parasite qui se développe dans la saleté **vermine**

SALIR
syn. **encrasser, graisser, maculer, souiller, tacher**
– Salir un politicien **déshonorer, diffamer, calomnier, flétrir**
– Se salir dans une affaire douteuse **compromettre (se), avilir (s')**

SALIVE
– Enzyme présente dans la salive **ptyaline**
– Flux de salive **bave, écume**
– Salive rejetée par la bouche **crachat, postillon**
– Il avala sa salive avec peine **déglutit**
– Manque de salive **asialie**
– Qui favorise la sécrétion de salive **sialagogue**
– Trop grande production de salive **sialorrhée, ptyalisme, hypersialie**
– Substance donnée aux chevaux pour activer la sécrétion de salive **mastigadour**

SALLE
– Salle où se pratiquaient les leçons d'escrime **salle d'armes**
– Salle où Jésus a réuni ses apôtres pour le dernier repas **cénacle**
– Une personne de la salle **public, assistance, auditoire**

SALON
– Grand salon **séjour, living**
– Petit salon **boudoir, fumoir, bibliothèque**
– Petit salon de jardin **kiosque, tonnelle, gloriette, pergola**

SALUER
– Série de coups de canon tirés pour saluer **salve**
– Manière exagérée de saluer **courbette, révérence, salutation, génuflexion**
– Saluer de façon mondaine **présenter ses hommages, présenter ses respects, présenter ses devoirs, présenter ses civilités**
– Saluer un exploit **tirer son chapeau à, rendre hommage à**

SALUT
syn. **rédemption**
– Aide divine qui permet d'accéder au salut **bénédiction, grâce, faveur**

SANCTION
– Cette faute mérite une sanction **punition, châtiment**
– Prendre des sanctions **sévir**
– Infliger une sanction corporelle **correction, punition**
– La sanction sera très sévère **amende, peine, condamnation, répression**
– Sanction économique infligée à un pays **blocus, embargo**
– Sanction donnée à un joueur **pénalité, avertissement, carton rouge, carton jaune**
– Sanction prise par l'arbitre au football **penalty**
– Sanction infligée à un prêtre **suspense**
– Sanction d'un décret **approbation, confirmation**
– Sanction d'une nouvelle performance sportive **validation, homologation, entérinement**

SANDALE
– Sandales en cuir à lanières croisées lacées haut sur la jambe **spartiates**

SANG
– Éléments du sang **sérum, plasma, hématies, leucocytes, thrombocytes, plaquettes, globules rouges, globules blancs**
– Conduit organique permettant la circulation du sang **veine, artère, vaisseau, capillaire**

Agriculteurs : saints Benoît (11 juillet) et Médard (8 juin)
Alpinistes et **skieurs :** saint Bernard de Menton (28 mai)
Archers : saint Sébastien (20 janvier)
Architectes : saints Benoît (11 juillet), Raymond Gayrard (3 juillet) et Thomas (3 juillet)
Armuriers : saint Michel (29 septembre)
Artificiers : sainte Barbe (4 décembre)
Aveugles : sainte Lucie (13 décembre)
Aviateurs : saint Joseph de Copertino (18 septembre)
Banquiers : saint Matthieu (21 septembre)
Bijoutiers : saint Éloi (1er décembre)
Bouchers : saint Nicolas (6 décembre)
Boulangers : saint Honoré (16 mai)
Boursiers : saint Brieuc (1er mai)
Buveurs : saint Chrodegang (6 mars) et sainte Bibiane (2 décembre)
Candidats (malheureux) **aux examens :** saint Joseph de Copertino (18 septembre)
Chasseurs : saint Hubert (3 novembre)
Chauffeurs de taxi : saint Fiacre (30 août)
Coiffeurs : saint Louis (25 août)
Comédiens : saint Genès (26 août)
Commerçants : saint François d'Assise (4 octobre)
Cordonniers : saints Crépin et Crépinien (25 octobre)
Couples mariés : saint Lien (14 février)
Cuisiniers, hôteliers : sainte Marthe (29 juillet)
Dentistes : sainte Apolline (9 février)
Diplomates : saint Gabriel Archange (24 mars)
Écoliers : saint Charlemagne (28 janvier)
Écrivains : saint François de Sales (24 janvier)

Éditeurs : saint Jean Bosco (31 janvier)
Éducateurs et **enseignants :** saint Jean-Baptiste de La Salle (7 avril)
Employés de maison : sainte Zita (27 avril)
Épiciers : saint Nicolas (6 décembre)
Étudiants : sainte Catherine (25 novembre)
Fantassins : saint Martin (11 novembre)
Femmes enceintes : sainte Marguerite (20 juillet)
Fiancés : saint Valentin (14 février)
Filles à marier : sainte Catherine (25 novembre)
Filles repenties : sainte Marie-Madeleine (22 juillet)
Fonctionnaires : saint Matthieu (21 septembre)
Gardiens de prison : saint Hippolyte (13 août)
Gendarmes : sainte Geneviève (3 janvier)
Hommes d'affaires : saint Expédit (19 avril)
Infirmiers et infirmières : saintes Camille (14 juillet) et Irène (22 janvier)
Ingénieurs : saint Dominique de La Caussade (12 mai)
Ivrognes : saint Urbain (25 mai)
Journalistes : saint François de Sales (24 janvier)
Juristes : saints Yves de Kermartin (19 mai) et Raymond de Penafort (27 janvier)
Lépreux : saint Sylvain (23 septembre)
Lunetiers : saint Clair de Vienne (1er janvier)
Malades : saint Camille de Lellis (14 juillet)
Marins : saint Nicolas (6 décembre)
Maris trompés : saint Gengolf (11 mai)
Médecins : saints Côme et Damien (26 septembre)
Mendiants : saint Alexis (17 juillet)
Menuisiers : saint Joseph (19 mars)

Mères de famille : saintes Angèle de Merici (27 janvier) et Anne (26 juillet)
Militaires : saints Maurice (22 septembre) et Martin (11 novembre)
Musiciens : sainte Cécile (22 novembre)
Orfèvres : saint Éloi (1er décembre)
Orphelins : saint Jérôme Émilien (8 février)
Ouvriers : saint Joseph (19 mars)
Parachutistes : saint Michel (29 septembre)
Parfumeurs : sainte Marie-Madeleine (22 juillet)
Percepteurs : saint Matthieu (21 septembre)
Pharmaciens : saint Jacques le Majeur (25 juillet)
Piétons : saint Martin (11 novembre)
Poissonniers : saint Pierre (29 juin)
Pompiers : sainte Barbe (4 décembre)
Prêtres : saint Jean-Marie Vianney (4 août)
Prisonniers : saint Sébastien (20 novembre)
Publicitaires : saint Bernardin de Sienne (20 mai)
Radiodiffuseurs : saint Gabriel Archange (29 septembre)
Radiologues : saint Gabriel Archange (29 septembre)
Sourds-muets : saint François de Sales (24 janvier)
Spéléologues : saint Benoît (11 juillet)
Taverniers : saint Vincent (22 janvier)
Touristes : saint Christophe (25 juillet)
Traducteurs : saint Jérôme (30 septembre)
Universitaires : saint Thomas d'Aquin (28 janvier)
Veuves : sainte Françoise Romaine (9 mars)
Vignerons : saint Vincent (22 janvier)
Voyageurs : saint Christophe (25 juillet)

LES SAINTS PATRONS GÉOGRAPHIQUES

Afrique du Nord : saint Augustin (28 août)
Allemagne : saint Boniface (5 juin)
Alsace : sainte Odile (14 décembre)
Amérique latine : sainte Rose de Lima (23 août)
Angleterre : saints George (23 avril) et Édouard le Confesseur (13 octobre)
Belgique : saints Charles le Bon (2 mars) et Joseph (19 mars)
Bretagne : saint Yves (19 mai)
Canada : saint Joseph (19 mars) et sainte Anne (26 juillet)
Écosse : sainte Marguerite (16 novembre)
Espagne : saints Ferdinand (30 mai) et Jacques le Majeur (25 juillet)
Europe : saint Benoît (11 juillet)
France : Vierge Marie (15 août), sainte Jeanne d'Arc (30 mai), saints Michel Archange (29 septembre) et Martin de Tours (11 novembre)
Hongrie : saint Étienne (16 août)
Inde : saint François-Xavier (3 décembre)
Irlande : saint Patrick (17 mars)
Italie : sainte Catherine de Sienne (29 avril) et saint François d'Assise (4 octobre)
Luxembourg : saint Pierre de Luxembourg (5 juillet)
Madagascar : saint Vincent de Paul (19 juillet)
Monaco : sainte Dévote (27 janvier)
Norvège : saint Olaf (29 juillet)
Pologne : saint Casimir (4 mars)
Portugal : saint Antoine de Padoue (17 janvier)
Russie : saint Nicolas (6 décembre)
Suède : sainte Brigitte (23 juillet)
Suisse : saint Gall (16 octobre)

– Le système de circulation du sang dans les vaisseaux **vasculaire**
– Analyse du sang **hémogramme**
– Pigment rouge du sang **hémoglobine**
– Avoir le sang qui monte au visage **être congestionné**
– Des yeux colorés par un afflux de sang **injectés**
– Baisse du taux de globules rouges dans le sang **anémie, chlorose**
– Afflux brutal de sang dans un organe **congestion, fluxion, hyperémie**

– Arrêt localisé de la circulation du sang **ischémie**
– Augmentation excessive du taux de cholestérol dans le sang **hypercholestérolémie**
– Cancer du sang **leucémie**
– Chute du taux de glucose dans le sang **hypoglycémie**
– Écoulement de sang **saignement, hémorragie, épistaxis**
– Accumulation de bilirubine dans le sang **jaunisse, ictère, hyperbilirubinémie**

– Excès de globules blancs dans le sang **leucocytose, lymphocytose**
– Excès d'eau dans le sang **hydrémie**
– Infection généralisée du sang **septicémie**
– Intoxication du sang **toxémie**
– Présence de sang dans les urines **hématurie**
– Déficience d'oxygène dans le sang **hypoxémie, anoxémie**
– Surabondance de sang dans l'organisme **pléthore**

– Personne dont le sang ne peut se coaguler rapidement **hémophile**
– Qui a perdu une grande quantité de sang **exsangue**
– Homme de sang noble **naissance, origine, souche, extraction, lignage**
– Un cheval de sang **race**

SANG-FROID

syn. **aplomb, assurance, calme, fermeté, flegme, impassibilité, indifférence, maîtrise de soi, self-control**
– Perdre son sang-froid **paniquer, affoler (s'), énerver (s')**
– Garder son sang-froid **maîtriser (se), contrôler (se), dominer (se), contenir (se)**
– Commettre un crime de sang-froid **froidement, délibérément, consciemment, avec impassibilité, avec détachement**

SANGLIER

– Femelle du sanglier **laie**
– Petit du sanglier **marcassin**
– Groupe de sangliers **harde, compagnie**
– Mammifère semblable au sanglier **phacochère, babiroussa, pécari**
– Abats du sanglier donnés aux chiens après la chasse à courre **fouaille**
– Testicules du sanglier en termes de vénerie **suites**
– Coup porté par le sanglier avec ses défenses **dentée, décousure**
– Saison où le sanglier est le meilleur à consommer **porchaison**

SANS

– Être sans ressources **dépourvu de, privé de**
– Sans quoi **sinon, autrement**

SANS-CŒUR

syn. **cruel, insensible, méchant**

SANS-GÊNE

– Ce garçon sans-gêne se croit chez lui **envahissant, importun**
– Ses questions sont sans-gêne **impolies, indiscrètes, inconvenantes**
– Une attitude par trop sans-gêne **familière, désinvolte, cavalière**

SANTÉ

syn. **vitalité**
– Déesse de la santé dans la mythologie grecque **Hygie**
– Cet enfant est de santé robuste **tempérament, constitution, complexion**
– Il n'est jamais fatigué, quelle santé ! **résistance, endurance**
– Perte progressive de la santé **affaiblissement, dépérissement, étiolement**
– Retrouver la santé **recouvrer**
– Recouvrer peu à peu la santé après une maladie **convalescence**

– Une excellente santé **brillante, éclatante, resplendissante, florissante**
– Une petite santé **délicate, chancelante, précaire, déficiente**
– Établissement de santé publique **dispensaire**
– Maison de santé pour les tuberculeux **sanatorium, préventorium, aérium**
– Une mesure visant à améliorer la santé publique **sanitaire**

SAPIN

– Famille du sapin **pinacées**
– Arbre abusivement appelé sapin **épicéa, épinette, mélèze, pin, sapinette**
– Lieu planté de sapins **sapinière, sapaie**
– Planche en bois de sapin **sapine**

SARCASTIQUE

– Malicieux et sarcastique **railleur, goguenard, narquois, gouailleur, ironique, moqueur**
– Personnage sarcastique **persifleur, sardonique, amer, ricaneur**
– Tenir des propos sarcastiques au sujet de quelqu'un **brocarder**
– Un article sarcastique **mordant, incisif, acrimonieux**
– Une remarque sarcastique **acerbe, caustique, impertinente**

SARDINE

– Famille de la sardine **clupéidés**
– Ordre auquel appartient la sardine **physostomes**
– Nom de la sardine adulte **pilchard**
– Petite sardine **sardinelle, allache, royan**
– Filet utilisé en Bretagne pour la pêche à la sardine **bolinche**

SATELLITE

– Le premier satellite artificiel **Spoutnik 1**
– Un satellite artificiel étudiant la forme, les dimensions de la Terre **géodésique**
– Un satellite météorologique conservant une position fixe au-dessus de la Terre **géostationnaire**
– Un satellite météorologique qui survole toujours à la même heure un point donné du globe **héliosynchrone**
– Un satellite qui effectue sa révolution en un jour sidéral **géosynchrone**
– Satellite de transmission des télécommunications **satellite-relais**
– Satellite conçu pour l'observation de la Terre **Spot**
– Satellite de télécommunications pour les expériences en orbite **Stentor**
– Photo prise depuis un satellite **photo-satellite**
– Trajectoire suivie par un satellite **orbite**
– Tour complet qu'effectue le satellite autour d'un astre **révolution**
– Point de la trajectoire du satellite le plus éloigné de la Terre **apogée**

– Point de la trajectoire du satellite le plus proche de la Terre **périgée**
– Un pays satellite **voisin, proche, dépendant**

SATIN

– Une peau de satin **douce, veloutée, satinée, lisse, soyeuse**

SATIRE

– Faire la satire de son adversaire **railler, moquer de (se), tourner en dérision**
– Satire qui attaque la société **diatribe, pamphlet, libelle, factum**
– Satire violente dirigée contre une personne **philippique, catilinaire**

SATIRIQUE

– Imitation satirique **parodie**
– Poème satirique **épigramme, épode**
– Portrait satirique **caricature, charge**
– Un esprit satirique **ironique, sarcastique, caustique, impertinent**
– Une attaque satirique **mordante, acérée, incisive, à l'emporte-pièce, au vitriol, acerbe**

SATISFACTION

– Attestation donnée en témoignage de satisfaction **satisfecit**
– La satisfaction du vainqueur **triomphe**
– Obtenir satisfaction à la suite d'un préjudice **raison, réparation, gain de cause**
– Pousser un soupir de satisfaction **bien-être, aise, jouissance**
– Se regarder avec satisfaction dans le miroir **complaisance, fierté, suffisance, fatuité**
– Sentiment de très grande satisfaction **euphorie, extase, contentement, plénitude, félicité, béatitude**
– Une exclamation de satisfaction devant un travail bien fait **contentement, plaisir, joie, bonheur**
– Une maigre satisfaction **consolation, compensation**

SATISFAIRE

– Cette proposition vous satisfait-elle ? **plaît, convient**
– Satisfaire à de nombreuses demandes **répondre à, faire face à, suffire à**
– Satisfaire à ses engagements **tenir, remplir, accomplir, acquitter de (s'), exécuter**
– Satisfaire aux besoins de toute la famille **pourvoir à**
– Satisfaire les vœux de la clientèle **contenter, combler, exaucer**
– Satisfaire pleinement ses appétits **rassasier (se), assouvir**
– Satisfaire sa soif **calmer, apaiser, étancher**
– Se satisfaire d'une situation précaire **arranger de (s'), accommoder de (s')**

SATISFAIT
– Avoir l'air satisfait **content, heureux, ravi, comblé, allègre, épanoui, apaisé, béat**
– Qui n'est pas satisfait **insatisfait, mécontent, fâché, déçu, frustré**
– Un désir satisfait **assouvi, exaucé**

SATURÉ
– La boîte aux lettres est saturée **pleine, encombrée, remplie, bourrée**
– Elle est saturée de romans policiers **dégoûtée, écœurée, fatiguée, rassasiée, lasse**

SAUCE
– Élément de base d'une sauce **fond, fumet**
– Ajouter un liquide pendant la cuisson d'un mets afin de faire une sauce **mouiller**
– Épaissir une sauce **réduire, lier**
– Rendre une sauce plus liquide **clarifier, allonger**
– Plat à base de viande coupée en morceaux et cuite en sauce **ragoût, fricassée, blanquette, bourguignon, cassoulet, civet, navarin, gibelotte**
– Ustensile utilisé pour filtrer une sauce **étamine, passette, chinois**

SAUCISSE
voir aussi **charcuterie**
– Saucisse à chair fine faite de bœuf et de porc **saucisse de Strasbourg**
– Saucisse à base de porc **saucisse de Toulouse, saucisse de Francfort, chipolata**
– Saucisse de forme plate **crépinette**
– Saucisse fumée **saucisse de Montbéliard, saucisse de Morteau**
– Saucisse alsacienne, sèche et légèrement aplatie **gendarme**
– Saucisse épicée d'origine nord-africaine **merguez**
– Chair à saucisse **hachis, farce**

SAUCISSON
voir aussi **charcuterie**
– Saucisson cuit **cervelas**
– Saucisson de Lyon **rosette, jésus**
– Saucisson corse **lonzo, figatelle**
– Saucisson d'origine italienne **mortadelle, salami, coppa, pepperoni**
– Saucisson pimenté d'origine espagnole **chorizo**
– Traitement par lequel on dessèche le saucisson **dessiccation**

SAUF /1
– Être sain et sauf **sauvé, rescapé, indemne, survivant, hors de danger, tiré d'affaire**
– L'honneur de la famille est sauf **intact, inaltéré, préservé, épargné**

SAUF /2
– Sauf contrordre **sous réserve de**

– Penser à tout sauf au principal **excepté, hormis**

SAULE
– Famille à laquelle appartient le saule **salicacées**
– Alignement de saules **saulée**
– Terrain planté de saules **saulaie, sauleraie, saulsaie, saussaie**
– Variété de saule ne produisant pas d'osier **saule pleureur, saule Marsault, saule Daphné, saule cendré**
– Variété de saule osier **saule blanc, saule-amandier, saule des vanniers**
– Façon de tailler les saules osier **têtard**
– Branche de saule employée pour la fabrication des cerceaux de tonneaux **feuillard**
– Substance contenue dans l'écorce du saule et utilisée en pharmacie pour ses vertus analgésiques **salicine, salicoside**

SAUT
syn. **bond, cabriole, culbute**
– Décomposition du saut **préparation, détente, suspension, réception**
– Qui se déplace par sauts **saltigrade**
– Saut brusque et involontaire **sursaut, haut-le-corps, tressaillement, tressautement, soubresaut**
– Petit saut de danse **entrechat, saut de chat**
– Saut acrobatique **voltige**
– Saut effectué en patinage artistique **boucle, axel, salchow, lutz, flip**
– Saut périlleux **salto**
– Technique de saut en hauteur **rouleau ventral, fosbury flop**
– Les sauts d'une voiture **cahots, à-coups, secousses, saccades, soubresauts**
– Saut d'une rivière **cascade, chute, cataracte**

SAUTER
– Dans son enclos, le poulain saute de-ci de-là **cabriole, caracole, gambade**
– Le chat saute sur la souris **attaque, assaille, agresse, bondit sur, fond sur**
– Les enfants sautaient joyeusement dans le jardin **folâtraient, sautillaient**
– Sauter par-dessus un obstacle de petite taille **enjamber, franchir**
– Sauter sur une mine **éclater, exploser, voler en éclats, se désintégrer**
– Sauter une phrase en lisant un texte **oublier, omettre, laisser**

SAUTERELLE
– Ordre auquel appartient la sauterelle **orthoptères**
– Espèce de sauterelle **criquet, grillon**
– Sauterelle de mer **squille**

SAUVAGE
– À vivre seul, il est devenu sauvage **solitaire, insociable, misanthrope**

– Façon de vivre un peu sauvage **rustique, rudimentaire, primitive, agreste**
– Les chats du quartier sont restés sauvages **craintifs, inapprivoisés**
– Un endroit sauvage **abandonné, inhabité, désert, inculte, intact, vierge**
– Un instinct sauvage **brutal, animal, bestial, farouche, redoutable**
– Une bête sauvage **fauve, féroce, indomptable, inapprivoisable**
– Un individu sauvage et dépourvu de goût **ignorant, inculte, barbare, béotien**
– Une personne aux manières sauvages **grossière, fruste, rustre, incivile, mal élevée, mal dégrossie**
– Qui n'est pas sauvage **civilisé, sociable, affable, domestique, apprivoisé**

SAUVAGERIE
– La sauvagerie d'un criminel **brutalité, cruauté, férocité, bestialité, barbarie**

SAUVEGARDE
– Sauvegarde des libertés **garantie, préservation**
– Se mettre sous la sauvegarde de la justice **égide, protection**
– Son entourage est une sauvegarde contre les indésirables **abri, refuge, barrière, bouclier, palladium, rempart**

SAUVER
– Le malade qu'on croyait condamné est sauvé **guéri, rétabli, remis, ressuscité**
– Les naufragés sont sauvés **rescapés, indemnes, sains et saufs, hors de danger**
– Sauver d'une mort certaine **arracher à, soustraire à**
– Sauver les bijoux de l'incendie **préserver, sauvegarder**
– Sauver un enfant des mains de ses ravisseurs **libérer, délivrer**
– Sauver l'humanité **racheter**

SAUVER (SE)
– Le prisonnier s'est sauvé par la fenêtre **échappé, évadé**
– Des militaires se sont sauvés de la caserne **ont déserté**
– Se sauver face à un danger **fuir**

SAVANT
– Considéré comme un savant dans l'Antiquité **philosophe, sage**
– Nom donné aux savants du Moyen Âge **clercs**
– Nom donné aux savants des XVᵉ et XVIᵉ siècles **humanistes**
– Les plus grands savants de notre temps **sommités, éminences, érudits, spécialistes, experts**
– Savant qui contribue au progrès de la science **chercheur, découvreur, inventeur**

MÉCANISME DES SAISONS

Notre position par rapport au Soleil (l'axe de la Terre est incliné à 23°27') détermine la succession des étés et des hivers. Le rayonnement solaire est plus intense entre les tropiques, où le Soleil est presque à la verticale.

L'été au nord et l'hiver au sud surviennent quand l'hémisphère Nord est incliné vers le Soleil. L'hiver au nord et l'été au sud surviennent quand l'hémisphère Nord est incliné à l'opposé du Soleil.

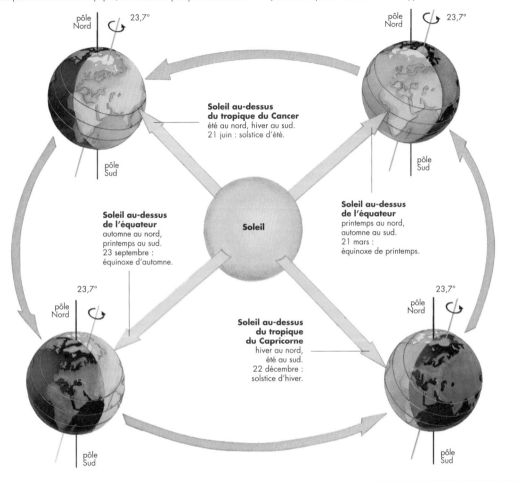

pôle Nord · 23,7° · pôle Sud

Soleil au-dessus du tropique du Cancer
été au nord, hiver au sud.
21 juin : solstice d'été.

pôle Nord · 23,7° · pôle Sud

Soleil au-dessus de l'équateur
automne au nord,
printemps au sud.
23 septembre :
équinoxe d'automne.

Soleil

Soleil au-dessus de l'équateur
printemps au nord,
automne au sud.
21 mars :
équinoxe de printemps.

23,7° · pôle Nord

Soleil au-dessus du tropique du Capricorne
hiver au nord,
été au sud.
22 décembre :
solstice d'hiver.

23,7° · pôle Nord · pôle Sud

pôle Sud

– Réunion de savants **colloque, conférence, congrès, aréopage, symposium**
– Cette émission est trop savante **compliquée, difficile, ardue, inabordable, inaccessible, érudite**
– Être savant dans une discipline **compétent, expert, maître, versé**
– Un savant mécanicien **habile, ingénieux, industrieux, émérite, virtuose**
– Une revue savante **scientifique**
– Prendre un ton savant **pédant, doctoral, pontifiant, professoral, docte**

SAVATE *Voir tableau p. 551*

SAVEUR
– D'une grande saveur **délicieux, exquis,** divin, succulent, délectable, sapide, goûteux
– Les saveurs du goût **amer, acide, salé, sucré**
– La saveur d'un mets **goût, sapidité, flaveur**
– Apprécier la saveur d'un plat **délecter (se) de, déguster**
– Dépourvu de saveur **fade, insipide**
– La saveur d'une bonne anecdote **sel, piment, piquant**

SAVOIR /1
– Ensemble du savoir d'une personne **culture, acquis, connaissances, bagage, érudition, science, instruction, compétence**
– Le savoir de base **notions, éléments, rudiments**
– Accès au savoir **éducation, instruction, apprentissage, formation, initiation**
– Savoir spécifique **capacité, aptitude, savoir-faire, expérience, habileté**
– Personne d'un immense savoir **lumière, flambeau, phare, érudit, savant**
– Transmettre son savoir **enseigner, professer, inculquer**
– Rendre un savoir technique accessible au grand public **vulgariser**

SAVOIR /2
– La leçon d'histoire n'est pas bien sue **apprise, assimilée**
– Chercher à savoir **renseigner (se),**

informer de (s'), enquérir de (s'), demander
– Faire savoir **annoncer, notifier, signifier, avertir, aviser, informer, prévenir, mettre au courant, ébruiter, divulguer, dénoncer**
– Le gouvernement fera savoir sa position **communiquera, fera part de, publiera**

SAVOIR-FAIRE
– Faire preuve d'un grand savoir-faire **brio, virtuosité, habileté, aptitude, maestria, talent**
– Savoir-faire manuel **doigté, dextérité, tour de main, adresse**
– Une situation qui exige du savoir-faire **délicatesse, tact, diplomatie, entregent, finesse, discrétion**

SALADES

LAITUES

Batavia laitue pommée à cœur blanc et feuilles épaisses gaufrées
Batavia grenobloise rouge
Celtuce romaine asperge
Iceberg laitue batavia croquante, vert pâle

LAITUES ROUGES

Feuille-de-chêne laitue à couper non pommée
Feuille-de-chêne rouge
Lollo laitue frisée à couper
Lollo rossa laitue rouge et verte
Romaine laitue pommée allongée aux feuilles vert foncé à grosses côtes
Rougette petite laitue pommée aux feuilles teintées de rouge
Sucrine laitue grasse d'un vert très foncé

CHICORÉES

Barbe-de-capucin feuilles fines dentelées, blanches ou jaune pâle
Carmine endive rouge
Chicon cœur de l'endive
Chicorée
Chicorée frisée ou **frisée**

Chicorée rouge
Chicorée witloof endive
Chioggia chicorée rouge italienne
Cornette ou **pain de sucre** chicorée blanche
Endive bourgeon de la chicorée witloof
Pain de sucre chicorée blanche
Scarole
Trévise chicorée rouge
Vérone chicorée rouge

AUTRES SALADES

Boursette mâche
Cardamine cresson de terre
Cordifole à feuilles grasses
Corne-de-cerf plantain
Cresson alénois cressonnette
Cresson de fontaine
Cresson de terre ou **cresson des prés** cardamine
Dent-de-lion pissenlit
Doucette mâche
Ficoïde glaciale à feuilles grasses
Mâche
Mesclun mélange de jeunes pousses de roquette, séneçon, cerfeuil, laitue, pissenlit, pourpier, raiponce, roquette, scarole, chicorée rouge, etc.

SAVOIR-VIVRE
– Règles du savoir-vivre **usages, convenances, bienséances**
– Règles du savoir-vivre officiel **cérémonial, protocole, étiquette, décorum**

SAVON
– Fabrication du savon **saponification**
– Forme de savon **brique, barre, pain, savonnette, poudre, copeaux, liquide, gel, paillettes**
– Savon de ménage **savon noir, savon mou, savon de potasse**
– Un savon de toilette **cosmétique, dermatologique, de Marseille, à barbe**
– Un savon riche en acides gras **alcalin, surgras**
– Un savon utilisé en pharmacie **médicinal, amygdalin, antiseptique, parasiticide, fongicide**
– Substance adoucissante utilisée dans la fabrication du savon **lanoline**
– Corps présent dans les savons transparents **sucre, glycérine, glycérol**
– Médicament contenant du savon **opodeldoch**
– Plante contenant une substance moussant comme du savon **savonnier, saponaire**
– Substance que contiennent certaines plantes et qui mousse comme du savon **saponine**
– Qui a les mêmes qualités que le savon **saponacé**

SAVOUREUX
– Un plat savoureux **succulent, délicieux, appétissant, délectable, raffiné, sapide, exquis**
– Un fruit savoureux **juteux, mûr, fondant, gorgé de soleil**
– Une anecdote savoureuse **piquante, excellente, amusante, croustillante**

SCANDALEUX
– Tenir des propos scandaleux **honteux, éhontés, outranciers, outrageants**
– Une attitude scandaleuse **déplacée, incorrecte, choquante, malséante, déplorable, inconvenante, incongrue, révoltante, indigne**

SCANDALISER (SE)
– Se scandaliser d'un retard important **froisser de (se), offenser de (s'), offusquer de (s'), formaliser de (se), vexer de (se), indigner de (s')**

SCEAU
– Étude des sceaux **sigillographie**
– Frapper une monnaie d'un sceau **estamper**
– Moule original du sceau **matrice**
– Objet servant à apposer un sceau **poinçon, coin**
– Sceau de métal **plomb, bulle**

– Sceau apposé sur une bande de papier ou d'étoffe pour en interdire l'ouverture **scellés**
– Sceau authentifiant une marque **label, estampille**
– Qui porte un sceau **sigillé**
– Fonctionnaire qui a la garde des sceaux **chancelier**
– Un tableau qui porte le sceau de son auteur **marque, empreinte, griffe**

SCÉNARIO
– Résumé d'un scénario cinématographique **synopsis**
– Grandes lignes du scénario d'une œuvre **plan, canevas, argument**
– Schéma du scénario scène par scène **découpage, script, story-board**
– Scénario d'un opéra **livret**
– Le scénario d'un film **action, intrigue, trame**
– Un scénario bien huilé **mécanisme, processus**

SCÈNE
– Scène de théâtre **plateau, planches, tréteaux**
– Partie de la scène en avant du rideau **avant-scène**
– Décors du fond de la scène **arrière-plans, lointains, toile de fond**
– Petite scène surélevée **estrade, podium, tribune**
– Une scène dont le décor glisse verticalement **ductile**
– Une scène dont les panneaux du décor coulissent **versatile**
– Art de peindre des décors de scène **scénographie**
– Projecteurs à l'avant de la scène **rampe**
– Étude de la mise en scène théâtrale **scénologie**
– Personnage descendu sur scène sur une machine et qui crée la surprise **deus ex machina**
– La scène se déroule au Moyen Âge **action, intrigue**
– Scène cinématographique **séquence**
– Scène courte et humoristique **sketch, saynète**
– Une scène attendrissante **spectacle, tableau, vision**
– Susciter une scène **querelle, esclandre, algarade, dispute, altercation, discussion**

SCEPTIQUE
– Philosophie des sceptiques grecs **pyrrhonisme**
– Un air sceptique **perplexe, dubitatif, incrédule**
– Sceptique quant à la religion **irréligieux, incroyant, athée**

SCHÉMA
– Schéma explicatif **plan, tracé, dessin**

– Schéma mathématique **figure, graphique, diagramme, graphe, courbe**
– Schéma d'un discours officiel **canevas, ébauche, esquisse**
– L'action se déroule suivant un schéma classique **processus, structure**

SCIE
– Grande scie qui s'utilise à deux **passe-partout, scie de long**
– Largeur de la dent à la base de la scie **pas**
– Régler l'écart des dents d'une scie **avoyer**
– Outil nécessaire à l'entretien des scies **tiers-point, tourne-à-gauche, pince à avoyer**
– Instrument servant à guider la scie **boîte à onglets**
– Marque sur le bois qui permet de guider la scie **trait de scie**
– Qui est découpé en dents de scie **serratiforme**
– Un arbre dont les feuilles sont en dents de scie **serratifolié**

SCIENCE *Voir tableau p. 552*
– Science naturelle **botanique, géologie, minéralogie, zoologie**
– Étude philosophique des sciences **épistémologie**
– Doctrine relevant de l'étude philosophique des sciences **positivisme, physicalisme, scientisme**
– Science qui étudie les formes et les lois de la pensée **logique**
– Science universelle **omniscience**
– Agir avec science **habileté, adresse, talent, compétence, expérience, discernement, savoir-faire**
– Un homme d'une science immense **instruction, érudition, connaissance, omniscience, culture**
– La diplomatie est une science **technique, art**

SCIENCE-FICTION
voir aussi **cinéma**
– Créature de science-fiction **extraterrestre, humanoïde, androïde, mutant, cyborg**
– Science-fiction à caractère politique se situant dans un avenir proche **politique-fiction**

SCIENTIFIQUE
– Partie de la logique qui étudie les méthodes scientifiques **méthodologie**
– Une démarche scientifique **objective, rationnelle**
– Contraire au savoir scientifique **empirique**

SCIER
– Scier du bois pour en faire des morceaux **débiter**

– Scier en suivant une courbe **chantourner**
– Scier le bois dans le sens du fil **refendre**
– Scier pour égaliser **araser**

SCOLAIRE
voir aussi **école, enseignement**
– Établissement scolaire **école maternelle, école primaire, école élémentaire, collège, lycée, lycée professionnel, lycée agricole,**
– Chef d'établissement scolaire **proviseur, principal, directeur**
– Membre de l'équipe pédagogique d'un établissement scolaire **professeur des écoles, professeur certifié, professeur agrégé, chargé de cours, maître auxiliaire, documentaliste, conseiller pédagogique d'éducation, assistante maternelle, surveillant(e)**
– Pour lutter contre l'échec scolaire **Pacte, PAE (projet d'action éducative)**

SCORPION
– Classe à laquelle appartient le scorpion **arachnides**
– Famille de scorpions **scorpionidés, buthidés, bothriuridés, chactidés, véjovidés, diplocentidés, chærilidés**
– Crochet venimeux à l'extrémité de la queue du scorpion **aiguillon**
– Pinces du scorpion **pédipalpes**
– Nom scientifique du scorpion d'eau **nèpe**
– Nom scientifique du scorpion volant **panorpe**
– Scorpion de mer **scorpène, diable de mer, rascasse**
– Scorpion des livres **chélifère**
– Scorpion d'Afrique du Nord **androctonus**
– Scorpion du Mexique **centurus**
– Recourbé comme une queue de scorpion **scorpioïde**

SCRUPULE
syn. **réticence**
– Mentir sans aucun scrupule **honte, pudeur, vergogne**
– Écouter ses scrupules **conscience**
– S'abstenir par scrupule **délicatesse, égard, considération**
– Un homme d'État dépourvu de tout scrupule **machiavélique**

SCRUPULEUX
– Être trop scrupuleux sur les détails **pointilleux, vétilleux, maniaque, tatillon, pinailleur**
– Scrupuleux quant aux formes et aux règles **formaliste**
– Un étudiant scrupuleux **consciencieux, rigoureux, soigneux**
– Un homme de loi scrupuleux **honnête, intègre, probe**
– Une lecture scrupuleuse **attentive, minutieuse, méticuleuse**

SCRUTER
– Scruter le ciel **observer, inspecter, explorer, examiner, fouiller du regard**
– Scruter les intentions d'un visiteur **pénétrer, sonder**

SCRUTIN
– Manière d'organiser un scrutin **mode de scrutin**
– Scrutin établi selon le mode de représentation adoptée **majoritaire, proportionnel**
– Scrutin établi selon le nombre de personnes à élire **uninominal, plurinominal**
– Deuxième tour possible de scrutin **scrutin de ballottage**
– Compter les voix après un scrutin **dépouiller**

SCULPTER
– Réduire un bloc de pierre aux dimensions voulues avant de le sculpter **ébaucher, dégrossir, épanneler**
– Sculpter avec un ciseau **ciseler**
– Sculpter un matériau **tailler, fouiller, buriner**
– Sculpter une forme **modeler, façonner**
– Art de sculpter les métaux et l'ivoire **toreutique**
– Art de sculpter les pierres fines **glyptique**
– Pierre fine sculptée **camée, intaille**
– Une façade sculptée de médaillons **ornée, enjolivée**

SCULPTEUR
voir aussi **modeleur**
– Sculpteur qui exécute des figurines en argile **coroplaste**
– Sculpteur qui exécute des modèles en cire **céroplaste**

SCULPTURE
– Artiste qui pratique la sculpture **sculpteur, modeleur, figuriste, animalier, ornemaniste, statuaire, ciseleur, bustier, toreuticien**
– Nom donné au Moyen Âge à un artiste qui pratiquait la sculpture **imagier, entailleur d'images**
– Ébauche d'une sculpture taillée dans la cire ou la terre **griffonnement**
– Musée où sont exposées des sculptures **glyptothèque**
– Une sculpture faite d'or et d'ivoire **chryséléphantine**

SÉANCE
syn. **débat, délibération, projection, représentation, réunion, session**
– Séance d'un tribunal **audience**
– Séance tenante **immédiatement, sur-le-champ**
– Tenir séance **délibérer, débattre, discuter, consulter (se), siéger, tenir conseil, réunir (se)**

SEAU
– Grand seau en métal **chaudron**
– Seau de table **à champagne, à glace**
– Seau hygiénique **pot de chambre, vase de nuit**
– Seau du pêcheur **seau à vifs**
– Il pleut à seaux **abondamment, à verse, à torrents, des cordes, des hallebardes**

SEC
– Plante devenue sèche **fanée, flétrie, racornie**
– Sol devenu sec **desséché, déshydraté**
– Un sol trop sec pour être productif **infertile, stérile**
– Une région sèche **aride, déserte**
– Substance sèche **anhydre, lyophilisée**
– Le puits est à sec **tari**
– Laps de temps durant lequel un étang reste à sec **assec**
– Des lèvres sèches **gercées, crevassées**
– Un homme sec **maigre, décharné, étique, squelettique, décharné, osseux**
– Avoir le cœur sec **indifférent, insensible, froid, dur**
– Parler sur un ton sec **cassant, tranchant, glacial, autoritaire, brusque**

SÈCHEMENT
– Répondre sèchement **froidement, durement, méchamment, rudement, âprement, brutalement, sévèrement**

SÉCHER
– Appareil employé pour faire sécher les feuilles de tabac **sécheur, séchoir**
– Lieu où l'on fait sécher des produits **sécherie, étuve**
– Traitement employé pour sécher un corps **dessiccation, lyophilisation, déshydratation**
– Sécher un sol **drainer, assainir, assécher**
– Sécher ses larmes **étancher, essuyer**
– Sécher d'ennui **languir, dépérir**

SÉCHERESSE
syn. **canicule**
– Sécheresse d'un sol **aridité, aréisme, siccité, improductivité**
– Sécheresse de cœur **froideur, dureté, aridité, insensibilité, rudesse**
– La sécheresse du style d'un écrivain **austérité**

SECOND
– Un second efficace **auxiliaire, assistant, adjoint, collaborateur, bras droit**
– Le second d'un magistrat **assesseur**
– Un spectacle de second ordre **quelconque, insipide, médiocre, ordinaire, ennuyeux**

SECONDAIRE
– Un rôle secondaire **subalterne**
– Des effets secondaires néfastes **conséquences, suites, séquelles**
– Un détail secondaire **accessoire, insignifiant, négligeable, marginal**
– Un philosophe secondaire **mineur**
– Une nouvelle secondaire **de moindre importance, anecdotique**
– Ère secondaire **mésozoïque**

SECONDER
– Seconder une personne dans son action **encourager, appuyer, soutenir, servir, favoriser, aider, épauler**

SECOUER
syn. **houspiller, malmener, maltraiter, molester, rudoyer**
– L'embarcation secouait les voyageurs en tous sens **balançait, ballottait**
– Les passagers du car étaient secoués **cahotés**
– Secouer la tête en signe d'assentiment **hocher**
– Secouer la domination d'un tyran **libérer de (e), affranchir de (s')**
– Son accident l'a terriblement secoué **choqué, commotionné, traumatisé**
– Cette nouvelle a secoué toute la famille **touché, ému, bouleversé, ébranlé**
– Faire un effort pour se secouer **réveiller (se), activer (s'), réagir**
– Le chien se secoue en sortant de l'eau **ébroue (s')**

SECOURIR
syn. **aider**
– Secourir un blessé **porter assistance à**
– Secourir une personne agressée **venir à la rescousse de, défendre**

SECOURS
– Appeler des secours **renforts**
– Demander secours **protection, aide, assistance**
– Distribuer des secours aux victimes d'un sinistre **subsides, subventions, aides financières, allocations**
– Vivre des secours d'autrui **aumônes, dons, oboles, charité**
– Un secours moral **appui, soutien, réconfort, providence**
– Enclin à porter secours **secourable, charitable, bienfaisant**

SECOUSSE
syn. **agitation, heurt, mouvement**
– Faible secousse **oscillation, vibration, frémissement**
– Petites secousses successives **tremblement, trépidation**
– Une secousse terrestre **tellurique, sismique**
– Secousses d'une voiture **cahots, soubresauts**
– Cause une secousse **choc, collision, percussion, télescopage**
– Avancer par secousses **à-coups, saccades**

SECRET /1
– Découvrir le secret de l'énigme **clef, fin mot, tréfonds**
– Les secrets d'une affaire politique **dessous, coulisses**
– Les secrets de la technique **arcanes**
– En secret **en cachette, en catimini, en tapinois, à la dérobée, subrepticement, furtivement, incognito**
– Être au secret **cachot**

SECRET /2
– Garder son identité secrète **anonymat**
– Agent secret **barbouze, taupe, espion**
– Message secret **cryptogramme**
– Entente secrète **conjuration, connivence, collusion, complot, conspiration**
– Petite assemblée secrète et conspiratrice **conventicule**
– Conversation secrète **conciliabule, messe basse**
– Un passage secret **caché, dérobé, dissimulé**
– Une information secrète **confidentielle**
– Une organisation secrète **clandestine, souterraine**
– Qui demeure secret pour le plus grand nombre **hermétique, occulte, ésotérique, ténébreux, mystérieux**
– Un homme de nature très secrète **discret, réservé, renfermé, cachottier**
– Part la plus secrète d'un individu **jardin secret**

SECRÉTAIRE
syn. **bureau, dactylo, employé**
– Secrétaire capable de prendre en note sous la dictée **sténographe**
– Secrétaire qui tape à la machine **dactylographe**
– Petit secrétaire du XVIIIᵉ siècle **bonheur-du-jour**
– Secrétaire surmonté d'un corps de bibliothèque **scriban**

SÉCRÉTER
– Substance sécrétée par l'organisme humain **salive, bile, sueur, suc, sébum, hormone, mucus, sérosité, diastase**
– Cette glande sécrète du venin **produit, fabrique, distille**
– Une glande dont la sécrétion se déverse dans le sang ou la lymphe **endocrine**
– Une glande qui sécrète une substance et l'évacue à l'extérieur **exocrine**

SECTE
– Ce que professe une secte **doctrine, idéologie**
– Membre d'une secte **disciple, adepte, partisan, sectateur, séide, suppôt**
– Membre d'une secte religieuse américaine **mormon, amish**

– Recrutement des membres d'une secte **endoctrinement, prosélytisme**
– Maître spirituel d'une secte **gourou**

SECTEUR

– Secteur dangereux **territoire, zone**
– Secteur d'activités **rayon, branche, domaine**
– Cette question ne relève pas de mon secteur **partie, fief, spécialité, compétence**
– Elle voudrait être nommée juge dans le secteur de Paris **ressort, juridiction**
– Répartir en secteurs organisés **sectoriser**

SECTION

– Section d'un parti politique **cellule**

SÉCURITÉ

– Assurer la sécurité d'une personnalité **protection**
– La sécurité doit régner dans toute la ville **calme, tranquillité, quiétude, ordre, paix**
– Agent de sécurité chargé de veiller sur une personne **garde du corps, gorille**
– Officier chargé de la sécurité sous l'Ancien Régime **prévôt**
– Être en sécurité dans un endroit **à l'abri, en sûreté, protégé**
– Se sentir en sécurité **en confiance**

SÉDUCTEUR

– Personnage symbolisant le séducteur **don Juan, Casanova, Lovelace, Valmont**
– Séducteur qui mène une vie dissolue **libertin**

SÉDUCTION

syn. **charme**

SÉDUIRE

– Être séduit par un projet **tenté, alléché, appâté, enthousiasmé**
– Séduire la clientèle par de la publicité mensongère **attirer, éblouir, abuser, leurrer, tromper, circonvenir**
– Séduire son voisin de palier **conquérir, subjuguer, envoûter, ensorceler, charmer**

SÉDUISANT

– Un homme séduisant **charmant, séducteur, charmeur, attirant, fascinant**
– Faire une proposition séduisante **alléchante, intéressante, attrayante, tentante**
– Une beauté séduisante **enivrante, enchanteresse, envoûtante, ensorcelante, captivante, désirable**

SEIGLE

– Maladie qui attaque le seigle **ergot**

SAVATE/BOXE FRANÇAISE

Catégorie	Poids
Moustiques	moins de 24 kg
Pré-mini-mouches	24-27 kg inclus
Pré-mini-coqs	27-30 kg inclus
Pré-mini-plumes	30-33 kg inclus
Pré-mini-légers	33-36 kg inclus
Mini-mouches	36-39 kg inclus
Mini-coqs	39-42 kg inclus
Mini-plumes	42-45 kg inclus
Mini-légers	45-48 kg inclus
Mouches	48-51 kg inclus
Coqs	51-54 kg inclus
Plumes	54-57 kg inclus
Super-plumes	57-60 kg inclus
Légers	60-63 kg inclus
Super-légers	63-66 kg inclus
Mi-moyens	66-70 kg inclus
Super-mi-moyens	70-74 kg inclus
Moyens	74-79 kg inclus
Mi-lourds	79-85 kg inclus
Lourds	plus de 85 kg

– Mélange de seigle et d'autres céréales **champart, méteil**

SEIGNEUR

– Seigneur de l'Ancien Régime **gentilhomme, grand, noble**
– Seigneur du Moyen Âge **suzerain, banneret**
– Titre donné au seigneur du Moyen Âge **sire**
– Seigneur d'un château **châtelain**
– Domaine concédé par le seigneur à un vassal **fief, tenure**
– Personne dépendant du seigneur **vassal, vassal lige**
– Étoffe noire tendue sur le mur de l'église à la mort d'un seigneur **litre**
– Se comporter en seigneur dans sa maison **maître, souverain**
– Les seigneurs de la finance **magnats, requins**
– Jour du Seigneur **dimanche, sabbat**

SEIN *Voir illustration p. 557*

syn. **poitrine, téton**
– Le sein maternel **entrailles, giron, ventre**
– Extrémité du sein **mamelon, tétin**
– Partie pigmentée qui entoure le mamelon du sein **aréole**
– Canaux à l'intérieur du sein qui amènent le lait vers le mamelon **canaux galactophores**
– Donner le sein **allaiter**
– Appareil placé sur le sein pour aspirer le lait **tire-lait**
– Sorte de tétine qui facilite l'allaitement au sein **téterelle**

– Douleur au sein **mastodynie**
– Radiographie du sein **mammographie**
– Ablation du sein **mammectomie, mastectomie**
– Chirurgie esthétique du mamelon du sein **mamilloplastie**
– Chirurgie esthétique du sein **mammoplastie**

SÉJOURNER

– De l'eau qui séjourne au fond d'un seau **stagne, croupit**
– Lieu de repos où l'on séjourne **villégiature**

SEL

– Ancien coffre à sel **saunière, saloir**
– Impôt sur le sel en vigueur sous l'Ancien Régime **gabelle**
– Individu qui faisait la contrebande du sel sous l'Ancien Régime **faux saunier**
– Récolte du sel **saunage, saunaison**
– Augmentation de la proportion de sel dans un sol ou dans l'eau **salinisation**
– Exploitation d'un terrain où l'on extrait le sel **saliculture**
– Entreprise qui produit du sel **saline**
– Formation d'un sel par réaction chimique **salification**
– Lieu où l'on entrepose le sel **salorge**
– Opération consistant à concentrer une saumure pour en recueillir le sel **salinage**
– Pain de sel extrait d'une fontaine salée **salignon**
– Proportion de sel **salinité, salure**
– Sel à l'état brut **sel gemme, halite**
– Terrain d'où l'on extrait le sel **marais salant, salin**
– Régime sans sel **hyposodé, déchloruré**
– Une boutade pleine de sel **piment, piquant, esprit**

SÉLECTION

– Épreuve sportive de sélection **critérium, éliminatoire**
– Personne participant à une sélection **candidat, concurrent, participant, compétiteur, concouriste**
– Présenter une sélection d'articles **collection, assortiment, éventail, échantillonnage, série, palette**
– Recueil proposant une sélection d'extraits littéraires **morceaux choisis, anthologie, florilège, analectes, chrestomathie, compilation, digest**
– Sélection génétique **eugénisme**
– Théorie de la sélection naturelle **darwinisme, malthusianisme, lamarckisme**

SELLE *Voir illustration p. 559*

syn. **excréments, fèces, matière fécale**
– Partie d'une selle **arçon, pommeau, quartier, troussequin, étriers, sangle**
– Poches situées de part et d'autre de la selle **fontes**

SCIENCES : TERMES FINISSANT EN -OLOGIE ET -OGRAPHIE

Angiologie : organes de la circulation.

Anthropologie : être humain.

Bryologie : mousses hépatiques.

Cardiologie : fonctions et maladies du cœur.

Carpologie : fruits.

Cartographie : cartes.

Chorégraphie : danse, composition de ballets.

Chorographie : description générale d'un pays.

Chronologie : dates.

Conchyliologie : coquilles et coquillages.

Cosmologie : lois générales de l'Univers.

Craniologie : crâne.

Criminologie : crimes et criminels.

Cryptologie : écritures secrètes, documents codés.

Cytologie : cellules.

Dactylologie : expression par les mains chez les sourds-muets.

Démographie : populations humaines.

Dendrologie : arbres.

Déontologie : devoirs et responsabilités morales.

Dermatologie : peau.

Écologie : relations entre les êtres vivants et leur environnement.

Endocrinologie : glandes endocrines.

Entomologie : insectes.

Épidémiologie : maladies et leurs facteurs.

Épigraphie : inscriptions anciennes.

Épistémologie : sciences (méthodes, principes, valeur).

Eschatologie : fins dernières de l'homme et du monde.

Ethnologie : mœurs et caractères des peuples.

Éthologie : comportement animal.

Étiologie : causes des maladies.

Étymologie : origine des mots.

Futurologie : futur.

Généalogie : ascendance.

Gérontologie : personnes âgées.

Glottochronologie : datation des langues primitives.

Gynécologie : organes génitaux de la femme.

Helminthologie : vers, surtout parasites.

Hématologie : sang.

Herpétologie : reptiles et amphibiens.

Histologie : tissus et cellules des êtres vivants.

Hydrologie : propriétés des eaux.

Hypnologie : sommeil.

Ichtyologie : poissons.

Lexicographie : mots d'une langue.

Lexicologie : mots du lexique.

Limnologie : lacs.

Lithologie : roches sédimentaires.

Malacologie : mollusques.

Météorologie : temps et climat.

Métrologie : mesures.

Mycologie : champignons.

Myologie : muscles.

Myrmécologie : fourmis.

Néphrologie : reins.

Nomographie : lois et leur interprétation.

Nosologie : classification des maladies.

Odontologie : dents et tissus dentaires.

Œnologie : vins.

Oncologie : tumeurs.

Ontologie : être en soi.

Oologie : œufs d'oiseaux.

Ophiologie ou **ophiographie :** serpents.

Opthalmologie : œil.

Ornithologie : oiseaux.

Orographie : relief terrestre.

Ostéologie : os.

Otologie : oreille.

Paléogéographie : description du globe aux temps géologiques.

Paléographie : écritures anciennes.

Paléontologie : fossiles.

Palynologie : résidus des grains de pollen contenus dans les sédiments.

Pathologie : maladies et effets qu'elles produisent.

Pédologie : enfant (emploi rare).

Pédologie : sols.

Pénologie : peines sanctionnant les infractions pénales et leurs modalités d'application.

Pétrologie ou **pétrographie :** roches.

Pharmacologie : médicaments.

Philologie : belles-lettres.

Phrénologie : caractère et fonctions intellectuelles d'après la conformation du crâne.

Physiologie : fonctions des organes et des tissus des êtres vivants.

Phytologie : botanique (synonyme rare).

Polémologie : guerre.

Pomologie : fruits comestibles.

Potamologie : régimes fluviaux.

Radiologie : rayons X et autres rayonnements ioniques.

Réflexologie : réflexes.

Rhinologie : nez et fosses nasales.

Sélénologie ou **sélénographie :** Lune.

Sémiologie : développement et rôle des signes dans la société.

Sinologie : histoire, langue et civilisation chinoises.

Sismologie : tremblements de terre.

Spéléologie : cavités du sous-sol.

Stomatologie : affections bucco-dentaires.

Tératologie : monstres et formes exceptionnelles.

Topographie : relief et configuration d'un terrain.

Topologie : propriétés invariantes des êtres géométriques après une transformation continue.

Toxicologie : poisons.

Tribologie : frottement des surfaces.

Trichologie : cheveux et poils.

Uranographie : description du ciel.

Vexillologie : drapeaux, pavillons.

Volcanologie ou **vulcanologie :** phénomènes volcaniques (causes, mécanismes).

– Type de selle **de randonnée, d'obstacle, de dressage**
– Monter à cheval sans selle **à cru, à poil**
– Analyse bactériologique de selles **coprologie**
– Analyse chimique de selles **fécalogramme**

SELON
– Agir selon la tradition **conformément à, suivant, d'après**
– Vivre selon ses moyens **en fonction de**

SEMAINE
– Dans une semaine **huitaine**

– Délai de deux semaines **quinzaine**
– Qui a lieu une fois par semaine **hebdomadaire**
– Qui a lieu deux fois par semaine **bihebdomadaire**
– Qui a lieu toutes les deux semaines **bimensuel**

– Bracelet à sept anneaux symbolisant les jours de la semaine **semainier**

SEMBLABLE

syn. **pareil, ressemblant, tel**
– Des caractères semblables **comparables, analogues, conformes, similaires**
– Des mesures rigoureusement semblables **égales, équivalentes, identiques**
– Considérer deux choses comme semblables **assimiler, identifier**
– Les deux ailes de ce papillon sont exactement semblables **symétriques**
– Personnages qui ont des fonctions semblables **homologues**
– Un ensemble formé d'éléments semblables **homogène**

SEMBLABLE/2

syn. **congénère, pair**

SEMBLANT

– Faire semblant **feindre, simuler, affecter, prétendre**
– Un semblant d'organisation **fantôme, ombre, illusion, vernis**
– Un semblant de vertu **simulacre**

SEMELLE

– Une semelle de correction **orthopédique**
– Mettre de nouvelles semelles **ressemeler**

SEMENCE

– Époque où l'on épand les semences **semaison, semailles**
– Entreprise agricole produisant des semences **semencier**
– Fête romaine célébrée après avoir planté les semences **sémentines**
– La semence de la discorde **cause, germe, source, origine**
– La semence du mâle **sperme**

SEMER

syn. **cultiver, ensemencer, épandre, joncher, parsemer**
– Ligne droite dans laquelle on sème **sillon, rayon, enrayure**
– Machine qui sème le grain **semoir**
– Technique employée pour semer **semis**
– Trou dans lequel on sème plusieurs graines **poquet**
– Semer ses concurrents **distancer**
– Semer la panique **répandre, propager**
– Des maisons semées çà et là dans la campagne **dispersées, éparpillées, disséminées**

SÉNAT

– Discussion d'un projet de loi par la Chambre puis par le Sénat **navette**
– Lieu où siégeait le sénat romain **curie**
– Texte voté par le sénat romain **sénatus-consulte**

– Sénat athénien **boulê**
– Sénat de Sparte **gerousia**

SÉNATEUR

– Il élit les sénateurs **grand électeur**
– Sénateur romain **père conscrit**
– Liste officielle des sénateurs romains **album sénatorial**
– Bande pourpre caractéristique de la tunique des sénateurs romains **laticlave**
– Dotation foncière faite à certains sénateurs sous le Consulat et le premier Empire **sénatorerie**

SENS

– Les cinq sens **vue, ouïe, odorat, toucher, goût**
– Les yeux sont des organes des sens **sensoriels**
– Fait de reconnaître avec les sens **gnosie**
– Prendre une rue en sens inverse **à contresens, à contre-courant**
– Dans quel sens allons-nous ? **direction**
– Caresser un chat dans le mauvais sens **à rebrousse-poil, à rebours**
– Le bon sens **sens commun**
– Avoir du bon sens **raison, discernement, jugement, sagesse**
– À mon sens **avis, sentiment, opinion**
– Le sens d'une phrase **signification**
– Le sens propre d'un mot **littéral**
– Les différents sens d'un mot **acceptions**
– Un mot qui possède plusieurs sens **polysémique**
– Une expression à double sens **ambiguë, équivoque, amphibologique**
– Étude linguistique du sens des mots **sémantique, lexicologie, onomasiologie, sémasiologie**
– Affirmation dépourvue de sens **ineptie, non-sens, absurdité, aberration**
– Donner un sens politique à un discours **tendance, orientation, couleur**

SENSATION

syn. **avant-goût, émoi, émotion, impression, perception, sens, sentiment**
– Avoir la sensation d'un danger imminent **intuition, pressentiment**
– Sensations fortes **peur, vertige, grand frisson**
– Sensations internes de notre corps **cénesthésie, kinesthésie**
– Ressentir les sensations trop fort **hyperesthésie**
– Mesure des variations d'une sensation **sensorimétrie**

SENSATIONNEL

– Les progrès de la science sont sensationnels **incroyables, invraisemblables, formidables, fantastiques, impressionnants**
– Une dépêche sensationnelle **étonnante, stupéfiante, inouïe**

– Une réussite sensationnelle **remarquable, admirable, merveilleuse, prodigieuse, étourdissante**

SENSIBILITÉ

syn. **affectivité, émotivité, sentimentalité**
– Sensibilité d'un tissu en physiologie **excitabilité**
– Sensibilité d'un individu à certaines substances **allergie**
– Avoir une sensibilité toute maternelle **fibre**
– Cet homme a fait preuve de sensibilité **sympathie, humanité, compassion, bonté**
– Excès de sensibilité **sensiblerie, sentimentalisme**
– Sensibilité dans les rapports humains **délicatesse, finesse, acuité, tact**
– Des sensibilités différentes **opinions, courants, tendances**

SENSIBLE

– Avoir la peau sensible **fragile, délicate**
– Un point sensible **névralgique**
– Une zone sensible **douloureuse**
– Un caractère sensible **doux, compatissant**
– Être sensible aux problèmes d'autrui **accessible, réceptif**
– Un enfant très sensible **sensitif, émotif, vulnérable**
– Un élève trop sensible aux critiques **susceptible**
– Une amélioration sensible **notable, appréciable, importante, nette**

SENSUEL

– Amateur de plaisirs sensuels **jouisseur, épicurien, sybarite, hédoniste**
– Une caresse sensuelle **érotique, lascive, voluptueuse**

SENTENCE

– La cour a rendu sa sentence **jugement, verdict, arrêt, décision, condamnation**
– Sentence populaire **proverbe, dicton**
– Sentence portant un jugement d'ordre général **axiome**
– Sentence qui exprime un enseignement **principe, précepte**
– Sentence énonçant une règle de conduite **maxime, devise, adage**
– Courte sentence résumant l'essentiel d'une question **aphorisme, apophtegme**
– Un discours qui contient des sentences **gnomique**

SENTENCIEUX

– Un style sentencieux **dogmatique, doctoral**
– Une attitude sentencieuse **solennelle, pompeuse, emphatique, prudhommesque, cérémonieuse, révérencieuse, maniérée, grave, affectée**

SENTEUR

syn. **arôme, odeur, parfum**
– Senteur provenant de la cuisine **fumet, effluve**
– Senteur d'un vin **bouquet**
– Senteur désagréable **fétidité, relent, remugle, puanteur, pestilence**
– Une plante qui répand une douce senteur **aromatique, odoriférante**

SENTIMENT

– Le sentiment d'exister **sensation, impression, conscience**
– Quel est votre sentiment sur la question ? **avis, opinion, point de vue, jugement**
– Éprouver un sentiment particulier **penchant, inclination, attachement**
– Vive manifestation d'un sentiment **débordement, épanchement, effusion**
– Ne trahir aucun sentiment **émotion, trouble, émoi**
– Qui laisse parler ses sentiments **démonstratif, expansif, exubérant**

SENTIMENTAL

– La vie sentimentale **affective, amoureuse, émotive**
– Un tempérament sentimental **tendre, sensible, romanesque, fleur bleue, romantique, vulnérable**

SENTINELLE

– Abrite la sentinelle **guérite, échauguette**
– Tour du château fort où se tenait la sentinelle **guette, guète**
– Changer les sentinelles **relayer, relever**
– Il se poste en sentinelle **garde, guetteur, surveillant, vigile, gardien**
– Matelot placé en sentinelle sur un bateau **veilleur, vigie**
– Sentinelle surveillant un champ de tir militaire **vedette**

SENTIR

– Le parfum des violettes se sentait dans la maison **exhalait (s'), répandait (se)**
– Sentir bon **embaumer, fleurer**
– Sentir mauvais **empester, empuantir, puer**
– Sentir l'odeur des bois **respirer, humer, renifler, flairer**
– Sentir la beauté d'une œuvre d'art **apprécier, estimer, goûter, percevoir**
– Sentir une présence **pressentir, deviner, discerner, soupçonner**
– Sentir une vive déception **ressentir, éprouver**
– Son égoïsme se faisait sentir dans ses paroles **apparaissait, manifestait (se), révélait (se), transparaissait, affleurait**

SÉPARATION

– Séparation dans un couple **rupture, divorce, désunion, répudiation**
– Séparation réglementée d'une population **ségrégation, discrimination, apartheid**
– Séparation qui mène à la destruction **dislocation, désagrégation**
– Séparation entre différents secteurs **clivage, cloisonnement, étanchéité**
– Séparation d'une minorité religieuse **schisme, hérésie**
– Adhère à un mouvement prônant la séparation **séparatiste, autonomiste, indépendantiste**
– Peut occasionner une séparation **querelle, désaccord, dissension, dissentiment, divergence, conflit, rejet**
– Séparation des membres d'un parti **scission**
– Cette province s'engage dans la voie de la séparation **dissidence, sécession**
– Séparation dans l'espace **distance, éloignement, exil, expatriation**
– Marque la séparation **borne, démarcation, délimitation, frontière, mur, barrière, cloison, fossé, gouffre**

SÉPARER

– Séparer des objets semblables **dépareiller**
– Séparer les éléments d'une paire **désaccoupler, déparier, désapparier**
– Séparer une famille **brouiller, désunir**
– Séparer les parties d'un discours **distinguer, dissocier, différencier**
– Séparer deux blocs de pierre **disjoindre, desceller**
– Séparer les données du problème **démêler, débrouiller, dégager, isoler, dissocier, analyser**
– Ce couple va se séparer **rompre, divorcer**
– Se séparer d'un employé **renvoyer, congédier, remercier, licencier, débaucher**

SEPT

– Bague, bracelet à sept anneaux **semaine**
– Bracelet à sept anneaux **semainier**

SEREIN

– Avoir l'air serein **tranquille, confiant**
– Conserver un visage serein **placide, impassible, imperturbable, flegmatique, détendu**
– Des vacances sereines **paisibles, tranquilles, calmes, heureuses, reposantes**
– Le ton est resté serein **impartial, dépassionné, objectif, modéré, pondéré**
– Un ciel serein **clair, pur, dégagé, ensoleillé**

SÉRIE

– Série de véhicules **convoi, caravane, file, train**
– Série de personnalités **groupe, brochette**
– Toute une série de personnes s'avançait

suite, succession, cortège, procession
– Une série ininterrompue d'injures **kyrielle, chapelet, litanie, énumération**
– Série qui se répète en suivant toujours le même ordre **cycle**
– Série en arithmétique **tranche, suite**
– Posséder une seule série de clefs **jeu**
– Disposer par séries **ranger, classer, sérier, hiérarchiser, ordonner, classifier, cataloguer**
– Films ou épisodes formant une série **serial, feuilleton, soap opera**
– Technique musicale fondée sur l'emploi de la série des douze sons **sérialisme, dodécaphonisme, musique sérielle**
– Des problèmes en série **en cascade, en chaîne**

SÉRIEUX

– Travailler avec sérieux **attention, vigilance, rigueur**
– Répondre avec sérieux **conviction**
– Il garde son sérieux lorsqu'il plaisante **pince-sans-rire**
– Une mine sérieuse **grave, sévère, austère, solennelle, froide, digne**
– Une conduite sérieuse **sage, raisonnable, posée, pondérée, réfléchie**
– Un élève sérieux **appliqué, soigneux, consciencieux, diligent**
– Un assistant sérieux **sûr, fiable, de confiance, loyal**
– Prendre un air sérieux **raide, empesé, compassé, affecté, docte**
– La situation est très sérieuse **inquiétante, alarmante, critique, dangereuse, périlleuse**
– Un motif sérieux **bon, valable, fondé**
– Éprouver des sentiments sérieux **véridiques, réels, sincères, durables, profonds**
– Avancer des preuves sérieuses **solides, tangibles, fondées, argumentées**

SERMENT

syn. **engagement, promesse**
– Une personne qui a prêté serment **assermentée**
– Des serments de fidélité **protestations, promesses, jurements**
– Faux serment **parjure**
– Revenir sur son serment **délier de (se), parjurer (se)**
– Serment prêté par les futurs médecins **serment d'Hippocrate**
– Le serment judiciaire peut être **décisoire, supplétoire**
– Serment de rendre un bien ou de se présenter en personne **caution juratoire**
– Serment religieux **vœu**
– Sous la Révolution, un prêtre ayant refusé de prêter serment **insermenté, réfractaire**

SERMON

syn. **homélie, morale, prêche**

– Faire un sermon à un enfant **réprimander, admonester, chapitrer, sermonner**
– Subir un sermon **remontrance, semonce, mercuriale, réprimande**
– Ce discours est un vrai sermon! **exhortation, objurgation, harangue, admonestation**

SERPENT

– Ordre auquel appartient le serpent **squamates, saurophidiens**
– Sous-ordre de serpents **ophidiens**
– Classe à laquelle appartient le serpent **reptiles**
– Cri du serpent **sifflement**
– Mode de locomotion du serpent **reptation**
– Serpent que l'on peut rencontrer dans nos régions **couleuvre, vipère d'Ursini, aspic, péliade**
– Serpent émettant un son avec sa queue **serpent à sonnette, crotale**
– Serpent qui serre sa proie dans ses anneaux jusqu'à l'étouffer **constricteur**
– Type de serpent constricteur **python, boa, anaconda**
– Serpent à lunettes **naja, cobra indien**
– Serpent de légende **vouivre, guivre**
– Serpent imaginaire à deux têtes **amphisbène**
– Serpent à neuf têtes de la mythologie grecque **hydre de Lerne**
– Culte rendu aux serpents **ophiolâtrie**
– En Orient, charmeur de serpents **psylle**
– Serpents entrelacés symbolisant la médecine et les professions paramédicales **caducée**
– Terme médical désignant l'intoxication par le venin du serpent **ophidisme**
– Une démarche qui évoque la façon de se déplacer du serpent **ondulante, serpentine, sinueuse**

SERRÉ

– Une robe très serrée **collante, moulante, près du corps**
– Avoir une petite écriture serrée **compacte, dense, ramassée**
– Le style serré d'un écrivain **concis, succinct, sobre, dépouillé, laconique**
– Une partie serrée **acharnée**
– Un jugement serré **précis, rigoureux**

SERRER

syn. **oppresser, tenir**
– Serrer dans ses bras **embrasser, enlacer, étreindre**
– Serrer les prisonniers dans une cellule **tasser, entasser, masser, comprimer**
– Serrer les lèvres d'un air offensé **pincer, crisper, contracter**
– Serrer les valises dans le coffre **coincer, caler**
– Serrer le frein à main d'une voiture **bloquer**

SCIENCES OCCULTES

Alchimie : transformation de métaux vulgaires en or (transmutation). L'alchimie se caractérise également par une quête spirituelle.

Astrologie : technique divinatoire fondée sur les relations entre le mouvement et la position des astres et les destinées individuelles et collectives des hommes.

Chiromancie : technique de divination qui repose sur l'examen des mains (forme et aspect) et des lignes inscrites au creux de la paume.

Décan (astrologie) : division de chaque signe astrologique en trois périodes, qui vont du premier au troisième décan.

Divination : appelée également mantique, la divination permet d'éclairer le passé, le présent et l'avenir. La divination s'appuie sur des techniques comme l'astrologie, la chiromancie et le jeu de tarot.

Ésotérisme : connaissances et pratiques réservées aux seuls initiés.

Médium : personne qui, par ses dons, permet d'entrer en contact avec les esprits. Le médium est un intermédiaire entre le monde terrestre et l'au-delà.

Psychokinésie : phénomènes et pratiques liés au déplacement surnaturel d'objets dans l'espace.

Spiritisme : doctrines et pratiques qui permettent d'entrer en communication avec les esprits des personnes disparues.

Tarot : technique de divination qui repose sur l'interprétation des figures symboliques d'un jeu de 78 lames (cartes).

– Serrer un boulon **visser**
– Pièce placée entre les mâchoires d'un étau pour protéger l'objet à serrer **mordache**
– Serrer sa cravate **nouer, ajuster**
– Serrer une voiture de près **frôler, raser**
– Serrer un corset **lacer**
– Serrer une voile **carguer**
– Serrer bout à bout **joindre, assembler, souder**
– Une ceinture qui serre la taille **bride, comprime, enserre, étrangle, souligne**
– Se serrer les uns contre les autres **blottir (se), pelotonner (se), agglutiner (s')**

SERRURE *Voir illustration p. 560*

– Partie de la serrure **pêne, gâche, têtière, coffre, goupille**
– Partie de la serrure actionnée par la clef **pêne dormant**
– Poignée qui commande la serrure **bouton, béquille, clenche, bec-de-cane**
– Permet d'ouvrir toutes les serrures **passe-partout, rossignol**
– Type de serrure **à larder, encloison-**

---

née, tubulaire, à cylindre, bénarde, de sûreté à gorges, à entailler, à barillet, de sûreté à pompe
– Forcer une serrure à l'aide d'un crochet **crocheter**

SERRURIER

– Sac contenant les outils du serrurier **ferrière**
– Serrurier qui confectionne des garnitures artistiques en fer forgé **ferronnier**

SERVANTE

– Servante au théâtre **soubrette**
– Servante qui avait la fonction de femme de chambre **cámériste, camérière, chambrière**
– Servante qui a aussi un rôle de dame de compagnie **suivante, gouvernante**
– Servante qui a pris l'autorité d'une maîtresse de maison **servante-maîtresse**

SERVIABLE

– Un domestique serviable **dévoué, empressé, zélé, déférent**
– Un voisin serviable **obligeant, secourable, officieux, poli**
– Un prétendant très serviable **attentionné, prévenant, courtois, galant**
– Personne trop serviable, qui finit par se mêler de tout **ardélion**

SERVICE

– Demander un service à un ami **aide, assistance, faveur, grâce**
– Être de service toute la nuit **garde, permanence, astreinte**
– Être en service **activité, fonction**
– Le service compétent **bureau**
– Un service dominant dans une entreprise **section, secteur, département, branche, organe**
– Services secrets français **DGSE**
– Services secrets étrangers **CIA (États-Unis), Intelligence Service (Grande-Bretagne), KGB (ex-URSS), FSB (Russie) Mossad (Israël)**
– Service funèbre **funérailles, enterrement, obsèques, crémation**
– Assister au service religieux **cérémonie, messe, office**
– Bus qui assure le service entre deux endroits **navette**
– Période de service sur un navire **quart**

SERVIETTE

– Serviette de toilette **serviette-éponge**
– Grande serviette de bain **drap de bain, sortie de bain**
– S'utilise comme une petite serviette de toilette **essuie-mains**
– La serviette d'un élève **cartable, porte-documents, sacoche, sac**

SERVILE

syn. **complaisant, esclave, flagorneur**

– Une nature servile **obéissante, soumise, assujettie**
– Avoir une attitude servile face à un supérieur **rampante, obséquieuse**
– Une mentalité servile **basse, vile, abjecte, ignoble**
– Caractérisent une attitude servile **courbettes, prosternations, génuflexions, flatteries, flagornerie, veulerie**

SERVIR

– Servir d'exemple **faire fonction de, tenir lieu de**
– Servir les desseins de quelqu'un **avantager, appuyer, favoriser, aider, seconder, soutenir, assister**
– Se servir d'un objet **user de, utiliser, employer, recourir à, faire usage de**
– Se servir toujours chez le même commerçant **fournir (se), approvisionner (s'), ravitailler (se)**
– Se servir des autres **exploiter**

SERVITUDE

syn. **asservissement, esclavage, joug, soumission**
– Elle s'est libérée de toute servitude **contrainte, obligation, sujétion, coercition, pression, tyrannie**
– En droit, servitude qui interdit à un propriétaire d'ériger un bâtiment trop haut sur son terrain **servitude non altius tollendi**
– En droit, servitude qui interdit à un propriétaire de bâtir sur son terrain **servitude non aedificandi**
– En droit, servitude qui oblige un propriétaire à laisser son voisin prendre appui temporairement sur son terrain **servitude d'échelage**
– Servitude qui oblige un propriétaire à laisser un passage le long du cours d'eau qui borde son terrain **servitude de halage, servitude de marchepied**

SEUIL

– Seuil d'une maison **pas de la porte**
– Franchir le seuil **entrer, pénétrer**
– Le seuil d'une nouvelle vie **début, commencement, départ**
– Dépasser le seuil autorisé **limite, point**
– Le seuil d'une ère nouvelle **avènement**
– Le seuil de la vie humaine **enfance, adolescence**
– Le seuil du jour **aube, aurore, orée du jour, matin**

SEUL

– Seul à seul **en tête à tête**
– Personne qui aime être seule **solitaire, autonome, indépendante, sauvage, insociable, asociale, individualiste**
– Se sentir seul **esseulé, abandonné, délaissé, oublié, mis à l'écart**
– Se retrouver volontairement seul pour travailler **isoler (s'), retirer (se)**

– Parler tout seul **monologuer, soliloquer**
– Être seul en son genre **spécial, particulier, singulier, unique, original**
– Avoir une seule passion **exclusive, unique**
– Religieux qui vit seul et retiré du monde **reclus, ermite, anachorète, ascète**

SÈVE

– Une sève ascendante **brute**
– Une sève descendante **élaborée**
– Écoulement de sève **pleur**
– Incision pratiquée dans un arbre pour stopper la descente de sève **baguage**
– La sève de la jeunesse **énergie, vitalité, force, vigueur, dynamisme**

SÉVÈRE

– Des mesures très sévères **strictes, rigoureuses, draconiennes, fermes, rigides**
– Émettre une critique sévère **aiguë, âpre, cinglante, rigoureuse**
– Un front sévère **sourcilleux**
– Un juge sévère **impitoyable, intraitable, implacable, inexorable, intransigeant, inflexible, inébranlable**
– Un ton sévère **froid, sec, autoritaire, rébarbatif**
– Une construction d'allure sévère **austère, dépouillée, simple, sobre**
– Être sévère envers soi-même **exigeant**
– Élever ses enfants de manière sévère **à la spartiate, à la dure**

SEXE

– Sexe masculin **pénis, verge, phallus, membre**
– Homme dont on a mutilé le sexe **castrat, eunuque**
– Un homme au sexe mutilé **castré, châtré, émasculé**
– Qui possède les deux sexes **bisexué, hermaphrodite, androgyne**
– Pourvu d'un seul sexe **unisexué**
– Individu qui a changé de sexe **transsexuel**
– Attirance sexuelle pour les personnes du même sexe **homosexualité, pédérastie, uranisme, saphisme, lesbianisme, inversion**
– Femme attirée par les personnes de son sexe **lesbienne, tribade**
– Personne qui se pare des vêtements de l'autre sexe **travesti, travelo, drag queen**
– Inégalité fondée sur le sexe **sexisme, misogynie, machisme, phallocratie, misandrie**
– Rapport numérique entre les sexes dans une population **sex-ratio**
– Une mode identique pour les deux sexes **unisexe, mixte**
– Égalité entre les sexes **parité**

SEXUALITÉ

– Déviation de la sexualité **sadisme,**

masochisme, fétichisme, voyeurisme, exhibitionnisme, zoophilie, pédophilie
– Trouble de la sexualité **frigidité, impuissance, nymphomanie, satyriasis, priapisme, éjaculation précoce, vaginisme, dyspareunie**
– Refus de laisser s'exprimer sa sexualité **refoulement, inhibition**
– Étude de la sexualité **sexologie, érotologie**
– Traitement des troubles de la sexualité **sexothérapie**

SEXUEL

– Les organes sexuels **reproducteurs, génitaux**
– Déchirure de l'hymen lors du premier rapport sexuel d'une jeune fille **défloration**
– Rapport sexuel **accouplement, coït, fornication, copulation**
– Contraceptif utilisé si l'on a des rapports sexuels **préservatif, spermicide, diaphragme, stérilet, pilule**
– Point culminant du plaisir sexuel **orgasme, acmé**
– Une zone qui provoque un plaisir sexuel **érogène**
– Un regard où se lit le désir sexuel **concupiscent, libidineux, lascif**
– Substance qui excite le désir sexuel **aphrodisiaque**
– Charme qui provoque le désir sexuel **sex-appeal, appâts, vénusté**
– Pulsions sexuelles **libido**
– Appétit sexuel **aphrodisie**
– Pratique sexuelle solitaire **masturbation, onanisme**
– Perte du désir sexuel **anaphrodisie**
– Maladie transmise par les voies sexuelles **maladie vénérienne, MST (maladie sexuellement transmissible)**
– Médecine traitant les maladies transmises par les rapports sexuels **vénéréologie**
– Des représentations sexuelles obscènes **pornographiques**
– Un individu qui n'a pas de relations sexuelles **chaste, abstinent, continent, ascétique**
– Mutilation des organes sexuels **castration, émasculation, excision, clitoridectomie**
– Une plaisanterie d'ordre sexuel **salace, lubrique, grivoise, obscène, licencieuse**
– Acte sexuel chez les animaux **copulation, saillie, monte, lutte**

SHOPPING

– Faire du shopping **lèche-vitrines**
– Le shopping au Québec **magasinage**

SIDA

– Dénomination internationale du virus du sida **HIV**

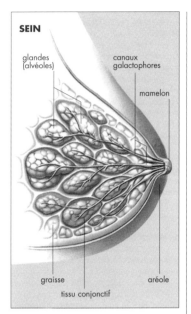

SEIN

glandes (alvéoles)

canaux galactophores

mamelon

graisse

aréole

tissu conjonctif

– Abréviation américaine qui désigne le sida **AIDS**
– Mode de contamination du sida **sang, sperme, lait maternel**
– Présence dans le sang d'anticorps anti-HIV attestant le contact avec le virus du sida **séropositivité**
– Médicament pour combattre le sida **AZT, DDI**

SIDÉRÉ
– Demeurer sidéré devant un spectacle inattendu **effaré, ahuri, ébahi, ébaubi**
– J'ai été sidéré par cette nouvelle **stupéfié, abasourdi, foudroyé, anéanti, hébété**
– Sidéré, il n'a su que répondre **décontenancé, interloqué, interdit, pétrifié, médusé**

SIÈCLE
– Période de dix siècles **millénaire**
– Des traditions de plusieurs siècles **centenaires, séculaires**
– Il faut vivre avec son siècle **temps, époque**

SIÈGE *Voir illustration p. 563*
– Art de mener le siège **poliorcétique**
– Faire le siège **cerner, encercler, assiéger, investir**
– Le siège d'une ville **blocus**
– Lignes de défense des assiégeants lors d'un siège **circonvallation, contrevallation**
– Opération de défense des assiégés lors d'un siège **sortie**
– Sentiment fébrile qui atteint la popula-

tion lors d'un siège **fièvre obsidionale**
– Une ville qui résiste à tous les sièges **imprenable, inexpugnable**
– Siège d'une maladie **centre, base, foyer, cœur**
– Siège repliable **pliant, strapontin**
– Siège à deux places en forme de S **confident**

SIÉGER
– Siéger en bout de table **trôner, présider**

SIFFLER
– Siffler un air **siffloter**
– Siffler les acteurs d'une pièce de théâtre **huer, conspuer**
– Une respiration qui siffle **sibilante**

SIFFLET
– Type de sifflet **à roulette, à bec, à vapeur, à air comprimé**
– Sifflet employé pour attirer un oiseau **appeau, pipeau**
– Tailler en sifflet **en biseau**

SIGNAL
– Ensemble de signaux **signalisation, balisage, code**
– Personne chargée du service des signaux **signaleur**
– Signal visuel **drapeau, disque, sémaphore, pavillon, flamme**
– Signal lumineux d'un véhicule **feu, fanal, phare**
– Signal sonore **cloche, sifflet, sirène, gong, tocsin, glas, sonnerie, alarme, bip**
– Signal sonore d'un véhicule **Klaxon, avertisseur, corne, trompe**
– Signal en mer **bouée, flotteur, balise, vigie**
– Signal sonore indiquant du brouillard en mer **corne de brume**
– Édifice situé sur la côte pour servir de signal aux marins **phare, amer**
– Signaux de détresse lancés en mer **fusées**
– Appareil permettant de décrypter les signaux de morse **sounder**
– Signal de détresse de l'alphabet Morse **SOS**
– Signal donné aux cavaliers pour leur ordonner de seller leur cheval **boute-selle**
– Vous partirez à mon signal **signe, appel, ordre**

SIGNALÉ
– Un fait signalé **notable, insigne, remarquable, important**

SIGNALEMENT
– Élément qui aide à établir un signalement **signe particulier, signe distinctif**
– Fiche qui donne le signalement d'une personne **signalétique, anthropométrique**

SIGNALER
syn. **alerter, désigner, indiquer**
– Le journal signale une série de cambriolages **cite, mentionne, fait mention de, évoque, parle de, décrit**
– Signaler une erreur **montrer, souligner, faire observer, dénoncer, faire remarquer**
– Le ton de sa voix signalait une colère contenue **marquait, révélait, dénotait, trahissait**
– Se signaler par une action d'éclat **faire remarquer (se), distinguer (se), illustrer (s'), singulariser (se), paraître**

SIGNATURE
– Signature stylisée **croix, initiales, paraphe, monogramme, griffe, sceau**
– Signature apposée en marge d'un texte **émargement**
– Signature au bas d'une page blanche **blanc-seing**
– Signature qui a valeur d'approbation **souscription**
– Signature sur un acte officiel **seing, contreseing**
– Imitation d'une signature **contrefaçon, faux**
– Personne qui a apposé sa signature **signataire, soussigné, auteur, rédacteur**

SIGNE
– C'est un bon signe pour l'avenir **présage, augure, promesse**
– Ce malaise est un signe **avertissement, alerte**
– Chercher un signe **indice, trace, repère, preuve**
– Faire un signe pour annoncer le départ **geste, signal**
– La colombe comme signe de la paix **figure, image, métaphore, représentation, emblème, symbole, allégorie**
– Ses cernes sont le signe de sa fatigue **indication, manifestation, expression, traduction**
– Signe avant-coureur **prodrome**
– Signe qui révèle une maladie **symptôme**
– Ensemble des signes caractérisant une maladie **syndrome**
– Un signe distinctif **trait, caractère, attribut, marque, particularité, caractéristique**
– Signe graphique représentant une idée **hiéroglyphe, idéogramme, pictogramme, logogramme**
– Signe graphique représentant une société **logo(type)**
– Signe représentant un grade ou une dignité **insigne, décoration, galon, médaille, croix**
– Signe typographique représentant la conjonction de coordination « et » **esperluette (&)**

– Science des systèmes de signes **sémiologie**
– Forme sonore ou graphique d'un signe linguistique **signifiant**
– Concept d'un signe linguistique **signifié**

SIGNER
– Signer au verso d'un chèque **endosser**
– Signer en second **contresigner**

SIGNIFICATION
– Ce mot a deux significations **acceptions, sens**
– Signification d'un discours **contenu, idée, teneur**
– Signification d'un terme dans un texte **force, portée, valeur**
– Un comportement dont la signification est claire **parlant, significatif, révélateur, expressif, éloquent**
– Signification d'une décision juridique **notification**

SIGNIFIER
syn. **désigner, impliquer, vouloir dire**
– Signifier à quelqu'un de déguerpir **sommer, enjoindre, ordonner**
– Signifier légalement **notifier, intimer, mettre en demeure**

SILENCE
– Silence ! chut !, motus !
– Un moment de silence **calme, tranquillité, sérénité, quiétude, paix**
– Silence dans la conversation **blanc, interruption, arrêt**
– Silence lourd de signification **sous-entendu, non-dit**
– Un silence en musique **pause, demi-pause, soupir, demi-soupir, quart de soupir**
– Silence d'une personne **mutisme**
– Acheter le silence d'une personne **corrompre, soudoyer**
– Réduit au silence à cause d'une extinction de voix **aphone**
– Passer sous silence **taire, omettre, dissimuler, celer**
– Réduire au silence **bâillonner, museler, censurer**
– Exiger le silence autour d'une affaire **discrétion, secret**
– En silence **en sourdine, discrètement, silencieusement, sans bruit**
– Loi du silence **omerta**

SILENCIEUX
– Le quartier était silencieux **quiet, endormi, tranquille, paisible**
– Un homme silencieux **réservé, renfermé, taciturne, ténébreux, discret, secret, mutique**
– Une ambiance silencieuse **feutrée, ouatée, calme**
– Un accord silencieux **implicite, tacite**

SILHOUETTE
– Une belle silhouette **allure, ligne, galbe, aspect**
– Une silhouette se détache dans la lumière **image, figure, profil, contour, tracé, forme**
– Silhouette projetée sur un écran **ombre chinoise**

SILLON
– Instrument de labour utilisé autrefois pour creuser les sillons **araire**
– Sillon laissé par un araire ou une charrue **raie**
– Sillon dans lequel on sème des graines ou repique de jeunes plants **rigole**
– Corde tendue entre deux piquets permettant de tracer un sillon **cordeau**
– Sillon tracé le long du cordeau, en horticulture **rayon**
– Monticule de terre entre deux sillons obtenu lorsqu'on laboure en adossant **billon**
– De la forme d'un sillon **sulciforme**
– Trace ayant la forme d'un sillon **sulcature**

SIMAGRÉES
– Faire des simagrées **chichis, façons, manières, embarras, cérémonies, minauderies, caprices**
– Son comportement n'est que simagrées **comédie, affectation, hypocrisie, singeries**
– Elle faisait des simagrées pour attirer l'attention **minaudait**

SIMILITUDE
– Une certaine similitude **rapport, ressemblance, analogie, parenté, lien**
– Une grande similitude **identité, parité, conformité**
– Une similitude d'opinions **correspondance, concordance, communauté, harmonie, corrélation**
– Cas de similitude en géométrie **homothétie, symétrie**

SIMPLE
– Ce n'est qu'un simple objet **ordinaire, vulgaire, banal, usuel, commun**
– Employer un langage simple **courant, familier, accessible**
– C'est la simple vérité **pure, seule**
– Savoir rester simple **modeste, humble**
– Un élément simple **indécomposable, indivisible, irréductible, premier**
– Un exposé simple **clair, compréhensible, limpide, lumineux, concis**
– Une façon simple de procéder **facile, commode, aisée, pratique**
– Une jeune femme simple **naturelle**
– Un style volontairement simple **dépouillé, sobre, classique**
– Le repas sera très simple **sans façons, sans cérémonie, sans prétention, à la**

fortune du pot, à la bonne franquette, **frugal**
– Un esprit trop simple **naïf, crédule, innocent, ingénu, candide, simplet, niais, faible**
– Une vision trop simple des choses **primaire, simpliste, réductrice, schématique, sommaire, pauvre, limitée, rudimentaire, manichéenne**

SIMPLICITÉ
– Se comporter avec simplicité **humilité, spontanéité, naturel, modestie, sincérité**
– Admirer la simplicité d'un décor **dépouillement, austérité, sobriété**
– S'expliquer avec quelqu'un en toute simplicité **franchise**

SIMPLIFIÉ
– La représentation simplifiée d'un objet **schématisée, stylisée, épurée, rudimentaire**
– Avoir une vision simplifiée d'une situation **schématique, caricaturale, simpliste, primaire, sommaire, manichéenne**

SIMPLIFIER
– Simplifier un texte **abréger, résumer, alléger, condenser, raccourcir, vulgariser**
– Simplifier les conditions de travail **faciliter, améliorer, adoucir**

SIMULTANÉ
– Événements simultanés **synchrones, concomitants, contemporains**
– Mouvements simultanés **synchronisés, à l'unisson**
– Circonstances qui, par le plus grand des hasards, sont simultanées **coïncidentes**

SINCÈRE
– Un homme sincère **franc, loyal, droit, de bonne foi, vérace, fiable, ouvert**
– Un compte rendu sincère **exact, juste, véridique, fidèle, honnête**
– Un engagement sincère **véritable, authentique, vrai, profond, sérieux**
– Parler de façon sincère **à cœur ouvert, franchement, loyalement**

SINGE
– Ordre auquel appartient le singe **primates**
– Sous-ordre auquel appartient le singe **simiens**
– Abusivement appelé singe **paresseux, aï, unau, bradype**
– Homme-singe de la préhistoire **pithécanthrope, sinanthrope, anthropopithèque**
– Un visage qui rappelle celui d'un singe **simiesque**
– Manger du singe **corned-beef**

SELLE

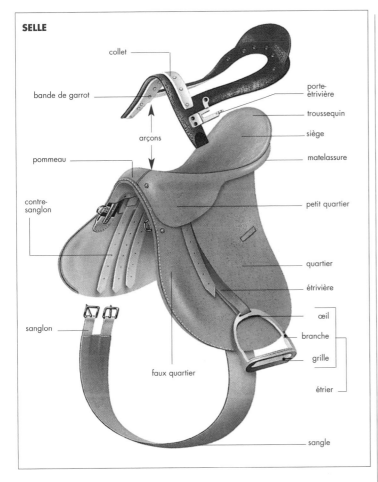

collet
bande de garrot
arçons
pommeau
contre-sanglon
sanglon
faux quartier
porte-étrivière
troussequin
siège
matelassure
petit quartier
quartier
étrivière
œil
branche
grille
étrier
sangle

– Il fait le singe **grimaces, mimiques, pitreries, singeries, clowneries**

SINGULARITÉ
– La singularité de chacun **particularité, unicité, individualité, spécificité**
– Se distinguer par sa singularité **excentricité, extravagance, originalité, bizarrerie**

SINGULIER
– C'est singulier! **anormal, curieux, étonnant, surprenant, inexplicable, drôle**
– Avoir des idées singulières **biscornues, farfelues, fantasques, abracadabrantes, ahurissantes, délirantes, baroques**
– Des manières singulières **bizarres, étranges, insolites, inhabituelles**
– L'emploi singulier d'un mot **rare, inusité, peu courant**
– Une destinée singulière **extraordinaire, exceptionnelle, fantastique, prodi-**

gieuse, inouïe, incroyable, féerique, merveilleuse, inimaginable
– Une œuvre singulière **originale, inédite, novatrice**
– Combat singulier **duel, rencontre**

SINISTRE /1
syn. **dégât, ravage**
– Sinistre en termes d'assurances **dommage, perte, préjudice, catastrophe**
– Type de sinistre **accident, incendie, inondation, tremblement de terre, ouragan, cyclone, cataclysme, tornade**

SINISTRE /2
– Une sinistre prophétie **funeste**
– Un homme au visage sinistre **menaçant, méchant, patibulaire, peu rassurant, mauvais**
– Un air sinistre **triste, sombre, maussade, abattu, taciturne, malheureux, malfaisant**
– Une voix sinistre **caverneuse, sépulcrale, d'outre-tombe**

– Une mise en scène sinistre **funèbre, macabre, morbide**
– Une soirée sinistre **lugubre, morose, mortelle, ennuyeuse**
– Une vieille demeure sinistre **inquiétante, angoissante, effrayante, terrifiante**
– C'est un sinistre idiot! **lamentable, misérable, sombre**

SINUEUX
– Forme sinueuse d'un fleuve **méandre, courbe, lacet**
– La route est sinueuse **en lacet, en zigzag, en S**
– Une ligne sinueuse **ondoyante, serpentine, ondulante**
– Un style sinueux **contourné, compliqué, maniéré, précieux, affecté, alambiqué, tarabiscoté, quintessencié, sophistiqué, amphigourique**
– Des procédés sinueux **tordus, tortueux, retors, détournés, méandreux**

SIROCCO
– Nom du sirocco au Maroc **chergui**
– Vent du désert autre que le sirocco **simoun**
– Vent égyptien comparable au sirocco **khamsin, chamsin**

SIROP
– Sirop provenant de la fabrication du sucre **mélasse**
– Sirop pour soigner la toux **pectoral, expectorant, antitussif**
– Médicament ayant la même consistance qu'un sirop **looch**
– Sirop médicinal à base d'opium **diacode**
– Une consistance semblable à celle d'un sirop **épaisse, sirupeuse, visqueuse, liquoreuse**

SITE
voir aussi **Internet**
– Site naturel **lieu, paysage, décor, point de vue, panorama, étendue, endroit, cadre**
– Un site de fouilles **archéologique**
– Site naturel classé au patrimoine national **parc national, réserve naturelle**
– Mesure de protection d'un site **classement à l'Inventaire, inscription à l'Inventaire, expropriation**
– Page d'accueil d'un site Web **homepage**
– Site de communication et d'échange entre les internautes **forum**
– Site d'échanges de fichiers **FTP (*file transfer protocol*)**
– Personne responsable d'un site Web **webmaster, administrateur de site, maître-toile**
– Se déplacer de site Web en site Web **surfer, naviguer**

SITUATION
– Situation géographique d'un lieu **emplacement, localisation**
– Situation d'une maison par rapport au soleil **exposition, orientation**
– Situation d'un compte en banque **état, position**
– La situation actuelle **circonstances, conjoncture, contexte**
– Situation sociale d'une personne **rang, échelon, condition, fonction**
– Trouver une bonne situation **emploi, place, poste, métier, travail**
– Se trouver dans une situation délicate **posture**

SITUER
– Situer un endroit sur une carte **localiser**
– Situer des œuvres dans leur contexte **placer, replacer, ranger, classer**
– Un personnage difficile à situer **cerner, définir**
– Se situer pour ou contre **positionner (se), déterminer (se), prendre position, prendre parti**

SIX
– Figure géométrique à six côtés **hexagone**
– Ensemble composé de six musiciens **sextuor**
– Strophe comptant six vers **sizain, sixain**
– Vers de six pieds **hexamètre**
– Personne ayant six doigts au pied ou à la main **sexdigitaire**
– Multiplier un chiffre par six **sextupler**

SKI
– Type de ski **ski compact, ski performant, ski de compétition, ski de free style, monoski, snowboard**
– Partie du ski qui glisse sur la neige **patin, semelle**
– Partie de la fixation de la chaussure sur le ski **butée, talonnière**
– Enduit étalé sur la semelle du ski pour en augmenter le glissement **fart**
– Type de remontée mécanique empruntée lorsque l'on fait du ski **tire-fesses, télésiège, téléphérique, œuf, téléski, remonte-pente, télécabine, funiculaire**
– Petit véhicule motorisé muni de skis **motoneige, motoski**
– Épreuve de compétition au ski nautique **figures, slalom, saut**
– Discipline du ski nautique qui se pratique pieds nus **barefoot**

SNOB
syn. **affecté, apprêté, bêcheur, distant, emprunté, faux, mondain, précieux, salonnard, suffisant, snobinard, supérieur**
– Avoir une attitude snob **dédaigner, mépriser, snober**

SOBRE
– Avoir des goûts sobres **simples, classiques**
– Se contenter d'un repas sobre **léger, maigre, frugal**
– Mener une vie sobre **austère, continente, abstinente, monacale**
– Un style sobre **concis, dépouillé, laconique**
– Un professeur sobre en compliments **avare de**
– Être sobre **mesuré, tempéré, modéré, pondéré**
– Être sobre en paroles **discret, réservé, renfermé, peu loquace**

SOCIABLE
– Le voisin pourrait être plus sociable **poli, aimable, courtois, gracieux**
– Être doté d'un caractère sociable **ouvert, liant, engageant, affable**
– Cet enfant doit devenir plus sociable **adapter (s'), socialiser (se), civiliser (se)**

SOCIAL
– Avoir le sens des rapports sociaux **contacts**
– Avoir une vie sociale **mondaine, publique**
– Étude des structures sociales **sociologie**
– Les conditions de la vie sociale **sociétales**
– Instinct social **socialité**
– Tendance à ne considérer que la dimension sociale des événements **sociocentrisme**

SOCIALISME
– Théorie véhiculée par le socialisme **égalitarisme, progressisme**
– Sympathisant du socialisme **socialisant**
– Socialisme qui revendique la liberté de l'individu **libertaire, révolutionnaire**
– Socialisme britannique **travaillisme**
– Idéologie qui s'oppose au socialisme **libéralisme, capitalisme**

SOCIALISTE
– Doctrine socialiste **saint-simonisme, fouriérisme**
– Système économique socialiste **collectivisme, coopératisme, étatisme**
– Ancien nom du parti socialiste français **SFIO (Section française de l'Internationale ouvrière)**

SOCIÉTÉ
syn. **civilisation, culture, État, nation**
– Forme une société **corps social**
– Convention qui lie les membres d'une société **contrat social**
– Étude des relations entre les membres d'une société **sociométrie**
– Étude des sociétés humaines **ethnologie**

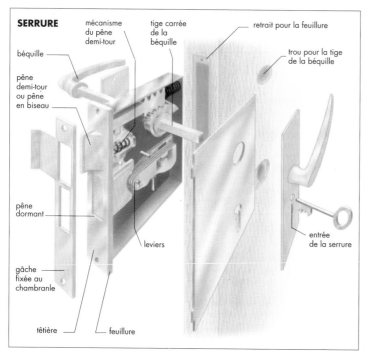

SERRURE

mécanisme du pêne demi-tour
tige carrée de la béquille
retrait pour la feuillure
trou pour la tige de la béquille
béquille
pêne demi-tour ou pêne en biseau
pêne dormant
leviers
entrée de la serrure
gâche fixée au chambranle
têtière
feuillure

– Vivre au sein d'une société **communauté, collectivité**
– Capacité à vivre en société **sociabilité**
– Volonté de créer une société idéale **socialisme utopique**
– Volonté de libérer la société de toute autorité gouvernementale **anarchisme**
– Doctrine condamnant la société de consommation **situationnisme**
– La haute société **aristocratie, gentry, jet-society, jet-set, hautes sphères, élite**
– Une société très fermée **cercle, club, clan, tribu**
– Il fréquente une société cosmopolite **monde, univers, milieu**
– Société qui rassemble les membres d'une même profession **corporation, confrérie, guilde**
– Société formée pour défendre des intérêts communs **alliance, ligue, coalition, syndicat**
– Créer une société de protection de la nature **association**
– Être à la tête d'une société **compagnie, entreprise, maison, affaire, firme, établissement**
– Groupement de sociétés **cartel, consortium, trust, holding, conglomérat, pool**
– Société financière ou commerciale qui se livre à toutes sortes d'opérations **omnium**
– Société économique fondée sur le principe de l'égalité **coopération**
– Mouvement de sociétés initiatiques se regroupant par corps de métier **compagnonnage**
– Société initiatique **Rose-Croix, franc-maçonnerie**
– Société secrète de malfaiteurs **mafia, yakusa**
– Nom des membres d'une société secrète et révolutionnaire italienne du début du XIXe siècle **carbonari**

SOCLE
– Socle supportant une statue **piédestal, piédouche, acrotère, support**
– Socle supportant une rangée de colonnes **stylobate**

SŒUR
– Frères et sœurs d'une famille **fratrie**
– Sœur cadette **puînée**
– Des sœurs ayant la même mère **utérines**
– Des sœurs ayant le même père **consanguines**
– Les rapports entre deux sœurs **sororaux**
– Assassinat de sa sœur **fratricide**
– Les sœurs filandières de la mythologie romaine **les Parques, les Fata**
– Les sœurs filandières de la mythologie grecque **les Moires**

– Sœur dans la religion catholique **nonne, carmélite, béguine, religieuse, moniale**

SOI
– Amour de soi **narcissisme, égoïsme, égocentrisme, amour-propre**
– Contrôle de soi **self-control**
– Prendre sur soi **assumer, endosser, revendiquer**

SOIE
– Élevage des vers à soie **sériciculture**
– Ver à soie qui produit la soie naturelle **bombyx du mûrier**
– Élaboration du cocon par le ver à soie **coconnage**
– État intermédiaire du ver à soie entre la larve et le papillon **nymphe, chrysalide**
– Étape de la fabrication de la soie **battage, dévidage, moulinage, filature, croisure, décreusage**
– Étoffe réalisée avec des déchets de soie **bourrette, doupion, schappe**
– Fil de soie utilisé pour la trame d'une étoffe **organsin**
– Tissu de soie **faille, taffetas, pongé, twill, reps, marceline**
– Tissu de soie ou de coton **batik, satin**
– Épais tissu de soie utilisé en ameublement **lampas**
– Soie à l'état brut **soie grège**
– Toile de soie sauvage **tussah, shantung**
– Type de soie animale **soie naturelle, soie sauvage**
– Toile indienne dont la trame était à l'origine en soie **madras**
– Tissu de soie rehaussé de fils d'or **brocart**
– Rayonne ayant l'aspect de la soie **japonette**
– Velours de soie ou de rayonne **panne**
– Fibre qui rappelle le cocon du ver à soie **kapok**
– Fabricant de soie lyonnais **canut, soyeux**

SOIF
– Satisfaire sa soif **calmer, apaiser, étancher, assouvir**
– Une boisson qui apaise la soif **désaltère, rafraîchit**
– Jusqu'à plus soif **à satiété, ad libitum**
– Cette nourriture donne soif **altère, assoiffe**
– Soif irraisonnée et maladive d'alcool **dipsomanie**
– Une soif d'inconnu **envie, désir, tentation, appétit, faim, quête, volonté, convoitise**

SOIGNÉ
– Porter une toilette soignée **étudiée, recherchée, raffinée, élégante, sophistiquée**
– Un travail soigné **fini, poli, fignolé, léché, perlé, consciencieux, minutieux**

– Une écriture soignée **propre, nette, lisible, élégante, stylée, calligraphiée**
– Un intérieur soigné **avenant, élégant, coquet, bien tenu**

SOIGNER
– Soigner une maladie **traiter**
– Une substance qui a la vertu de soigner **médicinale, curative**
– Se rendre chez le médecin pour se faire soigner **consulter**
– Établi pour soigner une maladie **traitement, médication, ordonnance**
– Soigner un bras blessé **panser**
– Soigner son discours **travailler, parfaire, raffiner, perler, ciseler, peaufiner**
– Soigner une manie **entretenir, cultiver, choyer**

SOIGNEUX
– Des élèves soigneux **appliqués, consciencieux, attentifs**
– Être soigneux avec ses affaires **minutieux, méticuleux, délicat, ordonné**
– Une étude soigneuse **sérieuse, approfondie, rigoureuse**
– Être soigneux de ses intérêts **préoccupé, soucieux**

SOIN
syn. **application, attention, méticulosité, minutie, rigueur, vigilance**
– Des soins attentifs **attentionnés, prévenants, empressés, diligents**
– Être aux petits soins pour un enfant malade **dorloter, choyer, bichonner, couver, cajoler**
– Prendre soin d'un objet **ménager, entretenir, réparer**
– Prendre soin de verrouiller la porte **songer à, veiller à**
– Laisser à autrui le soin de mener à bien une négociation **devoir, charge, responsabilité, mission**
– Personnel qui donne des soins **soignant, infirmier**
– Personne qui procure des soins à un sportif **soigneur, masseur, kinésithérapeute, ostéopathe**
– Lieu où l'on dispense, gratuitement ou pas, des soins médicaux **dispensaire, hôpital**

SOIR
– La lumière du soir **vespérale, crépusculaire**
– Réunion ou fête du soir **veillée, soirée, bal, boum, surprise-partie**
– Concert joué le soir sous les fenêtres d'une personne aimée **sérénade, aubade**
– Office religieux du soir **complies**

SOIRÉE
– Organiser une soirée **fête, réception, dîner**
– Une soirée costumée **bal, carnaval**

SOIXANTE
– Environ soixante personnes **une soixantaine**
– Personne dont l'âge est compris entre soixante et soixante-dix ans **sexagénaire**
– Les années soixante **sixties**
– Une numération en base soixante **sexagésimale**

SOIXANTE-DIX
– Soixante-dix dans certains pays francophones **septante**

SOL
– Aménager un sol **surface, terrain**
– Couche résiduelle répandue sur un sol **humus**
– Sol cultivé **glèbe**
– Type de sol des régions atlantiques tempérées **pseudogley**
– Sol typique des forêts de conifères **podzol**
– Sol caractéristique des steppes **tchernoziom**
– Revêtement du sol des chaussées **goudron, bitume, asphalte**
– Science du sol **pédologie**
– Glissement du sol en géologie **solifluxion**
– Étude de la concentration de métaux dans le sol **gitologie**

SOLAIRE *Voir illustration système solaire, p. 564*
– Planète du système solaire **Mercure, Vénus, Terre, Mars, Jupiter, Saturne, Uranus, Neptune, Pluton**
– Application domestique de l'énergie solaire **électricité photovoltaïque, chauffe-eau, chauffage, piscine solaire**
– Cadran solaire **gnomon**

SOLDAT
– Paie du soldat **solde**
– Une horde de soldats **guerriers, combattants, conquérants**
– Ensemble des soldats combattant à pied **infanterie**
– Soldat qui appartient à l'infanterie **fantassin, biffin**
– Soldat employé au terrassement **sapeur, pionnier**
– Soldat envoyé en avant **éclaireur, franc-tireur, tirailleur**
– Soldat qui vient d'être engagé **recrue, conscrit, bleu, bleusaille**
– Soldat sous contrat **mercenaire**
– Vieux soldat chevronné **briscard, vétéran**
– Soldat brutal et grossier **reître, soudard**
– Nom familier donné à un soldat de la garde nationale mobile **moblot**
– Soldat anglais **tommy**
– Soldat de la cavalerie de la garde royale anglaise **horse-guard**

– Ancien soldat de la cavalerie hongroise **hussard**
– Ancien soldat turc **spahi, bachi-bouzouk, janissaire**
– Soldat d'infanterie de l'armée grecque **evzone**
– Soldat autochtone servant dans l'armée des Indes **cipaye**
– Soldat de l'Antiquité **frondeur, hoplite, phalangiste, vélite**
– Soldat au Moyen Âge et sous l'Ancien Régime **arbalétrier, archer, arquebusier, carabinier, pertuisanier**
– Soldat de la cavalerie sous Louis XIV **dragon**
– Soldat de la Vieille Garde sous l'Empire **grognard**
– Soldat de la Commune de Paris en 1871 **fédéré**
– Soldat ayant combattu durant la guerre de 1914-1918 **poilu**
– Le comique propre au soldat **troupier**
– Comportement du soldat **soldatesque**

SOLDE /1
– Solde d'un compte bancaire **balance**
– Le solde qui reste à payer **reliquat**
– Profiter des soldes **remises, rabais, réductions, promotions, liquidations, démarques**

SOLDE /2
– Homme à la solde de quelqu'un **mercenaire, sicaire**

SOLDÉ
– Les articles soldés **démarqués, bradés, sacrifiés**

SOLDER
– Solder une dette **payer, acquitter de (s'), régler, liquider, annuler**
– Solder son compte en banque **fermer, clôturer**
– Solder un stock de marchandises **brader, écouler, sacrifier, vendre à bas prix**
– Se solder par un échec **terminer par (se), conclure par (se), aboutir à**

SOLEIL *Voir illustrations p. 564 et p. 567*
– Partie du Soleil très brillante et très chaude **facule**
– Passage du Soleil par l'équateur **équinoxe**
– Réfraction du Soleil sur un nuage **parhélie, faux soleil**
– Miroir destiné à réfléchir la lumière du Soleil **héliostat**
– Instrument servant à mesurer l'intensité de la lumière du Soleil **héliophotomètre**
– Appareil permettant la surveillance du Soleil **héliographe**
– Traitement médical par les rayons du Soleil **héliothérapie**

– Cercle décrit par le Soleil **écliptique**
– Plante qui se tourne vers le Soleil **hélianthe, tournesol, héliotrope**
– Qui s'oriente face au Soleil **héliotropique, hélioscope**
– Qui craint la lumière du Soleil **héliofuge, héliophobe, photophobe, sciaphile**
– Divinité du culte du Soleil chez les Égyptiens **Rê, Aton, Horus**

SOLENNEL
– Prendre un engagement solennel **officiel, public**
– Un discours solennel **emphatique, pontifiant, sentencieux, ampoulé, doctoral, magistral**
– Un visage solennel **grave, imposant, majestueux, auguste**
– Avoir un air solennel **pédant, guindé, compassé, affecté, empesé**
– Une réception solennelle **en grande pompe, fastueuse**

SOLIDARITÉ
– Association de solidarité **mutualité, entraide, fraternité**
– Solidarité féminine **sororité**

SOLIDE
– Un matériau solide **résistant, incassable, inusable, fiable, robuste**
– Rendre plus solide **consolider, fortifier, renforcer**
– Avoir besoin de nourriture solide **consistante, substantielle**
– Une substance qui devient solide **durcit, solidifie (se), coagule (se), fige (se)**
– Une solide constitution **forte, robuste, vigoureuse, musclée, athlétique**
– Une démarche solide **ferme, stable, assurée**
– Un sentiment solide **fidèle, sincère, durable, indéfectible, immuable, profond, loyal**
– Une solide carrure **massive, râblée**
– Une réputation solide **inébranlable, indestructible, assise**
– Des croyances solides **ancrées, enracinées, tenaces**

SOLIDITÉ
syn. assurance
– La solidité d'un matériau **robustesse, résistance, dureté**
– La solidité d'une crème **consistance, fermeté, épaisseur**
– La solidité d'un échafaudage **assise, stabilité, assiette**
– La solidité d'un sentiment **sincérité, fidélité, authenticité, profondeur**

SOLITAIRE
– Offrir un solitaire à son épouse **diamant, brillant, pierre, bijou, joyau**
– Mène une vie de solitaire **moine, ana-**

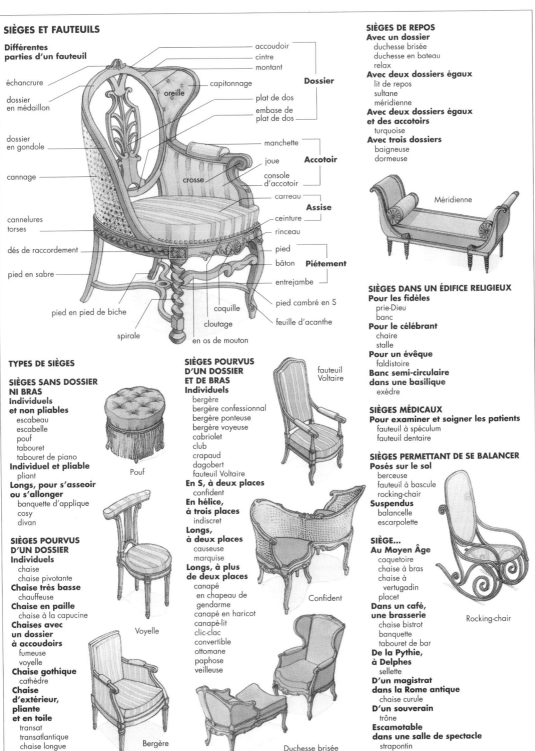

SIÈGES ET FAUTEUILS

Différentes parties d'un fauteuil

échancrure

dossier en médaillon

dossier en gondole

cannage

cannelures torses

dés de raccordement

pied en sabre

pied en pied de biche

spirale

en os de mouton

cloutage

coquille

accoudoir
cintre
montant

Dossier

capitonnage

oreille

plat de dos

embase de plat de dos

manchette

joue **Accotoir**

console d'accotoir

crosse

carreau

Assise

ceinture

rinceau

pied

bâton **Piétement**

entrejambe

pied cambré en S

feuille d'acanthe

TYPES DE SIÈGES

SIÈGES SANS DOSSIER NI BRAS
Individuels et non pliables
escabeau
escabelle
pouf
tabouret
tabouret de piano
Individuel et pliable
pliant
Longs, pour s'asseoir ou s'allonger
banquette d'applique
cosy
divan

Pouf

SIÈGES POURVUS D'UN DOSSIER
Individuels
chaise
chaise pivotante
Chaise très basse
chauffeuse
Chaise en paille
chaise à la capucine
Chaises avec un dossier à accoudoirs
fumeuse
voyelle
Chaise gothique
cathèdre
Chaise d'extérieur, pliante et en toile
transat
transatlantique
chaise longue

Voyelle

Bergère

SIÈGES POURVUS D'UN DOSSIER ET DE BRAS
Individuels
bergère
bergère confessionnal
bergère ponteuse
bergère voyeuse
cabriolet
club
crapaud
dagobert
fauteuil Voltaire
En S, à deux places
confident
En hélice, à trois places
indiscret
Longs, à deux places
causeuse
marquise
Longs, à plus de deux places
canapé
en chapeau de gendarme
canapé en haricot
canapé-lit
clic-clac
convertible
ottomane
paphose
veilleuse

fauteuil Voltaire

Confident

Duchesse brisée

SIÈGES DE REPOS
Avec un dossier
duchesse brisée
duchesse en bateau
relax
Avec deux dossiers égaux
lit de repos
sultane
méridienne
Avec deux dossiers égaux et des accotoirs
turquoise
Avec trois dossiers
baigneuse
dormeuse

Méridienne

SIÈGES DANS UN ÉDIFICE RELIGIEUX
Pour les fidèles
prie-Dieu
banc
Pour le célébrant
chaire
stalle
Pour un évêque
faldistoire
Banc semi-circulaire dans une basilique
exèdre

SIÈGES MÉDICAUX
Pour examiner et soigner les patients
fauteuil à spéculum
fauteuil dentaire

SIÈGES PERMETTANT DE SE BALANCER
Posés sur le sol
berceuse
fauteuil à bascule
rocking-chair
Suspendus
balancelle
escarpolette

SIÈGE...
Au Moyen Âge
caquetoire
chaise à bras
chaise à vertugadin
placet
Dans un café, une brasserie
chaise bistrot
banquette
tabouret de bar
De la Pythie, à Delphes
sellette
D'un magistrat dans la Rome antique
chaise curule
D'un souverain
trône
Escamotable dans une salle de spectacle
strapontin

Rocking-chair

SYSTÈME SOLAIRE

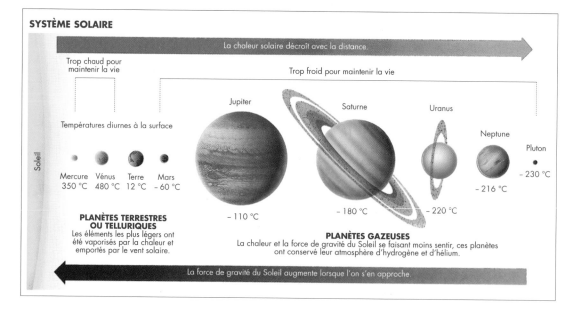

La chaleur solaire décroît avec la distance.

Trop chaud pour maintenir la vie

Trop froid pour maintenir la vie

Jupiter

Saturne

Uranus

Neptune

Pluton

Températures diurnes à la surface

Soleil

Mercure 350 °C Vénus 480 °C Terre 12 °C Mars – 60 °C

– 110 °C   – 180 °C   – 220 °C   – 216 °C   – 230 °C

PLANÈTES TERRESTRES OU TELLURIQUES
Les éléments les plus légers ont été vaporisés par la chaleur et emportés par le vent solaire.

PLANÈTES GAZEUSES
La chaleur et la force de gravité du Soleil se faisant moins sentir, ces planètes ont conservé leur atmosphère d'hydrogène et d'hélium.

La force de gravité du Soleil augmente lorsque l'on s'en approche.

chorète, ascète, **misanthrope, ermite**
– La traversée d'un océan en solitaire **seul, sans équipage, en solo**
– Se plaire dans des endroits solitaires **retirés, abandonnés, écartés, isolés, éloignés, déserts, sauvages**

SOLITUDE

– Lieu propice à la solitude **retraite, désert, thébaïde**
– Grande solitude **abandon, claustration, esseulement**
– Extrême solitude morale **déréliction**

SOLLICITER

– Partout, les publicités sollicitent les clients **invitent, incitent, convient, engagent, exhortent, tentent**
– Solliciter une personne continuellement **harceler, assaillir, poursuivre, importuner**
– Plusieurs personnes sollicitent cet emploi **postulent pour, briguent**
– Solliciter un entretien **demander, réclamer, requérir**
– Solliciter l'attention des passants **éveiller, attirer, retenir**
– Solliciter une petite faveur **mendier, quémander, quêter, implorer**

SOLUTION

– Découvrir la solution d'une énigme **clef, explication**
– La solution d'une affaire **fin, issue, conclusion, dénouement, aboutissement, achèvement, épilogue**
– La solution d'une équation **résultat, résolution**
– Trouver la solution **résoudre**

– Un problème qui n'a pas de solution **insoluble, impossible**
– Solution en pharmacie **soluté, mucilage**

SOMBRE

– Le ciel était sombre **couvert, brumeux, bas, gris, nuageux, voilé**
– Traverser une rue sombre **obscure, ténébreuse**
– Un vêtement sombre **foncé**
– Écrire une œuvre très sombre **dantesque, macabre**
– Être d'une humeur sombre **maussade, chagrine, mélancolique, taciturne, triste, morne, morose, sinistre, pessimiste**
– Un visage qui devient sombre **assombrit (s'), rembrunit (se), renfrogne (se)**
– Les moments sombres d'une vie **funèbres, tragiques**
– L'avenir semble bien sombre **inquiétant, menaçant, funeste, noir**
– Commettre une sombre idiotie **déplorable, regrettable, lamentable, fâcheuse**

SOMBRER

– Le bateau sombre **coule, chavire, engloutit (s'), fait naufrage, abîme (s')**
– Une entreprise qui sombre **décline, affaisse (s'), écroule (s'), périclite, court à sa perte, court à sa fin**
– Sombrer dans ses pensées **plonger (se), perdre (se), absorber (s')**
– Sombrer dans l'oubli **tomber, enfoncer (s'), disparaître, glisser**

SOMMAIRE

– Vue sommaire **aperçu**

– Faire un examen sommaire **rapide, expéditif, superficiel, bref**
– Une lecture sommaire **partielle, parcellaire, fragmentaire, cursive**
– Un exposé sommaire **court, bref, concis, succinct, laconique, condensé, résumé**
– Une façon de vivre très sommaire **élémentaire, rudimentaire**
– Peut précéder le sommaire **préface, avertissement, incipit, prologue, avant-propos**
– Peut se trouver après le sommaire dans un livre **notice, introduction**

SOMMATION

syn. ultimatum
– Sommation juridique **assignation, mise en demeure, citation, intimation**
– Tirer après trois sommations **avertissements, injonctions, interpellations**

SOMME /1

– Déposer une somme d'argent sur un compte **créditer, approvisionner, provisionner**
– Retirer une somme d'argent d'un compte **débiter**
– La somme des dépenses **montant, chiffre, total, addition, ensemble**
– Une importante somme de travail **quantité, masse, volume**
– Œuvre réunissant la somme des connaissances sur un sujet **synthèse, compendium, précis, encyclopédie**

SOMME /2

– Faire un petit somme **sieste, repos, sommeil**

SOMMEIL *Voir illustration p. 568*
syn. **sieste, somme**
– État proche du sommeil **torpeur, engourdissement, assoupissement, demi-sommeil, somnolence**
– Qui précède le sommeil **hypnagogique**
– Difficulté à trouver le sommeil **insomnie**
– Sommeil provoqué artificiellement **anesthésie, hypnose, narcose**
– Substance qui entraîne le sommeil **somnifère, soporifique, narcotique**
– Activité inconsciente durant le sommeil **somnambulisme**
– Ses bras procurent le sommeil **Morphée**
– Sommeil très profond et prolongé **léthargie, catalepsie, sopor**
– Cure de sommeil **narcothérapie**
– Maladie du sommeil **trypanosomiase**
– Mouche propageant la maladie du sommeil **tsé-tsé**
– Tendance pathologique à sombrer soudainement dans le sommeil **narcolepsie**
– Sommeil profond d'un animal durant les mois d'hiver **hibernation**
– Le sommeil du mort **repos éternel**
– Le dernier sommeil de la Vierge **dormition**

SOMMET
– Sommet de forme arrondie d'une colline **mamelon, croupe**
– Montagne au sommet arrondi **dôme, ballon**
– Sommet d'une chaîne de montagnes **point culminant**
– Montagne qui a un sommet pointu **pointe, aiguille, pic, dent**
– Sommet où se trouvent les neiges éternelles **calotte glaciaire**
– La végétation au sommet d'une montagne **sommitale**
– Permet de voir tous les sommets **table d'orientation**
– Sommet d'un arbre **cime**
– Élément surplombant parfois le sommet d'une construction **flèche, aiguille, girouette**
– Être au sommet de la gloire **summum, faîte, apogée, zénith, pinacle**

SOMPTUEUX
– Une propriété somptueuse **superbe, magnifique, splendide**
– Donner une réception somptueuse **luxueuse, fastueuse, princière, opulente, pompeuse, solennelle**
– Une mine somptueuse **éclatante, radieuse, épanouie**

SON
syn. **bruit**
– Unité courante de mesure du son **décibel**
– Hauteur d'un son **fréquence**
– Propagation du son **vibration, onde**

– Prolongement d'un son **répercussion, résonance, écho, réverbération**
– Appareil servant à étudier et mesurer les sons **sonomètre, phonomètre, audiomètre**
– Étude des sons **acoustique**
– Étude des sons du langage **phonétique, phonologie**
– Perception des sons **audition, ouïe**
– Son que l'oreille humaine ne perçoit pas **infrason, ultrason**
– Qui étouffe les sons ou n'en produit pas **insonore**
– En musique, l'étendue des sons produits par une voix ou un instrument **diapason, registre, ambitus, tessiture**
– Combinaison agréable de sons **harmonie, euphonie, eurythmie**
– Un instrument qui a un son agréable **sonorité, timbre, tonalité**
– Petit appareil qui permet d'assourdir le son d'un instrument **sourdine**
– Danser au son du tam-tam **rythme**
– Archives des sons employés pour les bruitages **sonothèque**
– Mur du son **barrière sonique**
– Avion qui se déplace à une vitesse supérieure à celle du son **supersonique**
– Taches de son **éphélides, taches de rousseur**

SONDAGE
– Ensemble des personnes interrogées lors d'un sondage **échantillon, panel**
– Établie grâce à un sondage **statistique**
– Sondage rapide effectué dans la rue et diffusé à la radio ou à la télévision **micro-trottoir**

SONDE
– Outil qui se fixe au bout d'une sonde pour percer le sol **trépan**
– Sonde verticale permettant l'étude de l'atmosphère **radiosonde**
– Sonde médicale **cathéter, bougie, endoscope, fibroscope, drain, canule**
– Sonde nucléaire **sonde génétique, sonde moléculaire**
– Calcul de la profondeur de la mer avec une sonde **bathymétrie, sondage**

SONDER
syn. **ausculter**
– Sonder un terrain **prospecter, forer, étudier**
– Sonder quelqu'un **confesser, interroger, questionner**
– Sonder les raisons de la conduite de quelqu'un **pénétrer, explorer, analyser, approfondir, scruter**

SONGE
– Ce n'est qu'un songe **illusion, vision, chimère, utopie, rêve**
– Personne qui ne vit que de songes **songe-creux**

– Technique d'interprétation des songes **oniromancie**
– Personne qui expliquait les songes dans l'Antiquité grecque **onirocrite**

SONGER
syn. **rêver**
– Songer à prendre des vacances **projeter de, envisager de**
– Songer à son avenir **penser à, réfléchir à, méditer sur, spéculer sur, cogiter sur**
– Un homme qui ne songe qu'à son travail **intéresse à (s'), préoccupe de (se), consacre à (se)**
– Songer au pire **imaginer, envisager, considérer**

SONNER
– La cloche sonne **résonne, carillonne, tinte**
– Une clochette sonne **tintinnabule**
– Sonne l'alarme **tocsin**
– Sonne pour annoncer la mort d'une personne **glas**
– Sonne lors d'une chasse à courre **hallali**
– Sonner de la trompe pour appeler les chiens **grailler**

SONNERIE
– Sonnerie de trompette **appel au drapeau, réveil, charge, couvre-feu, rassemblement, ralliement, honneurs**

SONNETTE
– La sonnette d'une porte d'entrée **carillon, cloche**
– Permet d'actionner la sonnette **bouton, poire, cordon**
– La sonnette d'un vélo **timbre**

SONORE
– Avoir un rire très sonore **bruyant, éclatant, retentissant, tonnant, tonitruant**
– Une consonne sonore en phonétique **voisée**
– Une consonne non sonore en phonétique **sourde**

SONORITÉ
voir aussi **son**
– La sonorité d'une salle **acoustique, résonance**
– La sonorité d'un instrument de musique **timbre, hauteur, intensité, ampleur**

SOPHISTIQUÉ
– Un appareil très sophistiqué **complexe, perfectionné, évolué**
– Une toilette sophistiquée **recherchée, travaillée, étudiée**
– Une beauté sophistiquée **artificielle**
– Un langage sophistiqué **affecté, contourné, alambiqué, emphatique, maniéré, amphigourique, ampoulé, précieux**

SORCELLERIE

syn. **magie, occultisme**
– Un livre de sorcellerie **grimoire**
– Empoisonnement par sorcellerie au Moyen Âge **vénéfice**
– Créature démoniaque liée à la sorcellerie et à l'alchimie **incube, succube, homuncule, homoncule, diablesse, démone**
– Taxé de sorcellerie au Moyen Âge **alchimiste**
– Sorcellerie aux Antilles **vaudou**
– Sorcellerie où intervenait le diable **diablerie, magie noire**
– Sorcellerie bénéfique **magie blanche**

SORCIER

– Sorcier qui prédit l'avenir **devin, prophète, vaticinateur, mage, astrologue, voyant, nécromancien**
– Grand sorcier dans les tribus primitives d'Asie centrale **chaman**
– Jeté par le sorcier **sort, maléfice, charme, sortilège, envoûtement**
– Réunion de sorciers pactisant avec le diable **messe noire**
– Attribut des sorciers dans l'imagerie traditionnelle **balai, cape, chaudron, couteau, chapeau pointu, chat noir, long nez verruqueux et crochu, menton en galoche**
– Préparé par la sorcière dans son chaudron **poison, potion, philtre, onguent**
– Sorcière de l'Antiquité ayant des pouvoirs divinatoires **pythie, pythonisse, augure, haruspice**
– Nuit du 1er mai durant laquelle les sorcières se réunissaient sur le Brocken **Walpurgis, Walburge**
– Réunion de sorcières au Moyen Âge **sabbat**
– Chasse aux sorcières aux États-Unis dans les années 1950 **maccarthysme**
– Cette femme est une vilaine sorcière ! **mégère, harpie, furie**

SORT

– Le sort de chacun **lot, apanage**
– Le sort en est jeté *Alea jacta est*
– Être accablé par le mauvais sort **malheur, disgrâce, infortune, adversité**
– Le sort s'abat sur lui **fatalité, fatum, destin**
– S'inquiéter de son sort **avenir, destinée**
– Améliorer le sort d'une personne **état, situation, position, condition, vie**
– Sort que jette le sorcier **enchantement, maléfice, charme, sortilège, envoûtement**

SORTE

– Les plaisanteries de cette sorte ne sont pas drôles **nature, acabit, genre, type**

SORTIE

– Gagner la sortie de secours **issue, porte**
– La sortie d'une rue **débouché**
– Sortie d'une source à l'air libre **émergence, résurgence**
– Sortie contre un adversaire **attaque, algarade, affront, scène, incartade**
– Faire une sortie agréable **promenade, échappée, virée, balade, escapade**
– Sortie d'un livre **parution, publication, lancement, édition**
– Trouver une porte de sortie **échappatoire, faux-fuyant, dérobade**

SORTIR

– De l'eau qui sort de terre **jaillit, sourd**
– Voir sortir les premiers bourgeons **percer, poindre, éclore**
– Il faut faire sortir le public **évacuer**
– Une tête sortait de l'eau **dépassait, émergeait, saillait, apparaissait**
– Sortir sans se faire remarquer **éclipser (s'), esquiver (s'), filer à l'anglaise**
– Sortir quelques secondes **absenter (s'), retirer (se), en aller (s'), partir, quitter les lieux**
– Faire sortir du terrain un joueur fautif **expulser**
– Sortir les doigts de sa bouche **enlever, ôter**
– Sortir les corps des décombres **extraire, dégager, exhumer**
– Forcer le gibier à sortir **débusquer, débucher**
– Sortir des limites de la bienséance **écarter de (s'), éloigner de (s'), outrepasser, transgresser, enfreindre**
– Sortir d'une grave maladie **guérir de, réchapper de, relever de**
– Se sortir d'une situation délicate **tirer de (se), dépêtrer de (se), venir à bout de**
– Un parfum agréable sort de la cuisine **échappe (s'), dégage (se), exhale (s'), provient**
– Sortir un livre **éditer, publier, lancer, faire paraître**
– Il ne peut rien en sortir de bon **résulter, découler, émaner**

SOT

syn. **ignorant, stupide**
– Jeune fille sotte **pécore, péronnelle, pimbêche, niaise**
– Jeune homme sot et inexpérimenté **béjaune, blanc-bec, dadais, novice**
– Un jeune homme sot et gauche **benêt, godiche**
– Personnage sot **jocrisse, nicodème**
– Sot et crédule **nigaud, naïf, niais, simplet, jobard**

SOTTISE

– Dire des sottises **sornettes, fadaises, balivernes, fariboles, calembredaines, billevesées**
– Commettre une sottise **maladresse, bévue, impair, bourde, idiotie, bêtise, balourdise, stupidité, imbécillité**

SOUBASSEMENT

– Soubassement d'une construction **base, assise**
– Soubassement d'un pilier **semelle**
– Type de soubassement **embasement, stéréobate, stylobate**
– Reçoivent le soubassement d'un bâtiment **fondations**
– Les soubassements d'une société **principes, fondements, structure**

SOUCI

syn. **contrariété, désagrément, difficulté, embarras, embêtement, ennui, obsession, préoccupation, sollicitude, tourment, tracas**
voir aussi **fleur**
– Se faire du souci **de la bile, du mauvais sang, du mouron, des cheveux**
– Une personne qui ne se fait pas de souci **insouciante, insoucieuse, frivole, nonchalante, imprévoyante, placide, flegmatique, philosophe, fataliste**
– Une personne qui se fait trop de souci **pessimiste, alarmiste, nerveuse, défaitiste, tourmentée, angoissée, anxieuse, inquiète, agitée**
– Les soucis détruisent la santé **usent, rongent, minent, consument, détériorent, abîment**
– En botanique, nom latin du souci *Calendula*

SOUCIER

– Se soucier des autres **préoccuper de (se), inquiéter de (s'), tourmenter pour (se), intéresser à (s')**

SOUDAIN

– Un changement soudain **imprévu, inattendu, inopiné, surprenant, fortuit, impromptu**
– Un geste soudain **brusque, brutal, nerveux**
– Une intervention soudaine **rapide, subite, prompte, instantanée, foudroyante, immédiate, fulgurante**
– Poser une question de manière soudaine **à brûle-pourpoint, brusquement, subitement, à l'improviste, de but en blanc, sans crier gare, inopinément, par surprise**

SOUDURE

– Une soudure au chalumeau **assemblage, soudage, brasure**
– Type de soudure **à plat, autogène, électrique à l'arc, par étincelage, au chalumeau, électrique par résistance, laser, par ultrasons**
– Instruments utilisés pour faire une soudure **chalumeau, fer à souder, lampe à souder**
– Faire la soudure entre deux arrivages **transition, jonction, joint, lien, liaison, continuité**

SOUFFLE

– Le souffle d'une personne **haleine, expiration**
– Le souffle régulier du dormeur **respiration**
– Avoir du souffle **endurance, résistance**
– Chercher un second souffle **reprise d'activité, regain de vitalité**
– Un sportif qui a le souffle court **haletant, essoufflé, pantelant, ahanant**
– Un vieil animal manquant de souffle **poussif, exténué**
– Sentir un souffle d'air **courant, bouffée**
– Type de souffle en médecine **pulmonaire, placentaire, artériel, veineux, cardiaque**
– Un souffle romantique **mouvement, élan, aspiration, exaltation**

SOUFFLER

syn. **expirer, haleter, respirer**
– Souffler de l'air dans un ballon **insuffler**
– Souffler sur le feu **ranimer, activer, attiser**
– Un vent de bonne humeur soufflait dans les rangs **répandait (se), propageait (se)**
– Souffler quelques mots à l'oreille **glisser, chuchoter, murmurer, insinuer**
– On lui a soufflé sa conduite **dicté, suggéré, inspiré**
– Il lui a soufflé ses affaires **dérobé, enlevé, soustrait, volé**

SOUFFRANCE

– Une souffrance physique **douleur, mal, algie**
– Une grande souffrance morale **déchirement, crève-cœur, peine, deuil, amertume, affliction, chagrin, tristesse, désolation, malheur**
– Les souffrances de l'attente **tourments, torture, supplice, enfer, calvaire, martyre**
– Jouissance dans sa propre souffrance **masochisme**
– Laisser une affaire en souffrance **en suspens, en attente**

SOUFFRANT

– Être un peu souffrant **fatigué, indisposé, incommodé, patraque, malade**
– Il affichait un air souffrant **défait, dolent, fébrile**
– Un enfant qui est souvent souffrant **maladif, chétif, délicat, souffreteux**

SOUFFRIR

syn. **endurer**
– Souffrir d'un mal **être affligé, être atteint, éprouver, ressentir**
– Souffrir d'une situation humiliante **pâtir, subir**
– Ne souffrir aucun retard **accepter, permettre, admettre, tolérer, consentir, supporter**

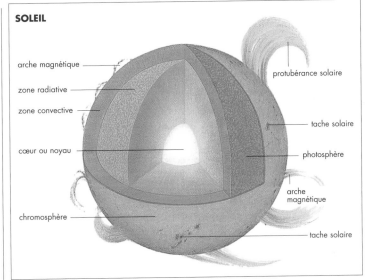

SOLEIL

arche magnétique
zone radiative
zone convective
cœur ou noyau
chromosphère
protubérance solaire
tache solaire
photosphère
arche magnétique
tache solaire

– Les plantes souffrent du froid **craignent, dépérissent**
– Qui aime souffrir **masochiste**
– Qui prend plaisir à faire souffrir **sadique**

SOUFRE

– Mine d'où l'on extrait le soufre **soufrière**
– Un minerai contenant du soufre **sulfurifère**
– Sulfure renfermant une plus grande quantité de soufre que la normale **persulfure, polysulfure**
– Dérivé du soufre **sulfate, sulfite, hydrogène sulfuré, acide sulfurique**
– Corps obtenu par le mélange du soufre avec un autre corps **sulfure**
– Une allumette enduite de soufre **soufrée**
– Traitement du caoutchouc par le soufre **vulcanisation**
– Une substance de la nature du soufre **sulfureuse**
– Nom que les alchimistes donnaient au soufre **vulcain**

SOUHAIT

– Une proposition qui répond à ses souhaits **vœux, attentes, aspirations, désirs, espoirs, rêves**

SOUHAITER

syn. **vouloir**
– Souhaiter ardemment une promotion **viser, ambitionner, briguer, convoiter**
– Souhaiter accéder au bonheur **rechercher, aspirer à, espérer**
– Souhaiter la paix **demander, appeler de ses vœux, désirer**

– Souhaiter la bonne année **offrir ses vœux, présenter ses vœux**

SOULAGER

– Soulage d'un mal **remède, panacée**
– Ne soulage que provisoirement **palliatif, expédient, dérivatif**
– Soulager les souffrances d'un patient **adoucir, calmer, apaiser, diminuer, atténuer, abréger, amoindrir**
– Soulager un ami dans la détresse **aider, secourir, réconforter, consoler**
– Soulager un collaborateur d'un surplus de travail **débarrasser, décharger**
– Soulager sa conscience **libérer, délivrer, délester**

SOULÈVEMENT

– Le soulèvement des troupes **révolte, insurrection, rébellion, sédition, mutinerie**
– Il y a des risques de soulèvement **agitation, désordre, trouble, turbulence, émeute, manifestation**
– Aboutissement d'un soulèvement **révolution, guerre civile, coup d'État, putsch, sécession**

SOULEVER

syn. **dresser, monter, redresser**
– Se soulever sur la pointe des pieds **hausser (se), hisser (se), lever (se)**
– Cette loi va soulever l'opinion **indigner, choquer, scandaliser**
– Ses paroles scandaleuses risquent de soulever un véritable tollé **provoquer, entraîner, susciter, causer, engendrer, déchaîner, déclencher**
– Être soulevé d'allégresse **transporté, enthousiasmé**

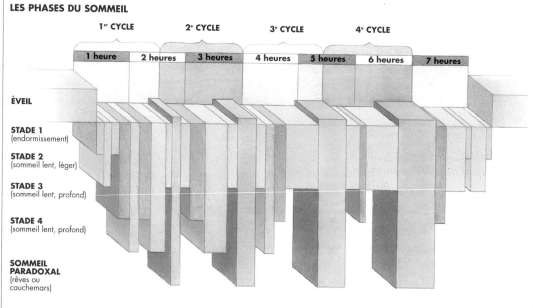

LES PHASES DU SOMMEIL

1ᵉʳ CYCLE   2ᵉ CYCLE   3ᵉ CYCLE   4ᵉ CYCLE

1 heure | 2 heures | 3 heures | 4 heures | 5 heures | 6 heures | 7 heures

ÉVEIL

STADE 1
(endormissement)

STADE 2
(sommeil lent, léger)

STADE 3
(sommeil lent, profond)

STADE 4
(sommeil lent, profond)

SOMMEIL PARADOXAL
(rêves ou cauchemars)

STADE 1
Ce stade, très court, dure de 4 à 5 minutes en moyenne. Il est caractérisé par une baisse du tonus des muscles du cou et un ralentissement de la respiration. Le dormeur reste sensible aux bruits et se réveille facilement.

STADE 2
Ce stade représente environ 50 % de la durée totale du sommeil. Le dormeur est encore sensible aux bruits et connaît un relâchement relatif des muscles. Cette phase devient de plus en plus longue en fin de nuit.

STADE 3
Les mouvements oculaires deviennent inexistants, le tonus musculaire est faible. Les fréquences cardiaque et respiratoire ralentissent. Avec le stade 4, c'est la période la plus réparatrice et régénératrice.

STADE 4
Il devient très difficile de réveiller le dormeur. Ce stade clôt un cycle commencé au stade 1 et qui dure 90 minutes environ. Il se répète en général 4 à 6 fois par nuit. Fragments de rêves.

SOMMEIL PARADOXAL
Période principale de rêve. La phase de sommeil paradoxal dure d'abord de 2 à 3 minutes puis devient de plus en plus longue au cours de la nuit (comme le stade 2). Se caractérise par une activité cérébrale intense. Pénis en érection, clitoris gonflé.

SOULIGNER
– Un trait de crayon qui souligne le regard **accentue, intensifie**
– Souligner un détail important **noter, relever, signaler, préciser, insister sur, mettre en évidence, faire ressortir**

SOUMETTRE
– L'homme veut soumettre la nature **dominer, maîtriser, dompter, conquérir**
– Soumettre ses ennemis **réduire, pacifier, dominer**
– Soumettre par la force **enchaîner, assujettir, opprimer, asservir, contraindre, subordonner, vaincre**
– Soumettre un caractère difficile **apprivoiser, assouplir, discipliner, amadouer, mater**
– Soumettre son point de vue **proposer, présenter, offrir, suggérer**
– Se soumettre **plier (se), céder, incliner (s'), fléchir, aliéner (s'), assujettir (s'), abaisser (s'), obéir, résigner (se)**
– Se soumettre à l'oppression **rendre (se), livrer (se), abandonner, capituler**
– Se soumettre à une obligation **forcer (se), contraindre à (se), astreindre à (s'), résigner à (se), accepter**
– Se soumettre à un règlement **suivre, conformer à (se), observer, respecter**
– Se soumettre à l'ordre reçu **obtempérer, obéir**
– Se soumettre à la mode **sacrifier à, suivre**
– Un serf soumis à la taille et à la corvée **corvéable**

SOUMISSION
syn. **allégeance, dépendance, docilité, esclavage, obéissance, résignation, servitude**
– Personne réduite à la soumission **esclave, serf**
– Personne qui, à Sparte, était réduite à la soumission **hilote**
– Soumission d'un ecclésiastique **obédience**
– Soumission d'un vassal **vassalité, inféodation**
– Régime politique qui entraîne une soumission totale **absolutisme, despotisme, tyrannie, dictature**

SOUPAPE
– Soupape d'un moteur à explosion **soupape d'admission, soupape d'échappement**
– Pièce mécanique permettant le fonctionnement de la soupape **came, poussoir, tige de poussoir, culbuteur**
– Type de soupape **reniflard, papillon, clapet**
– Sert de soupape dans les moments difficiles **exutoire, dérivatif**

SOUPÇON
– Éveiller les soupçons **doutes, craintes, méfiance, suspicion, scepticisme**
– Absence de soupçon **confiance, certitude**
– Ajouter un soupçon de sel pour relever une sauce **pointe, pincée**
– Mettre un soupçon de lait dans son thé **nuage, doigt, larme, goutte**

SOUPÇONNER
– Soupçonner la vérité **entrevoir, pressentir, deviner, subodorer**
– Soupçonner les conséquences d'un acte

douter de (se), prévoir, présumer, présager de, conjecturer, augurer
– Soupçonner l'existence d'un piège **craindre, redouter, appréhender**
– Soupçonner une personne **suspecter, défier de (se)**

SOUPÇONNEUX
– Un regard soupçonneux **défiant, suspicieux**
– Un caractère soupçonneux **méfiant, circonspect, jaloux, craintif, ombrageux**

SOUPE
voir aussi **potage**
– Soupe très onctueuse **velouté**
– Soupe à l'oignon **gratinée**
– Soupe de viande **consommé**
– Soupe à base de viande et/ou de légumes cuits dans l'eau **bouillon**
– Soupe de poissons **bouillabaisse, bourride, cotriade, pochouse, chaudrée**
– Soupe composée de lait, de beurre, d'eau et liée avec des œufs **panade**
– Soupe du Béarn à base de canard ou d'oie **garbure**
– Soupe provençale **soupe au pistou, oursinade, soupe à l'ail**
– Soupe italienne **minestrone**
– Soupe russe **bortsch**
– Soupe espagnole froide **gaspacho**

SOUPIR
– Dernier soupir **souffle, râle**
– Un long soupir **plainte, gémissement, sanglot**

SOUPIRER
– Soupirer d'ennui **souffler**

SOUPLE
– Être physiquement très souple **agile, leste, alerte**
– Garder les muscles souples **décontractés, relâchés, détendus**
– Une femme à la démarche souple **aérienne, légère, ondulante, serpentine, féline, dégagée, dansante**
– Un matériau souple **mou, élastique, ductile, extensible, maniable, pliable, froissable**
– Un caractère souple **docile, malléable**
– Des horaires souples **modulables, flexibles**
– Rendre des mesures plus souples **adoucir, atténuer, corriger, assouplir**
– Souple en affaires **conciliant, complaisant, accommodant, diplomate, arrangeant, facile, politique, subtil**

SOURCE
– Source jaillissante **fontaine**
– Source d'eau chaude **geyser**
– Source d'où émergent des eaux souter-raines **résurgence, puits artésien**
– Une source asséchée **tarie**
– Personne qui décèle la présence des sources à l'aide d'une baguette **sourcier, rhabdomancien, radiesthésiste**
– Source de chaleur **foyer**
– Remonter jusqu'à la source **cause, base, origine, germe, principe, fondement, point de départ, commencement**
– Citer ses sources **références**
– C'est source d'ennuis **générateur**

SOURCIL
– Saillie osseuse au niveau du sourcil **arcade**
– Espace entre les sourcils **glabelle**

SOURD
– Affection congénitale du sourd-muet **surdimutité**
– Handicap qui affecte une personne sourde **surdité**
– Être sourd à toutes les prières **impitoyable, inexorable, inflexible, indifférent, insensible, implacable**
– Un bruit sourd **étouffé, assourdi, cotonneux, indistinct, mat, amorti**
– Une voix qui devient sourde **enrouée, voilée, cassée**
– Une voix sourde et profonde **gutturale, caverneuse, sépulcrale, d'outre-tombe**
– Une couleur sourde **mate**
– Une colère sourde **rentrée, contenue, maîtrisée, réprimée, surmontée**
– Ourdir une sourde machination **clandestine, souterraine, ténébreuse, sournoise, sombre, insidieuse**

SOURIS
– Ordre auquel appartient la souris **rongeurs**
– Famille à laquelle appartient la souris **muridés**
– Petit de la souris **souriceau**
– Souris de laboratoire **souris blanche**
– Une souris qui vit près de l'homme et profite de sa nourriture **commensale**
– Mammifère insectivore de la même taille que la souris **musaraigne**

SOURNOIS
syn. **déloyal, faux, fourbe, hypocrite, perfide**
– Un homme sournois, toujours sur ses gardes **méfiant, soupçonneux, précautionneux, circonspect**
– Un regard sournois **chafouin, cauteleux, oblique**
– Des manières sournoises **dissimulées, insinuantes, insidieuses**
– Des paroles sournoises **doucereuses, mielleuses, sucrées, trompeuses, mensongères, fielleuses**
– Un esprit sournois **rusé, malin, retors, artificieux**
– Des menées sournoises **subreptices,**

souterraines, cachées, clandestines, secrètes, ténébreuses

SOUS-ENTENDU
syn. **allusion, insinuation**
– Une conversation pleine de sous-entendus **réticences, arrière-pensées, non-dits**
– C'est un accord sous-entendu **tacite, implicite**
– L'idée est sous-entendue dans le texte **suggérée, latente**

SOUS-MARIN
syn. **submersible**
– Sorte de petit sous-marin autonome **bathyscaphe, bathysphère**
– Appareil employé dans un sous-marin pour voir à la surface **périscope**
– Voie d'accès d'un sous-marin **sas**
– Dispositif permettant l'évacuation des gaz usés et l'apport d'air frais dans un sous-marin **schnorchel**
– Appareil permettant de détecter les sous-marins **sonar, asdic**
– Marin qui fait partie de l'équipage d'un sous-marin **sous-marinier**
– Arme sous-marine **torpille**
– Étude des fonds sous-marins **océanographie**
– Une carte des reliefs sous-marins **bathymétrique**

SOUSCRIRE
– Souscrire à une association **cotiser, adhérer à**
– Souscrire un bail **signer**
– Souscrire au compte rendu d'une réunion **approuver, acquiescer à**
– Souscrire aux désirs d'une personne **consentir à, accéder à, satisfaire, exaucer**

SOUSTRACTION
– Résultat d'une soustraction **différence**
– Reste d'une soustraction **restant, reliquat**
– Soustraction des sommes à payer **décompte, déduction**
– La soustraction d'un document officiel est un délit **vol, détournement, subtilisation, escamotage**

SOUSTRAIRE
syn. **enlever**
– Le nombre à soustraire **soustractif**
– Soustraire une partie d'un tout **prélever, ôter, déduire, retrancher**
– Soustraire une pièce à conviction **dérober, ravir, subtiliser, escamoter, voler**
– Soustraire aux regards **cacher, dissimuler, celer, préserver, masquer**
– Soustraire un enfant à une obligation **dispenser, dégager, exempter**
– Se soustraire aux questions embarrassantes **esquiver, éluder, contourner**

– Se soustraire à un danger **fuir, échapper à, écarter de (s'), arracher à (s'), esquiver**

SOUTENIR
– Un pilier qui soutient une poutre **étaie, étançonne, tient**
– Soutenir un ami **aider, remonter, réconforter, secourir, protéger**
– Soutenir un artiste **appuyer, assister, encourager, favoriser, épauler, patronner, seconder, parrainer**
– Soutenir une cause **épouser, défendre**
– Une douleur que l'on peut soutenir **supporter, endurer**
– Soutenir son attention **maintenir**
– Soutenir la comparaison **rivaliser**
– Soutenir la conversation **animer, entretenir, prolonger**
– Soutenir que l'on a raison **affirmer, assurer, prétendre, attester, certifier**
– Soutenir le cœur d'un malade **stimuler**

SOUTENU
– Des efforts soutenus **continus, constants, assidus, tenaces, opiniâtres, intenses, persévérants, persistants**
– Un langage soutenu **élevé, noble, académique, châtié, choisi, recherché**

SOUTERRAIN /1
syn. **boyau, excavation, galerie, tunnel**
– Souterrain qui contient des ossements **ossuaire, hypogée, caveau, catacombes**

SOUTERRAIN /2
– Ancien cachot souterrain **oubliettes, cul-de-basse-fosse**
– Cimetière souterrain de l'Antiquité **nécropole**
– Cachot souterrain dans l'Antiquité romaine **ergastule**
– Partie souterraine d'une église **crypte**
– Elles alimentent les eaux souterraines **eaux d'infiltration**
– Des agissements souterrains **cachés, secrets, obscurs, ténébreux, clandestins, illicites**

SOUTIEN
– Murs de soutien d'une construction **contreforts, soutènements**
– Soutien d'un cep de vigne **échalas**
– Soutien d'une plante **tuteur, rame, perche, treillage, espalier**
– Soutien de l'armature d'un bateau en construction **accore, étançon, tin**
– Des cours de soutien **rattrapage**
– Soutien apporté à un ami **aide, réconfort, assistance, secours**
– Soutien d'un collègue **appui, collaboration, concours, coopération, service, solidarité, support**
– Se faire le soutien d'une cause **défenseur, partisan, champion**

SOUVENIR
– Cérémonie en souvenir d'un personnage ou d'un événement **commémoration**
– Le souvenir d'un événement **souvenance, mémoire**
– Souvenir anodin qui masque un souvenir plus pénible **souvenir-écran**
– Souvenirs confus **réminiscences**

SOUVENIR (SE)
– Carnet où l'on note ce dont on doit se souvenir **calepin, agenda, mémento**
– Permet de se souvenir **pense-bête, aide-mémoire**
– Un procédé qui aide à se souvenir **mnémotechnique**
– Personne qui ne parvient pas à se souvenir du passé **amnésique**

SOUVERAIN /1
– Titre donné au souverain **majesté, altesse, sire**
– Attribut du souverain **couronne, trône, sceptre**
– Attaché au service de la chambre du souverain **chambellan**
– Personne qui fréquente la cour du souverain **courtisan**
– Maîtresse préférée du souverain **favorite**
– Celui qui gouverne en l'absence du souverain ou durant sa minorité **régent**
– Souverain qui abuse de son pouvoir **despote, dictateur, tyran, autocrate, potentat**
– Ancien souverain des Turcs **sultan, padichah**
– Titre porté par les souverains dépendant du sultan **bey**
– Ancien souverain des Russes **tsar**
– Titre des souverains d'Éthiopie **négus**
– Titre des souverains de la Perse et de l'Iran **chah**
– Titre des souverains mongols et tatars **khan**

SOUVERAIN /2
– Un pouvoir souverain **tout-puissant, omnipotent, absolu, suprême**
– Prescrire un remède souverain **sûr, infaillible**

SPASME
– Tendance à subir des crises accompagnées de spasmes **spasmophilie, tétanie**
– Remède qui combat les spasmes **antispasmodique, spasmolytique**
– Maladie nerveuse qui se caractérise par des crises de spasmes **épilepsie**
– Spasme de la paroi d'un vaisseau sanguin **angiospasme**
– Spasmes infantiles **tic de Salaam, syndrome de West, spasmes en flexion**

– Un rire accompagné de spasmes **convulsif, spasmodique, nerveux**

SPÉCIAL
– Spécial et unique **sui generis**
– Un outillage spécial **spécifique, adéquat, adapté**
– Cet homme a eu une vie très spéciale **singulière, originale, remarquable, exceptionnelle, extraordinaire**
– Une manière spéciale d'agir **particulière, distinctive, caractéristique, propre, personnelle, individuelle**
– Un phénomène spécial **bizarre, étrange, inhabituel, curieux, saugrenu, insolite**
– Une interprétation un peu spéciale **farfelue, fantaisiste, extravagante**

SPÉCIALITÉ *Voir tableau page ci-contre*
– Dans quelle spécialité travaillez-vous ? **branche, division, domaine, département, secteur, discipline**
– Langage d'une spécialité **terminologie, jargon**
– Tout embrouiller, c'est sa spécialité ! **caractéristique, habitude, manie**

SPECTACLE
– Aller au spectacle **théâtre, cinéma, concert, opéra, music-hall**
– Le spectacle de ce soir **représentation, séance**
– Grand spectacle à caractère officiel **gala**
– Spectacle composé de différents numéros **divertissement, show, attraction**
– Spectacle de rue **carnaval, mascarade, défilé**
– Spectacle que donnent des cavaliers **cavalcade, carrousel**
– Spectacle de music-hall **revue**
– Spectacle de variétés animé par une seule personne **one-man-show, one-woman-show**
– Spectacle donné l'après-midi **matinée**
– Spectacle pour enfants **guignol**
– Spectacle durant lequel une danseuse se déshabille **strip-tease, effeuillage**
– Période pendant laquelle se donnent les spectacles **saison**
– Support d'affiches de spectacles **colonne Morris**
– Chanteur qui donne des spectacles dans les cabarets et les cafés-théâtres **chansonnier**
– Le monde du spectacle **show-business**
– Lieu où se donnaient les spectacles romains **arène, amphithéâtre, cirque**
– Spectacle romain qui se déroulait sur l'eau **naumachie**
– Se donner en spectacle **montrer (se), exposer (s'), afficher (s'), exhiber (s')**
– La nature offre un spectacle grandiose **vue, panorama**
– Un spectacle attendrissant **scène, tableau, vision**

SPÉCIALITÉS ÉTRANGÈRES

Bigos (Pologne) : ragoût fait de couches alternées de bœuf (ou de viandes mélangées) et de choucroute.

Bolhinos (Portugal) : boulettes de morue.

Bollito misto (Italie) : pot-au-feu lombard servi avec une sauce verte.

Bortsch (Russie) : soupe de betteraves et de chou au bœuf et aux légumes servie avec de la crème aigre.

Caldeirada (Portugal) : soupe de poissons servie en plat unique.

Caldo verde (Portugal) : soupe au chou et aux pommes de terre.

Canard laqué (Chine) : canard enduit de plusieurs couches de miel et d'épices, puis rôti au four, ce qui lui donne un aspect laqué.

Caviar d'aubergines (Russie, Grèce) : purée d'aubergines montée à l'huile et assaisonnée d'ail, de cumin et de coriandre fraîche.

Chicken-pie (Grande-Bretagne) : tourte feuilletée au poulet.

Chili con carne (Mexique) : ragoût de bœuf aux haricots rouges et au piment.

Cocido (Espagne) : pot-au-feu madrilène.

Avgolemono (Grèce) : bouillon de poule ou de bœuf et de riz parfumé au citron et à la coriandre fraîche.

Couscous (pays du Maghreb) : plat de semoule aux pois chiches et aux raisins secs servi avec un bouillon riche en légumes, une fricassée de poulet ou d'agneau, et/ou des brochettes de viande, des boulettes de viande (keftas), des merguez grillées, et accompagné d'une sauce au piment ou harissa en Algérie et en Tunisie, mais pas au Maroc.

Curry à l'indienne (Inde) : plat de viande (mouton, poulet) ou de légumes fricassés avec des épices, et notamment du curry.

Dolmades : feuilles de chou (Turquie) ou de vigne (Grèce) farcies de riz.

Émincé de veau à la zurichoise (Suisse) : veau émincé et cuit à la poêle avec des champignons et de la crème.

Empanadas (Espagne) : petits pâtés feuilletés à la viande.

Enchilada (Mexique) : crêpe de maïs fourrée.

Falafels (Moyen-Orient) : beignets de pois chiches dans des galettes de pain non levé.

Feijoada (Brésil) : potée de ragoût de viandes mélangées (plat de côtes de bœuf, langue de bœuf fumée, oreilles de porc, lard, saucisses) aux haricots noirs et au riz.

Gaspacho (Espagne) : potage andalou à base de tomate, de poivron, de concombre, de mie de pain et de vinaigre, servi glacé après avoir mariné.

Goulasch (Hongrie) : ragoût de bœuf au paprika.

Gravlax (Suède) : saumon cru mariné à l'aigre-douce.

Harira (Maroc) : soupe de mouton aux lentilles et au riz.

Hun-tun (Chine) : raviolis aux crevettes ou au porc.

Imam bayaldi (Grèce et Turquie) : aubergines entières farcies à la viande.

Irish stew (Irlande) : ragoût de mouton aux pommes de terre.

Knödel (Autriche) : boulettes de pâte à nouilles cuites à l'eau.

Koulibiak (Russie) : pâté en croûte farci au saumon, au riz, aux épinards et aux œufs durs.

Lasagnes à la bolognaise (Italie) : feuilles de pâte à nouilles garnies de viande de bœuf hachée mijotée dans un coulis de tomates, et nappées de sauce béchamel et de fromage, cuites au four et gratinées comme une timbale.

Maultaschen (Allemagne) : gros raviolis à la viande et aux épinards que l'on fait pocher dans la soupe.

Mince-meat (Grande-Bretagne) : sorte de confiture de viande de bœuf hachée cuite dans de la graisse de rognons avec des pommes, du sucre, des raisins secs, des fruits confits et des épices, et dont on garnit généralement des tartelettes.

Minestrone (Italie) : soupe de légumes aux pâtes (ou au riz) liée avec du pesto – pâte de basilic, de parmesan et de pignons.

Moussaka (Grèce) : couches superposées d'aubergines en rondelles et de viande hachée, le tout gratiné au four à la béchamel.

Nasi goreng (Indonésie) : riz sauté avec de la chair de homard, du poulet émincé, des crevettes décortiquées et des légumes.

Nems (Chine) : galettes de riz farcies au porc et aux légumes, roulées, frites, et servies avec des feuilles de laitue et de menthe et une sauce aigre-douce.

Osso-buco à la milanaise (Italie) : tranches de jarret de veau sciées avec l'os et mijotées en ragoût avec de la tomate, du vin blanc et des aromates.

Paella à la valencienne (Espagne) : plat de riz safrané cuit au gras et garni de morceaux de poulet, de veau, de lapin, de langoustines, de calmars, de rondelles de chorizo et de petits pois.

Papanas (Roumanie) : beignets salés au fromage blanc.

Pastilla (Maroc) : tourte feuilletée au pigeon et à la cannelle.

Pirojki (Russie, Ukraine, Pologne) : petits pâtés en croûte.

Pizza (Italie) : galette napolitaine en pâte à pain garnie à l'origine de tomates, de mozzarella, d'olives noires et de basilic.

Polenta (Italie) : bouillie épaisse de semoule de maïs servie en garniture avec les daubes, les civets et les champignons en sauce.

Porkölt (Hongrie) : ragoût de veau aux oignons et au paprika.

Puchero (Argentine) : ragoût de viandes mélangées au maïs et aux légumes.

Risotto à la milanaise (Italie) : riz cuit au gras, puis mouillé au bouillon safrané, que l'on lie au beurre et au parmesan.

Riz cantonais (Chine) : plat de riz aux petits pois, à l'omelette et au jambon.

Rösti (Suisse) : pommes de terre précuites à l'eau puis râpées et cuites en galette à la poêle dans du beurre.

Scampi fritti (Italie) : beignets de langoustines servis avec une sauce tartare.

Taboulé (Liban) : salade de blé concassé (boulgour), ou à la rigueur de semoule, avec des dés de tomate et/ou du persil, assaisonnée avec menthe et jus de citron.

Tempura (Japon) : beignets de poisson, de langoustines ou de légumes.

Tortilla (Espagne) : omelette, généralement aux pommes de terre.

Tsatziki (Grèce) : purée de concombre au yaourt et à l'ail.

Waterzoï (Belgique) : sorte de poule au pot.

Welsh rarebit (Grande-Bretagne) : toasts garnis d'un mélange de cheddar et de bière puis gratinés au four.

Zarzuela (Espagne) : ragoût de fruits de mer.

SPECTATEUR
– L'ensemble des spectateurs **public, assistance, auditoire, salle, parterre, galerie, assemblée**
– Spectateur à la curiosité malsaine **voyeur**

SPECTRE
– Le spectre de la mort **menace, danger**
– Il a vu un spectre dans le château **apparition, esprit, fantôme, revenant**
– Étude du spectre lumineux **spectrométrie**
– Appareil permettant d'étudier ou de représenter un spectre lumineux **spectromètre, spectrographe, spectrophotomètre, spectroscope**
– Couleurs du spectre lumineux **violet, indigo, bleu, vert, jaune, orangé, rouge, arc-en-ciel**
– Spectre d'un médicament **champ d'action, degré d'efficacité**

SPÉCULER
– Spéculer en rêvant de faire fortune **boursicoter, agioter, trafiquer, placer, jouer**

– Spéculer sur la générosité de ses proches **compter sur, tabler sur, miser sur, faire fond sur**
– Spéculer sur la fin du monde **réfléchir à, songer à, méditer sur**

SPERME

– Contenu dans le sperme **liquide séminal, spermatozoïde, gamète mâle**
– Élaboration des spermatozoïdes contenus dans le sperme **spermatogenèse**
– Analyse de sperme **spermogramme, spermocytogramme**
– Technique utilisant le sperme pour la recherche des maladies infectieuses **spermoculture**
– Substance qui détruit les spermatozoïdes contenus dans le sperme **spermicide**
– Chez les abeilles, organe conservant le sperme dans le corps de la reine **spermathèque**
– Sperme des poissons **laitance, laite**

SPHÈRE

– Qui a la forme d'une sphère **sphérique, sphéroïdal**
– Sphère représentant le globe terrestre **mappemonde, globe**
– Une sphère d'activités **réseau, domaine, champ, zone**
– Pénétrer dans une autre sphère **milieu, monde, domaine, environnement, cercle, univers, orbite**

SPIRALE

syn. **circonvolution, enroulement**
– Chaque tour d'une spirale **spire**
– Principales spirales géométriques **spirale d'Archimède, spirale de Fermat, spirale de Galilée, spirale de Poinsot, spirale hyperbolique, spirale logarithmique**
– Type de spirale sinusoïdale **lemniscate, cardioïde**
– Un escalier en spirale **à vis, en colimaçon, hélicoïdal, spiroïdal**
– L'avion dessine des spirales dans le ciel **vrilles**
– Des spirales de fumée s'échappent de la cheminée **volutes, nuages**

SPIRITUEL

– Chercher à atteindre le monde spirituel **immatériel, incorporel, intemporel, abstrait, mystique**
– Les valeurs spirituelles **intellectuelles, culturelles, morales**
– Un amour spirituel **chaste, platonique**
– Donner aux choses un caractère spirituel **spiritualiser, idéaliser, sublimer**
– Le sens spirituel d'un texte **figuré, allégorique, mystique, symbolique**
– Avoir un humour spirituel **subtil, raffiné, léger, plaisant**
– Une femme spirituelle **vive, pétillante, brillante, ingénieuse, intelligente**

– Une remarque spirituelle **amusante, drôle, malicieuse, piquante, humoristique, enlevée**

SPLENDEUR

– Cette maison a retrouvé sa splendeur d'antan **éclat, lustre, relief, attrait, panache**
– Le soleil rayonne de toute sa splendeur **lumière, feu, éclat**
– La splendeur d'une réception **luxe, faste, pompe, apparat, somptuosité, opulence**
– Au faîte de sa splendeur **grandeur, gloire, magnificence, succès**

SPLENDIDE

– Une occasion splendide **exceptionnelle, extraordinaire, mirifique, fabuleuse, prodigieuse**

– Quel temps splendide ! **radieux, éclatant**
– Des décors splendides **merveilleux, féeriques, somptueux**
– Un édifice splendide **monumental, majestueux**
– Une propriété splendide **magnifique, princière, fastueuse**
– Une voiture splendide **brillante, étincelante, rutilante**
– Une femme splendide **ravissante, séduisante, superbe, enchanteresse, sculpturale**
– Être dans une forme splendide **éblouissante, resplendissante, olympienne**
– Il s'est conduit d'une manière splendide **sublime, admirable, héroïque**

SPONGIEUX

syn. **spongiforme**

SPORTS		
Arts martiaux	parachutisme ascensionnel	**Sports équestres**
aïkido	parapente	course d'obstacles
hsing-i	planeur	course de galop
jiu-jitsu	ULM	course de trot
judo	voile-contact	dressage
karaté	vol relatif	endurance
kendo	voltige	horse-ball
kung-fu		polo
sumo	**Sports aquatiques**	saut d'obstacles ou jumping
taekwondo	natation	steeple-chase
tai-chi-chuan	natation synchronisée	
	plongeon	**Sports individuels**
Athlétisme	water-polo	golf
course de demi-fond		gymnastique rythmique
course de fond	**Sports automobiles**	et sportive (GRS)
course de haies	endurance	gymnastique
course de vitesse	formule 1	haltérophilie
cross-country	karting	tir à l'arc
lancer du disque	rallye	tir à la cible
lancer du javelot	rallye-raid	
lancer du marteau		**Sports nautiques**
lancer du poids	**Sports collectifs**	aviron
marathon	base-ball	canoë-kayak
marche	basket-ball	funboard
saut à la perche	football	planche à voile
saut en hauteur	football américain	plongée
saut en longueur	handball	rafting
sprint	hockey sur gazon	ski nautique
steeple	rugby	surf
triple saut	volley-ball	voile
		yachting
Cyclisme	**Sports de balle**	
course cycliste	badminton	**Sports sur neige, sur**
cyclo-cross	cricket	**glace ou en montagne**
cyclisme sur piste	crosse	alpinisme
VTT	pelote basque	biathlon (ski de fond + tir)
	softball	bobsleigh
Motocyclisme	squash	curling
enduro	tennis	escalade
grass-track	tennis de table ou ping-pong	hockey sur glace
motoball		luge
motocross	**Sports de combat**	patinage artistique
speedway	boxe américaine ou full-contact	patinage de vitesse
trial	boxe anglaise	saut à ski
vitesse	boxe française	ski
	catch	ski acrobatique
Sports aériens	escrime	ski de fond
deltaplane	lutte	ski sur bosses
parachutisme	savate	snowboard

SPONTANÉ
– La croissance est un phénomène spontané **naturel**
– Une attitude trop spontanée **irréfléchie, primesautière, impulsive**
– Un geste spontané **instinctif, inconscient, involontaire, réflexe, automatique, machinal**
– Une personne spontanée **franche, sincère, loyale, ouverte, directe, cordiale**

SPORT *Voir tableau page ci-contre*
– Lieu où l'on fait du sport **stade, gymnase**
– Association qui régit un sport **fédération**

SPORTIF /1
– Catégorie de classement des sportifs selon leur âge **poussin, benjamin, minime, cadet, junior, senior, vétéran**
– Protège le sportif **casque, protège-tibia, genouillère, protège-dents, coquille, gant, masque, cuirasse**
– Permet de reconnaître les sportifs lors d'une épreuve **dossard, casaque, toque**
– Un contrôle auquel sont soumis les sportifs **antidopage**

SPORTIF /2
– Épreuve sportive de sélection **critérium, éliminatoire, présélection**
– Compétition sportive comprenant des épreuves dans plusieurs disciplines **biathlon, triathlon, pentathlon, décathlon**
– Titre sportif mis en jeu **challenge**
– Choisit les meilleurs éléments d'une équipe sportive **sélectionneur**
– Faire preuve d'un esprit sportif **fair-play**
– Lieu où se déroulaient les épreuves sportives romaines **amphithéâtre, cirque, Colisée, hippodrome**

SQUELETTE *Voir illustration p. 575*
syn. **carcasse**
– Découvrir des squelettes dans une nécropole **ossements**
– Animaux qui ont un squelette **vertébrés**
– Un visage pareil à celui d'un squelette **desséché, émacié, hâve**
– Un homme si maigre qu'il rappelle un squelette **squelettique, décharné, efflanqué, étique, osseux**
– Le squelette d'une œuvre **plan, canevas, structure, ossature, trame**

STABILITÉ
– Stabilité d'une construction **assise, assiette, aplomb**
– Stabilité du faible taux de chômage **constance, fixité**
– Stabilité d'une entreprise **durabilité, solidité, équilibre**
– Stabilité d'une institution politique **permanence, pérennité**

– Stabilité du cours d'une monnaie **fermeté, tenue**
– Choisir un poste pour sa stabilité **sécurité, inamovibilité**

STABLE
– Une personne stable **équilibrée, solide, constante**
– Une position stable **assurée, ferme**
– Une situation stable **fixe, permanente, durable, inaltérable, immuable**
– Un régime politique stable **assis, affermi**
– Période stable dans une maladie **stationnaire**
– Une humeur qui n'est pas stable **capricieuse, lunatique, versatile, inconstante, volage, labile**

STADE
– Entourent le stade **gradins, tribunes**
– Stade aménagé pour les courses cyclistes **vélodrome**
– Stade aménagé pour les courses de chevaux **hippodrome**
– Il y a plusieurs stades **phases, périodes**
– Procéder par stades successifs **étapes, niveaux, degrés, échelons, paliers**
– Dernier stade **fin, issue, dénouement, terme**

STAGNATION
– Période de stagnation **piétinement, immobilisme, inertie, improductivité, inaction**
– Stagnation de l'économie **ralentissement, marasme, arrêt, immobilité, crise, ankylose**
– Stagnation d'un liquide organique, en médecine **stase**

STANDARD
– Conforme au standard **règle, norme**
– Les standards des années 1960 **classiques**
– Un modèle standard **courant, habituel, ordinaire**
– Un mobilier standard **type, normalisé**
– Un sourire standard **figé, contraint, stéréotypé**

STATION
– Faire une courte station **pause, halte, arrêt**
– Station où l'on passe ses vacances **lieu de séjour, villégiature**
– Station thermale **ville d'eaux**
– Une station au bord de la mer **balnéaire**
– Station assise **position**

STATIONNAIRE
– L'état du malade est stationnaire **stable**
– La situation reste stationnaire **fixe, constante, identique, inchangée, statique**

– Le niveau de la mer est stationnaire **immobile, étale, invariable, stagnant**

STATIONNEMENT
– Un stationnement à prix réduit pour les habitants du quartier **résidentiel**
– Un stationnement alternatif de chaque côté d'une rue **unilatéral**
– Voie sur laquelle le stationnement est limité **zone bleue**
– Mesure le temps de stationnement d'un véhicule **horodateur, disque, parcmètre**
– Risque pris lors d'un stationnement irrégulier **contravention, enlèvement, procès-verbal, mise en fourrière**
– Auxiliaire de police chargé de faire respecter les règles du stationnement **contractuel**
– Surnom donné à la contractuelle parisienne chargée du stationnement **pervenche, aubergine**
– Dispositif permettant à la police d'immobiliser une voiture en stationnement illicite **sabot de Denver**
– Mode de stationnement d'une troupe militaire **caserne, camp, cantonnement, bivouac**

STATISTIQUE
– Principe sur lequel repose la statistique **probabilité**
– Calcul des probabilités en statistique **stochastique**
– Graphique utilisé en statistique **histogramme**
– Éléments pris en compte pour élaborer une statistique **données, facteurs, paramètres**
– Établie d'après des statistiques **évaluation, estimation**
– Tendance qui se dessine d'après une statistique **moyenne, médiane, mode**
– Rapport moyen en termes de statistique **indice**
– Se situe hors de la tendance d'une statistique **variance, erreur type, écart type**
– Enquête nécessaire pour établir des statistiques **sondage**
– Ensemble de personnes interrogées lors d'une statistique **échantillon, panel**

STATUE
– Support d'une statue **socle, piédestal, acrotère, piédouche**
– Base qui soutient la statue **plinthe, terrasse**
– Établit les proportions d'une statue **canon**
– Statue d'homme servant de support **atlante, télamon**
– Statue de femme servant de support **cariatide**
– Statue de très grandes dimensions **colosse**
– Statue représentant un buste pris dans une gaine **terme**

– Statue funéraire représentant un personnage couché **gisant**
– Statue représentant un sujet en prière **orant**
– Statue de la Vierge éplorée **pietà, Mater dolorosa**
– Statue de l'Antiquité égyptienne représentant un sujet accroupi **statue-bloc, statue-cube**
– Statue d'une jeune fille vêtue représentative de l'art grec archaïque **koré**
– Statue d'un jeune homme nu représentative de l'art grec archaïque **kouros**
– Statue d'un personnage ou d'un animal représenté sans peau aux fins d'étude **écorché**
– Créature de la mythologie grecque qui changeait ses victimes en statues **Méduse, Gorgone**

STATUT

– Statut social **situation, rang, position, standing**
– Statuts d'une association **règlements, conventions, codes, règles**
– Une décision conforme au statut **statutaire**
– Une personne qui a le statut mais pas le titre **assimilée**

STÉNOGRAPHIE

– Accompagne souvent la pratique de la sténographie **dactylographie**
– Représentation en sténographie d'un mot ou d'une syllabe **sténogramme**
– Prendre en sténographie à l'aide d'une machine **sténotyper**
– Sténographie utilisée à l'Assemblée nationale constituante puis à la Législative **logographie**

STEPPE

– Steppe à herbe haute **savane, pampa, campo**
– Steppe des plateaux d'Afrique du Sud **veld**

STÉRILE

syn. **pasteurisé, stérilisé**
– Un local stérile de laboratoire **désinfecté, aseptisé**
– Une jument stérile **bréhaigne**
– Une région stérile **aride, désertique, inculte, incultivable, ingrate, pauvre, sèche, inféconde, improductive**
– Une conversation stérile **inutile, vaine, oiseuse, frivole**
– Une action stérile **inefficace, infructueuse**
– Une époque stérile en créateurs **dénuée de, dépourvue de**

STÉRILISATION

– Appareil servant à la stérilisation **étuve, autoclave, stérilisateur**
– Stérilisation avec de l'eau de Javel ou du chlore **javellisation, verdunisation**
– Procédé chimique de stérilisation **asepsie, antisepsie**
– La stérilisation les tue **microbes, toxines, bactéries**
– Stérilisation d'aliments liquides ou solides par la chaleur **pasteurisation, appertisation, tyndallisation, upérisation**
– Stérilisation d'un individu **castration**
– Opération entraînant la stérilisation de l'homme **vasectomie**
– Opération entraînant la stérilisation de la femme **ovariectomie, ligature des trompes**

STÉRILISER

– Stériliser des aliments par la chaleur **upériser, pasteuriser, appertiser**
– Stériliser des instruments médicaux **désinfecter, aseptiser, étuver**
– Stériliser un lieu **javelliser, verduniser**
– Stériliser de l'air **ozoniser**
– Stériliser un animal mâle **castrer, châtrer, couper, hongrer, émasculer, mutiler**

STIMULANT

– Le thé et le café sont des stimulants **toniques, excitants**
– Ce médicament est un stimulant **fortifiant, remontant, reconstituant, analeptique, dopant, psychotonique, anabolisant, amine**
– Stimulant sexuel **aphrodisiaque**
– Prendre un stimulant **doper (se)**

STIMULER

– Appareil servant à stimuler le cœur **pacemaker**
– Une douche froide stimule l'organisme **fouette, réveille**
– Stimuler l'appétit **aiguiser, ouvrir**
– Stimuler la conversation **animer, égayer**
– Stimuler la curiosité **allumer, éveiller, provoquer**
– Stimuler une assemblée **enflammer, passionner, galvaniser, survolter, exalter, enthousiasmer**
– Être stimulé par le succès **encouragé, enhardi**
– Cet enjeu va stimuler les concurrents **exciter, éperonner, aiguillonner, motiver, encourager**

STIPULER

– Les conditions stipulées dans le contrat **énoncées, définies, exprimées, explicitées, formulées, notées**
– Un courrier stipulant la nature d'une réclamation **précisant, spécifiant, mentionnant, faisant mention de**

STOCK

– Le stock d'un magasin **assortiment, réserve, approvisionnement, achalandage**
– Le stock d'une bibliothèque **fonds**
– Bâtiment où l'on met des stocks **entrepôt, dépôt, silo, grenier, grange**
– Endroit où se trouve le stock **arrière-boutique, réserve**
– Partie du stock qui n'a pas été vendue **surplus, excédent**
– Constituer un stock **emmagasiner, stocker, entreposer, ensiler**
– Vendre son stock **écouler, liquider, déstocker**
– Stock trop important par rapport à la demande **surproduction**

STORE

– Un store à lamelles horizontales **vénitien**
– Un store dont le tissu remonte en se fronçant **bouillonné, à l'italienne**
– Store extérieur **banne, auvent**
– Matériel nécessaire pour monter un store à enrouleur **support, étrier plat, étrier rond, ressort, baguette de lestage, cordon de manœuvre**

STRICT

– Une tenue stricte **sobre, austère**
– Un éducateur très strict **sévère, rigide, exigeant, inflexible, ferme, implacable, impitoyable, intraitable**
– Une discipline très stricte **draconienne**
– Le sens strict d'une expression **littéral**
– Une morale stricte **astreignante**
– Obéissance très stricte à certains principes **rigorisme, puritanisme**
– La stricte observance d'un dogme **absolue, totale, rigoureuse**
– Au sens strict **stricto sensu**

STRIER

– Une étoffe rouge striée de brun **rayée**
– Strier le crépi d'un mur **bretteler**
– Un visage tout strié de rides **vermiculé, parcheminé, flétri**

STROPHE

syn. **stance**
– Strophe d'un poème **tercet, quatrain, sizain, septain**
– Strophe d'une chanson **couplet**
– Suit la strophe dans une pièce lyrique de la tragédie antique **antistrophe, épode**

STRUCTURE

– Structure d'un édifice **charpente, armature, ossature, squelette**
– Structure d'une société **forme, organisation**
– Structure sociale **hiérarchie**
– Structure d'une entreprise **organigramme**
– Structure des troupes **ordre, disposition, agencement**

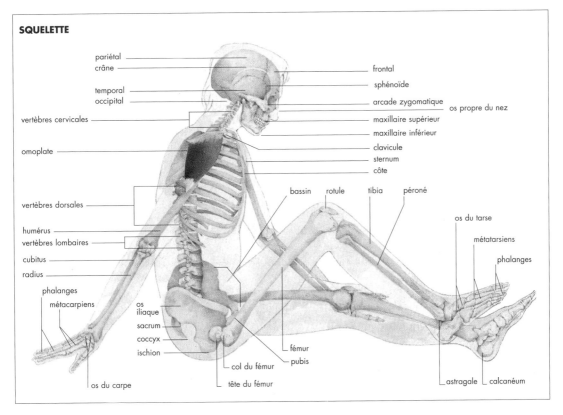

SQUELETTE

pariétal

crâne

temporal

occipital

vertèbres cervicales

omoplate

vertèbres dorsales

humérus

vertèbres lombaires

cubitus

radius

phalanges

métacarpiens

os iliaque

sacrum

coccyx

ischion

os du carpe

col du fémur

tête du fémur

frontal

sphénoïde

arcade zygomatique

os propre du nez

maxillaire supérieur

maxillaire inférieur

clavicule

sternum

côte

bassin   rotule   tibia   péroné

os du tarse

métatarsiens

phalanges

fémur

pubis

astragale   calcanéum

– Structure d'une œuvre **composition, construction, contexture**
– Un exposé qui manque de structure **décousu, incohérent, désordonné**

STUPÉFAIT
syn. **abasourdi, ahuri, ébahi, ébaubi, étonné, stupéfié, surpris**
– Stupéfaite, elle n'en croyait pas ses yeux **effarée, sidérée, méduseé, pétrifiée, éberluée**
– Stupéfait, il ne trouvait plus ses mots **confondu, suffoqué, interloqué, interdit, pantois, coi**

STUPÉFIER
– Les enfants étaient stupéfiés par la beauté des cadeaux **fascinés, émerveillés, ébahis, éblouis**

STUPEUR
– Son visage figé restait marqué par la stupeur **engourdissement, hébétude, stupéfaction, ébahissement, effarement, saisissement**
– Un moment de stupeur générale **étonnement, surprise**
– État de stupeur totale **abattement, accablement, anéantissement, prostration**

STUPIDE
– Des arguments stupides **illogiques, incohérents, décousus, irrationnels, infondés**
– Un esprit complètement stupide **limité, borné, étroit, obtus, inculte**
– Une conduite stupide **déraisonnable, insensée, extravagante**
– Une expression stupide sur le visage **niaise, hébétée**
– Une situation stupide **absurde, inepte**
– Rendre une personne stupide **abrutir, abêtir**

STYLE
syn. **forme, genre, manière**
– Le style propre à chaque auteur **écriture, langue, facture, art, touche, plume**
– Étude du style d'un écrivain **stylistique**
– Style en termes de grammaire **discours**
– Imitation du style d'un écrivain **pastiche**
– Mauvais style **cacographie**
– Texte écrit dans un style incompréhensible **galimatias, charabia**
– Tournure de style propre à une langue **idiotisme**
– Cet élève doit surveiller son style **expression**

– À quel style appartient cette colonne grecque? **ordre, esthétique**
– Caractérise un style **tour, tournure, ton, note, couleur, vivacité, intensité, registre**
– Style oratoire **rhétorique**
– Style pathétique **pathos**

SUAVE
– Une voix suave **chantante, harmonieuse, mélodieuse, caressante, sensuelle, charmeuse, envoûtante**
– Un goût suave **doux, sucré, melliflu, savoureux, succulent**
– Respirer un parfum suave **agréable, délicat, délicieux, exquis, délectable**
– Des paroles suaves **doucereuses, sirupeuses, tendres**

SUBIR
– Subir une période de crise **connaître, vivre, traverser**
– Subir les événements avec détachement **accepter, obéir à, s'incliner devant**
– Subir l'attirance de quelqu'un **ressentir, éprouver, percevoir**
– Subir des reproches injustifiés **supporter, essuyer, encourir, recevoir, endurer, souffrir, tolérer**
– Subir une peine de prison **purger**

SUPERSTITIONS

CE QUI PORTE MALHEUR

Aiguille : offrir une aiguille peut provoquer une dispute avec la personne à qui on la donne. Se piquer immédiatement avec cette aiguille peut néanmoins conjurer le sort.

Chapeau : poser un chapeau sur un lit.

Chat : voir un chat noir porte malheur. Cette superstition remonte au Moyen Âge, où l'on croyait les sorcières capables de se changer en chats noirs.

Cheval blanc : croiser un cheval blanc porte malheur, à moins de cracher par terre pour conjurer le sort.

Chiffre 13 : être 13 à table, comme dans le dernier repas de Jésus, annonce la disparition de l'un des convives. Par extension, tout ce qui porte le numéro 13 est signe de malheur : les hôtels, les hôpitaux, les avions, etc., n'ont généralement pas de chambre ou de place portant ce numéro.

Chouette : le cri de la chouette est considéré comme un signe qui annonce la mort.

Ciseaux : recevoir des ciseaux (et en général tout objet tranchant) sans les échanger contre une pièce de monnaie porte malheur, car cela coupe l'amitié entre celui qui les offre et celui qui les reçoit. Ouverts sur une table, ils attirent aussi le malheur.

Corde : parler de corde dans un théâtre.

Couteau : croiser deux couteaux ou un couteau et une fourchette sur une table porte malheur. Offrir ou accepter en cadeau un couteau sans l'échanger contre une pièce de monnaie peut détruire l'amitié entre celui qui l'offre et celui qui le reçoit.

Doigt : sentir un engourdissement dans le petit doigt de la main gauche est signe d'un malheur futur.

Échelle : si l'on pense communément que passer sous une échelle porte malheur, car un objet peut nous tomber sur la tête, il existe une autre superstition liée à la forme géométrique que l'échelle dessine lorsqu'elle est apposée au mur : un triangle. De nombreuses mythologies et pensées magiques considèrent en effet l'intérieur du triangle comme un espace maudit que l'on ne doit pas franchir sous peine de s'exposer aux pires malheurs.

Escalier : dépasser quelqu'un dans un escalier annonce une querelle.

Hibou : le cri du hibou, comme celui de la chouette, est considéré comme un signe qui annonce la mort.

Lapin : les premiers navires à voiles de la marine qui embarquèrent des lapins rencontrèrent de terribles difficultés, car les lapins affamés rongèrent les cordages, les mâts, les cales des bateaux et tout ce qui pouvait les nourrir. Depuis ce temps, parler de lapin à bord d'un bateau porte malheur.

Miroir : casser un miroir provoque sept ans de malheur.

Mouchoirs : les offrir provoque les larmes.

Oiseau : l'intrusion d'un oiseau dans une maison annonce une mort.

Pain : poser le pain à l'envers porte malheur, car il est alors tourné vers les entrailles de la Terre, vers l'enfer, et attire ainsi les mauvais esprits.

Parapluie : ouvrir un parapluie à l'intérieur d'une habitation porte malheur et l'ouvrir à l'extérieur lorsqu'il fait beau amène la pluie. Le poser sur un lit ou une table porte aussi malheur.

Pie : une pie qui chante près d'une maison est un mauvais présage.

Pied : poser le pied gauche en premier lorsqu'on se lève porte malheur.

Rat : si un rat quitte le navire, cela annonce un naufrage.

Robe : si le marié voit la robe de mariée avant le mariage, on considère généralement que cela peut nuire au futur couple.

Rouge-gorge : l'histoire raconte qu'en tentant de délivrer le Christ, cet oiseau reçut une goutte de sang sur sa gorge, qui est restée rouge. C'est pourquoi tuer un rouge-gorge, animal sacré, porterait malheur pour la vie entière.

Sel : renverser du sel de la salière porte malheur.

Vautour : un vautour qui vole au-dessus d'une maison annonce une mort prochaine.

Vendredi : il est préférable de ne rien entreprendre d'important le vendredi, car ce jour porte malheur.

CE QUI PORTE BONHEUR

Bois : toucher du bois porte chance et détourne le malheur.

Doigt : croiser les doigts porte bonheur.

Étoile : voir une étoile filante et formuler un vœu avant sa disparition permet de le réaliser.

Fer à cheval : trouver un fer à cheval porte bonheur.

Fontaine : jeter une pièce dans une fontaine.

Pigeon : croiser un pigeon est de bon augure.

Pompon : toucher le pompon d'un marin.

Sel : jeter du sel par-dessus son épaule.

Trèfle : trouver un trèfle à quatre feuilles.

Vaisselle : casser de la vaisselle le jour d'un mariage.

Verre : casser du verre blanc par inadvertance.

– Faire subir un interrogatoire à quelqu'un **soumettre à**

SUBIT

– Un changement subit **inattendu, imprévu, inopiné, rapide, brusque**
– Émotion subite **saisissement, stupeur**
– Une mort subite **soudaine, instantanée, immédiate, brutale, foudroyante, fulgurante**
– Événement subit qui retourne une situation **péripétie, incident**

SUBITEMENT

syn. **brusquement, tout d'un coup**
– Se réveiller subitement **en sursaut**
– Mourir subitement **brutalement**

– Il a pris l'habitude de venir subitement **à l'improviste**
– La voiture s'est arrêtée subitement **net**

SUBJUGUER

– Être subjugué par une forte personnalité **dominé, conquis**
– L'auditoire était subjugué **charmé**
– Les enfants étaient subjugués par le récit **fascinés, captivés, émerveillés**
– Subjuguer une personne **séduire, ensorceler, envoûter, éblouir**

SUBLIME

– Un tableau sublime **extraordinaire, divin, fabuleux, superbe, magnifique, splendide**

– Un sentiment sublime **pur, élevé, éthéré, noble, exalté**

SUBSISTER

– Des moyens pour subsister **vivre, survivre, surnager**
– Subsister avec peine **vivoter, végéter**
– Permet de subsister **secours, aide, don, subvention, allocation, subside, obole, aumône**
– Ces croyances subsistent en certaines régions **demeurent, persistent, maintiennent (se), perdurent**

SUBSTANCE

– Substance d'un discours **principal, essentiel, corps, sujet, thème**

– Substance en termes de philosophie **substrat**
– La substance d'une œuvre **matière, sujet, objet, contenu, fond, essence**
– Le meilleur de la substance **suc, nectar, substantifique moelle, quintessence**
– En substance **grossièrement, sommairement, grosso modo, en gros, en résumé, substantiellement**

SUBSTANTIF
– Modifier un mot pour en faire un substantif **substantiver**

SUBSTITUER
– Se substituer à quelqu'un **changer en (se), transformer en (se), métamorphoser en (se), remplacer, muer en (se)**
– Substituer un mot à un autre **commuter, permuter, intervertir, transposer**
– En droit, substituer une personne à une autre **subroger**
– Substituer une peine moins lourde à une autre **commuer**

SUBSTITUTION
– Un produit de substitution **ersatz, succédané, médicament générique**
– Opérer une substitution en termes de psychologie **transfert**

SUBTERFUGE
– Subterfuge qui permet de se sortir d'une situation embarrassante **détour, échappatoire, faux-fuyant, dérobade**
– Personne n'a découvert le subterfuge **canular, mystification**
– Mettre au point un subterfuge **tour, stratagème, supercherie, ruse, artifice, piège, perfidie**
– User de subterfuges pour arriver à ses fins **ruser, finasser**

SUBTIL
– Agir d'une manière subtile **adroite, habile, ingénieuse, astucieuse, avec tact**
– Une analyse subtile **perspicace, affinée, aiguisée, pointue, judicieuse**
– Cet enfant a déjà une intelligence subtile **pénétrante, sagace, déliée**
– Des différences subtiles **minces, ténues, infimes, minimes**
– Un goût subtil **fin, délicat, raffiné, élégant**
– Raisonnement subtil **argutie, chicane, finesse**
– Un style trop subtil **compliqué, contourné, sophistiqué, alambiqué, quintessencié, précieux**

SUBTILITÉ
– Faire preuve d'une grande subtilité d'esprit **acuité, perspicacité, sagacité, pénétration**

– Les subtilités de la langue **finesses, arcanes**
– Il mélange les saveurs avec subtilité **raffinement, science, délicatesse, habileté, adresse, génie**
– Ce ne sont que subtilités ! **vétilles, chinoiseries, bagatelles, détails, arguties, riens, byzantinismes, chicanes**

SUCCÉDER
– Des époques qui se succèdent **consécutives, successives**
– Les événements se succèdent avec rapidité **suivent (se), déroulent (se), enchaînent (s')**
– Ce médicament est appelé à succéder aux remèdes traditionnels **supplanter, suppléer, remplacer**
– Se succéder au chevet d'un malade **alterner, relayer (se)**

SUCCÈS
– Souvent synonyme de succès **richesse, fortune, gloire, célébrité, renommée, honneurs**
– Les plus beaux succès de l'année **performances, exploits, prouesses, tubes**
– Livre à succès **best-seller, gros tirage**
– Une initiative couronnée de succès **utile, profitable, rentable, féconde, fructueuse**
– C'est un franc succès **réussite, triomphe, victoire**
– Connaître un succès considérable **faveur, vogue, popularité, retentissement**
– Entouré d'un halo de succès **auréolé**
– Le succès tiré d'une opération **avantage, bénéfice, gain**
– Multiplier les démarches sans succès **en vain, sans résultat, vainement, inutilement**

SUCCESSION
– Ancien terme de droit qui désignait la succession **hoirie**
– Héritier qui a droit à la succession **successible**
– Celui qui reçoit la totalité de la succession **légataire universel**
– Héritier qui a droit à une part de la succession **héritier réservataire**
– Une succession qui n'a pas été établie par testament **ab intestat**
– Transmis par la succession **héritage, patrimoine, bien, legs, fortune**
– Une succession non réclamée **en déshérence**
– Succession arithmétique **progression, suite**
– Succession logique **enchaînement, filiation**
– Succession de passants **chaîne, défilé, cortège, procession**
– Il m'a soumis une succession de propositions toutes alléchantes **série, suite,**

chapelet, kyrielle, litanie, énumération

SUCCOMBER
syn. **mourir, périr, rendre l'âme, trépasser**
– Succomber à un regard de braise **céder à, abandonner à (s'), laisser séduire par (se)**
– Refuser de succomber **résister, lutter, réagir**

SUCCURSALE
– Les différentes succursales de cette société **agences, bureaux, antennes**
– Succursale de vente **dépôt, comptoir**
– Créer une succursale en province **filiale, annexe**

SUCER
– Sucer le jus d'un pamplemousse **absorber, boire, avaler, aspirer, extraire**
– Sucer une pastille pour la gorge **laisser fondre**
– Animal qui suce le sang humain **moustique, sangsue**
– Être surnaturel qui suce le sang humain **vampire**

SUCRE
– Aliment à base de sucre **friandise, confiserie, bonbon, sucrerie, gourmandise**
– Résidu de sucre **bagasse, mélasse**
– Sucre cristallisé en morceaux **sucre candi**
– Sucre de canne brut **cassonade**
– Sucre des fruits **fructose, lévulose**
– Sucre obtenu à partir des déchets de raffinerie **vergeoise, bâtard**
– Sucre obtenu à partir du lait **lactose, galactose**
– Sucre provenant de l'amidon **glucose, maltose, dextrose**
– Jus de la canne à sucre broyée **vesou**
– Produit qui donne la même saveur que le sucre **édulcorant, saccharine, aspartame, sucrette**
– Une substance qui a l'apparence du sucre **saccharoïde**
– Sucre chauffé **caramel**
– Morceau de sucre trempé dans le café **canard**
– Ajout de sucre pendant la fermentation d'un vin **sucrage, chaptalisation**
– Taux de sucre dans le sang **glycémie**
– Mauvaise assimilation des sucres par l'organisme **diabète**

SUCRÉ
– Un vin sucré **doux, sirupeux, liquoreux**
– Qui n'est pas sucré **salé, amer, acide, acidulé, aigre, âpre, âcre**
– Parler sur un ton sucré **mielleux, doucereux, hypocrite, mielleux, douceâtre, mièvre, suave**

SUD
– Avoir l'accent du Sud **méridional**
– Partir en vacances dans le Sud **Midi**
– Le pôle Sud **Antarctique**
– L'hémisphère Sud **austral**

SUER
– Médicament qu'on absorbe afin de suer **sudorifique, diaphorétique**
– On s'y rend pour suer **sauna, bain de vapeur, hammam**
– Un mur humide qui sue **suinte**
– Traverser un village qui sue l'ennui **respire, exhale**

SUEUR
– Une glande qui produit la sueur **sudoripare, sudorifère**
– Sécrétion de sueur **sudation, transpiration**
– Sécrétion de sueur malodorante **bromidrose**
– Sueur très abondante **hydrorrhée**
– Être en sueur **en nage**

SUFFISANT
– Ce n'est pas une raison suffisante ! **satisfaisante, acceptable, valable**
– Obtenir des résultats suffisants **corrects, honnêtes, honorables**
– Prendre une quantité suffisante **raisonnable, convenable**
– Un personnage suffisant **vaniteux, fat, pédant, infatué, prétentieux, fier, arrogant, orgueilleux**
– Un enfant suffisant **poseur, maniéré**
– Parler en prenant un air suffisant **avec morgue, avec arrogance, avec prétention, avec fierté**
– Répondre sur un ton suffisant **dédaigneux, rogue, présomptueux, méprisant, outrecuidant**

SUFFOQUER
– Suffoquer de colère **étouffer de (s'), être oppressé par, étrangler de (s')**
– Je suis suffoqué par son culot **stupéfié, estomaqué, soufflé, sidéré, effaré**

SUGGÉRER
– Que vous suggère ce mot ? **évoque, inspire**
– Suggérer un titre accrocheur pour un album **proposer, soumettre, souffler**
– Ce rapport semble suggérer que les résultats sont encore insuffisants **insinuer, sous-entendre, induire, signifier**
– Un récit qui suggère de nombreuses idées **suggestif, évocateur**

SUICIDE
– Étude du processus qui conduit au suicide **suicidologie**
– Suicide rituel chez les Japonais **hara-kiri, seppuku**
– Avion-suicide japonais utilisé pendant la Seconde Guerre mondiale **kamikaze**

SUIE
– Couleur obtenue à partir de la suie **bistre**
– Maladie des plantes caractérisée par un dépôt couleur de suie **fumagine**
– Un ciel noir comme de la suie **fuligineux**
– Suie utilisée comme colorant **noir de fumée**
– Suie mélangée à des oxydes métalliques **cadmie**
– Nettoyer un conduit en enlevant la suie **ramoner**
– Ustensile utilisé pour enlever la suie dans une cheminée **hérisson**

SUISSE
– La Confédération suisse **helvétique**
– Langue parlée en Suisse **allemand, français, italien, romanche**
– Habitant d'un canton de la Suisse **alémanique, bâlois, bernois, genevois, neuchâtelois, romanche, romand, valaisan, zurichois**
– Le suisse de la cathédrale **bedeau, sacristain**
– Le suisse d'un hôtel particulier **portier, concierge, veilleur, chasseur**
– Écureuil rayé appelé suisse au Québec **tamia**

SUITE
syn. **continuité**
– Suite de couloirs **enfilade**
– Suite de personnages importants **file, ribambelle, cortège, procession**
– Suite d'un souverain **cour, escorte, équipage, train, cortège, appareil**
– Suite des descendants d'une grande famille **postérité, lignée, descendance**
– Suite mathématique **série, succession, progression**
– Au poker, suite de cinq cartes **séquence, quinte, quinte flush**
– Parler trois heures de suite **d'affilée**
– Suite de grossièretés **flot, chapelet, litanie, kyrielle, cascade, énumération**
– Suites d'un accident **contrecoup, séquelles, conséquences**
– Suites d'un événement **résultat, aboutissement, effets, répercussions**
– Nous prendrons une décision par la suite **ultérieurement, plus tard**
– Il faut partir tout de suite **à l'instant, sur l'heure, sans délai, séance tenante, sur-le-champ, maintenant, immédiatement, incessamment**
– Des phrases sans suite **incompréhensibles, incohérentes, illogiques, irrationnelles, décousues**

SUIVANT
– Le jour suivant **lendemain**
– Suivant le règlement **conformément à, d'après, selon**
– Suivant que **dans la mesure où**

SUIVI
– Des échanges commerciaux suivis **constants, continus, réguliers, ininterrompus, soutenus**
– Une argumentation suivie **logique, ordonnée, raisonnée, cohérente, structurée**

SUIVRE
– Suivre un chemin **prendre, emprunter, parcourir**
– Suivre le cours de la rivière **longer, côtoyer**
– Suivre pas à pas **serrer de près, talonner, emboîter le pas**
– Suivre une personne à son insu **filer, pister, prendre en filature, espionner**
– Suivre partout **poursuivre, traquer, talonner**
– Suivre son supérieur dans ses déplacements **accompagner, escorter**
– Suivre un exemple **imiter**
– Suivre un bon conseil **écouter, appliquer, obtempérer, soumettre (se), obéir**
– Suivre un principe de vie **respecter, observer, conformer à (se), adhérer à**
– Suivre une mode **adopter, sacrifier à, embrasser**
– Suivre ses penchants naturels **abandonner à (s'), écouter**
– Il suit les courants d'opinion **suiveur, mouton de Panurge, esprit grégaire**
– Des faits qui se suivent **consécutifs, subséquents, successifs**

SUJET
syn. **malade, patient, personne**
– Petits sujets posés sur une étagère **figurines, statuettes, bibelots**
– Composition musicale reposant sur un sujet **fugue**
– Sujet d'expérimentation **cobaye**
– Sujet de dispute **cause, raison, motif, occasion, pomme de discorde**
– Revenir sur un sujet **point, question, rubrique, chapitre**
– Le sujet d'une œuvre **matière, étoffe, objet, fond, propos, thème**
– Sujet de recherche **champ**
– Sujet du discours en termes de linguistique **topique**
– Sujet en arboriculture **porte-greffe**
– Être sujet à la rêverie **porté, enclin, disposé**
– Être sujet aux migraines **exposé**

SULTAN
– Titre porté autrefois par le sultan **padichah**
– Tribu assujettie au sultan **makhzen**
– Partie du palais du sultan où vivent les femmes **harem, sérail**
– Esclave affectée au service des femmes du sultan **odalisque**

SUPERBE

syn. **arrogance, fatuité, fierté, gloire, magnificence, morgue, orgueil, ostentation, suffisance**
– Un monument superbe **somptueux, fastueux, imposant**
– Un paysage superbe **magnifique, merveilleux, splendide, de rêve**
– Une œuvre superbe **admirable, remarquable, extraordinaire, supérieure, sublime, brillante**
– Un teint superbe **éclatant, éblouissant, resplendissant, de rose**
– Une attitude superbe **hautaine, insolente, orgueilleuse, altière, glorieuse**

SUPERFICIEL

syn. **creux, écervelé, étourdi, évaporé, hasardeux, inconséquent, léger**
– Un problème superficiel **insignifiant, secondaire, superflu, accessoire, minime**

– Une couche superficielle **vernis, apparence, aspect**
– Des connaissances trop superficielles **sommaires, insuffisantes**
– Des distractions superficielles **futiles, frivoles, sottes, vaines**

SUPERFLU

– Dénigrer le superflu **luxe**
– Retirer le superflu **élaguer**
– Des interventions superflues **inutiles, inefficaces, vaines, oiseuses, superfétatoires**
– Petits objets superflus **bagatelles, superfluités**
– Un paragraphe superflu car répétitif **redondant**

SUPÉRIEUR

– Un chercheur d'une compétence supérieure **distingué, éminent, émérite, brillant**

– Être supérieur **génie, surhomme, phénix**
– Une autorité supérieure **suprême, souveraine, divine**
– Une découverte supérieure **magistrale, hors pair, sans pareille, sublime**
– Atteindre la limite supérieure **faîte, sommet, acmé**
– Chercher à accéder à des capacités supérieures **dépasser (se), surpasser (se), transcender (se)**
– Il affichait un air supérieur **méprisant, dédaigneux, hautain, condescendant, suffisant, arrogant**

SUPÉRIORITÉ

– Avoir la supériorité sur son adversaire **dessus, avantage**
– Abuser de sa supériorité **influence, autorité, pouvoir, ascendant**
– Supériorité politique **suprématie, hégémonie, leadership**
– En grammaire, indique la supériorité **superlatif**

SUPERSTITION *Voir tableau p. 576*

SUPPLÉANT

– Suppléant d'une personnalité **représentant**
– Suppléant du procureur **substitut**
– Suppléant d'un juge **assesseur**
– Suppléant d'un joueur **remplaçant**
– Il a embauché un suppléant pour le seconder **adjoint**

SUPPLÉMENT

– Exiger un supplément d'information **complément**
– Faire payer un supplément **supplémenter**
– Supplément d'argent versé pour compenser l'inégalité d'un échange **soulte**
– Supplément de salaire **prime, bonification, gratification, étrennes**
– Supplément de marchandises **surplus, excédent**
– Supplément de travail **augmentation, surcharge, surcroît**
– Supplément à la fin d'un ouvrage **appendice, addenda, postface**
– Une occupation en supplément **accessoire, adventice, d'appoint**
– Militaire engagé en supplément des troupes régulières **supplétif**

SUPPLÉMENTAIRE

syn. **additionnel, complémentaire**
– Gain supplémentaire **boni, bénéfice, plus-value, intérêts**
– La question supplémentaire **subsidiaire**
– Requérir du personnel supplémentaire **auxiliaire, d'appoint**
– Demander un laps de temps supplémentaire **délai, prolongation, sursis**

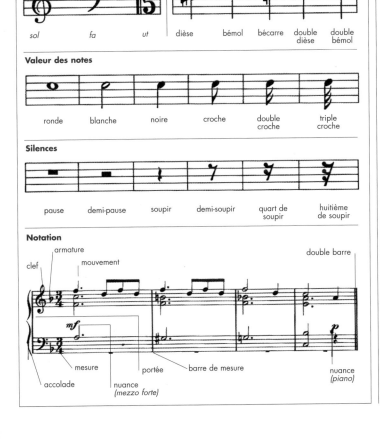

SYMBOLES MUSICAUX

Clefs

sol   fa   ut

Altérations/accidents

dièse   bémol   bécarre   double dièse   double bémol

Valeur des notes

ronde   blanche   noire   croche   double croche   triple croche

Silences

pause   demi-pause   soupir   demi-soupir   quart de soupir   huitième de soupir

Notation

clef   armature   mouvement   double barre
mf
mesure   portée   barre de mesure   nuance (piano)
accolade   nuance (mezzo forte)

SUPPLICE

syn. torture
– Aller au supplice **exécution**
– Supplice corporel **écartèlement, esso-rillement, énervation, décollation, lapidation, crucifixion, écorchement, tenaillement, estrapade, empalement, castration, mutilation**
– Instrument de supplice **brodequin, bûcher, pal, pilori, croix, chevalet, corde, tenaille, roue**
– Collier de fer servant au supplice **carcan, garrot**
– Supplice du feu **autodafé**
– Utilisé lors du supplice de la pendaison **gibet, potence, fourches patibulaires, échafaud**
– Escalier où l'on exposait le corps des victimes de supplices à Rome **gémonies**
– Personnage mythique célèbre pour son supplice **Tantale, Prométhée**
– Le supplice est mérité ! **peine, punition, condamnation, châtiment**
– Monter cette côte est un véritable supplice ! **enfer, martyre, calvaire**
– Les supplices de la jalousie **tourments, affres**
– Mettre au supplice **tourmenter, torturer, harceler, persécuter**

SUPPLIER

– Supplier avec insistance **prier, adjurer, conjurer, exhorter**
– Supplier le Ciel **invoquer, implorer**

SUPPORT

– Support à trois pieds **trépied, chevrette**
– Poser un tableau sur un support **chevalet**
– Support en architecture **corbeau, trompe**
– En peinture, surface servant de support **subjectile**
– Pilier servant de support **pylône, colonne, noyau de voûte, balustre**
– Support d'une statue **socle, piédestal, piédouche**
– Support d'une colonnade **stylobate**
– Type de support de charpente **poutre, solive**
– Support provisoire **étai, étançon**
– Support d'un véhicule à deux roues **béquille**
– Un support moral **aide, secours, appui, soutien**
– Un support financier **mécène**

SUPPORTER

– Cette plante peut supporter le froid **résiste au**
– Ne pas supporter la cuisine grasse **digérer**
– Supporter la boisson **tenir**
– Une musique criarde qu'on ne peut supporter **agaçante, énervante, irritante, exaspérante, horripilante**

– Une souffrance impossible à supporter **atroce, affreuse, épouvantable, abominable, intolérable, insoutenable, insupportable, suraiguë**
– Supporter une présence intempestive **accepter, accommoder de (s'), tolérer**
– Supporter un candidat **soutenir, épauler, appuyer, favoriser, encourager**
– Supporter ses obligations **assumer**
– Supporter des critiques malveillantes **subir, souffrir, endurer, encaisser**

SUPPOSÉ

syn. **douteux, incertain, présumé**
– Il était supposé venir à ce rendez-vous **censé**
– Voici le supposé spécialiste ! **soi-disant, prétendu**
– Un texte d'un supposé auteur **apocryphe**
– En droit, père supposé d'un enfant **putatif**

SUPPOSER

syn. **présumer**
– Ce poste suppose une grande disponibilité **demande, exige, implique, nécessite, induit, réclame**
– Supposer que tout ira bien **conjecturer, imaginer, présumer, penser**
– Laisser supposer **indiquer, annoncer, dénoter**
– Il ne faut pas supposer trop d'importance à ce personnage **attribuer, accorder, prêter, octroyer**
– On ne peut supposer une telle absurdité ! **croire, envisager, figurer (se)**

SUPPOSITION

– Une supposition de départ **présupposition, hypothèse, conjecture, condition**
– Ce n'est qu'une supposition **présomption, prévision, estimation, appréciation, supputation, conjecture**

SUPPRESSION

– Suppression d'un service **extinction, disparition, cessation d'activité, liquidation**
– Un projet de suppression d'emplois **licenciements, débauchage**
– Suppression de passages tendancieux dans un livre **censure**
– Suppression de vieux décrets **abrogation, annulation**
– Suppression de la peine capitale **abolition**
– Suppression d'un membre **amputation, mutilation**

SUPPRIMER

– Supprimer un concurrent gênant **éliminer, évincer**
– Il faut supprimer toute tentative de résistance **détruire, anéantir, briser, réprimer**

– Supprimer un ennemi **tuer, assassiner, abattre**
– Supprimer un peuple entier **massacrer, exterminer, décimer**
– Supprimer les réactions **paralyser, annihiler, inhiber**
– Supprimer les pouvoirs donnés à une personne **révoquer, destituer, démettre, démissionner, limoger**
– Supprimer les problèmes **écarter, balayer, résoudre**
– Supprimer d'une œuvre les passages jugés choquants **expurger, censurer, effacer**
– Supprimer de la liste des participants **rayer, barrer, effacer, biffer, radier**
– Supprimer les longueurs d'un récit **élaguer**
– Une crème qui supprime les effets du vieillissement **évite, ralentit, arrête, empêche, combat, diminue, estompe, lutte contre, fait disparaître**

SUPRÊME

– Faire un effort suprême **ultime, dernier, désespéré, final**
– Le pouvoir suprême **souverain, supérieur, puissant, impérial**
– Le suprême retour **divin, saint, grand**

SÛR

– Cette poutrelle est sûre **solide, robuste**
– C'est le seul point d'information qui soit sûr **avéré, établi, confirmé, garanti, indubitable**
– Déclamer un texte d'un ton très sûr **assuré, pénétré, ferme, juste**
– Il a une mémoire très sûre **indéfectible, infaillible**
– Un compagnon sûr **fidèle, éprouvé, de confiance, fiable**
– Une méthode sûre **sérieuse, incontestable, efficace**
– Cela arrivera, c'est sûr **inévitable, inéluctable**
– Être sûr d'arriver à ses fins **convaincu, persuadé, certain**
– Il est sûr de lui après cet examen **confiant, serein, tranquille, calme**

SURANNÉ

– Un équipement suranné **obsolescent, antédiluvien**
– Un mobilier tout à fait suranné **antique, rococo, kitsch, ringard**
– Expression surannée **archaïsme**
– Un style suranné **vieillot, démodé, désuet**
– Des conceptions surannées **dépassées, périmées, caduques**

SURCHARGE

– Surcharge de travail accablante **surplus, surcroît**
– Surcharge de couleurs clinquantes **profusion, surabondance, débauche**

– Il a dû payer pour une surcharge de bagages **excédent**
– Surcharge imposée à un cheval de course **handicap**

SURCHARGER
– Surcharger quelqu'un de travail **accabler, oppresser, écraser**
– La mémoire de l'ordinateur est surchargée **encombrée, saturée, pleine**
– Des dépenses qui surchargent le budget **grèvent, alourdissent, accroissent, augmentent**

SURCROÎT
– Surcroît de travail **surcharge, surplus, augmentation**
– De surcroît **en plus, en outre, par-dessus le marché, pour comble**

SURÉLEVÉ
– Une maison surélevée **exhaussée, surhaussée**
– Plancher surélevé **estrade, scène, tribune, podium**
– Un tabouret surélevé **rehaussé**
– Surélevé sur la pointe des pieds **haussé, monté, hissé**

SÛRETÉ
syn. **assurance, certitude**
– Assurer la sûreté d'un lieu **sécurité, ordre, protection**
– Pour plus de sûreté **tranquillité**
– Mettre un bien en sûreté **en lieu sûr, à l'abri, à couvert**
– Agir avec une grande sûreté **habileté, précision, dextérité**
– Synonyme de sûreté pour le créancier **warrant, gage, nantissement, hypothèque, privilège, garantie, assurance, caution**
– Une créance dépourvue de sûreté **chirographaire**

SURFACE
– Calculer la surface d'un terrain **superficie, aire**
– Apparaître à la surface de l'eau **émerger, affleurer**
– Un objet qui reste à la surface de l'eau sans jamais couler **insubmersible**

SURGIR
– Il voit surgir une difficulté majeure **naître, émerger, poindre, apparaître**
– Elle regardait l'eau surgir du fond de la grotte **jaillir, sourdre, sortir**
– Endroit où une rivière souterraine surgit de terre **résurgence**

SURMENER
– Se surmener au travail **épuiser (s'), user (s'), fatiguer (se)**
– Surmener un athlète **exténuer, excéder de fatigue**

– Surmener un animal de trait **forcer**

SURMONTER
– Le château surmonte la vallée **domine, surplombe**
– L'église est surmontée d'une flèche **coiffée**
– Surmonter une difficulté **franchir, vaincre, avoir raison de, venir à bout de, surpasser**
– Surmonter son angoisse **maîtriser, dompter, réprimer, triompher de**

SURNATUREL
syn. **paranormal**
– Phénomène surnaturel **miracle, apparition**
– Être surnaturel **fée, génie, elfe, esprit, démon, lutin, troll, dragon, gobelin, sylphe, vampire, succube, incube**
– Une lumière qui semble surnaturelle **magique, extraordinaire, fabuleuse, irréelle, prodigieuse, immatérielle, féerique, merveilleuse**
– Un exploit surnaturel **surhumain, parapsychique**

SURPASSER
– Surpasser un concurrent **dominer, dépasser, distancer, éclipser, battre, surclasser, devancer, l'emporter sur**
– Se surpasser **briller, exalter (s'), donner le meilleur de soi, triompher**

SURPLUS
– Récupérer le surplus **reste, excédent, excès**
– Un surplus de travail **surcharge, surcroît**
– Surplus dégagé en sus du bénéfice prévu dans un budget **boni**

SURPRENDRE
– Elle a été surprise en voyant la magnificence du cadre **éberluée, stupéfaite, étourdie, saisie, ébaubie, sidérée**
– Embarrassée, elle était surprise par leur question **interloquée**
– Surprendre son entourage par sa conduite **déconcerter, désorienter, décontenancer, dérouter, confondre, abasourdir, stupéfier, sidérer**
– Surprendre un malfaiteur **arrêter, piéger, prendre sur le fait**

SURPRISE
– C'est un spécialiste des visites surprises **inattendues, imprévues, impromptues, inopinées**
– Ils ont opté pour une attaque surprise **soudaine, brusque, subite**
– Immobile sous l'effet de la surprise **pétrifié, médusé**
– Muet de surprise **bouche bée**
– Surprise extrême **stupeur, stupéfaction, ébahissement, ahurissement**

SURSAUTER
– Mouvement involontaire d'une personne qui sursaute **soubresaut, haut-le-corps, spasme**
– Sursauter en entendant claquer une porte **tressaillir, tressauter**

SURSIS
– Annulation d'un sursis **révocation**
– Sursis d'incorporation militaire **report**
– Un conscrit qui bénéficie d'un sursis d'incorporation **sursitaire**
– Forme de sursis en droit pénal **simple, avec mise à l'épreuve**

SURVEILLANCE
– Surveillance soutenue **vigilance, attention**
– Surveillance d'une sentinelle **guet, faction, veille, vigie**
– Mode de surveillance à distance **télésurveillance**
– Être chargé de la surveillance d'une opération délicate **conduite, direction, contrôle**

SURVEILLER
– Personne chargée de surveiller une entreprise **gardien, vigile**
– Il surveille un lieu avec zèle **argus, cerbère**
– Personne chargée autrefois de surveiller les forçats **garde-chiourme**
– Suivre quelqu'un pour le surveiller **filer, pister, traquer**
– Surveiller quelqu'un à la dérobée **épier, espionner**
– Surveiller l'arrivée d'une course **guetter**
– Surveiller la qualité d'un produit **contrôler, vérifier, inspecter**

SURVENIR
– Survenir en pleine nuit **arriver, débarquer, présenter (se), surgir**
– Des crises qui surviennent périodiquement **manifestent (se), produisent (se), apparaissent, déclenchent (se), ont lieu**

SURVIVANT
– Survivant d'une catastrophe **rescapé, miraculé**

SURVIVRE
– Ces traditions survivent dans quelques villages **subsistent, perdurent, persistent**
– Cette religion a survécu à la montée du scepticisme **résisté**
– Se survivre dans sa descendance **perpétuer (se)**
– Personnes qui survivent à une catastrophe **survivants, rescapés**

SUSCEPTIBLE
syn. **excitable, ombrageux, sensible, sourcilleux**

581

– Susceptible et irascible **chatouilleux, irritable**
– Importuner une personne susceptible **vexer, froisser, désobliger, offenser**

SUSCITER
– Susciter la curiosité **exciter, piquer, attiser, aiguillonner, stimuler**
– Susciter l'enthousiasme général **soulever, déclencher, provoquer**
– Susciter la discorde **causer, occasionner**
– Susciter des vocations **faire naître, éveiller**
– Susciter une sédition **fomenter**

SUSPECT
– Un individu suspect **louche, interlope, patibulaire**
– Une attitude suspecte **ambiguë, mystérieuse, troublante, déconcertante, étrange, bizarre, équivoque**
– Un colis suspect **douteux**
– Un témoignage suspect **sujet à caution**
– Trouver quelqu'un suspect **mettre en cause, incriminer, suspecter, soupçonner**
– Mettre hors de cause un suspect **innocenter, disculper, réhabiliter, blanchir**

SUSPENDRE
– Suspendre un tableau **accrocher, fixer**
– Suspendre brusquement ses activités **interrompre**
– Suspendre une discussion **couper court à**
– Suspendre une déclaration officielle **remettre, ajourner, surseoir à, différer**

SYLLABE
– Élément dominant d'une syllabe **noyau**
– L'avant-dernière syllabe d'un mot **pénultième**
– La syllabe qui précède l'avant-dernière syllabe d'un mot **antépénultième**
– Une syllabe se terminant par une consonne **fermée**
– Une syllabe se terminant par une voyelle prononcée **ouverte**
– Une syllabe terminée par un E muet **muette, féminine**
– Chute d'une ou de plusieurs syllabes à la fin d'un mot **apocope**
– Chute d'une ou de plusieurs syllabes au début d'un mot **aphérèse**
– Chute d'une syllabe à l'intérieur d'un mot **syncope**
– Mot portant un accent tonique sur la dernière syllabe **oxyton**
– Mot portant un accent tonique sur l'avant-dernière syllabe **paroxyton**
– Mot portant un accent tonique sur l'antépénultième syllabe **proparoxyton**
– Mot d'une syllabe **monosyllabe**
– Une écriture où chaque signe représente une syllabe **syllabique**

SYMBOLE *Voir illustration symboles musicaux, p. 579*
– Symbole d'une marque commerciale **logo**
– Symbole d'une divinité mythologique **attribut**
– Sur une carte, symbole stylisé qui indique les curiosités touristiques **pictogramme**
– Expression d'une idée par un symbole **allégorie**
– Le symbole des apôtres **credo**
– Il est le symbole de la réussite **personnification, incarnation**

SYMBOLIQUE
– Représentation symbolique de la réalité **figure, icône, image, signe**

SYMÉTRIE
– En biologie, la symétrie entre les deux côtés d'un être vivant **bilatérale**
– Un plan de symétrie **sagittal**
– Type de symétrie en géométrie **oblique, orthogonale, axiale, centrale**
– Un plan par rapport auquel il existe une symétrie entre deux points **médian**

SYMPATHIQUE
– Attirance pour une personne sympathique **estime, penchant, inclination, amitié, bienveillance**
– Un air sympathique **engageant, avenant**
– Une personne sympathique **sociable, aimable, cordiale**
– Une ambiance sympathique **agréable, détendue, amicale, chaleureuse**

SYMPHONIE
– Composition musicale qui tient et de la symphonie et du concerto **symphonie concertante**
– Auteur de symphonies **symphoniste**

SYMPTÔME
– En médecine, étude des symptômes **symptomatologie, sémiologie**
– Reconnaître une maladie d'après les symptômes **diagnostiquer**
– Ensemble des symptômes d'une maladie **syndrome**
– Symptôme qui annonce le développement d'une maladie **prodrome**
– Les symptômes d'une crise politique **signes, indices, présages, manifestations**

SYNAGOGUE
– Candélabre à sept branches dans une synagogue **menora**
– Dans une synagogue, armoire dans laquelle est déposée la Torah **arche sainte**
– Ministre du culte israélite qui dirige les chants dans une synagogue **hazzan**

– Préside au culte dans une synagogue **rabbin**
– Assemblée du conseil d'une synagogue **consistoire**

SYNCOPE
– Tomber en syncope **pâmoison**
– Malaise qui s'apparente à une syncope **lipothymie**
– En musique, note émise sur un ton faible et ne se prolongeant pas sur un ton fort, contrairement à la syncope **contretemps**

SYNDICAT
– Membre d'un syndicat **syndiqué**
– Personne qui joue un rôle actif dans un syndicat **syndicaliste**
– Personne chargée de la plus haute fonction administrative dans un syndicat **secrétaire général**
– Salarié qui refuse de participer à une grève organisée par un syndicat **jaune**
– Groupe de salariés gérant les mouvements sociaux en dehors des syndicats **coordination**
– Une commission où siègent syndicats et représentants patronaux **paritaire**
– Institution d'une entreprise où sont représentés les syndicats **comité d'établissement, comité d'entreprise**
– Syndicat ouvrier en Grande-Bretagne **trade-union**

SYNONYME
– Être synonyme de **correspondre à, évoquer, signifier**

SYNTHÈSE
– Synthèse d'un travail **résumé, abrégé, bilan, analyse**
– Synthèse chlorophyllienne **photosynthèse**
– Synthèse bactérienne **chimiosynthèse**

SYNTHÉTIQUE
– De la soie synthétique **artificielle**
– Des perles synthétiques **fausses, factices**

SYSTÉMATIQUE
– Un esprit trop systématique **dogmatique, doctrinaire, psychorigide, normatif**
– Un arrangement systématique **méthodique, ordonné, organisé, planifié, régulier, réglé**
– Une démarche systématique **logique**
– Un soutien systématique **inconditionnel**

SYSTÈME
syn. **méthode, structure**
– Système digestif, respiratoire **appareil**
– Système politique **régime**
– Système philosophique **doctrine, théorie, thèse, idéologie**

TABAC

voir aussi **cigare, cigarette, fumer**
– Botte de feuilles de tabac **manoque**
– Feuilles de tabac en petit rouleau **carotte**
– Préparation du tabac avant le hachage **capsage**
– Variété de tabac blond **havane, virginie, maryland**
– Variété de tabac brun **gris, caporal, scaferlati, Saint-Claude**
– Tabac des Vosges **arnica**
– Tabac indien **lobélie**
– Tabac et chanvre indien mélangés **kif**
– Tabac à mâcher **chique**
– Feuille de tabac constituant l'enveloppe d'un cigare **cape, robe**
– Cigarillo fabriqué avec des résidus de tabac **ninas**
– Aspirer par le nez du tabac en poudre **priser**
– Boîte pour le tabac à priser **tabatière**
– Bourse à tabac **blague**
– Personne qui cultive du tabac **tabaculteur**
– Marchand de tabac **buraliste**
– Intoxication par le tabac **tabagisme, nicotinisme, tabacomanie**
– Il ont introduit les feuilles de tabac à la cour de France **André Thevet, Jean Nicot**

TABLE

voir aussi **bureau, meuble, mobilier**
– En forme de table **tabulaire**
– Petite table où l'on dépose les plats et les couverts à la fin du repas **desserte**
– Petite table ronde à un seul pied **guéridon**
– Table appuyée contre le mur, à pieds et en forme de volute **console**
– Table d'écolier **pupitre**
– Table de chevet style Empire **somno**
– Table inclinable, style Louis XVI **table à la Tronchin**
– Table pourvue de deux abattants **table portefeuille**
– Tables encastrables **tables gigognes**
– Table de boucher pour découper la viande **étal, billot**
– Table de menuisier, de serrurier **établi**
– Table de pressoir **maie**
– Table sur laquelle le prêtre célèbre la messe **autel**
– Table où le prêtre dépose les objets du culte **crédence**
– Planche à trous placée sur la table du bateau pour retenir la vaisselle **violon, table à roulis**
– Monument mégalithique évoquant une immense table de pierre **dolmen**
– Table alphabétique à la fin d'un ouvrage **index**

TABLEAU

voir aussi **art, dessin, peinture**
– Petit tableau **tableautin, miniature**
– Tableau formé de deux volets mobiles **diptyque**
– Tableau formé de trois volets mobiles **triptyque**
– Grand tableau ornant un autel **retable**
– Partie inférieure d'un tableau d'autel **prédelle**
– Tableau dont les couleurs se sont ternies **embu**
– Remplacer la toile d'un tableau **rentoiler**
– Renforcer la toile d'un tableau **maroufler**
– Tableau de données offrant une vue d'ensemble **tableau synoptique**
– Tableau graphique servant à divers calculs **abaque**
– La nature offre souvent de magnifiques tableaux **vues, panoramas, décors, paysages, scènes, spectacles**
– Il nous a rapidement brossé le tableau de la situation **exposé, présenté, décrit**

TABLIER

voir aussi **vêtement**
– Partie supérieure d'un tablier **bavette**
– Ancien tablier d'écolier **blouse**
– Tablier de travail **bleu**
– Tablier de cheminée **rideau, trappe**
– Rendre son tablier **démissionner, retirer (se), démettre (se), renoncer**

TABOU

– Le sexe est encore souvent un sujet tabou **interdit**

TABOURET

syn. **escabeau**
– Petit tabouret servant de support à une plante, à une statue **sellette**

TACHE

– Tache sur la peau **lentigo, nævus, macule, grain de beauté, érythème, marque, rougeur, mélanome**
– Taches de rousseur **taches de son, éphélides**
– Tache de vin **angiome plan, angiome mature, envie**
– Tache sur la cornée de l'œil **albugo, leucome, néphélion, taie**
– Tache naturelle sur les plumes de certains oiseaux **moucheture, maille, aiglure**
– Tache ronde bicolore sur un plumage, sur des ailes de papillon **ocelle**
– Tache de poils blancs sur les jambes d'un cheval **balzane**
– Un cheval à la robe marquée de taches noires allongées **tisonné**
– Un cheval dont la robe porte des taches rondes grises ou blanches **pommelé**
– Un pelage semé de petites taches sombres **truité**
– Parsemé de petites taches **grivelé, piqueté, marqueté, tavelé, tiqueté, moucheté, tacheté**
– Sans tache **propre, net, blanc, immaculé, impeccable**
– Tache morale **flétrissure, souillure, faute, déshonneur**

TÂCHE

– S'acquitter d'une tâche **devoir, obligation, mission, travail**
– Tâche ennuyeuse mais nécessaire **pensum, corvée**
– Journaliste travaillant à la tâche **à la pige, à l'article**

TACHER

syn. **éclabousser, maculer, salir, souiller**
– Tacher de noir **mâchurer**

TÂCHER

– Tâchez que cela ne se reproduise plus !

faites en sorte que, veillez à ce que
– Tâcher de faire quelque chose **efforcer de (s'), évertuer à (s'), ingénier à (s'), escrimer à (s'), tenter de, faire l'impossible pour, chercher à**

TACT

syn. **délicatesse, éducation, égard**
– Une personne sans tact **indélicate, maladroite**

– Tact dans les relations sociales **habileté, doigté, civilité, entregent, bienséance, convenances, courtoisie, politesse, savoir-vivre**
– Mener une affaire avec beaucoup de tact **diplomatie, finesse**

TACTIQUE

syn. **plan, stratégie**
– Tactique artificieuse **manœuvre, procédé**

– La tactique à suivre **marche, politique, ligne de conduite, conduite**

TAILLE

voir aussi **calibre, dimension, gabarit**
– Taille d'une feuille de papier **format**
– Taille d'un écrou **diamètre**
– Taille d'une personne **stature**
– Taille d'une paire de chaussures, de gants **pointure**
– Taille des matériaux de construction **stéréotomie, chanfreinage, rusticage**
– Taille des arbres **élagage, émondage, étêtage, écimage, ravalement, ébourgeonnement**
– Type de taille en arboriculture **en bulteau, en fuseau, en girandole, en palmette, en quenouille, en toupie, en cordon, en candélabre, en pyramide**
– Taille de la vigne **pincement, rognage, recepage**

TAILLER

– Tailler de biais **biseauter**
– Tailler en angle très aigu **appointer**
– Tailler en forme de croissant **échancrer**
– Tailler un arbre **élaguer, émonder, ébourgeonner, écimer, étêter, étronçonner**
– Tailler un tronc d'arbre **équarrir, débillarder, délarder, chantourner**
– Tailler une pierre **rustiquer, breteller, chanfreiner**
– Tailler une pierre précieuse **brillanter, facetter**
– Quand tailler un arbre est un art **topiaire**

TAILLEUR

syn. **confectionneur, coupeur**
– Tailleur spécialisé dans la confection des pantalons **culottier**
– Assistant du tailleur **apiéceur**
– Instrument du tailleur **marquoir, centimètre, ciseaux, carreau**
– Tailleur de pierres précieuses **lapidaire**
– Outil du tailleur de pierre **biveau, ciseau, laie, marteau, massette, ripe, roule, rustique, sciotte**

TAILLIS

– Branche d'un taillis plus longue que les autres **gaulis**
– Pousse printanière d'un taillis **brout, revenue**
– Jeune arbre réservé lors de la coupe d'un taillis **baliveau, lais**
– Taillis où se réfugie le gibier **remise**

TAIRE

– Taire sa joie **dissimuler, celer**
– Faire taire une personne, un groupe social **bâillonner, empêcher de parler, imposer le silence à, museler, ôter la parole à, réduire au silence**
– Faire taire ses scrupules **étouffer, refouler**

TAROT

BUT DU JEU : FAIRE DES LEVÉES COMPRENANT LE MAXIMUM DE POINTS ET RÉALISER UN CONTRAT

Affranchir : rendre une carte maîtresse en faisant tomber les cartes qui lui sont supérieures.

Atout : cartes numérotées de 1 à 21 dont la force dépend de leur valeur numérale. Ces cartes sont supérieures à toutes les autres.

Bout ou **oudler :** le 1, le 21 et l'excuse sont les bouts.

Capot : fait de ne réaliser aucune levée.

Chelem : fait de réaliser toutes les levées.

Chicane : absence de carte dans une couleur.

Chien : talon de 6 cartes non distribuées aux joueurs.

Chuter : ne pas réaliser le nombre de points requis par le contrat.

Contrat : nombre de points que le joueur s'engage à réaliser. Il varie en fonction du nombre de bouts détenus par le preneur. Les différents contrats sont : la prise, la garde, la garde sans le chien, la garde contre le chien.

Couleur : famille de cartes ; par exemple : pique.

Couper (1) : partager le paquet de cartes en deux avant de distribuer.

Couper (2) : jouer un atout au lieu de la carte de la couleur demandée.

Déclarant : *voir Preneur.*

Défausser : jouer une carte différente de la couleur demandée.

Donne : distribution des cartes 3 par 3, en commençant toujours par le voisin de droite. Au cours de la distribution, on constitue le chien.

Donneur : joueur qui a distribué les cartes.

Écart : ensemble de 6 cartes que le preneur rejette – à l'exception des rois et des bouts – après avoir recomposé sa main à l'aide du chien. Ce talon reste sa propriété.

Écarter : rejeter les cartes après avoir recomposé sa main à l'aide du chien.

Entame : première carte de la partie jouée par le joueur à droite du donneur.

Entameur : joueur posant la première carte d'un coup.

Excuse : un des trois bouts. Carte sur laquelle est représenté un fou jouant de la mandoline ; elle permet de ne pas fournir la couleur ou l'atout demandé et ne doit pas être jouée lors du dernier pli, sauf en cas de chelem.

Forcer : jouer une carte supérieure à la carte précédente.

Fournir : jouer une carte de la même couleur que celle qui est demandée.

Honneur : les 4 cartes les plus fortes de chaque couleur – roi, dame, cavalier, valet.

Levée ou **pli :** ensemble des cartes jouées dans un tour.

Main : ensemble des cartes non jouées d'un joueur.

Marque : mode de comptabilisation des points.

Mener au bout : fait de jouer le petit à la dernière levée.

Monter : *voir Forcer.*

Oudler : *voir Bout.*

Ouverture : attaque dans une couleur qui n'a pas encore été jouée.

Passe : enchère par laquelle le joueur signifie qu'il ne souhaite pas prendre de contrat.

Passer : réaliser son contrat.

Petit : atout dont la valeur numérale est 1. Un des trois bouts.

Pli : *voir Levée.*

Poignée : on distingue la poignée simple (ou poignée), qui est la réunion de 10 atouts dans la même main, la double poignée, qui est la réunion de 13 atouts dans la même main, la triple poignée, qui est la réunion de 15 atouts dans la même main.

Points de chute : nombre de points qui manquent pour réaliser un contrat.

Points de passe : points dépassant le minimum de points requis par le contrat.

Prendre : s'engager à réaliser un contrat.

Preneur : joueur qui s'est engagé à réaliser un contrat.

Sec ou **singleton :** avoir une seule carte de même couleur dans sa main.

Talon : *voir Chien.*

Uppercut : fait de jouer un gros atout de façon que le preneur soit obligé de fournir à son tour un gros atout pour remporter la levée.

TAIRE (SE)
syn. **ne pas souffler mot, ne pas desserrer les dents, tenir coi (se), rester silencieux**

TALENT
– Un enfant qui possède un talent inné **disposition naturelle, don, prédisposition, aptitude, capacité, inclination**
– Exécuter une œuvre avec talent **brio, adresse, virtuosité, maestria**

TALISMAN
syn. **amulette, charme, fétiche, grigri, porte-bonheur**
– Pierre précieuse gravée d'une formule sacrée et portée en talisman **abraxas**
– Talisman égyptien **scarabée**
– Talisman dans l'Antiquité grecque **phylactère**

TALON
– Os du talon **calcanéum**
– Forme de talon de chaussure **aiguille, bobine, bottier, Louis XV, plat, haut**

TALUS
– Type de végétation qui pousse sur les talus **lotier, tanaisie**
– Talus de terre servant à protéger les jeunes cultures du vent **ados**
– Étendue de gazon entourée de talus **boulingrin**
– Talus en pente douce au bas d'un ouvrage fortifié **glacis**
– Passage entre le talus et le bord du fossé **berme**
– Dans une fortification, talus longeant le fossé face à la campagne **contrescarpe**
– Talus de protection pour les défenseurs d'une fortification **parapet**
– Talus qui sert d'obstacle pour les courses hippiques **banquette irlandaise, bull-finch**

TAMBOUR *Voir illustration percussions, p. 444*
– Famille d'instruments à laquelle appartient le tambour **membranophones**
– Batterie de tambour **breloque, charge, diane, générale, rappel, réveil, ban**
– Baguette garnie d'une boule utilisée sur certains tambours **mailloche**
– Type de tambour cylindrique **tambourin provençal, caisse roulante, caisse claire, tambour militaire, petit tambour, grosse caisse**
– Tambour en cuvette **timbale**
– Tambour africain **tam-tam**
– Tambour arabe **darbouka**
– Tambour d'origine latino-américaine **bongo, conga, tumba**
– Tambour chinois **tom-tom**

TAMIS
syn. **crible, passoire**
– Tamis de forme conique **chinois**
– Tamis à farine **blutoir**
– Tamis de crin, de soie ou de voile **sas**
– Assemblage mécanique composé de plusieurs tamis à blé **plansichter**

TAMPON
– Marque imprimée par un tampon encreur **cachet, timbre, estampille, label, oblitération, flamme**
– Tampon utilisé par un graveur **tapette**
– Tampon qui inscrit la date **dateur**

TAMPONNER
– Tamponner le sang d'une blessure **éponger, étancher, essuyer**
– Un timbre tamponné par La Poste **oblitéré**

TAMPONNER (SE)
– Deux voitures se sont tamponnées **heurtées, percutées, télescopées**

TANIÈRE
syn. **refuge, repaire, retraite**
– Tanière où le gibier se retire dans la journée **reposée**
– Tanière du petit gibier **gîte, terrier**
– Tanière du sanglier **bauge, souille**
– Tanière du lion **antre**

TANNAGE
syn. **peausserie**
– Opération entrant dans le tannage des peaux **reverdissage, basserie, pelanage, déchaulage, cœursage**
– Lait de chaux utilisé pour le tannage **pelain**
– Tannage des peaux fines à l'huile de poisson **chamoisage**
– Tannage à l'alun des peaux délicates **mégisserie**
– Égaliser les peaux après le tannage **drayer**
– Assouplissement du cuir après le tannage **corroyage, foulage**

TANTE
– De l'oncle ou de la tante **avunculaire**

TAPAGE
– Tapage caractéristique des grands rassemblements **cacophonie, brouhaha, hourvari, tintamarre, tumulte, tohu-bohu**
– Faire du tapage **bruit, chahut, raffut, vacarme, chambard**

TAPER
syn. **battre, frapper, gifler, heurter, maltraiter**
– Taper dans la main de quelqu'un en signe d'accord **toper**
– Taper une lettre à la machine à écrire **dactylographier**
– Manuscrit tapé à la machine **tapuscrit**
– Taper un texte à l'ordinateur **saisir**

TAPIS
– Tapis de petites dimensions **carpette**
– Tapis-brosse **paillasson**
– Tapis imperméable rigide servant au revêtement des planchers **linoléum**
– Tapis d'escalier **chemin**
– Petit tapis pour se lever du bon pied **descente de lit**
– Molleton placé entre le sol et le tapis **thibaude**
– Tapis algérien **zerbia**
– Tapis de prière oriental, tissé et brodé **kilim**
– Tapis du XVIIᵉ siècle provenant de la première manufacture royale **savonnerie**
– Tapis de jonc, de raphia **natte**
– Tapis de judo, de karaté **tatami**
– Fleurs et feuillages ornant un tapis **fleurage**

TAPISSERIE
syn. **tenture**
– Œuvre d'après laquelle on crée une tapisserie **carton**
– Tapisserie ornée principalement de feuillages et de fleurs **verdure, millefleurs**
– Métier de tapisserie vertical **de haute lisse**
– Métier de tapisserie horizontal **de basse lisse**
– Manufacture de tapisseries de grande renommée **Aubusson, Beauvais, Gobelins**

TAQUINER
– Taquiner en causant une certaine irritation **agacer, asticoter**
– Taquiner verbalement **blaguer, plaisanter, chiner**
– Taquiner méchamment **tourmenter, tarabuster, harceler**
– Taquiner une femme **lutiner**
– Taquiner la muse **faire des vers**

TARABISCOTÉ
– Une décoration, une sculpture tarabiscotée **chargée, baroque, rococo**
– Un style tarabiscoté **maniéré, affecté, contourné, ampoulé, alambiqué, précieux, amphigourique, surchargé**

TARD
– Plus tard **ultérieurement, postérieurement, après, ensuite**
– Renvoyer à plus tard **repousser, reporter, ajourner, différer, proroger, surseoir, remettre, retarder, postposer**

TARIF
syn. **montant, prix**
– Tableau exposant un ensemble de tarifs **barème**
– Tarif d'un impôt **taux**

TAROT *Voir tableau p. 584*
– Enchère au tarot **petite, pousse, garde, garde sans le chien, garde contre**
– Chacune des figures du jeu de tarot utilisé en cartomancie **arcane**

TARTE
– Tarte de petite taille **tartelette**
– Petite tarte de forme ovale **barquette**
– Tarte ronde recouverte de pâte **tourte**
– Tarte à base de flan aux fruits **clafoutis**
– Tarte au lard **quiche lorraine**
– Tarte aux poireaux ou au maroilles dans le nord de la France **flamiche**

TARTINE
– Tartine grillée **toast, rôtie**
– Tartine coupée en lamelles pour tremper dans les œufs à la coque **mouillette**

TAS
syn. **accumulation, amas, amoncellement, entassement, monceau, pile**
– Papiers, billets de banque regroupés par tas **liasse**
– Tas de débris provenant de la destruction d'un bâtiment **décombres, gravats, plâtras**
– Tas de foin, de paille **meule, pailler, gerbier**
– Tas de sel extrait d'un marais salant **camelle, javelle, meulon, mulon**
– Tas de résidus issus de la mine **terril**

TASSE
voir aussi **gobelet**
– Tasse à café **mazagran, trembleuse**
– Tasse pour le petit déjeuner **déjeuner, tête-à-tête, jumbo**
– Tasse d'argent utilisée pour goûter les vins **taste-vin, tâte-vin, coupole**

TASSER
– Tasser la terre avec un outil **damer, pilonner**
– Tasser le tabac dans une pipe **bourrer**
– Se tasser dans un espace trop réduit **presser (se), serrer (se), comprimer (se), entasser (s')**
– Se tasser sous le poids des ans **rapetisser, ratatiner (se), voûter (se), recroqueviller (se)**

TÂTER
– Tâter un objet, un tissu **palper, manier, toucher**
– Tâter à l'aveuglette **tâtonner**
– Tâter l'adversaire **étudier, sonder, analyser**
– Tâter de la solitude, de la prison **goûter à, faire l'expérience de**
– Se tâter avant de prendre une décision **hésiter, tergiverser**

TATOUAGE
– Autrefois, on marquait les criminels d'un tatouage sur l'épaule **flétrissait**

TAUDIS
syn. **bouge, cambuse, galetas, masure**
– Quartier pauvre constitué de taudis **bidonville**
– Au Brésil, ensemble de taudis à la périphérie d'une agglomération **favela**
– Quartier de taudis des métropoles américaines **slum**

TAUPE
– Famille à laquelle appartient la taupe **talpidés**
– La taupe et ses semblables **fouisseurs**
– Galerie creusée par la taupe **taupinière**
– Taupe-grillon **courtilière**
– Taupe de mer **lamie**

TAUREAU
voir aussi **bœuf, corrida**
– Jeune taureau **taurillon, novillo**
– On y élève des taureaux de combat **ganaderia**
– Mettre des boules de cuir à l'extrémité des cornes d'un taureau **bouler**
– Il apprécie les courses de taureaux **aficionado**
– Créature mythologique mi-homme mi-taureau **Minotaure**
– Dans l'Antiquité, immolation sacrificielle d'un taureau **taurobole**

TAUX
voir aussi **impôt**
syn. **pourcentage, proportion, rapport, ratio**
– Taux de change d'une monnaie, d'une valeur **cours, pair, parité**
– Tableau officiel des taux de change **cote**

TAXE
– Taxe fiscale supplémentaire **centime additionnel**
– Taxe majorée **surtaxe**
– Taxe perçue au Moyen Âge **gabelle, taille, capitation, prestation**
– Taxe perçue autrefois par la papauté **annate**

TAXER
syn. **imposer**
– Taxer quelqu'un d'imposture, d'hypocrisie **accuser**

TAXI
– Compteur de taxi **taximètre**
– En Extrême-Orient, sorte de taxi tiré par un coureur ou une bicyclette **pousse-pousse, vélopousse, cyclopousse, rickshaw**
– Taxi de brousse africain **taxi-bâche**

TECHNICIEN
syn. **expert, ingénieur, professionnel, spécialiste**
– Haut fonctionnaire réagissant en technicien et négligeant le facteur humain **technocrate, eurocrate**

TECHNIQUE
– Science des techniques et des matériaux de fabrication **technologie**
– Technique d'un artiste **style, manière, facture**
– Qualité technique **technicité**

TEIGNE
– Famille à laquelle appartient la teigne **tinéidés**
– Teigne domestique **mite, gerce**
– Teigne du cuir chevelu **pelade, favus, kérion**
– Champignon produisant la teigne du cuir chevelu **trichophyton**
– Teigne du blé **alucite**
– Fausse teigne des ruches **gallérie**

TEINDRE
voir aussi **colorer**
– Une substance employée pour teindre **tinctoriale, teintante, colorante**
– Teindre en rouge **brésiller, cochenniller, garancer, rougir, rocouer, vermillonner**
– Teindre un tissu une seconde fois **biser**
– Teindre une reliure en cuir pour lui donner l'aspect du bois **raciner**

TEINT
syn. **coloration, pigmentation**
– Teint clair, mat **carnation, complexion**

TEINTE
syn. **coloris, couleur, nuance, ton, tonalité**
– Présentoir proposant un éventail de teintes **nuancier, palette**
– Peinture où l'on n'utilise que les différentes teintes d'une même couleur **camaïeu**
– En peinture, teinte uniforme **aplat**
– Dans un tableau, dégradé de teintes **fondu**

TEINTURE
– Colorant naturel utilisé pour la teinture des cheveux et de la peau **henné**
– Substance qui fixe la teinture sur les étoffes **mordant**
– Substance colorante utilisée pour les teintures bleues **guède, indigo, pastel, isatis, tournesol, bleu de Prusse**
– Substance colorante utilisée pour les teintures brunes **brou de noix, cachou**
– Substance colorante utilisée pour les teintures jaunes **fustine, gaude, quercitrin, curcumine, henné, safran**
– Substance colorante utilisée pour les teintures orange **kamala, chromate de plomb**
– Substance colorante utilisée pour les

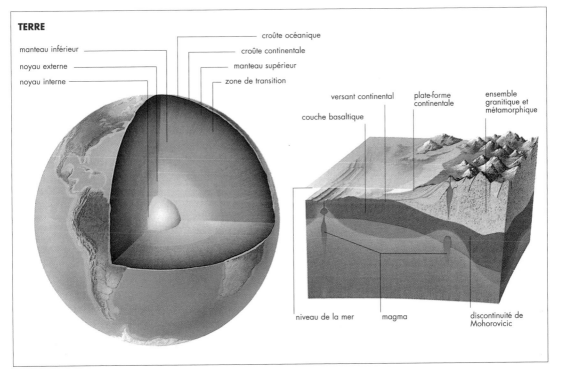

TERRE

manteau inférieur
noyau externe
noyau interne

croûte océanique
croûte continentale
manteau supérieur
zone de transition

versant continental
couche basaltique
plate-forme continentale
ensemble granitique et métamorphique

niveau de la mer
magma
discontinuité de Mohorovicic

teintures rouges **pourpre, alizarine, campêche, santaline, murex, orcanette, orseille, carmin, rocou, purpurine**
– Une teinture très résistante **grand teint**
– Teinture pharmaceutique **alcoolé**
– N'avoir qu'une teinture de littérature **vernis, connaissance succincte, vague connaissance, notions superficielles**

TÉLAMON
syn. **atlante**

TÉLÉCOMMUNICATION
voir aussi **satellite, téléphone**
– Union internationale des télécommunications **UIT**
– Système associant l'informatique à la télécommunication **téléinformatique, télématique**

TÉLÉGRAMME
syn. **dépêche, petit bleu**
– Transmission d'un télégramme par téléphone **téléphonage**
– Télégramme envoyé par radio **radiogramme, sans-fil**
– Télégramme envoyé par câble **câblogramme**

TÉLÉGRAPHIE
voir aussi **téléimprimeur**
– Ancien instrument de télégraphie optique **héliographe**

– Bande perforée utilisée pour émettre des signaux en télégraphie rapide **télébande**
– Code à base de traits et de points, utilisé en télégraphie **morse**
– En télégraphie, appareil transmettant les messages en morse **manipulateur**
– Poste de télégraphie aérienne pour les navires **sémaphore**

TÉLÉGRAPHIER
syn. **câbler**

TÉLÉIMPRIMEUR
syn. **téléscripteur, télétype**
– Mode de transmission de messages dactylographiés par téléimprimeur **télex**

TÉLÉPHONE
– Élément d'un poste de téléphone **combiné, récepteur, écouteur, microphone, cadran**
– Compteur indiquant le nombre et la durée des communications par téléphone **téléphonomètre**
– Dispositif mesurant l'intensité du bruit sur une ligne de téléphone **kerdomètre**
– Appareil relié à un téléphone et qui prend les communications en l'absence de l'usager **répondeur-enregistreur**
– Faire patienter quelqu'un au téléphone **mettre en attente**
– Signal émis par le téléphone et indiquant que le numéro peut être composé **tonalité**

– Communication par téléphone réglée, avec son accord, par le destinataire **PCV**
– Édition annuelle de la liste des abonnés au téléphone **annuaire, Bottin**
– Liste des abonnés qui refusent de figurer dans l'annuaire du téléphone **liste rouge**

TÉLÉSKI
syn. **remontée mécanique, remonte-pente, télébenne, télécabine, téléphérique, télésiège**

TÉLÉVISION
syn. **petit écran, télé, TV**
– Poste de télévision **téléviseur, récepteur**
– Partie essentielle d'un poste de télévision **tube cathodique**
– Nombre de lignes constituant une image de télévision **définition**
– Mode standard de télévision en couleurs **Secam, Pal, NTSC**
– Écran de télévision conçu pour une grande salle **télécran**
– Émission de télévision programmée après son enregistrement **en différé**
– Programme de télévision diffusé en même temps qu'il est filmé **en direct**
– Appareil servant à enregistrer des émissions de télévision **magnétoscope**
– Changer fréquemment de chaîne de télévision avec sa télécommande **zapper**

– Diffusion d'un programme de télévision dans plusieurs parties du globe **mondovision**

– Système de diffusion simultanée d'une émission de télévision dans différents pays d'Europe **Eurovision**

– Transmission d'émissions de télévision par câble à l'intention d'un réseau d'abonnés **télédistribution, câblodistribution**

– Appareil invisible à l'écran et sur lequel défile le texte que lit le présentateur **prompteur, télésouffleur, téléprompteur**

– Public d'une émission de télévision **téléspectateurs**

– Réalisateur de programmes de télévision **téléaste**

– Appareil de mesure de l'audience des programmes de télévision **audimètre, audimat, médiascope**

– Un visage, une personne qui passe bien à la télévision **télégénique, médiatique**

TÉMÉRAIRE

– Un enfant téméraire **intrépide, hardi, audacieux, risque-tout, imprudent, casse-cou**

– Il s'est encore lancé dans un projet téméraire **aventureux, risqué, hasardeux, inconsidéré, insensé, fou, aléatoire, osé**

– S'il est assez téméraire pour refuser, il risque gros **avise de (s'), essaie de, ose, tente de, permet de (se)**

TÉMOIGNAGE

– Témoignage en justice **déposition**

– Un témoignage que l'on ne peut contester **incontestable, irrécusable, irréfutable, irréfragable**

– Un témoignage sujet à caution **contestable, récusable**

– Preuve apportée par un témoignage **testimoniale**

– Témoignages d'amitié **gages, marques, preuves**

– Selon le témoignage de telle personne **de l'aveu de, sur la foi de**

TÉMOIGNER

– Témoigner en justice **déposer, comparaître**

– Témoigner que quelque chose est vrai **déclarer, affirmer, attester, certifier**

– Témoigner de la sympathie à quelqu'un **manifester, montrer**

– Son attitude témoigne de son innocence **démontre, révèle, exprime, prouve**

TÉMOIN

– Témoin qui a fait l'objet d'une dénonciation ou d'une plainte, ou encore contre lequel pèsent des indices sans que pour autant ceux-ci soient graves ou concordants **témoin assisté**

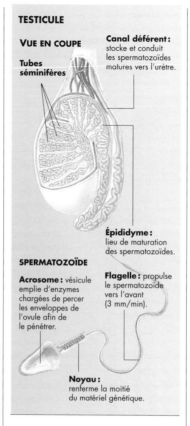

TESTICULE

VUE EN COUPE

Canal déférent : stocke et conduit les spermatozoïdes matures vers l'urètre.

Tubes séminifères

Épididyme : lieu de maturation des spermatozoïdes.

SPERMATOZOÏDE

Acrosome : vésicule emplie d'enzymes chargées de percer les enveloppes de l'ovule afin de le pénétrer.

Flagelle : propulse le spermatozoïde vers l'avant (3 mm/min).

Noyau : renferme la moitié du matériel génétique.

– Les témoins d'un événement **spectateurs, auditeurs, assistance**

– Témoin qui a vu les faits **oculaire**

– Témoin qui dépose en justice **déposant**

– Témoin qui a entendu ce qu'il rapporte **auriculaire**

– Un témoin qui dépose en faveur de l'accusé **à décharge**

– Un témoin qui dépose contre l'accusé **à charge**

– Un témoin appelé à s'exprimer sur le caractère et les mœurs de l'inculpé **de moralité**

– Relire leur déposition aux témoins **récoler**

TEMPE

– Parties planes du corps telles que les tempes **méplats**

– Relatif aux tempes **temporal**

TEMPÉRAMENT

– Particularités du tempérament d'un individu **idiosyncrasies**

– Tempérament robuste, sanguin **nature, constitution, complexion**

– Tempérament violent, doux **naturel, personnalité, caractère**

TEMPÉRATURE

voir aussi **fièvre**

– Unité de mesure de la température **degré Celsius, degré Fahrenheit, degré Kelvin**

– Baisse anormale de la température corporelle **hypothermie**

– Médicament provoquant une baisse de la température corporelle **antithermique, antipyrétique, fébrifuge**

– Animal dont la température est constante **homéotherme**

– Animal dont la température est variable **poïkilotherme**

– Phénomène se produisant à température constante **isotherme**

– Dispositif servant à maintenir une température constante **thermostat**

– Instrument signalant les variations de température **thermoscope**

– Instrument de mesure de la température **thermomètre**

– Instrument de mesure pour les très hautes températures **pyromètre**

– Mesure de la température de congélation d'une solution **cryométrie**

– Faire baisser la température d'un objet **refroidir, réfrigérer**

TEMPÉRER

– Tempérer la souffrance de quelqu'un **adoucir, apaiser, atténuer, amoindrir, calmer, alléger**

– Tempérer son agressivité, son ardeur **modérer, contenir, réfréner, réprimer, attiédir, freiner**

TEMPÊTE

syn. **bourrasque, orage, tourmente**

– Tempête violente s'élevant en mouvements circulaires **tornade, ouragan, cyclone**

– Tempête dévastatrice des mers de Chine **typhon**

– Courte tempête en mer **grain, coup de chien**

– En mer, période de calme précédant ou suivant la tempête **bonace**

TEMPLE

syn. **sanctuaire**

– Temple musulman **mosquée**

– Temple juif **synagogue**

– Temple d'Extrême-Orient **pagode**

– Temple babylonien **ziggourat**

– Temple égyptien creusé dans la pierre **spéos**

– Chez les Aztèques, pyramide tronquée sur laquelle repose un temple **teocalli**

– Portique à l'entrée d'un temple shintoïste **torii**

– Vestibule d'un temple grec **pronaos**

– Portique à colonnes formant l'entrée d'un temple grec **propylée**

– Socle de la colonnade d'un temple grec **stylobate**

– Dans l'Antiquité grecque et romaine, partie du temple où se dressait la statue de la divinité **cella, naos**
– Dans un temple grec, chambre secrète réservée au prêtre **adyton**
– Dans la Grèce antique, temple circulaire **tholos**
– Dans l'Antiquité grecque et romaine, temple consacré à tous les dieux **panthéon**
– Dans l'Antiquité romaine, temple édifié sur un terrain délimité par les pontifes pour être voué aux dieux **fanum**

TEMPORAIRE
syn. **éphémère, fugace, momentané, passager, ponctuel, provisoire**
– Une fonction temporaire **intérimaire, transitoire**
– Un emploi temporaire **saisonnier, précaire**

TEMPORISER
syn. **atermoyer, différer, retarder**
– Une manœuvre, un discours servant à temporiser **dilatoire**·

TEMPS
voir aussi **climat**
– Espace de temps **durée, moment, laps de temps, instant**
– Découpage du temps **période, époque, ère, âge, année, mois, semaine**
– Temps des amours **saison, époque**
– Étude des mesures du temps **chronométrie**
– Ordre des événements dans le temps **chronologie**
– Horloge à eau qui mesure le temps **clepsydre**
– Appartenant au temps présent **contemporain, actuel, moderne**
– Appartenant aux temps anciens **vieux, vieillot, démodé, désuet, antique, ancien, archaïque**
– Intervenant en même temps **synchrone, simultané**
– Des phénomènes qui se produisent dans des espaces de temps égaux **isochrones**
– Imperméable au temps **intemporel, atemporel, éternel, pérenne**
– De tout temps **de toute éternité, depuis toujours, de temps immémorial**
– Étude et prévision scientifiques du temps **météorologie**
– Les récoltes ont souffert du mauvais temps **intempéries**

TENACE
– Un démarcheur tenace **persévérant, obstiné, acharné, entêté**
– Une auréole tenace **persistante**
– Une maladie tenace **chronique**
– Une haine tenace **durable, opiniâtre, indéracinable, inextirpable, vivace, invétérée**

TENDANCE
– Tendance innée, dangereuse **pulsion, inclination, penchant**
– Avoir une tendance à la médisance **propension, disposition, penchant**
– Avoir tendance à faire quelque chose **être porté à, être enclin à**
– Appartenir à une tendance littéraire **courant, mouvement, école**
– Tendance des événements **tournure, cours, évolution**
– Les nouvelles tendances de la mode **orientations, directions**

TENDON
– Tendon reliant le talon au muscle du mollet **tendon d'Achille**
– Inflammation d'un tendon **tendinite, ténosite**
– Greffe de tendon **ténoplastie, ténontoplastie**
– Tendon en termes de boucherie **tirant**

TENDRE /1
– Il tendit le cou pour voir par-dessus la clôture **allongea, étira**
– Tendre ses muscles **raidir, contracter**
– Tendre un arc **bander**
– Tendre l'oreille **dresser, prêter**
– Tendre un verre à quelqu'un **présenter, offrir**
– Tendre les voiles d'un navire **déployer, déferler, border, étarquer**
– Tendre à la tranquillité **aspirer à, viser à**
– Tendre vers un but commun **concourir à, confluer, converger**

TENDRE /2
– Un geste tendre **affectueux, aimant, caressant, câlin, doux**
– Une pierre tendre **friable**
– Une couleur tendre **pâle, claire, délicate, pastel, douce**

TENDRESSE
– Manifester de la tendresse à l'égard de quelqu'un **affection, attachement, douceur**
– Marque de tendresse **attention, sollicitude, baiser, caresse**
– Tendresse imprégnée de spiritualité **dilection**

TENDU
– Un visage tendu **crispé, tiré**
– Tendu moralement **stressé, inquiet, angoissé**

TÉNÉBREUX
– Un ciel ténébreux **assombri, bas, nuageux, couvert, nébuleux, voilé, lourd**
– Un homme au visage ténébreux **mélancolique, sombre, mystérieux**
– Un raisonnement pour le moins ténébreux **abscons, abstrus, complexe, hermétique, incompréhensible, impénétrable, obscur, sibyllin**

TENIR
voir aussi **durer**
– Tenir serré dans ses bras **étreindre, enlacer**
– Se tenir à la rambarde **accrocher (s'), agripper (s'), cramponner (se), retenir (se), appuyer (s')**
– Tenir un commerce **gérer**
– Tenir un engagement **remplir, acquitter de (s'), satisfaire à, respecter**
– Tenir une fonction **occuper, exercer**
– Une maison bien tenue **propre, bien arrangée, ordonnée, rangée, en bon état**
– Ce bateau tient mille tonneaux **jauge, contient**
– Un enfant qui tient de son père **ressemble à**
– S'en tenir au strict nécessaire **borner à (se), contenter de (se), limiter à (se)**
– Tenir quelque chose pour vrai **considérer comme, regarder comme**
– Sa doctrine tient en peu de mots **résume (se)**
– Ce succès tient de sa persévérance **provient de, résulte de**

TENNIS
– Terrain de tennis **court**
– Cordage d'une raquette de tennis **tamis**
– Revêtement rouge d'un court de tennis **quick**
– Coup joué au tennis **coup droit, revers, amorti, smash**
– Au tennis, manche d'un match **set**
– Au tennis, balle de service gagnante non touchée par l'adversaire **ace**
– Au tennis, balle de service qui touche le filet **let**
– Au tennis, lorsque la balle effleure le haut du filet **net**
– Au tennis, frappe du haut vers le bas pour amplifier le rebond de la balle **lift**
– Au tennis, frappe vers le haut pour faire passer la balle par-dessus l'adversaire **lob**
– Au tennis, frappe puissante et en diagonale **passing-shot**
– Au tennis, frappe latérale de la balle **slice**
– Au tennis, jeu décisif à six jeux partout dans un set **tie-break**
– Inflammation du coude fréquente chez les joueurs de tennis **tennis-elbow**

TENSION
– En physique, mesure de la tension des liquides **tensiométrie**
– En physique, tension d'une vapeur, d'un gaz **pression**
– Appareil mesurant la tension des gaz **manomètre, baroscope**
– Tension douloureuse au niveau de la vessie ou du rectum **ténesme**

– Tension entre partenaires sociaux **dissension, conflit, mésentente, mésintelligence**
– Tension intellectuelle extrême **contention**

TENSION ARTÉRIELLE
syn. **pression artérielle**
– Mesure de la tension artérielle, veineuse ou oculaire **tonométrie**
– Appareil mesurant la tension artérielle **tensiomètre, sphygmomanomètre, sphygmotensiomètre**
– Médicament abaissant la tension artérielle **hypotenseur**
– Brusque chute de tension provoquée par le passage brutal de la position allongée à la position debout **hypotension orthostatique**

TENTATION
voir aussi **désir**
– La tentation de l'aventure **attrait, fascination**
– Résister aux tentations des sens **appel, sollicitations**

TENTATIVE
syn. **essai**
– Cette tentative se révéla particulièrement heureuse **initiative**
– Tentative amoureuse **avances**
– Tentative criminelle **attentat**
– Tentative auprès de quelqu'un pour gagner son soutien dans une affaire **démarche**

TENTE
– Tente de camping **canadienne**
– Toile protégeant l'entrée d'une tente **marquise, auvent**
– Tente d'un cirque **chapiteau**
– Tente indienne **wigwam, tipi**
– Tente des nomades d'Asie centrale **yourte**
– Tente des Hébreux **tabernacle**
– Village de tentes des nomades du Maghreb **douar**
– Tente qui recouvrait les amphithéâtres de la Rome antique **vélarium**
– Sur un bateau, sorte de tente dressée sur le pont et servant d'abri **marsouin, taud**

TENTER
– Tenter une expérience **oser, risquer**
– Tenter d'atteindre un but **chercher à, efforcer de (s'), évertuer à (s'), tâcher de, essayer de, escrimer à (s')**
– Tenter le sort **défier, braver**
– Être tenté par quelque chose **attiré, alléché, appâté, séduit, affriolé**

TENTURE
voir aussi **draperie**
– Tenture de coton rouge **andrinople**

– Tenture placée devant une porte **portière**

TENUE
– Bonne ou mauvaise tenue physique **maintien, posture**
– Tenue correcte exigée **mise**
– Tenue de soirée **costume, habit**
– Manquer de tenue **réserve, correction, décence, pudeur, dignité**
– Un peu de tenue ! **ordre, discipline**

TEQUILA
syn. **mescal**
– Plante avec laquelle on fait la tequila **agave**
– Boisson fermentée que l'on distille pour obtenir la tequila **pulque**

TÉRÉBENTHINE
– Entaille faite au pin afin d'en extraire la térébenthine **carre**
– Arbre qui produit la térébenthine de Chio **térébinthe, pistachier**
– Arbre dont on extrait la térébenthine de Venise **mélèze**
– Térébenthine de Bordeaux **galipot**
– Carbure contenu dans l'essence de térébenthine **térébenthène, pinène**
– Résidu résineux obtenu par distillation de la térébenthine **arcanson, colophane**

TERGIVERSER
syn. **atermoyer, biaiser, louvoyer, temporiser, user de détours, user de faux-fuyants, user de procédés dilatoires**

TERME
– Terme approprié **expression, formule**
– Termes exacts d'un acte, d'une lettre officielle **libellé**
– Un terme affectueux **hypocoristique**
– Être en bons termes **rapports, relations, entente**
– Arriver au terme d'un délai **expiration, échéance**
– Mener quelque chose à terme **accomplir, achever**
– Conduire quelque chose à son terme **conclusion, dénouement, aboutissement, achèvement, accomplissement**
– Au terme du débat **issue**

TERMINAISON
– Terminaison d'un mot **finale, désinence, suffixe**
– Similitude sonore entre les terminaisons de plusieurs mots **consonance**
– Terminaison phonique identique à la fin de deux vers **rime**

TERMINER
– La route se termine dans un bois **aboutit à, débouche sur, mène à**
– Terminer une discussion **conclure, clore, mettre un terme à, mettre fin à**

– Terminer rapidement une affaire **expédier, liquider**
– Terminer une œuvre **achever, parfaire, consommer, couronner, parachever**

TERNE
– Des couleurs ternes **blafardes, passées, défraîchies, délavées, déteintes, fanées, sourdes**
– Un personnage terne **insignifiant, effacé, insipide, falot, anodin**
– Un regard terne **inexpressif, éteint, vitreux**
– Mener une existence terne **fade, grise, monotone, morne, triste, médiocre**
– Un style terne **incolore, plat, sans relief**

TERRAIN
– Terrain débroussaillé **essart**
– Terrain aride, couvert de broussailles et d'arbustes **garrigue, maquis, lande, brande**
– Terrain destiné à la culture des raves **ravière**
– Terrain planté d'arbres fruitiers **ouche, verger**
– Terrain en pente réservé aux activités équestres **calade**

TERRASSE
– Terrasse en hauteur et offrant une belle vue **esplanade, belvédère**
– Un jardin en terrasses **paliers, étages, gradins**
– Grande porte vitrée qui ouvre sur une terrasse ou un jardin **porte-fenêtre**
– Petite ouverture pratiquée dans le mur d'une terrasse pour que l'eau s'écoule **barbacane**
– Terrasse qui surplombe une habitation et fait office de toit **solarium, plate-forme, penthouse**

TERRE *Voir illustration p. 587*
– Pièce de terre **parcelle, lopin, arpent**
– Acheter une terre **domaine, propriété, exploitation**
– Regroupement de terres contiguës en un seul domaine **tènement**
– Terres rapportées **jectisses**
– Une loi relative aux terres **agraire**
– Terre fine et très fertile déposée par les eaux d'un fleuve **limon, alluvion, wagage**
– Terre argileuse **glaise, marne**
– Terre grasse et chargée d'eau cultivée en pâturage **noue**
– Terre maigre destinée aux pâturages **herbue, pâtis**
– Une terre de bonne qualité pour la culture **arable, franche**
– Terre acide du Massif central réservée à la culture du seigle **ségala**
– Terre noire caractéristique de l'Ukraine **tchernoziom**

– Terre végétale **terreau, humus, compost**
– Procédé d'enrichissement d'une terre **amendement, fertilisation, chaulage, ameublissement, marnage, plâtrage, compostage**
– Terre cultivable laissée au repos **jachère**
– Technique de culture des terres arides **dry farming**
– Déesse grecque de la terre cultivée **Déméter**
– Terre gagnée sur la mer **polder**
– Bande de terre entre deux mers **isthme**
– Monticule de terre élevé au-dessus d'une sépulture **tertre, tumulus, cairn, galgal, mound**
– Personne ou animal qui mange de la terre **géophage**
– Terre à poterie étrusque **bucchero**
– Vase en terre qui sert à rafraîchir les liquides par évaporation **alcarazas**
– La Terre **monde, globe**
– Divinité grecque de la Terre **Gaïa, Gê**
– Divinité romaine de la Terre **Tellus**
– Balancement périodique de l'axe de rotation de la Terre **nutation**
– Cœur de la Terre **nifé, barysphère**
– Surface habitable de la Terre **écoumène**
– Science de la Terre **géologie, géodésie, géochimie, géophysique, géomorphologie, géodynamique, géographie, géothermie**

TERRESTRE
– Partie superficielle et solide de l'écorce terrestre **lithosphère**
– Ancien nom de la couche superficielle de l'écorce terrestre **sial**
– Ancien nom de la partie du globe terrestre entre le noyau et la lithosphère **sima**
– Une influence, une émanation terrestre **tellurique**
– Les biens terrestres **matériels, temporels**

TERREUR
– Terreur incontrôlée **affolement, affres, effroi, épouvante, frayeur, panique, transe**
– Terreur sourde **angoisse, alarme, anxiété, peur, phobie**
– Faire régner la terreur **terroriser**

TERRIBLE
– Se plaindre d'une douleur terrible **violente, fulgurante, foudroyante, insoutenable, intolérable, aiguë**
– Assister à un spectacle terrible **affreux, apocalyptique, effrayant, effroyable, dantesque, horrible, horrifiant, épouvantable, terrifiant**
– Un enfant terrible **turbulent, dissipé, intenable, indiscipliné, insupportable**
– Un terrible joueur de poker **incurable, incorrigible, inguérissable, invétéré, impénitent**

TERRITOIRE
– Territoire national **patrie**
– Division du territoire **région, département, circonscription, canton, communauté de communes, communauté urbaine, district urbain, commune, arrondissement**
– Fractionnement du territoire d'un pays pour raisons politiques **balkanisation**
– Mouvement nationaliste revendiquant l'annexion de territoires pour raisons historiques ou culturelles **irrédentisme**
– En éthologie, défense du territoire **territorialisme**
– Territoires concédés aux Indiens d'Amérique **réserves**

TERRORISER
– Une personne terrorisée à l'idée de parler en public **effrayée, angoissée, affolée, paniquée, apeurée**
– Un groupement mafieux qui terrorise la population **terrifie, horrifie, épouvante**

TERRORISME
– Acte de terrorisme **attentat, prise d'otages, détournement d'avion**

TEST
syn. épreuve, essai, expérience, expérimentation, tentative, vérification
– Discipline s'intéressant à l'élaboration des tests et des examens **docimologie**
– Un test évaluant le fonctionnement intellectuel et psychique **psychométrique**
– Un test comportemental **projectif, de projection**
– Le test des taches d'encre **de Rorschach**
– Test médico-légal **docimasie**

TESTAMENT
voir aussi **héritage**
– Auteur d'un testament **testateur**
– Faire son testament **tester**
– Coucher quelqu'un sur son testament **inscrire comme légataire**
– Un testament écrit et signé de la main du testateur **olographe**
– Un testament dicté à un notaire en présence d'un autre notaire ou de témoins **authentique, public**
– Acte postérieur destiné à modifier, compléter ou annuler un testament **codicille**
– Personne chargée de réaliser les clauses d'un testament **exécuteur testamentaire**
– Elle est décédée sans avoir laissé de testament **intestat**

TESTICULE *Voir illustration p. 588*
– Canal excréteur des testicules **canal déférent**
– Organe situé sur le bord supérieur des testicules et contenant le conduit séminal **épididyme**

– Enveloppe des testicules **bourses, scrotum**
– Membrane autour des testicules **albuginée**
– Inflammation des testicules **orchite**
– Intervention consistant à sectionner les canaux déférents des testicules **vasectomie**
– Ablation d'un testicule **orchidectomie**
– Absence congénitale de testicules **anorchidie**
– Testicules non descendus dans le scrotum mais restés dans l'abdomen **cryptorchidie**
– Testicules de cerf **daintiers**
– Testicules de sanglier **suites**
– Mets composé de testicules de bélier cuisinés comme des rognons **animelles**

TÉTANOS
– Bacille du tétanos **bacille de Nicolaier**
– Symptôme du tétanos, caractérisé par une forte contraction des mâchoires **trismus**
– Un sérum, un vaccin agissant contre le tétanos **antitétanique**

TÊTE
– Partie fragile de la tête d'un bébé **fontanelle**
– Partie latérale supérieure de la tête **tempe**
– Partie postérieure de la tête, au-dessus de la nuque **occiput**
– Sommet de la tête **sinciput, vertex**
– Partie rasée au sommet de la tête de certains religieux **tonsure**
– Instrument servant à prendre les mesures précises de la tête **conformateur**
– Un individu dont la tête est très allongée **dolichocéphale**
– Un individu dont la tête est très large **brachycéphale**
– Une tête au crâne en pain de sucre **acrocéphale**
– Mal de tête **migraine, céphalalgie, céphalée, hémicrânie, névralgie faciale**
– Balancement ininterrompu de la tête **nutation**
– Couper la tête à quelqu'un **décapiter, guillotiner**
– Une créature sans tête **acéphale**
– Tête de mort (souvent en ivoire) destinée à évoquer l'idée du néant **memento mori**
– Tête de sanglier, de saumon **hure**
– En termes de pêche, couper la tête des morues **décoller**
– Tête d'ail **bulbe**
– Tête d'un obus, d'un missile **ogive**

TÉTER
– Faire téter à un bébé **allaiter, donner le sein**
– Quantité de lait bue par le nourrisson qui tète **tétée**

– Petit appareil parfois placé au bout du sein pour aider l'enfant à téter **téterelle**

TÊTU
syn. **acharné, entêté, obstiné, persévérant**
– Un animal têtu **récalcitrant, rétif**
– Un interlocuteur têtu **intraitable, opiniâtre, buté, tenace**

TEXTE
syn. **copie, document, rédaction**
– Contenu d'un texte **teneur**
– Le texte d'un problème de mathématiques **énoncé**
– Bref commentaire accompagnant un texte **annotation, notule, remarque**
– Ajouter des éléments étrangers à un texte **interpoler**
– Différentes versions d'un même texte **variantes**
– Texte constatant légalement un fait **acte**
– Texte écrit à la main **manuscrit**
– Texte tapé à la machine **tapuscrit**
– Parchemin dont le premier texte a été effacé ou gratté pour en écrire un autre **palimpseste**
– Étude d'une langue à travers les textes **philologie**
– Interprétation de textes religieux, philosophiques **exégèse, herméneutique**
– Recueil de textes mystiques de l'Église orthodoxe **philocalie**

TEXTILE
voir aussi **étoffe, tissu**
– Matière textile végétale **coton, lin, chanvre, jute, ramie, piassava, sisal, tampico, pite**
– Matière textile animale **laine, angora, soie, cachemire**
– Matière textile synthétique **acrylique, microfibre, polyester, rayonne, Tergal, Dacron, Gore-Tex, Orlon, Lycra**
– Usine textile **filature, tissage**

TEXTURE
– Texture d'une œuvre littéraire **agencement, structure, organisation**
– Texture d'une roche, d'un sol **constitution, composition**
– Texture des relations économiques **tissu, réseau**

THÉ *Voir tableau page ci-contre*
– Arbre à thé **théier, thé**
– Thé torréfié sans fermentation ni noircissement préalables **thé vert**
– Variété de thé de noir **pekoe powchong, pekoe orange, souchong, pekoe souchong, congou**
– Variété de thé vert **hyson-hayswen, hyson-schoutong, grande perle, gunpowder (poudre à canon), hyson-junior, hyson-skin, tonkay**
– Thé d'Inde **Darjeeling, Assam**

– Thé très prisé de la première récolte **impérial**
– Thé des Jésuites ou du Paraguay, cultivé au Brésil **maté**
– Thé semi-fermenté de Formose **Oolong**
– Bouilloire russe utilisée pour faire le thé **samovar**
– Alcaloïde contenu dans le thé **théophylline, théobromine, théine**

THÉÂTRAL
syn. **affecté, pompeux**
– Genre théâtral populaire comique **boulevard, vaudeville**
– Genre théâtral japonais **kabuki, nô, kyogen, bunraku**
– Genre théâtral lyrique espagnol **zarzuela**
– Genre théâtral religieux, au Moyen Âge **mystère, miracle, diablerie**
– Genre théâtral satirique, au Moyen Âge **sottie, farce**
– Faire une entrée théâtrale dans une soirée **scénique, grandiose, majestueuse, spectaculaire, fastueuse**

THÉÂTRE *Voir illustration p. 596*
syn. **scène, tréteaux**
– Art de la mise en scène au théâtre **scénologie, scénographie**
– Auteur de pièces de théâtre **dramaturge**
– Spectacle de théâtre **comédie, mélodrame, opéra-comique, opéra-bouffe, opérette, tragédie, tragi-comédie, vaudeville**
– Au théâtre, personnage inespéré venant dénouer une situation **deus ex machina**
– Personne chargée de l'organisation interne d'un théâtre **régisseur**
– Dans un théâtre, groupe de personnes payées pour applaudir le spectacle **claque**
– Interruption momentanée des représentations données par un théâtre **relâche**
– Insuccès d'une pièce de théâtre **four, fiasco**
– Pièces de théâtre comiques, dans l'Antiquité romaine **atellanes**
– Théâtre indonésien **wayang**

THÈME
syn. **idée, sujet, trame**
– Thème astral **nativité**
– Thème musical **motif, leitmotiv**
– Ensemble des thèmes propres à une œuvre **thématique**

THÉOLOGIE
– Théologie rationnelle **théodicée**
– Spécialiste de théologie islamique **uléma, ayatollah**
– Spécialiste de théologie juive **rabbin, kabbaliste, talmudiste, docteur de la Loi**
– Spécialiste de théologie chrétienne **théologien, consulteur**

– Premiers auteurs d'écrits de théologie chrétienne **Pères de l'Église**
– Théologie fondée sur les ouvrages des Pères de l'Église **patristique**
– Courant majeur de la théologie catholique **thomisme, augustinisme**
– Branche de la théologie consacrée au Christ **christologie**
– Branche de la théologie traitant de la vie de l'Église **ecclésiologie**
– Partie de la théologie portant sur les cas de conscience **casuistique**
– Partie de la théologie qui défend la foi en s'appuyant sur les fondements rationnels du christianisme **apologétique**
– Assemblée religieuse où se traitent les questions de théologie et de discipline ecclésiastique **concile, synode, consistoire**
– Enseignement de la philosophie et de la théologie au Moyen Âge **scolastique**
– Théologie négative pour laquelle Dieu est un mystère indéfinissable **apophatique**

THÉORIE
syn. **cortège, défilé, système, procession**
– Exposer sa théorie **thèse, conception, doctrine, opinion, philosophie**
– Élément sur lequel se fonde une théorie **hypothèse, axiome, postulat, principe**

THERMOMÈTRE
– Substance liquide utilisée dans un thermomètre **mercure, alcool, toluène, pentane**
– Thermomètre enregistreur **thermographe**
– Thermomètre à résistance électrique **bolomètre**
– Appareil composé de deux thermomètres et servant à mesurer l'humidité de l'air **psychromètre**

THON
– Famille à laquelle appartient le thon **scombridés**
– Petit thon de la Méditerranée **thonine, bonite, pélamide**
– Variété de thon blanc **germon, albacore**
– Grand filet pour la pêche au thon **combrière**
– Assemblage de filets utilisé pour pêcher le thon **thonaire**
– Bateau pour la pêche au thon **thonier**

THYM
– Famille à laquelle appartient le thym **labiées, labiacées, lamiacées**
– Variété de thym **serpolet, thym commun**
– Thym, en Provence **farigoule**
– Phénol contenu dans le thym **thymol, carvacrol**

VOCABULAIRE DU THÉ

Appellation : synonyme de grade *(voir ce mot)*.

Assam : *voir Crus (thés des Indes)*.

Blending : synonyme de mélange.

Brique : conditionnement original qui fut adopté par les caravanes pour transporter facilement le thé sur les routes hasardeuses de la Mongolie, du Tibet et de la Russie – les briques compactes de thé pressé étaient dures comme de la pierre mais prenaient beaucoup moins de place ! Il suffisait ensuite d'en détacher quelques copeaux et de les faire bouillir, méthode encore utilisée aujourd'hui.

Broken : désigne la feuille brisée, et par conséquent un thé composé de feuilles brisées.

Conservation : le thé se conserve à l'abri de l'humidité et de la lumière ; c'est pourquoi l'usage d'une boîte à thé traditionnelle à double couvercle est recommandé.

Cueillette ou **flush :** elle consiste à ramasser les jeunes pousses sur le dessus de l'arbuste. Elle est faite à la main, principalement par des femmes, qui portent une sorte de hotte sur le dos et récoltent environ 25 à 30 kg de thé frais par jour… ce qui donne 5 à 7 kg de thé manufacturé ! La technique diffère selon la qualité de thé que l'on désire produire, mais on ne va jamais au-delà du bourgeon terminal et des quatre premières feuilles. Ainsi, sachant que la feuille de thé s'appelle pekoe, on peut procéder à :
● la cueillette impériale (la seule pratiquée autrefois en Chine), qui consiste à cueillir le bourgeon terminal (pekoe terminal), appelé aussi flowery orange pekoe (FOP), plus la première feuille, appelée orange pekoe (OP) ;
● la cueillette fine, qui consiste à prélever le bourgeon terminal plus les 2 feuilles suivantes, c'est-à-dire la première (orange pekoe) et la deuxième, dite pekoe (P) ;
● la cueillette grossière, qui autorise une feuille supplémentaire, appelée pekoe souchong (PS), voire encore une autre, appelée souchong (S).

Dans quelques régions, la récolte est saisonnière (Inde du Nord). Ainsi, à Darjeeling, on ne procède, au maximum, qu'à 3 récoltes par an : le first flush au début du printemps, le second flush au début de l'été, et l'automnal flush en octobre. Mais, le plus souvent, la récolte se fait à longueur d'année et l'on repasse régulièrement sur l'arbre à quelques jours d'intervalle pour ramasser les jeunes pousses.

Darjeeling : *voir Crus (thés des Indes)*.

Dessiccation : quatrième étape de la manufacture du thé, qui consiste à stopper la fermentation pendant environ 20 minutes, par une torréfaction dans des chambres à air chaud où les feuilles deviennent noires et ne conservent que 5 % d'eau.

Dust : désigne la poussière de feuilles de thé, donc des brisures encore plus petites que les fannings.

Fannings : qualifie les parcelles de feuilles de thé, et, par extension, un thé composé de ces parcelles.

Fermentation : troisième étape de la manufacture du thé, qui consiste à entreposer le thé pendant 2 à 3 heures à 27 °C dans une atmosphère humide afin qu'il s'oxyde et prenne une couleur brune. Ce processus n'est pas appliqué aux thés verts, et ne l'est que partiellement aux oolongs.

Flétrissage : première étape de la manufacture du thé, qui consiste à déshydrater le thé posé sur de longues claies ventilées pendant 16 à 24 heures (selon les régions) pour assouplir ses feuilles.

Grade (synonyme d'appellation) : chaque thé est classé en fonction de sa taille, de sa forme et de sa grosseur. Ses feuilles peuvent être entières, brisées ou broyées, et déterminent ainsi son appellation, ou grade. Les grades sont communs à toutes les origines.
Il y a 4 grades de base concernant la feuille de thé :
– flowery orange pekoe (FOP) ;
– orange pekoe (OP) ;
– pekoe (P) ;
– pekoe souchong (PS).
Par ailleurs, il y a également 4 grades pour la taille des feuilles :
– la feuille entière (leaf) ;
– la feuille brisée (broken) ;
– les parcelles (fannings) ;
– la poussière (dust).

Leaf : désigne la feuille de thé entière et, par extension, un thé composé de feuilles entières.

Orange pekoe (OP) : nom de la première feuille de thé qui suit le bourgeon terminal.

Oolong ou **oulong :** synonyme de thé semi-fermenté *(voir ces mots)*.

Pekoe (P) : nom de la deuxième feuille de thé – du chinois *pak-ho*, « cheveu fin, duvet » – qui suit le bourgeon terminal.

Pekoe souchong (PS) : nom de la troisième feuille de thé qui suit le bourgeon terminal.

Pekoe terminal ou **flowery orange pekoe (FOP) :** bourgeon terminal.

Roulage : deuxième étape de la manufacture du thé, qui consiste à rouler le thé sur lui-même pendant une bonne demi-heure dans des machines spéciales, sans l'écraser, afin que ses cellules se brisent et que ses composants se mélangent.

Souchong (S) : nom de la quatrième feuille de thé qui suit le bourgeon terminal.

Tea-time : plage horaire (vers 17 heures) pendant laquelle les Britanniques prennent le thé traditionnel, souvent accompagné de biscuits.

Théier : arbuste à feuilles persistantes *(Camellia sinensis)*. À l'état sauvage, ce peut être un arbre de 15 m de haut, mais, dans les plantations, il est maintenu par tailles successives à 1,20 m en plaine et à 30 à 40 cm (parallèlement à la pente) en montagne, offrant ainsi ce qu'on appelle la table de cueillette.

Théine : même substance que la caféine, mais qui porte ici un autre nom. On la trouve en bien moindre proportion dans le thé que dans le café.

Thés fumés : noirs, semi-fermentés ou verts, les thés peuvent encore être fumés ou parfumés. Les thés fumés (thés noirs de Chine pour la plupart) doivent leur goût à un lent fumage au feu de bois qui les imprègne : lapsang souchong, par exemple.

Thés noirs : thés ayant subi une fermentation. Ils représentent 98 % de la production.

Thés semi-fermentés ou **oolongs :** thés qui n'ont subi qu'une fermentation partielle.

Thés verts : thés n'ayant subi aucune fermentation.

Triage : Cinquième étape de la manufacture du thé, qui consiste à passer les feuilles au tamis et à les trier pour les mettre en caisses selon leur grade, moins de 36 h après la récolte.

LES CRUS
La typicité et la qualité d'un thé dépendent à la fois de sa variété et de son origine.

Thés de Ceylan
● **Kandy :** thé d'altitude donnant une infusion aromatique et corsée, avec une légère amertume.
● **Djimbula :** thé typique poussant en altitude, donnant une flaveur fine et une couleur dorée.
● **Kenilworth :** thé issu de la région des hauts plateaux, au goût fruité et agréable.
● **Uva Highland :** thé poussant à l'est des montagnes du centre du Sri Lanka, recherché pour sa flaveur très fine.

Thés de Chine
● **Keemum :** thé à petites feuilles, doux, léger, pauvre en tanin, senteur rappelant l'orchidée, arôme très légèrement chocolaté en bouche, tasse fine et subtile.
● **Yunnan :** flaveur pleine et chaude, ronde, sans astringence, assez soutenue, rappelant la saveur de la châtaigne. Un des meilleurs – et des plus forts – thés noirs de Chine.
● **Lapsang souchong :** thé à feuilles très noires, légèrement fumé au-dessus d'un feu d'épicéa. Donne une infusion délicate, claire et légèrement fumée.

Thés de Formose
● **Gunpowder :** thé vert de première cueillette considéré comme l'un des meilleurs. Son nom est dû au fait que ses feuilles sont roulées en forme de petites boules rappelant la poudre à canon.

Thés des Indes
● **Darjeeling :** thés parmi les plus estimés, au bouquet d'une grande finesse, très aromatiques, produits sur les contreforts de l'Himalaya, à plus de 2 000 m d'altitude. Certains crus proches de la frontière du Népal ou cultivés dans des jardins réputés sont remarquables, pleins en bouche, avec des accents de fruits mûrs donnant une liqueur très aromatique.
● **Assam :** thés poussant dans les plaines du nord-est de l'Inde, donnant une tasse riche et corsée, de couleur sombre, à léger goût de malt pour les meilleurs, tandis que les qualités moyennes fournissent le gros des mélanges anglais et appellent le lait.
● **Nilgiri :** thés récoltés sur les hauts plateaux du sud de l'Inde (2 200 m), donnant une tasse très franche de goût, idéale comme base de mélange.

TIBIA
– Os long et fin, parallèle au tibia **péroné**
– Déformation du tibia caractérisée par un aplatissement en lame de sabre **platycnémie**

TIC
syn. **manie**
– Tic de vieux garçon **marotte, idée fixe**
– Tic caractérisé par un clignement continuel des paupières **nictation, nictitation**
– Tic consistant à grincer des dents **bruxisme**
– Tic consistant à hocher la tête convulsivement **tic de Salaam**
– Tic consistant à s'arracher les poils ou les cheveux **trichoclastie, trichotillomanie, trichomanie, manie dépilatoire**
– Tic douloureux de la face **névralgie épileptiforme**
– Maladie caractérisée par des tics divers accompagnés de bruits involontaires **syndrome de Gilles de La Tourette**

TICKET
syn. **billet**
– Partie détachable d'un ticket **coupon**
– Ticket-repas **ticket-restaurant, titre-restaurant, chèque-restaurant**
– Ticket de transport en commun **titre de transport**
– Ticket délivré aux personnes quittant momentanément une salle de spectacle **contremarque**
– Appareil qui délivre des tickets de stationnement **horodateur**

TIÈDE
– Un enthousiasme tiède **poli, modéré, mitigé, timide, tempéré, limité**
– Un discours tiède **mou**

TIGE
voir aussi **queue**
– Longue tige fleurie mais sans feuilles **hampe**
– Une plante dépourvue de tige **acaule**
– Une plante à longues tiges **longicaule**
– Bouquet de tiges provenant d'une même souche **cépée, trochée**
– Tige des céréales **chaume, éteule, paille, fétu, tuyau**
– Tige des fougères et de certains palmiers **stipe**
– Tige rampante productrice de nouveaux pieds **stolon**
– Tige souterraine **rhizome, tubercule**
– Tige de fer servant à faire rôtir les viandes **broche, hâtelet**
– Tige métallique reliant deux parties mobiles d'une mécanique **bielle**
– Tige métallique utilisée pour les ponctions chirurgicales **trocart**
– Tige d'une colonne architecturale **fût, escape**

TIGRE
– Famille à laquelle appartient le tigre **félidés**
– Cri du tigre **feulement, râlement, rauquement**
– Issu du croisement entre un tigre et une lionne **tigron, tiglon**

TIMBRE
voir aussi **sonnerie, sonnette**
syn. **marque, tampon, vignette**
– Une voix dépourvue de timbre **monocorde, blanche**
– Une voix caractérisée par son timbre **timbrée, cuivrée, chaude, sensuelle, profonde**
– Timbre pour le règlement d'une amende, d'une taxe **timbre fiscal, timbre-amende**
– Timbre cutané qui dispense en continu une substance dans l'organisme **patch**

TIMBRE-POSTE
voir aussi **oblitération, tampon**
– Apposition d'un timbre-poste en règlement des frais postaux **affranchissement**
– Fines lignes formant le fond d'un timbre-poste **burelage**
– Perforations sur les bords d'un timbre-poste **dentelure**
– Instrument servant à mesurer les dentelures d'un timbre-poste **odontomètre**
– Timbre-poste au verso duquel se détache le contour de l'effigie du recto **tête d'ivoire**
– Timbre-poste imprimé en sens inverse par rapport aux autres **tête-bêche**
– Un timbre-poste retiré de la circulation **démonétisé**
– Premier timbre-poste émis dans le monde **black penny**
– Collectionneur de timbres-poste **philatéliste**

TIMIDE
– Un air timide **embarrassé, emprunté, gauche, gêné**
– Un enfant timide **pusillanime, timoré, effarouchable, farouche, peureux, réservé, inhibé**
– Une initiative timide **prudente, frileuse**
– Un sourire timide **hésitant, incertain, ébauché, esquissé**

TIR
– Ligne de tir **mire**
– Régler le tir **visée**
– Mettre en position de tir **en batterie**
– Un tir intense **nourri**
– Tir simultané de plusieurs armes à feu **salve**
– Succession de tirs rapides **rafale**
– Appareil lançant des cibles d'argile et permettant de s'exercer au tir **ball-trap, tir au pigeon**

– Des tirs qui convergent vers un même point **croisés**
– Tir d'artillerie pour arrêter une progression ennemie **tir de barrage**
– Oiseau de bois ou de carton servant de cible au tir à l'arc **papegai**
– Tir au football **shoot, tir au but**

TIR À L'ARC
– Tir à l'arc japonais **kyudo**

TIRADE
syn. **discours**
– La tirade d'un acteur **réplique, monologue**
– Tirade littéraire particulièrement enlevée **morceau de bravoure**
– Tirade d'une chanson de geste **laisse**
– Tirade de composition harmonieuse **période**

TIRAGE
syn. **édition, impression, publication**
– Nouveau tirage d'un document **retirage, réimpression, réédition, republication**
– Support en relief permettant le tirage d'un document **cliché**
– Effectuer le tirage d'une pellicule photographique **développer**
– Tirage photographique destiné à être projeté sur un écran **diapositive**

TIRAILLEMENT
– Tiraillements d'estomac **crampes**
– Tiraillements dans une famille **conflits, désaccords, discordes, oppositions, querelles, tirailleries**

TIRELIRE
– Ancienne tirelire en terre cuite **esquipot**
– Sorte de tirelire **cagnotte, tronc, grenouille, cochon**

TIRER
syn. **arracher, ôter, sortir**
– Tirer quelque chose derrière soi **traîner**
– Tirer quelque chose avec un véhicule **tracter, remorquer**
– Tirer une embarcation à l'aide d'un cordage, d'une chaîne **haler, touer**
– En termes de marine, tirer un câble à la main **paumoyer**
– Tirer l'eau d'une source, d'une rivière **puiser, pomper**
– Tirer le jus d'un fruit **exprimer**
– Tirer une substance du milieu dans laquelle elle se trouve **extraire**
– Tirer une arme de son étui **dégainer**
– Tirer avec une arme à feu **décharger, mitrailler, faire feu**
– Tirer les armes, l'épée **se battre, pratiquer l'escrime**
– Tirer une conséquence de quelque chose **déduire, inférer, conclure**
– Un mot tiré du latin **emprunté au**

TISANE

syn. **décoction, infusion**

TISSAGE

– Opération précédant le tissage **bobinage, ourdissage, encollage, canetage, nouage**

– Fil de tissage **filé, lame**

– Tissage alternant les couleurs pour créer des motifs ou des dessins **chinage**

– Spécialiste du tissage mécanique de tapis et moquette **carpettier**

– Ouvrier, ouvrière dans le tissage de la soie lyonnaise **canut, canuse**

TISSER

syn. **comploter, intriguer, ourdir, tramer**

– Ouvrier travaillant sur un métier à tisser **tisseur, tisserand, lissier, hautelissier, basse-lissier**

– Tisser des fils d'or ou d'argent dans une étoffe **brocher**

TISSU *Voir tableau p. 601-602*

voir aussi **étoffe**

– Dans un tissu, fils passés dans le sens de la largeur **trame**

– Dans un tissu, fils passés dans le sens de la longueur **chaîne**

– Disposition des fils de chaîne et de trame d'un tissu **armure**

– Type de tissu **lainage, soierie, toile, velours, cotonnade**

– Tissu élastique **Stretch, Lycra**

– Tissu à rayures mates et brillantes **pékiné**

– Tissu ouaté **matelassé**

– Tissu rayé ou légèrement côtelé **milleraies**

– Tissu composé de fils de chaîne et de trame de couleurs différentes **oxford**

– Tissu fabriqué avec des poils d'animaux **cachemire, mohair, mérinos**

– Préparation du tissu avant de le travailler **apprêt**

– Artisan qui confectionne les tissus destinés à la passementerie **tissutier**

– Multitude de petits morceaux de tissu cousus ensemble de manière harmonieuse **patchwork**

– Morceau de tissu qui protège le matelas dans un lit **alèse**

– Branche de l'anatomie ayant pour objet l'étude des tissus vivants **histologie, cytologie**

– Tissu composé de plusieurs couches de cellules **épithélium**

– Formation des tissus embryonnaires **histogenèse**

– Culture des tissus biologiques **tissulaire**

– Durcissement anormal d'un tissu **induration, sclérose**

– Dégradation de tissus organiques vivants **histolyse**

– Tissu végétal dans lequel passe la sève **liber, phloème**

TITRE

syn. **appellation, désignation, dignité, diplôme, qualification**

– Personne qui remplit une fonction en vertu d'un titre **titulaire**

– Attribution d'un titre **collation**

– Titre de noblesse **parchemin, brevet**

– Une personne détentrice d'un titre de noblesse **titrée**

– Ensemble des titres portés par une personne **titulature**

– En termes juridiques, titre égaré **adiré**

– Dans une société commerciale, titre de propriété d'un des associés **action, part**

– En droit commercial, titre remis par une société en contrepartie d'un prêt **obligation, créance**

– Titres financiers négociables **valeurs**

– Donner un titre à un ouvrage **intituler**

– Titre d'un livre imprimé en première page **frontispice**

– Gros titre à la une d'un journal **manchette**

TOAST

– Porter un toast **trinquer, boire à la santé de**

TOGE

– Toge écrue ornée d'une bande de pourpre portée dans l'Antiquité par les jeunes Romains et les sénateurs **toge prétexte**

– Toge portée par les jeunes Romains à leur majorité **toge virile**

– Toge des chevaliers romains **angusticlave**

– Toge des sénateurs romains **laticlave**

– Toge ornée de bandes de pourpre horizontales portée par les consuls romains **trabée**

– Vêtement porté par les Romains pardessus leur toge **épitoge**

TOILE

voir aussi **peinture, tissu**

– Partie d'une toile tissée lâche **clairière, clairure**

– Toile très serrée **coutil**

– Toile de chanvre épaisse et très solide **treillis**

– Toile de coton imprimée **indienne**

– Toile de coton très fine **zéphyr, mousseline, singalette, tarlatane, nansouk**

– Toile de coton enduite d'un vernis imitant le cuir **moleskine**

– Toile de doublure **percaline, lustrine, satinette, satin de Chine, sergé**

– Toile de lin **batiste, cambrai, linon, cambrésine**

TOILE D'ARAIGNÉE

– Autrefois, toile d'araignée **arantèle**

– Organe par lequel l'araignée produit le fil qu'elle utilise pour tisser sa toile **filière**

– Araignée qui ne tisse pas de toile **lycose**

– Évoquant une toile d'araignée **aranéeux**

– Léger comme une toile d'araignée **arachnéen**

TOILE ÉMERI

syn. **papier de verre**

– Utilisation de la toile émeri **abrasion, polissage, ponçage**

TOILETTE

syn. **ablutions, habillement, lavage, nettoyage, tenue, vêtement**

– Meuble de toilette **coiffeuse, poudreuse**

– Personne qui présidait jadis à la toilette des princesses, des reines **dame d'atour**

– Une toilette élégante, recherchée **mise, tenue, parure**

– Faire la toilette d'un chien **toiletter**

TOIT *Voir illustration p. 607, et illustration maison, p. 360*

voir aussi **charpente**

syn. **abri, asile, couverture, protection, refuge, toiture**

– Édifice, temple sans toit **hypèthre**

– Toit à un seul versant et appuyé contre un mur **appentis**

– Charpente soutenant un toit **comble**

– Poutre supérieure de l'armature d'un toit **faîte**

– Planche servant de support aux tuiles ou ardoises d'un toit **volige**

– Planche qui retient la dernière rangée de tuiles ou d'ardoises d'un toit **chanlatte**

– Double rangée de tuiles à l'extrémité inférieure d'un toit **battellement**

– Conduit fixé au bord d'un toit pour recueillir les eaux de pluie **gouttière, chéneau**

– Petite fenêtre ménagée dans un toit **lucarne, faîtière, tabatière, Velux**

– Chambre installée sous les toits **mansarde**

– Matériau utilisé pour la couverture d'un toit **tuile, ardoise, chaume, lauze, glui, tôle ondulée**

– Lanterne en haut d'un toit **campanile**

– Perchée sur un toit **girouette**

– Petit toit au-dessus d'une porte **auvent, marquise**

– Ouvrier qui pose et répare les toits **couvreur**

– Toit hémisphérique **dôme, coupole, bulbe**

– Toit en verre **verrière**

– Sculpture qui ornait le bord des toits dans l'Antiquité **antéfixe**

– Balançoire avec un toit en toile **balancelle**

– Voiture à cheval munie de banquettes sur le toit **berline, mail-coach**

– Voiture dont le toit est escamotable **cabriolet, décapotable**

TÔLE

– Tôle recouverte d'une couche d'étain **fer-blanc**
– Une tôle recouverte d'une couche de zinc **galvanisée**
– Une tôle recouverte d'une couche d'aluminium **aluminisée**
– Une tôle travaillée en relief **ondulée**

TOLÉRANCE

syn. **compréhension, indulgence, largeur d'esprit, ouverture d'esprit**
– Incapable de faire preuve de tolérance **intolérant, sectaire, intransigeant, étroit d'esprit, fanatique**
– Maison de tolérance **maison close, lupanar, bordel, maison de passe**

TOLÉRER

– Tolérer les défauts de quelqu'un **accepter, excuser, pardonner, fermer les yeux sur, passer sur**
– Tolérer un acte **admettre, permettre, autoriser, consentir à**
– Tolérer un médicament **supporter**

TOMATE

– Famille à laquelle appartient la tomate **solanacées**
– Variété de tomate **olivette, marmande**
– Tomate de très petite taille pour l'apéritif **tomate-cerise**
– Façon de préparer les tomates **salade de tomates, tomates farcies, tomates à la provençale, fondue de tomate**
– Plat à base de tomate **osso buco, ratatouille, piperade, poulet basquaise, lasagne, poulet à la marengo, pizza**
– Potage froid à la tomate et au concombre **gaspacho**
– Sauce tomate épicée **ketchup**
– Jus de tomate et vodka **bloody mary**
– Condiment proposé avec le jus de tomate **sel de céleri**

TOMBE

voir aussi **tombeau**
syn. **sépulture**
– Monticule de terre ou de pierres dressé sur une tombe **tumulus, cairn, galgal, mound, tertre**
– La dalle d'une tombe **dalle tumulaire, dalle funéraire, pierre tombale**
– Inscription gravée sur une tombe **épitaphe**
– En Afrique du Nord, tombe d'un personnage vénéré **coubba, marabout**
– Dans les anciennes tombes égyptiennes, salle murée contenant les effigies du défunt **serdab**
– Attirance morbide pour les tombes **taphophilie**

TOMBEAU

syn. **caveau, tombe, sépulcre, sépulture**

– Tombeau monumental **mausolée**
– Tombeau ne contenant pas le corps du défunt **cénotaphe**
– Dans l'Antiquité, construction souterraine destinée à abriter les tombeaux **hypogée**
– Tombeau égyptien en forme de trapèze **mastaba**
– Tombeau d'un pharaon égyptien **pyramide**
– Tombeau musulman en forme de tour **turbeh**
– Édifice qui abrite le tombeau d'un martyr **martyrium**
– Statue d'un être éploré, placée sur un tombeau **pleurant(e)**
– Créature qui sort de son tombeau la nuit pour s'approvisionner en sang humain **vampire**

TOMBER

– Tomber bien bas **avilir (s'), déchoir, dégénérer, dégrader (se), pervertir (se)**
– Le jour tombe **décline**
– Tomber à la renverse **basculer, culbuter**
– Se laisser tomber **laisser aller (se), choir**
– Tomber amoureux de quelqu'un **éprendre de (s'), énamourer de (s'), enticher de (s')**
– Les tours du château vont bientôt tomber en ruine **affaisser (s'), ébouler (s'), écrouler (s'), effondrer (s')**
– L'arbre risque de tomber sur la maison **abattre (s')**
– Le vent tombe **apaise (s'), faiblit, calme (se)**
– La fièvre tombe **diminue, décroît**

TON

voir aussi **couleur, teinte**
syn. **accent, genre, hauteur, manière, style, timbre**
– Changement de ton dans la voix **modulation, inflexion**
– Parler d'un ton méprisant **intonation, expression**

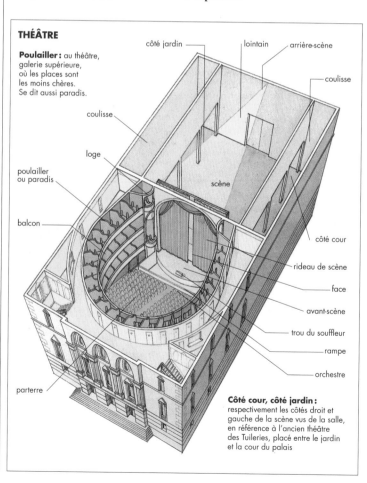

THÉÂTRE

Poulailler : au théâtre, galerie supérieure, où les places sont les moins chères. Se dit aussi paradis.

côté jardin
lointain
arrière-scène
coulisse
coulisse
loge
scène
poulailler ou paradis
balcon
côté cour
rideau de scène
face
avant-scène
trou du souffleur
rampe
orchestre
parterre

Côté cour, côté jardin : respectivement les côtés droit et gauche de la scène vus de la salle, en référence à l'ancien théâtre des Tuileries, placé entre le jardin et la cour du palais

– En musique, une gamme constituée de demi-tons **chromatique**
– Branche de la phonétique étudiant les tons **tonétique**

TONALITÉ

syn. **ton**
– Ensemble des notes constitutives d'une tonalité en musique **gamme**
– Ensemble des altérations situées à la clef et caractéristiques d'une tonalité en musique **armure**
– Changement de tonalité dans un morceau de musique **modulation**
– Transcrire ou exécuter un morceau de musique dans une autre tonalité **transposer**
– Les différentes tonalités d'une peinture **nuances, teintes**

TONDRE

syn. **raser, tonsurer**
– Tondre une haie **tailler**

TONIQUE /1

– Prescrire un tonique pour le cœur **tonicardiaque, cardiotonique**
– Prendre un tonique pour enrayer une fatigue passagère **cordial, fortifiant, stimulant, remontant**

TONIQUE /2

– Une boisson tonique **cordiale, fortifiante, reconstituante, remontante, tonifiante, analeptique, réconfortante**
– Un petit vent tonique **stimulant, revigorant, vivifiant, dynamisant**
– Des applaudissements toniques **vigoureux, enthousiastes, chaleureux**
– Un coton imbibé d'eau tonique **astringente, raffermissante**
– Substance naturelle tonique **angustura, cola, gentiane, racine de benoîte, quinquina, absinthe**
– Mot dépourvu d'accent tonique **proclitique**
– Mot dont l'accent tonique se place sur la dernière syllabe **oxyton**
– Mot dont l'accent tonique se place sur l'avant-dernière syllabe **proparoxyton**

TONNAGE

voir aussi **bateau, camion, navire**
– Tonnage d'un navire **jauge**

TONNE

voir aussi **tonneau**
– Masse de 1 000 tonnes **kilotonne**

TONNEAU

– Petit tonneau **tonnelet, baril, boucaut, feuillette**
– Grand tonneau **barrique, futaille, muid, tonne, foudre, bordelaise**
– Tonneau à alcool **fût, futaille**
– Tonneau à harengs **caque**

– Petit tonneau servant au transport du beurre fondu **tinette**
– Planche utilisée pour la fabrication de tonneaux **douve, douelle, douvelle**
– Trou dans le corps du tonneau pour le remplir ou le vider **bonde**
– Robinet de tonneau **chantepleure**
– Remplir un tonneau de liquide **entonner**
– Remplir un tonneau au fur et à mesure que son contenu s'évapore **ouiller, rembouger**
– Désinfecter un tonneau en le traitant au soufre **mécher**
– Boisson à base d'eau de rinçage de tonneaux **rinçures de tonneau**
– Compas servant à marquer les tonneaux lors de contrôles fiscaux **rouanne**
– Instrument servant à mesurer la contenance d'un tonneau **velte**
– Fabricant de tonneaux **tonnelier**

TONNELLE

syn. **berceau, charmille, gloriette, pampre, pavillon de verdure, pergola, treille**

TONNERRE

voir aussi **foudre**
– Bruit du tonnerre **grondement, roulement**
– Éclair sans tonnerre **fulguration**
– Dieu scandinave du tonnerre **Thor**
– Dans le théâtre antique, machine qui imitait le bruit du tonnerre **brontéion**
– Une nouvelle qui fait l'effet d'un coup de tonnerre **bombe**
– Une voix de tonnerre **tonitruante, tonnante, de stentor**

TORCHE

syn. **flambeau**
– Torche grossière faite de paille entortillée **brandon**
– Chandelier supportant de grandes torches **torchère**

TORCHIS

– Sorte de torchis **bousillage, bauge, pisé**
– Couvrir de torchis le mur d'un bâtiment **torcher, bousiller**
– Latte de bois servant à retenir le torchis d'une construction **palançon**

TORCHON

syn. **essuie-verre(s), essuie-mains**

TORDRE

– Tordre une lame de métal **courber, fausser, bistourner, cambrer, cintrer, couder, gauchir, arquer, plier**
– Tordre une mèche de cheveux **tortiller, torsader, cordeler**
– Ce fil a tendance à se tordre sur lui-même **vriller, enrouler (s')**

– Lier, en les tordant, des fils de soie grège pour les renforcer **mouliner**
– Tordre du fil en spirale **boudiner**
– Fils tordus ensemble **tortis**
– Des pins parasols tordus par le vent **déjetés**

TORDU

– Des jambes tordues **arquées, torses**
– Une planche tordue **gauche**

TORPEUR

voir aussi **léthargie**
syn. **apathie, indolence**
– Se laisser gagner par la torpeur **somnolence, engourdissement, assoupissement**
– Tirer quelqu'un de sa torpeur **abattement, langueur, inertie, atonie, inaction**
– En état de torpeur **torpide**

TORPILLER

– Torpiller un projet **couler, saper, saborder, faire avorter, faire échouer**

TORRENT

– Lit creusé par un torrent **ravine**
– Torrent né des fortes pluies ou de la fonte des neiges **avalaison, avalasse**
– Torrent des Pyrénées **gave**
– Des torrents s'abattaient du ciel **trombes, cataractes**
– Dire des torrents d'insanités **flots, bordées**

TORRIDE

– Une chaleur torride **saharienne, caniculaire, tropicale, équatoriale, suffocante**
– Vivre une soirée torride **sensuelle, ardente, brûlante**

TORT

– Avoir tort **tromper (se), être dans l'erreur, commettre une erreur**
– La réparation d'un tort **dommage, préjudice, outrage, atteinte, lésion**
– Faire du tort à quelqu'un **desservir, léser, nuire à, porter atteinte à, porter préjudice à**
– Avoir du mal à reconnaître ses torts **erreurs, fautes**
– Parler à tort et à travers **à la légère, inconsidérément, sans discernement**
– À tort **injustement, indûment, illégitimement, faussement, par erreur**

TORTUE

– Ordre auquel appartient la tortue **chéloniens**
– Famille à laquelle appartient la tortue terrestre **testudinidés**
– Partie dorsale de la carapace de la tortue **dossière**
– Tortue géante **tortue éléphantine**

– Partie ventrale de la carapace de la tortue **plastron**
– Tortue marine **caret, caouane, tortueluth, tortue franche, tortue verte, tortue cuir**
– Tortue d'eau douce **cistude, tortue boueuse, trionyx, cinosternon**
– Petite tortue de Madagascar **pyxide, tortue rayonnée**

TORTURE

syn. **supplice**
– Infliger des tortures **sévices**
– Personne qui inflige des tortures **bourreau, tortionnaire, sadique, exécuteur des hautes œuvres**
– Instrument de torture **poire d'angoisse**
– Torture infligée au Moyen Âge **question, pilori, brodequins, estrapade, carcan, roue, géhenne, garrot**
– Torture à l'électricité **gégène**
– Torture autrefois en usage en Russie **knout**
– Ancien instrument de torture en usage en Chine **cangue**
– La torture du remords **tourment, calvaire, martyre**

TÔT

– Se lever tôt **de bon matin, à l'aube, aux aurores, à petit jour, dès potron-minet, au chant du coq, au point du jour, au lever du jour**
– Au plus tôt **incessamment, sous peu, rapidement, au plus vite**
– Des fruits, des légumes qui mûrissent tôt en saison **précoces, hâtifs, primeurs**
– Vient trop tôt **prématuré**
– Tôt ou tard **un jour ou l'autre, inévitablement, immanquablement**

TOTAL /1

– Il a réglé le total **addition, ensemble, montant, note, somme, tout**

TOTAL /2

– Un remboursement total **complet, intégral**
– Le prix total **global, TTC**
– Une confiance totale **absolue, entière, parfaite, pleine**
– C'est un changement total **général, radical**

TOTALITAIRE

– Un pouvoir totalitaire **tyrannique, despotique, dictatorial, stalinien, hitlérien, fasciste, arbitraire, absolu**
– Opposé à un système totalitaire **libéral**

TOUCHE

– Juge de touche au football, au rugby **assesseur**
– En peinture, technique de juxtaposition de touches de couleur **pointillisme, divisionnisme**

– Peintre qui procède par touches successives de couleur pure **impressionniste**
– Mettre une touche d'humour dans un récit **pointe, soupçon**

TOUCHER

– Toucher très légèrement **effleurer, frôler**
– Toucher quelque chose avec attention et insistance **palper, tâter, examiner, ausculter**
– Où peut-on vous toucher ? **joindre, contacter, atteindre, rencontrer**
– La maison touche le parc **est contiguë au, est attenante au, jouxte**
– Toucher sa cible **atteindre, faire mouche**
– Le navire touche le port **accoste, mouille dans, relâche dans, aborde au, fait escale dans**
– Toucher le fond en termes de marine **talonner**
– Toucher une somme d'argent **encaisser, recevoir, percevoir**
– Toucher une indemnité **émarger**
– Être touché par une attitude, une parole **attendri, ému, désarmé, bouleversé, blessé, frappé, attristé, peiné**
– Sa fierté touche à la bêtise **confine à, avoisine, frise**

TOUFFE

voir aussi **houppe**
– Petite touffe de cheveux rebelles **épi**
– Touffe de cheveux sur le sommet de la tête **toupet**
– Touffe de poils poussant entre les sourcils **taroupe**
– Touffe de crin ornant un casque **crinière**
– Touffe de crin derrière le pied d'un cheval **fanon**

TOUPIE

syn. **sabot, toton**
– Mollusque en forme de toupie **troche, turbinelle**

TOUR /1

syn. **bordure, circuit, circonférence, contour, excursion, périphérie, périmètre, pourtour, promenade, voyage**
– Tour d'un continent en bateau **circumnavigation, périple**
– En ski, exécution d'un demi-tour sur place **conversion**
– Tour d'un danseur sur lui-même **pirouette**
– Tour complet d'un cheval sur lui-même **volte**
– Tour complet effectué par un astre sur son orbite **révolution**
– Tour d'un magicien **de passe-passe, de prestidigitation, d'escamotage, de magie**

– Tour joué à quelqu'un **farce, plaisanterie, blague, niche**
– Tour de chant **récital**
– Tour de main **savoir-faire, habileté, adresse, dextérité, métier**
– Les événements prennent un tour inquiétant **tournure, évolution, direction, orientation**
– Tour à tour **alternativement, successivement**

TOUR /2

– Petite tour **tourelle, lanterne**
– Tour abritant une ou plusieurs cloches **clocher, campanile, beffroi**
– Tour d'une mosquée **minaret**
– La plus importante des tours d'un château fort **donjon**
– Tour mobile utilisée comme engin de guerre dans la Rome antique **hélépole**
– Tour à toit conique sur un ouvrage de fortification **poivrière, échauguette**
– En zoologie, une coquille en forme de tour **turriculée, turriforme**

TOURBILLON

syn. **tourmente**
– Tourbillon cyclonique s'élevant en colonne **trombe, cyclone, hurricane, ouragan, typhon, tornade**
– Tourbillon créé par un courant marin puissant **gouffre, maelström**
– Tourbillon qui se creuse dans un liquide en écoulement **vortex**
– Tourbillon dans le sillage d'un bateau **remous**

TOURISTE

syn. **vacancier**
– Touriste en hiver **hivernant**
– Touriste en été **estivant**
– Touriste du mois de juillet **juillettiste**
– Touriste du mois d'août **aoûtien**
– Touriste à bicyclette **cyclotouriste**
– Touriste en caravane **caravanier**
– Lieu où le touriste prend ses vacances **villégiature**
– Guide pour touristes étrangers **cicérone, accompagnateur, sherpa**
– Organisme au service des touristes **syndicat d'initiative, office de tourisme**

TOURMENT

– Les tourments de la culpabilité **affres, supplice, torture**

TOURMENTÉ

– Un enfant très tourmenté **angoissé, anxieux, inquiet, stressé, soucieux**
– Avoir une vie tourmentée **tumultueuse, agitée, difficile**
– Un relief tourmenté **accidenté, montagneux, irrégulier, vallonné**

TOURMENTER

– Tourmenter quelqu'un continuellement

harceler, tracasser, importuner, ennuyer
– Être tourmenté par le remords **rongé, torturé, assailli, tenaillé, taraudé, bourrelé**
– Se tourmenter **inquiéter (s'), alarmer (s'), angoisser (s'), faire du souci (se)**

TOURNANT /1
syn. **virage**
– Une route pleine de tournants **en lacet, en zigzag**
– Tournant crucial **changement, inflexion**
– Être à un tournant de sa vie **moment décisif, moment capital, étape**

TOURNANT /2
– Un mouvement tournant **rotatoire, giratoire, rotatif, circulaire**

TOURNER
– Tourner à droite, à gauche **virer**
– Tourner sur soi-même **virevolter, pivoter, pirouetter**
– Tourner en décrivant des spirales **tourbillonner, tournoyer**
– Tourner autour de quelque chose **graviter**
– Tourner le volant d'un véhicule pour changer de direction **braquer**
– Espace où tourne la charrue au bout d'un sillon **chaintre**
– Ce vin commence à tourner **aigrir, surir**

TOURNER (SE)
– Se tourner vers le nord pour chercher son chemin **orienter vers (s')**

TOURNESOL
syn. **hélianthe, soleil**
– Famille à laquelle appartient le tournesol **composacées, composées**
– Orientation du tournesol vers le soleil **héliotropisme, phototropisme**

TOURNOI
voir aussi **concours**
syn. **compétition, lutte**
– Tournoi au Moyen Âge **joute**
– Tournoi où les chevaliers se livraient à des exercices équestres **carrousel**
– Enceinte dans laquelle se déroulaient les tournois **lice**
– Chevalier combattant dans un tournoi **champion**
– Dans un tournoi, combattant qui lançait un défi **tenant**
– Dans un tournoi, défi de chevalier à chevalier **cartel**

TOURNURE
– La tournure des événements **évolution, cours, direction, tour**
– Une mauvaise tournure de phrase **construction, formulation**

– Une tournure intraduisible **idiotisme**

TOUSSER
– Tousser avant de parler **racler la gorge (se), éclaircir la voix (s')**

TOUT /1
voir aussi **somme**
syn. **ensemble, entièreté, globalité, intégralité, total, totalité**
– Une personne qui sait tout **omnisciente**
– Changer du tout au tout **radicalement, fondamentalement, totalement, complètement**

TOUT /2
– Tout individu, toute personne **quiconque**
– Doctrine selon laquelle tout être fait partie de Dieu **panthéisme**

TOUX
– Accès de toux **quinte**
– Petite toux discrète **toussotement**
– Crachement accompagnant la toux **expectoration**
– Médicament calmant la toux **antitussif**
– Zone dont l'irritation cause la toux **tussipare, tussigène**
– Toux des bovins **tèguement**

TOXIQUE
– Une plante toxique **vénéneuse, vireuse**
– Un gaz toxique **asphyxiant, délétère, nocif, suffocant**
– Substance toxique produite par une bactérie, un champignon **toxine, endotoxine, exotoxine, bactériocine**
– Un organisme pouvant produire des substances toxiques **toxicophore**
– Goût pour les produits toxiques **toxicophilie**

TRACAS
– Avoir beaucoup de tracas **contrariétés, ennuis, inquiétudes, soucis**
– Causer du tracas à quelqu'un **difficultés, désagréments, embarras, dérangement**

TRACE
syn. **empreinte**
– En termes de chasse, traces laissées par un animal **abattures, connaissances, erres, foulées, passées, pieds, pistes, voies, marches**
– Traces laissées par un chevreuil **régalis**
– Trace imprimée dans la terre par la roue d'un véhicule **ornière**
– Trace laissée par le passage d'un bateau **sillage**
– Trace laissée par une plaie ou une blessure sur la peau **cicatrice, stigmate, chéloïde**
– Traces plus ou moins importantes laissées par une maladie **séquelles**

– Il reste quelques traces de suie sur le mur **parcelles**
– Sans une trace de joie, de regret **ombre, soupçon, lueur, once, pointe**
– Les traces d'une ancienne civilisation **vestiges, restes, ruines**
– Les traces du temps **marques, sceau, empreinte**

TRACER
– Tracer un carré **dessiner, représenter**
– Tracer la perpendiculaire à un segment **tirer, mener**
– Tracer quelques mots sur un bout de papier **écrire, griffonner, noter**
– Tracer le contour de quelque chose **délinéer, délimiter**
– Tracer les limites de quelque chose **circonscrire**
– Tracer un chemin, une piste **frayer, ouvrir, pratiquer**
– Tracer une voie en se servant de jalons **jalonner, baliser, bornoyer, piqueter**
– Tracer les grandes lignes d'une œuvre **ébaucher, esquisser**

TRACT
syn. **affichette, brochure, papillon, placard**
– Tract satirique, souvent virulent **libelle, pamphlet**

TRACTEUR
– Tracteur léger pour les travaux agricoles **mototracteur, motoculteur, microtracteur, tractopelle, locotracteur**
– Tracteur muni de machines agricoles à ses deux extrémités **tracteur-navette**
– Conducteur de tracteur **tractoriste**

TRACTION
syn. **remorquage**
– Une force de traction **tractive**
– Appareil de traction **tractoire**
– Traction d'un bateau **halage, touage**

TRADITION
– Les vieilles traditions de nos campagnes **coutumes, habitudes, usages, pratiques, us, modes, règles, mœurs**
– Ensemble des traditions d'un pays **folklore**
– Tradition religieuse juive **kabbale**

TRADITIONALISTE
syn. **conformiste, conservateur, orthodoxe, conventionnel**
– Traditionaliste religieux **intégriste, fondamentaliste**

TRADITIONNEL
syn. **habituel, usuel**
– Les danses traditionnelles d'une région **folkloriques**
– Une méthode d'apprentissage traditionnelle **classique**

TRADUCTEUR
– Traducteur oral **interprète**

TRADUCTION
syn. **adaptation, interprétation, transcription**
– Traduction en langue étrangère d'un texte écrit dans sa langue maternelle **thème**
– Traduction dans sa langue maternelle d'un texte étranger **version**
– Traduction placée en regard du texte original **juxtalinéaire**
– Traduction d'un nom propre de personne **métonomasie**
– Traduction des dialogues d'un film, placée au bas de l'image **sous-titrage**
– Une traduction mot à mot **littérale**
– Traduction littérale d'un mot, d'une expression **calque**
– Erreur de traduction **contresens, faux sens, non-sens**
– Traduction de l'Ancien Testament en chaldéen **targum**
– Traduction latine de la Bible par saint Jérôme **Vulgate**

TRADUIRE
syn. **adapter**
– S'attacher à traduire le sens d'un texte **interpréter, gloser**
– Traduire un texte, des données dans un autre code **transcoder**
– Traduire quelqu'un en justice **assigner, citer, déférer**
– Ses émotions se traduisent par des rougeurs subites **expriment (s'), trahissent (se), manifestent (se)**

TRAFIC
syn. **circulation**
– Trafic d'influence **concussion, détournement, malversation, prévarication**
– Trafic des cours, des devises ou des titres boursiers **agiotage, spéculation**
– Trafic de stupéfiants **narcotrafic**
– Trafic consistant à faire passer des produits en fraude **contrebande**
– Trafic clandestin de marchandises rares ou interdites **marché noir, commerce parallèle, marché clandestin**
– Trafic d'esclaves, de femmes **traite**
– Trafic d'animaux malades ou tarés dont on maquille les défauts **maquignonnage**
– Trafic de biens spirituels **simonie**

TRAFIQUANT
syn. **mercanti**
– Petit trafiquant de drogue **revendeur, dealer**
– Trafiquant d'esclaves **négrier**
– Trafiquant de bestiaux **maquignon**

TRAFIQUER
syn. **dénaturer, frauder**
– Trafiquer un vin **frelater**

– Trafiquer des papiers d'identité **contrefaire, falsifier, maquiller**
– Trafiquer une monnaie en émettant des pièces trop pauvres en métal précieux **adultérer**

TRAGÉDIE
syn. **drame**
– Tragédie dont la fin est heureuse **tragi-comédie**
– Auteur de tragédies **tragique, dramaturge**
– Poète grec, créateur de la tragédie selon la tradition **Thespis**
– Maître de la tragédie grecque **Eschyle, Euripide, Sophocle**
– Muse de la tragédie **Melpomène**
– Selon Aristote, effet purificateur de la tragédie sur le public **catharsis**

TRAGIQUE
– Une situation tragique **alarmante, angoissante, catastrophique, critique, dramatique**
– Un accident tragique **terrible, horrible, effroyable, mortel, fatal, funeste**
– Avoir un accent tragique dans la voix **bouleversant, déchirant, émouvant, pathétique, poignant**
– Chaussure des acteurs de la tragédie antique, devenue le symbole du genre **cothurne**

TRAHIR
– Trahir ses complices **livrer, dénoncer, vendre**
– Trahir une cause **faire défection, déserter, abandonner**
– Trahir un secret **révéler, dévoiler, divulguer, ébruiter, violer**
– Trahir gravement les devoirs de sa charge dans l'exercice de ses fonctions **prévariquer**
– Trahir les intérêts de quelqu'un **desservir**
– Trahir la pensée de quelqu'un **déformer, travestir, dénaturer**
– Sa nervosité trahit sa peur **décèle, dénote, traduit, manifeste, montre, révèle**

TRAHISON
voir aussi **traître**
– Acte de trahison **déloyauté, traîtrise, fourberie, perfidie**
– Trahison d'ordre politique commise par un responsable gouvernemental **haute trahison**
– Trahison amoureuse **infidélité, adultère**
– Trahison d'un vassal envers son seigneur **forfaiture, félonie**

TRAIN
voir aussi **wagon**
syn. **chemin de fer, rail**

– Un transport par train **ferroviaire**
– Système permettant à un train de changer de voie **aiguillage**
– Appareil sonore placé entre les rails pour signaler le passage des trains **crocodile**
– Dans un train, groupe de wagons attelés **rame**
– Train desservant toutes les gares **omnibus**
– Train monté sur pneumatiques **micheline**
– Petit train régional suivant un parcours très sinueux **tortillard**
– Type de train **turbotrain, monorail, aérotrain**
– Train à grande vitesse **TGV (France), IC (Grande-Bretagne), ICE et Transrapid (Allemagne), AVE (Espagne), Shinkansen (Japon), Aurora (Russie), X 2000 (Suède)**
– Au Japon, train expérimental à très grande vitesse **Maglev**
– Le train de luxe par excellence **Orient-Express**
– Bateau aménagé pour le transport des trains **ferry-boat, transbordeur**
– Dans une gare, hall où les voyageurs attendent les trains **salle des pas perdus**
– Dans le métro, dernier train de la journée **balai**
– Peur irrationnelle des voyages en train **sidérodromophobie**

TRAÎNE
– À la traîne **en arrière, en retard, à la remorque**
– Traîne pour la pêche à la sardine **seine, senne**

TRAÎNEAU
syn. **luge**
– Traîneau très bas muni de deux longs patins métalliques recourbés **toboggan, traîne sauvage**
– Traîneau articulé, équipé d'un volant et conçu pour les courses de vitesse **bobsleigh**
– Grand traîneau tiré par trois chevaux **troïka**
– Autrefois, en Russie, chariot en osier utilisé comme traîneau en hiver **briska**
– Dans les Vosges et la Forêt-Noire, traîneau servant à descendre le bois des montagnes **schlitte**
– Chien de traîneau dans le Grand Nord **samoyède, husky**
– Traîneau en termes de pêche **traîne, seine, senne**

TRAÎNER
voir aussi **tirer**
syn. **durer, remorquer, tarder**
– Traîner en chemin **attarder (s'), lambiner, flâner, musarder, baguenauder**

Alpaga : tissu léger, nerveux, fait de poils d'alpaga (animal d'Amérique du Sud voisin du lama) et de coton. Par extension, tissu de poils mélangés de rayonne ou de soie. Costumes, pantalons, vestes.

Angora : tissu ou jersey contenant des poils de chèvre ou de lapin angoras. Manteaux et robes.

Batiste : toile très fine et très serrée, à l'origine en lin (chambray), aujourd'hui en lin, en coton et parfois en soie. Chemisiers, lingerie, doublure fine, mouchoirs.

Bemberg : étoffe en fibre artificielle de bonne qualité (rayonne) utilisée comme doublure.

Broché : soie à motifs en relief tissés avec des fils d'or ou d'argent. Vêtements habillés, décoration.

Cachemire : tissu doux ou tricot léger, chaud, fait avec des poils de chèvre du Tibet. Vêtements.

Cheviotte : serge de laine épaisse, d'origine britannique (moutons des monts Cheviot). Habillement.

Chintz : nom anglais désignant de la percale très fine, glacée, unie ou imprimée. Décoration.

Clan : lainage écossais reproduisant les harmonies distinctes des différents clans. Vêtements.

Coutil : croisé très serré en coton, lin ou métis. Toile à matelas, vêtements, ameublement.

Crêpe : tissu de soie à surface ondulée, granitée, dont les fils ont subi une forte torsion. Aspect mat, tombant, toucher sec. Lingerie, chemisiers, robes.

Crépon : tissu de coton léger, uni ou imprimé, gaufré à la machine et présentant des ondulations irrégulières dans le sens de la chaîne. Chemisiers, chemises, robes d'été, lingerie.

Cretonne : toile de coton serrée. En qualité épaisse : ameublement ; en qualité légère : robes, jupes.

Croisé : tissu solide à côtes obliques (serge), en lin, métis, laine ou soie, mais le plus souvent en coton. Vêtements de travail ou de sport, chemises sport, pantalons, pyjamas.

Dentelle : étoffe de coton, soie ou nylon à motifs dessinés sur un réseau de mailles. Réalisée au crochet, au fuseau (chantilly), à l'aiguille (point d'Alençon) ou sur métier (dentelle de Calais, du Puy). Lingerie, chemisiers, robes, linge de maison.

Doupion : tissu à la surface irrégulière, flammée, à l'origine en soie naturelle, mais aujourd'hui également en soie artificielle ou synthétique. Robes, chemisiers, ameublement.

Drap : étoffe de laine présentant une face brillante et une face mate. Vestes, uniformes, manteaux.

Étamine : étoffe de laine ou de coton à armure toile, assez molle, légère et peu serrée. Vêtements divers, nappes.

Faille : toile serrée à côtes transversales, un peu raide, craquante, souvent moirée, à l'origine en soie naturelle, aujourd'hui souvent artificielle. Robes et jupes habillées.

Fibranne : tissu de rayonne composé de filaments coupés en brins et filés, moelleux au toucher. Traitée infroissable, la Fibranne se trouve sous forme de toile, flanelle, gabardine. Vêtements, décoration.

Fil-à-fil : tissu nerveux, sec, chiné, dont les fils de trame sont alternativement clairs et foncés. En laine : costumes. En laine et coton : chemisiers, robes, costumes légers.

Filet : tissu formé de réseaux de fils de coton ou de fibres synthétiques noués comme les filets de pêche, et parfois rebrodés. Voilages, décoration.

Finette : cotonnade à armure croisée, grattée, duveteuse sur l'envers. Pyjamas, lingerie de nuit.

Flanelle : lainage d'origine britannique à armure, croisé ou sergé, duveteux en surface. Vêtements.

Floqué : tissu sur lequel sont projetés et collés des poils appelés « floc ». Certaines variétés imitent le daim et d'autres le velours. Ameublement.

Foam back ou **intermousse :** tissu formé d'une feuille de mousse intercalée entre deux épaisseurs de jersey. Léger et isolant. Habillement.

Guipure : dentelle très épaisse et très lourde, de soie ou de coton, à trois systèmes de fils, facile à découper. Corsages, robes habillées, ameublement.

Interlock : sorte de jersey de coton indémaillable, très solide. Étoffe facile à travailler. Chemisiers, robes, jupes, lingerie, chemises de nuit, pyjamas.

Jacquard : motif tissé ou tricoté dans le corps de l'étoffe grâce à un métier à tisser spécial dont le principe fut découvert par le Lyonnais Jacquard.

Japonette : tissu mince et d'aspect soyeux en fibre artificielle que l'on utilise surtout comme doublure.

Jersey : tissu maille, c'est-à-dire obtenu par un procédé de tricotage industriel. Souple, extensible. Il en existe de très nombreuses variétés selon la nature des fils (soie, laine, coton, synthétiques) et leur grosseur. Vêtements.

Jute (toile de) : grosse toile composée de fils de jute. Ameublement, sacs et emballages.

Lambswool : tissu chaud en laine d'agneau très douce provenant de la première tonte. Robes et lainages, pulls.

Lamé : tissu de laine ou de soie comprenant des fils de métal (or, argent). Vêtements de soirée.

Lampas : tissu de soie avec de grands motifs décoratifs en relief sur un fond contrasté. Ameublement.

Lavablaine : marque de tissu lavable et infeutrable, composé de 52 % de laine et de 48 % de coton du Pérou. Robes, chemisiers, jupes, vêtements d'enfants.

Liberty : marque de tissu anglais à motifs imprimés. Coton, laine. Robes, chemisiers, ameublement.

Lin (toile de) : tissu fait de fils de lin, qu'on emploie souvent aujourd'hui en mélange avec des fils synthétiques. Habillement (fils les plus fins), ameublement (fils les plus gros).

Linon : étoffe à armure toile très fine, délicate, peu serrée, transparente, en lin, coton ou ramie. Lingerie fine, blouses, pochettes, layette de qualité.

Loden : tissu épais et feutré, vert, en laine brute du Tyrol, imperméable. Manteaux, capes.

Marquisette : tissu très fin et ajouré, à fil simple ou double (coton ou fibres synthétiques). Voilages.

Métis : toile dont les fils de chaîne sont en coton et les fils de trame en lin. Très solide. Draps.

Mignonnette : gros satin de coton ou de rayonne utilisé pour la doublure des manches et des gilets.

Mohair : tissu à base de poils de chèvre angora. Léger, très agréable à porter. Robes et costumes.

Moire : tissu habillé à côtes écrasées formant des dessins à reflets brillants et changeants. Soie naturelle ou artificielle, non lavable. Robes de soirée, décoration.

Mousseline : étoffe à armure toile, fine, peu serrée, transparente, en soie, coton ou laine. Robes, chemisiers, écharpes.

Nansouk : toile de coton fine et serrée, mercerisée, souple et d'aspect soyeux. Lingerie et vêtements.

Natté : tissu à effet de petits carreaux dû au tissage. Laine, coton. Vêtements et ameublement.

Nid-d'abeilles : tissu à petites alvéoles, généralement en coton. Linge de toilette ou de maison, habillement.

Non-tissé : tissu formé par assemblage de nappes de fibres. Exemple traditionnel : le feutre. Linge de maison.

Organdi : fine mousseline de coton, de lin ou de soie, peu serrée, avec un apprêt souple. Parements des robes de mariée, lingerie fine, doublure, voilages, nappes.

Organza : voile de soie apprêté. Fourreaux de robe, doublure pour les tissus souples.

Ottoman : tissu à cannelures ou côtes transversales, en soie, laine ou coton. Robes, manteaux d'été, chemisiers, ameublement.

Oxford : toile ou natté de coton serré, tissé avec des fils de couleurs différentes en chaîne et en trame. Très solide. Chemises d'homme, chemisiers.

Panne : velours de soie ou de rayonne à longs poils couchés, utilisé en habillement et décoration.

Peau-d'ange : tissu assez lourd, satiné ou brillanté sur une face, mat et doux sur l'autre. On le trouve en fibre artificielle (albène) ou synthétique. Se fait surtout en blanc pour les robes de mariée.

Peau-de-pêche : coton sergé velouté sur une face, obtenu par grattage. Pantalons, blousons, jupes, robes.

Peigné : tissu fabriqué à partir de fils peignés. Lainage sec, résistant.

(suite du tableau page suivante)

TISSUS (suite)

Costumes, pantalons, jupes.

Pilou : tissu de coton molletonné, très inflammable. Pyjamas, lingerie de nuit.

Piqué : tissu de coton (ou coton et synthétique) façonné, avec en surface des dessins en relief. Bonne tenue. Vêtements, linge de maison et ameublement.

Plumetis : mousseline de coton décorée de motifs brodés (semis de petits points). Robes, ameublement.

Pongé : toile de soie naturelle, très fine, desserrée, souple. Chemisiers, doublure, rideaux.

Prince-de-galles : lainage à effets de carreaux dus à des lignes croisées, et obtenus par tissage. Habillement.

Pyrénées (tissu des) : tissu ou jersey poilu, léger, très chaud. Manteaux, robes de chambre, couvertures.

Ratine : sergé ou croisé de laine épais, dont le poil, tiré en surface et frisé, présente un effet de boulochage. Manteaux, vestes.

Reps : étoffe à effet de côtes parallèles aux lisières du tissu, en laine ou soie. Ameublement.

Satin : tissu de soie ou de coton, lisse, brillant sur une face, mat sur l'autre, uni ou imprimé.

Satinette : tissu de coton

ressemblant au satin. Se froisse assez facilement. Ameublement, doublure.

Seersucker : tissu d'origine américaine, généralement en coton, à rayures, avec un effet de relief irrégulier (cloquage, côtes fines). Robes et chemisiers.

Serge : tissu serré, à armure sergée, présentant des côtes en diagonale. Coton, laine. Vêtements.

Shantung : toile de soie sauvage à grain irrégulier. Chemisiers, robes d'été. Par extension : toile de coton ou de fibres synthétiques, d'aspect irrégulier.

Shetland : lainage provenant des moutons à poils longs des îles Shetland (au nord de l'Écosse). Vêtements.

Shirting : genre de cretonne à grain allongé, en coton. Lingerie, chemises, taies d'oreiller.

Skaï : tissu formé de matière plastique coulée sur de la serge ou du jersey, imitant le cuir. Habillement. Ameublement.

Suédé ou **suédine :** tissu de coton, velouté en surface, imitant le daim. Vêtements, ameublement.

Surah : genre de twill serré, croisé, léger, fait à partir de soie naturelle brute. Robes, chemisiers.

Taffetas : tissu fin et serré, brillant, un peu raide, craquant, en soie naturelle, artificielle ou en fibres

synthétiques. Vêtements habillés, doublure, ameublement.

Toile de Jouy : toile de coton à motifs figuratifs, imprimée à l'origine à Jouy-en-Josas. Décoration.

Toile tailleur : grosse toile robuste et serrée, en laine ou coton, servant à entoiler vestes et manteaux.

Tricotine : gabardine de laine présentant l'aspect d'un jersey. Vêtements.

Triplure : toile de coton très apprêtée pour le soutien des cols, poignets et parmentures. Se met sous la doublure. Existe en Nylon.

Tulle : tissu de coton, léger, à maille hexagonale, transparent, apprêté, fragile. Rideaux, voiles.

Tussor ou **tussah :** tissu irrégulier en soie sauvage, léger, résistant, froissable. Costumes et robes d'été.

Tweed : tissu d'origine britannique à armure toile en fil de laine cardée de différentes couleurs. Pure laine ou mélanges. Vêtements.

Twill : sergé ou croisé souple à fils fins, en soie naturelle, artificielle ou synthétique, uni ou imprimé. Robes, tailleurs, chemisiers.

Velours : tissu dans lequel sont implantés des fils lâches coupés pour former une couche de poils douce sur une face. Laine, coton, soie, fibres synthétiques.

Velours de laine : toile de laine

épaisse, moelleuse et duveteuse, dont l'endroit a été gratté. Manteaux.

Verranne : toile faite de fibres de verre, et donc incombustible. Utilisée pour l'ameublement (rideaux).

Vichy : toile de moyenne épaisseur, le plus souvent en coton, robuste, avec un effet de carreaux obtenu dans le tissage. Habillement et ameublement.

Viyella : tissu de marque anglaise. Mélange de laine et de coton. Robes, chemises et lingerie.

Vlieseline : étoffe non tissée, légère, infroissable, parfois thermocollante ; on l'utilise comme la toile tailleur. Doublure intermédiaire, décoration.

Voile : toile transparente, régulière, nette, de coton, laine, soie naturelle, artificielle ou synthétique. Étoffe unie, imprimée, brochée, brodée. Robes, chemisiers, lingerie, ameublement.

Whipcord : serge à grosses côtes obliques, résistante, en laine peignée. Pantalons d'équitation, manteaux.

Zéphyr : vichy de qualité supérieure, présentant souvent un effet de filets de couleur dû à des fils retors. Robes, chemisiers, chemises, ameublement.

– Traîner au lit **paresser, faire la grasse matinée, fainéanter**
– Un homme désœuvré qui traîne dans les rues **erre, vagabonde, traînaille, traînasse**
– Cette affaire traîne **prolonge (se), éternise (s'), n'en finit pas**
– Une robe qui traîne sur le sol **balaie**
– La conversation traîne **languit**
– Ces idées reçues traînent encore **subsistent, persistent, demeurent, survivent**
– Se traîner par terre **ramper, vautrer (se)**

TRAIRE
– Machine à traire **trayeuse**

TRAIT
voir aussi **javelot, lance, ligne**
syn. **contour, dessin, ligne, rayure**
– En archéologie, trait gravé dans une pierre **glyphe**
– Traits du visage **physionomie, faciès**

– Étude du caractère d'une personne d'après les traits de son visage **morpho-psychologie, physiognomonie**
– Autrefois, divination par examen des traits du visage, des rides du front **métoposcopie, métopomancie**
– Traits dominants **caractéristiques, attributs, particularités**
– Trait d'esprit **saillie, boutade, plaisanterie, mot d'esprit, bon mot**
– Trait caustique à l'égard de quelqu'un **sarcasme, épigramme, persiflage, raillerie, moquerie, ironie, quolibet, pique**
– Trait pour supprimer un mot, une phrase **rature, biffure**

TRAITE
syn. **effet de commerce**
– Personne devant effectuer le paiement d'une traite **tiré**
– Traite informatisée **lettre de change-relevé**

– Acte par lequel le tiré s'engage à régler la traite **acceptation**
– Créancier à qui devra être payée la traite **tireur**
– Traite des vaches **mulsion**
– Appareil utilisé pour la traite mécanique des vaches **trayeuse**

TRAITÉ
– Signer un traité **accord, alliance, engagement, entente, charte, pacte, protocole, union, convention**
– Traité réglant les conditions de reddition d'une armée, d'une ville **capitulation**
– Traité précisant les relations entre la papauté et un gouvernement **concordat**
– Traité de physique **manuel, étude, monographie, cours**

TRAITEMENT
voir aussi **médecine, salaire**
syn. **cure, médication, soins, thérapeutique, thérapie**

– Traitement des maladies par les plantes **phytothérapie**
– Traitement médical par des aiguilles piquées en des points choisis du corps **acupuncture**
– Mauvais traitements **coups, violences, sévices**
– Traitement d'un haut fonctionnaire **émoluments, dotation, honoraires**
– Traitement à distance de données informatisées **télétraitement, télégestion**

TRAITER
– Traiter quelqu'un brutalement **maltraiter, malmener, rudoyer, molester, brutaliser, battre, brusquer**
– Traiter quelqu'un de fou **qualifier, taxer**
– Traiter une maladie **soigner**
– Traiter une question **étudier, discuter, examiner, exposer, développer, expliquer, analyser**
– Traiter une affaire **négocier**
– Traiter de nombreuses affaires **brasser**
– Traiter avec ses ennemis **composer, parlementer, pactiser**
– Traiter des produits en vue de leur commercialisation **conditionner**
– Traiter le pétrole, le sucre **raffiner, épurer**

TRAÎTRE /1
syn. **félon, judas, parjure**
– Traître shakespearien **Iago**
– Un traître à sa patrie, à son parti **renégat, transfuge, dissident, déserteur**

TRAÎTRE /2
– Des propos traîtres **empoisonnés, malhonnêtes, hypocrites, perfides, trompeurs, fourbes, sournois**

TRAJECTOIRE
– Trajectoire d'une planète **orbite**
– Trajectoire d'un obus **parabole**
– Étude de la trajectoire des projectiles **balistique**

TRAJET
syn. **chemin, itinéraire, parcours, route**
– Trajet permettant de découvrir une ville **circuit**
– Trajet en mer pour rejoindre une autre terre **traversée**
– Trajet d'une troupe pour s'approcher à couvert de l'ennemi **cheminement**

TRAME
– Tissu sans trame **dentelle**
– Longueur du fil de trame d'un tissu **duite**
– Enroulement d'un fil de trame sur une canette **canetage**
– Tissu fabriqué avec une trame écrue et une chaîne indigo **chambray**
– Enrouler un fil de trame sur un fuseau,

une bobine ou une canette **envider, renvider, bobiner, enrouler**
– Tissu dont la trame est de différentes couleurs **chiné**
– Tissu dont la trame en coton s'entrecroise avec une chaîne en fil **futaine, basin**
– Usé jusqu'à la trame **corde**

TRAMWAY
– Voiture attelée à la motrice d'un tramway **baladeuse**
– Rail de tramway **à ornière, Broca**
– Dispositif transmettant le courant au moteur d'un tramway **trolley**
– Conducteur d'un tramway **wattman**
– Employé dans un tramway **traminot**
– Transport en commun se distinguant du tramway par l'absence de rails **trolleybus**

TRANCHANT
– Une lame très tranchante **aiguisée, acérée, affûtée, affilée**
– Ouvrier qui aiguise les instruments tranchants **rémouleur, repasseur**
– Un ton tranchant **cassant, incisif, impérieux, péremptoire, dictatorial, impératif, autoritaire, sec, catégorique**

TRANCHE
– Tranche de veau **escalope**
– Tranche de bœuf **steak, bifteck, chateaubriand, pavé, tournedos**
– Tranche de lard qui entoure une viande rôtie **barde**
– Tranche de saucisson **rondelle**
– En boucherie, veau coupé dans la tranche **quasi, rouelle**
– Tranche de saumon **darne**
– Tranche de melon **côte**
– Tranche d'orange **quartier**
– Coupé en tranches très fines **émincé**
– La tranche d'une brique **chant**

TRANCHÉE
voir aussi **fossé**
– Tranchée creusée pour des travaux de construction **fouille**
– Tranchée faite par la charrue **sillon, enrayure, raie**
– Tranchée fortifiée établie autour d'une place assiégée **circonvallation**
– Dans une guerre de siège, tranchée creusée en direction de l'ennemi **sape**
– Abri militaire dans une tranchée **cagna**
– Tranchée servant de toilettes aux troupes en campagne **feuillées**
– Pièce de soutènement dans une tranchée **étrésillon, dosse, étai**
– Guerre de tranchées **positions**

TRANCHER
syn. **découper, sectionner, tailler, taillader**
– Trancher un différend **arbitrer, juger**

– Trancher la tête de quelqu'un **décapiter, guillotiner**
– Trancher une question **résoudre, régler**
– Il faut trancher ! **décider, prononcer (se), conclure, statuer, décider**
– Cette couleur tranche **ressort, jure, contraste, détonne**

TRANQUILLE
– Un visage tranquille **confiant, serein, rasséréné, détendu**
– Un air excessivement tranquille **béat**
– Un homme tranquille **placide, posé, pacifique, sage, raisonnable, réfléchi, réservé**
– Rester tranquille et muet **tenir coi (se)**
– Un lieu tranquille **paisible, reposant, calme**

TRANQUILLITÉ
voir aussi **calme**
– En philosophie, tranquillité parfaite de l'âme **quiétude, ataraxie**
– Tranquillité retrouvée **apaisement**
– En toute tranquillité **sécurité, sérénité, confiance**

TRANSFERT
– Faire un transfert de fonds **virement**
– Transfert du lieu d'origine vers un autre endroit **déplacement, transplantation, mouvement, mutation, déménagement**
– Transfert de l'activité d'une entreprise à l'étranger **délocalisation**
– Transfert de données entre deux ordinateurs **téléchargement**
– En droit, transfert d'un bien **aliénation, cession, transmission, translation**

TRANSFIGURER
syn. **métamorphoser, transformer**

TRANSFORMATION
voir aussi **changement**
syn. **avatar, évolution, mutation**
– Légère transformation **modification**
– Transformation totale **métamorphose,**
– Ce logement nécessite des transformations **améliorations, rénovations, aménagements, réparations, embellissements**
– En géologie, transformation de la structure des roches **altération, métamorphisme**
– Dans la religion chrétienne, transformation rituelle du pain et du vin au cours de la communion **transsubstantiation**
– Délire où le malade croit à sa transformation en animal **zoanthropie**

TRANSFORMER
voir aussi **changer**
syn. **convertir**
– Transformer considérablement une technique, une industrie **révolutionner, changer profondément**

– Transformer en mieux **réformer, améliorer, rénover**
– En alchimie, transformer les métaux vulgaires en or **transmuter, transmuer**
– Transformer un texte **remanier, adapter, récrire, amender**
– Transformer la vérité **déformer, travestir, trahir, dénaturer, falsifier, déguiser, maquiller**
– Sa vie a été complètement transformée **bouleversée, chamboulée, modifiée**
– Il est transformé par l'amour **transfiguré, métamorphosé**
– La voix des jeunes garçons se transforme **mue, évolue**

TRANSFUSION
– Transfusion sanguine continue **perfusion, goutte-à-goutte**
– Transfusion du sang d'un donneur **transfusion homologue**
– Transfusion du propre sang du patient **transfusion autologue**

TRANSGRESSER
– Transgresser des ordres **outrepasser**
– Transgresser les règles **contrevenir à, déroger à, enfreindre, violer**

TRANSIGER
– Transiger avec un adversaire **composer, faire des concessions**
– Transiger avec sa conscience **pactiser**

TRANSITION
syn. **liaison, palier**
– Divertissement servant de transition entre deux parties d'un spectacle **intermède, interlude**
– Au cinéma, transition entre deux plans **fondu enchaîné, fondu au noir, volet**
– En peinture, transition entre deux teintes **passage**
– En musique, transition entre deux thèmes **pont**

TRANSMETTRE
– Transmettre des valeurs, des titres à un tiers **céder, vendre**
– Transmettre ses pouvoirs à quelqu'un **déléguer**
– Transmettre des secrets **initier à**
– Transmettre une information **communiquer, révéler, propager, divulguer, répandre, livrer, publier**
– Transmettre ses passions, ses vices **inoculer, infuser**
– Les moustiques tropicaux transmettent le paludisme **véhiculent**
– Transmettre une propriété en héritage **léguer**
– Transmettre une maladie **contaminer**
– Transmettre une tradition **perpétuer**

TRANSMISSION
syn. **communication, transfert**

– Transmission de pouvoirs **passation**
– Transmission officielle d'un droit de propriété ou d'un usufruit **mutation**
– Transmission d'un bien d'une personne à une autre **cession, dévolution**
– Transmission à sa descendance de caractères spécifiques ou individuels **hérédité**
– Faculté de transmission de l'influx nerveux par les nerfs **conductibilité**
– Transmission d'une maladie **contagion, contamination, infection, communication**
– Transmission de la douleur à des organes voisins **irradiation, propagation**
– Transmission de pensée **télépathie, télesthésie**
– Déplacement ou déformation d'objets par simple transmission de pensée **télékinésie, psychokinésie**
– Étude des phénomènes psychiques tels que la transmission de pensée **parapsychologie, métapsychique**

TRANSPARENT
– Une peau transparente **diaphane**
– En termes d'anatomie, membrane, corps transparent **hyaloïde, pellucide**
– Une eau transparente **limpide, cristalline**
– Une porcelaine fine et transparente **translucide**
– Une allusion transparente **claire, évidente, lourde**
– Un exposé transparent **compréhensible, intelligible, lumineux**

TRANSPIRATION
syn. **sudation, sueur**
– Transpiration importante **diaphorèse**
– Phobie de la transpiration **diapnophobie**

TRANSPIRER
syn. **goutter, transsuder**
– Transpirer abondamment **suer, être en nage**
– Le mur transpire **exsude, ressue, suinte**
– Il faut empêcher la nouvelle de transpirer **ébruiter (s'), filtrer**

TRANSPORT
syn. **convoyage, déplacement, livraison, déménagement, mouvement**
– Des moyens de transport **locomotion**
– Coût d'un transport de marchandises **fret**
– Coût du transport d'une lettre, d'un paquet **port**
– Service de transport rapide **messagerie**
– Moyens mis en œuvre pour accélérer le transport des marchandises **facilitation**
– Caisse utilisée pour le transport des marchandises **conteneur, cadre**
– Transport de marchandises à domicile **factage**

– Transport de marchandises à dos d'homme **portage, coltinage**
– Transport de marchandises par la route **roulage, camionnage**
– Système de transport rail-route, par remorques se déplaçant sur wagons plats **ferroutage**
– Agent chargé d'assurer la sécurité d'un transport **convoyeur**
– Agent chargé de veiller sur les marchandises acheminées par transport maritime **subrécargue**
– Activités liées au transport fluvial **batellerie**
– Navire assurant le transport maritime des marchandises **cargo, tramp, porteconteneurs, transconteneur, vraquier**
– Bateau conçu pour le transport maritime des combustibles liquides **pétrolier, tanker, supertanker**
– Bateau conçu pour le transport du gaz liquéfié **méthanier**
– Navire assurant le transport maritime des passagers et de leur voiture **car-ferry, transbordeur, ferry-boat, bac**
– Bateau affecté au transport maritime des passagers **paquebot**
– Véhicule de transport maritime sur coussin d'air **aéroglisseur, hovercraft, Naviplane**
– Transport par câbles aériens **téléphérage**
– Transport par hélicoptère **héliportage**
– Troupes ou équipements militaires véhiculés par transport aérien **aéromobiles, aéroportés, aérotransportés, héliportés**
– Liaison continue par transport aérien au-dessus d'une zone inaccessible **pont aérien**
– Transport d'un prisonnier **transfert**
– Canalisation destinée au transport du pétrole **pipeline, oléoduc, sea-line**
– Transport du bois hors de la forêt **débardage, débusquage, débosquage**
– Un transport de joie **agitation, fièvre, liesse, fougue, enthousiasme**

TRANSPORTER
syn. **charrier, convoyer, déménager, déplacer, livrer, transférer, véhiculer**
– Transporter des marchandises par camion **camionner**
– Transporter sa marchandise de lieu en lieu **colporter**
– Transporter d'un train ou d'un bateau à un autre **transborder**
– Transporter dans un autre pays, dans un autre milieu **transplanter**
– Transporter du bois ou de la pierre hors de leur lieu d'extraction **débarder**
– Ce spectacle l'a transporté **bouleversé, ravi, enthousiasmé, exalté**

TRANSPOSITION
syn. **interversion**
– Mot formé par la transposition des lettres d'un autre mot **anagramme**

– Transposition d'une lettre ou d'une syllabe à l'intérieur d'un mot **métathèse**
– En typographie, transposition par erreur de caractères ou de pages **mastic**
– Transposition en termes de mathématiques **permutation**

TRAQUER

– Traquer un assassin **poursuivre, pourchasser**
– Chasseur qui traque le gibier **traqueur**
– Retour d'une bête traquée à son point de départ, pour tromper les chiens **hourvari**

TRAVAIL

syn. **activité, fonction, métier, occupation, profession**
– Travail désagréable **corvée**
– Travail long et pénible **labeur**
– Un travail long et minutieux **de bénédictin**
– Travail facile et bien rémunéré **sinécure**
– Travail à faire **tâche, besogne**
– Se mettre au travail **à l'œuvre, à l'ouvrage**
– Fatigue due à un excès de travail **surmenage**
– Organisation du travail prévoyant l'alternance du personnel à un même poste **roulement, relais**
– Tribunal chargé de régler les conflits dans le monde du travail **conseil de prud'hommes**
– Rééducation par le travail manuel **ergothérapie**
– Étude de l'adaptation du travail à l'homme **ergonomie**
– Mesure du travail musculaire **ergométrie**
– Société dans laquelle le travail est la valeur première **ergocratie**
– Apprécier le travail d'un objet d'art **exécution, facture, façon**

TRAVAILLÉ

– Bois, métal joliment travaillé **façonné, ouvragé, ouvré**

TRAVAILLER

syn. **apprendre, élaborer, étudier, façonner, instruire (s'), œuvrer, produire**
– Travailler durement **besogner, éreinter (s'), trimer, peiner, échiner (s')**
– Travailler à une œuvre commune **collaborer, participer, coopérer**
– Travailler par roulement d'équipes **faire les trois-huit**
– Travailler la pâte **pétrir**
– Travailler son style **polir, ciseler, aiguiser, fouiller**
– La pâte travaille **fermente, lève**
– Le bois humide risque de travailler **gondoler (se), gauchir, déformer (se), gonfler**

TRAVAILLEUR /1

syn. **employé, prolétaire, salarié**
– Travailleur manuel **ouvrier, manœuvre**
– Les travailleurs **prolétariat**
– Travailleur agricole payé à la journée **journalier**
– Travailleur agricole en Amérique latine **péon**
– Travailleur assigné à des besognes peu gratifiantes **tâcheron**
– Travailleur indépendant **free-lance, libéral**
– Exploitation à outrance des travailleurs **sweating-system**

TRAVAILLEUR /2

– Un homme travailleur **courageux, actif, laborieux, acharné**
– Un élève travailleur **appliqué, assidu, studieux, consciencieux**

TRAVERS

syn. **côté, défaut, faiblesse, flanc, imperfection, tare, vice**
– Ton bibi est de travers **de guingois**
– Regarder de travers **avec animosité, avec antipathie, avec hostilité, avec malveillance, avec suspicion, de biais, d'un œil torve, obliquement**
– Se regarder mutuellement de travers **en chiens de faïence**
– À travers **de part en part, d'un bout à l'autre, d'un côté à l'autre**
– En travers **transversalement**

TRAVERSER

– Un petit chemin traverse la route **coupe, croise**
– Traverser un fleuve **franchir**
– Traverser un pays en tous sens **parcourir, sillonner**
– Le clou va traverser la cloison **transpercer**
– Un rideau qui laisse traverser la lumière **filtrer, pénétrer, passer**

TRÈFLE

– Famille à laquelle appartient le trèfle **papilionacées**
– Trèfle jaune **anthyllis vulnéraire**
– Trèfle incarnat **farouch, trèfle anglais**
– Trèfle cornu **lotier corniculé**
– Trèfle d'eau **ményanthe**
– Feuille composée de trois parties, comme celle du trèfle **trifoliée**
– Motif architectural en forme de trèfle **trilobé, tréflé**
– Champ de trèfle **tréflière**
– Nom du roi de trèfle **Alexandre**
– Nom de la dame de trèfle **Argine**
– Nom du valet de trèfle **Lancelot**

TREILLIS

– Treillis d'osier pour faire sécher des fruits, des fromages **claie, clayon,** clayette, clisse, éclisse, cagerotte, caget, volette
– Treillis métallique placé au-dessus d'une écoutille sur un bateau **caillebotis**
– Treillis de bois permettant de voir sans être vu **jalousie, moucharabieh**
– Treillis utilisé pour la reproduction d'une peinture à une autre échelle **graticule**

TREIZE

– Vente de treize œufs, de treize huîtres pour le prix de douze **treize-douze, treize à la douzaine**
– Joueur de rugby à treize **treiziste**
– Phobie d'être treize à table **triskaidekaphobie**

TREMBLEMENT

syn. **saccade**
– Léger tremblement dû à l'émotion **frisson, frémissement, saisissement, tremblement, tressaillement, sursaut, haut-le-corps, soubresaut**
– Tremblement du sol, des vitres au passage d'un train **vibration, ébranlement, secousse**
– Tremblement dans la voix **trémolo, chevrotement**
– En musique, tremblement rapide d'un instrument ou d'une voix **vibrato**
– En termes médicaux, tremblement rapide et incontrôlé **trémulation, trépidation**
– Tremblement violent **convulsion, spasme**
– Maladie du système nerveux caractérisée par des crises de tremblements **maladie de Parkinson**
– Délire alcoolique accompagné de tremblements convulsifs **delirium tremens**

TREMBLEMENT DE TERRE *Voir tableau p. 610*

syn. **séisme**
– Tremblement de terre pouvant être perçu par l'homme **macroséisme**
– Tremblement de terre non ressenti par l'homme **microséisme**
– Point à la surface terrestre où le tremblement de terre est le plus intense **épicentre**
– Foyer souterrain d'un tremblement de terre **hypocentre**
– Dans un tremblement de terre, ligne qui suit l'ordre d'ébranlement **ligne sismale**
– Vague destructrice, provoquée par un tremblement de terre **raz de marée, tsunami**
– Mesure de gradation de l'intensité d'un tremblement de terre **échelle de Mercalli modifiée, échelle EMS**
– Sert à mesurer la magnitude des tremblements de terre **échelle de Richter**
– Des phénomènes provoquant des tremblements de terre **sismogéniques**

– Étude des phénomènes liés aux tremblements de terre **sismologie**
– Relatif aux tremblements de terre **sismique**

TREMBLER
– Trembler sur ses jambes **flageoler**
– Trembler de froid **frissonner, grelotter, claquer des dents**
– Trembler de colère, de joie **frémir, tressaillir, vibrer**
– Trembler à l'idée d'un malheur **redouter, appréhender, craindre**
– Une flamme qui tremble **vacille**

TREMPÉ
syn. **mouillé**
– Complètement trempé **imbibé, imprégné, détrempé**
– Un visage trempé de larmes **ruisselant, inondé, baigné**

TREMPER
syn. **affermir, endurcir, fortifier**
– Tremper entièrement quelque chose **plonger, immerger, imprégner**
– Faire tremper un aliment dans une préparation **mariner, macérer**

TRENTE
– D'une durée de trente ans **trentenaire, tricennal**
– Série de trente messes célébrées pour un défunt **trentain**

TRÉPIGNER
– Trépigner d'énervement **frapper du pied, piaffer, piétiner**

TRÉSOR
syn. **fortune, magot, richesse**
– Trésor du roi **cassette**
– Officier chargé de veiller sur le trésor royal **chambrier**
– Trésor dérobé par Jason **Toison d'or**
– Trésor public **fisc**
– Un trésor de bienfaits **source, réserve, mine**

TRÉSORIER
– Trésorier général sous l'Ancien Régime **grand argentier, surintendant**
– Trésorier d'une communauté **économe, intendant**

TRESSAILLIR
voir aussi **trembler**
– Tressaillir de surprise **sursauter, tressauter, bondir**
– Tressaillir de plaisir **frémir, vibrer, frissonner**
– Les vitres tressaillent à chaque passage de camion **tremblent**

TRESSE
syn. **natte**

– Fine tresse de cheveux **cadenette**
– Tresse roulée sur l'oreille **macaron**
– Tresses rastas **dreadlocks**
– Petite tresse de fils multicolores **scoubidou**
– Tresse de tissu ou de cuir autour d'un chapeau **bourdaloue**
– Jadis, dans la marine, tresse de vieux cordages servant de fouet **garcette**

TRÊVE
voir aussi **arrêt, pause**
syn. **armistice, cessation des hostilités, cessez-le-feu, suspension d'armes**

TRIANGLE *Voir tableau géométrie, p. 276*
– Un triangle dont les trois côtés sont inégaux **scalène, quelconque**
– Un triangle à trois côtés égaux **équilatéral**
– Un triangle à deux côtés égaux **isocèle**
– Un triangle à trois angles aigus **acutangle**
– Un triangle à trois angles égaux **équiangle**
– Un triangle comportant un angle droit **rectangle**
– Côté opposé à l'angle droit d'un triangle rectangle **hypoténuse**
– Dans un triangle, point de rencontre des trois hauteurs **orthocentre**
– Théorème sur les propriétés d'un triangle **de Pythagore, de Thalès**

TRIBU
syn. **ethnie, famille, groupe, peuplade, société**
– Division de la tribu dans la Rome antique **curie**
– Chef d'une tribu à Athènes dans l'Antiquité **phylarque**
– Groupement familial au sein d'une tribu **clan**
– Réunion de clans au sein d'une tribu **phratrie**
– Animal, divinité tutélaire d'une tribu **totem**

TRIBUNAL
syn. **instance, juridiction, palais de justice**
– Tribunal composé de magistrats qui juge les délits **correctionnel**
– Tribunal composé de magistrats et de neufs jurés qui juge les crimes **cour d'assises**
– Tribunal auprès duquel on présente un recours contre un jugement antérieur **cour d'appel**
– Tribunal qui, lorsqu'il est saisi par un pourvoi, statue en dernier ressort sur des questions de droit **Cour de cassation**
– Tribunal militaire **cour martiale**
– Tribunal paritaire composé d'employeurs et de salariés **conseil des prud'hommes**

– Tribunal ecclésiastique du Saint-Siège **pénitencerie**
– Tribunal de l'Inquisition **Saint-Office**
– Tribunal religieux et civil des Hébreux, dans l'Antiquité **sanhédrin**
– Autrefois, tribunal d'Athènes **Aréopage**
– Au tribunal, lieu où s'expriment témoins et avocats **barre**
– Ensemble des membres d'un tribunal **cour**
– Salle d'audience du tribunal **prétoire**
– Magistrats du ministère public auprès des tribunaux **parquet**
– Dans un tribunal, lieu où sont gardés les originaux des actes de procédure **greffe**
– Situation d'une affaire portée en même temps devant deux tribunaux **litispendance**

TRIBUNE
syn. **estrade, podium**
– Tribune placée à l'entrée du chœur de certaines basiliques **ambon**
– Dans une église, tribune du prédicateur **chaire**
– Tribune aux harangues dans la Rome antique **Rostres**

TRICHER
voir aussi **tromper**
syn. **duper, frauder, leurrer, mentir**
– Tricher au jeu **filouter**
– Marquer des cartes à jouer pour tricher **maquiller, truquer**
– Truquer les dés pour tricher **piper**

TRICOT
voir aussi **crochet, maille**
– Mettre un tricot **chandail, gilet, pull, pull-over, lainage, sweater**
– Tricot de corps **maillot**
– Un tricot à deux aiguilles **plat**
– Un tricot à trois ou quatre aiguilles **rond**
– Sorte de point au tricot **torsade cordée, côtes anglaises, grain de blé, jersey, nid-d'abeilles, point damier, point de Hongrie, point de grille, point mousse**
– Tricot à motifs de différentes couleurs **jacquard**
– Pull et veste assortis en tricot **twin-set**
– Industrie et commerce des vêtements en tricot **bonneterie**

TRICOTER
– Élément d'un métier à tricoter **fonture, chariot, glissière, ensemble pêcheur, guide-fil, peigne**

TRIDIMENSIONNEL
– Une image tridimensionnelle **en relief, stéréoscopique**
– Pour obtenir une photocopie tridimensionnelle **holographie**

TRIER
syn. **sélectionner**

TOITS

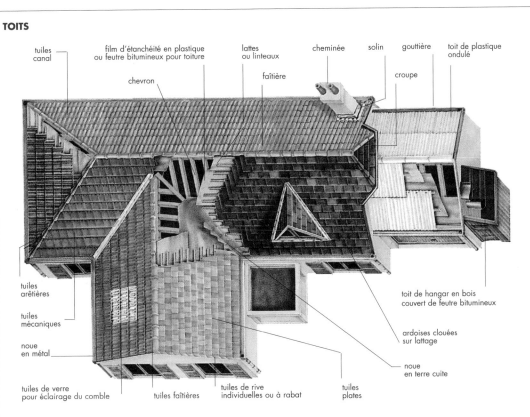

tuiles
canal

film d'étanchéité en plastique
ou feutre bitumineux pour toiture

chevron

lattes
ou linteaux

faîtière

cheminée

solin

gouttière

croupe

toit de plastique
ondulé

tuiles
arêtières

tuiles
mécaniques

noue
en métal

tuiles de verre
pour éclairage du comble

tuiles faîtières

tuiles de rive
individuelles ou à rabat

tuiles
plates

toit de hangar en bois
couvert de feutre bitumineux

ardoises clouées
sur lattage

noue
en terre cuite

Formes de toits

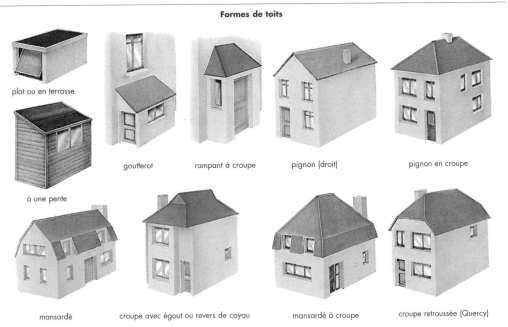

plat ou en terrasse

à une pente

goutterot

rampant à croupe

pignon (droit)

pignon en croupe

mansardé

croupe avec égout ou revers de coyau

mansardé à croupe

croupe retroussée (Quercy)

– Trier des documents **classer, ordonner, ranger**
– Trier les appels téléphoniques **filtrer**
– Trier et séparer les wagons dans une gare **débrancher**
– Trier des fruits **calibrer, cribler**
– Trier des graines **émonder**

TRINGLE
syn. **tige**
– Une tringle à rideau **barre**
– Tringle supportant les outils pour travailler le bois **râtelier**

TRINITÉ
– Chaque personne de la Trinité **hypostase**
– Symbole de la Trinité **triangle**
– Ensemble de rayons qui entourent le triangle symbole de la Trinité **gloire**
– Doctrine opposée à la Trinité **socinianisme, sabellianisme, unitarianisme**

TRINQUER
syn. **lever son verre, porter un toast**

TRIOMPHE
syn. **apothéose, consécration, gloire**
– Savourer son triomphe **réussite, succès, victoire**
– Faire un triomphe à quelqu'un **acclamer, ovationner**

TRIOMPHER
– Triompher de ses adversaires **battre, l'emporter sur, avoir l'avantage sur, avoir le dessus sur, écraser, terrasser**
– Apprendre à triompher de sa timidité **dominer, dompter, vaincre, maîtriser**
– Triompher d'un problème **surmonter, venir à bout de**

TRIPE
– Tripe et robe d'un cigare **poupée**

TRIPES
syn. **boyau, crépine, fraise**
– Tripes auvergnates **tripous**
– Tripes lyonnaises **tablier de sapeur**

TRIPOTER
syn. **patouiller, trifouiller, tripatouiller, tâter, toucher**
– Tripoter nerveusement une mèche de cheveux **triturer**
– Tripoter dans des combines douteuses **magouiller, fricoter, spéculer, trafiquer**

TRISTE
syn. **mélancolique**
– Avoir l'air triste **abattu, chagrin, éteint, morose, rembruni, taciturne**
– Se sentir triste **malheureux, affligé, nostalgique, chagriné, peiné, déprimé, découragé**

– Une bien triste nouvelle **désolante, affligeante, consternante, funeste, navrante, attristante**
– Dans un triste état **déplorable, piètre, lamentable, piteux, pitoyable, misérable**
– Un ciel triste **maussade, morne, gris, couvert, grisâtre, sombre**

TRISTESSE
syn. **affliction, amertume, chagrin, désolation, morosité, peine**
– Tristesse suscitée par le souvenir **nostalgie**
– Tristesse indéfinissable **mélancolie, spleen, vague à l'âme**
– Tristesse morbide **neurasthénie, dépression**
– Poème lyrique empreint de tristesse **élégie**

TRITURER
– Triturer des grains de poivre **broyer, égruger, piler, pulvériser, concasser, écraser**
– Triturer les aliments **mâcher, mastiquer**

TRIVIAL
syn. **banal, commun, courant, ordinaire, facile**
– Une plaisanterie triviale **basse, choquante, obscène, vulgaire, éculée, grossière**

TROIS
– Coup de dés où chacun des deux dés sort un trois **terne**
– Constitué de trois unités **ternaire**
– Groupe de trois personnes ou choses **triade, trilogie, trio**
– Strophe de trois vers **tercet**
– Figure géométrique à trois faces **trièdre**
– Mot de trois lettres **trigramme**
– Œuvre artistique composée de trois parties **triptyque**
– Groupe de trois personnes très influentes **triumvirat**
– Compétition sportive composée de trois épreuves **triathlon**
– Œuvre musicale pour trois voix ou trois instruments **terzetto, trio**
– Mandat de trois ans **triennat**
– En Russie, traîneau à trois chevaux **troïka**
– Les trois personnes en Dieu dans la religion chrétienne **Trinité**

TROMBE
– Des trombes d'eau s'abattent sur la ville **cataractes**
– Faire une entrée en trombe **irruption, incursion**
– Il est arrivé en trombe **rapidement, comme un boulet de canon, comme une tornade**

TROMPER
voir aussi **trahir**
syn. **abuser, berner, duper, en faire accroire à, induire en erreur, leurrer, mentir, mystifier**
– Tromper la vigilance d'un surveillant **déjouer, endormir**
– Tromper ses clients **escroquer, duper, flouer**
– Tromper sur la qualité ou le poids d'une marchandise **frauder**
– Se tromper de date **confondre**
– Se tromper dans son jugement **fourvoyer (se), méprendre (se), méjuger, égarer (s')**

TROMPETTE
– Famille des instruments à vent à laquelle appartient la trompette **cuivres**
– Sorte de trompette **bugle, buccin, clairon, cornet**
– Partie de la trompette où le musicien applique ses lèvres **embouchure**
– Partie évasée à l'extrémité de la trompette **pavillon**
– Oiseau-trompette **agami**
– Trompette de mer **syngnathe, serpent de mer, aiguille de mer**
– Trompette-de-la-mort **craterelle**

TROMPEUR
voir aussi **hypocrite**
syn. **déloyal, faux, fourbe, infidèle, illusoire, menteur, parjure, sournois, traître**
– Des propos trompeurs **mensongers, insidieux, fallacieux, spécieux, captieux, artificieux, ambivalents, équivoques**

TRONC *Voir illustration p. 611*
voir aussi **arbre, bois**
syn. **fût**
– Partie supérieure du tronc du corps humain **buste, torse, thorax**
– Partie inférieure du tronc du corps humain **bassin**
– Tronc d'arbre coupé encore recouvert de son écorce **grume**
– Tronc d'arbre scié dans le sens de la longueur **plançon**
– Partie du tronc qui reste en terre après l'abattage de l'arbre **souche**
– Planche recouverte d'écorce et taillée dans un tronc d'arbre **dosse**
– Pièce de bois débitée dans un tronc **madrier, poutre, bastaing, planche**
– Partie centrale et dure d'un tronc d'arbre **duramen**
– Tronc d'arbre utilisé pour la construction **rondin**
– Étude des troncs d'arbre pour établir la datation d'événements **dendrochronologie**
– Tailler un arbre en ne laissant que le tronc **étronçonner**

TRONÇON
syn. **fragment, morceau, partie, portion**
– Tronçon de bois épais, court et aplati sur le dessus **billot**
– Tronçon du corps d'un os long **diaphyse**

TROPHÉE
– Trophée remis au vainqueur **coupe, médaille**
– Trophées de guerre **dépouilles, butin**
– Bois de cerf exposé comme trophée de chasse **massacre**
– Trophée récompensant des professionnels du cinéma **oscar, césar, ours, palme, lion**

TROPICAL
voir aussi **torride**
syn. **équatorial**
– Une forêt tropicale **vierge**
– Vent tropical soufflant vers l'océan l'hiver et vers le continent l'été **mousson**

TROP-PLEIN
syn. **excédent, excès, surcharge, surplus**

TROTTOIR
– Rigole longeant un trottoir **caniveau**
– Abaissement du trottoir devant une porte cochère **bateau**
– Chemin faisant office de trottoir le long d'une voie ferrée ou d'un canal **banquette**

TROU
voir aussi **ouverture**
syn. **orifice, trouée, vide**
– Combler un trou **cavité, excavation, creux**
– Trou dans une chaussée **nid-de-poule**
– Trou rempli d'eau **flaque, flache**
– Trou dans un chemin de terre **fondrière, ornière**
– Trous faits par le sanglier quand il fouille la terre **boutis**
– Petit trou laissé par le lapin de garenne **jouette**
– En agriculture, trou dans la terre pour les graines de semence **poquet**
– Trou creusé par un obus, par une mine **entonnoir**
– Trous à la surface d'une roche **pores**
– Trou permettant de passer à travers un mur, une haie de verdure **trouée, brèche**
– Trou pratiqué dans un mur pour permettre l'écoulement des eaux **souillard**
– Trou percé dans un mur pour y installer une fenêtre, une poutre **ope**
– Dans un colombier, trou où loge un pigeon **boulin**
– Trou d'aération dans les combles **chatière**
– Trou par lequel on emplit un tonneau **bonde**
– Trou d'un fer à cheval **étampure**
– Trou d'une aiguille à coudre **chas**
– Faire un trou dans un vêtement **accroc, déchirure**
– Petit trou décoratif dans un tricot, une broderie **jour**
– Petit trou dans un cuir ou une étoffe pour faire passer un cordon, un lacet **œillet**
– Petits trous de taille identique percés avec une machine ou un outil **perforations**
– Trou sur le flanc d'un bateau pour l'évacuation des eaux **dalot**
– Radiosource très puissante dont le centre serait un trou noir **quasar**
– La limite au-delà de laquelle une étoile froide s'effondre en trou noir **de Chandrasekhar**
– Ondes électromagnétiques émises en très grande quantité par les trous noirs **rayons X**
– Trou de mémoire **lacune**

TROUBADOUR
syn. **ménestrel**
– Troubadour s'exprimant en langue d'oïl **trouvère**
– Troubadour allemand, poète et musicien **minnesänger**
– Recueil de chansons et de poèmes du troubadour **chansonnier**

TROUBLE /1
voir aussi **émeute**
syn. **bouleversement, dérangement, dérèglement, perturbation, tumulte**
– Ressentir un trouble **émoi, émotion, vertige**
– Trouble moral **désarroi, détresse, fièvre, inquiétude**
– Jeter le trouble dans l'esprit de quelqu'un **doute, embarras, perplexité**
– Semer le trouble dans une assemblée **agitation, confusion, désordre, effervescence, discorde, zizanie**
– Fauteur de troubles **trublion, agitateur, perturbateur**
– Trouble de l'appétit **dysorexie, anorexie, boulimie**
– Trouble de la prononciation **dystomie, dysarthrie, dysphonie, anarthrie**
– Trouble du mécanisme de lecture **dyslexie**
– Trouble fonctionnel freinant l'apprentissage de l'écriture **dysgraphie**
– Trouble de la perception des couleurs **dyschromatopsie, daltonisme, achromatopsie**
– Trouble du contrôle des mouvements **dyskinésie, apraxie**

TROUBLE /2
– Un comportement trouble **complexe, mystérieux, suspect, inquiétant, impénétrable, obscur, secret, ténébreux**
– Une eau fort trouble **boueuse, bourbeuse, fangeuse, turpide, vaseuse, sale**
– L'éprouvette contient un liquide trouble **opaque, brouillé, terne**
– Un vin trouble **louche**
– Avoir la vue trouble **brouillée, floue**
– Un souvenir trouble **vague, confus, indistinct**
– Un désir trouble **inavouable, malsain**

TROUBLÉ
– Troublé par une nouvelle **déconcerté, désorienté, décontenancé, désemparé, ému, touché**
– Troublé par une émotion intense **éperdu, égaré, agité**
– Un candidat troublé devant l'examinateur **ému, intimidé, impressionné, perturbé, inquiet, affolé, confus**

TROUBLE-FÊTE
syn. **empêcheur de danser en rond, éteignoir, importun, rabat-joie**

TROUBLER
– Troubler quelqu'un par des révélations inquiétantes **alarmer, affoler, effarer, bouleverser, inquiéter**
– Troubler le repos de quelqu'un **gêner, déranger, perturber**
– Troubler le bonheur de quelqu'un **gâter, empoisonner, corrompre**
– Troubler l'eau avec une perche pour faire bouger le poisson **bouiller**
– Se troubler face à quelqu'un **perdre contenance, démonter (se)**

TROUÉE
– Trouée dans une forêt **clairière**
– Trouée dans un ciel nuageux **éclaircie, échappée, déchirure**
– En termes militaires, trouée opérée dans le dispositif ennemi **percée, brèche**

TROUER
voir aussi **creuser**
syn. **déchirer, forer, percer, transpercer**
– Trouer un titre de transport pour le valider **perforer, poinçonner, composter**
– Trouer la boîte crânienne d'un patient pour une intervention **trépaner**

TROUPE
syn. **bataillon, division, section, équipe, escouade, formation, parti, groupe, milice, unité**
– Groupe de soldats séparés de la troupe pour effectuer une mission **détachement**
– Troupe de l'armée romaine **légion**
– Autrefois, troupe de partisans marocains **djich**
– Jadis, au Maghreb, troupe autochtone auxiliaire de l'armée française **goum**
– Troupe de cervidés **harde, harpail**
– Troupe de chiens **meute**
– Troupe théâtrale **compagnie**

TREMBLEMENTS DE TERRE

Vocabulaire de la sismologie

Antisismique/ parasismique : conçu selon des normes de construction offrant une résistance à des secousses d'un certain niveau d'intensité.

Échelle d'intensité : il en existe plusieurs types, tous abandonnés à partir de 1964 au profit de l'échelle MSK (due à Medvedev, Sponheuer et Karnik), qui comporte 12 degrés notés en chiffres romains.

Échelle de Richter : échelle logarithmique mise au point en 1935 qui permet de calculer la magnitude des séismes.

Épicentre : région de la surface terrestre, située à l'aplomb du foyer, où est ressentie la magnitude la plus importante d'un séisme.

Hypocentre : foyer réel d'un séisme, dit aussi « foyer souterrain ». Il peut se trouver à une profondeur de plus de 600 km, là où les plaques océaniques plongent sous les plaques continentales. Selon la profondeur de l'hypocentre, on classe les séismes en normaux (moins de 70 km), intermédiaires (entre 70 et 300 km) et profonds (au-delà de 300 km).

Intensité : repérée sur une échelle de I à XII, l'intensité d'un séisme est caractérisée par les manifestations et les dégradations matérielles provoquées par les secousses telluriques. (Le degré VIII, par exemple, correspond à la chute des flèches d'église, des cheminées et des minarets.) L'intensité d'un séisme dépend, en plus de la magnitude, de la profondeur du foyer et de la nature géologique du lieu.

Magnitude : amplitude des ondes sismiques définie sur une échelle logarithmique (où magnitude 2 indique une amplitude des ondes 10 fois plus importante que magnitude 1). Bien qu'il n'existe aucune limite théorique supérieure marquant la magnitude d'un séisme, celle-ci ne dépasse que rarement la valeur de 8. En dessous de 3, les ondes ne sont pas véritablement ressenties. Il existe une relation empirique entre la magnitude mesurée et l'énergie dégagée par un tremblement de terre ; elle s'établit de la façon suivante : lorsque la magnitude augmente de 1 point, l'énergie est 30 fois plus grande ; lorsqu'elle augmente de 2 points, l'énergie est 900 fois plus grande, etc.

Raz de marée : énorme vague résultant d'un séisme ou d'une éruption volcanique et qui peut atteindre une hauteur de 30 m.

Secousse tellurique (mesure d'une) : oscillation du sol dont l'amplitude provoque un séisme.

Sismicité : fréquence et intensité des séismes survenant dans une zone géographique déterminée. La répartition des zones selon leur sismicité est un élément essentiel de la tectonique, car la majorité des épicentres se concentre sur des lignes sismiques situées à la frontière des plaques (par exemple la « ceinture de feu » bordant l'océan Pacifique).

Sismographe/ sismomètre : instrument de mesure utilisé pour enregistrer l'heure à laquelle a lieu une secousse sismique, ainsi que sa durée et son amplitude.

Sismologie : étude des divers mouvements qui affectent la croûte terrestre et, plus particulièrement, des séismes. Lorsque cette étude porte sur le Soleil ou les étoiles, on parle respectivement d'héliosismologie et d'astérosismologie.

Tectonique : étude géologique des déformations affectant les différentes couches dont est constituée la Terre. Le modèle dit de la « tectonique des plaques » fournit un cadre explicatif global à ce que l'on appelait la « théorie de la dérive des continents ».

Tremblement de terre : ensemble de secousses liées à la déformation de l'écorce terrestre, qui se fracture suivant des failles en émettant des ondes sismiques qui se propagent à travers le globe. Il s'agit d'un phénomène de brève durée (généralement de l'ordre de quelques secondes) et d'amplitude variable.

Tsunami : onde qui se propage à la surface d'un océan à la suite d'un séisme ou d'une éruption volcanique.

Principaux tremblements de terre

Lieu	Magnitude	Nombre de morts	Date	Lieu	Magnitude	Nombre de morts	Date
Chine	8.6	180 000	1920	Iran	8	189	1977
Japon	8.6	48	1968	Équateur	7.9	600	1979
Alaska	8.5	178	1964	Nouvelle-Zélande	7.9	255	1931
Chili	8.3	4 000/5 000	1962	Inde	7.9	plus de 20 000	2001
Chine	8.3	200 000	1927	Chine	7.8	240 000	1976
Japon	8.3	99 000	1923	Philippines	7.8	1 621	1990
États-Unis (San Francisco)	8.3	700	1906	Algérie	7.7	3 500	1980
				Iran	7.7	15 000	1978
Mexique	8.1	12 000	1985	Pérou	7.7	50 000/70 000	1970
Taiwan	8.1	2 105	1999	États-Unis (Californie)	7.7	11	1952
Chine	8	665 000	1976				

TROUPEAU
syn. **cheptel**
– En Camargue, troupeau de taureaux, de chevaux ou de bœufs **manade**
– Gardien de troupeau **pâtre, berger, bouvier, chevrier**
– Migration annuelle des troupeaux vers les montagnes **transhumance, estivage**
– Tendance à suivre le troupeau **esprit grégaire, comportement moutonnier**
– Suit le troupeau aveuglément **mouton de Panurge**

TROUSSE
syn. **étui**

– Trousse d'écolier **plumier, pochette**
– Trousse à couture **nécessaire**
– Trousse de toilette rigide **vanity-case**
– Trousse pour les ongles **onglier**

TROUVER
syn. **déceler, détecter**
– J'ai trouvé ! **eurêka**
– Trouver un trésor **découvrir**
– Trouver la solution d'une énigme **élucider, résoudre, deviner**
– Trouver une nouvelle méthode **inventer, imaginer, créer, concevoir**
– Trouver une action bonne ou mauvaise **considérer, estimer, juger**

TRUCAGE
syn. **procédé**
– Trucages cinématographiques **effets spéciaux**
– Trucage optique du mouvement **accéléré, ralenti**
– Trucage optique consistant à intégrer des éléments dans une image **incrustation**
– Trucage optique de la perspective **surimpression, fondu**
– En photographie, trucage optique de la couleur **solarisation**
– Appareil utilisé pour les trucages optiques **truca**

– Spécialiste des trucages optiques **truquiste, truqueur, escamoteur, illusionniste**
– Trucage sonore **bruitage**

TSIGANE

syn. **bohémien**
– Tsigane originaire d'Espagne **Gitan**
– Langue indo-aryenne parlée par les Tsiganes **romani**
– Mot utilisé par les Tsiganes pour désigner un homme d'une autre ethnie **gadjo**

TUBE

– Tube en spirale **serpentin**
– Tube en S **siphon**
– Tube en verre utilisé au cours d'expériences de laboratoire **pipette, éprouvette, tube à essai**
– Tube destiné à faciliter l'écoulement des liquides organiques **drain, sonde**
– Tube employé pour introduire un fluide dans l'organisme **canule, cathéter**
– Petit tube servant à régler le débit d'une canalisation **ajutage**
– Tube d'alimentation en vapeur dans une chaudière à bouilleurs **cuissard**
– Tube en fer utilisé par les verriers pour souffler le verre en fusion **fêle**
– Tube avec lequel on lance des petits projectiles en soufflant **sarbacane**

TUBERCULOSE

syn. **bacillose**
– Bacille de la tuberculose **bacille de Koch**
– Forme généralisée de la tuberculose **granulie, tuberculose militaire**
– Variété de tuberculose cutanée **lupus**
– Tuberculose osseuse qui se manifeste au niveau des doigts **spina-ventosa**
– Tuberculose osseuse qui se manifeste au niveau de la hanche **coxalgie**
– Crachement de sang caractéristique de la tuberculose pulmonaire **hémoptysie**
– Test utilisé pour détecter la tuberculose **cuti-réaction**
– Médecin spécialiste de la tuberculose **phtisiologue**
– Médicament qui arrête la propagation des bacilles de la tuberculose **tuberculostatique**
– Vaccin contre la tuberculose **BCG**
– Traitement de la tuberculose pulmonaire par insufflation d'air **pneumothorax**
– Maison de santé où l'on traite les malades de la tuberculose **sanatorium**

TUER

syn. **achever, assassiner, détruire, égorger, étrangler, exécuter, fusiller, occire, mettre fin à ses jours, abattre**
– Tuer un animal lors d'une cérémonie sacrificielle **immoler, sacrifier**
– Tuer en très grand nombre **massacrer, décimer**
– Tuer à coups de pierres **lapider**

– Tuer jusqu'au dernier **exterminer, anéantir**
– Se tuer **suicider (se), supprimer (se), détruire (se), donner la mort (se), brûler la cervelle (se)**

TUEUR

syn. **assassin, criminel, égorgeur, meurtrier**
– Tueur professionnel à la solde de quelqu'un **tueur à gages, sbire, sicaire, spadassin, pistolero, nervi, mercenaire**

TUILE

voir aussi **toit**
– Type de tuile **canal, creuse, ronde, romaine, panne, flamande, sarrasine, vernissée, plate**
– Une tuile à emboîtement **mécanique**
– Tuile convexe en largeur **coffine**
– Tuile concave en largeur **gambardière**
– Tuile creuse pour l'évacuation des eaux de pluie **noue**
– Tuile du dessus des couvertures romaines **imbrice**
– Tuile du dessous des couvertures romaines **tegula**
– Disposition des tuiles sur un toit **embronchement**
– Partie visible d'une tuile ou d'une ardoise **pureau**
– Morceau d'une tuile cassée **tuileau**
– Usine de tuiles **tuilerie**

TUMEUR

voir aussi **cancer**
– Tumeur cancéreuse **carcinome, sarcome, néoplasme, tumeur maligne**
– Tumeur d'une glande **adénome**
– Tumeur qui se développe aux dépens d'une structure nerveuse **gliome**
– Tumeur bénigne constituée de tissus fibreux **fibrome, molluscum**
– Tumeur constituée de tissu musculaire **myome**
– Tumeur arrondie, de nature inflammatoire **granulome**
– Tumeur inflammatoire génitale ou anale **condylome**
– Tumeur graisseuse **lipome**
– Tumeur bénigne de la peau **papillome**
– Tumeur de la peau **mélanome**
– Petite tumeur bénigne sur la gencive **épulide**
– Tumeur qui se développe sous la langue **grenouillette**

TUMULTE

syn. **brouhaha, chahut, chambard, charivari, émeute, révolte, tapage, tintamarre, tohu-bohu, trouble, vacarme**

TUNIQUE

– Longue tunique africaine **boubou**
– Tunique que portaient les Grecs dans l'Antiquité **chiton**

– Tunique richement ornée des empereurs romains **dalmatique**
– Tunique arabe **gandoura**
– Tunique des sénateurs romains **laticlave**
– Tunique en lin des fantassins de l'armée égyptienne antique **calasiris**
– Tunique bardée de métal ou de cuir, portée comme armure au Moyen Âge **broigne**
– Tunique courte au Moyen Âge **rochet**
– Tunique en soie portée sous la chasuble par un évêque, un cardinal **tunicelle**

TUNNEL

voir aussi **galerie**
– Engin utilisé dans le creusement d'un tunnel **bouclier métallique, taupe, tunnelier, perforatrice**
– Niche pratiquée dans un tunnel pour servir d'abri aux agents de maintenance **caponnière**

TURBINE

– Partie fixe d'une turbine **distributeur**
– Partie mobile d'une turbine **rotor, roue**
– Type de turbine hydraulique **turbine à action, turbine à réaction**
– Turbine à vapeur **turbomoteur**
– Turbine à gaz **turbocompresseur**
– Tuyau qui véhicule la vapeur dans une turbine **tuyère**
– Train propulsé par des turbines à gaz **turbotrain**

TURBULENCE

– La turbulence des fêtes **agitation, effervescence, fièvre, animation, excitation**
– Turbulence météorologique **cyclone, bourrasque, ouragan, tornade, tourbillon, tempête, trombe, typhon**

TURBULENT

– Un enfant turbulent **remuant, vif, excité, intenable, dissipé, chahuteur**
– Une vie turbulente **tumultueuse, agitée, de bâton de chaise, de patachon**

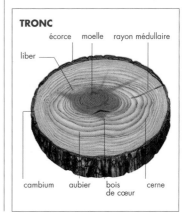

TRONC

écorce · moelle · rayon médullaire · liber · cambium · aubier · bois de cœur · cerne

TYPOGRAPHIES

	EMPATTEMENT	SANS EMPATTEMENT	EMPATTEMENT QUADRANGULAIRE
romain	A	A	A
italique	*A*	*A*	*A*
gras	**A**	**A**	**A**
maigre	A	A	A

capitales italiques ornées	*A B C D*
capitales	A B C D
bas-de-casse	a b c d e

montantes ⌐

œil — badge

descendante

QUELQUES FAMILLES DE CARACTÈRES EN CORPS 11

Baskerville	Candida	Gill Sans	Plantin
Bembo	Clarion	Helvetica	Times
Bodoni	Garamond	Perpetua	Rockwell

TURC

– L'Empire turc jusqu'en 1920 **ottoman**
– Titre porté jadis par l'empereur turc **sultan, padichah**
– Palais du sultan turc **sérail**
– Premier ministre dans l'ancien Empire turc **grand vizir**
– Officier à la cour du sultan dans l'ancien Empire turc **agha**
– Titre des gouverneurs de province dans l'ancien Empire turc **pacha**
– Autrefois, titre des hauts fonctionnaires ou dignitaires turcs **bey, reis, effendi**
– Soldats d'élite de l'ancienne armée turque constituant la garde du sultan **janissaires**
– Soldats de l'ancienne armée turque réputés pour leur brutalité **bachi-bouzouks**
– Insigne de l'Empire turc **croissant**
– Sabre turc **yatagan, cimeterre**
– Bonnet turc **tarbouch(e)**
– Pipe turque **chibouque**
– Eau-de-vie de raisin turque, parfois aromatisée à l'anis **arak, raki**
– Bain turc **hammam**

TUTELLE

– Tutelle bienveillante **auspices, patronage**
– Tutelle pesante **dépendance, assujettissement, sujétion, contrainte**
– Sous la tutelle de la loi **égide, sauvegarde, protection**
– Exercer une tutelle sur quelqu'un **tenir en lisières**

TUTEUR

– Tuteur désigné par un juge ou un conseil de famille **tuteur datif**
– Orphelin mineur sous la responsabilité d'un tuteur **pupille**
– Personne chargée de surveiller la gestion du tuteur **subrogé tuteur**
– Tuteur servant de support à un arbuste **échalas**
– Tuteur d'une plante grimpante **rame**

TUYAU

– Tuyau souple en caoutchouc, en toile **boyau, manche**
– Tuyau principal dans lequel débouchent d'autres conduits **collecteur**
– Petit tuyau en roseau **chalumeau**
– Tuyau pour l'écoulement d'un fluide **conduit, buse, descente**
– Tuyau court en terre cuite utilisé en construction **boisseau**
– Gros, tuyau pour acheminer du gaz, du pétrole **pipeline, gazoduc, oléoduc**
– Tuyau augmentant le tirage d'un poêle, d'un fourneau **diable**
– Tuyau d'admission ou d'échappement des gaz dans une machine **tuyère**
– Tuyau d'arrivée d'air, dans un orgue ou un haut-fourneau **porte-vent**
– Type de tuyau d'orgue **tuyau à bouche, tuyau à anche**
– Partie d'un tuyau d'orgue à anche **pied, pavillon, noyau, anche, rasette, rigole**

TYPE

voir aussi **espèce, genre**
syn. **archétype, canon, étalon, individu, modèle, personne**
– Exemple type **cas d'école**
– Le type même de l'égoïste **personnification, incarnation, symbole, prototype**
– Un brave type **gaillard, lascar**
– Un pauvre type **bougre, hère**

TYPIQUE

syn. **caractéristique, représentatif, symptomatique, spécifique, distinctif, original, propre**

TYPOGRAPHIE   *Voir illustration ci-contre*

voir aussi **imprimerie**
– Erreur de typographie **bourdon, coquille, doublon, mastic**

TYRAN

syn. **autocrate, despote, dictateur, oppresseur, potentat, tyranneau**

TYRANNIE

syn. **absolutisme, arbitraire, despotisme, dictature, oppression**

TYRANNIQUE

– Un pouvoir tyrannique **absolu, totalitaire, oppresseur, despotique, autoritaire,**
– Prendre des mesures tyranniques **arbitraires, coercitives, contraignantes**

TYRANNISER

– Tyranniser un peuple **opprimer, persécuter, asservir, écraser, accabler**
– Tyranniser sa famille **harceler, terroriser, tourmenter, tracasser, martyriser**

TYROLIEN

– Appel ou chant vocalisé tyrolien **jodel**
– Vocaliser à la manière des montagnards tyroliens **iouler, iodler, jodler**

ULCÈRE
– Type d'ulcère **cutané, muqueux**
– Ulcère qui n'évolue pas **torpide**

ULCÉRÉ
– Un cœur ulcéré **meurtri, déchiré**
– un individu ulcéré par les propos tenus à son égard **blessé, choqué, froissé, offensé, outragé, peiné, vexé**
– Zone ulcérée de façon superficielle **exulcérée**

ULCÉRER
– Extension d'une lésion qui ulcère la peau **phagédénisme**
– Microbes qui ulcèrent des tissus de l'organisme **altèrent**

ULTÉRIEUR
– Le stade ultérieur **suivant, futur**
– Renvoyer à une date ultérieure **ajourner, remettre, repousser**

ULTIMATUM
– Adresser un ultimatum à un individu ou à un État **sommation, mise en demeure**
– Le contraire d'un ultimatum dans les relations interpersonnelles **négociation, dialogue, diplomatie**

UN
– Le chapitre un **premier**
– Dieu est un **unique**
– Pas un n'a manqué à l'appel **aucun, nul**
– Plus d'un enfant s'est endormi **plusieurs, quelques**

UNANIME
– Faire l'objet d'une décision unanime **consensuelle, collective, commune, générale**

UNANIMITÉ
– Unanimité d'opinion parmi la totalité des membres d'une assemblée **accord, conformité, harmonie**
– Acceptation d'une décision à l'unanimité des parties **consensus, consentement**
– Élection obtenue à l'unanimité des votants **totalité**

UNI
– Des collègues de travail unis **solidaires**
– Des amis unis **proches, liés, intimes**

UNIFIER
– Unifier deux cantons **fusionner, unir, réunir, regrouper**

UNIFORME
– Uniforme de portier **livrée**
– Uniforme de cérémonie **habit, frac, queue-de-pie, queue-de-morue**
– Uniforme de carnaval **panoplie, déguisement, costume**
– Sur un uniforme, ornement indiquant le grade ou l'ordre d'appartenance **chevron, contre-épaulette, fourragère, grenade, soutache**
– Ensemble d'éléments uniformes **identiques, pareils, similaires, standards**
– Ils avancent d'un pas uniforme **régulier, égal, réglé**
– Une vie uniforme **monotone**
– Fonction mathématique uniforme **univoque**

UNIFORMISER
– Uniformiser des salaires **niveler, égaliser**
– Uniformiser les procédés de fabrication **homogénéiser, normaliser, rationaliser, standardiser**

UNION
– Union d'éléments hétérogènes **amalgame, mélange, composé, agglomérat, agrégat**
– Union formant un ensemble cohérent **assemblage, combinaison, réunion, regroupement, association**
– Union totale **fusion, symbiose**
– Union entre deux ou trois personnes **camaraderie, entente, intelligence, harmonie, sympathie, affinités**
– Union d'individus pour une action commune **groupement, ligue, parti, rassemblement**
– Union entre tous les êtres humains **fraternité, solidarité, concorde**
– Union civile **PACS (pacte civil de solidarité)**

– Union libre **concubinage, liaison**
– Union conjugale **mariage**
– Union charnelle **coït, accouplement, copulation, fornication**
– Union charnelle après le mariage **consommation**
– Union spirituelle ou mystique **communion, accord**
– Union politique **alliance, coalition**
– Union d'États **fédération, confédération**
– Qualifie l'union d'un prince et d'une roturière **morganatique**

UNIQUE
– Cas unique **isolé**
– Religion basée sur la croyance en un Dieu unique **monothéisme**
– Unique activité **exclusive**
– Deux cellules qui fusionnent en une cellule unique **fécondation**
– Ce qu'il y a d'unique en tout être **singulier, irremplaçable**
– Manifester un talent unique **exceptionnel, incomparable, inimitable, inégalé**
– Vivre dans des conditions uniques **extraordinaires, excellentes, spéciales**
– C'est quelqu'un d'unique **bizarre, curieux, extravagant, inouï, merveilleux**

UNIR
– Unir deux morceaux d'une pièce cassée **joindre, recoller, assembler**
– Unir par paires **coupler, apparier**
– Unir son existence à celle d'une autre personne **marier (se), épouser**
– Unir deux pays **fédérer, allier, liguer, coaliser**
– Unir un territoire à un pays avec ou sans l'accord des intéressés **annexer**
– Unir deux théories **articuler, relier, comparer**
– Unir des mots pour faire une phrase **agencer, organiser**
– Un même idéal unit ces personnes **lie, rapproche, rassemble, réunit, soude, mêle**
– Unir des personnes dans un intérêt commun **associer**

UNITÉ

– Les trois unités de la règle tirée d'Aristote pour l'art dramatique **temps, lieu, action**
– Unité de Dieu dans La Trinité pour la foi chrétienne **consubstantialité**
– Unité d'un ensemble théorique **cohérence, homogénéité, cohésion, logique**
– Unité profonde d'un tableau **équilibre, structure, harmonie**
– Unité parfaite, principe de toute chose, pour les disciples de Pythagore **monade**
– Unité de mesure arithmétique **nombre**
– Unité qui sert de référence pour mesurer des éléments de même espèce **étalon**
– Systèmes d'unités mathématiques et physiques **MTS (mètre-tonne-seconde), CGS (centimètre-gramme-seconde), SI (système international d'unités), système métrique, MKSA (mètre-kilo-seconde-ampère)**
– Unité administrative **région, département, canton, commune, arrondissement**
– Grande unité militaire **brigade, division, armée, corps d'armée**
– Petite unité militaire **groupe, section, compagnie, bataillon, régiment, escouade**
– Philosophie qui considère que toute chose peut être réduite à l'unité **monisme**

UNIVERS

– Univers extérieur à notre planète **cosmos**
– Étude des lois physiques de l'Univers **cosmologie**
– En philosophie, univers des choses et des êtres **monde, macrocosme, nature**
– Il reste toujours dans son univers **domaine, sphère, microcosme**

UNIVERSEL

syn. **international, mondial, planétaire**
– Condamnation universelle **générale, unanime**
– Vérité universelle **absolue, essentielle**
– Esprit universel **omniscient, complet**
– Église universelle **œcuménique**

UNIVERSITÉ

syn. **faculté**
– Noms donnés aux universités après 1968 **UER (unité d'enseignement et de recherche), UFR (unité de formation et de recherche), CHU (centre hospitalier universitaire), IUT (institut universitaire de technologie)**
– Travaille à l'université **président, doyen, professeur des universités, maître de conférences, chargé de cours, doctorant, lecteur, documentaliste, bibliothécaire**
– Domaine d'enseignement d'une université **droit, sciences, lettres et sciences humaines, langues, médecine, pharmacie, sciences sociales**
– Type de cours dispensés à l'université **cours magistral, travaux dirigés, séminaire**
– Progression des études à l'université **premier cycle, deuxième cycle, troisième cycle**
– Grades universitaires **DEUG, DEUST, DUT, licence, maîtrise, magistère, DESS, DEA, doctorat**
– Type d'évaluation des étudiants à l'université **contrôle continu, partiel, examen terminal, examen de rattrapage, soutenance de mémoire, soutenance de thèse, travail de recherche**

URANIUM

– Élément abusivement appelé uranium **urane**
– De la famille chimique de l'uranium **radium**
– Série d'éléments à laquelle appartient l'uranium **actinide**
– Dérivé de l'uranium **plutonium**
– Minerai dont on extrait l'uranium **pechblende, uraninite**
– Roche contenant de l'uranium **uranifère**
– Propriété naturelle de l'uranium **radioactivité**
– Sels stables formés par l'uranium **uranyle**

URBAIN

– Grande agglomération urbaine **mégalopole, mégapole**
– Les populations urbaines **citadines**
– Eaux urbaines usagées **effluent urbain**

URBANISME

– Exigence imposée par l'urbanisme **aménagement, embellissement, animation**
– Domaine qui relève de l'urbanisme **habitat, hygiène, circulation, confort, loisirs**

URBANITÉ

– Faire preuve d'urbanité **affabilité, politesse, civilité, amabilité, courtoisie**

URGENCE

– À faire d'urgence **sans délai, rapidement, immédiatement**

URGENT

– Travail urgent **pressé**
– Secours urgents **premiers**
– Décision urgente **importante, pressante**

URINE

– Évacuation de l'urine **miction**
– Difficulté à évacuer l'urine **dysurie**
– Diminution de la sécrétion d'urine **anurie**
– Rétention d'urine **ischurie**
– Besoin fréquent d'évacuer de l'urine en petite quantité **pollakiurie**
– Écoulement d'urine incontrôlé **énurésie, incontinence**
– Excrétion abondante d'urine **polyurie**
– Présence d'une importante quantité de sucre dans l'urine **glycosurie**
– Concrétion dans les urines **gravier, gravelle, calcul, lithiase, pierre**
– Analyse d'urine **ECBU, examen cytobactériologique**
– Substance qui favorise la sécrétion d'urine **diurétique**
– Substance à l'origine de la couleur jaune de l'urine **xanthine**
– Urine des animaux **pissat**

URNE

– Aller aux urnes **voter**
– Urne décorative **vase**
– Urne funéraire **cinéraire**
– Urne antique servant à transporter ou à conserver **amphore**

URTICAIRE

– Symptôme de l'urticaire **plaques ortiées, papules, démangeaisons**
– Picotement lié à l'urticaire **urtication**
– Sorte de crise d'urticaire qui accompagne certaines maladies infectieuses **exanthème**
– Plante provoquant des symptômes similaires à ceux de l'urticaire **ortie, ramie, artocarpe, pariétaire, jacquier, mûrier**

USAGE

syn. **fonction, service**
– Usage d'un appareil **utilisation, emploi**
– Hors d'usage **inutilisable, hors service**
– Usage excessif du tabac **abus**
– Réglementer l'usage de l'alcool **consommation**
– Terme qui n'est plus en usage **désuet, obsolète, archaïque**
– Les usages d'un pays **pratiques, habitudes, us, coutumes, traditions, mœurs**
– Connaître les usages **convenances, bienséance, bonnes manières, conventions, savoir-vivre**
– Contraire à l'usage **inconvenant, incorrect, désobligeant, malséant**
– Convenable selon l'usage **classique, normal, courant, décent, bienséant**

USAGER

– L'usager selon le Code civil **citoyen**
– Les usagers de la langue **locuteurs**
– Les usagers dans la grande distribution **acheteurs, consommateurs, clients**
– Les usagers du métro **utilisateurs**

USÉ

syn. **détérioré, fatigué, las**

– Des chaussures usées **avachies, défor-mées**

– Un pantalon usé jusqu'à la corde **râpé, élimé**

– Eaux usées **souillées, sales**

– Expressions usées **rebattues, stéréo-typées, banales, communes, éculées, ressassées**

– Théories usées **démodées, vieillies, désuètes, surannées**

– Sensibilité usée par les émotions **bla-sée, lassée, anesthésiée, éteinte, émoussée**

USER
– User en frottant **éroder, polir, roder**

– User ses vêtements **déformer, abîmer, endommager, élimer, avachir, déchi-rer, trouer**

– Un câble qui s'use, dans le domaine maritime **rague**

– User un couteau pointu **émousser, épointer**

– User une pièce de monnaie **frayer**

– User ses forces **épuiser, anéantir, consumer, amoindrir, diminuer, ruiner**

– User sa vue **fatiguer**

– User d'un véhicule pour se rendre à son travail **servir de (se), utiliser, employer, disposer de**

– User de ses biens **jouir de**

– Il use habilement de la langue **manie, utilise**

– En user librement avec quelqu'un **com-porter (se), traiter**

– Mot de la langue dont tout le monde use **usité, usuel, familier, consacré, courant**

USINE
syn. **fabrique, manufacture**

– Les diverses opérations de la fabrication en usine **élaboration, planification, production, automatisation**

– Étude d'un projet dans l'usine **ingénie-rie, engineering**

– Lieu de l'usine sur lequel se trouve l'ou-vrier **atelier, chaîne, poste**

– Usine de boissons **distillerie, brasse-rie, laiterie**

– Usine du secteur alimentaire **conser-verie, saurisserie, chocolaterie, rize-rie, biscuiterie, brûlerie, confiserie, féculerie, sucrerie**

– Usine qui produit de la farine **minote-rie, moulin**

– Usine du secteur textile **filature, lai-nerie, tissage**

– Usine génératrice d'énergie **centrale**

– Usine pour la production d'énergie **cen-trale électrique, centrale hydroélec-trique, centrale thermique, centrale nucléaire**

– Usine de l'industrie lourde **fonderie, aciérie, aluminerie, forge, haut-four-neau, tréfilerie**

– Usine chimique **savonnerie, soudière, indigoterie, amidonnerie, raffinerie, soudière**

USTENSILE
– Boutique où se vendent des ustensiles et des produits de toutes sortes **bazar, quin-caillerie, droguerie**

– Nom des ustensiles en cuivre **dinan-derie**

– Gros ustensile de la batterie de cuisine **marmite, poissonnière, faitout, Cocotte-Minute, poêlon, turbotière, diable, autocuiseur, couscoussier**

– Petit ustensile de la batterie de cuisine **lèchefrite, égrugeoir, entonnoir, râpe, broche, verre gradué, poêle à blinis, économe, vide-pomme**

USUEL
– Objet usuel **familier**

– Mot usuel **courant, fréquent**

– Tâche usuelle d'entretien d'un local **habituelle, ordinaire, commune, quo-tidienne**

USUFRUIT
syn. **fruit, jouissance, possession, revenu**

– Personne titulaire d'un usufruit **usu-fruitier**

– La propriété, mais pas l'usufruit **nue-propriété**

– Droit d'usufruit **usufructuaire**

– Type de transmission du droit d'usu-fruit **mutation, succession**

– Usufruit sur un bien consomptible **quasi-usufruit**

USURE
– Effet de l'usure du temps sur les objets **dégradation, détérioration, érosion, corrosion, délabrement**

– Effet de l'usure du temps sur les êtres **fatigue, affaiblissement, épuisement, éreintement, harassement, vieillesse**

– Objet soumis à l'usure par de fréquentes utilisations **usagé**

– Tissu très abîmé par l'usure du temps **élimé, râpé**

UTILE
– Emporter quelques objets utiles pour un déplacement **nécessaires, indispen-sables**

– Œuvre utile à tous **profitable, philan-thropique, salutaire**

– Être utile **efficace, précieux**

– C'est une information bien utile **pra-tique**

– En temps utile **opportun, propice**

– Se rendre utile à quelqu'un **aider, assister, rendre service à, être d'un grand secours à, mettre à la disposi-tion de (se), obliger, venir en aide à, seconder**

UTILISER
– Denrée à utiliser au plus vite **consom-mer**

– Utiliser un couteau spécial pour ouvrir les huîtres **servir de (se), user de**

– Il est préférable d'utiliser les transports publics **emprunter, prendre**

– Utiliser les compétences d'un spécialiste **employer, recourir à, faire appel à**

– Utiliser quelqu'un **tirer parti de, tirer profit de, exploiter**

UTILITAIRE
– Comportement fondé sur la recherche de l'utilitaire **utilitarisme**

– Agir à des fins utilitaires **intéressées**

– Un esprit utilitaire **positif, pragma-tique, pratique**

UTILITÉ
– Cet objet trouvera son utilité **fonction, emploi**

– Matériel d'une grande utilité **secours, mérite**

– Mesure d'utilité publique **intérêt**

– Pour son utilité personnelle **confort, convenance**

– Ressentir l'utilité du repos **besoin, nécessité**

UTOPIQUE
– Conception utopique **illusion, chi-mère, rêve, mirage**

– Abandonner un projet utopique **irréa-lisable, inexécutable, impossible, irréaliste, rêvé, chimérique, fictif**

VACANCE
voir aussi **congé**

– Industrie des vacances **tourisme**

– Personne en vacances **vacancier, tou-riste, voyageur, estivant, juillettiste, aoûtien, hivernant**

– Structure qui accueille les écoliers en vacances **colonie, centre aéré**

– Adhérent d'un club de vacances **clu-biste**

– Vacances dues aux salariés par la loi de 1936 **congés payés**

– Vacances judiciaires **vacation**

– La vacance d'un poste **disponibilité**

VACANT
– Un appartement vacant **inoccupé, inhabité, vide, libre, disponible**

– Habiter illégalement un appartement vacant **squatter**

– Une succession vacante **en déshérence**

VACCIN *Voir tableau p. 617*
– Administration d'un vaccin **inocula-tion, injection**

– Propriété d'un vaccin utilisé à titre pré-ventif **immunité**

– Vaccin préparé à partir des germes de la personne à soigner **autovaccin**

VACCINATION
– Type de vaccination **combinée, simultanée**
– Vaccinations les plus courantes **BCG, DTpolio, ROR, DTCP, grippe, hépatite B, HIB**
– Calendrier des vaccinations **vaccinal**
– Suit la vaccination **rappel**
– Rôle de la vaccination **préserver, prémunir, immuniser**
– Vaccination contre la fièvre jaune **antiamarile**
– Vaccination contre la rage **antirabique**
– Vaccination et sérothérapie **sérovaccination**
– Thérapie qui utilise la vaccination dans un dessein curatif **vaccinothérapie**

VACCINER
– Sert à vacciner par injection ou scarification **aiguille, vaccinostyle**

VACHE
– Jeune vache **génisse, taure**
– Cri de la vache **meuglement, beuglement, mugissement**
– Mène les vaches au pacage **vacher**
– Course de vaches landaises **vachettes**
– Morceau de cuir correspondant au dos de la vache **croupon**
– Mise bas de la vache **vêlage, parturition**
– Fièvre consécutive à la mise bas d'une vache **vitulaire**
– Maladie qui se manifeste par l'apparition de lésions cutanées sur les trayons d'une vache **cow-pox, vaccine**
– Maladie de la vache folle **ESB (encéphalopathie spongiforme bovine)**
– Prêtresse d'Héra changée en jeune vache par Zeus, qui l'aimait **Io**
– Déesse secourable à tête de vache en Égypte ancienne **Hathor**
– Symbolisée par les vaches grasses **abondance**
– Symbolisée par les vaches maigres **disette**
– Vache marine de l'océan Indien **dugong**
– Plante parasite des céréales appelée blé de vache **mélampyre**
– Saponaire des vaches **vaccaire**

VACILLANT
– Une démarche vacillante **hésitante, titubante, chancelante, flageolante**
– Un raisonnement vacillant **faible**

VACILLER
– Il a vacillé longtemps avant de trébucher **titubé, chancelé, oscillé, balancé**
– Lumière qui vacille **clignote, tremblote, scintille**

VAGABOND
– Il vit en vagabond, parcourant le monde **voyageur, aventurier**

– Vagabond des villes **rôdeur, clochard, SDF (sans domicile fixe)**
– Vagabond misérable qui quémande **mendiant**
– Humeur vagabonde **capricieuse, changeante, variable, fantasque, instable**
– Des pensées vagabondes **flottantes, désordonnées, débridées**

VAGUE /1
syn. **houle, onde, ondulation**
– Murmure des vagues **clapotis**
– Petites vagues **vaguelettes**
– Vague stationnaire des lacs **seiche**
– Vagues fortes près du rivage **rouleaux, déferlantes**
– Vagues provoquées par le vent **lames**
– Après que la vague s'est brisée sur les rochers **ressac**
– Sommet de la vague **crête**
– Vague dans un estuaire produite par la marée montante **mascaret, barre**
– Vague à l'âme **mélancolie, tristesse, nostalgie**

VAGUE /2
– Air vague **distrait, absent**
– Un vague pressentiment **indéfini, sourd**
– Un vague reflet **indistinct, flou**
– Raisonnement vague **approximatif, nébuleux, douteux, obscur, flou, imprécis, confus**
– Des réponses très vagues **évasives, fuyantes, élusives, ambiguës, équivoques**
– Vêtement vague **ample, large, lâche, flottant**
– Un vague responsable nous a répondu **quelconque, insignifiant**
– Un auteur qui se complaît dans le vague **imprécision, confusion, indécision**

VAGUEMENT
– Se sentir vaguement concerné **plus ou moins, peu, à peine**
– Distinguer vaguement une ombre **confusément, indistinctement**
– Contester vaguement une décision **mollement, faiblement**

VAILLANCE
– Acte de vaillance **prouesse, exploit, haut fait**
– Vaillance devant les difficultés et les dangers **courage, résistance, bravoure, hardiesse, héroïsme**

VAILLANT
– Un vaillant chevalier **courageux, valeureux, preux, hardi**

VAIN
– De vaines espérances **fausses, chimériques, illusoires, fallacieuses**

– Tenir des propos vains **oiseux, futiles, superflus, creux, frivoles, inconséquents**
– De vaines démarches **infructueuses, inutiles, inefficaces, stériles**
– En vain **sans succès, en pure perte, inutilement, pour rien, sans résultat, sans efficacité**

VAINCRE
– Aimer vaincre **gagner, triompher**
– Vaincre un concurrent **éclipser, supplanter, dominer, battre, l'emporter sur**
– Vaincre un ennemi **écraser, anéantir, accabler, abattre, terrasser**
– Vaincre des obstacles **renverser, franchir, forcer, triompher de, dominer, venir à bout de**
– Vaincre ses appréhensions **maîtriser, dompter, surmonter**
– Être vaincu **reculer, capituler, rendre (se), battre en retraite**
– Être vaincu par la fatigue **succomber à**

VAINCU
– Attitude de vaincu **défaitisme, pessimisme**

VAINQUEUR
syn. **champion, gagnant**
– Vainqueur d'un concours **lauréat**
– Le vainqueur de l'épreuve **triomphateur**
– Sortir vainqueur d'un combat **victorieux**
– Comportement de vainqueur **battant, gagnant, conquérant**

VAISSEAU
voir aussi **bateau, canal**
– Type de vaisseau sanguin **artère, artériole, veine, veinule, capillaire**
– Vaisseaux qui contribuent à la circulation des liquides dans l'organisme **sanguins, chylifères, lymphatiques**
– Partie de la médecine qui traite les vaisseaux **angiologie**
– Écoulement de sang hors d'un vaisseau **hémorragie**
– Tache sur la peau provoquée par la rupture de vaisseaux sous-cutanés **ecchymose, bleu, hématome**
– Accumulation anormale de sang dans certains vaisseaux **congestion, hyperémie, pléthore, turgescence**
– Obturation brutale d'un vaisseau sanguin **embolie**
– Mise en relation, naturelle ou chirurgicale, de deux vaisseaux sanguins de même type **anastomose, abouchement**
– Nerfs qui commandent la dilatation et la constriction des vaisseaux **vasomoteurs**
– Donner un vaisseau en location **fréter, affréter, noliser**

VACCINS

VACCINATIONS COURANTES

TUBERCULOSE (BCG)
Obligatoire entre le 1er mois et 6 ans ; avant l'entrée en collectivité
Par : injection intradermique ou scarification
Contamination : par les voies aériennes respiratoires
Symptômes : fièvre, toux, amaigrissement précédant une affection des poumons, des reins ou des os
Professions exposées : militaires, coopérants et personnels de santé

DIPHTÉRIE
Obligatoire dès l'âge de 2 mois
Par : injection sous-cutanée profonde ou intramusculaire
Contamination : par l'intermédiaire de gouttelettes de salive infectées
Symptômes : angine pouvant se compliquer d'une paralysie respiratoire
Professions exposées : personnels de santé

TÉTANOS
Obligatoire dès l'âge de 2 mois
Par : injection sous-cutanée profonde ou intramusculaire
Contamination : à la suite d'une blessure souillée de terre ou de rouille
Symptômes : violentes contractures musculaires pouvant entraîner la mort par blocage des muscles respiratoires
Professions exposées : personnels de santé

POLIOMYÉLITE
Obligatoire dès l'âge de 2 mois
Par : injection sous-cutanée ou intramusculaire
Contamination : par les voies aériennes respiratoires ou au contact de matières fécales infectées
Symptômes : paralysie plus ou moins étendue, méningite
Professions exposées : personnels de santé

COQUELUCHE
Recommandé dès l'âge de 2 mois
Par : injection sous-cutanée ou intramusculaire
Contamination : par les voies aériennes respiratoires
Symptômes : quintes de toux violentes, broncho-pneumonie

ROUGEOLE
Recommandé à 12 mois ; 9 mois pour les enfants en collectivité

Par : injection sous-cutanée
Contamination : par les voies aériennes respiratoires
Symptômes : inflammation des voies respiratoires, fièvre et éruption de taches rouges

OREILLONS
Recommandé à 12 mois
Par : injection sous-cutanée ou intramusculaire
Contamination : par les voies aériennes respiratoires
Symptômes : inflammation et tuméfaction des glandes parotides

RUBÉOLE
Recommandé à 12 mois
Par : injection intramusculaire ou sous-cutanée
Contamination : par les voies aériennes respiratoires
Symptômes : fièvre, éruption cutanée et malformation du fœtus en cas de grossesse

GRIPPE
Recommandé à partir de 65 ans et aux malades atteints d'une affection chronique, quel que soit leur âge.
Par : injection sous-cutanée ou intramusculaire
Contamination : par les voies aériennes respiratoires
Symptômes : fièvre, courbatures, maux de tête

HÉPATITE B
Recommandé dès l'âge de 2 mois
Par : injection sous-cutanée ou intramusculaire
Contamination : au contact de sang infecté, d'un porteur du virus ou lors de relations sexuelles
Symptômes : troubles digestifs, coloration jaune de la peau ou complications tardives comme la cirrhose ou le cancer du foie

LES INFECTIONS À *HAEMOPHILUS INFLUENZAE* DE TYPE B (HIB)
Recommandé dès l'âge de 2 mois
Par : injection intramusculaire
Contamination : par les voies aériennes respiratoires
Symptômes : otite, surinfection bronchique, méningite

VACCINATIONS PARTICULIÈRES

FIÈVRE JAUNE
Recommandé dès l'âge de 6 mois
Par : injection sous-cutanée
Contamination : par piqûres de moustiques
Symptômes : hémorragies et coloration jaune de la peau
Indications : vaccination obligatoire en Guyane française et recommandé en Afrique et en Amérique intertropicale

HÉPATITE A
Recommandé à partir de 12 mois
Par : injection intramusculaire
Contamination : par la consommation d'eau ou d'aliments contaminés par des matières fécales
Symptômes : troubles digestifs et coloration jaune de la peau
Indications : recommandé dans les pays où les conditions d'hygiène sont précaires
Professions exposées : employés des secteurs alimentaires

ENCÉPHALITE À TIQUES
Recommandé à partir de 3 ans
Par : injection intramusculaire
Contamination : par morsures de tiques
Symptômes : fièvre, maux de tête, lésions des centres nerveux
Indications : recommandé en Europe centrale et en Asie septentrionale

ENCÉPHALITE JAPONAISE
Recommandé à partir de 12 mois
Par : injection sous-cutanée
Contamination : par piqûres de moustiques
Symptômes : fièvre, maux de tête, lésions des centres nerveux
Indications : recommandé dans les pays d'Asie du Sud-Est, en Chine et dans les pays du sous-continent indien

LEPTOSPIROSE
Par : injection sous-cutanée
Contamination : par contact direct ou indirect (eau douce, boue) avec des urines d'animaux infectés
Symptômes : fièvre, douleurs, méningite, atteinte hépato-rénale
Indications : recommandé en Asie du Sud-Est, à la Réunion, en Nouvelle-Calédonie, à Tahiti et sur la côte pacifique de l'Amérique du Sud
Professions exposées : égoutiers, employés de voirie, gardes-pêche, travailleurs agricoles, personnels de traitement des eaux usées

MÉNINGOCOQUE
Recommandé à partir de 18 mois
Par : injection sous-cutanée profonde ou intramusculaire
Contamination : par l'intermédiaire de gouttelettes de salive infectées
Symptômes : fièvre, violents maux de tête, méningite cérébrospinale
Indications : recommandé en Afrique sahélienne et obligatoire en Arabie saoudite pour les pèlerins se rendant à La Mecque

PNEUMOCOQUE
Recommandé à partir de 2 ans
Par : injection sous-cutanée ou intramusculaire
Contamination : par l'intermédiaire de gouttelettes de salive infectées
Symptômes : pneumonie, méningite, septicémie
Indications : recommandé aux jeunes enfants et aux personnes âgées

FIÈVRE TYPHOÏDE
Recommandé à partir de 2 ans
Par : injection intramusculaire
Contamination : par la consommation d'eau et d'aliments contaminés par des matières fécales
Symptômes : fièvre, troubles de la conscience, hémorragie digestive ou perforation intestinale
Indications : recommandé dans les pays où les conditions d'hygiène sont précaires, et particulièrement en Inde et en Afrique du Nord
Professions exposées : personnels des laboratoires d'analyses de biologie médicale

VARICELLE
Par : injection sous-cutanée
Contamination : au contact des lésions cutanées (vésicules) ou par l'intermédiaire de gouttelettes de salive infectées
Symptômes : éruption de vésicules
Indications : recommandé pour les enfants présentant une maladie du sang ou une tumeur maligne
Professions exposées : personnels de santé

RAGE
Vacciner en prévention et après contamination
Par : injection sous-cutanée ou intramusculaire
Contamination : par morsure ou contact avec la salive infectée d'un mammifère
Symptômes : affection du système nerveux (encéphalite)
Professions exposées : personnels des laboratoires d'analyses de biologie médicale, vétérinaires, animaliers, gardes forestiers, taxidermistes

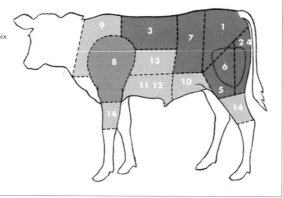

VEAU

1ʳᵉ CATÉGORIE
1 quasi
2 rond de sous-noix
3 carré
4 sous-noix
5 noix pâtissière
6 noix
7 longe

2ᵉ CATÉGORIE
8 épaule

3ᵉ CATÉGORIE
9 collier
10 flanchet
11 poitrine
12 tendron
13 haut de côtes
14 jarret

– Lieu de fabrication de vaisseaux **arsenal**
– Personnel qui vit sur un vaisseau **équipage**
– Vaisseau interplanétaire **astronef**
– Personne qui se déplace dans un vaisseau spatial **astronaute, cosmonaute, spationaute**
– Le vaisseau d'une église **nef**

VAISSELLE
– Principales pièces de vaisselle **assiette plate, assiette creuse, assiette à dessert, caquelon, coupe, bol, tasse, ramequin, godet à escargots, verre, mazagran**
– Pièces de vaisselle pour le service **plat, saladier, soupière, légumier, saucière, ravier, tourtière, compotier, plat à gâteaux**
– Vaisselle d'or et d'argent **grosserie**
– Vaisselle de cuivre **dinanderie**
– Laveur de vaisselle **plongeur**

VALABLE
– Argument valable **acceptable, recevable, admissible**
– Interlocuteur valable **sérieux, intéressant, compétent, spécialiste**
– Contrat valable **valide, réglementaire, légal**

VALET
syn. **domestique**
– Valet affecté aux travaux d'écurie **palefrenier, lad**
– Salaire d'un valet **gages**
– Valet de pique **pouilleux, mistigri**
– Valet, aux cartes **Lancelot, Hector, Lahire, Hogier**

VALEUR
– Cette personne a de la valeur **étoffe, carrure, trempe, stature, classe, qualité, courage, bravoure, vaillance**
– Individu sans valeur **médiocre, nul, quelconque, insignifiant**

– Valeur personnelle **mérite, distinction, envergure**
– Valeur technique d'un individu **capacité, compétence**
– Mettre en valeur **rehausser, faire ressortir, mettre en relief, exalter, relever, souligner**
– Œuvre qui a de la valeur **portée, importance**
– Valeur d'un exercice difficile **intérêt**
– Valeur d'un mot dans une phrase **signification, sens**
– Valeur d'un objet **prix, coût**
– Objet de peu de valeur **pacotille, bagatelle, babiole, camelote**
– Déterminer la valeur de quelque chose **évaluer, apprécier, estimer**
– Affaiblissement de la valeur d'une monnaie sur le marché international **dévaluation**
– Augmente la valeur d'une marchandise **plus-value**
– Maintenir la valeur de la monnaie pour l'acheteur **pouvoir d'achat**
– Valeur mobilière **action nominative, action au porteur, action de jouissance, part bénéficiaire, fonds commun de placement, action de capital, sicav, bon du Trésor**

VALEUREUX
– Chevalier valeureux **courageux, preux, vaillant, brave**

VALIDE
– C'est un gaillard tout à fait valide **fort, robuste, vigoureux**
– Une personne valide **bien portante**
– Acte civil valide **réglementaire, formel, en règle, légal**
– Certificat valide **valable**
– Excuse valide **recevable, fondée**

VALIDER
– Caractère d'un acte de justice validé en bonne et due forme **validité**

– Valider un traité **ratifier, confirmer, entériner**
– Valider une année d'études par un diplôme **sanctionner, consacrer**
– Valider officiellement un acte ou un record **homologuer**

VALISE
– Grande valise **malle, coffre**
– Petite valise **mallette, attaché-case**
– Petite valise de toilette **vanity-case, trousse**
– Valise rudimentaire de métal ou de bois **cantine**
– Les valises du voyageur **bagages**
– Faire sa valise **partir**
– Privilège de la valise diplomatique **franchise douanière, inviolabilité**
– Prendre quelqu'un pour un porteur de valises **subordonné, esclave, valet, larbin, portefaix**

VALLÉE
– Partie la plus basse d'une vallée **talweg**
– Versant nord d'une vallée **ubac**
– Versant sud d'une vallée **adret, soulane**
– Petite vallée donnant dans la mer **valleuse**
– Vallée étroite et encaissée, à versants très raides **ravin**
– Petite vallée entre deux collines **vallon, val**
– Vallée arrondie et harmonieuse **en berceau**
– Vallée large et profonde **combe**
– Vallée étroite et encaissée **cluse**
– Vallée étroite creusée en V, resserrée entre deux montagnes **gorge, défilé, col, goulet, porte, couloir, canyon**
– Vallée fertile d'un fleuve **alluviale**
– Vallée dans laquelle le cours d'eau s'est asséché **morte, sèche**

VALOIR
– Ceci vaut cela **équivaut, est égal à**
– Cela vaut le détour **mérite**
– Cela vaut une fortune **coûte, est estimé à, vend (se)**
– Faire valoir sa culture **étaler, mettre en avant**
– Faire valoir une propriété **exploiter, faire fructifier**
– À-valoir **acompte, arrhes, avance, provision**

VALVE
– Valve de petite taille **valvule**

VAMPIRE
– Vampire féminin **goule, strige**
– Pour repousser les vampires **gousse d'ail, crucifix**

VANITÉ
– Attitude remplie de vanité **fatuité, suf-**

fisance, prétention, jactance, complaisance, ostentation
– Vanité d'une réception très coûteuse **tape-à-l'œil, pompe, apparat, faste**
– Tirer vanité d'un succès **vanter (se), glorifier (se), enorgueillir (s')**

VANITEUX
– Il affiche toujours un air vaniteux **pavane (se), rengorge (se)**

VANNE
– Vanne sur une porte d'écluse **pale**

VANNERIE
– Étapes du travail du bois de vannerie **écorçage, fendage, façonnage, courbage**
– Procédé employé en vannerie **tressage, cannage, nattage**
– Paille ou bois utilisés en vannerie **rotin, osier, bambou, roseau, raphia, rotang, jonc, sorgho, sisal**
– Ouvrier qui fabrique de la vannerie **vannier rotinier**
– Objet fabriqué en grosse vannerie **nasse, vans, clisse, hotte, coffre à linge, fauteuil, chaise, table**
– Objet en vannerie fine **corbeille, panier**

VANTER
– Vanter un produit **faire l'article**
– Vanter les bienfaits d'une lotion capillaire **préconiser, prôner, conseiller, recommander**
– Vanter une personne admirable **louer, glorifier**
– Se vanter de prouesses **enorgueillir de (s'), prévaloir de (se), tirer vanité de**
– Se vanter d'avoir des connaissances en art **flatter de (se), targuer de (se), piquer de (se), prétendre**

VAPEUR
– Vapeur d'eau dans l'atmosphère **humidité**
– Vapeur sur les vitres **buée**
– Vapeur émanant d'un liquide ou d'un solide **émanation, fumée, gaz**
– Vapeur légère qui monte de la terre, le matin **brume, brouillard**
– Bain de vapeur **étuve, hammam, sauna, bain turc**
– Ustensile pour cuire à la vapeur **autoclave, autocuiseur, Cocotte-Minute**
– Vapeurs de l'alcool **ivresse**
– Vapeurs aromatiques désinfectantes **fumigations**
– Renverser la vapeur **arrêter, faire machine arrière**
– À toute vapeur **vitesse**

VAPOREUX
– Une étoffe vaporeuse **aérienne, fine, légère, délicate**
– Entrevoir une ombre vaporeuse **floue, fondue, incertaine, estompée**

– Technique picturale pour donner un aspect vaporeux **sfumato**

VAPORISER
– Vaporiser de l'eau sur une plante verte **pulvériser**
– Vaporiser, en chimie **gazéifier, volatiliser, sublimer**

VARIABLE
– Correspondance entre deux variables en mathématiques **fonction**
– Être d'humeur variable **changeante, versatile**
– Le temps est variable **instable, incertain**
– Un jugement variable **flottant, capricieux, aléatoire, inconstant**
– Un pouls variable **irrégulier, discontinu**
– Une valeur variable **altérable, périssable**
– Catégorie grammaticale variable en genre et en nombre **nom, article, adjectif, pronom, participe passé**
– Variable par rapport à la personne, au temps, au mode, à la voix **verbe**

VARIATION
syn. **aléa, avatar, vicissitude**
– Variation brusque et radicale **mutation, métamorphose**
– Variation dans le temps **évolution, changement**
– Variation entre deux états successifs d'un processus **modification, écart, intercurrence, transformation**
– Variation des prix **mouvement, fluctuation**
– Variation périodique d'une onde vibratoire **oscillation**
– Variation d'intensité d'une onde qui se propage **amplitude**
– Variation soudaine d'humeur **saute d'humeur, caprice**
– Méthode des variations concomitantes **induction**
– Variation à partir d'un itinéraire direct **déviation**
– Variations du cours d'un fleuve **courbes, méandres**

VARICELLE
– Boutons qui apparaissent sur la peau au cours d'une varicelle **papules, vésicules**

CLASSIFICATION SIMPLIFIÉE DES VÉGÉTAUX		
Thallophytes :	végétaux à thalle, dont aucune des parties n'est spécialisée en tant que tige, feuille, etc.	
		algues
		champignons
Bryophytes :	avec tiges et feuilles, mais sans racines.	
		mousses
		hépatiques
Ptéridophytes :	dépourvus de fleurs.	
filicinées		fougères
équisétinées		prêles
lycopodinées		lycopodes
Phanérogames :	plantes à fleurs et à graines.	
gymnospermes	cycadacées	cycas
	ginkgoacées	ginkgos
	conifères	sapins, cèdres, thuyas, ifs
angiospermes	monocotylédones	iris, roseaux, poireaux, ananas, blé, palmiers
	dicotylédones dialypétales	anémones, pivoines, pavots, baobabs, roses, nénuphars, pommiers, haricots, vigne, violettes, géraniums, choux, carottes
	gamopétales	myosotis, courges, lavande, pissenlits, marguerites, myrtilles, chèvrefeuille, frênes
	apétales	chênes, noisetiers, œillets, betteraves, houblon, oseille

VENT : ÉCHELLE DE BEAUFORT

Degré de l'échelle	Type de vent	Vitesse (km/h)	Effet produit par le vent
0	calme	0	La fumée s'élève verticalement.
1	très légère brise	1-5	La direction du vent est donnée par la fumée, mais non par la girouette.
2	légère brise	6-11	On perçoit le souffle du vent sur le visage ; les feuilles bougent ; la girouette tourne.
3	petite brise	12-19	Les feuilles et les petites branches sont agitées ; le vent déploie les pavillons légers.
4	jolie brise	20-28	Le vent soulève la poussière et les papiers ; les branches sont agitées.
5	bonne brise	29-38	Les arbustes se balancent ; vaguelettes crêtées sur les lacs ou les étangs.
6	vent frais	39-49	Les grandes branches bougent ; le vent siffle dans les fils téléphoniques.
7	grand frais	50-61	Les arbres entiers sont agités.
8	coup de vent	62-74	Les petites branches sont brisées.
9	fort coup de vent	75-88	Les ardoises et les cheminées sont arrachées.
10	tempête	89-102	Arbres déracinés ; dommages importants aux constructions.
11	violente tempête	103-117	Ravages étendus.
12	ouragan	117 et +	Dévastation.

VARIÉ

syn. **changeant, nuancé**
– Œuvre faite d'éléments variés **mosaïque, patchwork**
– Un ensemble formé d'éléments variés **diversifié, mélangé, panaché, composite, disparate, hétéroclite**
– Un raisonnement fondé sur des arguments variés **divers, multiples**
– Une composition aux couleurs variées **bigarrée, chamarrée, bariolée**
– Une étoffe aux reflets variés **diaprée, chatoyante**

VARIER

– Varier ses occupations **diversifier, multiplier**
– Les tendances vestimentaires varient d'une saison à l'autre **modifient (se), évoluent, changent**
– Les avis varient **divergent, diffèrent**
– Le cours du pétrole varie beaucoup **fluctue**

VARIÉTÉ

syn. **changement**
– La variété de la flore de cette région **diversité**
– Grande variété d'objets qui ont un trait commun **collection, ensemble**
– Variété d'une espèce animale **type, classe**
– Croisement entre deux types de variétés différentes **hybridation**
– Genre théâtral mêlé de variétés **vaudeville**
– Spectacle de variétés **music-hall**

VASCULAIRE

– Type de pathologie vasculaire **embolie, phlébite, anévrisme, artériosclérose, artérite, coronarite, athérome, thrombose, infarctus**
– Interventions chirurgicales vasculaires les plus courantes **pontage, by-pass, stripping, éveinage, phlébectomie**

VASE /1

– Parties d'un vase **panse, pied, oreilles, goulot, anse**
– Contour, ligne d'un vase **galbe**
– Vase de ménage destiné à contenir des liquides alimentaires **cruche, pichet, broc, carafe**
– Vase isotherme appelé vase Dewar **Thermos**
– Vase hygiénique **pot de chambre, bourdaloue, urinal, pistolet**
– Vase ovale pour bains d'œil **œillère**
– Vase pour expériences de chimie **capsule, ballon, éprouvette, matras, vase de Mariotte**
– Enduit servant à fermer hermétiquement un vase **lut**
– Vase pour bouquet **bouquetier, porte-bouquet**

– Vase pour une seule fleur **soliflore**
– Vase sacré dans le culte catholique **calice, ciboire, patène, pyxide**
– Vase à bec et anse pour l'eau de boisson ou des ablutions **aiguière**
– Vase à parfum antique, originairement en alabastrite **alabastre, aryballe**
– Vase en terre cuite ancien ou contemporain **alcarazas, poterie, gargoulette, figuline, jarre**
– Vase funéraire égyptien **canope**
– Vase grec ancien **amphore, cratère, lécythe, canthare, coupe**

VASE /2

– Vase du fond des rivières, des étangs, des mers **bourbe, boue, limon, alluvions**
– Ver de vase utilisé par les pêcheurs **appât**
– Enlever la vase d'un étang **débourber, draguer, curer, désenvaser**
– S'échouer dans la vase **embourber (s'), envaser (s'), enliser (s')**
– Vivre en vase clos **isolé, claustré, emprisonné, emmuré, cloîtré**

VASSAL

– Cérémonie par laquelle le vassal est lié à son seigneur **hommage**
– Faire de quelqu'un son vassal **assujettir**
– Serment de fidélité du vassal à son seigneur **allégeance**
– Vassal qui possède un fief **feudataire**
– Vassal d'un vassal **vavasseur, arrière-vassal**
– Réunion des vassaux par le seigneur **ban**

VAUTOUR

voir aussi **rapace**
– Vautour, nom générique de certains oiseaux de proie **condor, gypaète, griffon, percnoptère, urubu**

VEAU *Voir illustration p. 618*

– Veau qui a commencé à brouter **broutard**
– Cuir fait à partir de la peau tannée d'un veau mort-né **box-calf, vélin**
– Veau marin **phoque**

VECTEUR

– En mathématiques, vecteurs ayant la même direction mais des origines différentes **colinéaires**
– L'anophèle est le principal vecteur du paludisme **véhicule, porteur**

VEDETTE

syn. **artiste, étoile, star**
– Est indissociable de la vedette **renommée, célébrité, popularité, charisme**
– Avoir la vedette **être au premier plan, être en haut de l'affiche**

– Mettre en vedette **vue, évidence, avant**
– Autrefois, la vedette montait la garde **sentinelle**

VÉGÉTAL *Voir tableau p. 619*

voir aussi **botanique, plante**
– Végétal dépourvu de feuilles, de tige et de racines **thallophytes**
– Végétal qui ne perd pas ses feuilles **sempervirent**
– Végétal indésirable **mauvaise herbe, plante adventice, champignon, parasite**
– Procédé utilisé pour reproduire un végétal **marcottage, bouturage, provignage**
– Type de liquide produit par les végétaux **sève, suc, jus, résine**
– Opération précédant la plantation d'un végétal **pralinage**
– Laboratoire spécialisé dans l'étude de l'évolution des végétaux **phytotron**
– Régime alimentaire composé uniquement de végétaux **végétalisme**
– Animal se nourrissant exclusivement de végétaux **phytophage**
– Engrais végétal **tourbe, terreau, humus, compost**
– Substance chimique utilisée contre les végétaux indésirables ou parasites **pesticide, débroussaillant, désherbant, herbicide, fongicide**
– Fibre textile végétale **lin, chanvre, coton, sisal, raphia, jute, alfa, kapok, tagal**
– Utilisation de fibres végétales pour fabriquer des accessoires ou des objets **sparterie**

VÉGÉTATION

– Action de l'homme sur la végétation naturelle **culture, déboisement, reboisement**
– Une région à la végétation luxuriante **flore**
– Végétation de broussailles et de buissons plus ou moins denses **maquis, garrigue, lande**
– Végétation de montagne **orophile**
– Végétation de plantes grasses dans les régions du bord de mer **halophile, littorale**
– Végétation marine **planctonique, benthique**
– Végétation qui aime l'humidité **hygrophile**
– Vaste plaine à végétation pauvre **steppe, pampa, veld**
– Végétation arctique, formée de mousses et de lichens **toundra**
– Végétation désertique **xérophile**
– Végétation forestière avec arbustes et lianes **brousse**
– Végétation forestière tropicale difficile d'accès **jungle**
– Végétation tropicale faite de graminées et de petits arbustes **savane**

QUELQUES TYPES DE VENTS

Alizé : vent régulier qui souffle toute l'année de l'est des hautes pressions subtropicales vers les basses pressions équatoriales.

Auster : expression littéraire désignant le vent chaud du Midi.

Bise : vent froid.

Blizzard : mot américain qui désigne un vent du nord glacial et violent, souvent accompagné de neige.

Borée : expression littéraire désignant le vent du nord.

Chinook : vent chaud et sec qui souffle depuis les montagnes Rocheuses dans les vallées affluentes du Missouri.

Fœhn : vent du sud, chaud et sec, qui souffle dans les vallées alpines en Suisse, en Autriche et dans le sud de l'Allemagne.

Harmattan : vent d'est, chaud et sec, venant du Sahara et soufflant sur l'Afrique occidentale en hiver et au printemps.

Hegoa : vent du sud, chaud et sec, suivi de pluies, qui souffle au Pays basque.

Khamsin : vent de sable venant du sud, chaud et sec.

Leste : vent chaud soufflant de l'est dans la région de Madère.

Lévéché : vent sec du sud-est, étouffant, soufflant par rafales sur le sud de l'Espagne.

Libeccio : vent du sud-ouest soufflant sur la Côte d'Azur, la Corse et l'Italie.

Marin : vent du sud-est chaud et humide soufflant de la Méditerranée vers le Languedoc et les Cévennes.

Notos : vent du sud en Grèce.

Simoun : vent violent, chaud et sec du Sahara.

Sirocco : vent du sud, très sec et très chaud, soufflant du Sahara vers le littoral.

Typhon : cyclone tropical du Sud-Est asiatique.

Willy-willy : typhon du nord de l'Australie.

VÉHÉMENCE

– Véhémence de l'expression **force, fougue, vigueur, vivacité, éloquence, emportement, impétuosité**
– Véhémence des sentiments **passion, intensité, impériosité, ardeur, feu**
– Déclarer avec une véhémence indignée **fulminer**

VÉHICULE

voir aussi **voiture**
– Véhicule individuel à deux roues sans moteur **bicyclette, vélo, tandem**
– Petit véhicule à deux roues, servant à porter des fardeaux **diable**
– Véhicule à deux roues motorisé **cyclomoteur, scooter, vélomoteur, motocyclette, moto**
– Véhicule individuel à trois roues **triporteur, tricycle**
– Véhicule de transport routier et touristique **car, autocar**
– Grand véhicule de transport en commun urbain **autobus, bus**
– Véhicule de transport collectif sur rails **train, métro, tramway, autorail, TGV, omnibus**
– Véhicule pour le transport de marchandises **poids-lourd, camion, camionnette, semi-remorque**
– Véhicule tout-terrain **jeep, quatre-quatre**
– Véhicule militaire **char, tank, fourgon, chenillette, half-track, prolonge**
– Véhicule utilisé pour transporter des chevaux **van**
– Véhicule maritime sur coussin d'air **aéroglisseur, hovercraft, hydroglisseur, Naviplane**
– Véhicule de transport aérien collectif ou individuel **avion, hélicoptère, planeur, jet, hydravion**
– Véhicule aménagé en maison **caravane, camping-car, roulotte, mobil-home**
– Véhicule utilisé dans les travaux de terrassement **bulldozer, dumper, tombereau, décapeuse, angledozer, défonceuse, dragline, scraper, niveleuse**
– Véhicule tiré par des animaux et utilisé dans les campagnes **charrette, chariot, carriole, fardier**
– Véhicule tiré par des chevaux servant jadis pour le transport urbain **calèche, fiacre, cabriolet, cab, berline, milord, landau, victoria, boguet**
– Véhicule collectif qui servait autrefois au transport **diligence, malle-poste, mail-coach**

VEILLE

– État de veille involontaire **insomnie**
– État de veille volontaire **vigilance, surveillance, garde**
– État intermédiaire entre veille et sommeil **hypnagogique**
– Nuit passée en état de veille **nuit blanche**
– Veille d'une fête chrétienne **vigile**
– Le jour qui précède la veille **avant-veille**
– Être à la veille de prendre une décision **sur le point de**

VEILLER

– Celui qui veille pour s'amuser **noctambule, fêtard**
– La sentinelle veille **guette, monte la garde**
– Veiller un malade **occuper de (s'), soigner, garder, prendre soin de, protéger**

– Veiller à tout **faire attention à, être vigilant, être attentif**
– Veiller à prendre sa part d'une tâche **songer à, appliquer à (s'), faire en sorte de, prendre garde à**
– Temps où l'on veille un mort **veillée**

VEINE
– Formation d'un caillot à l'intérieur d'une veine **phlébite**
– Nombreuses veines reliées par anastomose **plexus**
– Piqûre dans une veine **intraveineuse**
– Celui qui n'a pas de sang dans les veines **lâche, pleutre, poltron**
– Se saigner aux quatre veines **priver (se), sacrifier (se)**
– Avoir de la veine **chance, bonheur**
– Exploiter une veine dans une mine **gisement, filon**
– Extrémité d'une veine dans une mine **airure**
– Veine de prolongement d'une mine de houille **sillage**
– Veine très mince dans une roche **délit**
– Veine plus colorée et sinueuse dans le bois **veinure**
– Veine poétique **inspiration**

VELOURS
voir aussi **étoffe, tissu**
– Velours de coton côtelé **à côtes**
– Velours de coton uni très soyeux **velvet**
– Velours à boucles non coupées **bouclé, frisé, épinglé**
– Velours uni et ras **plein**
– Tissu proche du velours par la trame **panne, peluche**
– Masque de carnaval en velours **loup**
– Peau de velours **douce, veloutée, satinée**
– Potage onctueux comme du velours **velouté, bisque**
– Attitude de celui qui fait patte de velours **hypocrisie, dissimulation**
– Jouer sur le velours **sur son gain, sans risques**

VENDANGE
– Matériel de vendange **ciseaux, serpette, sécateur, panier d'osier, panier de bois, caque, vendangeoir**
– Récipient pour transporter le raisin pendant la vendange **balonge, hotte, bénaton, comporte, bouille, benne, pastière**
– Cueillir les petites grappes de raisin restantes après la vendange **grappiller**
– Lieu où est conservé le raisin de vendange ou le vin **cellier, cave**
– Pièce ou appareil destiné à fouler le raisin de la vendange **pressoir**
– Presser le raisin de la vendange **fouler, damer**

VENDEUR
voir aussi **commerçant, marchand**

– Vendeur à domicile **démarcheur, représentant, courtier**
– Vendeur dans une entreprise **commercial**
– Vendeur qui montre comment utiliser ses produits **démonstrateur**
– Vendeur ambulant **vendeur à la sauvette, camelot, marchand forain**
– Dans un grand magasin, comptoir en carré ou en rond à l'intérieur duquel se trouve un vendeur **bergerie**
– Rachat d'un produit par le vendeur **réméré**
– Partage d'un marché entre deux vendeurs **duopole**
– Ensemble des responsabilités et des obligations du vendeur et de l'acheteur **incoterm**
– Discuter le prix avec un vendeur **marchander, négocier**

VENDRE
– Commerçant qui vend au détail **détaillant**
– Commerçant qui vend en gros **grossiste**
– Vendre à très bas prix **sacrifier**
– Vendre au rabais ou en solde **brader, liquider, solder**
– Vendre ce que l'on vient d'acquérir **rétrocéder, revendre**
– Vendre à crédit **à terme, à tempérament**
– Vendre dans un pays étranger **exporter**
– Pratique consistant à vendre moins cher à l'étranger que dans le pays **dumping**
– Vendre des meubles et des bibelots d'occasion **brocanter**
– Vendre aux enchères au cours d'une succession **liciter**
– En Bourse, vendre à la baisse **spéculer**
– Vendre quelqu'un **dénoncer, livrer**
– Vendre un commerce **céder**
– Vendu aux enchères **adjugé**
– Cours officiel des denrées vendues sur le marché **mercuriale**
– Vendu en pièces détachées **en kit**
– Ensemble des cosmétiques vendus en pharmacie **dermopharmacie**

VENDU
– Un fonctionnaire vendu **corrompu, malhonnête**

VÉNÉRER
– Vénérer ses parents **respecter, estimer**
– Un homme qui vénère son épouse **idolâtre**
– Vénérer une divinité **honorer, adorer, révérer**

VENGEANCE
– Désir de vengeance **rancune, ressentiment, rancœur**
– Le coupable doit redouter une vengeance ! **vindicte**

– Vengeance par laquelle l'offensé se dédommage **revanche, représailles, châtiment, punition, réparation**
– Dénonciation par vengeance **délation**
– Loi basée sur la vengeance **loi du talion**
– Vengeance corse **vendetta**

VENGER
– Un individu toujours prêt à se venger **vindicatif, rancunier**
– Venger son honneur dans le sang **laver**

VENIMEUX
– Propos venimeux **acerbes, aigres, virulents, mordants, piquants, perfides, fielleux, haineux, méchants**

VENIN
– Venin mortel d'origine animale, végétale ou minérale **poison, toxine**
– Déverser du venin sur une querelle **envenimer, attiser, aggraver, empoisonner**
– Répandre son venin **fiel, bile, calomnie, haine, malveillance**

VENIR
– Venir au monde **naître**
– Il vient d'Italie **est originaire, est natif**
– Il vient d'une famille aisée **est issu, descend, sort, provient**
– Génération à venir **future**
– Faire venir quelqu'un **demander, appeler, convoquer**
– Faire venir une marchandise **commander**
– Venir à l'esprit **présenter (se)**
– L'égalité vient d'un ordre social juste **découle, émane, procède, naît**
– Ne vous impatientez pas, j'y viens ! **arrive**
– En venir à haïr le genre humain **finir par, être réduit à, en arriver à**
– En venir à la question posée **aborder**
– Cette plante vient même sur un sol ingrat ! **pousse, développe (se), grandit, croît, prospère**

VENT *Voir tableaux p. 620 et p. 621*
– Petit vent à peine perceptible **souffle, bouffée, courant d'air, vent coulis**
– Coup de vent soudain et brutal **rafale, bourrasque**
– Vent doux et agréable **brise, zéphyr**
– Vent d'hiver **bise**
– Vent du sud-est **suet**
– Vent du nord-est **nordé**
– Vent du nord-ouest venant de la mer **noroît**
– Vent du sud-ouest **suroît**
– Vent qui souffle d'ouest-nord-ouest **galerne**
– Vent froid du Languedoc-Roussillon **tramontane**
– Vent orageux du midi de la France **autan**

Acide : l'acidité n'est pas un défaut si elle est maîtrisée. Si un vin est équilibré, c'est elle qui lui donne sa fraîcheur et sa nervosité. En revanche, une vendange trop précoce donnera un vin aigrelet, tandis qu'une vendange trop mûre donnera un vin plat manquant de nervosité.

Alcooleux : vin dont le degré alcoolique ressort trop, au nez comme en bouche.

Aimable : vin de soif bien équilibré, agréable à boire, mais sans grande personnalité.

Ample : vin riche et équilibré, épanoui au niveau du bouquet que de la saveur.

Astringent : se dit d'un vin très tannique qui resserre les muqueuses de la bouche (gencives et joues). L'excès de tanin peut être dû à la jeunesse du vin (ouvert trop jeune et qui demandait encore à vieillir), mais plus souvent encore à un défaut de vinification (trop boisé).

Boisé : défaut des vins rendus tanniques artificiellement par un élevage trop long ou mal conduit en fûts de chêne. Ce défaut est devenu une mode.

Bouchonné : se dit d'un goût caractéristique communiqué au vin par un bouchon au liège défectueux. Cet incident reste assez rare.

Bouquet : ensemble des arômes qui se dégagent du vin quand on le hume. Les vins jeunes sont plutôt des odeurs végétales (fleurs ou fruits), tandis que les vins faits sont plus capiteux, développant des arômes dits tertiaires : amande grillée, cacao, épices (vanille, poivre, girofle), truffe, voire tabac, résine, cuir, musc, fourrure. Pour que le bouquet s'épanouisse pleinement, il est essentiel que le vin soit à la bonne température.

Capiteux : vin aux arômes puissants et à forte teneur en alcool.

Chaptalisé : vin dont on a relevé artificiellement le degré alcoolique par l'ajout de sucre pendant la fermentation alcoolique. Théoriquement très réglementée (en fonction des terroirs, des conditions météorologiques, etc.), cette pratique est abusivement employée.

Charnu : se dit d'un vin qui a du corps, de la consistance, de la mâche.

Charpenté : vin dont la constitution robuste donne une impression d'harmonie et d'équilibre.

Corsé : vin puissant, à la fois bien structuré (charpenté) et charnu, mais qui manque de générosité dans sa typicité.

Décharné : vin rendu maigre par l'abus de pratiques œnologiques visant à standardiser le vin et à en faire un produit fini dans sa bouteille.

Dur : vin rouge à la fois trop acide et trop tannique.

Équilibré : se dit d'un vin dont toutes les composantes (tanin, alcool, acidité, etc.) se sont développées harmonieusement.

Fait : vin qui a atteint la plénitude de son évolution et qu'il est donc temps de boire.

Filtré : vin qui a été filtré une ou plusieurs fois (sur plaques de cellulose, et même d'amiante autrefois, puis éventuellement à travers des membranes qui retiennent les levures et les bactéries) ou collé au blanc d'œuf ou au sang de bœuf, pour qu'il garde un aspect brillant et limpide, ce qui modifie évidemment son goût et a tendance à le décharner. Certains vignerons s'opposent vigoureusement à cette pratique.

Franc : vin qui présente exactement les caractéristiques de son type, sans défaut ni surprise.

Friand : synonyme de gouleyant.

Fruité : vin encore jeune dont l'arôme et la saveur restent proches du fruit.

Généreux : vin épanoui, à la fois bien structuré (charpenté) et charnu, aux arômes bien développés, dont la rondeur et l'harmonie réjouissent le nez et le palais, mais plus subtil qu'un vin capiteux car son taux d'alcool est moins élevé.

Gouleyant : vin léger et jeune, désaltérant et agréable à boire.

Jambe : on dit d'un vin qu'il a de la jambe quand il laisse des coulées sur les parois du verre quand on le fait tourner. En fait, c'est parce qu'il est riche en glycérine — ce qui le rend gras — qu'il pleure ainsi.

Léger : type de vin naturellement peu charnu et dont la teneur en alcool est relativement faible.

Long en bouche : se dit d'un vin dont la saveur laisse une sensation persistante en bouche.

Mâche : on dit d'un vin qu'il a de la mâche quand il est suffisamment consistant pour donner l'impression qu'on pourrait le mâcher. C'est surtout une caractéristique des vins vinifiés à l'ancienne.

Madérisé : se dit d'un vin blanc trop vieux qui a commencé à subir une oxydation, ce qui lui fait prendre une teinte ambrée et modifie son goût.

Maigre : vin qui manque de corps et de personnalité, souvent parce qu'il a été filtré et abusivement soufré.

Mou : qui manque de caractère, plat et terne.

Nerveux : vin qui a du caractère, souvent à cause de l'acidité bien équilibrée qui donne une sensation de fraîcheur et de vivacité.

Nez : intensité du bouquet. Quand il perdure puissamment, on dit que le vin a « le nez long ». A contrario, quand le bouquet est volatil, on dit que le vin a « le nez court ».

Plat : vin qui manque de nervosité, et donc d'acidité.

Plein : vin équilibré et harmonieux, du point de vue tant du bouquet que de la saveur.

Primeur : qui vient d'être vinifié. Certains vins (tels les beaujolais) se boivent en primeur. Généralement, on dit qu'un vin doit « avoir fait ses Pâques » pour être bu.

Racé : vin franc, bien typé et très élégant.

Robe : c'est à la fois la couleur du vin et les caractéristiques de sa perception visuelle – transparence, luminosité, brillance, etc.

Rond : vin épanoui et assez charnu qui laisse en bouche comme une impression de velouté.

Soufre : substance sulfureuse (anhydride sulfureux) qu'on ajoute au vin pour le conserver. Trop de soufre tue le vin, qui reste un produit vivant… même en bouteille ! La plupart des vins sont abusivement soufrés, ce qui leur donne un goût standardisé. Quelques vignerons se battent pour produire des vins naturels non soufrés.

Tannique : un vin (rouge surtout) peut être tannique à cause des tanins naturels contenus dans les fruits (peaux du raisin), ou bien parce qu'il a été élevé en fûts (tanins du bois). Les vins tanniques doivent vieillir suffisamment pour atteindre l'épanouissement, raison pour laquelle on les appelle vins de garde. Ouverts trop jeunes, ils se révèlent astringents. Bordeaux et médocs sont traditionnellement des vins tanniques. Aujourd'hui, la tendance est aux vins trop boisés.

Tranquille : vin non effervescent.

Vert : vin qui présente un excès d'acidité, soit parce qu'il est trop jeune (vin blanc surtout), soit parce qu'il est mal vinifié.

Vif : synonyme de nerveux.

Viril : vin bien charpenté et de bouquet puissant qui « en promet ». On dit aussi qu'il est « couillu ».

– Vent violent, froid et sec de la vallée du Rhône **mistral**
– Vent atlantique **alizé**
– Vent suisse **fœhn**
– Vent et neige dans le Grand Nord **blizzard**
– Vent de la pampa, froid et violent **pampero**

– Vent du désert **khamsin, sirocco, simoun, harmattan, chergui**
– Vent violent et froid en Adriatique **bora**
– Vent tropical **mousson**
– Vent qui tourne rapidement et violemment **tornade, tourbillon, ouragan, typhon, hurricane, cyclone**
– Bruit du vent **mugissement, hurle-ment, sifflement, gémissement, murmure, rugissement**
– Nom poétique du vent du nord **aquilon**
– Appareil mesurant la vitesse du vent **anémomètre**
– Dispositif qui utilise l'énergie du vent **éolienne**

VENTE

– Étude des ventes possibles **étude de marché**
– Mettre en vente **commercialiser, distribuer**
– Lieu de vente **boutique, magasin, débit, grande surface, supermarché, hypermarché**
– Type de vente des biens de consommation **vente en gros, vente en demi-gros, vente au détail, vente par correspondance (VPC)**
– Vente d'objets d'occasion **brocante, marché aux puces, braderie**
– Vente d'un droit ou d'un bien **cession, transfert**
– Vente à bas prix **au rabais, en solde, braderie**
– Vente régulière d'une marchandise **écoulement, débit**
– Ralentissement des ventes **mévente**
– Annulation d'une vente **rescision**
– Vente publique **aux enchères, à l'encan, à la criée, à la chandelle, par adjudication**
– Lieu où se font les ventes publiques **salle des ventes, hôtel des ventes, palais de justice**
– Vente aux enchères d'un bien en indivision **licitation**

VENTRE

syn. abdomen
– Partie du ventre **estomac, intestins, foie, rate, diaphragme, pancréas, reins, vessie, organes génitaux**
– Structure du ventre **épigastre, région ombilicale, hypogastre**
– Bas-ventre **bassin, sexe, pubis**
– Maux de ventre **ballonnements, constipation, diarrhée, colique, colite, occlusion, iléus**
– Intervention chirurgicale du ventre **gastrotomie, laparotomie, splénectomie, appendicectomie, césarienne, hystérectomie**
– Prendre du ventre **embonpoint**
– Individu qui a un gros ventre **gros, ventripotent, pansu, ventru, bedonnant, obèse**
– Pièce d'habillement entourant le ventre **gaine, ceinture, ceinturon, corset**
– Avoir le ventre vide **faim, un creux, le ventre creux**
– Faire mal au ventre **répugner, écœurer, dégoûter**
– Individu qui n'a rien dans le ventre **faible, lâche, pleutre, poltron, couard, peureux**
– Se mettre à plat ventre **soumettre (se), humilier (s'), avilir (s')**
– Ventre à terre **vite, rapidement**

VENUE

– Faire des allées et venues **va-et-vient, navette**

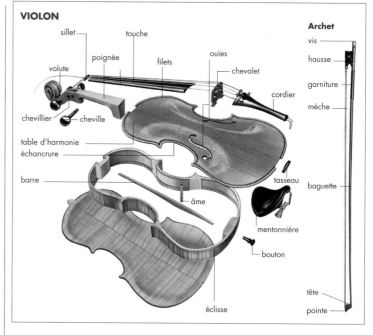

VIOLON

sillet · touche · poignée · filets · ouïes · volute · chevalet · cordier · chevillier · cheville · table d'harmonie · échancrure · barre · âme · tasseau · mentonnière · bouton · éclisse

Archet : vis · hausse · garniture · mèche · baguette · tête · pointe

– Attendre la venue d'un ami avec impatience **arrivée**
– La venue du Messie, dans la religion catholique **avènement**
– La venue d'un arbre **croissance, développement**

VER

– Ver constituant une étape dans le développement d'un insecte **chenille, ver à soie, asticot, larve**
– Ver dont le corps est cylindrique et formé d'anneaux, ou métamères **annélide**
– Ver parasite de l'homme **oxyure, ascaride, filaire, bilharzie, bothriocéphale, ténia, strongyle, trichine, douve**
– Ver parasite des végétaux **tylenchus, ver coquin, ver de cœur, ver gris, anguillule**
– Ver se nourrissant de produits consommables **asticot**
– Ver servant d'appât au pêcheur **ver de terre, lombric, vermisseau**
– Personne qui pratique l'élevage des vers à soie **magnanier, sériciculteur**

VÉRACITÉ

– J'atteste la véracité de tous les propos qu'il a tenus **authenticité, véridicité, vérité**
– Un récit d'une grande véracité **fidélité, exactitude**
– Douter de la véracité des sentiments de quelqu'un **sincérité**

VERBAL

– La tradition verbale **orale**
– Cécité verbale **alexie, agnosie visuelle, aphasie**

VERBE

voir aussi **intransitif, transitif**
– Type de verbe **régulier, irrégulier, défectif, copule, impersonnel, pronominal**
– Verbe utilisé dans les formes composées **auxiliaire**
– Classement sémantique des verbes **d'état, d'action, de sentiment, de perception, d'opinion**
– Ensemble des formes du verbe **conjugaison**
– Forme nominale du verbe **infinitif**
– Paramètres en fonction desquels varient les formes du verbe **personne, nombre, temps, mode, voix**
– Magie du verbe **langage, expression, style, poésie, parole**
– Le Verbe s'est fait chair, dans la religion chrétienne **Christ**

VERDICT

– Le verdict sans appel de l'opinion **jugement, appréciation**
– Attendre le verdict des votants **sentence, décision, arbitrage, réponse**
– Verdict négatif du jury **acquittement**
– Verdict positif du jury **culpabilité**

VERDURE

voir aussi **végétation**

– Tapis de verdure **pelouse, gazon**
– Rideau de verdure **haie, charmille, palissade**
– Une assiette de verdure **crudités**

VERGLAS

syn. **givre, glace**
– Recouvert d'une couche de verglas **verglacé**

VÉRIFICATION

– Vérification des papiers d'identité **contrôle**
– Vérification de la conformité d'un texte avec l'original **collationnement**
– Vérification de la comptabilité et de la gestion d'une entreprise **audit**
– Vérification de l'inventaire d'une bibliothèque **récolement, pointage**
– Vérification de l'exactitude d'un compte bancaire **apurement**
– Vérification obligatoire d'une voiture de plus de quatre ans **contrôle technique**
– Personne chargée d'une vérification **contrôleur, inspecteur, vérificateur, consultant, auditeur, audit**
– Reconnaissance officielle d'un record après vérification **homologation**
– Présentation pour vérification de la gestion d'un tuteur **reddition**
– En psychologie, vérification maladive **maladie du scrupule**

VÉRIFIER

– Vérifier avec l'original **collationner, comparer, confronter**
– Vérifier un poids ou une mesure **étalonner, calibrer, marquer**
– Vérifier l'alignement en fermant un œil **bornoyer**
– Vérifier l'aplomb d'une cloison **plomber**
– Vérifier une information **contrôler, examiner, analyser**
– Vérifier l'exactitude d'un fait **assurer de (s')**
– Vérifier une liste **récoler**
– Vérifier une théorie **expérimenter, tester, prouver**
– Liste des points à vérifier **check-list**
– Test pour vérifier le taux d'alcool d'un liquide **preuve**
– Son rôle est de vérifier **expert, commissaire, référendaire**
– Pour vérifier **contre-appel, contre-enquête, contre-épreuve, contre-examen**
– L'hypothèse peut se vérifier **avérer (s')**

VÉRITABLEMENT

– Nous l'avons véritablement fait fuir **réellement, bel et bien, vraiment**

VÉRITÉ

syn. **réalité**
– Vérité d'un récit **exactitude, authen-**

ticité, **véracité, fidélité, justesse, objectivité, netteté**
– Vérité absolue **conviction, certitude, croyance**
– Vérité première **évidente, indémontrable, primitive, admise par tous**
– Vérité indémontrable **axiome, postulat, principe**
– Vérité d'une découverte ou d'une invention **valeur**
– Vérité d'évidence **lapalissade, tautologie, truisme, banalité**
– Vérité criante d'une caricature **ressemblance**
– Vérité fondamentale dans une religion **dogme**
– Vérité cachée, ésotérique ou dissimulée par un symbole **arcane, mystère, secret**
– Accent de vérité **loyauté, franchise, bonne foi, sincérité, honnêteté**
– Dissimuler la vérité **mentir, tromper**

VERMINE

– Insectes parasites appelés collectivement vermine **punaises, puces, poux**
– La vermine de la société **canaille, racaille**

VERNIS

– Elle met du vernis sur les ongles **manucure**
– Aspect d'un vernis irréprochable **brillance, éclat, clinquant**
– Vernis de porcelaine **glaçure**
– Vernis de potier **émail**
– Vernis pour fixer le colorant en teinture **mordant**
– Vernis protecteur **enduit, antirouille, hydrofuge**
– Vernis qui se dépose avec le temps **patine**
– Vernis du Japon **ailante**
– N'avoir qu'un vernis de connaissances **apparence, surface, façade**

VERRE

– Verre organique **Plexiglas, résine méthacrylique, Altuglas**
– Verre potassico-calcique **cristal de Bohême, cristal de Baccarat, cristal de Venise**
– Verre qui arrête la chaleur **athermane**
– Verre supportant les hautes températures **Pyrex**
– Verre utilisé en optique **crown-glass, flint-glass**
– Verre très résistant **de sécurité, armé, blindé, trempé**
– Verre de pare-brise **feuilleté**
– Verre translucide **opale, dépoli**
– Verre à relief **cathédrale**
– Verre à trois épaisseurs, dont l'une est en plastique **sandwich**
– Fibre de verre non textile **soie de verre, laine de verre, ouate de verre, verrofibre**

– Fibre de verre textile **verranne, rayonne de verre, fibranne de verre, vitranne**
– Plaque de verre sur laquelle a été appliquée une couche de tain **miroir, glace**
– Plaque de verre destinée à obturer une ouverture **vitre, pare-brise, vitrine**
– Construction en verre **verrière, véranda, serre**
– En verre silico-calcique **bouteille, gobelet, flacon**
– Gravure sur verre **lithophanie**
– Bijoux en verre **verroterie**

VERROU

– Anneau ou crampon de porte dans lequel glisse le verrou **verterelle, vertenelle, vertevelle**
– Verrou de petite taille, à tige plate ou ronde **targette**
– Tirer le verrou **ouvrir, fermer, déverrouiller, verrouiller**
– Être sous les verrous **en prison, emprisonné**
– Verrou des aiguillages de chemin de fer **boulon de calage**
– Verrou d'une auge glaciaire, en géologie **barre rocheuse**

VERRUE

– Type de virus responsable des verrues **papillomavirus**
– Verrue au pied **plantaire**
– Verrue sur le visage **tumeur, excroissance, kyste, verrue sénile, verrue séborrhéique**
– Verrue plane **papule**
– Solution médicale pour se débarrasser de verrues **cryothérapie, électrocoagulation, électrochirurgie**
– Plante employée pour traiter les verrues **chélidoine, héliotrope, joubarde**

VERS *Voir tableau poésie, p. 468*
voir aussi **rime**

VITAMINES		
Vitamines hydrosolubles		
B1	thiamine	
B2	riboflavine	
B3 ou PP	niacine	
B5	acide pantothénique	
B6	pyridoxine	
B8 ou H	biotine	
B9	acide folique	
B12	cyanocobalamine	
C	acide ascorbique	
Vitamines liposolubles		
A	rétinol, carotène, provitamine A	
D	calciférol	
E	tocophérol	
K	phylloquinone	

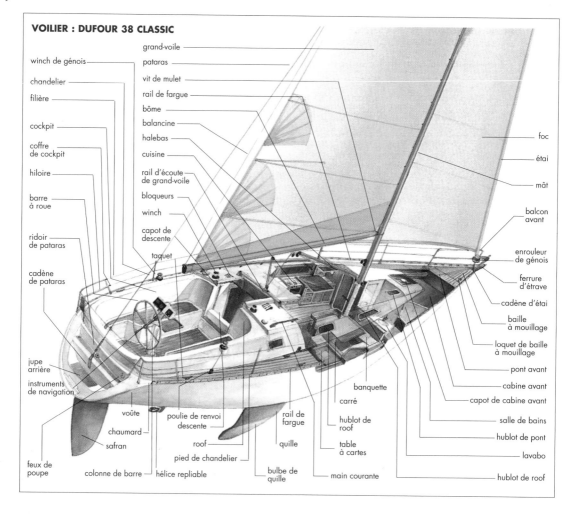

VOILIER : DUFOUR 38 CLASSIC

winch de génois — grand-voile
chandelier — pataras
filière — vit de mulet
 — rail de fargue
cockpit — bôme
coffre — balancine
de cockpit — halebas
hiloire — cuisine
barre — rail d'écoute
à roue — de grand-voile
 — bloqueurs
ridoir — winch
de pataras — capot de
 — descente
cadène — taquet
de pataras

foc
étai
mât
balcon
avant
enrouleur
de génois
ferrure
d'étrave
cadène d'étai
baille
à mouillage
loquet de baille
à mouillage
pont avant
cabine avant
capot de cabine avant
salle de bains
hublot de pont
lavabo
hublot de roof

jupe
arrière
instruments
de navigation
voûte
chaumard
safran
feux de
poupe
colonne de barre
hélice repliable
poulie de renvoi
descente
roof
pied de chandelier
rail de
fargue
quille
bulbe de
quille
banquette
carré
hublot de
roof
table
à cartes
main courante

– Vers de six pieds **hexamètre**
– Vers de huit syllabes **octosyllabe**
– Vers de dix syllabes **décasyllabe**
– Vers de douze syllabes **alexandrin, dodécasyllabe**
– Demi-vers **hémistiche**
– Pause au milieu d'un vers **césure, coupe**
– Vers non rimés et de longueur inégale **vers libres**
– Poète qui crée des vers libres **vers-libriste**
– Vers de mauvaise qualité **vers de mirliton**
– Règles d'écriture des vers **prosodie, métrique, versification**
– Écrire un texte en vers **versifier**

VERSANT
– Les deux versants d'une œuvre **faces, aspects**
– Versant d'une colline **pente, coteau**
– Versant nord d'une montagne **ubac**

– Versant sud d'une montagne **adret**

VERSER
– Verser en grande quantité **déverser, épandre, répandre**
– Verser un liquide d'un récipient dans un autre **transvaser**
– Verser une potion goutte à goutte **instiller**
– Verser du vin **servir, offrir**
– Verser une somme d'argent sur un compte **déposer**
– Verser une indemnité à quelqu'un **payer, donner, régler, acquitter**
– Verser un témoignage supplémentaire à un dossier **déposer, annexer, ajouter**
– Verser du vin dans un tonneau **entonner**
– Verser l'or à pleines mains **prodiguer, dépenser**
– Verser de nouvelles recrues dans une compagnie militaire **incorporer**

– Verser de l'huile sur le feu **mettre, jeter**
– Verser dans la facilité **tomber**

VERSION
voir aussi **thème, traducteur, traduction**
– Nouvelle version d'un dictionnaire **refondue, révisée, mise à jour, actualisée**
– Version différente d'un texte **variante, remaniement**
– Version différente selon la présentation des faits **interprétation**
– Version revue et corrigée d'un film **remake**
– Version française d'un film **adaptation, doublage**
– En version originale **sous-titré**
– Version du fœtus **retournement**

VERT
– Vert clair **amande, tilleul, céladon,**

émeraude, **véronèse, pomme, pistache**
– Vert foncé **bouteille, épinard, mousse, olive**
– Vert sale **verdâtre, glauque**
– Entre le vert et le bleu **pers**
– Un teint qui tire sur le vert **olivâtre**
– Se mettre au vert **reposer (se)**
– Mettre les vaches au vert **au pré**
– Substance qui donne leur couleur verte aux plantes **chlorophylle**
– Au printemps, on voit les arbres redevenir verts **reverdir**
– Il est encore vert pour son âge **gaillard, vaillant, vigoureux, alerte, vif**
– Un vin encore vert **jeune**
– Pierre verte **émeraude, jade, olivine, chrysoprase, péridot, smaragdite, malachite, serpentine**
– Émail vert sur un blason **sinople**
– Le billet vert **dollar**
– Vert de peur **blême, livide, pâle, cadavérique**
– Langue verte **argot**

VERTÈBRE *Voir illustration squelette, p. 575*
– Type de vertèbre **cervicale, dorsale, lombaire, sacrée, coccygienne**
– Ancien nom de la deuxième vertèbre cervicale **spondyle**
– Nom actuel de la deuxième vertèbre cervicale **axis**
– Première vertèbre du cou **atlas**
– Ensemble des vertèbres de la colonne **rachis, épine dorsale, colonne vertébrale**
– Formé par les cinq vertèbres sacrées **sacrum**
– Formé par les quatre vertèbres coccygiennes **coccyx**
– Articulation des vertèbres à l'os iliaque **vertébro-iliaque**
– Maladies touchant les vertèbres **spondylite, spondylarthrite**
– Manipulation des vertèbres **vertébrothérapie, chiropractie, chiropraxie, ostéopathie**

VERTICAL
– Relief à la verticale **abrupt, à pic, accore**
– Un mur bien vertical **droit, d'aplomb**
– Poème dont les initiales de chacun des vers forment un mot vertical **acrostiche**
– Tige verticale servant à déterminer la taille d'un être humain **toise**

VERTIGE
– Avoir un vertige **éblouissement, étourdissement, malaise**
– Perte momentanée des sens qui succède à un vertige **évanouissement, syncope**
– Vertige causé par la peur du vide **vacillement, déséquilibre, tournoiement**
– Vertige conduisant à la perte de la maîtrise de soi **folie, égarement, délire**

– Vertige intérieur exaltant **griserie, ivresse, trouble, enivrement**
– Vertige propre à l'espèce chevaline **vertigo**
– Vertige du mouton **tournis**

VERTU
– Arriver au bien par la vertu **devoir, morale**
– Vertu qui rend l'homme capable de vivre dans la paix **sagesse, raison**
– Vertu qui fait sacrifier son intérêt personnel **abnégation, bonté, dévouement, générosité, magnanimité, austérité**
– Vertu trop affichée pour être honnête **pharisaïsme**
– Les trois vertus théologales **foi, espérance, charité**
– Les quatre vertus cardinales **courage, justice, prudence, tempérance**
– La vertu curative de certaines plantes **pouvoir, propriété, faculté**

VESSIE
voir aussi **urine**
– Expulsion de l'urine de la vessie **miction**
– Inflammation de la vessie **cystite**
– Tension et douleur au col de la vessie **ténesme**
– Calculs dans la vessie **gravelle, lithiase urinaire**
– Traitement chirurgical des calculs de la vessie **endoscopie, lithotripsie, lithotritie**

VESTE *Voir illustration manteaux, p. 367*
voir aussi **manteau**
– Veste ancienne de marin ou de militaire **vareuse, dolman, hoqueton, soubreveste**
– Veste chaude et imperméable **anorak, caban, paletot, blouson, parka, canadienne, doudoune, coupe-vent**
– Veste courte et cintrée **boléro, spencer**
– Veste mixte coupée à la taille **blouson**
– Petite veste d'homme sans manches portée sous le veston **gilet**
– Veste d'homme croisée ou droite **veston, smoking**
– Veste de laine tricotée **cardigan, sweater, gilet, chandail**
– Veste et pull assortis **twin-set**
– Veste ceinturée, d'inspiration militaire **saharienne**
– Veste de jockey **casaque**
– Veste des collégiens anglais **blazer**
– Veste portée pendant la Révolution **carmagnole**
– Étui à revolver qui se porte sous la veste **holster**
– Prendre une veste **échec, fiasco, déconvenue, défaite, four, ratage**
– Retourner sa veste **raviser (se), rétracter (se), tourner bride, tourner casaque, changer de côté**

VESTIBULE
syn. **antichambre, entrée, hall, salle d'attente**
– Vestibule de certains édifices religieux **narthex**
– En architecture, vestibule d'un temple **prostyle, propylée**
– Vésicule du vestibule de l'oreille interne **utricule, saccule**

VESTIGE
syn. **débris, reliefs**
– Les vestiges d'une civilisation disparue **traces, restes, marques, ruines**

VÊTEMENT *Voir illustration modes et styles, p. 378-379, et manteaux p. 367*
voir aussi **mode**
– Les vêtements **habits, affaires, effets, garde-robe**
– Vêtement de travail **bleu, salopette, combinaison, blouse, tablier, sarrau**
– Vêtement protégeant des intempéries **anorak, cape, canadienne, parka, duffel-coat, imperméable, trench-coat, gabardine, ciré**
– Vêtement de cérémonie **robe du soir, frac, smoking, robe longue, queue-de-pie, queue-de-morue, habit**
– Vêtement de sport **survêtement, combinaison, fuseau, justaucorps, culotte, caleçon, knickerbockers, jambières, short, jodhpur**
– Vêtement exotique **kimono, sari, boubou, djellaba, haïk, cafetan, paréo, burnous, sarouel**
– Vêtement féminin provincial ou ancien **basquine, canezou, guimpe, caraco, simarre, crinoline**
– Vêtement militaire **treillis, capote, dolman, vareuse, bougeron, cape, uniforme, blouson**
– Vêtement religieux **soutane, chasuble, aube, ornements sacerdotaux, scapulaire, douillette**
– Vêtements ridicules **accoutrement, harnachement, affublement**
– Vieux vêtements **guenilles, loques, oripeaux, hardes, haillons, frusques**

VÉTÉRINAIRE
– Instrument du vétérinaire servant à faire ingurgiter les médicaments aux animaux **pilulaire**

VÊTIR
– Se vêtir **habiller (s'), parer (se)**
– Se vêtir sans goût ou de manière ridicule **accoutrer (s'), affubler (s'), fagoter (se), harnacher (s')**

VEUVE
– Ancienne pension de veuve **douaire**
– Dans la loi de Moïse, obligation d'épouser la veuve sans enfant de son frère **lévirat**

– En Inde, veuve qui s'immole à la mort de son mari **sati**

VEXER

– Ces remarques désobligeantes ne peuvent que le vexer **heurter, désobliger, blesser**
– Il se vexe pour un rien **formalise (se), pique (se), fâche (se), offense (s'), froisse (se)**
– Qui se vexe très facilement **susceptible, ombrageux, chatouilleux**

VIANDE

– Animal qui se nourrit de viande **carnivore, carnassier**
– Viande consommée par les Occidentaux **bœuf, veau, porc, mouton, volaille, lapin, cheval, gibier, autruche**
– une boucherie qui vend de la viande de cheval **chevaline, hippophagique**
– Caractéristique d'une viande **consistance, odeur, couleur, grain, saveur, succulence, tendreté**
– Degré de cuisson de la viande grillée **bleu, saignant, à point, bien cuit**
– Fine tranche de viande **escalope**
– Ragoût de viande **fricassée, gibelotte, daube, blanquette, pot-au-feu, navarin, bourguignon, poule au pot, civet, cassoulet**
– Viande hachée pour garnir une volaille **farce**
– Lard pour entourer une viande **barde**
– Hachis de viande façonné en boulettes oblongues **godiveau, quenelle**
– Viande crue séchée **pemmican**
– Une viande entourée de chapelure avant la cuisson **panée**
– Une viande séchée à la fumée **boucanée**
– Laisser vieillir une viande **faisander**
– Régime alimentaire qui proscrit la consommation de viande **végétarisme**
– Jour où la religion catholique autorise à manger de la viande **jour gras**
– Jour où la religion catholique proscrit la viande **jour maigre, jour d'abstinence**

VIBRATION

– Vitesse de propagation d'une vibration **célérité**
– Fréquence perceptible d'une vibration sonore **audiofréquence**
– Vibration sonore non perceptible pour l'homme **ultrason, infrason**
– Dans un moteur de voiture, bloc de caoutchouc qui absorbe les vibrations **Silentbloc**

VIBRER

– Vibrer du béton **pervibrer**

VICE

syn. **imperfection, perversion**
– Vice de conformation d'un organe **tare, difformité, malformation**

– Vice de fabrication **défectuosité, malfaçon**
– Vice de prononciation **défaut**

VICIEUX

syn. **pervers**

VICTIME

– Offrir une victime **sacrifier**
– Être la victime d'une personne malhonnête **dupe, proie**
– Dans l'Antiquité romaine, prêtre chargé de sacrifier la victime **sacrificateur, victimaire**
– Sacrifice qui consiste à brûler totalement la victime **holocauste**
– Dans l'Antiquité romaine, devin qui lisait les présages dans les entrailles d'une victime **aruspice**
– Victime offerte en sacrifice dans l'Antiquité **hostie**
– La victime d'une machination **jouet**
– Il est la victime préférée de ses collègues **souffre-douleur, tête de Turc, bouc émissaire**
– Il est victime de persécutions **martyr**
– Victime d'un accident de la route **accidenté**
– Victime d'un naufrage **disparu, noyé**
– Victime d'une catastrophe naturelle **sinistré**

VICTOIRE

syn. **réussite, succès, triomphe**
– Crier victoire **glorifier (se), féliciter (se), réjouir (se), applaudir (s')**
– Prix décerné lors d'une victoire **trophée, médaille, lauriers, palmes, coupe**
– Représentation allégorique de la Victoire **femme ailée**

VIDANGE

– Système de vidange des eaux usées en agglomération **tout-à-l'égout**
– Personne qui effectue la vidange des fosse septiques **vidangeur**
– Trou de vidange d'un tonneau **bonde**

VIDE /1

– Cavité naturelle dont le vide attire **abîme, gouffre, précipice**
– Trouble causé par le vide **vertige**
– Un vide en typographie **blanc**
– Vide séparant deux mots **espace**
– Vide créé par la mort d'une personne **absence**
– Vide existentiel **néant**
– Faire le vide autour de soi **isoler (s')**

VIDE /2

– Caractère de ce qui est vide **vacuité, inanité**
– Espace vide de matière **vacuum**
– Petite cavité vide **vacuole**
– Un mot vide de sens **dépourvu, dénué**

– Un discours vide **futile, creux, insignifiant, vain**
– Un style vide **insipide, fade**
– Un appartement vide **inoccupé, disponible, libre, vacant, non habité**

VIDER

– Vider le contenu d'une assiette **manger, consommer, absorber, avaler, engloutir**
– Vider une bouteille de whisky dans une carafe **transvider, transvaser**
– Vider un immeuble de ses habitants **évacuer**
– Vider un placard **débarrasser**
– Vider le contenu d'un camion **déverser, décharger**
– Vider l'eau accumulée au fond d'une embarcation **écoper**
– Vider un étang **assécher**
– Vider une fosse **vidanger**
– Vider un tronc d'arbre en son centre **évider**

VIE

syn. **existence**
– Durée de la vie **longévité, espérance de vie**
– Écrit relatant la vie d'une personne illustre **biographie**
– Écrit de sa propre vie **autobiographie, Mémoires, confession**
– Théorie sur la vie **animisme, organicisme, vitalisme**
– Une vie d'ascète **austère, rigoureuse**
– Une personne pleine de vie **vitalité, vigueur, énergie**
– Vie d'un quartier **ambiance, animation**
– Hygiène de vie alimentaire basée sur la consommation de fruits, légumes et céréales **macrobiotique**
– Propre à la vie **vital**
– Science des êtres vivants et de leur vie **biologie**
– Étude de la vie embryonnaire **embryologie**
– Étude de la vie animale et végétale sous terre **biospéléologie**
– Reprise de la vie après une période de dormance **anabiose, reviviscence**
– Branche de la chimie traitant des phénomènes essentiels à la vie **biochimie**
– Détruit toute vie humaine, animale et végétale **biocide**
– Vie sans air **anaérobiose**

VIEILLARD

– Statut social du vieillard **retraité**
– Terme amical ou respectueux désignant un vieillard **aîné, aïeul, ancien, vétéran, patriarche**
– Soins médicaux spécifiques aux vieillards **gériatrie**
– Domaine de la médecine qui s'intéresse aux vieillards **gérontologie**

VOILIER : TROIS-MÂTS CARRÉ

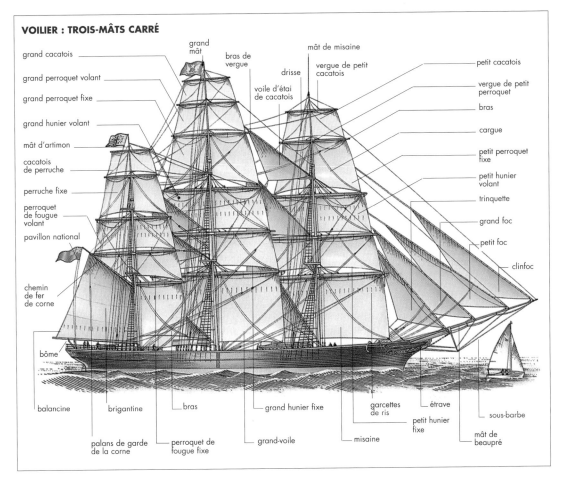

grand cacatois

grand perroquet volant

grand perroquet fixe

grand hunier volant

mât d'artimon

cacatois
de perruche

perruche fixe

perroquet
de fougue
volant

pavillon national

chemin
de fer
de corne

bôme

grand
mât

bras de
vergue

drisse

voile d'étai
de cacatois

mât de misaine

vergue de petit
cacatois

petit cacatois

vergue de petit
perroquet

bras

cargue

petit perroquet
fixe

petit hunier
volant

trinquette

grand foc

petit foc

clinfoc

balancine

brigantine

bras

grand hunier fixe

garcettes
de ris

étrave

sous-barbe

palans de garde
de la corne

perroquet de
fougue fixe

grand-voile

misaine

petit hunier
fixe

mât de
beaupré

— Attirance sexuelle éprouvée à l'égard des vieillards **gérontophilie**
— Système de gouvernement par des vieillards **gérontocratie**

VIEILLESSE

— Étude médicale de la vieillesse **gériatrie, gérontologie**
— Ensemble des régressions causées par la vieillesse **sénilité**
— Vieillesse précoce d'un individu **gérontisme, sénilisme**
— Ensemble des phénomènes biologiques provoquant la vieillesse **sénescence**
— Vieillesse d'une technologie **obsolescence, désuétude**

VIEILLIR

syn. **prendre de l'âge, acquérir de la sagesse, avancer en âge**
— Fait de vieillir **vieillissement**
— Vieillir physiquement **rider (se), voûter (se), perdre ses forces, décliner, affaiblir (s')**

— Vieillir une personne **désavantager**
— Vieillir un meuble **patiner**
— Le vin vieillit **bonifie (se), altère (s')**

VIERGE /1

— Culte de la Vierge **hyperdulie**
— Fêtes de la Vierge **Immaculée Conception, Annonciation, Visitation, Nativité, Présentation au Temple, Chandeleur, Assomption**
— Prières à la Vierge **Angélus, Ave Maria, Ave Maris Stella, Magnificat, Salve Regina, Je vous salue Marie, Stabat Mater**
— Mois de la Vierge Marie **mai**
— Partie de la théologie consacrée à la Vierge **marialogie**
— Dernier repos de la Vierge avant son assomption **dormition**
— Vierge à l'Enfant **madone, maesta**
— Peinture représentant la Vierge au bas de la Croix **mater dolorosa**
— Représentation de la Vierge tenant dans ses bras le Christ mort **pietà**

VIERGE /2

— Déesse vierge de l'Antiquité romaine qui présidait au feu sacré **Vesta**
— Jeunes filles vierges chargées de servir Vesta **vestales**
— Un jeune homme vierge **pur, chaste, vertueux**
— Une terre vierge **inexploitée, inculte, inexplorée**
— Vigne vierge **ampélopsis**
— Longue machette pour ouvrir un passage dans la forêt vierge **coupe-coupe**
— Un linge vierge **immaculé, intact**
— Contraire de la laine vierge **laine morte, laine secondaire**

VIEUX

syn. **âgé, ancien, antique, archaïque, révolu, sénile**
— Avoir des goûts un peu vieux **vieillots**
— De vieux vêtements **usés, usagés, fatigués, démodés**
— Une vieille habitude **invétérée**
— Une vieille maison **vétuste, décrépie**

TYPES DE VOITURES

Les carrosseries d'automobile ont évolué entre deux modèles extrêmes : l'œuf et la flèche. Aujourd'hui, la tendance est à la modularité, qui permet d'accueillir plus ou moins de passagers et de bagages.

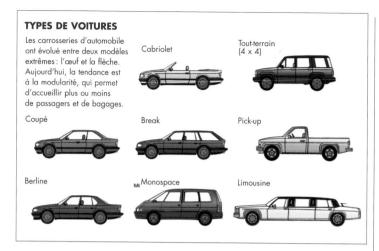

Cabriolet

Tout-terrain (4 x 4)

Coupé

Break

Pick-up

Berline

Mk Monospace

Limousine

– Un vieux règlement **caduc**
– Une vieille expression **obsolète, désuète**
– Une vieille méthode **dépassée, surannée**

VIF /1
– Entrer dans le vif du sujet **fond, cœur**
– Être piqué au vif **affecté, blessé, irrité, vexé**
– Photo prise sur le vif **au naturel, en situation**

VIF /2
syn. **actif, agile, dynamique**
– Un geste vif **prompt, preste**
– Un esprit vif **pénétrant, malicieux, éveillé**
– Un regard vif **pétillant, brillant**
– Un sentiment vif **ardent**
– Un propos vif **mordant, acide, acerbe, incisif, caustique, piquant**
– Un caractère vif **emporté, impétueux, fougueux, irascible**
– Marcher d'un pas vif **rapide, leste, allègre, déterminé, décidé**
– Marquer une vive impatience **fébrile**
– Un goût vif **aigre, âpre**
– Une couleur vive **éclatante, soutenue, gaie, intense**
– Une lumière vive **aveuglante, éblouissante, étincelante**
– Une douleur vive **intense, cuisante**
– Être brûlé vif **vivant**

VIGILANCE
syn. **attention**
– Être d'une extrême vigilance **écouter, observer**
– Faire preuve de vigilance par rapport à un événement **méfier (se), être sur ses gardes, être réservé**
– Tromper la vigilance de quelqu'un **déjouer, berner, endormir**

VIGILANT
– Des soins vigilants **appliqués, assidus**
– Être vigilant **veiller, surveiller, faire attention**

VIGNE
– Famille de plantes à laquelle appartient la vigne **ampélidacées, vitacées**
– Vigne vierge **ampélopsis**
– Science de la vigne et des cépages **ampélologie**
– Ensemble des opérations effectuées pour cultiver la vigne **viticulture**
– Terroir où croît la vigne **cru, vignoble, coteau, clos**
– Pied de vigne **souche, cep**
– Branche de vigne feuillée **pampre**
– Nom des branches de la vigne à la fin de l'été **sarment**
– Petit filament spiralé de la vigne, lui servant d'attache de fixation **vrille**
– Vigne poussant contre un support **treille**
– Phase du cycle végétatif de la vigne faisant suite à la floraison **nouaison, nouure**
– Phase du cycle végétatif de la vigne correspondant à la maturation des raisins **véraison**
– Puceron parasite de la vigne **phylloxéra**
– Papillon dont la chenille s'attaque aux feuilles de vigne **pyrale**
– Maladie de la vigne **mildiou, millerandage, oïdium, black-rot, anthracnose, pourriture grise, phylloxéra**
– Dieu de la vigne et du vin dans l'Antiquité grecque **Dionysos**
– Dieu de la vigne dans l'Antiquité romaine **Bacchus**

VIGNETTE
– Vignette de début de chapitre **en-tête**
– Vignette de fin de chapitre **cul-de-lampe**
– Vignette de bande dessinée **cartoon**
– Vignette illustrant un livre **figure, estampe, gravure, illustration, image**
– Vignette d'un bibliophile **ex-libris**

VIGNOBLE
syn. **clos, coteau, cru**
– Ensemble des cépages d'un vignoble **encépagement**
– Marais asséché et planté de vignobles, dans la région bordelaise **palus**

VIGOUREUX
syn. **résistant, robuste, solide**
– Prendre une attitude vigoureuse **ferme**
– Un caractère vigoureux **ardent, fougueux, impétueux, vif**
– Une proclamation vigoureuse **véhémente**

VIGUEUR
syn. **énergie, dynamisme, force, puissance, robustesse**
– Vigueur d'un style **intensité, vivacité, fermeté**
– Se conformer aux lois en vigueur **en cours, en application, en usage**

VILAIN
syn. **méchant**
– Un vilain visage **laid, hideux, disgracieux**
– Un vilain temps **maussade, triste, sale**
– Une vilaine aventure **désagréable, fâcheuse, déplaisante**

VILLAGE
– Habitant d'un village **villageois**
– Plus petit que le village **hameau, lieu-dit, écart**
– Village de grande importance **bourg, bourgade**

VILLE
voir aussi **capitale**
– Grande ville **agglomération, zone urbaine, métropole, conurbation, mégalopole, mégapole**
– Les habitants des villes **citadins, urbains, banlieusards**
– Périphérie d'une ville **banlieue, faubourg, zone suburbaine**
– Ensemble des questions et techniques d'aménagement d'une ville **urbanisme**
– Premier magistrat d'une ville **maire**
– Bâtiment administratif d'une grande ville **hôtel de ville, préfecture, palais de justice, commissariat de police, gendarmerie, bureau de poste, perception, caserne de pompiers, caserne militaire**
– Représentation administrative d'une ville **municipalité**
– Villes saintes **Jérusalem, La Mecque, Médine, Rome, Bénarès**
– La Ville lumière **Paris**

– La Ville rose **Toulouse**
– Partie haute d'une ville grecque dans l'Antiquité **acropole**
– Unité politique constituée autour d'une ville indépendante dans l'Antiquité **cité**
– Ville annexée par Rome mais dont les citoyens conservaient la gestion **municipe**

VIN *Voir tableau p. 623*
– Étape de l'élaboration du vin **foulage, chaptalisation, acidification, tanisage, cuvage, fermentation alcoolique, sulfitation, levurage, décuvaison**
– Mettre du sucre dans le vin, avant ou pendant la fermentation **chaptaliser**
– Ensemble des opérations concernant l'élaboration du vin **viniculture**
– Science et étude des vins **œnologie**
– Dépôt ou résidu du vin **lie**
– Conditionnement du vin **tonneau, fût, futaille, foudre**
– Petit container à vin **caisse-outre, Cubitainer**
– Local où est conservé le vin **cellier, chai, cave**
– Maître de chai, fin connaisseur en vin **caviste**
– Mélange de vins de même origine ou de même cru **assemblage**
– Premier vin tiré de la cuve après fermentation **goutte (vin de)**
– Instrument du goûteur de vin **taste-vin**
– Reste de vin au fond d'un fût **baissière**
– Terme désignant l'année de récolte d'un vin **millésime**
– Principal alcool du vin **éthanol**
– Composés donnant sa couleur au vin **anthocyanes, anthocyanines**
– Les caractéristiques visuelles, olfactives et gustatives du vin **organoleptiques**
– Arôme du vin **bouquet**
– État d'un vin trouble **turbidité**
– Un vin non gazeux **tranquille**
– Un vin non fermenté **bourru**
– Un vin à la fois aigre et doux **mannité**
– Maladie du vin **acescence, graisse, tourne**
– Boisson à base de vin, de sucre et d'épices **hypocras**

VINAIGRE
– Champignon du vinaigre **acétobacter**
– Dépôt gélatineux se formant lors de la fermentation du vinaigre **mère**
– Transformation d'un vin en vinaigre **acétification**
– Ustensile de mesure de la concentration en alcool du vinaigre **acétimètre**
– Aliment conservé dans le vinaigre **cornichon, câpre, oignon, condiment, criste-marine**
– Légumes confits dans le vinaigre **achards, pickles**
– Vinaigre miellé **acétomel**
– Fabricant de vinaigre **vinaigrier**

VINGT
– Une période de vingt ans **vicennale**
– Vingt fois plus grand **vingtuple**
– Volume à vingt faces planes **icosaèdre**
– Figure géométrique constituée de vingt côtés et de vingt angles **icosagone**
– Un système arithmétique basé sur le nombre vingt **vicésimal**

VIOLATION
– Violation d'un lieu sacré **profanation**
– Violation d'un règlement **infraction, manquement, dérogation, transgression**
– Violation perpétrée à l'égard des droits de l'homme **atteinte**
– Violation d'une propriété **effraction**

VIOLENCE
– Acte de violence physique **coup, agression, voie de fait, sévices, torture**
– Violence morale **oppression, coercition, sadisme, perversité, sujétion, assujettissement, asservissement**
– Violence sexuelle **viol**
– Violence verbale **injure, invective, insulte, outrage**
– Violence d'une tempête **fureur, force, intensité**
– Violence résultant d'une contestation **agitation, émeute, révolte**
– Violence politique **attentat, terrorisme**
– Accroître la violence d'une foule **exalter, exacerber, déchaîner**
– S'emparer du bien de quelqu'un par la violence **spolier**
– Manifestation de non-violence **sit-in**
– Doctrine et attitude s'opposant à tout acte ou recours à la violence **non-violence, pacifisme**

VIOLENT
– Un tempérament violent **agressif, brutal, irascible, belliqueux**
– Une colère violente **démente, enragée**
– Une émotion violente **intense, vivace, ardente**
– Une douleur très violente **aiguë, suraiguë, insupportable, intolérable**
– Un discours violent **virulent, acerbe, âpre, véhément, impétueux**
– Un combat violent **acharné, féroce**
– Une violente explosion **terrible, puissante**
– Une lumière violente **aveuglante, éblouissante**

VIOLER
– Violer un interdit **braver, outrepasser**
– Violer une loi **contrevenir à, enfreindre, détourner**
– Violer une femme **abuser de**
– Violer le secret de l'instruction **trahir**

VIOLET
– Violet clair **lilas, mauve, parme**

– Violet foncé **aubergine, prune**
– Violet tirant sur le rouge **violine, lie-de-vin, zinzolin**
– Pierre offrant toutes les nuances du violet **améthyste**

VIOLON *Voir illustration p. 624*
– Famille d'instruments à laquelle appartient le violon **cordes frottées**
– Un des ancêtres du violon **rebec**
– Violon de facture italienne **stradivarius, guarnerius, amati**
– Violon de facture française **école de Mirecourt**
– Taille de violon **quart, demi, trois-quarts, entier**
– Ouverture sur le violon **ouïe**
– On l'adapte sur le violon pour jouer **mentonnière, coussin**
– Au violon, pincement des cordes **pizzicato**
– Boîte à violon **étui, écrin**
– Il fabrique des violons **luthier**
– Personne qui jouait du violon dans les fêtes villageoises **ménétrier, violoneux**
– Violon d'Ingres **hobby, passe-temps, loisir**

VIPÈRE
– Ordre auquel appartient la vipère **ophidiens**
– Famille à laquelle appartient la vipère **vipéridés**
– La vipère et ses semblables **solénoglyphes**
– Variété de vipère **aspic, ammodyte, céraste, péliade**

VIRAGE
– Prendre un virage serré **à la corde**
– Suite de virages en angle aigu **lacet, zigzag**
– Virage très serré **en épingle à cheveux**
– En ski, type de virage **christiania, stem**

VIRER
– Il a été viré de l'école **renvoyé, expulsé**
– Virer un employé **licencier**

VIRIL
– Une voix virile **mâle, masculine**
– Femme à l'allure virile **virago**
– Un traitement renforçant les caractères virils d'un individu **virilisant**

VIRTUEL
– Les ressources virtuelles d'un pays **potentielles**
– Personnage virtuel sur Internet **avatar**
– Salon virtuel sur Internet **forum, newsgroup**
– Image virtuelle **hologramme**
– En logique, jugement virtuel **lexis**

VIRUS
– Enveloppe d'un virus **capside**

– Ensemble des composantes d'un virus **nucléocapside**
– Étude des virus **virologie**
– Maladie provoquée par un virus **virose**
– Virus filtrant **ultravirus**
– Dépisteur de virus informatiques **antivirus**

VIS

– Corps rainuré d'une vis **filet, filetage, cannelure**
– Distance entre les rainures d'une vis **pas de vis**
– Outil pour réaliser des pas de vis **taraud**
– Type de vis **cruciforme, à tête fraisée, à tête ronde, en goutte de suif, à tête cylindrique, sans tête, pointeau, micrométrique, Parker**
– Vis terminée par un crochet **piton**
– Longue vis terminée par un anneau **tire-fond**
– Vis qui s'ajuste à un écrou **boulon**
– Usine fabriquant des vis **visserie**
– Cette vis tourne à vide **foire**

VISA

syn. **attestation**
– Donner son visa **approbation, autorisation, accord**

VISAGE

syn. **face, figure**
– Visage, en anthropologie **faciès**
– Traits du visage **physionomie**
– Un visage aux traits anguleux et irréguliers **taillé à la serpe, taillé à coups de serpe**
– un visage long et maigre **en lame de couteau, émacié**
– Un visage gonflé **bouffi, vultueux**
– Visage d'enfant **frimousse, minois, bouille**
– Étude et soins concernant la mise en valeur du visage **visagisme**
– Visage sur une monnaie **effigie**

VISER

syn. **ajuster, coucher en joue, prendre sa mire**
– Viser en fermant un œil **bornoyer**
– Viser un poste, un titre **convoiter, ambitionner, briguer**
– Mesure visant un grand nombre de personnes **touchant, concernant, intéressant, appliquant à (s')**

VISIBILITÉ

– Méthode d'atterrissage sans visibilité **ILS**

VISIBLE

– Il est visible qu'ils se plaisent **clair, flagrant, évident, manifeste**
– Une marque de respect visible **ostensible**

– Les réalités visibles **apparentes, distinctes, observables, perceptibles, tangibles**

VISIÈRE

– Coiffure à visière **casquette, képi, shako**
– Visière d'un heaume ou d'un casque **mézail**
– Fente dans la visière d'un heaume **vue, vantail**

VISION

voir aussi **vue**
– Branche de l'ophtalmologie consacrée à la vision **optométrie**
– Lié à la vision **optique**
– Vision normale **emmétropie**
– Vision nocturne **nyctalopie**
– Vision lucide et perspicace des choses **clairvoyance**
– Avoir une certaine vision du monde **image, représentation, idée, conception**
– En philosophie, vision métaphysique du monde **Weltanschauung**
– Il nous a décrit ses visions **hallucinations, apparitions, mirages, illusions**
– Visions mystiques **révélations**

VISITE

– Jour de visite **réception**
– Visite officielle, secrète **entrevue, rencontre**
– Local réservé aux visites dans une prison, un pensionnat **parloir**
– Visite médicale **consultation, examen**
– Visite et fouille de la police au domicile d'un suspect **perquisition, visite domiciliaire**
– Visite de contrôle à bord d'un navire **arraisonnement**
– Visite des bagages à la douane **inspection, contrôle, fouille**

VISITER

– Visiter un pays, une ville **parcourir**
– Visiter une région pour en découvrir les richesses naturelles **prospecter**
– Visiter des terres inconnues **explorer, découvrir**

VITAL

– Les fonctions vitales **biologiques**
– Thérapie dont le but est de libérer l'énergie vitale **bioénergie**
– N'emporter que le minimum vital **indispensable**
– Un problème d'une importance vitale **fondamentale, capitale, essentielle**

VITAMINE *Voir tableau p. 625*

– Utilisation des vitamines à des fins thérapeutiques **vitaminothérapie**
– Grave carence en vitamines **avitaminose**

– Maldie due à une carence en vitamine B1 **béribéri**
– Maladie due à une carence en vitamine D **rachitisme**
– Maladie provoquée par une carence en vitamine C **scorbut**
– Maladie provoquée par une carence en vitamine PP **pellagre**
– Vitamine PP **niacine**

VITE

syn. **en hâte, promptement, rapidement**
– Aller très vite **filer, foncer, fendre l'air**
– Courir très vite **ventre à terre, à bride abattue, à fond de train**
– Rouler très vite **à toute allure, à tombeau ouvert, à toute vapeur**
– Fait trop vite **précipitamment, hâtivement, à la va-vite**
– Faire vite **hâter (se), presser (se), activer (s'), dépêcher (se)**
– Faire trop vite un devoir **bâcler, expédier**
– Nous serons vite informés **bientôt**
– Vite, en musique **presto, allegro**

VITESSE

voir aussi **rapidité**
– Unité de vitesse pour les navires **nœud**
– Unité de vitesse utilisée dans l'aviation **nombre de Mach**
– Vitesse de déplacement **allure, train**
– Partir à toute vitesse **en toute hâte, ventre à terre, à bride abattue, à tombeau ouvert**
– Course de vitesse sur une courte distance **sprint**
– Dispositif mesurant la vitesse de rotation d'un moteur **tachymètre**
– Le moteur tourne à grande vitesse **à plein régime**

VITRAIL

– Vitraux d'une église **vitrerie**
– Grand vitrail **verrière**
– Grand vitrail circulaire dans les églises gothiques **rosace, rose**
– Châssis en plomb d'un vitrail **plombure, résille**
– Pièce métallique servant à tenir les panneaux des vitraux **nille, verge**

VITRE

syn. **carreau**
– Poseur de vitres **vitrier**
– Vitre à l'avant d'un véhicule **pare-brise**
– Vitre à l'arrière d'un véhicule **lunette**
– Dans une voiture, petite vitre latérale orientable **déflecteur**

VITRINE

syn. **devanture**
– Un article en vitrine **en montre**
– Décorateur spécialisé dans l'aménagement des vitrines **étalagiste**

VOLCAN

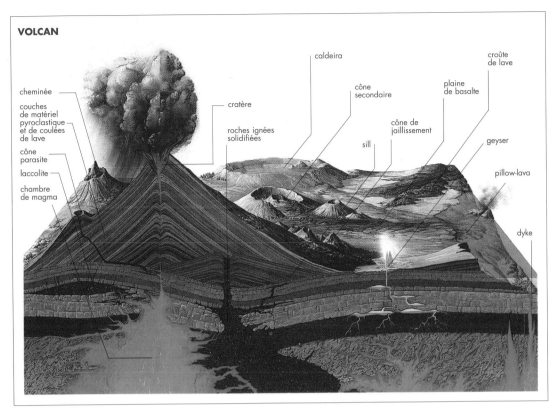

cheminée

couches
de matériel
pyroclastique
et de coulées
de lave

cône
parasite

laccolite

chambre
de magma

cratère

roches ignées
solidifiées

caldeira

cône
secondaire

cône de
jaillissement

sill

croûte
de lave

plaine
de basalte

geyser

pillow-lava

dyke

VIVACE
– Plante non vivace **annuelle**
– Une jalousie vivace **tenace, persistante, durable, solide, opiniâtre**

VIVACITÉ
syn. **promptitude, rapidité**
– La vivacité des tempéraments méridionaux **fougue, vitalité, pétulance, exubérance, alacrité**
– Vivacité d'esprit **pénétration, sagacité, acuité**
– Vivacité du regard **intensité**
– Vivacité des propos **véhémence, vigueur, animation**

VIVANT
– Un village vivant **animé**
– Un petit garçon très vivant **éveillé, vif, remuant, tonique**
– Êtres vivants d'un milieu biologique **biocénose**
– Chimie des organismes vivants **biochimie**

VIVEMENT
– Je vous conseille de mener vivement les négociations **rondement, tambour battant**
– Un enfant qui répond vivement à sa

mère **vertement, rudement, violemment**
– Nous avons vivement apprécié votre démarche **beaucoup, grandement**
– Désirer vivement quelque chose **intensément, fortement, profondément**

VIVRE
voir aussi **exister**
– Vivre des jours heureux **couler**
– Vivre une vie médiocre **végéter, vivoter**
– Vivre un grand malheur **endurer, supporter**
– Vivre dans la paresse, le marasme **croupir, stagner**
– Vivre pour autrui **consacrer à (se) dévouer à (se) sacrifier pour (se)**

VOCABULAIRE
syn. **lexique**
– Travail sur le vocabulaire d'une langue **lexicologie, lexicographie**
– Vocabulaire propre à une science, à une technique **nomenclature, terminologie**
– Répertoire succinct du vocabulaire d'un domaine spécialisé **glossaire**
– Un vocabulaire compris mais non employé **passif**
– Un vocabulaire utilisé couramment **actif**

VOCATION
– Vocation du médecin, du prêtre **destinée, mission, rôle**
– Vocation pour la peinture, pour l'enseignement **disposition, inclination, aptitude, penchant, attirance**

VŒU
syn. **engagement**
– Faire le vœu d'accomplir quelque chose **promesse, serment**
– Religieux qui a prononcé ses vœux **profès**
– En témoignage d'un vœu ou de son accomplissement **votif**
– Objet placé dans un sanctuaire en remerciement d'un vœu exaucé **ex-voto**
– Vœux de bonheur, de réussite **souhaits**

VOGUE
– En vogue **à la mode**
– Connaître une grande vogue **succès**

VOIE
syn. **biais, chemin, façon, manière, moyen, passage, piste, route, truchement**
– Voie de communication **axe**
– Ensemble de voies de communication **réseau**

– Voie de communication servant à dégager un axe principal **rocade**
– Bon état d'une voie de communication **viabilité**
– Suivre la même voie **ligne, direction**
– Voies urinaires, lymphatiques **canaux, conduits**

VOILE /1
– Voile de deuil **crêpe**
– Voile ornant un bibi **voilette**
– Voile dont les Touareg et les musulmanes se couvrent le visage **litham**
– Voile en soie portée par les femmes arabes **haram**
– Grand voile couvrant le corps et la tête des Iraniennes **tchador**

VOILE /2
– Voile à quatre angles **misaine, hunier, cacatois, perroquet, brigantine**
– Coin supérieur d'une voile carrée **empointure**
– Voile triangulaire **foc, clinfoc, trinquette, diablotin, voile à houari, génois**
– Voile supplémentaire utilisée lors d'une tempête **dériveur, tourmentin**
– Une voile qui ne reçoit pas bien le vent **en ralingue**
– Cordage utilisé pour hisser une voile **drisse**
– Cordage fixé au coin inférieur d'une voile et servant à l'orienter **écoute**
– Longue pièce de bois posée en travers d'un mât et supportant la voile **vergue, antenne, corne**
– Replier une voile **carguer, ferler**
– Réduire la surface d'une voile **arriser**
– Déployer les voiles **déferler, larguer**
– Abaisser une voile **caler, affaler**
– Accrocher une voile au mât **amurer**
– Cette voile bat au vent **faseye, ralingue**
– Équiper un bateau en voiles, en cordages **gréer**
– L'embarcation va faire voile en direction du port **cingler, naviguer, voguer**
– Virer de bord en changeant l'orientation des voiles **gambeyer, gambier**

VOILIER *Voir tableau bateaux, p. 65, et illustrations p. 626 et p. 629*
– Voilier à un mât **cotre, sloop, cat-boat**
– Voilier à deux mâts **goélette, schooner, brick, ketch, dundee**
– Petit voilier de la Méditerranée **felouque**
– Voilier de plaisance **yacht**
– Voilier mixte **fifty-fifty**
– Voilier multicoque **trimaran, catamaran**
– Voilier d'Extrême-Orient **jonque, sampan, prao**
– Voilier arabe **boutre**
– Voilier d'autrefois **caravelle, clipper, galiote, smack, chébec, polacre, galion**
– Course de voiliers **régate**

QUELQUES TYPES DE VOLS

Vol à la détourne : vol commis en groupe dans une boutique.

Vol à la roulotte : vol commis à l'intérieur d'un véhicule en stationnement.

Vol à l'arraché : vol commis sur une personne âgée, une femme ou une personne particulièrement vulnérable.

Vol à la tire : vol commis sur une personne dans un lieu public (portefeuille, sac à main, effets personnels dérobés par un pickpocket).

Vol à l'entôlage : vol commis par une prostituée sur son client.

Vol à l'esbroufe : vol à la tire accompagné de légères violences.

Vol à l'étalage : vol commis dans les rayons d'un libre-service ou d'une grande surface.

Vol à l'italienne : vol d'un véhicule après en avoir fait sortir le conducteur par la ruse.

Vol au poivrier : vol commis sur un ivrogne.

Vol au radin : vol d'argent dans un tiroir-caisse.

Vol au rendez-moi : vol commis dans un magasin et qui consiste à payer avec une grosse coupure et à ramasser la monnaie d'un plus gros billet que celui que l'on vient de donner.

Vol du rat d'hôtel : vol commis dans une chambre d'hôtel.

VOILURE
– Ensemble du matériel permettant de régler la voilure d'un bateau **gréement**
– Centre de la voilure d'un bateau **point vélique**
– Partie des voiles pouvant être repliée pour diminuer la surface de voilure **ris**
– Surface de voilure opposée au vent **extrados**
– Surface de voilure recevant le vent **intrados**

VOIR
syn. **contempler, observer, regarder**
– Voir par hasard **surprendre**
– Voir un médecin, un avocat **consulter**
– Voir un spectacle **assister à**
– Voir de loin **distinguer, discerner, repérer, entrevoir, apercevoir**
– Ne pas pouvoir voir quelqu'un **souffrir, supporter**
– Voir un film d'un œil de technicien **visionner**
– Voir de nouvelles perspectives **concevoir, envisager, découvrir, remarquer**

– Voir un problème sous un angle nouveau **envisager, examiner, considérer, aborder, percevoir**
– Voir d'un seul coup d'œil **embrasser**
– Voir sans être vu **épier, espionner, guetter**

VOISIN
– Le terrain, le jardin voisin **contigu, attenant, mitoyen**
– Les rues voisines **adjacentes, avoisinantes, circonvoisines**
– Un pays voisin **limitrophe, frontalier**
– Des espèces voisines **proches, apparentées**

VOISINAGE
– Dans le voisinage **parages, alentours, environs**

VOITURE *Voir illustration p. 630*
voir aussi **automobile**
– Ancienne voiture hippomobile à deux roues **boghei, coucou, cab, tilbury, wiski, buggy**
– Ancienne voiture hippomobile à quatre roues **berline, break, coche, diligence, calèche, fiacre**
– Ancienne voiture hippomobile à quatre places **phaéton**
– Ancienne voiture hippomobile particulièrement luxueuse **carrosse**
– Aux XVIIIe et XIXe siècles, voiture des services postaux **malle-poste**
– Ancienne voiture automobile décapotable **roadster**
– Petite voiture automobile sans boîte de vitesses ni carrosserie **kart**
– Voiture à deux roues utilisée dans les courses hippiques **sulky**
– Voiture d'enfant **poussette, landau, poussette-canne**

VOIX
syn. **organe, parole, suffrage, vote**
– Production de la voix **phonation**
– Partie de la médecine consacrée aux troubles de la voix **phoniatrie**
– Relatif à la voix **vocal, phonique**
– Changement dans la voix au moment de la puberté **mue**
– Altération de la voix **enrouement**
– Perte de la voix **extinction de voix, aphonie**
– Trouble grave de la voix **dysphonie, mussitation, mutité**
– Une voix très puissante **de stentor**
– Étendue d'une voix **registre, tessiture**
– Voix de chanteur **basse, baryton, ténor, haute-contre**
– Voix de chanteuse **contralto, alto, mezzo-soprano, soprano**
– À voix basse **mezza voce**

VOL /1 *Voir tableau ci-contre*
– Vol à main armée **hold-up**

– Vol de peu d'importance **larcin**
– Vol à l'intérieur d'un bâtiment **cambriolage**

VOL /2

– Prendre son vol **envol, essor**
– Vol à battements rapides comme celui des oiseaux migrateurs **vol ramé**
– Dans l'Antiquité romaine, présages lus dans le vol des oiseaux **auspices**
– Vol d'un avion, moteurs arrêtés **vol plané**
– Personne pratiquant le vol à voile **vélivole**

VOLAILLE

syn. **volatile**
– Élevage de la volaille **aviculture**
– Partie d'une ferme réservée à la volaille **basse-cour, poulailler**
– Mangeoire destinée à la volaille **trémie**
– Cage où l'on garde la volaille à engraisser **épinette, mue**
– En termes de cuisine, attacher les membres d'une volaille à son corps **trousser**
– En termes de cuisine, lier les pattes d'une volaille **brider**

VOLANT

– Volant décoratif que l'on ajoutait autrefois au bas des robes **balayeuse, falbala**

VOLCAN *Voir illustration p. 633*

– Étude des volcans **volcanologie**
– Type de volcan **hawaiien, péléen, strombolien, vulcanien, écossais, gazeux, sous-marin**
– Volcan célèbre **Etna, Stromboli, Vésuve, Krakatau, Fuji-Yama**
– Un volcan en activité **en éruption**
– Volcan de boue **salse**
– Matières rejetées par un volcan en éruption **lave, bombes, scories, conglomérats, lapilli**
– Cratère d'un volcan dont une partie a été emportée lors d'une éruption **cratère égueulé**
– Émanations gazeuses provenant d'un volcan **fumerolles, mofettes, solfatares**

VOLER

syn. **dérober**
– Voler un bien **approprier (s'), emparer de (s')**
– Voler à quelqu'un tous ses effets, tout son argent **dévaliser, dépouiller, détrousser**
– Voler discrètement des fonds, des marchandises **détourner, soustraire**
– Voler quelqu'un dans une affaire **escroquer, gruger, léser**
– Voler quelqu'un en usant de violence ou de moyens frauduleux **spolier**
– Voler quelque chose par ruse **subtiliser**
– Profiter de l'attaque d'une ville, d'un magasin pour en voler les richesses **piller**
– Voler un titre **usurper**

VOLET

syn. **persienne**
– Grand volet **contrevent**
– Volet à lames mobiles **jalousie**
– Volet sur un bateau **mantelet**

VOLEUR

syn. **bandit, brigand, cambrioleur, malfaiteur**
– Voleur de portefeuilles **pickpocket, escamoteur**
– Voleur dans un grand hôtel **rat d'hôtel**
– Voleur de fruits, de légumes, à la campagne **maraudeur**
– Voleur professionnel **chevalier d'industrie, aigrefin, escroc**
– Voleur de textes **plagiaire**
– Voleur obsessionnel **kleptomane**

VOLONTAIRE

syn. **bénévole, têtu**
– Un acte volontaire **voulu, intentionnel, délibéré**
– Une attitude volontaire **décidée, résolue, déterminée**

VOLONTÉ

syn. **résolution**
– Avoir beaucoup de volonté **détermination, force d'âme, persévérance**
– Faire connaître ses volontés **intentions, desseins, exigences**
– Manque de volonté **apathie, aboulie**
– Volonté hésitante, fragile **velléité**
– Volonté en psychologie **volition**
– Selon sa volonté **à son gré, à sa guise, selon son bon plaisir**
– Pain et vin à volonté **à discrétion, à souhait, ad libitum**

VOLUME

– Format d'un volume dans une bibliothèque **in-folio, in-octavo, in-quarto, in-plano, in-douze**
– Volume d'un récipient **capacité, contenance**
– Mesure du volume d'un corps **cubage**
– Volume d'eau écoulée en un temps donné **débit**
– En physique, le poids du volume unitaire d'un corps **spécifique**

VOLUPTÉ

– Savourer avec volupté le plaisir de ne rien faire **délectation, jouissance, délice**

VOMIR

– Envie de vomir **haut-le-cœur, nausée, écœurement**
– Vomir son repas **rendre, restituer, régurgiter**
– Vomir des insultes **cracher, éructer, agonir**
– Vomir une œuvre, un personnage **exécrer, abhorrer, abominer, avoir en horreur**

VOMISSEMENT

– Substance, médicament provoquant les vomissements **vomitif, émétique**
– Des vomissements importants survenant au cours de certaines grossesses **incoercibles**
– Vomissement de petites quantités de sang **hématémèse**
– Vomissement glaireux auquel sont sujets les alcooliques le matin **pituite**

VOTE

syn. **suffrage, voix**
– Vote par bulletins déposés dans une urne **scrutin**
– Vote direct de la population sur une question d'intérêt national **référendum**
– Un vote pour un seul nom **uninominal**
– Un système de vote où un même électeur peut disposer de plusieurs voix **plural**
– Boîte destinée à recevoir les bulletins de vote **urne**
– Permet de respecter la confidentialité du vote **isoloir**
– Recenser les votes obtenus par chaque candidat **dépouiller, décompter**
– Il dépouille le vote **scrutateur**

VOTER

– Ensemble des personnes ayant le droit de voter **électorat**
– Ne pas voter **abstenir (s')**
– Voter un projet de loi **adopter, ratifier**

VOUER

– Vouer sa vie à une cause **consacrer, sacrifier, dédier**

VOÛTES

voûte en plein cintre

voûte en ogive

voûte en berceau

voûte en cul-de-four

voûte d'arête

voûte rampante

– Une usine vouée au démantèlement **condamnée**
– Vouer aux gémonies **maudire**

VOULOIR
– Qu'il le veuille ou non, il passera son bac **nolens volens, bon gré mal gré**
– Vouloir obtenir quelque chose **ambitionner, convoiter, aspirer à, prétendre à**
– Vouloir expressément **réclamer, exiger, prescrire**

VOÛTE *Voir illustration p. 635*
– Arc de voûte **ogive, formeret, doubleau, arc-doubleau**
– Courbure de la voûte **cintre, voussure, arceau**
– Base d'une voûte **retombée**
– Pierre taillée servant à l'édification des voûtes **claveau, voussoir, sommier**
– Petite voûte de pierre abritant une statue **dais**
– Surface extérieure d'une voûte hémisphérique **dôme**
– Surface intérieure d'une voûte hémisphérique **coupole**
– Voûte hémisphérique **calotte**
– Voûte d'un pont **arche**
– Voûte de feuillage **berceau**

VOYAGE
syn. **balade, déplacement, excursion, tourisme**
– Voyage en mer **croisière, traversée**
– Voyage maritime autour d'un continent **circumnavigation, périple**
– Voyage sans but **errance**
– Voyages multiples **pérégrinations**
– Voyage professionnel effectué par étapes **tournée**
– Voyage diplomatique, scientifique **mission**
– Voyage à destination d'un lieu saint **pèlerinage**
– Voyage semé d'embûches **expédition**

– Arrêt lors d'un voyage **halte, escale, étape**
– Voyage épique **odyssée**

VOYAGEUR
syn. **passager, promeneur, touriste**
– Voyageur de commerce **représentant, placier, VRP (voyageur représentant placier), démarcheur, courtier**
– Voyageur qui parcourt le monde entier **globe-trotter**
– Voyageur parti à la découverte de pays lointains **explorateur**
– Groupe de voyageurs traversant des régions désertiques **caravane**
– Éternel voyageur **nomade**

VOYANT /1
syn. **extralucide**
– Voyant qui tire les cartes **cartomancien**
– Le voyant s'allume **signal, diode**

VOYANT /2
– Porter des bijoux voyants **tapageurs, tape-à-l'œil, clinquants**

VOYELLE
– Relatif aux voyelles **vocalique**
– Rencontre de deux voyelles contiguës appartenant à deux syllabes distinctes **hiatus**
– Suppression d'une voyelle finale devant la voyelle initiale du mot suivant **élision**
– Prononciation de deux voyelles dans une seule syllabe **diphtongue**
– Fusion de deux voyelles distinctes en une diphtongue **synérèse**
– Prononciation en deux syllabes de deux voyelles qui n'en forment normalement qu'une seule **diérèse**

VRAI
– La vraie cause de quelque chose **réelle, véritable**
– Un fait reconnu comme vrai **confirmé, avéré, attesté, incontestable, patent**

– Une histoire vraie **authentique, véridique**
– Un vrai pouvoir **effectif**

VRAISEMBLABLE
syn. **apparent**
– Il est vraisemblable que la paix est imminente **probable**
– Une explication vraisemblable **plausible, crédible**

VUE
voir aussi **œil, vision**
– Perte de la vue **cécité, amaurose**
– Trouble de la vue **astigmatisme, presbytie, myopie, hypermétropie, amblyopie**
– Traitement de la vue par une gymnastique oculaire **orthoptie**
– Jouir d'une vue splendide **panorama**
– Un point de vue particulier **optique, approche, opinion, avis, idée, sentiment**
– À première vue **au premier regard, de prime abord**

VULGAIRE
– Des propos vulgaires **grossiers, triviaux**
– Les réalités vulgaires d'ici-bas **matérielles, prosaïques, terre à terre**
– L'appellation vulgaire d'une plante **usuelle, courante, vernaculaire**

VULGARITÉ
– Son langage est truffé de vulgarités **obscénités**
– Vulgarité dans le goût, dans l'esprit **béotisme, philistinisme, trivialité, grossièreté**

VULNÉRABLE
– Une personne vulnérable **fragile, sensible, délicate, faible, désarmée**
– Point vulnérable **talon d'Achille, défaut de la cuirasse**

WAGON
– Wagon-lit **sleeping, voiture-cou-chette, voiture-lit**
– Wagon très confortable et luxueux **pull-man**
– Wagon de marchandises **fourgon**
– Wagon spécifique au transport de maté-riaux comme le ballast **wagon-trémie**
– Wagon spécifique au transport des liquides **wagon-réservoir, wagon-citerne**
– Wagon à plate-forme **truck**
– Wagon circulant dans les égouts **wagon-vanne**
– Wagon contenant l'eau et le combus-tible d'une locomotive à vapeur **tender**
– Petit wagon dont la benne est bascu-lante **wagonnet**
– Petit wagon à plate-forme employé pour la construction ferroviaire **lorry**

WARRANT
– Garantir une marchandise par un war-rant **récépissé, caution, ducroire, gage**

WATER-CLOSET
syn. **cabinets, commodités, lieux d'ai-sances, toilettes, sanitaires, W-C**
– Water-closet public **Sanisette, vespa-sienne, urinoir**
– Water-closet de soldats en campagne **feuillées, latrines, fosse d'aisances, tinette**

WEB
syn. **Internet, le Net, la Toile**
– Faire des recherches sur le Web **surfer, naviguer**
– Personne chargée de la maintenance d'un site sur le Web **webmaster**
– Codification utilisée pour la création de sites sur le Web **HTML**

WHISKY *Voir tableau alcools et eaux-de-vie, p. 17-18*
– Whisky écossais **scotch**
– Appellation du whisky issu du mélange de whisky de malt et de whisky de grain **blend(ed)**
– Whisky américain composé de plus de 50 % de maïs **bourbon**

– Whisky exclusivement à base d'orge maltée **malt**
– Whisky composé d'une bouillie d'orge maltée et d'un mélange de céréales **whisky de grain**
– Whisky à base de seigle **rye**
– Whisky irlandais **whiskey**
– Boisson chaude composée de café, de whisky et de crème fraîche **irish coffee**
– Matière des fûts utilisés pour le vieillis-sement du whisky **chêne blanc**

WIGWAM
syn. **hutte, tente, tipi**
voir aussi **indien**

XÉNOPHOBE
voir aussi **phobie**
– Un individu xénophobe **chauvin, nationaliste, raciste**
– Le contraire d'un individu xénophobe **xénophile**

XÉNOPHOBIE
– Sentiment à l'origine de la xénophobie **peur, méfiance**
– Sentiment induit par la xénophobie **hostilité, haine, rejet, exclusion, refus de l'autre**
– Conséquence politique et sociale de la xénophobie **discrimination, ségréga-tion, apartheid, racisme, colonisation, guerre**

XÉRÈS
syn. **amontillado, jerez, manzanilla, sherry**

XYLOPHONE
– Instrument voisin du xylophone **vibra-phone, marimba, balafon**

YACHT
– Il navigue sur un yacht **skipper, yacht-man, plaisancier**
– Petit yacht de croisière **beluga, crui-ser, cabin-cruiser, fifty-fifty**
– Petit yacht de régate **finn, vaurien**
– Yacht de compétition **racer**
– Type de fonctionnement d'un yacht **voile, moteur**

– Type de bateau auquel appartient le yacht **plaisance, compétition**
– Cabestan d'un yacht **winch**

YAOURT
syn. **yoghourt**
– Agent de fermentation du yaourt **pré-sure**
– Élément nutritif du yaourt **protéines, calcium**
– Appareil de fabrication des yaourts **yaourtière**
– Pays d'origine du yaourt **Bulgarie**

YEUSE
syn. **chêne vert**

YOGA *Voir tableau ci-dessous*
– Type de posture ou de mouvement du yoga **étirement, flexion, extension, inclinaison latérale, torsion, équili-bre, inversion**

YOURTE
voir aussi **hutte, tente**
– Matériaux utilisés pour fabriquer une yourte **feutre, écorce, bois, peau**

YPÉRITE
syn. **gaz moutarde**

YOGA	
Asana : postures	**Samadhi :** concentration suprême
Dharana : concentration	**Yama :** réfrènements
Dhyna : méditation ou contemplation	**Yoga-nidra :** yoga des yeux
Niyama : astreintes	**Yogasutra :** textes attribués à Patanjali (IIe s. avant J.-C.) qui présentent la philosophie et la méthode du yoga
Pranayama : discipline du souffle	
Pratyahara : retrait des sens	**Yogi :** ascète indien qui pratique le yoga

ZÈBRE
– Famille à laquelle appartient le zèbre **équidés**
– Comme la robe d'un zèbre **zébré, rayé**

ZÉLATEUR
– Zélateur d'une personne publique **partisan, défenseur**

ZÈLE
– Marque de zèle à l'égard de quelqu'un **empressement, dévouement, diligence, prévenance, sollicitude, attention**
– Travailler avec beaucoup de zèle **application, persévérance, assiduité, enthousiasme**
– Zèle patriotique **civisme, patriotisme**
– Zèle religieux **ardeur, ferveur, fanatisme, passion, abnégation**
– Zèle déployé pour répandre la foi **prosélytisme, apostolat**

ZÉLÉ
– Un employé zélé **assidu, actif, consciencieux, dévoué, diligent, appliqué, enthousiaste**

ZÉNITH
– Point opposé au zénith **nadir**
– Propre au zénith **zénithal**
– Être au zénith de la gloire **sommet, apogée, pinacle, acmé, apothéose, summum, faîte**

ZÉRO
syn. aucun, néant, nullité, rien
– Avoir le moral à zéro **au plus bas, très bas, à plat**
– Voir son capital réduit à zéro **à rien, à néant**
– Détermination du zéro sur un thermomètre **zérotage**
– Zéro heure **minuit**
– Au casino, jeu de cartes dans lequel le dix vaut zéro **baccara**

ZESTE
– Couteau pour prélever des zestes sur un agrume **zesteur**
– Zeste d'orange confit et recouvert de chocolat **orangette**
– Liqueur à base de zestes de citron **citronnelle**
– Égayer une tenue stricte d'un zeste de fantaisie **pointe, soupçon, touche, note**

ZIDOVUDINE
– Prescrire de la zidovudine à un patient atteint du sida **AZT**

ZIGZAG
– Marcher en zigzag **zigzaguer, tituber, vaciller, chanceler**
– Emprunter un chemin en zigzag **en lacet(s)**

SIGNES DU ZODIAQUE		
Bélier		21 mars au 20 avril
Taureau		21 avril au 20 mai
Gémeaux		21 mai au 21 juin
Cancer		22 juin au 22 juillet
Lion		23 juillet au 22 août
Vierge		23 août au 22 sept.
Balance		23 sept. au 22 oct.
Scorpion		23 oct. au 21 nov.
Sagittaire		22 nov. au 20 déc.
Capricorne		21 déc. au 19 janv.
Verseau		20 janv. au 18 fév.
Poissons		19 fév. au 20 mars

– Les zigzags d'un fleuve **détours, méandres, sinuosités, courbes**

ZINC
– Minerai de zinc **blende, calamine, smithsonite, sphalérite**
– Un minerai contenant du zinc **zincifère**
– Procédé d'extraction du zinc **voie sèche ou thermique, voie humide ou électrolytique**
– Composé du zinc utilisé dans l'industrie des couleurs et des vernis **chlorure, oxyde, carbonate, sulfate, vitriol blanc**
– Nom de l'alliage d'aluminium et de zinc **zamak**
– Alliage faisant intervenir du cuivre, de l'étain et du zinc **bronze d'imitation, chrysocale, similor**
– Alliage à base de cuivre, de zinc et de nickel **maillechort, argentan, melchior, pacfung**
– Alliage associant le cuivre et le zinc **laiton, tombac**
– Recouvrir un métal de zinc pour le préserver de l'oxydation **galvaniser, zinguer**
– En peinture, pigment blanc issu d'un mélange de sulfure de zinc et de sulfate de baryum **lithopone**
– Gravure sur zinc **zincographie, photogravure**
– Maladie causée par l'inhalation de poussières de zinc **zincose**
– Composé du zinc utilisé en pharmacologie **phosphure, valérianate**

ZIZANIE
– Semer la zizanie dans une réunion **discorde, dispute, mésentente**

ZODIAQUE *Voir tableaux ci-contre et bateaux, p. 65*
– Astres opérant un mouvement apparent dans le zodiaque **Soleil, Lune, planètes**
– Point de départ du déplacement apparent du Soleil dans le zodiaque **point vernal, point gamma**
– Trajectoire apparente du Soleil, dans la bande du zodiaque **écliptique**
– Position d'une planète d'après les signes du zodiaque **domicile, exaltation, exil, chute**
– Recueil indiquant les dates d'entrée des planètes dans les signes du zodiaque **éphéméride**
– Représentation symbolique de chacune des douze divisions du zodiaque **signe**

ZONE
– Zone sphérique **ceinture, bande**
– Zone urbaine **arrondissement, quartier**
– Ensemble des communes situées dans la zone périphérique d'une ville **banlieue, faubourgs, périphérie, zone suburbaine**
– La zone du bord de mer **littorale, côtière**
– Type de zone, en urbanisme **ZAD (zone d'aménagement différé), ZAC (zone d'aménagement concerté), ZUP (zone à urbaniser en priorité), ZI (zone industrielle), ZA (zone artisanale), zone résidentielle, zone franche**
– Portion d'une zone militaire **secteur**

ZOOLOGIE
– Partie de la zoologie **physiologie, anatomie, embryologie, histologie**
– Secteur de la zoologie qui étudie l'élevage des animaux domestiques **zootechnie**
– Branche de la zoologie étudiant les mammifères **mammologie**
– Branche de la zoologie étudiant les oiseaux **ornithologie**
– Branche de la zoologie étudiant les insectes **entomologie**
– Branche de la zoologie étudiant les coquillages **conchyliologie**
– Branche de la zoologie étudiant les crustacés **carcinologie**
– Branche de la zoologie étudiant les poissons **ichtyologie**
– Branche de la zoologie étudiant les mollusques **malacologie**
– Branche de la zoologie étudiant les reptiles **herpétologie, erpétologie**
– Branche de la zoologie étudiant les vers parasites **helminthologie**
– Branche de la zoologie étudiant la répartition des espèces sur la Terre **zoogéographie**
– Branche de la zoologie étudiant les comportements des espèces animales **éthologie, sociologie animale**

– Branche de la zoologie se rapportant à l'étude des fossiles **paléozoologie, paléontologie**
– Désignation de la classification en zoologie **systématique, zootaxie, taxinomie**
– Catégorie de la classification en zoologie **clade, classe, espèce, famille, race, genre, embranchement, ordre, type**

ZOUAVE
– Mais quand arrêteras-tu de faire le zouave ? **clown, pitre, guignol, singe**

ZOZOTER
syn. **bléser, zézayer**
– Défaut de prononciation d'une personne qui zozote **blésité, zézaiement**

ZUT
syn. **flûte, mince**
– Sentiment exprimé par un « zut ! » **dépit, colère, énervement, agacement, déception, lassitude**
– Membre d'un cercle de poètes du XIXe siècle qui disaient zut à tout **zutiste**
– Qui concerne les poètes du zut **zutique**

● Un mot en bleu **[ARDEUR]** ou mot source fait l'objet
d'une entrée détaillée dans la partie dictionnaire. Il est suivi
de l'ensemble de ses mots cibles (acharnement, activité, etc.)..

● Un mot en noir **[ARGENT]** ou mot cible renvoie à une entrée
dans la partie dictionnaire **[AVOIR 2]**, où vous le trouverez
soit comme synonyme, soit dans une définition-contexte.
Il peut aussi renvoyer à un tableau [*Voir tab.* **Couleur**] ou bien
encore à une illustration [*Voir ill.* **Héraldique**].
Voir aussi mode d'emploi du dictionnaire, p. 10 - 11.

A

A- → PERTE
A (BOMBE) → BOMBE
A4
Voir tab. **Papier (formats de)**
AA
Voir tab. **Géographie et géologie**
ABACA → BANANIER
ABACULE → CUBE, MOSAÏQUE
ABAISSEMENT → DÉCLIN
ABAISSER → AMENER, COURBER, DÉCHOIR, DIMINUER, GALVAUDER, SOUMETTRE
Voir tab. **Cuisine**
ABAISSER avilir, condescendre, consentir, déchoir, dégrader, déniveler, humilier, mortifier, outrager, rabaisser, ravaler (se)
ABAJOUE → JOUE
ABANDON → CAPITULATION, CONCESSION, DÉMISSION, DIVORCE, ÉPANCHEMENT, FRICHE, INCONSTANCE, INCULTE, ISOLEMENT, JACHÈRE, NONCHALANCE, PASSION
Voir tab. **Échecs**
ABANDON acculturation, capitulation, déculturation, démission, désertion, intégration, reddition
ABANDONNÉ → DÉPEUPLÉ, SAUVAGE, SEUL, SOLITAIRE (1)
ABANDONNER → BAISSER, BRAS, CAPITULER, CÉDER, CONFIER, DÉBARRASSER (SE), DÉLAISSER, DÉPOSER, DÉSISTER (SE), DESSAISIR (SE), DOS, ENTERRER, ÉPONGE, ÉVACUER, EXCLURE, FAUSSER, FIER (SE), GLISSER, INCLINER (S'), INTERROMPRE, LÂCHER, LAISSER, LIVRER, NÉGLIGER, OUBLIER, PARTIR, PLAQUER, QUITTER, RECULER, REFUSER, RENIER, RENONCER, RETIRER (SE), RETRAITE, SACRIFIER, SOUMETTRE, SUCCOMBER, SUIVRE, TRAHIR
ABANDONNER abdiquer, abjurer, apostasier, capituler, céder, concéder, délaisser, démissionner, déserter, dessaisir de (se), évacuer, forfait, jeter l'éponge, quitter, renier
ABAQUE → CALCULER, COLONNE, COMPTER, TABLEAU
Voir illus. **Colonnes**
Voir illus. **Architecture**
ABAQUE boulier, tailloir
ABASOURDI → ÉBAHI, ÉTONNÉ, HÉBÉTÉ, IMMOBILE, SIDÉRÉ, STUPÉFAIT
ABASOURDI atterré, déconcerté, décontenancé, éberlué, frappé, interloqué, sidéré, stupéfié, troublé
ABASOURDIR → ASSOURDIR, BRISER, DÉMONTER, RENVERSER, SURPRENDRE

ABÂTARDIR (S') → DÉGÉNÉRER
ABATS → ISSUE
ABATS abattis, amourettes, gras-double, tripes, tripier
ABAT-SON → CLOCHER
ABATTAGE → MINEUR (1)
ABATTEMENT → CONSTERNATION, DÉCOURAGEMENT, DÉDUCTION, DÉPRESSION, DIMINUTION, ÉPUISEMENT, FATIGUE, MALHEUR, MÉLANCOLIE, RABAIS, STUPEUR, TORPEUR
ABATTEMENT accablement, affaiblissement, affliction, dégrèvement, dépression, désespoir, épuisement, lassitude, morosité, rabais, spleen, torpeur
ABATTEUSE
Voir tab. **Prostitution**
ABATTIS → ABATS, POULET
ABATTRE → BRISER, BUTER, DÉFAIRE, DÉMOLIR, DÉMORALISER, DÉPRIMER, DESCENDRE, DÉTRUIRE, ÉTALER, FONDRE, MINER, PLONGER, RENVERSER, SUPPRIMER, TOMBER, TUER, VAINCRE
Voir illus. **Planche à voile**
ABATTRE démolir, fondre, raser
ABATTU → BROYER, DESSOUS, EFFONDRER, MORNE, SINISTRE, TRISTE
ABATTU accablé, affaibli, affligé, anéanti, découragé, démoralisé, épuisé, las, terrassé, triste
ABATTURES → TRACE
ABBATIAL → ABBAYE
ABBATIALE → ÉGLISE
ABBAYE → ABBÉ, BÉNÉFICE, COUVENT, MAISON, MOINE, RELIGIEUX (1)
Voir tab. **Clergé catholique (vocabulaire du)**
ABBAYE abbatial, abbé, abbesse, couvent, monastère, prieuré
ABBÉ → ABBAYE, CLERGÉ, PRÊTRE, RELIGIEUX (1)
Voir tab. **Clergé catholique (vocabulaire du)**
ABBÉ abbaye, commendataire, séculier
ABBESSE → ABBAYE, COUVENT, RELIGIEUX (1)
Voir tab. **Clergé catholique (vocabulaire du)**
ABC apprentissage, b.a.-ba, rudiments
ABCÈS → GONFLEMENT, GROSSEUR, INFILTRATION, POCHE, PUS, RAGE
ABCÈS anthrax, bubon, écrouelles, furoncle, incision, panaris, phlegmon, scrofule
ABDIAS
Voir tab. **Bible**
ABDICATION → CAPITULATION, DÉMISSION

ABDIQUER → ABANDONNER, BAISSER, BRAS, CÉDER, COURONNE, DÉPOSER, QUITTER, RENONCER
ABDOMEN → VENTRE
Voir illus. **Cheval**
Voir illus. **Insectes**
Voir tab. **Chirurgicales (interventions)**
ABDOMEN épigastre, hypogastre, péritoine, plexus solaire
ABDOMINAL → MEMBRE
ABDUCTEUR
Voir illus. **Muscles**
ABDUCTION → MOUVEMENT
ABÉCÉDAIRE → ALPHABET, LECTURE
ABÉE → MOULIN
ABEILLE → BOURDONNEMENT, INSECTE, MOUCHE, POLLEN
Voir illus. **Insectes**
Voir tab. **Animaux (termes propres aux)**
Voir tab. **Élevages**
ABEILLE apicole, apiculteur, apiculture, avette, couvain, labre, ouvrière, reine, varroase
ABEILLER
Voir tab. **Animaux (termes propres aux)**
ABELMOSQUE → HIBISCUS
ABER → BOUCHE, GOLFE
Voir tab. **Géographie et géologie**
ABERRANT → ANORMAL, IMBÉCILE, INCOMPRÉHENSIBLE, INSENSÉ
ABERRATION → ANOMALIE, DÉVIATION, PARTICULARITÉ, SENS
ABÊTIR → ABRUTIR, STUPIDE
ABHORRER → DÉGOÛT, DÉTESTER, HAÏR, HORREUR, MAUDIRE, MÉPRISER, VOMIR
ABIÉTACÉES → PIN
ABÎME → CENTRE, CREUX (1), ÉCU, FOSSÉ, GOUFFRE, PRÉCIPICE, PROFOND, VIDE (1)
ABÎME fossé, gouffre, monde, perdu, ruiné
ABÎMÉ → BOSSELÉ, PERDU
ABÎMÉ altéré, avancé, bouchonné, cabossé, cassé, défoncé, déformé, dégradé, délabré, dénaturé, détérioré, endommagé, éventé, gâté, moisi, pourri, usé
ABÎMER → ABSORBER, ANÉANTIR, DÉFIGURER, DÉGRADER, DÉSHONORER, DÉTÉRIORER, ÉBRÉCHER, ENDOMMAGER, GÂTER, MALTRAITER, MUTILER, NUIRE, SACCAGER, SOUCI, USER
ABÎMER conservation, détériorer, endommager, réfection, réhabilitation, rénovation, restauration
ABÎMER (S') → CHAVIRER, COULER, DISPARAÎTRE, ENFONCER, ENGLOUTIR, NAUFRAGE, PARTIR, PLONGER (SE), POURRIR, SOMBRER
ABÎMER (S') couler, dégrader (se), délabrer (se), détériorer (se), engloutir (s'), sombrer
AB INTESTAT → SUCCESSION
AB IRATO → COLÈRE
ABJECT → AFFREUX, BAS (2), DÉCHÉANCE, DÉGOÛTANT, HIDEUX, HONTEUX, IGNOBLE, INDIGNE, INFÂME, INFECT, LÂCHE, MÉPRIS, ODIEUX, SALE, SERVILE
ABJECTION → BOUE, HORREUR, INFAMIE, LAIDEUR

ABJURATION → CONVERSION
ABJURER → ABANDONNER, NIER, RELIGION, RENIER, RENONCER
ABLATION → CHIRURGIE, EXTRACTION
Voir tab. **Chirurgie (vocabulaire de la)**
ABLATION amputation, castration, émasculation, énucléation, excision, exérèse, manchot, mutilation, prothèse, unijambiste
ABLÉGAT → PAPE
ABLERET → FILET, PÊCHE
ABLUTION → BAIN, PURIFICATION, RITE, TOILETTE
ABNÉGATION → DÉVOUEMENT, OUBLI, SACRIFICE, VERTU, ZÈLE
ABOI → MEUTE
ABOIEMENT → CHIEN
ABOLIR → ANNULER, EFFACER
ABOLIR abroger, anéantir, annuler, détruire, invalider, révoquer, supprimer
ABOLITION → DISPARITION, EXTINCTION, SUPPRESSION
ABOMINABLE → ATROCE, EFFROYABLE, EXÉCRABLE, HORRIBLE, LAID, MAUVAIS, MONSTRUEUX, ODIEUX, SUPPORTER
ABOMINABLE affreux, atroce, barbare, effroi, horreur, horrible, inqualifiable, insoutenable, monstrueux, répulsion, terrifiant
ABOMINATION → HONTE
ABOMINER → DÉTESTER, HAÏR, HORREUR, MAUDIRE, VOMIR
ABONDAMMENT → BEAUCOUP, FLOT, PLEUVOIR, SEAU
ABONDAMMENT abondance (en), beaucoup, compter (sans), considérablement, copieusement, foison (à), largement, profusion (à), richement, torrent (à), verse (à), volonté (à)
ABONDANCE → ABONDAMMENT, AISANCE, AMPLEUR, ÉTALAGE, EXUBÉRANCE, FOISON, PLÉNITUDE, QUANTITÉ, VACHE
ABONDANCE aisance, cocagne (pays de), combler, corne d'abondance, fécond, fertile, florissant, foison (à), fortune, fructueux, logorrhée, loquacité, luxe, luxuriant, opulence, pléthore, prodiguer, profusion, profusion (à), prolixité, prospérité, volubilité
ABONDANT → AMPLE, COPIEUX, ÉPAIS, GÉNÉREUX, GROS, PLANTUREUX, RICHE (2)
ABONDANT copieux, épais, fourni, gargantuesque, généreux, opulent, plantureux, touffu
ABONDER → ACCORD, GROUILLER, PLEUVOIR
ABONNÉ → CLIENT, PÉAGE, RÉSEAU
ABONNEMENT contrat de maintenance, forfait, redevance, souscription
ABONNIR (S') → BON (1), BONIFIER
ABORD → APPROCHE, CHOSE, PRÈS
ABORD (D') → PRÉALABLE (1), PRIORITÉ

⊃RDABLE → ACCESSIBLE, CHER, ⌐ACILE, FAMILIER (2)

⊃RDABLE accessible, affable, ⌐imable, amène, bienveillant, ⌐ompréhensible, intelligible

⊃RDAGE → ABORDER, ATTAQUE, ⌐ORD

⊃RDER → ACCOSTER, ⌐ACCROCHER, ARRIVER, ⌐TTAQUER (S'), BORNER, EFFLEURER, ⌐VOQUER, RIVAGE, TOUCHER, ⌐ENIR, VOIR

⊃RDER abordage, accoster, ⌐morcer, entamer, évoquer, ⌐éler, racoler, soulever, traiter

⊃RIGÈNE → AUTOCHTONE, ⌐HABITANT, ICI, INDIGÈNE (2), ⌐ATIF (1), PAYS

⊃RTIVE → AVORTEMENT

⊃UCHEMENT → VAISSEAU

⊃UCHER → EMBOÎTER, JOINDRE

⊃ULIE → CHOISIR, INACTION, ⌐NDOLENCE, VOLONTÉ

Voir tab. **Psychiatrie**

⊃ULIQUE → FAIBLE (2), ⌐MMOBILE, INACTIF, INCAPABLE, ⌐NÉGALITÉ

⊃UTER → ASSEMBLER, BOUT, ⌐JOINDRE, PLACER

⊃UTIR → BUT, DÉBOUCHER, ⌐MENER, PARVENIR, RÉSULTAT, ⌐SOLDER, TERMINER

⊃UTISSEMENT → CONCLUSION, ⌐CONSÉCRATION, FIN (1), ISSUE, ⌐RÉSULTAT, SOLUTION, SUITE, TERME

⊃YER → HURLER

Voir tab. **Animaux (termes propres aux)**

⊃YER aboyeur, clabaud, éructer, ⌐glapir, hurler, japper

⊃YEUR → ABOYER

⊃RACADABRANT → BIZARRE, ⌐ÉTRANGE, INCOHÉRENT, SINGULIER

⊃RAHAM → PROPHÈTE

⊃RASER → ABRASIF

⊃RASIF → POLIR

⊃RASIF abraser, émeri, polir, ⌐ponce, poncer

⊃RASION → ÉROSION, TOILE ⌐ÉMERI

Voir tab. **Chirurgie (vocabulaire de la)**
Voir tab. **Minéraux et utilisations**

⊃RAXAS → TALISMAN

⊃RÉACTION → REFOULEMENT

⊃RÉGÉ → CONDENSÉ, LIVRE, ⌐MANUEL, MINIATURE, RECUEIL, ⌐RÉSUMÉ (1), SYNTHÈSE

⊃RÉGÉ compendium, condensé, ⌐digest, précis, résumé

⊃RÈGEMENT → DIMINUTION

⊃RÉGER → BREF (1), CONDENSER, ⌐DIMINUER, RACCOURCIR, RÉDUIRE, ⌐SIMPLIFIER, SOULAGER

⊃RÉGER condenser, écourter, ⌐esquisse, euthanasie, plan, ⌐raccourcir, sommaire, ⌐sténographie, sténotypie, ⌐synopsis, synthétiser

⊃REUVER → ACCABLER, BOIRE, ⌐COUVRIR, NOURRIR, REMPLIR

⊃REUVER accabler, couvrir, ⌐imprégner, inonder, soûler

⊃REUVOIR → RÉCIPIENT

⊃RÉVIATION acronyme, aphérèse, ⌐apocope, monogramme, sigle, ⌐symbole

⊃RI → CABANE, DANGER, GÎTE,

REFUGE (1), SAUVEGARDE, SÉCURITÉ, SÛRETÉ
Voir tab. **Animaux (termes propres aux)**
Voir tab. **Chasse (vocabulaire de la)**

ABRI Abribus, abrivent, anse, aubette, auvent, baie, blockhaus, boyau, brise-vent, bunker, cabaner, cagna, casemate, cellier, châssis, entrepôt, feuillée, fortin, fromagerie, fruitier, gîte, gloriette, guérite, hangar, havre, nid, préau, rade, refuge, remise, repaire, resserre, serre, silo, tanière, terrier, tonnelle, tranchée, véranda

ABRI (SE METTRE À L') → ABRITER (S')

ABRIBUS → ABRI

ABRICOT
Voir tab. **Couleurs**

ABRICOT abricotine, oreillon

ABRICOTINE → ABRICOT

ABRI-SOUS-ROCHE → PRÉHISTORIQUE

ABRITER → LOGER, RECEVOIR, RECUEILLIR

ABRITER héberger, loger

ABRITER (S') → CACHER (SE), DISSIMULER, PROTÉGER (SE)

ABRITER (S') mettre à l'abri (se), armer contre (s'), cacher (se), dérober (se), dissimuler (se), garantir (se), prémunir (se), préserver (se), protéger (se), retrancher (se)

ABRIVENT → ABRI

ABROGATION → SUPPRESSION

ABROGER → ABOLIR, ANNULER, CASSER, LOI

ABROGER annuler, casser, invalider, révoquer

ABRUPT → BRUSQUE, BRUT, CRU (2), DIFFICILE, RAPIDE, RUDE, VERTICAL (1)

ABRUPTEMENT → BRÛLER, BUT

ABRUPTEMENT brusquement, brutalement, ex abrupto, subitement

ABRUTI → HÉBÉTÉ, IDIOT, IMBÉCILE (1)

ABRUTI ahuri, hébété, stupide

ABRUTIR → STUPIDE

ABRUTIR abêtir, assommer, avilir, crétiniser, dégrader, dépraver, endormir, engourdir, surmener

ABS → FREIN, FREINER, ROUE
Voir tab. **Automobile**

ABSCISSE → REPÈRE

ABSCONS → ABSTRAIT, COMPRÉHENSIBLE, DIFFICILE, HERMÉTIQUE, INCOMPRÉHENSIBLE, OBSCUR, OPAQUE, TÉNÉBREUX

ABSENCE → DISPARITION, FAUTE, INATTENTION, INCONSCIENCE, MANQUE, OUBLI, PRIVATION, VIDE (1)

ABSENCE absentéisme, carence, contumace, défaut de comparution, disette, pénurie, rareté

ABSENT → ABSORBÉ, DISTRAIT, INVISIBLE, LOINTAIN (2), VAGUE (2)

ABSENT absorbé, ailleurs, distrait, inattentif, rêveur

ABSENTÉISME → ABSENCE

ABSENTER (S') → PARTIR, QUITTER, SORTIR

ABSIDE → CHEVET, CHŒUR
Voir illus. **Église (plan d'une)**

ABSIDIOLE → CHAPELLE
Voir illus. **Église (plan d'une)**

ABSINTHE → LIQUEUR, TONIQUE (2)

ABSOLU → AVEUGLE (2) CATÉGORIQUE, ENTIER, ÉTERNEL, EXCLUSIF, IDÉAL (1), ILLIMITÉ, IMMUABLE, IMPÉRATIF (2), IMPÉRIEUX, INDÉPENDANT, INFINI, INFLEXIBLE, INTÉGRAL (2), MAJORITÉ, MONARCHIE, NÉCESSAIRE, NUANCE, PARFAIT, PLEIN, PROFOND, PUR, RADICAL (2), RESTRICTION, SOUVERAIN (2), STRICT, TOTAL, TYRANNIQUE, UNIVERSEL

ABSOLU absolutiste, despotique, entier, hégémonique, impérieux, inconditionné, infini, inflexible, intransigeant, irréductible, passionné, rigoriste, sectaire, substance, totalitaire, tyrannique

ABSOLUMENT → PARFAITEMENT

ABSOLUMENT bien sûr, certainement, complètement, désespérément, entièrement, parfaitement, rigoureusement, totalement

ABSOLUTION → CONFESSION, FAUTE, MISÉRICORDE, OUBLI, PARDON, PÉCHÉ

ABSOLUTISME → DICTATURE, POUVOIR, SOUMISSION, TYRANNIE

ABSOLUTISME autocratie, autoritarisme, despotisme, dictature, totalitarisme, tyrannie

ABSOLUTISTE → ABSOLU, AUTORITAIRE, RÉGIME

ABSORBANT → EXIGEANT

ABSORBANT buvard, captivant, dévorant, enivrant, essuie-tout, passionnant, prenant

ABSORBÉ → ABSENT, CONCENTRÉ

ABSORBÉ absent, distrait, méditatif, pensif, plongé, préoccupé, soucieux

ABSORBER → ACCAPARER, BOIRE, CONFISQUER, CONSOMMER, DISSOUDRE, ÉPONGER, ÉPUISER, IMPRÉGNER, INTRODUIRE, OCCUPER, PRENDRE, PRÉOCCUPER, RESPIRER, SUCER, VIDER

ABSORBER abîmer (s'), avaler, engloutir, extasier (s'), imbiber de (s'), imprégner de (s'), ingérer, ingurgiter, pâmer (se)

ABSORBER (S') → ENFONCER, PARTIR, PLONGER (SE), RECUEILLIR (SE), SOMBRER

ABSORPTION → FUSION, PRISE

ABSORPTION engloutissement, fusion, ingestion, inhalation, prise, rachat

ABSOUDRE → ACQUITTER, BLANCHIR, EFFACER, EXCUSER, INDULGENT, PARDONNER, REMETTRE

ABSOUS → ACCUSÉ (1)

ABSOUTE → FUNÈBRE, PARDON
Voir tab. **Prières et offices de l'Église catholique romaine**

ABSTÈME → BOIRE

ABSTENIR (S') → DÉPORTER, EMPÊCHER, ÉVITER, INTERDIRE (S'), PASSER, RÉCUSER (SE), REFUSER (SE),

RENONCER, RETENIR (SE), VOTER

ABSTENIR (S') carême, empêcher de (s'), garder de (se), interdire de (s'), ramadan, refuser à (se), retenir de (se)

ABSTENTION → BULLETIN

ABSTENTION abstentionnisme, non-participation

ABSTENTIONNISME → ABSTENTION

ABSTERGER → NETTOYER

ABSTINENCE → AUSTÉRITÉ, CHASTETÉ, JEÛNE, PÉNITENCE, PRIVATION

ABSTINENCE carême, chasteté, continence, diète, jeûne, ramadan, régime, Yom Kippour

ABSTINENT → BOIRE, SEXUEL, SOBRE

ABSTRACTION → INTELLIGENCE, RÉALITÉ

ABSTRACTION axiome, catégorie, concept, entité, exclure, négliger, notion, omettre

ABSTRAIRE → ISOLER, PLONGER (SE)

ABSTRAIT → IRRÉEL, PLATONIQUE, SPIRITUEL
Voir tab. **Peinture et décoration**

ABSTRAIT abscons, abstrus, figuratif (non), hermétique, logique, métaphysique, obscur, philosophie

ABSTRUS → ABSTRAIT, DIFFICILE, INCOMPRÉHENSIBLE, NÉBULEUX, OBSCUR, OPAQUE, TÉNÉBREUX

ABSURDE → AHURISSANT, BÊTE (2), CHEVEU, DÉLIRANT, EXCENTRIQUE, IDIOT, IMPERTINENT, INCOHÉRENT, INCONSIDÉRÉ, INSENSÉ, IRRATIONNEL, RAISON, RIDICULE, STUPIDE

ABSURDE apagogie, grotesque, inepte, insane

ABSURDITÉ → BÊTISE, ERREUR, IDIOTIE, INEPTIE, SENS

ABSURDITÉ bêtise, erreur, folie, incongruité, ineptie, sottise, stupidité

ABUS → BAVURE, INJUSTICE, IRRÉGULARITÉ, USAGE

ABUS barbarisme, débauche, dissimulation, escroquerie, excès, impropriété, intempérance, luxure, pataquès, pléonasme, solécisme, tromperie

ABUS DE CONFIANCE → DÉLIT

ABUS DE POUVOIR → TYRANNIE

ABUSER → ATTIRER, ATTRAPER, AVOIR (1), BAILLER, BERCER, BLUFFER, DORER, ÉGARER, EMBOBINER, ENJÔLER, ESCROQUER, EXPLOITER, FLATTER, ILLUSION, JOUER, MARCHER, MYSTIFIER, PROFITER, SÉDUIRE, TROMPER, VIOLER

ABUSER berner, contraindre, duper, leurrer, mystifier, violer

ABUSIF → ARBITRAIRE, ÉLEVÉ, EXAGÉRÉ, EXCESSIF, INJUSTE, IRRÉGULIER, POLICIER (2), POSSESSIF

ABYSSAL → GIGANTESQUE, INSONDABLE, OCÉAN, PROFOND

ABYSSE → CREUX (1), FOND, FOSSE, GOUFFRE, MER, PROFONDEUR

AC
Voir tab. **Éléments chimiques (symbole des)**

ACABIT → SORTE

ACACIA → AMOURETTE

ACADÉMICIEN → ACADÉMIE,

DISCIPLE, IMMORTEL (1), QUARANTE

ACADÉMICIEN immortel, membre, sociétaire

ACADÉMIE → BILLARD, ÉCOLE, INSTITUT, MODÈLE (1)

ACADÉMIE académicien, académiste, bicorne, chancelier, Coupole, directeur, épée, fauteuil, habit vert, immortel, récipiendaire, secrétaire perpétuel

ACADÉMIE FRANÇAISE → COUPOLE

ACADÉMIE FRANÇAISE (PRIX DE L') *Voir tab.* **Prix littéraires**

ACADÉMIQUE → CONFORME, CONVENTIONNEL, SOUTENIR

ACADÉMIQUE compassé, conformiste, conventionnel, guindé

ACADÉMISTE → ACADÉMIE

ACADEMY AWARDS *Voir tab.* **Prix cinématographiques**

ACAJOU → BOIS, BRUN *Voir tab.* **Couleurs** *Voir tab.* **Ébénisterie (essences utilisées en)**

ACALCULIE → CALCULER

ACANTHE → FEUILLE *Voir illus.* **Colonnes** *Voir tab.* **Architecture**

A CAPPELLA → CHANT

ACARIÂTRE → AIGRI, DÉSAGRÉABLE, DIFFICILE, GRINCHEUX, HARGNEUX, MAUSSADE, RENFROGNÉ, REVÊCHE

ACARIÂTRE aigri, atrabilaire, bougon, grincheux, revêche

ACARICIDE → ACARIEN

ACARIEN *Voir tab.* **Animaux (classification simplifiée des)**

ACARIEN acaricide, allergie, aoûtat, asthme, demodex, lepte, prurigo, rouget, sarcopte, tique, trombidion, vendangeon

ACARUS → GALE

ACATOIS → MÂT

ACAULE → CHARDON, TIGE

ACCABLANT → FATIGANT, INSUPPORTABLE, LOURD, ORAGEUX, PESANT

ACCABLANT écrasant, irréfutable, lourd

ACCABLÉ → ABATTU, BOUT, DÉSOLÉ

ACCABLEMENT → ABATTEMENT, CONSTERNATION, DÉCOURAGEMENT, DÉGOÛT, DÉSESPOIR, STUPEUR

ACCABLER → ABREUVER, AFFLIGER, ASSAILLIR, BOMBARDER, BRISER, COUVRIR, DÉSESPÉRER, ÉCRASER, EFFONDRER, IMPOSER, INDISPOSER, OBSÉDER, PESER, SURCHARGER, VAINCRE

ACCABLER abreuver, agonir, couvrir, cribler, endetter, exténuer, grever, harasser, obérer, submerger, surcharger

ACCALMIE → APAISEMENT, CALME (1), HALTE, RÉPIT, REPOS, RETOUR

ACCALMIE apaisement, atténuation, bonace, calme, éclaircie, embellie, répit, trêve

ACCAPARANT → EXIGEANT

ACCAPARER → ACHETER, CONFISQUER, EMPARER (S'),

OCCUPER, PRENDRE, RÉUNIR

ACCAPARER absorber, approprier (s'), monopoliser, occuper, prendre, retenir, truster

ACCASTILLAGE → ŒUVRE, QUINCAILLERIE

ACCÉDER → CONSENTEMENT, PARVENIR, RENDRE (SE), SOUSCRIRE

ACCÉDER atteindre, consentir, parvenir à, satisfaire

ACCELERANDO *Voir tab.* **Musique (vocabulaire de la)**

ACCÉLÉRATEUR → ADJUVANT, PÉDALE

ACCÉLÉRATEUR bêtatron, bévatron, booster, champignon, collisionneur, cyclotron, isotron

ACCÉLÉRATION → PRÉCIPITATION

ACCÉLÉRÉ → HÂTIF, TRUCAGE

ACCÉLÉRER → ACTIVER (S'), EMBALLER, HÂTER, PRÉCIPITER, PRESSER

ACCÉLÉRER hâter, précipiter

ACCENT → INTONATION, PRONONCIATION, RYTHME

ACCENT aigu, apex, appuyer sur, circonflexe, diacritique, enclitique, grave, inflexion, insister sur, intonation, oxyton, paroxyton, prononciation, proparoxyton, souligner, valoriser

ACCENTEUR *Voir tab.* **Oiseaux (classification simplifiée des)**

ACCENTUATION → AGGRAVATION, AUGMENTATION

ACCENTUATION accroissement, augmentation, caricature, intensification, renforcement

ACCENTUÉ → ACCUSÉ (2), PRONONCÉ

ACCENTUER → ACCUSER, AIGUISER, BORDER, INSISTER, RELIEF, RESSORTIR, SOULIGNER

ACCEPTABLE → DÉCENT, HONORABLE, PLAUSIBLE, POTABLE, RAISONNABLE, SUFFISANT, VALABLE

ACCEPTABLE admissible, recevable

ACCEPTATION → RÉCEPTION, RECONNAISSANCE, TRAITE

ACCEPTATION résignation, soumission

ACCEPTER → ACQUIESCER, ADMETTRE, APPROUVER, CONSENTEMENT, CONSENTIR, CROIRE, ENDOSSER, IDÉE, LAISSER, PERMETTRE, RECEVOIR, RENDRE (SE), RÉPONDRE, SOUFFRIR, SUBIR, SUPPORTER, TOLÉRER

ACCEPTER acquiescer à, adhérer à, consentir à, endurer, résigner à (se), souscrire à, subir

ACCEPTER (FAIRE) → IMPOSER

ACCEPTION → DÉFINITION, MOT, SENS, SIGNIFICATION

ACCÈS → APPROCHE, ATTAQUE, BRÈCHE, CRISE, ENTRÉE, POUSSÉE

ACCÈS attaque, bakchich, bretelle, code secret, coupe-file, crise, ictus, infarctus, laissez-passer, mot de passe, passe-droit, poussée, purgatoire, quinte, sauf-conduit

ACCESSIBLE → ABORDABLE, CHER, CLAIR, COMPRÉHENSIBLE, FACILE,

FAMILIER (2), SENSIBLE, SIMPLE

ACCESSIBLE abordable, accueillant, affable, aimable, amène, claire, compréhensible, concevable, correct, intelligible, ouvert, simple, sociable, vulgariser

ACCESSIT → CONCOURS, DISTINCTION, RÉCOMPENSE

ACCESSOIRE → ANNEXE, ATTRIBUT, BATTERIE, CONTINGENT, FOURNITURE, INCIDENT (2), INSTRUMENT, MARGINAL, ORNEMENT, SECONDAIRE, SUPERFICIEL, SUPPLÉMENT

ACCESSOIRE ceinture, chapeau, cravate, foulard, gant, sac à main, voilette

ACCESSOIRISTE → DÉCOR

ACCIDENT → BOSSE, CAS, CATASTROPHE, CHOC, CONTRETEMPS, ÉPAVE, ÉVÉNEMENT, INÉGALITÉ, PÉRIPÉTIE *Voir illus.* **Symboles musicaux** *Voir tab.* **Assurance (vocabulaire de l')** *Voir tab.* **Musique (vocabulaire de la)**

ACCIDENT affaissement, anicroche, aspérité, calamité, contingence, contretemps, coup du sort, crevasse, éboulement, fortuitement, glissement, incident, infortune, inopinément, malheur, mésaventure, péripétie, revers, phénomène, plissement, vicissitudes

ACCIDENTÉ → DÉCHIQUETÉ, MOUVEMENTÉ, TOURMENTÉ, VICTIME (2)

ACCIDENTEL → CONDITIONNEL, EXTÉRIEUR, IMPRÉVU (2), INATTENDU, OCCASIONNEL

ACCIDENTEL casuel, conjoncturel, contingent, éventuel, exceptionnel, extraordinaire, fortuit, imprévu, occasionnel

ACCIDENTELLEMENT → HASARD

ACCISE → IMPÔT

ACCLAMATION → JOIE, OVATION

ACCLAMATION ovation, vivat

ACCLAMER → APPLAUDIR, FÉLICITER, TRIOMPHE

ACCLAMER claque

ACCLIMATATION → ACCOUTUMANCE, NATURALISATION

ACCLIMATEMENT → ACCOUTUMANCE

ACCLIMATER → INTRODUIRE

ACCLIMATER (S') → ACCOUTUMER (S'), ADAPTER, HABITUER (S')

ACCOINTANCE → AMITIÉ, ANALOGIE, FRÉQUENTATION, INTELLIGENCE, RELATION

ACCOINTANCE ami, connaissance, fréquentation, liaison, lien, relation

ACCOLADE → CHEVALIER, COURBE (1) *Voir illus.* **Arcs** *Voir illus.* **Symboles musicaux**

ACCOLADE (DONNER L') → EMBRASSER

ACCOLÉ *Voir tab.* **Héraldique (vocabulaire de l')**

ACCOLER → JOINDRE

ACCOLURE → LIEN

ACCOMMODANT → AGRÉABLE, FACILE, FAIBLE (2), FLEXIBLE, PRIN… SOUPLE

ACCOMMODANT arrangeant, complaisant, compréhensif, conciliant, flexible, indulgent, souple, tolérant

ACCOMMODATION → ADAPTATION

ACCOMMODEMENT → AMIAB… COMPROMIS, CONCILIATION, NÉGOCIATION, RÈGLEMENT

ACCOMMODER → APPRÊTER, ARRANGER, COMPOSER, SATISFA…

ACCOMMODER apprêter, assaisonner, cuisiner, prépar…

ACCOMMODER (S') → SUPPOR…

ACCOMMODER (S') contenter (se satisfaire (se)

ACCOMPAGNATEUR → TOURIS…

ACCOMPAGNATEUR animateur, chaperon, chevalier, conducteur, confidente, dam… de compagnie, duègne, gard… du corps, guide, moniteur, pianiste, pilote, prétendant, sigisbée, soupirant, suivante

ACCOMPAGNER → ASSISTER, CONDUIRE, ENCADRER, ESCORT… SUIVRE

ACCOMPAGNER agrémenter, assister, assortir, chaperonne émailler, encourager, escorte soutenir

ACCOMPLI → ADMIRABLE, COM… FRANC (2), PASSÉ (2)

ACCOMPLI achevé, consommé, effectué, excellent, exécuté, expert, idéal, irréversible, modèle, parfait, réalisé, remarquable, rempli, terminé

ACCOMPLIR → BOUT, CONSOMMER, EXÉCUTER, FAIRE, FINIR, MATÉRIALISER, MENER, OPÉRER, PROCÉDER, PURGER, RÉALISER, SATISFAIRE, TERME

ACCOMPLIR acquitter (s'), commettre, observer, perpétr… suivre

ACCOMPLISSEMENT → ACHÈVEMENT, INTERPRÉTATION, RÉUSSITE, TERME

ACCON *Voir tab.* **Bateaux**

ACCORD → AGRÉER, AMITIÉ, AUTORISATION, COMBINAISON, COMMUNION, COMPLICITÉ, CONCILIATION, CONCORDANCE, CONSENTEMENT, CONTRAT, CORRESPONDANCE, DÉCALAGE, ENTENTE, HARMONIE, IDENTITÉ, INTELLIGENCE, NÉGOCIATION, PACTE, PERMISSION, PROMESSE, RESSEMBLANCE, RÉUNION, TRAITÉ (2), UNANIMITÉ, UNION, VISA *Voir tab.* **Musique (vocabulaire de la)**

ACCORD abonder dans le sens d… affinité, alliance, approuver, arpégé, association, assortiment, bail, collusion, communion, complémentarit… complot, compromis, conciliation, conclure, conjointement, conjuration, connivence, consensus, conspiration, contrat, convenance, convention, harmonie, homogénéité, intelligence, modus vivendi, négocier, partenariat, plaqué, protocole, sédition, symétrie, traité, transaction, unanimement

ACCORDÉ → FIANCÉ

ACCORDÉON → CLAVIER, PLI

ACCORDÉON bandonéon, concertina, musette, piano à bretelles, piano du pauvre

ACCORDER → APPORTER, BUDGET, COMPRENDRE, CONCÉDER, CONCERTER (SE), CONCILIER, DISPENSER, DONNER, ENTENDRE, GRATIFIER, OFFRIR, PASSER, PORTER, PRÊTER, PRODIGUER, RACCOMMODER, RECONNAÎTRE, RÉPONDRE, SUPPOSER

ACCORDER adjuger, agencer, agir de concert, allouer, apparier, assortir, cause commune (faire), diapason, encenser, impartir, louer, octroyer, valoriser

ACCORDS DU LATRAN (1929) → PAPAUTÉ

ACCORE → CALER, SOUTIEN, VERTICAL (1)

ACCORT → ACCUEILLANT, AFFABLE, GRACIEUX

ACCOSTER → ABORDER, APPROCHER (S'), ARRIVER, TOUCHER

ACCOSTER aborder

ACCOT → GEL

ACCOTEMENT → BORD, LATÉRAL

ACCOTOIR → APPUI, BRAS, COUDE, FAUTEUIL

Voir illus. **Sièges**

ACCOUCHEMENT → FŒTUS, GROSSESSE, NAISSANCE

ACCOUCHEMENT dégagement, délivrance, descente, dystocie, enfantement, engagement, maïeutique, parturition, tranchées

ACCOUCHER → MONDE

ACCOUCHER enfanter, engendrer, gynécologue, multipare, obstétricien, primipare, sage-femme

ACCOUCHEUR → MAIN

ACCOUCHEUR alyte, gynécologue, matrone, obstétricien, sage-femme

ACCOUDOIR → APPUI, BRAS, COUDE, FAUTEUIL

Voir illus. **Sièges**

ACCOUPLEMENT → RAPPORT, REPRODUCTION, SAILLIE, SEXUEL, UNION

ACCOUPLEMENT appareillade, assemblage, association, bouquinage, combinaison, copulation, croisement, fivete, gift, hybridation, insémination, mot-valise, réunion, saillie, sélection

ACCOUPLER → JOINDRE

ACCOURIR → PRÉCIPITER (SE)

ACCOURIR empressement (avec), hâte (en), précipitamment

ACCOUTREMENT → DÉGUISEMENT, HABILLEMENT, VÊTEMENT

ACCOUTREMENT affublement, attifement, déguisement, fagotage

ACCOUTRER → HABILLER, VÊTIR

ACCOUTUMANCE → ADAPTATION, BESOIN, DÉPENDANCE, DROGUE, ENDURCISSEMENT, ESCLAVAGE, HABITUDE, IMMUNITÉ

ACCOUTUMANCE acclimatation, acclimatement, adaptation, assuétude, dépendance, familiarisation, immunisation, insensibilisation, insensibilité, mithridatisation, toxicomanie

ACCOUTUMER → ADAPTER, FAIRE

ACCOUTUMER acclimater (s'), entraîner, exercer, former, habituer (s'), rompre

ACCRÉTION → ACCUMULATION

ACCRO → DROGUE, FANATIQUE (1)

ACCROC → DIFFICULTÉ, INCIDENT (1), RÉSISTANCE, TROU

ACCROC anicroche, déchirer, difficulté, incident, trouer

ACCROCHAGE → ENGAGEMENT, ESCARMOUCHE, FIXATION, FRICTION, HEURT, QUERELLE

ACCROCHE-CŒUR → BOUCLE, MÈCHE

ACCROCHER → CLOUER, FIXER, PIQUER, RETENIR, SUSPENDRE

ACCROCHER aborder, endommager, érafler, esse, heurter, importuner, patère, potence, suspendre

ACCROCHER (S') → TENIR

ACCROCHER (S') acharner (s'), obstiner (s'), persévérer, persister

ACCROCHEUR → TENACE

ACCROIRE → BAILLER, BLUFFER, TROMPER

ACCROISSEMENT → ACCENTUATION, AGGRAVATION, AUGMENTATION, CHANGEMENT, CROISSANCE, HAUSSE, MULTIPLICATION, PROGRESSION

ACCROISSEMENT aggravation, augmentation, croissance, extension, flambée, fructification, hausse, inflation, montée, recrudescence, thésaurisation

ACCROISSEMENT NATUREL

Voir tab. **Population**

ACCROÎTRE → AGRANDIR, AMPLIFIER (S'), GRANDIR, GROSSIR, IMPORTANCE, PERFECTIONNER, PROLONGER, RECULER, SURCHARGER

ACCROÎTRE aiguiser, amplifier, augmenter, décupler, développer, échoir à, élargir, étendre, exacerber, exalter, fortifier, galvaniser, incomber à

ACCRU → BOURGEON

ACCUEIL → HOSPITALITÉ, PERMANENCE, RÉCEPTION

ACCUEIL admission, bizutage, réception

ACCUEILLANT → ACCESSIBLE, AFFABLE, HOSPITALIER

ACCUEILLANT accort, affable, aimable, amène, avenant, chaleureux, cordial, hospitalier

ACCUEILLIR → ADMETTRE, BIENVENUE, BRAS, LOGER, RECEVOIR

ACCUEILLIR convive, héberger, hospitalité, hôte, invité, loger

ACCULÉ (ÊTRE) → DOS

ACCULER → AMENER, CONDUIRE, CONTRAINDRE, ENTRAÎNER, FORCER

ACCULTURATION → ABANDON, ASSIMILATION

ACCUMULATEUR → GÉNÉRATEUR (1), PILE

Voir tab. **Électricité**

ACCUMULATION → ADHÉRENT (2), CONCENTRATION, FAISCEAU, FOULE, NOMBRE, QUANTITÉ, RÉPÉTITION, RÉUNION, TAS

ACCUMULATION accrétion, agrégat, bazar, concrétion, congère, entassement, épargne, fatras, salmigondis, sédimentation, stratification, thésaurisation

ACCUMULER → AMASSER, CONCENTRER, CONSERVER, ENTASSER, RÉSERVE

ACCUMULER amonceler, collectionner, décrocher, entasser, rafler, ravir

ACCUS → BATTERIE

ACCUSATION → ATTAQUE, INSTRUCTION

ACCUSATION anathème, bouc émissaire, calomnie, chef, détraction, diffamation, grief, imputation, médisance, réquisitoire

ACCUSÉ → CLIENT, PRONONCÉ

Voir tab. **Droit (termes de)**

ACCUSÉ (1) absous, acquitté, avis, avocat, certification, contumax, innocenté, mis en examen, notification, preuve, prévenu, récépissé, réhabilité, sellette

ACCUSÉ (2) accentué, marqué, profond, souligné

ACCUSER → ATTRIBUER, DÉNONCER, IMPUTER, PLAIDER, PLAINTE, PRENDRE, PROCÈS, RESPONSABLE (2), TAXER

ACCUSER accentuer, assigner, charger, citer, déférer, dessiner, impliquer, incriminer, inculper, poursuivre, révéler, souligner, témoigner, trahir, vilipender

ACE → TENNIS

ACÉPHALE → TÊTE

ACERBE → ACÉRÉ, ACIDE (2), ÂCRE, CAUSTIQUE, DÉSAGRÉABLE, HARGNEUX, MAUSSADE, MÉCHANT, MORDANT (2), PIQUANT (2), SARCASTIQUE, SATIRIQUE, VENIMEUX, VIF (2), VIOLENT

ACERBE acide, acrimonieux, agressif, aigre, amer, âpre, caustique, exacerber, mordant, piquant, sarcastique, virulent

ACÉRÉ → PIQUANT (2), POINTU, SATIRIQUE, TRANCHANT

ACÉRÉ acerbe, coupant, effilé, incisif, mordant, piquant, pointu, tranchant

ACÉRER → AFFÛTER

ACESCENCE → ACIDE (1), CIDRE, VIN

ACÉTIFICATION → VINAIGRE

ACÉTIMÈTRE → VINAIGRE

Voir tab. **Instruments de mesure**

ACÉTIQUE (ACIDE)

Voir tab. **Acides**

ACÉTOBACTER → VINAIGRE

ACÉTOMEL → VINAIGRE

ACÉTONÉMIE → DIABÈTE

ACHALANDAGE → BOUTIQUE, STOCK

ACHARDS → VINAIGRE

ACHARNÉ → CHAUD, ENRAGER, IDÉE, IRRÉDUCTIBLE, MERCI, OBSTINÉ, SERRÉ, TENACE, TRAVAILLEUR (2), VIOLENT

ACHARNEMENT → ARDEUR, FÉROCITÉ, FUREUR, OBSTINATION, OPINIÂTRETÉ

ACHARNEMENT détermination, fougue, opiniâtreté, ténacité

ACHARNER (S') → ACCROCHER (S'), INSISTER, PERSÉCUTER, PERSÉVÉRER

ACHARNER (S') escrimer (s'), harceler, martyriser, obstiner (s'), persécuter, persévérer, persister, tourmenter

ACHAT → ACQUISITION, COURSE

ACHAT acquéreur, acquisition, adjudicataire, chaland, emplette, enchérisseur

ACHÉEN → GREC

ACHÉMÉNIDES → PERSE (2)

ACHEMINEMENT → FRET

ACHEMINER → AMENER, DIRIGER, PARVENIR

ACHÉRON → ENFER

ACHETER → ACQUÉRIR, AVOIR (1), CORROMPRE, PAYER, PROCURER (SE)

ACHETER accaparer, boursicoter, corrompre, dévoyer, monopoliser, prix fort (au), rabais (au), réméré (à), soudoyer, spéculer, stipendier, truster

ACHETEUR → CLIENT, CONSOMMATEUR, USAGER

ACHETEUR acquéreur, client, clientèle, enchérisseur, marché, marketing, payeur, preneur

ACHEVÉ → ACCOMPLI, FRANC (2)

ACHÈVEMENT → CONCLUSION, FIN (1), PERFECTION, SOLUTION, TERME

ACHÈVEMENT accomplissement, cessation, crépuscule, déclin, révolu, terme

ACHEVER → BOUT, CONCLURE, FINIR, TERME, TERMINER

ACHEVER conclure, coup de grâce (porter le), couronner, mener à terme, parfaire

ACHILLE → TENDON

ACHILLE TALON

Voir tab. **Bande dessinée (héros de)**

ACHILLÉOMANCIE → CHINOIS

ACHMOPHOBIE

Voir tab. **Phobies**

ACHOLIE → BILE

ACHOPPER → BUTER, ÉCUEIL, OBSTACLE, PAS (1)

ACHOURA → MUSULMAN (2)

Voir tab. **Fêtes religieuses**

ACHROMATOPSIE → COULEUR, TROUBLE (1)

ACHROMIE → BLANC (1), DÉCOLORATION

ACHROMIQUE → BLAFARD

ACICULAIRE → PIQUANT (2)

Voir illus. **Feuille**

Voir tab. **Forme de... (en)**

ACID HOUSE

Voir tab. **Musiques nouvelles**

ACID JAZZ

Voir tab. **Musiques nouvelles**

ACIDALIE → NOCTURNE

ACIDE → ACERBE, AIGRE, BRÛLER, CAUSTIQUE, PIQUANT (2), SAVEUR, SUCRÉ, VIF (2)
Voir tab. **Vin (vocabulaire du)**

ACIDE (1) acescence, acidose, décaper, eau régale, eau-forte, entamer, fermentation, mordre, ronger

ACIDE (2) acerbe, agacement, caustique, ironique, sarcastique

ACIDE ACÉTIQUE
Voir tab. **Acides**

ACIDE ASCORBIQUE
Voir tab. **Acides**
Voir tab. **Vitamines**

ACIDE BENZOÏQUE → ANTISEPTIQUE

ACIDE CHLORHYDRIQUE
Voir tab. **Acides**

ACIDE CITRIQUE
Voir tab. **Acides**

ACIDE DÉSOXYRIBONUCLÉIQUE (ADN) → NOYAU
Voir tab. **Acides**

ACIDE FOLIQUE
Voir tab. **Vitamines**

ACIDE FORMIQUE → FOURMI
Voir tab. **Acides**

ACIDE LACTIQUE
Voir tab. **Acides**

ACIDE MALIQUE
Voir tab. **Acides**

ACIDE NITRIQUE OU AZOTIQUE
Voir tab. **Acides**

ACIDE NUCLÉIQUE
Voir tab. **Acides**

ACIDE PANTOTHÉNIQUE
Voir tab. **Vitamines**

ACIDE PRUSSIQUE OU CYANHYDRIQUE
Voir tab. **Acides**

ACIDE RIBONUCLÉIQUE → NOYAU
Voir tab. **Acides**

ACIDE SALICYLIQUE OU ORTHOHYDROXYBENZOÏQUE
Voir tab. **Acides**

ACIDES GRAS
Voir tab. **Acides**

ACIDE SULFURIQUE → POISON, SOUFRE
Voir tab. **Acides**
Voir tab. **Minéraux et utilisations**

ACIDE SULFURIQUE oléum, vitriol

ACIDE TARTRIQUE
Voir tab. **Acides**

ACIDE URIQUE
Voir tab. **Acides**

ACIDIFICATION → PÉTROLE, VIN

ACIDOSE → ACIDE (1)

ACIDULÉ → SUCRÉ, TENDRE (2)

ACIER → ALLIAGE, DESIGN, MATÉRIAU, PONT

ACIER austénite, austénitisation, cémentite, couler, cubilot, ferrite, forger, laminer, lingotière, marteler, martensite, métallurgie, poche, raffiner, recuit, sidérurgie, tréfiler, trempe

ACIÉRIE → USINE

ACINIFORME
Voir tab. **Forme de... (en)**

ACIPENSÉRIDÉ → ESTURGEON

ACLINIQUE → INCLINAISON

ACMÉ → CULMINANT, INTENSITÉ, MAXIMUM, ORGASME, PLAISIR, SUPÉRIEUR, ZÉNITH

ACNÉ → BOUTON, ÉRUPTION, PEAU

ACOLYTE → ALLIÉ, COMPAGNON, COMPLICE, ORDRE, PARTENAIRE

ACOMPTE → AVANCE, COMMANDE, DÉPÔT, IMPÔT, INITIAL, PAIEMENT, PARTIEL, PROVISION, RÉSERVATION, VALOIR

ACOMPTE à-valoir, appoint, arrhes, avance, provision, tiers provisionnel

ACON → MOULE
Voir tab. **Bateaux**

ACONIER → MARINE

ACOQUINER (S') → LIER

ACORE → ROSEAU

À-CÔTÉS → APPOINT

À-COUP → BRUSQUE, SAUT, SECOUSSE

ACOUPHÈNE → BOURDONNEMENT, BRUIT

ACOUSTIQUE → MICROSCOPE, SON, SONORITÉ

ACQUÉREUR → ACHAT, ACHETEUR, CLIENT, PROPRIÉTAIRE

ACQUÉRIR → APPRENDRE, CONQUÉRIR, CONTRACTER, OBTENIR, PROCURER (SE)

ACQUÉRIR acheter, concilier (se), dérober, détourner, extorquer, hériter, procurer (se), soustraire, spolier, troquer, usurper

ACQUÊTS → IMMEUBLE (1)

ACQUIESCEMENT → AGRÉER, APPROBATION, COMPLET, CONSENTEMENT, PERMISSION

ACQUIESCER → ACCEPTER, BONNET, BRONCHER, CÉDER, CONSENTIR, DIRE, POSITIF, RENDRE (SE), SOUSCRIRE

ACQUIESCER accepter, agréer, approuver, consentir, souscrire

ACQUIS → BAGAGE, CONNAISSANCE, CONQUÊTE, ÉTABLIR, FAVORABLE, PROGRÈS, SAVOIR

ACQUIS avantage, compétence, connaissance, droit, privilège, savoir

ACQUISITION → ACHAT

ACQUISITION achat, apprentissage, OPA, OPE

ACQUIT → PAIEMENT, RECONNAISSANCE

ACQUIT décharge, quittance, reconnaissance, reçu

ACQUITTÉ → ACCUSÉ (1)

ACQUITTEMENT → INNOCENCE, PAIEMENT, VERDICT
Voir tab. **Droit (termes de)**

ACQUITTER → BLANCHIR, PAYER, RÉGLER

ACQUITTER absoudre, cotiser, disculper, régler, relaxer, souscrire

ACQUITTER (S') → ACCOMPLIR, AMORTIR, ÉTEINDRE, EXERCER, HONORER, REMPLIR, RENDRE, SATISFAIRE, SOLDER, TENIR

ACRA → BEIGNET

ÂCRE → AIGRE, DÉSAGRÉABLE, SUCRÉ

ÂCRE acerbe, aigre, âpre, caustique, cinglant, corrosif, empyreumatique, incisif, irritant, mordant, râpeux

ACRIMONIE → AGRESSIVITÉ, AMERTUME, COLÈRE, FIEL, HUMEUR

ACRIMONIEUX → ACERBE,

AGRESSIF, MAUSSADE, MÉCHANT, MORDANT (2), SARCASTIQUE

ACROBATE → CIRQUE

ACROBATE bateleur, contorsionniste, équilibriste, funambule, gymnaste, jongleur, trapéziste, virtuose, voltigeur

ACROBATIE → ÉQUILIBRE, PÉRILLEUX, PIROUETTE

ACROCÉPHALE → TÊTE

ACROMION → OMOPLATE

ACRONYME → ABRÉVIATION, INITIAL, MOT

ACROPHOBIE
Voir tab. **Phobies**

ACROPOLE → VILLE

ACROSOME
Voir illus. **Testicule**

ACROSTICHE → POÈME, VERTICAL (2)
Voir tab. **Poésie (vocabulaire de la)**

ACROTÈRE → BASE, FRONTON, PIÉDESTAL, SOCLE, STATUE
Voir illus. **Colonnes**
Voir tab. **Architecture**

ACRYLIQUE → FIBRE, FOURRURE, PEINTURE, TEXTILE

ACTE → CONDUITE, CONSTATATION, CONTRAT, EXPLOIT, GESTE, PIÈCE, TEXTE

ACTE administratif, attestation, certificat, communion, compulsion, confirmation, conservatoire, constater, contrition, document, enregistrement, exécutoire, intervention, juridique, lapsus, législatif, notarié, pénitence, prescription, raptus, réponse, stimulus

ACTE ACCIDENTEL
Voir tab. **Psychanalyse**

ACTE DE NAISSANCE → FILIATION

ACTE MANQUÉ
Voir tab. **Psychanalyse**

ACTES DE COMMERCE → DROIT (1)

ACTES DES APÔTRES
Voir tab. **Bible**

ACTEUR → DISTRIBUTION, INTERMITTENT (2), INTERPRÈTE, PERSONNAGE

ACTEUR cabotin, comédien, héros, histrion, interprète, onagata, protagoniste

ACTIF → ARDENT, AVOIR (2), BALANCE, BILAN, COMPTABILITÉ, EFFECTIF, EFFICACE, ÉNERGIQUE, LABORIEUX, MOBILISATION, TRAVAILLEUR (2), VIF (2), VOCABULAIRE, ZÉLÉ
Voir tab. **Population**

ACTIF diligent, drastique, dynamique, effectif, efficace, entreprenant, productif, zélé

ACTINIDE → URANIUM

ACTINIE → ANÉMONE

ACTINIQUE → LUMIÈRE

ACTINIUM
Voir tab. **Éléments chimiques (symbole des)**

ACTINOMÈTRE
Voir tab. **Instruments de mesure**

ACTINOPTÉRYGIENS
Voir tab. **Poissons (classification simplifiée des)**

ACTION → EFFET, FONCTION, INITIATIVE, INTÉRÊT, INTRIGUE,

NŒUD, OPÉRATION, PART, POURSUITE, PRATIQUE (1), RÉACTION, RÉCIT, SCÉNARIO, SCÈNE, TITRE, UNITÉ
Voir tab. **Bourse**
Voir tab. **Collectionneurs**

ACTION agissement, démarche, exaction, exploit, forfait, intervention, intrigue, manigance, méfait, menées, mobilisation, performance, péripétie, prouesse

ACTION (D') → VERBE

ACTION AU PORTEUR → VALEUR

ACTION DE CAPITAL → VALEUR

ACTION D'ÉCLAT → EXPLOIT

ACTION DE JOUISSANCE → VALEUR

ACTION NOMINATIVE → VALEUR

ACTIONNAIRE → PARTICIPANT

ACTIONNER → FONCTIONNER, MOUVOIR

ACTIVATION → MOBILISATION

ACTIVER → HÂTER, PRÉCIPITER, PRESSER, SOUFFLER

ACTIVER allumer, déclencher, lancer

ACTIVER (S') → AFFAIRER (S'), DÉPLOYER, SECOUER, VITE

ACTIVER (S') accélérer, affairer (s'), dépêcher (se), hâter (se), presser (se)

ACTIVISTE → AGITATEUR

ACTIVITÉ → ANIMATION, ARDEUR, EXERCICE, FONCTION, INITIATIVE, PROFESSION, RESSORT, SERVICE, TRAVAIL

ACTIVITÉ distraction, divertissement, domaine, dynamisme, entrain, éruption, exercer, hobby, livrer (se), loisir, secteur, violon d'Ingres, vitalité, vivacité

ACTIVITÉ DE CONSEIL
Voir tab. **Banque**

ACTUALISÉ → VERSION

ACTUALISER → MODERNISER

ACTUALITÉ → CHOSE (1), INFORMATION, NOUVELLE, RÉCENT

ACTUALITÉ actuel, article, billet, contemporain, éditorial, flash, informations, journal, média, nouvelles, récent, scoop

ACTUEL → ACTUALITÉ, CONTEMPORAIN, COURS, IMMÉDIAT (2), RÉEL, TEMPS

ACTUEL contemporain, effectif

ACTUELLEMENT → MAINTENANT

ACUITÉ → CONSCIENCE, PÉNÉTRATION, PERSPICACITÉ, SENSIBILITÉ, SUBTILITÉ, VIVACITÉ

ACUL → HUÎTRE

ACULÉATE → AIGUILLON

ACULÉIFORME
Voir tab. **Forme de... (en)**

ACUMINÉ → AIGU

ACUPUNCTURE → AIGUILLE, CHINOIS, MÉDECINE, PARALLÈLE (2), POINT, TRAITEMENT
Voir tab. **Médecines alternatives**

ACUTANGLE → AIGU, TRIANGLE
Voir illus. **Géométrie (figures de**

AD HOC → ADÉQUATION

AD LIBITUM
Voir tab. **Musique (vocabulaire de la)**

AD VALOREM → DOUANE

ADAGE → BALLET, CITATION,

FORMULE, PENSÉE, POPULAIRE, PROVERBE, RAISONNEMENT, RÉFLEXION, SENTENCE
Voir tab. **Danse classique**

...AGIO → MOUVEMENT
Voir tab. **Musique** (vocabulaire de la)

...AM (POMME D') → LARYNX

...AM ET ÈVE → PARADIS

...AMANTIN → DIAMANT, DUR

...AMISME → HÉRÉSIE

...APTATION → ACCOUTUMANCE, ARRANGEMENT, ASSIMILATION, NATURALISATION, VERSION

...APTATION accommodation, accoutumance, assimilation, caméléon, doublage, évolution, intégration, mimétisme, mutation, orchestration, sous-titrage, transcription

...APTÉ → APPROPRIÉ, CONVENABLE, FAVORABLE, JUSTE, PROPICE, SPÉCIAL

...APTER → AJUSTER, CONFORMER, HABITUER (S'), INTÉGRER (S'), JOINDRE, MODERNISER, PORTER, RATTACHER, SOCIABLE, TRANSFORMER

...APTER acclimater (s'), accoutumer (s'), adéquation, ajuster, conformer, convenance, familiariser avec (se), flexibilité, mobilité, moderniser, souplesse

...DENDA → ADDITION, COMPLÉMENT, LIVRE, SUPPLÉMENT

...DENDUM → APPENDICE

...DICTION → DÉPENDANCE

...DITIF → ADJUVANT, CONSERVATEUR

...DITION → APPENDICE, CALCUL, COMPTE, FACTURE, NOTE, OPÉRATION, RESTAURANT
Voir tab. **Mathématiques** (symboles)

...DITION addenda, affixe, annexe, apostille, appendice, appoint, codicille, désinence, majoration, post-scriptum, pourcentage, préfixe, prime, suffixe, supplément

...DITIONNEL → JOINT (2)

...DITIONNER → AJOUTER

...DITIONNER adjoindre, compléter, couper, dénaturer, diluer, frelater, mouiller, sommer, totaliser

...DUCTEUR
Voir illus. **Muscles**

...DUCTION → MOUVEMENT

...ÈLE BLANC-SEC
Voir tab. **Bande dessinée** (héros de)

...DÉNITE → GANGLION

...DÉNO- → GLANDE

...DÉNOME → GLANDE, TUMEUR

...DÉNOPATHIE → GANGLION

...DEPTE → ADHÉRER, CERTITUDE, CHAMPION, CONVERTI, DISCIPLE, FIDÈLE (2), INITIÉ, PARTISAN (1), SECTE

...DEPTE adhérent, amateur, cinéphile, disciple, fidèle, membre, militant, partisan, prosélyte, sectateur, séide, tenant, zélateur

...DÉQUAT → APPROPRIÉ, BON (1), CONVENABLE, FAVORABLE, JUSTE, SPÉCIAL

ADÉQUAT favorable, idoine, judicieux, opportun, pertinent, propice

ADÉQUATION → ADAPTER, CONFORMITÉ, ÉQUIVALENCE, PROPRIÉTÉ

ADÉQUATION ad hoc

ADHÉRENCE → CONTACT
Voir tab. **Chirugicales** (interventions)

ADHÉRENT → ADEPTE, BASE, MEMBRE, PARTI

ADHÉRENT (1) affilié, membre, militant, partisan, sociétaire

ADHÉRENT (2) accumulation, adhésive, collant

ADHÉRER → ACCEPTER, BONNET, COLLER, CONSENTIR, CROIRE, ENTRER, INSCRIRE (S'), JOINDRE, PARTAGER, SOUSCRIRE, SUIVRE

ADHÉRER adepte, affilier (s'), disciple, partisan, prosélyte, rallier, sectateur, séide, souscrire

ADHÉSIF → COLLANT, COLLER

ADHÉSIO-
Voir tab. **Chirugicales** (interventions)

ADHÉSION → AFFILIATION, AGRÉER, COMPLET, CONVERSION, INSCRIPTION, RÉUNION

ADHÉSIVE → ADHÉRENT (2)

ADIEU éloge, éloignement, exil, oraison, rupture

ADIP(O)- → GRAISSE

ADIPEUX → GRAS, OBÈSE

ADIPEUX adipolyse, adipopexie, adipose, cellulite, graisseux, obésité

ADIPEUX (RAYONS)
Voir illus. **Poisson**

ADIPIQUE → RICIN

ADIPOGENÈSE → GRAISSE

ADIPOLYSE → ADIPEUX, DISSOLUTION

ADIPOPEXIE → ADIPEUX

ADIPOSE → ADIPEUX, GRAISSE

ADIPOSITÉ → INFILTRATION

ADIRÉ → PERDU, TITRE

ADJACENT → PROCHE (2), VOISIN

ADJACENT attenant, contigu, équerrage, jumelé, juxtaposé, mitoyen, proche, voisin

ADJECTIF → POSSESSIF, VARIABLE (2)

ADJECTIF apposé, attribut, cardinal, comparatif, épithète, exclamatif, indéfini, interrogatif, ordinal, possessif, qualificatif, substantivé, superlatif, verbal

ADJECTIF VERBAL → PARTICIPE

ADJOINDRE → ADDITIONNER, AJOUTER, JOINDRE

ADJOINDRE ajouter, annexer, attacher, joindre

ADJOINT → AUXILIAIRE (1), BRAS, COLLABORATEUR, COMPAGNON, PARTENAIRE, SECOND (1), SUPPLÉANT

ADJOINT aide, assistant, auxiliaire, collaborateur, suppléant, vicaire

ADJONCTION → COMPLÉMENT, RÉUNION

ADJUDANT → CHEF, INFANTERIE
Voir illus. **Grades de la gendarmerie**
Voir illus. **Grades militaires**

ADJUDANT-CHEF → INFANTERIE
Voir illus. **Grades de la gendarmerie**
Voir illus. **Grades militaires**

ADJUDICATAIRE → ACHAT, ADJUDICATION

ADJUDICATEUR → ADJUDICATION

ADJUDICATION → MARCHÉ, SAISIE, VENTE

ADJUDICATION adjudicataire, adjudicateur, attribution, enchères (aux)

ADJUGÉ → VENDRE

ADJUGÉE
Voir tab. **Bridge**

ADJUGER → ACCORDER, ATTRIBUER

ADJURATION → DEMANDE, PRIÈRE

ADJURER → ORDONNER, SUPPLIER

ADJUVANT → AJOUTER

ADJUVANT accélérateur, additif, complémentaire

ADLER (ALFRED)
Voir tab. **Psychanalyse**

ADMETTRE → AVOUER, CONCÉDER, CONVENIR, CROIRE, IDÉE, IMAGINER, INTRODUIRE, PERMETTRE, RAISON, RECEVOIR, RECONNAÎTRE, RETENIR, SOUFFRIR, TOLÉRER

ADMETTRE accepter, accueillir, introduire, reconnaître, souffrir, supporter, tolérer

ADMETTRE (FAIRE) → IMPOSER

ADMINICULE → COMMENCEMENT

ADMINISTRATEUR → BIBLIOTHÈQUE, CONSERVATEUR, ÉCONOME (1), GÉRANT, INTENDANCE, SITE

ADMINISTRATEUR conservateur, gérant, intendant, majordome, régisseur, tuteur

ADMINISTRATIF → ACTE, DROIT (1), OFFICIEL, POLICE

ADMINISTRATION → BUREAU, GOUVERNEMENT, INTENDANCE, MANIEMENT, PUBLIC (2), RÉGIME, TUTELLE

ADMINISTRATION FISCALE → CADASTRE

ADMINISTRATION LÉGALE
Voir tab. **Droit** (termes de)

ADMINISTRATION PUBLIQUE
Voir tab. **Économie**

ADMINISTRÉ → HABITANT

ADMINISTRER → CONDUIRE, DIRIGER, FICHER, GOUVERNER, INFLIGER, INJECTER

ADMINISTRER conférer, diriger, gérer, gouverner, infliger

ADMIRABLE → EXCELLENT, EXTRAORDINAIRE, INCOMPARABLE, MAGNIFIQUE, MÉRITE, MERVEILLEUX, PARFAIT, SENSATIONNEL, SPLENDIDE, SUPERBE (2)

ADMIRABLE accompli, divin, éblouissant, excellent, exquis, grandiose, héroïque, magistral, remarquable, savoureux, singulier, sublime, succulent, surprenant, total

ADMIRABLEMENT → PARTICULIÈREMENT

ADMIRATEUR → FANATIQUE (1), FERVENT (1)

ADMIRATEUR amateur, disciple, fanatique, galant, idolâtre, prétendant, soupirant, thuriféraire

ADMIRATIF → ENTHOUSIASTE

ADMIRATION → CULTE, EXTASE, PASSION

ADMIRATION dévotion, émerveillement, engouement, fascination, nues (porter aux), pinacle (porter au), ravissement, vénérer

ADMIRER → CONSIDÉRER, ÉMERVEILLER, PIÉDESTAL

ADMIRER aduler, apprécier, estimer, extasier (s'), goûter, pâmer (se), priser, révérer

ADMIS → INTÉRIEUR (1), ORDINAIRE, RECEVOIR, VÉRITÉ

ADMISSIBLE → ACCEPTABLE, PLAUSIBLE, PROBABLE, VALABLE

ADMISSION → ACCUEIL, CONCOURS, ENTRÉE, INITIATION, INTRODUCTION, MOTEUR, RÉCEPTION, RÉSULTAT, RÉUSSITE

ADMISSION cooptation, hospitalisation, incarcération, internement, intronisation

ADMONESTATION → AVERTISSEMENT, BLÂME, MENACE, MISE, ORDRE, RÉPRIMANDE, REPROCHE, SERMON

ADMONESTER → BRETELLE, GRONDER, LEÇON, MORALISER, RAISONNER, RECOMMENCER, SERMON

ADMONITION → CONSEIL, MENACE, RÉPRIMANDE

ADN → CHROMOSOME

ADNÉE
Voir illus. **Champignon**

ADOBE → BRIQUE

ADODOLER → BALANCER

ADOLESCENCE → JEUNESSE, SEUIL

ADOLESCENCE évolution, initiation, menstruation, mue, nubilité, puberté, transition

ADOLESCENT → JEUNE

ADOLESCENT adonis, apprenti, arpète, commis, éphèbe, groom, mitron

ADOLESCENTE → JEUNE

ADONAÏ → DIEU

ADONIS → ADOLESCENT, BEAU, GARÇON

ADONNER (S') → DONNER (SE), INTÉRESSER (S'), LIVRER, OCCUPER (S')

ADONNER (S') appliquer (s'), consacrer (se), pratiquer, livrer à (se)

ADOPTER → CHOISIR, EMBRASSER, ENTRER, PARTAGER, PRATIQUER, SUIVRE, VOTER

ADOPTER afficher, entériner, faire sien, opter pour, préférer, ratifier, sanctionner

ADOPTION → COMPAGNON, ÉLECTION, INTRODUCTION

ADOPTION adoption plénière, adoption simple

ADORABLE → CHARMANT, EXQUIS, IRRÉSISTIBLE, JOLI, MIGNON (2), PLAISANT

ADORABLE charmant, craquant, délicieux, exquis, mignon, ravissant

ADORATEUR → FERVENT (1)

ADORATION → AMOUR, CULTE, DÉVOTION, PASSION, RELIGION, RESPECT

ADORATION adulation, animiste, attachement, culte, dévot, dulie, fétichiste, idolâtrie, latrie, mystique, vénération

ADORÉ → CHER

ADORER → CHÉRIR, PASSION, PRIER, VÉNÉRER

ADORER idolâtrer, révérer, vénérer

ADOS → TALUS

ADOSSÉ

Voir tab. **Héraldique** (vocabulaire de l')

ADOSSER → DOS, PLACER

ADOUBEMENT → CHEVALIER, FÉODAL

ADOUBER → ARMER

Voir tab. **Échecs**

ADOUCIR → ALLÉGER, APAISER, APPRIVOISER, ATTÉNUER, BAUME, DÉSARMER, ESTOMPER, GUÉRIR, MODÉRER, MOINS, SOULAGER, SOUPLE, TEMPÉRER

ADOUCIR apaiser, assourdir, atténuer, calmer, dulcifier, édulcorer, lénifier, mitiger, modérer, soulager, tempérer

ADOUCISSAGE → MARBRE

ADOUCISSANT analgésique, baume, embrocation, émollient, liniment, onguent

ADOUCISSEMENT → CICATRISATION, CONSOLATION, DÉGEL

ADRAGANTE → GOMME

ADRÉNALINE → HORMONE

ADRESSE → AISANCE, APTITUDE, BALOURDISE, CAPACITÉ, DIPLOMATIE, EXÉCUTION, HABILETÉ, MAÎTRISE, PRÉCAUTION, SAVOIR-FAIRE, SCIENCE, SUBTILITÉ, TALENT

ADRESSE agilité, attention (à l'), brio, circonspection, coordonnée, dextérité, diplomatie, doigté, égard (à l'), éloquence, endroit (à l'), escamoteur, illusionniste, indication, intention (à l'), jongleur, prestidigitateur, sagacité, savoir-faire, suscription, tact, verve

ADRESSE ÉLECTRONIQUE

Voir tab. **Internet**

ADRESSE IP

Voir tab. **Internet**

ADRESSER → EXPÉDIER, INTERROGER

ADRESSER apostropher, confier, destiner, envoyer, expédier, héler, interpeller, recommander, remettre aux soins de, transmettre

ADRET → FACE, MONTAGNE, PENTE, VALLÉE, VERSANT

Voir tab. **Géographie et géologie** (termes de)

ADROIT → CAPABLE, FÉE, FIN (2), HABILE, SUBTIL

ADROIT astucieux, dégourdi, ingénieux, judicieux, leste, preste, prudent

ADULATEUR → FÉLICITER, FERVENT (1)

ADULATION → ADORATION

ADULÉ → CHER

ADULER → ADMIRER, COURTISER, FLATTER, PIÉDESTAL

ADULTE → PARVENU (2)

ADULTE épanouissement, maturité, plénitude, vigueur

ADULTÉRATION → CONTREFAÇON

ADULTÈRE → CLANDESTIN, DIVORCE, ÉPOUX, INCONSTANCE,

INFIDÉLITÉ, MAÎTRESSE, TRAHISON

ADULTÈRE adultérin, bâtard, déloyauté, félonie, illégitime, infidélité, trahison, tromperie

ADULTÉRER → TRAFIQUER

ADULTÉRER altérer, contrefaire, déformer, dénaturer, édulcorer, falsifier, pervertir, travestir, tronquer, vicier

ADULTÉRIN → ADULTÈRE, BÂTARD, ILLÉGITIME, NATUREL

ADVENTICE → AJOUTER, EXTÉRIEUR, EXTERNE, INCIDENT (2), MAUVAIS, SUPPLÉMENT

ADVERBE a posteriori, a priori, affirmation, comparaison, de visu, doute, gratis, grosso modo, in extenso, in extremis, interrogation, intra-muros, négation, quantité

ADVERSAIRE → COMPÉTITION, ENNEMI, OPPOSANT, RIVAL (1)

ADVERSAIRE antagoniste, assaillant, belligérant, concurrent, contradicteur, détracteur, dissident, émule, guérillero, insurgé, opposant, rebelle, rival

ADVERSE → CONTRAIRE (2), DÉFAVORABLE, OPPOSÉ, RIVAL (2)

ADVERSITÉ → ÉPREUVE, MALCHANCE, MALHEUR, SORT

ADVERSITÉ épreuve, fatalité, infortune, malchance, malheur, misère

ADYNAMIE → FAIBLESSE, FATIGUE

ADYTON → GREC, TEMPLE

AÈDE → CHANTEUR, GREC, POÈTE

ÆGAGROPILE → POIL

ÆGIPAN → CHÈVRE, HOMME

ÆGITHAL → MÉSANGE

AEGOTHÈLE

Voir tab. **Oiseaux** (classification simplifiée des)

AÉRER → AIR, RENOUVELER

AÉRICOLE → AÉRIEN

AÉRIEN → LÉGER, MÉTRO

Voir tab. **Sports**

AÉRIEN aéricole, aériforme, aviation militaire, bombardement, céleste, éthéré, immatériel, looping, renversement, vaporeux, vrille

AÉRIENNE → BATAILLE, VAPOREUX

AÉRIFORME → AÉRIEN

AÉRIUM → SANTÉ

AÉROBIE → AIR

AÉRODROME → AÉROPORT, PISTE

AÉRODROMOPHOBIE

Voir tab. **Phobies**

AÉRODYNAMIQUE → FLUIDE (1)

AÉROFREIN

Voir illus. **Avion**

AÉROGARE → AÉROPORT

AÉROGASTRIE → AIR

AÉROGLISSEUR → TRANSPORT, VÉHICULE

AÉROGLISSEUR NAVI-PLANE

Voir tab. **Bateaux**

AÉROGRAMME → LETTRE

AÉROLITHE → ÉTOILE, MÉTÉORITE, PIERRE

AÉROMOBILE → TRANSPORT

AÉRONAUTE → BALLON, PILOTE

AÉRONAUTIQUE → NAVIGATION

AÉRONEF → AVION

AÉROPHAGIE → AIR

AÉROPHILATÉLISTE

Voir tab. **Collectionneurs**

AÉROPHOBIE

Voir tab. **Phobies**

AÉROPHONE

Voir tab. **Instruments de musique**

AÉROPLANE → AVION

AÉROPORT aérodrome, aérogare, altiport, astroport, atelier, chemin de roulement, héliport, hélistation, terminal

AÉROPORTÉ → TRANSPORT

AÉROSOL → POLLUTION, PULVÉRISER

AÉROSOL aérosolthérapie, atomiseur, brouillard, brumisateur, nébulisateur, spray, vaporisateur

AÉROSOLTHÉRAPIE → AÉROSOL

AÉROSPATIALE → FUSÉE

AÉROSTAT → BALLON

AÉROSTIER → PILOTE

AÉROTRAIN → TRAIN

AÉROTRANSPORTÉ → TRANSPORT

ÆSCHNE → INSECTE

AESCULUS HIPPOCASTANUM

Voir tab. **Plantes médicinales**

AFAT → ARMÉE

AFFABILITÉ → AMABILITÉ, BIENVEILLANCE, BONTÉ, URBANITÉ

AFFABILITÉ amabilité, aménité, civilité, courtoisie, obligeance, urbanité

AFFABLE → ABORDABLE, ACCESSIBLE, ACCUEILLANT, AGRÉABLE, AIMABLE, COURTOIS, DOUX, ÉLEVÉ, FACILE, FAMILIER (2), GENTIL, POLI (1)

AFFABLE accort, accueillant, aimable, amène, avenant, bienveillant, obligeant

AFFABULATION → ILLUSION

AFFACTURAGE → CONTENTIEUX

AFFADIR → FADE

AFFAIBLI → ABATTU

AFFAIBLIR → AMOLLIR, AMORTIR, ATTÉNUER, BRISER, BROUILLER, BROYER, DÉCLINER, DÉFAILLIR, DÉPÉRIR, ÉBRANLER, ENTAMER, ÉTEINDRE, ÉTIOLER, FAIBLE (2), INFÉRIORITÉ, MINER, MODÉRER, MOINS, PERDRE, VIEILLIR

AFFAIBLIR amenuiser, amoindrir, assourdir (s'), atténuer, débiliter, décliner, dépérir, édulcorer, émousser, étioler (s'), languir

AFFAIBLISSEMENT → ABATTEMENT, DÉPRESSION, DIMINUTION, ÉPUISEMENT, EXTINCTION, FATIGUE, SANTÉ, USURE

AFFAIRE → CAS, CONTENTIEUX, DÉBAT, DOSSIER, DUEL, ÉNIGME, ENTREPRISE, ÉVÉNEMENT, HISTOIRE, MARCHÉ, OCCASION, POLITIQUE (2), PROBLÈME, RAYON, RÉPUTATION, SOCIÉTÉ, VÊTEMENT

AFFAIRE affairiste, business, commerce, danger, difficulté, dossier, effets, embarras, finance, histoire, litige, marché, négoce, objet, obligation, occupation, péril, querelle, question, scandale, spéculateur, tâche, transaction, travail, vêtements

AFFAIRE DE CŒUR → INTRIGUE

AFFAIREMENT → AGITATION,

ANIMATION

AFFAIRER (S') → ACTIVER (S')

AFFAIRER (S') activer (s'), empresser (s')

AFFAIRISTE → AFFAIRE, HOMME D'AFFAIRES

AFFAISSEMENT → ACCIDENT, ÉCROULEMENT

AFFAISSER (S') → EFFONDRER, ENFONCER, PLIER, SOMBRER, TOMBER

AFFAITAGE → FAUCON

AFFAITER → DRESSER

Voir tab. **Chasse** (vocabulaire de la)

AFFALER → VOILE

AFFAMÉ altéré, assoiffé, avide, crève-la-faim, famélique

AFFAMEUR → FAIM

AFFECT

Voir tab. **Psychanalyse**
Voir tab. **Psychiatrie**

AFFECTATION → APPLICATION, DÉMONSTRATION, DESTINATION, DÉTACHEMENT, EMPLOI, ÉTALAG, IMITATION, MUTATION, NOMINATION, OSTENTATION, RECHERCHE, SIMAGRÉES

AFFECTATION afféterie, artifice, assignation, attribution, désignation, maniérisme, mutation, nomination, préciosité, promotion

AFFECTÉ → ARTIFICIEL, ATTEINT, DIGNE, ÉBRANLER, EMPHATIQUE, FAUX (2), FRAPPER, GUINDÉ, HYPOCRITE, IMPRESSIONNER, MANIÈRE, PÉDANT, PRÉCIEUX, PRÉTENTIEUX, RAFFINÉ, RECHERCH, SÉRIEUX (2), SINUEUX, SNOB, SOLENNEL, SOPHISTIQUÉ, TARABISCOTÉ, VIF (1)

AFFECTÉ affligé, alambiqué, amphigourique, ampoulé, bouleversé, chagriné, compa, composé, contraint, ému, étudié, grandiloquent, guind, maniéré, peiné, pompeux, touché

AFFECTÉ (ÊTRE) → COMPATIR

AFFECTER → AFFICHER, BUDGET, COMÉDIE, COMPOSER, DESTINE, ÉMOUVOIR, IMPUTER, PEINER, REMUER, SEMBLANT

AFFECTIF → SENTIMENTAL

AFFECTIF affection, amertume, amitié, amour, angoisse, attachement, blocage, bonhe, complexe, frustration, insatisfaction, névrose, peine, phobie, plaisir, rancœur, ressentiment, satisfaction, tristesse

AFFECTION → AFFECTIF, AMITIÉ, ATTACHEMENT, DÉVOUEMENT, FAVEUR, INCLINATION, INTÉRÊT, MALADIE, PENCHANT, RELATION, TENDRESSE

AFFECTION aigu, altération, attachement, chronique, dermatite, dermatose, inclination, mal, penchant, piété filiale, prédilection

AFFECTIONNER → CHÉRIR

AFFECTUEUX → AMICAL, CÂLIN, CHALEUREUX, TENDRE (2)

AFFECTUEUX câlin, caressant, enjôleur, hypocoristique, ten

ENAGE → BÉTAIL

ÉRENT → NERF, PÉRIPHÉRIE

ERMAGE → FERME (1), OCATION

ERMER → BAIL, LOUER

ERMI → STABLE

ERMIR → ASSEOIR, CIMENTER, CONSOLIDER, DURCIR (SE), FORTIFIER

ERMIR ancrer, asseoir, assurer, confirmer, conforter, consolider, durcir, fortifier, renforcer, stabiliser

ÉTERIE → AFFECTATION, RECHERCHE

ETTUOSO
Voir tab. **Musique** (vocabulaire de la)

ICHAGE → CONCURRENCE

ICHE → AVIS, DISTRIBUTION, GRAPHIQUE, INFORMATION, NSCRIPTION, PUBLICITAIRE, VEDETTE

ICHE affichette, afficheur, affichiste, avis, chromolithographie, colleur, dazibao, manifeste, placard, proclamation, slogan, vignette

ICHER → ADOPTER, COMMETTRE (SE), CONFESSER, ÉTALER, INSCRIRE (S'), MONTRER, PARADE, SPECTACLE

ICHER affecter, arborer, étaler, exhiber, montre (faire), parader, publier

ICHETTE → AFFICHE, TRACT

ICHEUR → AFFICHE

ICHISTE → AFFICHE, DESSIN

IDÉ → COMPLICE, ESPION, PARTENAIRE

ILÉ → TRANCHANT

ILÉE (D') → INTERRUPTION, RANG, SUITE

ILER → AFFÛTER, AIGUISER, FIL

ILIATION → INITIATION, INSCRIPTION

ILIATION adhésion, inscription

ILIÉ → ADHÉRENT (1)

ILIER → ADHÉRER, ENTRER, INSCRIRE (S'), RATTACHER

ILOIR → AFFÛTER

INAGE → FONTE, FROMAGE, MOULAGE, PLOMB

INÉ → SUBTIL

INER → COMPLÉTER, ÉPURER, INUTILE, RAFFINER

INITÉ → ACCORD, AMITIÉ, ANALOGIE, COMMUNAUTÉ, CONFORMITÉ, CORRESPONDANCE, PENCHANT, RESSEMBLANCE

IQUET → BABIOLE, BIJOU, BROCHE

IRMATION → ADVERBE

IRMATION allégation, assertion, dogmatique, lapidaire, percutant, péremptoire, propos, tranchant

IRMER → IMPORTANCE, JURER, PARIER, POSITIF, PRÉTENDRE, PROCLAMER, SOUTENIR, TÉMOIGNER

IRMER ambages (sans), ambiguïté (sans), attester, avancer, certifier, défendre, garantir, jurer, maintenir, prétendre, prêter serment, proclamer, soutenir

IXE → ADDITION, ÉLÉMENT, MOT, PARTICULE

AFFLEURER → NIVEAU, SENTIR, SURFACE

AFFLICTION → CAFARD, CHAGRIN, COMPASSION, DÉSESPOIR, DÉTRESSE, DOULEUR, MAL (1), MALHEUR, PEINE, SOUFFRANCE

AFFLIGÉ → ABATTU, AFFECTÉ, FÂCHER, INDIGNER, MALHEUREUX, TRISTE

AFFLIGÉ (ÊTRE) → SOUFFRIR

AFFLIGEANT → CRUEL, DÉPLORABLE, DÉSASTREUX, FUNESTE, LAMENTABLE, MALHEUREUX, MAUVAIS, PÉNIBLE, PITOYABLE, TRISTE

AFFLIGEANT consternant, désolant, effroyable, fâcheux, funeste, lamentable, navrant, pitoyable

AFFLIGER → BLESSER, COMPATIR, DÉSESPÉRER, DÉSOLER, FENDRE, MÉCONTENTER, PEINER, PLEURER

AFFLIGER accabler, attrister, chagriner, contrister, déplorer, frapper, navrer, peiner, regretter, tourmenter

AFFLUENCE → FOULE, MONDE

AFFLUENCE afflux, déferlement, flot, foule, multitude, pointe (de)

AFFLUENT → FLEUVE

AFFLUX → AFFLUENCE, FLOT, INONDATION

AFFOLANT alarmant, bouleversant, démentiel, effarant, effrayant, fou, hallucinant, insensé, terrifiant, troublant

AFFOLÉ → ÉPERDU, TERRORISER, TROUBLÉ

AFFOLEMENT → FRAYEUR, INQUIÉTUDE, PANIQUE, PEUR, PRÉCIPITATION, TERREUR

AFFOLEMENT effroi, épouvante, panique, peur

AFFOLER → EFFRAYER, INQUIÉTER (S'), PERDRE, SANG-FROID, TROUBLER, TROUBLER (SE)

AFFOUAGE → BOIS, FORÊT

AFFOUILLEMENT → ÉROSION

AFFOUILLER → CREUSER

AFFOURAGEMENT → BÉTAIL

AFFOURCHER → ANCRE

AFFRANCHI → LIBRE

AFFRANCHIR → DÉFAIRE, ESCLAVAGE, LIBERTÉ, RACHETER, SECOUER
Voir tab. **Belote**
Voir tab. **Tarot**

AFFRANCHIR dégager (se), délivrer, émanciper (s'), libérer

AFFRANCHISSEMENT → INDÉPENDANCE, TIMBRE-POSTE
Voir tab. **Bridge**

AFFRANCHISSEMENT cens, manumission, testament, vindicte

AFFRES → AGONIE, ANGOISSE, FAIM, HORREUR, INQUIÉTUDE, MORT (1), SUPPLICE, TOURMENT

AFFRÈTEMENT → DROIT (1)

AFFRÉTER → FRET, LOUER, VAISSEAU

AFFRÉTEUR → FRET

AFFREUX → ABOMINABLE, ATROCE, BEAU, CATASTROPHIQUE, ÉPOUVANTABLE, EXÉCRABLE, HIDEUX, HORRIBLE, LAID, MONSTRUEUX, SUPPORTER, TERRIBLE

AFFREUX abject, atroce, cruel, cynique, détestable, difforme, effroyable, épouvantable, gargouille, guenilles, haillons, hardes, hideux, horrible, ignoble, laideron, loques, maritorne, monstrueux, oripeaux, repoussant, simiesque, vicieux, vil

AFFRIANDER → ALLÉCHER, APPÂTER, APPÉTIT

AFFRIOLANT → APPÉTISSANT

AFFRIOLER → ALLÉCHER, TENTER

AFFRONT → BAVE, DÉSHONNEUR, GIFLE, HONTE, HUMILIATION, INJURE, INSULTE, OFFENSE, OUTRAGE

AFFRONT avanie, camouflet, humiliation, injure, offense, outrage, vexation

AFFRONTÉ
Voir tab. **Héraldique** (vocabulaire de l')

AFFRONTEMENT → BAGARRE, COMPÉTITION, CONFLIT, FOIRE

AFFRONTER → DANGER, EXPOSER, FACE, IGNORER, LUTTER, MESURER, OPPOSER, REGARDER

AFFRONTER braver, défier, exposer (s'), heurter (se), opposer (s'), quereller (se), rivaliser

AFFUBLEMENT → ACCOUTREMENT, DÉGUISEMENT, HABILLEMENT, VÊTEMENT

AFFUBLER → HABILLER, VÊTIR

AFFUSION → BAPTISER

AFFÛT → CANON, MARAIS, MITRAILLEUSE
Voir illus. **Canon**

AFFÛT (ÊTRE À L') → GUETTER

AFFÛTÉ → TRANCHANT

AFFÛTER → AIGUISER, FIL

AFFÛTER acérer, affiler, affiloir, affûteur, affûteuse, aiguiser, coutelier, fusil, pierre, rémouleur, repasseur

AFFÛTEUR → AFFÛTER

AFFÛTEUSE → AFFÛTER

AFICIONADO → CORRIDA, COURSE DE TAUREAUX, FANATIQUE (1), TAUREAU

AFNOR → NORMALISATION

A FORTIORI → RAISON

AFRIQUE DU NORD
Voir tab. **Saints patrons**

AFRO
Voir illus. **Cheveux (coupes de)**

AFTERNOON TEA → REPAS

AFUCHE
Voir illus. **Percussions**

AG
Voir tab. **Éléments chimiques** (symbole des)

AGAÇANT → CONTRARIANT, INSUPPORTABLE, SUPPORTER

AGACÉ → FÂCHÉ, HÉRISSÉ

AGACEMENT → ACIDE (2), IMPATIENCE, NERVOSITÉ, ZUT

AGACER → BOUILLIR, CHATOUILLER, CONTRARIER, EMBÊTER, ÉNERVER, FÂCHER, INDISPOSER, IRRITER, PROVOQUER, TAQUINER

AGACER exaspérer, excéder, exciter, hérisser, horripiler, irriter, lutiner

AGACERIE → MINAUDERIE

AGALACTIE → LAIT

AGAME → PISTIL

AGAMI → TROMPETTE

Voir tab. **Oiseaux (classification simplifiée des)**

AGAPE → BANQUET, BOMBANCE, REPAS

AGAPES → FESTIN

AGARIC → COUCHE

AGATE → BILLE

AGATHOIS
Voir tab. **Habitants (comment se nomment les)**

AGAVE → CRIN, TEQUILA

AGDE
Voir tab. **Habitants (comment se nomment les)**

AGE → CHARRUE
Voir illus. **Charrue**

ÂGE → ÉPOQUE, ÈRE, TEMPS

ÂGE âge critique, andropause, canonique, climatère, enfance, épacte, ère, majorité, ménopause, mésolithique, néolithique, nubilité, paléolithique

ÂGE CRITIQUE → ÂGE

AGENCE → BUREAU, CABINET, COMPTOIR, OFFICE, SUCCURSALE

AGENCE comptoir, étude, factorerie, filiale, gérance, intendance, succursale

AGENCEMENT → COMBINAISON, COMPOSITION, DISPOSITION, DISTRIBUTION, MENUISIER, ORDONNANCE, ORGANISATION, PLACE, STRUCTURE, TEXTURE

AGENCEMENT aménagement, ameublement, appareil, arrangement, composition, dispositif, équilibre, harmonie, mécanisme, organisation, structure, syntaxe, texture

AGENCER → ACCORDER, AMÉNAGER, ARRANGER, BÂTIR, COMPOSER, DISPOSER, INSTALLER, ORDONNER, PRÉPARER, UNIR

AGENCIER → RÉDACTEUR

AGENDA → BUREAU, CAHIER, CALENDRIER, CARNET, MÉMOIRE, REGISTRE, RENDEZ-VOUS, SOUVENIR (SE)

AGENDA mémento, mémorandum

AGÉNÉSIE → CROISEMENT

AGENOUILLER (S') → FLÉCHIR

AGENOUILLER (S') agenouilloir, incliner (s'), prie-Dieu, prosterner (se)

AGENOUILLOIR → AGENOUILLER (S')

AGENT → BRAS, BUREAU, CAUSE, DÉLÉGUÉ, EMPLOYÉ, ENVOYÉ, FACTEUR, INSTRUMENT, INTERMÉDIAIRE (1), POLICE, PRINCIPE, RENSEIGNEMENT, REPRÉSENTANT

AGENT agent de change, commissionnaire, coulissier, courtier, délégué, démarcheur, émissaire, espion, factotum, fondé de pouvoir, gérant, intendant, mandataire, régisseur, représentant, sous-marin, suppôt, taupe

AGENT DE CHANGE → AGENT, BOURSE, OFFICIER

AGENT DE MAÎTRISE → CADRE, CONTREMAÎTRE, INDUSTRIE

AGENT DIPLOMATIQUE → CHARGÉ

AGENT GÉNÉRAL D'ASSURANCES
Voir tab. **Assurance**
(vocabulaire de l')
AGENT PUBLIC → FONCTIONNAIRE
AGENT SECRET → ESPION
AGGADA → RECUEIL
AGGÉE
Voir tab. **Bible**
AGGIORNAMENTO
Voir tab. **Catholique romain**
(vocabulaire)
AGGLOMÉRAT → MASSE, UNION
AGGLOMÉRATION → CENTRE,
CONCENTRATION, LOCALITÉ,
PLOMB, RÉUNION, VILLE
AGGLOMÉRATION banlieue,
conurbation, couronne, district
urbain, mégalopole, périphérie
AGGLOMÉRÉ → CONCENTRÉ
AGGLOMÉRÉ agrégat, boulet,
briquette, bûche, carbonite,
parpaing, poussier
AGGLOMÉRER (S') → ENTASSER
AGGLUTINANTE → LANGUE
AGGLUTINEMENT → PRÉCIPITATION
AGGLUTINER → AMASSER,
ASSEMBLER (S'), COLLER,
CONCENTRER, ENTASSER,
PRESSER (SE)
AGGLUTININE → ANTICORPS
AGGRAVATION →
ACCROISSEMENT, ESCALADE,
INTENSITÉ, MODIFICATION, PROGRÈS
AGGRAVATION accentuation,
accroissement, augmentation,
crise, intensification,
recrudescence, redoublement,
renforcement
AGGRAVER → DÉGRADER, EMPIRER,
ENVENIMER, IMPORTANCE, PIRE,
PROGRESSER, VENIN
AGGRAVER aviver (s'),
complication, dégénérer,
dégrader (se), détériorer (se),
empirer, envenimer (s'),
exacerber (s'), intensifier (s'),
recrudescence
AGHA → TURC
AGILE → ALERTE, SOUPLE, VIF (2)
AGILE leste, preste, vif
AGILITÉ → ADRESSE
AGIO → BANQUE, COMMISSION,
INTÉRÊT
AGIOS
Voir tab. **Banque**
AGIOTAGE → BOURSE, CHANGE,
MANIPULATION, TRAFIC
AGIOTER → JOUER, SPÉCULER
AGIR → EFFET, INTERVENIR, MILITER,
PRENDRE, PROCÉDER
AGIR conduire (se), influer,
intercéder, comporter, opérer
AGIR DE CONCERT → ACCORDER
ÂGISME → DISCRIMINATION
AGISSEMENT → ACTION,
CONDUITE, INTRIGUE, MANÈGE,
MANIÈRE, PRATIQUE (1)
AGIT-PROP → PROPAGANDE
AGITATEUR → ANIMATEUR,
BAGUETTE, RÉVOLUTIONNAIRE (1),
TROUBLE (1)
AGITATEUR activiste, émeutier,
factieux, mutin, provocateur,
trublion
AGITATION → ANIMATION,
BOUILLONNEMENT, CONVULSION,
DÉLIRE, ÉMEUTE, ÉMOI, EXALTATION,
EXCITATION, FIÈVRE, FRÉNÉSIE,

IMPATIENCE, MOUVEMENT,
NERVOSITÉ, PASSION,
PERTURBATION, PRÉCIPITATION,
SOULÈVEMENT, TROUBLE (1),
TURBULENCE, VIOLENCE
AGITATION affairement,
chorée (danse de Saint-Guy),
confusion, convulsion,
effervescence, émoi, frénésie,
houle, inquiétude, insurrection,
précipitation, rébellion,
remous, sédition, soulèvement,
tourment, tracas, trépidation,
tumulte, turbulence
AGITÉ → BALLOTTER, BRUYANT,
EXCITÉ, INQUIET, IRRITÉ,
MOUVEMENTÉ, ORAGEUX,
POSSÉDÉ, TOURMENTÉ, TURBULENT
AGITER → BOUGER, BOUILLIR,
BRANDIR, ÉBRANLER, FRISSONNER,
REMUER
AGITER brandir, brasser,
dandiner (se), démener (se),
gesticuler, gigoter, touiller,
tournicoter, trémousser (se),
trémuler, vibrionner
AGLAÉ → GRÂCE
AGLYPHE → DENT
AGNAT → DESCENDANT
AGNATHE → MÂCHOIRE
AGNATHES
Voir tab. **Animaux (classification**
simplifiée des)
Voir tab. **Poissons (classification**
simplifiée des)
AGNEAU → PARCHEMIN
Voir tab. **Animaux (termes**
propres aux)
AGNEAU DE DIEU → CHRIST
AGNELAGE → NAISSANCE
AGNELET
Voir tab. **Animaux (termes**
propres aux)
AGNELINE → LAINE
AGNOSIE → PERCEPTION
Voir tab. **Psychiatrie**
AGNOSIE VISUELLE → VERBAL
AGNOSO-APRAXIE
Voir tab. **Psychiatrie**
AGNOSTICISME → DOUTE,
INCROYANCE, INDIFFÉRENCE
AGNOSTIQUE → CROYANT, IMPIE,
INCRÉDULE, IRRÉLIGIEUX, NON-
CROYANT, RELIGION
AGNUS-CASTUS → CALMANT
AGNUS DEI
Voir tab. **Prières et offices de**
l'Église catholique romaine
AGNUS-DEI → MÉDAILLE
AGONIE → FIN (1), MORT (1)
AGONIE affres, agonisant,
anéantissement, décadence,
déclin, dépérissement,
effondrement, expirant,
extrême-onction, moribond
AGONIR → ACCABLER, COUVRIR,
CRACHER, INJURE
AGONISANT → AGONIE, ARTICLE,
DÉCLIN, MALADE, MOURANT,
MOURIR
AGORA → PLACE
AGORAPHOBIE
Voir tab. **Phobies**
Voir tab. **Psychiatrie**
AGOUTI → LIÈVRE
AGRAFE → ATTACHE, BOUTON,
CEINTURE, CROCHET, FIXATION,
MERCERIE

AGRAFER → FERMER
AGRAFEUSE → BUREAU
AGRAIRE → TERRE
AGRANDIR → DÉVELOPPER,
ÉLARGIR, ÉTENDRE, PROLONGER,
RECULER
AGRANDIR accroître, amplifier,
développer (se), écarquiller,
étendre, étendre (s'), fructifier,
prospérer
AGRANDISSEMENT → EXTENSION
AGRANDISSEMENT compte-fils,
dilatation, distension,
élargissement, extension,
gigantisme, hypertrophie,
loupe, macrophotographie,
microscope
AGRANDISSEUR
Voir tab. **Photographie**
(vocabulaire de la)
AGRAPE → LANCE
AGRAPHIE → ÉCRIRE
AGRÉABLE → BEAU,
BIENHEUREUX (1), CHARMANT,
FACILE, PLAISANT, SUAVE,
SYMPATHIQUE
AGRÉABLE accommodant, affable,
amène, attrayant, avenant,
captivant, cordial,
enchanteur, gracieux,
plaisant, séduisant
AGRÉER → ACQUIESCER,
APPROUVER, CONVENIR, RECEVOIR
AGRÉER accord, acquiescement,
adhésion, approbation,
assentiment, consentement,
convenir, plaire, ratification,
suffrage
AGRÉGAT → ACCUMULATION,
AGGLOMÉRÉ, COMBINAISON,
HÉTÉROGÈNE, MASSE, UNION
AGRÉGATION → CONCOURS,
PROFESSEUR, RÉUNION
AGRÉGER → CONCENTRER,
INCORPORER (S'), JOINDRE
AGRÉMENT → ATTRAIT,
COMMODITÉ, COMPLET,
DISTRACTION, GRÂCE, JOIE,
JOUISSANCE, PLAISIR
AGRÉMENT attrait, charme, grâce
AGRÉMENTER → ACCOMPAGNER,
BRODER, DÉCORER, ÉGAYER,
EMBELLIR, ENJOLIVER, GARNIR,
ORNER, RELEVER
AGRÈS → ANNEAU, GYMNASTIQUE,
PORTIQUE, POUTRE
AGRESSER → ASSAILLIR, JETER,
PROVOQUER, SAUTER
AGRESSIF → ACERBE, BAGARRE,
BELLIQUEUX, BRUSQUE, HAINEUX,
HARGNEUX, INGRAT, MENAÇANT,
MORDANT (2), OFFENSIF, VIOLENT
AGRESSIF acrimonieux, belliqueux,
clinquant, criard, féroce,
hargneux, hostile, menaçant,
offensif, provocant, querelleur,
sanguinaire, tapageur,
vindicatif, violent
AGRESSION → ATTAQUE, ATTENTAT,
INVASION, POLLUTION, VIOLENCE
AGRESSIVITÉ → ANIMOSITÉ,
MALVEILLANCE
AGRESSIVITÉ acrimonie, animosité,
âpreté, brusquerie, véhémence,
violence
AGRESTE → CAMPAGNE, CHAMP,
CHAMPÊTRE, PASTORAL, RURAL,
SAUVAGE

AGRICOLE → CHAMPÊTRE,
POLITIQUE (1)
AGRICOLE agronomie, arable,
assolement, coopérative,
hacienda, jachère, kibboutz,
kolkhoze, latifundium,
monoculture, rural
AGRICULTEUR → CULTIVATEUR,
FERMIER, PATRON
Voir tab. **Saints patrons**
AGRICULTEUR cultivateur,
exploitant, fermier, jacques,
journalier, métayer, paysan,
péon, planteur
AGRICULTURE → CHAMP, PRIMAIRE
AGRIPPEMENT → NOURRISSON
AGRIPPER → PRENDRE,
RATTRAPER (SE), SAISIR, TENIR
AGRIPPINE
Voir tab. **Bande dessinée**
(héros de)
AGROLOGIE → CHAMP
AGROMÉTÉOROLOGIE →
MÉTÉOROLOGIE
AGRONOMIE → AGRICOLE, CHAM
AGROSTIS → PELOUSE
AGROTIS → CHENILLE
AGRUME → CITRON, FRUIT
AGRUME agrumiculture,
bergamote, bigarade, cédrat,
citrus, pomelo, tangerine
AGRUMICULTURE → AGRUME,
CULTURE
AGUERRI → BLINDÉ
AGUERRIR → DURCIR (SE),
ENDURCIR, FORMER, FORTIFIER,
HABITUER
AGUETS → MÉFIANT
AGUETS (ÊTRE AUX) → GUETTER
AGUEUSIE → GOÛT
AGUICHANT → ATTIRANT
AHANANT → SOUFFLE
AHANER → ESSOUFFLER (S'),
FARDEAU, RESPIRER
AHURI → ABRUTI, BAVER, ÉBAHI,
ÉPATÉ, HÉBÉTÉ, INTERDIT (2), SAISIR,
SIDÉRÉ, STUPÉFAIT
AHURISSANT → ÉTONNANT,
SINGULIER
AHURISSANT absurde, incroyable
inouï, insensé, scandaleux,
sidérant, stupéfiant
AHURISSEMENT → SURPRISE
AÏ → PARESSEUX (1), SINGE
AÏD-EL-ADHA
Voir tab. **Fêtes religieuses**
AÏD-EL-FITR → MUSULMAN (2)
Voir tab. **Fêtes religieuses**
AÏD-EL-KÉBIR → ISLAM,
MUSULMAN (2)
Voir tab. **Fêtes religieuses**
AÏD EL-SEGHIR
Voir tab. **Fêtes religieuses**
AIDE → ADJOINT, APPOINT,
APPRENTI, ASSISTANCE,
AUXILIAIRE (1), BÉNIR,
COLLABORATEUR, CONCOURS,
CONTRIBUTION, FAVEUR,
FERMIER, IMPÔT, INTERVENTION,
MOYEN (1), PRESTATION,
PROTECTION, PROVISION,
RÉCONFORT, RENFORT, SECOURS,
SERVICE, SOUTIEN, SUBSISTER,
SUPPORT
AIDE allocation, auxiliaire,
bénévole, bienfaiteur,
collaboration, concours,
patronage, protection,

soutien, subside, subvention, volontaire

IDE DE CAMP → ORDONNANCE

IDE FINANCIÈRE → SECOURS

IDE-MÉMOIRE → COMMENTAIRE, MANUEL, SOUVENIR (SE)

IDER → CONCOURIR À, ÉPAULER, FAVORISER, OBLIGER, PERMETTRE, RÉCONFORTER, RENDRE, SECONDER, SOULAGER, SOUTENIR, UTILE

IDER assister, concourir, contribuer, coopérer, épauler, mnémotechnique, réconforter, soutenir

IDE-SOIGNANT → INFIRMIER

IDE-SOIGNANTE → HOSPITALIER, MÉDECINE

IDS → SIDA

ÏEUL → ANCÊTRE, DESCENDANT, FAMILLE, PARENT, PRÉCÉDER, RACE, VIEILLARD

ÏEUX → DESCENDANT, PRÉCÉDER

IGLE → FORMAT, IMPÉRIAL (2), INTELLIGENT, RAPACE
Voir illus. **Héraldique**
Voir illus. **Rapaces**
Voir tab. **Animaux (termes propres aux)**
Voir tab. **Oiseaux (classification simplifiée des)**

IGLE aire, aquilidés, aquilin, balbuzard, circaète, pygargue, rapaces

IGLE (L')
Voir tab. **Habitants (comment se nomment les)**

IGLON
Voir tab. **Animaux (termes propres aux)**

IGLONS
Voir tab. **Habitants (comment se nomment les)**

IGLURE → TACHE (1)

IGRE → ACERBE, ÂCRE, GÂTÉ, PIQUÉ, SUCRÉ, VENIMEUX, VIF (2)

IGRE acide, âcre, aigu, criard, glapissant, griotte, mordant, perçant, ranci, suri

IGREFIN → MALFAITEUR, VOLEUR

IGRETTE → HOUPPE, PANACHE, PLUME, POMPON

IGREUR → BRÛLURE, DÉCEPTION, DÉSILLUSION, FIEL

IGREUR dyspepsie

IGRI → ACARIÂTRE, AMER, CORROMPU

IGRI acariâtre, amer, blasé, désabusé, désenchanté, revêche

IGRIR → TOURNER

IGU → ACCENT, AFFECTION, AIGRE, CRIARD, INTENSE, PÉNÉTRANT, PIQUANT (2), POINTU, SÉVÈRE, TERRIBLE, VIOLENT

IGU acuminé, acutangle, crissement, cuisant, déchirant, lancinant, pénétrant, perçant, perspicace, sagace, strident, stridulation, subtil, subulé, taraudant, térébrant, vif

IGUAIL → ROSÉE

IGUË → DOULEUR, FULGURANT, HAUT (2)

IGUE-MARINE → BLEU (1)
Voir tab. **Couleurs**
Voir tab. **Pierres précieuses et semi-précieuses**

IGUIÈRE → LAVABO, VASE

AIGUILLAGE → BIFURCATION, BRANCHER, CHEMIN DE FER, JONCTION, TRAIN

AIGUILLE → BALANCE, BAROMÈTRE, BOUSSOLE, BRODERIE, DENTELLE, ÉPINE, FLÈCHE, MONTAGNE, PIQUANT (2), POINTE, PONCTION, SOMMET, TALON, VACCINER
Voir illus. **Flocons**
Voir illus. **Littoral**
Voir tab. **Superstitions**

AIGUILLE acupuncture, broche, index, poinçon, style, stylet

AIGUILLE DE MER → TROMPETTE

AIGUILLER → DIRIGER, GUIDER, ORIENTER

AIGUILLETTE → BLANC (2), CANARD, FILET
Voir illus. **Bœuf**
Voir tab. **Cuisine**

AIGUILLON → ÉPERON, PIQUANT (1), SCORPION
Voir tab. **Forme de... (en)**

AIGUILLON aculéate

AIGUILLONNER → ANIMER, ENCOURAGER, EXCITER, STIMULER

AIGUILLOT → GOUVERNAIL

AIGUISÉ → SUBTIL, TRANCHANT

AIGUISER → ACCROÎTRE, AFFÛTER, CULTIVER, ÉVEILLER, EXASPÉRER, EXCITER, FIL, OUVRIR, STIMULER, TRAVAILLER

AIGUISER accentuer, affiler, affûter, coticule, émorfiler, émoudre, épointer, exacerber, meule, potée d'émeri, queux, rémouleur, repasseur, stimuler, tourne-fil

AÏKIDO → ART MARTIAL, JAPONAIS, NEUTRALISATION
Voir tab. **Sports**

AIL → LÉGUME, SOUPE, VAMPIRE
Voir tab. **Herbes, épices et aromates**
Voir tab. **Plantes médicinales**

AIL aillade, ailler, aïoli, alliacé, caïeu, gousse, liliacées

AILANTE → VERNIS

AILE → BÂTIMENT, CARROSSERIE, CÔTÉ, FLANC, LATÉRAL, MAILLE, POULET
Voir illus. **Insectes**
Voir illus. **Moulins à vent et à eau**
Voir illus. **Oiseau**
Voir tab. **Échecs**
Voir tab. **Forme de... (en)**

AILE diptère, élytre, penne, rémige, volant

AILÉ → SOUPLE

AILÉ Icare, Pégase

AILE DU NEZ
Voir illus. **Bouche, nez et gorge**

AILERON → MANCHE, NAGEOIRE
Voir illus. **Avion**
Voir illus. **Planche à voile**

AILES DE PIGEON
Voir illus. **Danse classique**

AILIER → FOOTBALL, PATROUILLE
Voir illus. **Football**

AILLADE → AIL

AILLER → AIL

AILLEURS → ABSENT

AILLEURS alibi, outre (en), reste (du)

AILLOLI → PROVENÇAL

AILOUROPHOBIE
Voir tab. **Phobies**

AIMABLE → ABORDABLE, ACCESSIBLE, ACCUEILLANT, AFFABLE, EXQUIS, FACILE, GENTIL, JOLI, PLAISANT, POLI (2), PRÉVENANT, SOCIABLE, SYMPATHIQUE
Voir tab. **Vin (vocabulaire du)**

AIMABLE affable, altruiste, amène, avenant, obligeant, philanthrope, prévenant, sympathique

AIMANT → ATTRACTION, BOUSSOLE, TENDRE (2)

AIMANT attraction, magnétisme

AIMANTER → MAGNÉTISER

AIMÉ → CHER

AIMER → CHÉRIR, GOÛTER, INTÉRESSER (S')

AIMER apprécier, attaché (être), chérir, choyer, épris (être), passionner (se), plaire (se), plaisir (prendre)

AINE inguinal

AÎNÉ → ANCIEN (1), FILS, PREMIER (2), VIEILLARD

AÎNÉ doyen, premier-né

AINSI → CONSÉQUENCE

AÏOLI → AIL, MAYONNAISE

AIR → ASPECT, AZOTE, CHANSON, CONTENANCE, DÉMARCHE, ÉLÉMENT, FAÇADE, MASQUE, MÉLODIE, MINE, PHYSIONOMIE
Voir tab. **Phobies**

AIR aérer, aérobie, aérogastrie, aérophagie, aria, atmosphère, baromètre, climatisation, éther, hygromètre, mélodie, pneumatique, ventiler

AIR (AVOIR L') → PARAÎTRE

AIR COMPRIMÉ → SIFFLET

AIR PUR → OXYGÈNE

AIRAIN → BRONZE, CUIVRE

AIRBAG → COUSSIN
Voir tab. **Automobile**

AIRE → AIGLE, CERCLE, NICHE, NID, SURFACE
Voir tab. **Animaux (termes propres aux)**

AIRE nid, plate-forme, rhumb, superficie, surface, terrain

AIRE D'ATTERRISSAGE → PISTE

AIRE DE JEUX → PUBLIC

AIRE DE REPOS → HALTE, PARC

AIRER → NICHER

AIRE-SUR-L'ADOUR
Voir tab. **Habitants (comment se nomment les)**

AIRURE → HOUILLE, VEINE

AIS → PLANCHE

AISANCE → ABONDANCE, ASSURANCE, BIEN-ÊTRE, CAPACITÉ, CHIC, COMPORTEMENT, CONFORT, GRÂCE, LÉGÈRETÉ
Voir tab. **Couture**

AISANCE abondance, adresse, bien-être, cabinets, confort, dextérité, facilité, habileté, naturel, prospérité, richesse, toilettes, W-C

AISE → SATISFACTION

AISÉ → FACILE, FLUIDE (2), RICHE (2), SIMPLE

AISÉ cossu, facile, fortuné, nanti, naturel, riche, simple

AISSELLE → BRAS, DESSOUS
Voir illus. **Oiseau**

AISY → GRUYÈRE

AÎTRES → MAISON

AIX-EN-PROVENCE

Voir tab. **Habitants (comment se nomment les)**

AIXOIS
Voir tab. **Habitants (comment se nomment les)**

AJOUPA → HUTTE

AJOURNEMENT → ARRÊT, CONVOCATION, DATE, RÉFORME, RENVOI, RETARD

AJOURNER → CITER, DÉPLACER, RECULER, REFUSER, REMETTRE, RENONCER, SUSPENDRE, TARD, ULTÉRIEUR

AJOUT → COMPLÉMENT

AJOUTÉ → JOINT (2)

AJOUTER → ADJOINDRE, COMPLÉTER, GUÉRIR, INCORPORER, INSÉRER, JOINDRE, VERSER

AJOUTER additionner, adjoindre, adjuvant, adventice, extrinsèque, insérer, intercaler, muter, superfétatoire, superflu, viner

AJUSTÉ → COLLANT

AJUSTER → ADAPTER, BÂILLER, BRAQUER, DIRIGER, ÉGALISER, EMBOÎTER, JOINDRE, PLACER, RÉGLER, SERRER, VISER

AJUSTER adapter, approprier, arrondir, assembler, conformer, joindre, mortaise, raccorder, régler, tenon, viser

AJUSTEUR → MÉTALLURGIE

AJUSTOIR → BALANCE

AJUT → CORDAGE

AJUTAGE → TUBE

AKAFAT
Voir tab. **Oiseaux (classification simplifiée des)**

AKÈNE → FRUIT, GLAND, NOISETTE, PISSENLIT

AKIM
Voir tab. **Bande dessinée (héros de)**

AKITOU → BABYLONIEN

AKKADIEN → BABYLONIEN

AKO
Voir tab. **Ébénisterie (essences utilisées en)**

AL
Voir tab. **Éléments chimiques (symbole des)**

ALABASTRE → VASE

ALABASTRITE → GYPSE

ALACRITÉ → GAIETÉ

ALAINS → BARBARE

ALAISE → PLANCHE

ALAMANS → BARBARE, GERMANIQUE

ALAMBIC → DISTILLATION
Voir tab. **Alcools et eaux-de-vie**

ALAMBIQUÉ → AFFECTÉ, COMPLIQUÉ, CONFUS, NÉBULEUX, PRÉCIEUX, PRÉTENTIEUX, RAFFINÉ, SINUEUX, SOPHISTIQUÉ, SUBTIL, TARABISCOTÉ

ALANGUI → INDOLENT, LANGUOUREUX, MOURANT, NONCHALANT

ALANGUISSEMENT → DIMINUTION

ALARMANT → AFFOLANT, GRAVE, SÉRIEUX (2), TRAGIQUE

ALARME → DANGER, ÉVEIL, INQUIÉTER, INQUIÉTUDE, PÉRIL, PEUR

ALARME alerte, tocsin

ALARMER → EFFRAYER, PRESSENTIR, PRÉVENIR, REDOUTER, TOURMENTER (SE), TROUBLER

ALARMISTE → PESSIMISTE, SOUCI

ALAUDIDÉS → ALOUETTE
ALB- → BLANC (1)
ALBACORE → THON
ALBÂTRE → BLANC (1), GYPSE
Voir tab. **Anniversaires de mariage**
Voir tab. **Couleurs**
Voir tab. **Minéraux et utilisations**
ALBATROS
Voir tab. **Oiseaux (classification simplifiée des)**
ALBÉDO → PLANÈTE
ALBENASSIENS
Voir tab. **Habitants (comment se nomment les)**
ALBERTIVILLIARIENS
Voir tab. **Habitants (comment se nomment les)**
ALBINISME → BLANC (1), DÉCOLORATION, PEAU
ALBITE
Voir tab. **Minéraux et utilisations**
ALBRAQUE → MINE
ALBUGINÉ → BLANC (2)
Voir tab. **Couleurs**
ALBUGINÉE → TESTICULE
ALBUGO → BLANC (1), TACHE (1)
ALBUM → CAHIER, RECUEIL
ALBUM CD, collection, disque, enregistrement, press-book
ALBUM SÉNATORIAL → SÉNATEUR
ALBUMEN → BLANC (2), GRAINE, ŒUF
Voir illus. **Œuf**
ALBUMINE → PROTÉINE
ALCADE → ESPAGNOL, JUGE, MAIRE
ALCALESCENT → ALCALIN
ALCALI
Voir tab. **Chimie**
ALCALI ammoniaque, potasse, soude
ALCALIN → SAVON
ALCALIN alcalescent
ALCALINO-TERREUX → CALCIUM
ALCALOÏDE → POISON
ALCANE → PARAFFINE
ALCARAZAS → TERRE, VASE
ALCAZAR → PALAIS
ALCÈNE → CARBURE
ALCESTE → MISANTHROPE (1)
ALCHIMIE → CHANGEMENT, CONVERSION, OCCULTE
Voir tab. **Sciences occultes**
ALCHIMIE argyropée, chrysopée
ALCHIMISTE → SORCELLERIE
ALCHIMISTE Bacon, Lulle, panacée, Paracelse, pierre philosophale, Zosime le Panopolitain
ALCIDÉS → PINGOUIN
ALCIFORMES
Voir tab. **Oiseaux (classification simplifiée des)**
ALCOOL → COMBUSTIBLE, THERMOMÈTRE
Voir tab. **Drogues**
Voir tab. **Manies**
ALCOOL alcoolat, alcoolémie, alcoolisme, alcootest, anhydre, bouilleur de cru, distillation, eau de mélisse, eau-de-vie, énivrer, esprit-de-bois, fermentation, liqueur, poussecafé, saouler, spiritueux
ALCOOLAT → ALCOOL, ESPRIT
ALCOOLÉ → TEINTURE
ALCOOLÉMIE → ALCOOL
ALCOOLEUX
Voir tab. **Vin (vocabulaire du)**

ALCOOLIFICATION → FERMENTATION
ALCOOLIQUE → IVROGNE
ALCOOLISME → ALCOOL, IVRESSE
ALCOOLISME cirrhose, delirium tremens, dipsomanie, éthylisme, œnolisme
ALCOOMÈTRE → DENSITÉ
ALCOOTEST → ALCOOL
ALCÔVE → CHAMBRE, LIT, NICHE
ALCYON
Voir tab. **Animaux fabuleux**
ALCYONAIRES → CORAIL
ALE → BIÈRE
ALEA JACTA EST → SORT
ALÉA → DESTIN, FANTAISIE, FORTUNE, HASARD, INCERTITUDE, RISQUE
ALÉAS → INSTABILITÉ
ALÉATOIRE → CONTINGENT, HYPOTHÉTIQUE, INCERTAIN
ALECTO → FURIE
ALÉMANIQUE → ALLEMAND, SUISSE
ALENÇON → LIN
ALÈNE → COUDRE, PERÇANT, POINÇON
ALENTOUR → RONDE, VOISINAGE
ALÉPINE → LAINE
ALÉRION
Voir tab. **Héraldique (vocabulaire de l')**
ALERTE → ALARME, DANGER, ÉVEIL, SIGNE, SOUPLE, VIF (2)
ALERTE agile, attentif, danger, défensive, ingambe, leste, péril, vif, vigie, vigilant
ALERTÉ → AVERTI
ALERTER → INSTRUIRE, PRESSENTIR, PRÉVENIR
ALÉSÉ
Voir tab. **Héraldique (vocabulaire de l')**
ALÈSE → MATELAS, TISSU
ALÉSEUSE → MACHINE
ALEURITE → HUILE
ALEVIN → POISSON
ALEVINIER → ÉTANG
ALEXANDRE → TRÈFLE
Voir tab. **Cartes à jouer**
ALEXANDRIE
Voir illus. **Monde (les Sept Merveilles du)**
ALEXANDRIN → DOUZE, VERS
ALEXANDRINE
Voir tab. **Pierres précieuses et semi-précieuses**
ALEXIE → LIRE, VERBAL
ALEXITÈRE → POISON
ALEZAN → BRUN, ROUX
ALFA → PAPIER, VÉGÉTAL (2)
ALFANGE → SABRE
ALG(O)- → DOULEUR
ALGARADE → QUERELLE, SCÈNE, SORTIE
ALGÈBRE → CALCUL, CHIFFRE, NOMBRE
ALGÈBRE algébriste, algorithme, négatif, positif
ALGÉBRIQUE → RATIONNEL, RÉEL
ALGÉBRISTE → ALGÈBRE
ALGÉSIOGÈNE → DOULEUR
ALGOL → LANGAGE
ALGOMANIE → DOULEUR
ALGOPHILIE → DOULEUR
ALGOPHOBIE
Voir tab. **Phobies**
ALGORITHME → ALGÈBRE

ALGOTHÉRAPIE
Voir tab. **Médecines alternatives**
ALGUE
Voir tab. **Végétaux (classification simplifiée des)**
ALGUE euglène, fucus, goémon, iode, phycologie, potasse, soude, varech
ALIAS → DÉSIGNATION
ALIBI → AILLEURS, DISCULPER, EXCUSE, JUSTIFICATION
ALIBI excuse, justification, prétexte
ALIBOUFIER → BAUME, RÉSINE
ALICOT
Voir tab. **Plats régionaux**
ALIDADE → ANGLE
ALIÉNATION → CESSION, FOLIE, IDIOTIE, PSYCHOSE, TRANSFERT
Voir tab. **Assurance (vocabulaire de l')**
ALIÉNÉ → FOU (1), INCAPABLE (2), MALADE
ALIÉNÉ (ÊTRE) → PERDRE
ALIÉNER → CÉDER, ESCLAVAGE, LAISSER, SOUMETTRE
ALIÉNISME → PSYCHIATRIE
ALIFORME
Voir tab. **Forme de... (en)**
ALIGNÉ (NON) → INDÉPENDANT
ALIGNEMENT → ALLÉE
ALIGNEMENT MONÉTAIRE → DÉVALUATION
ALIGNER → CONFORMER
ALIGNER conformer (se), suivre
ALIGOT → PURÉE
Voir tab. **Plats régionaux**
ALIMENT → DENRÉE, PROVISION
ALIMENT denrées, inanition, nourriture, provisions de bouche, victuailles, vivres
ALIMENTAIRE (BOL) → MÂCHER
ALIMENTATION → ARRIVÉE, NUTRITION, ORDINAIRE, PAUVRETÉ, RÉGIME
ALIMENTATION anorexie, boulimie, cachexie, carnivore, diététique, omnivore, trophologie, végétalien, végétarien
ALIMENTATION GÉNÉRALE → BOUTIQUE
ALIMENTER → ANIMER, CONSOMMER, DÉPOSER, ENTRETENIR, FOURNIR, MANGER, NOURRIR, OCCUPER, POURVOIR
ALIMENTER approvisionner, fournir, restaurer (se), sustenter (se)
ALINÉA → PARAGRAPHE
AL-ISAR
Voir tab. **Fêtes religieuses**
ALITÉ → COUCHER, LIT
ALITÉ (ÊTRE) → LIT
ALIZARINE → TEINTURE
ALIZÉ → VENT
Voir tab. **Vents**
ALKÉKENGE → AMOUR
ALLACHE → SARDINE
ALLAH → DIEU, MUSULMAN (1)
Voir tab. **Islam (vocabulaire de l')**
ALLAISE → DÉPÔT
ALLAITER → NOURRIR, SEIN, TÉTER
ALLANT → RESSORT
ALLANTOÏDE → EMBRYON, FŒTUS
ALLÉCHANT → APPÉTISSANT, ATTIRANT, SÉDUISANT
ALLÉCHER → APPÂTER, APPÉTIT, SÉDUIRE, TENTER

ALLÉCHER affriander, affrioler, appâter, attirer, séduire, tenter
ALLÉE → COURS
ALLÉE alignement, bas-côté, couloir, nef
ALLÉGATION → AFFIRMATION, PRÉTEXTE, RAISON
ALLÉGÉ → RÉGIME
ALLÈGE → EMBARCATION
Voir illus. **Maison**
ALLÉGEANCE → RÉCONFORT, VASSAL
ALLÉGEMENT → DIMINUTION, IMPÔT, RÉDUCTION
ALLÉGEMENT → CONSOLATION
ALLÉGER → INUTILE, LIBÉRER, PESANT, SIMPLIFIER
ALLÉGER adoucir, apaiser, atténuer, dégrever, diminuer, exonérer, restreindre, soulager
ALLÉGORIE → COMPARAISON, FIGURER, IDÉE, IMAGE, MYTHE, PARABOLE, POÉSIE, RÉALITÉ, RÉCIT, SIGNE, SYMBOLE
ALLÉGORIQUE → FICTIF, SPIRITUEL
ALLÉGRANCE → OBÉISSANCE
ALLÈGRE → GAI (1), JOYEUX, VIF (2)
ALLÉGRESSE → ENTHOUSIASME, JOIE, RÉJOUISSANCE
ALLEGRETTO → MOUVEMENT
ALLEGRO → MOUVEMENT, VITE
ALLÉGUER → AVANCER, CITER, DIRE, MENTION, OPPOSER, PRÉTENDRE
ALLÈLE → GÈNE
ALLELUIA → CHANT, JOIE
ALLÉLUIA → CRI
ALLEMAGNE
Voir tab. **Saints patrons**
ALLEMAND → BELGE, GERMANIQUE, SUISSE
ALLEMAND alémanique, germain, germanique, germanophone, teuton
ALLER → ARRIVER, CHAMPIONNAT, CONVENIR, RENDRE (SE), RETOUR
ALLER baguenauder, déambuler, décamper, déguerpir, détaler, errer, filer, flâner, sauver (se), vagabonder
ALLER (S'EN) → FILER, LARGE
ALLER (SE LAISSER) → TOMBER
ALLER À LA DAME
Voir tab. **Échecs**
ALLERGÈNE → ALLERGIE
ALLERGIE → ACARIEN, IMMUNITAIRE, INFLAMMATION, INTOLÉRANCE, RÉACTION, RHUME, SENSIBILITÉ
ALLERGIE allergène, allergologie, allergologue, anaphylaxie, anergie, hypersensibilité
ALLERGOLOGIE → ALLERGIE
ALLERGOLOGUE → ALLERGIE, MÉDECIN
ALLER-RETOUR → NAVETTE
ALLIACÉ → AIL
ALLIAGE → AMALGAME, COMBINAISON, FUSION, MÉLANGE, MÉTAL
Voir tab. **Chimie**
ALLIAGE acier, antifriction, cupronickel, fusion
ALLIANCE → ACCORD, BAGUE, COALITION, COMBAT, CONTRAT, CONVENTION, ENTENTE, FÉDÉRATION, PACTE, RÉUNION, SOCIÉTÉ, TRAITÉ (2), UNION
Voir illus. **Harnais**

ALLIANCE arche d'alliance, coalition, confédération, contrat, ligue, pacte, traité

ALLIÉ → AMI, COMPLICE, PARTENAIRE

ALLIÉ acolyte, ami, auxiliaire, compagnon, complice

ALLIER → BLOC, CONJUGUER, JOINDRE, MÊLER, UNIR

ALLIGATOR
Voir tab. **Animaux (termes propres aux)**

ALLITÉRATION → RÉPÉTITION, RETOUR
Voir tab. **Poésie (vocabulaire de la)**
Voir tab. **Rhétorique (figures de)**

ALLIUM SATIVUM
Voir tab. **Plantes médicinales**

ALLOCATAIRE → ALLOCATION

ALLOCATION → AIDE, COMPLÉMENT, DON, FRAIS (1), INDEMNITÉ, PENSION, PRESTATION, PROVISION, SUBSISTER

ALLOCATION allocataire, pension, pension alimentaire, prestation compensatoire, subside, subvention

ALLOCUTAIRE → DESTINATAIRE, RÉCEPTEUR

ALLOCUTION → DISCOURS, MESSAGE

ALLOGÈNE → DIFFÉRENT, NATIF (2), PAYS

ALLONGE → CROCHET

ALLONGEMENT → EXTENSION

ALLONGER → BULLE, COUCHER (SE), DÉPLOYER, DILUER, ÉCLAIRCIR, ÉTALER, ÉTENDRE, MÉLANGER, SAUCE, TENDRE (1)

ALLONGER déployer, distendre, élonger, étendre, étirer, liquéfier, prolonger, proroger

ALLONGER LA SAUCE → DÉLAYER

ALLOPATHE → MÉDECIN

ALLOSOME → CHROMOSOME

ALLOTIR → RÉPARTIR

ALLOTROPIE
Voir tab. **Chimie**

ALLOUER → ACCORDER, ATTRIBUER, BUDGET, CONCÉDER, GRATIFIER

ALLUMAGE
Voir tab. **Garagiste (vocabulaire du)**

ALLUMAGE embrasement, mise à feu

ALLUMER → ACTIVER, STIMULER

ALLUMER enflammer, éveiller, exciter, provoquer, susciter

ALLUMETTE allumière

ALLUMEUR → BOUGIE
Voir tab. **Garagiste (vocabulaire du)**

ALLUMIÈRE → ALLUMETTE

ALLURE → APPARENCE, ASPECT, CHARME, CHIC, CLASSE, CONTENANCE, DÉMARCHE, MAINTIEN, MARCHE, PANACHE, PAS (1), PHYSIONOMIE, PORT, POSTURE, RÉGIME, RYTHME, SILHOUETTE, VITESSE

ALLURE apparence, comportement, conduite, distinction, largue, largue (grand), largue (petit), maintien, près (au), prestance, vent arrière

ALLURES DE PRÈS
Voir illus. **Allures de voile**

ALLURES PORTANTES
Voir illus. **Allures de voile**

ALLUSION → COMPARAISON, EFFLEURER, INDIRECT, PÉRIPHRASE, PIQUE, SOUS-ENTENDU (1)

ALLUSION évoquer, implicite, insinuer, laisser entendre, rappeler, soupçon, sous-entendu, suggérer, tacite

ALLUSION (FAIRE) → INSINUER

ALLUSION BLESSANTE → POINTE

ALLUVIALE → VALLÉE

ALLUVION → COUCHE, DÉPÔT, FLEUVE, SABLE, TERRE, VASE

ALMA MATER → UNIVERSITÉ

ALMAGESTE
Voir tab. **Livres**

ALMANACH → CALENDRIER, RECUEIL, RENSEIGNEMENT
Voir tab. **Livres**

ALMANDIN → GRENAT
Voir tab. **Pierres précieuses et semi-précieuses**

ALMÉE → DANSEUSE

ALMICANTARAT → HORIZON

ALOÈS → AMER

ALOI → MONNAIE, OR

ALOPÉCIE → CHAUVE, CHEVEU, CHUTE, POIL

ALOUETTE → GIBIER
Voir tab. **Oiseaux (classification simplifiée des)**

ALOUETTE alaudidés, bécasse, calandre, cochevis, cravate jaune, grisoller, mauviette, paupiette, ridée

ALOUETTE-CALANDRE → OISEAU

ALOURDIR → BUDGET, IMPORTANCE, OBSCURCIR, PESANT, SURCHARGER

ALOURDIR appesantir, augmenter, charger, engourdir, longueur, surcharger

ALPAGA → LAMA
Voir illus. **Manteaux**
Voir tab. **Couture**
Voir tab. **Tissus**

ALPAGE → HERBE, MONTAGNE, PAÎTRE, PÂTURAGE

ALPENSTOCK → BÂTON, CANNE

ALPHA ET OMÉGA → FIN (1)

ALPHA → DÉPART

ALPHA hélion, oméga

ALPHABET abécédaire, braille, cyrillique, dactylologique, latin, translittération

ALPHABÉTIQUE → MOT

ALPHABÉTISATION → PAUVRETÉ

ALPHANUMÉRIQUE → CHIFFRE

ALPHÉE
Voir tab. **Jésus (disciples de)**

ALPIN → ALTITUDE, MONTAGNE
Voir tab. **Sports**

ALPINISME ascension, escalade, grimpe, varappe

ALPINISTE
Voir tab. **Saints patrons**

ALQUIFOUX → CÉRAMIQUE

ALRÉENS
Voir tab. **Habitants (comment se nomment les)**

ALSACE
Voir tab. **Saints patrons**

ALTER EGO → BRAS, CONFIANCE, DOUBLE (1)

ALTÉRABLE → INSTABLE, PÉRISSABLE, VARIABLE (2)

ALTÉRAGÈNE → ALTÉRATION

ALTÉRATION → AFFECTION, BOULEVERSEMENT, CHANGEMENT, DÉFORMATION, MODIFICATION, PORTÉE, ROUILLE, TRANSFORMATION
Voir illus. **Symboles musicaux**

ALTÉRATION altéragène, amure, bécarre, bémol, changement, corruption, décomposition, dégradation, détérioration, dièse, double bémol, double dièse, enrouement, évolution, falsification, fardage, modification, mutilation, pourrissement, putréfaction, transformation, trucage

ALTERCATION → BAGARRE, BEC, CHICANE, CONFLIT, DISPUTE, ÉCHANGE, PRISE, QUERELLE, SCÈNE

ALTERCATION coup de torchon, dispute, empoignade, prise de bec, querelle

ALTÉRÉ → ABÎMÉ, AFFAMÉ, GÂTÉ

ALTÉRER → ADULTÉRER, ATTAQUER, BOUGER, BOULEVERSER, BROUILLER, CHANGER, DÉCOMPOSER, DÉFIGURER, DÉGÉNÉRER, DÉPÉRIR, DÉRÉGLER, ENDOMMAGER, FALSIFIER, FAUSSER, GÂTER, GRAISSER, RUINER, SOIF, ULCÉRER

ALTÉRER assoiffer, corrompre, déformer, éventer, falsifier, gâter

ALTÉRITÉ → DIFFÉRENCE

ALTERNANCE → RETOUR, RÉVOLUTION, ROTATION, ROULEMENT

ALTERNATEUR
Voir illus. **Moteur**
Voir tab. **Électricité**

ALTERNATIF cyclique, diastole, pendule, périodique, piston, régulier, successif, systole

ALTERNATIF (COURANT)
Voir tab. **Électricité**

ALTERNATIVE → CHOIX, DILEMME

ALTERNATIVE choix, dilemme, option, principe d'exclusion

ALTERNATIVEMENT → TOUR

ALTERNER → CHANGER, SUCCÉDER

ALTERNER assolement, relayer (se), remplacer (se), succéder (se), suivre (se), varier

ALTESSE → SOUVERAIN (1)

ALTIER → DÉDAIN, FIER, MÉPRIS, NOBLE (2), ROYAL, SUPERBE (2)

ALTIER arrogant, condescendant, dédaigneux, fier, hautain, méprisant, noble, orgueilleux, racé, royal, suffisant

ALTIMÈTRE → ALTITUDE, INDICATEUR
Voir tab. **Instruments de mesure**

ALTIMÉTRIE → ALTITUDE, RELIEF

ALTIMÉTRIQUE → CARTE

ALTIPORT → AÉROPORT

ALTITUDE → HAUTEUR
Voir tab. **Phobies**

ALTITUDE alpinisme, altimètre, altimétrie, anoxémie, barographe, hypsométrie, parachutisme, parapente, ski, vol à voile

ALTO → CHANTEUR, VOIX
Voir illus. **Orchestre**
Voir tab. **Instruments de musique**

ALTOCUMULUS
Voir illus. **Nuages**

ALTOSTRATUS
Voir illus. **Nuages**

ALTRUISME → AMOUR, BIENFAISANCE, BIENVEILLANCE, BONTÉ, CHARITÉ, CŒUR, COMPRÉHENSION, ÉGOÏSME, FRATERNITÉ

ALTRUISTE → AIMABLE, BON (1), CHARITÉ, CŒUR, DÉSINTÉRESSÉ, GÉNÉREUX

ALTUGLAS → VERRE

ALUCITE → TEIGNE

ALULE
Voir illus. **Oiseau**

ALUMINE → ALUMINIUM

ALUMINERIE → USINE

ALUMINIAGE → ALUMINIUM

ALUMINISÉ → TÔLE

ALUMINIUM → MATÉRIAU
Voir tab. **Éléments chimiques (symbole des)**
Voir tab. **Minéraux et utilisations**

ALUMINIUM alumine, aluminiage, alun, bauxite, conductibilité

ALUN → ALUMINIUM

ALUNIR → LUNE

ALUNISSAGE → ATTERRISSAGE

ALUTACÉ → CUIR

ALVÉOGRAPHE → FARINE

ALVÉOLE DENTAIRE
Voir illus. **Dent**

ALVÉOLE → CASE, DENT, MIEL, POUMON, RAYON
Voir illus. **Respiratoire (système)**
Voir illus. **Sein**
Voir tab. **Animaux (termes propres aux)**

ALYSSE → CORBEILLE

ALYTE → ACCOUCHEUR

AM
Voir tab. **Éléments chimiques (symbole des)**

AMABILITÉ → AFFABILITÉ, BONTÉ, COMPLAISANCE, GALANTERIE, GENTILLESSE, OBLIGEANCE, POLITESSE

AMABILITÉ affabilité, civilités, courtoisie, gentillesse, goujaterie, grâces, grossièreté, obligeance, politesse, prévenance, rudesse

AMADIS → MANCHE

AMADOU → MÈCHE

AMADOUER → APPRIVOISER, CALMER, PLAIRE, SOUMETTRE

AMAIGRI → CREUX (2)

AMAIGRIR → DIMINUER

AMAIGRISSEMENT → NOURRITURE

AMAIGRISSEMENT anorexie, athrepsie, cachexie, consomption, dépérissement, émaciation

AMALGAME → ASSEMBLAGE, COMBINAISON, FUSION, GROUPEMENT, HÉTÉROGÈNE, MÉLANGE, MIXTURE, RÉUNION, UNION
Voir tab. **Chimie**

AMALGAME alliage, combinaison, composé, confusion, eugénate, fusion, mélange, mercure argental

AMALGAMER → CONFONDRE, FONDRE, INCORPORER

AMAN → PARDON

AMANDAIE → AMANDIER

AMANDE → CACAO, DRAGÉE, MENDIANT (1), VERT (1)
Voir tab. **Couleurs**
Voir tab. **Gâteaux régionaux et étrangers**
AMANDE amandier, amandine, amygdale, amygdalin, oblong, orgeat
AMANDIER → AMANDE, SAULE
AMANDIER amandaie
AMANDINE → AMANDE
AMANDINOIS
Voir tab. **Habitants (comment se nomment les)**
AMANT → BIEN-AIMÉ, COMPAGNON, MAÎTRESSE
AMANT Casanova, Héloïse et Abélard, mante religieuse, Tristan et Iseult
AMARANTE → POURPRE (2)
Voir tab. **Couleurs**
Voir tab. **Ébénisterie (essences utilisées en)**
AMAREYEUR → HUÎTRE
AMARINER → ÉQUIPAGE
AMARRAGE → FIXATION
AMARRAGE (NŒUD D')
Voir illus. **Nœuds**
AMARRE → CÂBLE, DÉMARRER
AMARRER → ATTACHER, FIXER, IMMOBILISER, RETENIR
AMARYLLIDACÉES → JONQUILLE
AMARYLLIS → LIS
AMAS → COLLECTION, ÉCHAFAUDAGE, FOULE, NOMBRE, PILE, RÉUNION, TAS
AMASSER → AVARE (1), ENTASSER, GROUPER, RECUEILLIR, RÉSERVE
AMASSER accumuler, agglutiner (s'), amonceler, capitaliser, collectionner, entasser, grouper (se), rassembler, récolter, recueillir, thésauriser
AMASSETTE → COUTEAU, PEINTRE
AMATEUR → ADEPTE, ADMIRATEUR, CURIEUX (2), GOURMAND(2)
AMATEUR connaisseur, dilettantisme, esthète, gastronome, gourmet, mélomane
AMATI → VIOLON
AMATIR → OR
AMAUROSE → AVEUGLE (1), VUE
AMAZONE → CAVALIER (1), CHASSEUR (1), CHEVAL, ÉCUYER, JUPE, PROSTITUÉE
Voir tab. **Fleuves**
Voir tab. **Prostitution**
AMAZONITE
Voir tab. **Pierres précieuses et semi-précieuses**
AMBAGES → PÉRIPHRASE
AMBAGES (SANS) → AFFIRMER, FRANC (2), FRANCHEMENT, MALENTENDU, NET, PARLER
AMBASSADE → DIPLOMATIE, PAYS, REPRÉSENTATION
AMBASSADE assistance, chancellerie, délégation, députation, diplomatie, mission, représentation
AMBASSADEUR → DÉLÉGUÉ, DIPLOMATE, ENVOYÉ, EXCELLENCE, MESSAGER, MISSION, REPRÉSENTANT
Voir tab. **Politesse (formules de)**
AMBASSADEUR diplomate,

émissaire, envoyé, légat, nonce, plénipotentiaire
AMBASSADRICE
Voir tab. **Politesse (formules de)**
AMBERT (FOURME D')
Voir tab. **Fromages**
AMBESAS → DÉ
AMBI- → DEUX
AMBIANCE → CADRE, CONDITION, DÉCOR, ENVIRONNEMENT, MILIEU, VIE
AMBIANCE atmosphère, climat, environnement, milieu
AMBIDEXTRE → DEUX, MAIN
AMBIENT
Voir tab. **Musiques nouvelles**
AMBIGU → CONFUS, DOUBLE (2), ÉQUIVOQUE (2), FACE, FAUX (2), FIGUE, IMPRÉCIS, INCERTAIN, INDÉCIS, LOUCHE, MALENTENDU, SENS, SUSPECT (1), VAGUE (2)
AMBIGU ambivalent, amphibologique, biaiser, équivoque, évasif, incertain, indécis, louvoyer, oracle, tergiverser
AMBIGUÏTÉ → AFFIRMER, CLAIR, DEUX, INCERTITUDE, INTERPRÉTATION
AMBISEXUÉ → BISEXUEL
AMBITIEUX → AVIDE, LONG, RÉUSSITE
AMBITIEUX arriviste, carriériste, déterminé, outrecuidant, persévérant, présomptueux, prétentieux, résolu, tenace
AMBITION → ARDENT, DÉSIR, ENVIE, FIN (1)
AMBITION aspiration, convoitise, désir, envie, idéal, mégalomanie, prétention, visée, vue
AMBITIONNER → DÉSIRER, SOUHAITER, VISER, VOULOIR
AMBITUS → SON
AMBIVALENCE → DEUX
AMBIVALENT → AMBIGU
AMBLE → GIRAFE
AMBLE (ALLER L') → MARCHER
AMBLYOPE → BORGNE
AMBLYOPIE → VUE
AMBOISE
Voir tab. **Habitants (comment se nomment les)**
AMBOISIENS
Voir tab. **Habitants (comment se nomment les)**
AMBON → TRIBUNE
AMBRE → JAUNE, PARFUM, RÉSINE
AMBRE GRIS → CACHALOT
AMBRÉ → DORÉ, FAUVE (2)
Voir tab. **Couleurs**
AMBRETTE → HIBISCUS
AMBROISIE → BOISSON, MIEL
AMBROSIEN → CHANT
ÂME → CANON, FAGOT, HABITANT, INSCRIPTION, INTÉRIEUR (1), INTIME (2)
Voir illus. **Violon**
ÂME anima, animateur, animisme, armature, conscience, dualisme, esprit, expirer, immortalité, inspirateur, matérialisme, métempsycose, mourir, noyau, palingénésie, psyché, réincarnation, résurrection, spiritualisme, transmigration
AMÉLANCHIER → ARBUSTES
AMÉLIORATION → CHANGEMENT,

MIEUX (1), MODIFICATION, PERFECTIONNEMENT, PROGRÈS, RÉFORME, TRANSFORMATION
AMÉLIORATION amendement, bonification, embellissement, impenses, progrès, réforme, rénovation, réparation, restauration
AMÉLIORER → BONIFIER, CHANGER, CORRIGER, CROÎTRE, ÉVOLUER, FAIRE, FERTILE, MEILLEUR (2), PERFECTIONNER (SE), PROGRESSER, RAFFINER, RELEVER, RÉPARER, SIMPLIFIER, TRANSFORMER
AMÉLIORER amender (s'), corriger, rectifier, rehausser, remanier, retoucher
AMEN → PRIÈRE
AMÉNAGÉ → FLEXIBLE
AMÉNAGEMENT → AGENCEMENT, DISTRIBUTION, INSTALLATION, TRANSFORMATION, URBANISME
AMÉNAGEMENT urbanisme
AMÉNAGER → ARRANGER, BRICOLER, ÉQUIPER, INSTALLER, PRÉPARER
AMÉNAGER agencer, arranger, décorateur, designer, équiper, paysagiste
AMENDE → CONTRAVENTION, PUNITION, SANCTION
AMENDE carton, contravention, coup franc, gage, peine, pénalisation, penalty, procès-verbal, punition
AMENDEMENT → AMÉLIORATION, ENGRAIS, LOI, MODIFICATION, RÉFORME, RÉVISION, TERRE
AMENDER → AMÉLIORER, BONIFIER, CHANGER, CORRIGER, DÉBARRASSER (SE), ENRICHIR, FERTILE, FUMER, GUÉRIR, MEILLEUR (2), MODIFIER, RECTIFIER, TRANSFORMER
AMÈNE → ABORDABLE, ACCESSIBLE, ACCUEILLANT, AFFABLE, AGRÉABLE, AIMABLE, CIVIL (2), DISTRIBUER, DOUX, PLACIDE, POLI (2)
AMENER → CONVERTIR, MANDAT, OCCASIONNER, PRÉPARER, PROVOQUER
AMENER abaisser, acculer, acheminer, comparution (ordre de), conduire, contraint, entraîner, ménager, préparer
AMÉNITÉ → AFFABILITÉ, GENTILLESSE
AMÉNORRHÉE → MENSTRUATION
AMENUISER → AFFAIBLIR, DIMINUER, ESSOUFFLER (S'), MOINS
AMER → ACERBE, AIGRI, AMERTUME, BILE, CIDRE, CRUEL, DÉSAGRÉABLE, GRINÇANT, PÉNIBLE, SARCASTIQUE, SAVEUR, SIGNAL, SUCRÉ
Voir tab. **Alcools et eaux-de-vie**
AMER aigri, aloès, bile, cuisant, désabusé, douloureux, fiel, pénible, quinine, salé, saumâtre
AMÉRICAIN → ÉQUITATION
Voir tab. **Café**
AMÉRICAINE (À L') → HOMARD
AMÉRICIUM
Voir tab. **Éléments chimiques (symbole des)**
AMÉRINDIEN → AUTOCHTONE, INDIEN (1)
AMÉRIQUE → MONDE
AMÉRIQUE LATINE
Voir tab. **Saints patrons**

AMERTUME → AFFECTIF, ANIMOSITÉ, DÉCEPTION, DÉGOÛT, DÉPIT, DÉSILLUSION, SOUFFRANCE
AMERTUME acrimonie, amer, dépit, rancœur, ressentiment
AMÉTHYSTE → ÉVÊQUE, QUARTZ, VIOLET
Voir tab. **Couleurs**
Voir tab. **Pierres précieuses et semi-précieuses**
AMÉTROPIE → MYOPIE
AMEUBLEMENT → AGENCEMENT, ART, PASSEMENTERIE
AMEUBLEMENT chintz, meuble, mobilier, passementerie, perse, reps
AMEUBLISSEMENT → TERRE
AMEUTER → ASSEMBLER, DÉCHAÎNER, MEUTE
AMI → ACCOINTANCES, ALLIÉ, CAMARADE, COMPAGNON, FAMILIER (1), FRÈRE, HOMME, PARTENAIRE, PROCHE (1)
AMI allié, camarade, compagnon, condisciple, défenseur, partisan
AMIA
Voir tab. **Poissons (classification simplifiée des)**
AMIABLE accommodement, arrangement
AMIANTE
Voir tab. **Minéraux et utilisation**
AMIANTE asbeste, athermane, fibrociment, tartan
AMICAL → CHALEUREUX, CORDIAL (2), SYMPATHIQUE
AMICAL affectueux, chaleureux, cordial
AMICALE → COMMUNAUTÉ
AMICALE association, club, fédération, société
AMICT → MESSE
AMIDON → MAÏS, POMME DE TERRE
AMIDON empesage, farine, fécule
AMIDONNAGE → CHEMISE
AMIDONNER → APPRÊTER, RIGIDE
Voir tab. **Couture**
AMIDONNERIE → USINE
AMIE → COMPAGNE
AMIENS (CATHÉDRALE)
Voir tab. **Monuments français du patrimoine mondial**
AMINE → STIMULANT
AMINOPLASTE → RÉSINE
AMIRAL
Voir illus. **Grades militaires**
AMISH → SECTE
AMITAT → TANTE
AMITIÉ → AFFECTIF, ATTACHEMENT, COMPRÉHENSION, FAVEUR, SYMPATHIQUE
AMITIÉ accointance, accord, affection, affinité, camaraderie, entente, fraternité, inclination, intelligence, intimité, sympathie, tendresse
AMITIÉ (PRENDRE EN) → LIER
AMITOSE → CELLULE
AMMODYTE → VIPÈRE
AMMONIAQUE → ALCALI
AMMONITE → FOSSILE
AMMOPHILE → SABLE
AMNÉSIE → MÉMOIRE, OUBLI, PERTE
AMNÉSIE ANTÉROGRADE → OUBLI
AMNÉSIQUE → SOUVENIR (SE)
AMNICOLE → RIVIÈRE

AMNIOCENTÈSE → EMBRYON, FŒTUS, PONCTION

AMNIOS → ANNEXE, EMBRYON, MEMBRANE, POCHE

AMNIOTIQUE → FŒTUS

AMNISTIE → DROIT (1)

AMNISTIE exemption, faveur, grâce, immunité, impunité, pardon

AMODIATION → LOCATION

AMOINDRIR → AFFAIBLIR, ATTÉNUER, DÉCROÎTRE, MOINS, NEUTRALISER, RABAISSER, ROUILLER, SOULAGER, TEMPÉRER

AMOLLIR → ATTENDRIR

AMOLLIR affaiblir, atténuer (s'), diminuer, émousser, faiblir, fléchir, fondre, ramollir (se)

AMONCELER → ACCUMULER, AMASSER, ENTASSER

AMONCELLEMENT → EMPILAGE, PILE, TAS

AMONT → FLEUVE

AMONTILLADO → XÉRÈS

AMORAL → IMMORAL

AMORCE → APPÂT, CAPSULE, ESQUISSE, PÊCHE

Voir illus. **Cartouches**

Voir tab. **Pêche**

AMORCER → ABORDER, APPÂTER, ATTIRER, COMMENCER, ÉBAUCHER, OUVRIR

AMORPHE → INERTE, MOU, PASSIF (2), RÉAGIR, RESSORT

AMORRITE → BABYLONIEN

AMORTI → FEUTRÉ, SOURD, TENNIS

AMORTIR → ASSOURDIR, ATTÉNUER, DETTE, ÉTEINDRE, ÉTOUFFER, MODÉRER, MOINS

AMORTIR acquitter (s'), affaiblir, apaiser, assourdir, atténuer, attiédir, calmer, émousser, estomper, éteindre, étouffer, feutrer, freiner, modérer, payer, réduire, rembourser, rentabiliser, tempérer

AMORTISSABLE → EMPRUNT

AMORTISSEMENT → COURONNEMENT

AMORTISSEUR → CHOC, RESSORT

AMOS

Voir tab. **Bible**

AMOUR → AFFECTIF, ATTACHEMENT, BÉGUIN, DÉVOUEMENT, FLAMME, INCLINATION, INSTINCT, PIÉTÉ

Voir tab. **Fleuves**

AMOUR adoration, alkékenge, altruisme, amourette, ancillaire, Aphrodite, coqueret, dévotion, ferveur, feu, idylle, lesbianisme, narcissisme, onctuosité, passade, passion, patriotisme, philanthropie, philtre, piété, saphisme, Vénus

AMOURETTE → AMOUR, CAPRICE, FLIRT, IDYLLE

AMOURETTE acacia, aventure, béguin, caprice, flirt, idylle, passade, tocade

AMOURETTES → ABATS, MOELLE

AMOUREUX → BIEN-AIMÉ, SENTIMENTAL

AMOUREUX ardent, fougueux, lascif, meuble, moelleux, muscle oculaire, oaristys, soyeux, tourtereaux, voluptueux

AMOUREUX (ÊTRE) → LANGUIR

AMOUR-PROPRE → DIGNITÉ, FIERTÉ, ORGUEIL, RESPECT

AMOUR-PROPRE fierté, orgueil

AMOVIBLE → MOBILE (2)

AMPÉLIDACÉES → VIGNE

AMPÉLOLOGIE → VIGNE

AMPÉLOPSIS → VIERGE (2), VIGNE

AMPÉRAGE → INTENSITÉ

AMPÈRE → COURANT (1), ÉLECTRICITÉ

Voir tab. **Électricité**

AMPÈRE PAR MÈTRE (A/M) → MAGNÉTIQUE

AMPÈREMÈTRE → COURANT (1)

Voir tab. **Électricité**

AMPH(I)- → DEUX

AMPHÉTAMINE

Voir tab. **Drogues**

AMPHIARTHROSE → ARTICULATION

AMPHIBIENS → BATRACIEN

Voir tab. **Animaux (classification simplifiée des)**

AMPHIBOLOGIE → DEUX, DOUBLE (2), INTERPRÉTATION

AMPHIBOLOGIQUE → AMBIGU, ÉQUIVOQUE (2), FIGUE, OBSCUR, SENS

AMPHIGOURI → BURLESQUE, DISCOURS, LITTÉRATURE

AMPHIGOURIQUE → AFFECTÉ, CONFUS, LABORIEUX, SINUEUX, SOPHISTIQUÉ, TARABISCOTÉ

AMPHIMIXIE → FÉCONDATION

AMPHINEURES → MOLLUSQUE

AMPHISBÈNE → DEUX, SERPENT

Voir tab. **Animaux fabuleux**

AMPHITHÉÂTRE → CIRQUE, COMÉDIE, SPECTACLE, SPORTIF (2)

AMPHITRITE → MER

AMPHITRYON → BANQUET, HÔTE, MAÎTRE (1), RÉCEPTION

AMPHORE → URNE, VASE

AMPLE → FLOTTANT, FLOU, GRAND, IMMENSE, LÂCHE, LARGE, PLEIN

Voir tab. **Vin (vocabulaire du)**

AMPLE abondant, étendu, fort, grave, large, largo, nombreux, vaste

AMPLEMENT → BEAUCOUP

AMPLEUR → DIMENSION, ÉTENDUE, PLÉNITUDE, PROPORTION, SONORITÉ

AMPLEUR abondance, amplitude, étendue, gravité, importance, largeur, taille, volume

AMPLIATION → CONFORME, COPIE, EXPÉDITION, REPRODUCTION

AMPLIFICATEUR → AMPLIFIER

AMPLIFIER → ACCROÎTRE, AGRANDIR, BRODER, ÉLARGIR, EXAGÉRER, GONFLER, GRANDIR, GROSSIR, PROGRESSER

AMPLIFIER accroître (s'), amplificateur, augmenter, développer (se), embelli, enjolivé, étendre (s'), intensifier (s'), mégaphone, porte-voix

AMPLITUDE → AMPLEUR, DEGRÉ, GRANDEUR, VARIATION

AMPOULE → BOUTON, BRÛLURE, BULLE, CLOQUE, LAMPE, MÉDICAMENT, PEAU, SOPHISTIQUÉ, TARABISCOTÉ

AMPOULE bulle, cloque, fiole, flamme, globe, lymphe, néon, phlyctène, pustule, sérosité, tube, vésicule

AMPOULE (SAINTE) → HUILE

AMPOULÉ → AFFECTÉ, BOURSOUFLÉ, CONVENTIONNEL, EMPHATIQUE, GAUCHE, GUINDÉ, MAJESTUEUX, PRÉCIEUX, PRÉTENTIEUX, SOLENNEL

AMPUTATION → ABLATION, CHIRURGIE, PERTE, SUPPRESSION

Voir tab. **Chirurgie (vocabulaire de la)**

AMPUTÉ → FANTÔME

AMPUTER → COUPER, MEMBRE, MUTILER

AMPUTER censurer, estropier, mutiler, retrancher, sabrer, tronquer

AMULETTE → BONHEUR, CHANCE, DÉFENSE, FÉTICHE, MAGIQUE, PORTE-BONHEUR, PRÉSERVER, TALISMAN

AMULETTE fétiche, grigri, mascotte, phylactère, porte-bonheur, talisman

AMURE → ALTÉRATION

AMURER → VOILE

AMUSANT → COCASSE, COMIQUE, DIVERTIR, DRÔLE (2), HILARANT, INTÉRESSANT (2), PITTORESQUE, PLAISANT, RIRE, SAVOUREUX, SPIRITUEL

AMUSANT bouffon, clown, comique, désopilant, distrayant, divertissant, hilarant, pitre, réjouissant

AMUSE-GUEULE → BUFFET, HORS-D'ŒUVRE

AMUSEMENT → JEU, RÉCRÉATION

AMUSER → BADINER, DÉTOURNER, DISSIPER, DISTRAIRE, DIVERTIR (SE), ÉGAYER, JOUER, OCCUPER, PLAISANTER, RÉJOUIR (SE), RIRE

AMYGDALE → AMANDE

Voir illus. **Bouche, nez et gorge**

Voir illus. **Langue**

AMYGDALIN → AMANDE, SAVON

AMYGDALITE → GORGE

ANA → ANECDOTE, RECUEIL

ANABAPTISTE → BAPTÊME, PROTESTANT (2)

ANABIOSE → VIE

ANABOLISANT → STIMULANT

ANABOLISME → ASSIMILATION, NUTRITION

ANACHORÈTE → MOINE, RELIGIEUX (1), SEUL, SOLITAIRE (2)

ANACHRONIQUE → PÉRIMÉ

ANACHRONISME → CHRONOLOGIE, ERREUR

ANACOLUTHE → LICENCE, RUPTURE

Voir tab. **Rhétorique (figures de)**

ANACONDA → SERPENT

ANADROME → PONDRE

ANAÉROBIOSE → VIE

ANAGLYPHE → PHOTOGRAPHIE, RELIEF

ANAGNOSTE → LECTURE

ANAGOGIE → MYSTIQUE (2)

ANAGRAMME → DÉPLACEMENT, JEU, LETTRE, MOT, TRANSPOSITION

ANAL → ANUS, POISSON

ANALE → NAGEOIRE

ANALE (NAGEOIRE)

Voir illus. **Poisson**

ANALECTES → RECUEIL, SÉLECTION

ANALEPTIQUE → FORCE, FORTIFIANT (1), STIMULANT, TONIQUE (2)

Voir tab. **Médicaments**

ANALGÉSIE → ANESTHÉSIE, DOULEUR, INSENSIBILITÉ

ANALGÉSIQUE → ADOUCISSANT, APAISEMENT, CALMER, DOULEUR, HASCHISCH, PEUPLIER

Voir tab. **Médicaments**

ANALGIE → DOULEUR

ANALOGIE → ASSOCIATION, COMMUN, COMPARAISON, CONCORDANCE, IDÉE, PARENTÉ, PRÉCÉDENT, RAPPORT, RELATION, RESSEMBLANCE, SIMILITUDE

ANALOGIE a pari, accointance, affinité, analogon, association, correspondance, induction (par), inférence (par), parenté, proportion, rapport, relation, ressemblance, similitude

ANALOGIQUE → MONTRE

Voir tab. **Multimédia (les mots du)**

ANALOGON → ANALOGIE

ANALOGUE → APPROCHANT, COMMUN, CONFORME, IDENTIQUE, MOT, PARALLÈLE (2), PAREIL, PROCHE (2), SEMBLABLE (2)

ANALOGUE comparable, équivalent, proche, semblable, similaire

ANALPHABÈTE → IGNORANCE, ILLETTRÉ, INCULTE, LIRE

ANALYSE → CHIMIE, COMMENTAIRE, COMPARAISON, CONSULTATION, CRITIQUE (1), DÉCOMPOSITION, ESSAI, EXAMEN, EXPOSÉ, PARAPHRASE, POINT, RAISONNEMENT, RÉDUCTION, RÉSOLUTION, RÉSUMÉ (1), SYNTHÈSE

ANALYSE autopsie, commentaire, décomposition, dissection, étude, examen, exégèse, glose, introspection

ANALYSE DIDACTIQUE

Voir tab. **Psychanalyse**

ANALYSER → APPROFONDIR, COMPTE, CONSIDÉRER, DÉCOMPOSER, DÉCORTIQUER, DÉPECER, ÉTUDIER, PENCHER (SE), RECHERCHER, RECONSTITUER, RÉFLÉCHIR, RÉSOUDRE, SONDER, TÂTER, TRAITER, VÉRIFIER

ANALYSTE → PROGRAMME

ANAMORPHOSE → DÉFORMATION, IMAGE

ANANAS

Voir tab. **Plantes médicinales**

Voir tab. **Végétaux (classification simplifiée des)**

ANANAS COMOSUS

Voir tab. **Plantes médicinales**

ANAPESTE → MÈTRE

Voir tab. **Poésie (vocabulaire de la)**

ANAPHORE → RÉPÉTITION

ANAPHRODISIE → SEXUEL

ANAPHYLAXIE → ALLERGIE, RÉACTION

ANAPLASTIE → GREFFE

ANARCHIE → CHAOS, CONFUSION

ANARCHIE chaos, confusion, désordre, drapeau noir, libertaire

ANARCHISME → CAPITALISME, POLITIQUE (2), REFUS, SOCIÉTÉ

ANARTHRIE → PAROLE, TROUBLE (1)

ANASTIGMAT → PHOTOGRAPHIE
ANASTOMOSE →
COMMUNICATION, NERF, VAISSEAU
Voir tab. **Chirugicales
(interventions)**
Voir tab. **Chirurgie
(vocabulaire de la)**
ANASTOMOSÉ
Voir illus. **Champignon**
ANASTOMOSER → JOINDRE
ANASTROPHE → JEU, LICENCE
Voir tab. **Rhétorique (figures de)**
ANASTYLOSE → ARCHÉOLOGIE
ANATHÉMATISATION →
CONDAMNATION, FOUDRE
ANATHÉMATISER → BANNIR,
BLÂMER, MALHEUR, MAUDIRE
ANATHÈME → ACCUSATION,
CONDAMNATION,
EXCOMMUNICATION,
MALÉDICTION, RÉPROBATION
ANATIDÉS → CANARD,
MANDARIN (2), OIE
ANATOMIE → CORPS, MÉDECINE,
MORPHOLOGIE, ZOOLOGIE
ANATOMIE anatomiste, angiologie,
dissection, histologie,
morphologie, myologie,
ostéologie, prosecteur, scalpel,
splanchnologie, vivisection
ANATOMISTE → ANATOMIE
ANCESTRAL → ANCIEN, ANTIQUE,
HÉRÉDITAIRE
ANCÊTRE → DESCENDANT, FAMILLE,
PARENT, PRÉCÉDER, RACE
ANCÊTRE aïeul, ascendant,
devancier, filiation, généalogie,
prédécesseur
ANCHE → TUYAU
Voir tab. **Instruments de
musique**
ANCHE (JEU DE) → ORGUE
ANCHES → JEU
ANCIEN → CLASSIQUE, TEMPS,
VIEILLARD
ANCIEN (1) aîné, doyen
ANCIEN (2) ancestral, antiquité,
archaïque, archéologie, désuet,
immémorial, obsolète,
paléographie, paléozoïque,
reculé, relique, séculaire,
suranné, vestige
ANCIEN TESTAMENT
Voir tab. **Bible**
ANCILLAIRE → AMOUR
ANCOULER
Voir tab. **Animaux (termes
propres aux)**
ANCRAGE → MOUILLAGE
Voir illus. **Maison**
ANCRE → HORLOGE
ANCRE affourcher, chatte, déraper,
espérance, fermeté, grappin,
mouiller, tranquillité
ANCRE (JETER L') → FOND
ANCRÉ → SOLIDE
ANCRER → AFFERMIR, CONSOLIDER,
ENRACINER, IMMOBILISER
ANDAIN → FOIN
ANDAINAGE → FOIN
ANDAINEUR → FOIN
ANDALOUSE (MAYONNAISE) →
MAYONNAISE
ANDANTE → MOUVEMENT
ANDANTINO → MOUVEMENT
ANDES → POMME DE TERRE
ANDÉSITE → LAVE
Voir tab. **Roches et minerais**

ANDOUILLE → BOYAU,
CHARCUTERIE
Voir illus. **Charcuterie**
ANDOUILLER → BOIS, CERF,
CORNE, RAMIFICATION
ANDOUILLETTE → BOYAU,
CHARCUTERIE
Voir illus. **Charcuterie**
ANDRÉ
Voir tab. **Jésus (disciples de)**
ANDRINOPLE → TENTURE
ANDRO- → HOMME
ANDROCTONUS → SCORPION
ANDROGYNE → BISEXUÉ, SEXE
ANDROÏDE → HUMAIN, SCIENCE-
FICTION
ANDROLÂTRIE → CULTE
ANDROPAUSE → ÂGE, HOMME
ANDROPHOBIE → HAINE, HOMME
ANDROSTÉRONE → HORMONE
ÂNE → BÊTE (1), IMBÉCILE (1)
Voir tab. **Animaux (termes
propres aux)**
ÂNE asinien, bardot, bête,
braiment, hémione, ignorant,
imbécile, mulet, onagre,
solipèdes, sot
ANÉANTI → ABATTU, EFFONDRER,
NÉANT, SIDÉRÉ
ANÉANTIR → ABOLIR, BRAS, BRISER,
ÉCRASER, ÉTEINDRE, JETER,
MASSACRER, NEUTRALISER,
PÉRIR, PULVÉRISER, RIEN (2),
RUINER, SUPPRIMER, TUER, USER,
VAINCRE
ANÉANTIR abîmer (s'), annihiler,
couler, détruire, disparaître,
écraser, humilier (s'), massacrer,
ruiner, sombrer
ANÉANTISSEMENT → AGONIE,
CONSTERNATION, DESTRUCTION,
ÉCROULEMENT, ÉPUISEMENT,
EXTERMINATION, FIN (1), MORT (1),
PRÉCIPICE, STUPEUR
ANÉANTISSEMENT ethnocide,
extermination, génocide
ANECDOTE → CURIEUX (2), DÉTAIL,
HISTOIRE, RÉCIT
ANECDOTE ana, détail, échos,
historiette
ÂNÉE → CHARGE
ANÉMIANT → NUISIBLE
ANÉMIE → APPAUVRISSEMENT,
SANG
ANÉMIER → DÉPÉRIR, ÉTIOLER
ANÉMIQUE → FAIBLE (2), PÂLE
ANÉMOCHORE → PLANTE
ANÉMOMÈTRE → MÉTÉOROLOGIE,
VENT
Voir tab. **Instruments de mesure**
ANÉMONE
Voir tab. **Végétaux (classification
simplifiée des)**
ANÉMONE actinie, renonculacées,
sylvie
ANÉMOPHILIE → POLLEN
ANÉMOPHOBIE
Voir tab. **Phobies**
ANENCÉPHALIE → MONSTRUOSITÉ
ANERGIE → ALLERGIE
ÂNERIE → BÊTISE, NIAISERIE
ANÉROÏDE → BAROMÈTRE
ÂNESSE
Voir tab. **Animaux (termes
propres aux)**
ANESTHÉSIANT → ÉTHER
ANESTHÉSIE → CHIRURGICAL,
CORPS, DENTAIRE, DOULEUR,

INCONSCIENCE, INSENSIBILITÉ,
SOMMEIL
ANESTHÉSIE analgésie,
chloroforme, cocaïne, éther,
insensibilisation, narcose,
penthiobarbital, péridurale,
procaïne, protoxyde d'azote
ANESTHÉSIÉ → USÉ
ANESTHÉSIER → ENDORMIR
ANESTHÉSIQUE →
NARCOTIQUE (1)
ANESTHÉSISTE → MÉDECIN
ANETH
Voir tab. **Herbes, épices et
aromates**
ANÉVRISME → ARTÈRE, VASCULAIRE
ANFRACTUOSITÉ → CREUX (1),
FISSURE, INÉGALITÉ
ANGARIE → GUERRE
ANGE → BÉBÉ, ESPRIT, MANCHE
ANGE angélogonie, angélographie,
angelot, archange, Belzébuth,
chérubin, dulie, galuchat,
Lucifer, putto, Satan, séraphin
ANGE DE MER
Voir tab. **Poissons (classification
simplifiée des)**
ANGELICA ARCHANGELICA
Voir tab. **Plantes médicinales**
ANGÉLIQUE → INNOCENT (2), LUTH
Voir tab. **Plantes médicinales**
ANGÉLIQUE bonbon, céleste,
parfait, saint, séraphique
ANGÉLOGONIE → ANGE
ANGÉLOGRAPHIE → ANGE
ANGELOT → ANGE, BÉBÉ
ANGELUS
Voir tab. **Prières et offices de
l'Église catholique romaine**
ANGÉLUS → CLOCHE, PRIÈRE,
VIERGE (1)
ANGÉRIENS
Voir tab. **Habitants (comment se
nomment les)**
ANGES (AUX) → JOIE
ANGES REBELLES → DÉCHU
ANGEVIN
Voir tab. **Gâteaux régionaux et
étrangers**
ANGIECTASIE → DILATATION
ANGINE → GORGE, POITRINE
ANGIOLOGIE → ANATOMIE,
CIRCULATION, VAISSEAU
Voir tab. **Sciences : termes
en -ologie et -ographie**
ANGIOME → ENVIE, FRAISE
ANGIOME MATURE → TACHE (1)
ANGIOME PLAN → TACHE (1)
ANGIOSPASME → CONTRACTION,
SPASME
ANGIOSPERME → FLEUR, GRAINE,
PLANTE
ANGIOSPERMES
Voir tab. **Végétaux (classification
simplifiée des)**
ANGLAIS → GERMANIQUE
Voir tab. **Manies**
ANGLAIS anglicisme, angliciste,
anglophone
ANGLAISE → BOUCLE, BRODERIE,
NOURRICE
ANGLAISE (À L') → BOTTE,
PARQUET
ANGLE → ASPECT, BIAIS, COIN,
ÉCLAIRAGE, FACE, PERSPECTIVE
Voir illus. **Géométrie (figures de)**
ANGLE alidade, arête, azimut,

biveau, coin, encoignure,
équerre, géométrie,
goniométrie, graphomètre,
isogone, sauterelle, sextant, site,
té, théodolite, trigonométrie
ANGLE DROIT → ÉQUERRE, RETOUR
ANGLEDOZER → VÉHICULE
ANGLES → GERMANIQUE
ANGLETERRE
Voir tab. **Saints patrons**
ANGLICAN
Voir tab. **Églises**
ANGLICISME → ANGLAIS
ANGLICISTE → ANGLAIS
ANGLOMANIE
Voir tab. **Manies**
ANGLOPHOBIE
Voir tab. **Phobies**
ANGLOPHONE → ANGLAIS
ANGLO-SAXON → GERMANIQUE
ANGOISSANT → SINISTRE (2),
TRAGIQUE
ANGOISSE → AFFECTIF,
APPRÉHENSION, CRAINTE,
CRISPATION, INQUIÉTUDE,
PANIQUE, PEUR, PSYCHOSE,
TERREUR
Voir tab. **Psychiatrie**
ANGOISSE affres, anxiété,
appréhension, inquiétude,
tourment
ANGOISSÉ → ANXIEUX, INQUIET,
TENDU, TOURMENTÉ
ANGOISSER → BILE, INQUIÉTER,
TERRORISER, TOURMENTER (SE)
ANGOISSER effrayer, oppresser,
paniquer, stresser, tourmenter,
tracasser
ANGON → FRANCS, JAVELOT
ANGOR → POITRINE
Voir tab. **Douleur**
ANGORA → CHAT, CHÈVRE, TEXTILE
Voir tab. **Tissus**
ANGOULÊME
Voir tab. **Habitants (comment se
nomment les)**
ANGOUMOISINS
Voir tab. **Habitants (comment se
nomment les)**
ANGROIS → MARTEAU
ANGSTRÖM → ONDE
ANGUIFORME
Voir tab. **Forme de... (en)**
ANGUILLE
Voir tab. **Poissons (classification
simplifiée des)**
ANGUILLE anguillière, civelle,
congre, gymnote, leptocéphale,
pibale
ANGUILLE (NŒUD D')
Voir illus. **Nœuds**
ANGUILLIÈRE → ANGUILLE
ANGUILLULE → VER
ANGUSTICLAVE → CHEVALIER,
TOGE
ANGUSTURA → TONIQUE (2)
ANHÉLER → RESPIRER
ANHYDRE → ALCOOL, EAU, SEC
ANHYDRIDE ARSÉNIEUX →
ARSENIC
ANHYDRITE
Voir tab. **Minéraux et utilisations**
ANICIENS
Voir tab. **Habitants (comment se
nomment les)**
ANICROCHE → ACCIDENT,
ACCROC, DIFFICULTÉ, HISTOIRE,
INCIDENT (1)

ANILINE → CARBURANT
ANIMA → ÂME
ANIMADVERSION → HAINE, RÉPROBATION
ANIMAL → BESTIAL, DENTELLE, INDIVIDU, INSTINCTIF, PIGMENT, RÈGNE, SAUVAGE
Voir tab. **Phobies**
ANIMAL animalcule, animalier, éthologie, faune, protozoaire, zoolâtrie, zoologie, zoomorphe, zoonose, zoophilie, zoophobie
ANIMALCULE → ANIMAL
ANIMALERIE → LABORATOIRE
ANIMALIER → ANIMAL, SCULPTURE
ANIMALITÉ → BRUTALITÉ
ANIMATEUR → ACCOMPAGNATEUR, ÂME, PRÉSENTATEUR
ANIMATEUR agitateur, inspirateur, instigateur, leader, meneur, moniteur, organisateur
ANIMATION → IMAGE, TURBULENCE, URBANISME, VIE, VIVACITÉ
ANIMATION activité, affairement, agitation, ardeur, chaleur, dessin animé, entrain, exaltation, flamme, fougue, mouvement, passage, passion, va-et-vient, vie, vivacité
ANIMATION (FESTIVAL INTERNATIONAL DU FILM D')
Voir tab. **Prix cinématographiques**
ANIMÉ → CONDUIRE, EXPRESSIF, PASSAGER (2), PASSANT (2), VIVANT
ANIMÉ gai, houleux, mouvementé, tumultueux, vif, vivant
ANIMELLES → TESTICULE
ANIMER → ENFLAMMER, ENTHOUSIASMER, ÉVEILLER, INSPIRER, MOUVOIR, PRÉSIDER, REMPLIR, SOUTENIR, STIMULER
ANIMER aiguillonner, alimenter, aviver, conduire, diriger, échauffer, égayer, enflammer, entretenir, exalter, exciter, nourrir, stimuler
ANIMISME → ÂME, RELIGION, VIE
Voir tab. **Religions et courants religieux**
ANIMISME culte des esprits, fétichisme, magie, sorcellerie, Stahl
ANIMISTE → ADORATION, PAÏEN (1)
ANIMOSITÉ → AGRESSIVITÉ, FIEL, HAINE, HOSTILITÉ, MALVEILLANCE, RANCUNE, TRAVERS (2)
ANIMOSITÉ agressivité, amertume, antipathie, hostilité, malveillance, rancune, ressentiment, véhémence, violence, virulence
ANINGRE
Voir tab. **Ébénisterie (essences utilisées en)**
ANIS → DIGÉRER, MARQUETERIE
Voir tab. **Gâteaux régionaux et étrangers**
ANIS badiane, carvi, cumin, ombellifères
ANIS ÉTOILÉ
Voir tab. **Herbes, épices et aromates**
ANIS VERT
Voir tab. **Herbes, épices et aromates**

ANISÉ
Voir tab. **Alcools et eaux-de-vie**
ANKYLOSE → ARTICULATION, ENGOURDISSEMENT, INSENSIBILITÉ, STAGNATION
ANKYLOSÉ → INSENSIBLE, PARALYSÉ
ANKYLOSER (S') → ROUILLER (SE)
ANNA O
Voir tab. **Psychanalyse**
ANNALES → ANNÉE, CHRONIQUE, CHRONOLOGIE, DOCUMENT, ÉVÉNEMENT, FASTES, HISTOIRE, RÉCIT, RECUEIL, REGISTRE, REVUE
Voir tab. **Livres**
ANNATE → BÉNÉFICE, TAXE
ANNEAU → BOUCLE, BOUTEILLE, CHAÎNON, CISEAU, COURSE, ÉVÊQUE, GYMNASTIQUE, MANCHON, NŒUD, PISTE
Voir illus. **Bijoux**
Voir illus. **Canon**
Voir illus. **Champignon**
ANNEAU agrès, anneler, armilles, bague, boucler, bride, chaînon, collier, frette, maillon, manchon, manille, mouchette, organeau, sceau, virole
ANNEAU À DÉCROCHER
Voir illus. **Pêche**
ANNEAU D'ATTACHE
Voir illus. **Harnais**
ANNEAU D'OR → CHEVALIER
ANNEAU DU PÊCHEUR → PAPE
ANNEAU ÉPISCOPAL → BAGUE
ANNECY (FESTIVAL D')
Voir tab. **Prix cinématographiques**
ANNÉE → PROMOTION, TEMPS
ANNÉE annales, millésime, sabbatique, synodique
ANNÉE-LUMIÈRE → LONGUEUR
ANNELER → ANNEAU
ANNELET
Voir illus. **Colonnes**
ANNÉLIDE → VER
ANNÉLIDES
Voir tab. **Animaux (classification simplifiée des)**
ANNEXE → ADDITION, APPENDICE, AUXILIAIRE (1), BÂTIMENT, COMPLÉMENT, DÉPENDANCE, JOINT (2), LIVRE, SUCCURSALE
ANNEXE accessoire, amnios, auxiliaire, communs, complémentaire, dépendances, filiale, placenta, secondaire, succursale
ANNEXER → ADJOINDRE, CONQUÉRIR, EMPARER (S'), INCORPORER, RATTACHER, UNIR, VERSER
ANNEXION → CONQUÊTE, OCCUPATION, RÉUNION
ANNEXION Anschluss, conquête, incorporation, rattachement
ANNIHILATION → DESTRUCTION
ANNIHILÉ → NÉANT
ANNIHILER → ANÉANTIR, NEUTRALISER, ÔTER, RIEN (2), RUINER, SUPPRIMER
ANNIVERSAIRE célébration, commémoration, jubilé
ANNONCE → BULLETIN, COMMUNICATION, DÉCLARATION, DÉPÊCHE, INFORMATION, MESSAGE, PRÉDICTION, PRÉLUDE, PRÉSAGE, PUBLICITAIRE, RÉCLAME, RUBRIQUE
Voir tab. **Belote**

ANNONCE avis, avis d'obsèques, bans, communiqué, faire-part, indice, prémisse, présage, proclamation, publication, signe
ANNONCER → CONNAÎTRE, DÉCLARER, DÉCLINER, INDIQUER, INFORMER, MANIFESTER, PART, PRÉCÉDER, PRÊCHER, PRÉDIRE, PRÉPARER, PROCLAMER, PUBLIER, SAVOIR (2), SUPPOSER
ANNONCER découvrir, dévoiler, divulguer, édicter, manifester, notifier, proclamer, promulguer, révéler
ANNONCEUR → PRÉSENTATEUR, PUBLICITAIRE, PUBLICITÉ
ANNONCIATEUR → MESSAGER, PRÉCURSEUR
ANNONCIATION → VIERGE (1)
Voir tab. **Fêtes religieuses**
ANNONE → RAVITAILLEMENT
ANNOTATION → COMMENTAIRE, MARGE, NOTE, RÉFLEXION, TEXTE
ANNUAIRE → INFORMATION, RECUEIL, RENSEIGNEMENT, TÉLÉPHONE
Voir tab. **Livres**
ANNUEL annuité
ANNUELLE → VIVACE
ANNUITÉ → ANNUEL, INTÉRÊT, PAIEMENT
ANNULAIRE → DOIGT, ÉCLIPSE, MAIN
Voir illus. **Main**
ANNULATION → EXTINCTION, RÉFORME, RENVOI, RÉSOLUTION, RUPTURE, SUPPRESSION
ANNULÉ → NUL
ANNULER → ABOLIR, ABROGER, CASSER, DÉNONCER, ÉTEINDRE, EXCLURE, INVALIDE (2), NEUTRALISER, NUL, RENONCER, RETIRER, REVENIR, RÉVOQUER, ROMPRE, SOLDER
ANNULER abolir, abroger, casser, éteindre, infirmer, invalider, neutraliser, résilier
ANOBLIR → NOBLESSE
ANODE → PILE
Voir tab. **Électricité**
ANODIN → BÉNIN, CONSÉQUENCE, DANGER, INOFFENSIF, LÉGER, TERNE
ANODINE → DOULEUR
ANODONTE → DENT, MOULE
ANOLIS → LÉZARD
ANOMALIE → ANORMAL, DÉVIATION, EXCEPTION, IRRÉGULARITÉ, PARTICULARITÉ
ANOMALIE aberration, anormalité, bizarrerie, bogue, difformité, incohérence, irrégularité, malformation, monstruosité, singularité, virus
ANOMALIE ANATOMIQUE
Voir tab. **Phobies**
ANOMIE → LOI
ÂNON
Voir tab. **Animaux (termes propres aux)**
ANONE → POMME
ÂNONNEMENT → BALBUTIEMENT, HÉSITANT, LECTURE
ÂNONNER → BALBUTIER, BÉGAYER, RÉCITER
ANONYMAT → OBSCURITÉ, SECRET (1)

ANONYME → IGNORÉ, IMPERSONNEL, NOM
ANONYME anonymographe, banal, chantage, corbeau, délation, impersonnel, inconnu, neutre
ANONYMEMENT → INCONNU (2)
ANONYMOGRAPHE → ANONYME
ANOPHÈLE → MALARIA, MOUSTIQUE, PALUDISME
ANORAK → VESTE, VÊTEMENT
Voir illus. **Manteaux**
ANORCHIDIE → TESTICULE
ANOREXIE → ALIMENTATION, AMAIGRISSEMENT, APPÉTIT, FAIM, MAIGREUR, MANGER, PERTE, TROUBLE (1)
ANOREXIE MENTALE
Voir tab. **Psychiatrie**
ANOREXIGÈNE → APPÉTIT, FAIM
Voir tab. **Médicaments**
ANORGASMIE → ORGASME
ANORMAL → BIZARRE, INSOLITE, IRRATIONNEL, IRRÉGULIER, SINGULIER
ANORMAL aberrant, anomalie, bizarre, défectueux, excentrique, exceptionnel, inaccoutumé, inhabituel, insolite, irrégulier, singulier, suspect
ANORMALITÉ → ANOMALIE
ANOSMIE → DIMINUTION, ODORAT, PERTE
ANOURES → BATRACIEN, QUEUE
ANOXÉMIE → ALTITUDE, SANG
ANOXIE DU MYOCARDE → CŒUR
ANPE (AGENCE NATIONALE POUR L'EMPLOI) → BUREAU
ANSCHLUSS → ANNEXION
ANSE → ABRI, ARC, BAIE, BOUCLIER, CADENAS, OREILLE, PANIER, VASE
Voir illus. **Canon**
Voir illus. **Littoral**
ANSE DE PANIER
Voir illus. **Arcs**
ANSÉRIFORME → OIE
ANSÉRIFORMES
Voir tab. **Oiseaux (classification simplifiée des)**
ANSIÈRE
Voir tab. **Pêche**
ANSPECT → LEVIER
ANTAGONIQUE → HOSTILE, RIVAL (2)
ANTAGONISME → CONFLIT, INCOMPATIBILITÉ, LUTTE, OPPOSITION
ANTAGONISME combat, concurrence, conflit, contradiction, lutte, opposition, rivalité
ANTAGONISTE → ADVERSAIRE, COMBAT, CONTRAIRE (2), ENNEMI, OPPOSÉ, RIVAL (2)
ANTALGIQUE → CALMER, DOULEUR
Voir tab. **Médicaments**
ANTAN (D') → PASSÉ (2)
ANTANACLASE → RÉPÉTITION
ANTARCTIQUE → PÔLE, SUD (2)
ANTÉCÉDENT → PASSÉ (1), PASSIF, PRÉMISSE, RELATIF
ANTÉDILUVIEN → ANTIQUE, DÉLUGE, DÉMODÉ, SURANNÉ
ANTÉFIXE → TOIT
ANTÉGLISE → MASSIF (1)
ANTÉNATALE → NAISSANCE
ANTENNE → APPENDICE, SUCCURSALE, VOILE

Voir illus. **Insectes**
Voir illus. **Maison**

ANTENNE capteur, diffuseur, parabole, poste, radio, télévision

ANTENNE VHF
Voir illus. **Avion**

ANTÉPÉNULTIÈME → DERNIER, SYLLABE

ANTÉRIEUR → PRÉCÉDENT (1), PREMIER (2)

ANTÉRIORITÉ chronologie, droit de préemption

ANTHÉLIX
Voir illus. **Oreille**

ANTHELMINTHIQUE
Voir tab. **Médicaments**

ANTHÈRE
Voir illus. **Fleur**

ANTHÉROZOÏDE → CONCEPTION, FÉCONDATION, GAMÈTE, MÂLE, REPRODUCTEUR, REPRODUCTION

ANTHO- → FLEUR

ANTHOCYANES → VIN

ANTHOCYANINES → VIN

ANTHOLOGIE → BEST OF, CHOISIR, EXTRAIT, LITTÉRATURE, MANUEL, MORCEAU, POÈME, RÉCIT, RECUEIL, RÉUNION, SÉLECTION
Voir tab. **Livres**

ANTHOMANIE
Voir tab. **Manies**

ANTHRACITE → CARBONE, CHARBON
Voir tab. **Couleurs**

ANTHRACNOSE → CHARBON, ROUILLE, VIGNE

ANTHRACOSE → CHARBON, POUSSIÈRE

ANTHRAX → ABCÈS, BOUTON, CHARBON, INFILTRATION

ANTHROPO- → HOMME

ANTHROPOBIOLOGIE → CORPS

ANTHROPOLOGIE → GROUPE, HOMME, PEUPLE
Voir tab. **Sciences : termes en -ologie et -ographie**

ANTHROPOLOGUE → PRÉHISTOIRE

ANTHROPOMÉTRIE → CORPS, MENSURATION, POLICE

ANTHROPOMÉTRIQUE → SIGNALEMENT

ANTHROPOMORPHISME → HUMAIN

ANTHROPONYMIE → NOM

ANTHROPOPHAGE → CHAIR, HUMAIN, MANGER

ANTHROPOPHOBIE
Voir tab. **Phobies**

ANTHROPOPITHÈQUE → SINGE

ANTHYLLIS VULNÉRAIRE → TRÈFLE

ANTI- → DÉFENSE, DÉTRUIRE, HOSTILE

ANTIAMARILE → VACCINATION

ANTIBACTÉRIEN → BACTÉRIE

ANTIBIOTIQUE → BACTÉRIE, MICROBE
Voir tab. **Médicaments**

ANTIBIOTIQUE bactéricide, pénicilline

ANTIBROUILLARD → BROUILLARD, ÉCLAIRAGE

ANTIBRUIT → BRUIT

ANTICHAMBRE → ATTENTE, ENTRÉE, HALL, PAS (1), VESTIBULE

ANTICHAMBRE entrée, hall, vestibule

ANTICHRÈSE → CONTRAT, IMMEUBLE (1)

ANTICIPATION → FUTUR (1)

ANTICIPÉ → PRÉCOCE

ANTICIPÉ préretraite

ANTICIPER → AVANCER, DEVANCER, IMAGINER, PRÉCÉDER, PRÉPARER, PRÉVOIR

ANTICIPER devancer, imaginer, prévoir

ANTICLÉRICAL → CLERGÉ

ANTICLINAL → GÉOLOGIQUE, PLI, RELIEF

ANTICOAGULANT
Voir tab. **Médicaments**

ANTICOLONIALISME → IMPÉRIALISME

ANTICONCEPTIONNEL → CONTRACEPTIF

ANTICONFORMISME → EXCENTRICITÉ

ANTICONFORMISTE → HÉTÉRODOXE, MARGINAL, NORME

ANTICONVULSIVANT
Voir tab. **Médicaments**

ANTICORPS → DÉFENSE, IMMUNITAIRE

ANTICORPS agglutinine, antigène, antitoxine, défense, immunité

ANTICYCLONE → MAXIMUM, MÉTÉOROLOGIE

ANTIDATER → DATE

ANTIDÉPRESSEUR → DROGUE

ANTIDOPAGE → SPORTIF (1)

ANTIDOTE → POISON, REMÈDE

ANTIENNE → CHŒUR, LEITMOTIV, LITANIE

ANTIFERROMAGNÉTISME → MAGNÉTIQUE

ANTIFONGIQUE → CHAMPIGNON, MYCOSE

ANTIFRICTION → ALLIAGE

ANTIGANG → POLICE

ANTIGEL → GEL

ANTIGÈNE → ANTICORPS, IMMUNITAIRE

ANTIHISTAMINIQUE
Voir tab. **Médicaments**

ANTI-INFLAMMATOIRE → INFLAMMATION

ANTILITHIQUE → CALCUL

ANTILLES → ÎLE

ANTILOGIE → CONTRADICTION

ANTILOPE → NOCTURNE

ANTIMOINE
Voir tab. **Éléments chimiques (symbole des)**

ANTIMYCOSIQUE → CHAMPIGNON, MYCOSE

ANTINOMIE → CONFLIT, CONTRADICTION, INCOMPATIBILITÉ, RAISONNEMENT

ANTINOMIQUE → CONTRAIRE (2), INCOMPATIBLE, OPPOSÉ

ANTIOXYGÈNE → CONSERVATEUR

ANTIPARTICULE → PARTICULE

ANTIPASTI → HORS-D'ŒUVRE

ANTIPATHIE → ANIMOSITÉ, HAINE, HOSTILITÉ, TRAVERS (2)

ANTIPATHIE aversion, dégoût, froideur, inimitié, répugnance, répulsion

ANTIPATHIQUE → DÉSAGRÉABLE, ODIEUX, SALE

ANTIPATHIQUE déplaisant, désagréable, froid, repoussant, répugnant

ANTIPATINAGE
Voir tab. **Automobile**

ANTIPHLOGISTIQUE → INFLAMMATION

ANTIPHONAIRE → LITURGIE

ANTIPHRASE → IRONIE
Voir tab. **Rhétorique (figures de)**

ANTIPODE → INVERSE (1), OPPOSÉ

ANTIPOLLUTION → POLLUTION

ANTIPROTECTIONNISTE → LIBÉRAL (2)

ANTIPSORIQUE → GALE

ANTIPSYCHIATRIE → PSYCHIATRIE

ANTIPUTRIDE → ANTISEPTIQUE

ANTIPYRÉTIQUE → FIÈVRE, TEMPÉRATURE
Voir tab. **Médicaments**

ANTIPYRINE → CALMER

ANTIQUAIRE → BROCANTEUR, MEUBLE, OCCASION

ANTIQUE → SURANNÉ, TEMPS, VIEUX

ANTIQUE ancestral, antédiluvien, archaïque, arriéré, désuet, obsolète, périmé, rétrograde, révolu, séculaire, suranné, vétuste

ANTIQUITÉ → ANCIEN (2), PASSÉ
Voir tab. **Histoire (grandes périodes)**

ANTIRABIQUE → RAGE, VACCINATION

ANTIROUILLE → VERNIS

ANTISCORBUTIQUE
Voir tab. **Médicaments**

ANTISÉMITISME → JUIF (1), RACISME

ANTISEPSIE → DÉSINFECTION, INFECTION, MICROBE, STÉRILISATION

ANTISEPTIQUE → ÉTHER, IODE, SAVON

ANTISEPTIQUE acide benzoïque, antiputride, aseptique, bleu de méthylène, désinfectant, eau oxygénée, eucalyptol, formol, mercurochrome, salol

ANTISISMIQUE
Voir tab. **Tremblements de terre**

ANTI-SOUS-MARINAGE
Voir tab. **Automobile**

ANTISPASMODIQUE → HASCHISCH, SPASME

ANTISTHÈNE → CYNIQUE

ANTISTROPHE → STROPHE
Voir tab. **Poésie (vocabulaire de la)**

ANTITÉTANIQUE → TÉTANOS

ANTITHERMIQUE → FIÈVRE, TEMPÉRATURE

ANTITHÈSE → CONTRASTE, DÉMARCHE, INVERSE (1), RELATION
Voir tab. **Rhétorique (figures de)**

ANTITHÉTIQUE → CONTRAIRE (2), OPPOSÉ

ANTITOXINE → ANTICORPS, DÉFENSE, INFECTION

ANTITRAGUS
Voir illus. **Oreille**

ANTITUSSIF → SIROP, TOUX
Voir tab. **Médicaments**

ANTIVIRUS → VIRUS

ANTOINE DE PADOUE → OBJET

ANTONOMASE
Voir tab. **Rhétorique (figures de)**

ANTONYME → CONTRAIRE (1), MOT, OPPOSÉ

ANTRE → CREUX (1), GÎTE, GROTTE, REFUGE (1), REPAIRE, TANIÈRE

Voir tab. **Animaux (termes propres aux)**

ANURIE → COLIQUE, URINE

ANUS ARTIFICIEL
Voir tab. **Chirurgie (vocabulaire de la)**

ANUS
Voir illus. **Digestif (appareil)**
Voir tab. **Chirurgicales (interventions)**

ANUS anal, hémorroïde, proctalgie, proctologie, sodomie, sphincter

ANXIÉTÉ → ANGOISSE, APPRÉHENSION, CRAINTE, CRISPATION, INQUIÉTUDE, PEUR

ANXIÉTÉ anxiogène, anxiolytique

ANXIEUX → AVIDE, BILE, INQUIET, PESSIMISTE, TOURMENTÉ

ANXIEUX angoissé, inquiet, tourmenté

ANXIOGÈNE → ANXIÉTÉ

ANXIOLYTIQUE → ANXIÉTÉ, CALMANT
Voir tab. **Médicaments**

AORTE → ARTÈRE
Voir illus. **Cœur**
Voir illus. **Respiratoire (système)**

AOÛTAT → ACARIEN

AOÛTIEN → TOURISTE, VACANCES

APAGOGIE → ABSURDE, RAISONNEMENT

APAISANT → CALMANT

APAISANT lénifiant, rassurant, réconfortant

APAISEMENT → ACCALMIE, CICATRISATION, DIMINUTION, RETOUR, TRANQUILLITÉ

APAISEMENT accalmie, analgésique, baume, émollient, rémission

APAISER → ADOUCIR, ALLÉGER, AMORTIR, BAUME, CALMER, CHAGRIN, CONSOLER, DÉLIVRER, DÉSARMER, ENDORMIR, ÉTEINDRE, GUÉRIR, PACIFIER, SATISFAIRE, SOIF, SOULAGER, TEMPÉRER, TOMBER

APAISER adoucir, assoupir, assouvir, calmer, endormir, étancher, éteindre, pacifier

APANAGE → DOMAINE, FACULTÉ, PRÉROGATIVE, PROPRE (1), SORT

A PARI → ANALOGIE

APARTÉ → BAS (2), CONVERSATION, ÉCART, ENTRETIEN, PRIVÉ

APARTHEID → COLONISATION, DISCRIMINATION, RACISME, SÉPARATION, XÉNOPHOBIE

APATHIE → DÉPRESSION, INACTION, INDIFFÉRENCE, INDOLENCE, INERTIE, INSENSIBILITÉ, LÉTHARGIE, PARESSE, VOLONTÉ

APATHIQUE → ENDORMI, ENGOURDI, ÉTEINT, IMMOBILE, INACTIF, INCAPABLE, INDOLENT, INERTE, INSENSIBLE, LENT, MOU, NONCHALANT, RÉAGIR

APATRIDE → DÉPLACÉ, ÉTRANGER (1), EXPATRIÉ, IMMIGRÉ, NATIONALITÉ, PATRIE

APEPSIE → DIGÉRER, DIGESTION

APERCEVOIR → DISTINGUER, ENTREVOIR

APERCEVOIR constater, déceler, découvrir, deviner, discerner, distinguer, entrapercevoir, entrevoir, percevoir, remarquer, repérer, saisir, sentir

APERÇU → CONNAISSANCE, ÉCHANTILLON, ESQUISSE, IDÉE, RÉSUMÉ (1), SOMMAIRE (2)

APERÇU avant-goût, échantillon, estimation, idée, résumé, vue

APÉRITIF → APPÉTIT, BUFFET, HORS D'ŒUVRE, REPAS

Voir tab. **Alcools et eaux-de-vie**

APERTO

Voir tab. **Musique (vocabulaire de la)**

APÉTALE → PÉTALE

APÉTALES

Voir tab. **Végétaux (classification simplifiée des)**

APÉTISSANT → EXCITANT (2)

À-PEU-PRÈS → INEXACTITUDE, RESSEMBLANCE

APEURÉ → EFFRAYER, INQUIET, TERRORISER

APEX → ACCENT, BOUT, LANGUE, POINTE

APHASIE → COMPRENDRE, CONFUSION, EXPRESSION, LANGAGE, PAROLE, PERTE, VERBAL

Voir tab. **Psychiatrie**

APHASO-

Voir tab. **Psychiatrie**

APHÉLIE → COMÈTE, PLANÈTE

APHÉRÈSE → ABRÉVIATION, SYLLABE

APHONE → SILENCE

APHONIE → EXTINCTION, PERTE, VOIX

APHORISME → FORMULE, PENSÉE, PROVERBE, RÉFLEXION, SENTENCE

APHRODISIAQUE → DÉSIR, ÉROTIQUE, SEXUEL, STIMULANT

APHRODISIE → SEXUEL

APHRODITE → AMOUR, BEAU, BEAUTÉ

APHTEUSE → FIÈVRE

APHYLLE → FEUILLE

API (D') → POMME

APIAIRE

Voir tab. **Animaux (termes propres aux)**

À-PIC → PAROI

APICOLE → ABEILLE

Voir tab. **Animaux (termes propres aux)**

APICULTEUR → ABEILLE, MIEL

APICULTURE → ABEILLE

Voir tab. **Élevages**

APIÉCEUR → TAILLEUR

APITOIEMENT → COMPASSION

APITOYER → ÉMOUVOIR, EXCITER, FLÉCHIR

APITOYER (S') → ATTENDRIR (S'), COMPATIR, PITIÉ, PLAINDRE

APJ

Voir tab. **Police nationale (organisation de la)**

APLANIR → DRESSER, ÉGALISER, NIVEAU, NIVELER, PLAT (2), RELIEF, ROULER

APLANIR égaliser, lever, niveler, réduire, supprimer

APLASIE → MOELLE

APLAT → LAVIS, TEINTE

APLATI → ÉPATÉ

APLATIR → BRISER, ÉCRASER, PLAQUER, PLAT (2), RABATTRE

APLATIR biller, compresser, comprimer, écraser, laminer, plaquer

APLATIR (S') → HUMBLE, HUMILIER (S')

APLOMB → ASSURANCE, AUDACE, CONFIANCE, CULOT, ÉQUILIBRE, PLOMB, SANG-FROID, STABILITÉ, VERTICAL (2)

APLOMB assurance, audace, effronterie, hardiesse, impudence, toupet

APNÉE → RESPIRATION

APOASTRE → PLANÈTE

APOCALYPSE → CATASTROPHE, FIN (1), MONDE

APOCALYPTIQUE → TERRIBLE

APOCOPE → ABRÉVIATION, SYLLABE

APOCRYPHE → ÉCRIT (1), FAUX (2), SUPPOSÉ

APOCRYPHES

Voir tab. **Bible**

APODE → BATRACIEN, PATTE, PIED

APODICTIQUE → NÉCESSAIRE, RAISONNEMENT

APODIFORMES

Voir tab. **Oiseaux (classification simplifiée des)**

APODOSE → PÉRIODE

APOGÉE → CULMINANT, DEGRÉ, HAUT (2), MAXIMUM, ORBITE, PÉRIODE, POINT, SATELLITE, SOMMET, ZÉNITH

Voir illus. **Lune**

APOGÉE (ÊTRE À L') → BATTRE

APOKINOS → DANSE

APOLLO 11 → FUSÉE

APOLLON → BEAU, GARÇON

APOLLON (MONT D')

Voir illus. **Main**

APOLOGÉTIQUE → APOLOGIE, THÉOLOGIE

APOLOGIE → BIEN, COMPLIMENT, DÉFENSE, DISCOURS, JUSTIFICATION, LOUANGE

APOLOGIE apologétique, défense, dithyrambe, éloge, justification, louange, panégyrique, plaidoyer

APOLOGISTE → ORATEUR

APOLOGUE → IMAGE, MORALE, PARABOLE, RÉCIT

APONÉVROSE → GAINE, MEMBRANE, MUSCLE

APOPATHODIAPHULATOPHOBIE

Voir tab. **Phobies**

APOPHATIQUE → NÉGATIF, THÉOLOGIE

APOPHTEGME → CITATION, FORMULE, PAROLE, PROVERBE, RAISONNEMENT, SENTENCE

APOPHYSE → OS, SAILLIE

Voir illus. **Cheval**

APOPLEXIE → ARRÊT, CONGESTION, PARALYSIE

APORIE → DIFFICULTÉ, RAISONNEMENT

APOSIOPÈSE

Voir tab. **Rhétorique (figures de)**

APOSTASIE → CHANGEMENT, CONVERSION

APOSTASIER → ABANDONNER, RENIER, RENONCER

APOSTAT → HÉRÉSIE, IMPIE, RELIGION

A POSTERIORI → ADVERBE, CONNAISSANCE, EXPÉRIENCE, RAISONNEMENT

APOSTILLE → ADDITION, COMMENTAIRE, MARGE, NOTE, RENVOI

APOSTOLAT → APÔTRE, ZÈLE

APOSTOLICITÉ → ÉGLISE

APOSTOLIQUE → APÔTRE, MANDAT

APOSTROPHE → INTERPELLATION

Voir tab. **Rhétorique (figures de)**

APOSTROPHE rhétorique (figure de)

APOSTROPHER → ADRESSER, APPELER, ÉVOQUER, INTERPELLER

APOSTROPHER héler, interpeller

APOTHÉCIE → LICHEN

APOTHÈME → PERPENDICULAIRE (1)

APOTHÉOSE → DIEU, FEU D'ARTIFICE, GLOIRE, TRIOMPHE, ZÉNITH

APÔTRE → CHAMPION, CONVERTIR, DISCIPLE, PARTISAN (1), PRÊCHER, PROTECTEUR (1), SAINT (1)

APÔTRE apostolat, apostolique, épître, évangélisation, prédication, prosélytisme

APÔTRES → DOUZE

APOTROPAÏQUE → SACRIFICE

APPALACHIEN → CRÊTE

APPAMÉENS

Voir tab. **Habitants (comment se nomment les)**

APPARAÎTRE → ARRIVER, MONTRER, PERCER, RESSORTIR, SENTIR, SURVENIR

APPARAÎTRE découvrir (se), dévoiler (se), émerger, manifester (se), révéler (se), surgir, survenir, transparaître

APPARAT → APPAREIL, FASTE (1), POMPE, RICHESSE, SPLENDEUR, VANITÉ

APPARAT CRITIQUE → MANUSCRIT

APPARATCHIK → PARTI

APPAREIL → AGENCEMENT, DISPOSITIF, INSTRUMENT, MACHINE, ORGANE, OUTIL, POSTE, ROBOT, SUITE, SYSTÈME

Voir tab. **Cuisine**

APPAREIL apparat, dispositif, engin, instrument, machine, structure, système

APPAREIL (D') → MAÇONNERIE, MARQUE

APPAREIL DE GOLGI

Voir illus. **Cellules**

APPAREILLADE → ACCOUPLEMENT

APPAREILLAGE → DÉPART, MANŒUVRE, PIERRE, SAILLIE

APPAREILLEMENT → REPRODUCTION, SAILLIE

APPAREILLER → DÉMARRER, ÉQUIPER, LEVER, MOUILLAGE

APPAREILLEUR → MAÇON

APPARENCE → ALLURE, ASPECT, COMPOSITION, FAÇADE, FACE, FORME, GENRE, MINE, PHASE, PHÉNOMÈNE, PHYSIONOMIE, RÉALITÉ, SUPERFICIEL, VERNIS

APPARENCE allure, aspect, bienséance, captieux, convenances, façade, fallacieux, faux-semblant, hallucination, illusion, insidieux, mine, mirage, phase, simulacre, spécieux, trompe-l'œil, vernis, vision

APPARENT → ÉCLIPSE, FAÇADE, ILLUSOIRE, OSTENSIBLE, VISIBLE

APPARENT évident, faux, feint, illusoire, manifeste, superficiel, trompeur, visible

APPARENTÉ → VOISIN

APPARIEMENT → PERDRIX

APPARIER → ACCORDER, UNIR

APPARITEUR → FACULTÉ, HUISSIER

APPARITION → FANTÔME, HALLUCINATION, MAGIQUE, PRÉSENCE, RÉVÉLATION, SPECTRE, SURNATUREL, VISION

APPARITION efflorescence, éruption, fantôme, manifestation, poussée, révélation, revenant, spectre, vision

APPARTEMENT → LOGEMENT

APPARTEMENT duplex, garçonnière, gynécée, habitation, logement, loggia, pénates, pied-à-terre, studio, suite

APPARTENANCE → RELATION

Voir tab. **Mathématiques (symboles)**

APPARTENIR → PARTIE, RELEVER, REVENIR

APPARTENIR concerner, échoir à, immanent, incomber à, inhérent, intrinsèque, rapporter à (se), rattacher à (se), relever de, revenir à

APPAS → ATTRAIT, BEAUTÉ, CHARME

APPASSIONATO

Voir tab. **Musique (vocabulaire de la)**

APPÂT → CHASSE, MORDRE, VASE

Voir tab. **Pêche**

APPÂT amorce, boëtte, devon, esche, leurre, pêcher au vif, rogue

APPÂTER → ALLÉCHER, BRILLER, ENGRAISSER, SÉDUIRE, TENTER

APPÂTER affriander, allécher, amorcer, attirer, escher, séduire, tenter

APPAUVRIR → PRIVER

APPAUVRIR (S') → DÉGÉNÉRER

APPAUVRISSEMENT → ÉPUISEMENT

APPAUVRISSEMENT anémie, déclin, épuisement, étiolement, paupérisation, ruine

APPEAU → APPELER, CHASSE, IMITER, PIÈGE, SIFFLET

APPEAU appelant, chanterelle, courcaillet, leurre, piège, pipeau, piperie

APPEL → COMMUNICATION, CONVERSATION, CONVOCATION, INTERPELLATION, INVITATION, POINTAGE, RECENSEMENT, RECRUTER, RÉFÉRENDUM, RENVOI, RESSORT, SIGNAL, TENTATION

Voir tab. **Belote**

APPEL aspiration, clin d'œil, conscription, cri, déclaration, définitif, dénombrer, exhortation, impulsion, incitation, incorporation, interjection, invitation, mobilisation, muezzin, œillade, proclamation, recenser, recourir, recrutement, rédhibitoire, SOS, souscription, vocation

APPEL (FAIRE) → UTILISER

APPEL (SANS) → IMPITOYABLE

APPEL AU DRAPEAU → SONNERIE

APPEL AUX ARMES → MOBILISATION

APPEL DE FONDS

Voir tab. **Copropriété**

APPELANT → APPEAU, PIÈGE

Voir tab. **Chasse**
(vocabulaire de la)

APPELÉ → INCORPORER, MILITAIRE (2)

APPELER → CITER, CONVOQUER, INTERPELLER, NOMMER, RÉCLAMER, VENIR

APPELER apostropher, appeau, assigner, choisir, citer, convoquer, courcaillet, désigner, élire, grailler, héler, hucher, implorer, interpeller, invoquer, leurre, mander, pipeau

APPELER (EN) → REMETTRE (SE)

APPELER (S') intituler (s'), nommer (se), prénommer (se)

APPELER DE SES VŒUX → SOUHAITER

APPELETTE
Voir tab. **Informatique**
Voir tab. **Internet**

APPELLATION → DÉSIGNATION, QUALIFICATION
Voir tab. **Thé**

APPELLATION dénomination, désignation, label, marque

APPELOUS
Voir tab. **Habitants (comment se nomment les)**

APPENDICE → ADDITION, COMPLÉMENT, LIVRE, SUPPLÉMENT
Voir illus. **Digestif (appareil)**

APPENDICE addendum, addition, annexe, antenne, appendicectomie, appendicite, extrémité, prolongement, queue

APPENDICECTOMIE → APPENDICE, VENTRE

APPENDICITE → APPENDICE
Voir tab. **Pédiatrie**

APPENTIS → BARAQUE, CABINET, DÉPENDANCE, HANGAR, TOIT

APPENZELL
Voir illus. **Fromages**

APPERTISATION → CONSERVATION, DENRÉE, STÉRILISATION

APPERTISER → STÉRILISER

APPESANTIR → ALOURDIR, INSISTER, PESANT
Voir tab. **Couture**

APPÉTENCE → APPÉTIT, BESOIN

APPÉTISSANT → SAVOUREUX

APPÉTISSANT affriolant, alléchant, engageant, ragoûtant, séduisant

APPÉTIT → CURIOSITÉ, DÉSIR, INCLINATION, SOIF

APPÉTIT affriander, allécher, anorexie, anorexigène, apéritif, appétence, aspiration, avidité, besoin, boulimie, concupiscence, curiosité, désir, gloutonnerie, inclination, instinct, passion, pica, voracité

APPLAUDIMÈTRE → APPLAUDISSEMENT

APPLAUDIR → BÉNIR, FÉLICITER, RÉJOUIR (SE), VICTOIRE

APPLAUDIR acclamer, approuver, encourager, louer

APPLAUDISSEMENT → BATTEMENT, FÉLICITATION, OVATION
Voir tab. **Bruits**

APPLAUDISSEMENT applaudimètre, approbation, ban, bravo, compliment, éloge, félicitations, louange, ovation

APPLE-PIE
Voir tab. **Gâteaux régionaux et étrangers**

APPLET
Voir tab. **Informatique**
Voir tab. **Internet**

APPLICATION → CONSCIENCE, EFFORT, EXACTITUDE, EXERCICE, FONCTION, PRATIQUE (1), RÉFLEXION, SOIN, VIGUEUR, ZÈLE

APPLICATION affectation, assiduité, attention, concrétisation, contention, destination, minutie, mise, mise en pratique, placage, pose, réalisation, sérieux, utilisation

APPLIQUE → ÉCLAIRAGE, LAMPE, ORNEMENT

APPLIQUÉ → ATTENTIF, MINUTIEUX, RÉGULIER, SÉRIEUX (2), SOIGNEUX, TRAVAILLEUR (2), VIGILANT, ZÉLÉ
Voir tab. **Couture**

APPLIQUÉ assidu, attentif, concentré, diligent, pragmatique, psycholinguistique, sérieux, sociolinguistique, studieux, travailleur, zélé

APPLIQUER → DESTINER, IMPRIMER, IMPUTER, INFLIGER, PLACER, PLAQUER, PRATIQUER, SUIVRE

APPLIQUER apposer, étaler, étendre

APPLIQUER (S') → ADONNER (S'), ATTACHER, EMPLOYER, ESSAYER, PARVENIR, RECOUVRIR, VEILLER, VISER

APPLIQUER (S') attacher à (s'), concerner, convenir, efforcer de (s'), évertuer (s'), intéresser

APPOGIATURE
Voir tab. **Musique**
(vocabulaire de la)

APPOINT → ACOMPTE, ADDITION, COMPLÉMENT

APPOINT à-côtés, aide, appui, complémentaire, concours, sabir, strapontin, supplémentaire

APPOINTEMENTS → GAGE, REVENU, SALAIRE

APPOINTEMENTS cachet, commission, émoluments, gages, gratification, honoraires, paie, pourboire, rémunération, rétribution, salaire, solde, traitement, vacation

APPOINTER → PAYER, TAILLER

APPONTAGE → ATTERRISSAGE

APPONTEMENT → PONT, QUAI

APPORT → CONQUÊTE, PARTICIPATION

APPORTER → COMPLÉTER, FOURNIR, INJECTER, PORTER, PROCURER

APPORTER accorder, distribuer, donner, fournir, offrir

APPOSÉ → ADJECTIF

APPOSER → APPLIQUER, IMPRIMER

APPOSITIF → RELATIF

APPRÉCIABLE → CONSÉQUENT, IMPORTANT, NOTABLE (2), PERCEPTIBLE, PRÉCIEUX, SENSIBLE

APPRÉCIABLE considérable, estimable, évaluable, important, perceptible, précieux, sensible, visible

APPRÉCIATION → BULLETIN, CRITIQUE (1), ÉVALUATION,

IMPRESSION, NOTE, SUPPOSITION, VERDICT

APPRÉCIATION avis, estimation, évaluation, expertise, mention, observation

APPRÉCIÉ → POPULAIRE

APPRÉCIER → ADMIRER, AIMER, CALCULER, CAS, CONSIDÉRER, CROIRE, DÉTERMINER, ENTENDRE, ESTIMER, GOÛTER, IDÉE, JAUGER, JOUIR, JUGER, OPINION, PESER, PROFITER, SENTIR, VALEUR

APPRÉCIER appréhender, déguster, délecter de (se), discerner, estimer, évaluer, goûter, priser, saisir, savourer

APPRÉHENDER → APPRÉCIER, ARRÊTER, ATTRAPER, BORNER, CAPTURER, COINCER, COMPRENDRE, CRAINDRE, EMBRASSER, PÉNÉTRER, REDOUTER, SAISIR, SOUPÇONNER, TREMBLER

APPRÉHENSION → ANGOISSE, COMPRÉHENSION, CRAINTE, CRISPATION, INQUIÉTUDE, PEUR, PRESSENTIMENT

APPRÉHENSION angoisse, anxiété, crainte, inquiétude, perception

APPRENDRE → CONNAÎTRE, ENSEIGNER, ÉTUDIER, EXPLIQUER, INDIQUER, INFORMER, INITIER, INSTRUIRE (S'), MONTRER, RÉPÉTER, RETENIR

APPRENDRE acquérir, autodidacte, avertir, aviser, découvrir, deviner, didactique, enseigner, étudier, exercer à (s'), inculquer, informer, initier à (s'), transmettre

APPRENTI → ADOLESCENT, BLEU (2), DÉBUTANT, DISCIPLE, ÉCOLIER, FRANC-MAÇON, MAIN, MÉTIER

APPRENTI aide, arpète, bleu, conscrit, cousette, élève, garçon, midinette, mitron, mousse, novice, rapin, stagiaire

APPRENTISSAGE → ABC, ACQUISITION, ÉDUCATION, FORMATION, INITIATION, INSTRUCTION, PRÉPARATION, SAVOIR (1)

APPRENTISSAGE CAP, expérience, formation, initiation, instruction

APPRÊT → ENDUIT, PRÉPARATION, TISSU

APPRÊTÉ → GUINDÉ, MANIÈRE, PAPIER, PRÉCIEUX

APPRÊTER → ACCOMMODER, IMPRIMERIE, PARER

APPRÊTER accommoder, amidonner, corroyer, cuisiner, empeser, enduire, hongroyer, imprégner, préparer

APPRÊTER (S') → DISPOSER, PRÉPARER (SE)

APPRÊTER (S') disposer (se), être sur le point de, habiller (s'), parer (se), préparer (se), vêtir (se)

APPRÊTEUR → CHAPEAU

APPRIS → CONNU, SAVOIR (2)

APPRIVOISÉ → DOMESTIQUE (2), SAUVAGE

APPRIVOISEMENT → CONQUÊTE

APPRIVOISER → ASSURER, DOCILE, DRESSER, GAGNER, MAÎTRISER, SOUMETTRE

APPRIVOISER adoucir, amadouer, domestiquer, dompter, dresser, maîtriser

APPROBATEUR → FAVORABLE

APPROBATION → AGRÉER, APPLAUDISSEMENT, BÉNÉDICTION, RATIFICATION, RÉCEPTION, SANCTION, VISA

APPROBATION acquiescement, assentiment, autorisation, compliment, consentement, éloge, félicitations, louange

APPROBATION DES COMPTES
Voir tab. **Copropriété**

APPROCHANT → APPROXIMATIF, PROCHE (2)

APPROCHANT analogue, comparable, proche, semblable, voisin

APPROCHE → AVANCE, DÉMARCHE, LETTRE, VUE

APPROCHE abord, accès, parages, proximité, venue

APPROCHÉ → APPROXIMATIF

APPROCHER → ARRIVER

APPROCHER côtoyer, effleurer, fréquenter, friser, frôler, raser

APPROCHER (S') accoster, serrer

APPROFONDI → CONSCIENCIEUX, SOIGNEUX

APPROFONDIR → COMPLÉTER, CONSIDÉRER, CREUSER, ÉTENDRE, ÉTUDIER, EXPLORER, FOUILLER, POUSSER, SONDER

APPROFONDIR analyser, examiner, explorer, papillonner

APPROFONDISSEMENT → RÉFLEXION

APPROPRIATION → CONQUÊTE

APPROPRIÉ → BON (1), CONVENABLE, DIGNE, FAVORABLE, JUSTE, OPPORTUN, PERTE

APPROPRIÉ adapté, adéquat, congru, convenable, favorable, idoine, juste, opportun, pertinent

APPROPRIER → AJUSTER, PRENDRE

APPROPRIER (S') → ACCAPARER, ATTRIBUER (S'), CONQUÉRIR, EMPARER (S'), FAIRE, RAVIR, VOLER

APPROUVER → ACCORD, ACQUIESCER, APPLAUDIR, BONNET, CHORUS, ENTÉRINER, POSITIF, RAISON, RENDRE (SE), RETENIR, SOUSCRIRE

APPROUVER accepter, agréer, autoriser, confirmer, consentir, entériner, homologuer, parapher, ratifier, sanctionner, souscrire, valider

APPROVISIONNEMENT → DÉPÔT, RÉSERVE, STOCK

APPROVISIONNEMENT avitaillement, distribution, fourniture des vivres, provision, ravitaillement, réserve, stock

APPROVISIONNER → ALIMENTER, BOUTIQUE, DÉPOSER, FOURNIR, MANGER, POURVOIR, PROCURER, SERVIR, SOMME

APPROVISIONNEUR → FOURNISSEUR

APPROXIMATIF → GROSSIER, IMPARFAIT (2), IMPRÉCIS, INCOMPLET, INDÉCIS, INEXACT, OBSCUR, VAGUE (2)

APPROXIMATIF approchant,

approché, estimatif, flou, imprécis, indéfini, indéterminé, vague

APPROXIMATION → ÉVALUATION

APPROXIMATIVEMENT → PEU (2)

APPUI → APPOINT, BALCON, BALUSTRADE, BÉQUILLE, BRAS, FAVEUR, INTERVENTION, PATRONAGE, PROTECTION, RÉCONFORT, SECOURS, SOUTIEN, SUPPORT

Voir illus. **Maison**

APPUI accotoir, accoudoir, appuie-bras, arc-boutant, base, billot, console, contrefort, éperon, équerre, étai, étançon, étrésillon, miséricorde, modillon, mur de soutènement, réconfort, repose-bras, soutien, subside, subvention, tasseau, tin

APPUIE-BRAS → APPUI

APPUIE-FLÈCHE

Voir illus. **Arcs et arbalète**

APPUI-TÊTE ACTIF

Voir illus. **Automobile**

APPUYÉ → PRESSANT, REGARD

APPUYER → ACCENT, ÉPAULER, FAVORISER, FONDER, INSISTER, PATRONNER, PESER, PLACER, PLAQUER, PRESSER, PROTÉGER, RECOMMANDER, SECONDER, SERVIR, SOUTENIR, SOUTIEN, SPÉCULER, SUPPORTER, TENIR

APPUYER baser, confirmer, consolider, corroborer, encourager, enfoncer, épauler, étançonner, étayer, fonder, maintenir, peser, presser, soutenir

APRAXIE → TROUBLE (1)

Voir tab. **Psychiatrie**

ÂPRE → ACERBE, ÂCRE, BRUTAL, CHAUD, CRUEL, DÉSAGRÉABLE, MORDANT (2), PÉNIBLE, REVÊCHE, RIGOUREUX, RUDE, SÉVÈRE, SUCRÉ, VIF (2), VIOLENT

ÂPRE AU GAIN → INTÉRESSER

ÂPREMENT → SÈCHEMENT

APREMONT-LA-FORÊT

Voir tab. **Habitants (comment se nomment les)**

APRÈS → BOUT, ŒIL, SELON, SUIVANT (2), TARD

APRÈS QUOI → PEU (2)

APRÈS-MIDI → JOURNÉE

APRÈS-MIDI matinée, méridienne, none, sieste

APRÈS-SKI → NEIGE

Voir illus. **Chaussures**

ÂPRETÉ → AGRESSIVITÉ, ARGENT, FIEL

A PRIORI → ADVERBE, CONNAISSANCE, NOTION, PRÉJUGÉ, RAISONNEMENT

À-PROPOS → PRÉSENCE

APS

Voir tab. **Multimédia (les mots du)**

Voir tab. **Photographie (vocabulaire de la)**

APSARA → DÉESSE

APSIDE → COMÈTE

APTE → COMPÉTENT, QUALIFIÉ

APTE À → CAPABLE, PROPRE (2)

APTÈRE → FOURMI, OISEAU

APTITUDE → CAPACITÉ, COMPÉTENCE, ÉTOFFE, FACILITÉ,

FACULTÉ, MOYEN (1), PRÉDISPOSITION, PROFIL, QUALIFICATION, QUALITÉ, SAVOIR (1), SAVOIR-FAIRE, TALENT

APTITUDE adresse, capacité, disposition, faculté, habileté, penchant, prédisposition, propension, tendance

APUREMENT → VÉRIFICATION

APYRE → BRÛLER, FEU

APYREXIE → FIÈVRE, INTERMITTENT (2)

AQUAFORTISTE → GRAVEUR

AQUAMANILE → LAVABO

AQUANAUTE → EXPLORATION

AQUARELLE → LAVIS, PEINTURE

Voir tab. **Peinture et décoration**

AQUARIOPHILE → AQUARIUM

AQUARIUM aquariophile, daphnie

AQUATINTE → GRAVURE, IMAGE, LAVIS

AQUATIQUE → EAU

Voir tab. **Élevages**

Voir tab. **Sports**

AQUAVIT

Voir tab. **Alcools et eaux-de-vie**

AQUEDUC → CONDUIT, HYDRAULIQUE, PONT

AQUICULTURE

Voir tab. **Élevages**

AQUIFÈRE → EAU, NAPPE

Voir illus. **Désert**

AQUIFOLIACÉES → HOUX

AQUILIDÉS → AIGLE

AQUILIN → AIGLE, NEZ

Voir tab. **Forme de... (en)**

AQUILON → NORD (1), VENT

AQUISEXTAINS

Voir tab. **Habitants (comment se nomment les)**

AR

Voir tab. **Éléments chimiques (symbole des)**

ARA → PERROQUET

ARABE → PERSE (2)

ARABE calife, casbah, cheik, coufique, émir, fellah, islam, Maure, mosquée, sarrasin, souk

ARABESQUE → COURBE (1), DANSE, DESSIN, ORNEMENT

Voir tab. **Danse classique**

ARABICA → CAFÉ

Voir tab. **Café**

ARABLE → AGRICOLE, LABOURER, TERRE

ARACHIDE → CACAHOUÈTE

ARACHNÉEN → LÉGER, TOILE D'ARAIGNÉE

Voir tab. **Animaux (termes propres aux)**

ARACHNIDES → ARAIGNÉE, SCORPION

ARACHNOÏDE → MEMBRANE, MÉNINGE

ARACHNOPHOBIE

Voir tab. **Phobies**

ARAGONITE → CALCIUM

ARAIGNÉE → CORDE, CROCHET, FILET, PÊCHE

Voir tab. **Animaux (classification simplifiée des)**

Voir tab. **Animaux (termes propres aux)**

Voir tab. **Phobies**

ARAIGNÉE arachnides, aranéides, arantèle, argyronète, épeire, hydromètre, maïa, mygale, tarentule

ARAIRE → CHARRUE, LABOUR, SILLON

ARAK → EAU-DE-VIE, LIQUEUR

ARAL (MER D')

Voir tab. **Lacs et mers**

ARALIACÉES → GINSENG

ARAMÉEN → RABBIN

ARANÉEUX → TOILE D'ARAIGNÉE

Voir tab. **Animaux (termes propres aux)**

ARANÉIDES → ARAIGNÉE

ARANTÈLE → ARAIGNÉE, TOILE D'ARAIGNÉE

ARAPAÏMA

Voir tab. **Poissons (classification simplifiée des)**

ARARIBE

Voir tab. **Ébénisterie (essences utilisées en)**

ARASEMENT → RELIEF

Voir tab. **Architecture**

ARASER → NIVEAU, SCIER

ARATOS → CONSTELLATION

ARAUCARIA → DÉSESPOIR

ARBALÈTE → FLÈCHE

Voir tab. **Arcs et arbalète**

Voir illus. **Sièges**

ARBALÉTRIER → FERME (1), INFANTERIE, POUTRE, SOLDAT

Voir illus. **Charpente**

Voir illus. **Maison**

ARBITRAGE → CHANGE, CONCILIATION, DROIT (1), ENTREMISE, INTERVENTION, VERDICT

ARBITRAGE arbitragiste, contrôle, opération boursière, prud'hommes (conseil des), spéculation, surveillance

ARBITRAGISTE → ARBITRAGE

ARBITRAIRE → CHOIX, CONVENTIONNEL, GRATUIT, INJUSTE, INJUSTICE, IRRÉGULIER, POLICIER (2), RÈGLE, TYRANNIQUE

ARBITRAIRE abusif, contingent, conventionnel, despote, dictateur, extrinsèque, injustifié, irraisonné, relative, tyran

ARBITRAIREMENT → PRINCE

ARBITRAL → ARBITRE

ARBITRE → CONCILIATEUR, FOOTBALL, MÉDIATEUR, NÉGOCIER

Voir illus. **Football**

Voir illus. **Rugby**

ARBITRE arbitral, conciliateur, déport, médiateur

ARBITRER → CONCILIER, INTERVENIR, JUGER, TRANCHER

ARBORER → AFFICHER, BRANDIR, DRESSER, ÉTALER, EXHIBER, MONTRER, PARADE, PORTER

ARBORESCENCE → ARBRE

ARBORETUM → BOTANIQUE (2)

ARBORICOLE → ARBRE

ARBORICULTEUR → ARBRE, JARDINIER

ARBORICULTURE → ARBRE, CULTURE, HORTICULTURE

ARBOUSIER → MAQUIS

ARBRE → AXE, PLANTE

Voir illus. **Moulins à vent et à eau**

ARBRE arborescence, arboricole, arboriculteur, arboriculture, ascendance, baliveau, bonsaï, broussin, cime, dendrite, écimer, écuisser, étêter, faîte, feuillage, feuillaison, filiation,

foliation, frondaison, Hamadryade, horticulteur, horticulture, lais, lignée, loupe, marmenteau, nodosité, pépiniériste, rameau, ramée, ramille, ramure, scion, sigillaire, sylviculteur, sylviculture, vilebrequin

ARBRE À CAMES → MOTEUR

Voir illus. **Moteur**

ARBRE GÉNÉALOGIQUE → FILIATION, ORIGINE

ARBRIER

Voir illus. **Arcs et arbalète**

ARBUSTE → PLANTE

ARBUSTE amélanchier, bourdaine, buis, genêt, groseillier, prunellier, rhododendron

ARC → CERCLE, CIRCONFÉRENCE, FLÈCHE, PONT, PORTION

Voir illus. **Arcs et arbalète**

Voir illus. **Main**

Voir tab. **Forme de... (en)**

Voir tab. **Sports**

ARC anse, arcade, arceau, arche, archée, arcure, bander, Cupidon, débander, décocher, encocher, Éros, kyudo, papegai, Sagittaire

ARC (PONT EN)

Voir illus. **Ponts**

ARC DOUBLEAU

Voir illus. **Architecture**

ARC MODERNE

Voir illus. **Arcs et arbalète**

ARCADE → ARC, ORBITE, SOURCIL

ARCADE ZYGOMATIQUE

Voir illus. **Squelette**

ARCANE → MYSTÈRE, SECRET (1), SUBTILITÉ, TAROT, VÉRITÉ

ARCANSON → RÉSINE, TÉRÉBENTHINE

ARC-BOUTANT → APPUI, BARREAU, POUSSÉE, RENFORT

Voir tab. **Architecture**

ARC-BOUTER → FROTTEMENT

ARC-DOUBLEAU → BERCEAU, VOÛTE

ARCEAU → ARC, CINTRE, VOÛTE

ARC-EN-CIEL → CRAVATE

ARC-EN-CIEL Écharpe d'Iris, prisme, réflexion, réfraction, spectre

ARC-ET-SENANS (SALINES ROYALES D')

Voir tab. **Monuments français du patrimoine mondial**

ARCHAÏQUE → ANCIEN, ANTIQUE, DÉLUGE, DÉMODÉ, DÉSUET, PASSÉ (1), PÉRIMÉ, PRIMITIF, RETARD, TEMPS, USAGE, VIEUX

ARCHAÏSME → MOT, SURANNÉ

ARCHANGE → ANGE

ARCHE → ARC, VOÛTE

ARCHE voûte

ARCHE D'ALLIANCE → ALLIANCE, SAINT (1)

ARCHE MAGNÉTIQUE

Voir illus. **Soleil**

ARCHE SAINTE → SYNAGOGUE

ARCHÉE → ARC

ARCHÉOLOGIE → ANCIEN (2), FOUILLE

ARCHÉOLOGIE anastylose, chantier, égyptologie, épigraphie, excavations, fouilles, paléographie, sigillographie, stratigraphie

ARCHÉOLOGIQUE → SITE

ARCHÉOLOGUE → FOUILLE

ARCHÉOZOÏQUE → ÈRE

ARCHER → INFANTERIE, SOLDAT

Voir tab. **Saints patrons**

ARCHÈRE → FENÊTRE

ARCHÉTYPE → ÉTALON (2), IDÉAL (1), MODÈLE (1), PROTOTYPE, TYPE

ARCHEVÊCHÉ → ARCHEVÊQUE

ARCHEVÊQUE → CLERGÉ, DIGNITÉ, EXCELLENCE, RELIGIEUX (1)

Voir tab. **Clergé catholique (vocabulaire du)**

Voir tab. **Politesse (formules de)**

ARCHEVÊQUE archevêché, archidiocèse, archiépiscopal, archiépiscopat, pallium

ARCHI- → DEGRÉ

ARCHIATRE → MÉDECIN

ARCHIDIACRE → DIACRE

ARCHIDIOCÈSE → ARCHEVÊQUE

ARCHIÉPISCOPAL → ARCHEVÊQUE

ARCHIÉPISCOPAT → ARCHEVÊQUE

ARCHIMANDRITE → RELIGIEUX (1)

ARCHIPEL → ÎLE

ARCHIPRÊTRE → PRÊTRE

Voir tab. **Clergé catholique (vocabulaire du)**

ARCHITECTE → BÂTIR, DESIGN, MAISON, PAYSAGE

Voir tab. **Saints patrons**

ARCHITECTE bâtisseur, concepteur, constructeur, démiurge, devis, épure, ingénieur, maître d'œuvre, plan, projet

ARCHITECTE D'INTÉRIEUR → DÉCOR

ARCHITECTONIQUE → ARCHITECTURE, CONSTRUCTION

ARCHITECTURE → DESIGN, PLASTIQUE (2)

ARCHITECTURE architectonique, charpente, fortification, gothique, roman, structure

ARCHITRAVE

Voir illus. **Colonnes**

Voir tab. **Architecture**

ARCHITRICLIN → BANQUET

ARCHIVAGE → CLASSEMENT

ARCHIVE → CLASSER

ARCHIVER → ENREGISTRER, MANUSCRIT

ARCHIVES → CONSERVATEUR, CONSULTATION, DOCUMENT, HISTOIRE, INFORMATION, RECUEIL

ARCHIVES archiviste, bibliothèque, cabinet, cartulaire, chroniqueur, dépôt, documentaliste, état civil, historiographe, microfilm

ARCHIVISTE → ARCHIVES, BIBLIOTHÈQUE

ARCHIVISTE École des Chartes

ARCHIVISTIQUE → CLASSIFICATION

ARCHIVOLTE → MOULURE

Voir tab. **Architecture**

ARCHONTE → DIGNITÉ

ARCIFORME

Voir tab. **Forme de... (en)**

ARÇON → BRANCHE, SELLE

ARÇONNAGE → NETTOYER

ARÇONS

Voir illus. **Selle**

ARCTIQUE → NORD (2), PÔLE

ARCTIUM LAPPA

Voir tab. **Plantes médicinales**

ARCTOSTAPHYLOS UVA-URSI

Voir tab. **Plantes médicinales**

ARCURE → ARC, BRANCHE, COURBURE

ARDÉLION → SERVIABLE

ARDENT → AMOUREUX, BRÛLANT, CHALEUREUX, DÉGAGER, ENDIABLÉ, FERVENT (2), FEU, FLAMME, IMPATIENT (2), IMPÉTUEUX, PASSIONNÉ, PROFOND, TORRIDE, VIF (2), VIGOUREUX, VIOLENT

ARDENT actif, ambition, bouillant, bouillonnant, brûlant, chaleureux, éclatant, effervescent, embrasé, enflammé, ergotisme, exalté, flamboyant, fougueux, frénétique, immodéré, impétueux, incandescent, igné, lumineux, passionné, rutilant, sensuel, torride, vif, volcanique

ARDEUR → ANIMATION, BOUILLONNEMENT, CHALEUR, EMPRESSEMENT, ENTHOUSIASME, FEU, FORCE, FOUGUE, FRÉNÉSIE, INTÉRÊT, PASSION, VÉHÉMENCE, ZÈLE

ARDEUR acharnement, activité, chaleur, cœur, courage, élan, énergie, enthousiasme, entrain, exaltation, ferveur, feu, force, fougue, impétuosité, opiniâtreté, passion, véhémence, vigueur, vitalité, zèle

ARDILLON → BOUCLE, CEINTURE, PIQUANT (1), POINTE

Voir tab. **Couture**

ARDOISE → DETTE, ÉCOLIER, PIERRE, TOIT

Voir tab. **Couleurs**

ARDOISE ardoisier, ardoisière, crédit, dette, feuilletis, note, phyllade, pureau, schiste, tuile

ARDOISIER → ARDOISE

ARDOISIÈRE → ARDOISE

ARDU → ARIDE, COMPLIQUÉ, DIFFICILE, INGRAT, PÉNIBLE, SAVANT (2)

ARDU difficile, laborieux, malaisé, pénible, rude

ARDUE → LABORIEUX

ARE → CENT, HECTARE

ARÉDIENS

Voir tab. **Habitants (comment se nomment les)**

ARÉFLEXIE → RÉFLEXE

ARÉISME → SÉCHERESSE

ARELIGIEUX → IRRÉLIGIEUX

ARÉNACÉ → SABLE

ARÈNE → CIRCULAIRE, CIRQUE, CORRIDA, PISTE, SABLE, SPECTACLE

Voir tab. **Géographie et géologie (termes de)**

ARÈNE gladiateur, tauromachie

ARÉNICOLE → SABLE

ARÉOLE → CERCLE, SEIN

Voir illus. **Sein**

ARÉOMÈTRE → DENSITÉ, LIQUIDE

ARÉOPAGE → ASSEMBLÉE, BROCHETTE, SAVANT (1), TRIBUNAL

ARÉQUIER → CHOU, PALMIER

ARÈS → GUERRE

ARÊTE → ANGLE, CRÊTE, LIGNE, MONTAGNE

Voir illus. **Voûtes**

ARÊTE NASALE

Voir illus. **Bouche, nez et gorge**

ARÊTIÈRE

Voir illus. **Toits**

ARGALI → MOUTON

ARGENT → AVOIR (2), BLASON, CAPITAL (1), FONDS, MÉTAL, MONNAYER, PAIEMENT, RESSOURCE, RICHESSE, ROND (1)

Voir illus. **Héraldique**

Voir tab. **Anniversaires de mariage**

Voir tab. **Couleurs**

Voir tab. **Éléments chimiques (symbole des)**

ARGENT âpreté, argentan, argenterie, argentier, argentifère, argentite, argyrisme, argyrose, avarice, bijoux, corrompre, cupidité, damasquiner, déficit, deniers, dilapider, dissiper, effet de commerce, fonds, intérêt, lettre de change, lucratif, maillechort, mercenaire, métal, ministre des Finances, monnaie, pécuniaire, rémunérateur, ruolz, soudoyer, stipendier, thaler, traite, usure, vénal, vermeil

ARGENTAN → ARGENT, DENTELLE, NICKEL, ZINC

ARGENTÉ → GRIS

Voir tab. **Couleurs**

ARGENTERIE → ARGENT

ARGENTIER → ARGENT, BUFFET

ARGENTIFÈRE → ARGENT

ARGENTIN → CLAIR, RÉSONNER

ARGENTINE → RODÉO

ARGENTIQUE

Voir tab. **Photographie (vocabulaire de la)**

ARGENTITE → ARGENT

ARGILE → IMPERMÉABLE (2)

ARGILE argile smectique, bauge, boulbène, calamite, céramique, glaise, kaolin, marne, modelage, ocre, pisé, poterie, réfractaire, sil, terre à foulon, torchis

ARGILE SMECTIQUE → ARGILE

ARGINE → TRÈFLE

Voir tab. **Cartes à jouer**

ARGON → GAZ

Voir tab. **Éléments chimiques (symbole des)**

ARGONAUTE → MOLLUSQUE

ARGOS → CONCIERGE

ARGOT → COMMUNAUTÉ, DIALECTE, VERT (2)

Voir tab. **Argot et langages populaires**

ARGOTIQUE → POPULAIRE

ARGUER → CONCLURE

ARGUMENT → DÉMONSTRATION, JUSTIFICATION, RAISON, RÉFUTER, SCÉNARIO

ARGUMENT exposé, justification, motif, preuve, prologue, raison, sommaire, sophisme, syllogisme, variable

ARGUMENTATIF → RAISONNEMENT

ARGUMENTATION → DIALECTIQUE

ARGUMENTER → DÉBATTRE, DIFFICULTÉ, JUSTIFIER, RAISONNER

ARGUS → GARDIEN, SURVEILLER

ARGUTIE → CHICANE, FINESSE, POINTILLEUX, RAISONNEMENT, SUBTIL, SUBTILITÉ

ARGYRISME → ARGENT

ARGYRONÈTE → ARAIGNÉE

ARGYROPÉE → ALCHIMIE

ARGYROSE → ARGENT

ARHANT

Voir tab. **Bouddhisme**

ARIA → AIR, CHANT, DIFFICULTÉ, ENNUI, MÉLODIE, OPÉRA

Voir tab. **Musicales (formes)**

ARIANE → FIL, FUSÉE

ARIANISME → HÉRÉSIE

ARIDE → INCULTE, INGRAT, MAIGRE, PAUVRE, SEC, STÉRILE

ARIDE ardu, austère, desséché, improductif, inculte, infécond, ingrat, pauvre, rébarbatif, sec, stérile

ARIDITÉ → SÉCHERESSE

ARIETTE → CHANT

ARIOSO → CHANT, DRAMATIQUE

ARISTARQUE → CRITIQUE (1)

ARISTOCRATE → ILLUSTRE, NOBLE (1)

ARISTOCRATIE → SOCIÉTÉ

ARISTOCRATIE distinction, élégance, élite, fleur, noblesse, patriciat, raffinement

ARISTOCRATIQUE → RAFFINÉ

ARISTOTE

Voir tab. **Philosophie**

ARITHMÉTIQUE → CALCUL, CHIFFRE, MATHÉMATIQUE, NOMBRE, RATIONNEL

ARITHMÉTIQUE FORMELLE → NOMBRE

ARITHMOGRAPHE → CALCULER

ARITHMOMANCIE → DIVINATION

ARKAN → MUSULMAN (1)

ARLEQUIN → BOUFFON (1), COMIQUE, LOSANGE, PANTOMIME

ARLES (GALLO-ROMAIN)

Voir tab. **Monuments français du patrimoine mondial**

ARMADA → NOMBRE

ARMAGNAC → EAU-DE-VIE

Voir tab. **Alcools et eaux-de-vie**

ARMATEUR → NAVIRE

ARMATURE → ÂME, ASSEMBLAGE, BÂTI (2), CARCASSE, STRUCTURE

Voir illus. **Symboles musicaux**

ARME → ARMEMENT, BLASON, NOBLESSE

Voir tab. **Héraldique (vocabulaire de l')**

ARME armistice, armoirie, armurerie, arsenal, blason, capituler, cessez-le-feu, emblème, exécuter, exploit, fusiller, panoplie, performance, trêve, trophée

ARMÉ → BÉTON, VERRE

ARMÉE → ORDRE, UNITÉ

ARMÉE afat, artillerie, bataillon, cavalerie, compagnie, escadron, escouade, infanterie, logistique, loi martiale, manœuvre, marine, multitude, nationale, nuée, peloton, section

ARMEMENT → MATÉRIEL

Voir illus. **Fusils**

ARMEMENT arme, classique, équipement, matériel, munitions, nucléaire

ARMER → ÉQUIPER, GARNIR

Voir tab. **Photographie (vocabulaire de la)**

ARMER adoubé, avitailler, consolider, équiper, fortifier, gréer, renforcer

ARMER (S') → ABRITER (S'), ASSURER (S'), MUNIR

ARMER (S') blinder (se), garantir contre (se), prémunir contre (se), protéger de (se)

ARMES BLANCHES
Voir tab. **Phobies**

ARMET → CASQUE
Voir illus. **Armures**
Voir illus. **Coiffures**

ARMILLES → ANNEAU, BRACELET

ARMISTICE → ARME, CAPITULATION, COMBAT, FEU, GUERRE, PAIX, TRÊVE

ARMOIRE → BIBLIOTHÈQUE, BUFFET, BUREAU, PENDERIE

ARMOIRE FRIGORIFIQUE → CHAMBRE

ARMOIRIE → ARME, BLASON, NOBLESSE
Voir tab. **Héraldique (vocabulaire de l')**

ARMOISE
Voir tab. **Plantes médicinales**

ARMORIAL → BLASON, RECUEIL
Voir tab. **Héraldique (vocabulaire de l')**

ARMORIÉE → BLASON

ARMSTRONG (NEIL) → LUNE

ARMURE → CARAPACE, COMBINAISON, CUIRASSE, DÉFENSIF, RELATIF, TISSU, TONALITÉ

ARMURE barde, caparaçon, cuirasse, défense, protection, rempart, tissage, tissu

ARMURERIE → ARME, DÉPÔT

ARMURIER → FUSIL
Voir tab. **Saints patrons**

ARNAQUE → ARTIFICE

ARNICA → TABAC

AROBASE
Voir tab. **Internet**

AROMATE → LAURIER

AROMATE aromathérapie, condiment, cosmétologie, cuisine, épice, herbe, pharmacie

AROMATHÉRAPIE → AROMATE, PLANTE
Voir tab. **Médecines alternatives**

AROMATIQUE → SENTEUR

ARÔME → BOUQUET, ÉMANATION, ODEUR, PARFUM
Voir tab. **Café**

ARONDE (À QUEUE D') → HIRONDELLE

ARONDELAT
Voir tab. **Animaux (termes propres aux)**

ARONDELLE
Voir tab. **Pêche**

ARPÉGÉ → ACCORD

ARPÈGE
Voir tab. **Musique (vocabulaire de la)**

ARPENT → TERRE

ARPENTAGE bornage, chaîne d'arpenteur, décamètre, jalon, levé de plans, mesurage, témoin, triangulation

ARPENTER → MARCHER, MESURER, PARCOURIR

ARPENTEUR → GÉOMÈTRE

ARPENTEUR GÉOMÈTRE → NIVELLEMENT

ARPENTEUSE → CHENILLE
Voir tab. **Prostitution**

ARPÈTE → ADOLESCENT, APPRENTI, COUTURIER

ARQUÉ → COURBE (2), TORDU

ARQUEBUSIER → INFANTERIE, SOLDAT

ARQUER → CAMBRER, COURBER, PLIER, TORDRE

ARRACHAGE → RÉCOLTE

ARRACHÉ → EMPORTER

ARRACHÉ (À L')
Voir tab. **Vols (types de)**

ARRACHE-CLOU → BICHE

ARRACHE-PIED → FRÉNÉSIE

ARRACHER → DÉTERRER, ENLEVER, EXTRAIRE, ÔTER, RETIRER, SAISIR, SAUVER, SOUSTRAIRE

ARRACHER déchaumer, défricher, déraciner, desceller, désherber, enlever, éradiquer, essarter, essoucher, extirper, extorquer, extraire, ôter, sarcler, soustraire, soutirer

ARRAGEOIS
Voir tab. **Habitants (comment se nomment les)**

ARRAISONNEMENT → INSPECTION, VISITE

ARRAISONNER → INSPECTER, RECONNAÎTRE

ARRANGÉ → BRICOLER, TENIR

ARRANGEANT → ACCOMMODANT, FACILE, SOUPLE

ARRANGEMENT → AGENCEMENT, AMIABLE, ASSEMBLAGE, COMBINAISON, COMPROMIS, CONCILIATION, ORCHESTRATION, ORGANISATION, RÈGLEMENT

ARRANGEMENT adaptation, orchestration

ARRANGER → AMÉNAGER, COMPOSER, CONCERTER, CONVENIR, COORDONNER, DÉBROUILLER (SE), HARMONISER, INSTALLER, INTERVENIR, INVENTER, MÉNAGER, ORCHESTRER, POSER, PRÉPARER, RANGER, RÉGLER, REMETTRE, RÉPARER, SATISFAIRE

ARRANGER accommoder (s'), agencer, aménager, composer, contenter (se), disposer, installer, ménager, ordonner, organiser, remanier, retoucher

ARRAS
Voir tab. **Habitants (comment se nomment les)**

ARRECTEUR → POIL
Voir illus. **Poil**

ARRENTER → LOUER

ARRÉRAGES → INTÉRÊT, RENTE

ARRESTATION → FILET

ARRESTATION détention, garde à vue, incarcération, mandat d'arrêt, réclusion, séquestration

ARRÊT → COMMANDEMENT, CONDAMNATION, DÉCISION, IMMOBILE, INTERRUPTION, JUGEMENT, MANDAT, ORDONNANCE, PAUSE, REPOS, SENTENCE, SILENCE, STAGNATION, STATION

ARRÊT ajournement, apoplexie, consigner, escale, étape, halte, intervalle, jugement, pause, répit, sentence, stagnation, stase, suspension, syncope, verdict

ARRÊTÉ → DÉCRET, DÉFINITIF, FERME (2), FIXE (2), MINISTÉRIEL, PRÉCIS, RÈGLEMENT

ARRÊTER → CAPTURER, CESSER, CLORE, COINCER, DÉCIDER, DÉMENTIR, DEMEURER, DÉTERMINER, ÉTABLIR, FINIR, GELER, IMMOBILISER, INSISTER, INTERCEPTER, INTERROMPRE, LEVER, MAÎTRISER, NEUTRALISER, PLUS, PRESCRIRE, RATTRAPER, RÉFLÉCHIR, RENONCER, RETENIR, SUPPRIMER, SURPRENDRE, VAPEUR

ARRÊTER appréhender, circonscrire, conclure, décider (se), endiguer, enrayer, entraver, freiner, intercepter, interpeller, interrompre, juguler, stopper

ARRHES → ACOMPTE, AVANCE, COMMANDE, DÉPÔT, INITIAL, PAIEMENT, PARTIEL, PROVISION, RÉSERVATION, VALOIR

ARRIÉRATION → IDIOTIE

ARRIÈRE PLAN → FOND

ARRIÈRE SCÈNE
Voir illus. **Théâtre**

ARRIÈRE-BEC → ÉPERON

ARRIÈRE-BOUTIQUE → BOUTIQUE, MAGASIN, STOCK

ARRIÈRE-CUISINE → CUISINE

ARRIÈRE-GRAND-PÈRE → PATRIARCHE

ARRIÈRE-PENSÉE → DERRIÈRE (1), INTENTION, SOUS-ENTENDU (1)

ARRIÈRE-PLAN → LOINTAIN (1), SCÈNE

ARRIÈRE-SAISON → AUTOMNE

ARRIÈRE-TRAIN → POSTÉRIEUR (1)

ARRIÈRE-VASSAL → VASSAL

ARRIÉRÉ → ANTIQUE, DÉMODÉ, FAIBLE (1), IMBÉCILE (1), PASSIF (1), RETARD, RÉTROGRADE, SURANNÉ

ARRIÈRE → BÂTIMENT, DERRIÈRE (3), FOOTBALL, PLONGEON, POSTÉRIEUR (2), RETARD, TRAÎNE
Voir illus. **Football**
Voir illus. **Rugby**

ARRIMAGE → CARGAISON, FIXATION

ARRIMER → ATTACHER

ARRISER → VOILE

ARRIVAGE → ARRIVÉE, LIVRAISON

ARRIVÉE → BUT, INSTALLATION, VENUE

ARRIVÉE alimentation, arrivage, commencement, début, fin, terme

ARRIVER → ATTEINDRE, INTERVENIR, LIEU, PRÉSENTER (SE), PRODUIRE (SE), RÉSULTAT, SURVENIR, VENIR

ARRIVER aborder, accoster, aller jusqu'à, apparaître, approcher, atteindre, atterrir, avoir lieu, gagner, parvenir, passer (se), présenter (se), produire (se), réussir, survenir, venir, venir à (en)

ARRIVISTE → AMBITIEUX, CARRIÈRE, DÉNUÉ, INTRIGUE, LONG

ARROGANCE → CONFIANCE, DÉDAIN, FIERTÉ, HARDIESSE, HAUTEUR, IGNORANCE, INSOLENCE, ORGUEIL, PRÉTENTION, SUFFISANT, SUPERBE (1)

ARROGANT → ALTIER, BLANC-BEC, CONTENT, DÉSAGRÉABLE, FIER, HAUTAIN, IDÉE, INABORDABLE, INSOLENT, MÉPRIS, MÉPRISANT, ODIEUX, ORGUEILLEUX, PRÉTENTIEUX, SUFFISANT, SUPÉRIEUR

ARROGER (S') → ATTRIBUER (S')

ARRONDI → COURBE (2), ROND (2)
Voir illus. **Sièges**

ARRONDIR → AJUSTER

ARRONDIR augmenter, compléter, contourner, enfler, gonfler (se), grossir

ARRONDISSEMENT → DÉPARTEMENT, DIVISION, QUARTIER, TERRITOIRE, UNITÉ, ZONE

ARROSAGE → DIFFUSION, IRRIGATION

ARROSÉ → PRÉCIPITATION

ARROSER → ÉCLABOUSSER

ARROSER asperger, bassiner, bombarder, couvrir, doucher, émettre sur, fertiliser, imbiber, irriguer, mitrailler, mouiller, pulvériser, traverser, tremper, vaporiser

ARROSEUR
Voir tab. **Jardinage**

ARROSOIR
Voir tab. **Jardinage**

ARROYO → CANAL

ARS → POITRAIL

ARSENAL → ARME, DÉPÔT, MAGASIN, MUNITION, QUANTITÉ, VAISSEAU

ARSÈNE LUPIN → CAMBRIOLEUR

ARSENIC → POISON
Voir tab. **Éléments chimiques (symbole des)**

ARSENIC anhydride arsénieux, orpiment, réalgar

ARSIN → INCENDIE

ARSINE → GAZ

ART → RECHERCHE, SCIENCE, STYLE
Voir tab. **Peinture et décoration**

ART ameublement, broderie, céramique, chorégraphie, connaisseur, conservateur, critique, dessin, ébénisterie, esthète, esthétique, exposition, facture, festival, galerie, galeriste, glyptothèque, gravure, iconoclaste, marchand, mécène, muse, musée, opéra, orfèvrerie, peinture, pinacothèque, rhétorique, salon, sculpture, tapisserie, théâtre, verrerie

ART MARTIAL aïkido, dojo, jiu-jitsu, judo, karaté, kendo, kyudo, tatami

ARTEFACT → ARTIFICIEL, HUMAIN

ARTÉMIS → CHASSE
Voir tab. **Monde (les Sept Merveilles du)**

ARTEMISIA VULGARIS
Voir tab. **Plantes médicinales**

ARTÈRE → CANAL, PASSAGE, RUE, SANG, VAISSEAU
Voir illus. **Cœur**

ARTÈRE anévrisme, aorte, artériole, artériologie, artériopathie, artériotomie, carotide, embolie, tunique

ARTÉRIEL → SOUFFLE

ARTÉRIOLE → ARTÈRE, VAISSEAU
Voir illus. **Respiratoire (système)**

ARTÉRIOLOGIE → ARTÈRE

ARTÉRIOPATHIE → ARTÈRE

ARTÉRIOSCLÉROSE → VASCULAIRE

ARTÉRIOTOMIE → ARTÈRE, SAIGNÉE

ARTÉRITE → INFLAMMATION, VASCULAIRE

ARTÉSIEN → PUITS

ARTHR(O)-
Voir tab. **Chirurgicales**
(interventions)
ARTHRALGIE
Voir tab. **Douleur**
ARTHRITE → ARTICULATION,
RHUMATISME
ARTHRITE SEPTIQUE → OSSEUX
ARTHROPODES → CRUSTACÉ,
MOUCHE
Voir tab. **Animaux (classification simplifiée des)**
ARTHROSE → RHUMATISME
ARTICHAUT → JET, LÉGUME
Voir tab. **Plantes médicinales**
ARTICHAUT (CŒUR D') →
INFIDÉLITÉ
ARTICLE → ACTUALITÉ, BUDGET,
BULLETIN, CHRONIQUE, COUPURE,
DICTIONNAIRE, ÉCRIT (1), LOI,
MARCHANDISE, OBJET, PAPIER,
POINT, PRODUIT, RÉCIT, TÂCHE,
VARIABLE (2)
ARTICLE agonisant, billet, brève,
bulletin, chronique, clause,
denrée, déterminant, division,
échos, écriture, éditorial,
entrefilet, marchandise,
moribond, mourant, papier,
point, produit, section
ARTICLE (FAIRE L') → VANTER
ARTICLE DE LA MORT → FIN (1)
ARTICULATION → JOINT (1)
Voir tab. **Chirurgicales**
(interventions)
Voir tab. **Douleur**
ARTICULATION amphiarthrose,
ankylose, arthrite, attache,
charnière, combinaison,
coxalgie, déboîtement,
diarthrose, entorse, goutte,
jointure, ligament, luxation,
orthophonie, polyarthrite,
prononciation, rhumatisme,
spondylarthrite, synarthrose,
synovie
ARTICULER → CONSTRUIRE, DIRE,
MOT, PARLER, PRONONCER, UNIR
ARTICULER assembler (s'),
bafouiller, balbutier,
bredouiller, organiser (s'),
prononcer, structurer (se)
ARTIFICE → AFFECTATION,
DÉGUISEMENT, FARD, HABILETÉ,
MOYEN (1), RÉTICENCE, RUSE,
SUBTERFUGE
ARTIFICE arnaque, artificier, fard,
ficelle, fourberie, leurre,
manœuvre, maquillage,
pyrotechnicien, pyrotechnie,
ruse, subterfuge, tour, trompe-
l'œil
ARTIFICIEL → EMPRUNT, FAUX (2),
FORCÉ, INVENTER, PLASTIQUE (2),
POSTICHE, PRAIRIE, SOPHISTIQUÉ,
SYNTHÉTIQUE
ARTIFICIEL affecté, artefact,
chimique, elastique, fabriqué,
factice, faux toupet,
perruque, postiche,
prothèse, synthétique
ARTIFICIER → ARTIFICE, ARTILLERIE,
FEU D'ARTIFICE
Voir tab. **Saints patrons**
ARTIFICIEUX → FIN (2), HYPOCRITE,
SOURNOIS, TROMPEUR
ARTILLERIE → ARMÉE
ARTILLERIE artificier, artilleur,

bombardement, canonnade,
missile, obus, pilonnage,
roquette, shrapnell
ARTILLEUR → ARTILLERIE, CANON
ARTIMON → MÂT, NAVIRE
ARTIODACTYLE → DOIGT,
HIPPOPOTAME
Voir tab. **Mammifères**
(classification des)
ARTISAN → ÉTAT, INSPIRATEUR,
PATRON
ARTISAN auteur, compagnon,
façonnier, manuel, ouvrier,
responsable
ARTISANAL → MAIN
ARTISANAT → INDUSTRIE
ARTISTE → CRÉATEUR (1), ÉTOILE,
INTERPRÈTE, VEDETTE
ARTISTIQUE → ESTHÉTIQUE (2)
ARTOCARPE → URTICAIRE
ARTS MARTIAUX
Voir tab. **Sports**
ARYBALLE → VASE
ARYENS → PERSE (2)
ARYTÉNOÏDE → LARYNX
ARYTHMIE → CŒUR
ARYTHMIQUE → INÉGAL,
IRRÉGULIER
AS → CARTE, CHAMPION,
INTELLIGENT, RECORD
Voir tab. **Éléments chimiques**
(symbole des)
ASA → ÉMULSION, PHOTOGRAPHIE
Voir tab. **Photographie**
(vocabulaire de la)
ASANA
Voir tab. **Yoga**
ASBESTE → AMIANTE
ASBESTOSE → POUSSIÈRE
ASCARIDE → PARASITE (1), VER
ASCARIS
Voir tab. **Animaux (classification simplifiée des)**
ASCENDANCE → ARBRE,
GÉNÉALOGIE, ORIGINE, RACE
ASCENDANT → ANCÊTRE,
AUTORITÉ, BRAS, DESCENDANT,
DOMINANT, DOMINATION, EMPIRE,
EMPRISE, FAMILLE, FORCE,
INFLUENCE, POUVOIR, PRISE,
SUPÉRIORITÉ
Voir tab. **Astrologie**
ASCENSION → ALPINISME, ASTRE,
COURSE, ESCALADE, EXCURSION,
MAI, MOBILE (2), PROGRESSION,
PROMOTION
Voir tab. **Fêtes religieuses**
ASCENSIONNER → GRAVIR
ASCÈSE → AUSTÉRITÉ, CORPS
ASCÈTE → SEUL, SOLITAIRE (2)
ASCÉTIQUE → SEXUEL
ASCÉTISME → CHASTETÉ
ASCII
Voir tab. **Multimédia**
(les mots du)
ASCITE → ÉPANCHEMENT
ASCLÉPIOS → MÉDECINE
ASCORBIQUE (ACIDE)
Voir tab. **Acides**
Voir tab. **Vitamines**
ASCOT
Voir illus. **Nœuds et cravates**
ASDIC → MARINE, SOUS-MARIN (1)
ASÉITÉ → CAUSE, DIEU
ASEPSIE → HYGIÈNE, MICROBE,
STÉRILISATION
ASEPTIQUE → ANTISEPTIQUE
ASEPTISATION → DÉSINFECTION

ASEPTISÉ → STÉRILE
ASEPTISER → ASSAINIR, STÉRILISER
ASES → GERMANIQUE
ASHKÉNAZE → JUIF (1)
ASHRAM → COMMUNAUTÉ,
MONASTÈRE
ASIALIE → SALIVE
ASIE
Voir tab. **Bouddhisme**
ASILE → BIENFAISANCE, CACHETTE,
DANGER, FOLIE, REFUGE (1),
RETRAITE
ASINIEN → ÂNE
Voir tab. **Animaux (termes propres aux)**
ASMODÉE → BOITEUX, DIABLE
ASPARTAME → SUCRE
ASPECT → APPARENCE, BIAIS,
CONJONCTION, ÉCLAIRAGE,
FAÇADE, FACE, FORME,
PERSPECTIVE, PHASE, PHYSIONOMIE,
PROFIL, SILHOUETTE, SUPERFICIEL,
VERSANT
ASPECT air, allure, angle,
apparence, côté, face, forme,
jour, perspective, physionomie,
point de vue, rapport
ASPECT MAJEUR → ASTROLOGIE
ASPECT ZODIACAL
Voir tab. **Astrologie**
ASPERGE → LÉGUME
ASPERGER → ARROSER,
ÉCLABOUSSER, GICLER, MOUILLER
ASPERGILLE → DÉCOMPOSITION
ASPÉRITÉ → ACCIDENT, BOSSE,
INÉGALITÉ
ASPEROMONTAIS
Voir tab. **Habitants (comment se nomment les)**
ASPERSION → BAPTISER,
PURIFICATION
ASPHALTE → BITUME, GOUDRON,
REVÊTEMENT, RUE, SOL
ASPHALTER → RECOUVRIR
ASPHYXIANT → TOXIQUE
ASPHYXIE → ÉTOUFFEMENT,
EXÉCUTION, INTOXICATION,
OPPRESSION
ASPHYXIER → ÉTRANGLER, NOYER,
PARALYSER, RESPIRER
ASPIC → CANON, LAVANDE,
SERPENT, VIPÈRE
ASPIRANT → CHEF, ÉLÈVE
Voir illus. **Grades militaires**
ASPIRATEUR
Voir tab. **Instruments médicaux**
ASPIRATION → AMBITION, APPEL,
APPÉTIT, BESOIN, DÉSIR, FŒTUS,
IDÉAL (1), INSPIRATION,
RESPIRATION, RÊVE, SOUFFLE,
SOUHAIT
ASPIRATION désir, élan,
élancement, espérance, espoir,
expiration, inhalation,
inspiration, liposuccion,
pompage, prétention, rêve
ASPIRER → ATTIRER, CANDIDAT,
DÉSIRER, ESPÉRER, POMPER,
POURSUIVRE, PRÉTENDRE, RÊVER,
SOUHAITER, SUCER, TENDRE (1),
VOULOIR
ASSA-FŒTIDA → GOMME, RÉSINE
ASSAGIR (S') → MODÉRER
ASSAILLANT → ADVERSAIRE,
COMBATTANT
ASSAILLIR → ASSIÉGER,
ATTAQUER, ENVAHIR, FONDRE,
HARCELER, JETER, PRÉCIPITER (SE),

PRESSER, SAUTER, SOLLICITER,
TOURMENTER
ASSAILLIR accabler, agresser,
attaquer, fondre sur, harceler,
presser, sauter sur, submergé,
tourmenté
ASSAINIR → DRAINER, MARAIS,
SÉCHER
ASSAINIR aseptiser, assécher,
décanter, désinfecter, drainer,
épurer, équilibrer, filtrer,
purifier, stabiliser, stériliser
ASSAINISSEMENT →
DÉSINFECTION, HYGIÈNE,
PURIFICATION
ASSAISONNÉ → PIQUANT (2)
ASSAISONNER → ACCOMMODER,
RELEVER
ASSAM → THÉ
Voir tab. **Thé**
ASSASSIN → COUPABLE,
CRIMINEL (1), TUEUR
ASSASSINAT → CRIME, MEURTRE
ASSASSINER → BUTER, ÉTRANGLER,
PÉRIR, SUPPRIMER, TUER
ASSAUT → ATTAQUE, COMBAT,
MATCH
ASSEAU → MARTEAU
ASSEC → SEC
ASSÈCHEMENT → ÉPUISEMENT
ASSÉCHER → ASSAINIR, DRAINER,
ÉGOUTTER, METTRE, SÉCHER, VIDER
ASSEDIC → CHÔMAGE
ASSEMBLAGE → ACCOUPLEMENT,
BÂTI (2), CHAÎNE, COMPOSITION,
CONJONCTION, FINITION,
JONCTION, MÉLANGE, RÉUNION,
SOUDURE, UNION, VIN
Voir illus. **Porte**
ASSEMBLAGE amalgame, armature,
arrangement, assortiment,
bâti, charpente, combinaison,
enfourchement, kit,
mélange, montage,
mosaïque, patchwork,
prêt-à-monter
ASSEMBLÉ → DANSE
Voir tab. **Danse classique**
ASSEMBLÉE → ASSISTANCE,
CONGRÈS, PUBLIC (1),
REPRÉSENTATION, RÉUNION,
SPECTATEUR
ASSEMBLÉE aréopage, assises,
assistance, auditoire, colloque,
concile, conclave,
congrégation, congrès,
consistoire, député, forum,
parlementaire, plénum,
public, sanhédrin, séminaire,
symposium, synode
ASSEMBLÉE GÉNÉRALE
Voir tab. **Copropriété**
ASSEMBLÉE NATIONALE →
CHAMBRE, DÉPUTÉ, PALAIS,
PARLEMENT
ASSEMBLER → AJUSTER,
ARTICULER (S'), ATTACHER, BÂTIR,
CLOUER, COMPOSER, EMBOÎTER,
GROUPER, JOINDRE, MONTER,
RACCORDER, RÉUNIR, SERRER, UNIR
ASSEMBLER abouter,
agglutiner (s'), ameuter, assortir,
attrouper (s'), brocher,
concentrer (se), enter, épisser,
marier, monter, puzzle, rallier,
relier, réunir, réunir (se)
ASSEMBLEUR → IMPRIMERIE
ASSENER → DONNER, FILER

ASSENTIMENT → AGRÉER, APPROBATION, BÉNÉDICTION, COMPLET, CONSENTEMENT

ASSEOIR → AFFERMIR, CONSOLIDER, ÉTABLIR, FONDER

ASSEOIR affermir, baser, fonder, fortifier, renforcer

ASSEOIR (FAIRE) → PLACER

ASSERMENTÉ → SERMENT

ASSERTION → AFFIRMATION
Voir tab. **Mathématiques (symboles)**

ASSERVI (ÊTRE) → PERDRE

ASSERVIR → ENCHAÎNER, LIER, OPPRIMER, SOUMETTRE, TYRANNISER

ASSERVISSEMENT → CONTRAINTE, DÉPENDANCE, ESCLAVAGE, OPPRESSION, SERVITUDE, VIOLENCE

ASSESSEUR → MAGISTRAT, SECOND (1), SUPPLÉANT, TOUCHE

ASSEZ → CLAQUE

ASSIDU → APPLIQUÉ, CONSTANT, CONTINU, INTENSIF, RÉGULIER, SOUTENU, TRAVAILLEUR (2), VIGILANT, ZÉLÉ

ASSIDUITÉ → APPLICATION, EXACTITUDE, FIDÉLITÉ, FRÉQUENTATION, PONCTUALITÉ, PRÉSENCE, ZÈLE

ASSIÉGER → BLOQUER, ENCERCLER, INVESTIR, SIÈGE

ASSIÉGER assaillir, cerner, investir, obsédé, tourmenté

ASSIETTE → BASE, ÉQUILIBRE, IMPÔT, JONGLER, POSITION, POSTURE, SOLIDITÉ, STABILITÉ, VAISSELLE
Voir tab. **Fiscalité**

ASSIETTE assiettée, assise, écuelle, équilibre, gamelle, marli, stabilité

ASSIETTÉE → ASSIETTE

ASSIGNAT → BANQUE

ASSIGNATION → AFFECTATION, CONVOCATION, HUISSIER, SOMMATION
Voir tab. **Droit (termes de)**

ASSIGNER → ACCUSER, APPELER, CITER, DESTINER, FIXER, JUSTICE, RÉPARTIR, TRADUIRE

ASSIGNER attribuer, citer, confier, convoquer

ASSIMILATION → ADAPTATION, CITOYEN, DIGESTION, FUSION, IMMIGRÉ

ASSIMILATION acculturation, adaptation, anabolisme, harmonisation, identification, ingestion, intégration, modification, paradiastole, photosynthèse

ASSIMILÉ → STATUT

ASSIMILER → COMPRENDRE, DIGÉRER, INCORPORER (S'), INSÉRER (S'), INTÉGRER, INTÉGRER (S'), MÛRIR, SAVOIR (2), SEMBLABLE (2)

ASSIS → MAGISTRATURE, SOLIDE, STABLE

ASSISE → ASSIETTE, BANC, BASE, PIED, POSITION, POSTURE, SOLIDITÉ, SOUBASSEMENT, STABILITÉ
Voir illus. **Arcs**
Voir illus. **Sièges**

ASSISES → ASSEMBLÉE, CRIME, PARTI, RÉUNION

ASSISTANCE → AMBASSADE, ASSEMBLÉE, BIENFAISANCE, CHARITÉ, CONTRIBUTION, DESTINATAIRE, GALERIE, ORIENTATION, PROTECTION, PUBLIC (1), RENFORT, RÉUNION, SALLE, SECOURS, SERVICE, SOUTIEN, SPECTATEUR, TÉMOIN

ASSISTANCE aide, assemblée, collaboration, coopération, public, secours, soutien

ASSISTANT → ADJOINT, AUXILIAIRE (1), BRAS, CHIRURGIEN, COLLABORATEUR, PHARMACIE, SECOND (1)

ASSISTANT PERSONNEL → RENDEZ-VOUS

ASSISTANTE MATERNELLE → BÉBÉ, NOURRICE, SCOLAIRE

ASSISTÉ → INACTIF

ASSISTER → ACCOMPAGNER, AIDER, CONSTATER, DÉFENDRE, ÉPAULER, PARAÎTRE, SOUTENIR, UTILE, VOIR

ASSISTER accompagner, seconder, spectateur (être), suivre, témoin (être)

ASSOCIATIF → RÉFLEXE

ASSOCIATION → ACCORD, ACCOUPLEMENT, AMICALE, ANALOGIE, CERCLE, CLUB, COALITION, COLLABORATION, CONJUGAISON, FÉDÉRATION, MÉLANGE, ORDRE, ORGANISATION, PARTI, SOCIÉTÉ, UNION

ASSOCIATION analogie, attraction, enchaînement, évocation, rapprochement, similitude

ASSOCIATION (MÉTHODE DE LIBRE)
Voir tab. **Psychanalyse**

ASSOCIATIONNISME → RAISON

ASSOCIÉ → BRAS, COLLABORATEUR, PARTENAIRE

ASSOCIER → ENCHAÎNER, ÉQUIPE, IMPLIQUER, INTÉRESSER, JOINDRE, MARIER, MÊLER, PARTICIPER, UNIR

ASSOIFFÉ → AFFAMÉ

ASSOIFFER → ALTÉRER, SOIF

ASSOLEMENT → AGRICOLE, ALTERNER, FERTILE, JACHÈRE, ROTATION

ASSOMBRI → RENFROGNÉ, TÉNÉBREUX

ASSOMBRIR → FERMER, NOIRCIR, OBSCURCIR, SOMBRE

ASSOMMANT → ENNUYEUX

ASSOMMER → ABRUTIR, ASSOURDIR, EMBÊTER, ÉTOURDIR

ASSOMMOIR → BAR

ASSOMPTION → HYPOTHÈSE, VIERGE (1)
Voir tab. **Fêtes religieuses**

ASSONANCE → RÉPÉTITION, RIME
Voir tab. **Poésie (vocabulaire de la)**
Voir tab. **Rhétorique (figures de)**

ASSORTIMENT → ACCORD, ASSEMBLAGE, CHOIX, COLLECTION, ENSEMBLE, ÉVENTAIL, SÉLECTION, STOCK

ASSORTIR → ACCOMPAGNER, ACCORDER, ASSEMBLER, COMBINER, MARIER

ASSOUPIR → APAISER, CONSOLER, DORMIR, ENDORMIR

ASSOUPISSANT → NARCOTIQUE (1)

ASSOUPISSEMENT → INACTION, INDIFFÉRENCE, SOMMEIL, TORPEUR

ASSOUPLIR → RIGIDE, SOUMETTRE, SOUPLE

ASSOURDI → SOURD

ASSOURDIR → ADOUCIR, AFFAIBLIR, AMORTIR, BRISER, CALMER, DIMINUER, ÉTOUFFER

ASSOURDIR abasourdir, amortir, assommer, étouffer, étourdir, feutrer

ASSOURDISSANT → BOURDONNEMENT, BRUIT, EFFROYABLE, FATIGANT
Voir tab. **Bruits**

ASSOUVI → SATISFAIT

ASSOUVIR → APAISER, CALMER, PASSER, SATISFAIRE, SOIF

ASSUÉTUDE → ACCOUTUMANCE, BESOIN, DÉPENDANCE, DROGUE, ESCLAVAGE, MANQUE

ASSUJETTI → IMPÔT, SERVILE

ASSUJETTIR → ASSURER, CONQUÉRIR, CONTRAINDRE, DOMINER, ENCHAÎNER, ESCLAVAGE, FIXER, LIER, OPPRIMER, SOUMETTRE, VASSAL

ASSUJETTISSEMENT → INFÉRIORITÉ, OBÉISSANCE, OPPRESSION, TUTELLE, VIOLENCE

ASSUMER → ENDOSSER, FARCIR, RECONNAÎTRE, RESPONSABLE (2), SOI, SUPPORTER

ASSURANCE → APLOMB, AUDACE, BREVET, CONFIANCE, CONFIRMATION, CONVICTION, ESPOIR, GAGE, GARANTIE, RISQUE, SÛRETÉ

ASSURANCE aisance, aplomb, assureur, avenant, bonus, certitude, conviction, courtier, malus, police, ristourne

ASSURÉ → DOGMATIQUE, ÉVIDENT, FERME (2), INÉVITABLE, INFAILLIBLE, PRÉCIS, SOLIDE, STABLE, SÛR

ASSURÉMENT → EFFET, ENTENDU

ASSURER → AFFERMIR, GARANT, GARANTIR, POURVOIR, RECOMMANDER, REMPLIR, RÉPONDRE, SOUTENIR, VÉRIFIER

ASSURER apprivoiser, armer (s'), assujettir, attester, certifier, consolider, contrôler, étayer, examiner, garantir, garantir (se), prémunir (se), préserver, protéger, vérifier

ASSUREUR → ASSURANCE

ASSYRIEN → BABYLONIEN

ASTACICULTURE → ÉCREVISSE
Voir tab. **Élevages**

ASTATE
Voir tab. **Éléments chimiques (symbole des)**

ASTÉRIE → ÉTOILE

ASTÉRISQUE → ÉTOILE, MARQUE, PONCTUATION, RENVOI

ASTÉRIX
Voir tab. **Bande dessinée (héros de)**

ASTÉROÏDE → ASTRE, PLANÈTE
Voir illus. **Lune**

ASTHÉNIE → DÉPRESSION, DIMINUTION, FAIBLESSE, FATIGUE, PERTE

ASTHÉNOPIE → LECTURE

ASTHMATIQUE → ASTHME

ASTHME → ACARIEN, BRONCHE
Voir tab. **Pédiatrie**

ASTHME asthmatique, dyspnée, étouffement, suffocation

ASTI → DESSERT, MOUSSEUX

ASTI SPUMANTE → CHAMPAGNE

ASTICOT → LARVE, MOUCHE, PÊCHE, VER

ASTICOTER → HARCELER, TAQUINER

ASTIGMATISME → VUE

ASTIQUER → BRILLER, FROTTER, NETTOYER, POLIR

ASTRAGALE → PIED
Voir illus. **Colonnes**
Voir illus. **Squelette**
Voir tab. **Architecture**

ASTRAKAN
Voir illus. **Manteaux**

ASTRAPÉPHOBIE
Voir tab. **Phobies**

ASTRE → COMÈTE, CORPS, ÉTOILE

ASTRE ascension, astéroïde, astrolâtrie, comète, conjonction, déclinaison, éclipse, étoile, limbe, Lune, occultation, opposition, orbite, planète, planétoïde, révolution, rotation, sabéisme, satellite, Soleil

ASTREIGNANT → EXIGEANT, PÉNIBLE, STRICT

ASTREINDRE → CONTRAINDRE, FORCER, OBLIGER, PLIER (SE), SOUMETTRE

ASTREINTE → CONTRAINTE, DEVOIR, GARDE, OBLIGATION, SERVICE
Voir tab. **Droit (termes de)**

ASTRINGENT → TONIQUE (2)
Voir tab. **Vin (vocabulaire du)**

ASTROLABE → ÉTOILE, MARINE

ASTROLÂTRIE → ASTRE

ASTROLOGIE → CONSULTATION, OCCULTE
Voir tab. **Sciences occultes**
Voir tab. **Sciences : termes en -ologie et -ographie**

ASTROLOGIE aspect majeur, astromancie, maison, planète, signe zodiacal

ASTROLOGUE → DEVINER, MAGE

ASTROMANCIE → ASTROLOGIE

ASTRONAUTE → FUSÉE, VAISSEAU

ASTRONAUTIQUE → ESPACE

ASTRONAUTIQUE astronef, astronomie, astrophysique, cosmonautique, espace, fusée, météorologie, satellite, sonde, station spatiale, télécommunication, vaisseau

ASTRONEF → ASTRONAUTIQUE, VAISSEAU

ASTRONOMIE → ASTRONAUTIQUE, EXACT, MATHÉMATIQUE
Voir tab. **Muses**

ASTRONOMIE cosmographie

ASTRONOMIQUE → FABULEUX, FOU (2), GROS, NAVIGATION

ASTROPHOBIE
Voir tab. **Phobies**

ASTROPHYSIQUE → ASTRONAUTIQUE

ASTROPORT → AÉROPORT

ASTUCE → DÉBROUILLARD, FICELLE, MALICE, MOYEN (1), RUSE

ASTUCIEUX → ADROIT, FIN (2), FORT (2), FUTÉ, HABILE, INTELLIGENT, INVENTER, MALIN (2), SUBTIL

ASTUCIEUX espiègle, fin, ingénieux, malicieux, malin, rusé

ASYMÉTRIE → OPPOSITION

ASYNDÈTE → LIAISON
Voir tab. **Rhétorique (figures de)**

AT
Voir tab. **Éléments chimiques (symbole des)**

ATALANTE → COURSE

ATARAXIE → CALME (1), DÉTACHEMENT, ÉGALITÉ, IMPASSIBILITÉ, INDIFFÉRENCE, TRANQUILLITÉ

ATAVISME → FAMILLE, HÉRÉDITÉ, PARENT, PROFOND

ATAXIQUE → MAIN

ATELIER → AÉROPORT, BOUTIQUE, COMPAGNIE, CONFECTION, FABRIQUE, INDUSTRIE, LOCAL, LOGE, PEINTRE, USINE

ATELIER fabrique, manufacture, ouvroir, studio

ATELLANES → BOUFFON (2), FARCE, THÉÂTRE

ATEMPOREL → TEMPS

ATERMOIEMENT → DÉLAI, HÉSITATION, INCERTITUDE, RETARD

ATERMOYER → ATTENDRE, FOIS, HÉSITER, INDÉCISION, PROLONGER, REMETTRE, TEMPORISER, TERGIVERSER

ATHANOR → DISTILLATION

ATHÉE → CROYANT, IMPIE, INCRÉDULE, IRRÉLIGIEUX, MÉCRÉANT (1), NON-CROYANT, RELIGION, SCEPTIQUE (2)

ATHÉE areligieux, impie, incroyant, irréligieux, libertin, libre-penseur, matérialiste, mécréant (1), non-croyant, sceptique

ATHÉGIENS
Voir tab. **Habitants (comment se nomment les)**

ATHÉISME → DIEU, INCROYANCE, NÉGATION

ATHÉNA → CHOUETTE, SAGESSE

ATHERMANE → AMIANTE, RADIATION, VERRE

ATHÉROME → DÉGÉNÉRESCENCE, VASCULAIRE

ATHIS-MONS
Voir tab. **Habitants (comment se nomment les)**

ATHLÉTISME → GYMNASTIQUE
Voir tab. **Sports**

ATHLÉTISME course de haies, décathlon, heptathlon, lancer, marathon, pentathlon, relais, saut, sprint, triathlon

ATHREPSIE → AMAIGRISSEMENT, MAIGREUR, NOURRISSON

ATLANTE → COLONNE, STATUE, TÉLAMON
Voir illus. **Colonnes**

ATLANTIQUE → OCÉAN

ATLAS → CARTE, COU, GÉANT, RECUEIL, RELIEF, VERTÈBRE

ATMOSPHÈRE → AIR, AMBIANCE, CADRE, CONDITION, DÉCOR, ENVELOPPE, ENVIRONNEMENT, MILIEU

ATMOSPHÈRE biosphère, météore, stratosphère

ATMOSPHÉRIQUE bar, baromètre, isobare, météorologie, pascal, vent

ATOLL → CORAIL, ÎLE
Voir tab. **Géographie et géologie (termes de)**

ATOME → CORPS, MATIÈRE, MOLÉCULE, PARCELLE, PARTIE

ATOME atomisme, atomistique, chimie, Démocrite, électron, Épicure, fission, fusion, Lucrèce, molécule, neutron, noyau, particule, physique, proton

ATOMIQUE → NOMBRE

ATOMIQUE atomiste, bombe A, bombe H, Hiroshima, irradiation, isotope, Nagasaki, nucléaire, radioactivité, réacteur

ATOMISER → DISPERSER

ATOMISEUR → AÉROSOL, BOUTEILLE, BROUILLARD

ATOMISME → ATOME

ATOMISTE → ATOMIQUE

ATOMISTIQUE → ATOME

ATON → SOLEIL

ATONE → ÉTEINT, NEUTRE

ATONIE → ÉNERGIE, INERTIE, LÉTHARGIE, PARESSE, TORPEUR

ATOPIE
Voir tab. **Pédiatrie**

ATOUT → AVANTAGE, CARTE, CHANCE, RÉCLAME (1)
Voir tab. **Belote**
Voir tab. **Tarot**

ATRABILAIRE → ACARIÂTRE, COLÈRE

ATRABILAIRE AMOUREUX (L') → MISANTHROPE (1)

ATRABILE → BILE, MÉLANCOLIE

ÂTRE → CHEMINÉE, FEU, FOYER
Voir illus. **Cheminée**
Voir illus. **Intérieur de maison**

ATRÉSIE → BOUCHÉ

ATRICHIE → POIL

ATRICHORNE
Voir tab. **Oiseaux (classification simplifiée des)**

ATRIUM → COUR, FOYER

ATROCE → ABOMINABLE, AFFREUX, CRUEL, EFFROYABLE, ÉPOUVANTABLE, EXTRÊME, FÉROCE, HORRIBLE, INSUPPORTABLE, SUPPORTER

ATROCE abominable, affreux, barbare, cruel, effroyable, épouvantable, horrible, ignoble, insupportable, intolérable, monstrueux, odieux

ATROCITÉ → FÉROCITÉ, HORREUR, MONSTRUOSITÉ

ATROCITÉ barbarie, calomnie, crime, cruauté, exaction, férocité, horreur, monstruosité, mutilation, sévice, supplice, torture

ATROPHIE → NOURRITURE

ATROPHIER (S') → DÉPÉRIR

ATROPINE → POISON

ATTACHANT → ATTIRANT, CHARMANT, FASCINANT

ATTACHE → ARTICULATION, BOUTON, BROCHE, ÉPINGLE, JOINT (1), LIEN, RELATION

ATTACHE agrafe, chaîne, cheville, cirre, cou, coude, courroie, crampon, épaule, fermoir, genou, hanche, lacet, lien, poignet, racine, relation, ruban, sangle, trombone, vrille

ATTACHÉ → FIDÈLE (2), INSÉPARABLE, JOINT (2)

ATTACHÉ À (ÊTRE) → AIMER

ATTACHÉ-CASE → VALISE

ATTACHEMENT → ADORATION, AFFECTIF, AFFECTION,

DÉPENDANCE, FIDÉLITÉ, INCLINATION, PENCHANT, PIÉTÉ, PRÉFÉRENCE, TENDRESSE

ATTACHEMENT affection, amitié, amour, estime, fixation, obsession, sympathie, tendresse

ATTACHER → ADJOINDRE, APPLIQUER (S'), CONQUÉRIR, ENCHAÎNER, FERMER, FIXER, IMMOBILISER, LACER, NOUER, PORTER, RATTACHER, RETENIR, RÉUNIR

ATTACHER amarrer, appliquer (s'), arrimer, assembler, efforcer (s'), fixer, ligoter, maintenir

ATTAQUE → ACCÈS, ATTENTAT, CHARGE, COMMENCEMENT, CRISE, CRITIQUE (1), INJURE, INVASION, MALAISE, OPÉRATION, RAID, SORTIE
Voir tab. **Échecs**

ATTAQUE abordage, accès, accusation, agression, assaut, attentat, charge, crise, diatribe, embuscade, épigramme, factum, guet-apens, harceler, insulte, invective, libelle, offense, offensive, pamphlet, pogrom, raid, représailles, riposte, satire, sortie, traquenard

ATTAQUE À MAIN ARMÉE → BRAQUER

ATTAQUER → ASSAILLIR, BATTRE, BRÈCHE, COMBATTRE, COMMENCER, ENTAMER, INSULTER, INVESTIR, MÉDIRE, MORDRE, PRENDRE, PROCÈS, PROVOQUER, RAISONNEMENT, RONGER, ROUILLE, ROUILLER, SAUTER

ATTAQUER aborder, altérer, assaillir, combattre, condamner, contester, corroder, critiquer, entamer, entreprendre, ronger

ATTARDÉ → DÉBILE, RETARD

ATTARDER → DEMEURER, TRAÎNER

ATTEINDRE → ACCÉDER, ARRIVER, AVOIR (1), PARVENIR, PÉNÉTRER, TOUCHER

ATTEINDRE affecté, arriver, blesser, bouleversé, choqué, frapper, parvenir, toucher

ATTEINT → ÉPROUVER

ATTEINT (ÊTRE) → SOUFFRIR

ATTEINTE → BLESSURE, OUTRAGE, TORT, VIOLATION

ATTELAGE → FLÈCHE

ATTELÉ → COURSE HIPPIQUE

ATTELER (S') → LIVRER, OCCUPER

ATTELLE → FRACTURE, RÉDUCTION
Voir tab. **Instruments médicaux**

ATTENANT → ADJACENT, PROCHE (2), VOISIN

ATTENANT (ÊTRE) → TOUCHER

ATTENDRE → ESCOMPTER, ESPÉRER, LANGUIR, PAS (1), POIREAU, PRÉVOIR

ATTENDRE atermoyer, demeurer, différer, escompter, guetter, languir, morfondre (se), patienter, pressentir, prévoir, rester, sécher, surseoir, temporiser

ATTENDRIR → ÉMOUVOIR, EXCITER, FLÉCHIR, PLAINDRE, TOUCHER

ATTENDRIR amollir, apitoyer (s'), attendrisseur, émouvoir, toucher

ATTENDRISSANT → ÉMOUVANT

ATTENDRISSEMENT → COMPASSION

ATTENDRISSEUR → ATTENDRIR

ATTENDU → MOTIF

ATTENTAT → ATTAQUE, CRIME, FAUTE, TENTATIVE, TERRORISME, VIOLENCE

ATTENTAT agression, attaque, coup d'État, crime, délit, offense, outrage, plasticage, pronunciamiento, putsch

ATTENTATOIRE → CONTRAIRE (2), INJUSTE

ATTENTE → ESPOIR, SOUHAIT

ATTENTE antichambre, attentiste, délai, désir, détention préventive, entrée, espoir, expectative, gestation, grossesse, hall, pause, Pénélope, pis-aller, salle d'attente, souhait, vestibule

ATTENTE (EN) → PENDANT (3), SOUFFRANCE

ATTENTER AU → OFFENSER

ATTENTIF → ALERTE, APPLIQUÉ, OBSERVATEUR, SCRUPULEUX, SOIGNEUX, VEILLER

ATTENTIF appliqué, diligent, prudent, sérieux, studieux, vigilant

ATTENTIF (ÊTRE) → VEILLER

ATTENTION → APPLICATION, CONCENTRATION, EMPRESSEMENT, INTÉRÊT, PRÉCAUTION, PRUDENCE, RÉFLEXION, SÉRIEUX (1), SOIN, VIGILANCE, ZÈLE

ATTENTION captiver, concentration, contention, distraction, égards, étourderie, inadvertance, obtusion, prévenance, sollicitude

ATTENTION (À L') → ADRESSE

ATTENTION (FAIRE) → REMARQUER, VEILLER, VIGILANT

ATTENTIONNÉ → EXQUIS, GALANT, PRÉVENANT, SERVIABLE, SOIN

ATTENTISME → OPPORTUNISME

ATTENTISTE → ATTENTE

ATTENTIVEMENT → PRÈS

ATTÉNUATION → ACCALMIE

ATTÉNUER → ADOUCIR, AFFAIBLIR, ALLÉGER, AMOLLIR (S'), AMORTIR, CESSER, CONSOLER, CORRIGER, DIMINUER, EFFACER, ESTOMPER, FAIBLIR, GUÉRIR, MODÉRER, MOINS, NEUTRALISER, SOULAGER, SOUPLE, TEMPÉRER

ATTÉNUER adoucir, affaibli, amoindrir, amortir, diminuer, édulcorer, émoussé, modérer, réduire, tempérer

ATTERRÉ → ABASOURDI, INDIGNER

ATTERRIR → ARRIVER, POSER (SE)

ATTERRISSAGE alunissage, appontage, balise, crash, train d'atterrissage

ATTERRISSEMENT → ÎLE, SABLE

ATTESTATION → ACTE, BON (2), BULLETIN, CONFIRMATION, CONSTATATION, DÉCLARATION, GARANT, PREUVE, VISA

ATTESTÉ → AUTHENTIQUE, VRAI

ATTESTER → AFFIRMER, ASSURER, CONFIRMER, DÉNOTER, GARANTIR, INDIQUER, RÉVÉLER, SOUTENIR, TÉMOIGNER

ATTIÉDIR → AMORTIR, TEMPÉRER

ATTIFEMENT → ACCOUTREMENT

ATTIFER → HABILLER
ATTIFET
  Voir illus. **Coiffures**
ATTIQUE → GREC, GRENIER
  Voir tab. **Architecture**
ATTIRAIL → BAZAR
ATTIRANCE → ATTRACTION, ATTRAIT, BÉGUIN, FAIBLE (1), GOÛT, INCLINATION, PENCHANT
ATTIRANT → CHARMANT, SÉDUISANT
ATTIRANT aguichant, alléchant, attachant, attractif, attrayant, charmant, engageant, ensorcelant, intéressant, séduisant
ATTIRER → ALLÉCHER, APPÂTER, CONCILIER (SE), DRAINER, PLAIRE, RAVAGE, RAVIR, RECRUTER, REGARD, RESPECT, RETENIR, SÉDUIRE, SOLLICITER, TENTER
ATTIRER abuser, amorcer, aspirer, déclencher, enjôler, exciter, gagner, leurrer, obtenir, pomper, provoquer, racoler, susciter
ATTISER → ENVENIMER, EXCITER, SOUFFLER, SUSCITER, VENIN
ATTITUDE → COMPORTEMENT, CONDUITE, CONTENANCE, DANSE, FAÇADE, FAÇON, GENRE, MAINTIEN, PORT, POSE, POSITION, POSTURE
  Voir tab. **Danse classique**
ATTITUDE avis, comportement, conduite, maintien, opinion, point de vue, pose, position, posture, tenue
ATTOUCHEMENT → CARESSE, CONTACT
ATTOUCHER → CARESSER
ATTRACTIF → ATTIRANT, FASCINANT, INTÉRESSANT (2)
ATTRACTION → AIMANT, ASSOCIATION, CORPS, ENVOÛTEMENT, GRAVITÉ, NUMÉRO
ATTRACTION aimant, attirance, divertissement, fascination, gravitation, jeu, loisir, magnétisme, pesanteur, séduction
ATTRAIT → AGRÉMENT, BEAUTÉ, CHARME, DÉSIR, GOÛT, GRÂCE, INCLINATION, INTÉRÊT, INVITATION, PENCHANT, PIQUANT (1), SPLENDEUR, TENTATION
ATTRAIT agrément, appas, attirance, beauté, charme, goût, grâce, inclination, intérêt, penchant, plaisir
ATTRAPE-MARTEAU
  Voir illus. **Piano**
ATTRAPER → AVOIR (1), CONTRACTER, PINCER, PRENDRE, RATTRAPER, RECEVOIR, REPROCHE, SAISIR
ATTRAPER abuser, appréhender, capturer, contracter, duper, enjôler, gronder, happer, leurrer, réprimander, saisir, séduire, sermonner, tromper
ATTRAYANT → AGRÉABLE, ATTIRANT, CHARMANT, INTÉRESSANT (2), PLAISANT, SÉDUISANT
ATTRIBUER → ASSIGNER, BUDGET, DESTINER, DONNER, FAIRE, GRATIFIER, IMPUTER, PRÊTER,

PROCURER, RATTACHER, RECONNAÎTRE, RÉPARTIR, SUPPOSER
ATTRIBUER accuser, adjuger, allouer, approprier (s'), arroger (s'), décerner, incriminer, octroyer, usurper
ATTRIBUT → ADJECTIF, CHARME, PERSONNIFIER, PRÉROGATIVE, PROPRIÉTÉ, QUALITÉ, SIGNE, SYMBOLE, TRAIT
ATTRIBUT accessoire, balance, emblème, glaive, particularité, prédicat, propriété, qualité
ATTRIBUTION → ADJUDICATION, AFFECTATION, COMPÉTENCE, DISTRIBUTION, PART, POUVOIR, RESSORT
ATTRISTANT → TRISTE
ATTRISTÉ → FÂCHER
ATTRISTER → AFFLIGER, CONTRARIER, DÉSESPÉRER, DÉSOLER, FENDRE
ATTRITION → CONFESSION, FAUTE, REGRET, REMORDS
ATTROUPEMENT → FOULE
ATTROUPER (S') → ASSEMBLER (S')
ATURINS
  Voir tab. **Habitants (comment se nomment les)**
AU
  Voir tab. **Éléments chimiques (symbole des)**
AUBADE → CONCERT, MATINAL, RÉCITAL, SOIR
AUBAINE → BÉNIT, CHANCE, HASARD, OCCASION
AUBE → COMMENCEMENT, DÉBUT, HYDRAULIQUE, LEVER DU JOUR, MATIN, MESSE, MOULIN, NAISSANCE, PALETTE, ROBE, SEUIL, VÊTEMENT
  Voir illus. **Moulins à vent et à eau**
AUBE (À L') → JOUR, TÔT
AUBENAS
  Voir tab. **Habitants (comment se nomment les)**
AUBÉPINE → ÉPINE, HAIE, ROSACÉE
  Voir tab. **Plantes médicinales**
AUBÈRE
  Voir tab. **Chevaux (robes des)**
AUBERGE → HÔTEL, RELAIS, RESTAURANT
AUBERGE caravansérail, hôte, posada, relais de poste, table d'hôtes, taverne
AUBERGINE → STATIONNEMENT, VIOLET
  Voir tab. **Couleurs**
AUBERVILLIERS
  Voir tab. **Habitants (comment se nomment les)**
AUBETTE → ABRI, KIOSQUE
AUBIER → BOIS
  Voir illus. **Tronc**
AUBURN → BRUN, CHÂTAIGNE, ROUX
AUBUSSON → TAPISSERIE
AUCH
  Voir tab. **Habitants (comment se nomment les)**
AUCUN → INDÉFINI, PAS (2), UN
AUCUN CAS (EN) → PRÉTEXTE
AUCUNEMENT → PAS (2), RIEN (3)
AUDACE → APLOMB, CONFIANCE, COURAGE, CULOT, FRONT
AUDACE aplomb, assurance,

bravoure, courage, hardiesse, impudence, insolence, intrépidité, témérité, toupet
AUDACIEUSE → HARDI
AUDACIEUX → AVENTURIER, BRAVE, CONQUÉRANT, COURAGEUX, CRÂNE (2), DANGEREUX, IMPRUDENT, INTRÉPIDE, OSÉ, TÉMÉRAIRE
AUDACIEUX aventureux, fougueux, impétueux, novateur, original, révolutionnaire, risque-tout
AU-DELÀ → IMMORTEL (2)
AUDIBLE → CONCRET (2), PERCEPTIBLE
AUDIENCE → ENTRETIEN, INTERVIEW
AUDIMAT → TÉLÉVISION
AUDIMÈTRE → TÉLÉVISION
AUDIOCONFÉRENCE → CONVERSATION, PARTICIPANT
AUDIOFRÉQUENCE → VIBRATION
AUDIOGRAMME → OREILLE
AUDIOMÈTRE → SON
AUDIOPHONE → AUDITION
AUDIOVISUEL → DOCUMENT, IMAGE
AUDIT → BILAN, COMPTABLE (1), CONTRÔLE, PROCÉDURE, VÉRIFICATION
AUDITEUR → EXPERT, RADIO, TÉMOIN, VÉRIFICATION
AUDITEUR contrôleur
AUDITION → CONCERT, OREILLE, RÉCITAL, SON
AUDITION audiophone, auditorium, essai, hyperacousie, hypoacousie, ouïe, sonotone, surdité, test
AUDITOIRE → ASSEMBLÉE, DESTINATAIRE, GALERIE, PUBLIC (1), RÉUNION, SALLE, SPECTATEUR
AUDITORIUM → AUDITION, CONCERT
AUDOMAROIS
  Voir tab. **Habitants (comment se nomment les)**
AUDONIENS
  Voir tab. **Habitants (comment se nomment les)**
AUGE → BAC, COCHON, DÉLAYER, ÉTABLE, MAÇON, MANGEOIRE, PLÂTRE, RÉCIPIENT
  Voir illus. **Cheval**
AUGET → MOULIN
AUGMENT → RADICAL (1)
AUGMENTATION → ACCENTUATION, ACCROISSEMENT, AGGRAVATION, CHANGEMENT, CROISSANCE, DILATATION, ESCALADE, HAUSSE, MONTÉE, MULTIPLICATION, PROGRESSION, SUPPLÉMENT, SURCROÎT
AUGMENTATION accentuation, accroissement, crescendo, dilatation, distension, exacerbation, inflation, intensification, majoration, redoublement
AUGMENTER → ACCROÎTRE, ALOURDIR, AMPLIFIER (S'), ARRONDIR, CROÎTRE, DOUBLER, ÉLEVER, ENRICHIR, ÉTENDRE, GRANDIR, GROSSIR, MAJORER, PERFECTIONNER, PROLONGER, RELEVER, SURCHARGER
AUGURE → AVENIR, DIVINATION, FUNESTE, PRÉDICTION, PRÉSAGE,

PRÉVISION, PROPHÈTE, SIGNE
AUGURE (DE MAUVAIS) → MALHEUR
AUGURER → PRÉDIRE, SOUPÇONNER
AUGUSTE → CLOWN, FORAIN, GRAND, MAJESTUEUX, RESPECT, SACRÉ, SAINT (2), SOLENNEL
AUGUSTINISME → THÉOLOGIE
AUGUSTINS → MENDIANT (2)
AUMÔNE → CHARITÉ, DON, FAVEUR, OFFRANDE, SECOURS
  Voir tab. **Islam (vocabulaire de l')**
AUMÔNE charité, don, manche (faire la), mendier, obole, offrande, quête
AUMÔNE (DEMANDER L') → MENDIER
AUMÔNIER → MINISTRE, PRÊTRE
AUMÔNIÈRE → BOURSE, CEINTURE, SAC
AUMUSSE
  Voir illus. **Coiffures**
AUNE → BOIS, LONGUEUR
AUPARAVANT → PASSÉ (1), PRÉALABLE (1)
AUPNIAPHOBIE
  Voir tab. **Phobies**
AUPRÈS DE → CHEVET
AURAY
  Voir tab. **Habitants (comment se nomment les)**
AURÉOLE → COURONNE, MARTYR, SAINT (1)
AURÉOLÉ → SUCCÈS
AURÉOLER → ENTOURER
AURICULAIRE → DOIGT, MAIN, OREILLE, TÉMOIN
  Voir illus. **Main**
AURICULE
  Voir illus. **Cœur**
AURICULOTHÉRAPIE → MÉDECINE
  Voir tab. **Médecines alternatives**
AURIFÈRE → OR
AURIFICATION → DENTAIRE
AURIGE → CHAR, CONDUCTEUR
AURIOL (VINCENT)
  Voir tab. **Rois et chefs d'État de la France**
AUROCHS → BOVIN
AURORA (RUSSIE) → TRAIN
AURORE → COMMENCEMENT, DÉBUT, JOUR, LEVER DU JOUR, MATIN, NAISSANCE, PURÉE, SEUIL
AURORES (AUX) → TÔT
AUSCITAINS
  Voir tab. **Habitants (comment se nomment les)**
AUSCULTATION → DIAGNOSTIC, EXAMEN, EXPLORATION
AUSCULTATION percussion, stéthoscope, succussion
AUSCULTER → PALPER, TOUCHER
AUSPICES → AVENIR, DIVINATION, PATRONAGE, SAUVEGARDE, TUTELLE, VOL
AUSSITÔT → INSTANT
AUSTÉNITE → ACIER
AUSTÉNITISATION → ACIER
AUSTER
  Voir tab. **Vents**
AUSTÈRE → ARIDE, DUR, GRAVE, NU, PURITAIN, RIGIDE, RIGOUREUX, SÉRIEUX (2), SÉVÈRE, SOBRE, STRICT, VIE
AUSTÈRE dépouillé, draconienne, rigide, rigoureuse, sobre

AUSTÉRITÉ → CORPS, PÉNITENCE, SÉCHERESSE, SIMPLICITÉ, VERTU

AUSTÉRITÉ abstinence, ascèse, mortification, pénitence, puritain, spartiate, stoïcien

AUSTIN → COMÈTE

AUSTRAL → HÉMISPHÈRE, PÔLE, SUD (2)

AUSTRALOPITHÈQUE → PRÉHISTORIQUE
Voir illus. **Hominidés**

AUSWEIS → LAISSEZ-PASSER

AUTAN → VENT

AUTANT → COMPARAISON

AUTARCIE → ISOLEMENT

AUTEL → LITURGIE, MESSE, SACRIFICE, TABLE

AUTEL baldaquin, corporal, épouser, eucharistie, laraire, maître-autel, prédelle, Pyrée, reposoir, retable, tabernacle

AUTEUR → ARTISAN, CAUSE, ÉCRIVAIN, ÉDITION, GENS, INVENTEUR, REPRODUCTION, RESPONSABLE (1)

AUTEUR compositeur, compte d'auteur, copyright, créateur, découvreur, dramaturge, droits d'auteur, écrivain, essayiste, inventeur, nègre, nouvelliste, parolier, prosateur, responsable, romancier

AUTHENTICITÉ → FRAÎCHEUR, PURETÉ, RÉALITÉ, VÉRACITÉ, VÉRITÉ

AUTHENTIFIER → CONFIRMER, CONSTATER, LÉGALISER, NOTAIRE

AUTHENTIQUE → ÉPOQUE, EXACT, OFFICIEL, ORIGINAL, PUR, RÉEL, SINCÈRE, TESTAMENT, VRAI

AUTHENTIQUE attesté, avéré, certifié, indubitable, notarié, officiel, véridique, véritable

AUTISME → COMMUNICATION, ISOLEMENT, PSYCHOSE
Voir tab. **Psychiatrie**

AUTO → DRAME

AUTOBERGE → BERGE

AUTOBIOGRAPHIE → BIOGRAPHIE, HISTOIRE, MÉMOIRE, RÉCIT, VIE

AUTOBRONZANT → BRONZER

AUTOBUS → VÉHICULE

AUTOCAR → VÉHICULE

AUTOCENSURE → REFOULEMENT

AUTOCÉPHALE → ORTHODOXE

AUTOCHEIROTHANATOPHOBIE
Voir tab. **Phobies**

AUTOCHORE → PLANTE

AUTOCHTONE → HABITANT, ICI, INDIGÈNE (2), NATIF (1), PAYS

AUTOCHTONE aborigène, Amérindien, Indien, indigène, natif, vernaculaire

AUTOCLAVE → CONSERVE, MARMITE, STÉRILISATION, VAPEUR

AUTOCONSERVATION → INSTINCT

AUTOCRATE → DICTATEUR, MONARQUE, SOUVERAIN (1), TYRAN

AUTOCRATIE → ABSOLUTISME, GOUVERNEMENT, RÉPUBLIQUE

AUTOCRATIQUE → RÉGIME

AUTOCRITIQUE → CONFESSION, CONSCIENCE

AUTOCUISEUR → MARMITE, USTENSILE, VAPEUR

AUTODAFÉ → BRÛLER, FEU, INQUISITION, SUPPLICE

AUTODÉTERMINATION →

DÉTERMINATION, IMPÉRIALISME, LIBERTÉ, POLITIQUE (2)

AUTODIDACTE → APPRENDRE, CURIOSITÉ, FILS, INSTRUIRE (S')

AUTODROME → PISTE

AUTODYSOSMOPHOBIE
Voir tab. **Phobies**

AUTOFOCUS
Voir tab. **Photographie** (vocabulaire de la)

AUTOGAMIE → BISEXUÉ

AUTOGÈNE → SOUDURE

AUTOGÉRÉE → GÉRER

AUTOGIRE → AVION, HÉLICOPTÈRE

AUTOGRAPHE → CÉLÈBRE

AUTOGRAPHIQUE → ENCRE

AUTOGRAPHOPHOBIE
Voir tab. **Phobies**

AUTOMATE → MACHINE, ROBOT

AUTOMATION → AUTOMATIQUE

AUTOMATIQUE →
INCONSCIENT (2), INVOLONTAIRE, IRRÉFLÉCHI, MÉCANIQUE (2), PILOTE, SPONTANÉ

AUTOMATIQUE automation, automatisation, cybernétique, instinctif, involontaire, machinal, mécanique, mitrailleuse, spontané

AUTOMATIQUEMENT → CONSÉQUENCE

AUTOMATISATION → AUTOMATIQUE, RATIONNEL, USINE

AUTOMATISER → INDUSTRIALISER

AUTOMATISME → HABITUDE, INTELLIGENCE ARTIFICIELLE, INVOLONTAIRE, RÉFLEXE

AUTOMÉDON → CHAUFFEUR, CONDUCTEUR, FIACRE

AUTOMITRAILLEUSE → BLINDÉ

AUTOMNALE → AUTOMNE

AUTOMNE
Voir illus. **Saisons** (mécanisme des)

AUTOMNE arrière-saison, automnale, défoliation

AUTOMOBILE
Voir tab. **Sports**

AUTOMOBILE (1) cabriolet, véhicule, voiture

AUTOMOBILE (2) parc

AUTOMUTILATION → MUTILER

AUTONOME → INDÉPENDANT, LIBRE, RÈGLE, RELATION

AUTONOMIE → DÉTACHEMENT, DISTANCE, ESSOR, FÉDÉRAL, INDÉPENDANCE, LIBERTÉ, PERSONNALITÉ

AUTONOMIE indépendance, liberté, nationaliste, sécessionniste, séparatiste, souveraineté

AUTONOMISTE → NATIONALISME, SÉPARATION

AUTOPLASTIE → GREFFE

AUTOPORTRAIT → PORTRAIT

AUTOPSIE → ANALYSE, CADAVRE, EXAMEN

AUTOPSIE dissection, étude toxicologique, examen histologique, légiste, nécropsie, ouverture, révélation, vision

AUTOPSIER → INTÉRIEUR

AUTORADIO → RADIO

AUTORAIL → VÉHICULE

AUTORISATION → APPROBATION, CONSENTEMENT, DISPENSE,

DROIT (1), LIBERTÉ, LICENCE, PERMISSION, VISA

AUTORISATION accord, concession, consentement, dérogation, dispense, droit, exemption, laissez-passer, permission

AUTORISÉ → LÉGAL, OFFICIEL, PERMIS, QUALIFIÉ

AUTORISER → APPROUVER, CONSENTEMENT, CONSENTIR, TOLÉRER

AUTORISER habiliter

AUTORITAIRE → DOGMATIQUE, FERME (2), IMPÉRATIF (2), IMPÉRIEUX, PÉREMPTOIRE, POLICIER (2), SEC, SÉVÈRE, TRANCHANT, TYRANNIQUE

AUTORITAIRE absolutiste, despotique, dictatorial, impérieux, intransigeant, totalitaire

AUTORITARISME → ABSOLUTISME, DICTATURE, INTOLÉRANCE

AUTORITÉ → COMPÉTENCE, FERMETÉ, FORCE, IMPORTANCE, INFLUENCE, PÈRE, POIDS, POUVOIR, PUISSANCE, RÉPUTATION, SUPÉRIORITÉ

AUTORITÉ ascendant, domination, empire, férule, influence, loi, opprimer, pouvoir, puissance, référence, régenter, souveraineté, tyranniser

AUTORITÉ OPPRESSIVE → TYRANNIE

AUTORITÉ SUR (DE L') → BRAS

AUTOROUTE → CHAUSSÉE, ROUTE

AUTOSOME → CHROMOSOME

AUTOTOMIE → LÉZARD

AUTOVACCIN → VACCIN

AUTRE → DIFFÉRENT, INDÉFINI

AUTRE PART (D') → PLUS

AUTREFOIS → PASSÉ (1)

AUTREMENT → SANS

AUTRUCHE → COUREUR, OISEAU, PANACHE, VIANDE
Voir tab. **Oiseaux** (classification simplifiée des)

AUTRUCHE autrucherie, autruchon, lâcheté, nandou, ratites

AUTRUCHERIE → AUTRUCHE

AUTRUCHON → AUTRUCHE

AUTRUI → INDÉFINI, PERSONNE

AUVENT → ABRI, SAILLIE, STORE, TOIT
Voir illus. **Maison**

AUVERGNE (BLEU D')
Voir illus. **Fromages**

AUXILIA → AUXILIAIRE (1)

AUXILIAIRE → ADJOINT, AIDE, ALLIÉ, ANNEXE, COMPAGNON, COMPLICE, SECOND (1), SUPPLÉMENTAIRE, VERBE

AUXILIAIRE (1) adjoint, aide, annexe, assistant, auxilia, Barbares, collaborateur, second, titulaire, vacataire

AUXILIAIRE (2) renfort

AUXINE → HORMONE

AVACHI → MOU, USÉ

AVACHIR → USER, VEAU

AVACOU
Voir tab. **Oiseaux** (classification simplifiée des)

AVAL → CAUTION, FLEUVE, GARANTIE

AVALAISON → TORRENT

AVALANCHE → CHUTE, DÉLUGE, DÉVALER, NEIGE, QUANTITÉ

AVALASSE → TORRENT

AVALER → ABSORBER, BOIRE, CONSOMMER, CROIRE, DIGÉRER, INTRODUIRE, PRENDRE, SUCER, VIDER

AVALER déglutir, engloutir, ingérer, ingurgiter

AVALISER → GARANTIR

À-VALOIR → ACOMPTE, PAIEMENT, PARTIEL

AVANCE → ACOMPTE, COMMANDE, DÉMARCHE, OUVERTURE, PRÊT, PROVISION, TENTATIVE, VALOIR

AVANCE acompte, approche, arrhes, crédit, escompte, prêt, progression, proposition, provision

AVANCE SUR RECETTES → FILM

AVANCÉ → ABÎMÉ, MÛR, PRÉCOCE

AVANCÉE → CHEMINEMENT, CONQUÊTE, ÉPERON, PROGRESSION

AVANCEMENT → DÉROULEMENT, GRADE, PROGRÈS, PROMOTION

AVANCER → AFFIRMER, MARCHER, MOUVOIR, PASSER, PÉNÉTRER, PRÉCIPITER, PRÊTER, PROPOSER, RESSORTIR

AVANCER alléguer, anticiper, brusquer, déborder, invoquer, monter en grade, mordre, précipiter, progresser, saillir

AVANCER EN ÂGE → VIEILLIR

AVANÇON → MONTURE
Voir tab. **Pêche**

AVANIE → AFFRONT, HUMILIATION, INJURE, OFFENSE

AVANT → BÂTIMENT, PLONGEON, PRÉALABLE (1), VEDETTE
Voir illus. **Rugby**

AVANT DIRE DROIT
Voir tab. **Droit** (termes de)

AVANTAGE → ACQUIS, BÉNÉFICE, BIENFAIT, DESSUS, FACILITÉ, FACULTÉ, FAVEUR, INTÉRÊT, MÉRITE, PRÉROGATIVE, PRIVILÈGE, PROFIT, SUCCÈS, SUPÉRIORITÉ

AVANTAGE atout, préciput, prérogative, privilège, supériorité

AVANTAGE (AVOIR L') → MENER, TRIOMPHER

AVANTAGER → BALANCE, EMBELLIR, FAVORISER, FLATTER, PRÉFÉRER, SERVIR

AVANTAGEUX → BON (1), FAVORABLE, FRUCTUEUX, HEUREUX, INTÉRESSANT (2), OR, PLANTUREUX, PRÉCIEUX, RENTABLE

AVANTAGEUX bénéfique, favorable, flatteur, intéressant, précieux, profitable, salutaire, utile

AVANT-BEC → BRISER, ÉPERON

AVANT-BRAS
Voir illus. **Cheval**

AVANT-CENTRE → FOOTBALL
Voir illus. **Football**

AVANT-CORPS → PORCHE

AVANT-COUREUR → MESSAGER, PRÉCURSEUR

AVANT-GARDE → POINTE, PROGRÈS

AVANT-GARDE extrême pointe, novateur, pointe, précurseur, révolutionnaire, tête

AVANT-GARDISTE → HARDI, PILOTE, PIONNIER, RÉVOLUTIONNAIRE (2)

AVANT-GOÛT → APERÇU

AVANT-PREMIÈRE → RÉPÉTITION

AVANT-PROPOS → COMMENCEMENT, ENTRÉE, INTRODUCTION, PARTIE, PRÉFACE

AVANT-SCÈNE → SCÈNE
Voir illus. **Théâtre**

AVANT-VEILLE → VEILLE

AVARE → COMPTER, ÉCONOME (2), GRIPPE-SOU, INTÉRESSER, MESQUIN, SOBRE

AVARE (1) amasser, écornifler, grappiller, Harpagon, lésiner, rogner

AVARE (2) chiche, cupide, économe, parcimonieux, pingre

AVARICE → ARGENT, INTÉRÊT, PASSION, PÉCHÉ

AVARICIEUX → COMPTER

AVARIE → CARGAISON, DOMMAGE

AVARIÉ → CORROMPU, GÂTÉ, POURRI

AVARIER → ENDOMMAGER, POURRIR

AVARO → DIFFICULTÉ

AVATAR → TRANSFORMATION, VIRTUEL

AVATARS → CHANGEMENT

AVE (ESPAGNE) → TRAIN

AVE MARIA → VIERGE (1)
Voir tab. **Prières et offices de l'Église catholique romaine**

AVE MARIS STELLA → VIERGE (1)

AVEC → COMPAGNIE

AVELINE → NOISETTE

AVEN → CALCAIRE, GOUFFRE
Voir illus. **Grotte sous-marine**
Voir tab. **Géographie et géologie (termes de)**

AVENANT → ACCUEILLANT, AFFABLE, AGRÉABLE, AIMABLE, ASSURANCE, CLAUSE, CONTRAT, FACILE, GENTIL, SOIGNÉ, SYMPATHIQUE
Voir tab. **Assurance (vocabulaire de l')**

AVÈNEMENT → RÈGNE, ROI, SEUIL, VENUE

AVENIÈRE → AVOINE

AVENIR → DEVENIR (1), FORTUNE, FUTUR (1), LENDEMAIN, SORT

AVENIR augure, auspices, chiromancie, chiromancien, devin, diseur, divination, futur, haruspice, postérité, précognition, prémonition, présage, prescience, prophète, pythie, sibylle, voyance, voyant

AVENT → NOËL, PÉNITENCE
Voir tab. **Fêtes religieuses**

AVENTURE → AMOURETTE, ENTREPRISE, FANTAISIE, FLIRT, IDYLLE, INCIDENT (1), INTRIGUE, PÉRIPÉTIE, RENCONTRE

AVENTURE déboire, hasarder (se), histoire, incident, intrigue, liaison, mésaventure, oser, récit, risquer

AVENTURE (D') → HASARD

AVENTURER (S') → OSER, RISQUER (SE)

AVENTUREUX → AUDACIEUX, BRAVE, DANGEREUX, IMPRUDENT, TÉMÉRAIRE

AVENTURIER → DÉCOUVERTE, INTRIGUE, VAGABOND (1)

AVENTURIER audacieux, imprudent, téméraire

AVENTURINE → QUARTZ

AVENUE → COURS, RUE

AVÉRÉ → AUTHENTIQUE, ÉTABLIR, INCONTESTABLE, MANIFESTE (2), SÛR, VRAI

AVÉRER → CONFIRMER, MONTRER, VÉRIFIER

AVERS → CÔTÉ, FACE, MONNAIE, OPPOSÉ

AVERSE → PLUIE

AVERSE bruine, drache, giboulée, grain, ondée, pluie, saucée, trombe

AVERSION → ANTIPATHIE, DÉGOÛT, HAINE, HORREUR, PEUR

AVERTI → EXPÉRIMENTÉ, PRUDENT

AVERTI alerté, avisé, éclairé, expérimenté, informé, instruit, prévenu, renseigné

AVERTIR → APPRENDRE, CONNAÎTRE, INFORMER, INSTRUIRE, PRÉVENIR, RENSEIGNEMENT, SAVOIR (2)

AVERTIR aviser, informer, prévenir

AVERTISSEMENT → BLÂME, INVITATION, MENACE, MISE, OBSERVATION, PRÉFACE, PRUDENCE, RAPPEL, RÉPRIMANDE, SANCTION, SIGNE, SOMMAIRE (1), SOMMATION

AVERTISSEMENT admonestation, avis, blâme, conseil, préavis, recommandation, remontrance, réprimande, sanction, semonce

AVERTISSEMENT (SANS) → BRÛLER, CRIER

AVERTISSEUR → INCENDIE, SIGNAL

AVESTA → PERSE (1), RÉCIT

AVETTE → ABEILLE

AVEU → CONFESSION, CONFIDENCE, ÉPANCHEMENT, RÉVÉLATION, TÉMOIGNAGE

AVEUGLANT → ÉBLOUISSANT, FULGURANT, VIF (2), VIOLENT

AVEUGLE → POTAGE
Voir tab. **Saints patrons**

AVEUGLE (1) amaurose, braille, cécité, égaré

AVEUGLE (2) absolu, borgne, murée, illimité, total

AVEUGLEMENT → DÉLIRE, INCONSCIENCE

AVEUGLÉMENT → DISCERNEMENT, RÉFLEXION

AVEUGLER → BOUCHER (1), ILLUSION, MURER

AVIAIRE → PESTE

AVIATEUR → PILOTE
Voir tab. **Saints patrons**

AVIATEUR bombardier

AVIATION MILITAIRE → AÉRIEN

AVICULTEUR → OISEAU

AVICULTURE → VOLAILLE
Voir tab. **Élevages**

AVIDE → AFFAMÉ, GOULU, IMPATIENT (2), INTÉRESSER, MERCENAIRE (2)

AVIDE ambitieux, anxieux, concupiscent, cupide, impatient, libidineux, vorace

AVIDE (ÊTRE) → FAIM

AVIDITÉ → APPÉTIT, CUPIDITÉ, CURIOSITÉ, DÉSIR, ENVIE, PASSION

AVIFAUNE → OISEAU

AVILIR → ABAISSER, ABRUTIR, COMMETTRE (SE), DÉCHOIR, DÉPRÉCIER (SE), GALVAUDER,

HONTE, PERVERTIR, PROFANER, RABAISSER, SALIR, TOMBER

AVILISSANT → DÉGRADER, INDIGNE, INFÂME

AVILISSEMENT → BOUE, CHUTE, DÉCLIN, HUMILIATION, PROSTITUTION

AVINÉ → IVRE

AVION → PARACHUTE, RÉACTION, VÉHICULE

AVION aéronef, aéroplane, autogire, avion-cargo, avionique, avionneur, avitailler, Awacs, baptême de l'air, Canadair, charter, chartériser, drone, enregistrement, escadrille, flottille, formation, hydravion, jet, kamikaze, kérosène, looping, noliser, piqué, renversement, retournement, subsonique, supersonique, tonneau, vrille

AVION (VOYAGES EN)
Voir tab. **Phobies**

AVION-CARGO → AVION

AVIONIQUE → AVION

AVIONNEUR → AVION

AVIRON → NAUTIQUE
Voir illus. **Aviron**
Voir tab. **Bateaux**
Voir tab. **Sports**

AVIRON canoë, godille, kayak, outrigger, pagaie, périssoire, pirogue, portage, rame, yole

AVIS → ACCUSÉ (1), AFFICHE, ANNONCE, APPRÉCIATION, ATTITUDE, AVERTISSEMENT, BULLETIN, COMMUNICATION, DÉLIBÉRATION, DÉPÊCHE, IDÉE, IMPRESSION, INDICATION, INFORMATION, INSTRUCTION, JUGEMENT, MESSAGE, NOTE, OPINION, RÉCEPTION, RENSEIGNEMENT, SENS, SENTIMENT

AVIS affiche, circulaire, communiqué, jugement, opinion, placard, point de vue, sentiment

AVIS D'ÉCHÉANCE
Voir tab. **Assurance (vocabulaire de l')**

AVIS D'OBSÈQUES → ANNONCE

AVISÉ → AVERTI, BON (1), CLAIR, CONSEIL, GUÊPE, INSPIRÉ, MÉFIANT, PRUDENT, RÉFLÉCHI, SAGE

AVISER → APPRENDRE, AVERTIR, CONSEILLER (2), INFORMER, INSTRUIRE, OSER, PERMETTRE, PRÉVENIR, REGARDER, REMARQUER, SAVOIR (2), TÉMÉRAIRE

AVISO
Voir tab. **Bateaux**

AVITAILLEMENT → APPROVISIONNEMENT, ÉQUIPEMENT

AVITAILLER → ARMER, AVION

AVITAMINOSE → VITAMINE

AVIVER → AGGRAVER, ANIMER, ENVENIMER, EXASPÉRER, EXCITER

AVOCASSERIE → CHICANE

AVOCAT → ACCUSÉ (1), CONSEILLER (1), DÉFENSE, DÉFENSEUR, PALAIS, PLAIDER
Voir tab. **Droit (termes de)**
Voir tab. **Politesse (formules de)**

AVOCAT barreau, bâtonnier, défenseur, épitoge, intercesseur,

plaidoirie, plaidoyer, réquisitoire, robe, toge, toque

AVOCAT DU DIABLE → SAINT (1)
Voir tab. **Catholique romain (vocabulaire)**

AVOCAT GÉNÉRAL → MAGISTRAT

AVOINE → CÉRÉALE

AVOINE avenière, fromental, graminacées, gruau, muesli, picotin, porridge

AVOIR → CAPITAL (1), JOUIR, POSSÉDER

AVOIR (1) abuser, acheter, atteindre, attraper, bénéficier de, berner, bluffer, détenir, devoir, disposer, duper, employer, éprouver, jouir de, leurrer, obtenir, offrir, peser, porter, posséder, présenter, recevoir, ressentir, tenu de (être), toucher, tromper

AVOIR (2) actif, argent, bien, crédit, crédit d'impôt, fortune, patrimoine, richesse

AVOIR PEUR → FOIE

AVOIR VUE SUR → OUVRIR

AVOISINANT → VOISIN

AVOISINER → TOUCHER

AVORIAZ (FESTIVAL D')
Voir tab. **Prix cinématographiques**

AVORTEMENT → FŒTUS, GROSSESSE, INTERRUPTION

AVORTEMENT abortive, coulure, échec, faillite, fausse-couche, IVG, insuccès, méthode Karmann, millerandage

AVORTER → ÉCHOUER

AVORTER (FAIRE) → TORPILLER

AVORTON → NAIN

AVOUÉ → MINISTÉRIEL, OFFICIER

AVOUER → CONCÉDER, CONFESSER, CONFIER, CONNAÎTRE, CONVENIR, FAUTE, RECONNAÎTRE

AVOUER admettre, concéder, confesser, reconnaître

AVOYER → SCIE

AVULSION → EXTRACTION

AVUNCULAIRE → ONCLE, TANTE

AWACS → AVION, RADAR

AXE → CENTRE, DIRECTION, LIGNE, PIVOT, PLI, VOIE

AXE arbre, axile, axis, direction, essieu, névraxe, orientation, pivot

AXE DE PÉDALIER
Voir illus. **Bicyclette**

AXEL → PATINAGE, SAUT

AXER → BRAQUER, DIRIGER

AXIAL → SYMÉTRIE

AXILE → AXE

AXIOME → ABSTRACTION, BASE, CERTITUDE, COMMENCEMENT, CONDITION, DÉFINITION, DÉMONSTRATION, ÉVIDENT, HYPOTHÈSE, PREMIER (2), PRÉMISSE, PRIMITIF, PRINCIPE, PROPOSITION, RAISONNEMENT, RÈGLE, SENTENCE, THÉORIE, VÉRITÉ

AXIS → AXE, COU, VERTÈBRE

AXOLOTL → LARVE

AXONE → NERVEUX

AXONGE → COCHON, GRAISSE

AYANT CAUSE → HÉRITIER

AYANT DROIT
Voir tab. **Droit (termes de)**

AYATOLLAH → CONDUCTEUR, THÉOLOGIE

Voir tab. **Islam**
(vocabulaire de l')
AYE-AYE → NOCTURNE
AZEROLIER → ÉPINE
AZERTY → CLAVIER
AZIMUT → ANGLE, DIRECTION
AZIMUTALE
Voir illus. **Cartes géographiques**
AZOLLA → MARAIS
AZOTATE → AZOTE
AZOTE → GAZ
Voir tab. **Éléments chimiques (symbole des)**
AZOTE air, azotate, azotémie, colorant, engrais, explosif, nitrate, nitrogène, nitruration, urémie
AZOTÉMIE → AZOTE
AZOTIQUE (ACIDE)
Voir tab. **Acides**
AZT → SIDA, ZIDOVUDINE
AZULEJO → CARREAU, DÉCORATION
AZUR → BLASON, BLEU (1), CIEL
Voir illus. **Héraldique**
Voir illus. **Couleurs**
AZURÉ
Voir tab. **Couleurs**
AZURER → BLEU (2)
AZURITE → MINÉRAL (1)
AZYME → PAIN
AZYMES (FÊTE DES)
Voir tab. **Fêtes religieuses**

B
Voir tab. **Éléments chimiques (symbole des)**
BA
Voir tab. **Éléments chimiques (symbole des)**
B.A.-BA → ABC
BABA → MARGINAL
BABA FIGUE → BANANIER
BABEL (TOUR DE) → BABYLONIEN
BABEURRE → BEURRE, LAIT
BABIL → BALBUTIEMENT, BÉBÉ, BRUIT, GRIVE, PAROLE
Voir tab. **Bruits**
BABILE → COMMÈRE
BABILLAGE → CONVERSATION, ENFANT
BABILLARD → BAVARD
BABILLEMENT
Voir tab. **Bruits**
BABILLER → BAVARDER, PARLER
BABINE → LÈVRE
BABINE badigoinces, délecter de (se), grogner, lèvres, raffoler de, régaler de (se), savourer
BABINET
Voir illus. **Cartes géographiques**
BABIOLE → BIBELOT, CHOSE (1), OBJET, RIEN (1), VALEUR
BABIOLE affiquet, bagatelle, bêtise, bibelot, breloque, bricole, brimborion, broutille, colifichet, fanfreluche, futilité, gadget, rien, sottise
BABIROUSSA → PORC, SANGLIER
BABISME
Voir tab. **Religions et courants religieux**

BÂBORD → BORD, CÔTÉ, GAUCHE
BÂBORD AMURES
Voir illus. **Allures de voile**
BABOUCHE → CHAUSSURE, PANTOUFLE, QUARTIER
Voir illus. **Chaussures**
BABOUVISME → COMMUNISME
BABY
Voir illus. **Chaussures**
BABYDOLL
Voir illus. **Modes et styles**
BABYLONIEN → GIGANTESQUE
BABYLONIEN Akitou, akkadien, Amorrite, Assyrien, Babel (tour de), cunéiforme, Ishtar, koudourrou, Sémiramis, sumérien, ziggourat
BABY-SITTER → BÉBÉ
BAC (BRIGADE ANTI-CRIMINELLE) → POLICE
BAC → DOUCHE, NAVETTE, TRANSPORT
Voir tab. **Bateaux**
BAC auge, bachot, bachotte, baille, baquet, batelage, batelier, batterie, bouille, comporte, cuve, cuvier, Nocher, passeur, pont volant, seille, toue, traille, traversier, va-et-vient
BACCALAURÉAT → DIPLÔME
BACCALAURÉAT bachelier, bachotage
BACCARA → CARTE, JEU, ZÉRO
BACCHANALE → DANSE, DÉBAUCHE
BACCHANTE → MOUSTACHE
BACCHUS → VIGNE
BACCIFÈRE → BAIE
BACCIFORME → BAIE
Voir tab. **Forme de... (en)**
BACHELIER → BACCALAURÉAT
BACHI-BOUZOUK → CAVALIER (1), SOLDAT, TURC
BACHOT → BAC, NAVETTE, PÊCHE
Voir tab. **Bateaux**
BACHOTAGE → BACCALAURÉAT, RÉVISION
BACHOTTE → BAC
BACILLE → BACTÉRIE, ÉPIDÉMIE, MICROBE
Voir tab. **Forme de... (en)**
Voir tab. **Phobies**
BACILLIFORME
Voir tab. **Forme de... (en)**
BACILLOPHOBIE
Voir tab. **Phobies**
BACILLOSE → TUBERCULOSE
BÄCKEOFFE
Voir tab. **Plats régionaux**
BÂCLE → BARRE, PORTE
BÂCLER → EXPÉDIER, GÂCHER, NÉGLIGER, VITE
BÂCLER brocher, expédier, fignoler, parfaire, peaufiner, saboter, soigner
BACON → ALCHIMISTE
BACTÉRICIDE → ANTIBIOTIQUE, BACTÉRIE
BACTÉRIE → MICROBE, STÉRILISATION
BACTÉRIE antibactérien, antibiotique, bacille, bactéricide, bactériologie, bactériologiste, microbe, virus
BACTÉRIOCINE → TOXIQUE
BACTÉRIOLOGIE → BACTÉRIE, MÉDECINE
BACTÉRIOLOGISTE → BACTÉRIE

BADAUD → CURIEUX (1)
BADAUD badauderie, baguenauder, curieux, déambuler, divaguer, flâner, flâneur, gobe-mouche, lanterner, musarder, muser, oisiveté, passant, promeneur
BADAUDERIE → BADAUD
BADGE → BROCHE, INSIGNE (1), POINTAGE
BADGE broche, carte magnétique, épinglette, insigne, macaron, pin's
BADIANE → ANIS, DIGÉRER
Voir tab. **Herbes, épices et aromates**
BADIGEONNER → BARBOUILLER
BADIGOINCES → BABINE
BADINAGE → CONVERSATION, GALANT, JEU, MARIVAUDAGE
BADINE → BAGUETTE, CANNE, GAI (1)
BADINER → PLAISANTER
BADINER amuser (s'), jouer, plaisanter
BADINERIE → INFANTILE
BADMINTON
Voir tab. **Sports**
BADMINTON filet, raquette, volant
BAFFE → CLAQUE
BAFFLE → ÉCRAN, ENCEINTE, HAUT-PARLEUR
BAFOUER → FOULER, RIDICULISER
BAFOUER blasonner, braver, brocarder, conspuer, dédaigner, désintéresser de (se), fi de (faire), fouler aux pieds, gausser de (se), honnir, huer, jouer de (se), litière de (faire), mépriser, négliger, outrager, persifler, piétiner, railler, ridiculiser, siffler, vilipender
BAFOUILLER → ARTICULER, BALBUTIER, BÉGAYER, DISTINCT, PARLER, RÉCITER
BAGADAI
Voir tab. **Oiseaux (classification simplifiée des)**
BAGAGE → FORMATION, INSTRUCTION, SAVOIR (1), VALISE
BAGAGE acquis, bagagiste, baluchon, barda, cantine, compétence, connaissances, déguerpir, éclipser (s'), enfuir (s'), équipement, fourbi, fourniment, impedimenta, instruction, malle, mallette, marmotte, paquetage, porteur, retirer (se), sac, sauver (se), savoir, serviette, trousse, valise
BAGAGISTE → BAGAGE
BAGARRE → CONFLIT, LUTTE
BAGARRE affrontement, agressif, altercation, belliqueux, boutefeu, combatif, crêpage de chignon, démêlé, échauffourée, empoignade, mêlée, polémique, pugilat, pugnace, querelle, querelleur, rixe
BAGARREUR → BELLIQUEUX
BAGASSE → BOUILLIE, SUCRE
BAGATELLE → BABIOLE, BÊTISE, CHOSE (1), DÉTAIL, FRIVOLITÉ, FUTILE, INSIGNIFIANT, MISÈRE, OBJET, RIEN (1), SUBTILITÉ, SUPERFLU (2), VALEUR
BAGGALA
Voir tab. **Bateaux**

BAGGY
Voir illus. **Modes et styles**
BAGNARD → CAILLOU, CONDAMNÉ
BAGNARD convict, forçat, galérien
BAGNE → COLONIE
BAGNÉRAIS
Voir tab. **Habitants (comment se nomment les)**
BAGNÈRES-DE-BIGORRE
Voir tab. **Habitants (comment se nomment les)**
BAGNEUX
Voir tab. **Habitants (comment se nomment les)**
BAGOU → BAVARDAGE
BAGOUT → BONIMENT, DUPER, PARLER
BAGUAGE → SÈVE
BAGUE → ANNEAU, MANCHON
Voir illus. **Bijoux**
BAGUE alliance, anneau épiscopal, baguier, chaton, chevalière, enchâsser, enchatonner, jonc, marquise, monter, semaine, sertir, sertissure, solitaire
BAGUE ALLONGE
Voir tab. **Photographie (vocabulaire de la)**
BAGUE DE CIGARE
Voir tab. **Collectionneurs**
BAGUENAUDER → ALLER, BADAUD, FLÂNER, PROMENER (SE), TRAÎNER
BAGUETTE → BÉRET, CADRE, CANNE, ENCADREMENT, ORCHESTRE, PAIN, RELIURE, SAC
Voir illus. **Percussions**
Voir illus. **Violon**
Voir tab. **Instruments de musique**
BAGUETTE agitateur, badine, baguettisant, bâtard, caducée, cingler, cravache, ficelle, flûte, frette, fustiger, gaule, houssine, jonc, listel, liteau, membron, parisien, radiesthésie, rhabdoïde, rhabdomancie, sourcier, stick, thyrse, tuteur, verge
BAGUETTE (TAILLE EN)
Voir illus. **Pierres précieuses (taille des)**
BAGUETTE DE LESTAGE → STORE
BAGUETTE MAGIQUE → FÉE
BAGUETTISANT → BAGUETTE
BAGUIER → BAGUE, BIJOU, BOÎTE
BAHAÏSME
Voir tab. **Religions et courants religieux**
BAHKTI
Voir tab. **Hindouisme**
BAHUT → BALUSTRADE, BUFFET, CAMION, COFFRE, MUR
BAI → BRUN
Voir tab. **Chevaux (robes des)**
BAIE → ABRI, CACTUS, FENÊTRE, OUVERTURE
Voir illus. **Littoral**
Voir tab. **Forme de... (en)**
BAIE anse, baccifère, bacciforme, bow-window, calanque, conche, crique, fjord, golfe, groseille, myrtille, oriel, rade, raisin, tomate
BAIE DE PORTE
Voir tab. **Intérieur de maison**
BAIGNAGE → IRRIGATION

B

BAIGNÉ → IMPRÉGNER, TREMPÉ

BAIGNER → LAVER, NAGER, PLONGER, REMPLIR

BAIGNER baptiser, enveloppé (être), immerger, imprégné (être), pénétré (être), plonger, tremper

BAIGNEUR → BÉBÉ, JOUET, POUPÉE

BAIGNEUSE
Voir illus. **Sièges**

BAIGNOIRE → BAIN, LOGE, PASSERELLE, PLACE

BAIL → ACCORD, LOCATION

BAIL affermer, bailleur, colon, emphytéose, expiration, ferme (à), fermier, locataire, loueur, métayer, preneur, résiliation, terme

BAILLE → BAC

BAILLE À MOUILLAGE
Voir illus. **Voilier : Dufour 38 Classic**

BÂILLEMENT → BÂILLER

BAILLER abuser, accroire, duper, moquer de (se), tromper

BÂILLER ajuster, bâillement, béant, entrebâiller, entrouvrir

BAILLET → ROUX

BAILLEUR → BAIL, PROPRIÉTAIRE

BÂILLON → BÂILLONNER
Voir tab. **Pêche**

BÂILLONNER → ENCHAÎNER, SILENCE, TAIRE

BÂILLONNER bâillon, bandeau, censurer, étouffer, garrotter, liberté d'expression (ôter la), museler, tampon

BAIN ablution, baignoire, bain de siège, bains-douches, balnéaire, balnéation, balnéothérapie, baptême, bousage, caldarium, crénothérapie, démarré, eaux (prendre les), étuve, frigidarium, gargarisme, hammam, héliothérapie, hydrothérapie, hypocauste, illutation, Jacuzzi, manuluve, pédiluve, sabot, sauna, sinapisé, sudatorium, tepidarium, thalassothérapie, thermes, tub

BAIN D'ARRÊT
Voir tab. **Photographie (vocabulaire de la)**

BAIN D'HUILE → RADIATEUR

BAIN DE SIÈGE → BAIN

BAIN DE VAPEUR → SUER

BAIN TURC → VAPEUR

BAINS-DOUCHES → BAIN

BAINS-EN-VOSGES
Voir tab. **Habitants (comment se nomment les)**

BAÏONNETTE → BLANC (1), LAMPE
Voir illus. **Fusils**

BAÏRAM → ISLAM, MUSULMAN (2)

BAISEMAIN → BAISER

BAISEMENT → BAISER

BAISER → CONTACT

BAISER baisemain, baisement, bec, bécot, bise, bisou, cueillir, dérober, dévorer, Judas (baiser de), manger, voler

BAISSE → CHANGEMENT, CREUX (1), REFLUX, RESTRICTION

BAISSE baissier, décélération, déclin, decrescendo, décroissance, décrue, déflation, dépression, diminution, effondrement, escompte, étiage,

jusant, krach, marasme, perdant, rabais, récession, réduction, reflux, régression, remise, ristourne

BAISSER → DÉCLINER, DÉCROÎTRE, DÉFAILLIR, DESCENDRE, FAIBLIR, FLÉCHIR, INCLINER, PENCHER (SE), RÉDUIRE

BAISSER abandonner, abdiquer, céder, démissionner, renoncer, retirer (se)

BAISSIER → BAISSE, BOURSE

BAISSIÈRE → VIN

BAJOCASSES
Voir tab. **Habitants (comment se nomment les)**

BAJOUE → JOUE

BAJOYER → ÉCLUSE, MUR, PAROI

BAKCHICH → ACCÈS, CADEAU, COMMISSION, DON, GAIN, GRATIFICATION, MALHONNÊTE

BAKÉLITE → PLASTIQUE (1), RÉSINE

BAKLAVA → MIEL, PÂTISSERIE
Voir tab. **Gâteaux régionaux et étrangers**

BAL → FÊTE, RÉUNION, SOIR, SOIRÉE

BAL bastringue, blanc, carnet de bal, champêtre (bal), conduire, costumé, cotillon, diriger, domino, fais-dodo, gouverner, guinche, guinguette, loup, masqué, musette (bal), ouvrir le bal, redoute, régir, superviser, têtes (bal de), travesti

BALADE → SORTIE

BALADER (SE) → FLÂNER, PROMENER (SE)

BALADEUR → RADIO

BALADEUSE → TRAMWAY

BALADIN → COMÉDIEN, DANSEUR

BALADIN bateleur, histrion, paillasse, saltimbanque

BALAFON → PERCUSSION, XYLOPHONE

BALAFRE → CICATRICE, ENTAILLE, MARQUE, PLAIE

BALAFRE chéloïde, cicatrice, estafilade, scarifications, taillade

BALAFRER → BLESSER

BALAI → BERGE, PERCUSSION, QUEUE, SORCIÈRE, TRAIN
Voir illus. **Percussions**
Voir tab. **Instruments de musique**

BALAI balayette, balayures, berges, charbon, congédiement, dégraissage, dilapider sa fortune, écouvillon, époussette, faubert, goret, guipon, hérisson, houssoir, lave-pont, licenciement, limogeage, nettoyage, pige, plan social, plumeau, printemps, restructuration, tête-de-loup, vadrouille

BALAIS
Voir tab. **Couleurs**

BALALAÏKA → CORDE
Voir tab. **Instruments de musique**

BALANCE → ATTRIBUT, BILAN, CAFARD, DÉNONCER, ÉCREVISSE, ÉQUILIBRE, FILET, JUSTICE, ORGANE, PESER, POLICE, PONDÉRATION, RECETTE, RÉGIME, SOLDE
Voir tab. **Astrologie**
Voir tab. **Pêche**
Voir tab. **Zodiaque**

BALANCE actif, aiguille, ajustoir, avantager, baroscope, bascule, bassin, bilan, bras, caudrette, comparer, couteau, crédit, débit, favoriser, fléau, joug, languette, opposer, passif, pèse-bébé, pèse-lettre, pèse-personne, pesette, peson, plateau, potentiomètre, privilégier, Roberval, romaine, tablier, trébuchet, truble

BALANCE DES PAIEMENTS
Voir tab. **Économie**

BALANCÉ → BALLOTTER, BÂTI (1), MARCHE
Voir tab. **Danse classique**

BALANCELLE → BALANCER, TOIT
Voir illus. **Sièges**

BALANCEMENT → BATTEMENT, MOUVEMENT, OSCILLATION, REFLUX

BALANCEMENT nutation, roulis, tangage

BALANCER → BERCER, DÉNONCER, FOIS, HÉSITER, INDÉCISION, OSCILLER, SECOUER

BALANCER adodoler, balancelle, bascule, bercer, branler, dandiner (se), délation, dénoncer, dodeliner de, escarpolette, hocher, livrer, osciller, rocking-chair, tapecul, tergiverser, trahir, vaciller

BALANCINE → CORDAGE
Voir illus. **Voilier : Dufour 38 Classic**

BALANÇOIRE → PORTIQUE

BALANDRAN
Voir illus. **Manteaux**

BALANE → GLAND

BALANITE → GLAND

BALAYAGE → CHEVEU, MÈCHE

BALAYAGE couleur, déblayage, décoloration, enlèvement, ligne, mèches, teinture, trame

BALAYÉ → EMPORTER

BALAYER → ÉCARTER, LEVER, PARCOURIR, POUSSIÈRE, SUPPRIMER, TRAÎNER

BALAYER balayeuse, chasser, débarrasser de (se), détruire, écarter, emporter, éradiquer, parcourir, passer en revue, raser, rejeter, repousser, supprimer, survoler

BALAYETTE → BALAI, PELLE

BALAYEUSE → BALAYER, VOLANT

BALAYURES → BALAI

BALBUTIEMENT → BÉGAIEMENT, DÉBUT, ENFANT

BALBUTIEMENT ânonnement, babil, bégaiement, commencement, début, prémices

BALBUTIER → ARTICULER, BÉGAYER, DISTINCT, RÉCITER

BALBUTIER ânonner, bafouiller, bougonner, bredouiller, grommeler, marmonner, marmotter, maugréer

BALBUZARD → AIGLE, RAPACE
Voir tab. **Rapaces**
Voir tab. **Oiseaux (classification simplifiée des)**

BALBYNIENS
Voir tab. **Habitants (comment se nomment les)**

BALCON → PLATE-FORME, SAILLIE
Voir illus. **Maison**
Voir illus. **Théâtre**

BALCON appui, balustrade, corbeille, encorbellement, galerie, loggia, mezzanine, moucharabieh, paradis

BALCON AVANT
Voir illus. **Voilier : Dufour 38 Classic**

BALCONNET → BUSTE

BALDAQUIN → AUTEL, CIEL, LIT, PLAFOND, RIDEAU

BALEINE → CÉTACÉ, CORSET
Voir tab. **Animaux (termes propres aux)**
Voir tab. **Mammifères (classification des)**

BALEINE baleinoptère, béluga, bernacles, cétacé, fanons, jubarte, krill, Léviathan, mammifères, mégaptère, Moby Dick, mysticètes, Nantucket, New Bedfort, odontocètes, plancton, rorqual, spermaceti

BALEINEAU
Voir tab. **Animaux (termes propres aux)**

BALEINIER → BATEAU
Voir tab. **Bateaux**

BALEINIÈRE → EMBARCATION

BALEINOPTÈRE → BALEINE

BALÈVRE → SAILLIE

BALISAGE → SIGNAL

BALISE → ATTERRISSAGE, BOUÉE, PERCHE, PHARE, POTEAU, RADAR, REPÈRE, SIGNAL

BALISER → MARQUER, TRACER

BALISTE → FRONDE, LANCER, MACHINE, PROJECTILE

BALISTIQUE → MÉCANIQUE (1), PROJECTILE

BALISTIQUE EXTÉRIEURE → TRAJECTOIRE

BALIVEAU → ARBRE, ÉCHAFAUDAGE, FORÊT, TAILLIS

BALIVERNE → BÊTISE, BLAGUE, BOURDE, CONTE, FUTILE, HISTOIRE, NIAISERIE, PAROLE, SOTTISE

BALIVERNE billevesée, calembredaine, coquecigrue, fadaise, faribole, sornette, sottise

BALKANISATION → TERRITOIRE

BALLADE → POÈME
Voir tab. **Poésie (vocabulaire de la)**

BALLANT → DRAPEAU, MOUVEMENT, PENDANT (3), REMUER

BALLE → CARTOUCHE, CÉRÉALE, ÉPI, FUSIL, GRAIN, MUNITION, PAQUET, PROJECTILE
Voir illus. **Cartouches**
Voir tab. **Sports**

BALLE base-ball, cartouche, chevrotine, cricket, crosser, éteuf, glume, glumelle, golf, hockey sur gazon, munition, pelote (basque), périanthe, plomb, polo, projectile, shrapnell, squash, tennis, tennis de table

BALLE DE FRONDE
Voir tab. **Collectionneurs**

BALLE DE PROTECTION
Voir illus. **Aviron**

BALLE DE PROUE
Voir illus. **Aviron**

BALLERINE → BALLET, CHAUSSON, CHAUSSURE, DANSEUR
Voir illus. **Chaussures**

BALLES → FRANC (1)

BALLET adage, ballerine, ballettomane, chorégraphe, coda, corps de ballet, coryphée, entrée, étoile, final, maître de ballet, rat (petit), renouvellement, rotation, turn-over, valse

BALLET (CORPS DE) → DANSEUR

BALLETTOMANE → BALLET

BALLON → MANCHE, MONTAGNE, SOMMET, VASE

BALLON aéronaute, aérostat, basket-ball, dirigeable, football, football américain, handball, montgolfière, rugby, volley-ball, water-polo, zeppelin

BALLONNÉ → CHARGÉ, DANSE
Voir tab. **Danse classique**

BALLONNEMENT → INTESTIN (1), VENTRE

BALLONNER → GONFLER

BALLOT → PAQUET

BALLOTIN → EMBALLAGE

BALLOTTAGE → SCRUTIN

BALLOTTER → INDÉCISION, OSCILLER, SECOUER

BALLOTTER agité, balancé, bringuebaler, brinquebaler, cahoter, écarteler, indécis, remué, secoué, tiraillé

BALL-TRAP → CIBLE, PIGEON, TIR

BALNÉAIRE → BAIN, STATION

BALNÉATION → BAIN

BALNÉOLAIS
Voir tab. **Habitants (comment se nomment les)**

BALNÉOTHÉRAPIE → BAIN
Voir tab. **Médecines alternatives**

BÂLOIS → SUISSE

BALONGE → VENDANGE

BALOURD → MALADROIT

BALOURDISE → GAFFE, IDIOTIE, SOTTISE

BALOURDISE adresse, délicatesse, finesse, gaucherie, goujaterie, grossièreté, indélicatesse, lourdeur, maladresse, raffinement, rusticité, sottise, spiritualité, stupidité, subtilité

BALSAMINE → IMPATIENT (1)

BALSAMIQUE → BAUME

BALTHAZAR → CHAMPAGNE, LITRE, MAGE
Voir tab. **Bouteilles**

BALUCHON → BAGAGE, PAQUET

BALUSTRADE → BALCON, BARRIÈRE
Voir illus. **Escalier**

BALUSTRADE appui, bahut, balustre, barrière, garde-corps, garde-fou, parapet, rambarde, rampe

BALUSTRE → BALUSTRADE, CLÔTURE, SUPPORT
Voir illus. **Escalier**
Voir illus. **Sièges**

BALZANE → TACHE

BAMBINE → FILLE

BAMBOCHEUR → FÊTE

BAMBOU → VANNERIE

BAMBOU bambouseraie, chine, pipeau

BAMBOUSERAIE → BAMBOU

BAN → APPLAUDISSEMENT, MARIAGE, ROULEMENT, TAMBOUR, VASSAL

BANAL → ANONYME, BATEAU, CHARME, CLASSIQUE, COMMUN, DANGER, IMPERSONNEL, INSIGNIFIANT, MÉDIOCRE, ORDINAIRE, PLAT (2), QUELCONQUE, QUOTIDIEN, ROUTINE, SIMPLE, TRIVIAL, USÉ

BANAL bateau, commun, conventionnel, convenu, courant, déconcertant, exceptionnel, extraordinaire, extravagant, impersonnel, inaccoutumé, incolore, incomparable, inédit, insignifiant, insipide, insolite, ordinaire, original, pittoresque, plat, précédent (sans), quelconque, rebattu, singulier, trivial, triviale, truculent, usé

BANALISER diffuser, propager, répandre, vulgariser

BANALITÉ → CLICHÉ, COMMUN, LIEU, MÉDIOCRITÉ, PAUVRETÉ, PHRASE, PLATITUDE, REDEVANCE

BANALITÉ cliché, lieu commun, platitude, poncif

BANANA SPLIT → BANANE

BANANE → CEINTURE, COIFFURE, HÉLICOPTÈRE
Voir illus. **Cheveux (coupes de)**

BANANE banana split, banane douce, banane plantain, bananier, régime

BANANE DOUCE → BANANE

BANANE PLANTAIN → BANANE

BANANERAIE → BANANIER

BANANIA
Voir tab. **Chocolat**

BANANIER → BANANE, CARGO, RÉPUBLIQUE

BANANIER abaca, baba figue, bananeraie, chanvre de Manille, tagal

BANC → BANDE, BRUME, FOND, ÎLE
Voir illus. **Sièges**

BANC assise, bancelle, banquette, banquise, chevalet, couche, écueil, épreuve, escabelle, établi, gradin, huîtrière, lit, récif, strate, table, test

BANC DE SABLE → SABLE

BANCAL → BOITEUX, DÉFECTUEUX, INSTABLE, SABRE

BANCAL bancroche, boiteux, branlante, claudicant, contestable, illogique, incohérent

BANCELLE → BANC

BANCHER → COULER

BANCROCHE → BANCAL

BANDAGE → CORSET

BANDAGE mentonnière, minerve, mitre d'Hippocrate, spica, suspensoir

BANDANA → FOULARD
Voir illus. **Nœuds et cravates**

BANDE → CHEF, ÉCHARPE, FILM, INCLINAISON, PELLICULE, PISTE, ZONE
Voir illus. **Héraldique**
Voir tab. **Animaux (termes propres aux)**

BANDE banc, bande molletière, bandoulière, baudrier, brayer, cabale, camarilla, caste, ceinture, chapelle, clan, clique, colonie, coterie, courroie, équipe, essaim, faction, gang, groupe, horde, lanière, laticlave, lé, ligue, mafia, meute, obi, ruban, sangle, secte, tribu, troupe, troupeau, volée

BANDE (À LA) → INCLINER

BANDE DE GARROT
Voir illus. **Selle**

BANDE DE ROULEMENT → PNEU

BANDE DESSINÉE → GRAPHIQUE

BANDE MOLLETIÈRE → BANDE

BANDE PASSANTE
Voir tab. **Internet**

BANDE PUBLIQUE → MESSAGE

BANDE SONORE → RALENTIR

BANDE-ABRI
Voir tab. **Chasse (vocabulaire de la)**

BANDE-ANNONCE → FILM

BANDÉ → ÉCHARPE

BANDEAU → BÂILLONNER, COURONNE, MOULURE, ORNEMENT, PIRATE (1)
Voir illus. **Maison**
Voir illus. **Sièges**
Voir tab. **Architecture**

BANDEAU diadème, frise, fronteau, infule, moulure, plate-bande, serre-tête, turban

BANDELETTE → MOMIE

BANDER → ARC, RESSORT, TENDRE (1)

BANDEROLE → MANIFESTATION, PANCARTE, PUBLICITAIRE

BANDES
Voir tab. **Échecs**

BANDIT → CAMBRIOLER, COQUIN (1), MALFAITEUR

BANDIT bandoulier, boucanier, brabançon, brigand, corsaire, coutereau, desperado, détrousseur, écumeur, escroc, filou, flibustier, forban, gangster, hors-la-loi, malandrin, malfaiteur, pirate, repaire, requin, routier, truand, voleur

BANDIT MANCHOT → JEU

BANDOLIER → CONTREBANDIER

BANDONÉON → ACCORDÉON

BANDOULIER → BANDIT

BANDOULIÈRE → BANDE, BRETELLE, ÉCHARPE

BANDURRIA
Voir tab. **Instruments de musique**

BANDWIDTH
Voir tab. **Internet**

BANG
Voir tab. **Bruits**

BANGKOK
Voir illus. **Coiffures**

BANJO → CORDE
Voir tab. **Instruments de musique**

BANK-NOTE → BANQUE

BANLIEUE → AGGLOMÉRATION, CEINTURE, DÉPARTEMENT, PÉRIPHÉRIE, QUARTIER, VILLE, ZONE

BANLIEUE banlieusard, couronne, faubourg, périphérie, suburbain, verlan

BANLIEUSARD → BANLIEUE, VILLE

BANLON → FIBRE

BANNE → CHARRETTE, PANIER, STORE

BANNERET → SEIGNEUR

BANNETON → CAISSE, PAIN, PANIER

BANNI → INTERDIT (2)

BANNI exilé, paria, proscrit

BANNIÈRE → CHEMISE, DRAPEAU, PAN
Voir illus. **Drapeaux**
Voir tab. **Multimédia (les mots du)**
Voir tab. **Pêche**

BANNIR → CHASSER, CONDAMNER, ÉCARTER, EFFACER, EXCLURE, EXILER, EXPULSER, REFOULER

BANNIR anathématiser, chasser, déporter, écarter, exclure, excommunier, exiler, expulser, ostraciser, pétalisme, rejeter, supprimer, xénélasie

BANNISSEMENT → CONDAMNATION, DÉPORTATION, INTERDICTION

BANON
Voir illus. **Fromages**

BANQUE → DONNÉE, FINANCES, INSTITUTION, RETIRER

BANQUE agio, assignat, bank-note, banquier, change, coffre-fort, coupure, crédit, dépôt, données (de), émission de chéquiers, encaissement, escompte, financement, financier, intérêt, majoration, monnaie fiduciaire, organe, placement, prélèvement, prêt, retrait, sang (du), sperme (du), terminologie, transfert, virement, yeux

BANQUE CENTRALE
Voir tab. **Banque**

BANQUE CENTRALE EUROPÉENNE
Voir tab. **Banque**

BANQUE COMMERCIALE
Voir tab. **Banque**

BANQUE D'IMAGES → COLLECTION

BANQUE DE DONNÉES → BIBLIOTHÈQUE

BANQUEROUTE → BILAN, DÉBÂCLE, DÉPÔT, DÉSASTRE, FAILLITE, RUINE

BANQUEROUTE déconfiture, dépôt de bilan, faillite, krach, liquidation, ruine

BANQUET → BOMBANCE, DÉJEUNER, FESTIN, REPAS
Voir illus. **Harnais**

BANQUET agape, amphitryon, architriclin, banqueter, banqueteur, bombance, convive, écuyer tranchant, festin, festoyer, frairie, hôte

BANQUETER → BANQUET, BOMBANCE, REPAS

BANQUETEUR → BANQUET

BANQUETTE → BANC, BORDER, LIT, PARAPET, PLATE-FORME, TROTTOIR
Voir illus. **Sièges**

BANQUETTE IRLANDAISE → TALUS

BANQUIER → BANQUE, FINANCIER (1)
Voir tab. **Saints patrons**

BANQUISE → BANC, GLACE

BANQUISTE → CIRQUE

BANS → ANNONCE

BANYULAIS
Voir tab. **Habitants (comment se nomment les)**

BANYULENCQUES
Voir tab. **Habitants (comment se nomment les)**

BANYULENCS
Voir tab. **Habitants (comment se nomment les)**

BANYULS-SUR-MER
Voir tab. **Habitants (comment se nomment les)**

BAOBAB
Voir tab. **Végétaux (classification simplifiée des)**

BAPTÊME → BAIN, BÉNÉDICTION, DRAGÉE, INITIATION, LITURGIE, PURIFICATION, RELIGIEUX (2), SACREMENT
Voir tab. **Sacrements**

BAPTÊME anabaptiste, baptisé, baptistaire, baptiste, baptistère, bénédiction, catéchumène, chrême, chrémeau, chrismation, filleul, fonts baptismaux, limbes, marraine, martyre, mennonite, onction, ondoiement, parrain, patron

BAPTÊME DE L'AIR → AVION

BAPTÊME DU SANG → MARTYRE

BAPTISÉ → BAPTÊME

BAPTISER → BAIGNER, BÉNIR

BAPTISER affusion, aspersion, bénir, coupé, dénommer, immersion, prénommer, surnommer

BAPTISTAIRE → BAPTÊME

BAPTISTE → BAPTÊME, PROTESTANT (2)

BAPTISTÈRE → BAPTÊME, CHAPELLE

BAQUET → BAC

BAQUETURES → BOUTEILLE

BAR → ATMOSPHÉRIQUE, BAROMÈTRE, BOISSON, BUVETTE, COMPTOIR, LOUP, MÉTÉOROLOGIE

BAR assommoir, barmaid, barman, bistrot, bistrotier, buvette, caboulot, cafetier, estaminet, gargote, hectopascal, limonadier, loup, lubin, mastroquet, milk-bar, millibar, perciformes, pilier, pub, saloon, serranidés, tenancier, troquet, zinc

BARAGNES → HAIE

BARAGOUIN → LANGAGE

BARAGOUINER → PARLER

BARALBINS
Voir tab. **Habitants (comment se nomment les)**

BARAQUE → BOUTIQUE, INSTALLATION

BARAQUE appentis, baraquement, bicoque, cabane, cagna, cahute, cassine, hangar, hutte, masure, paillote, remise, resserre, stand

BARAQUÉ → BÂTI (1)

BARAQUEMENT → BARAQUE

BARATIN → BONIMENT

BARATINEUR → BAVARD

BARATTE → BEURRE

BARATTER → CRÈME

BARBACANE → FENÊTRE, TERRASSE
Voir illus. **Château fort**

BARBARE → ABOMINABLE, ATROCE, AUXILIAIRE (1), BRUT, BRUTAL, CRUEL, FÉROCE, INCORRECT, INHUMAIN, SAUVAGE

BARBARE Alains, Alamans, barbarisme, béotien, bestial, brutal, Burgondes, Cimbres, féroce, Francs, Goths, grossier, Huns, impitoyable, impropriété, incorrection, inculte, inhumain, philistin, rude, rustre, sanguinaire, Saxons, solécisme, Suèves, Vandales

BARBARELLA
Voir tab. **Bande dessinée (héros de)**

BARBARIE → ATROCITÉ, BRUTALITÉ, CRUAUTÉ, FÉROCITÉ, MASSACRE, SAUVAGERIE

BARBARIE bestialité, bourreau, cruauté, férocité, inhumanité, sadisme, sauvagerie, sévices, supplice, tortionnaire, torture, tyran, vandalisme

BARBARIE (ORGUE DE) → ORGUE

BARBARISME → ABUS, BARBARE, FAUTE, GRAMMAIRE, IRRÉGULIER

BARBE → BAVURE, ÉPI, PLUME, POIL, POMPIER, SAVON

BARBE barbiche, bouc, byssus, clavaire coralloïde, collier, côtelettes, duvet, favoris, glabre, grommeler, imberbe, impériale, marmonner, marmotter, mouche, nigelle, pattes de lapin, royale, spirée, usnée

BARBE-DE-CAPUCIN
Voir tab. **Salades**

BARBEAU → BLEU (1)
Voir tab. **Couleurs**
Voir tab. **Prostitution**

BARBECUE → BROCHE, DÉJEUNER, REPAS

BARBELÉ → CLÔTURE, FER, RÉSEAU

BARBELÉ cheval de frise, ronce artificielle

BARBELURE → GRILLE

BARBER → FATIGUER

BARBES → PAPIER

BARBETTE → FICHU, PLATE-FORME, RELIGIEUX (1)

BARBICHE → BARBE, BOUC, IMPÉRIAL (1), MENTON

BARBILLE → BAVURE

BARBILLON → POISSON
Voir tab. **Prostitution**

BARBON → BEAU

BARBOTER → NAGER, PATAUGER

BARBOTEUSE → BÉBÉ, CULOTTE

BARBOTIN → CANARD
Voir tab. **Animaux (termes propres aux)**

BARBOTINE → CÉRAMIQUE, CIMENT, FAÏENCE, PÂTE

BARBOUILLAGE → ENFANT

BARBOUILLÉ → SALE

BARBOUILLER → PEINDRE

BARBOUILLER badigeonner, barioler, enduire, graffiter, gribouiller, griffonner, maculer, noircir, peinturlurer, souiller, tacher, taguer

BARBOUILLEUR → PEINTRE

BARBOUZE → SECRET (2)

BARBU → HÉRISSÉ
Voir tab. **Oiseaux (classification simplifiée des)**

BARBULE → PLUME

BARCAROLLE → CHANSON

BARCASSE → BARQUE
Voir tab. **Bateaux**

BARDA → BAGAGE, BAZAR, PAQUET

BARDANE
Voir tab. **Plantes médicinales**

BARDE → ARMURE, CELTIQUE, CHANTEUR, GAULOIS, HÉROÏQUE, LARD, POÈTE, RÔTI (1), TRANCHE, VIANDE

BARDEAU → PLANCHE

BARDÉE → BLINDÉ

BARDOT → ÂNE, CHEVAL, HYBRIDE

BAREFOOT → NAUTIQUE, SKI

BARÈME → TARIF
Voir tab. **Livres**

BARESTHÉSIE → POIDS

BARGE → FOIN
Voir tab. **Becs**
Voir tab. **Bateaux**

BARGUIGNER → DÉCIDER, HÉSITER

BARIBAL → OURS

BARIL → PÉTROLE, TONNEAU

BARILLET → HORLOGERIE, REVOLVER, SERRURE
Voir tab. **Revolver**

BARIOLAGE → DESSIN

BARIOLÉ → PANACHÉ, VARIÉ

BARIOLÉ bigarré, chamarré, diapré, multicolore

BARIOLER → BARBOUILLER

BARISIENS
Voir tab. **Habitants (comment se nomment les)**

BARKHANE → SABLE
Voir tab. **Géographie et géologie (termes de)**

BAR-LE-DUC
Voir tab. **Habitants (comment se nomment les)**

BARLONG → LONG

BARLOTIÈRE → BARRE

BARMAID → BAR

BARMAN → BAR, EMPLOYÉ, GARÇON

BAR-MITSVA → JUIF (2)

BAROGRAPHE → ALTITUDE, BAROMÈTRE

BAROMÈTRE → AIR, ATMOSPHÉRIQUE, ENREGISTREUR, INDICATEUR, INSTRUMENT, MÉTÉOROLOGIE

BAROMÈTRE aiguille, bar, barographe, baromètre à cadran, baromètre à cuvette, baromètre à siphon, baromètre anéroïde, cadran, hectopascal, mercure, millibar

BARON → LITRE, NOBLESSE

BAROQUE → BIZARRE, EXCENTRIQUE, ORIGINAL, PERLE, TARABISCOTÉ

BAROSCOPE → BALANCE, TENSION

BARQUE → EMBARCATION, PÊCHE
Voir tab. **Bateaux**
Voir tab. **Forme de... (en)**

BARQUE barcasse, bisquine, cange, canot, couralin, esquif, gondole, gribane, nègue-chien, périssoire, picoteux, pinasse, pirogue, taureau, tillolle

BARQUENTINE
Voir tab. **Bateaux**

BARQUETTE → TARTE

BARRAGE → BARRIÈRE, ÉCLUSE, HYDRAULIQUE, IRRIGATION, OPPOSITION, RETENIR, RETENUE

BARRAGE barricade, batardeau, blocage, brise-lames, cordon, digue, duit, écluse, estacade, fermeture, filtrer, hausse, inhibition, jetée, obstacle (faire), sélectionner

BARRE → BILLE, CHOCOLAT, DANSE, FERMETURE, GOUVERNAIL, GYMNASTIQUE, IMMEUBLE (1), OR, PLAIDER, SAVON, TRIBUNAL, TRINGLE, VAGUE (1)
Voir illus. **Aviron**
Voir illus. **Violon**

BARRE bâcle, barlotière, barrer, barreur, croisillon, davier, diriger, épar, gouverner, lingot, meneau, ringard, skipper, timon, timonier, tisonnier, trait, traverse, tringle

BARRE (AVOIR) → DOMINER

BARRE À ROUE
Voir illus. **Voilier : Dufour 38 Classic**

BARRE DE MESURE → PORTÉE
Voir illus. **Symboles musicaux**

BARRE DE PIED
Voir illus. **Aviron**

BARRE DE TENSION
Voir illus. **Guitare**

BARRE FIXE → GYMNASE

BARRE ROCHEUSE → VERROU

BARRÉ → BOUCHÉ, RACINE
Voir illus. **Héraldique**

BARREAU → AVOCAT, ÉCHELLE, PARQUET
Voir illus. **Sièges**

BARREAU arc-boutant, échelon, grille

BARRER → BARRE, BLOQUER, CONDUIRE, CONTRARIER, FERMER, GOUVERNER, OBSTRUER, ÔTER, RAYER, SUPPRIMER

BARRER barricader, biffer, bloquer, couper, interdire, obstruer, raturer, rayer

BARRETTE → BONNET, CARDINAL (1), CHAPEAU, CHEMISE, PNEU
Voir illus. **Coiffures**
Voir illus. **Guitare**

BARREUR → BARRE, PILOTE

BARRICADE → BARRAGE, OBSTACLE

BARRICADER → BARRER, FERMER, ISOLER (S'), MUTISME

BARRIÈRE → BALUSTRADE, CHEMIN DE FER, OBSTACLE, PALISSADE, POTEAU, SAUVEGARDE

BARRIÈRE balustrade, barrage, digue, douane, échalier, enclos, garde-corps, garde-fou, glissière de sécurité, incompréhension, obstacle, palissade, parapet, passage à niveau, poste frontalier, récif

BARRIÈRE DE DÉGEL → FONTE

BARRIÈRE DE SPA → OBSTACLE

BARRIÈRE SONIQUE → SON

BARRIQUE → TONNEAU

BARRIR
Voir tab. **Animaux (termes propres aux)**

BARRISSEMENT → ÉLÉPHANT

BARROIS
Voir tab. **Habitants (comment se nomment les)**

BARSÉQUANAIS
Voir tab. **Habitants (comment se nomment les)**

BAR-SUR-AUBE
Voir tab. **Habitants (comment se nomment les)**

BARSURAUBOIS
Voir tab. **Habitants (comment se nomment les)**

BAR-SUR-SEINE
Voir tab. **Habitants (comment se nomment les)**

BARTAVELLE → PERDRIX

BARTHÉLEMY
Voir tab. **Jésus (disciples de)**

BARUCH
Voir tab. **Bible**

BARYCENTRE → GRAVITÉ, INERTIE

BARYMÉTRIE → POIDS

BARYON → PARTICULE

BARYONIQUE → MASSE

BARYSPHÈRE → TERRE

BARYTON → CHANTEUR, VOIX

BARYUM → RADIUM
Voir tab. **Éléments chimiques (symbole des)**

BAS → IGNOBLE, INFÂME, LAID, PROFOND, SALE, SERVILE, SOMBRE, TÉNÉBREUX, TRIVIAL

BAS (1) bout, corset, économies, épargne, femme pédante, gaine, guêtre, jambière, jarretière, pécule, pied, porte-jarretelles, remailleuse, semelle, talonnette, tige

BAS (2) abject, aparté, chuchoter, ci-après, ci-dessous, déchoir, dépression, estimable, honorable, ignoble, ignominieux, indigne, infâme, infra, intriguer, loin (plus), manigancer, méprisable, mesquin, murmurer, noble, odieux, parturition, ravin, sublime, susurrer, vil, vulgaire

BAS (AU PLUS) → ZÉRO

BAS (TRÈS) → ZÉRO

BAS À COUTURE
Voir illus. **Modes et styles**

BAS DE GAMME → CHER

BAS DE LAINE → CACHETTE

BASALTE → LAVE
Voir illus. **Volcan**
Voir tab. **Roches et minerais**

BASANÉ → CUIR, MOUTON, RELIURE

BASANÉ → BRUN, FONCÉ, HÂLÉ, MAT, NOIR (2)
Voir tab. **Couleurs**

BASANÉ bistré, bronzé, hâlé, mat, tanné

BAS-BLEU → FEMME, PÉDANT

BAS-CÔTÉ → ALLÉE, BORD, LATÉRAL
Voir illus. **Église (plan d'une)**

BASCULE → BALANCE, BALANCER, PESER

BASCULE berceuse, pont-bascule, rocking-chair, tapecul

BASCULE D'ÉTOUFFOIR
Voir illus. **Piano**

BASCULER → CHAVIRER, RENVERSER, TOMBER

BASCULER capoter, chavirer, craquer, culbuter, renverser, tomber

BAS-DE-CASSE → LETTRE, MAJUSCULE, MINUSCULE
Voir tab. **Typographies**

BASE → APPUI, CAUSE, CENTRE, DONNÉE, INFÉRIEUR, MILITAIRE (1), PIED, PIÉDESTAL, PIVOT, PLATE-FORME, PRINCIPE, RACINE, RAVITAILLEMENT, SIÈGE, SOUBASSEMENT, SOURCE
Voir illus. **Champignon**
Voir illus. **Colonnes**
Voir tab. **Chimie**

BASE acrotère, adhérent, assiette, assise, axiome, camp, chaux, clef de voûte, fondations, fondement, hydroxyde, lexème, ligne, militant, morphème,

piédestal, piédouche, pivot, plate-forme, postulat, potasse, prémisses, principe, quartier général, racine, radical, SMIC, socle, soubassement, soude, stylobate, support, travailleur

BASE-BALL → BALLE
Voir tab. **Sports**

BASELLE → ÉPINARD

BASER → APPUYER, ASSEOIR, FONDER

BAS-FOND → FOND

BASIC → LANGAGE

BASILIC → CANON
Voir tab. **Herbes, épices et aromates**

BASILIQUE → ÉGLISE

BASIN → TRAME

BASKERVILLE
Voir tab. **Typographies**

BASKET → CHAUSSURE
Voir illus. **Chaussures**

BASKET-BALL → BALLON
Voir tab. **Sports**

BASKET-BALL match, panier, rencontre, tournoi

BAS-LANGAGE
Voir tab. **Argot et langages populaires**

BASMATI → RIZ

BASOPHOBIE
Voir tab. **Phobies**

BAS-PEUPLE → FOULE

BASQUE → PAN
Voir tab. **Couture**
Voir tab. **Gâteaux régionaux et étrangers**

BASQUINE → JUPE, VÊTEMENT

BAS-RELIEF → RELIEF

BASSE → CHANTEUR, VOIX

BASSE CARTE
Voir tab. **Belote**

BASSE CONTRAINTE
Voir tab. **Musique (vocabulaire de la)**

BASSE COUR
Voir illus. **Château fort**

BASSE ÉCOLE → ÉQUITATION

BASSE OBSTINÉE
Voir tab. **Musique (vocabulaire de la)**

BASSE-COUR → FERME (1), VOLAILLE

BASSE-LISSIER → TISSER

BASSERIE → TANNAGE

BASSESSE → INFAMIE, LÂCHETÉ, MÉCHANCETÉ, MESQUINERIE, PETITESSE

BASSET beagle, clarinette basse, clarinette recourbée, teckel

BASSIN → BALANCE, DÉPRESSION, ÉTANG, FLEUVE, GISEMENT, HANCHE, PARC, PIÈCE, PLAINE, PLATEAU, PORT, RÉSERVOIR, TRONC, VENTRE
Voir illus. **Squelette**

BASSIN bassinoire, cale, coccyx, crachoir, cuvette, darse, dépression, dock, gisement, haricot, os iliaques, pelvien, périnée, pistolet, plateau, sacrum, urinal, vasque

BASSINAGE
Voir tab. **Jardinage**

BASSINER → ARROSER

BASSINET → BOUTON, PLATEAU
Voir illus. **Fusils**

BASSINET DU REIN

Voir tab. **Chirugicales (interventions)**

BASSINOIRE → BASSIN, CHAUFFER, LIT

BASSON
Voir illus. **Orchestre**
Voir tab. **Instruments de musique**

BASTAING → TRONC

BASTE → DÉDAIN

BASTERNE → LITIÈRE

BASTIDE → CAMPAGNE, CHÂTEAU, CITADELLE, FORTIFICATION, MAISON

BASTILLE → FORT (1), PRISON

BASTILLÉ
Voir illus. **Héraldique**

BASTING → PLAFOND

BASTINGAGE → PARAPET

BASTION → FORTIFICATION
Voir illus. **Château fort**

BASTION citadelle, fief, forteresse, redoute, rempart

BASTRINGUE → BAL, BAZAR

BÂT → BÊTE (1), CHARGE

BATACLAN → BAZAR

BATAILLE → CARTE, COMBAT, CONFLIT, RENCONTRE

BATAILLE aérienne, campagne, carnaval, dada, marotte, navale, ordre, plan, sous-marine, stratégie, terrestre

BATAILLER → COMBATTRE

BATAILLEUR → BELLIQUEUX

BATAILLON → ARMÉE, TROUPE, UNITÉ

BATAILLON bataillon d'Afrique, cohorte, commandant, légion, régiment, troupe

BATAILLON D'AFRIQUE → BATAILLON

BATAN
Voir tab. **Instruments de musique**

BÂTARD → ADULTÈRE, BAGUETTE, CROISEMENT, ILLÉGITIME, PAIN, RACE, SUCRE

BÂTARD adultérin, champi, composite, corniaud, croisé, hybride, illégitime, mâtiné, mixte, naturel

BATARDEAU → BARRAGE

BATAVE → HOLLANDAIS

BATAVIA → LAITUE
Voir tab. **Salades**

BATEAU → BANAL, BÂTIMENT, COL, EMBARCATION, TROTTOIR
Voir illus. **Chaussures**

BATEAU baleinier, banal, bateau-citerne, bateau-feu, bateau-mouche, bateau-phare, batelier, batellerie, bâtiment, birème, butanier, canoë, canot, cargo, chaland, chaloupe, chalutier, conventionnel, convenu, esquif, galère, galiote, goélette, hors-bord, jonque, kayak, marinier, méthanier, navire, offshore (course), paquebot, passeur, péniche, pétrolier, pinardier, pirogue, propanier, quadrirème, radeau, rafiot, rebattu, régate, roulis, shipchandler, steamer, tangage, tanker, thonier, transatlantique, trirème, usé, vaisseau, vaporetto, vedette, yacht

BATEAU-CITERNE → BATEAU

BATEAU-FEU → BATEAU

BATEAU-MOUCHE → BATEAU
Voir tab. **Bateaux**

BATEAU-PHARE → BATEAU

BATEAU-PILOTE
Voir tab. **Bateaux**

BATELAGE → BAC

BATELÉE → CHARGE

BATELER → JONGLER

BATELEUR → ACROBATE, BALADIN, FORAIN, MAGICIEN

BATELIER → BAC, BATEAU, CONDUCTEUR

BATELLERIE → BATEAU, NAVIGATION, TRANSPORT

BAT-FLANC → LIT

BATHYMÈTRE
Voir tab. **Instruments de mesure**

BATHYMÉTRIE → PROFONDEUR, SONDE

BATHYMÉTRIQUE → CARTE, SOUS-MARIN (2)

BATHYSCAPHE → PLONGER, PROFONDEUR, SOUS-MARIN (1)

BATHYSPHÈRE → PLONGER, PROFONDEUR, SOUS-MARIN (1)

BÂTI → ASSEMBLAGE, CARCASSE, CARROSSERIE, CHÂSSIS
Voir tab. **Couture**

BÂTI (1) balancé (bien), baraqué, inaltérable, indestructible, inébranlable, musclé, résistant

BÂTI (2) armature, assemblage, cadre, carcasse, charpente, châssis, faufiler

BÂTI FIXE
Voir illus. **Intérieur de maison**

BÂTI OUVRANT
Voir illus. **Intérieur de maison**

BATIFOLAGE → JEU

BATIFOLER → PLAISANTER

BATIK → SOIE

BÂTIMENT → BATEAU, ÉDIFICE, IMMEUBLE (1), IMMEUBLE (2), MENUISIER, MONUMENT

BÂTIMENT ailes, annexes, arrière, avant, bateau, bâtisse, bergerie, canonnière, charpentier, combles, communs, construction, corps, couvreur, cuirassé, écurie, édifice, étable, façade, grange, hangar, immeuble, maçon, maison, menuisier, métairie, monument, navire, peintre, plâtrier, plombier, serrurier, vaisseau, vitrier

BÂTIR → CONSTRUIRE, ÉDIFIER, ÉLEVER, FAIRE, FAUFILER, FONDER

BÂTIR agencer, architecte, assembler, bâtisseur, construire, créateur, créer, échafauder, édifier, élever, ériger, établir, façonner, fondateur, fonder

BÂTISSE → BÂTIMENT, MAISON

BÂTISSEUR → ARCHITECTE, BÂTIR, ENTREPRENEUR, PIONNIER

BATISTE → CHEMISE, LIN, TOILE
Voir tab. **Tissus**

BATMAN
Voir tab. **Bande dessinée (héros de)**

BAT-MITSVA → JUIF (2)

BATOÏDES
Voir tab. **Poissons (classification simplifiée des)**

BÂTON → COLLE,

COMMANDEMENT, FRANC (1), PÈLERIN
Voir illus. **Sièges**

BÂTON alpenstock, batte, billot, bourdon, boutefeu, bûchette, crosse, digon, échasses, épieu, gourdin, hampe, histogramme, houlette, massue, matraque, piolet, sceptre, stick, tribart, trique

BÂTON DE CHAISE → TURBULENT

BÂTONNET → CHROMOSOME

BÂTONNIER → AVOCAT

BÂTONS ROMPUS (À) → PARQUET

BATRACIEN amphibiens, anoures, apodes, frai, rainette, salamandre, têtard, triton, urodèle

BATTAGE → BONIMENT, PUBLICITÉ, RÉCLAME (1), SOIE

BATTANT → CLOCHE, VAINQUEUR
Voir illus. **Percussions**

BATTE → BÂTON, BATTOIR, MARTEAU, OR

BATTELLEMENT → TOIT

BATTEMENT → ESCRIME, INTERVALLE, MOUVEMENT, ROULEMENT
Voir tab. **Danse classique**

BATTEMENT applaudissement, balancement, batterie, battu, bradycardie, bruissement, cillement, clignement, couvre-joint, ébrouement, frémissement, intervalle, martèlement, palpitation, pause, pulsation, roulement, tachycardie

BATTERIE → BAC, BATTEMENT, BOUGIE, ENSEMBLE, GÉNÉRATEUR (1), PERCUSSION, PORTABLE, ROULEMENT, TIR
Voir illus. **Fusils**
Voir illus. **Percussions**
Voir tab. **Danse classique**

BATTERIE accessoire, accus, batteur, caisse, combinaison, cymbale, drummer, gong, intention, machination, mesure, percussionniste, percussions, plan, récipient, tambour, timbale, ustensile

BATTEUR → BATTERIE, FOUET, MÉLANGER, ROBOT

BATTITURE → DÉBRIS, ÉCLAT

BATTLE-DRESS
Voir illus. **Manteaux**

BATTOIR → PALETTE
Voir tab. **Couture**

BATTOIR batte, raquette, triquet

BATTRE → BRASSER, BROUILLER, ÉPI, FOUILLER, FRAPPER, MÉLANGER, NETTOYER, PARCOURIR, PULVÉRISER, RECORD, REFOULER, ROSSER, SURPASSER, TAPER, TRAITER, TRIOMPHER, VAINCRE

BATTRE apogée (être à l'), attaquer, bouter, brouiller, cogner, culbuter, culminer, défaire, déraisonner, dérouiller, divaguer, échiner, écraser, épousseter, errer, étriller, explorer, extravaguer, faseyer, flâner, fouetter, frapper, houssiner, lyncher, maltraiter, mêler, molester, monter, parcourir, pulvériser,

ralinguer, reculer, replier (se), rosser, rouer de coups, ruiner, tabasser, tailler en pièces, vaincre

BATTRE (SE) → LUTTER, MESURER, RENDRE

BATTRE À L'ÉPÉE (SE) → CROISER

BATTRE EN BRÈCHE → RUINER

BATTRE EN RETRAITE → VAINCRE

BATTRE FROID → BOUDER

BATTRE MONNAIE → MONNAIE

BATTRE SA COULPE → FRAPPER

BATTU → BATTEMENT, PERDANT

BATTU cappuccino, cerné, défait, déroute (en), maltraité, martyr, milk-shake, perdre, succomber, vaincu

BATTUE → CHASSE

BAU → PONT

BAUCHER (FILET)
Voir illus. **Harnais**

BAUD → MODULATION

BAUDET → ÉTALON (1)

BAUDRIER → BANDE, ÉCHARPE, ÉPÉE
Voir illus. **Armures**

BAUDROIE
Voir tab. **Poissons (classification simplifiée des)**

BAUDRUCHE → BŒUF

BAUGE → ARGILE, BOUE, BOUGE, GÎTE, MAÇONNERIE, PAILLE, SALE, TANIÈRE, TORCHIS
Voir tab. **Animaux (termes propres aux)**

BAUME → ADOUCISSANT, APAISEMENT, CALMANT, COMPOSITION, CONSOLATION, CRÈME, GROTTE, MÉDICAMENT, ONGUENT, POMMADE, RÉSINE

BAUME adoucir, aliboufier, apaiser, balsamique, consoler, liniment, liquidambar, onguent, styrax, vulnéraire

BAUQUIÈRE → CEINTURE

BAUXITE → ALUMINIUM
Voir tab. **Minéraux et utilisations**
Voir tab. **Roches et minerais**

BAVARD → GAZETTE, INDISCRET, PARLANT, PHRASE

BAVARD babillard, baratineur, cancanière, causeur, circonspect, commère, compendieux, concis, discoureur, discret, gazette, jaseur, laconique, lapidaire, loquace, mesuré, muet, orateur, parleur, péronnelle, phraseur, pipelette, pondéré, prolixe, réservé, retenu, rhéteur, rhétoricien, silencieux, sobre, succinct, taciturne, verbeux, volubile

BAVARDAGE → CONVERSATION, INDISCRÉTION, INUTILE

BAVARDAGE bagou, cancan, caquet, clabaudage, commérage, jacasserie, jaspin, logomachie, logorrhée, médisance, papotage, parlote, potin, racontar, ragot, verbalisme, verbiage

BAVARDE → PIE (1)

BAVARDER → CAUSER, DISCUTER, JASER, PARLER

BAVARDER babiller, bavasser, causer, clabauder sur, discuter, jacasser, jaser, palabrer, papoter, parler, tchatcher

BAVAROIS → GÂTEAU

BAVASSER → BAVARDER

BAVE → ÉCUME, RAGE, SALIVE

BAVE affront, calomnie, écume, fiel, insulte, médisance, salive, spumosité, venin

BAVER → RACONTER

BAVER ahuri, béant, calomnier, couler, ébahi de (être), écumer, étaler (s'), médire, nuire, pâtir, peiner, postillonner, répandre (se), salir, saliver, souffrir, souiller, stupéfait de (être)

BAVETTE → BIFTECK, CONVERSATION, CRAVATE, TABLIER

BAVEUSE → BOUEUX

BAVOCHURE → BAVURE

BAVURE → FAUTE, IMPRIMERIE, PÂTÉ

BAVURE abus, barbe, barbille, bavochure, débordement, dérapage, ébarbure, erreur, faute, faux pas, impeccable, imperfection, incident, irréprochable, macule, masselotte, mouillure, parfait, tache

BAYADÈRE → DANSEUSE

BAYER béer, rêvasser

BAYER AUX CORNEILLES → REGARDER

BAYEUSAINS
Voir tab. **Habitants (comment se nomment les)**

BAYEUX → BRODERIE
Voir tab. **Habitants (comment se nomment les)**

BAYONNE → JAMBON

BAZAR → ACCUMULATION, BOUTIQUE, DÉSORDRE, MARCHÉ, PÊLE-MÊLE, USTENSILE

BAZAR attirail, barda, bastringue, bataclan, bric-à-brac, capharnaüm, confusion, désordre, droguerie, fatras, fouillis, fourbi, fourniment, marché, pagaille, quincaillerie, souk

BCBG → CHIC

BCE
Voir tab. **Banque**

BCG → TUBERCULOSE, VACCINATION

BE
Voir tab. **Éléments chimiques (symbole des)**

BEAGLE → BASSET

BÉANT → BÂILLER, BAVER

BEAT → RYTHME

BÉAT → CONTENT, NIAIS, TRANQUILLE

BÉATIFICATION → BÉATITUDE, BIENHEUREUX (2)
Voir tab. **Catholique romain (vocabulaire)**

BÉATIFIÉ → BIENHEUREUX (2)

BÉATILLES → CRÊTE

BÉATITUDE → BIENHEUREUX (1), BONHEUR, JOIE, PAIX

BÉATITUDE béatification, bien-être, bienheureux, bonheur, contentement, euphorie, extase, félicité, gloire, mérites, quiétude, satisfaction, vénérable, vertus

BEATNIK → DOMICILE, MARGINAL

BEAU → RADIEUX, RAVIR, RESPLENDISSANT, SUBLIME

BEAU adonis, affreux, agréable, Aphrodite, apollon, barbon, beauté, bellâtre, belle lurette, canon, conciliant, désirable, disgracieux, éclaircie, embellie, éphèbe, fastueux, femmes (les), galant âgé, gracieux, harmonieux, hideux, inesthétique, inopinément, jeunesse, laid, longtemps, magnifique, majestueux, parfait, pin-up, prospère, régulier, sculptural, séduisant, somptueux, soudain, splendide, superbe, tanagra, vamp, vénus

BEAUCOUP → ABONDAMMENT, FOISON, NOMBRE, PLUS, PROFONDÉMENT, VIVEMENT

BEAUCOUP abondamment, amplement, considérablement, copieusement, énormément, excessivement, foule, infiniment, largement, longuement, maintes, multitude, plusieurs, prodigieusement, profondément, tire-larigot, vivement

BEAU-FILS → FILS

BEAUFORT
Voir illus. **Fromages**

BEAUFORT (ÉCHELLE DE)
Voir tab. **Vent : échelle de Beaufort**

BEAU-PÈRE → PÈRE

BEAUPRÉ → MÂT, NAVIRE

BEAUTÉ → ATTRAIT, BEAU, ÉLÉGANCE, ESTHÉTIQUE (1), FRAÎCHEUR, PERFECTION, PLASTIQUE

BEAUTÉ Aphrodite, appas, attrait, charme, coiffer (se), cosmétique, délicatesse, esthétique, farder (se), grâce, institut de beauté, joliesse, magnifiquement, maquiller (se), mouche, noblesse, pittoresque, Vénus, vénusté, victorieusement

BEAUVAIS → TAPISSERIE

BEAUVILLAISOIS
Voir tab. **Habitants (comment se nomment les)**

BEAUVILLÉSOIS
Voir tab. **Habitants (comment se nomment les)**

BEAUVOIS
Voir tab. **Habitants (comment se nomment les)**

BEAUX-PARENTS → PARENT

BÉBÉ ange, angelot, assistante maternelle, babil, baby-sitter, baigneur, barboteuse, bébé-éprouvette, béguin, berceau, bercelonnette, berceuse, bloomer, body, braillement, brassière, chérubin, couffin, cupidon, dormeur, embryon, fœtus, gazouillis, grenouillère, haptonomie, lallation, layette, moïse, nacelle, nourrice, nourrisson, nouveau-né, nursery, pédiatre, pédiatrie, pédopsychiatre, petit, piaillement, PMI, poupon, pouponnière, poussin, prématuré, puériculture, putto, tout-petit, vagissement

BÉBÉ-ÉPROUVETTE → BÉBÉ, FÉCONDATION

BE-BOP → JAZZ

Voir tab. **Danses (types de)**

BEC → BAISER, BISEAU, BOUCHE, CAP, CASSEROLE, EMBOUCHURE

BEC altercation, bec-de-corbeau, bec-de-corbin, becquée, becqueter, béjaune, béquille, biseau, démêlé, dispute, embouchure, exprimer (s'), happer, parler, picorer, prendre la parole, réverbère, rompre le silence, rostre, ténuirostre

BEC (À) → SIFFLET

BEC D'AIGLE

Voir tab. **Forme de... (en)**

BEC FIN → GOURMAND (1)

BÉCAE

Voir tab. **Oiseaux (classification simplifiée des)**

BÉCARRE → ALTÉRATION

Voir illus. **Symboles musicaux**

BÉCASSE → ALOUETTE, GIBIER

BÉCASSE bécasseau, bécassine, béchot, charadriiformes, échassier, maubèche, orphie, passée, scolopacidés

BÉCASSEAU → BÉCASSE

BÉCASSINE → BÉCASSE

Voir tab. **Bande dessinée (héros de)**

BEC-CROISÉ

Voir illus. **Becs**

BEC-DE-CANE → BOUTON, SERRURE

BEC-DE-CORBEAU → BEC, PINCE

BEC-DE-CORBIN → BEC

BEC-DE-PERROQUET → OSSIFICATION

BEC-EN-ABOT

Voir tab. **Oiseaux (classification simplifiée des)**

BEC-EN-CISEAUX

Voir tab. **Oiseaux (classification simplifiée des)**

BEC-EN-FOURREAU

Voir tab. **Oiseaux (classification simplifiée des)**

BECERRADA → COURSE DE TAUREAUX

BÊCHE → LABOUR, PELLE

Voir tab. **Jardinage**

BÊCHE binette, houe, louchet, mésoyage, palot, pelle, soc, trident

BÊCHER → CREUSER

BÊCHEUR → SNOB

BÉCHOT → BÉCASSE

BÉCOT → BAISER

BECQUÉE → BEC

BECQUEREL → RADIOACTIF

BECQUETER → BEC

BÉDANE → CISEAU, MENUISIER

BEDEAU → CONCIERGE, EMPLOYÉ, SUISSE

BÉDÉGAR → ÉPONGE

BEDONDAINE → CORNEMUSE

BEDONNANT → GROS, VENTRE

BÉDOUINS → DÉSERT, NOMADE

BÉER → BAYER, REGARDER

BEFFROI → CLOCHE, CLOCHER, COMMUNE, TOUR

BÉGAIEMENT → BALBUTIEMENT, DÉFAUT, EXPRESSION, LANGAGE, PRONONCIATION, RÉPÉTITION

BÉGAIEMENT balbutiement, bègue,

commencement, hésitation, tâtonnement

BÉGAYER → PARLER

BÉGAYER ânonner, bafouiller, balbutier, bredouiller

BÈGUE → BÉGAIEMENT

BÉGUÈTEMENT → BÊLEMENT, BOUC, CHÈVRE

BÉGUETER

Voir tab. **Animaux (termes propres aux)**

BÉGUIN → AMOURETTE, BÉBÉ, BONNET, CAPRICE, FLIRT, IDYLLE, PENCHANT

Voir illus. **Coiffures**

BÉGUIN amour, attirance, bonnet, coiffe, flirt, passion, penchant

BÉGUINAGE → DÉVOTION, MONASTÈRE

BÉGUINE → DÉVOT, SŒUR

BÉHAVIORISME → COMPORTEMENT, PSYCHOLOGIE

Voir tab. **Philosophie**

BÉHÉMOTH → DIABLE

BEIGE → MARRON (2)

Voir tab. **Couleurs**

BEIGE bis, bistre, blanc cassé, brun clair, café au lait, cannelle, châtain, crème, grège, sable

BEIGNE → CHÂTAIGNE

BEIGNET → FRITURE

BEIGNET acra, brick, bugne, chichi, makroud, merveille, nem, pet-de-nonne, roussette, samoussa, scampi, tempura, tortilla

BEINE

Voir tab. **Géographie et géologie (termes de)**

BÉJAUNE → BEC, BLANC-BEC, FAUCON, SOT

BEL CANTO → OPÉRA

BEL ET BIEN → VÉRITABLEMENT

BÉLANDRE

Voir tab. **Bateaux**

BÊLEMENT → BOUC, CHÈVRE

BÊLEMENT béguètement, chevrotement, jérémiade

BÊLER

Voir tab. **Animaux (termes propres aux)**

BELETTE → HERMINE, NOCTURNE

Voir tab. **Mammifères (classification des)**

BELGE allemand, belgicisme, flamand, flamingant, flandricisme, français, spéculoos, wallingant, wallonisme

BELGICISME → BELGE

BELGIQUE

Voir tab. **Saints patrons**

BÉLIAL → DIABLE

BÉLIER → MACHINE, PIEU

Voir tab. **Animaux (termes propres aux)**

Voir tab. **Astrologie**

Voir tab. **Zodiaque**

BÉLIER HYDRAULIQUE → HYDRAULIQUE

BÉLIÈRE → BÉTAIL, CLOCHETTE, SABRE

BÉLINOGRAMME → MESSAGE

BÉLINOGRAPHE → IMAGE

BELLÂTRE → BEAU

BELLE → BIEN-AIMÉ, MANCHE

BELLE bien-aimée, décamper, dulcinée, échapper (s'),

enfuir (s'), évader (s'), fiancée, maîtresse, match-retour, revanche

BELLE DE FONTENAY → POMME DE TERRE

BELLE LURETTE → BEAU, LONGTEMPS

BELLICISME → GUERRE

BELLICISTE → BELLIQUEUX

BELLIFONTAINS

Voir tab. **Habitants (comment se nomment les)**

BELLIGÉRANT → ADVERSAIRE, GUERRE

BELLIQUEUX → AGRESSIF, BAGARRE, VIOLENT

BELLIQUEUX agressif, bagarreur, batailleur, belliciste, épervier, faucon, guerrier, guerroyeur, querelleur, va-t-en-guerre

BELLIS → PÂQUERETTE

BELLONE → GUERRE

BELLUAIRE → BÊTE (1), GLADIATEUR

BELON → HUÎTRE

BÉLONÉPHOBIE

Voir tab. **Phobies**

BELOTE → CARTE, IMPASSE

Voir tab. **Belote**

BÉLOUGA → BALEINE, CÉTACÉ

BELUGA → YACHT

BELVÉDÈRE → HAUTEUR, PAVILLON, PAYSAGE, PLATE-FORME, TERRASSE

BELZÉBUTH → ANGE, DIABLE, MAL (1)

BEMBERG

Voir tab. **Tissus**

BEMBO

Voir tab. **Typographies**

BÉMOL → ALTÉRATION

Voir illus. **Symboles musicaux**

BÉNARDE → SERRURE

BÉNARÈS → VILLE

BÉNATON → VENDANGE

BENCHMARK

Voir tab. **Informatique**

BÉNÉDICITÉ → BÉNIR, PRIÈRE, REPAS

Voir tab. **Prières et offices de l'Église catholique romaine**

BÉNÉDICTIN (DE) → TRAVAIL

BÉNÉDICTINE → LIQUEUR

BÉNÉDICTION → BAPTÊME, BONHEUR, CONSÉCRATION, DON, FAVEUR, IMPOSITION, SALUT

BÉNÉDICTION approbation, assentiment, baptême, bienfait, bonheur, chance, consécration, consentement, extrême-onction, mariage, sacrement des malades

BÉNÉFICE → BIENFAIT, BUDGET, DÉPENSE, EXCÉDENT, FRUIT, GAIN, INTÉRÊT, PRIVILÈGE, PROFIT, RAPPORT, SUCCÈS

Voir tab. **Entreprise (vocabulaire de l')**

BÉNÉFICE abbaye, annate, avantage, boni, canonicat, chapellenie, charge d'âmes, commende, conditionnellement, copermutation, cure, dumping, évêché, excédent, faveur, fructueux, gain, impétrant, impétration, indult, investiture, lucratif, marge, nominataire, obtention, perte (à), prérogative, prieuré, privilège, prix coûtant (à), profit,

rapport, récréance, régulier, rémunérateur, rentable, réserve (sous), revenu, séculier temporalité

BÉNÉFICIAIRE

Voir tab. **Assurance (vocabulaire de l')**

BÉNÉFICIER → AVOIR (1), DISPOSER, JOUIR, PROFITER

BÉNÉFIQUE → AVANTAGEUX, BIENFAISANT, BIENHEUREUX (1), BON (1), FASTE (2), FAVORABLE

BENÊT → NAÏF, SOT

BÉNÉVOLAT → BÉNÉVOLE

BÉNÉVOLE → AIDE, GRATUIT, PARTICIPANT

BÉNÉVOLE bénévolat, désintéressée, gracieuse, gratuite, libre, volontaire, volontariat

BENGALINE

Voir tab. **Couture**

BEN-HUR → CONDUCTEUR

BÉNIGNE → DOULEUR, MALADIE

BÉNIN → CONSÉQUENCE, INOFFENSIF

BÉNIN anodin, inoffensif, insignifiant, léger, maligne

BÉNIQUÉ

Voir tab. **Chirurgie (vocabulaire de la)**

BÉNIR → BAPTISER, GLORIFIER, IMPOSER

BÉNIR aide, applaudir, baptiser, bénédicité, consacrer, exalter, favoriser, glorifier, louer, oint, protéger, récompenser, reconnaissant à (être), remercier, sacre, soutenir, vénérer

BÉNISSEUR → BÉNIT

BÉNIT aubaine, bénisseur, bénitier, bigot, calotin, communion, consacré, dévot, eucharistie, Pâques (cierge de), Rameaux (buis des), signer (se)

BÉNITIER → BÉNIT

BÉNITIER bondieusard, dévot, punaise de sacristie, tridacne

BENJAMIN → CADET, CATÉGORIE, DERNIER, FILS, JEUNE, MINIME (1), SPORTIF (1)

BENJI → ÉLASTIQUE

BENJOIN → ENCENS, PARFUM, RÉSINE

BENNE → CABINE, CHARIOT, VENDANGE

BENNE benne à ordures, berline, chariot, chouleur, dumper, herche, télébenne, télécabine, téléphérage, wagonnet

BENOÎT → CAVALIER (1), DOUCEUR

BENOUS

Voir tab. **Habitants (comment se nomment les)**

BENTHIQUE → MER, VÉGÉTATION

BENTHOS → FOND

BENZÈNE → DISSOUDRE

BENZÈNE benzol, phénol

BENZINE détachant, solvant

BENZODIAZÉPINE

Voir tab. **Drogues**

Voir tab. **Médicaments**

BENZOL → BENZÈNE, CARBURANT, CARBURE

BENZOLISME → INTOXICATION

BÉOTIEN → BARBARE, SAUVAGE

BÉOTISME → VULGARITÉ

BEP (BREVET D'ÉTUDES PROFESSIONNELLES) → DIPLÔME

BÉQUET → CARROSSERIE

BÉQUILLE → BEC, BOITEUX, CANNE, POIGNÉE, RENFORT, SERRURE, SUPPORT
Voir illus. **Serrure**

BÉQUILLE appui, ber, berceau, cale, canne, canne anglaise, chevalement, étai, étançon, soutien, support, tin

BER → BÉQUILLE, BERCEAU

BERCAIL → FOYER

BERCAIL (RENTRER AU) → MAISON

BERCEAU → BÉBÉ, BÉQUILLE, ENFANT, FEUILLAGE, ORIGINE, TONNELLE, VALLÉE, VOÛTE
Voir illus. **Voûtes**

BERCEAU arc-doubleau, ber, bercelonnette, couffin, doubleau, moïse

BERCELONNETTE → BÉBÉ, BERCEAU

BERCER → BALANCER, CARESSER, ENTRETENIR, FLATTER, LEURRER

BERCER abuser, balancer, berceuse, endormir, flatter, illusionner, leurrer, remueuse, tromper

BERCEUSE → BASCULE, BÉBÉ, BERCER, CHANSON, ENFANT, FAUTEUIL
Voir illus. **Sièges**

BÉRET → MANCHE
Voir illus. **Coiffures**
Voir illus. **Modes et styles**

BÉRET baguette, faluche, légionnaire, parachutiste

BERGAMOTE → AGRUME, POIRE

BERGE → BORD, FLEUVE, PLAGE, RIVAGE, RIVIÈRE

BERGE autoberge, balai, berme, pige, printemps, rivage, rive

BERGER → GARDIEN, PÂTRE, TROUPEAU
Voir tab. **Saints patrons**

BERGER bergerie, bobtail, briard, bucolique, buron, chalet, colley, cornemuse, églogue, flageolet, houlette, idylle, Jeanne d'Arc, labrit, malinois, musette, Pan, panetière, pasteur, pastorale, pastoureau, pâtre, pipeau, Vénus

BERGÈRE → FAUTEUIL
Voir illus. **Sièges**

BERGERIE → BÂTIMENT, BERGER, FERME (1), IDYLLE, VENDEUR
Voir tab. **Animaux (termes propres aux)**
Voir tab. **Poésie (vocabulaire de la)**

BERGERIE case, crèche, imprudence (commettre une), risques (prendre des)

BERGERONNETTE
Voir tab. **Oiseaux (classification simplifiée des)**

BERGES → BALAI

BÉRIBÉRI → VITAMINE

BERIMBAU
Voir illus. **Percussions**

BERK → DÉGOÛT

BERKÉLIUM
Voir tab. **Éléments chimiques (symbole des)**

BERLIN (FESTIVAL INTERNATIONAL DU FILM DE)
Voir tab. **Prix cinématographiques**

BERLINE → BENNE, CHARIOT, MINE, TOIT, VÉHICULE, VOITURE
Voir illus. **Voitures (types de)**

BERLINGOT → BONBON, EMBALLAGE

BERME → BERGE, BORDER, CHEMIN, TALUS

BERMUDA → CULOTTE, PANTALON
Voir illus. **Modes et styles**

BERNACHE → OIE

BERNACLES → BALEINE

BERNE → DÉTRESSE, DEUIL

BERNER → ABUSER, AVOIR (1), COUVERTURE, DUPER, LEURRER, MARCHER, MYSTIFIER, RIDICULISER, TROMPER, VIGILANCE

BERNOIS → SUISSE

BERRUYERS
Voir tab. **Habitants (comment se nomment les)**

BERTHE → LAIT

BERTILLONNAGE → MENSURATION, POLICE

BÉRYL → ÉMERAUDE

BÉRYLLIUM
Voir tab. **Éléments chimiques (symbole des)**

BESACE → GIBECIÈRE, SAC

BESANÇON
Voir tab. **Habitants (comment se nomment les)**

BESANT
Voir tab. **Héraldique (vocabulaire de l')**

BESANTS
Voir illus. **Héraldique**

BÉSICLES → LUNETTES

BESOGNE → LABEUR, OCCUPATION, TRAVAIL

BESOGNE labeur, ouvrage, tâche, travail

BESOGNER → PEINER, TRAVAILLER

BESOIN → APPÉTIT, DÉPOURVU, ENVIE, INDIGENCE, INSUFFISANCE, MANQUE, MISÈRE, NÉCESSITÉ, UTILITÉ

BESOIN accoutumance, appétence, aspiration, assuétude, cas échéant, dénuement, dépendance, désir, frustration, gêne, indigence, insatisfaction, manque, misère

BESSON → FRÈRE

BEST OF anthologie, compilation, florilège, sélection

BESTIAIRE → BÊTE (1), GLADIATEUR, RECUEIL
Voir tab. **Livres**

BESTIAL → BARBARE, INHUMAIN, SAUVAGE

BESTIAL animal, brutal, grossier, lubrique, sauvage

BESTIALITÉ → BARBARIE, BRUTALITÉ, SAUVAGERIE

BESTIAUX → BÉTAIL

BESTIOLE → BÊTE (1)

BEST-SELLER → CÉLÈBRE, RÉUSSITE, SUCCÈS

BÊTA → RADIOACTIF

BÊTABLOQUANT
Voir tab. **Médicaments**

BÉTAIL affenage, affouragement, bélière, bestiaux, bovin, buvée, campane, caprin, cheptel,

cheval, clarine, herbage, maquignon, nourricerie, ovin, pacage, pacis, pâture, porcin, pouture, pré d'embouche, râtelier, sonnaille, transhumance

BÊTATRON → ACCÉLÉRATEUR

BÊTE → ÂNE, DÉBILE, IDIOT, IMBÉCILE (2), REGRETTABLE

BÊTE (1) âne, bât, belluaire, bestiaire, bestiole, bœuf, bosseur, bûcheur, caucheur, cavicorne, chameau, charge, cheval, chèvre, coccinelle, domestique, éléphant, ergoter, faon, fauve, féroce, harnais, horreur, insecte, mulet, obsession, pinailler, ratiociner, ressaisir (se), sanguinaire, vache, vétérinaire

BÊTE (2) absurde, confus, désemparé, gêné, grotesque, inepte, interdit, naïf, obtus, ridicule, sot, stupide

BÊTE DU GÉVAUDAN
Voir tab. **Animaux fabuleux**

BÉTEL → MÂCHER, POIVRIER

BETHMALE
Voir illus. **Fromages**

BÊTISE → ABSURDITÉ, BABIOLE, BONBON, IDIOTIE, INEPTIE, NIAISERIE, SOTTISE

BÊTISE absurdité, ânerie, bagatelle, baliverne, bévue, bourde, brindille, crétinerie, fadaise, farce, futilité, gaffe, ineptie, maladresse, naïveté, niaiserie, plaisanterie, sottise, stupidité, vétille

BÊTISIER → RECUEIL

BÉTOIRE → CALCAIRE, GOUFFRE, RIVIÈRE

BÉTON → CIMENT

BÉTON armé, blindé, cintrage, coffrage, coulage, décoffrage, ferraillage, granito, malaxage, précontraint

BÉTON ARMÉ → PONT

BÉTON PRÉCONTRAINT → PONT

BÉTONNER cimenter, consolider, guniter, inattaquable (rendre), renforcer

BÉTONNIÈRE → MAÇON

BETTE → BLETTE, LÉGUME
Voir tab. **Gâteaux régionaux et étrangers**

BETTELMAN
Voir tab. **Gâteaux régionaux et étrangers**

BETTERAVE → LÉGUME
Voir tab. **Végétaux (classification simplifiée des)**

BETTERAVIER → PRODUCTEUR

BÉTYLE → PIERRE

BEUGLEMENT → BŒUF, VACHE

BEUGLEMENT braillement, bramement, hurlement, meuglement, mugissement, vociération

BEUGLER → CRIER, HURLER, MUGIR
Voir tab. **Animaux (termes propres aux)**

BEUH → DÉGOÛT

BEUR → IMMIGRÉ

BEURETTE → IMMIGRÉ

BEURRE → HARICOT

BEURRE babeurre, baratte, butyreux, délaitage, écrémage, malaxage, petit-lait, torula

BEURRE DE CACAO
Voir tab. **Chocolat**

BEURRE SALÉ
Voir tab. **Gâteaux régionaux et étrangers**

BEURRE-FRAIS → JAUNE

BEURRÉ → POIRE

BEUVERIE → BOISSON, DÉBAUCHE

BÉVATRON → ACCÉLÉRATEUR

BÉVUE → BÊTISE, BOURDE, CLERC, DÉMARCHE, ERREUR, ÉTOURDERIE, FAUTE, GAFFE, IMPAIR, MALADRESSE, NÉGLIGENCE, SOTTISE

BÉVUE étourderie, impair, maladresse, méprise

BEY → GOUVERNEUR, SOUVERAIN (1), TURC

BEZET → DÉ

BÉZIERS
Voir tab. **Habitants (comment se nomment les)**

BÉZOARD → POIL

BF → ONDE

BHARAL → MOUTON

BHARATA-NATYAM → DANSE

BHIKSHU
Voir tab. **Bouddhisme**

BI
Voir tab. **Éléments chimiques (symbole des)**

BI- → DEUX

BIAIS → BISEAU, BORDURE, ÉCHARPE, FIL, MÉANDRE, MERCERIE, MOYEN (1), OBLIQUE, TRAVERS (2)
Voir tab. **Couture**

BIAIS angle, aspect, côté, détourné, entremise, indirectement, intermédiaire, médiation, obliquement, truchement

BIAISER → AMBIGU, INDIRECT, NOYER, POT

BIARRITZ
Voir tab. **Habitants (comment se nomment les)**

BIARROTS
Voir tab. **Habitants (comment se nomment les)**

BIATHLON → SPORTIF (2)
Voir tab. **Sports**

BIATOMIQUE → MOLÉCULE

BIBELOT → BABIOLE, OBJET

BIBELOT babiole, bimbeloterie, souvenir

BIBERON → IVROGNE

BIBERON écouvillon, goupillon, sevrage

BIBI → CHAPEAU
Voir illus. **Coiffures**

BIBI FRICOTIN
Voir tab. **Bande dessinée (héros de)**

BIBLE → ÉCRITURE, PAPIER, RÉCIT
Voir tab. **Histoire (grandes périodes)**

BIBLE Coran, Écriture sainte, Évangile, exégèse, herméneutique, Livre révélé, massore, Saintes Écritures, Testament (Ancien), Testament (Nouveau), Torah, Vulgate

BIBLE À 42 LIGNES
Voir tab. **Bible**

BIBLE DE GUTENBERG
Voir tab. **Bible**

BIBLE DE LUTHER
Voir tab. **Bible**

BIBLE DES SEPTANTE
Voir tab. **Bible**

BIBLIOBUS → BIBLIOTHÈQUE

BIBLIOGRAPHIE → CATALOGUE, PUBLICATION, RECUEIL
Voir tab. **Livres**

BIBLIOMANIE → LIVRE
Voir tab. **Manies**

BIBLIOPHILE
Voir tab. **Collectionneurs**

BIBLIOPHILIE → LIVRE

BIBLIOTHÉCAIRE → BIBLIOTHÈQUE, UNIVERSITÉ

BIBLIOTHÉCONOMIE → BIBLIOTHÈQUE

BIBLIOTHÈQUE → ARCHIVES, BUREAU, COLLECTION, CONSERVATEUR, CONSULTATION, SALON

BIBLIOTHÈQUE administrateur, archiviste, armoire, banque de données, bibliobus, bibliothécaire, bibliothéconomie, collection, conservateur, enfer, médiathèque, rayonnage, trésorier

BICÉPHALE → DEUX

BICEPS → BRAS
Voir illus. **Muscles**

BICHE → CERF
Voir tab. **Animaux (termes propres aux)**

BICHE arrache-clou, bramer, cervidés, harde, harpail, levier, Louis XV, pied-de-chèvre, presseur, raire, réer, viander

BICHER → RÉJOUIR (SE)

BICHONNER → PARER (SE), SOIN

BICKFORD → MÈCHE

BICOLORE → PIE (2)

BICOQUE → BARAQUE, CASE, MAISON

BICORNE → ACADÉMIE, CHAPEAU
Voir illus. **Coiffures**

BICOT
Voir tab. **Animaux (termes propres aux)**

BICROSS → BICYCLETTE

BICULTURALISME → NATIONAL

BICYCLETTE → PÉDALE, REINE, ROUE, VÉHICULE
Voir tab. **Phobies**

BICYCLETTE bicross, célérifère, cyclomoteur, cyclopousse, draisienne, tandem, vélo, vélocipède, vélodrome, vélomoteur, vélopousse, VTC, VTT

BIDE → FOUR

BIDENT → FOURCHE

BIDET → CHEVAL

BIDOCHON (LES)
Voir tab. **Bande dessinée (héros de)**

BIDON → BOUTEILLE, CAISSE, NOURRICE, POT

BIDONVILLE → MISÈRE, PAUVRE, TAUDIS

BIDOUILLER → BRICOLER

BIEF → CANAL, ÉCLUSE, MOULIN
Voir tab. **Géographie et géologie (termes de)**

BIELA → COMÈTE

BIELLE → MANIVELLE, MOTEUR, TIGE
Voir illus. **Moteur**

Voir tab. **Garagiste (vocabulaire du)**

BIEN → AVOIR (2), CAPITAL (1), INTÉRÊT, RICHESSE, SUCCESSION

BIEN apologie, capital, dithyrambe, éloge, fongible, fortune, fruit, gérant, héritage, honnête, immeuble, intègre, intérêt, juste, louange, meuble, panégyrique, paraphernal, patrimoine, récolte, richesse, syndic, vacant, vertueux

BIEN COLLECTIF
Voir tab. **Économie**

BIEN CUIT → VIANDE

BIEN EN CHAIR → OPULENT

BIEN ENTENDU → RAISON

BIEN FONDÉ → RAISON

BIEN IMMEUBLE → PATRIMOINE

BIEN MEUBLE → PATRIMOINE

BIEN PORTANTE → VALIDE

BIEN SÛR → ABSOLUMENT, PARFAITEMENT

BIEN-AIMÉ amant, amoureux, belle, chouchou, élu, fiancé, fiancée, flirt, maîtresse, préféré, prince charmant

BIEN-AIMÉE → BELLE

BIEN-ÊTRE → AISANCE, BÉATITUDE, JOUISSANCE, SATISFACTION

BIEN-ÊTRE aisance, confort, euphorie, félicité, plaisir, quiétude, sérénité

BIENFAISANCE → CHARITÉ, ŒUVRE

BIENFAISANCE altruisme, asile, assistance, bienveillance, bonté, charité, entraide, foyer, générosité, ouvroir, patronage, philanthropie

BIENFAISANT → BON (1), CHARITABLE, FAVORABLE, SECOURS

BIENFAISANT bénéfique, profitable, salutaire

BIENFAIT → BÉNÉDICTION

BIENFAIT avantage, bénéfice, faveur, largesse, libéralité

BIENFAITEUR → AIDE, PROTECTEUR (1)

BIENFAITEUR commandite, donateur, mécénat, mécène, parrainage, patronage, philanthrope, protecteur, sauveur, sponsorisation

BIEN-FONDÉ → LÉGITIMITÉ

BIEN-FONDÉ légitimité, pertinence, recevabilité, validité

BIENHEUREUX → BÉATITUDE

BIENHEUREUX (1) agréable, béatitude, bénéfique, comblé, épanoui, propice, radieux, ravi, resplendissant

BIENHEUREUX (2) béatification, béatifié

BIENSÉANCE → APPARENCE, CIVILITÉ, CONVENANCE, DÉCENCE, DEVOIR, FORMALITÉ, MANIÈRE, POLITESSE, RÈGLE, RELATION, SAVOIR-VIVRE, TACT, USAGE

BIENSÉANCE choquant, convenances, courtoisie, décence, déplacé, étiquette, impoli, incongru, inconvenant, indécent, malséant, politesse, protocole, savoir-vivre, usage

BIENSÉANT → CORRECT, DÉCENT, MŒURS, SAGE

BIENTÔT → INSTANT, PEU (1), VITE

BIENTÔT incessamment, prochainement, retard (sans), sous peu, tantôt

BIENVEILLANCE → BIENFAISANCE, BONTÉ, CHARITÉ, CLÉMENCE, COMPLAISANCE, EMPRESSEMENT, FAVEUR, GENTILLESSE, HUMANITÉ, INDULGENCE, INTÉRÊT, SYMPATHIQUE

BIENVEILLANCE affabilité, altruisme, clémence, complaisance, indulgence, longanimité, magnanimité, mansuétude, obligeance

BIENVEILLANT → ABORDABLE, AFFABLE, BON (1), CHIC, CŒUR, COMPRÉHENSIF, HUMAIN, INDULGENT (2)

BIENVENUE accueillir, recevoir, saluer

BIÈRE → CADAVRE, DEMI (1), ORGE
Voir tab. **Collectionneurs**

BIÈRE ale, bock, brassage, brasserie, brassicole, cervoise, chope, demi, drêche, faro, gueuze, houblon, houblonnage, kriek, kwak, lambic, maltage, orge, porter, saké, stout, tégestologue, tégestophile, zython

BIÈVRE → CASTOR

BIFFER → BARRER, MENTION, RAYER, SUPPRIMER

BIFFIN → CHIFFON, INFANTERIE, SOLDAT

BIFFURE → CORRECTION, TRAIT

BIFIDE → FENTE

BIFIDUS → FERMENT

BIFOCAL → FOYER

BIFTECK → TRANCHE

BIFTECK bavette, chateaubriand, cheeseburger, entrecôte, hamburger, hampe, onglet, pavé, romsteck, steak, steak tartare, tournedos

BIFURCATION → BRANCHER, CARREFOUR, EMBRANCHEMENT, JONCTION

BIFURCATION aiguillage, bretelle, carrefour, croisement, dichotomie, embranchement, fourche, intersection, patte-d'oie, ramification

BIG BANG → COMMENCEMENT, MONDE

BIGAME → DEUX

BIGARADE → AGRUME, ORANGE

BIGARRÉ → BARIOLÉ, COULEUR, HÉTÉROGÈNE, MÊLÉ, PANACHÉ, VARIÉ

BIGARREAU → CERISE

BIGE → CHAR

BIGHORN → MOUTON

BIGNOLE → CONCIERGE

BIGNONE DE VIRGINIE → JASMIN

BIGOPHONE → FLÛTE

BIGORNE → ENCLUME

BIGORNEAU → ESCARGOT

BIGOS
Voir tab. **Spécialités étrangères**

BIGOT → BÉNIT, CROYANT, DÉVOT, FERVENT (2), PIEUX, PIOCHE

BIGOT bondieusard, bondieuserie, cafard, cagot, calotin, dévot, momerie, papelard, pharisien, tartufe

BIGOTERIE → DÉVOTION, HYPOCRISIE, PIÉTÉ

BIGOUDI → ROULEAU

BIGOUDIS → FRISER

BIGOURDANS
Voir tab. **Habitants (comment se nomment les)**

BIGRE → DÉCEPTION

BIGUE → GRUE

BIGUINE → DANSE
Voir tab. **Danses (types de)**

BIJECTIVE → CORRESPONDANCE

BIJOU → ARGENT, COLLIER, SOLITAIRE (2)

BIJOU affiquet, baguier, bijoutier, breloque, cassette, coffret, diamantaire, écrin, joaillier, joyau, lapidaire, orfèvre, parure, poinçon, verroterie

BIJOUTERIE → PLATINE
Voir tab. **Minéraux et utilisation**

BIJOUTIER → BIJOU
Voir tab. **Saints patrons**

BIKINI → MAILLOT
Voir illus. **Modes et styles**

BIKINI deux-pièces, maillot de bain

BILAN → BALANCE, COMPTABILITÉ, COMPTE, CONTRÔLE, ÉTAT, RÉSULTAT, RÉSUMÉ (1), SYNTHÈSE
Voir tab. **Entreprise (vocabulaire de l')**

BILAN actif, audit, balance, banqueroute, check-up, consolidé, crédit, débit, examen, faillite, liquidation, passif, solde

BILATÉRAL → RÉCIPROQUE (2), SYMÉTRIE

BILBOQUET → JOUET

BILE → AMER, FIEL, FOIE, SÉCRÉTER, SOUCI, VENIN

BILE acholie, amer, angoisser (s'), anxieux, atrabile, bilieux, biligenèse, bilirubine, cholagogue, cholémie, cholérétique, cholestérine, cystique, fiel, foie, ictère, inquiéter (s'), jaunisse, mélancolie, sel, soucieux, tourmenter (se), tracasser (se)

BILHARZIE → VER

BILHARZIOSE → INFECTION

BILIEUX → BILE, JAUNE

BILIGENÈSE → BILE

BILINGUE → DICTIONNAIRE

BILIRUBINE → BILE, PIGMENT

BILL → LOI
Voir tab. **Bande dessinée (héros de)**

BILLARD → BOULE

BILLARD académie, billardier, bille, blouse, blouser, bricoler, caramboler, croquet, flipper, masser, poche, procédé, queue, queuter

BILLARDIER → BILLARD

BILLE → BILLARD, BLOC, BOIS, BÛCHE, CHOCOLAT

BILLE agate, barre, billon, billot, bloquette, boule, calot, désister (se), pot, pyramide, retirer (se), triangle

BILLEBAUDE (À LA)
Voir tab. **Chasse (vocabulaire de la)**

BILLER → APLATIR

BILLET → ACTUALITÉ, ARTICLE, BON (2), CORRESPONDANCE, INVITATION, MISSIVE, PAPIER, PLACE, TICKET

BILLET billetterie, billettophile, chronique, contrefaçon, contrefaction, coupon, coupure, DAB, faire-part, lettre, lettre de change, missive, monnaie fiduciaire, mot, papier-monnaie, poulet, ticket

BILLET À ORDRE → CHANGE

BILLET D'HUMEUR → CRITIQUE (1)

BILLET DOUX → LETTRE, POULET

BILLETTE → CHAUFFAGE

BILLETTERIE → BILLET, GUICHET

BILLETTOPHILE → BILLET

BILLEVESÉE → BALIVERNE, FUTILE, PAROLE, SOTTISE

BILLION → MILLION

BILLON → BILLE, CHARRUE, SILLON

BILLONNER → LABOURER

BILLOT → APPUI, BÂTON, BILLE, BLOC, BÛCHE, DÉCAPITER, TABLE, TRONÇON

BILOQUER → LABOURER

BIMANE → POUCE

BIMBELOTERIE → BIBELOT, PACOTILLE, QUINCAILLERIE

BIMENSUEL → MOIS, PUBLICATION

BIMESTRIEL → MOIS

BIMÉTALLISME → ÉTALON (2), MONÉTAIRE

BINAGE → POMME DE TERRE

Voir tab. **Jardinage**

BINAIRE

Voir tab. **Informatique**

BINARD → CHARRETTE

BINARY DIGIT

Voir tab. **Informatique**

BINET → POINTE

BINETTE → BÊCHE

Voir tab. **Jardinage**

BING

Voir tab. **Bruits**

BINGO → LOTO

BINIOU → CORNEMUSE

Voir tab. **Instruments de musique**

BINOCLE → LUNETTES

BINOT → CHARRUE

BINTJE → POMME DE TERRE

BIOBIBLIOGRAPHIE → BIOGRAPHIE

BIOCARBURANT → CARBURANT

BIOCÉNOSE → VIVANT

BIOCHIMIE → MÉDECINE, VIE, VIVANT

BIOCHIMIE enzyme, métabolisme, zoochimie

BIOCIDE → VIE

BIODÉGRADABLE → DÉGRADER

BIOÉNERGIE → VITAL

BIOÉTHIQUE → ÉTHIQUE, MÉDECIN

BIOGRAPHE → BIOGRAPHIE

BIOGRAPHIE → RÉCIT, VIE

Voir tab. **Livres**

BIOGRAPHIE autobiographie, biobibliographie, biographe, curriculum vitæ, hagiographie, historiographie, Mémoires, récit

BIOLOGIE → CELLULE, CHOSE, DISCIPLINE, MÉDECINE, VIE

BIOLOGIQUE → SAIN, VITAL

BIOLOGISTE → NATURALISTE

BIOMAGNÉTISME → MAGNÉTISME

BIOMÉDICAL → PHARMACIE

BIOPSIE → CHIRURGICAL, EXAMEN, PONCTION, PRÉLÈVEMENT

Voir tab. **Chirurgie (vocabulaire de la)**

BIORYTHME → HORLOGE

BIOSPÉLÉOLOGIE → VIE

BIOSPHÈRE → ATMOSPHÈRE, NATURE

BIOTINE

Voir tab. **Vitamines**

BIOTOPE → MILIEU, NICHE

Voir tab. **Chasse (vocabulaire de la)**

BIP → SIGNAL

BIPARTITION → REPRODUCTION

BIPÈDE → PIED

BIPÉDIE

Voir illus. **Hominidés**

BIPENNE → HACHE

BIPIED

Voir illus. **Fusils**

BIPOLAIRE → BORNE

BIQUET → CHÈVRE, CHEVREAU

Voir tab. **Animaux (termes propres aux)**

BIQUETER → CHÈVRE

BIRÉFRINGENCE → RAYON

BIRÈME → BATEAU, GALÈRE

Voir tab. **Bateaux**

BIREWECK

Voir tab. **Gâteaux régionaux et étrangers**

BIRGUE → CRABE

BIS → BEIGE, BRUN, RAPPEL

Voir tab. **Couleurs**

BIS- → DEUX

BISAÏEUL → PARENT

BISAIGUË → MARTEAU

BISBILLE → CHICANE

BISCORNU → EXTRAVAGANT, IRRÉGULIER, SINGULIER

BISCOTTE → PAIN

BISCUIT → CÉRAMIQUE, FAÏENCE, PORCELAINE

Voir tab. **Gâteaux régionaux et étrangers**

BISCUIT boudoir, bretzel, cookie, cracker, craquelin, croquignole, génoise, gimblette, macaron, os de seiche, sablé

BISCUIT DE SAVOIE

Voir tab. **Gâteaux régionaux et étrangers**

BISCUITER → CUIRE, POTERIE

BISCUITERIE → USINE

BISE → BAISER, HIVER, NORD (1), VENT

Voir tab. **Vents (type de)**

BISEAU → BEC, CISEAU, ENCADREMENT, OBLIQUE, SIFFLET

BISEAU bec, biais, biseauter, chanfrein, chanfreiner, ébiseler, embouchure

BISEAUTÉ → CARTE

BISEAUTER → BISEAU, TAILLER

BISER → TEINDRE

BISET → PIGEON

BISEXUÉ → SEXE

BISEXUÉ ambisexué, androgyne, autogamie, hermaphrodite, monoïque, polygame

BISMUTH

Voir tab. **Éléments chimiques (symbole des)**

BISMUTH 210 → RADIUM

BISON → BOVIN

BISONTINS

Voir tab. **Habitants (comment se nomment les)**

BISOU → BAISER

BISQUE → BOUILLON, HOMARD, POTAGE, VELOURS

BISQUER (FAIRE) → RAGE

BISQUINE → BARQUE

Voir tab. **Bateaux**

BISSAC → GIBECIÈRE, SAC

BISSECTRICE → LIGNE

Voir illus. **Géométrie (figures de)**

BISSER → RECOMMENCER

BISTE HEYT

Voir tab. **Gâteaux régionaux et étrangers**

BISTOUILLE → CAFÉ

BISTOURI → DENTISTE, PONCTION

Voir tab. **Chirurgie (vocabulaire de la)**

Voir tab. **Instruments médicaux**

BISTOURNAGE → CASTRATION

BISTOURNER → TORDRE

BISTRE → BEIGE, BRUN, LAVIS, MAT, SUIE

Voir tab. **Couleurs**

Voir tab. **Dessin (vocabulaire du)**

BISTRÉ → BASANÉ, HÂLÉ

BISTROT → BAR, BOISSON, BUVETTE

Voir illus. **Sièges**

BISTROT café, cybercafé, estaminet, pilier, troquet

BISTROTIER → BAR

BIT

Voir tab. **Informatique**

BITERROIS

Voir tab. **Habitants (comment se nomment les)**

BITORD → CORDAGE

BITROCHOSOPHOBIE

Voir tab. **Phobies**

BITTER

Voir tab. **Alcools et eaux-de-vie**

BITUME → CHAUSSÉE, GOUDRON, REVÊTEMENT, SOL

BITUME asphalte, goudron, macadam, naphte, tarmac

BITUMER → RECOUVRIR

BIUNIVOQUE → CORRESPONDANCE

BIVALENTE → MOLÉCULE

BIVEAU → ANGLE, ÉQUERRE, PIERRE, TAILLEUR

BIVITELLIN → JUMEAU

BIVOUAC → CAMP, STATIONNEMENT

BIVOUAC campement, cantonnement, castramétation, guitoune, quartier

BIVOUAQUER → CAMPER, FEU

BIWA → JAPONAIS

BIZARDE (TÊTE) → CERF

BIZARRE → ANORMAL, CHOSE, CURIEUX (2), DRÔLE (2), ÉTONNANT, ÉTRANGE, EXTRAORDINAIRE, EXTRAVAGANT, IMPOSSIBLE (2), INCOMPRÉHENSIBLE, INSOLITE, INVRAISEMBLABLE, ORIGINAL, PARTICULIER, SINGULIER, SPÉCIAL, SUSPECT (1), UNIQUE

BIZARRE abracadabrant, anormal, baroque, curieux, étrange, excentrique, extravagant, fantasque, farfelu, funambulesque, grotesque, halluciné, hurluberlu, inattendu, incongru, insolite, loufoque, lunatique, olibrius, rocambolesque, saugrenu, singulier, surprenant

BIZARRERIE → ANOMALIE, ORIGINALITÉ, SINGULARITÉ

BIZUTAGE → ACCUEIL, ÉPREUVE, INITIATION

BK

Voir tab. **Éléments chimiques (symbole des)**

BLABLA → BONIMENT

BLACK JACK → JEU

BLACK PENNY → TIMBRE-POSTE

BLACK TAR → DROGUE

BLACKBOULER → EXCLURE, REJETER

BLACK-ROT → VIGNE

BLACKWOOD

Voir tab. **Bridge**

BLAFARD → BLANC (1), BLÊME, COULEUR, LIVIDE, PÂLE, TERNE

Voir tab. **Couleurs**

BLAFARD achromique, blanchâtre, blême, cadavérique, décoloré, délavé, exsangue, hâve, livide

BLAGUE → FACÉTIE, FARCE, MYSTIFIER, PLAISANTERIE, SAC, TABAC, TOUR

BLAGUE baliverne, boniment, facétie, fadaise, fumisterie, galéjade, mystification, sornette, turlupiner

BLAGUER → IRONISER, PLAISANTER, TAQUINER

BLAGUEUR → FARCE

BLAIREAU → BROSSE, MOUSSER, NOCTURNE, PINCEAU

BLAKE

Voir tab. **Bande dessinée (héros de)**

BLÂMABLE → COUPABLE

BLÂME → AVERTISSEMENT, CARTON, CENSURE, DÉSAPPROBATION, ORDRE, PEINE, RÉPRIMANDE

BLÂME admonestation, avertissement, fustiger, remontrance, réprimande, réprobation, sanction, semonce, stigmatiser

BLÂMER → CONDAMNER, CRITIQUER, DÉSAVOUER, GRIEF, JUGER, MALTRAITER, PROCÈS, PUNIR

BLÂMER anathématiser, flétrir, incriminer, vitupérer

BLÂMES → OBSERVATION

BLANC → BAL, BULLETIN, BUT, CHOU, DAUPHIN, DEUIL, ESPACE, MARIAGE, POIVRE, POULET, RÉSERVE, SILENCE, TACHE, TIMBRE, VIDE (1)

Voir illus. **Œuf**

Voir tab. **Chevaux (robes des)**

BLANC (1) achromie, alb-, albâtre, albinisme, albugo, baïonnette, blafard, blême, candide, candidose, chenu, coutelas, crème, épée, eustache, glaive, hâve, immaculé, innocent, ivoire, kriss, laiteuse, leuc (o)-, leucocytes, leucodermie, liliale, livide, muguet, oïdium, poignard, pur, sable, sabre, stylet, vitiligo

BLANC (2) aiguillette, albuginé, albumen, espace, filet, intervalle, ivoirin, lactescent, opalin, sclérotique, spermaceti

BLANC (OURS) → OURS

BLANC CASSÉ → BEIGE, COQUILLE

BLANC COMME NEIGE → INNOCENT (2)

BLANC DE BALEINE → CACHALOT

BLANC DE PIED → MARGE

BLANC DE TÊTE → MARGE

BLANC-BEC → SOT

BLANC-BEC arrogant, béjaune, présomptueux, prétentieux

BLANCHÂTRE → BLAFARD
Voir tab. **Couleurs**

BLANCHE → FONTE, NUIT
Voir illus. **Symboles musicaux**

BLANCHET → FILTRER, MUGUET, MYCOSE

BLANCHIR → BLEU (2), CUIRE, DÉGROSSIR, DISCULPER, ÉBOUILLANTER, ÉCHAUDER, EXCUSER, IMPRIMERIE, JUSTIFIER, LAVER, NETTOYER, SUSPECT (2)
Voir tab. **Cuisine**

BLANCHIR absoudre, acquitter, canitie, chauler, déalbation, décolorer, disculper, ébouillanter, échauder, innocenter, sabler

BLANCHISSAGE → NETTOYAGE, RAFFINAGE

BLANCHISSEUR
Voir tab. **Saints patrons**

BLANCHISSEUSE → LAVEUR

BLANC-MANGER → GELÉE

BLANC-SEING → POUVOIR, SIGNATURE

BLANDICE → COMPLIMENT, TENTATION

BLANQUE → LOTERIE

BLANQUETTE → MOUSSEUX, RAGOÛT, SAUCE, VIANDE
Voir illus. **Voilier : Dufour 38 Classic**

BLASÉ → AIGRI, DÉSABUSÉ, DÉSENCHANTÉ, USÉ

BLASÉ dégoûté, désabusé, détaché, indifférent, insensible, las, revenu de tout, sceptique

BLASER (SE) → DÉCOURAGER

BLASON → ARME, ENSEIGNE, NOBLESSE, POÈME
Voir tab. **Collectionneurs**
Voir tab. **Héraldique (vocabulaire de l')**

BLASON argent, arme, armoirie, armorial, armoriée, azur, cartouche, contre-hermine, contre-vair, devise, écu, émail, emblème, fourrure, gueules, héraldique, hermine, manteau, métal, nobiliaire, or, pourpre, sable, sinople, tenant, vair

BLASONNER → BAFOUER

BLASPHÉMATEUR → IMPIE

BLASPHÉMATOIRE → IMPIE

BLASPHÈME → COLÈRE, JURON, OFFENSE, PÉCHÉ, RELIGION, SACRÉ, SACRILÈGE (2)

BLASPHÈME impie, imprécation, irréligieux, jurement, outrage, sacrilège

BLASPHÉMER → INSULTER, JURER, PROFANER

BLASTULA → EMBRYON

BLATÉRER → CHAMEAU
Voir tab. **Animaux (termes propres aux)**

BLATTE → CAFARD

BLAZER → VESTE
Voir illus. **Manteaux**

BLÉ → CÉRÉALE, MALT
Voir tab. **Plantes médicinales**
Voir tab. **Végétaux (classification simplifiée des)**

BLÉ boulgour, carie, échaudage, emblaver, épeautre, froment, graminées, nielle, piétin,

sarrasin, touselle, triticale, triticite, verse

BLEIME → SABOT

BLÊME → BLAFARD, BLANC (1), LIVIDE, PÂLE, VERT (2)
Voir tab. **Couleurs**

BLÊME blafard, cadavéreux, cadavérique, décomposé, exsangue, hâve, livide, plombé

BLÊMIR → PÂLIR

BLEMMOPHOBIE
Voir tab. **Phobies**

BLEND (ED) → WHISKY

BLENDE → ZINC

BLENDING
Voir tab. **Thé**

BLÉPHAR (O)-
Voir tab. **Chirugicales (interventions)**

BLÉPHARITE → CEIL, PAUPIÈRE

BLÉPHAROPLASTIE → PAUPIÈRE

BLÈSEMENT → DÉFAUT

BLÉSER → CHEVEU, ZOZOTER

BLÉSITÉ → PRONONCIATION, ZOZOTER

BLÉSOIS
Voir tab. **Habitants (comment se nomment les)**

BLESSANT → CASSANT, DÉPLAISANT, DÉSAGRÉABLE

BLESSÉ → INVALIDE (1), ULCÉRÉ, VIF (1)

BLESSÉ contusionné, déchiré, éclopé, écorché, écorché vif, estropié, fragile, handicapé, infirme, invalide, meurtri, mutilé, sensible, susceptible, vulnérable

BLESSER → ATTEINDRE, CHOQUER, CONTRARIER, DÉLICATESSE, DÉPIT, ÉGRATIGNER, HUMILIER, INJURE, IRRITER, MORTIFIER, MUTILER, PIQUER, VEXER

BLESSER affliger, balafrer, couronner, démettre (se), écharper, écorcher, égratigner, érafler, érailler, estropier, excorier, fouler (se), froisser, heurter, humilier, léser, luxer (se), mortifier, mutiler, offenser, outrager, taillader, ulcérer

BLESSURE → CHOC, ÉGRATIGNURE, LÉSION, MAL (1), PLAIE

BLESSURE atteinte, contusion, ecchymose, écorchure, élongation, entaille, entorse, estafilade, hématome, lésion, lèvres, luxation, meurtrissure, pique, plaie, polytraumatisé, séquelle, trait, trauma, traumatisme, vulnéraire

BLET → FRUIT, GÂTÉ, MÛR, POIRE

BLETTE bette, carde, chénopodiacées, poirée

BLETTISSEMENT → DÉCOMPOSITION

BLEU → APPRENTI, BOUILLON, COMBINAISON, COUP, DÉGAGÉ, IVOIRE, LÉSION, MERLE, MEURTRISSURE, PRIMAIRE, PRIMITIF, PUR, RECRUTÉ, SOLDAT, SPECTRE, TABLIER, VAISSEAU, VÊTEMENT, VIANDE
Voir illus. **Fromages**
Voir tab. **Couleurs**

BLEU (1) aigue-marine, azur, barbeau, candide, centaurée, céruléen, cyanose, femme

pédante, guède, indigo, ingénu, iris, lapis, lapis-lazuli, lavande, lazulite, marine, Méditerranée, myosotis, naïf, nuit, outremer, pastel, pers, pervenche, roi, safre, saphir, sentimental, smalt, tendre, tournesol, turquin, turquoise

BLEU (2) apprenti, azurer, blanchir, combinaison, court-bouillon, débutant, ecchymose, fourme d'Ambert, gorgonzola, hématome, meurtrissure, néophyte, novice, purpura, roquefort, stilton

BLEU (FLEUVE)
Voir tab. **Fleuves**

BLEU DE MÉTHYLÈNE → ANTISEPTIQUE

BLEU DE PRUSSE → TEINTURE

BLEUÂTRE
Voir tab. **Couleurs**

BLEUISSANT
Voir tab. **Couleurs**

BLEUSAILLE → SOLDAT

BLEUTÉ
Voir tab. **Couleurs**

BLIND
Voir tab. **Poker**

BLINDAGE → CARAPACE

BLINDÉ → BÉTON, CAVALERIE, CHAR, IMMUNISÉ, IVRE, VERRE

BLINDÉ aguerri, automitrailleuse, bardée, blockhaus, blocus, bunker, casemate, char d'assaut, cuirassé, endurci, fortin, half-track, immunisé, tank, tourelle

BLINDER → ARMER (S'), CUIRASSE, ENDURCIR, GARNIR

BLINDEUR
Voir tab. **Poker**

BLINKER
Voir tab. **Chasse (vocabulaire de la)**

BLISTER → CONDITIONNEMENT, EMBALLAGE, PLASTIQUE (1)

BLITZKRIEG → GUERRE

BLIZZARD → VENT

BLOC → FRONT, PAQUET, PÂTÉ, RÉUNION

BLOC allier (s'), bille, billot, cartel, coalition, fédérer (se), globalement, graben, grume, horst, iceberg, liguer (se), masse, monolithe, pavé, solidariser (se), totalité (en), unir (s'), vote bloqué

BLOC ERRATIQUE
Voir illus. **Glacier**

BLOC RÉGIONAL
Voir tab. **Économie**

BLOCAGE → AFFECTIF, BARRAGE, MAÇONNERIE, RÉSISTANCE

BLOCAILLE → BRIQUE

BLOC-CYLINDRES → MOTEUR
Voir illus. **Moteur**

BLOCKHAUS → ABRI, BLINDÉ

BLOC-NOTES → CARNET

BLOCUS → BLINDÉ, COMMERCIAL, INTERDICTION, ISOLER, SANCTION, SIÈGE

BLOCUS boycott, délivrer, embargo, investissement, isolement, libérer, siège

BLOIS
Voir tab. **Habitants (comment se nomment les)**

BLOND
Voir tab. **Couleurs**

BLOND cendré, doré, fauve, flavescent, platiné, vénitien

BLONDASSE
Voir tab. **Couleurs**

BLONDE D'AQUITAINE → BOVIN

BLONDIR → CUIRE, JAUNIR, REVEN

BLOODY MARY → TOMATE

BLOOMER → BÉBÉ, CULOTTE

BLOQUÉ → BOUCHÉ

BLOQUER → BARRER, COINCER, FERMER, FOOTBALL, GELER, IMMOBILISER, OBSTRUER, SERRER

BLOQUER assiéger, barrer, boucher, caler, cerner, coincer, encombrer, entraver, geler, immobiliser, interrompre, investir, neutraliser, obstruer, paralyser, saisie-arrêt (pratiquer une), suspendre

BLOQUET → BOBINE

BLOQUETTE → BILLE

BLOQUEURS
Voir illus. **Voilier : Dufour 38 Classic**

BLOTTIR (SE) → BOULE, ENFOUIR, NICHER, PELOTONNER (SE), RÉFUGIER (SE), SERRER

BLOTTIR (SE) dissimuler (se), pelotonner (se), presser (se), ramasser (se), recroqueviller (se), réfugier (se replier (se), tapir (se), terrer (s

BLOUSE → BILLARD, BUSTE, CHEMISE, TABLIER, VÊTEMENT

BLOUSE bourgeron, caraco, marinière, sarrau, souquenille, vareuse

BLOUSER → BILLARD

BLOUSON → VESTE, VÊTEMENT
Voir illus. **Manteaux**
Voir illus. **Modes et styles**

BLOUSON NOIR → DÉLINQUANT

BLOUSSE → DÉCHET, LAINE

BLUEBERRY
Voir tab. **Bande dessinée (héros de)**

BLUES → CAFARD, CRISE, JAZZ, MÉLANCOLIE, REGRET
Voir tab. **Danses (types de)**

BLUFF → BONIMENT, MENACE, POKER

BLUFF coup de poker, hâblerie, leurre, mensonge, vantardise

BLUFFER → AVOIR (1), IMPRESSIONNER, INTIMIDER
Voir tab. **Poker**

BLUFFER abuser, accroire, ébahir, esbroufer, impressionner, intimider, partie de poker, stupéfier, tromper

BLUFFEUR → BRAVE

BLUSH → FARD, MAQUILLAGE

BLUTAGE → FARINE

BLUTER → FARINE

BLUTOIR → FARINE, PAIN, PASSOIR, TAMIS

BOA → COU, SERPENT

BOB → CHAPEAU

BOBAK → MARMOTTE

BOBARD → BONIMENT

BOBBY → POLICIER (1)

BOBÈCHE → BOUGEOIR, CIRE

BOBIGNY
Voir tab. **Habitants (comment se nomment les)**

BOBINAGE → ÉLECTRONIQUE, TISSAGE

BOBINE → BOUGIE, FUSEAU, PHOTOGRAPHIE, ROULEAU, TALON

BOBINE bloquet, bobiner, bobinot, broche, canette, embobiner, envider, fusette, navette, nille, rochet, roquetin, solénoïde

BOBINER → BOBINE, ENROULER, TRAME

BOBINETTE → FERMETURE

BOBINOT → BOBINE

BOBO → DOULEUR

BOBSLEIGH → HIVER, TRAÎNEAU
Voir tab. **Sports**

BOBTAIL → BERGER

BOCAGE → BOIS, HAIE, NORMAND, PRÉ

BOCARD → MÉTALLURGIE

BOCARDER → BROYER

BOCK → BIÈRE

BODHISATTVA → RÉINCARNATION
Voir tab. **Bouddhisme**

BODONI
Voir tab. **Typographies**

BODY → BÉBÉ, DESSOUS

BODY-BUILDING → MUSCLE

BOËTE → MAQUEREAU

BOËTTE → APPÂT

BŒUF → BÊTE (1), BOVIN, VIANDE
Voir tab. **Animaux (termes propres aux)**

BŒUF baudruche, beuglement, bonnet, bouverie, bouvier, bouvillon, bouvril, bovidés, bovin, bucrane, caillette, chevillard, corned-beef, exceptionnel, feuillet, génisse, grandiose, jam, jam-session, meuglement, mironton, miroton, mugissement, ovibos, rumen, taureau, vache, veau, velle

BOGHEI → CABRIOLET, VOITURE

BOGUE → ANOMALIE, CHÂTAIGNE, ENVELOPPE, MARRON (1), PANNE, PIQUANT (1)
Voir tab. **Informatique**

BOGUET → VÉHICULE

BOHÉMIEN → CAMPER, TSIGANE

BOHÉMIEN gipsy, Gitan, manouche, romanichel, Tsiganes, zingaro

BOILLE → LAIT

BOIRE → RAFRAÎCHIR, SUCER

BOIRE abreuver, absorber, abstème, abstinent, avaler, désaltérer (se), dipsomanie, échanson, enivrer, griser, imbiber (s'), ingérer, ingurgiter, lamper, laper, libation, potable, potomanie, régalade (à la), sabler, siroter, toast (porter un), trinquer

BOIS → COMBUSTIBLE, CORNE, DESIGN, FORÊT, MATÉRIAU, PAPIER, PAVÉ, PIPE, PLANTE, PONT
Voir tab. **Anniversaires de mariage**
Voir tab. **Superstitions**

BOIS acajou, affouage, andouiller, aubier, aune, bille, bocage, boqueteau, bosquet, bouleau, bouquet, bourrée, brande, breuil, broussin, bûche, bûcher, calambac, capricorne des maisons, clairière, cœur, cor, ébène, écorce, époi, équarrissage, falourde, fourré,

lign (i)-, lignicole, lisière, loupe, lyctus, margotin, marmenteau, merrain, nodosité, nœud, okoumé, orée, peuplier, ramure, rondin, saule, ségrairie, stère, taillis, termite, tremble, tronçon, vrillette, xyl (o)-, xylème, xylologie, xylophage

BOIS (NŒUD DE)
Voir illus. **Nœuds**

BOIS DE CŒUR
Voir illus. **Tronc**

BOIS DE FENTE → DÉBITER

BOIS DE ROSE
Voir tab. **Ébénisterie (essences utilisées en)**

BOIS DE VIOLETTE
Voir tab. **Ébénisterie (essences utilisées en)**

BOIS VERT (EN)
Voir illus. **Fractures**

BOISÉ
Voir tab. **Vin (vocabulaire du)**

BOISER → PLANTER

BOISERIE → BUFFET

BOISSEAU → TUYAU

BOISSON → CONSOMMATION, RAFRAÎCHISSEMENT

BOISSON ambroisie, bar, beuverie, bistrot, breuvage, buffet de gare, buvette, café, cafétéria, chouchen, cordial, décoction, élixir, hydromel, infusion, julep, maté, nectar, oxymel, philtre, potion, pub, rafraîchissement, soûlerie, soûlographie, thé, tisane

BOÎTE → CARTON, CONDITIONNEMENT, HOUSSE

BOÎTE baguier, boîte-boisson, bonbonnière, brocarder, cabaret, cagnotte, canette, chancelière, châsse, chaufferette, coffret, courriel, custode, dancing, discothèque, drageoir, e-mail, écrin, étui, gausser de (se), jouer de (se), messagerie, night-club, philuméniste, plaisanter, railler, reliquaire, ridiculiser, taquiner, tronc, tyrosémiophile, urne, vide-poche

BOÎTE À ONGLETS → SCIE

BOÎTE D'ALLUMETTES
Voir tab. **Collectionneurs**

BOÎTE DE NUIT → CABARET

BOÎTE NOIRE → ENREGISTREMENT

BOÎTE-BOISSON → BOÎTE

BOITER boitiller, claudiquer, clocher, clopiner, feindre

BOITEUX → BANCAL, CHEVEU, DÉFECTUEUX, INCOMPLET, INFIRME, INSTABLE

BOITEUX Asmodée, bancal, béquille, branlant, bringuebalant, défectueux, Héphaïstos, imparfait, Talleyrand, vicié, vicieux, Vulcain

BOÎTIER → COMPARTIMENT
Voir tab. **Photographie (vocabulaire de la)**

BOITILLER → BOITER

BOL → CHANCE, VAISSELLE
Voir illus. **Cheveux (coupes de)**

BOL (1) bolée, coupe, écuelle, jatte, ramequin

BOLA
Voir illus. **Nœuds et cravates**

BOLCHEVISME collectivisme, communisme, Lénine, menchevik

BOLDUC → RUBAN

BOLÉE → BOL, CIDRE

BOLÉRO → DANSE, VESTE
Voir illus. **Manteaux**

BOLET BRONZÉ → NÈGRE

BOLHINOS
Voir tab. **Spécialités étrangères**

BOLIDE → ÉTOILE, PIERRE

BOLIER → FILET

BOLINCHE → SARDINE

BOLIVAR → CHAPEAU
Voir illus. **Coiffures**

BOLLARD → QUAI

BOLLITO MISTO
Voir tab. **Spécialités étrangères**

BOLO
Voir illus. **Nœuds et cravates**

BOLOMÈTRE → THERMOMÈTRE

BOMBAGE → DESSIN, PEINTURE

BOMBANCE → BANQUET, FESTIN, REPAS

BOMBANCE agape, banquet, banqueter, festin, festoyer, goberger (se), gueuletonner, noce, nouba, ribote, ripailler

BOMBARDE → BOMBARDEMENT, MANCHE, ORGUE
Voir tab. **Instruments de musique**

BOMBARDEMENT → AÉRIEN, ARTILLERIE, RAID

BOMBARDEMENT bombarde, bombardier, bombe (tapis de), canonnade, crapaud, crapouillot, mortier, obusier, pilonnage

BOMBARDER → ARROSER, FEU, PROPULSER

BOMBARDER accabler, harceler, mitrailler

BOMBARDIER → AVIATEUR, BOMBARDEMENT, INCENDIE
Voir illus. **Manteaux**

BOMBARDIER D'EAU → FEU

BOMBE → CASQUE, ÉQUITATION, EXPLOSIF, PROJECTILE, PULVÉRISER, TONNERRE
Voir illus. **Coiffures**

BOMBE A (bombe), brumisateur, cobalt, cocktail Molotov, déflagration, détonation, H (bombe), napalm (au), neutrons (bombe à), obus, phosphore, spray, torpille, uranium, vaporisateur

BOMBE (TAPIS DE) → BOMBARDEMENT

BOMBE A → ATOMIQUE

BOMBE H → ATOMIQUE

BOMBÉ → ROND (2)

BOMBER → BUSTE

BOMBES → VOLCAN

BOMBYX → PAPILLON

BOMBYX DU MÛRIER → SOIE

BÔME
Voir illus. **Voilier : Dufour 38 Classic**

BON → BRAVE, CHARITABLE, CHÈQUE, FASTE (2), FRUCTUEUX, INDULGENT (2), JUSTE, LOUABLE, OPPORTUN, PROPICE, SÉRIEUX (2)

BON (1) abonnir (s'), adéquate, altruiste, appropriée, avantageuse, avisé, bénéfique, bienfaisant, bienveillant,

bonifier (se), captivant, charitable, clément, congruente, consciencieux, conseillé, convenable, débonnaire, décisif, délectable, délicat, dévoué, éclairé, efficace, efficient, enviable, envoûtant, excellent, exemplaire, exquis, fascinant, favorable, fécond, fertile, fin, généreux, idoine, incomparable, indiqué, instructif, irréfutable, judicieux, louable, lucrative, magnanime, obligeant, opportun, palpitant, paterne, percutant, pertinent, plausible, profitable, propice, prudent, raisonnable, recevable, recommandé, remarquable, sage, salutaire, savoureux, secourable, sublime, succulent

BON (2) attestation, billet, bordereau, certificat, coupon, facture, formulaire, justificatif, quittance, reçu, titre

BON À RIEN → INCAPABLE (1)

BON AUGURE (DE) → FAVORABLE

BON DU TRÉSOR → VALEUR

BON GRÉ (DE) → GRÂCE

BON GRÉ MAL GRÉ → VOULOIR

BON MARCHÉ → CHER

BON MOT → SAILLIE, TRAIT

BON NOMBRE → PLUS

BON POINT → RÉCOMPENSE

BON SENS → DISCERNEMENT, RAISON, SAGESSE

BON VIVANT boute-en-train, drille, épicurien, hédoniste, jouisseur, libertin, luron, sybarite, viveur, voluptueux

BON VOULOIR → INITIATIVE

BONACE → ACCALMIE, CALME (1), MER, TEMPÊTE

BONAPARTE
Voir tab. **Rois et chefs d'État de la France**

BONAPARTE (LOUIS NAPOLÉON)
Voir tab. **Rois et chefs d'État de la France**

BONASSE → FAIBLE (2)

BONBON → ANGÉLIQUE, SUCRE

BONBON berlingot, bêtises, bonbonnière, calissons, douceur, dragée, drageoir, fondant, friandise, guimauve, papillote, praline, sucrerie

BONBONNE → BOUTEILLE

BONBONNIÈRE → BOÎTE, BONBON

BON-CHRÉTIEN → POIRE

BONDE → BOUCHON, ÉTANG, RÉSERVOIR, TONNEAU, TROU, VIDANGE

BONDÉ → COMBLE (2), CRAQUER, PLEIN

BONDER → REMPLIR

BONDÉRISATION → ROUILLE

BONDIEUSARD → BÉNITIER, BIGOT, DÉVOT

BONDIEUSERIE → BIGOT, DÉVOTION, PIÉTÉ

BONDIR → JAILLIR, SAUTER, TRESSAILLIR

BONDIR cabrioler, caracoler, élancer (s'), gambader, précipiter (se), tressaillir, tressauter

BONDON → BOUCHON, NORMAND

BONGEAU → LIN

BONGO → TAMBOUR
Voir illus. **Percussions**
Voir tab. **Instruments de musique**

BONHEUR → AFFECTIF, BÉATITUDE, BÉNÉDICTION, CHANCE, CONTENTEMENT, ÉVÉNEMENT, PLAISIR, PLÉNITUDE, RÉGAL, SATISFACTION, VEINE

BONHEUR amulette, béatitude, bénédiction, enchantement, eudémonisme, euphorie, extase, félicité, fétiche, mascotte, prospérité, ravissement, talisman

BONHEUR (AU PETIT) → HASARD
BONHEUR CONJUGAL → PIE (1)
BONHEUR-DU-JOUR → BUREAU, SECRÉTAIRE

BONHOMIE → BONTÉ

BONHOMME → HOMME

BONI → BÉNÉFICE, DÉPENSE, EXCÉDENT, GAIN, RECETTE, SUPPLÉMENTAIRE, SURPLUS

BONIFICATION → AMÉLIORATION, CHANGEMENT, RABAIS, SUPPLÉMENT

BONIFIER → BON (1), CHANGER, CORRIGER, FAIRE, FERTILE, MEILLEUR (2), VIEILLIR

BONIFIER abonnir (s'), améliorer (s'), amender, chauler, engraisser, enrichir, fertiliser, fumer, marner

BONIMENT → BLAGUE, BOURDE, CONVAINCRE

BONIMENT bagout, baratin, battage, blabla, bluff, bobard, histoire, mensonge, parade, réclame

BONIMENTER → DÉBITER

BONITE → THON

BONNE → DOMESTIQUE (1), FEMME, OR

BONNE cameriste, domestique, duègne, employée de maison, femme de chambre, gouvernante, nourrice, nurse, soubrette

BONNE BRISE
Voir tab. **Vent : échelle de Beaufort**

BONNE FOI → FRANC (2), SINCÈRE, VÉRITÉ

BONNE FRANQUETTE (À LA) → SIMPLE

BONNE PRESSE → CRITIQUE (1)
BONNES MANIÈRES → CIVILITÉ, POLITESSE

BONNE SŒUR
Voir tab. **Clergé catholique (vocabulaire du)**

BONNET → BÉGUIN, BŒUF, ESTOMAC
Voir illus. **Coiffures**

BONNET acquiescer, adhérer, approuver, barrette, béguin, cagoule, caïd, calot, calotte, chapka, charlotte, chrémeau, colback, consentir, huile, magnat, mandarin, manitou, mitre, mortier, passe-montagne, phrygien, toque, tuque

BONNET TURC
Voir illus. **Nœuds**

BONNET-CARRÉ → FUSAIN
BONNET-DE-PRÊTRE → FUSAIN
BONNETEAU → DEVINER

BONNETERIE → HABILLEMENT, TRICOT

BONNETTE → LENTILLE, MICROPHONE

BONS OFFICES → INTERVENTION

BONSAÏ → ARBRE, JAPONAIS, NAIN

BONTÉ → BIENFAISANCE, CHARITÉ, INDULGENCE, MISÉRICORDE, OBLIGEANCE, SENSIBILITÉ, VERTU

BONTÉ affabilité, altruisme, amabilité, bienveillance, bonhomie, clémence, commisération, compassion, complaisance, débonnaireté, gentillesse, humanité, magnanimité, mansuétude, miséricorde, obligeance

BONUS → ASSURANCE, PRIME, SALAIRE
Voir tab. **Assurance (vocabulaire de l')**

BONZE → MOINE, RELIGIEUX (1)
Voir tab. **Bouddhisme**

BONZERIE → MONASTÈRE

BOOGIE-WOOGIE
Voir tab. **Danses (types de)**

BOOKER PRICE
Voir tab. **Prix littéraires**

BOOKMARK
Voir tab. **Internet**

BOOM → BOURSE, EXPLOSION, HAUSSE, NATALITÉ

BOOSTER → ACCÉLÉRATEUR

BOOTLACE
Voir illus. **Nœuds et cravates**

BOOTLEGGER → CONTREBANDIER

BOOTS → BOTTE, CHAUSSURE
Voir illus. **Chaussures**

BOQUETEAU → BOIS, BOUQUET, FORÊT

BORA → HIVER, VENT

BORAGO OFFICINALIS
Voir tab. **Plantes médicinales**

BORAINS
Voir tab. **Habitants (comment se nomment les)**

BORBORYGME → BRUIT, INTESTIN (1)
Voir tab. **Bruits**

BORD → LATÉRAL, LISIÈRE, MARGE, RIVAGE

BORD abordage, accotement, bâbord, bas-côté, berge, bordages, crénelage, dos, grènetis, grève, lèvres, limbe, lisière, littoral, margelle, marli, orée, ourlet, rebord, rivage, rive, sombrero, tranche, tribord

BORD D'ATTAQUE
Voir illus. **Moulins à vent et à eau**

BORD FLOTTANT
Voir illus. **Drapeaux**

BORD LIBRE
Voir illus. **Ongle**

BORDAGES → BORD, BORDURE

BORDÉ → ENTOURER

BORDEAUX
Voir tab. **Couleurs**

BORDÉE → DÉBORDEMENT, ÉQUIPAGE, TORRENT

BORDEL → PROSTITUÉE, TOLÉRANCE
Voir tab. **Prostitution**

BORDELAISE → BOUILLIE, TONNEAU

BORDER → ENCADRER, ENCAISSER, TENDRE (1)

BORDER accentuer, banquette, berme, caboter, côtoyer, feston,

franc-bord, liserer, longe, nervure, ourler, rehausser, relief (mettre en), souligner

BORDEREAU → BON (2), COMPTABLE (2), ÉTAT

BORDIÈRE → BORDURE

BORDURE → CADRE, FRONTIÈRE, LISIÈRE, MARGE
Voir illus. **Chaussures**
Voir illus. **Héraldique**

BORDURE biais, bordages, bordière, brandebourg, croquet, front de mer, galon, ganse, liseré, orle, passement, passepoil

BORE
Voir tab. **Éléments chimiques (symbole des)**

BORÉAL → HÉMISPHÈRE, MÉSANGE, NORD (2), PÔLE

BORÉE → NORD (1)
Voir tab. **Vents (type de)**

BORGNE → AVEUGLE, ŒIL

BORGNE amblyope, crever un œil, cyclope, éborgner, énucléer, famé (mal), louche, malvoyant, monoculaire, obscur, sinistre

BORIE → HUTTE

BORNAGE → ARPENTAGE, NAVIGATION

BORNE → FREIN, FRONTIÈRE, INDICATEUR, LIMITE, REPÈRE, SÉPARATION

BORNE bipolaire, borne-fontaine, bouteroue, chasse-roue, démesuré, finitude, frontière, hydrant, hydrante, illimité, incommensurable, infini, limite, marche, multipolaire, pôle, terme

BORNÉ → BOUCHÉ, ÉTROIT, STUPIDE

BORNÉ bouché, compréhensif, éclairé, étriqué, étroit, incompréhensif, intelligent, mesquin, obtus, œillère, ouvert, perspicace, vue étroite (avoir une)

BORNE-FONTAINE → BORNE

BORNÉO
Voir tab. **Îles du monde**

BORNER → CONTENIR, FERMER, MODÉRER, TENIR

BORNER aborder, appréhender, cantonner à (se), circonscrire, considérer, délimiter, inclure, marquer, modérer, réfréner, restreindre

BORNOYER → REGARDER, TRACER, VÉRIFIER, VISER

BORT → DIAMANT, POLIR

BORTSCH → BOUILLON, CHOU, SOUPE
Voir tab. **Spécialités étrangères**

BOSKOOP → COUTEAU, POMME

BOSQUET → BOIS, BOUQUET, MASSIF (1)

BOSS → CHEF, PATRON

BOSSA NOVA
Voir tab. **Danses (types de)**

BOSSAGE → SAILLIE

BOSSE → COLONNE VERTÉBRALE, RELIEF

BOSSE accident, aspérité, bosseler, bossuer, cabosser, contusion, cordage, cyphose, ecchymose, enflure, gibbosité, hématome, monticule, phrénologie, polichinelle, proéminence,

protubérance, relief, tuméfaction

BOSSELÉ → CABOSSÉ, RELIEF

BOSSELÉ abîmé, bossué, cabossé, déformé, martelé

BOSSELER → BOSSE, DÉFORMER

BOSSELLE
Voir tab. **Pêche**

BOSSER → MANŒUVRE

BOSSETTE → CLOU

BOSSEUR → BÊTE (1)

BOSSU → DOS

BOSSUÉ → BOSSELÉ

BOSSUER → BOSSE, DÉFORMER

BOSTON → CARTE
Voir tab. **Danses (types de)**

BOT → MAIN

BOTANIQUE → DISCIPLINE, NATUREL, PLANTE, SCIENCE

BOTANIQUE (1) Buffon, herbier, herborisation, Linné, paléobotanique, phytographie, phytopathologie, phytotron, taxinomie, tératologie végétale, végétaux

BOTANIQUE (2) arboretum, phytogéographie

BOTANISTE → NATURALISTE

BOTHRIOCÉPHALE → VER

BOTHRIURIDÉS → SCORPION

BOTTE → BOUQUET, CHAUSSURE, MARAIS, OIGNON, PAILLE
Voir illus. **Chaussures**
Voir illus. **Modes et styles**

BOTTE anglaise (à l'), boots, botteleuse, bottillon, bottine, bouquet, brodequin, chaussure, coup, courtiser, cuissarde, débotté (au), faisceau, flagorner, gerbe, godillot, houseau, manoque, ramasseuse-presse, santiag

BOTTELER → LIER

BOTTELEUSE → BOTTE

BOTTES → ÉQUITATION

BOTTEUR → RUGBY

BOTTIER → CHAUSSURE, TALON

BOTTILLON → BOTTE, CHAUSSURE
Voir illus. **Chaussures**

BOTTIN → RENSEIGNEMENT, TÉLÉPHONE

BOTTINE → BOTTE, CHAUSSURE
Voir illus. **Chaussures**

BOTULISME → CONSERVE, EMPOISONNEMENT

BOUBOU → TUNIQUE, VÊTEMENT

BOUBOULER → HIBOU

BOUC → BARBE, CHÈVRE, MENTON
Voir tab. **Animaux (termes propres aux)**

BOUC barbiche, béguètement, bêlement, bouquin, cabri, caprin, capriné, chèvre, chevreau, chevrette, hircin, impériale, lascivité, menon, outre, ovinés, puanteur, satyre, victime expiatoire

BOUC ÉMISSAIRE → ACCUSATION, VICTIME (1)

BOUCAN → DÉSORDRE

BOUCANÉ → HÂLÉ, VIANDE

BOUCANER → DESSÉCHER, FUMER

BOUCANIER → BANDIT, CHASSEUR (1), MALFAITEUR, MARIN (1), PIRATE (1)

BOUCAU → PORT

BOUCAUD → CREVETTE

BOUCAUT → TONNEAU

BOUCHAGE → BOUTEILLE

BOUCHARDE → MAÇON, MARTEAU, PIERRE

BOUCHE → ÉGOUT, EMBOUCHURE, FOUR, MÉTRO, ORIFICE
Voir illus. **Poisson**

BOUCHE aber, bec, bucc-, buccal, délicat, delta, embouchure, estuaire, gastronome, gourmet, gueule, macrostomie, oral, orifice, oropharynx, ouverture, per os, stomatite, stomato-, stomatologiste, stomatoscope, suçoir, trompe, victuailles, vivres, voie buccale (par), voie orale (par)

BOUCHE À FEU → CANON

BOUCHE BÉE → MUET, OUVERT, SURPRISE

BOUCHÉ → BORNÉ, BROUILLARD

BOUCHÉ atrésie, barré, bloqué, borné, embolie, encombré, engorgé, inepte, oblitération, obstrué, obtus, occlusion, stupide, thrombose

BOUCHE-À-BOUCHE → RESPIRATION

BOUCHÉE → BRIBE, PEU (1), ROCHER

BOUCHER (1) aveugler, cacheter, calfater, calfeutrer, capsuler, colmater, combler, condamner, écran (faire), étouper, fermer, intercepter, luter, murer, obstruer, obturer, occulter, remblayer

BOUCHER (2) chevillard, couperet, couteau, crochet, étal, fusil, garçon boucher, garçon étalier, hachoir, quartier, scie, tripier

BOUCHER → BLOQUER, COMBLER, CRUEL, FERMER, MURER, OBSTRUER
Voir tab. **Saints patrons**

BOUCHERIE → HÉCATOMBE, MASSACRE

BOUCHERIE carnage, halal, hécatombe, hippophagique, issues, kasher, massacre, tuerie

BOUCHON → CABARET, CAPSULE, CAPUCHON, FLUIDE (2), RÉCIPIENT, RESTAURANT
Voir illus. **Moteur**
Voir tab. **Pêche**

BOUCHON bonde, bondon, clapet, cochonnet, encombrement, engorgement, fausset, flotteur, retenue, soupape, tampon, tape, tapon, valve

BOUCHONNÉ → ABÎMÉ, CHIFFONNÉ
Voir tab. **Vin (vocabulaire du)**

BOUCHONNER → ESSUYER, FROISSER, FROTTER, NETTOYER, PAILLE

BOUCHOT → CLÔTURE, MOULE

BOUCHURE → HAIE

BOUCICAUT ARISTIDE → MAGASIN

BOUCLAGE
Voir illus. **Cheveux (coupes de)**

BOUCLE → CEINTURE, DÉTOUR, PATINAGE, SAUT
Voir illus. **Harnais**

BOUCLE accroche-cœur, anglaise, anneau, ardillon, bouclette, boudin, cercle, clip, créole, cycle, dormeuse, frisette, frison, frisottis, girandole, guiche, looping, méandre, mousqueton,

ondulation, pendant, pendeloque, rosette, sinuosité, spirale

BOUCLE CUBITALE
Voir illus. **Main**

BOUCLE D'OREILLE
Voir illus. **Bijoux**

BOUCLE RADIALE
Voir illus. **Main**

BOUCLÉ → VELOURS

BOUCLER → ANNEAU, COMPLÉTER, ENCERCLER, FRISER, MALLE

BOUCLER calamistrer, détention (mettre en), écrouer, emprisonner, équilibrer, friser, incarcérer, indéfrisable, minivague, onduler, permanente

BOUCLETTE → BOUCLE

BOUCLIER → CARAPACE, DÉFENSIF, ÉCU, SAUVEGARDE

BOUCLIER anse, bronca, champ, clypeus, écu, enguichure, garant, guiche, huée, orle, otage, pavois, pelta, pelte, répondant, rondache, scutum, séquestré, targe, thermique, tollé

BOUCLIER MÉTALLIQUE → TUNNEL

BOUDDHA
Voir tab. **Bouddhisme**

BOUDDHISME → HINDOU, RÉINCARNATION
Voir tab. **Bouddhisme**
Voir tab. **Religions et courants religieux**

BOUDDHISME lamaïsme

BOUDER → BROUILLER, IGNORER

BOUDER battre froid à, rechigner, renfrogner (se)

BOUDEUR → MAUSSADE, RENFROGNÉ

BOUDEUR grognon, maussade, morose

BOUDIN → BOUCLE, CHARCUTERIE, DOIGT, MOULURE

BOUDINER → TORDRE

BOUDINIÈRE → CHARCUTERIE

BOUDOIR → BISCUIT, CUILLER, SALON

BOUE → VASE

BOUE abjection, avilissement, bauge, boueur, boueux, bourbe, bousin, braye, curer, débourber, décrottoir, désembourber, désenvaser, draguer, éboueur, fange, fangothérapie, fondrière, gadoue, gratte-pieds, grattoir, ignominie, infamie, limon, marécage, margouillis, marigot, tourbe, turpitude, vase

BOUÉE → CEINTURE, SIGNAL

BOUÉE balise, corps-mort, flotteur, planche de salut

BOUÉE-PHARE → PHARE

BOUEUR → BOUE

BOUEUX → BOUE, IMPUR, ORDURE, SALE, TROUBLE (2)

BOUEUX baveuse, bourbeux, charbonneuse, fangeux, limoneux, vaseux

BOUFFANT → COQ, GONFLER, PAPIER

BOUFFARDE → BRUYÈRE, PIPE

BOUFFE → GONFLER

BOUFFÉE → ÉMANATION, SOUFFLE, VENT

BOUFFETTE → RUBAN

BOUFFI → BOURSOUFLÉ, GRAS, REMPLIR, VISAGE

BOUFFI boursouflé, enflé, gonflé, gras, hypertrophié, joufflu, mafflu, pansu, potelé, rebondi, rond, tuméfié, turgescent, turgide, ventripotent, ventru, vultueux

BOUFFIR → GONFLER

BOUFFISSURE → CHAIR, ENFLURE

BOUFFON → AMUSANT, COCASSE, COMIQUE, DIVERTIR, FOU (1), PANTIN

BOUFFON (1) arlequin, farceur, fou, guignol, histrion, paillasse, pantin, pasquin, pitre, plaisantin, polichinelle, trivelin, turlupin, zanni

BOUFFON (2) atellanes, burlesque, cocasse, grotesque, ridicule, truculente

BOUFFONNE → BURLESQUE

BOUFFONNER → PLAISANTER

BOUFFONNERIE → FARCE

BOUGE → CABARET, DÉCHAUSSER (SE), SALE, TAUDIS

BOUGE bauge, boui-boui, bousin, caboulot, galetas, gargote, masure, réduit, taudis

BOUGEOIR → BOUGIE

BOUGEOIR bobèche, brûle-tout, chandelier

BOUGEOTTE → BOUGER

BOUGER → CHANGER, DÉPLACER, DÉPLACER (SE), DÉRANGER, MOUVOIR, REMUER

BOUGER agiter (s'), altérer (s'), bougeotte, bougillon, broncher, change, ciller, contester, déplacer (se), déteint, dromomanie, mouvoir (se), partir, passer à l'action, réagir, rétrécir, révolter (se), soulever (se)

BOUGERON → VÊTEMENT

BOUGIE → CHANDELLE, CIERGE, ÉCLAIRAGE, SONDE
Voir tab. **Chirurgie (vocabulaire de la)**

BOUGIE allumeur, batterie, bobine, bougeoir, brandon, candélabre, chandelier, chandelle, cierge, clef à bougies, électrode, flambeau, girandole, herse, lampion, lanterne, lumignon, luminaire, oribus, paraffine, stéarine, torche, torchère, transformatrice

BOUGILLON → BOUGER

BOUGNAT → CHARBON

BOUGON → ACARIÂTRE, GROGNON

BOUGONNER → BALBUTIER, GROGNER, GROMMELER

BOUGONNER critiquer, geindre, grognonner, grommeler, jurer, marmonner, maugréer, pester, protester, rognonner, ronchonner

BOUGRAN
Voir tab. **Couture**

BOUGRE → TYPE

BOUI-BOUI → BOUGE, RESTAURANT

BOUILLABAISSE → SOUPE
Voir tab. **Plats régionaux**

BOUILLAISON → CIDRE

BOUILLANT → ARDENT, CHAUD, IMPATIENT (2), IMPÉTUEUX

BOUILLE → BAC, LAIT, PERCHE, VENDANGE, VISAGE
Voir tab. **Pêche**

BOUILLER → TROUBLER

BOUILLEUR → BOUILLIR

BOUILLEUR DE CRU → ALCOOL

BOUILLIE bagasse, bordelaise, bourguignonne, broyer, chiffon, chyme, démolir, écrabouiller, écraser, farine, gâchis, gaudes, lait en poudre, magma, piler, polenta, porridge, pulpe, pultacé, triturer

BOUILLIR → CHAUFFER, MIJOTER, MITONNER

BOUILLIR agacer, agiter (s'), bouilleur, bouilloire, bouillonner, bouillotte, bouillotter, décoction, distillateur, échauffer (s'), exaspérer, excéder, impatienter (s'), irriter, mijoter, samovar, stériliser

BOUILLOIRE → BOUILLIR

BOUILLON → JOURNAL, PLI, POTAGE

BOUILLON bisque, bleu, bortsch, bouillon de culture, brouet, chaudeau, consommé, court-bouillon, fronces, invendus, médicinal, pot-au-feu, potage, velouté

BOUILLON DE CULTURE → BOUILLON

BOUILLONNANT → ARDENT, BRÛLANT

BOUILLONNANT embrasé, emporté, enflammé, exalté, fougueux, impétueux, tumultueux, véhément, volcanique

BOUILLONNÉ → STORE
Voir tab. **Couture**

BOUILLONNEMENT → BRUIT
Voir tab. **Bruits**

BOUILLONNEMENT agitation, ardeur, ébullition, effervescence, embrasement, enthousiasme, fébrilité, frénésie, mouvement, passion, pétulance, vitalité

BOUILLONNER → BOUILLIR

BOUILLOTTE → BOUILLIR, CHAUFFER, LIT, RÉCHAUFFER

BOUILLOTTER → BOUILLIR

BOULANGE → BÛCHE

BOULANGER
Voir tab. **Saints patrons**

BOULANGER (1) fournil, gindre, huche, maie, mitron, pétrin, pétrisseur

BOULANGER (2) panifier

BOULANGÈRE (POMMES) → POMME DE TERRE

BOULANGERIE → LEVURE

BOULBÈNE → ARGILE

BOULDER → PIERRE

BOULE → BILLE, COL, JONGLER, PAIN, PARURE
Voir tab. **Bande dessinée (héros de)**

BOULE billard, blottir (se), bouliste, boulodrome, boulomane, bowling, cochonnet, croquet, croquette, kefta, lover (se), œuf, pelote, pelotonner (se), pétanque, plomber, pointer, pomme, pommeau, poquer, quilles, tirer

BOULE À ZÉRO
Voir illus. **Cheveux (coupes de)**

BOULÊ → SÉNAT

BOULEAU → BOIS

BOULER → ROULER, TAUREAU

BOULES-DE-NEIGE → POMPON

BOULET → AGGLOMÉRÉ, CANON, CHAÎNE, CHARBON, FARDEAU
Voir illus. **Cheval**

BOULET DE CANON (COMME UN) → TROMBE

BOULETTE → PROJECTILE

BOULEVARD → RUE, THÉÂTRAL

BOULEVARD ceinture, cours, extérieur (boulevard), mail, périphérique, rocade, vaudeville

BOULEVERSANT → AFFOLANT, DÉCHIRANT, ÉMOUVANT, PATHÉTIQUE (2)

BOULEVERSÉ → AFFECTÉ, ATTEINDRE, CHOQUER, ÉBRANLER, FRAPPER, IMPRESSIONNER

BOULEVERSEMENT → BRUSQUE, CHAOS, CHOC, DÉRANGEMENT, RAVAGE, RÉVOLUTION, TROUBLE (1)

BOULEVERSEMENT altération, convulsion, crise, désordre, perturbation, renversement, révolution

BOULEVERSER → BOUSCULER, BROUILLER, CHAVIRER, CHOQUER, DÉRANGER, ÉMOUVOIR, PERTURBER, RENVERSER, SACCAGER, SECOUER, TOUCHER, TRANSFORMER, TROUBLER

BOULEVERSER altérer, chambouler, déconcerter, décontenancer, déranger, déstabiliser, ébranler, émouvoir, réformer, secouer, tournebouler, traumatiser, troubler

BOULGOUR → BLÉ

BOULIER → ABAQUE, CALCULER, COMPTER

BOULIMIE → ALIMENTATION, APPÉTIT, DÉSIR, FAIM, MANGER, TROUBLE (1)
Voir tab. **Psychiatrie**

BOULIMIQUE → CONSOMMATEUR

BOULIN → ÉCHAFAUDAGE, NICHE, TROU

BOULINGRIN → HERBE, PELOUSE, TALUS

BOULISTE → BOULE

BOULODROME → BOULE

BOULOIR → MAÇON

BOULOMANE → BOULE

BOULON DE CALAGE → VERROU

BOULON → VIS

BOULURE → RACINE

BOUM → SOIR
Voir tab. **Bruits**

BOUMEUR → HAUT-PARLEUR

BOUQUET → BOIS, BOTTE, CERF, COMPOSITION, CREVETTE, FEU D'ARTIFICE, GOÛT, ODEUR, PARFUM, POMPON, SENTEUR, VIN
Voir tab. **Animaux (termes propres aux)**
Voir tab. **Multimédia (les mots du)**
Voir tab. **Vin (vocabulaire du)**

BOUQUET arôme, boqueteau,

bosquet, botte, bouquet garni, bouquetière, couronne, final, gerbe, ikebana, nez

BOUQUET GARNI → BOUQUET
Voir tab. **Herbes, épices et aromates**

BOUQUETIER → VASE

BOUQUETIÈRE → BOUQUET, FLEUR

BOUQUETIN → CHÈVRE

BOUQUIN → BOUC, LAPIN
Voir tab. **Animaux (termes propres aux)**

BOUQUINAGE → ACCOUPLEMENT

BOUQUINISTE → BROCANTEUR, OCCASION

BOURBE → BOUE, MARAIS, VASE

BOURBELIER → POITRAIL, POITRINE

BOURBEUX → BOUEUX, IMPUR, TROUBLE (2)

BOURBIER → CLOAQUE, ÉGOUT

BOURBILLON → BOUTON, PUS

BOURBON → WHISKY
Voir tab. **Alcools et eaux-de-vie**
Voir tab. **Rois et chefs d'État de la France**

BOURBONIEN → NEZ

BOURBONS → DYNASTIE

BOURDAINE → ARBUSTES

BOURDALOU → TRESSE, VASE

BOURDE → BÊTISE, DÉMARCHE, IMPAIR, MALADRESSE, PAVÉ, SOTTISE

BOURDE baliverne, bévue, boniment, écart, erreur, étourderie, impair, lapsus, maladresse, méprise

BOURDILLON → CHÊNE

BOURDON → BÂTON, BOURDONNEMENT, BRODERIE, CAFARD, CLOCHE, CORDE, ERREUR, FAUTE, IDÉE, PÈLERIN, PERDRIX, TYPOGRAPHIE

BOURDONNEMENT → BRUISSEMENT, BRUIT, MURMURE, RUMEUR
Voir tab. **Bruits**

BOURDONNEMENT abeille, acouphène, assourdissant, bourdon, brouhaha, bruissement, frelon, guêpe, mouche, murmure, ronflement, ronronnement, rumeur, vrombissement

BOURDONNER → RÉSONNER
Voir tab. **Animaux (termes propres aux)**

BOURG → LOCALITÉ, VILLAGE
Voir tab. **Habitants (comment se nomment les)**

BOURGADE → DISSÉMINÉ, LOCALITÉ, VILLAGE

BOURG-EN-BRESSE
Voir tab. **Habitants (comment se nomment les)**

BOURGEOIS → DRAME, ÉTAT

BOURGEOIS (1) notable, rentier, tiers état

BOURGEOIS (2) classe ouvrière, conformiste, conservateur, dépassé, paysannerie, petit-bourgeois, prolétariat, résidentiel, suranné

BOURGEON → BOUTON, COMMENCEMENT, ŒIL

BOURGEON accru, brout, cépée, drageon, jet, méristème, pousse, recrû, rejet, rejeton, scissiparité, surgeon, trochée, turion

BOURGEONNEMENT → MULTIPLICATION

BOURGERON → BLOUSE

BOURGES
Voir tab. **Habitants (comment se nomment les)**

BOURG-LA-REINE
Voir tab. **Habitants (comment se nomment les)**

BOURGMESTRE → MAIRE

BOURG-SAINT-ANDÉOL
Voir tab. **Habitants (comment se nomment les)**

BOURG-SAINT-MAURICE
Voir tab. **Habitants (comment se nomment les)**

BOURGUESANS
Voir tab. **Habitants (comment se nomment les)**

BOURGUIGNON → RAGOÛT, SAUCE, VIANDE

BOURGUIGNONNE → BOUILLIE

BOURGUIGNOTTE → CASQUE

BOURLINGUER → ROULER

BOURQUAIS
Voir tab. **Habitants (comment se nomment les)**

BOURRACHE
Voir tab. **Plantes médicinales**

BOURRADE → COUP

BOURRAQUE → CREVETTE, CRUSTACÉ

BOURRASQUE → GRAIN, ORAGE, RAFALE, TEMPÊTE, TURBULENCE, VENT

BOURRE → CARTOUCHE, CHIFFON, DÉCHET, DUVET, FOURRURE, OUATE
Voir illus. **Canon**
Voir illus. **Cartouches**

BOURRE (À LA) → RETARD

BOURRE LANICE → LAINE

BOURRÉ → COMBLE (2), FARCI, IVRE, SATURÉ

BOURREAU → BARBARIE, TORTURE

BOURREAU exécuteur des basses œuvres, exécuteur des hautes œuvres, tortionnaire

BOURRÉE → BOIS, DANSE, FAGOT

BOURRELÉ → TOURMENTER

BOURRELET → PLI

BOURRELIER → HARNAIS

BOURRELLERIE → CUIR

BOURRER → EMPLIR, FARCIR, TASSER
Voir tab. **Chasse (vocabulaire de la)**

BOURRER DE (SE) → MANGER

BOURRETTE → SOIE

BOURRICHE → HUÎTRE, PANIER, PÊCHE
Voir tab. **Pêche**

BOURRIDE → SOUPE
Voir tab. **Plats régionaux**

BOURRIN → CHEVAL

BOURROIR → PILER

BOURRU → BRUSQUE, BRUTAL, GROGNON, LAIT, RENFROGNÉ, REVÊCHE, RUDE, VIN

BOURSAULT
Voir illus. **Fromages**

BOURSE → FINANCES, PALAIS, PENSION, POCHE, RESSOURCE, SAC

BOURSE agent de change, agiotage, aumônière, baissier, boom, boursicaut, boursicoter, broker, CAC 40, compensation, corbeille, cotation, cote, coulissier, cours, courtier, crise, débâcle financière, délit d'initié,

Dow Jones, effondrement, escarcelle, gibecière, gousset, haussier, krach, liquidation, négociation, Nikkei, ordre, Palais Brongniart, scrotum, souscription, spéculer, testicule, trader, transaction, tripotage

BOURSE DE COMMERCE → DROIT (1)

BOURSE DES VALEURS → MARCHÉ

BOURSES → TESTICULE

BOURSETTE
Voir tab. **Salades**

BOURSICAUT → BOURSE

BOURSICOTER → ACHETER, BOURSE, JOUER, SPÉCULER

BOURSIER
Voir tab. **Saints patrons**

BOURSIN
Voir illus. **Fromages**

BOURSOUFLÉ → BOUFFI

BOURSOUFLÉ ampoulé, bouffi, déclamatoire, emphatique, enflé, gonflé, grandiloquent, pompeux, tuméfié

BOURSOUFLER → GONFLER

BOURSOUFLURE → CLOQUE, ENFLURE

BOUSAGE → BAIN

BOUSARD → CERF

BOUSCUEIL → DÉBÂCLE, DÉGEL

BOUSCULADE → FOULE, PRÉCIPITATION

BOUSCULER → HEURTER, MALMENER, POUSSER, PRESSER (SE), RENVERSER

BOUSCULER bouleverser, brusquer, culbuter, déranger, gourmander, heurter, importuner, maltraiter, presser, renverser, rudoyer, secouer, submerger, surmener

BOUSE → EXCRÉMENT

BOUSEUX → CULTIVATEUR, PAYSAN (1)

BOUSILLAGE → PAILLE, TORCHIS

BOUSILLER → FUSILLER, TORCHIS

BOUSIN → BOUE, BOUGE, CABARET

BOUSINE → CORNEMUSE

BOUSINGOT
Voir illus. **Coiffures**

BOUSSOLE → CHINOIS, ORIENTATION

BOUSSOLE aiguille, aimant, compas, déclinatoire, gyrocompas, magnétisme, nord, orienter (s'), rose des vents, sextant

BOUSTROPHÉDON → LIGNE

BOUT → BAS (1), BRIN, CORDAGE, DÉBORDER, FRAGMENT, LAMBEAU, POINTE, QUEUE, TAROT
Voir tab. **Tarot**

BOUT abouter, accablé, accomplir, achever, apex, après, bouton, brûle-tout, chanteau, crampon, croûton, ébouter, écourter, embouchoir, embouchure, embout, enfuir (s'), entame, enter, épuisé, équeuter, éreinté, extrémité, joindre, limite, lopin, maîtriser, mamelon, mater, mégot, morceau, parcelle, part, pointe, portion, quignon, rabouter, réussir, surmonter, terme de (au), terminer, tétin, trahir (se), tranche, triompher, tronquer, vaincre, virole

BOUT À L'AUTRE (D'UN) →
TRAVERS (2)
BOUT DE NERFS (À) → CRAN
BOUT DE SOUFFLE (À) → HALEINE
BOUTADE → ESPRIT, MOT,
PLAISANTERIE, SAILLIE, TRAIT
BOUTE-EN-TRAIN → BON VIVANT,
COMIQUE, GAI (1), JOVIAL
BOUTEFEU → BAGARRE, BÂTON
BOUTEILLE → CONDITIONNEMENT,
FLACON, VERRE, VERT (1)
Voir illus. **Nœuds et cravates**
Voir tab. **Couleurs**
BOUTEILLE anneau, atomiseur,
baquetures, bidon, bonbonne,
bouchage, cadavre, canette,
carafe, cocktail Molotov, col,
collet, cul, dame-jeanne,
égoutture, embouteiller,
éthylabellophile, fiasque,
fiole, flacon, fond, goulot,
goupillon, gourde, hérisson,
muselet, nébuliseur,
œnosémiophile, paillon,
panse, pulvérisateur, serre-
bouchon, spray, tesson,
thermos, tourie, vaporisateur,
ventre
BOUTEILLE D'OXYGÈNE →
PLONGEUR
BOUTER → BATTRE, REFOULER
BOUTEROLLE → FOURREAU,
GARDE, GARNITURE
BOUTEROUE → BORNE
BOUTE-SELLE → CAVALERIE, SIGNAL
BOUTIQUE → CAISSE, FONDS,
MAGASIN, VENTE
BOUTIQUE achalandage,
alimentation générale,
approvisionner, arrière-
boutique, atelier, baraque,
bazar, bric-à-brac, brocante,
bureau de tabac, chaland,
chalandage, clientèle,
commerce, commis, comptoir,
débit de tabac, devanture,
droguerie, échoppe, épicerie,
étalage, lèche-vitrines, magasin,
négoce, officine, pratique,
quincaillerie, réserve, resserre,
stand, taxe professionnelle,
vitrine
BOUTIS → TROU
BOUTISSE
Voir illus. **Briques
(appareillages de)**
BOUTON → BOUT, BULLE, CERF,
MERCERIE, POIGNÉE, SERRURE,
SONNETTE
Voir illus. **Manteaux**
Voir illus. **Violon**
Voir tab. **Collectionneurs**
BOUTON acné, agrafe, ampoule,
anthrax, attache, bassinet, bec-
de-cane, bourbillon, bourgeon,
bouton de culotte, bouton-
poussoir, boutonnière,
brandebourg, bride, bulle,
chalazion, clenche, cloque,
comédon, commutateur,
compère-loriot, fibulanomiste,
fibule, ficaire, furoncle, herpès
labial, interrupteur, nodule,
œil, œilleton, olive, orgelet,
papule, phlyctène, poignée,
point blanc, point noir, poire,
poussoir, pustule, renoncule,
rotateur, rougeole, urticaire,

varicelle, variole, vérole (petite),
vésicule, zona
BOUTON D'ÉCHAPPEMENT
Voir illus. **Piano**
BOUTON DE MANCHETTE →
CHEMISE
BOUTON-DE-CULOTTE
Voir tab. **Fromages**
BOUTONNER → FERMER
BOUTONNIÈRE → BOUTON,
FINITION, ŒILLET
BOUTON-POUSSOIR → BOUTON
BOUTRE → VOILIER
Voir tab. **Bateaux**
BOUTURAGE → MULTIPLICATION,
VÉGÉTAL (1)
Voir tab. **Jardinage**
BOUTURE → BRANCHE, PLANT,
REPRODUCTION
BOUTURE crossette, feuille, greffe,
mailleton, marcotte, plançon,
plantard, racine, rameau, tige
BOUTURER → PLANTER
BOUVERIE → BŒUF, ÉTABLE
BOUVET → MENUISIER, RABOT
BOUVIER → BŒUF, CONDUCTEUR,
GARDIEN, PÂTRE, TROUPEAU
BOUVILLON → BŒUF
BOUVRIL → BŒUF
BOUZOUKI → PLECTRE
BOVIDÉ → BŒUF, MOUTON
BOVIN → BÉTAIL, BŒUF
Voir tab. **Animaux (termes
propres aux)**
BOVIN aurochs, bison, blonde
d'Aquitaine, bœuf, broutard,
buffle, charolaise, frisonne,
garonnaise, gasconne, herd-
book, hollandaise, limousine,
normande, yack, zébu
BOWLING → BOULE, PISTE, QUILLE
BOW-WINDOW → BAIE, FENÊTRE,
SAILLIE
Voir illus. **Maison**
BOX → ÉCURIE, LOGE, PARKING
Voir tab. **Animaux (termes
propres aux)**
BOX-CALF → VEAU
BOXE
Voir tab. **Sports**
BOXE boxe française, boxe thaïe,
catch, ceste, clinch, contre,
crochet, direct, full-contact,
infighting, kick boxing,
pancrace, pugilat, ring, round,
savate, swing, uppercut
BOXE FRANÇAISE → BOXE
Voir tab. **Savate ou boxe
française**
BOXE THAÏE → BOXE
BOXEUR coach, coq, entraîneur,
knock-out, KO, léger, lourd,
manager, mi-lourd, mi-welter,
mouche, moyen, plume,
pugiliste, sparring-partner,
super-lourd, super-welter, welter
BOXON
Voir tab. **Prostitution**
BOY → DANSEUR, DOMESTIQUE (1)
BOYARD → NOBLE (1)
BOYAU → ABRI, CHEMIN, CONDUIT,
ÉTROIT, GALERIE, INTESTIN (1),
PASSAGE, PNEU, SOUTERRAIN (2),
TRIPES, TUYAU
BOYAU andouille, andouillette,
boyauderie, catgut, entrailles,
tripe, triperie, tripous, viscère
BOYAUDERIE → BOYAU

BOYCOTT → BLOCUS,
COMMERCIAL, IMPORTER,
INTERDICTION
BOYCOTTER → QUARANTAINE,
REFUSER
BR
Voir tab. **Éléments chimiques
(symbole des)**
BRABANÇON → BANDIT
BRABANT → CHARRUE
BRACELET → POIGNET
Voir tab. **Bijoux**
BRACELET armilles, gourmette,
jonc, psellion, puntarelle,
semainier
BRACHIAL → BRAS
BRACHIOPTÉRYGIENS
Voir tab. **Poissons (classification
simplifiée des)**
BRACHYCÉPHALE → CRÂNE (1),
RACE, TÊTE
BRACHYDACTYLE → COURT, DOIGT
BRACONNAGE → CHASSE
BRACONNER → CAPTURER
BRACONNIER → CHASSEUR (1),
PIÈGE
BRACONNIÈRE
Voir illus. **Armures**
BRACTÉE → FLEUR
BRADÉ → SOLDÉ
BRADER → CHER, PRIX, RÉALISER,
VENDRE
BRADERIE → MARCHÉ, VENTE
BRADYCARDIE → BATTEMENT
BRADYPE → PARESSEUX (1), SINGE
BRADYPEPSIE → DIGESTION
BRAGARDS
Voir tab. **Habitants (comment se
nomment les)**
BRAGOÙ → LUTTE
BRAHMA
Voir tab. **Hindouisme**
BRAHMANE → CONDUCTEUR,
RELIGIEUX (1)
Voir tab. **Hindouisme**
BRAHMANISME →
RÉINCARNATION
Voir tab. **Hindouisme**
Voir tab. **Religions et courants
religieux**
BRAI → DISTILLATION, GOUDRON,
ORGE, PÉTROLE, RÉSIDU
BRAIES → PANTALON
BRAILLARD → BRUYANT
BRAILLE → ALPHABET, AVEUGLE (1)
BRAILLEMENT → BÉBÉ,
BEUGLEMENT, BRUIT
Voir tab. **Bruits**
BRAILLER → CRIER, HURLER, PLEURER
BRAIMENT → ÂNE
BRAIN DRAIN → ÉMIGRATION,
FUITE
BRAIN-TRUST → ÉQUIPE
BRAIRE
Voir tab. **Animaux (termes
propres aux)**
BRAISER → CUIRE
Voir tab. **Cuisine**
BRAISIÈRE → MARMITE
BRAMEMENT → BEUGLEMENT
BRAMER → BICHE, CERF
Voir tab. **Animaux (termes
propres aux)**
BRANCARD → CHARRETTE, LITIÈRE
BRANCARDIER → INFIRMIER
BRANCHAGE → BRANCHE
BRANCHE → CISEAU, CLASSER,
DISCIPLINE, DOMAINE, RACE,

RAMIFICATION, RAYON, SECTEUR,
SERVICE, SPÉCIALITÉ
Voir illus. **Selle**
BRANCHE arçon, arcure, bouture,
branchage, brancher,
brancher (se), branchette,
brindille, brout, chiffonne,
clayonnage, courçon,
croisillon, crossette, ébrancher,
élaguer, émonder, ente, enter,
ergot, fastigié, feuillage, flèche,
frondaison, gourmand, greffer,
greffer, greffon, hardées,
marcotte, plançon, plantard,
port, pousse, rameau, ramée,
ramille, ramure, ravaler, rejet,
rejeton, rouette, sarment,
scion, tailler
BRANCHE INFÉRIEURE
Voir illus. **Arcs et arbalète**
BRANCHE MAÎTRESSE
Voir illus. **Arbre**
BRANCHE SUPÉRIEURE
Voir illus. **Arcs et arbalète**
BRANCHÉ → MODE
BRANCHEMENT → INSTALLATION
BRANCHER → BRANCHE,
RATTACHER
BRANCHER aiguillage, bifurcation,
connecter, contact (mettre en),
raccorder, rattacher,
relation (mettre en)
BRANCHETTE → BRANCHE
BRANCHIE → POISSON,
RESPIRATION
BRANDADE → PURÉE
Voir tab. **Plats régionaux**
BRANDE → BOIS, BRUYÈRE, FAGOT,
FRICHE, LANDE, TERRAIN
BRANDEBOURG → BORDURE,
BOUTON, GALON, PASSEMENTERIE
Voir illus. **Manteaux**
BRANDIR → AGITER
BRANDIR agiter, arborer, élever,
exhiber, lever, menacer
BRANDON → BOUGIE, FLAMBEAU,
GERME, TORCHE
BRANDY
Voir tab. **Alcools et eaux-de-vie**
BRANLANT → BOITEUX, FRAGILE,
INSTABLE
BRANLANTE → BANCAL
BRANLE (METTRE EN) →
IMPULSION
BRANLER → BALANCER
BRAQUAGE → BRAQUER
BRAQUER → BUTER, DIRIGER,
DRESSER, POINTER, REDRESSER,
TOURNER
BRAQUER ajuster, attaque
à main armée, axer,
braquage, contrebraquer,
diriger, dresser contre,
hold-up, obliquer, orienter,
rendre hostile à, tourner,
virer, viser
BRAS → BALANCE, INSTRUMENT,
POULIE
BRAS abandonner, abdiquer,
accotoir, accouder, accueillir,
adjoint, agent, aisselle, alter
ego, anéantir, appui, ascendant,
assistant, associé, autorité
sur (de l'), biceps, brachial,
céder, charge, chenal,
codirecteur, cogérant,
crédit, cubitus, décourager,
deltoïde, démissionner,

dépendance (sous sa), désœuvrement, détroit, dormir, embrasser, emprise, épaule, fainéantise, farniente, giron, homme, humérus, improductivité, inactivité, influence, laisser-aller, main-d'œuvre, manœuvres, oisiveté, ouvriers, paralyser, paresse, partenaire, passage, passivité, poignet, radius, relations (des), renoncer, retirer (se), saignée, second, sein, stupéfier, tétraplégie, travailleur, triceps, tutelle, vice-président

BRAS DE VIBRATO
Voir illus. **Guitare**

BRAS DROIT → COLLABORATEUR, CONFIANCE, SECOND (1)

BRAS DU CANTILEVER
Voir illus. **Ponts**

BRAS LONG → INFLUENCE

BRASER → JOINDRE

BRASERO → CHAUFFAGE

BRASIER → INCENDIE

BRASILLANT → BRILLANT (1), PHOSPHORESCENT

BRASILLEMENT → LUEUR

BRASILLER → MER

BRASSAGE → BIÈRE, MÉLANGE, RACE

BRASSAGE creuset, croisement, hybridation, mélange, melting-pot, métissage, rapprochement

BRASSARD → DEUIL, RUBAN
Voir illus. **Armures**

BRASSE → NAGE

BRASSE COULÉE → NAGE

BRASSE PAPILLON → NAGE

BRASSER → AGITER, MANIER, TRAITER

BRASSER battre, brouiller, manier, manipuler, mêler, ourdir, traiter, tramer, voir passer entre ses mains

BRASSERIE → BIÈRE, LEVURE, RESTAURANT, USINE

BRASSEUR → NAGEUR

BRASSEUR D'AFFAIRES → HOMME D'AFFAIRES

BRASSICOLE → BIÈRE

BRASSIÈRE → BÉBÉ, CHEMISE

BRASURE → SOUDURE

BRAVACHE → BRAVE, FANFARON

BRAVADE → DÉFI

BRAVE → COURAGEUX, CRÂNE (2), FIER, HÉROS, INTRÉPIDE, VALEUREUX

BRAVE audacieux, aventureux, bluffeur, bon, bravache, braver, capitan, combattre, courageux, fanfaron, fier-à-bras, gentil, hardi, héroïque, honnête, intrépide, matamore, mépriser, moquer de (se), opposer à (s'), preux, provoquer, serviable, téméraire, vaillant, valeureux

BRAVER → AFFRONTER, BAFOUER, BRAVE, DANGER, EXPOSER, FACE, GANT, IGNORER, INSULTER, MÉPRISER, MOQUER (SE), OPPOSER, PROVOQUER, REGARDER, TENTER, VIOLER

BRAVO → APPLAUDISSEMENT, CRI, EXCLAMATION

BRAVOURE → AUDACE, CHEVALERIE, COURAGE, HARDIESSE, VAILLANCE

BRAYE → BOUE

BRAYER → BANDE, HERNIE

BREAK → JAZZ, PARENTHÈSE, PAUSE, VOITURE
Voir illus. **Voitures (types de)**

BREAKDANCE
Voir tab. **Danses (types de)**

BREAKFAST → REPAS

BREBIS
Voir tab. **Animaux (termes propres aux)**

BREBIS DES PYRÉNÉES
Voir illus. **Fromages**

BREC
Voir tab. **Police nationale (organisation de la)**

BRÈCHE → CREUX (1), ENFONCER, TROU, TROUÉE

BRÈCHE accès, attaquer, cluse, détruire, ébranler, ébréchure, échappée, écornure, endommager, entamer, entorse à, exception à, interstice, jour, miner, nuire, orifice, ouverture, passage, percée, pertuis, tirer, trou, trouée

BRÈCHE DE ROLAND → COL

BRÉCHET
Voir illus. **Cheval**

BREDOUILLER → ARTICULER, BALBUTIER, BÉGAYER, DISTINCT, PARLER, RÉCITER

BREF → BULLE, CONCIS, IMPÉRATIF (2), INSTANTANÉ (2), LETTRE, PAPAUTÉ, SOMMAIRE (2)

BREF (1) abréger, brusque, compendieux, concis, conclure (pour), conclusion (en), coupant, court, elliptique, enfin, éphémère, finir (pour), impératif, incisif, interrompre, laconique, lapidaire, momentané, mot (en un), raccourcir, rapide, réduire, restreindre, résumé (en), résumer, sec, succinct, tronquer

BREF (2) bulle, encyclique, rescrit

BRÉHAIGNE → STÉRILE

BRELAN → DÉ, POKER
Voir tab. **Poker**

BRELOQUE → BABIOLE, BIJOU, TAMBOUR

BRÉSILLER → PULVÉRISER, TEINDRE

BRESSANS
Voir tab. **Habitants (comment se nomment les)**

BRESSE (BLEU DE)
Voir illus. **Fromages**

BRETAGNE
Voir tab. **Saints patrons**

BRETELLE → ACCÈS, BIFURCATION, JONCTION

BRETELLE admonester, bandoulière, bricole, chapitrer, morigéner, remontrances à (faire des), réprimander, semoncer, sermonner

BRETELLER → TAILLER

BRETESSÉ
Voir illus. **Héraldique**

BRETON → CELTIQUE
Voir illus. **Coiffures**

BRETTELER → STRIER

BRETTEUR → ÉPÉE, ESCRIME

BRETTOR → POMME DE TERRE

BRETZEL → BISCUIT, PAIN

BREUER (JOSEF)
Voir tab. **Psychanalyse**

BREUIL → BOIS, BUISSON, HAIE

BREUVAGE → BOISSON

BRÈVE → ARTICLE, INFORMATION
Voir tab. **Oiseaux (classification simplifiée des)**

BREVET → DIPLÔME, PROPRIÉTÉ, TITRE

BREVET assurance, capacité, certificat, commission, diplôme, examen, garantie, licence, propriété industrielle

BREVETÉ certifié, garanti

BRÉVIAIRE → LITURGIE, LIVRE, PRIÈRE
Voir tab. **Catholique romain (vocabulaire)**
Voir tab. **Livres**

BRÉVILIGNE → COURT

BRI
Voir tab. **Géographie et géologie (termes de)**
Voir tab. **Police nationale (organisation de la)**

BRIARD → BERGER

BRIBE → DÉBRIS, EXTRAIT, FRAGMENT, LAMBEAU, MIETTE, MORCEAU, QUANTITÉ, RELIEF

BRIBE bouchée, extrait, fraction, fragment, miette, parcelle, partie, passage, portion

BRIC-À-BRAC → BAZAR, BOUTIQUE, BROCANTEUR, DÉSORDRE

BRICK → BEIGNET, NAVIRE, VOILIER
Voir tab. **Bateaux**

BRICOLE → BABIOLE, BRETELLE, CHOSE (1), COURROIE, INSIGNIFIANT, POITRAIL

BRICOLER → BILLARD

BRICOLER aménager, arrangé, bidouiller, décorer, dépanné, entretenir, installé, menus travaux (faire de), nettoyer, orner, peindre, raccommoder, rénover, réparé, restauré, révisé, travailler

BRIDE → ANNEAU, BOUTON, DENTELLE, MANCHON

BRIDE bridon, élinguer, épicanthus, frontail, montant, mors, œillère, sous-gorge, têtière, trousser

BRIDE ABATTUE (À) → VITE, VITESSE

BRIDER → FICELLE, GÊNER, SERRER, VOLAILLE
Voir tab. **Cuisine**
Voir tab. **Informatique**

BRIDGE → CARTE, DENTAIRE, IMPASSE

BRIDON → BRIDE

BRIE
Voir tab. **Fromages**

BRIEFING → INFORMATION

BRIÈVEMENT → PEU (1)

BRIEY
Voir tab. **Habitants (comment se nomment les)**

BRIGADE → CAVALERIE, ÉQUIPE, GENDARMERIE, UNITÉ

BRIGADE DES STUPÉFIANTS → RÉPRESSION

BRIGADIER → NAGEUR, POLICE
Voir illus. **Grades de la gendarmerie**
Voir illus. **Grades militaires**

BRIGADIER-CHEF
Voir illus. **Grades de la gendarmerie**
Voir illus. **Grades militaires**

BRIGAND → BANDIT, MALFAITEUR

BRIGANTIN → NAVIRE
Voir tab. **Bateaux**

BRIGANTINE → CARRÉ (2), VOILE

BRIGUE → COMPLOT, DÉMARCHE, INTRIGUE, MACHINATION

BRIGUER → CANDIDAT, DEMANDER, DÉSIRER, SOLLICITER, SOUHAITER, VISER

BRILLANCE → INTENSITÉ, VERNIS

BRILLANT → DIAMANT, DOUÉ, ÉTINCELANT, FARD, FLAMBOYANT, FORT (2), GLACÉ, ILLUSTRE, IMPRESSIONNANT, INTELLIGENCE, INTÉRESSANT (2), LUISANT, LUSTRE, PEINTURE, POLI (1), RESPLENDISSANT, SANTÉ, SOLITAIRE (2), SPIRITUEL, SPLENDIDE, SUPÉRIEUR, VERNIS, VIF (2)

BRILLANT (1) brasillant, brio, captivant, célèbre, chatoyant, concetti, coruscant, distingué, doué, éblouissant, enviable, étincelant, exceptionnel, fameux, fin, florissant, glorieux, illustre, maestria, mondain, nitescence, pétillant, prospère, remarquable, riche, rutilant, satiné, scintillant, soyeux, spirituel, virtuosité

BRILLANT (2) diamant, faste, lustre, magnificence, solitaire, somptuosité, splendeur

BRILLANTE → LUMIÈRE

BRILLANTÉ → RECHERCHÉ, RELIEF

BRILLANTER → DIAMANT, PARSEMER, TAILLER

BRILLANTINE → CRÈME, GEL, POMMADE

BRILLAT-SAVARIN → NORMAND
Voir illus. **Fromages**

BRILLER → CHATOYER, EXCELLENT, ILLUMINER, IRRADIER, LUIRE, MIROITER, PÉTILLER, RAYON, RAYONNER, RÉFLÉCHIR (SE), SURPASSER

BRILLER appâter, astiquer, charmer, chatoyer, distinguer (se), éblouir, ensorceler, étaler, étinceler, exceller, flamboyer, florès (faire), illuminer, impressionner, irradier, luire, lustrer, major (sortir), miroiter, pétiller, rayonner, reluire (faire), resplendir, réussir, rutiler, scintiller, séduire, séduire (mettre en), valoir (faire)

BRILLER (FAIRE) → NETTOYER

BRIMADE → ÉPREUVE

BRIMBALER → OSCILLER

BRIMBORION → BABIOLE

BRIMER → PERSÉCUTER

BRIN → GRAIN, MUGUET, PARCELLE

BRIN bout, brindille, câble, centaine, cordage, doigt de (un), fétu, fil, filin, grain, morceau, once, parcelle, peu de, pointe, souffle de (un)

BRINDILLE → BRANCHE, BRIN

BRINGUEBALANT → BOITEUX

BRINGUEBALER → BALLOTTER, OSCILLER

BRINQUEBALER → BALLOTTER

BRINS D'ARRÊT
Voir illus. **Porte Avion**

BRIO → ADRESSE, BRILLANT (1), HABILETÉ, MAÎTRISE, PÉTULANCE, SAVOIR-FAIRE, TALENT

BRIOCHE
Voir tab. **Gâteaux régionaux et étrangers**

BRIOCHE (À) → MOULE

BRIOCHINS
Voir tab. **Habitants (comment se nomment les)**

BRIOLETTE (TAILLE EN)
Voir illus. **Pierres précieuses (taille des)**

BRIOTINS
Voir tab. **Habitants (comment se nomment les)**

BRIQUE → BRUN, CONDITIONNEMENT, FRANC (1), MAÇONNERIE, SAVON
Voir tab. **Couleurs**
Voir tab. **Thé**

BRIQUE adobe, blocaille, briquetage, briqueter, briqueterie, briquetons, carreau, chantignole, chevillettes, ciseau, cordeau, galandage, hourdis, massette, orangé, rougeâtre, rouille

BRIQUER → FROTTER, NETTOYER

BRIQUET → ÉTINCELLE

BRIQUETAGE → BRIQUE

BRIQUETER → BRIQUE

BRIQUETERIE → BRIQUE

BRIQUETONS → BRIQUE

BRIQUETTE → AGGLOMÉRÉ, CHARBON

BRIS → BRISER

BRISANT → ÉCUEIL, FRANGE, ÎLE, ROCHER

BRISCARD → SOLDAT

BRISE → VENT

BRISÉ → FATIGUE, PÂTE, RELIURE
Voir illus. **Arcs**

BRISE-BISE → FENÊTRE

BRISE-FER → BRISER

BRISE-GLACE → BRISER, NAVIRE

BRISE-LAMES → BARRAGE, JETÉE, PORT
Voir illus. **Aviron**

BRISEMENT → BRISER

BRISE-MOTTES → BRISER

BRISER → CASSER, DÉMOLIR, DÉTRUIRE, DISLOQUER, ÉCLATER, ÉCRASER, ENFONCER, FORCER, RENVERSER, ROMPRE, RUINER, SUPPRIMER

BRISER abasourdir, abattre, accablé, accabler, affaiblir, anéantir, aplatir, assourdir, avant-bec, bris, brise-fer, brise-glace, brise-mottes, brise-tout, brisement, brisoir, broie, broyer, concasser, croskill, défoncer, démolir, desceller, détruire, disloquer, ébrécher, écacher, effondrer, effraction, égruger, égueuler, enfoncer, éreinté, excéder, forcer, fracasser, fracturer, harassé, harceler, iconoclaste, interrompre, maladroit, piler, pulvériser, rompre, rouleau, ruiner, saccager, triturer, vandale, vandaliser

BRISE-TOUT → BRISER

BRISE-VENT → ABRI, HAIE

BRISKA → CALÈCHE, TRAÎNEAU

BRISOIR → BRISER

BRISTOL → PAPIER
Voir tab. **Dessin (vocabulaire du)**

BRISURE → ÉCLAT

BRITANNIQUE → FLEGME

BRITTONIQUE → CELTIQUE

BRIVE-LA-GAILLARDE
Voir illus. **Habitants (comment se nomment les)**

BRIVISTES
Voir tab. **Habitants (comment se nomment les)**

BROC → VASE

BROCA → TRAMWAY

BROCANTE → BOUTIQUE, BROCANTEUR, CURIOSITÉ, MARCHÉ, VENTE

BROCANTER → VENDRE

BROCANTEUR → MEUBLE, OCCASION

BROCANTEUR antiquaire, bouquiniste, bric-à-brac, brocante, casseur, chiffonnier, chineur, épaviste, ferrailleur, fripier, magasin d'antiquités

BROCARD → CERF, DAIM, FLÈCHE, MOQUERIE
Voir tab. **Animaux (termes propres aux)**

BROCARDER → BAFOUER, BOÎTE, RIDICULISER, SARCASTIQUE

BROCART → OR, SOIE

BROCATELLE → MARBRE

BROCCIO → BROUSSE

BROCCIU
Voir illus. **Fromages**
Voir tab. **Gâteaux régionaux et étrangers**

BROCHANT
Voir tab. **Héraldique (vocabulaire de l')**

BROCHE → AIGUILLE, BADGE, BOBINE, CERF, DENT, FICHE, FRACTURE, INSIGNE (1), LAMPE, TIGE, USTENSILE
Voir illus. **Bijoux**
Voir tab. **Chirurgie (vocabulaire de la)**

BROCHE affiquet, attache, badge, barbecue, brocheter, brochette, embrocher, épinglette, fibule, filature, fuseau, hâtelet, hâtier, kebab, lèchefrite, macaron, méchoui, pin's, porte-outil, rôtissoire, tournebroche

BROCHÉ → BRODER, RELIEF
Voir tab. **Tissus**

BROCHE À GLACE → MONTAGNE

BROCHE DE GUIDON
Voir illus. **Bicyclette**

BROCHER → ASSEMBLER, BÂCLER, COUDRE, ORNER, TISSER

BROCHET
Voir tab. **Élevages**
Voir tab. **Poissons (classification simplifiée des)**
Voir tab. **Prostitution**

BROCHETER → BROCHE

BROCHETTE → BROCHE, SÉRIE

BROCHETTE aréopage, cénacle, chachlik, chiche-kebab, yakitori

BROCHOIR → FERRER, MARTEAU

BROCHURE → IMPRIMER, LIVRET, OPUSCULE, PROGRAMME, PUBLICATION, TRACT

BROCHURE brûlot, diatribe,

factum, imprimé, libelle, livret, mémoire, opuscule, pamphlet, plaquette, tract

BROCOLI → CHOU

BRODEQUIN → BOTTE, CHAUSSURE, SUPPLICE
Voir illus. **Chaussures**

BRODEQUINS → TORTURE

BRODER → DÉCORER, ENJOLIVER, ENRICHIR, EXAGÉRER, INVENTER, MENTIR, ORNER, RACONTER

BRODER agrémenter, amplifier, broché, digresser, embellir, enjoliver, exagérer, smocks

BRODERIE → ART, OUVRAGE

BRODERIE aiguille, anglaise, Bayeux, bourdon, canevas, cannetille, cartisane, chaînette, crochet, croix, damas, échelle, entoilage, entre-deux, feston, fioriture, guipure, jour, nervure, nid-d'abeilles, orfroi, oripeau, picot, plumetis, poinçon

BROIE → BRISER, BROYER

BROIGNE → TUNIQUE

BROKEN
Voir tab. **Thé**

BROKER → BOURSE, INTERMÉDIAIRE (1)

BROME
Voir tab. **Éléments chimiques (symbole des)**

BROMIDROSE → SUEUR

BROMISME → INTOXICATION

BROMURE → MAGNÉSIUM

BRONCA → BOUCLIER

BRONCHE → POITRINE
Voir illus. **Respiratoire (système)**

BRONCHE asthme, bronchectasie, bronchiole, bronchiolite, bronchite, bronchodilatateur, bronchographie, bronchoscopie, bronchotomie, trachée, trachéobronchite, Ventoline

BRONCHECTASIE → BRONCHE

BRONCHER → BOUGER, BUTER

BRONCHER acquiescer, ciller, consentir, hésiter (sans), impassible (rester), réagir, rebeller (se), rebiffer (se), regimber, résister, révolter (se), sourciller

BRONCHIOLE → BRONCHE
Voir illus. **Respiratoire (système)**

BRONCHIOLITE → BRONCHE
Voir tab. **Pédiatrie**

BRONCHITE → BRONCHE

BRONCHITE ASTHMATIFORME
Voir tab. **Pédiatrie**

BRONCHODILATATEUR → BRONCHE

BRONCHOGRAPHIE → BRONCHE

BRONCHOSCOPIE → BRONCHE

BRONCHOTOMIE → BRONCHE

BRONTÉION → TONNERRE

BRONTHÉMOPHOBIE → TONNERRE
Voir tab. **Phobies**

BRONTOSAURE → DINOSAURE

BRONZE → CUIVRE, ÉTAIN, INSENSIBLE, PRÉHISTOIRE

BRONZE airain, bronze d'art, bronzerie, bronzeur, bronzier, bronzine, fer (de), impitoyable, implacable, inflexible, marbre (de), orichalque, patine, pierre (de), vert-de-gris

BRONZÉ → BASANÉ, BRUN, DORÉ, HÂLÉ
Voir tab. **Couleurs**

BRONZE D'ART → BRONZE

BRONZE D'IMITATION → ZINC

BRONZER → DORER (SE)

BRONZER autobronzant, brunir, crème bronzante, crème solaire, cuivrer, dorer, endurcir, hâler, noircir

BRONZERIE → BRONZE

BRONZEUR → BRONZE

BRONZIER → BRONZE

BRONZINE → BRONZE

BROOKS → COMÈTE

BROQUETTE → CHÂSSIS, CLOU
Voir tab. **Couture**

BROSSE → COIFFURE, CROQUER, PEINTRE, POLLEN
Voir illus. **Cheveux (coupes de)**

BROSSE blaireau, chiendent, crin, décrottoir, dos, écouvillon, époussette, étrille, fermière, frottoir, furet, garniture, goupillon, gratte-pieds, grattoir, hérisson, lave-dos, lave-pont, ligneul, manche, monture, paillasson, passe-partout, patte, poil, polissoire, racloir, ramasse-miettes, sanglier, soie de porc, tampico, tête-de-loup

BROSSE À BADIGEON → PINCEAU

BROSSE À LAQUER → PINCEAU

BROSSE À RECHAMPIR → PINCEAU

BROSSER → DÉMÊLER, EFFET, NETTOYER, PEINDRE

BROU → NOIX

BROU DE NOIX → BRUN, LIQUEUR, TEINTURE
Voir tab. **Couleurs**

BROUAILLE → POISSON

BROUET → BOUILLON, POTAGE

BROUHAHA → BOURDONNEMENT, BRUIT, RUMEUR, TAPAGE, TUMULTE
Voir tab. **Bruits**

BROUILLAGE → PARASITE (1), PERTURBATION

BROUILLARD → AÉROSOL, COMPTABILITÉ, PRÉCIPITATION, PURÉE, REGISTRE, VAPEUR

BROUILLARD antibrouillard, atomiseur, bouché, brouillasse, bruine, brumaire, brume, brumisateur, confusion, crachin, dénébulateur, embrumé, embrun, frimas, gelée blanche, incertitude, nébuleux, nuage, obscurité, poudrin, smog, spray, vague, vapeur

BROUILLASSE → BROUILLARD, PLUIE

BROUILLE → DÉSACCORD, DISPUTE

BROUILLÉ → DÉTRAQUÉ, FÂCHÉ, FLOU, FROID (1), TROUBLE (2)

BROUILLER → BATTRE, BRASSER, DÉSUNIR (SE), EMBROUILLER, FÂCHER, SÉPARER

BROUILLER affaiblir (s'), altérer (s'), battre, bouder, bouleverser, broyer, confondre, crypter, dégrader (se), désunir d'avec (se), détériorer (se), diminuer, divorcer de, embrouiller, emmêler, enchevêtrer, fâcher avec (se), fouetter, froisser avec (se), gâter (se), intervertir, jeter la confusion, mélanger, perturber, remuer, rompre avec, séparer de (se), trouble (rendre), troubler, turbide (rendre)

BROUILLON → CAHIER, INCOHÉRENT, PREMIER (2), PROJET

BROUILLON (1) ébauche, esquisse, plan, schéma

BROUILLON (2) confus, désordonné, embrouillé, filandreux

BROUIR → DESSÉCHER

BROUISSURE → GELÉE

BROUSSARD → BROUSSE

BROUSSE → VÉGÉTATION
Voir illus. **Fromages**

BROUSSE broccio, broussard, caillé, scrub

BROUSSIN → ARBRE, BOIS, LOUPE

BROUT → BOURGEON, BRANCHE, POUSSE, TAILLIS

BROUTARD → BOVIN, VEAU

BROUTER
Voir tab. **Garagiste** (vocabulaire du)

BROUTILLE → BABIOLE, BÊTISE, CHOSE, DÉTAIL, FRIVOLITÉ, FUTILE, INSIGNIFIANT, OBJET

BROWNIE
Voir tab. **Gâteaux régionaux et étrangers**

BROWNIEN → MOUVEMENT

BROWNING → PISTOLET

BROWSER
Voir tab. **Internet**

BROYAGE → CHOCOLAT, CIDRE, FARINE, ORDURE
Voir tab. **Chocolat**

BROYER → BOUILLIR, BRISER, BROUILLER, CASSER, ÉCRASER, MOUDRE, PILER, POUDRE, PULVÉRISER, RÉDUIRE, RENVERSER, TRITURER

BROYER abattu, affaiblir, bocarder, broie, concasser, croquer, déchiqueter, détruit, éreinté, mâcher, macque, marteau, meule, mortier, moudre, moulu, piler, pilon, triturer

BROYEUR → CYLINDRE, PILON

BRUANT
Voir tab. **Oiseaux (classification simplifiée des)**

BRUCELLES → PINCE

BRUINE → AVERSE, BROUILLARD, PLUIE

BRUINER → PLEUVOIR

BRUIRE → CHUCHOTER, FRÉMIR, MURMURER

BRUISSEMENT → BATTEMENT, BOURDONNEMENT, BRUIT, FRÉMISSEMENT, FRISSON
Voir tab. **Bruits**

BRUISSEMENT bourdonnement, chuchotement, chuintement, frémissement, friselis, froissement, frôlement, froufrou, froufroutement, marmonnement, murmure, susurrement

BRUIT → ÉCHO, ÉCLAT, ENVIRONNEMENT, NOUVELLE, POLLUTION, RUMEUR, TAPAGE

BRUIT acouphène, antibruit, assourdissant, babil, borborygme, bouillonnement, bourdonnement, braillement, brouhaha, bruissement,

cacophonie, chahut, charivari, clameur, clapotage, clapotement, clapotis, cliquètement, cliquetis, craquètement, crépitement, décrépitation, déflagration, détonant, détonation, dévoiler, divulguer, dolby, ébruiter, écho, effervescence, éructation, éternuement, flatuosité, fracas, fracassant, frémissement, fulminer, gargouillis, gazouillis, grésillement, gronder, hoquet, hourvari, hurlement, insonorisation, isolation, lallation, onomatopée, perçant, pétillement, piaillement, râle, ramdam, révéler, réverbération sonore, ronflement, ronronnement, rot, souffle, sternutation, strident, stridulation, tambouriner, tapage, tintamarre, tintement, tohu-bohu, trotdnuter, tonner, toussotement, toux, tumulte, vacarme, vagissement, vocifération, vrombissement

BRUIT (SANS) → SILENCE

BRUIT DE FOND
Voir tab. **Bruits**

BRUITAGE → TRUCAGE

BRÛLANT → ARDENT, CHAUD, DÉGAGER, FERVENT, PÉRILLEUX

BRÛLANT ardent, bouillonnant, dangereux, délicat, dévorant, épineux, équatorial, passionné, sensible, tabou, torride, tropical

BRÛLÉ → IRRADIER

BRÛLE-GUEULE → BRUYÈRE, PIPE

BRÛLE-PARFUM → BRÛLER

BRÛLE-POURPOINT (À) → BUT, SOUDAIN

BRÛLER → CHAUFFER, CONSOMMER, CONSUMER (SE), DESSÉCHER, DÉTRUIRE, DÉVORER, ÉBOUILLANTER, IRRITER, MINER, PASSIONNER (SE), PIQUER, RÔTIR

BRÛLER abruptement, acide, apyre, autodafé, avertissement (sans), brûle-parfum, brûleur, brûlis, brusquement, bûcher, buisson ardent, but en blanc (de), calcination, calciner, carboniser, cassolette, caustique, cautérisation, combustion, consomption, consumer, corrosif, crémation, dévoré par (être), directement, écobuage, embraser pour (s'), encensoir, enfiévrer, enflammer pour (s'), flamber, griller, ignifugé, ignipuncture, ignition, incendiaire, incendier, incinération, incombustible, infusible, ininflammable, insolation, ménagement (sans), pétroleuse, pyromane, pyrophore, réfractaire, roussir, scarification, thermocautère, torréfier

BRÛLER LA CERVELLE → TUER

BRÛLER LA POLITESSE → FUIR

BRÛLERIE → USINE

BRÛLE-TOUT → BOUGEOIR, BOUT

BRÛLEUR → BRÛLER

BRÛLIS → BRÛLER, DÉFRICHEMENT

BRÛLOT → BROCHURE, JOURNAL

BRÛLURE → PLAIE
Voir tab. **Pédiatrie**

BRÛLURE aigreur, ampoule, bulle, cloque, érythème, escarre, exanthème, irritation, phlyctène, rougeur, vésicule

BRUMAILLE → BRUME

BRUMAIRE → BROUILLARD, BRUME
Voir tab. **Mois du calendrier républicain**

BRUMAL → BRUME, HIVER

BRUME → BROUILLARD, VAPEUR

BRUME banc, brumaille, brumaire, brumale, brumeux, confus, corne de brume, éclaircie, embellie, flocon, flou, fumeux, nébuleux, rideau, sirène, trompe

BRUMEUX → BRUME, CLARTÉ, FLOU, GRIS, HUMIDE, NÉBULEUX, NUAGE, SOMBRE

BRUMISATEUR → AÉROSOL, BOMBE, BROUILLARD

BRUN → CHÂTAIGNE, MARRON (2)

BRUN acajou, alezan, auburn, bai, basané, bis, bistre, brique, bronzé, brou de noix, brunâtre, bure, châtain, chocolat, cuivré, hâlé, havane, hitlérien, kaki, marron, maure, mordoré, nazi, ocre, ombre, sépia, tabac, terre d'ombre, terre de Sienne, terreux

BRUN CLAIR → BEIGE

BRUNÂTRE → BRUN
Voir tab. **Couleurs**

BRUNCH → DÉJEUNER, REPAS

BRUNE → CHUTE, JOUR

BRUNE chien et loup (entre), crépuscule, soir (le), tombée de la nuit

BRUNI → DORÉ

BRUNIR → BRONZER, OR, POLIR

BRUNISSAGE → POLI (1), PONÇAGE

BRUSHING → COIFFURE
Voir illus. **Cheveux (coupes de)**

BRUSQUE → BREF (1), ÉPINGLE, IMPRÉVU (2), SEC, SOUDAIN, SUBIT, SURPRISE

BRUSQUE à-coup, abrupt, agressif, bouleversement, bourru, brutal, cassant, cavalier, choc, impétueux, inattendu, incursion, inopiné, irruption, nerveux, précipité, rabrouer, rébarbatif, rembarrer, renversement, révolution, rude, saccade, secousse, soubresaut, soudain, subit, surprenant, vif

BRUSQUEMENT → ABRUPTEMENT, BRÛLER, BUT, CRIER, SOUDAIN, SUBITEMENT, TROMBE

BRUSQUER → AVANCER, BOUSCULER, HÂTER, HEURTER, PRÉCIPITER, RUDOYER, TRAITER

BRUSQUERIE → AGRESSIVITÉ, PRÉCIPITATION

BRUT → DÉDUCTION, NATIF (2), PÉTROLE, PREMIER (2), SÈVE

BRUT abrupt, barbare, ébruter, écru, friche (en), fruste, grège, grossier, illettré, inculte, lourd, naphte, natif, naturel, originel, primitif, pur, rude, rudimentaire, rustique, sauvage, sec, simple, stupide, vierge, vulgaire

BRUT MOLLAH (PRINCIER) → PÉTROLE

BRUTAL → BARBARE, BESTIAL, BRUSQUE, CRU (2), CRUEL, DUR, INHUMAIN, RUDE, SAUVAGE, SOUDAIN, SUBIT, VIOLENT

BRUTAL âpre, barbare, bourru, cerbère, chien de garde, cru, cruel, dur, entier, franc, irascible, pandour, rude, violent

BRUTALEMENT → ABRUPTEMENT, SÈCHEMENT, SUBITEMENT

BRUTALISER → FRAPPER, MALMENER, MALTRAITER, PERSÉCUTER, RUDOYER, TRAITER

BRUTALITÉ → SAUVAGERIE

BRUTALITÉ animalité, barbarie, bestialité, dureté, férocité, grossièreté, impolitesse, maltraitance, rudesse, sauvagerie, sévices, violence

BRUTE → FORMULE, NATUREL

BRUXISME → TIC

BRUXOMANIE → GRINCER

BRUYANT → JOVIAL, SONORE
Voir tab. **Bruits**

BRUYANT agité, braillard, claironnant, cuivré, éclatant, retentissant, rugissant, sonore, tonitruant, tonnant, tumultueux

BRUYÈRE bouffarde, brande, brûle-gueule, compost, éricacées, grouse, humus, lagopède, lande, pipe, terre végétale, terreau, tétras, tourbe

BRYOLOGIE
Voir tab. **Sciences : termes en -ologie et -ographie**

BRYONE → HAIE

BRYOPHYTES → MOUSSE (1)
Voir tab. **Végétaux (classification simplifiée des)**

BTS (BREVET DE TECHNICIEN SUPÉRIEUR) → DIPLÔME

BUANDIÈRE → LESSIVE

BUBON → ABCÈS, GANGLION

BUBONIQUE → PESTE

BUCC- → BOUCHE

BUCCAL → BOUCHE

BUCCHERO → TERRE

BUCCIN → TROMPETTE

BUCCINATEUR → JOUE

BUCENTAURE → GALÈRE
Voir tab. **Bateaux**

BÛCHE → AGGLOMÉRÉ, BOIS, CHAUFFAGE, CHUTE, DESSERT

BÛCHE bille, billot, bois de boulange, bûcher, cognée, coin, hache, merlin, passe-partout, rondin, souche, tronche, tronçonneuse

BÛCHER → BOIS, BRÛLER, BÛCHE, DÉGROSSIR, SUPPLICE

BÛCHETTE → BÂTON

BÛCHEUR → BÊTE (1)

BUCOLIQUE → BERGER, CAMPAGNE, CHAMP, CHAMPÊTRE, IDYLLE, PASTORAL
Voir tab. **Prostitution**

BUCRANE → BŒUF, MOTIF

BUDDLEIA → PAPILLON

BUDGET → ENVELOPPE, FINANCES, RECETTE, RESSOURCE

BUDGET accorder, affecter, allouer, alourdir, article, attribuer, bénéfice, budgétiser, budgétivore, chapitre, crédit, débit, déficit, dépassement, dépenses, douzième provisoire, enveloppe, excédent, finances, grever, imputer, inscrire, ligne, poste, recettes, somme disponible

BUDGET DE L'ÉTAT
Voir tab. **Économie**

BUDGET PRÉVISIONNEL
Voir tab. **Copropriété**

BUDGÉTISER → BUDGET

BUDGÉTIVORE → BUDGET

BUE
Voir tab. **Oiseaux (classification simplifiée des)**

BUÉE → VAPEUR

BUFFET → BUVETTE, CAISSE, DÉJEUNER, MEUBLE, ORGUE, RÉCEPTION, REPAS, RESTAURANT

BUFFET amuse-gueule, apéritif, argentier, armoire, bahut, boiserie, buvette, cabinet, cafétéria, chapiteau, cocktail, corps, crédence, desserte, dessus, dressoir, étagère, lunch, porte pleine, tiroir, traiteur, vaisselier, vantail

BUFFET DE GARE → BOISSON

BUFFLE → BOVIN
Voir tab. **Animaux (termes propres aux)**

BUFFLESSE
Voir tab. **Animaux (termes propres aux)**

BUFFLETIN
Voir tab. **Animaux (termes propres aux)**

BUFFLON
Voir tab. **Animaux (termes propres aux)**

BUFFLONNE
Voir tab. **Animaux (termes propres aux)**

BUFFON → BOTANIQUE (1)

BUG → PANNE
Voir tab. **Informatique**

BUGAKU → JAPONAIS

BUGALET
Voir tab. **Bateaux**

BUGGY → VOITURE

BUGLE → CORNE, TROMPETTE
Voir tab. **Instruments de musique**

BUGNE → BEIGNET

BUGS BUNNY
Voir tab. **Bande dessinée (héros de)**

BUILDING → IMMEUBLE (1)

BUIS → ARBUSTES

BUISSON breuil, chasser, cotonéaster, débroussailler, épinaie, essarter, fourré, garrigue, hallier, lande, maquis, nain (arbre), rabattre, ronceraie, vide

BUISSON ARDENT → BRÛLER

BULBE → COUPOLE, GALAXIE, OIGNON, POIL, POIREAU, RACINE, TÊTE, TOIT
Voir illus. **Champignon**
Voir illus. **Poil**

BULBE DE QUILLE
Voir illus. **Voilier : Dufour 38 Classic**

BULBEUX
Voir illus. **Champignon**

BULBILLE → RACINE

BULBUL
Voir tab. **Oiseaux (classification simplifiée des)**

BULGARE → ORTHODOXE

BULGARIE → YAOURT

BULGOMME → NAPPE

BULLAIRE → BULLE, RECUEIL

BULLDOZER → VÉHICULE

BULLE → AMPOULE, BOUTON, BREF (2), BRÛLURE, CLOQUE, CONSTITUTION, DÉCRET, EXCOMMUNICATION, GLOBULE, LETTRE, PAPAUTÉ, SCEAU
Voir tab. **Catholique romain (vocabulaire)**

BULLE ampoule, bouton, bref, bullaire, cloque, décrétale, dormir, effervescent, encyclique, fulminer, gazeux, grossier, indiction, mousse, mousseux, pétillant, phlyctène, phylactère, rescrit, s'allonger, sceau, scripteur, vapeur, vésicule, zéro

BULLE SPÉCULATIVE
Voir tab. **Bourse**

BULLETIN → ARTICLE, CARNET, COMMUNICATION, CONSTATATION, FEUILLE, INFORMATION, JOURNAL, ORGANE, PUBLICATION, RECUEIL, REVUE

BULLETIN abstention, annonce, appréciation, article, attestation, avis, blanc, certificat, communiqué, comptage, conduite, cote, dépouillement, encouragement, enveloppe, félicitation, feuille de paie, fiche de paie, flash, information, journal, Journal officiel, message spécial, notation, nul, prévisions, publication, rapport, récépissé, reçu, recueil, revue, urne

BULL-FINCH → TALUS

BULTEAU (EN) → TAILLE

BUN → PAIN

BUNA → CAOUTCHOUC, PNEU

BUNGALOW → MAISON, PAVILLON

BUNKER → ABRI, BLINDÉ, GOLF

BUNRAKU → JAPONAIS, THÉÂTRAL

BURALISTE → MARCHAND, TABAC

BURATTINO → MARIONNETTE

BURE → BRUN, GALERIE, MINE, RELIGIEUX (1)
Voir tab. **Couture**

BUREAU → CABINET, COMPTOIR, DÉLÉGUÉ, DÉPARTEMENT, PERMANENCE, PUPITRE, SERVICE, SUCCURSALE
Voir tab. **Copropriété**

BUREAU administration, agence, agenda, agent, agrafeuse, ANPE (Agence nationale pour l'emploi), armoire, bibliothèque, bonheur-du-jour, bureautique, caisse, calculatrice, casier, chef, chemise, classeur, col-blanc, commis, comptabilité, comptoir, confortique, console, dactylo, débit, dictaphone, direction, dossier, écritoire, employé, éphéméride, étude, fauteuil, gratte-papier, greffe, guichet, hôtesse, huissier,

---

imprimante, ordinateur, paperassier, perforatrice, photocopieuse, plumitif, poste, pupitre, rond-de-cuir, salle, scriban, scribanne, scribouillard, secrétaire, secrétariat, standardiste, table, tableur, tabouret, traitement de texte, trombone, Veritas

BUREAU DE POSTE → VILLE

BUREAU DE TABAC → BOUTIQUE

BUREAU POLITIQUE → PARTI

BUREAUCRATE → EMPLOYÉ

BUREAUTIQUE → BUREAU, INFORMATIQUE

BURELAGE → TIMBRE-POSTE

BURETTE → COMMUNION, FLACON, HUILE

BURGIENS
Voir tab. **Habitants (comment se nomment les)**

BURGONDES → BARBARE, GERMANIQUE

BURGO-RÉGINIENS
Voir tab. **Habitants (comment se nomment les)**

BURIN → CISEAU, GRAVER, PERÇANT, POINTE
Voir tab. **Instruments médicaux**

BURIN ciseau, drille, échoppe, foret, fraise, gouge, guilloche, ognette, onglette, pointe, pointe sèche, rainette, rouanne, trépan

BURINER → CISEAU, GRAVER, SCULPTER

BURLAT → CERISE

BURLESQUE → BOUFFON (2), CARICATURE, COCASSE, COMIQUE, GROTESQUE, PARODIE

BURLESQUE amphigouri, bouffonne, comique, extravagant, grand-guignolesque, grotesque, loufoque, ridicule, Scarron

BURNOUS → MANTEAU, VÊTEMENT
Voir illus. **Manteaux**

BURON → BERGER, CABANE, FROMAGE

BURQA → MUSULMAN (1)

BUS → VÉHICULE
Voir tab. **Informatique**

BUSARD
Voir illus. **Rapaces**

BUSC → CORSET, LAME

BUSE → CANALISATION, IRRIGATION, MINE, RAPACE, TUYAU
Voir illus. **Rapaces**

BUSHI → JAPONAIS

BUSINESS → AFFAIRE

BUSINESSMAN → HOMME D'AFFAIRES

BUSQUÉ → COURBURE, NEZ

BUSQUER → COURBER

BUSSEROLE
Voir tab. **Plantes médicinales**

BUSTE → GORGE, NICHE, POITRINE, TRONC

BUSTE balconnet, blouse, bomber, bustier, camisole, canezou, caraco, casaquin, chemisette, chemisier, corsage, figure de proue, généreux, gorge, guimpe, opulent, plan américain, plantureux, poitrine, seins, soutien-gorge, torse

BUSTIER → BUSTE, SCULPTURE

BUT → CIBLE, DESTINATION, INTENTION, MARQUER, OBJECTIF (1), PROJET, PROPOS, RAISON
Voir illus. **Football**

BUT aboutir, abruptement, arrivée, blanc, brûle-pourpoint (à), brusquement, cible, cochonnet, dessein, directement, fin, intention, marquer, mille (mettre dans le), mouche (faire), objectif, objet, point de mire, préparation (sans), raison de vivre, réparation (surface de), réussir, sens, terme, terminus, visée

BUT DU JEU
Voir tab. **Échecs**

BUT EN BLANC (DE) → BRÛLER, SOUDAIN

BUTANE → CARBURANT, COMBUSTIBLE

BUTANIER → BATEAU

BUTÉ → OBSTINÉ, OPINIÂTRE, TÊTU

BUTÉE → MAÇONNERIE, POUSSÉE, SKI
Voir illus. **Arcs**

BUTER → COGNER (SE), HEURTER (SE)

BUTER abattre, achopper, assassiner, braquer (se), broncher, chopper, confronté à (être), entêter (s'), fusiller, heurter à (se), obstiner (s'), rébucher, tuer

BUTHIDÉS → SCORPION

BUTIN → PILLAGE, PROIE, RÉCOLTE, TROPHÉE

BUTIN cambriolage, capture, découvertes, dépouilles opimes, incursion, pillage, prise, produit, proie, razzia, récolte, résultat, trésor, trophée, vol

BUTINEUR
Voir tab. **Internet**

BUTOIR → CHOC, DÉLAI

BUTOR → GROSSIER, MALOTRU, MUFLE

BUTTAGE → POMME DE TERRE

BUTTE → COLLINE, MONT
Voir illus. **Désert**

BUTYREUX → BEURRE

BUTYROMÈTRE → LAIT

BUVABLE → POTABLE

BUVARD → ABSORBANT, ENCRE

BUVÉE → BÉTAIL

BUVETTE → BAR, BOISSON, BUFFET, COMPTOIR

BUVETTE bar, bistrot, buffet, café, cafétéria

BUVEUR → IVROGNE
Voir tab. **Saints patrons**

BUVOTER → DÉGUSTER

BYE-BYE → REVOIR (3)

BY-PASS → DÉVIATION, ROBINET, VASCULAIRE

BYSSINOSE → COTON

BYSSUS → BARBE, COQUILLAGE, MOULE

BYTE
Voir tab. **Informatique**

BYWATERS (SYNDROME DE) → MUSCLE

BYZANTINISME → SUBTILITÉ

BZZZ
Voir tab. **Bruits**

C → CARBONE, LANGAGE
Voir tab. **Éléments chimiques (symbole des)**

CA
Voir tab. **Éléments chimiques (symbole des)**
Voir tab. **Entreprise (vocabulaire de l')**

ÇA → INCONSCIENT (2), MOI
Voir tab. **Psychanalyse**

CAB → CABRIOLET, VÉHICULE, VOITURE

CABALE → BANDE, CLANDESTIN, COMPLOT, CONSPIRATION, ENTENTE, INTRIGUE, MACHINATION

CABALE complot, conjuration, conspiration, intrigue, liguer (se), machination

CABAN → MANTEAU, MARIN (1), VESTE
Voir illus. **Manteaux**

CABANE → BARAQUE, HABITATION, PRISON

CABANE abri, buron, cabane à sucre, jangada, loge, maisonnette, paillote, sucrerie

CABANE À SUCRE → CABANE

CABANER → ABRI

CABARET → BOÎTE, CAFÉ, CAVE

CABARET boîte de nuit, bouchon, bouge, bousin, caboulot, café-concert, music-hall

CABAS → PANIER, PROVISION, SAC

CABAZA
Voir illus. **Percussions**
Voir tab. **Instruments de musique**

CABÉCOU
Voir illus. **Fromages**

CABIAI → RONGEUR

CABILLAUD → MORUE

CABILLOT → CHEVILLE

CABIN-CRUISER → YACHT

CABINE → DOUCHE, PILOTE
Voir illus. **Avion**

CABINE benne, capsule, cockpit, compartiment, isoloir, publiphone, Sanisette, sas, télébenne, télécabine

CABINE AVANT
Voir illus. **Voilier : Dufour 38 Classic**

CABINET → AISANCE, ARCHIVES, BUFFET, ÉTUDE, GOUVERNEMENT, MINISTRE, WATER-CLOSET

CABINET agence, appentis, bureau, cagibi, collection, commodités, étude, glyptothèque, lieux d'aisances, ministère, petit coin, pinacothèque, réduit, remise, toilettes, W.-C.

CÂBLAGE → CONNEXION

CÂBLE → BRIN, CORDE, CORDON, PARATONNERRE

CÂBLE amarre, canal, corde, drosse, faisceau, fibre optique, filin, hauban, liure, Sandow, sangle, sous-barbe, tendeur

CÂBLÉ → PASSEMENTERIE

CÂBLE DE DIRECTION
Voir illus. **Aviron**

CÂBLE DE FREIN
Voir illus. **Bicyclette**

CÂBLE DE SUSPENSION
Voir illus. **Ponts**

CÂBLER → TÉLÉGRAPHIER

CÂBLERIE → CORDE, DELTAPLANE

CÂBLODISTRIBUTION → TÉLÉVISION

CÂBLOGRAMME → TÉLÉGRAMME

CÂBLOT → CORDE

CABOCHE → CLOU, FERRER

CABOCHON → CLOU

CABOCHON (TAILLE EN)
Voir illus. **Pierres précieuses (taille des)**

CABOSSE → CACAO
Voir tab. **Chocolat**

CABOSSÉ → ABÎMÉ, BOSSELÉ

CABOSSÉ bosselé, déformé, enfoncé

CABOSSER → BOSSE, DÉFORMER

CABOT → CHIEN

CABOTAGE → NAVIGATION

CABOTER → BORDER

CABOTIN → ACTEUR, COMÉDIEN

CABOULOT → BAR, BOUGE, CABARET

CABRER → DRESSER

CABRETTE → CORNEMUSE

CABRI → BOUC, CHÈVRE, CHEVREAU, NAIN
Voir tab. **Animaux (termes propres aux)**

CABRIOLE → CHÈVRE, CHUTE, GAMBADE, ROULER
Voir tab. **Danse classique**

CABRIOLE culbute, dérobade, échappatoire, galipette, gambade, pirouette, revirement

CABRIOLER → BONDIR, SAUTER

CABRIOLET → AUTOMOBILE (1), CHAPEAU, TOIT, VÉHICULE
Voir illus. **Coiffures**
Voir illus. **Sièges**
Voir illus. **Voitures (types de)**

CABRIOLET boghei, cab, décapotable, milord, tilbury

CABUS → CHOU

CAC 40 → BOURSE, CHANGE, COURS
Voir tab. **Bourse**

CACA D'OIE
Voir tab. **Couleurs**

CACABER → PERDRIX

CACAHOUÈTE arachide

CACAO
Voir tab. **Chocolat**

CACAO amande, cabosse, cacaoyer, fève, théobromine, truffe

CACAOUI → CANARD

CACAOYER → CACAO
Voir tab. **Chocolat**

CACAOYER cacaoyère

CACAOYÈRE → CACAOYER

CACARDER → OIE

CACATOÈS → PERROQUET

CACATOIS → CARRÉ (2), VOILE

CACHALOT ambre gris, blanc de baleine, hypérodon, macrocéphale, melon, odontocètes, pacha, physétéridés, spermaceti

CACHE → EMPREINTE

CACHÉ → INCONNU, INTROUVABLE, OCCULTE, SECRET (2), SOURNOIS, SOUTERRAIN (2)

CACHE-COL → COU, ÉCHARPE, FOULARD

CACHE-COL cache-nez, écharpe, foulard

CACHEMIRE → CHÈVRE, TEXTILE, TISSU
Voir tab. **Tissus**

CACHE-NEZ → CACHE-COL, COU, ÉCHARPE, FOULARD

CACHE-POUSSIÈRE → MANTEAU

CACHER → ABRITER (S'), DÉGUISER, DÉROBER, DISPARAÎTRE, DISSIMULER, ENTERRER, ENVELOPPER, ESCAMOTER, FUIR, INTERCEPTER, MANGER, MASQUER, MURER, NICHER, OBSTRUER, RECOUVRIR, RÉFUGIER (SE), REGARD, RÉSERVE, SOUSTRAIRE

CACHER abriter (s'), camoufler, celer, couvrir, crypter, crypto-, déguiser, dissimuler, éclipser, escamoter, étouffer, fourbe, hypocrite, maquiller, masquer, occulter, planquer, receler, réfugier (se), taire, tapir (se), tartufe, voiler

CACHET → APPOINTEMENTS, CAPSULE, COMPRIMÉ (1), CONTRÔLE, MARQUE, MÉDICAMENT, PAIEMENT, PASTILLE, PILULE, RÉMUNÉRATION, SALAIRE, TAMPON

CACHET capsule, comprimé, estampille, gélule, honoraire, marque, oblitération, pastille, poinçon, rétribution, salaire, sceau, timbre

CACHETÉ → JOINT (2)

CACHETER → BOUCHER (1), FERMER

CACHETTE → CAPE, REFUGE (1), REPAIRE, SECRET (1)

CACHETTE asile, bas de laine, cape (sous), catimini (en), dérobée (à la), douce (en), refuge, retraite, secret (en), tapinois (en)

CACHEXIE → ALIMENTATION, AMAIGRISSEMENT, CONSTITUTION, MAIGREUR

CACHOT → CELLULE (1), CELLULE (2), CONDAMNATION, PRISON, SECRET (1)

CACHOT cellule, cul-de-basse-fosse, ergastule, geôle, in pace, mitard, oubliette, prison

CACHOTTERIE → DISSIMULATION

CACHOTTERIE mystère, secret

CACHOTTIER → SECRET (2)

CACHOU → TEINTURE
Voir tab. **Couleurs**

CACIQUE → CHEF, CONCOURS, IMPORTANT, PREMIER (2)

CACO- → MAUVAIS

CACOCHYME → DÉBILE, FAIBLE (2), MALADIF, MALINGRE

CACOCHYMIE → CONSTITUTION

CACOGRAPHIE → STYLE

CACOLOGIE → CONSTRUCTION

CACOPHONIE → BRUIT, CANARD, CONCERT, DÉSACCORD, TAPAGE
Voir tab. **Bruits**

CACOPHONIQUE → DISCORDANT

CACTACÉES → CACTUS

CACTIFORME → CACTUS

CACTIN → CACTUS

CACTUS → DÉSERT, PIQUANT (1)

CACTUS baie, cactacées, cactiforme, cactin, candélabre, figuier de Barbarie, nopal, raquette

CADASTRE → REGISTRE

CADASTRE administration fiscale, matrice, parcelle, plan parcellaire

CADAVÉREUX → BLÊME, CADAVRE

CADAVÉRIQUE → BLAFARD, BLÊME, CADAVRE, LIVIDE, VERT (2)

CADAVRE → BOUTEILLE

CADAVRE autopsie, bière, cadavéreux, cadavérique, carcasse, cendres, cercueil, charnier, charogne, columbarium, crémation, crématorium, dépouille, docimasie, embaumement, empaillage, ensevelir, exhumer, incinération, inhumer, macchabée, momification, morgue, mort, nécrophagie, nécropsie, ossement, putréfié, putrescent, relique, sarcophage, squelette, taxidermie, thanatopraxie

CADDIE → CHARIOT, GOLF

CADEAU → DON, OFFRANDE, PRIME

CADEAU bakchich, dessous-de-table, don, étrennes, gâter, gratification, libation, offrande, pot-de-vin, potlatch, présent, sacrifice, souvenir, surprise

CADENAS → FERMETURE

CADENAS anse, crampe, menottes, poucettes

CADENASSER → FERMER, MALLE

CADENCE → CONCLUSION, FIN (1), HARMONIE, MESURE, PAS (1), POÈME, RÉSOLUTION, RYTHME

CADENCE mesure, régulièrement, rythme, vitesse

CADENCÉ → NOMBREUX, RÉGULIER

CADENCE PARFAITE → PONCTUATION

CADENCE PLAGALE → PONCTUATION

CADENCE ROMPUE → PONCTUATION

CADÈNE D'ÉTAI
Voir illus. **Voilier : Dufour 38 Classic**

CADÈNE DE PATARAS
Voir illus. **Voilier : Dufour 38 Classic**

CADENETTE → TRESSE

CADET → CATÉGORIE, FILS, JEUNE, MINIME (1), MOINDRE, SPORTIF (1)

CADET benjamin, dernier, junior, minime, moindre, petit dernier, puîné, second

CADI → JUGE, MUSULMAN (2)
Voir tab. **Islam (vocabulaire de l')**

CADMIE → HAUT-FOURNEAU, RÉSIDU, SUIE

CADMIUM
Voir tab. **Éléments chimiques (symbole des)**

CADRAN → BAROMÈTRE, HORLOGE, TÉLÉPHONE

CADRAN cadran sciathérique, gnomon, style

CADRAN SOLAIRE → HEURE

CADRE → BÂTI (2), CHÂSSIS, DÉCOR, MILIEU, PERSONNEL (1), PIANO, PLAN, RUCHE, SITE, TRANSPORT
Voir illus. **Intérieur de maison**

CADRE agent de maîtrise, ambiance, atmosphère, baguette, bordure, canevas, carcan, chambranle, châssis, commercial, décor, dirigeant, entourage, environnement, évader (s'), ingénieur, loup, marie-louise, milieu, passe-partout, paysage, plan, structure, transgresser, yuppie

CADRE DE MAISTRANCE → MARIN (1)

CADRE DE VIE → MILIEU

CADREUR → OPÉRATEUR

CADUC → FAIBLE (2), FEUILLAGE, FEUILLE, MUET, NUL, SURANNÉ, VIEUX

CADUCÉE → BAGUETTE, ENSEIGNE, MÉDECIN, SERPENT

CADUQUE → LOI, MEMBRANE

CADURCIENS
Voir tab. **Habitants (comment se nomment les)**

CÆC(O)-
Voir tab. **Chirurgicales (interventions)**

CÆCUM → INTESTIN (1)
Voir illus. **Digestif (appareil)**
Voir tab. **Chirurgicales (interventions)**

CAFARD → BIGOT, CRISE, IDÉE, MÉLANCOLIE

CAFARD affliction, balance, blatte, blues, bourdon, cancrelat, chagrin, cyclothymie, délateur, dénonciateur, dépression, détresse, espion, idée noire, mélancolie, morosité, mouchard, nostalgie, spleen, sycophante, tristesse, vague à l'âme

CAFARDERIE → DÉVOTION

CAFÉ → BISTROT, BOISSON, BUVETTE, CUILLER, REPAS

CAFÉ arabica, bistouille, cabaret, café-concert, caféier, caféine, cafetier, canard, canephora, cappuccino, chicorée, déca, décaféiné, estaminet, express, expresso, farde, gloria, jus de chaussette, kouillou, liberica, lyophilisation, malt, mastroquet, mazagran, moka, music-hall, percolateur, pipi de chat, ricoré, robusta, tenancier, torréfier

CAFÉ AU LAIT → BEIGE
Voir tab. **Couleurs**
Voir tab. **Chevaux (robes des)**

CAFÉ-CONCERT → CABARET, CAFÉ

CAFÉIER → CAFÉ
Voir tab. **Café**

CAFÉINE → CAFÉ, POISON
Voir tab. **Café**

CAFETAN → VÊTEMENT

CAFÉTÉRIA → BOISSON, BUFFET, BUVETTE, RESTAURANT

CAFETIER → BAR, CAFÉ

CAFETIÈRE
Voir tab. **Café**

CAFOUILLAGE → CONFUSION

CAFOUILLIS → CONFUSION

CAFTEUR → RAPPORTEUR

CAGE clapier, épinette, gloriette, lapinière, mue, physalis, poumon, vivarium, volière

CAGE DE FARADAY → PARATONNERRE

CAGE THORACIQUE
Voir illus. **Respiratoire (système)**

CAGEOT → CAISSE

CAGEROTTE → ÉGOUTTOIR, MOULE, TREILLIS

CAGET → FROMAGE, TREILLIS

CAGIBI → CABINET

CAGNA → ABRI, BARAQUE, TRANCHÉE

CAGNARDER → OIE

CAGNEUX → GENOU

CAGNOTTE → BOÎTE, CORBEILLE, TIRELIRE

CAGOT → BIGOT, DÉVOT

CAGOTERIE → HYPOCRISIE

CAGOU → OISEAU

CAGOULE → BONNET, COMITÉ, RELIGIEUX (1)
Voir illus. **Manteaux**

CAGOULE masque, passe-montagne

CAHIER → ÉCOLIER, PAGE, REGISTRE, REVUE

CAHIER agenda, album, brouillon, calepin, carnet, écrou, feuille, feuillet, livre, livret, marche, minutier, page, protocole, registre, reliure, rôle, spirale

CAHIER DES CHARGES → DESCRIPTION

CAHORS
Voir tab. **Habitants (comment se nomment les)**

CAHOT → INÉGALITÉ, SAUT, SECOUSSE

CAHOT cartayer, nid-de-poule, ornière, saut, secousse, soubresaut

CAHOTER → BALLOTTER, SECOUER

CAHUTE → BARAQUE, HUTTE

CAICAN
Voir tab. **Oiseaux (classification simplifiée des)**

CAÏD → BONNET, CHEF, IMPORTANT

CAÏEU → AIL

CAILLAGE → FROMAGE, MOULAGE

CAILLE → GIBIER
Voir tab. **Oiseaux (classification simplifiée des)**

CAILLÉ → BROUSSE, FROMAGE

CAILLÉ caillebotte, caillot, grumeau

CAILLÉ DE CHÈVRE
Voir tab. **Gâteaux régionaux et étrangers**

CAILLEBOTIS → TREILLIS

CAILLEBOTTE → CAILLÉ, LAIT
Voir illus. **Fromages**

CAILLER coaguler, figer (se), gaillet, présure

CAILLETTE → BŒUF, ESTOMAC
Voir tab. **Plats régionaux**

CAILLOT → CAILLÉ

CAILLOT embolie, grumeau, thrombose

CAILLOT SANGUIN
Voir tab. **Chirurgicales (interventions)**

CAILLOU → CRÂNE (1), PIERRE

CAILLOU bagnard, cantonnier, diamant, forçat, galet, poudingue, ricochet, rudération, silex

CAILLOUTAGE → EMPIERREMENT

CAÏMAN
Voir tab. **Animaux (termes propres aux)**

CAÏN → FRÈRE

CAÏQUE
Voir tab. **Bateaux**

CAIRN → TERRE, TOMBE

CAISSE → BATTERIE, BUREAU, CARROSSERIE, CARTON, PIANO
Voir illus. **Guitare**

CAISSE banneton, bidon, boutique, buffet, cageot, caisse claire,

caisson, cantine, carrosserie, coffre-fort, conteneur, gaine, grosse caisse, harasse, huche, jerrican, layetier, maie, malle, nourrice, réservoir, tambour, vivier

CAISSE (GROSSE) → TAMBOUR

CAISSE CLAIRE → TAMBOUR
Voir illus. **Percussions**
Voir tab. **Instruments de musique**

CAISSE ROULANTE → TAMBOUR
Voir illus. **Percussions**
Voir tab. **Instruments de musique**

CAISSE-OUTRE → VIN

CAISSES DE L'ÉTAT → FINANCIER (2)

CAISSIER → CINÉMA

CAISSON → CAISSE, COMPARTIMENT, DÉCOMPRESSION, PLAFOND
Voir illus. **Intérieur de maison**

CAJOLER → CARESSER, GEAI, PRODIGUER, SOIN

CAJOLERIE → CÂLIN, CARESSE

CAJOLEUR → CÂLIN

CAKE
Voir tab. **Gâteaux régionaux et étrangers**

CAKE (À) → MOULE

CAKE-WALK
Voir tab. **Danses (types de)**

ÇAKYAMUNI
Voir tab. **Bouddhisme**

CAL → ENDURCISSEMENT, FRACTURE

CALADE → PENTE, TERRAIN

CALADOIS
Voir tab. **Habitants (comment se nomment les)**

CALAMBAC → BOIS

CALAME → PARCHEMIN, ROSEAU

CALAMINE → ZINC

CALAMISTRER → BOUCLER, FRISER

CALAMITE → ARGILE, RÉSINE

CALAMITÉ → ACCIDENT, CATASTROPHE, DÉSASTRE, ÉVÉNEMENT, MALHEUR, MISÈRE

CALANDRE → ALOUETTE, GARNITURE, PAPIER, RADIATEUR

CALANDRER → GLACER, LUSTRER, MOIRÉ

CALANQUE → BAIE
Voir illus. **Littoral**

CALAO
Voir tab. **Oiseaux (classification simplifiée des)**

CALASIRIS → TUNIQUE

CALCAIRE → CALCIUM, CRAIE, CRUSTACÉ
Voir illus. **Grotte sous-marine**

CALCAIRE aven, bétoire, calcification, castine, causse, champagne, craie, karstique, liais, ossification, stalactite, stalagmite, tartre, travertin, tuf

CALCAIRE DÉTRITIQUE
Voir tab. **Roches et minerais**

CALCANÉUM → PIED, TALON
Voir illus. **Squelette**

CALCÉMIE → CALCIUM

CALCIFÉROL
Voir tab. **Vitamines**

CALCIFICATION → CALCAIRE, INFILTRATION

CALCIN → DÉBRIS, GLACE

CALCINATION → BRÛLER, COMBUSTION, INCENDIE

CALCINÉ → GRILLER

CALCINER → BRÛLER, CHAUFFER, CHAUX, DESSÉCHER

CALCITE → CALCIUM, MARBRE
Voir tab. **Géographie et géologie (termes de)**
Voir tab. **Minéraux et utilisations**

CALCITONINE → HORMONE

CALCIUM → YAOURT
Voir tab. **Éléments chimiques (symbole des)**

CALCIUM alcalino-terreux, aragonite, calcaire, calcémie, calcite, chaux, décalcification, gypse, plâtre, rachitisme

CALCSCHISTE
Voir tab. **Roches et minerais**

CALCUL → CHIFFRE, COMBINAISON, COMPTE, FIXATION, INTENTION, INTÉRÊT, MATHÉMATIQUES, URINE
Voir tab. **Chirurgicales (interventions)**

CALCUL addition, algèbre, antilithique, arithmétique, combinaison, comput, computation, concrétion, dessein, division, estimation, gravelle, gravier, intention, lithiase, martingale, multiplication, pierre, plan, préméditation, prévision, projet, soustraction, spéculation, statistique, stochastique, stratégie, supputation

CALCULATEUR → HABILE, INFORMATIQUE, INTÉRESSER

CALCULATEUR ÉLECTRONIQUE → INTELLIGENCE ARTIFICIELLE

CALCULATRICE → BUREAU, CALCULER, COMPTER

CALCULÉ → RÉFLÉCHI

CALCULER → COMPTER, CONCERTER, ÉVALUER, EXTRAIRE, MESURER, PRÉMÉDITER, RAISONNER, RÉFLÉCHIR

CALCULER abaque, acalculie, apprécier, arithmographe, boulier, calculatrice, calculette, chiffrer, compter, estimer, évaluer, mesurer, préméditer, supputer, tramer

CALCULETTE → CALCULER, COMPTER

CALDARIUM → BAIN

CALDEIRA
Voir illus. **Volcan**
Voir tab. **Géographie et géologie (termes de)**

CALDEIRADA
Voir tab. **Spécialités étrangères**

CALDO VERDE
Voir tab. **Spécialités étrangères**

CALE → BASSIN, BÉQUILLE, QUAI

CALÈCHE → FIACRE, VÉHICULE, VOITURE

CALÈCHE briska, coche, corricolo, diligence, fiacre, milord, sapin

CALEÇON → PANTALON, VÊTEMENT

CALEÇON collant, maillot, slip

CALÉFACTION → CHAUFFAGE, ÉVAPORATION

CALEMBOUR → COMIQUE, ESPRIT, JEU, MOT, PLAISANTERIE

CALEMBREDAINE → BALIVERNE, COCASSE, FUTILE, PAROLE, SOTTISE
Voir tab. **Rhétorique (figures de)**

CALENDES → CALENDRIER, JOUR

CALENDRIER → CHRONOLOGIE, DATE, FASTES

CALENDRIER agenda, almanach, calendes, échéancier, emploi du temps, éphéméride, grégorien, ides, julien, nones, planning, républicain, timing

CALENDRIER MUSULMAN
Voir tab. **Islam (vocabulaire de l')**

CALENDULA → SOUCI

CALE-PIED
Voir illus. **Planche à voile**

CALEPIN → CAHIER, CARNET, REGISTRE, RENDEZ-VOUS, RENSEIGNEMENT, SOUVENIR (SE)

CALER → BLOQUER, COINCER, INSÉRER, MÂT, RECULER, SERRER, VOILE

CALER accore, épite, talonnière

CALFATER → BOUCHER (1)

CALFEUTRER → BOUCHER (1)

CALIBRE → CYLINDRE, ÉTALON (2), FUSIL, GROSSEUR, LARGEUR, MODULE, OBUS, PROJECTILE, REVOLVER

CALIBRE carrure, classe, diamètre, dimension, envergure, grosseur, pointure, taille

CALIBRER → MESURER, TRIER, VÉRIFIER

CALICE → COMMUNION, LITURGIE, PÉTALE, VASE
Voir illus. **Fleur**

CALICE casque, sépale

CALICHE → NITRATE

CALICOT → COTON, PANCARTE

CALIFE → ARABE, MUSULMAN (1)
Voir tab. **Islam (vocabulaire de l')**

CALIFORNIUM
Voir tab. **Éléments chimiques (symbole des)**

CÂLIN → AFFECTUEUX, CARESSE

CÂLIN affectueux, cajolerie, cajoleur, caresse, tendre

CÂLINER → CARESSER, PRODIGUER

CALISSONS → BONBON

CALL-GIRL → FEMME, PROSTITUÉE
Voir tab. **Prostitution**

CALLEUX → MAIN

CALLIGRAMME → POÈME
Voir tab. **Poésie (vocabulaire de la)**

CALLIGRAPHIER → ÉCRIRE

CALLIOPE → POÉSIE
Voir tab. **Muses**

CALLIPYGE → FESSE

CALLOSITÉ → ENDURCISSEMENT

CALMANT → NARCOTIQUE (1)

CALMANT agnus-castus, anxiolytique, apaisant, baume, cicutine, eau de mélisse, embrocation, jusquiame, lénifiant, menthol, narcotique, neuroleptique, passiflore, populéum, réconfortant, sédatif, thridace, tranquillisant, valériane, verveine

CALMAR → ENCRE, MOLLUSQUE
Voir tab. **Animaux (classification simplifiée des)**

CALME → ACCALMIE, CLAIR, ÉQUILIBRE, FLEGME, IMAGE, IMPASSIBILITÉ, INSENSIBILITÉ, LISSE, MAÎTRISE, ORDRE, PACIFIQUE (2), PAISIBLE, PAIX, PHILOSOPHIE, PLACIDE, PONDÉRATION, RÉFLÉCHI, REPOS, SANG-FROID, SÉCURITÉ, SEREIN, SILENCE, TRANQUILLE

Voir tab. **Bruits**
Voir tab. **Vent : échelle de Beaufort**

CALME accalmie, ataraxie, bonace, cool, décontracté, détente, douce, embellie, flegmatique, flegme, impassible, imperturbable, inébranlable, maquis, paix, patience, placide, pondéré, relax, relaxation, rémission, rémittence, sang-froid, serein, sérénité, silence, tranquille, tranquillité

CALMER → ADOUCIR, AMORTIR, APAISER, CESSER, DÉSARMER, ENDORMIR, GUÉRIR, MODÉRER, PACIFIER, SATISFAIRE, SOIF, SOULAGER, TEMPÉRER, TOMBER

CALMER amadouer, analgésique, antalgique, antipyrine, apaiser, assourdir, assouvir, consoler, contenir, détente, dompter, élixir parégorique, endormir, étancher, laudanum, lénifiant, maîtriser, neutraliser, rasséréner, rassurer, réfréner, réprimer, satisfaire, sédatif, soigner, soulager, tempérer

CALO → DIALECTE
Voir tab. **Argot et langages populaires**

CALOMEL → MERCURE

CALOMNIATEUR → CORBEAU

CALOMNIE → ACCUSATION, ATROCITÉ, BAVE, COMMÉRAGE, DIFFAMATION, INJURE, MENSONGE, VENIN

CALOMNIE cancan, dénigrement, diffamation, médisance, ragot

CALOMNIER → BAVER, CHARGER, COMMÉRAGE, CRACHER, DÉNIGRER, DISCRÉDITER, MAL (1), MÉDIRE, NOIRCIR, PERDRE, RÉPUTATION, SALIR

CALOPORTEUR → CENTRALE NUCLÉAIRE

CALORIFÈRE → CHALEUR, CHAUFFAGE

CALORIFICATION → CHALEUR

CALORIFIQUE → CHALEUR

CALORIFUGE → CHALEUR

CALORIMÈTRE
Voir tab. **Instruments de mesure**

CALORIQUE → CHALEUR, NOURRISSANT

CALOT → BILLE, BONNET
Voir illus. **Coiffures**

CALOTIN → BÉNIT, BIGOT, DÉVOT

CALOTTE → BONNET, CAPSULE, COIFFURE, HÉMISPHÈRE, VOÛTE
Voir illus. **Coiffures**

CALOTTE GLACIAIRE → SOMMET

CALOTYPE → PHOTOGRAPHIE

CALOYER → MOINE

CALQUE → COPIE, DESSIN, IMITATION, TRADUCTION
Voir tab. **Dessin (vocabulaire du)**

CALQUE contrefaçon, copie, décalquer, emprunt, imitation, plagiat, reproduction

CALQUER → CONTREFAIRE

CALQUER copier, imiter, plagier, reproduire

CALUMET → INDIEN (2), PIPE

CALVADOS → CIDRE, NORMAND, POMME
Voir tab. **Alcools et eaux-de-vie**

CALVAIRE → CROIX, CRUCIFIXION,

MAL (1), MARTYRE, SOUFFRANCE, SUPPLICE, TORTURE

CALVILLE → POMME

CALVINISME → RÉFORME

CALVINISTE RÉFORMÉ → PROTESTANT (2)

CALVITIE → CHAUVE, CHUTE

CALYCOTOME → MAQUIS

CALYPSO → DANSE
Voir tab. **Danses (types de)**

CAMAÏEU → COULEUR, NUANCE, TEINTE

CAMAIL → COQ

CAMARADE → AMI, COMPAGNE, COMPAGNON, FRÈRE

CAMARADE ami, collègue, compagnon, condisciple, copain, pote

CAMARADERIE → AMITIÉ, FRATERNITÉ, UNION

CAMARD → NEZ, PLAT (2)

CAMARDE (LA) → MORT (1)

CAMARILLA → BANDE

CAMBISTE → CHANGE

CAMBIUM
Voir illus. **Tronc**

CAMBOUIS → GRAISSE, HUILE

CAMBRAI → LIN, TOILE

CAMBRER → REIN, TORDRE

CAMBRER arquer, cintrer, courber, creuser, incurver

CAMBRÉSINE → TOILE

CAMBRIEN
Voir tab. **Géologiques (échelle des temps)**

CAMBRIOLAGE → BUTIN, VOL

CAMBRIOLER → PILLER

CAMBRIOLER bandit, cambrioleur, casseur, dépouiller, dérober, dévaliser, filou, malfaiteur, marauder, monte-en-l'air, piller, rat d'hôtel, souris d'hôtel, voler, voleur

CAMBRIOLEUR → CAMBRIOLER

CAMBRIOLEUR Arsène Lupin, crochet, fausse clef, passe-partout, pince-monseigneur, rossignol

CAMBRION
Voir illus. **Chaussures**

CAMBRURE → COURBE (1)

CAMBUSE → TAUDIS

CAME → CAMELOTE, DROGUE, SOUPAPE

CAME DE BARILLET
Voir illus. **Revolver**

CAMÉE → GRAVER, SCULPTER

CAMÉLÉON → ADAPTATION, COULEUR, LÉZARD

CAMÉLIDÉS → CHAMEAU, LAMA

CAMÉLIEN → CHAMEAU

CAMELIN → CHAMEAU
Voir tab. **Animaux (termes propres aux)**

CAMELLE → TAS

CAMELLIA SINENSIS
Voir tab. **Plantes médicinales**

CAMELOT → COMMERÇANT, MARCHAND, ROI, VENDEUR

CAMELOTE → PACOTILLE, VALEUR

CAMELOTE came, drogue, pacotille, rossignol, toc

CAMEMBERT → NORMAND
Voir illus. **Fromages**

CAMÈNES → NYMPHE

CAMERAMAN → OPÉRATEUR

CAMÉRA-STYLO → CINÉMA

CAMÉRIER → CARDINAL (1), CHAMBRE, OFFICIER, PAPE

CAMÉRIÈRE → SERVANTE

CAMÉRISTE → BONNE, CHAMBRE, DAME, DOMESTIQUE (1), FEMME, SERVANTE

CAMERLINGUE → CARDINAL (1)

CAMÉSCOPE → FILM

CAMION → DÉLAYER, ÉPINGLE, MARMITE, VÉHICULE

CAMION bahut, camionnette, fourgon, fourgonnette, fret, poids-lourd, roulage, semi-remorque, van

CAMIONNAGE → TRANSPORT

CAMIONNER → TRANSPORTER

CAMIONNETTE → CAMION, VÉHICULE

CAMIONNEUR → COL, CONDUCTEUR, ROUTIER

CAMISOLE → BUSTE, CHEMISE

CAMISOLE CHIMIQUE → PSYCHIATRIE

CAMISOLE DE FORCE → FOLIE

CAMORRA → MAFIA

CAMOUFLAGE → DÉGUISEMENT

CAMOUFLER → CACHER, COUVRIR, MAQUILLER, MASQUER

CAMOUFLET → AFFRONT, GIFLE, HUMILIATION, INJURE, INSULTE, OFFENSE

CAMP → BASE, CLAN, CÔTÉ, INSTALLATION, RAVITAILLEMENT, RÉSERVE, STATIONNEMENT

CAMP bivouac, campement, cantonnement, castramétation, castrum, centre aéré, clan, coéquipier, colonie, déportation, équipe, goulag, groupe, oflag, parti, plier bagage, stalag

CAMP (LEVER LE) → DÉCAMPER, DÉMÉNAGER

CAMP DE CONCENTRATION → DÉPORTATION

CAMPAGNARD → RURAL

CAMPAGNE → BATAILLE, EXPÉDITION, KÉPI, OPÉRATION, PROPAGANDE, PUBLICITÉ, RÉCLAME (1)

CAMPAGNE agreste, bastide, bucolique, champêtre, chartreuse, cottage, datcha, expédition militaire, fermette, guerre, hameau, lieu-dit, mas, offensive, pastoral, rural, rustique, village

CAMPAGNE D'INDOCHINE
Voir illus. **Décorations françaises**

CAMPANE → BÉTAIL, CLOCHETTE

CAMPANIFORME
Voir tab. **Forme de... (en)**

CAMPANILE → CLOCHE, CLOCHER, LANTERNE, TOIT, TOUR

CAMPANULE → CLOCHETTE

CAMPANULÉ
Voir illus. **Champignon**

CAMPÈCHE → TEINTURE

CAMPEMENT → BIVOUAC, CAMP, INSTALLATION

CAMPER → PEINDRE

CAMPER bivouaquer, bohémien, camping, canadienne, dresser (se), forain, nomade, planter (se), poser (se), tente

CAMPING → CAMPER, CARAVANE

CAMPING-CAR → CARAVANE, VÉHICULE

AMPO → STEPPE
Voir tab. **Géographie et géologie** (termes de)
AMPOS → CONGÉ
AMUS → COURT, ÉCRASER, ÉPATÉ, NEZ, PLAT (2)
AMUS (ALBERT) → MYTHE
ANADA
Voir tab. **Saints patrons**
ANADAIR → AVION, FEU, INCENDIE
ANADIENNE → CAMPER, TENTE, VESTE, VÊTEMENT
Voir illus. **Manteaux**
Voir tab. **Bateaux**
ANAILLE → COQUIN (2), FRIPON (1), MALFAITEUR, MALHONNÊTE, POLISSON, VERMINE
ANAL → CÂBLE, CHAÎNE, CONDUIT, INTERMÉDIAIRE (1), MOYEN (1), TUILE, VOIE
ANAL arroyo, artère, bief, canalicule, CB, chaîne, chaland, chenal, circuit, curage, débouquer, désensavement, détroit, dragage, embouquer, passe, péniche, pertuis, robine, uretère, urètre, vaisseau, veine
CANAL DÉFÉRENT
Voir illus. **Génitaux** (appareils)
Voir illus. **Testicule**
CANAL LACRYMO-NASAL
Voir illus. **Œil**
CANAL PULPAIRE
Voir illus. **Dent**
CANALICULE → CANAL
CANALISATION → CONDUIT
CANALISATION buse, caniveau, chéneau, colonne, conduite, drain, égout, émissaire, gouttière, griffon, robinet, tuyauterie
CANALISER → CONCENTRER, CONDUIRE, DISPERSER, FILTRER
CANAPÉ → DOSSIER, FAUTEUIL, MEUBLE, REPOS
Voir illus. **Sièges**
CANAPÉ-LIT
Voir illus. **Sièges**
CANARD → CAFÉ, LIQUEUR, SUCRE
Voir tab. **Animaux** (classification simplifiée des)
Voir tab. **Animaux** (termes propres aux)
Voir tab. **Oiseaux** (classification simplifiée des)
CANARD aiguillette, anatidés, barbotière, cacaoui, cacophonie, canardeau, canardière, caneton, colvert, couac, eider, fuligule, halbran, magret, malard, milouin, morillon, mulard, note (fausse), pilet, souchet, tadorne
CANARD À LA ROUENNAISE
Voir tab. **Plats régionaux**
CANARD LAQUÉ
Voir tab. **Spécialités étrangères**
CANARDEAU → CANARD
Voir tab. **Animaux** (termes propres aux)
CANARDIÈRE → CANARD, ÉTANG
Voir tab. **Animaux** (termes propres aux)
CANARI → JAUNE
Voir tab. **Couleurs**
CANASSON → CHEVAL

CANAUX GALACTOPHORES
Voir illus. **Sein**
CANAUX SEMI-CIRCULAIRES
Voir illus. **Oreille**
CANCAN → BAVARDAGE, CALOMNIE, COMMÉRAGE, INDISCRÉTION
CANCANER → INDISCRET, JASER, MÉDIRE, RACONTER
Voir tab. **Animaux** (termes propres aux)
CANCANIÈRE → BAVARD, COMMÉRAGE
CANCEL → CLÔTURE
CANCER
Voir tab. **Astrologie**
Voir tab. **Phobies**
Voir tab. **Zodiaque**
CANCER cancérigène, cancérisation, cancérogenèse, cancérologie, carcinogenèse, carcinologie, carcinome, chimiothérapie, épithélioma, hormonothérapie, immunothérapie, leucémie, mélanome, métastase, oncogenèse, oncologie, ostéosarcome, radiothérapie, rétinoblastome, sarcome, squirrhe, tumeur maligne
CANCER (TROPIQUE DU)
Voir illus. **Saisons** (mécanisme des)
CANCÉREUX → MALIN (2)
CANCÉRIGÈNE → CANCER
CANCÉRISATION → CANCER
CANCÉROGENÈSE → CANCER
CANCÉROLOGIE → CANCER
CANCÉROLOGUE → MÉDECIN
CANCÉROPHOBIE
Voir tab. **Phobies**
CANCRE → ÉLÈVE, IGNORANCE
CANCRELAT → CAFARD
CANDELA (CD) → LUMIÈRE
CANDÉLABRE → BOUGIE, CACTUS, CIERGE, FLAMBEAU, TAILLE
CANDEUR → CONFIANCE, IGNORANCE, INNOCENCE, NAÏVETÉ, NIAISERIE, PURETÉ
CANDIDAT → CONCOURS, PARTICIPANT, SÉLECTION
CANDIDAT aspirer à, briguer, colistier, compétiteur, concurrent, examinateur, jury, pipo, postulant, postuler, présidentiable, prétendre à, solliciter
CANDIDAT (MALHEUREUX) AUX EXAMENS
Voir tab. **Saints patrons**
CANDIDE → BLANC (1), BLEU (1), INNOCENT (2), NAÏF, PUR, SIMPLE
CANDIDOSE → BLANC (1), MUGUET, MYCOSE
CANDIR → RAFFINER
CANE
Voir tab. **Animaux** (termes propres aux)
CANEPHORA → CAFÉ
CANÉPHORE → CORBEILLE, SACRIFICE
CANETAGE → TISSAGE, TRAME
CANETON → CANARD
Voir tab. **Animaux** (termes propres aux)
CANETTE → BOBINE, BOBINE, BOÎTE, BOUTEILLE, FIL, NAVETTE
Voir tab. **Animaux** (termes propres aux)

CANEVAS → BRODERIE, CADRE, CHARPENTE, ÉBAUCHE, ESQUISSE, OSSATURE, PLAN, PROJET, RÉCIT, SCÉNARIO, SCHÉMA, SQUELETTE
CANEVAS ébauche, plan, scénario, schéma, script, synopsis, trame
CANEZOU → BUSTE, DENTELLE, VÊTEMENT
CANGE → BARQUE
Voir tab. **Bateaux**
CANGUE → TORTURE
CANICULAIRE → CHAUD, EXCESSIF, TORRIDE
CANICULE → CHALEUR
CANIDÉS → LOUP
CANIER → ROSEAU
CANIF → COUTEAU
CANIN → CHIEN
Voir tab. **Animaux** (termes propres aux)
CANINE
Voir illus. **Bouche, nez et gorge**
Voir illus. **Dent**
CANITIE → BLANCHIR, CHEVEU, DÉCOLORATION
CANIVEAU → CANALISATION, TROTTOIR
CANNABINOÏDE
Voir tab. **Drogues**
CANNABIS → HASCHISCH
CANNAGE → VANNERIE
Voir illus. **Sièges**
CANNAIE → ROSEAU
CANNE → BÉQUILLE
CANNE alpenstock, badine, baguette, béquille, club, gaule, jonc, lance, piolet, pommeau, stick
CANNE À LANCER → PÊCHE
CANNE À PÊCHE
Voir tab. **Pêche**
CANNE ANGLAISE → BÉQUILLE
CANNÉ
Voir illus. **Sièges**
CANNELÉ
Voir illus. **Sièges**
CANNELLE → BEIGE, ROBINET
Voir tab. **Herbes, épices et aromates**
CANNELLONI
Voir illus. **Pâtes**
CANNELURE → VIS
Voir illus. **Colonnes**
Voir illus. **Sièges**
CANNER → CHAISE, GARNIR
CANNES (FESTIVAL DE)
Voir tab. **Prix cinématographiques**
CANNETILLE → BRODERIE, PASSEMENTERIE
CANNIBALE → CHAIR, HUMAIN, MANGER
CANOË → AVIRON, BATEAU, NAUTIQUE
Voir tab. **Bateaux**
CANOË-KAYAK
Voir tab. **Sports**
CANON → BEAU, CHANT, CRITÈRE, DÉCRET, FUGUE, IDÉAL (1), LOI, MITRAILLEUSE, NORME, OBUS, RECUEIL, RÈGLE, STATUE, TYPE
Voir illus. **Armures**
Voir illus. **Cheval**
Voir illus. **Fusils**
Voir illus. **Harnais**
Voir illus. **Pistolet**
Voir illus. **Revolver**

CANON affût, âme, artilleur, aspic, basilic, bouche à feu, boulet, canonnier, caronade, couleuvrine, crapouillot, étalon, faucon, gargousse, idéal, mitraille, modèle, norme, obus, règle, veuglaire
CANON BIBLIQUE
Voir tab. **Bible**
CANONIAL → CONFORME, HEURE
CANONICAT → BÉNÉFICE
CANONIQUE → ÂGE
CANONISATION → SAINT (1)
Voir tab. **Catholique romain** (vocabulaire)
CANONNADE → ARTILLERIE
CANONNAGE → BOMBARDEMENT
CANONNIER → CANON
CANONNIÈRE → BÂTIMENT
Voir tab. **Bateaux**
CANOPE → MOMIE, VASE
CANOT → BARQUE, BATEAU, EMBARCATION
Voir tab. **Bateaux**
CANOTAGE → NAUTIQUE
CANOTIER → CHAPEAU, PAILLE
CANSON
Voir tab. **Dessin** (vocabulaire du)
CANTABILE → CHANT
Voir tab. **Musique** (vocabulaire de la)
CANTAL
Voir illus. **Fromages**
CANTALOUP → MELON
CANTATE → CHŒUR, CONCERT, DRAME, RÉCIT
CANTATILLE → OR
CANTATRICE → CHANTEUSE
CANTHARE → VASE
CANTILÈNE → CHANT, POÈME
CANTILEVER → PONT
Voir illus. **Ponts**
CANTILIENS
Voir tab. **Habitants** (comment se nomment les)
CANTINE → BAGAGE, CAISSE, COFFRE, MALLE, REPAS, RESTAURANT, VALISE
CANTIQUE → CHANT, HYMNE
CANTIQUE DES CANTIQUES
Voir tab. **Bible**
CANTON → DÉPARTEMENT, DIVISION, DRAPEAU, ÉCU, ÉTAT, TERRITOIRE, UNITÉ
Voir illus. **Drapeaux**
Voir illus. **Héraldique**
CANTONAL → ÉTAT
CANTONNEMENT → BIVOUAC, CAMP, INSTALLATION, QUARTIER, STATIONNEMENT
CANTONNER (SE) → BORNER, CONFINER (SE), ENFERMER, LIMITER
CANTONNIER → CAILLOU
CANTONNIÈRE → FENÊTRE, RIDEAU
CANULAR → FACÉTIE, FARCE, MYSTIFIER, PLAISANTERIE, SUBTERFUGE
CANULE → SONDE, TUBE
Voir tab. **Chirurgie** (vocabulaire de la)
Voir illus. **Instruments médicaux**
CANUSE → TISSAGE
CANUT → SOIE, TISSAGE
CANYON → DÉFILÉ, GORGE, VALLÉE
Voir illus. **Désert**
Voir tab. **Géographie et géologie** (termes de)
CANYONING → NAUTIQUE

CANZONE → POÈME

CAOUANE → TORTUE

CAOUTCHOUC → IMPERMÉABLE (2), PNEU

Voir illus. **Chaussures**

CAOUTCHOUC Buna, élastique, élastomère, euphore, ficus, gomme, hévéa, landolphia, latex, Néoprène, scrap, slab, vahé, vulcanisation

CAP bec, destination, difficulté, direction, étape, orientation, palier, période, phase, pointe, promontoire, route, situation, voie

CAP (CERTIFICAT D'APTITUDE PROFESSIONNELLE) → DIPLÔME, APPRENTISSAGE

CAPABLE → COMPÉTENT, ÉTAT, NATURE, QUALIFIÉ

CAPABLE adroit, apte à, compétent, doué, expérimenté, expert, habile, mesure de (en), qualifié, susceptible de

CAPACIMÈTRE → DIPLÔME

CAPACITAIRE → DIPLÔME

CAPACITÉ → APTITUDE, BREVET, COMPÉTENCE, CONTENANCE, CONTENU, DISTANCE, EFFICACITÉ, FACULTÉ, MÉRITE, MOYEN (1), POSSIBILITÉ, POTENTIEL (1), POUVOIR, PUISSANCE, QUALIFICATION, QUALITÉ, RESSOURCE, SAVOIR (1), TALENT, VALEUR, VOLUME

CAPACITÉ adresse, aisance, aptitude, capacimètre, compétence, contenance, cylindrée, disposition, don, faculté, force, habileté, possibilité, pouvoir, ressource

CAPA MAGNA → CARDINAL (1)

CAPARAÇON → ARMURE

CAPE → CONCOURS

CAPE → CIGARE, MANTEAU, ROBE, TABAC, VÊTEMENT

Voir illus. **Coiffures**

Voir illus. **Manteaux**

CAPE cachette (en), houppelande, macfarlane, mantelet, pèlerine, secrètement, surtout, véronique

CAPE (SOUS) → CACHETTE

CAPEA → COURSE DE TAUREAUX

CAPELAGE → MANŒUVRE

CAPELINE → CHAPEAU, PAILLE

Voir illus. **Coiffures**

CAPENDU → POMME

CAPEPS → CONCOURS

CAPES → CONCOURS, PROFESSEUR

CAPET → PROFESSEUR

CAPÉTIENS → DYNASTIE

Voir tab. **Rois et chefs d'État de la France**

CAPHARNAÜM → BAZAR, CONFUSION, DÉSORDRE, MÉLANGE, PÊLE-MÊLE

CAP-HORNIER

Voir tab. **Bateaux**

CAPILLAIRE → SANG, VAISSEAU

Voir illus. **Peau**

Voir illus. **Respiratoire (système)**

CAPISTON → CAPITAINE

CAPITAINE → CHEF, CONDUCTEUR, PATRON

Voir illus. **Grades de la gendarmerie**

Voir illus. **Grades militaires**

CAPITAINE capiston, commandant, compagnie, escadron, skipper

CAPITAINE DE CORVETTE

Voir illus. **Grades militaires**

CAPITAINE DE FRÉGATE

Voir illus. **Grades militaires**

CAPITAINE DE VAISSEAU

Voir illus. **Grades militaires**

CAPITAL → BIEN, CARDINAL (2), CONSIDÉRABLE, DETTE, ESSENTIEL, FONDAMENTAL, FONDS, FORTUNE, IMPORTANT, MAJEUR (2), PATRIMOINE, PRÉCIEUX, PREMIER (2), PRÊT, PRINCIPAL (1), PRINCIPAL (2)

CAPITAL (1) argent, avoir, bien, capitaliser, cheptel, domaine, économiser, fonds, fortune, intérêt, investir, liquidités, patrimoine, placer, prime, rente, richesse, spéculer, terre, thésauriser

CAPITAL (2) clef de voûte, décisif, essentiel, fondamental, lettrine, majeur, majuscule, mort (peine de), nœud, pièce maîtresse, primordial

CAPITAL (LE) → MARXISTE

CAPITALE → DÉCISIF, LETTRE, MAJUSCULE, PAYS, PEINE, VITAL

Voir tab. **Typographies**

CAPITALE décentralisation, métropole, pandémonium

CAPITALISATION BOURSIÈRE

Voir tab. **Bourse**

CAPITALISER → AMASSER, CAPITAL (1)

CAPITALISME → SOCIALISME

CAPITALISME anarchisme, collectivisme, communisme, concurrence, étatisme, fusion, industrialisation, libéralisme, marxisme, mercantilisme, monopole, profit, socialisme, trust

CAPITAN → BRAVE

CAPITATION → IMPÔT, REDEVANCE, TAXE

CAPITEUX → ENIVRANT, FORT (2), PARFUM

Voir tab. **Vin (vocabulaire du)**

CAPITONNAGE

Voir illus. **Sièges**

CAPITONNÉ

Voir illus. **Sièges**

CAPITONNER → FAUTEUIL, GARNIR, MATELAS

CAPITOUL → COMMUNE

CAPITULAIRE → MESSE, MONASTÈRE, RELIGIEUX (1)

CAPITULATION → ABANDON, CHUTE, COMBAT, TRAITÉ (2)

CAPITULATION abandon, abdication, armistice, chamade, drapeau blanc, reddition, renoncement, résignation, traité

CAPITULE → FLEUR, MARGUERITE

Voir illus. **Fleur**

CAPITULER → ABANDONNER, ARME, CÉDER, RENDRE (SE), RÉSISTANCE, SOUMETTRE, VAINCRE

CAPITULER abandonner, déposer les armes, fléchir, incliner (s'), jeter l'éponge, reculer, renoncer, soumettre (se)

CAPODASTRE → GUITARE

CAPONNIÈRE → NICHE, TUNNEL

CAPORAL → TABAC

Voir illus. **Grades militaires**

CAPORAL-CHEF

Voir illus. **Grades militaires**

CAPOT → CARROSSERIE

Voir tab. **Belote**

Voir tab. **Tarot**

CAPOT (ÊTRE) → LEVÉE

CAPOT DE CABINE

Voir illus. **Voilier : Dufour 38 Classic**

CAPOT DE DESCENTE

Voir illus. **Voilier : Dufour 38 Classic**

CAPOTE → VÊTEMENT

Voir illus. **Coiffures**

Voir illus. **Manteaux**

CAPOTER → BASCULER

CAPPA → MANTEAU

CAPPUCCINO → BATTU, CAFÉ, CRÈME

CÂPRE → VINAIGRE

CAPRICANT → INÉGAL, IRRÉGULIER

CAPRICE → AMOURETTE, COLÈRE, DÉSIR, ENVIE, FANTAISIE, FLIRT, HUMEUR, INCONSTANCE, INÉGALITÉ, IRONIE, SIMAGRÉES, VARIATION

CAPRICE amourette, béguin, changement, désir, envie, exigence, fantaisie, foucade, gâté, idylle, innovation, lubie, mal élevé, passade, revirement, toquade, variation, virevolte

CAPRICIEUX → DIFFICILE, DUR, GÂTÉ, INÉGAL, INSTABLE, ONDOYANT, POURRI, STABLE, VAGABOND (2), VARIABLE (2)

CAPRICORNE

Voir tab. **Astrologie**

Voir tab. **Zodiaque**

CAPRICORNE (TROPIQUE DU)

Voir illus. **Saisons (mécanisme des)**

CAPRICORNE DES MAISONS → BOIS

CAPRIDÉS → CHÈVRE

CAPRIFICATION → FIGUE

CAPRIFIGUE → FIGUE

CAPRIMULGIFORMES

Voir tab. **Oiseaux (classification simplifiée des)**

CAPRIN → BÉTAIL, BOUC, CHÈVRE

Voir tab. **Animaux (termes propres aux)**

CAPRINÉ → BOUC, CHÈVRE

CAPSAGE → TABAC

CAPSIDE → VIRUS

CAPSUL(O)-

Voir tab. **Chirugicales (interventions)**

CAPSULE → CABINE, CACHET, FRUIT, PASTILLE, RÉCIPIENT, RICIN, VASE

CAPSULE amorce, bouchon, cachet, calotte, détonateur, enveloppe, gélule, godet, habitacle, sporange

CAPSULE ARTICULAIRE

Voir tab. **Chirugicales (interventions)**

CAPSULE DE FUSÉE → PARACHUTE

CAPSULER → BOUCHER (1)

CAPTATION → CONTRAT

CAPTER → CAPTURER, GAGNER, IMPRIMER, INTERCEPTER, PERCEVOIR, RADIOÉLECTRIQUE, RECEVOIR, RECUEILLIR

CAPTEUR → ANTENNE

CAPTIEUX → APPARENCE, FAUX (2), MALHONNÊTE, PERFIDE, RAISONNEUR, TROMPEUR

CAPTIF → CONDAMNÉ, DÉTENU, INTÉRESSER, PRISONNIER

CAPTIF détenu, otage, prisonnier, séquestré

CAPTIVANT → ABSORBANT, AGRÉABLE, BON (1), BRILLANT (1), CHARMANT, ENVELOPPANT, FASCINANT, INTÉRESSANT (2), PALPITANT, PASSIONNANT, PATHÉTIQUE (2), PITTORESQUE, SÉDUISANT

CAPTIVÉ → ENSORCELER, SAISIR

CAPTIVER → ATTENTION, CHARMER, CONQUÉRIR, ENJÔLER, ENLEVER, FASCINER, MAGNÉTISER, PASSIONNER, PLAIRE, RAVIR, SUBJUGUER

CAPTIVER charmer, enchanter, ensorceler, envoûter, fasciner, intéresser, passionner, ravir, séduire

CAPTIVITÉ → DÉTENTION, ESCLAVAGE, ISOLEMENT

CAPTIVITÉ détention, emprisonnement, incarcération, internement, réclusion, séquestration

CAPTURE → BUTIN, PRISE, PROIE

CAPTURER → ATTRAPER

CAPTURER appréhender, arrêter, braconner, capter, chasser, cueillir, emparer (s'), enlever, intercepter, kidnapper, piéger, ravir, saisir

CAPUCE → CAPUCHON

CAPUCHE → FICHU

CAPUCHON → PHOQUE, RÉCIPIENT

Voir illus. **Coiffures**

CAPUCHON bouchon, capuce, coule, domino

CAPUCIN → LIÈVRE

CAPUCINE

Voir illus. **Sièges**

CAPUCINIÈRE → DÉVOT

CAQUE → HARENG, TONNEAU, VENDANGE

CAQUELON → VAISSELLE

CAQUET → BAVARDAGE

CAQUÈTEMENT → POULE

CAQUETER → JASER

CAQUETOIRE

Voir illus. **Sièges**

CAR → VÉHICULE

CARABE → CHENILLE

CARABIN → CHIRURGIE, ÉTUDIANT, MÉDECINE

CARABINE → FUSIL

CARABINIER → CAVALERIE, GENDARMERIE, POLICIER (1), SOLDAT

CARABOSSE → FÉE

CARACO → BLOUSE, BUSTE, VÊTEMENT

CARACOLER → BONDIR, SAUTER

CARACTÈRE → IDENTITÉ, INDIVIDUALITÉ, LETTRE, NATURE, PERSONNALITÉ, PHYSIONOMIE, PSYCHOLOGIE, SIGNE, TEMPÉRAMENT

CARACTÈRE caractérologie, critère, cyclothymie, dépression, griffe, identité, névrose, originalité, paramètre, paranoïa, patte, psychose, qualité, singularité, style

CARACTÉRIEL déséquilibré, fou, malade
CARACTÉRIOLOGIE → PSYCHOLOGIE
CARACTÉRISATION → DÉFINITION, DÉTERMINATION
CARACTÉRISER → DÉFINIR, DÉTERMINER
CARACTÉRISER décrire, définir, déterminer, marquer, particulariser, qualifier, singulariser
CARACTÉRISTIQUE → DIFFÉRENCE, PARAMÈTRE, PARTICULARITÉ, PROPRE (2), SIGNE, SPÉCIAL, SPÉCIALITÉ, TRAIT, TYPIQUE
CARACTÉRISTIQUE déterminant, distinctif, essentiel, marque, particularité, propre à, révélateur, spécificité, spécifique, trait, typique
CARACTÉROLOGIE → CARACTÈRE
CARAFE → BOUTEILLE, POT, VASE
CARAMBOLER → BILLARD, HEURTER (SE)
CARAMEL → SUCRE
Voir tab. **Couleurs**
CARAPACE → COQUILLE, CUIRASSE
CARAPACE armure, blindage, bouclier, cuirasse, exosquelette, mue, tégument, test
CARAQUE
Voir tab. **Bateaux**
CARASSIN DORÉ → ROUGE
CARAT → DIAMANT, OR
CARAVANE → CONVOI, SÉRIE, VÉHICULE, VOYAGEUR
Voir tab. **Animaux (termes propres aux)**
CARAVANE camping, camping-car, caravaneige, caravanier, caravaning, caravansérail, chamelier, convoi, khan, mobil-home, roulotte, troupe
CARAVANEIGE → CARAVANE
CARAVANIER → CARAVANE, CONDUCTEUR, TOURISTE
CARAVANING → CARAVANE
CARAVANSÉRAIL → AUBERGE, CARAVANE, HÔTEL, PERSAN (2)
CARAVELLE → VOILIER
Voir tab. **Bateaux**
Voir tab. **Prostitution**
CARBET → CASE, HANGAR
CARBOGLACE → DIOXYDE
CARBON COPY
Voir tab. **Internet**
CARBONADO → DIAMANT
CARBONARO → NATIONAL, SOCIÉTÉ
CARBONATE → MAGNÉSIUM, ZINC
CARBONATE DE CALCIUM → CRAIE
CARBONE → DIAMANT
Voir tab. **Éléments chimiques (symbole des)**
CARBONE anthracite, C, charbon, diamant, graphite, hydrocarbure, radiocarbone
CARBONE 14 → DATER, FOSSILE (1)
CARBONIFÈRE → CHARBON
Voir tab. **Géologiques (échelle des temps)**
CARBONISATION → CHARBON
CARBONISER → BRÛLER
CARBONITE → AGGLOMÉRÉ
CARBONNADE → GRILLER
CARBURANT → COMBUSTIBLE

CARBURANT aniline, benzol, biocarburant, butane, éthanol, gazole, kérosène, mélange, propane, supercarburant
CARBURATEUR → MOTEUR
Voir illus. **Moteur**
CARBURE alcène, benzol, mazout, naphte, oléfine
CARCAN → CADRE, SUPPLICE, TORTURE
CARCAN coercition, contrainte, entrave, esclavage, joug, sujétion
CARCASSE → BÂTI (2), CADAVRE, CHÂSSIS, COQUE, DÉBRIS, ÉPAVE, MATELAS
CARCASSE armature, bâti, carrosserie, charpente, châssis, ossature, squelette
CARCEL → LAMPE
CARCÉRAL → PRISON
CARCINOGENÈSE → CANCER
CARCINOLOGIE → CANCER, CRUSTACÉ, ZOOLOGIE
CARCINOME → CANCER, TUMEUR
CARDAMINE
Voir tab. **Salades**
CARDAMOME → GRAINE
CARDE → BLETTE
CARDER → LAINE, MATELAS
CARDÈRE → CHARDON
CARDIA → ESTOMAC
CARDIALGIE → CŒUR
Voir tab. **Douleur**
CARDIAQUE → CŒUR, SOUFFLE
CARDIGAN → VESTE
Voir illus. **Modes et styles**
CARDINAL → ADJECTIF, DIGNITÉ, NOMBRE, PRINCE, RELIGIEUX (1)
Voir tab. **Clergé catholique (vocabulaire du)**
Voir tab. **Politesse (formules de)**
CARDINAL (1) barrette, camérier, camerlingue, capa magna, cardinal diacre, cardinal évêque, cardinal non prêtre, cardinal prêtre, cardinalat, cardinalice, conclave, conclaviste, consistoire, création, éminence, pourpre, Sacré Collège
CARDINAL (2) capital, essentiel, est, fondamental, force, justice, nord, ouest, primordial, prudence, sud, tempérance
CARDINAL DIACRE → CARDINAL (1)
CARDINAL ÉVÊQUE → CARDINAL (1)
CARDINAL NON PRÊTRE → CARDINAL (1)
CARDINAL PRÊTRE → CARDINAL (1)
CARDINALAT → CARDINAL (1)
CARDINALICE → CARDINAL (1)
CARDIO-
Voir tab. **Chirugicales (interventions)**
CARDIOGRAMME → CLICHÉ, CŒUR
CARDIOÏDE → SPIRALE
CARDIOLOGIE
Voir tab. **Sciences : termes en -ologie et -ographie**
CARDIOLOGUE → MÉDECIN
CARDIOPATHIE → CŒUR
CARDIOTONIQUE → GINSENG, TONIQUE (1)
CARDITE → CŒUR
CARDON → LÉGUME

CARÊME → ABSTENIR (S'), ABSTINENCE, JEÛNE, PÉNITENCE, PRIVATION, QUARANTE
Voir tab. **Fêtes religieuses**
CARÉNAGE → CARROSSERIE
CARENCE → ABSENCE, DÉFAUT, INSUFFISANCE, MANQUE, NÉGLIGENCE
CARENCE DU SYNDIC
Voir tab. **Copropriété**
CARÈNE → COQUE, ŒUVRE
CARÉNER → RÉPARER
CARESSANT → AFFECTUEUX, SUAVE
CARESSE → CÂLIN, CONTACT
CARESSE attouchement, cajolerie, câlin, chatouille, cunnilingus, ébat, enlacement, étreinte, fellation, papouille, sensualité
CARESSER attoucher, bercer, cajoler, câliner, effleurer, enlacer, entretenir, étreindre, frôler, nourrir, peloter, tripoter
CARET → ÉCAILLE, TORTUE
CAR-FERRY → NAVETTE, TRANSPORT
Voir tab. **Bateaux**
CARGAISON → CHARGE, CONTENU, FACULTÉ, FRET, MARCHANDISE
CARGAISON arrimage, avarie, chargement, collection, dommage, fret, marchandise, mouille, subrécargue
CARGO → BATEAU, TRANSPORT
Voir tab. **Bateaux**
CARGO bananier, cargo-liner, charbonnier, fruitier, méthanier, minéralier, pétrolier, tanker, tramp, vraquier
CARGO-LINER → CARGO
CARGUE → CORDAGE
CARGUER → ÉTRANGLER, SERRER, VOILE
CARIAMA
Voir tab. **Oiseaux (classification simplifiée des)**
CARIATIDE → COLONNE, STATUE
Voir illus. **Colonnes**
Voir illus. **Sièges**
CARIBOU → CERF
CARICATURAL → GROTESQUE, PRIMAIRE
CARICATURE → ACCENTUATION, DESCRIPTION, IMAGE, IMITATION, PARODIE, PORTRAIT, REPRÉSENTATION, SATIRIQUE
CARICATURE burlesque, caricaturiste, chansonnier, comique, croquer, grotesque, humoriste, parodie, satire
CARICATURÉ → SIMPLIFIÉ
CARICATURER → IMITER, REPRÉSENTER, RIDICULISER
CARICATURISTE → CARICATURE, IMITATEUR
CARIDINE → CREVETTE
CARIE → BLÉ, DENT
CARIER → GÂTÉ
CARILLON → CLOCHE, HORLOGE, PENDULE, PERCUSSION, SONNETTE
Voir illus. **Percussions**
Voir tab. **Instruments de musique**
CARILLONNER → PROCLAMER, SONNER
CARISTE → CHARIOT
CARITATIF → CHARITABLE, CHARITÉ
CARLINE → CHARDON
CARLINGUE → QUILLE

CARLOMAN
Voir tab. **Rois et chefs d'État de la France**
CARMAGNOLE → RONDE, VESTE
CARMELINE → LAINE
CARMÉLITE → SŒUR
CARMES → MENDIANT (2)
CARMIN → TEINTURE
Voir tab. **Couleurs**
CARMINATIF → GINGEMBRE
Voir tab. **Médicaments**
CARMINE
Voir tab. **Salades**
CARMINÉ
Voir tab. **Couleurs**
CARNAGE → BOUCHERIE, HÉCATOMBE, MASSACRE
CARNASSIER → CHAIR, VIANDE
CARNASSIÈRE → GIBECIÈRE, SAC
Voir tab. **Chasse (vocabulaire de la)**
CARNATION → COLORATION, COULEUR, TEINT
CARNAVAL → BATAILLE, MASCARADE, MASQUE, RÉJOUISSANCE, SPECTACLE
CARNAVAL confetti, corso fleuri, cotillon, déguisement, domino, fête, loup, mardi gras, mascarade, mi-carême, serpentin, travestissement
CARNÈLE → LÉGENDE, MONNAIE
CARNET → CAHIER, CHRONIQUE, JOURNAL, LIVRET, MONDAIN (2), REGISTRE, RÉPERTOIRE
CARNET agenda, bloc-notes, bulletin, calepin, journal, manifold, mémento, mémorandum, souche, talon, triptyque
CARNET DE BAL → BAL
CARNIER → GIBECIÈRE, SAC
CARNIFICATION → CHAIR
CARNIVORE → ALIMENTATION, CHAIR, MANGER, VIANDE
Voir tab. **Mammifères (classification des)**
CAROLINES → PACIFIQUE (1)
CAROLINGIEN
Voir tab. **Rois et chefs d'État de la France**
CAROLINGIENS → DYNASTIE
CAROLOMACÉRIENS
Voir tab. **Habitants (comment se nomment les)**
CARONADE → CANON
CARONCULE → CHAIR, FRAISE
CAROTÈNE
Voir tab. **Vitamines**
CAROTIDE → ARTÈRE, COU
Voir illus. **Cœur**
CAROTTE → LÉGUME, PÉTROLE, ROULEAU, TABAC
Voir tab. **Couleurs**
Voir tab. **Gâteaux régionaux et étrangers**
Voir tab. **Plantes médicinales**
Voir tab. **Végétaux (classification simplifiée des)**
CARPACCIO → CRU, FILET
CARPE → POIGNET
Voir illus. **Squelette**
Voir tab. **Poissons (classification simplifiée des)**
CARPÉ → PLONGEON
CARPE DIEM → INSTANT
CARPELLE → PISTIL
CARPETTE → TAPIS

CARPETTIER → TISSAGE

CARPO- → FRUIT

CARPOLOGIE
Voir tab. **Sciences : termes en -ologie et -ographie**

CARPOPHOBIE
Voir tab. **Phobies**

CARQUOIS → FLÈCHE
Voir illus. **Sièges**

CARRAGHEEN → MOUSSE (1)

CARRE → TÉRÉBENTHINE

CARRÉ → FICHU, FOULARD, PARCELLE, POKER, QUADRILATÈRE
Voir illus. **Cheveux (coupes de)**
Voir illus. **Géométrie (figures de)**
Voir illus. **Mouton**
Voir illus. **Voilier : Dufour 38 Classic**
Voir tab. **Belote**
Voir tab. **Papier (formats de)**
Voir tab. **Poker**

CARRÉ (1) carreau, carroyage, case, cube, dé, graticulation, massif, palier, parterre, quadrillage

CARRÉ (2) brigantine, cacatois, civadière, direct, droit, équarrir, hunier, large, rigoureux, robuste, strict

CARRÉ DE CÔTES
Voir illus. **Porc**

CARRÉ DE L'EST
Voir illus. **Fromages**

CARREAU → BRIQUE, CARRÉ (1), COULEUR, COUSSIN, DALLE, DENTELLE, FENÊTRE, FER, FLÈCHE, LIME, MINE, QUADRILLAGE, TAILLEUR, VITRE
Voir illus. **Arcs et arbalète**
Voir illus. **Sièges**
Voir tab. **Cartes à jouer**

CARREAU azuléjo, carrette, carroyer, dallage, écossais, madras, pavement, quadrillé, vichy, vitre

CARREFOUR → BIFURCATION, CONVERGER, CROISEMENT, EMBRANCHEMENT, ÉTOILE, JONCTION, RENCONTRE, RÉUNION, ROUTE

CARREFOUR bifurcation, colloque, congrès, croisement, échangeur, embranchement, forum, fourche, intersection, patte-d'oie, rencontre, rond-point, séminaire, symposium, toboggan

CARRELAGE → PAVÉ, REVÊTEMENT
Voir illus. **Intérieur de maison**

CARRELAGE grès, marbre, parefeuille, tomette

CARRELET → FILET, LIME

CARRÉMENT → DÉTOUR

CARRÉMENT catégoriquement, complètement, crûment, fermement, franchement, honnêtement, loyalement, nettement, totalement

CARRETTE → CARREAU

CARRICK (NŒUD DE)
Voir illus. **Nœuds**

CARRIÈRE → CHAMPIGNON, CIRQUE, FONCTION, MANÈGE, PROFESSION

CARRIÈRE arriviste, carriériste, cursus, emploi, loup, métier, parcours, profession, situation, travail

CARRIÉRISME → DÉSIR

CARRIÉRISTE → AMBITIEUX, CARRIÈRE, MÉTIER, RÉUSSITE

CARRIOLE → CHARRETTE, VÉHICULE

CARROSSE → VOITURE

CARROSSERIE → CAISSE, CARCASSE, CHÂSSIS

CARROSSERIE aile, bâti, béquet, caisse, capot, carénage, carrossier, châssis, chrome, coque, custode, monobloc, monospace, tôlier

CARROSSIER → CARROSSERIE

CARROUSEL → CHEVALIER, MANÈGE, PARADE, SPECTACLE, TOURNOI

CARROYAGE → CARRÉ (1)

CARROYER → CARREAU

CARRURE → CALIBRE, ÉPAULE, LARGEUR, VALEUR

CARRURE classe, envergure, épaulette, largeur, pointure, stature

CARTABLE → ÉCOLIER, SAC, SERVIETTE

CARTAYER → CAHOT

CARTE → CHANCE, FICHE, INVITATION, ORIENTATION, RELIEF, RESTAURANT

CARTE altimétrique, as, atlas, atout, baccara, bataille, bathymétrique, belote, biseauté, boston, bridge, cartomancie, échelle, honneur, joker, latitude, longitude, manille, mappemonde, mistigri, orographique, plan, planisphère, poker, portulan, rami, réussite, tarot, tête, topographique, topométrie

CARTE AFFRANCHIE
Voir tab. **Bridge**

CARTE BLANCHE → POUVOIR

CARTE D'IDENTITÉ → IDENTITÉ, PRÉFECTURE

CARTE DE CRÉDIT → INSTRUMENT, PAIEMENT

CARTE DE SÉJOUR → IMMIGRÉ

CARTE GRISE → PRÉFECTURE

CARTE MAGNÉTIQUE → BADGE

CARTE MAÎTRESSE
Voir tab. **Belote**
Voir tab. **Bridge**

CARTE MÉMOIRE
Voir tab. **Photographie (vocabulaire de la)**

CARTE MÈRE
Voir tab. **Informatique**

CARTE POSTALE
Voir tab. **Collectionneurs**

CARTEL → BLOC, CHEVALIER, COALITION, COMPAGNIE, DUEL, ENTREPRISE, FRONT, FUSION, HORLOGE, INDUSTRIE, MONOPOLE, PARTI, PENDULE, SOCIÉTÉ, TOURNOI

CARTER → MOTEUR

CARTER D'HUILE
Voir illus. **Moteur**

CARTE-RÉPONSE → QUESTIONNAIRE

CARTES (VALEUR DES)
Voir tab. **Poker**

CARTÉSIEN → LOGIQUE (2), MÉTHODIQUE, RATIONNEL

CARTILAGE
Voir tab. **Chirugicales (interventions)**

CARTILAGE THYROÏDE
Voir illus. **Bouche, nez et gorge**

CARTISANE → BRODERIE

CARTOGRAPHIE
Voir tab. **Sciences : termes en -ologie et -ographie**

CARTOMANCIE → CARTE, CONSULTATION, OCCULTE

CARTOMANCIEN → DEVINER, VOYANT (1)

CARTON → AMENDE, CIBLE, DESSIN, FICHE, INVITATION, MODÈLE (1), PEINTURE, PUNITION, TAPISSERIE

CARTON blâme, boîte, caisse, carton cuir, carton gris, carton-pâte, cartonner, cartonnerie, cartonneux, croquis, dessin, emballage, étude, réussir, sanction

CARTON BOIS → ENCADREMENT

CARTON CUIR → CARTON

CARTON GRIS → CARTON

CARTON JAUNE → FOOTBALL, SANCTION

CARTON PLUME → ENCADREMENT

CARTON ROUGE → FOOTBALL, SANCTION

CARTONNER → CARTON

CARTONNERIE → CARTON

CARTONNEUX → CARTON

CARTON-PÂTE → CARTON

CARTOON → VIGNETTE

CARTOPHILE
Voir tab. **Collectionneurs**

CARTOUCHE → BALLE, BLASON, DEVISE, DIX, FUSIL, INSCRIPTION, MUNITION, PAQUET
Voir illus. **Pistolet**
Voir illus. **Revolver**
Voir tab. **Collectionneurs**

CARTOUCHE balle, bourre, cartoucherie, cartouchière, ceinture, chargeur, chemise, culot, douille, étui, fusée, giberne, munition, obus, plomb, poudre, projectile, recharge, réservoir

CARTOUCHERIE → CARTOUCHE, DÉPÔT

CARTOUCHIÈRE → CARTOUCHE, CEINTURE, SAC

CARTULAIRE → ARCHIVES, MONASTÈRE, RECUEIL

CARVACROL → THYM

CARVI → ANIS, PRÉ
Voir tab. **Herbes, épices et aromates**

CARYOCINÈSE → CHROMOSOME

CARYOLISE → CELLULE

CARYOPHYLLACÉES → ŒILLET

CARYOPSE → GRAIN

CARYOTYPE → CHROMOSOME

CAS → DOSSIER, POSSIBILITÉ

CAS accident, affaire, apprécier, casus belli, circonstance, conjoncture, considérer, crime, déclinaison, délit, désinence, estimer, événement, éventualité, exception, fait, hasard, hypothèse, imprévu, jamais, procès, respecter, scrupule, situation

CAS D'ÉCOLE → TYPE

CAS ÉCHÉANT → BESOIN, OCCASION

CASANIER → PANTOUFLE

CASANOVA → AMANT, CŒUR, JUPON, LIBERTIN, SÉDUCTEUR

CASAQUE → JOCKEY, SPORTIF (1), VESTE
Voir illus. **Manteaux**

CASAQUIN → BUSTE

CASBAH → ARABE, CITADELLE

CASCADE → FLEUVE, PÉRILLEUX, SAUT, SÉRIE, SUITE
Voir illus. **Glacier**

CASCADE cascatelle, cataracte, chute

CASCADEUR → DOUBLURE

CASCATELLE → CASCADE

CASE → BERGERIE, CARRÉ (1), HABITATION, HUTTE
Voir tab. **Échecs**

CASE alvéole, bicoque, carbet, cellule, chaumière, hutte, paillote, trieur, vignette

CASÉINE → LAIT

CASEMATE → ABRI, BLINDÉ, CITADELLE, FORT (1)

CASER → INSTALLER, RANGER (SE)

CASERETTE → MOULE

CASERNE → MILITAIRE (1), STATIONNEMENT

CASERNE DE POMPIERS → VILLE

CASERNE MILITAIRE → VILLE

CASERNEMENT → QUARTIER

CASH → COMPTANT, RÈGLEMENT

CASH-FLOW → MARGE

CASIER → BUREAU, COMPARTIMENT, PANIER, PASSIF (1)

CASIER cassetin, compartiment, nasse, panier, porte-bouteilles

CASIER JUDICIAIRE → CONDAMNATION

CASIMIR-PERIER (JEAN)
Voir tab. **Rois et chefs d'État de la France**

CASOAR → COUREUR, OISEAU

CASPIENNE (MER)
Voir tab. **Lacs et mers**

CASQUE → CALICE, SPORTIF (1)
Voir illus. **Coiffures**

CASQUE armet, bombe, bourguignotte, cimier, coquille, crinière, heaume, intégral, jugulaire, mentonnière, visière

CASQUETTE → CHAPEAU, VISIÈRE
Voir illus. **Coiffures**

CASSANT → BRUSQUE, CATÉGORIQUE, FRAGILE, IMPÉRIEUX, RÉPLIQUE, SEC, TRANCHANT

CASSANT blessant, cinglant, mordant, sec, tranchant

CASSATE → DESSERT, GLACE

CASSE → CIDRE, CUILLER, MONTAGNE

CASSÉ → ABÎMÉ, SOURD

CASSE-COU → DANGER, IMPRUDENT

CASSE-CROÛTE → REPAS

CASSE-PIEDS → CONTRARIANT

CASSER → ABROGER, ANNULER, DÉGRADER, DÉMOLIR, DÉTRUIRE, ÉCLATER, FUSILLER, LÂCHER, LICENCIER, PLIER, RÉVOQUER, ROMPRE

CASSER abroger, annuler, briser, broyer, dégrader, détruire, ébrécher, écorner, égueuler, épointer, fendiller, fendre, fissurer, fracasser, infirmer, macquer, massicoter, rescinder, rogner, rompre

CASSEROLE bec, casserolée, fond, manche, poêle, poêlon, queue, sauteuse

CASSEROLÉE → CASSEROLE

CASSEROLIER → CUISINIER

CASSE-TÊTE → MASSE, PATIENCE, PROBLÈME

CASSETIN → CASIER, LOGE

CASSETTE → BIJOU, FILM, TRÉSOR

CASSEUR → BROCANTEUR, CAMBRIOLEUR

CASSINE → BARAQUE, MAISON

CASSIS
Voir tab. **Couleurs**
Voir tab. **Plantes médicinales**

CASSITERITE → ÉTAIN
Voir tab. **Minéraux et utilisations**

CASSOLETTE → BRÛLER, ENCENS

CASSON → DÉBRIS

CASSONADE → SUCRE

CASSOULET → RAGOÛT, SAUCE
Voir tab. **Plats régionaux**

CASSURE → CHOC, CONTINUITÉ, FISSURE, FRACTURE, RUPTURE

CASSURE césure, crevasse, diaclase, faille, fissure, fracture, fragmentation, rupture

CASTAGNETTES
Voir tab. **Percussions**
Voir tab. **Instruments de musique**

CASTE → BANDE, CATÉGORIE, CLAN, COMMUNAUTÉ, CONDITION, DIVISION

CASTE chapelle, clan, corporation, coterie, endogamie, harijan, hérédité, hiérarchie, intouchable, paria, rang

CASTEL → CHÂTEAU

CASTELDUNOIS
Voir tab. **Habitants (comment se nomment les)**

CASTELET → MARIONNETTE

CASTELJALOUSAINS
Voir tab. **Habitants (comment se nomment les)**

CASTELJALOUX
Voir tab. **Habitants (comment se nomment les)**

CASTELLINOIS
Voir tab. **Habitants (comment se nomment les)**

CASTELROUSSINS
Voir tab. **Habitants (comment se nomment les)**

CASTELVILLANOIS
Voir tab. **Habitants (comment se nomment les)**

CASTILLAN → ESPAGNOL

CASTINE → CALCAIRE

CASTING → CINÉMA, DISTRIBUTION, FILM, RÔLE

CASTINIENS
Voir tab. **Habitants (comment se nomment les)**

CASTOR → RONGEUR
Voir tab. **Animaux (termes propres aux)**

CASTOR bièvre, castoréum, castoridés, Gémeaux (les), myopotame

CASTORÉUM → CASTOR, PARFUM

CASTORIDÉS → CASTOR

CASTRAMÉTATION → BIVOUAC, CAMP

CASTRAT → CASTRATION, CHÂTRER, HOMME, SEXE

CASTRATION → ABLATION, SEXUEL

CASTRATION bistournage, castrat, émasculation

CASTRÉ → SEXE

CASTRER → CHÂTRER, MUTILER, STÉRILISER

CASTRER chaponner, châtrer, couper, émasculer, hongrer, stériliser

CASTRISME → COMMUNISME

CASTROGONTÉRIENS
Voir tab. **Habitants (comment se nomment les)**

CASTROTHÉODORICIENS
Voir tab. **Habitants (comment se nomment les)**

CASTRUM → CAMP

CASUARINA → FER

CASUEL → ACCIDENTEL, CONDITIONNEL, ÉVENTUEL

CASUISTIQUE → EXCEPTION, MORALE, THÉOLOGIE

CASUS BELLI → CAS, GUERRE

CATABOLISME → NUTRITION

CATACHRÈSE
Voir tab. **Rhétorique (figures de)**

CATACLINAL
Voir tab. **Géographie et géologie (termes de)**

CATACLYSME → CATASTROPHE, DÉLUGE, DÉSASTRE, INONDATION, INTEMPÉRIE, MALHEUR, RAVAGE, SINISTRE (1)

CATACOMBE → CIMETIÈRE, ENTERRER, SOUTERRAIN (1)

CATADIOPTRE → LUMIÈRE, PHARE, RAYON
Voir illus. **Bicyclette**

CATAFALQUE → CERCUEIL

CATAIRE → CHAT, HERBE

CATALAN → ROMAN (2)

CATALEPSIE → CRAINTE, HYPNOSE, LÉTHARGIE, SOMMEIL

CATALOGUE → ÉNUMÉRATION, IMPRIMER, INFORMATION, INVENTAIRE, LISTE, RECUEIL, RÉPERTOIRE

CATALOGUE bibliographie, codex, discographie, fichier, filmographie, formulaire, glossaire, index, inventaire, lexique, liste, martyrologe, mémoire, ménologe, nuancier, répertoire, sommaire, table

CATALOGUER → CLASSER, SÉRIE

CATALYSE → CHIMIE, FOUR, RÉACTION
Voir tab. **Chimie**

CATALYSER → DÉCLENCHER

CATALYSEUR → PHÉNOMÈNE, RÉACTION

CATAMARAN → VOILIER
Voir illus. **Coques de bateaux**
Voir illus. **Bateaux**

CATAMÉNIAL → MENSTRUATION

CATAPHOTE → FEU, LUMIÈRE, RAYON

CATAPLASME → FARINE, MÉDICAMENT, MOUTARDE

CATAPULTE → FRONDE, LANCER, MACHINE, PROJECTILE
Voir illus. **Porte-avions**

CATAPULTER → PROPULSER

CATARACTE → CASCADE, FLEUVE, ŒIL, PLUIE, SAUT, TORRENT, TROMBE

CATARRHE → FOIN, INFLAMMATION, NEZ, RHUME

CATASTROPHE → DÉLIBÉRATION, MALHEUR, PRÉCIPICE, SINISTRE (1)

CATASTROPHE accident, apocalypse, calamité, cataclysme, cyclone, désastre, drame, malheur, rescapé, séisme, sinistré, sinistre (1), survivant, tragédie, typhon

CATASTROPHIQUE → DÉSASTREUX, FUNESTE, TRAGIQUE

CATASTROPHIQUE affreux, déplorable, désastreux, dramatique, effroyable, épouvantable, lamentable, mauvais, terrifiant, tragique

CAT-BOAT → VOILIER

CATCH → BOXE, LUTTE
Voir tab. **Sports**

CATÉCHÈSE → CATÉCHISME

CATÉCHISER → CONVERTIR, DÉBITER, PRÊCHER, RELIGION

CATÉCHISME → ENSEIGNEMENT, INSTRUCTION, RÈGLE
Voir tab. **Livres**

CATÉCHISME catéchèse, catéchiste

CATÉCHISTE → CATÉCHISME

CATÉCHUMÈNE → BAPTÊME, RELIGION

CATÉGORIE → ABSTRACTION, CLASSER, ESPÈCE, NATURE, RÉPERTOIRE, RUBRIQUE

CATÉGORIE benjamin, cadet, caste, classe, condition, embranchement, engeance, espèce, famille, genre, groupe, junior, matière, milieu, minime, ordre, poussin, rang, senior, série, thème, vétéran

CATÉGORIES SOCIOPROFESSIONNELLES
Voir tab. **Population**

CATÉGORIQUE → CLAIR, DÉCIDÉ, DÉFINITIF, DOGMATIQUE, FORMEL, FRANC (2), NET, PÉREMPTOIRE, PRÉCIS

CATÉGORIQUE absolu, cassant, définitif, formel, impérieux, indiscutable, percutant, péremptoire, radical, tranchant

CATÉGORIQUEMENT → CARRÉMENT, CLAIREMENT, FORMELLEMENT

CATÉGORISATION → CRITÈRE

CATGUT → BOYAU, FIL
Voir tab. **Chirurgie (vocabulaire de la)**
Voir tab. **Instruments médicaux**

CATHARISME → HÉRÉSIE

CATHARSIS → PASSION, REFOULEMENT, TRAGÉDIE

CATHARTIQUE → LAXATIF

CATHÉDRALE → ÉGLISE, RELIGIEUX (1), VERRE
Voir tab. **Histoire (grandes périodes)**

CATHÉDRALE constellation de la Vierge, évêque, gargouille, parvis, porche, portail, rosace, rose

CATHÈDRE → CHAISE, DOSSIER
Voir illus. **Sièges**

CATHERINE → COUTURIER

CATHERINETTE → FILLE

CATHÉTER → SONDE, TUBE
Voir tab. **Chirurgie (vocabulaire de la)**
Voir tab. **Instruments médicaux**

CATHÉTOMÈTRE → NIVELLEMENT
Voir tab. **Instruments de mesure**

CATHODE → NÉGATIF, PILE
Voir tab. **Électricité**

CATHOLICISME catholicisme romain, diacre, évêque, incarnation, intégrisme, pape, prêtre, rédemption, résurrection, trinité

CATHOLICISME ROMAIN → CATHOLICISME

CATHOLICITÉ → ÉGLISE

CATHOLIQUE → CHRÉTIEN

CATILINAIRE → DISCOURS, SATIRE

CATIMINI (EN) → CACHETTE, SECRET (1)

CATIN → PROSTITUÉE

CATOGAN → NŒUD, RUBAN
Voir illus. **Cheveux (coupes de)**

CATOVIENS
Voir tab. **Habitants (comment se nomment les)**

CATTLEYA → ORCHIDÉE

CAUCHEMAR → BÊTE (1), RÊVE

CAUCHEMAR cauchemarder, cauchemardesque, drame, effrayant, hallucination, hantise, horrible, mauvais rêve, terreur, tourment

CAUCHEMARDER → CAUCHEMAR

CAUCHEMARDESQUE → CAUCHEMAR

CAUDAL → POISSON, QUEUE

CAUDALE → NAGEOIRE

CAUDALE (NAGEOIRE)
Voir illus. **Poisson**

CAUDATAIRE → FÉLICITER, FLATTEUR, PAPE

CAUDRETTE → BALANCE, FILET
Voir tab. **Pêche**

CAURALE
Voir tab. **Oiseaux (classification simplifiée des)**

CAURI → COQUILLAGE

CAUSALE → CONJONCTION

CAUSALITÉ → CAUSE, DÉPENDANCE, RELATION

CAUSANT → COMMUNICATIF, PARLANT

CAUSE → FACTEUR, FERMENT, GERME, MATIÈRE, MOBILE (1), MOTIF, OCCASION, ORIGINE, RAISON, RESPONSABLE (2), SEMENCE, SOURCE, SUJET

CAUSE agent, aséité, auteur, base, causalité, déterminisme, Dieu, étiologie, fondement, intention, mobile, motif, motivation, origine, prétexte, principe, raison, responsable, source

CAUSE (METTRE EN) → IMPLIQUER

CAUSE COMMUNE (FAIRE) → ACCORDER

CAUSE PREMIÈRE → PRINCIPE, RAISON

CAUSER → BAVARDER, CRÉER, DÉCHAÎNER, FAIRE, INSPIRER, JASER, METTRE, OCCASIONNER, PROCURER, PRODUIRE, PROVOQUER, SOULEVER, SUSCITER

CAUSER bavarder, déclencher, discuter, engendrer, entraîner, jacasser, occasionner, provoquer, susciter

CAUSERIE → CONFÉRENCE, CONVERSATION

CAUSEUR → BAVARD

CAUSEUSE → FAUTEUIL, MEUBLE
Voir illus. **Sièges**

CAUSSE → CALCAIRE, PLATEAU

CAUSSES (BLEU DES)
Voir illus. **Fromages**

CAUSTIQUE → ACERBE, ACIDE (2), ÂCRE, BRÛLER, MÉCHANT,

MOQUEUR, MORDANT (2), PIQUANT (2), SARCASTIQUE, SATIRIQUE, VIF (2)

CAUSTIQUE acerbe, acide, corrodant, corrosif, hydroxyde de sodium, incisif, ironique, moqueur, mordant, narquois, sarcastique, satirique

CAUTELEUX → HYPOCRITE, MALIN (2), MÉFIANT, SOURNOIS

CAUTÉRISATION → BRÛLER
Voir tab. **Chirurgie (vocabulaire de la)**

CAUTION → GARANT, GARANTIE, RESPONSABLE (1), SÛRETÉ, WARRANT

CAUTION aval, cautionnement, consentement, douteux, garant, répondant, soutien, suspect

CAUTION JURATOIRE → SERMENT

CAUTIONNEMENT → CAUTION, DÉPÔT

CAUTIONNER → PARRAIN

CAVAILLON → CHARRUE, MELON

CAVALCADE → CHAR, MASCARADE, SPECTACLE

CAVALE → JUMENT

CAVALER → COURIR

CAVALERIE → ARMÉE, DRAGON

CAVALERIE blindé, boute-selle, brigade, carabinier, chasseur, chevau-léger, cornette, cuirassier, division, dragon, escadron, guidon, hipparchie, hussard, peloton, régiment, spahi

CAVALIER → BRUSQUE, CHEVAL, CLOU, DANSEUR, DÉGAGÉ, DÉSINVOLTE, ÉCUYER, FAMILIER (2), FORMAT, IMPERTINENT, INSOLENT, JETON, LIBRE, PARTENAIRE, SANS-GÊNE
Voir illus. **Coiffures**

CAVALIER (1) Amazone, bachi-bouzouk, Benoît, cosaque, cow-boy, gardian, gaucho, Georges, goumier, hipparque, hussard, mamelouk, uhlan

CAVALIER (2) désinvolte, grossier, hardi, impertinent, insolent

CAVE → CREUX (2), INFÉRIEUR, JEU, LUNE, POKER, RÉSERVE, VENDANGE, VIN
Voir tab. **Poker**

CAVE cabaret, caveau, caviste, cellier, chai, sommelier, sous-sol

CAVEAU → CAVE, CIMETIÈRE, CRYPTE, ENTERRER, FOSSE, SOUTERRAIN (1), TOMBEAU

CAVEAU crypte, hypogée, mausolée, sépulcre, sépulture, tombe, tombeau

CAVÉE → CHEMIN

CAVER → MINER

CAVERNE → CAVITÉ, CREUX (1), GROTTE, PRÉHISTORIQUE

CAVERNEUSE → GRAVE

CAVERNEUX → PROFOND, SINISTRE (2), SOURD

CAVES DU VATICAN → PAPAUTÉ

CAVET → MOULURE, QUART

CAVIAR → ESTURGEON, ŒUF

CAVIAR D'AUBERGINES
Voir tab. **Spécialités étrangères**

CAVICORNE → BÊTE (1), CHÈVRE

CAVISTE → CAVE, VIN

CAVITÉ → CREUX (1), ENFONCEMENT, GROTTE, ORBITE, POCHE, TROU

CAVITÉ caverne, creux, gouffre, grotte, niche, trou, vide

CAVITÉ UTÉRINE
Voir illus. **Génitaux (appareils)**

CAYE
Voir tab. **Géographie et géologie (termes de)**

CAYENNE → POIVRE

CB → CANAL

CC
Voir tab. **Internet**

CCD
Voir tab. **Photographie (vocabulaire de la)**

CCP → CHÈQUE

CD → *Voir tab.* **Éléments chimiques (symbole des)**

CD (COMPACT DISC) → ALBUM
Voir tab. **Informatique**
Voir tab. **Multimédia (les mots du)**

CD-ROM → NUMÉRIQUE (2)

CE
Voir tab. **Éléments chimiques (symbole des)**
Voir tab. **Entreprise (vocabulaire de l')**

CÉCIDIE → CHÊNE

CÉCITÉ → AVEUGLE (1), PERTE, VUE

CÉDER → ABANDONNER, BAISSER, BRAS, CONCÉDER, CONSENTIR, COURBER, DANGER, DÉSARMER, DESSAISIR (SE), DONNER, DOS, ÉCHINE, FLÉCHIR, INCLINER (S'), LÂCHER, OBÉIR, PASSER, PLIER, RECULER, RENDRE (SE), RÉSISTANCE, RÉSOLUTION, ROMPRE, SOUMETTRE, SUCCOMBER, TRANSMETTRE, VENDU

CÉDER abandonner, abdiquer, acquiescer, aliéner, capituler, concéder, consentir, craquer, démissionner, désister (se), don (faire) de, écrouler (s'), effondrer (s'), fléchir, laisser, léguer, perdre, plier, rendre (se), résigner (se), retirer (se), rétrocéder, soumettre (se), succomber, transférer, vendre

CÉDRAT → AGRUME

CÈDRE → CONIFÈRE, MARQUETERIE
Voir tab. **Végétaux (classification simplifiée des)**

CÈDRE D'AMÉRIQUE
Voir tab. **Ébénisterie (essences utilisées en)**

CÉDRIC
Voir tab. **Bande dessinée (héros de)**

CEINDRE → COURONNE, EMBRASSER, ENCERCLER, ENTOURER

CEINTURE → ACCESSOIRE, BANDE, BOULEVARD, CARTOUCHE, CIRCULAIRE, CONTOUR, CORSET, ENCEINTE, MEMBRE, PÉRIPHÉRIE, VENTRE, ZONE
Voir illus. **Sièges**

CEINTURE agrafe, ardillon, aumônière, banane, banlieue, bauquière, boucle, bouée, cartouchière, cilice, cordelière, corset, couronne, faubourg, filet, gaine, gilet, moulure, obi, périphérique

CEINTURE CLOUTÉE
Voir illus. **Modes et styles**

CEINTURON → VENTRE

CÉLADON → PORCELAINE, VERT (1)
Voir tab. **Couleurs**

CÉLASTRACÉES → FUSAIN

CÉLÉBRANT → OFFICIER

CÉLÉBRATION → ANNIVERSAIRE, RÉUNION

CÉLÉBRATION commémoration, fête, jubilé, messe, office, service

CÉLÈBRE → BRILLANT (1), CONNU, FAMEUX, ILLUSTRE, IMMORTEL (2), LÉGENDAIRE, NOTOIRE, PRESTIGIEUX

CÉLÈBRE autographe, best-seller, connu, éminent, fameux, glorieux, has been, illustre, légendaire, mémorable, notoire, renommé, réputé

CÉLÉBRER → EXALTER, GLORIFIER, MARQUER

CÉLÉBRER chanter, commémorer, exalter, fêter, glorifier, louer, magnifier, officier, procéder à, prôner, vanter

CÉLÉBRITÉ → GLOIRE, IDOLE, NOTORIÉTÉ, PERSONNAGE, RÉPUTATION, SUCCÈS

CÉLÉBRITÉ gloire, nom, paparazzi, personnalité, popularité, renom, renommée, réputation, sommité, star, vedette

CELER → CACHER, SOUSTRAIRE, TAIRE

CÉLERI → LÉGUME

CÉLÉRIFÈRE → BICYCLETTE

CÉLERI-RAVE → LÉGUME

CÉLÉRITÉ → EMPRESSEMENT, PROMPTITUDE, VIBRATION

CÉLESTA → CLAVIER
Voir illus. **Percussions**
Voir illus. **Instruments de musique**

CÉLESTE → AÉRIEN, ANGÉLIQUE, CIEL, IMMATÉRIEL, PARADIS, PARFAIT

CÉLIBAT → PRÊTRE

CÉLIBATAIRE → FILLE

CELLA → TEMPLE

CELLÉRIER → MOINE

CELLIER → ABRI, CAVE, PIÈCE, VENDANGE, VIN

CELLOPHANE → PELLICULE

CELLULE → CACHOT, CASE, CHAMBRE, CONDAMNATION, GROUPEMENT, ORGANISME, PARTI, SECTION
Voir tab. **Photographie (vocabulaire de la)**

CELLULE (1) amitose, biologie, caryolise, cytologie, cytoplasme, eucaryote, gamète, glial, globule, hématie, histologie, leucocyte, mitose, neuronal, noyau, phagocyte, protoplasme, vacuole

CELLULE (2) cachot, geôle

CELLULITE → ADIPEUX

CELTIBÈRE → CELTIQUE

CELTIQUE → GAULOIS

CELTIQUE barde, breton, brittonique, celtibère, cervoise, cornique, druide, gaélique, gallois, gaulois, irlandais, torque

CELTUCE
Voir tab. **Salades**

CÉMENT → DENT, MÉTAL
Voir illus. **Dent**

CÉMENTITE → ACIER

CÉNACLE → BROCHETTE, CERCLE, CHAPELLE, GROUPE, RÉUNION, SALLE

CENDRE → CADAVRE, RÉSIDU

CENDRE charrée, cinérite, escarbille, fraisil, incinération, phénix, soude

CENDRÉ → BLOND, CHÈVRE, SAULE
Voir tab. **Couleurs**

CENDRÉE → GRAIN, OIE, PLOMB
Voir tab. **Pêche**

CENDRES (MERCREDI DES)
Voir tab. **Fêtes religieuses**

CENDREUX
Voir tab. **Couleurs**

CENDRIER → POÊLE

CÈNE → COMMUNION, REPAS

CENELLE → HOUX

CÉNESTHÉSIE → CONSCIENCE, SENSATION

CÉNOBITE → MOINE, RELIGIEUX (1)

CÉNOPHOBIE
Voir tab. **Phobies**

CÉNOTAPHE → TOMBEAU

CÉNOZOÏQUE → ÈRE, GÉOLOGIE
Voir tab. **Géologiques (échelle des temps)**

CENS → AFFRANCHISSEMENT, CONTRIBUTION, FÉODAL, REDEVANCE

CENSÉ → SUPPOSÉ

CENSÉ ÊTRE → PRÉSUMER

CENSEUR → FILTRER

CENSIER → REGISTRE

CENSURE → CONDAMNATION, INCONSCIENT (2), INFORMATION, MAGISTRATURE, SUPPRESSION

CENSURE blâme, examen, excommunication, Index, interdit, jugement, monition, samizdat, suspense, veto

CENSURER → AMPUTER, BÂILLONNER, CONTRÔLER, COUPER, DÉFENDRE, INTERDIRE, MUTILER, REFUSER, SUPPRIMER

CENT
Voir tab. **Belote**

CENT are, centenaire, centenier, centennal, centième, centuple, centurion, damier, hécatombe, pourcentage, quintal, Renommée (la), séculaire, siècle

CENT ANS (GUERRE DE)
Voir tab. **Histoire (grandes périodes)**

CENTAINE → BRIN

CENTAURE → CHEVAL, HOMME, IMAGINAIRE (2), MONSTRE
Voir tab. **Animaux fabuleux**
Voir tab. **Mythologiques (créatures)**

CENTAURÉE → BLEU (1), CHARDON

CENTAURÉE CHAUSSE-TRAPE → CHARDON

CENTENAIRE → CENT, SIÈCLE

CENTENIER → CENT

CENTENNAL → CENT

CENTI- → DIVISION

CENTIARE → MÈTRE

CENTIÈME → CENT

CENTILLION → NOMBRE

CENTIME → FRANC (1)

CENTIME ADDITIONNEL → TAXE

CENTIMÈTRE → INSTRUMENT, TAILLEUR

CENTON → FRAGMENT

CENTRAL → PRINCIPAL (2), SYMÉTRIE

CENTRALE → NATIONAL, USINE
Voir tab. **Écoles (grandes)**
CENTRALE ÉLECTRIQUE → USINE
CENTRALE HYDROÉLECTRIQUE → USINE
CENTRALE NUCLÉAIRE → USINE
CENTRALE NUCLÉAIRE caloporteur, convertisseur, eau, eau lourde, fission de l'uranium, graphite, pile atomique, plutonium, surgénérateur, thorium, uranium
CENTRALE THERMIQUE → USINE
CENTRE → CONVERGER, MILIEU, NOMBRIL, NOYAU, ŒIL, PARTIE, PIVOT, PÔLE, RAYONNER, SIÈGE
Voir tab. **Échecs**
CENTRE abîme, agglomération, axe, base, centre aéré, centrifuge, centripète, cinémathèque, cité, cœur, colonie, complexe, fondement, foyer, groupement, médiathèque, mégarama, métropole, milieu, nœud, noyau, pivot, technopole, ville
CENTRE AÉRÉ → CAMP, CENTRE, VACANCE
CENTRIFUGE → CENTRE, PÉRIPHÉRIE
CENTRIFUGER → PRESSER
CENTRIOLE
Voir illus. **Cellules**
CENTRIPÈTE → CENTRE, PÉRIPHÉRIE
CENTRISTE → MODÉRÉ
CENTROPHYLE → CHARDON
CENTUPLE → CENT
CENTURIE → LÉGION
CENTURION → CENT
CENTURUS → SCORPION
CÉNURE → LARVE
CEP → CHARRUE, PIED, VIGNE
Voir illus. **Charrue**
CÉPAGE → PLANT
CÉPÉE → BOURGEON, REJET, TIGE
CÉPHALÉE → MAL (1), MIGRAINE, TÊTE
Voir tab. **Douleur**
CÉPHALGIE → MIGRAINE, TÊTE
CÉPHALOÏDE
Voir tab. **Forme de... (en)**
CÉPHALON → CRUSTACÉ
CÉPHALOPODES → MOLLUSQUE
CÉPHÉIDE → ÉTOILE
CÉRAMIQUE → ARGILE, ART, POTERIE
Voir tab. **Minéraux et utilisations**
CÉRAMIQUE alquifoux, barbotine, biscuit, céramographie, chromite, faïence, fritte, grès, kaolin, porcelaine, terre cuite
CÉRAMOGRAPHIE → CÉRAMIQUE
CÉRASTE → VIPÈRE
CÉRAT → CIRE, HUILE
CERBÈRE → BRUTAL, CHIEN, CONCIERGE, DRAGON, ENFER, GARDIEN, IMAGINAIRE (2), MONSTRE, PORTIER, SURVEILLER
Voir tab. **Animaux fabuleux**
Voir tab. **Mythologiques (créatures)**
CERCEAU → CINTRE, JONGLER
CERCLE → BOUCLE, CLUB, COMPAGNIE, GROUPE, LOCAL, ONDE, PARALLÈLE (2), RÉUNION, SOCIÉTÉ, SPHÈRE
Voir illus. **Géométrie (figures de)**
CERCLE aire, arc, aréole, association, cénacle, circonférence, compas, corde,

coupole, courbe, diamètre, disque, dôme, équateur, globe, groupe, halo, limbe, méridien, parasélène, rayon, réunion, rond, sphère, tropique
CERCLER → GARNIR
CERCUEIL → CADAVRE
CERCUEIL catafalque, corbillard, sarcophage
CÉRÉALE avoine, balle, blé, chaume, escourgeon, froment, glume, graminées, ivraie, maïs, moisson, mouture, muesli, orge, paille, riz, seigle, son, sorgho
CÉRÉALICULTURE → CULTURE
CÉRÉALIER → PRODUCTEUR
CÉRÉBRAL → INTELLECTUEL
CÉRÉBRO-SPINAL → MOELLE
CÉRÉMONIAL → CÉRÉMONIE, FORMALITÉ, LITURGIE, POLITESSE, RÈGLE, SACRÉ, SAVOIR-VIVRE
CÉRÉMONIE → RÉCEPTION, RITE, SERVICE, SIMAGRÉES
CÉRÉMONIE cérémonial, commémoration, décorum, étiquette, façons, gala, inauguration, jubilé, liturgie, manières, messe, office, pompe, protocole, réception, sacre, salamalecs, simagrées
CÉRÉMONIE (SANS) → SIMPLE
CÉRÉMONIEUX → FAÇON, FORMEL, SENTENCIEUX
CÉRÈS → MOISSON
CÉRÉSINE → PARAFFINE
CERF → GIBIER
Voir tab. **Animaux (termes propres aux)**
Voir tab. **Mammifères (classification des)**
CERF andouiller, biche, bizarde (tête), bouquet, bousard, bouton, bramer, brocard, broche, caribou, cervaison, cervidés, chandelier, dague, daguet, dix-cors, écuyer, élan, erres, essai, frayoir, gagnage, harde, harpail, hère, muntjac, muser, orignal, raire, ramure, renne, viandis
CERFEUIL → HERBE
Voir tab. **Herbes, épices et aromates**
Voir tab. **Salades**
CERF-VOLANT → CHINOIS
Voir illus. **Géométrie (figures de)**
CERISE
Voir tab. **Café**
Voir tab. **Couleurs**
Voir tab. **Gâteaux régionaux et étrangers**
CERISE bigarreau, burlat, cherry, cœuret, drupe, griotte, guigne, guignolet, kirsch, malpighie, marasque, marasquin, merise, montmorency, napoléon, reverchon
CERISIER → ROSACÉE
CÉRIUM
Voir tab. **Éléments chimiques (symbole des)**
CERNE
Voir illus. **Tronc**
CERNÉ → BATTU, ENCERCLER
CERNEAU → NOIX

CERNER → ASSIÉGER, BLOQUER, ENVELOPPER, INVESTIR, NOIX, POURSUIVRE, SIÈGE, SITUER
CÉROPLASTE → SCULPTEUR
CÉROPLASTIE → CIRE
CERTAIN → CLAIR, DOUTER, EFFECTIF, ÉTABLIR, ÉVIDENT, FLAGRANT, INATTAQUABLE, INCONTESTABLE, INDÉFINI, INÉVITABLE, INFAILLIBLE, OBLIGÉ, OFFICIEL, PALPABLE, RÉEL, SÛR
CERTAINEMENT → ABSOLUMENT, PARFAITEMENT
CERTAINEMENT PAS → JAMAIS
CERTIFICAT → ACTE, BON (2), BREVET, BULLETIN, CONSTATATION, ÉCRIT (1), PREUVE
CERTIFICAT D'ÉTUDES PRIMAIRES → DIPLÔME
CERTIFICAT DE NON-GAGE → PRÉFECTURE
CERTIFICATION → ACCUSÉ (1)
CERTIFIÉ → AUTHENTIQUE, BREVETÉ
CERTIFIER → AFFIRMER, ASSURER, GARANTIR, JURER, LÉGALISER, MAINTENIR, SOUTENIR, TÉMOIGNER
CERTITUDE → ASSURANCE, CONVICTION, ESPOIR, SOUPÇON, VÉRITÉ
CERTITUDE adepte, axiome, croyance, dogme, partisan, principe, prosélyte, sectateur, séide, zélateur
CÉRULÉEN → BLEU (1), CIEL, PLOMB
Voir tab. **Couleurs**
CÉRUMEN → CIRE, OREILLE
CÉRUSE → PLOMB
CÉRUSITE → PLOMB
CERVAISON → CERF
Voir tab. **Chasse (vocabulaire de la)**
CERVEAU → INTELLIGENT
CERVEAU cervelet, chef de bande, cortex, écorce cérébrale, encéphale, épiphyse, esprit, frontal, glande pinéale, glande pituitaire, hémisphère, hypophyse, inspirateur, intelligence, lobe, lobectomie, lobotomie, maître d'œuvre, méninge, névraxe, occipital, organisateur, pariétal, raison, scissure interhémisphérique, temporal, trépanation, ventricule
CERVELAS → SAUCISSON
Voir illus. **Charcuterie**
CERVELET → CERVEAU
Voir illus. **Cerveau**
CERVELLE DE CANUT
Voir tab. **Plats régionaux**
CERVIC(O)-
Voir tab. **Chirurgicales (interventions)**
CERVICALE → VERTÈBRE
Voir illus. **Squelette**
CERVICALGIE → MANIPULATION
Voir tab. **Douleur**
CERVIDÉ → BICHE, CERF, DAIM, ÉLAN (2)
CERVIN
Voir tab. **Animaux (termes propres aux)**
CERVOISE → BIÈRE, CELTIQUE
CÉSAR → CINÉMA, RÉCOMPENSE, TROPHÉE

Voir tab. **Cartes à jouer**
Voir tab. **Prix cinématographiques**
CÉSARIENNE → CHIRURGIE, VENTRE
CÉSARISME → DICTATURE
CÉSIUM
Voir tab. **Éléments chimiques (symbole des)**
CESSATION → ACHÈVEMENT, INTERRUPTION, RUPTURE
CESSATION D'ACTIVITÉ → SUPPRESSION
CESSATION DES HOSTILITÉS → TRÊVE
CESSE (SANS) → INSTANT
CESSER → CLORE, DÉMENTIR, INTERROMPRE, PLUS, PRESCRIRE (SE)
CESSER arrêter de, arrêter (s'), atténuer (s'), calmer (se), disparaître, dissiper (se), éclaircir, effacer (s'), enfuir (s'), estomper (s'), éteindre (s'), évanouir (s'), expirer, interrompre (s'), lever, mettre un terme à, mourir, prendre fin, retomber, suspendre, tarir (se)
CESSER (FAIRE) → DISSIPER
CESSEZ-LE-FEU → ARME, GUERRE, PAIX, TRÊVE
CESSION → DON, TRANSFERT, TRANSMISSION, VENTE
CESSION aliénation, déguerpissement, délaissement, donation, legs, renonciation, rétrocession, transfert, translation, transmission, transport
CESTE → BOXE, GANT
CÉSURE → CASSURE, REPOS, RYTHME, VERS
Voir tab. **Poésie (vocabulaire de la)**
CÉTACÉ → BALEINE
Voir tab. **Mammifères (classification des)**
CÉTACÉ baleine, bélouga, dauphin, marsouin, mégaptère, mysticètes, narval, odontocètes, orque, rorqual, souffleux
CF
Voir tab. **Éléments chimiques (symbole des)**
CGS (CENTIMÈTRE-GRAMME-SECONDE) → UNITÉ
CHABICHOU → CHÈVRE
Voir illus. **Fromages**
CHABLER → NOIX
CHABLIS
Voir tab. **Géographie et géologie (termes de)**
CHABRAQUE → CHÈVRE, COUVERTURE
CHACAL → CRUEL, LOUP
CHA-CHA-CHA
Voir tab. **Danses (types de)**
CHACHLIK → BROCHETTE
CHACONNE → DANSE
CHACTIDÉS → SCORPION
CHÆRILIDÉS → SCORPION
CHAFOUIN → HYPOCRITE, SOURNOIS
CHAGRIN → CAFARD, CHÈVRE, CONSTERNATION, CUIR, ÉPREUVE, MAUSSADE, MÉLANCOLIE, MOROSE, PEINE, PLAIE, REGRET, RELIURE, REMORDS, RENFROGNÉ, SOMBRE, SOUFFRANCE, TRISTE

CHAGRIN affliction, apaiser, consoler, dépit, désolation, douleur, frustration, larme, malheur, peine, pleur, réconforter, ressentiment, sanglot, tourment, tristesse

CHAGRIN (ESPRIT) → HUMEUR

CHAGRIN D'AMOUR → CŒUR

CHAGRINÉ → AFFECTÉ, FÂCHER, TRISTE

CHAGRINER → AFFLIGER, CHIFFONNER, CONTRARIER, DÉPIT, DÉSOLER, FENDRE, INQUIÉTER, PEINER, SUPPLICE

CHAH → PERSE (1), SOUVERAIN (1)

CHAHADA → MUSULMAN (1)

Voir tab. **Islam (vocabulaire de l')**

CHAHUT → BRUIT, DÉSORDRE, TAPAGE, TUMULTE

Voir tab. **Bruits**

CHAHUTER → HUER

CHAHUTEUR → TURBULENT

CHAI → CAVE, MAGASIN, VIN

CHAÎNAGE → MUR

Voir illus. **Briques (appareillages de)**

CHAÎNE → ATTACHE, CANAL, COU, ENGRENAGE, FANTÔME, LIEN, PNEU, SÉRIE, SUCCESSION, TISSU, USINE

Voir illus. **Bicyclette**

CHAÎNE assemblage, boulet, canal, chaînetier, chaînette, chaînier, chaîniste, châtelaine, émerillon, étalingure, ferronnière, fers, gourmette, jaseran, mancelle, manille, montage, sautoir, station, usinage, zapper

CHAÎNE D'ARPENTEUR → ARPENTAGE, DISTANCE

CHAÎNE DU FROID → DENRÉE

CHAÎNER → MESURER

CHAÎNETIER → CHAÎNE

CHAÎNETTE → BRODERIE, CHAÎNE

CHAÎNIER → CHAÎNE

CHAÎNISTE → CHAÎNE

CHAÎNON → ANNEAU, MAILLE

CHAÎNON anneau, maille, maillon

CHAINTRE → TOURNER

CHAIR anthropophage, bouffissure, cannibale, carnassier, carnification, carnivore, caroncule, charnu, charognard, décharné, dodu, doré, enflure, étoffé, grassouillet, intumescence, mésocarpe, nacré, péricarpe, potelé, pulpe, rebondi, replet, rondelet, satiné, sensualité, tuméfaction

CHAIR DE POULE → FRAYEUR, FRISSON

CHAIRE → FAUTEUIL, MESSE, TRIBUNE

Voir illus. **Sièges**

CHAISE → DOSSIER, VANNERIE

Voir illus. **Sièges**

CHAISE canner, cathèdre, chaisière, chauffeuse, curule, ébéniste, filanzane, joncer, manchy, palanquin, patachon, rempailleur, stalle, tapissier, transat, vinaigrette

CHAISE (NŒUD DE)

Voir illus. **Nœuds**

CHAISE LONGUE → REPOS

CHAISIÈRE → CHAISE

CHALAND → ACHAT, BATEAU, BOUTIQUE, CANAL, CLIENT, CONSOMMATEUR

Voir tab. **Bateaux**

CHALANDAGE → BOUTIQUE

CHALAZE → ŒUF

Voir illus. **Œuf**

CHALAZION → BOUTON, PAUPIÈRE

CHALCOGRAPHIE → CUIVRE, GRAVURE

CHALCOLITHIQUE → CUIVRE

CHÂLE → COL, FICHU

Voir illus. **Modes et styles**

CHALET → BERGER, PAVILLON, REFUGE (1)

CHALEUR → ANIMATION, ARDEUR, ÉNERGIE, ENTHOUSIASME, REPRODUCTION, RESPECT

CHALEUR ardeur, calorifère, calorification, calorifique, calorifuge, calorique, canicule, chasse (en), degré Celsius, degré Fahrenheit, enthousiasme, estivation, étuve, exaltation, ferveur, fougue, fournaise, incandescence, isotherme, rut (en), –therme, thermique, thermodynamique, thermogène, touffeur, véhémence

CHALEUREUSEMENT → OUVERT

CHALEUREUX → ACCUEILLANT, AMICAL, ARDENT, CHAUD, CORDIAL (2), SYMPATHIQUE, TONIQUE (2), ZÉLÉ

CHALEUREUX affectueux, amical, ardent, cordial, enthousiaste, sympathique

CHÂLIT → LIT

CHALLENGE → CHAMPIONNAT, COMPÉTITION, CONCURRENCE, DÉFI, ÉPREUVE, SPORTIF (2)

CHALLENGER → CHAMPION, COMPÉTITION

CHALOIR → IMPORTER

CHALOUPE → BATEAU, EMBARCATION, NAVETTE

Voir tab. **Bateaux**

CHALOUPÉE → DÉMARCHE

CHALOUPER → MARCHER

CHALUMEAU → FLÛTE, PAILLE, ROSEAU, SOUDURE, TUYAU

CHALUT → FILET, PÊCHE

CHALUTIER → BATEAU, PÊCHE

Voir tab. **Bateaux**

CHAMADE → CAPITULATION

CHAMAILLERIE → DISPUTE

CHAMAN → GUÉRISSEUR, SORCIER

CHAMANISME → CROYANCE

Voir tab. **Religions et courants religieux**

CHAMARRÉ → BARIOLÉ, COULEUR

CHAMBARD → DÉSORDRE, TAPAGE, TUMULTE

CHAMBARDEMENT → DÉSORDRE, PERTURBATION

CHAMBARDER → SACCAGER

CHAMBELLAN → CHAMBRE, SOUVERAIN (1)

CHAMBORD (CHÂTEAU DE)

Voir tab. **Monuments français du patrimoine mondial**

CHAMBOULER → BOULEVERSER, DÉPLACER, TRANSFORMER

CHAMBRANLE → CADRE

Voir illus. **Intérieur de maison**

Voir illus. **Porte**

CHAMBRAY → TRAME

CHAMBRE → DORMIR, MINE, REPRÉSENTATION

Voir illus. **Fusils**

Voir illus. **Pistolet**

CHAMBRE alcôve, armoire frigorifique, Assemblée nationale, camérier, camériste, cellule, chambellan, chambrée, chambrier, chambrière, coffre-fort, domestique, dortoir, galetas, mansarde, meublé, morgue, nursery, piaule, prison, turne

CHAMBRE (ORCHESTRE DE) → ORCHESTRE

CHAMBRE À AIR → PNEU

Voir illus. **Œuf**

CHAMBRE DES DÉPUTÉS → PARLEMENT

CHAMBRE DES LORDS → PAIR

CHAMBRE NOIRE

Voir tab. **Photographie (vocabulaire de la)**

CHAMBRE PHOTOGRAPHIQUE

Voir tab. **Photographie (vocabulaire de la)**

CHAMBRE PULPAIRE

Voir illus. **Dent**

CHAMBRÉE → CHAMBRE

CHAMBRIER → CHAMBRE, GARDE, TRÉSOR

CHAMBRIÈRE → CHAMBRE, FOUET, MANÈGE, SERVANTE

CHAMBRISTE → MUSICIEN

CHAMEAU → BÊTE (1), DÉSERT

Voir tab. **Animaux (termes propres aux)**

Voir tab. **Mammifères (classification des)**

CHAMEAU blatérer, camélidés, camélien, camelin, chamelier, chamelle, chamelon, dromadaire, lama, méhari

CHAMELET

Voir tab. **Animaux (termes propres aux)**

CHAMELIER → CARAVANE, CHAMEAU, CONDUCTEUR

CHAMELLE → CHAMEAU

Voir tab. **Animaux (termes propres aux)**

CHAMELON → CHAMEAU

Voir tab. **Animaux (termes propres aux)**

CHAMÉROPS → NAIN, PALMIER

CHAMOIS → JAUNE

Voir tab. **Couleurs**

CHAMOISAGE → TANNAGE

CHAMP → BOUCLIER, COURSE HIPPIQUE, DOMAINE, ÉCU, ÉTENDUE, RAYON, SPHÈRE, SUJET

Voir tab. **Héraldique**

Voir tab. **Cinéma**

Voir tab. **Héraldique (vocabulaire de l')**

CHAMP agreste, agriculture, agrologie, agronomie, bucolique, champêtre, chaume, cynodrome, discipline, domaine, friche, hippodrome, jachère, paille, pastoral, rural, rustique, spécialité, sujet

CHAMP D'ACTION → SPECTRE

CHAMP OPÉRATOIRE

Voir tab. **Chirurgie (vocabulaire de la)**

CHAMPAGNE → CALCAIRE, DESSERT, HONORABLE, MOUSSEUX, PLAINE, SEAU

Voir illus. **Héraldique**

Voir tab. **Couleurs**

CHAMPAGNE asti spumante, balthazar, champagnisation, champenoise, coupe, crayère, crémant, dry, flûte, jéroboam, magnum, mathusalem, mousseux, nabuchodonosor, ouvrir, réhoboam, sabler, salmanazar, soyer, tisane

CHAMPAGNISATION → CHAMPAGNE

CHAMPART → CONTRIBUTION, RÉCOLTE, SEIGLE

CHAMPENOISE → CHAMPAGNE

CHAMPÊTRE → BAL, CAMPAGNE, CHAMP, PASTORAL

CHAMPÊTRE agreste, agricole, bucolique, églogue, faune, nymphe, pastoral, rural, rustique, satyre

CHAMPI → BÂTARD

CHAMPIGNON → ACCÉLÉRATEUR, MÈCHE, VÉGÉTAL (1)

Voir tab. **Végétaux (classification simplifiée des)**

CHAMPIGNON antifongique, antimycosique, carrière, champignonnière, ergot, fongicide, fongiforme, lichen, mildiou, muguet, mycélium, –mycète, mycographie, mycologie, mycose, rouille, vénéneux

CHAMPIGNONNIÈRE → CHAMPIGNON

CHAMPION → CHEVALIER, DÉFENSEUR, RECORD, SOUTIEN, TOURNOI, VAINQUEUR

CHAMPION adepte, apôtre, as, challenger, chantre, crack, défenseur, gagnant, maître, partisan, recordman, vainqueur, virtuose, zélateur

CHAMPIONNAT → COUPE, RENCONTRE

CHAMPIONNAT aller, challenge, compétition, concours, coupe, retour, tournoi

CHAMPLEVÉ → ÉMAIL

CHAMPLEVER → CREUSER

CHAMPLURE → GELÉE

CHAMPS ÉLYSÉES → ENFER

CHAMSIN → SIROCCO

CHANCE → BÉNÉDICTION, ÉTOILE, ÉVÉNEMENT, FASTE (2), FORTUNE, HASARD, INCERTITUDE, OCCASION, OPPORTUNITÉ, PROBABILITÉ, PROVIDENCE, VEINE

CHANCE amulette, atout, aubaine, bol, bonheur, carte, destin, fétiche, fortune, grigri, hasard, mascotte, porte-bonheur, possibilité, pot, probabilités, sort, veine

CHANCELANT → DÉMARCHE, FRAGILE, SANTÉ, VACILLANT

CHANCELER → CHAVIRER, ÉQUILIBRE, FAIBLIR, OSCILLER, RUINE, VACILLER

CHANCELER faiblir, fléchir, tituber, vaciller

CHANCELIER → ACADÉMIE, SCEAU

CHANCELIÈRE → BOÎTE, CHAUFFAGE

CHANCELLERIE → AMBASSADE, DIPLOMATIE, JUSTICE

CHANCISSURE → MOISISSURE

CHANCRE → MYCOSE

CHANDAIL → LAINE, TRICOT

CHANDELEUR → VIERGE (1)

CHANDELIER → BOUGEOIR, BOUGIE, CERF, CHANDELLE, CIERGE, FLAMBEAU

Voir illus. **Voilier : Dufour 38 Classic**

CHANDELLE → BOUGIE, CIERGE, VENTE

Voir tab. **Prostitution**

CHANDELLE bougie, chandelier, cierge, dérisoire, droit, gratitude, mesquin, reconnaissance, remerciement, verticale (à la), verticalement

CHANDELLE ROMAINE → FEU D'ARTIFICE, FUSÉE

CHANDRASEKHAR → TROU

CHANFREIN → BISEAU, CISEAU, OBLIQUE

Voir illus. **Cheval**

CHANFREINAGE → TAILLE

CHANFREINER → BISEAU, MENUISERIE, TAILLER

CHANG JIANG

Voir tab. **Fleuves**

CHANGE → BANQUE, BOUGER, CONVERSION, COUCHE, CULOTTE, EFFET

Voir tab. **Banque**

Voir tab. **Monnaie**

CHANGE agiotage, arbitrage, billet à ordre, CAC 40, cambiste, compensation, contrepartie, conversion, échange, effet, spéculation, traite

CHANGÉ → INTERVERTIR

CHANGEANT → INCERTAIN, INÉGAL, INSTABLE, MOBILE (2), MOUVANT, ONDOYANT, VAGABOND (2), VARIABLE

CHANGEANT chatoyant, diapré, gorge-de-pigeon, incertain, inconstant, instable, lunatique, moiré, variable, versatile, versicolore

CHANGEMENT → ALTÉRATION, CAPRICE, MODIFICATION, MUE, PASSAGE, PÉRIPÉTIE, PHASE, RÉFORME, RETOUR, REVIREMENT, RÉVOLUTION, TOURNANT (1), VARIATION

CHANGEMENT accroissement, alchimie, altération, amélioration, apostasie, augmentation, avatar, baisse, bonification, chatoiement, continuité, conversion, correspondance, déformation, dégénérescence, dégradation, dévaluation, dilatation, diminution, embellissement, émigration, évolution, exil, expatriation, hausse, immigration, immobilisme, interversion, kaïnophobie, majoration, marasme, métamorphose, mutation, palinodie, perfectionnement, permutation, progression, rapatriement, ravalement, rectification, restauration, rétrécissement, revirement, révolution, stagnation, transformation,

transmigration, transmutation, variation, vicissitude, volte-face

CHANGER → DEVENIR (2), ÉVOLUER, INNOVER, MODIFIER, RECOMMENCER, RECTIFIER, RENONCER, RENOUVELER, SUBSTITUER, TRANSFORMER, VARIER

CHANGER altérer, alterner, améliorer, amender, bonifier, bouger, commuer, convoyer, corriger, défigurer, dégénérer, déguiser (se), déménager, dénaturer, déplacer, détériorer, évoluer, fausser, fluctuer, inconstant, innover, instable, intervertir, inverser, métamorphoser (se), modifier (se), muer, permuter, rectifier, réécrire, refondre, réformer, remanier, rénover, réviser, transférer, transformer, transformer (se), transmuer, transmuter, transporter, transposer, travestir (se), varier, versatile

CHANGER DE CÔTÉ → VESTE

CHANKONABÉ → LUTTE

CHANLATTE → PLANCHE, TOIT

CHANOINE → DIGNITÉ, PRÊTRE, RELIGIEUX (1)

Voir tab. **Clergé catholique (vocabulaire du)**

CHANSON air, barcarolle, berceuse, chansonnier, clip, compilation, complainte, couplet, goualante, mélodie, refrain, remix, rengaine, romance, scie, tube, villanelle

CHANSON DE GESTE → CHEVALERIE, MÉDIÉVAL

CHANSONNIER → CARICATURE, CHANSON, CHANTEUR, RECUEIL, SPECTACLE, TROUBADOUR

CHANT → DIVISION, ÉTROIT, PROCESSION, TRANCHE

CHANT a cappella, Alleluia, aria, ariette, arioso, canon, cantabile, cantilène, cantique, chant ambrosien, chant grégorien, complainte, élégie, épithalame, gazouillis, Gloria, hymne, lied, litanie, magnificat, maîtrise, manécanterie, mélodie, mélopée, monodie, motet, nénies, parodos, péan, polyphonie, prose, psallette, psaume, ramage, récitatif, requiem, Te Deum, thrène, vocalise, vocéro

CHANT DU COQ → TÔT

CHANTAGE → ANONYME, MENACE, PERSÉCUTION, PRESSION

CHANTAGE maître chanteur

CHANTANT → SUAVE

CHANTEAU → BOUT

CHANTEPLEURE → ROBINET, TONNEAU

CHANTER → CÉLÉBRER, DIRE, GLORIFIER, INTERPRÉTER, OISEAU, PRODUIRE (SE)

CHANTER chantonner, chantre, couler, détonner, entonner, fredonner, gazouiller, pépier, psalmodier, roucouler, siffler, solfier, triller, vocaliser, yodler

CHANTER POUILLES À → INJURE

CHANTERELLE → APPEAU, CHASSE, CORDE, PERDRIX, PIÈGE

CHANTEUR → INTERMITTENT (2), INTERPRÈTE

CHANTEUR aède, alto, barde, baryton, basse, chansonnier, chantre, choriste, ménestrel, minnesänger, rhapsode, scalde, soprano, ténor, troubadour, trouvère

CHANTEUSE cantatrice, diva, prima donna

CHANTIER → ARCHÉOLOGIE, PÊLE-MÊLE

CHANTIGNOLE → BRIQUE, PANNE

CHANTILLY → CRÈME, DENTELLE

Voir tab. **Habitants (comment se nomment les)**

CHANTILLY (FILET)

Voir illus. **Harnais**

CHANTONNER → CHANTER

CHANTOURNER → MENUISERIE, SCIER, TAILLER

CHANTRE → CHAMPION, CHANTER, CHANTEUR, CHŒUR

CHANVRE → FIBRE, TEXTILE, VÉGÉTAL (2)

CHANVRE DE MANILLE → BANANIER

CHANVRE INDIEN → HASCHISCH

CHAOS → ANARCHIE, CONFUSION, DÉSORDRE

CHAOS anarchie, bouleversement, confusion, désordre, pagaille, trouble

CHAOTIQUE → DÉSORDONNÉ

CHAOUCH → HUISSIER

CHAOURCE

Voir illus. **Fromages**

CHAPARDER → DÉROBER

CHAPE → DALLE, MANTEAU, PNEU, POULIE, RELIGIEUX (1), REVÊTEMENT

Voir illus. **Héraldique**

Voir illus. **Manteaux**

CHAPE dalle, revêtement

CHAPEAU → ACCESSOIRE

Voir illus. **Sièges**

Voir tab. **Superstitions**

CHAPEAU apprêteur, barrette, bibi, bicorne, bob, bolivar, cabriolet, canotier, capeline, casquette, chapelier, chapka, claque, couvre-chef, gibus, huit-reflets, melon, mitre, modiste, sombrero, Stetson, tricorne, tromblon

CHAPEAU POINTU → SORCIÈRE

CHAPEAUTER → COIFFER

CHAPELAIN → CHAPELLE, PRÊTRE

CHAPELET → OIGNON, PRIÈRE, SÉRIE, SUCCESSION, SUITE

Voir illus. **Sièges**

Voir tab. **Prières et offices de l'Église catholique romaine**

CHAPELET glane, rosaire

CHAPELIER → CHAPEAU

Voir tab. **Saints patrons**

CHAPELIÈRE → COFFRE, MALLE

CHAPELLE → BANDE, CASTE, CRYPTE, CULTE, ÉCOLE, ÉGLISE, FOUR, GROUPE, INTÉRÊT

CHAPELLE absidiole, baptistère, cénacle, chapelain, clan, club, corporation, coterie, martyrium, oratoire, tribu

CHAPELLENIE → BÉNÉFICE

CHAPELURE → MIETTE

CHAPELURE panure

CHAPERON → ACCOMPAGNATEUR,

COMPAGNIE, COURONNEMENT, FAUCON, FEMME, GOUVERNANTE, MUR

Voir illus. **Coiffures**

CHAPERONNER → ACCOMPAGNER

CHAPITEAU → BUFFET, CIRQUE, COURONNEMENT, RUCHE, SAILLIE, TENTE

Voir illus. **Colonnes**

Voir tab. **Architecture**

CHAPITRE → BUDGET, CONGRÈS, DIVISION, MATIÈRE, PARTIE, PASSAGE, RÉCIT, RELIGIEUX (1), RÉUNION, SUJET

Voir tab. **Clergé catholique (vocabulaire du)**

CHAPITRE cul-de-lampe, lettre capitulaire, lettre onciale, lettrine, miniature, sommaire, sourate, table des matières

CHAPITRER → BRETELLE, GRONDER, LEÇON, RAISONNER, SERMON

CHAPKA → BONNET, CHAPEAU

CHAPON → COQ, POULET

CHAPONNER → CASTRER

CHAPSKA → KÉPI

Voir illus. **Coiffures**

CHAPTALISATION → SUCRE, VIN

CHAPTALISÉ

Voir tab. **Vin (vocabulaire du)**

CHAPTALISER → VIN

CHAQUE → INDÉFINI

CHAR → COMBAT, VÉHICULE

CHAR aurige, bige, blindé, cavalcade, cirque, corbillard, corso, panzer, quadrige, tank

CHAR À VOILE → PATIN, PLANCHE À VOILE

CHAR D'ASSAUT → BLINDÉ

CHARABIA → LANGAGE, STYLE

CHARADE → DEVINER, ÉNIGME, JEU

CHARADRIIFORMES → BÉCASSE

Voir tab. **Oiseaux (classification simplifiée des)**

CHARBON → BALAI, CARBONE, COMBUSTIBLE, DÉSINFECTION, NOIR (1), ROUILLE

CHARBON anthracite, anthracnose, anthracose, anthrax, bougnat, boulet, briquette, carbonifère, carbonisation, charbonnier, coke, cuisage, fusain, gaillette, houille, lignite, nielle, rouille, tourbe

CHARBONNER → NOIRCIR

CHARBONNEUX → BOUEUX

Voir tab. **Couleurs**

CHARBONNIER → CARGO, CHARBON, MÉSANGE

Voir tab. **Bateaux**

CHARCUTERIE andouille, andouillette, boudin, boudinière, cochonnaille, cuisson, découpage, fumage, hachage, hachoir, salage, tranche-lard

CHARCUTIER → CHIRURGIEN

CHARDON acaule, cardère, carline, centaurée chausse-trape, centrophyle, chardonneret, échardonner, onopordon, panicaut, silybe

CHARDON-MARIE

Voir tab. **Plantes médicinales**

CHARDONNERET → CHARDON

CHARENTAISE → CHAUSSON, PANTOUFLE

Voir illus. **Chaussures**

CHARGE → ATTAQUE, BÊTE (1), BRAS, CONTENU, COTISATION, DÉPENSE, DEVOIR, EMPLOI, ÉTUDE, FARDEAU, FONCTION, IMITATION, IMPOSITION, IMPÔT, MISSION, MOQUEUR, OFFICE, PASSIF (1), POSTE, POUSSÉE, POUVOIR, PRÉLÈVEMENT, PRÉSOMPTION, PROFESSION, RESPONSABILITÉ, SATIRIQUE, SOIN, SONNERIE, TAMBOUR, TÉMOIN

CHARGE ânée, attaque, bât, batelée, cargaison, chargement, contribution, corvée, cotisation, dépense, dette, dignité, emploi, emport, estive, fonction, frais, fret, imposition, impôt, indice, insister, lège, lest, mandat, mission, obligation, poste, présomption, preuve, redevance, responsabilité, rôle, suivi, taxe, témoignage, titre

CHARGÉ → NÉBULEUX, SURCHARGER, TARABISCOTÉ

CHARGÉ agent diplomatique, ballonné, couvert, embarrassé, lourd, nuageux, représentant

CHARGE D'ÂMES → BÉNÉFICE

CHARGE DE (À LA) → CROCHET

CHARGÉ DE COURS → SCOLAIRE, UNIVERSITÉ

CHARGEMENT → CARGAISON, CHARGE, FACULTÉ, FRET

CHARGER → ACCUSER, ALOURDIR, FONDRE, IMITER, IMPOSER, IMPUTER, MAIN, PROCÈS, RIDICULISER
Voir tab. **Belote**

CHARGER calomnier, diffamer, emplir, encombrer, endetter, grever, imposer, imputer, incriminer, obérer, placer, remplir, taxer

CHARGES COMMUNES
Voir tab. **Copropriété**

CHARGEUR → CARTOUCHE, PISTOLET
Voir illus. **Fusils**
Voir illus. **Pistolet**

CHARIA → ISLAM, MUSULMAN (2)
Voir tab. **Islam (vocabulaire de l')**

CHARIOT → BENNE, MACHINE, TRICOTER, VÉHICULE

CHARIOT benne, berline, Caddie, cariste, diable, fardier, fourgon, fourragère, guimbarde, ribaudequin, triqueballe, truck, wagonnet

CHARISME → GRÂCE, INFLUENCE, VALEUR

CHARITABLE → BON (1), GÉNÉREUX, HUMAIN, INDULGENT, OR, PIEUX, SECOURS

CHARITABLE bienfaisant, bon, caritatif, généreux, philanthrope, secourable

CHARITÉ → AUMÔNE, BIENFAISANCE, CŒUR, INDULGENCE, MISÉRICORDE, ŒUVRE, PITIÉ, VERTU

CHARITÉ altruisme, altruiste, assistance, aumône, bienfaisance, bienveillance, bonté, caritatif, chariton, compassion, générosité, humanité, mansuétude,

mendier, miséricorde, obole, ouvroir, philanthrope, philanthropie, pitié, secours

CHARITON → CHARITÉ

CHARIVARI → BRUIT, DISCORDANT, MARIAGE, TAPAGE, TUMULTE
Voir tab. **Bruits**

CHARLATAN → DOCTEUR, ILLUSION, MÉDECIN

CHARLATAN escroc, imposteur, menteur

CHARLEMAGNE
Voir tab. **Rois et chefs d'État de la France**

CHARLES
Voir tab. **Cartes à jouer**

CHARLES (Iᵉʳ) LE GRAND
Voir tab. **Rois et chefs d'État de la France**

CHARLES II LE CHAUVE
Voir tab. **Rois et chefs d'État de la France**

CHARLES III LE GROS
Voir tab. **Rois et chefs d'État de la France**

CHARLES III LE SIMPLE
Voir tab. **Rois et chefs d'État de la France**

CHARLES IV LE BEL
Voir tab. **Rois et chefs d'État de la France**

CHARLES V LE SAGE
Voir tab. **Rois et chefs d'État de la France**

CHARLES VI
Voir tab. **Rois et chefs d'État de la France**

CHARLES VII
Voir tab. **Rois et chefs d'État de la France**

CHARLES VIII
Voir tab. **Rois et chefs d'État de la France**

CHARLES IX
Voir tab. **Rois et chefs d'État de la France**

CHARLES X
Voir tab. **Rois et chefs d'État de la France**

CHARLESTON
Voir illus. **Percussions**
Voir tab. **Danses (types de)**
Voir tab. **Instruments de musique**

CHARLEVILLE-MÉZIÈRES
Voir tab. **Habitants (comment se nomment les)**

CHARLIE BROWN
Voir tab. **Bande dessinée (héros de)**

CHARLOT → GUIGNOL, PANTIN

CHARLOTTE → BONNET, DESSERT, MOULE
Voir illus. **Coiffures**

CHARMANT → ADORABLE, ATTIRANT, DÉLICIEUX, EXQUIS, FACILE, FASCINANT, GRACIEUX, IRRÉSISTIBLE, JOLI, MIGNON (2), PLAISANT, SÉDUISANT

CHARMANT adorable, agréable, attachant, attirant, attrayant, captivant, courtois, délicieux, enchanteur, exquis, galant, intéressant, plaisant, prévenant, ravissant, séduisant

CHARME → AGRÉMENT, ATTRAIT, BEAUTÉ, DÉLICE, ENVOÛTEMENT, GRÂCE, ILLUSION, MAGIE,

SÉDUCTION, SORCIER, SORT, TALISMAN

CHARME allure, appas, attrait, attribut, banal, charmer, chic, chien, commun, crooner, élégance, enchantement, enjôler, ensorcellement, envoûtement, fasciner, grâce, incantation, insipide, magnétiser, maléfice, ordinaire, philtre, prosaïque, sec, séduire, sortilège, trivial, vénusté

CHARMÉ → HEUREUX

CHARMÉ heureux, ravi

CHARMER → BRILLER, CAPTIVER, CHARME, CONQUÉRIR, ENCHANTER, ENJÔLER, MAGNÉTISER, PLAIRE, PLAISIR, RAVIR, SÉDUIRE, SUBJUGUER

CHARMER captiver, enchanté, enchanter, enthousiasmer, séduire

CHARMEUR → CŒUR, JUPON, SÉDUISANT

CHARMILLE → FEUILLAGE, HAIE, TONNELLE, VERDURE

CHARNEL → PHYSIQUE

CHARNIER → CADAVRE, CIMETIÈRE, FOSSE

CHARNIÈRE → ARTICULATION, PLI

CHARNIÈRE ferrure, fiche, genouillère, gond, paumelle, penture

CHARNU → CHAIR, FRUIT, GRAS
Voir tab. **Vin (vocabulaire du)**

CHAROGNARD → CHAIR, HYÈNE

CHAROGNE → CADAVRE

CHAROLAISE → BOVIN

CHARON → CONDUCTEUR

CHARPENTE → ARCHITECTURE, ASSEMBLAGE, BÂTI (2), CARCASSE, OSSATURE, STRUCTURE

CHARPENTE canevas, comble, ferme, intrigue, ossature, squelette

CHARPENTÉ
Voir tab. **Vin (vocabulaire du)**

CHARPENTIER → BÂTIMENT

CHARPIE → PANSEMENT

CHARRÉE → CENDRE, LESSIVE

CHARRETTE → VÉHICULE

CHARRETTE banne, binard, brancard, carriole, charron, fardier, gerbière, haquet, liure, pouliot, ridelle, timon, tombereau, triqueballe

CHARRIÉ → ENTRAÎNER

CHARRIER → PLAISANTER, PORTER

CHARROI → CONVOI

CHARRON → CHARRETTE

CHARRUE → LABOUR

CHARRUE age, araire, billon, binot, brabant, cavaillon, cep, coutre, enrayure, étançon, mancheron, palonnier, rasette, sarcloir, soc, talon, timon, versoir

CHARTE → CONCESSION, CONSTITUTION, TRAITÉ (2)

CHARTER → AVION

CHARTÉRISER → AVION

CHARTIL → HANGAR

CHARTRES (CATHÉDRALE DE)
Voir tab. **Monuments français du patrimoine mondial**

CHARTREUSE → CAMPAGNE, COUVENT, LIQUEUR, MOINE, MONASTÈRE

CHARTREUX → CHAT

CHARTRIER → RECUEIL

CHAS → TROU

CHASSE → CHALEUR, IMPRIMERIE, NOMADE
Voir illus. **Cartouches**
Voir illus. **Livre relié**

CHASSE appât, appeau, Artémis, battue, braconnage, chanterelle, chasse à courre, collet, cynégétique, Diane, fauconnerie, gluau, hallali, lacet, lacs, leurre, pipeau, pipée, tableau de chasse, taïaut, tenderie, tirasse, trappe, traque, traquet, trophée, vénerie, volerie

CHASSÉ → DANSE
Voir tab. **Danse classique**

CHÂSSE → BOÎTE, LUNETTES, MARTEAU, RELIQUE, SAINT (1)

CHASSE À COURRE → CHASSE

CHASSE AUX SORCIÈRES → PERSÉCUTION

CHASSE-CLOU → ENCADREMENT

CHASSELAS → RAISIN

CHASSE-MARÉE
Voir tab. **Bateaux**

CHASSE-NEIGE → DESCENTE

CHASSEPOT → FUSIL

CHASSER → BALAYER, BANNIR, BUISSON, CAPTURER, DÉLOGER, DÉMÉNAGER, DISPARAÎTRE, DISSIPER, ÉLOIGNER, EXPULSER, FICHER, GLISSER, PAÎTRE, PARTIR, PATINER, PORTE, REFOULER

CHASSER bannir, débusquer, dénicher, exiler, mettre au ban, proscrire, refouler

CHASSE-ROUE → BORNE

CHASSEUR → CAVALERIE, CHERCHEUR, COMMISSION, DOMESTIQUE (1), GARÇON, HÔTEL, SUISSE
Voir illus. **Coiffures**
Voir tab. **Saints patrons**

CHASSEUR (1) Amazone, boucanier, braconnier, fauconnier, giboyeur, groom, Hubert, liftier, Nemrod, trappeur

CHASSEUR (2) Diane

CHASSEUR DE TÊTES → RECRUTER

CHASSIE → GLUANT, ŒIL, PAUPIÈRE

CHÂSSIS → ABRI, BÂTI (2), CADRE, CARCASSE, CARROSSERIE, PEINTURE

CHÂSSIS bâti, broquette, cadre, carcasse, carrosserie, coque, encadrement

CHASTE → PLATONIQUE, PUR, SAGE, SEXUEL, SPIRITUEL

CHASTETÉ → ABSTINENCE, PRIVATION, PUDEUR, RELIGIEUX (2)

CHASTETÉ abstinence, ascétisme, continence, innocent, prude, pudique, pur, vertueux, vestale, vierge

CHASUBLE → MESSE, VÊTEMENT

CHAT → COMPAGNIE, CONVERSATION, DIALOGUE, PERSAN (2), POURSUITE
Voir tab. **Animaux (termes propres aux)**
Voir tab. **Internet**
Voir tab. **Mammifères (classification des)**
Voir tab. **Phobies**
Voir tab. **Superstitions**

CHAT angora, cataire, chartreux, châtiée, européen, félin, haret, persan, siamois

CHAT À NEUF QUEUES → FOUET

CHAT NOIR → SORCIÈRE

CHÂTAIGNE → COUP, MARRON (1), PORC
Voir illus. **Cheval**

CHÂTAIGNE auburn, beigne, bogue, brun, châtain, coup, gnon, marron, oursin

CHÂTAIGNIER → PARQUET

CHÂTAIN → BEIGE, BRUN, CHÂTAIGNE, MARRON (2)

CHÂTEAU → PALAIS, PÂTÉ, RÉSIDENCE, ROYAL

CHÂTEAU bastide, castel, châtelain, châtelet, fortification, gentilhommière, inexpugnable, lice, muraille, palissade, rempart

CHÂTEAU (LETTRE DE) → LETTRE

CHATEAUBRIAND → BIFTECK, FILET, TRANCHE

CHÂTEAUDUN
Voir tab. **Habitants (comment se nomment les)**

CHÂTEAU-GONTIER
Voir tab. **Habitants (comment se nomment les)**

CHÂTEAULIN
Voir tab. **Habitants (comment se nomment les)**

CHÂTEAULINOIS
Voir tab. **Habitants (comment se nomment les)**

CHÂTEAUROUX
Voir tab. **Habitants (comment se nomment les)**

CHÂTEAU-THIERRY
Voir tab. **Habitants (comment se nomment les)**

CHÂTEAUVILLAIN
Voir tab. **Habitants (comment se nomment les)**

CHÂTELAIN → CHÂTEAU, SEIGNEUR

CHÂTELAINE → CHAÎNE, COU, PENDENTIF

CHÂTELET → CHÂTEAU

CHÂTENOIS
Voir tab. **Habitants (comment se nomment les)**

CHAT-HUANT → CHOUETTE, NOCTURNE, RAPACE

CHÂTIÉ → CORRECT, PUR

CHÂTIER → CONDAMNER, CORRIGER, ÉPURER, MACÉRER, MALTRAITER, MORTIFIER, POLIR, PUNIR, RECTIFIER

CHÂTIÈRE → CHAT, ÉTROIT, OUVERTURE, TROU
Voir illus. **Maison**

CHÂTIMENT → CONDAMNATION, DAMNÉ, PUNITION, REPRÉSAILLES, RÉPRESSION, SANCTION, SUPPLICE, VENGEANCE

CHÂTIMENT correction, coup, dam, expiation, fouet, peine, pénitence, sanction, supplice

CHATOIEMENT → CHANGEMENT

CHATON → BAGUE, POUSSIÈRE
Voir illus. **Bijoux**
Voir tab. **Animaux (termes propres aux)**

CHATOU
Voir tab. **Habitants (comment se nomment les)**

CHATOUILLE → CARESSE

CHATOUILLEMENT → DÉMANGEAISON

CHATOUILLER agacer, démanger, exciter, picoter, titiller

CHATOUILLEUX → SUSCEPTIBLE, VEXER

CHATOYANT → BRILLANT (1), CHANGEANT, ÉCLATANT, LUISANT, LUMINEUX, MOBILE (2), MOIRÉ, VARIÉ

CHATOYANT moirer

CHATOYER → BRILLER, LUIRE, MIROITER

CHATOYER briller, étinceler, luire, miroiter, pétiller, rutiler, scintiller

CHÂTRÉ → SEXE

CHÂTRER → CASTRER, MUTILER, STÉRILISER

CHÂTRER castrat, castrer, eunuque, mutiler

CHATTE → ANCRE
Voir tab. **Animaux (termes propres aux)**

CHATTEMITE → HYPOCRITE

CHATTERIE → FRIANDISE, GOURMANDISE

CHAUD → PLEIN, RÉCENT, TIMBRE

CHAUD acharné, âpre, bouillant, brûlant, caniculaire, chaleureux, désertique, équatorial, érotique, étuve, fiévreuse, fournaise, rude, sensuelle, sévère, torride, tropical

CHAUDEAU → BOUILLON

CHAUDIÈRE → CHAUFFAGE

CHAUDRÉE → SOUPE

CHAUDRON → SEAU, SORCIÈRE

CHAUDRONNIER → MÉTALLURGIE

CHAUFFAGE → SOLAIRE

CHAUFFAGE billette, brasero, bûche, caléfaction, calorifère, chancelière, chaudière, chauffagiste, chaufferette, convecteur, fourneau, fumiste, hypocauste, insert, panneau radiant, poêle, radiateur, rondin, thermosiphon, thermostat, trame chauffante

CHAUFFAGISTE → CHAUFFAGE

CHAUFFARD → CHAUFFEUR

CHAUFFE-EAU → SOLAIRE

CHAUFFE-PLAT → RÉCHAUFFER

CHAUFFER bassinoire, bouillir, bouillotte, brûler, calciner, chauffer à blanc, cramer, cuire, griller, moine, porter au rouge, rôtir

CHAUFFER À BLANC → CHAUFFER

CHAUFFERETTE → BOÎTE, CHAUFFAGE, RÉCHAUFFER

CHAUFFEUR → ROUTIER

CHAUFFEUR automédon, chauffard, cocher

CHAUFFEUR DE TAXI
Voir tab. **Saints patrons**

CHAUFFEUSE → CHAISE, FAUTEUIL
Voir illus. **Sièges**

CHAUFOUR → CHAUX

CHAUFOURNIER → FOUR

CHAULAGE → FERTILE, TERRE

CHAULER → BLANCHIR, BONIFIER, CHAUX

CHAUMARD
Voir illus. **Voilier : Dufour 38 Classic**

CHAUME → CÉRÉALE, CHAMP, PAILLE, TIGE, TOIT

CHAUMIÈRE → CASE, MAISON

CHAUSSE → FILTRE, FILTRER
Voir illus. **Héraldique**

CHAUSSÉE → ÉTANG, RUE

CHAUSSÉE autoroute, bitume, goudron, macadam, voie rapide

CHAUSSES
Voir illus. **Armures**

CHAUSSE-TRAPE → PIÈGE, OBSTACLE

CHAUSSON → DANSEUR, GÂTEAU, PANTOUFLE
Voir illus. **Chaussures**

CHAUSSON ballerine, charentaise, demi-pointe, mule, pantoufle, rythmique, savate

CHAUSSONNIER → PANTOUFLE

CHAUSSURE → BOTTE, MONTAGNE
Voir illus. **Modes et styles**

CHAUSSURE babouche, ballerine, basket, boots, botte, bottier, bottillon, bottine, brodequin, claque, claquette, cordonnier, cothurne, embauchoir, empeigne, escarpin, espadrille, forme, glissoir, godillot, grolle, joggeur, mocassin, nu-pied, Pataugas, poulaine, quartier, richelieu, sabot, sandale, savetier, snow-boot, socque, spartiate, tennis, tige, tong, trépointe

CHAUVE → NU

CHAUVE alopécie, calvitie, pelade, teigne

CHAUVE-SOURIS → MANCHE, NOCTURNE
Voir tab. **Mammifères (classification des)**

CHAUVE-SOURIS chien volant, chiroptères, guivre, noctule, oreillard, pipistrelle, rhinolophe, rhinopome, roussette, sérotine, vespertilion

CHAUVIN → XÉNOPHOBE

CHAUVINISME → ÉTRANGER (1), NATIONALISME

CHAUX → BASE, CALCIUM, DÉSINFECTION

CHAUX calciner, chaufour, chauler, crépi, mortier

CHAVIRÉ → OSCILLER

CHAVIRER → BASCULER, SOMBRER

CHAVIRER abîmer (s'), basculer, bouleverser, chanceler, couler, dessaler, émouvoir, renverser (se), retourner, secouer, sombrer, troublé, vaciller

CHÉBEC → VOILIER
Voir tab. **Bateaux**

CHÉCHIA
Voir illus. **Coiffures**

CHECK-LIST → VÉRIFIER

CHECK-UP → BILAN, CONTRÔLE

CHEDDAR
Voir illus. **Fromages**

CHEESEBURGER → BIFTECK

CHEESECAKE
Voir illus. **Gâteaux régionaux et étrangers**

CHEF → ACCUSATION, BUREAU, CONDUCTEUR, CUISINIER, HONORABLE, PATRIARCHE, PATRON, RESPONSABLE (1)
Voir illus. **Héraldique**

CHEF adjudant, aspirant, bande, boss, cacique, caïd, capitaine, cheftaine, cheik, commandant, coq, directeur, dirigeant, émir, général, lieutenant, maestro, maître queux, patriarche, patron, PDG, sachem, sous-lieutenant

CHEF CUISINIER → MAÎTRE (1)

CHEF D'ENTREPRISE → ENTREPRENEUR

CHEF D'ÉQUIPE → CONTREMAÎTRE, INDUSTRIE

CHEF D'ESCADRON
Voir illus. **Grades de la gendarmerie**
Voir illus. **Grades militaires**

CHEF D'ÉTAT → PRÉSIDENT, RÉPUBLIQUE
Voir tab. **Rois et chefs d'État de la France**

CHEF D'ORCHESTRE
Voir illus. **Orchestre**

CHEF DE BANDE → CERVEAU (2)

CHEF DE BATAILLON
Voir tab. **Grades militaires**

CHEF DE CHANTIER → ŒUVRE

CHEF DE CLINIQUE → MÉDECIN

CHEF DE PROJET → RESPONSABLE (1)

CHEF DE SERVICE → MÉDECIN

CHEF DU GOUVERNEMENT → PREMIER (2)

CHEF-D'ŒUVRE → MERVEILLE, ŒUVRE

CHEFFERIE → COMMUNAUTÉ

CHEF-LIEU → PRÉFECTURE

CHEFTAINE → CHEF

CHEIK → ARABE, CHEF

CHEILO-
Voir tab. **Chirugicales (interventions)**

CHEIMOPHOBIE → TEMPÊTE
Voir tab. **Phobies**

CHELEM
Voir tab. **Bridge**
Voir tab. **Tarot**

CHÉLICÉRATES
Voir tab. **Animaux (classification simplifiée des)**

CHÉLIDOINE → VERRUE

CHÉLIFÈRE → SCORPION

CHÉLOÏDE → BALAFRE, CICATRICE

CHÉLONIENS → TORTUE

CHÉLONIOMANCIE → DIVINATION

CHEMIN → DIRECTION, DISTANCE, ESPACE, ITINÉRAIRE (1), TAPIS, TRAJET

CHEMIN berme, boyau, cavée, chemineau, courbe, draille, drève, laie, layon, lé, piste, raccourci, raidillon, rampe, routard, sente, trajectoire, voie lactée

CHEMIN DE FER → TRAIN
Voir tab. **Collectionneurs**
Voir tab. **Phobies**

CHEMIN DE FER aiguillage, barrière, déraillement, ferroviaire, passage à niveau, SNCF, voie

CHEMIN DE RONDE
Voir illus. **Château fort**

CHEMIN DE ROULEMENT → AÉROPORT

CHEMINEAU → CHEMIN, MENDIANT (1)

CHEMINÉE → COL, COULOIR, FEU, FOYER
Voir illus. **Grotte sous-marine**
Voir illus. **Toits**
Voir illus. **Volcan**

CHEMINÉE âtre, chenet, contre-feu, contrecœur, crémaillère,

703

dévoiement, foyer, garde-feu, hérisson, oribus, pelle, soufflet, tisonnier

CHEMINÉE DE FÉE
Voir tab. **Géographie et géologie** (termes de)

CHEMINEMENT → DÉMARCHE, ITINÉRAIRE (1), TRAJET

CHEMINEMENT avancée, évolution, marche, progression

CHEMINER → PROMENER (SE)

CHEMINOT → EMPLOYÉ

CHEMINOT lampiste, wagonnier

CHEMISE → BUREAU, CARTOUCHE, CLASSEMENT, DOCUMENT, ENVELOPPE, REVÊTEMENT
Voir illus. **Cartouches**
Voir illus. **Modes et styles**

CHEMISE amidonnage, bannière, barrette, batiste, blouse, bouton de manchette, brassière, camisole, chemisier, chiton, cilice, corsage, coton, cravate, dalmatique, empesage, épingle, haire, haubert, jaseran, madapolam, nansouk, nœud papillon, nuisette, popeline, shirting, soie, tunique

CHEMISE DE DONJON
Voir illus. **Château fort**

CHEMISER
Voir tab. **Cuisine**

CHEMISES BRUNES → FASCISME

CHEMISES NOIRES → FASCISME

CHEMISETTE → BUSTE

CHEMISIER → BUSTE, CHEMISE, COUTURIER

CHÊNAIE → CHÊNE, FORÊT

CHENAL → BRAS, CANAL, DÉFILÉ

CHENAPAN → COUPABLE, FRIPON (1), GALOPIN, POLISSON

CHÊNE → PARQUET
Voir tab. **Anniversaires de mariage**
Voir tab. **Végétaux (classification simplifiée des)**

CHÊNE bourdillon, cécidie, chênaie, chêneau, cupule, cupulifères, douvain, galle, gland, gui, induvie, kermès, langue-de-bœuf, merrain, quercitron, regros, rouvre, tan, tauzin, vélanède, vélani, yeuse, zéen

CHÊNE BLANC → WHISKY

CHÊNE KERMÈS → MAQUIS

CHÊNE VERT → YEUSE

CHÊNEAU → CANALISATION, GOUTTIÈRE, PLUIE, TOIT

CHÊNEAU → CHÊNE

CHÊNE-LIÈGE → MAQUIS

CHENET → CHEMINÉE
Voir illus. **Cheminée**

CHENET chevrette, hâtier, landier, marmouset

CHÈNEVIS → PÊCHE

CHENIL → CHIEN
Voir tab. **Animaux (termes propres aux)**

CHENILLE → LARVE, PAPILLON, RAIL, VER

CHENILLE agrotis, arpenteuse, carabe, chrysalide, cochylis, cocon, éruciforme, eudémis, géomètre, larve, ver à soie

CHENILLETTE → VÉHICULE

CHÉNOPODE → ÉPINARD

CHÉNOPODIACÉES → BLETTE

CHENU → BLANC (1), CHEVEU

CHEPTEL → BÉTAIL, CAPITAL (1), TROUPEAU

CHÈQUE → EFFET, INSTRUMENT, PAIEMENT
Voir tab. **Monnaie**

CHÈQUE bon, CCP, endosser, provision, traveller chèque

CHÈQUE-RESTAURANT → TICKET

CHER → INABORDABLE, IRREMPLAÇABLE, ONÉREUX, PRÉCIEUX

CHER abordable, accessible, adoré, adulé, aimé, bas de gamme, bon marché, brader, chéri, dégriffer, démarquer, haut de gamme, inestimable, onéreux, précieux, préféré, rare, ruineux, solder

CHERCHER → ESSAYER, IMAGINER, INTERROGER, INVENTER, RECHERCHER, RÉFLÉCHIR, TÂCHER (2), TENTER

CHERCHER chiner, efforcer de (s'), enquérir de (s'), enquêter, essayer, évertuer à (s'), fouiller, fouiner, fourrager, fureter, imaginer, inventer, penser à, pister, ratisser, réfléchir à, scruter, sonder, supposer, tendre à, tenter, traquer

CHERCHEUR → DÉCOUVERTE, SAVANT (1)

CHERCHEUR chasseur, orpailleur, savant, scientifique

CHERGUI → SIROCCO, VENT

CHÉRI → CHER

CHÉRIF → MUSULMAN (2), PRINCE

CHÉRIR → AIMER

CHÉRIR adorer, affectionner, aimer, vénérer

CHERRY → CERISE

CHÉRUBIN → ANGE, BÉBÉ

CHESHIRE
Voir illus. **Fromages**

CHESTER
Voir illus. **Fromages**

CHÉTIF → DÉBILE, DÉLICAT, FAIBLE (2), FRAGILE, FRÊLE, MAIGRE, MALINGRE, SOUFFRANT

CHÉTIF chiche, dérisoire, étiolé, fragile, insuffisant, maigre, malingre, médiocre, pauvre, rachitique

CHEVAL → BÉTAIL, BÊTE (1), PERSAN (2), VIANDE
Voir tab. **Animaux (termes propres aux)**
Voir tab. **Mammifères (classification des)**
Voir tab. **Manies**

CHEVAL amazone, bardot, bidet, bourrin, canasson, cavalier, centaure, chevalin, coureur, destrier, écuyer, étalon, haquenée, haras, haridelle, hippique, hippogriffe, hippomobile, hippophage, hippotechnie, hongre, jockey, lad, manège, maquignon, mulet, mustang, paddock, palefrenier, palefroi, pégase, poney, poulain, pur-sang, rosse, roussin, sommier, stud-book, tarpan, trotteur, yearling

CHEVAL BLANC
Voir tab. **Superstitions**

CHEVAL D'ARÇON → GYMNASTIQUE

CHEVAL DE FRISE → BARBELÉ

CHEVAL DE SELLE → MONTURE

CHEVALEMENT → BÉQUILLE

CHEVALERESQUE → HÉROÏQUE

CHEVALERIE
Voir tab. **Histoire (grandes périodes)**

CHEVALERIE bravoure, chanson de geste, courtoisie, épopée, Légion d'honneur, loyauté, Malte, Saint-Esprit, Saint-Michel, Sainte-Ampoule, Toison d'or

CHEVALET → BANC, PEINTRE, SUPPLICE, SUPPORT
Voir illus. **Guitare**
Voir illus. **Piano**
Voir illus. **Violon**

CHEVALIER → ACCOMPAGNATEUR, NOBLESSE

CHEVALIER accolade, adoubement, angusticlave, anneau d'or, carrousel, cartel, champion, damoiseau, duel, féal, joute, olifant, paladin, preux, sigisbée, tenant, tournoi, trabée

CHEVALIER D'INDUSTRIE → VOLEUR

CHEVALIÈRE → BAGUE
Voir illus. **Bijoux**

CHEVALIN → CHEVAL
Voir tab. **Animaux (termes propres aux)**

CHEVALINE → VIANDE

CHEVAL-VAPEUR → PUISSANCE

CHEVAUCHER (SE) → RECOUVRIR (SE)

CHEVAU-LÉGER → CAVALERIE

CHEVÊCHE → CHOUETTE

CHEVELU → RACINE
Voir illus. **Arbre**

CHEVELURE → CHEVEU, COMÈTE, NÉBULEUX

CHEVER → CREUSER

CHEVET → LIT
Voir illus. **Église (plan d'une)**

CHEVET abside, auprès de, côté de (au), tête

CHEVÊTRE → MUR

CHEVEU → SOUCI

CHEVEU absurde, alopécie, balayage, bléser, boiteux, canitie, chenu, chevelure, chignon, couette, crinière, décousu, épi, extravagant, fantaisiste, houppe, illogique, incohérent, irrationnel, mèche, natte, perruque, queue de cheval, résille, réticule, rouflaquette, tignasse, toison, tonsure, toupet, tresse, zézayer, zozoter

CHEVEU D'ANGE → PÂTE
Voir illus. **Pâtes**

CHEVILLARD → BŒUF, BOUCHER (2)

CHEVILLE → ATTACHE, PIANO
Voir illus. **Porte**
Voir illus. **Violon**

CHEVILLE cabillot, clavette, enture, épite, fausset, fiche, goujon, goupille, gournable, malléole, tourillon

CHEVILLÉ → MAQUEREAU

CHEVILLE D'ACCORD
Voir illus. **Piano**

CHEVILLE MÉCANIQUE
Voir illus. **Guitare**

CHEVILLETTES → BRIQUE

CHEVILLIER → MANCHE
Voir illus. **Violon**

CHEVIOTTE → LAINE
Voir tab. **Tissus**

CHÈVRE → BÊTE (1), BOUC, PARCHEMIN, POULIE
Voir tab. **Animaux (termes propres aux)**

CHÈVRE Ægipan, angora, béguètement, bêlement, biquet, biqueter, bouc, bouquetin, cabri, cabriole, cachemire, capridés, caprin, caprinés, cavicorne, cendré, chabichou, chabraque, chagrin, chevreau, chevreton, chevrier, chevrotement, chevroter, crottin, hircin, maroquin, menon, mohair, Pan, parchemin, satyre, valençay

CHEVREAU → BOUC, CHÈVRE
Voir tab. **Animaux (termes propres aux)**

CHEVREAU biquet, cabri

CHÈVREFEUILLE
Voir tab. **Végétaux (classification simplifiée des)**

CHÈVRE-PIED → JAMBE

CHEVRETON → CHÈVRE

CHEVRETTE → BOUC, CHENET, CHEVREUIL, SUPPORT
Voir tab. **Animaux (termes propres aux)**

CHEVREUIL → GIBIER
Voir tab. **Animaux (termes propres aux)**

CHEVREUIL chevrette, chevrillard, faon, gigue, longe, selle

CHEVRIER → CHÈVRE, GARDIEN, HARICOT, PAÎTRE, TROUPEAU

CHEVRILLARD → CHEVREUIL

CHEVRON → GALON, HONORABLE, UNIFORME (1)
Voir illus. **Charpente**
Voir illus. **Héraldique**
Voir illus. **Maison**
Voir illus. **Toits**

CHEVRONNÉ → ÉMÉRITE, EXPÉRIMENTÉ
Voir illus. **Héraldique**

CHEVROTEMENT → BÊLEMENT, CHÈVRE, TREMBLEMENT

CHEVROTER → CHÈVRE
Voir tab. **Animaux (termes propres aux)**

CHEVROTIN
Voir tab. **Animaux (termes propres aux)**

CHEVROTINE → BALLE, FUSIL, PLOMB

CHEWING-GUM → MÂCHER

CHEZ-SOI → DOMICILE, INTÉRIEUR (1)

CHIBOUQUE → PIPE, TURC

CHIC → CHARME, CLASSE, ÉLÉGANCE

CHIC aisance, allure, BCBG, bienveillant, chouette, classe, distingué, élégant, gentil, NAP, prestance, raffiné, soigné, sympathique

CHICANE → DISPUTE, INCIDENT (1), POINTILLEUX, RAISONNEMENT, SUBTIL, SUBTILITÉ
Voir tab. **Belote**
Voir tab. **Bridge**
Voir tab. **Tarot**

HICANE altercation, argutie, avocasserie, bisbille, contestation, controverse, discorde, dispute, ergoterie, polémique, tracasserie

HICANER → COUPER, ÉPILOGUER, MARCHANDER, OBJECTION

HICANEUR chipoteur, ergoter, ergoteur, pinailleur

HICANEUR → DÉTAIL, PROCÈS

HICHE → AVARE (2), CHÉTIF, COMPTER, ÉCONOME (2), MESQUIN, PARI

HICHE-KEBAB → BROCHETTE

HICHEMENT → PEU (2)

HICHI → BEIGNET, FAÇON, MANIÈRE, MINAUDERIE, SIMAGRÉES

HICKEN-PIE
Voir tab. **Spécialités étrangères**

HICON → LAITUE
Voir tab. **Salades**

HICORÉE → CAFÉ
Voir tab. **Salades**

HICOTER → DÉCHIQUETER
Voir tab. **Animaux (termes propres aux)**

HIEN → CHARME, CLASSE, COMPAGNIE, FIDÉLITÉ, FRANGE, FRONT, TAROT
Voir illus. **Fusils**
Voir illus. **Revolver**
Voir tab. **Animaux (termes propres aux)**
Voir tab. **Mammifères (classification des)**
Voir tab. **Manies**
Voir tab. **Phobies**
Voir tab. **Tarot**

HIEN aboiement, cabot, canin, Cerbère, chenil, chiot, clébard, corniaud, cyn(o)-, glapissement, jappement, lice, limier, mâtin, mâtiné, molosse, niche, pedigree, roquet

HIEN DE FAÏENCE → TRAVERS (2)

HIEN DE GARDE → BRUTAL

HIEN DE ROUGE
Voir tab. **Chasse (vocabulaire de la)**

HIEN DE SANG
Voir tab. **Chasse (vocabulaire de la)**

HIEN ET LOUP → BRUNE

HIEN SÉANT
Voir illus. **Héraldique**

HIEN VOLANT → CHAUVE-SOURIS

HIENDENT → BROSSE, HERBE

HIENLIT → MASCARADE

HIENNE
Voir tab. **Animaux (termes propres aux)**

HIFFE → MOU

HIFFON → BOUILLIE, LOQUE, PAPIER

HIFFON biffin, bourre, essuie-meuble, guenilles, haillons, hardes, lambeau, loque, oripeaux, peille, pilot

HIFFONNE → BRANCHE

HIFFONNÉ bouchonné, fripé, froissé

HIFFONNER → FLÉTRIR, FROISSER

HIFFONNER chagriner, contrarier, préoccuper, tracasser, turlupiner

HIFFONNIER → BROCANTEUR, COMMODE, MEUBLE

CHIFFRE → CODE, INITIAL, LETTRE, MARQUE, SOMME

CHIFFRE algèbre, alphanumérique, arithmétique, calcul, code, coefficient, combinaison, cryptage, digital, indice, marque, monogramme, nombre, numérique, numéro, poinçon, somme, total

CHIFFRE 13
Voir tab. **Superstitions**

CHIFFRE D'AFFAIRES
Voir tab. **Entreprise (vocabulaire de l')**

CHIFFRER → CALCULER, COMPTER, ÉVALUER

CHIGNOLE → MENUISIER, PERCEUSE

CHIGNON → CHEVEU, COIFFURE
Voir illus. **Cheveux (coupes de)**

CHIISME
Voir tab. **Islam (vocabulaire de l')**

CHIITE → ISLAM, MUSULMAN (1)

CHILDEBERT
Voir tab. **Rois et chefs d'État de la France**

CHILE → PIMENT

CHILI CON CARNE
Voir tab. **Spécialités étrangères**

CHILPÉRIC
Voir tab. **Rois et chefs d'État de la France**

CHIMÈRE → CRACHER, DRAGON, ESPOIR, ESPRIT, FANTÔME, HYBRIDE, IDÉE, ILLUSION, LÉGENDE, MIRAGE, MONSTRE, MYTHE, RÉALITÉ, RÊVE, SONGE, UTOPIQUE
Voir tab. **Animaux fabuleux**
Voir tab. **Mythologiques (créatures)**
Voir tab. **Poissons (classification simplifiée des)**

CHIMÈRE fantasme, illusion, mirage, rêve, songe, utopie, vision

CHIMÈRE À LONG NEZ
Voir tab. **Poissons (classification simplifiée des)**

CHIMÈRE-ÉLÉPHANT
Voir tab. **Poissons (classification simplifiée des)**

CHIMÉRIQUE → FABULEUX, FANTASTIQUE, ILLUSOIRE, IMAGINAIRE (2), IMPOSSIBLE (2), INVRAISEMBLABLE, IRRÉALISABLE, VAIN

CHIMIE → ATOME, DISCIPLINE, EXACT

CHIMIE analyse, catalyse, formule, symbole, synthèse

CHIMIOSYNTHÈSE → SYNTHÈSE

CHIMIOTHÉRAPIE → CANCER

CHIMIQUE → ARTIFICIEL, ÉNERGIE, ENGRAIS

CHINAGE → TISSAGE

CHINCHILLA → NOCTURNE

CHINE → BAMBOU, EMPIRE, PAPIER, PORCELAINE

CHINÉ → COULEUR, TRAME

CHINER → CHERCHER, MOQUER (SE), PLAISANTER, TAQUINER

CHINEUR → BROCANTEUR

CHINOIS → FILTRE, FILTRER, PASSOIRE, SAUCE, TAMIS

CHINOIS achilléomancie, acupuncture, boussole, cerf-volant, confucianisme, empire

du Milieu, examen scolaire, feu d'artifice, go, idéogramme, imprimerie, kung-fu, li, mah-jong, mandarin, nouille, pinyin, sablier, sapèque, sinogramme, sinologie, tael, tai-chi-chuan, tangram, taoïsme, yang, Yi-king, Yijing, yin

CHINOISERIE → SUBTILITÉ

CHINOOK
Voir tab. **Vents (type de)**

CHINTZ → AMEUBLEMENT
Voir tab. **Tissus**

CHIOGGIA
Voir tab. **Salades**

CHIOT → CHIEN
Voir tab. **Animaux (termes propres aux)**

CHIOURME → GALÈRE

CHIP → PASTILLE, PUCE (1)
Voir tab. **Poker**

CHIPER → DÉROBER

CHIPIE garce, peste, pimbêche

CHIPOLATA → SAUCISSE

CHIPOTER → MANGER

CHIPOTEUR → CHICANER

CHIPS → POMME DE TERRE, RONDELLE

CHIPSET
Voir tab. **Informatique**

CHIQUE → PUCE (1), TABAC

CHIQUER → MÂCHER

CHIR(O)- → MAIN

CHIRAC (JACQUES)
Voir tab. **Rois et chefs d'État de la France**

CHIRIDIUM → MEMBRE

CHIROGRAPHAIRE → DETTE, SÛRETÉ

CHIROMANCIE → AVENIR, CONSULTATION, DIVINATION, INTERPRÉTATION, LIGNE, OCCULTE
Voir tab. **Sciences occultes**

CHIROMANCIEN → AVENIR, DEVINER, MAIN

CHIROPRACTEUR → MANIPULATION

CHIROPRACTIE → VERTÈBRE

CHIROPRAXIE → MÉDECINE, OS, VERTÈBRE
Voir tab. **Médecines alternatives**

CHIROPTÈRES → CHAUVE-SOURIS
Voir tab. **Mammifères (classification des)**

CHIRURGICAL anesthésie, biopsie, insensibilisation, opération, péridurale

CHIRURGIE → CORPS

CHIRURGIE ablation, amputation, carabin, césarienne, cryochirurgie, greffe, implantation, incision, ligature, neurochirurgie, ponction

CHIRURGIE AMBULATOIRE
Voir tab. **Chirurgie (vocabulaire de la)**

CHIRURGIEN → HOSPITALIER

CHIRURGIEN assistant, charcutier, instrumentiste, stomatologue

CHIRURGIEN (NŒUD DE)
Voir illus. **Nœuds**

CHISTERA → GANT, PELOTE

CHITINE → CRUSTACÉ

CHITON → CHEMISE, GREC, MOLLUSQUE, TUNIQUE
Voir tab. **Animaux (classification simplifiée des)**

CHIURE → EXCRÉMENT

CHLAMYDE → GREC, MANTEAU
Voir illus. **Manteaux**

CHLOASMA → GROSSESSE, MASQUE

CHLORATION → PURIFICATION

CHLORE
Voir tab. **Éléments chimiques (symbole des)**

CHLORHYDRIQUE (ACIDE)
Voir tab. **Acides**

CHLOROFORME → ANESTHÉSIE

CHLOROFORMER → ENDORMIR

CHLOROPHYLLE → FEUILLE, PIGMENT, PLANTE, VERT (2)

CHLOROPLASTE
Voir tab. **Cellules**

CHLOROSE → DÉCOLORATION, SANG

CHLOROTIQUE → PÂLE

CHLORPROMAZINE → NAUSÉE

CHLORURE → MAGNÉSIUM, ZINC

CHNOUF → DROGUE

CHOANES → NASAL

CHOC → BRUSQUE, COUP, ÉMOTION, HEURT, MASSUE, ONDE, RENCONTRE, SECOUSSE

CHOC accident, amortisseur, blessure, bouleversement, butoir, cassure, cliquetis, collision, commotion, ébranlement, fêlure, fissure, martellement, pare-choc, stupeur, tampon, traumatisme

CHOCKER → PERLE

CHOCOLAT → BRUN, DRAGÉE, MARRON (2)
Voir tab. **Couleurs**
Voir tab. **Gâteaux régionaux et étrangers**

CHOCOLAT barre, bille, broyage, chocolatier, criblage, croquette, crotte, décorticage, forêt-noire, ganache, pastille, poudre, raffinage, rocher, sachertorte, tablette, torréfaction, truffe, vermicelle

CHOCOLATERIE → USINE

CHOCOLATIER → CHOCOLAT

CHOCOTTES → PEUR

CHŒUR → ENSEMBLE
Voir illus. **Église (plan d'une)**

CHŒUR abside, antienne, cantate, chantre (grand), chorale, choréa, chorège, choreute, choriste, chorus, coryphée, déambulatoire, dithyrambe, maîtrise, manécanterie, motet, polyphonie, psallette, répons

CHŒUR LYRIQUE
Voir tab. **Muses**

CHOIR → TOMBER

CHOISIR → APPELER, CHOISIR, DÉCIDER, DÉCISION, DÉSIGNER, ÉLIRE, EMBRASSER, EXTRAIRE, NOMMER, ORIENTER, PRÉFÉRER, PRONONCER (SE)

CHOISIR aboulie, adopter, anthologie, choisir, chrestomathie, coopter, décider (se), désigner, distinguer, électif, élire, embrasser, engager (s'), florilège, jeter son dévolu, nommer, opter, préférer, prendre parti, prononcer (se), retenir, sélectif, sélectionner, trancher

CHOISYENS
Voir tab. **Habitants (comment se nomment les)**

CHOISY-LE-ROI
Voir tab. **Habitants (comment se nomment les)**

CHOIX → ALTERNATIVE, DÉSIGNATION, DILEMME, ÉVENTAIL, PRÉFÉRENCE

CHOIX alternative, arbitraire, assortiment, collection, décision, détermination, dilemme, éventail, exclusion, expulsion, impartial, objectif, palette, partial, préférence, rejet, résolution, sélection, subjectif

CHOKE-BORE → FUSIL

CHOLAGOGUE → BILE

CHOLÉCYST(O)-
Voir tab. **Chirurgicales (interventions)**

CHOLÉDOC(O)-
Voir tab. **Chirurgicales (interventions)**

CHOLÉDOQUE
Voir tab. **Chirurgicales (interventions)**

CHOLÉMIE → BILE, JAUNISSE

CHOLÉRA → INFECTION

CHOLÉRÉTIQUE → BILE

CHOLESTÉRINE → BILE

CHÔMAGE
Voir tab. **Économie**
Voir tab. **Population**

CHÔMAGE ASSEDIC, congédier, licencier, mettre à pied, remercier

CHÔMÉ → FÉRIÉ

CHONDR(O)-
Voir tab. **Chirurgicales (interventions)**

CHONDRICHTYENS
Voir tab. **Poissons (classification simplifiée des)**

CHONDRITE → MÉTÉORITE

CHONDROSTÉENS
Voir tab. **Poissons (classification simplifiée des)**

CHOPE → BIÈRE, GOBELET

CHOPER → COINCER, CONTRACTER

CHOPPER → BUTER

CHOQUANT → BIENSÉANCE, DÉPLACÉ, ÉCŒURANT, HONTEUX, INCONVENANT, INDÉCENT, SCANDALEUX, TRIVIAL

CHOQUÉ → ATTEINDRE, ÉBRANLER, FRAPPER, IMPRESSIONNER, ULCÉRÉ

CHOQUER → DÉLICATESSE, DÉPLAIRE, ÉCORCHER, EFFAROUCHER, INDIGNER, OFFENSER, OFFUSQUER, RÉVOLTER, SECOUER, SOULEVER

CHOQUER blesser, bouleverser, désobliger, ébranler, ébranler, écorcher, effaroucher, ému, fâcher, froisser, heurter, humilier, mortifier, offenser, offusquer, perturber, porter un toast, rebuter, repousser, scandaliser, traumatiser, trinquer, vexer

CHORAL → HYMNE

CHORALE → CHŒUR, ENSEMBLE

CHORÉA → CHŒUR

CHORÉE (DANSE DE SAINT-GUY) → AGITATION

CHORÈGE → CHŒUR

CHORÉGRAPHE → BALLET

CHORÉGRAPHIE → ART
Voir tab. **Sciences : termes en -ologie et -ographie**

CHOREUTE → CHŒUR

CHORION → EMBRYON, MEMBRANE
Voir illus. **Œuf**

CHORISTE → CHANTEUR, CHŒUR

CHORIZO → SAUCISSON
Voir illus. **Charcuterie**

CHOROGRAPHIE
Voir tab. **Sciences : termes en -ologie et -ographie**

CHOROÏDE → MEMBRANE, ŒIL
Voir illus. **Œil**

CHORUS → CHŒUR, JAZZ, RÉPÉTITION

CHORUS approuver

CHOSE → RÉALITÉ

CHOSE abord (d'), actualité, babiole, bagatelle, biologie, bizarre, bricole, broutille, colifichet, confus, décontenancé, démonté, désorienté, embarrassé, gadget, incident, intimidé, mal à l'aise, nouvelle, objet, penaud, premièrement, réalité, sciences naturelles, situation, souffrant, truc, Untel, vétille

CHOSE PUBLIQUE → RÉPUBLIQUE

CHOTT → LAC
Voir tab. **Géographie et géologie (termes de)**

CHOU → LÉGUME, RUBAN
Voir illus. **Nœuds et cravates**
Voir tab. **Végétaux (classification simplifiée des)**

CHOU aréquier, blanc, bortsch, brocoli, cabus, chou chinois, chou de Bruxelles, chou-fleur, chou-navet, chou-rave, chouquette, crambe, frisé, garbure, paris-brest, pet-de-nonne, pièce montée, pommé, profiterole, rouge, saint-honoré, vert

CHOU CHINOIS → CHOU

CHOU DE BRUXELLES → CHOU

CHOU-FLEUR → CHOU

CHOU-NAVET → CHOU

CHOU-RAVE → CHOU

CHOUCAS → CORBEAU

CHOUCHEN → BOISSON

CHOUCHOU → BIEN-AIMÉ, FAVORI (1), NŒUD, POULAIN, PRÉFÉRER

CHOUCROUTE → COIFFURE

CHOUCROUTE GARNIE
Voir tab. **Plats régionaux**

CHOUETTE → CHIC, NOCTURNE, RAPACE
Voir tab. **Oiseaux (classification simplifiée des)**
Voir tab. **Superstitions**

CHOUETTE Athéna, chat-huant, chevêche, chuintement, effraie, harfang, hulotte, hululement, sagesse, strigidés, strigiformes

CHOULEUR → BENNE

CHOUPILLE
Voir tab. **Chasse (vocabulaire de la)**

CHOUQUETTE → CHOU

CHOYÉ → ENTOURER

CHOYER → AIMER, GÂTER, PRODIGUER, SOIN

CHR → HÔPITAL

CHRÊME → BAPTÊME, HUILE

CHRÉMEAU → BAPTÊME, BONNET

CHRESTOMATHIE → CHOISIR, MORCEAU, RECUEIL, SÉLECTION
Voir tab. **Livres**

CHRÉTIEN catholique, christianisme, gentil, giaour, goy, mozarabe, orthodoxe, protestant, roumi

CHRISMATION → BAPTÊME

CHRISME
Voir illus. **Croix**

CHRIST → VERBE

CHRIST Agneau de Dieu, Fils de Dieu, Jésus, Messie, Sauveur, Seigneur

CHRISTIANIA → VIRAGE

CHRISTIANISER → ENSEIGNER

CHRISTIANISME → CHRÉTIEN
Voir tab. **Histoire (grandes périodes)**
Voir tab. **Religions et courants religieux**

CHRISTOLOGIE → THÉOLOGIE

CHROMATE DE PLOMB → TEINTURE

CHROMATINE → NOYAU
Voir illus. **Cellules**

CHROMATIQUE → TON
Voir tab. **Musique (vocabulaire de la)**

CHROMATISME → COULEUR

CHROME → CARROSSERIE
Voir tab. **Éléments chimiques (symbole des)**

CHROMITE → CÉRAMIQUE

CHROMOGÈNE → PIGMENT

CHROMOLITHOGRAPHIE → AFFICHE

CHROMOSOME → GÈNE, HÉRÉDITÉ

CHROMOSOME ADN, allosome, autosome, bâtonnet, caryocinèse, caryotype, crossing-over, diploïde, euchromosome, gonosome, hétérochromosome, mitose, trisomie

CHROMOSPHÈRE
Voir illus. **Soleil**

CHROMOTYPOGRAPHIE → TYPOGRAPHIE

CHRONIQUE → AFFECTION, ARTICLE, BILLET, CORRESPONDANCE, DOCUMENT, FEUILLETON, PAPIER, RÉCIT, RECUEIL, RUBRIQUE, TENACE
Voir tab. **Bible**
Voir tab. **Livres**

CHRONIQUE annales, article, carnet, échos, Mémoires, Paralipomènes, récit

CHRONIQUEUR → ARCHIVES, JOURNALISTE, JOURNALISTE, RÉDACTEUR

CHRONOGRAPHE → INSTRUMENT

CHRONOLOGIE → ANTÉRIORITÉ, DATE, HISTOIRE, PASSÉ (1), TEMPS
Voir tab. **Sciences : termes en -ologie et -ographie**

CHRONOLOGIE anachronisme, annales, calendrier, éphéméride, fastes, hégire, histoire, parachronisme

CHRONOMÈTRE
Voir tab. **Instruments de mesure**

CHRONOMÉTRIE → TEMPS

CHRONOPHOTOGRAPHE → CINÉMA

CHRYSALIDE → CHENILLE, NYMPH, PAPILLON, SOIE

CHRYSANTHÈME → POMPON

CHRYSÉLÉPHANTINE → IVOIRE, OR, SCULPTURE

CHRYSOBÉRYL
Voir tab. **Pierres précieuses et semi-précieuses**

CHRYSOCALE → ÉTAIN, OR, ZINC

CHRYSOPÉE → ALCHIMIE

CHRYSOPRASE → VERT (2)
Voir tab. **Pierres précieuses et semi-précieuses**

CH'TIMI
Voir tab. **Argot et langages populaires**

CHU → HÔPITAL

CHU (CENTRE HOSPITALIER UNIVERSITAIRE) → UNIVERSITÉ

CHUCHOTEMENT → BRUISSEMENT

CHUCHOTER → BAS (2), DIRE, MURMURER, PARLER, SOUFFLER

CHUCHOTER bruire, marmonner, murmurer, souffler, susurrer

CHUINTANTE
Voir tab. **Bruits**

CHUINTEMENT → BRUISSEMENT, CHOUETTE
Voir tab. **Bruits**

CHUT → SILENCE
Voir tab. **Bruits**

CHUTE → CASCADE, CONCLUSION, COURBE (1), CRÉPUSCULE, DÉCHÉANCE, ÉCROULEMENT, FIN (1), PERLE, RAFRAÎCHISSEMENT, RÉVEIL, RUINE, SAUT, ZODIAQUE

CHUTE alopécie, avalanche, avilissement, brune, bûche, cabriole, calvitie, capitulation, copeau, crépuscule, culbute, débris, décadence, déchéance, déchet, déclin, défoliation, éboulement, effondrement, exfoliation, glissade, krach, péché originel, pelade, pesanteur, reddition, résidu, scorie, teigne

CHUTER
Voir tab. **Belote**
Voir tab. **Bridge**
Voir tab. **Tarot**

CHUTEUR → PARACHUTE

CHYLE → DIGESTION, INTESTIN (1), LIQUIDE

CHYLIFÈRE → VAISSEAU

CHYME → BOUILLIE

CHYPRE → PARFUM

CIA (ÉTATS-UNIS) → SERVICE

CI-APRÈS → BAS (2)

CIBLAGE → CONCURRENCE

CIBLE → BUT, DESTINATAIRE, OBJECTIF (1), PUBLIC (1)

CIBLE ball-trap, but, carton, cochonnet, figurine, mouche, objectif, papegai, pipe, point de mire, quintaine, terme, visée

CIBOIRE → COMMUNION, HOSTIE, LITURGIE, VASE

CIBOULETTE → HERBE
Voir tab. **Herbes, épices et aromates**

CICATRICE → BALAFRE, MARQUE, PLAIE, TRACE
Voir tab. **Œuf**

CICATRICE balafre, chéloïde, couture, entaille, estafilade, nombril, scarification, stigmates, trace

CICATRICULE → GERME

CICATRISATION adoucissement, apaisement, consolation, disparition, fermeture, guérison, réparation, soulagement

CICATRISER → CONSOLER, FERMER

CICÉRONE → GUIDE, TOURISTE

CICLOSPORINE → REJET

CICONIIFORMES
Voir tab. **Oiseaux (classification simplifiée des)**

CICUTINE → CALMANT, POISON

CI-DESSOUS → BAS (2)

CIDRE → NORMAND, POMME
Voir tab. **Alcools et eaux-de-vie**

CIDRE acescent, amer, bolée, bouillaison, broyage, calvados, casse, cidricole, fèces, framboisé, gouleyant, gras, halbi, lavage, lie, marc, poiré, pressoir, pressurage, remiage

CIDRICOLE → CIDRE

CIEL → LIT, PARADIS, PLAFOND
Voir tab. **Couleurs**

CIEL azur, baldaquin, céleste, céruléen, dais, empyrée, éther, étoile, firmament, Lune, mourir, nuage, nue, paradis, Soleil, voûte étoilée

CIERGE → BOUGIE, CHANDELLE

CIERGE bougie, candélabre, chandelier, chandelle, éteignoir, herse, luminaire, rouloir, souche, torchère

CIGALE → INSECTE

CIGARE cape, cigarière, cigarillo, havane, ninas, panatela, poupée, robe, sous-cape, trabuco, tripe, voltigeur

CIGARIÈRE → CIGARE

CIGARILLO → CIGARE

CIGOGNAT
Voir tab. **Animaux (termes propres aux)**

CIGOGNE
Voir tab. **Animaux (termes propres aux)**
Voir tab. **Oiseaux (classification simplifiée des)**

CIGOGNEAU
Voir tab. **Animaux (termes propres aux)**

CIGONIEN
Voir tab. **Animaux (termes propres aux)**

CIGONNEAU
Voir tab. **Animaux (termes propres aux)**

CI-JOINT → INCLUS

CILICE → CEINTURE, CHEMISE, CRIN, PÉNITENCE

CILLEMENT → BATTEMENT

CILLER → BOUGER, BRONCHER

CIMAISE → MOULURE
Voir illus. **Intérieur de maison**
Voir tab. **Architecture**

CIMBRES → BARBARE

CIME → ARBRE, CRÊTE, CULMINANT, EXTRÉMITÉ, HAUT (1), MONTAGNE, POINTE, SOMMET
Voir illus. **Arbre**

CIMENT → COLLE, DURCIR, MATÉRIAU
Voir tab. **Minéraux et utilisations**

CIMENT barbotine, béton, crépi, fibrociment, gâchis, gunite, portland

CIMENTER → BÉTONNER, CONSOLIDER

CIMENTER affermir, consolider, sceller

CIMETERRE → SABRE, TURC
Voir illus. **Épées**

CIMETIÈRE → ENTERRER, REPOS

CIMETIÈRE catacombe, caveau, charnier, columbarium, concession, crématorium, crypte, fosse, hypogée, nécropole, ossuaire, profanateur, sépulture, tombe, violateur

CIMIER → CASQUE, ÉCU
Voir illus. **Héraldique**

CINABRE → MERCURE
Voir tab. **Couleurs**

CINCLE
Voir tab. **Oiseaux (classification simplifiée des)**

CINÉMA → SPECTACLE
Voir tab. **Prix cinématographiques**

CINÉMA caissier, caméra-stylo, casting, césar, chronophotographe, cinémascope, cinéphile, cinérama, comparse, exploitant, figurant, fusil photographique, kinétoscope, lanterne magique, lion, oscar, ours, ouvreuse, palme, phénakistiscope, praxinoscope, projectionniste, stroboscope, vidiréal, vigile, zootrope

CINÉMASCOPE → CINÉMA

CINÉMATHÈQUE → CENTRE, FILM

CINÉMATIQUE → MÉCANIQUE (1), MOUVEMENT

CINÉPHILE → ADEPTE, CINÉMA

CINÉRAIRE → URNE

CINÉRAMA → CINÉMA

CINÉRITE → CENDRE, DÉPÔT
Voir tab. **Roches et minerais**

CINÉ-ROMAN → FILM

CINGLANT → ÂCRE, CASSANT, SÉVÈRE

CINGLE → DIRIGER, FLEUVE

CINGLER → BAGUETTE, GIFLER, VOILE

CINNAMOME → PARFUM

CINO-DEL-DUCA (PRIX)
Voir tab. **Prix littéraires**

CINOSTERNON → TORTUE

CINQ continent, doigt, pentagone, pentamètre, quinquennal, quinte, quintette, quintuple, sens

CINQ PILIERS DE L'ISLAM
Voir tab. **Islam (vocabulaire de l')**

CINQUANTE
Voir tab. **Belote**

CINTRAGE → BÉTON, GALBE

CINTRE → PENDERIE, PENDRE, VOÛTE
Voir illus. **Sièges**

CINTRE arceau, cerceau, portemanteau, valet de nuit

CINTRER → CAMBRER, COURBER, PLIER, TORDRE

CIOTADENS
Voir tab. **Habitants (comment se nomment les)**

CIOTAT (LA)
Voir tab. **Habitants (comment se nomment les)**

CIPAYE → HINDOU, SOLDAT

CIPOLIN → MARBRE

CIPPE → COLONNE, FUNÈBRE, FUNÉRAIRE, INSCRIPTION

CIRAGE → CIRE

CIRCAÈTE → AIGLE

CIRCÉ → MAGICIENNE

CIRCINÉ
Voir tab. **Forme de... (en)**

CIRCONCISION → JUIF (2), MUSULMAN (1), PRÉPUCE
Voir tab. **Islam (vocabulaire de l')**

CIRCONFÉRENCE → CERCLE

CIRCONFÉRENCE arc, diamètre, pi (3,14), pourtour, quadrant, rayon, sécante, tangente, tour

CIRCONFLEXE → ACCENT

CIRCONLOCUTION → PARLER, PÉRIPHRASE, PRÉCAUTION

CIRCONSCRIPTION → DÉPARTEMENT, DIVISION, RÉGION, TERRITOIRE

CIRCONSCRIRE → ARRÊTER, BORNER, DÉFINIR, ÉTEINDRE, LIMITER, LOCALISER, MAÎTRISER, MARQUER, TRACER

CIRCONSCRIT → PRÉCIS

CIRCONSPECT → BAVARD, GRAVE, MÉFIANT, PRÉVOYANT, PRUDENT, SOUPÇONNEUX, SOURNOIS

CIRCONSPECTION → ADRESSE, DIPLOMATIE, DISCERNEMENT, MALADROIT, MATURITÉ, MESURE, MODÉRATION, PRÉCAUTION, PRUDENCE, RÉSERVE, SAGESSE

CIRCONSTANCE → CAS, COÏNCIDENCE, CONDITION, CONJONCTURE, EXCUSE, FAIT, FOIS, INCIDENT (1), MODALITÉ, MOMENT, OCCASION, POSITION, RENCONTRE, SAISON, SITUATION

CIRCONSTANCE coïncidence, condition, conjoncture, hasard, moment, occasion, situation

CIRCONSTANCIÉ → PRÉCIS

CIRCONVALLATION → SIÈGE, TRANCHÉE

CIRCONVOISIN → VOISIN

CIRCUIT → CANAL, CIRCULAIRE, ITINÉRAIRE (1), PÉRIPLE, PISTE, TRAJET
Voir tab. **Électricité**

CIRCUIT condensateur, étape, évincé, exclu, fermé, générateur, itinéraire, parcours, périple, randonnée, récepteur, replié sur soi, résistance, tour, trajet, transistor, voyage

CIRCULAIRE → AVIS, INSTRUCTION, LETTRE, ROND (2), TOURNANT (2)

CIRCULAIRE arène, ceinture, circuit, cirque, coupole, cyclique, giratoire, intermittent, périphérique, rotatoire, rotonde

CIRCULATION → ÉCHANGE, MOUVEMENT, PASSAGE, ROULEMENT, TRAFIC, URBANISME

CIRCULATION angiologie, commercialiser, cours (ayant), débit, diffuser, échange, écoulement, import-export, lancer, mouvement, passage, promouvoir, trafic, transaction

CIRCULATION (METTRE EN) → ÉMETTRE

CIRCULATION SANGUINE → IRRIGATION

CIRCULER → COURIR, DÉPLACER (SE), RÉPANDRE (SE)

CIRCUMDUCTION → ROTATION

CIRCUMNAVIGATION → EXPLORATION, TOUR, VOYAGE

CIRCUMPOLAIRE → PÔLE

CIRE → OISEAU, PARQUET

CIRE bobèche, cérat, céroplastie, cérumen, cirage, démieller, encaustique, gaufre, incération, marquette, myrica, rayon

CIRÉ → IMPERMÉABLE (1), MANTEAU, VÊTEMENT
Voir tab. **Manteaux**

CIRER → FAIRE, LUSTRER, NETTOYER

CIRER encaustiquer, flatter

CIREUX → JAUNE, LIVIDE, MINÉRAL (1), PÂLE
Voir tab. **Couleurs**

CIRQUE → CHAR, CIRCULAIRE, DÉPRESSION, ENFANT, SPECTACLE, SPORTIF (2)

CIRQUE acrobate, amphithéâtre, arène, banquiste, carrière, chapiteau, clown, combat de gladiateurs, dompteur, écuyer, fauverie, forain, gradin, hippodrome, illusionniste, ménagerie, naumachie, piste, trapéziste, vomitoire

CIRQUE GLACIAIRE → MONTAGNE
Voir illus. **Glacier**

CIRRE → ATTACHE

CIRRHOSE → ALCOOLISME, FOIE

CIRROCUMULUS
Voir illus. **Nuages**

CIRROSTRATUS
Voir illus. **Nuages**

CIRRUS → NUAGE
Voir illus. **Nuages**

CISAILLE → DÉCOUPER, PINCE
Voir tab. **Jardinage**

CISAILLE cisoires, cueilloir, sécateur, taille-haie

CISEAU → BRIQUE, BURIN, DÉCOUPER, GRAVER, POINÇON, POINTE, RONDELLE

CISEAU anneau, bédane, biseau, branche, burin, buriner, chanfrein, ciseler, ciselet, cisoir, collet, ébauchoir, embase, entablure, forces, gouge, gradine, graver, hougnette, lame, manche, matoir, mouchette, ovoir, poinçon, pointe, riflard, toreutique, tranchant

CISEAUX → TAILLEUR, VENDANGE
Voir illus. **Cheveux (coupes de)**
Voir tab. **Superstitions**

CISELER → CISEAU, GRAVER, RAFFINER, SCULPTER, SOIGNER, TRAVAILLER

CISELER fignoler, parfaire, perfectionner, polir, sculpter, soigner

CISELET → CISEAU

CISELEUR → SCULPTURE

CISELURE → FINITION

CISOIR → CISEAU

CISOIRES → CISAILLE

CISTE → CORBEILLE, MAQUIS, PANIER

CISTRE → LUTH
Voir tab. **Instruments de musique**

CISTUDE → TORTUE

CITADELLE → BASTION, FORT (1), PLACE

CITADELLE bastide, casbah, casemate, forteresse, fortin, krak, ksar, oppidum, propylée, vallum

CITADIN → HABITANT, URBAIN, VILLE

CITATION → CONVOCATION, EXEMPLE, FRAGMENT, INSCRIPTION, PARTIE, PHRASE, RÉCOMPENSE, SOMMATION
Voir tab. **Droit (termes de)**

CITATION adage, apophtegme, deux-points, extrait, guillemets, maxime, mot, passage, proverbe, sentence

CITÉ → CENTRE, QUARTIER, RÉPUBLIQUE, VILLE
Voir tab. **Histoire (grandes périodes)**

CÎTEAUX
Voir illus. **Fromages**

CITER → ACCUSER, APPELER, ASSIGNER, DÉCORER, ÉTAT, FIGURER, INDIQUER, JUSTICE, MENTION, SIGNALER, TRADUIRE

CITER ajourner, alléguer, appeler, assigner, consigner, convoquer, évoquer, indiquer, invoquer, mentionner, rappeler, rapporter, relater, signaler, traduire

CITERNE → RÉSERVOIR

CITHARE → CORDE, PLECTRE
Voir tab. **Instruments de musique**

CITIZEN BAND (CB) → MESSAGE

CITOYEN → HABITANT, RÉPUBLICAIN, USAGER

CITOYEN assimilation, citoyenneté, civique, immigration, intégration, Louis-Philippe, médiateur, ombudsman, recensement, ressortissant

CITOYEN LAMBDA → PERSONNE

CITOYENNETÉ → CITOYEN

CITOYENNETÉ naturaliser

CITRATE → MAGNÉSIUM

CITRIN → CITRON
Voir tab. **Couleurs**

CITRINE → QUARTZ
Voir tab. **Pierres précieuses et semi-précieuses**

CITRIQUE (ACIDE)
Voir tab. **Acides**

CITRON → JAUNE
Voir tab. **Couleurs**

CITRON agrumes, citrin, citronnade, citronnelle, citronnier, citrus, daiquiri, épreindre, lime, limon, poncire, rouelle, tailladin, zeste

CITRONNADE → CITRON

CITRONNELLE → CITRON, ZESTE

CITRONNIER → CITRON

CITRONNIER DE CEYLAN
Voir tab. **Ébénisterie (essences utilisées en)**

CITROUILLAT
Voir tab. **Plats régionaux**

CITRUS → AGRUME, CITRON

CIVADIÈRE → CARRÉ (2)

CIVELLE → ANGUILLE

CIVET → RAGOÛT, SAUCE, VIANDE

CIVETTE → PARFUM

CIVIÈRE → LITIÈRE

CIVIL → COURTOIS, DROIT (1), INTESTIN (2), MAJORITÉ, PATERNITÉ

CIVIL civique, intestin, laïque, républicain

CIVILISATION → CULTURE, PASSÉ (1), PEUPLE

CIVILISATION culture, culturel, économique, ère, esthétique, évolution, politique, progrès, religieux, scientifique, social, société

CIVILISÉ → SAUVAGE

CIVILISER → CORRIGER

CIVILISER (SE) → SOCIABLE

CIVILITÉ → AFFABILITÉ, AMABILITÉ, DEVOIR, GALANTERIE, POLITESSE, RELATION, RESPECT, SALUER, TACT, URBANITÉ

CIVILITÉ bienséance, bonnes manières, compliment, courtoisie, politesse, salut, savoir-vivre

CIVIQUE → CITOYEN, CIVIL

CIVISME → ZÈLE

CL
Voir tab. **Éléments chimiques (symbole des)**

CLABAUD → ABOYER

CLABAUDAGE → BAVARDAGE

CLABAUDER → BAVARDER, CRIER, MÉDIRE, PROTESTER
Voir tab. **Animaux (termes propres aux)**

CLADE → ZOOLOGIE

CLADISME → CLASSIFICATION

CLAFOUTIS → GÂTEAU, TARTE
Voir tab. **Gâteaux régionaux et étrangers**

CLAIE → CLÔTURE, TREILLIS

CLAIR → ACCESSIBLE, CAISSE, COMPRÉHENSIBLE, DÉGAGÉ, ÉVIDENT, FACILE, FLUIDE (2), FORMEL, FRANC (2), LIMPIDE, LIMPIDE, LUMINEUX, NET, ŒUF, PÂLE, PALPABLE, PRÉCIS, PROPRE (2), PUR, RIGOUREUX, SEREIN, SIMPLE, TENDRE (2), TRANSPARENT, USURE, VISIBLE

CLAIR accessible, ambiguïté (sans), argentin, avisé, calme, catégorique, certain, clairet, clairvoyant, clarifier, compréhensible, cristallin, dégagé, démêler, diaphane, distinct, élucider, ensoleillé, équivoque (sans), évident, explicite, expliquer, fin, haute, innocent, intelligent, intelligible, limpide, lucide, lumineux, net, paillet, pastel, pénétrant, perspicace, pur, sagace, sans malice, serein, sincère, sûr, tranquille, translucide, transparent

CLAIR-OBSCUR → CONTRASTE, LUMIÈRE, OMBRE, PÉNOMBRE
Voir tab. **Peinture et décoration**

CLAIRE → PARC

CLAIREMENT → ÉQUIVOQUE (1), FRANCHEMENT

CLAIREMENT catégoriquement, crûment, distinctement, franchement, intelligemment, intelligiblement, librement, nettement, ouvertement, précisément, sincèrement

CLAIRET → CLAIR

CLAIRETTE → MOUSSEUX

CLAIRE-VOIE → CLÔTURE

CLAIRIÈRE → BOIS, FORÊT, TOILE, TROUÉE

CLAIRON → TROMPETTE
Voir tab. **Instruments de musique**

CLAIRONNANT → BRUYANT, FORT (2)
Voir tab. **Bruits**

CLAIRURE → TOILE

CLAIRVOYANCE → COMPRÉHENSION, FINESSE, INTELLIGENCE, JUGEMENT, NET, NEZ, VISION

CLAIRVOYANT → CLAIR, CONSEIL, INTUITION, LUCIDE, PÉNÉTRANT, PERÇANT, PERSPICACE

CLAIRVOYANT fin, lucide, perspicace, sagace

CLAMER → CRIER, HURLER, PROCLAMER, PROTESTER

CLAMEUR → BRUIT, CONCERT, CRI, OVATION, RÉCLAMATION
Voir tab. **Bruits**

CLAMP → PINCE
Voir tab. **Chirurgie (vocabulaire de la)**
Voir tab. **Instruments médicaux**

CLAN → BANDE, CAMP, CASTE, CHAPELLE, COMMUNAUTÉ, DIVISION, ÉCOLE, FAMILLE, INTÉRÊT, RÉUNION, TRIBU
Voir tab. **Tissus**

CLAN camp, caste, coterie, endogamie, exogamie, groupe, parti, phratrie, tribu

CLANDÉ
Voir tab. **Prostitution**

CLANDESTIN → CONTREBANDE, FRONTIÈRE, MARCHÉ, NOIR (1), PIRATE (2), SECRET (2), SOURD, SOURNOIS, SOUTERRAIN (2)

CLANDESTIN adultère, cabale, complot, conjuration, conspiration, illicite, incognito, infidélité, interlope, occulte, pirate, prohibé, secret, subreptice

CLANDESTINEMENT → MANTEAU

CLAP-CLAP
Voir tab. **Bruits**

CLAPET → BOUCHON, SOUPAPE

CLAPETTE
Voir tab. **Chasse (vocabulaire de la)**

CLAPIER → CAGE, FERME (1), LAPIN
Voir tab. **Animaux (termes propres aux)**

CLAPIR
Voir tab. **Animaux (termes propres aux)**

CLAPIR (SE) → LAPIN

CLAPOTAGE → BRUIT

CLAPOTEMENT → BRUIT
Voir tab. **Bruits**

CLAPOTIS → BRUIT, VAGUE (1)
Voir tab. **Bruits**

CLAPPEMENT
Voir tab. **Bruits**

CLAQUAGE → FARINE, MUSCLE

CLAQUE → ACCLAMER, CHAPEAU, CHAUSSURE, CONTACT, COUP, GIFLE, THÉÂTRE
Voir illus. **Chaussures**

CLAQUE assez, baffe, fessée, gifle, marre, ras-le-bol, soufflet, taloche, tape, tarte

CLAQUEMENT

Voir tab. **Bruits**

CLAQUER → CREVER, CROQUER, DÉPENSER, DILAPIDER

CLAQUER dépenser, épuiser, éreinter, fatiguer, flamber, gaspiller, grelotter, trembler, tuer

CLAQUER DES DENTS → TREMBLER

CLAQUETER
Voir tab. **Animaux (termes propres aux)**

CLAQUETTE → CHAUSSURE, QUARTIER
Voir illus. **Chaussures**

CLARIFIER → CLAIR, DÉBROUILLER, ÉLUCIDER, ÉPURER, FILTRER, SAUCE

CLARINE → BÉTAIL, CLOCHETTE

CLARINETTE
Voir illus. **Orchestre**
Voir tab. **Instruments de musique**

CLARINETTE BASSE → BASSET

CLARTÉ → FACILITÉ, FLAMME, JUSTESSE, LUMIÈRE, PURETÉ

CLARTÉ brumeux, crépusculaire, demi-jour, éblouissement, embrasement, lueur, nébuleux, nitescence, obscur, sombre

CLASH → CONFLIT, DÉSACCORD, RUPTURE

CLASSE → CALIBRE, CARRURE, CATÉGORIE, CHIC, DISTINCTION, DIVISION, ÉLÉGANCE, ESPÈCE, INSTITUTEUR, LEÇON, VALEUR, VARIÉTÉ, ZOOLOGIE

CLASSE allure, catégorie, chic, chien, distinction, élégance, espèce, genre, groupe, milieu, prestance, sorte, type

CLASSE OUVRIÈRE → BOURGEOIS (2)

CLASSEMENT → DISTRIBUTION

CLASSEMENT archivage, chemise, classeur, classification, dossier, nomenclature, note, ordre, place, rang, rangement, résultat, score, semainier, taxinomie, trieur, typologie

CLASSEMENT À L'INVENTAIRE → SITE

CLASSER → GROUPER, ORDONNER, PLACER, RANGER, RÉPARTIR, SÉRIE, SITUER, TRIER

CLASSER archive, branche, cataloguer, catégorie, différencier, espèce, étiqueter, famille, genre, groupe, juger, ordonner, organiser, ranger, répartir, répertorier, sérier, trier

CLASSEUR → BUREAU, CLASSEMENT, DOCUMENT, RÉPERTOIRE

CLASSICISME → LITTÉRAIRE

CLASSIFICATION → CLASSEMENT, CRITÈRE, HIÉRARCHIE

CLASSIFICATION archivistique, cladisme, nosologie, taxinomie, typologie

CLASSIFIER → SÉRIE

CLASSIQUE → ARMEMENT, CONSACRÉ, CONVENTIONNEL, HABITUEL, ORDINAIRE, SOBRE, STANDARD (1), TRADITIONNEL, USAGE

CLASSIQUE ancien, banal, commun, conformiste, conventionnel, courant, dépouillé, élégant, habituel, morte, ordinaire, sobre, traditionnel

CLASTIQUE → ARTIFICIEL

CLAUDE-LE-HEURTEUR (PRIX)
Voir tab. **Prix littéraires**

CLAUDICANT → BANCAL

CLAUDIQUER → BOITER, MARCHER

CLAUSE → ARTICLE, CONDITION

CLAUSE avenant, condition, disposition, mention, réserve, stipulation

CLAUSTRA → PAROI

CLAUSTRAL → CLOÎTRE, RELIGIEUX (2)

CLAUSTRATION → ISOLEMENT

CLAUSTRÉ → VASE

CLAUSTRER → EMPRISONNER, GARDER, MURER, MUTISME

CLAUSTROPHOBIE → ENFERMER
Voir tab. **Phobies**
Voir tab. **Psychiatrie**

CLAVAIRE CORALLOÏDE → BARBE

CLAVEAU → VOÛTE

CLAVECIN → CLAVIER, CORDE, PIANO
Voir tab. **Instruments de musique**

CLAVER
Voir tab. **Pêche**

CLAVES
Voir illus. **Percussions**
Voir tab. **Instruments de musique**

CLAVETTE → CHEVILLE

CLAVICORDE → PIANO
Voir tab. **Instruments de musique**

CLAVICULE → ÉPAULE, OMOPLATE
Voir illus. **Muscles**
Voir illus. **Squelette**

CLAVIER → INFORMATIQUE, MACHINE, PIANO
Voir illus. **Piano**
Voir tab. **Instruments de musique**

CLAVIER accordéon, AZERTY, célesta, clavecin, claviste, harmonium, orgue, pavé numérique, piano, QWERTY, QWERZ, synthétiseur

CLAVIFORME
Voir tab. **Champignon**

CLAVINET
Voir tab. **Instruments de musique**

CLAVISTE → CLAVIER

CLAYÈRE → HUÎTRE

CLAYETTE → TREILLIS

CLAYMORE → ÉPÉE
Voir illus. **Épées**

CLAYON → ÉGOUTTOIR, TREILLIS

CLAYONNAGE → BRANCHE, PIEU

CLAYONNER → GARNIR

CLÉBARD → CHIEN

CLEF → CODE, IMPORTANT, JUDO, MAÎTRE (2), PARTITION, PORTÉE, SECRET (1), SOLUTION
Voir illus. **Arcs**
Voir illus. **Symboles musicaux**
Voir tab. **Architecture**

CLEF explication, index, outil, panneton, passe-partout, remontoir, rossignol, solution

CLEF À BOUGIES → BOUGIE

CLEF DE VOÛTE → BASE, CAPITAL (2)
Voir tab. **Architecture**

CLEFS DE SAINT PIERRE → PAPE

CLÉMENCE → BIENVEILLANCE, BONTÉ, HUMANITÉ, INDULGENCE, MISÉRICORDE, PITIÉ

CLÉMENCE bienveillance, douceur, générosité, humanité, magnanimité, mansuétude, tiédeur

CLÉMENT → BON (1), GÉNÉREUX, INDULGENT, PARDONNER

CLÉMENTINE → HYBRIDE

CLENCHE → BOUTON, POIGNÉE, SERRURE

CLEPSYDRE → HORLOGE, TEMPS

CLERC → COPIER, DIACRE, NOTAIRE, PORTIER, RELIGIEUX (1), SAVANT
Voir tab. **Clergé catholique (vocabulaire du)**

CLERC bévue, clergé, erreur, faute, gaffe, impair, intellectuel, lettré, maladresse, savant

CLERGÉ → CLERC, ÉGLISE, ÉTAT, ORDRE

CLERGÉ abbé, anticlérical, archevêque, clérical, curé, diacre, ecclésiastique, évêque, laïque, libre-penseur, moine, prêtre, régulier, religieux, séculariser, vicaire

CLERGÉ RÉGULIER
Voir tab. **Clergé catholique (vocabulaire du)**

CLERGÉ SÉCULIER
Voir tab. **Clergé catholique (vocabulaire du)**

CLÉRICAL → CLERGÉ

CLERMONT-FERRAND
Voir tab. **Habitants (comment se nomment les)**

CLERMONTOIS
Voir tab. **Habitants (comment se nomment les)**

CLÉROUQUE → COLONISATEUR

CLIC-CLAC → LIT
Voir illus. **Sièges**

CLICHAGE → EMPREINTE

CLICHÉ → BANALITÉ, COMMUN, FAIT, FORMULE, IMAGE, INSTANTANÉ (1), LIEU, NÉGATIF, PHRASE, PLATITUDE, TIRAGE

CLICHÉ banalité, cardiogramme, échograhie, encéphalogramme, épreuve, galvanotype, image, lieu commun, négatif, photographie, photopolymère, polycopie, poncif, radiographie, stéréotype, tirage

CLICHEMENT → DÉFAUT

CLICHER → COULER

CLICHEUR → IMPRIMERIE

CLICK
Voir tab. **Bruits**

CLIENT → ACHETEUR, CONSOMMATEUR, PATIENT (1)
Voir tab. **Internet**
Voir tab. **Prostitution**

CLIENT abonné, accusé, acheteur, acquéreur, chaland, consommateur, consultant, habitué, lecteur, passager, patient, plaignant, spectateur, usager

CLIENTÈLE → ACHETEUR, BOUTIQUE

CLIGNEMENT → BATTEMENT

CLIGNEMENT clin d'œil, œillade

CLIGNER → PLISSER, REGARDER

CLIGNOTANT → FEU, INTERMITTENT (2)

CLIGNOTE → VACILLER

CLIMAT → AMBIANCE, CONDITION
Voir illus. **Climats du monde**

CLIMAT climatologie, climatothérapie, continental, équatorial, méditerranéen, microclimat, tempéré, tropical

CLIMATÈRE → ÂGE

CLIMATISATION → AIR, CONDITIONNEMENT

CLIMATISER → CONDITIONNER

CLIMATISEUR → RAFRAÎCHIR

CLIMATOLOGIE → CLIMAT, MÉTÉOROLOGIE

CLIMATOTHÉRAPIE → CLIMAT

CLIMAX → CULMINANT, HAUT (2), PÉRIODE

CLIN D'ŒIL → APPEL, CLIGNEMENT, COMPLICITÉ, INSTANT, ŒIL

CLINCH → BOXE

CLINFOC → VOILE

CLINICIEN → MÉDECIN

CLINIQUE → HÔPITAL, INVESTIGATION

CLINOMÈTRE → INCLINAISON, NIVEAU
Voir tab. **Instruments de mesure**

CLINOPHOBIE
Voir tab. **Phobies**

CLINQUANT → AGRESSIF, VERNIS, VOYANT (2)

CLIO → HISTOIRE
Voir tab. **Muses**

CLIP → BOUCLE, CHANSON, PUBLICITAIRE
Voir tab. **Chirurgie (vocabulaire de la)**

CLIPPER → VOILIER

CLIPSER → EMBOÎTER

CLIQUART → COUCHE, PIERRE

CLIQUE → BANDE, FANFARE, RÉUNION

CLIQUER → PRESSER

CLIQUÈTEMENT → BRUIT
Voir tab. **Bruits**

CLIQUETIS → BRUIT, CHOC
Voir tab. **Bruits**

CLISSE → ÉGOUTTOIR, TREILLIS, VANNERIE

CLITORIDECTOMIE → SEXUEL

CLITORIS
Voir illus. **Génitaux (appareils)**

CLIVAGE → MINÉRAL (1), SÉPARATION
Voir tab. **Chirurgie (vocabulaire de la)**

CLIVER → COUCHE, DIAMANT, DIVISER (SE), FENDRE

CLOAQUE → CROUPIR, ÉGOUT, MALSAIN, OISEAU, SALETÉ

CLOAQUE bourbier, dépotoir, égout, sentine

CLOCHARD → LOGEMENT, MARGINAL, MENDIANT (1), VAGABOND (1)

CLOCHARD clodo, marginal, mendiant, SDF, vagabond

CLOCHE → COMMUNE, PERCUSSION, RIDICULE, SIGNAL, SONNETTE
Voir illus. **Modes et styles**
Voir illus. **Percussions**
Voir tab. **Forme de... (en)**
Voir tab. **Instruments de musique**
Voir tab. **Papier (formats de)**

CLOCHE angélus, battant, beffroi, bourdon, campanile, carillon, clocher, glas, tocsin

CLOCHER → BOITER, CLOCHE, MARCHER, PAROISSE, TOUR

CLOCHER abat-son, beffroi, campanile, clocheton, Quasimodo, tour

CLOCHETON → CLOCHER

CLOCHETTE → JACINTHE

CLOCHETTE bélière, campane, campanule, clarine, grelot, jacinthe, muguet, perce-neige, sonnaille, sonnette, tintinnabuler

CLODO → CLOCHARD

CLODOALDIENS
Voir tab. **Habitants (comment se nomment les)**

CLOISON → MENUISERIE, MUR, NASAL, PAN, PAROI

CLOISONNÉ → ÉMAIL

CLOISONNEMENT → SÉPARATION

CLOÎTRE → CONFINER, COUR, MAISON, MOINE, MONASTÈRE

CLOÎTRE claustral

CLOÎTRÉ → VASE

CLOÎTRER → ENFERMER, ENTERRER, MURER

CLONAGE → REPRODUCTION

CLONE → RÉPLIQUE

CLONIE → CONVULSION

CLONIQUE → CONVULSION

CLONUS → CONTRACTION

CLOPINER → BOITER, MARCHER

CLOQUE → AMPOULE, BOUTON, BRÛLURE, BULLE, PEAU

CLOQUE ampoule, boursouflure, bulle, phlyctène, sérosité, vésicule

CLORE → CONCLURE, FERMER, LEVER, TERMINER

CLORE arrêter, cesser, clôturer, conclure, fermer, finir, lever, mettre un terme, solder, terminer

CLOS → ENCLOS, JARDIN, JOINT (2), VIGNE, VIGNOBLE

CLOSERIE → JARDIN

CLOTAIRE
Voir tab. **Rois et chefs d'État de la France**

CLÔTURE → CONTOUR, ENCLOS, FIN (1), PALISSADE, POTEAU

CLÔTURE balustre, barbelés, bouchot, cancel, claie, claire-voie, échalier, grillage, haie, jubé, palissade, treillis

CLÔTURER → CLORE, ENTOURER, FERMER, SOLDER

CLOU → DOSSIER, FEU D'ARTIFICE, FIXATION, MONT, PNEU

CLOU bossette, broquette, caboche, cabochon, cavalier, crampillon, crampon, crochet, goujon, piton, pointe, semence

CLOUAGE
Voir tab. **Échecs**

CLOUER → CONFINER, FICHER, RETENIR

CLOUER accrocher, assembler, fixer, méduser, paralyser, pétrifier, sidérer, suspendre

CLOUTAGE
Voir illus. **Sièges**

CLOVIS
Voir tab. **Rois et chefs d'État de la France**

CLOWN → AMUSANT, CIRQUE, COMÉDIEN, COMIQUE, DIVERTIR, FORAIN, ZOUAVE

CLOWN auguste, clown blanc, gugusse, guignol, pitre

CLOWN BLANC → CLOWN

CLOWNERIE → SINGE

CLOYÈRE → HUÎTRE, PANIER

CLUB → AMICALE, CANNE, CHAPELLE, COMMUNAUTÉ, COMPAGNIE, CRAVATE, FAUTEUIL, FÉDÉRATION, FER, GOLF, GROUPE, LOCAL, RÉUNION, SOCIÉTÉ
Voir illus. **Nœuds et cravates**
Voir illus. **Sièges**

CLUB association, cercle, division, fédération

CLUBISTE → VACANCE

CLUNY → DENTELLE

CLUPÉIDÉS → HARENG, SARDINE

CLUPÉIFORMES → HARENG

CLUSE → BRÈCHE, DÉFILÉ, FLEUVE, VALLÉE

CLYPEUS → BOUCLIER

CM
Voir tab. **Éléments chimiques (symbole des)**

CNÉMIDE → JAMBE

CNIDAIRES
Voir tab. **Animaux (classification simplifiée des)**

CNRS (CENTRE NATIONAL DE LA RECHERCHE SCIENTIFIQUE) → RECHERCHE

CO
Voir tab. **Éléments chimiques (symbole des)**

CO$_2$ → DIOXYDE

COACH → BOXEUR

COACH conseil, entraîneur, moniteur

COADJUTEUR → PRÊTRE

COAGULATION → LIQUIDE

COAGULER → CAILLER, SAIGNEMENT, SOLIDE

COALESCENCE → CONTRACTION

COALISER → CONJUGUER, UNIR

COALITION → ALLIANCE, BLOC, ENTENTE, FÉDÉRATION, FRONT, GROUPEMENT, PARTI, RÉUNION, SOCIÉTÉ, UNION

COALITION alliance, association, cartel, entente, front, ligue, union

COALTAR → GOUDRON

COASSER
Voir tab. **Animaux (termes propres aux)**

COASSURANCE
Voir tab. **Assurance (vocabulaire de l')**

COB
Voir tab. **Bourse**

COBALT → BOMBE
Voir tab. **Éléments chimiques (symbole des)**

COBAYE → EXPÉRIENCE, LABORATOIRE, SUJET

COBOL → GESTION, LANGAGE

COBRA BELL → HÉLICOPTÈRE

COBRA INDIEN → SERPENT

COCAGNE → ABONDANCE, MÂT

COCAÏNE → ANESTHÉSIE, DROGUE
Voir tab. **Drogues**

COCARDE → NŒUD

COCARDEAU → GIROFLÉE

COCARDIER → PATRIOTE

COCASSE → BOUFFON (2), COMIQUE, DRÔLE (1), GROTESQUE, PITTORESQUE, RIRE, RISIBLE

COCASSE amusant, bouffon,

burlesque, calembredaine, comique, désopilant, drôle, hilarant, inattendu, inénarrable, plaisant, risible

COCCINELLE → BÊTE (1), INSECTE
Voir illus. **Insectes**

COCCYGIENNE → VERTÈBRE

COCCYX → BASSIN, DOS, VERTÈBRE
Voir illus. **Squelette**

COCHE → CALÈCHE, COCHON, CRAN, REPÈRE, VOITURE
Voir tab. **Animaux (termes propres aux)**

COCHENILLE → INSECTE

COCHENILLER → TEINDRE

COCHER → CHAUFFEUR, CONDUCTEUR, MARQUER, POINTER

COCHEVIS → ALOUETTE

COCHLÉE → OREILLE
Voir illus. **Oreille**

COCHOIR → HACHE

COCHON → PORC, TIRELIRE
Voir tab. **Animaux (termes propres aux)**

COCHON auge, axonge, coche, couenne, goret, lard, panne, porc, porcelet, porcherie, pourceau, saie, saindoux, sanglier, soie, soue, suidés, truie, verrat

COCHON DE LAIT
Voir tab. **Animaux (termes propres aux)**

COCHONNAILLE → CHARCUTERIE

COCHONNERIE → OBSCÉNITÉ, SALETÉ

COCHONNET → BOUCHON, BOULE, BUT, CIBLE, DÉ, PORC

COCHYLIS → CHENILLE, PAPILLON

COCIDO
Voir tab. **Spécialités étrangères**

COCKNEY
Voir tab. **Argot et langages populaires**

COCKPIT → CABINE, PILOTE
Voir illus. **Avion**
Voir illus. **Voilier : Dufour 38 Classic**

COCKTAIL → BUFFET, DÉJEUNER, MÉLANGE, MIXTURE

COCKTAIL MOLOTOV → BOMBE, BOUTEILLE

COCO → HARICOT, JUS

COCON → CHENILLE
Voir tab. **Animaux (termes propres aux)**

COCONNAGE → SOIE

COCOONING → CONFORT

COCORICO → COQ

COCOTIER → OURS, PALMIER

COCOTTE → MARMITE, POULE
Voir tab. **Couture**

COCOTTE-MINUTE → MARMITE, USTENSILE, VAPEUR

COCTION → DIGESTION

COCYTE → ENFER

CODA → BALLET, CONCLUSION, FIN (1)
Voir tab. **Musique (vocabulaire de la)**

CODE → CHIFFRE, CONVENTION, ÉCLAIRAGE, LOI, PHARE, RECONNAISSANCE, RECUEIL, RÈGLE, SIGNAL, STATUT
Voir tab. **Livres**

CODE chiffre, clef, coder, crypter, cryptographie, décrypter, Digicode, douchette, encoder,

grille, loi, mot de passe, précepte, règle, signe

CODE DU DROIT CANONIQUE
Voir tab. **Catholique romain (vocabulaire)**

CODE SECRET → ACCÈS

CODÉ → DIFFICILE

CODÉINE → DROGUE, OPIUM, POISON
Voir tab. **Drogues**
Voir tab. **Médicaments**

CODER → CODE

CODEX → CATALOGUE, MÉDICAMENT, PHARMACIE, RECUEIL
Voir tab. **Livres**

CODEX JURIS CANONICI
Voir tab. **Catholique romain (vocabulaire)**

CODICILLE → ADDITION, COMPLÉMENT, TESTAMENT

CODIRECTEUR → BRAS

COEFFICIENT → CHIFFRE, NOMBRE

COEFFICIENT DE RÉDUCTION-MAJORATION
Voir tab. **Assurance (vocabulaire de l')**

CŒLENTÉRÉS → CORAIL

CŒLIAQUE → INTESTIN (1)

CŒLIO-
Voir tab. **Chirurgicales (interventions)**

CŒLIOCHIRURGIE
Voir tab. **Chirurgie (vocabulaire de la)**

CŒLIOSCOPIE
Voir tab. **Chirurgie (vocabulaire de la)**

COEMPTION → RÉCIPROQUE (2)

COÉQUIPIER → CAMP, ÉQUIPIER, JOUEUR, PARTENAIRE

COERCIBILITÉ → ÉLASTICITÉ

COERCIBLE → COMPRIMÉ (2)

COERCITIF → TYRANNIQUE

COERCITION → CARCAN, CONTRAINTE, ÉTAU, OPPRESSION, SERVITUDE, VIOLENCE

CŒUR → ARDEUR, BOIS, CENTRE, COULEUR, DÉVOUEMENT, ÉCU, INTÉRIEUR (1), INTIME (2), MILIEU, PARTIE, POITRINE, PÔLE, VIF (1)
Voir illus. **Cheminée**
Voir illus. **Respiratoire (système)**
Voir illus. **Soleil**
Voir tab. **Cartes à jouer**
Voir tab. **Chirurgicales (interventions)**
Voir tab. **Douleur**

CŒUR altruisme, altruiste, anoxie du myocarde, arythmie, bienveillant, cardialgie, cardiaque, cardiogramme, cardiopathie, cardite, Casanova, chagrin d'amour, charité, charmeur, commissurotomie, conquérant, coronarite, crever, déception amoureuse, déconvenue, désillusion, dévoué, diastole, don Juan, dyspnée, endocardite, enthousiasme, entrain (avec), extrasystole, fendre, généreux, générosité, greffer, implanter, infarctus du myocarde, intérêt (avec), pacemaker, palpitation, percer, péricardite, philanthrope, pulsation, séducteur, sentiment,

suborneur, systole, tachycardie, tombeur, valvulopathie, valvulotomie, volontiers, zèle (avec)

CŒUR (LIGNE DE)
Voir illus. **Main**

CŒUR (SANS) → IMPITOYABLE

CŒUR EN ABÎME
Voir illus. **Héraldique**

CŒUR OUVERT → SINCÈRE

CŒURET → CERISE

CŒURSAGE → TANNAGE

COEXISTENCE → IDENTITÉ, RELATION

COEXISTER → EXISTER

COFFINE → TUILE

COFFRAGE → BÉTON

COFFRE → SERRURE, VALISE

COFFRE bahut, cantine, chapelière, coffre-fort, huche, layette, maie, malle, panetière, pétrin, pyxide, saloir, saunière

COFFRE À LINGE → VANNERIE

COFFRE DE COCKPIT
Voir illus. **Voilier : Dufour 38 Classic**

COFFRE-FORT → BANQUE, CAISSE, CHAMBRE, COFFRE

COFFRER → ENFERMER

COFFRET → BIJOU, BOÎTE

COGÉRANT → BRAS

COGÉRER → GÉRER

COGGHE
Voir tab. **Bateaux**

COGITER → PENSER, RÉFLÉCHIR, SONGER

COGNAC → EAU-DE-VIE
Voir tab. **Alcools et eaux-de-vie**

COGNAC (FESTIVAL DU FILM POLICIER DE)
Voir tab. **Prix cinématographiques**

COGNAT → DESCENDANT

COGNÉE → BÛCHE, FENDRE, HACHE

COGNER → BATTRE, FRAPPER, HEURTER (SE)

COGNER buter contre, frapper, heurter, tamponner (se), télescopé

COGNITIF → CONNAISSANCE

COGNITION → CONNAISSANCE

COHABITATION → POLITIQUE (2)

COHÉRENCE → UNITÉ

COHÉRENT → COMPRÉHENSIBLE, CONSÉQUENT, CONTRADICTION, HARMONIEUX, LOGIQUE (2), RATIONNEL, SUIVI

COHÉRENT harmonieux, homogène, logique, ordonné, raisonné, rationnel, sensé

COHÉREUR → ONDE

COHÉSION → HARMONIE, SUITE, UNITÉ

COHOBATION → DISTILLATION

COHORTE → BATAILLON, LÉGION, MULTITUDE

COHUE → FOULE, MULTITUDE

COI → INTERDIT, MUET, RÉPONSE, STUPÉFAIT

COIFFE → BÉGUIN, DENTAIRE, DOUBLURE, FUSÉE, RACINE
Voir illus. **Coiffures**
Voir illus. **Livre relié**

COIFFE DE QUEUE
Voir illus. **Livre relié**

COIFFER → BEAUTÉ, COURONNE, DÉMÊLER, RAFRAÎCHIR, SURMONTER

COIFFER chapeauter

COIFFEUR
Voir tab. **Saints patrons**
COIFFEUSE → TOILETTE
COIFFURE banane, brosse, brushing, calotte, chignon, choucroute, couette, fixateur, gel, laque, macarons, mitre, natte, queue de cheval, tiare, tresse
COIN → ANGLE, BÛCHE, FENDRE, MONNAIE, POINÇON, RÉGION, SCEAU
Voir tab. **Monnaie**
COIN angle, commissure, corne, cunéiforme, encoignure, encoignure, environs, parages, punir, région, renfoncement, secteur, trou
COIN DE TABLE
Voir illus. **Pierres précieuses (taille des)**
COINCEMENT → FROTTEMENT
COINCER → BLOQUER, ENFERMER, ÉTRANGLER, IMMOBILISER, RETENIR, SERRER
COINCER appréhender, arrêter, bloquer, caler, choper, coller, immobiliser, intercepter, piéger, pincer, prendre, serrer
COINCHE
Voir tab. **Belote**
COÏNCIDENCE → CIRCONSTANCE, CONCOURS, CORRESPONDANCE, HASARD, IDENTITÉ, RENCONTRE
COÏNCIDENCE circonstance, concomitance, fait exprès, hasard, simultanéité, synchronisme
COÏNCIDENT → SIMULTANÉ
COÏNCIDER → CONVERGER
COING → GELÉE
COÏT → RELATION, REPRODUCTION, SEXUEL, UNION
COKE → CHARBON, DISTILLATION, RÉSIDU
COKERIE → INDUSTRIE
COL → BOUTEILLE, COU, DENTELLE, DÉPRESSION, MONTAGNE, VALLÉE
COL bateau, boule, brèche, camionneur, châle, cheminée, collerette, collet, défilé, fraise, gorgerette, goulot, grau, jabot, mao, marin, montant, port, rond, roulé, volanté
COL (FAUX) → MOUSSE (1)
COL(O)-
Voir tab. **Chirugicales (interventions)**
COL DE L'UTÉRUS
Voir illus. **Génitaux (appareils)**
Voir illus. **Chirugicales (interventions)**
COL DU FÉMUR
Voir illus. **Squelette**
COL D'UN ORGANE
Voir tab. **Chirugicales (interventions)**
COL PELLE À TARTE
Voir illus. **Modes et styles**
COLA → TONIQUE (2)
COLATEUR → IRRIGATION
COLATURE → LIQUIDE
COLBACK → BONNET
Voir illus. **Coiffures**
COLBERT → DENTELLE
COL-BLANC → BUREAU
COL-BLEU → OUVRIER

COLCHICINE → POISON
COLCHIQUE → PRÉ
COLD-CREAM → CRÈME
COL-DE-CYGNE → ROBINET
COLÉOPTÈRES
Voir illus. **Insectes**
COLÈRE → FÂCHÉ, FUREUR, FURIE, IMPATIENCE, INDIGNATION, PÉCHÉ, PÉTARD, RAGE, RÉVOLTE, ZUT
COLÈRE ab irato, acrimonie, atrabilaire, blasphème, caprice, courroux, débagouler, éclater, emporté, emportement, exaspération, foudres, fulminer, fureur, gronder, impétueux, injure, insulte, invective, irascible, ire, irritable, irritation, juron, mécontentement, pester, rage, rager, rageur, rogne, trépigner, vocifération
COLÉREUX → EXPLOSIF, FÂCHER, HARGNEUX, IMPULSIF
COLIBRI → OISEAU
Voir illus. **Oiseaux (classification simplifiée des)**
COLIBRI oiseau-mouche, trochile, trochilidés
COLICHEMARDE → LAME
COLIFICHET → BABIOLE, CHOSE, FRIVOLITÉ, OBJET, ORNEMENT
COLIIFORMES
Voir illus. **Oiseaux (classification simplifiée des)**
COLIMAÇON → ESCARGOT, HÉLICE, SPIRALE
COLINÉAIRE → VECTEUR
COLIOU
Voir illus. **Oiseaux (classification simplifiée des)**
COLIQUE → INTESTIN (1), VENTRE
COLIQUE anurie, colite, diarrhée, dysenterie, dysurie, entérite, épreintes, flatuosité, hématurie, néphrétique, saturnisme, ténesme
COLIQUE NÉPHRÉTIQUE → REIN
COLIS → PAQUET
COLIS coursier, paquet, porteur, saute-ruisseau
COLISÉE → SPORTIF (2)
COLISTIER → CANDIDAT
COLITE → COLIQUE, INTESTIN (1), VENTRE
COLLABORATEUR → ADJOINT, AUXILIAIRE (1), COMPAGNON, PARTENAIRE, SECOND (1)
COLLABORATEUR adjoint, aide, assistant, associé, bras droit, collègue, générique, ours, second
COLLABORATION → AIDE, ASSISTANCE, CONCOURS, CONJOINTEMENT, CONTRIBUTION, PARTICIPATION, SOUTIEN
COLLABORATION association, commun (en), concours, contribution, coopération, équipe (en)
COLLABORER → CONCOURIR À, TRAVAILLER
COLLABORER contribuer, coopérer, participer, prendre part, travailler
COLLAGE → COLLER, CORRECTION
Voir tab. **Peinture et décoration**

COLLANT → ADHÉRENT (2), CALEÇON, DANSEUR, LOURD, SALE, SERRÉ
Voir illus. **Modes et styles**
COLLANT adhésif, ajusté, double-face, gluant, moulant, poisseux, scotch, serré, sirupeux, sparadrap, visqueux
COLLANTE → CONVOCATION
COLLAPSUS → MALAISE
COLLATÉRAL → PARENT, PARENTÉ
COLLATÉRAUX → FAMILLE
Voir illus. **Église (plan d'une)**
COLLATION → COMPARAISON, DÉJEUNER, EXAMEN, REPAS, TITRE
COLLATION comparaison, confrontation, correction en-cas, goûter, vérification
COLLATIONNEMENT → VÉRIFICATION
COLLATIONNER → COMPARER, CONTRÔLER, MANUSCRIT, VÉRIFIER
COLLE → CONSIGNE, FIXATION, INTERROGATION, PAPIER, PÂTE, QUESTION, RELIURE, RETENUE
Voir illus. **Livre relié**
COLLE bâton, ciment, détrempe, empois, futée, gélatine, glu, ichtyocolle, mastic, mortier, poix, pot, sparadrap, stick, tempera, tube
COLLÉ → PARQUET
COLLECTE → LEVÉE, PERCEPTION, QUÊTE, RÉCOLTE, RENTRÉE
COLLECTER → DRAINER, RECUEILLIR, RECUEILLIR, RÉUNIR
COLLECTEUR → IMPÔT, RÉCEPTION, TUYAU
COLLECTEUR D'ÉCHAPPEMENT
Voir illus. **Moteur**
COLLECTIF → COMMUN, GÉNÉRAL, IMPERSONNEL, PUBLIC (2), UNANIME
Voir tab. **Sports**
COLLECTIF communautaire, équipe (d'), général, public, social
COLLECTION → ALBUM, BIBLIOTHÈQUE, CABINET, CARGAISON, CHOIX, CONSERVATEUR, COUTURE, ENSEMBLE, NOMBRE, RÉUNION, SÉLECTION, VARIÉTÉ
COLLECTION amas, assortiment, banque d'images, bibliothèque, compilation, discothèque, éventail, galerie, herbier, iconothèque, panoplie, phonothèque, photothèque, pinacothèque, sonothèque, tas, –thèque
COLLECTIONNER → ACCUMULER, AMASSER, ENTASSER, GROUPER, RÉUNIR
COLLECTIVISATION → COMMUNISME
COLLECTIVISME → BOLCHEVISME, CAPITALISME, COMMUNISME, SOCIALISME
COLLECTIVITÉ → ENSEMBLE, SOCIÉTÉ
COLLECTIVITÉ communauté, commune, département, groupe, région, société, ville
COLLECTIVITÉ TERRITORIALE → RÉGION
COLLÈGE → COMPAGNIE, ÉVÊQUE, INSTITUTION, SCOLAIRE
COLLÈGE ÉLECTORAL → ÉLECTION

COLLÉGIALE → ÉGLISE
COLLÉGIEN → ÉLÈVE
COLLÈGUE → CAMARADE, COLLABORATEUR, COMPAGNON, MÉTIER, PAIR, PARTENAIRE
COLLER → COINCER, PLAQUER, REFUSER, REPRODUCTION
COLLER adhérer, adhésif, agglutiner, collage, fixer, maroufler, placarder, sceller, souder, tapisser, viscosité
COLLERETTE → COL, FRAISE
Voir illus. **Pâtes**
COLLET → BOUTEILLE, CHASSE, CISEAU, COL, JETER, LACET, NŒUD, PIÈGE, RACINE
Voir illus. **Dent**
Voir illus. **Pierres précieuses (taille des)**
Voir illus. **Selle**
COLLETER (SE) → MISÈRE
COLLETTE
Voir illus. **Pierres précieuses (taille des)**
COLLEUR → AFFICHE
COLLEY → BERGER
COLLIER → ANNEAU, BARBE, COU, MANCHON
Voir illus. **Aviron**
Voir illus. **Bicyclette**
Voir illus. **Bijoux**
Voir illus. **Bœuf**
Voir illus. **Mouton**
Voir illus. **Veau**
COLLIER bijou, rivière, sautoir, torque
COLLIGER → RECUEIL
COLLIMATION → DIRECTION
COLLINE → MONT
COLLINE butte, côte, coteau, croupe, dune, hauteur, mamelon, mont, tell, tertre, tumulus
COLLIOURE
Voir tab. **Habitants (comment se nomment les)**
COLLIOURENCS
Voir tab. **Habitants (comment se nomment les)**
COLLISION → CHOC, HEURT, RENCONTRE, SECOUSSE
COLLISIONNEUR → ACCÉLÉRATEUR
COLLOÏDE
Voir tab. **Chimie**
COLLOQUE → ASSEMBLÉE, CARREFOUR, CONFÉRENCE, CONGRÈS, COURS, DÉBAT, ENTRETIEN, RENCONTRE, RÉUNION, SAVANT (1)
COLLOQUE conférence, congrès, conversation, débat, forum, meeting, séminaire, symposium, table ronde
COLLOQUER → INSCRIRE
COLLUSION → ACCORD, COMPLICITÉ, ENTENTE, FRAUDE, INTELLIGENCE, PRÉJUDICE, SECRET (2)
COLLUSION complicité, connivence, conspiration, entente, intelligence, manigance
COLLUTOIRE → MÉDICAMENT
Voir tab. **Médicaments**
COLLUVION → DÉPÔT
Voir tab. **Géographie et géologie (termes de)**
COLLYRE → MÉDICAMENT
COLMATAGE → FERTILE
COLMATER → BOUCHER (1), FERMER

COLOMBAGE → MAISON, NORMAND

COLOMBAIRE → INCINÉRATION

COLOMBE → OISEAU, PACIFISTE, PAIX, PURETÉ, RABOT

COLOMBE colombidés, colombier, douceur, fuie, paix, palombe, pureté, ramier, tendresse, tourterelle

COLOMBIDÉS → COLOMBE

COLOMBIER → COLOMBE, FORMAT, PIGEON
Voir tab. **Papier (formats de)**

COLOMBIN → PIGEON

COLOMBINE → EXCRÉMENT, PANTOMIME

COLOMBOPHILIE → ÉLEVAGE, PIGEON

COLON → BAIL, COLONISÉ, FERMIER, PIONNIER

COLON fermier, métayer, pionnier, plantation, planteur

CÔLON → INTESTIN (1)
Voir illus. **Digestif (appareil)**
Voir tab. **Chirurgicales (interventions)**

COLONEL .
Voir illus. **Grades de la gendarmerie**
Voir illus. **Grades militaires**
Voir tab. **Politesse (formules de)**

COLONIALISME → EXPANSION, IMPÉRIALISME

COLONIALISTE → CONQUÉRANT (2)

COLONIE → BANDE, CAMP, CENTRE, DÉPENDANCE, IMPÉRIALISME, RÉUNION, VACANCE
Voir tab. **Animaux (termes propres aux)**

COLONIE bagne, colonisation, Commonwealth, comptoir, empire, expansionniste, factorerie, gouverneur, impérialisme, impérialiste, mandat, protectorat, résident, tutelle

COLONISATEUR → COLONISÉ

COLONISATEUR clérouque, conquistador, nabab

COLONISATION → COLONIE

COLONISATION apartheid, évangélisation, exploitation, occupation, racisme, scolarisation, ségrégation

COLONISÉ colon, colonisateur

COLONNADE → COLONNE

COLONNE → CANALISATION, ÉCHINE, FILE, INSCRIPTION, PILIER, RANG, SUPPORT
Voir illus. **Colonnes**
Voir illus. **Flocons**
Voir tab. **Échecs**

COLONNE abaque, atlante, cariatide, cippe, colonnade, colonne Morris, diptère, échine, fût, hypostyle, monoptère, obélisque, périptère, péristyle, pilastre, pilier, pilotis, plinthe, prostyle, scotie, stèle, stylobate, télamon, tore

COLONNE DE BARRE
Voir illus. **Voilier : Dufour 38 Classic**

COLONNE MORRIS → COLONNE, SPECTACLE

COLONNE VERTÉBRALE → DOS, ÉPINE, VERTÈBRE
Voir tab. **Douleur**

COLONNE VERTÉBRALE bosse, cyphoscoliose, cyphose, dorsalgie, échine, ensellure, épine dorsale, gibbosité, lombalgie, lordose, lumbago, rachialgie, rachis, scoliose, spinal, torticolis

COLOPHANE → RÉSINE, TÉRÉBENTHINE

COLORANT → AZOTE, TEINDRE

COLORANT guède, henné, indigo, pigment, riboflavine, rocou, tartrazine

COLORATION → TEINT

COLORATION carnation, colorature, colorimètre, métallochromie, nuance, pigmentation, timbre, ton

COLORATURE → COLORATION

COLORÉ → EXPRESSIF, FLEURI, PITTORESQUE

COLORER colorier, coloriste, craie, diaprer, empreindre, enluminer, farder, fusain, graphite, grimer, maquiller, marquer, orner, pastel, peindre, teindre, teinter, teinturier

COLORIER → COLORER

COLORIMÈTRE → COLORATION
Voir tab. **Instruments de mesure**

COLORIS → COULEUR, TEINTE

COLORISTE → COLORER

COLOSSAL → CONSIDÉRABLE, DÉMESURÉ, ÉNORME, EXTRAORDINAIRE, FABULEUX, GIGANTESQUE, IMMENSE, MAJESTUEUX, MONSTRUEUX, MONUMENTAL, PHÉNOMÉNAL

COLOSSAL démesuré, énorme, gigantesque, grandiose, herculéen, immense, mégalomane, monumental, titanesque

COLOSSE → GÉANT, STATUE

COLOSSE DE RHODES
Voir illus. **Monde (les Sept Merveilles du)**

COLOSSIENS (ÉPÎTRES AUX)
Voir tab. **Bible**

COLOSTRUM → LAIT

COLP(O)-
Voir tab. **Chirurgicales (interventions)**

COLPORTER → DIFFUSER, PROPAGER, RÉPANDRE, RÉPÉTER, TRANSPORTER

COLPORTEUR → COMMERÇANT, DOMICILE, MARCHAND

COLT → PISTOLET, REVOLVER

COLTINAGE → TRANSPORT

COLTINER → PORTER

COLUMBARIUM → CADAVRE, CIMETIÈRE, INCINÉRATION

COLUMBIDÉS → PIGEON

COLUMBIFORMES → PIGEON
Voir tab. **Oiseaux (classification simplifiée des)**

COLUMELLE → COQUILLAGE

COLUMÉRIENS
Voir tab. **Habitants (comment se nomment les)**

COLVERT → CANARD
Voir tab. **Animaux (termes propres aux)**

COMA → INCONSCIENCE, INSENSIBILITÉ

COMANCHE
Voir tab. **Bande dessinée (héros de)**

COMBAT → ANTAGONISME, DUEL, FRONT, LUTTE, MATCH, OPÉRATION, RENCONTRE, RIVALITÉ
Voir tab. **Sports**

COMBAT alliance, antagoniste, antagonisme, armistice, assaut, bataille, capitulation, char, concurrent, conflit, confrontation, controverse, déroute, différend, dispute, duel, échauffourée, escarmouche, gigantomachie, guerre, hoplomachie, joute, logomachie, lutte, naumachie, opposant, pacte, polémique, pugilat, querelle, reddition, repli, rival, rixe, tauromachie, théomachie, tournoi, traité, trêve, VAB

COMBATIF → BAGARRE

COMBATTANT → SOLDAT

COMBATTANT assaillant, commando, corps, force, guerrier, milice, phalange, soldat, vétéran

COMBATTRE → ATTAQUER, BRAVE, LUTTER, LUTTER, OPPOSER, RÉFUTER, SUPPRIMER

COMBATTRE attaquer, batailler, dresser contre (se), élever contre (s'), lutter contre, mettre fin à

COMBE → VALLÉE

COMBINAISON → ACCOUPLEMENT, AMALGAME, ARTICULATION, ASSEMBLAGE, BATTERIE, BLEU (2), CALCUL, CHIFFRE, CONJUGAISON, DESSOUS, FUSION, MÉLANGE, MOLÉCULE, PLAN, PLONGEUR, RÉUNION, ROBE, UNION, VÊTEMENT
Voir tab. **Couture**

COMBINAISON accord, agencement, agrégat, alliage, amalgame, armure, arrangement, bleu, calcul, combinatoire, composition, cotte, cotte de mailles, fusion, harmonie, haubert, jackpot, justaucorps, loterie, machination, maillot, manigance, mélange, mosaïque, mots croisés, probabilités, puzzle, salopette, Scrabble, stratagème, synthèse, tangram chinois, tutu

COMBINAT → CONGLOMÉRAT, ENTREPRISE, INDUSTRIE

COMBINATOIRE → COMBINAISON

COMBINE → INTRIGUE, MALHONNÊTE, RUSE

COMBINÉ → FANTÔME, TÉLÉPHONE, VACCINATION

COMBINER → COMPOSER, CONJUGUER, CONSTRUIRE, IMAGINER, MARIER, MÉDITER, MÉNAGER, MONTER, MÛRIR, PRÉMÉDITER, PROJETER

COMBINER assortir, composer, harmoniser, intriguer, manigancer, ourdir, tramer

COMBLE → BÂTIMENT, CHARPENTE, MAISON, MAXIMUM, PLEIN, SURCROÎT, TOIT

COMBLE (1) complètement, entièrement, galetas, mansarde

COMBLE (2) bondé, bourré, complet, plein

COMBLÉ → BIENHEUREUX (1), CONTENT (2), HEUREUX, JOIE, RAVI, SATISFAIT

COMBLER → ABONDANCE, ABREUVER, BOUCHER (1), COMPLÉTER, EMPLIR, PALLIER, RATTRAPER, RÉALISER, REMPLIR, SATISFAIRE

COMBLER boucher, compenser, obturer, pallier, rattraper, remédier à, remplir

COMBRIÈRE → THON

COMBUSTIBLE → INFLAMMABLE, PILE

COMBUSTIBLE alcool, bois, butane, carburant, charbon, éthane, gazole, houille, méta, naphte

COMBUSTION → BRÛLER, INCENDIE, MOTEUR

COMBUSTION calcination, ignition

COME-BACK → RENTRÉE, RETOUR

COMÉDIE → DRAMATIQUE, MASCARADE, PIÈCE, REPRÉSENTATION, SIMAGRÉES, THÉÂTRE
Voir tab. **Muses**

COMÉDIE affecter, amphithéâtre, comédie musicale, commedia dell'arte, composer, dénouement, divertissement, feindre, intrigue, marivaudage, opéra-bouffe, opérette, parodie, pensionnaire, satire, saynète, simuler, sociétaire, tableau, Thalie, théâtre, trépigner, tréteaux, vaudeville

COMÉDIE MUSICALE → COMÉDIE

COMÉDIEN → ACTEUR, INTERMITTENT (2), INTERPRÈTE, PERSONNAGE
Voir tab. **Saints patrons**

COMÉDIEN baladin, cabotin, clown, comparse, figurant, hypocrite, mime, monologue, paillasse, pitre, réplique, saltimbanque, simulateur, tirade

COMÉDON → BOUTON, PORE

COMESTIBLE → INOFFENSIF, MANGER, NOURRITURE

COMÈTE → ASTRE

COMÈTE aphélie, apside, astre, Austin, Biela, Brooks, chevelure, cométographie, Encke, Halley, nébuleuse, noyau, orbe, orbite, parabole, périhélie, projeter, queue, rêver, tête

COMÉTOGRAPHIE → COMÈTE

COMICE → POIRE

COMICES → RÉUNION

COMIQUE → AMUSANT, BURLESQUE, CARICATURE, COCASSE, DIVERTIR, IRRÉSISTIBLE, RIRE, RISIBLE

COMIQUE amusant, arlequin, bouffon, boute-en-train, burlesque, calembour, clown, cocasse, désopilant, drôle, fantaisiste, farce, gag, gai, guignol, hilarant, mime, pitre, plaisantin, polichinelle, risible

COMITÉ → DÉLÉGUÉ, PARTI, RÉUNION

COMITÉ Cagoule (la), comité de conciliation, comité de lecture, comité paritaire, consultatif, coordination, exécutif

COMITÉ CENTRAL → PARTI

COMITÉ D'ENTREPRISE → SYNDICAT
Voir tab. **Entreprise** (vocabulaire de l')

COMITÉ DE CONCILIATION → COMITÉ

COMITÉ DE LECTURE → COMITÉ

COMITÉ D'ÉTABLISSEMENT → SYNDICAT

COMITÉ PARITAIRE → COMITÉ

COMMANDANT → BATAILLON, CAPITAINE, CHEF, PATRON
Voir illus. **Grades militaires**

COMMANDANT navarque

COMMANDANT DE BORD → PILOTE

COMMANDE → DÉCLENCHER, LEVIER, ORDRE

COMMANDE acompte, arrhes, avance, émetteur infrarouge, exécuter, instruction, levier, manette, provision, télécommande, volant

COMMANDEMENT → DEMEURE, DIRECTION, HUISSIER, IMPÉRATIF (1), ORDRE, POUVOIR, RÈGLE

COMMANDEMENT arrêt, bâton, consigne, décalogue, décret, état-major, impératif, injonction, instruction, jussion, loi, ordre, PC (poste de commandement), précepte, prescription, sceptre, sommation, ultimatum

COMMANDER → CONDITIONNER, DEMANDER, DICTER, GUIDER, IMPOSER, ORDONNER, PRESCRIRE, RÉCLAMER, RESPECT, VENIR

COMMANDER contenir (se), contraindre (se), contrôler, diriger, dominer, dompter, édicter, enjoindre, gouverner, intimer, maîtriser, obliger, ordonner, refouler, régenter, réprimer, sommer

COMMANDEUR DES CROYANTS
Voir tab. **Islam** (vocabulaire de l')

COMMANDITAIRE → FONDS

COMMANDITE → BIENFAITEUR, PARTICIPATION

COMMANDO → COMBATTANT, DÉTACHEMENT, FORMATION, GROUPE, RAID

COMMANDO milice

COMME → COMPARAISON

COMME PAR EXEMPLE → PLÉONASME

COMMEDIA DELL'ARTE → COMÉDIE, ITALIEN (2), MIME, PANTOMIME

COMMÉMORAISON → SAINT (1)

COMMÉMORATION → ANNIVERSAIRE, CÉLÉBRATION, CÉRÉMONIE, SOUVENIR

COMMÉMORER → CÉLÉBRER

COMMENCÉ → OUVERT

COMMENCEMENT → ARRIVÉE, BALBUTIEMENT, BÉGAIEMENT, DÉPART, ÉBAUCHE, ÉLAN, ENFANCE, ENTRÉE, INAUGURATION, INITIAL, MATIN, PRÉLUDE, PREMIER (2), RACINE, SEUIL, SOURCE

COMMENCEMENT adminicule, attaque, aube, aurore, avant-propos, axiome, big bang, bourgeon, croquis, début, débuts, départ, ébauche, embryon, entrée, esquisse, exorde, fécondation, fœtus, genèse, germe, incubation, indice, initial, naissance, nouure, ouverture, postulat, préambule, préface, préliminaires, prélude, prémices, premier, prémisse, prolégomènes, prologue, vernissage

COMMENCER → DÉMARRER, ÉCLATER, ENTAMER, ENTREPRENDRE

COMMENCER amorcer, attaquer, débuter, ébaucher, entonner, entreprendre, étrenner, fonder, initier, instaurer, ouvrir

COMMENDATAIRE → ABBÉ

COMMENDE → BÉNÉFICE

COMMENSAL → COMPAGNON, HABITUÉ, HÔTE, MANGER, SOURIS

COMMENT → PARDON

COMMENTAIRE → ANALYSE, EXAMEN, EXPLICATION, INTERPRÉTATION, NOTE, OBSERVATION, PARAPHRASE

COMMENTAIRE aide-mémoire, analyse, annotation, apostille, commérage, critique, éditorialiste, entrefilet, exégèse, explication, glose, glossateur, interprétation, médisance, nota bene, note, recueil de notes, scoliaste, scolie

COMMENTATEUR → INTERPRÈTE, RABBIN

COMMENTER → ÉTUDIER, INTERPRÉTER

COMMÉRAGE → BAVARDAGE, COMMENTAIRE, JASER, MÉDISANCE

COMMÉRAGE calomnie, calomnier, cancan, cancanière, commère, concierge, contre-vérité, dauber, diffamation, diffamer, discréditer, insinuer, jaser, médire, médisance, mégère, mensonge, on-dit, potin, raconter, ragot, rumeur

COMMERÇANT → COMMERCE, FOURNISSEUR, MARCHAND
Voir tab. **Saints patrons**

COMMERÇANT camelot, colporteur, débitant, détaillant, forain, fripier, grossiste, marchand, mercanti, négociant, représentant, VRP, vendeur

COMMERCE → AFFAIRE, BOUTIQUE, BOUTIQUE, ÉCHANGE, ENTREPRISE, MAGASIN, NÉGOCE, RELATION

COMMERCE commerçant, commercial, commissionnaire, comptoir, contrebande, courtier, dépositaire e-business, e-commerce, enseigne, épicier, exportation, factorerie, fraude, grossiste, logo, marchand, marketing, mercantilisme, mercatique, merchandising, négoce, négociant, placier, trafic, transaction, troc, usure

COMMERCE INTERNATIONAL → IMPORTATION

COMMERCE PARALLÈLE → TRAFIC

COMMERCIAL → CADRE, COMMERCE, DROIT (1), POLITIQUE (1), REPRÉSENTANT, VENDEUR

COMMERCIAL blocus, boycott, embargo, libre-échange, mainmise, protectionnisme, séquestre

COMMERCIALISER → CIRCULATION, LANCER, VENTE

COMMÈRE → BAVARD, COMMÉRAGE, CONCIERGE, GAZETTE, INDISCRET

COMMÈRE Babile

COMMETTANT → MANDAT

COMMETTRE → ACCOMPLIR, CONSOMMER, NOMMER

COMMETTRE afficher (s'), avilir (s'), consommer, encanailler (s'), exécuter, perpétrer

COMMETTRE UNE ERREUR → TORT

COMMINATOIRE → DEMEURE, MENAÇANT

COMMIS → ADOLESCENT, BOUTIQUE, BUREAU, EMPLOYÉ

COMMIS VOYAGEUR → DÉMARCHEUR

COMMISÉRATION → BONTÉ, COMPASSION, MISÉRICORDE, PITIÉ

COMMISSAIRE → OFFICIER, POLICE, VÉRIFIER

COMMISSAIRE AUX COMPTES → COMPTABLE (1), EXPERT

COMMISSAIRE-PRISEUR → ENCHÈRE, EXPERT, MINISTÉRIEL
Voir tab. **Droit (termes de)**

COMMISSARIAT → POLICE, POSTE

COMMISSARIAT DE POLICE → VILLE

COMMISSION → APPOINTEMENTS, BREVET, COURSE, DÉLÉGUÉ, GAIN, GRATIFICATION, INTÉRÊT, MISSION, PROVISION, RÉMUNÉRATION, RÉUNION, SALAIRE

COMMISSION agio, bakchich, chasseur, commission rogatoire, coursier, courtage, délégation, dessous-de-table, ducroire, enveloppe, pot-de-vin, remise

COMMISSION DES OPÉRATIONS DE BOURSE
Voir tab. **Bourse**

COMMISSION ROGATOIRE → COMMISSION

COMMISSIONNAIRE → AGENT, COMMERCE, INTERMÉDIAIRE (1), MANDAT

COMMISSIONNAIRE coursier, intermédiaire, livreur, mandataire, messager

COMMISSURE → COIN, JOINT (1), LÈVRE, PLI

COMMISSUROTOMIE → CŒUR

COMMODAT → PRÊT

COMMODE → FACILE, MANIABLE, MEUBLE, PRATIQUE (2), SIMPLE

COMMODE chiffonnier, console, semainier

COMMODITÉ agrément, confort, convivialité, facilité, feuillées, latrines, lieux d'aisances

COMMODITÉS → CABINET, WATER-CLOSET

COMMONWEALTH → COLONIE, IMPÉRIALISME

COMMOTION → CHOC

COMMOTIONNER → ÉBRANLER, SECOUER

COMMUER → CHANGER, PEINE, REMETTRE, SUBSTITUER

COMMUN → BANAL, CHARME, CLASSIQUE, COLLABORATION, POPULAIRE, PUBLIC (2), QUELCONQUE, QUOTIDIEN, TRIVIAL, UNANIME, USÉ, USUEL

COMMUN analogie, analogue, banal, banalité, cliché, collectif, comparable, condominium, identique, indivis, mitoyen, ordinaire, poncif, public, quelconque, semblable, similaire, similitude, stéréotype, substantif, trivial, universel, vulgaire

COMMUNAL → MUNICIPAL

COMMUNAL municipal

COMMUNAUTAIRE → COLLECTIF

COMMUNAUTÉ → COLLECTIVITÉ, ENSEMBLE, ÉTAT, ORDRE, RÉGIME, RÉPUBLIQUE, RESSEMBLANCE, RÉUNION, SIMILITUDE, SOCIÉTÉ

COMMUNAUTÉ affinité, amicale, argot, ashram, caste, chefferie, clan, club, concorde, confrérie, congrégation, connivence, copropriété, corporation, couvent, dialecte, fédération, formation, guilde, indivision, intelligence, kibboutz, kolkhoze, ligue, monastère, mosquée, ordre, parti, patois, phalanstère, secte, société, synagogue, temple, tribu, UE

COMMUNAUTÉ CONVENTIONNELLE → MARIAGE

COMMUNAUTÉ DE COMMUNES → COMMUNE, TERRITOIRE

COMMUNAUTÉ URBAINE → TERRITOIRE

COMMUNE → COLLECTIVITÉ, DÉPARTEMENT, DIVISION, GÉNÉRAL, MAIRE, ORDINAIRE, TERRITOIRE, UNITÉ

COMMUNE beffroi, capitoul, cloche, communauté de communes, consul, district urbain, fourches patibulaires, hôtel de ville, mairie, municipalité, sceau, SIVOM, SIVU

COMMUNICATIF → CONTAGIEUX, JOVIAL

COMMUNICATIF causant, confiant, contagieux, démonstratif, expansif, ouvert

COMMUNICATION → CONTACT, EXPOSÉ, INTERPRÉTATION, JONCTION, LIAISON, MESSAGE, NOTE, PUBLIC (2), RÉCIT, RELATION, RENSEIGNEMENT, RÉVÉLATION, TRANSMISSION

COMMUNICATION anastomose, annonce, appel, autisme, avis, avis, bulletin, cybernétique, dépêche, divulgation, génie, interactivité, Internet, liaison, mass media, médias, mémorandum, mention, message, note, nouvelle, publication, rapport, télécopie, télépathie, téléphonie, télétransmission, télex

COMMUNION → ACCORD, ACTE, BÉNIT, DRAGÉE, HARMONIE, HOSTIE, MESSE, RELIGION, UNION

COMMUNION accord, burette, calice, cène, ciboire, consubstantiation, eucharistie, extrême-onction, harmonie, hostie, patène, pavillon, symbiose, transsubstantiation, viatique

COMMUNIQUÉ → ANNONCE, AVIS, BULLETIN, DÉCLARATION, INFORMATION, NOTE

COMMUNIQUER → CONNAÎTRE, DÉLIVRER, IMPRIMER, INFORMER, LÉGUER, PARLER, PART, PROCLAMER, PUBLIER, SAVOIR (2), TRANSMETTRE

COMMUNIQUER confier (se), contaminer, correspondre, divulguer, échanger, épancher (s'), expansif, exprimer, extérioriser, exubérant, infecter, inoculer, livrer, mander, manifester, notifier, ouvert, publier, révéler, transmettre

COMMUNISME → BOLCHEVISME, CAPITALISME, POLITIQUE (2)

COMMUNISME babouvisme, castrisme, collectivisation, collectivisme, contre-révolutionnaire, déviationniste, droitier, étatisme, glasnost, internationale, léninisme, maoïsme, marxisme, perestroïka, révisionniste, socialisation, stalinisme, titisme, trotskisme

COMMUNS → ANNEXE, BÂTIMENT, DÉPENDANCE

COMMUTATEUR → BOUTON
Voir tab. **Électricité**

COMMUTATIF → CONTRAT

COMMUTER → SUBSTITUER

COMPACITÉ → DENSITÉ

COMPACT → DENSE, FERME (2), NOMBREUX, PLEIN, SERRÉ
Voir tab. **Photographie (vocabulaire de la)**

COMPACT DISC (CD) → ALBUM
Voir tab. **Informatique**
Voir tab. **Multimédia (les mots du)**

COMPACTER → COMPRIMER

COMPAGNE → FEMME

COMPAGNE amie, camarade, concubine, condisciple, copine, épouse, femme, maîtresse

COMPAGNIE → ARMÉE, CAPITAINE, DANSEUR, SANGLIER, SOCIÉTÉ, TROUPE, UNITÉ

COMPAGNIE atelier, avec, CRS (compagnie républicaine de sécurité), cartel, cercle, chaperon, chat, chien, club, collège, comptoir, confidente, conglomérat, consortium, consorts (et), corporation, dame de compagnie, décamper, duègne, éclipser (s'), ensemble, escadron, fuir, gouvernante, loge, mutuelle, obédience, quitter, société, troupe

COMPAGNON → ALLIÉ, AMI, ARTISAN, CAMARADE, ÉPOUX, FRANC-MAÇON, FRÈRE, HOMME, INSÉPARABLE, PARTENAIRE

COMPAGNON acolyte, adjoint, adoption, amant, ami, auxiliaire, camarade, collaborateur, collègue,

commensal, compère, complice, concubin, condisciple, conduite, convive, copain, époux, hôte, mari, mettre aux champs, partenaire, réception

COMPAGNONNAGE → FRATERNITÉ, RÉUNION, SOCIÉTÉ

COMPARABLE → ANALOGUE, APPROCHANT, COMMUN, ÉQUIVALENT (2), PARALLÈLE (2), PROCHE (2), SEMBLABLE (2)

COMPARAISON → ADVERBE, COLLATION, IMAGE

COMPARAISON allégorie, allusion, analogie, analyse, autant, collation, comme, comparatif, confrontation, critère, degré, figure, gabarit, image, jugement, même, métaphore, modèle, parabole, parallèle, paramètre, parangon, pareil, rapprochement, recension, semblablement, similitude, témoin

COMPARAÎTRE → PRÉSENTER (SE), TÉMOIGNER

COMPARATIF → ADJECTIF, COMPARAISON, DEGRÉ

COMPARÉ → RELATIF

COMPARER → BALANCE, DIFFÉRENCE, OPPOSER, PARALLÈLE (1), REGARD, RELATION, RESSEMBLANCE, UNIR, VÉRIFIER

COMPARER collationner, conférer, confronter, différencier, évaluer, vidimer

COMPARSE → CINÉMA, COMÉDIEN, COMPLICE, FIGURER, PERSONNAGE, RÔLE

COMPARTIMENT → CABINE, CASIER

COMPARTIMENT boîtier, caisson, casier, médaillier, semainier, tiroir, trieur

COMPARUTION → AMENER, MANDAT

COMPAS → BOUSSOLE, CERCLE, COURBE (1), GÉOMÉTRIE, MARINE, ORIENTATION

COMPASSÉ → ACADÉMIQUE, AFFECTÉ, CONVENTIONNEL, DIGNE, GRAVE, GUINDÉ, MANIÈRE, SÉRIEUX (2), SOLENNEL

COMPASSION → BONTÉ, CHARITÉ, HUMANITÉ, INTÉRÊT, MISÉRICORDE, PITIÉ, SENSIBILITÉ

COMPASSION affliction, apitoiement, attendrissement, commisération, miséricorde, pitié, sollicitude

COMPATIR → MAL (1), PARTAGER, PITIÉ

COMPATIR affecté par (être), affliger (s'), apitoyer (s'), émouvoir de (s')

COMPATISSANT → HUMAIN, SENSIBLE

COMPATRIOTE → PATRIE

COMPATRIOTE concitoyen

COMPENDIEUX → BAVARD, BREF (1), CONCIS

COMPENDIUM → ABRÉGÉ, CONCIS, RÉSUMÉ (1), SOMME

COMPENSATION → BOURSE, CHANGE, CONTREPARTIE, DÉDOMMAGEMENT, ÉCHANGE,

INDEMNITÉ, RÉCOMPENSE, RETOUR, REVANCHE, SATISFACTION

COMPENSATION contrepartie (en), dédommagement, échange (en), indemnité, par contre, pretium doloris, récompense, remboursement, réparation, revanche (en)

COMPENSATOIRE → COMPENSER

COMPENSER → COMBLER, CORRIGER, ÉQUILIBRE, RACHETER, RATTRAPER (SE), RENDRE, RÉPARER

COMPENSER contre-passer, contrebalancer, dédommager, équilibrer, expier, indemniser, neutraliser, racheter, rembourser, remédier à, réparer, rétablir

COMPÉRAGE → PARRAIN

COMPÈRE → COMPAGNON, COMPLICE, INSÉPARABLE

COMPÈRE-LORIOT → BOUTON, PAUPIÈRE

COMPÉTENCE → ACQUIS, BAGAGE, CAPACITÉ, CONNAISSANCE, ÉTOFFE, POSSIBILITÉ, PROFIL, QUALIFICATION, QUALITÉ, RAYON, RESSORT, SAVOIR (1), SCIENCE, SECTEUR, VALEUR

COMPÉTENCE aptitude, attributions, autorité, capacité, domaine, expertise, faculté, habilité, pouvoir, qualification, qualité, ressort, secteur, spécialité

COMPÉTENT → CAPABLE, EXPÉRIMENTÉ, FIN (2), HABILE, MAÎTRE (2), QUALIFIÉ, SAVANT (2), VALABLE

COMPÉTENT apte, capable, érudit, expérimenté, expert, intelligent, lettré, qualifié, requis

COMPÉTITEUR → CANDIDAT, CONCOURS, PARTICIPANT, SÉLECTION

COMPÉTITION → CHAMPIONNAT, COUPE, DÉFI, ÉPREUVE, MATCH, RENCONTRE, YACHT

COMPÉTITION adversaire, affrontement, challenge, challenger, concurrence, concurrent, critérium, débat, dispute, émule, épreuve, joute, logomachie, match, open, partenaire, poule, rencontre, rival, rivalité, tournoi

COMPILATION → BEST OF, CHANSON, COLLECTION, SÉLECTION

COMPILER → RECUEIL

COMPLAINTE → CHANSON, CHANT, DEUIL

COMPLAISANCE → BIENVEILLANCE, BONTÉ, EMPRESSEMENT, INDULGENCE, SATISFACTION, VANITÉ

COMPLAISANCE amabilité, bienveillance, condescendance, flagornerie, flatterie, gentillesse, obligeance, obséquiosité, serviabilité, servilité, zèle

COMPLAISANT → ACCOMMODANT, DÉVOUÉ, FACILE, INDULGENT, PRÉVENANT, SOUPLE

COMPLANT → PLANT

COMPLANTER → PLANTER

COMPLÉMENT → PHRASE, RÉGIME, RESTE, SUPPLÉMENT

COMPLÉMENT addenda, adjonction, ajout, allocation, annexe, appendice, appoint, codicille, complétive, errata, NB (nota bene), P-S (post-scriptum), rab, rallonge, subside, subvention, supplément

COMPLÉMENTAIRE → ADJUVANT, ANNEXE, APPOINT
Voir tab. **Couleurs**

COMPLÉMENTARITÉ → ACCORD
Voir tab. **Mathématiques (symboles)**

COMPLET → COMBLE (2), COSTUME, ENTIER, HABIT, INTACT, INTÉGRAL (2), INTENSE, PLEIN, PROFOND, RADICAL (2), RÉSERVE, TOTAL, UNIVERSEL

COMPLET accompli, acquiescement, adhésion, agrément, assentiment, complétude, entièreté, exhaustif, in extenso, intact, intégral, intégralité, plénitude, révolu, unanimité

COMPLET VESTON
Voir illus. **Modes et styles**

COMPLÈTEMENT → ABSOLUMENT, CARRÉMENT, COMBLE (1), COU, FOND, TOUT (3)

COMPLÉTER → ADDITIONNER, ARRONDIR, PERFECTIONNER

COMPLÉTER affiner, ajouter, apporter, approfondir, boucler, combler, conclure, cultiver, parachever, parfaire, perfectionner, suppléer

COMPLÉTIVE → COMPLÉMENT

COMPLÉTUDE → COMPLET

COMPLEXE → AFFECTIF, CENTRE, COMPLIQUÉ, DÉLICAT, DIFFICILE, IMAGINAIRE (2), SOPHISTIQUÉ, TÉNÉBREUX

COMPLEXE énigme, rébus

COMPLEXE D'ŒDIPE → MÈRE
Voir tab. **Psychanalyse**

COMPLEXER → INFÉRIORITÉ

COMPLEXION → CONSTITUTION, NATURE, SANTÉ, TEINT, TEMPÉRAMENT

COMPLICATION → AGGRAVER, CONTRETEMPS, ÉVÉNEMENT, HISTOIRE

COMPLICATION dédale, difficulté, embarras, enchevêtrement, entrave, imbroglio, labyrinthe, obstacle

COMPLICE → ALLIÉ, COMPAGNON, ENTENDU, PARTENAIRE

COMPLICE acolyte, affidé, allié, auxiliaire, comparse, compère, larron, partenaire, second

COMPLICITÉ → COLLUSION, COMPRÉHENSION, ENTENTE, INTELLIGENCE

COMPLICITÉ accord, clin d'œil, collusion, connivence, entente, intelligence

COMPLIES → HEURE, MOINE, SOIR
Voir tab. **Prières et offices de l'Église catholique romaine**

COMPLIMENT → APPLAUDISSEMENT, APPROBATION, CIVILITÉ, ÉLOGE, FÉLICITATION, GALANTERIE, HOMMAGE

COMPLIMENT apologie, blandice, congratulation, dithyrambique, emphatique, encensement, flagornerie, flatterie, grandiloquent, hagiographie, laudatif, louange, mielleux, panégyrique, pompeux, sincère

COMPLIMENTER → FÉLICITER, FLATTER, LOUER, POMMADE

COMPLIQUÉ → COMPRÉHENSIBLE, MALIN (2), SAVANT (2), SINUEUX, SUBTIL

COMPLIQUÉ alambiqué, ardu, complexe, contourné, difficile, embrouillé, entortillé, inextricable, insoluble, obscur

COMPLIQUER → EMBROUILLER, OBSCURCIR

COMPLOT → ACCORD, CABALE, CLANDESTIN, CONSPIRATION, INTRIGUE, MACHINATION, SECRET (2)

COMPLOT brigue, cabale, conjuration, conspiration, hétairie, manigance, putsch, sédition

COMPLOTER → CONSPIRER, MIJOTER, PROJETER

COMPLOTER conspirateur, fomenter, intrigant, manigancer, ourdir, tramer

COMPONCTION → GRAVITÉ, REGRET, REMORDS

COMPORTE → BAC, VENDANGE

COMPORTEMENT → ALLURE, ATTITUDE, CONDUITE, CONTENANCE, FAÇON, GENRE, MANIÈRE, POSTURE, PRATIQUE (1)

COMPORTEMENT aisance, attitude, béhaviorisme, cynisme, désinvolture, gestuelle, grossièreté, irrespect, irrévérence, maintien

COMPORTEMENT MOUTONNIER → TROUPEAU

COMPORTER → AGIR, COMPOSER (SE), COMPRENDRE, CONSTITUER, CONTENIR, PRÉSENTER, RÉAGIR, USER

COMPOSACÉES → PISSENLIT, TOURNESOL

COMPOSANT → CONSTITUANT, ÉLÉMENT

COMPOSANTE → CONSTITUANT

COMPOSÉ. → AFFECTÉ, AMALGAME, MIXTE, UNION

COMPOSÉES → LAITUE, MARGUERITE, PÂQUERETTE, TOURNESOL

COMPOSER → ARRANGER, COMBINER, COMÉDIE, CONCESSION, CONSISTER, CRÉER, ÉCRIRE, FAIRE, FORMER, TÉLÉPHONE, TRAITER, TRANSIGER

COMPOSER accommoder, affecter, agencer, arranger, assembler, combiner, comporter, composeuse, compositeur, comprendre, compter, concevoir, confectionner, constituer, construire, convenir, créer, écrire, élaborer, entendre (s'), feindre, former, imaginer, Linotype, Monotype, pactiser, préparer, produire, simuler, traiter, transiger, typographe

COMPOSEUSE → COMPOSER

COMPOSITE → BÂTARD, CONFUS, DIFFÉRENT, DIVERS, ÉLÉMENT,

HÉTÉROGÈNE, MÊLÉ, ORDRE, VARIÉ

COMPOSITEUR → AUTEUR, COMPOSER, IMPRIMERIE, MUSICIEN, TYPOGRAPHIE

COMPOSITION → AGENCEMENT, COMBINAISON, CONSTITUTION, EXÉCUTION, FORMATION, FORME, INTERROGATION, ORDONNANCE, PAGE, PRÉPARATION, RAISONNEMENT, RÉPERTOIRE, RÉUNION, STRUCTURE, TEXTURE

COMPOSITION agencement, apparence, assemblage, baume, bouquet, concerto, constitution, décoction, devoir, dissertation, formule, gerbe, harmonie, ikebana, linotypie, look, massif, monotypie, onguent, PAO, photocomposition, préparation, série, sonate, symphonie

COMPOSITION FRANÇAISE → NARRATION

COMPOST → BRUYÈRE, DÉBRIS, ENGRAIS, FUMIER, TERRE, VÉGÉTAL (2)

Voir tab. **Jardinage**

COMPOSTAGE → CONTRÔLE, ORDURE, TERRE

COMPOSTER → PERCER, PERFORER, POINÇON, TROUER

COMPOSTEUR → MÉTRO, POINTER

COMPOTE → CONFITURE, DESSERT, MARMELADE, PURÉE

COMPOTIER → COUPE, VAISSELLE

COMPRÉHENSIBLE → ABORDABLE, ACCESSIBLE, CLAIR, FACILE, LÉGITIME, LIMPIDE, NORMAL, SIMPLE, TRANSPARENT

COMPRÉHENSIBLE abscons, accessible, clair, cohérent, compliqué, concevable, intelligible, lisible, obscur, simple

COMPRÉHENSIF → ACCOMMODANT, BORNÉ, IDÉE, INDULGENT (2), LARGE

COMPRÉHENSIF bienveillant, indulgent, large d'esprit, tolérant

COMPRÉHENSION → INDULGENCE, INTELLIGENCE, INTÉRÊT, PÉNÉTRATION, RAISON, TOLÉRANCE

COMPRÉHENSION altruisme, amitié, appréhension, clairvoyance, complicité, connivence, entendement, entente tacite, fraternité, indulgence, intellection, mansuétude, philanthropie, sympathie

COMPRENDRE → COMPOSER DE (SE), CONSTITUER, DÉCHIFFRER, DEVINER, ENTENDRE, IMAGINER, IMPRIMER, INTÉGRER, INTERPRÉTER, RÉALISER, RENDRE (SE), SAISIR

COMPRENDRE accorder (s'), aphasie, appréhender, assimiler, comporter, discerner, embrasser, englober, entendre, entendre (s'), inclure, insérer, pénétrer, receler, renfermer

COMPRESSER → APLATIR, COMPRIMER

COMPRESSIBILITÉ → ÉLASTICITÉ

COMPRESSIBLE → COMPRIMÉ (2)

COMPRESSION → MOTEUR

COMPRIMÉ → CACHET, MÉDICAMENT, PASTILLE

COMPRIMÉ (1) cachet, gélule, granule, linguette, pellet, pilule

COMPRIMÉ (2) coercible, compressible, pneumatique, réductible

COMPRIMER → APLATIR, CONDENSER, DIMINUER, ÉTRANGLER, PLAT (2), PRESSER, REFUSER, SERRER, TASSER

COMPRIMER compacter, compresser, contraindre, écraser, refouler, retenir, serrer

COMPRIS → ENTENDU, INCLUS

COMPROMETTRE → DÉTÉRIORER, ÉBRANLER, ÉCLABOUSSER, GÂCHER, IMPLIQUER, NUIRE, PÉRIL, SALIR

COMPROMETTRE déshonorer, desservir, déstabiliser, discréditer, ébranler, exposer (s'), impliquer (s'), nuire à, porter atteinte à, troubler

COMPROMIS → ACCORD, CONCESSION, CONCILIATION, INTERMÉDIAIRE (2), NÉGOCIATION, PROMESSE

COMPROMIS accommodement, arrangement, concession, conciliation, concordat, consensus, convention, modus vivendi, temporisation, tractation, transaction

COMPTABILITÉ → BUREAU, ÉCRITURE, FINANCES

Voir tab. **Entreprise** (vocabulaire de l')

COMPTABILITÉ actif, bilan, brouillard, comptabilité analytique, comptabilité générale, compte d'exploitation, grand livre, journal, passif, pertes et profits, registre, sommier

COMPTABILITÉ ANALYTIQUE → COMPTABILITÉ

COMPTABILITÉ GÉNÉRALE → COMPTABILITÉ

COMPTABLE (1) audit, commissaire aux comptes, expert, gestionnaire, vérificateur aux comptes

COMPTABLE (2) bordereau, écriture, plan comptable

COMPTAGE → BULLETIN, POINTAGE, RECENSEMENT

COMPTANT → RÈGLEMENT

COMPTANT cash, donner crédit, espèces, gober, immédiatement, liquide, numéraire, sur-le-champ

COMPTE → EXPLIQUER, JUSTIFICATION, NOTE, RAISON, RECENSEMENT

COMPTE addition, analyser, bilan, calcul, congédier, considérer, dommage (sans), énumération, explication, exposé, facture, imputer à, incriminer, indemne, inventaire, justification, justifier, licencier, mémoire, méprendre (se), procès-verbal, rapport, réaliser, récit, relation, relevé, sain et sauf, somme, synthèse, total, tromper (se)

COMPTE À VUE
Voir tab. **Banque**

COMPTE BANCAIRE
Voir tab. **Banque**

COMPTE COURANT
Voir tab. **Banque**

COMPTE D'AUTEUR → AUTEUR, PUBLIER

COMPTE D'ÉPARGNE LOGEMENT
Voir tab. **Banque**

COMPTE D'EXPLOITATION → COMPTABILITÉ

COMPTE RENDU → CRITIQUE (1), ÉTAT, EXPOSÉ, INFORMATION, NARRATION, RAPPORT, RÉCIT, REVUE

COMPTE SUR LIVRET
Voir tab. **Banque**

COMPTE-FILS → AGRANDISSEMENT

COMPTER → ABONDAMMENT, CALCULER, COMPOSER (SE), CROIRE, ÉNUMÉRER, ESCOMPTER, ESPÉRER, EXISTER, FIER (SE), FLATTER, FOI, IMPORTANCE, INTENTION, PENSER, REGARDER, REPRÉSENTER, SPÉCULER

COMPTER abaque, avare, avaricieux, boulier, calculatrice, calculer, calculette, chiche, chiffrer, cupide, dénombrement, dénombrer, égrener, englober, énumération, estimer, évaluer, figurer (faire), grippe-sou, Harpagon, inventoriage, inventorier, ladre, lésiner, liarder, mesurer, pingre, prodigue (être), radin, recensement, recenser

COMPTE-TOURS → ENREGISTREUR

COMPTEUR → DISTANCE, ENREGISTREUR, INDICATEUR

COMPTINE → ENFANT

COMPTOIR → AGENCE, BOUTIQUE, BUREAU, COLONIE, COMMERCE, COMPAGNIE, SUCCURSALE

COMPTOIR agence, bar, bureau, buvette, emporium, factorerie, succursale, zinc

COMPULSER → DOSSIER, EXAMINER, FEUILLETER, LIRE, PENCHER (SE), RENSEIGNEMENT

COMPULSION → ACTE
Voir tab. **Psychanalyse**

COMPUT → CALCUL

COMPUTATION → CALCUL

COMPUTER → INTELLIGENCE ARTIFICIELLE

COMTE → NOBLESSE

COMTÉ → ÉTAT, GRUYÈRE
Voir illus. **Fromages**

COMTOISE → HORLOGE

CON BRIO
Voir tab. **Musique** (vocabulaire de la)

CON FUECO
Voir tab. **Musique** (vocabulaire de la)

CON SORDINO
Voir tab. **Musique** (vocabulaire de la)

CONCASSER → BRISER, BROYER, ÉCRASER, MOUDRE, PILER, RÉDUIRE, TRITURER

CONCATÉNATION → RÉUNION

CONCAVE → COURBE (2), MYOPIE, POLYGONE

CONCÉDER → ABANDONNER, AVOUER, CÉDER, CONVENIR, RECONNAÎTRE

CONCÉDER accorder, admettre, allouer, avouer, céder, convenir, donner, octroyer, reconnaître

CONCENTRATION → ATTENTION, DENSITÉ, EFFORT, FUSION, GROUPEMENT, INDUSTRIE, RÉFLEXION, RÉUNION

CONCENTRATION accumulation, agglomération, attention, contention, conurbation, mégalopole, métropole, rassemblement, réflexion, regroupement, réunion

CONCENTRÉ → APPLIQUÉ, RÉFLÉCHI

CONCENTRÉ absorbé, aggloméré, condensé, dense, élixir, épais, essence, parfum, plongé, quintessence, substance

CONCENTRER → ASSEMBLER (S'), DISPERSER, ÉPARPILLER, FIXER, MÉDITER, RECUEILLIR (SE)

CONCENTRER accumuler, agglutiner, agréger, canaliser, entasser, focaliser (se), grouper, méditer, rassembler, réfléchir

CONCEPT → ABSTRACTION, IDÉE, NOTION, PENSÉE, RAISONNEMENT

CONCEPTEUR → ARCHITECTE, DESIGN

CONCEPTION → CRÉATION, DESIGN, FAÇON, IDÉE, INTELLIGENCE, PHILOSOPHIE, PRÉPARATION, THÉORIE, VISION

CONCEPTION anthérozoïde, contraceptif, design, embryon, étude, fivete, gamète, germe, idée, in vitro, jugement, maquette, oosphère, opinion, ovule, projet, représentation, spermatozoïde, vue

CONCERNANT → RELATIF, VISER

CONCERNER → APPARTENIR, APPLIQUER (S'), IMPLIQUER, INTÉRESSER, PORTER, REGARDER, RELEVER

CONCERNER échoir, être du ressort de, incomber, regarder, relever, rentrer dans les attributions de

CONCERT → INTELLIGENCE, ORCHESTRE, RÉCITAL, SPECTACLE

CONCERT aubade, audition, auditorium, cacophonie, cantate, chant grégorien, clameur, concerto, duo, kiosque, messe, ode, oratorio, quatuor, quintette, récital, requiem, salle, salon, sérénade, show, spectacle, symphonie, trio

CONCERTANT → MESSE

CONCERTÉ → RÉCIPROQUE (2)

CONCERTER → DÉLIBÉRER, ENTENDRE

CONCERTER accorder (s'), arranger, calculer, entendre (s'), manigancer, organiser, préméditer, préparer

CONCERTINA → ACCORDÉON

CONCERTISTE → MUSICIEN

CONCERTO → COMPOSITION, CONCERT, PIANO

Voir tab. **Musicales (formes)**

CONCESSIF → RESTRICTION

CONCESSION → AUTORISATION, CIMETIÈRE, COMPROMIS, TRANSIGER

CONCESSION abandon, charte, composer, compromis, déprise,

désistement, dessaisissement, don, épitrope, legs, octroi, paromologie, renoncement, rétrocession, transiger

CONCETTI → BRILLANT (2)

CONCEVABLE → ACCESSIBLE, COMPRÉHENSIBLE, PLAUSIBLE, POSSIBLE

CONCEVOIR → COMPOSER, ENGENDRER, IMAGINER, INVENTER, PENSER, PRÉPARER, PRÉVOIR, RÉDIGER, REPRÉSENTER (SE), SAISIR, VENIR, VOIR

CONCEVOIR échafauder, élaborer, engendrer, imaginer, penser, procréer, projeter, réfléchir

CONCHAGE

Voir tab. **Chocolat**

CONCHE → BAIE

CONCHIGLIE

Voir illus. **Pâtes**

CONCHOÏDAL → COQUILLE

Voir tab. **Forme de... (en)**

CONCHYLICULTURE → COQUILLAGE

Voir tab. **Élevages**

CONCHYLIEN → COQUILLE

CONCHYLIOLOGIE COQUILLAGE, ZOOLOGIE

Voir tab. **Sciences : termes en -ologie et -ographie**

CONCHYOPHILE

Voir tab. **Collectionneurs**

CONCIERGE → COMMÉRAGE, CURIEUX (2), GAZETTE, IMMEUBLE, PORTIER, SUISSE

CONCIERGE Argos, bedeau, bignole, cerbère, commère, gardien, pipelette, portier, suisse

CONCIERGERIE → PRISON

CONCILE → ASSEMBLÉE, ÉGLISE, RÉUNION, THÉOLOGIE

Voir tab. **Catholique romain (vocabulaire)**

CONCILE concile de Trente, consistoire, diocésain, national, session, synodal, synode

CONCILE DE TRENTE → CONCILE

CONCILIABULE → CONFÉRENCE, CONVERSATION, ENTRETIEN, SECRET (2)

CONCILIANT → ACCOMMODANT, BEAU, FACILE, INDULGENT, PRINCE, SOUPLE

CONCILIATEUR → ARBITRE, MÉDIATEUR, NÉGOCIER

CONCILIATEUR arbitre, médiateur, pacificateur

CONCILIATION → ACCORD, COMPROMIS, RÈGLEMENT

CONCILIATION accommodement, accord, arbitrage, arrangement, compromis, entente, médiation, réconciliation, transaction

CONCILIER → ACQUÉRIR, GAGNER, OBTENIR, RACCOMMODER

CONCILIER accorder, arbitrer, attirer (s'), gagner

CONCIS → BAVARD, BREF (1), CONDENSÉ, DENSE, FORMULE, PRÉCIS, RÉSUMÉ (2), SERRÉ, SIMPLE, SOBRE, SOMMAIRE (2)

CONCIS bref, compendieux, compendium, condensé, court, dense, elliptique, incisif, laconique, lapidaire, précis, ramassé, résumé, sobre, sommaire, succinct

CONCITOYEN → COMPATRIOTE

CONCLAVE → ASSEMBLÉE, CARDINAL (1), CONGRÈS, ÉLECTION, PAPE, RÉUNION

Voir tab. **Catholique romain (vocabulaire)**

CONCLAVISTE → CARDINAL (1)

CONCLU → ENTENDU

CONCLUANT → DÉCISIF, DÉMONSTRATIF, IRRÉSISTIBLE

CONCLURE → ACCORD, ACHEVER, ARRÊTER, BREF (1), CLORE, COMPLÉTER, RÉGLER, SOLDER, TERMINER, TIRER, TRANCHER

CONCLURE achever, arguer, clore, couronner, déduire, démontrer, inférer, réaliser, résoudre, sanctionner, signer, terminer

CONCLUSION → BREF (1), CONSÉQUENCE, DÉDUCTION, FIN (1), MORALE, PARTIE, RAISONNEMENT, RÉCIT, RÉSULTAT, SOLUTION, TERME

CONCLUSION aboutissement, achèvement, cadence, chute, coda, consécration, constatation, dénouement, enseignement, épilogue, final, happy end, leçon, morale, péroraison, règlement

CONCOCTER → FABRIQUER, PRÉPARER

CONCOMBRE cucurbitacées, holothurie, pépon, péponide

CONCOMITANCE → COÏNCIDENCE

CONCOMITANT → SIMULTANÉ

CONCORDANCE → CONFORMITÉ, CORRESPONDANCE, DÉCALAGE, PARENTÉ, RELATION, RESSEMBLANCE, SIMILITUDE

Voir tab. **Livres**

CONCORDANCE accord, analogie, contradiction, correspondance, décalage, désaccord, entente, harmonie, ressemblance, similitude

CONCORDAT → COMPROMIS, DETTE, ÉGLISE, FAILLITE, TRAITÉ (2)

Voir tab. **Catholique romain (vocabulaire)**

Voir tab. **Droit (termes de)**

CONCORDE → COMMUNAUTÉ, ENTENTE, FRATERNITÉ, HARMONIE, INTELLIGENCE, UNION

CONCORDER → RÉPONDRE

CONCOURIR → AIDER, PERMETTRE, TENDRE (1)

CONCOURIR aider à, collaborer à, coopérer à, participer à

CONCOURISTE → SÉLECTION

CONCOURS → AIDE, APPOINT, CHAMPIONNAT, COLLABORATION, CONTRIBUTION, EXPOSITION, INTERVENTION, PARTICIPATION, RENCONTRE, SOUTIEN

CONCOURS accessit, admission, agrégation, aide, CAPE, CAPEPS, CAPES, cacique, candidat, coïncidence, collaboration, compétiteur, concurrent, conjoncture, coopération, disqualification, échec, émule, Femina, Goncourt, major, Médicis, mention, Nobel, participation, Renaudot, rival, Rome, succès

CONCRET → EFFECTIF, MATÉRIEL (2),

OBJECTIF, PALPABLE, PERCEPTIBLE, POSITIF

CONCRET (1) matière, phénomène, substance

CONCRET (2) audible, concrétion, condensation, effectif, formuler, matérialiser, palpable, perceptible, pragmatique, pratique, réaliser, réel, solidification, tangible, visible

CONCRÉTER → DURCIR

CONCRÉTION → ACCUMULATION, CALCUL, CONCRET (2)

CONCRÉTISATION → APPLICATION

CONCRÉTISER → CRISTALLISER, MATÉRIALISER, RÉALISER, RÉEL

CONÇU → ENTENDU

CONCUBIN → COMPAGNON

CONCUBINAGE → LIBRE, UNION

CONCUBINE → COMPAGNE, FEMME

CONCUPISCENCE → APPÉTIT

CONCUPISCENT → AVIDE, LASCIF, LIBERTIN, SEXUEL

CONCURRENCE → ANTAGONISME, CAPITALISME, COMPÉTITION, ÉMULATION, RIVALITÉ

CONCURRENCE affichage, challenge, ciblage, créneau, détournement, dumping, émulation, fraude, hauteur de (à), joute, libéralisme, libre-échangisme, marketing, monopole, niche, protectionnisme, publicité, rivalité

CONCURRENT → ADVERSAIRE, CANDIDAT, COMBAT, COMPÉTITION, CONCOURS, OPPOSANT, PARTICIPANT, RIVAL (1), SÉLECTION

CONCUSSION → CORRUPTION, DÉLIT, FONCTIONNAIRE, PILLAGE, TRAFIC

Voir tab. **Droit (termes de)**

CONCUSSIONNAIRE → MALHONNÊTE

CONDAMNATION → FOUDRE, RÉPROBATION, SANCTION, SUPPLICE

CONDAMNATION anathématisation, anathème, arrêt, bannissement, cachot, casier judiciaire, cellule, censure, châtiment, damnation, excommunication, exil, in pace, Inquisition, jugement, malédiction, mise à l'Index, ostracisme, peine, pénitencier, prison, proscription, QHS (quartier de haute sécurité), relégation, sentence, verdict

CONDAMNÉ → INCURABLE, MALADE, PERDRE, PERDU

Voir tab. **Droit (termes de)**

CONDAMNÉ bagnard, captif, détenu, incarcéré, incurable, inguérissable, perdue, prisonnier, repris de justice

CONDAMNER → ATTAQUER, BOUCHER (1), CRITIQUER, DÉFENDRE, DÉPORTER, DÉSAVOUER, FERMER, FORCER, INTERDIRE, JUGER, MAUDIRE, MURER, OBLIGER, PROCÈS, PROHIBER, PUNIR, VOUER

CONDAMNER bannir, blâmer, châtier, désapprouver, fermer, inculper, murer, obstruer, ostraciser, proscrire, punir, réprimander, réprouver, sanctionner

CONDENSATEUR → CIRCUIT, ÉLECTRONIQUE, MICROSCOPE
Voir tab. **Électricité**

CONDENSATION → CONCRET (2), CORPS, DENSITÉ, INCONSCIENT (2), PLUIE, ROSÉE

CONDENSÉ → ABRÉGÉ, CONCENTRÉ, CONCIS, DENSE, RÉSUMÉ (1), SOMMAIRE (2)

CONDENSÉ abrégé, concis, épure, résumé, synopsis

CONDENSER → ABRÉGER, RÉDUIRE

CONDENSER abréger, comprimer, épaissir, réduire, résumer, saturer, synthétiser

CONDESCENDANCE → COMPLAISANCE, HAUTEUR

CONDESCENDANT → ALTIER, DÉDAIN, FIER, HAUTAIN, MÉPRIS, PROTECTEUR (2), SUPÉRIEUR

CONDESCENDRE → ABAISSER, CONSENTIR, RENDRE (SE)

CONDIMENT → AROMATE, VINAIGRE
Voir tab. **Herbes, épices et aromates**

CONDISCIPLE → AMI, CAMARADE, COMPAGNE, COMPAGNON, PROMOTION

CONDITION → CATÉGORIE, CIRCONSTANCE, CLAUSE, CONTRAT, EXIGENCE, EXTRACTION, POSITION, PRÉALABLE (1), PRÉTENTION, QUALITÉ, RÉSERVE, RESTRICTION, SITUATION, SORT

CONDITION ambiance, atmosphère, axiome, caste, circonstances, clause, climat, conjoncture, destinée, dicter, disposition, élément, extraction, fatalité, fatum, fondement, formalité, fortune, karma, milieu, modalité, prédestination, prémisse, prolégomènes, rang, signifier, situation, sommation, sort, souche, sphère, stipulation, ultimatum

CONDITIONNÉ → RÉFLEXE

CONDITIONNEL → CONTINGENT, IRRÉEL, POTENTIEL (1)

CONDITIONNEL accidentel, casuel, contingent, éventuel, fortuit, hypothétique, occasionnel, optatif

CONDITIONNELLEMENT → BÉNÉFICE

CONDITIONNEMENT → EMBALLAGE, INTOXICATION, MARCHANDISE

CONDITIONNEMENT blister, boîte, bouteille, brique, climatisation, désinformation, emballage, flacon, intoxication, propagande, sachet, stick, tube

CONDITIONNER → EMBALLER, TRAITER

CONDITIONNER climatiser, commander, décerveler, découler sur, désinformer, emballer, embouteiller, empaqueter, endoctriner,

induire, influencer, influer sur, intoxiquer, traiter

CONDOLÉANCES (LETTRE DE) → LETTRE

CONDOM → CONTRACEPTIF, PHALLUS

CONDOMINIUM → COMMUN

CONDOR → VAUTOUR
Voir tab. **Oiseaux (classification simplifiée des)**

CONDOTTIERE → MERCENAIRE (1)

CONDUCTEUR → ACCOMPAGNATEUR, ÉLECTRIQUE, MÉCANICIEN, ROUTIER
Voir illus. **Intérieur de maison**

CONDUCTEUR aurige, automédon, ayatollah, batelier, Ben-Hur, bouvier, brahmane, camionneur, capitaine, caravanier, chamelier, Charon, chef, cocher, cornac, cow-boy, curé, dirigeant, égérie, éminence grise, forain, gardian, gourou, guide, Hermès, leader, maître, mécanicien, muletier, nautonier, nomade, pape, pasteur, pilote, postillon, psychopompe, roulier, stratège, Touareg

CONDUCTIBILITÉ → ALUMINIUM, CONDUIRE, MÉTAL, TRANSMISSION

CONDUCTION → CONDUIRE

CONDUIRE → AGIR, AMENER, ANIMER, BAL, DÉBOUCHER, ENTRAÎNER, GOUVERNAIL, INSPECTER, MANIER, MENER, PRENDRE, RÉAGIR, ROULER

CONDUIRE accompagner, acculer, administrer, animé, barrer, canaliser, conductibilité, conduction, contrôler, diriger, drainer, emmener, escorter, gérer, godiller, gouverner, guider, inspiré, manager, manœuvrer, mener, mû, piloter, réduire, superviser, tailler, transmettre, tuteurer

CONDUIT → DISTRIBUER, ÉGOUT, IRRIGATION, POUSSER, TUYAU, VOIE

CONDUIT aqueduc, boyau, canal, canalisation, conduite, oléoduc, pipeline, tube, tuyau, viaduc

CONDUIT ALVÉOLAIRE
Voir illus. **Respiratoire (système)**

CONDUIT AUDITIF
Voir illus. **Oreille**

CONDUITE → ALLURE, ATTITUDE, BULLETIN, CANALISATION, COMPAGNON, CONDUIT, GENRE, MANIÈRE, PRATIQUE (1), SURVEILLANCE, TACTIQUE

CONDUITE acte, agissement, attitude, comportement, extravagance, frasque, fredaine, incartade, loi, manière, méthode, morale, précepte, procédé

CONDYLOME → TUMEUR

CÔNE → CONIFÈRE, COULEUR, PIN
Voir illus. **Géométrie (figures de)**
Voir illus. **Volcan**
Voir tab. **Forme de... (en)**

CONFABULATION → CONVERSATION

CONFECTION → FABRICATION, FAÇON, HABILLEMENT, INDUSTRIE

CONFECTION atelier, couturier, élaboration, fabrication, façon,

manufacture, modiste, préparation, prêt-à-porter, tailleur

CONFECTIONNER → COMPOSER, FABRIQUER, FAÇONNER, FAIRE

CONFECTIONNEUR → TAILLEUR

CONFÉDÉRATION → ALLIANCE, PAYS, UNION

CONFÉRENCE → COLLOQUE, CONGRÈS, COURS, DISCOURS, ENTRETIEN, EXPOSÉ, LEÇON, POIRE, RÉCIT, RENCONTRE, RÉUNION, SAVANT (1)

CONFÉRENCE causerie, colloque, conciliabule, conseil, entretien, exposé, sommet

CONFÉRENCE DE PRESSE → INTERVIEW

CONFÉRER → ADMINISTRER, COMPARER

CONFESSER → AVOUER, CONVENIR, FAUTE, RECONNAÎTRE, SONDER

CONFESSER afficher, avouer, convenir, déclarer, proclamer, reconnaître, témoigner

CONFESSEUR → MARTYR, SAINT (1)

CONFESSION → CONFIDENCE, FOI, RÉCIT, RELIGION, VIE

CONFESSION absolution, attrition, autocritique, aveu, contrition, croyance, culte, déclaration, Église, foi, obédience, pénitence, religion, rémission, repentir

CONFESSIONNEL → PRIVÉ

CONFETTI → CARNAVAL

CONFIANCE → CROIRE, DISCRET, ESPOIR, FIER (SE), FOI, NAÏVETÉ, PATIENCE, SÉCURITÉ, SÉRIEUX (2), SÛR, TRANQUILLITÉ

CONFIANCE alter ego, aplomb, arrogance, assurance, audace, bras droit, candeur, conseiller, conviction, créance, crédible, crédit, crédulité, effronterie, espérance, fatuité, fiable, foi, foi, hardiesse, ingénuité, initiative, naïveté, outrecuidance, présomption, rassurant, témérité

CONFIANCE (FAIRE) → FIER (SE)

CONFIANT → COMMUNICATIF, NAÏF, OPTIMISTE, SEREIN, SÛR, TRANQUILLE

CONFIDENCE → ÉPANCHEMENT, RÉVÉLATION

CONFIDENCE aveux, confession, révélation, secrètement

CONFIDENT → INTIME (1), SIÈGE
Voir illus. **Sièges**

CONFIDENTE → ACCOMPAGNATEUR, COMPAGNIE

CONFIDENTIEL → SECRET (2)

CONFIER → ADRESSER, ASSIGNER, COMMUNIQUER, DÉLÉGUER, DÉPOSER, FIER (SE), LAISSER, LIVRER, OUVRIR, PASSER, PRÊTER, REMETTRE, REMETTRE (SE)

CONFIER abandonner, avouer, confier (se), déléguer, députer, donner, épancher (s'), fier (se), léguer, livrer, livrer (se), mandater, ouvrir (s'), prêter, remettre, révéler, sous-traiter

CONFIGURATION → FORME, RELIEF
Voir tab. **Informatique**

CONFINÉ renfermé

CONFINER → ENFERMER, FRISER, ISOLER (S'), RELÉGUER, TOUCHER

CONFINER cantonner (se), cloître, clouer, enfermer, isoler (s'), restreindre (se)

CONFINS → CONTOUR, EXTRÊME, FRONTIÈRE, LIMITE, PARTAGE

CONFIRMATION → ACTE, LITURGIE, RATIFICATION, RELIGIEUX (2), SACREMENT, SANCTION
Voir tab. **Sacrements**

CONFIRMATION assurance, attestation, homologation, maintenue, preuve, validation, vérification

CONFIRMÉ → SÛR, VRAI

CONFIRMER → AFFERMIR, APPROUVER, APPUYER, ENTÉRINER, FORTIFIER, GARANTIR, LÉGALISER, MAINTENIR, RETENIR, VALIDER

CONFIRMER attester, authentifier, avérer, corroborer, entériner, homologuer, prouver, ratifier, vérifier

CONFISCATION → SAISIE

CONFISERIE → FRIANDISE, SUCRE, USINE

CONFISERIE douceur, dragée, fondant, friandise, mignardise, nougat, nougatine, pastillage, pralinage, praline, rocher, touron

CONFISQUER → EMPARER (S'), ÔTER, RAVIR, RETENIR

CONFISQUER absorber, accaparer, détourner, mainmise, prélever, saisir, séquestre, soustraire

CONFITEOR → PRIÈRE
Voir tab. **Prières et offices de l'Église catholique romaine**

CONFITURE → MARMELADE
Voir tab. **Gâteaux régionaux et étrangers**

CONFITURE compote, cotignac, gelée, marmelade, raisiné

CONFLIT → ANTAGONISME, COMBAT, CONTENTIEUX, CONTESTATION, CRISE, DÉSACCORD, DIVERGENCE, FRICTION, HEURT, LUTTE, OPPOSITION, RIVALITÉ, RUPTURE, SÉPARATION, TENSION, TIRAILLEMENT

CONFLIT affrontement, altercation, antagonisme, antinomie, bagarre, bataille, clash, controverse, désaccord, discorde, dispute, dissension, dissentiment, dissonance, guerre, heurt, incohérence, interventionnisme, lutte, querelle, rixe

CONFLITS INTERNATIONAUX → DROIT (1)

CONFLUENCE → RENCONTRE

CONFLUENT → FLEUVE, JONCTION

CONFLUER → TENDRE (1)

CONFONDRE → BROUILLER, DÉJOUER, MASQUE, MÉLANGER, SURPRENDRE, TROMPER

CONFONDRE amalgamer, consterner, contrecarrer, déconcerter, déjouer, démasquer, fusionner, intervertir, mélanger, mêler, renverser, stupéfier

CONFONDU → INTERDIT (2), STUPÉFAIT

CONFORMATEUR → TÊTE

CONFORMATION → CONSTITUTION

CONFORME → DIGNE, FIDÈLE (2), JUSTE

CONFORME académique, ampliation, analogue, canonial, équivalent, identique, orthodoxe, similaire, systématique, vidimus

CONFORMÉMENT → SELON, SUIVANT (2)

CONFORMER → ADAPTER, AJUSTER, ALIGNER, OBSERVER, PLIER (SE), SACRIFIER, SOUMETTRE, SUIVRE

CONFORMER adapter (s'), aligner sur (s'), modeler sur (se), plier à (se)

CONFORMISME → RÈGLE, ROUTINE

CONFORMISTE → ACADÉMIQUE, BOURGEOIS (2), CLASSIQUE, CONSERVATEUR, CONVENTIONNEL, ORTHODOXE, TRADITIONALISTE

CONFORMITÉ → DÉCALAGE, RECTITUDE, RELATION, RESSEMBLANCE, SIMILITUDE, UNANIMITÉ

CONFORMITÉ adéquation, affinité, concordance, harmonie, parité, similitude

CONFORT → AISANCE, BIEN-ÊTRE, COMMODITÉ, URBANISME, UTILITÉ

CONFORT aisance, cocooning, convivialité, standing

CONFORTABLE → FAVORABLE, MOELLEUX

CONFORTER → AFFERMIR, RELEVER

CONFORTIQUE → BUREAU

CONFRÈRE → MÉTIER, PARTENAIRE

CONFRÉRIE → COMMUNAUTÉ, ORDRE, RÉUNION, SOCIÉTÉ

Voir tab. **Catholique romain (vocabulaire)**

Voir tab. **Islam (vocabulaire de l')**

CONFRONTATION → COLLATION, COMBAT, COMPARAISON, FACE-À-FACE, MATCH, RENCONTRE

CONFRONTÉ (ÊTRE) → BUTER

CONFRONTER → COMPARER, OPPOSER, PARALLÈLE (1), VÉRIFIER

CONFUCIANISME → CHINOIS

Voir tab. **Religions et courants religieux**

CONFUS → BÊTE (2), BROUILLON (2), BRUME, CHOSE, DÉSOLÉ, DÉSORDONNÉ, HONTEUX, IMPRÉCIS, INCERTAIN, INDÉCIS, INTERDIT (2), NÉBULEUX, OBSCUR, PENAUD, PITEUX, TROUBLE (2), VAGUE (2)

CONFUS alambiqué, ambigu, amphigourique, composite, déconcerté, disparate, embarrassé, galimatias, hétéroclite, incohérent, nébuleux, penaud, piteux, quinaud

CONFUSÉMENT → VAGUEMENT

CONFUSION → AGITATION, AMALGAME, ANARCHIE, BAZAR, BROUILLARD, CHAOS, DÉLIRE, DÉSORDRE, EMBARRAS, ERREUR, MALENTENDU, PERTURBATION,

RÉSEAU, RÉUNION, TROUBLE (1), VAGUE (2)

CONFUSION anarchie, aphasie, cafouillage, cafouillis, capharnaüm, chaos, confusionnel, confusionnisme, confuso-onirique, daltonisme, dédale, délirant, désordre, dyslexie, fatras, labyrinthe, lacis, pagaille, salmigondis, trouble

CONFUSIONNEL → CONFUSION

CONFUSIONNISME → CONFUSION

CONFUSO-ONIRIQUE → CONFUSION

CONGA → TAMBOUR

Voir illus. **Percussions**

Voir tab. **Instruments de musique**

CONGÉ → FERMETURE, QUART, REPOS, VACANCE

CONGÉ campos, congédier, expédier, licencier, permission, renvoyer, sabbat, vacances, week-end

CONGÉ (DONNER) → LICENCIER

CONGÉDIEMENT → BALAI, RENVOI

CONGÉDIER → CHÔMAGE, COMPTE, CONGÉ, DÉBARQUER, DÉGRAISSER, EXPÉDIER, FICHER, LICENCIER, PORTE, SÉPARER

CONGÉLATION → CONSERVATION, DENRÉE

CONGELER → FROID (1)

CONGÉNÈRE → PAREIL (1), SEMBLABLE (1)

CONGÉNITAL → INNÉ, MALFORMATION, NAISSANCE, NATUREL, ORIGINEL

CONGÈRE → ACCUMULATION, NEIGE

CONGESTION → SANG, VAISSEAU

CONGESTION apoplexie, érythème, fluxion, hypérémie, incision, pléthore, pneumonie, saignée, scarification, turgescence

CONGESTIONNÉ → ROUGE, SANG

CONGLOMÉRAT → COMPAGNIE, SOCIÉTÉ, VOLCAN

CONGLOMÉRAT combinat, groupe, holding, trust

CONGO

Voir tab. **Fleuves**

CONGOU → THÉ

CONGRATULATION → COMPLIMENT, FÉLICITATION

CONGRATULER → FÉLICITER

CONGRE → ANGUILLE

CONGRÉGATION → ASSEMBLÉE, COMMUNAUTÉ, MOINE, PAROISSE, RELIGIEUX (1)

Voir tab. **Clergé catholique (vocabulaire du)**

CONGRÈS → ASSEMBLÉE, CARREFOUR, COLLOQUE, PARTI, RÉUNION, SAVANT (1)

CONGRÈS assemblée, chapitre, colloque, conclave, conférence, meeting, rassemblement, réunion, séance, séminaire, session, symposium, synode

CONGRU → APPROPRIÉ, PERTINENT

CONGRUENCE → ÉQUIVALENCE

CONGRUENT → BON (1)

CONIFÈRE → PIN

Voir tab. **Végétaux (classification simplifiée des)**

CONIFÈRE cèdre, cône, cyprès, épicéa, galbule, galipot, gemme, gomme, if, mélèze, pin, résine, sapin, séquoia, strobile, taïga, taxodium

CONIQUE → ENGRENAGE

CONJECTURE → HYPOTHÈSE, OPINION, PRÉSAGE, PRÉSOMPTION, PRÉVISION, PROBABILITÉ, SUPPOSITION

CONJECTURE hypothèse, projection, supposition, supputation

CONJECTURER → ENTREVOIR, ESTIMER, IMAGINER, PENSER, PRÉDIRE, PRÉSUMER, SOUPÇONNER, SUPPOSER

CONJOINT → ÉPOUX, MARI, PARTENAIRE

CONJOINTEMENT → ACCORD

CONJOINTEMENT en collaboration, en même temps, ensemble

CONJONCTIF → RÉSEAU

CONJONCTION → ASTRE, CONJUGAISON, LUNE, RENCONTRE, RÉUNION

CONJONCTION aspect, assemblage, causale, coordination (de), disjonctive, interférence, liaison, ligature, rencontre, simultanéité, situation, subordination (de), syzygie, union

CONJONCTIVE

Voir illus. **Œil**

CONJONCTIVITE → ŒIL

CONJONCTURE → CAS, CIRCONSTANCE, CONCOURS, CONDITION, FAIT, OCCASION, POSITION, RENCONTRE, SITUATION

CONJONCTURE circonstances, contexte, situation

CONJONCTUREL → ACCIDENTEL

CONJUGAISON → VERBE

CONJUGAISON association, combinaison, conjonction, défectif, désinence, terminaison

CONJUGAL → ÉPOUX

CONJUGUER → JOINDRE

CONJUGUER allier, coaliser, combiner, joindre, unir

CONJUNGO → MARIAGE

CONJURATION → ACCORD, CABALE, CLANDESTIN, COMPLOT, CONSPIRATION, INCANTATION, MACHINATION, MAGIQUE, SECRET (2)

CONJURER → DÉTOURNER, ÉVITER, MALÉDICTION, MALHEUR, PRIER, SUPPLIER

CONJURER exorciser, implorer, supplier

CONNAISSANCE → ACCOINTANCES, ACQUIS, BAGAGE, CONTACT, CULTURE, ÉVANOUIR (S'), FORMATION, FRÉQUENTATION, INSTRUCTION, MARQUE, NOTION, RAISON, RELATION, SAVOIR (1), SCIENCE, TRACE

CONNAISSANCE a posteriori, a priori, acquis, aperçu, cognitif, cognition, compétence, conscience, contact, correspondant, culture, empirisme, encyclopédie, érudition, fréquentation, intuition, notion, perception, pratique, qualification, relation,

rudiments, savoir, science, sensation, sentiment, vernis

CONNAISSANCE SUCCINCTE → TEINTURE

CONNAISSEMENT → ÉTAT, MARCHANDISE

CONNAISSEUR → AMATEUR, ART

CONNAÎTRE → DIAGNOSTIC, ENTENDRE, INFORMER, POSSÉDER, PRATIQUER, RESSENTIR, SUBIR

CONNAÎTRE annoncer, apprendre, avertir, avouer, communiquer, déclarer, découvrir, deviner, discerner, distinguer, divulguer, entendre, éprouver, expérimenter, exprimer, extérioriser, informer, maïeutique, maîtriser, percevoir, posséder, pressentir, prévoir, propager, savoir, soupçonner, subodorer, témoigner, voir, vulgariser

CONNECTER → BRANCHER

CONNECTIQUE → RÉSEAU

CONNEXION → JONCTION, LIAISON, RELATION

CONNEXION câblage, cookie, liaison, rapport, réseau, serveur, site, union

CONNEXIONNISME → INTELLIGENCE ARTIFICIELLE

CONNIVENCE → ACCORD, COLLUSION, COMMUNAUTÉ, COMPLICITÉ, COMPRÉHENSION, ENTENDU, ENTENTE, INTELLIGENCE, SECRET (2)

CONNU → CÉLÈBRE, ÉVIDENT, FAMILIER (2), LÉGENDAIRE, NOTOIRE, POPULAIRE, PRESTIGIEUX, RÉCHAUFFÉ

CONNU appris, célèbre, découvert, évident, légendaire, notoire, proverbial, révélé

CONOÏDE

Voir tab. **Forme de... (en)**

CONOPOPHAGE

Voir tab. **Oiseaux (classification simplifiée des)**

CONQUE → COQUILLAGE, OREILLE

Voir illus. **Oreille**

CONQUÉRANT → CŒUR, SOLDAT, VAINQUEUR

CONQUÉRANT audacieux, conquistador, colonialiste, entreprenant, expansionniste, fat, impérialiste, pédant, prétentieux, suffisant, vainqueur

CONQUÉRIR → EMPARER (S'), ENLEVER, ENVAHIR, GAGNER, OBTENIR, OCCUPER, PASSIONNER, SÉDUIRE, SOUMETTRE, SUBJUGUER

CONQUÉRIR acquérir, annexer, approprier (s'), assujettir, attacher (s'), captiver, charmer, ensorceler, envoûter, extorquer, fasciner, gagner, prendre, séduire, soumettre, subjuguer, vaincre

CONQUÊTE → ANNEXION

CONQUÊTE acquis, annexion, apport, apprivoisement, appropriation, avancée, découverte, domestication, domination, exploration, progrès

CONQUÊTS → IMMEUBLE (1)

CONQUIS → ENTHOUSIASTE, PASSIONNÉ

CONQUISTADOR → COLONISATEUR, CONQUÉRANT

CONSACRÉ → BÉNIT, HABITUEL, OFFICIEL, SAINT (2)

CONSACRÉ classique, habituel, hostie, normal, réglementaire

CONSACRER → ADONNER (S'), BÉNIR, DÉDIER, DESTINER, DONNER (SE), DURABLE, EMBRASSER, LIVRER, OCCUPER, ORDONNER, PASSER, SONGER, VALIDER, VIVRE, VOUER

CONSANGUIN → FAMILLE, FRÈRE, NAÎTRE, PARENT, SŒUR

CONSCIEMMENT → SANG-FROID

CONSCIENCE → ÂME, CONNAISSANCE, INTÉRIEUR (1), INTIME (2), MORALITÉ, NOTION, RAISON, REGARD, SCRUPULE, SENTIMENT

CONSCIENCE acuité, application, autocritique, cénesthésie, découvrir, déontologie, éthique, idée, image, intégrité, introspection, intuition, lucidité, minutie, notion, pensée, perception, pressentiment, probité, réaliser, saisir, sensation, sentiment, soin, subconscient, subliminal

CONSCIENCE PROFESSIONNELLE → EXACTITUDE

CONSCIENCIEUX → BON (1), LABORIEUX, MÉTICULEUX, MINUTIEUX, POINTILLEUX, SCRUPULEUX, SÉRIEUX (2), SOIGNÉ, SOIGNEUX, ZÉLÉ

CONSCIENCIEUX approfondi, détaillé, exhaustif, honnête, intègre, méticuleux, minutieux, précis, probe, scrupuleux, soigneux, zélé

CONSCIENT → LUCIDE

CONSCRIPTION → APPEL, INSCRIPTION, RECENSEMENT, RECRUTER

CONSCRIT → APPRENTI, MILITAIRE (2), RECRUTÉ, SOLDAT

CONSÉCRATION → BÉNÉDICTION, CONCLUSION, COURONNEMENT, GLOIRE, IMPOSITION, MESSE, TRIOMPHE

CONSÉCRATION aboutissement, bénédiction, couronnement, résultat, sanction

CONSÉCUTIF → SUCCÉDER, SUIVRE

CONSÉCUTION → PROGRESSION

CONSÉCUTIVEMENT → INTERRUPTION

CONSEIL → AVERTISSEMENT, COACH, CONFÉRENCE, DÉLÉGUÉ, DÉLIBÉRATION, IMPÉRATIF (1), INSTRUCTION, ORIENTATION, PROPOSITION, RÉUNION

CONSEIL admonition, avisé, clairvoyant, égérie, éminence grise, exhortation, fabricien, invite, judicieux, marguillier, mentor, sagace, suggestion

CONSEIL DE L'ORDRE → MÉDECIN

CONSEIL DE PRUD'HOMMES → TRAVAIL

CONSEIL MUNICIPAL → MAIRE

CONSEIL PRESBYTÉRAL → PAROISSE

CONSEIL RÉGIONAL → DÉPARTEMENT

CONSEIL SYNDICAL *Voir tab.* **Copropriété**

CONSEILLÉ → BON (1), INDIQUER

CONSEILLER → CONFIANCE, FAMILIER (1), GUIDER, INCITER, INSPIRATEUR, INSPIRER, PRESCRIRE, RECOMMANDER, REMETTRE, VANTER

CONSEILLER (1) avocat, écoutant, expert, légiste, psychanalyste, psychiatre, psychologue, psychothérapeute, sénateur, spécialiste

CONSEILLER (2) aviser, diriger, dissuader, exhorter, guider, indiquer, inspirer, préconiser, recommander, suggérer

CONSEILLER D'ÉTAT → JUGE

CONSEILLER GÉNÉRAL *Voir tab.* **Politesse (formules de)**

CONSEILLER PÉDAGOGIQUE D'ÉDUCATION → SCOLAIRE

CONSENSUEL → CONTRAT, UNANIME

CONSENSUS → ACCORD, COMPROMIS, UNANIMITÉ

CONSENTANT → FAVORABLE

CONSENTEMENT → AGRÉER, APPROBATION, AUTORISATION, BÉNÉDICTION, CAUTION, PERMISSION, UNANIMITÉ

CONSENTEMENT accéder à, accepter, accord, acquiescement, assentiment, autorisation, autoriser, permettre, permission

CONSENTEMENT MUTUEL → DIVORCE

CONSENTIR → ABAISSER, ACCÉDER, ACCEPTER, ACQUIESCER, APPROUVER, BONNET, BRONCHER, CÉDER, LAISSER, RAISON, SOUFFRIR, SOUSCRIRE

CONSENTIR accepter, acquiescer à, adhérer à, autoriser, céder, condescendre, permettre, soumettre (se), souscrire à

CONSÉQUENCE → CONTRECOUP, DÉDUCTION, DÉPENDANCE, EFFET, RÉACTION, RÉPERCUSSION, RÉSULTAT, RETOUR, SECONDAIRE, SUITE

CONSÉQUENCE ainsi, anodin, automatiquement, bénin, conclusion, contrecoup, corollaire, déduction, donc, effet, impact, incidence, inférence, insignifiant, ipso facto, rejaillissement, répercussion, retombée, ricochet, séquelles, suite

CONSÉQUENT → IMPORTANT, JOLI, LOGIQUE (2), RATIONNEL

CONSÉQUENT appréciable, cohérent, coquet, fiable, important, logique, rondelet, structuré, substantiel

CONSERVATEUR → ADMINISTRATEUR, ART, BIBLIOTHÈQUE, BOURGEOIS (2), MUSÉE, RÉACTION, TRADITIONALISTE

CONSERVATEUR additif, administrateur, antioxygène, archive, bibliothèque, collection, conformiste, conservatisme, émulsifiant, gardien,

gestionnaire, musée, muséum, passéiste, pinacothèque, réactionnaire, rétrograde, stabilisant, traditionaliste

CONSERVATION → ABÎMER, MAINTIEN

Voir tab. **Café**

Voir tab. **Thé**

CONSERVATION appertisation, congélation, déshydratation, dessiccation, embaumement, lyophilisation, natron, salaison

CONSERVATISME → CONSERVATEUR

CONSERVATOIRE → ACTE, ÉCOLE, MUSIQUE

CONSERVE → DENRÉE, NAVIGUER

CONSERVE autoclave, botulisme, étuve, scorbut

CONSERVER → DESTINER, MAINTENIR

CONSERVER accumuler, entasser, entretenir, garantir, garder, immortaliser, maintenir, perpétuer, préserver, protéger, réhabiliter, restaurer, sauvegarder, soigner

CONSERVERIE → USINE

CONSIDÉRABLE → APPRÉCIABLE, ÉLEVÉ, FABULEUX, FORMIDABLE, GÉANT, GRAND, GROS, IMMENSE, IMPORTANT, IMPOSANT, IMPRESSIONNANT, NOMBREUX, NOTABLE (2), PHÉNOMÉNAL

CONSIDÉRABLE capital, colossal, décisif, éminent, énorme, exceptionnel, immense, incommensurable, innombrable, majeur, notable, remarquable

CONSIDÉRABLEMENT → ABONDAMMENT, BEAUCOUP

CONSIDÉRANT → MOTIF

CONSIDÉRATION → FAVEUR, NOTE, OBSERVATION, PERSPECTIVE, RAISON, RÉFLEXION, RÉPUTATION, RESPECT, RÉVÉRENCE, SCRUPULE

CONSIDÉRÉ → POPULAIRE

CONSIDÉRER → BORNER, CAS, COMPTE, CROIRE, ENVISAGER, ÉTUDIER, EXAMINER, JAUGER, JUGER, PENSER, PESER, PRENDRE, RÉFLÉCHIR, REGARDER, SONGER, TENIR, TROUVER, VOIR

CONSIDÉRER admirer, analyser, apprécier, approfondir, contempler, critiquer, estimer, étudier, évaluer, examiner, jauger, juger, observer, penser, regarder, révérer, toiser, trouver, vénérer

CONSIGNE → COMMANDEMENT, DÉPÔT, INSTRUCTION, ORDRE, PROCÉDURE, QUESTION, RÈGLE, RÈGLEMENT, RETENUE

CONSIGNE colle, directive, injonction, instruction, interdiction, mode d'emploi, ordre, punition, règlement, retenue, ultimatum

CONSIGNER → ARRÊT, CITER, COUCHER, ENREGISTRER, INSCRIRE, MENTION, NOTER, PUNIR, REFUSER, REGISTRE, RELEVER, RETENUE

CONSISTANCE → DURETÉ, SOLIDITÉ, VIANDE

CONSISTANCE fermeté, fragile, inconsistant, instable, irrésolu,

léger, rigidité, solidité, tenue, texture

CONSISTANT → ÉPAIS, SOLIDE

CONSISTER → CONSTITUER

CONSISTER être de, revenir à

CONSISTOIRE → ASSEMBLÉE, CARDINAL (1), CONCILE, PROTESTANT (2), RABBIN, RELIGIEUX (1), RÉUNION, SYNAGOGUE, THÉOLOGIE

Voir tab. **Catholique romain (vocabulaire)**

CONSOLATION → CICATRISATION, RÉCONFORT, SATISFACTION

CONSOLATION adoucissement, allègement, baume, dictame, panacée, réconfort, remède, soulagement

CONSOLE → APPUI, BUREAU, COMMODE, HARPE, MEUBLE, POSTE, PUPITRE, RAYON, SAILLANT, TABLE

Voir illus. **Sièges**

CONSOLER → BAUME, CALMER, CHAGRIN, RÉCHAUFFER, RÉCONFORTER, RELEVER, SOULAGER

CONSOLER apaiser, assoupir, atténuer, cicatriser, rasséréner, réconforter, soulager

CONSOLIDATION → CONVERSION, RENFORT

CONSOLIDÉ → BILAN, DETTE, EMPRUNT

CONSOLIDER → AFFERMIR, APPUYER, ARMER, ASSURER, BÉTONNER, CIMENTER, DURABLE, FORTIFIER, RÉPARER, SOLIDE

CONSOLIDER affermir, ancrer, asseoir, cimenter, enraciner, étayer, fortifier, renforcer, sceller, stabiliser

CONSOMMABLE → POTABLE, SAIN

CONSOMMATEUR → CLIENT, USAGER

CONSOMMATEUR acheteur, boulimique, chaland, client, consumérisme, insatiable, marchandisage, marché, marketing, mercatique, public, usager

CONSOMMATION → UNION, USAGE

Voir tab. **Économie**

CONSOMMATION boisson, emploi, pot, rafraîchissement, usage, utilisation, verre

CONSOMMÉ → ACCOMPLI, BOUILLON

CONSOMMÉ AVGOLEMONO *Voir tab.* **Spécialités étrangères**

CONSOMMER → COMMETTRE, POMPER, TERMINER, UTILISER, VIDER

CONSOMMER absorber, accomplir, alimenter (s'), avaler, brûler, commettre, consomptible, consumer, engouffrer, exécuter, ingurgiter, manger, perpétrer, restaurer (se), sustenter (se), user

CONSOMPTIBLE → CONSOMMER

CONSOMPTION → AMAIGRISSEMENT, BRÛLER, ÉPUISEMENT, FAIBLESSE, PASSION

CONSONANCE → RESSEMBLANCE, TERMINAISON

CONSONANTIQUE → CONSONNE

CONSONNE → LETTRE

CONSONNE consonantique, géminée

CONSORT → COMPAGNIE, PRINCE

CONSORTIUM → COMPAGNIE, ENTREPRISE, FUSION, SOCIÉTÉ

CONSPIRATEUR → COMPLOTER

CONSPIRATION → ACCORD, CABALE, CLANDESTIN, COLLUSION, COMPLOT, ENTENTE, INTRIGUE, MACHINATION, PRÉJUDICE, SECRET (2)

CONSPIRATION cabale, complot, conjuration, intrigue, ligue

CONSPIRER comploter

CONSPUER → BAFOUER, CRIER, HUER, MÉPRISER, SIFFLER

CONSTAMMENT → DEMEURE, PERMANENCE

CONSTANCE → CONTINUITÉ, FERMETÉ, FIDÉLITÉ, FORCE, OBSTINATION, OPINIÂTRETÉ, PERMANENCE, PERSÉVÉRANCE, STABILITÉ

CONSTANT → CONTINU, ÉGAL, ÉTERNEL, FERME (2), IDENTIQUE, IMMUABLE, INALTÉRABLE, INDÉPENDANT, INÉBRANLABLE, INSTANT, INVARIABLE, NORMAL, PERMANENT, PERPÉTUEL, RÉGULIER, SOUTENU, STABLE, STATIONNAIRE, SUIVI

CONSTANT assidu, ferme, fidèle, habituel, immuable, inébranlable, inflexible, obstiné, opiniâtre, permanent, persévérant, régulier, tenace, volontaire

CONSTANTAN → NICKEL

CONSTANTE → DURABLE, FIXE (1), PROPRIÉTÉ

CONSTANTIN

Voir illus. Croix

CONSTAT AMIABLE

Voir tab. Assurance (vocabulaire de l')

CONSTATATION → CONCLUSION, OBSERVATION

CONSTATATION acte, attestation, bulletin, certificat, expertise, observation

CONSTATER → ACTE, APERCEVOIR, ENREGISTRER, ÉPROUVER, NOTER, OBSERVER, RECONNAÎTRE, RELEVER, REMARQUER

CONSTATER assister à, authentifier, éprouver, établir, huissier, légaliser, observer, vérifier

CONSTELLATION → ÉTOILE, GROUPE

CONSTELLATION Aratos, Ptolémée

CONSTELLATION DE LA VIERGE → CATHÉDRALE

CONSTELLER → COUVRIR, PARSEMER

CONSTERNANT → AFFLIGEANT, DÉSASTREUX, PITOYABLE, TRISTE

CONSTERNATION → DÉCOURAGEMENT, MALHEUR

CONSTERNATION abattement, accablement, anéantissement, chagrin, désolation, effondrement

CONSTERNÉ → DÉSOLÉ, INTERDIT

CONSTERNER → CONFONDRE, DÉSESPÉRER, FENDRE

CONSTIPATION → INTESTIN (1), VENTRE

Voir tab. Phobies

CONSTITUANT composant, composante, élément

CONSTITUER → COMPOSER,

ÉDIFIER, ÉTABLIR, FABRIQUER, FORMER, PIED, REPRÉSENTER

CONSTITUER comporter, composer (se), comprendre, consister, créer, établir, fonder, instituer, légaliser, monter, organiser

CONSTITUTIF → ESSENTIEL, PRIMAIRE

CONSTITUTION → COMPOSITION, FONDATION, FORMATION, GOUVERNEMENT, INSTITUTION, NAISSANCE, NATURE, RÉGIME, RÈGLE, RELIGIEUX (2), RÉPUBLIQUE, SANTÉ, TEMPÉRAMENT, TEXTURE

CONSTITUTION bulle, cachexie, cacochymie, charte, complexion, composition, conformation, égrotant, encyclique, gouvernement, organisation, rachitique, régime, souffreteux, structure, texture, valétudinaire

CONSTITUTIONNEL → DROIT (1), MONARCHIE

CONSTRICTEUR → SERPENT

CONSTRICTION → CONTRACTION

CONSTRICTIVE

Voir tab. Bruits

CONSTRUCTEUR → ARCHITECTE, ENTREPRENEUR

CONSTRUCTIF → POSITIF

CONSTRUCTION → BÂTIMENT, ÉCHAFAUDAGE, ÉDIFICE, ÉRECTION, IMMEUBLE (1), INTELLIGENCE ARTIFICIELLE, MONUMENT, PRODUCTION, RAISONNEMENT, RÉCIT, STRUCTURE, TOURNURE

CONSTRUCTION architectonique, cacologie, édification, élévation, érection, syntaxe

CONSTRUIRE → BÂTIR, COMPOSER, ÉDIFIER, ÉLEVER, FAIRE, FONDER, IMAGINER

CONSTRUIRE articuler, bâtir, combiner, disposer, échafauder, édifier, élaborer, ériger, fabriquer, forger, jeter, produire

CONSUBSTANTIALITÉ → FUSION, IDENTITÉ, UNITÉ

CONSUBSTANTIATION → COMMUNION, CORPS, HOSTIE, PRÉSENCE

CONSUL → COMMUNE, DÉLÉGUÉ, REPRÉSENTANT

CONSULAIRE → JUGE

CONSULAT → DIGNITÉ, DIPLOMATIE, MAGISTRATURE, PAYS, REPRÉSENTATION

CONSULTANT → CLIENT, VÉRIFICATION

CONSULTATIF → COMITÉ

CONSULTATION → CONVERSATION, DÉLIBÉRATION, MÉDECIN, RÉFÉRENDUM, RENDEZ-VOUS, VISITE

CONSULTATION analyse, archive, astrologie, bibliothèque, cartomancie, chiromancie, délibération, divination, élection, enquête, étude, examen, expertise, iconothèque, Internet, lecture, Minitel, nécromancie, ordinateur, plébiscite, référendum, réseau, séance, serveur, sondage, spiritisme, visite

CONSULTER → DÉLIBÉRER, DEMANDER, DOSSIER, EXAMINER, FEUILLETER, INTERROGER, QUESTION, QUESTIONNER, RÉFLÉCHIR, REGARDER, RENSEIGNEMENT, SÉANCE, SOIGNER, VOIR

CONSULTEUR → THÉOLOGIE

CONSUMER → BRÛLER, CONSOMMER, DÉPÉRIR, DÉVORER, LANGUIR, MINER, PASSIONNER (SE), RONGER, SOUCI, USER

CONSUMER brûler, dévorer, flamber, miner, ronger

CONSUMÉRISME → CONSOMMATEUR

CONTACT → BRANCHER, CONNAISSANCE, JOINDRE, JONCTION, LIAISON, RAPPORT, RELATION, RENCONTRE, SOCIAL

CONTACT adhérence, attouchement, baiser, caresse, claque, communication, connaissance, contiguïté, correspondance, correspondant, coup, effleurement, entrevue, fréquentation, frôlement, gifle, liaison, poignée de main, rapport, relation, rencontre, serrement de main, tangence

CONTACTER → JOINDRE, TOUCHER

CONTAGE → CONTAGIEUX

CONTAGIEUX → COMMUNICATIF, JOVIAL

CONTAGIEUX communicatif, contage, lazaret, quarantaine, transmissible

CONTAGION → ÉPIDÉMIE, INFECTION, INFILTRATION, TRANSMISSION

CONTAGION contamination, épidémie, pandémie, prévention, propagation, prophylaxie, transmission, vaccination

CONTAINÉRISATION → MARCHANDISE

CONTAMINATION → CONTAGION, INFECTION, TRANSMISSION

CONTAMINÉ → IRRADIER, MALSAIN

CONTAMINÉ infecté, radioactif, vérolé

CONTAMINER → COMMUNIQUER, PROPAGER, TRANSMETTRE

CONTAMINER polluer

CONTE → LÉGENDE, NOUVELLE, ORAL, PARABOLE, RÉALITÉ, RÉCIT

CONTE baliverne, Décaméron, elfe, épopée, fabliau, fadaise, fée, fiction, génie, gnome, histoire, imaginaire, légende, merveilleux, ogre, récit, saga, Schéhérazade, sorcière, sornette, sottise, surnaturel

CONTEMPLATION → EXTASE, MYSTIQUE (2), PAIX

CONTEMPLER → CONSIDÉRER, REGARDER

CONTEMPORAIN → ACTUALITÉ, ACTUEL, MODERNE, SIMULTANÉ, TEMPS

CONTEMPORAIN actuel, moderne, synchronie

CONTEMPTEUR → CRITIQUE (1), MÉPRISANT

CONTENANCE → CAPACITÉ, CONTENU, MAINTIEN, VOLUME

Voir tab. Mathématiques (symboles)

CONTENANCE air, allure, attitude, capacité, comportement, cubage, déconcerter, décontenancer, démonter, désarçonner, déstabiliser, tonnage, troubler, volume

CONTENEUR → CAISSE, RÉCIPIENT, TRANSPORT

CONTENEURISATION → MARCHANDISE

CONTENIR → CALMER, COMMANDER (SE), CONTRAINDRE, CONTRÔLER, DOMINER, ÉTOUFFER, FREINER, MAÎTRISER, MODÉRER, POSSÉDER, RECEVOIR, REFOULER, RESPECT, SANG-FROID, TEMPÉRER, TENIR

CONTENIR borner, comporter, contraindre (se), dominer (se), endiguer, enserrer, inclure, incoercible, incontrôlable, irrépressible, modérer (se), receler, réfréner, renfermer, réprimer

CONTENT → FIER, HEUREUX, RAVI, SATISFAIT

CONTENT arrogant, béat, gai, heureux, présomptueux

CONTENT (1) soûl

CONTENT (2) comblé, enchanté, enthousiasmé, fat, infatué, joyeux, radieux, ravi, satisfait, suffisant, vaniteux

CONTENTEMENT → BÉATITUDE, FIERTÉ, JOUISSANCE, PLAISIR, PLÉNITUDE, SATISFACTION

CONTENTEMENT bonheur, félicité, joie, plaisir, satisfaction

CONTENTER → ACCOMMODER (S'), ARRANGER, RABATTRE (SE), SATISFAIRE, TENIR

CONTENTIEUX → DÉBAT

CONTENTIEUX affacturage, affaire, conflit, démêlé, différend, litige

CONTENTION → APPLICATION, ATTENTION, CONCENTRATION, TENSION

CONTENU → FOND, INCLUS, PENSÉE, SIGNIFICATION, SOURD, SUBSTANCE

CONTENU capacité, cargaison, charge, contenance, étiquette, fret, menu, programme, sens, sommaire, substance, table des matières, teneur, tonnage, volume

CONTER → NARRATION, PEINDRE, RACONTER

CONTER FLEURETTE → COURTISER, DRAGUER, GALANT

CONTESTABLE → BANCAL, DOUTEUX, FAIBLE (2), INCERTAIN, TÉMOIGNAGE

CONTESTATAIRE → PARTI, REBELLE (2)

CONTESTATION → CHICANE, OBJECTION, OPPOSITION, RÉVOLTE

CONTESTATION conflit, grève, manifestation, rébellion, révolte, soulèvement

CONTESTER → ATTAQUER, BOUGER, DÉMENTIR, DÉSOBÉIR, DIFFICULTÉ, DISCUTER, NIER, PROTESTER, RÉCUSER, REFUSER, RÉFUTER, REMETTRE, RÉVOLTER

CONTESTER contredire,

CONTROVERSER, dénier, infirmer, nier, protester, récuser, réfuter, regimber, rebeller (se), révolter (se)

CONTEXTE → CONJONCTURE, SITUATION

CONTEXTURE → STRUCTURE

CONTIGU → ADJACENT, PROCHE (2), VOISIN

CONTIGU (ÊTRE) → TOUCHER

CONTIGUÏTÉ → CONTACT

CONTINENCE → ABSTINENCE, CHASTETÉ, PRIVATION

CONTINENT → CINQ, SAGE, SEXUEL, SOBRE

CONTINENTAL → CLIMAT

CONTINGENCE → ACCIDENT

CONTINGENT → ACCIDENTEL, ARBITRAIRE, CONDITIONNEL, ÉVENTUEL, HASARD, INCERTAIN, INDÉTERMINÉ, MILITAIRE (2), PART, POSSIBLE, QUANTITÉ

CONTINGENT accessoire, aléatoire, conditionnel, fortuit, incertain, lot, mineur, secondaire, stock

CONTINGENTEMENT → IMPORTATION

CONTINGENTER → LIMITER

CONTINU → IMMUABLE, PERMANENT, RÉGULIER, SOUTENU, SUIVI

CONTINU assidu, constant, continuo, continuum, incessant, indéfectible, ininterrompu, opiniâtre, permanent, perpétuel, persistant, sempiternel, soutenu, uniforme

CONTINUATION → POURSUITE

CONTINUEL → ÉTERNEL, MONOTONE, PERPÉTUEL

CONTINUELLEMENT → INSTANT

CONTINUER → DURER, INSISTER, PERSÉVÉRER, PERSISTER, POURSUIVRE, PROLONGER

CONTINUER durer, éterniser (s'), maintenir, obstiner à (s'), pérenniser, perpétuer, persévérer, persister, poursuivre, prolonger

CONTINUITÉ → CHANGEMENT, ÉVOLUTION

CONTINUITÉ cassure, constance, fracture, permanence, persistance, poursuite, rupture

CONTINUO → CONTINU

CONTINUUM → CONTINU

CONTONDANT → MATRAQUE

CONTORSIONNISTE → ACROBATE

CONTOUR → FORME, MÉANDRE, OMBRE, PÉRIPHÉRIE, PROFIL, SILHOUETTE, TOUR

CONTOUR ceinture, clôture, confins, délinéament, détour, détourer, ébaucher, enceinte, esquisser, forme, frontière, galbe, lacet, limite, méandre, ovale, périphérie, profil, rogner, silhouette, sinuosité, zigzag

CONTOURNÉ → COMPLIQUÉ, SINUEUX, SOPHISTIQUÉ, SUBTIL, TARABISCOTÉ

Voir tab. **Héraldique** (vocabulaire de l')

CONTOURNEMENT → DÉFAUT

CONTOURNER → ARRONDIR, ESCAMOTER, SOUSTRAIRE

CONTRACEPTIF → CONCEPTION

CONTRACEPTIF anticonceptionnel, condom, diaphragme, micropilule, pilule, préservatif, spermicide, stérilet

CONTRACEPTION → CONTRÔLE, NAISSANCE

CONTRACTANT → CONTRAT

Voir tab. **Assurance** (vocabulaire de l')

CONTRACTÉ → NOUER

CONTRACTER → ATTRAPER, DIMINUER, MALADIE, PRENDRE, SERRER, TENDRE (1)

CONTRACTER acquérir, attraper, choper, emprunter, endetter (s'), souscrire, tétaniser (se)

CONTRACTER (SE) durcir (se), raidir (se), tendre (se)

CONTRACTER MARIAGE → MARIER

CONTRACTION → CRISPATION

CONTRACTION angiospasme, clonus, coalescence, constriction, contracture, convulsion, crampe, crase, crispation, isométrique, isotonique, myographe, résumé, rétraction, rictus, spasme, synérèse, systole, tétanos, trismus

CONTRACTUEL → FONCTIONNAIRE, STATIONNEMENT

CONTRACTURE → CONTRACTION

CONTRADICTEUR → ADVERSAIRE

CONTRADICTION → ANTAGONISME, CONCORDANCE, DÉSACCORD, INCOMPATIBILITÉ, RÉFUTER

CONTRADICTION antilogie, antinomie, cohérent, démenti, difficulté, entrave, logique, objection, paradoxe, réfutation

CONTRADICTOIRE → INCOHÉRENT, OPPOSÉ

CONTRAIGNANT → PÉNIBLE, TYRANNIQUE

CONTRAINDRE → ABUSER, COMMANDER (SE), COMPRIMER, CONTENIR, CONTRÔLER, DEMEURE, EFFORCER (S'), ÉTOUFFER, FORCER, GÊNER, MAIN, OBLIGER, PLIER (SE), REFOULER, RETENIR, SOUMETTRE

CONTRAINDRE acculer, assujettir, astreindre (s'), contenir, empêcher de (s'), entraver, forcer, gêner, imposer de (s'), obliger, obliger à (s'), refouler, réfréner (se), réprimer (se), tyranniser, violenter

CONTRAINT → AFFECTÉ, AMENER, FORCÉ, OBLIGATION, POUSSER, STANDARD (2)

CONTRAINTE → CARCAN, GAUCHE, IMPÉRATIF (1), IMPÔT, NÉCESSITÉ, OPPRESSION, PRESSION, RÈGLE, SERVITUDE, TUTELLE

CONTRAINTE asservissement, astreinte, coercition, discipline, entrave, esclavage, exigence, loi, obligation, pression, règlement, servitude, soumission, sujétion, tutelle

CONTRAIRE → CONTRE-PIED, DÉFAVORABLE, DISCORDANT, EXTRÊME, INCOMPATIBLE, INVERSE (2), OPPOSÉ, REVANCHE

CONTRAIRE (1) antonyme, inverse

CONTRAIRE (2) adverse, antagoniste, antinomique, antithétique, attentatoire, dérogation, distinct, divergent, incompatible, inconciliable, infraction, néfaste, nuisible, opposé, préjudiciable, transgression

CONTRAIREMENT → INVERSE (1)

CONTRALTO → GRAVE, VOIX

CONTRAPUNTISTE → MUSICIEN

CONTRARIANT → DOMMAGE, ENNUYEUX, FÂCHEUX (2), GAI (1)

CONTRARIANT agaçant, casse-pieds, déplaisant, dérangeant, difficile, embêtant, ennuyeux, fâcheux

CONTRARIÉ → DÉSOLÉ, FÂCHÉ

CONTRARIER → CHIFFONNER, DÉJOUER, DÉPLAIRE, DÉRANGER, DÉSOLER, ÉCHEC, EMBARRASSER, EMBÊTER, FÂCHER, GÊNER, IRRITER, MÉCONTENTER, NUIRE, PEINER

CONTRARIER agacer, attrister, barrer, blesser, chagriner, contrecarrer, contrer, désoler, détourner, dévier, énerver, entraver, freiner, froisser, irriter, mécontenter, navrer, vexer

CONTRARIÉTÉ → SOUCI, TRACAS

CONTRASTE → DIFFÉRENCE, OPPOSITION, RELATION, RELIEF

CONTRASTE antithèse, clair-obscur, détonner, discordance, dissemblance, jurer, opposition, trancher

CONTRASTER → OPPOSER, RESSORTIR, TRANCHER

CONTRAT → ACCORD, ALLIANCE, MARCHÉ, PROMESSE, RÉGIME

Voir tab. **Bridge**

Voir tab. **Tarot**

CONTRAT accord, acte, alliance, antichrèse, avenant, captation, commutatif, condition, consensuel, contractant, convention, disposition, dol, engagement, lésion, louage, nantissement, pacte, pignoratif, protocole, rescision, résilier, révoquer, stipulation, synallagmatique, traité

CONTRAT DE MAINTENANCE → ABONNEMENT

CONTRAT SOCIAL → SOCIÉTÉ

CONTRAVENTION → AMENDE, DÉLIT, INFRACTION, PUNITION, STATIONNEMENT

CONTRAVENTION amende, contredanse, délit, entorse au règlement, infraction, p.-v., papillon, prune

CONTRE → BOXE

CONTRE (PAR) → REVANCHE

CONTRE X → INCONNU (1)

CONTRE-AMIRAL

Voir illus. **Grades militaires**

CONTRE-APPEL → VÉRIFIER

CONTRE-ATTAQUER → RIPOSTER

CONTREBALANCER → COMPENSER, CONTREPOIDS, ÉQUILIBRE

CONTREBANDE → COMMERCE, TRAFIC

CONTREBANDE clandestin, faux-saunage, fraude, interlope, trafic

CONTREBANDIER → DOUANE, FRAUDE, FRONTIÈRE

CONTREBANDIER bandolier, bootlegger

CONTREBASSE → CORDE, INSTRUMENT

Voir illus. **Orchestre**

Voir tab. **Instruments de musique**

CONTREBASSON

Voir tab. **Instruments de musique**

CONTREBRAQUER → BRAQUER

CONTRECARRER → CONFONDRE, CONTRARIER, DÉJOUER, DÉRANGER, ÉCHEC, NEUTRALISER, OPPOSER, RÉPONDRE

CONTRECHAMP

Voir tab. **Cinéma**

CONTRECŒUR → CHEMINÉE, REGRET, RIRE

Voir illus. **Cheminée**

CONTRECOLLÉ → ENCADREMENT

CONTRECOUP → CONSÉQUENCE, EFFET, INDIRECT, RÉACTION, REBONDIR, RÉPERCUSSION, RÉSULTAT, RETOUR, SUITE

CONTRECOUP conséquence, effet, indirectement, répercussion, ricochet (par), séquelles, suite

CONTRE-COURANT → RETOUR, SENS

CONTREDANSE → CONTRAVENTION

CONTREDIRE → CONTESTER, DÉDIRE (SE), DÉMENTIR, INSCRIRE (S'), NIER, REFUSER, RÉFUTER, RÉPONDRE

CONTREDIRE démentir, irréfragable, nier, réfuter

CONTRÉE → NATION, RÉGION

CONTRE-ENQUÊTE → ENQUÊTE, VÉRIFIER

CONTRE-ÉPAULETTE → UNIFORME (1)

CONTRE-ÉPREUVE → VÉRIFIER

CONTRE-EXAMEN → VÉRIFIER

CONTREFAÇON → BILLET, CALQUE, COPIE, FAUX (2), IMITATION, PRÉJUDICE, REPRODUCTION, SIGNATURE

CONTREFAÇON adultération, contrefacteur, contrefaction, copie, falsificateur, falsification, faussaire, faux, imitation, parodie, pastiche, pasticheur, plagiat

CONTREFACTEUR → CONTREFAÇON, FABRICATEUR, IMITATEUR, MALFAITEUR

CONTREFACTION → BILLET, CONTREFAÇON

CONTREFAIRE → ADULTÉRER, DÉGUISER, FALSIFIER, FAUX (2), IMITER, REPRÉSENTER, TRAFIQUER

CONTREFAIRE calquer, copier, déformer, déguiser, falsifier, imiter, mimer

CONTRE-FASCÉ

Voir illus. **Héraldique**

CONTRE-FEU → CHEMINÉE

CONTREFICHE

Voir illus. **Charpente**

CONTRE-FICHE → FERME (1)

CONTREFORT → APPUI, PILIER, SOUTIEN

Voir illus. **Chaussures**

Voir tab. **Géographie et géologie** (termes de)

CONTRE-FRUIT → MUR

CONTRE-HERMINE → BLASON

CONTRE-INDICATION → MÉDICAMENT

CONTREMAÎTRE → ÉQUIPE, INDUSTRIE

CONTREMAÎTRE agent de maîtrise, chef d'équipe, porion, prote

CONTREMARCHE
Voir illus. **Escalier**

CONTREMARQUE → TICKET

CONTRE-MUR → MUR

CONTREPARTIE → CHANGE, COMPENSATION, ÉCHANGE, INVERSE (1), PENDANT (1), REGISTRE, REVANCHE

CONTREPARTIE compensation, en échange, gracieusement, gratuitement, indemnisation, par contre, retour, en revanche

CONTRE-PASSER → COMPENSER

CONTREPÈTERIE → JEU, MOT
Voir tab. **Rhétorique (figures de)**

CONTRE-PIED → INVERSE (1)
Voir tab. **Chasse** (vocabulaire de la)

CONTRE-PIED contraire, inverse, opposé

CONTREPLACAGE → ÉBÉNISTERIE

CONTRE-PLONGÉE
Voir tab. **Cinéma**

CONTREPLAT
Voir illus. **Livre relié**

CONTREPOIDS contrebalancer, équilibrer, groom, valet

CONTREPOINT
Voir tab. **Musique** (vocabulaire de la)

CONTREPOISON → POISON, REMÈDE

CONTRER → CONTRARIER, OPPOSER, RÉFUTER

CONTRER gagner sur, opposer à (s'), vaincre

CONTRE-RÉFORME → RÉFORME

CONTRE-RÉVOLUTION → RÉACTION

CONTRE-RÉVOLUTIONNAIRE → COMMUNISME

CONTRE-SANGLON
Voir tab. **Selle**

CONTRESCARPE → FOSSÉ, TALUS

CONTRESEING → SIGNATURE

CONTRESENS → ERREUR, INTERPRÉTATION, SENS, TRADUCTION

CONTRESIGNER → SIGNER

CONTRETEMPS → ACCIDENT, ÉVÉNEMENT, SYNCOPE
Voir tab. **Danse classique**

CONTRETEMPS accident, complication, difficulté, empêchement, ennui, incident, inopportun, intempestif, malencontreux, obstacle, problème

CONTRE-TORPILLEUR
Voir tab. **Bateaux**

CONTRE-TRANSFERT
Voir tab. **Psychanalyse**

CONTRETYPE → NÉGATIF, PHOTOGRAPHIE

CONTREVALLATION → SIÈGE

CONTRE-VAIR → BLASON

CONTREVENANT → CONTREVENIR, DÉLINQUANT

CONTRE-VÉRITÉ → COMMÉRAGE

CONTREVENIR → DÉSOBÉIR, ENTORSE, LOI, MANQUER, TRANSGRESSER, VIOLER

CONTREVENIR contrevenant, coupable, délinquant, déroger à, enfreindre, outrager, transgresser

CONTREVENT → FENÊTRE, JALOUSIE, VOLET

CONTREVENTEMENT
Voir illus. **Ponts**

CONTRIBUABLE → IMPÔT

CONTRIBUER → AIDER, COLLABORER, PART, PERMETTRE

CONTRIBUTION → CHARGE, COLLABORATION, COTISATION, IMPOSITION, IMPÔT, PART, PARTICIPATION, RECETTE, REDEVANCE, RESSOURCE

CONTRIBUTION aide, assistance, cens, champart, collaboration, concours, coopération, cotisation, dîme, écot, gabelle, impôt, obole, participation, patente, quote-part, redevance, taxe, terrage, tribut

CONTRIBUTION POUR LE REMBOURSEMENT DE LA DETTE SOCIALE
Voir tab. **Fiscalité**

CONTRIBUTION SOCIALE GÉNÉRALISÉE
Voir tab. **Fiscalité**

CONTRISTER → AFFLIGER, MÉCONTENTER

CONTRIT → HONTEUX, PITEUX

CONTRITION → ACTE, CONFESSION, FAUTE, PÉCHÉ, PÉNITENCE, REGRET, REMORDS, REPENTIR

CONTRÔLE → ARBITRAGE, EMPIRE, EXAMEN, INTERROGATION, POINTAGE, RÉCEPTION, REGISTRE, RÉVISION, VÉRIFICATION, VISITE

CONTRÔLE analyse, audit, bilan, cachet, check-up, compostage, contraception, contrôlographe, devoir, épreuve, estampille, examen, flegme, inspection, interrogation, label, maîtrise, malthusianisme, monitoring, observation, partiel, planning familial, poinçon, pointage, radié, réformé, revue, sang-froid, sceau, self-control, surveillance, vérification

CONTRÔLE CONTINU → UNIVERSITÉ

CONTRÔLE JUDICIAIRE
Voir tab. **Droit** (termes de)

CONTRÔLE TECHNIQUE → VÉRIFICATION

CONTRÔLER → ASSURER (S'), COMMANDER, CONDUIRE, ENCADRER, ESSAYER, FILTRER, INSPECTER, INSPECTEUR, JAUGER, MAÎTRE (2), MAÎTRISER, POINTER, POSSÉDER (SE), RAISONNER (SE), RESSAISIR (SE), SANG-FROID, SURVEILLER, VÉRIFIER

CONTRÔLER censurer, collationner, contenir (se), contraindre (se), épier, espionner, examiner, inspecter, maîtriser (se), pointer, surveiller, vérifier

CONTRÔLER UNE CASE
Voir tab. **Échecs**

CONTRÔLEUR → AUDITEUR, IMPÔT, VÉRIFICATION

CONTRÔLOGRAPHE → CONTRÔLE

CONTRORDRE → ORDRE

CONTROUVÉ → FAUX (2)

CONTROVERSE → CHICANE, COMBAT, CONFLIT, DISCUSSION, POINT, QUERELLE, QUESTION

CONTROVERSE critique, débat, discussion, éristique, joute, logomachie, polémique

CONTROVERSER → CONTESTER, RAISONNER

CONTUMACE → ABSENCE, DÉFAUT

CONTUMAX → ACCUSÉ (1)

CONTUSION → BLESSURE, BOSSE, COUP, MEURTRISSURE

CONTUSIONNÉ → BLESSÉ

CONTUSIONNER → MEURTRIR, PINCER

CONURBATION → AGGLOMÉRATION, CONCENTRATION, VILLE

CONVAINCANT → DÉCISIF, DÉMONSTRATIF, PERTINENT

CONVAINCRE → DÉCIDER, DÉTERMINER, ENTRAÎNER, PERSUADER, RAISON, RECRUTER

CONVAINCRE boniment, dialectique, dissuader, objurgation, persuader, plaider, prêcher, rhétorique, salade, sophisme, sophistique

CONVAINCU → CRIN, SÛR

CONVAINCU farouche, résolu

CONVALESCENCE → GUÉRISON, MALADIE

CONVECTEUR → CHAUFFAGE, RADIATEUR

CONVENABLE → APPROPRIÉ, BON (1), CORRECT, DÉCENT, FALLOIR, HONNÊTE, HONORABLE, JUSTE, MŒURS, PASSABLE, PROPICE, PROPOS (À), SAGE, SUFFISANT

CONVENABLE adapté, adéquat, approprié, correct, décent, favorable, fréquentable, honorable, juste, sérieux

CONVENANCE → ACCORD, ADAPTER, APPARENCE, BIENSÉANCE, CONVENTION, FORMALITÉ, JUSTESSE, POLITESSE, PROPRIÉTÉ, RÈGLE, RELATION, SAVOIR-VIVRE, TACT, USAGE, UTILITÉ

CONVENANCE bienséance, goût, gré, politesse, règles, usages

CONVENIR → AGRÉER, APPLIQUER (S'), COMPOSER, CONCÉDER, CONFESSER, DÉCIDER, FALLOIR, FAUTE, IDÉE, RECONNAÎTRE, SATISFAIRE

CONVENIR admettre, agréer, aller, arranger, avouer, concéder, confesser, correspondre, décider, fixer, plaire, reconnaître, satisfaire, seoir

CONVENT → FRANC-MAÇON

CONVENTICULE → SECRET (2)

CONVENTION → ACCORD, COMPROMIS, CONTRAT, DÉFINITION, ENTENTE, NÉGOCIATION, PACTE, PROMESSE, RÈGLE, STATUT, TRAITÉ, USAGE

CONVENTION alliance, code, convenances, entente, étiquette, pacte, protocole, savoir-vivre, traité

CONVENTION COLLECTIVE → DROIT (1)

CONVENTIONNÉ → MÉDECIN

CONVENTIONNEL → ACADÉMIQUE, ARBITRAIRE, BANAL, BATEAU, CLASSIQUE, FICTIF, FORMEL, TRADITIONALISTE

CONVENTIONNEL académique, ampoulé, arbitraire, classique, compassé, conformiste, convenu, guindé, pédant, stéréotypé, traditionnel

CONVENU → BANAL, BATEAU, CONVENTIONNEL, ENTENDU

CONVERGENCE → RÉUNION

CONVERGENT → LENTILLE, MOUVEMENT

CONVERGER → DIRIGER, TENDRE (1)

CONVERGER carrefour, centre, coïncider, nœud, recouper (se), rejoindre (se)

CONVERS → RÉCIPROQUE (2), RELIGIEUX (1)

CONVERSATION → COLLOQUE, DIALOGUE, ÉCHANGE, ENTRETIEN

CONVERSATION aparté, appel, audioconférence, babillage, badinage, bavardage, bavette, causerie, chat, conciliabule, confabulation, consultation, coup de fil, dialogue, entretien, entrevue, exèdre, forum, jaserie, marivaudage, négociation, palabres, parloir, parlote, pourparlers, propos, salon, talk-show, tête-à-tête, tractation

CONVERSER → DISCUTER, ENTRETENIR, PARLER

CONVERSION → CHANGE, CHANGEMENT, ILLUMINATION, MUTATION, PÉTROLE, RÉDUCTION, TOUR

CONVERSION abjuration, adhésion, alchimie, apostasie, change, consolidation, grâce, illumination, reconversion, recyclage, reniement, réorientation, révélation, révolution, rotation, transmutation

CONVERTI → RELIGION

CONVERTI adepte, prosélyte

CONVERTIBILITÉ-OR
Voir tab. **Monnaie**

CONVERTIBLE → LIT
Voir illus. **Sièges**

CONVERTIR → GAGNER, METTRE, RÉALISER, RECRUTER, RELIGION, TRANSFORMER

CONVERTIR amener, apôtre, catéchiser, évangéliser, évangéliste, gagner, missionnaire, prêcher, rallier, rallier à (se), souscrire à

CONVERTISSAGE → FARINE

CONVERTISSEUR → CENTRALE NUCLÉAIRE

CONVEXE → COURBE (2), POLYGONE

CONVICT → BAGNARD

CONVICTION → ASSURANCE, CONFIANCE, ESPOIR, OPINION, POLITIQUE (2), SÉRIEUX (1), VÉRITÉ

CONVICTION assurance, certitude, croyance, foi, persuasion, preuve

CONVIER → ENGAGER, INCITER, INVITER, PRIER, RECEVOIR,

RETENIR, RÉUNIR, SOLLICITER

CONVIVE → ACCUEILLIR, BANQUET, COMPAGNON, HÔTE, INVITÉ, REPAS

CONVIVIALITÉ → COMMODITÉ, CONFORT

CONVOCATION
Voir tab. **Copropriété**

CONVOCATION ajournement, appel, assignation, citation, collante, incorporation, indiction, mobilisation

CONVOI → CARAVANE, GROUPE, SÉRIE

CONVOI caravane, charroi, cortège, équipage, escorte, funérailles, obsèques, patrouilleur, transfert

CONVOITER → DÉSIRER, DÉVORER, LORGNER, LOUCHER, SOUHAITER, VISER, VOULOIR

CONVOITISE → AMBITION, CUPIDITÉ, DÉSIR, ENVIE, JALOUSIE, PASSION

CONVOLER → ÉPOUSER, MARIER

CONVOQUER → APPELER, ASSIGNER, CITER, VENIR

CONVOQUER appeler, intimer, mander

CONVOYER → CHANGER, PORTER

CONVOYEUR → TRANSPORT

CONVULSIF → FRISSON, INVOLONTAIRE, SPASME

CONVULSION → AGITATION, BOULEVERSEMENT, CONTRACTION, TREMBLEMENT

CONVULSION agitation, clonie, clonique, crispation, éclampsie, épilepsie, exaltation, excitation, soubresaut, spasme, tonique, tressaillement

CONVULSIONS HYPERTHERMIQUES
Voir tab. **Pédiatrie**

COOKIE → BISCUIT, CONNEXION
Voir tab. **Gâteaux régionaux et étrangers**
Voir tab. **Internet**

COOL → CALME (2)

COOPÉRATION → ASSISTANCE, COLLABORATION, CONCOURS, CONTRIBUTION, SOCIÉTÉ, SOUTIEN

COOPÉRATISME → SOCIALISTE

COOPÉRATIVE → AGRICOLE

COOPÉRATIVE fromagerie, fruitière, kibboutz, kolkhoze

COOPÉRER → AIDER, COLLABORER, CONCOURIR, TRAVAILLER

COOPTATION → ADMISSION, ÉLECTION, NOMINATION

COOPTER → CHOISIR

COORDINATION → COMITÉ, CONJONCTION, SYNDICAT

COORDONNÉE → ADRESSE, POINT, PROPOSITION

COORDONNER → ENCHAÎNER

COORDONNER arranger, gérer, organiser, synchroniser

COPAIN → CAMARADE, COMPAGNON

COPEAU → CHUTE, DÉBRIS, RABOT, SAVON

COPERMUTATION → BÉNÉFICE

COPIE → CALQUE, CONTREFAÇON, DOUBLE (1), EXEMPLAIRE (1), EXPÉDITION, FAUX (2), IMITATION, RÉPÉTITION, REPRODUCTION

COPIE ampliation, calque, contrefaçon, duplicata,

expédition, fac-similé, falsification, faux, grosse, imitation, parodie, pastiche, photocopie, plagiat, polycopie, réplique, reproduction

COPIER → CALQUER, CONTREFAIRE, FALSIFIER, IMITER, IMPORTER, INSCRIRE, RELEVER, REPRODUCTION

COPIER clerc, copiste, décalquer, dupliquer, graver, grossoyer, imitateur, mimer, pasticheur, plagiaire, scribe, singer, transcrire

COPIEUR → IMITATEUR

COPIEUSEMENT → ABONDAMMENT, BEAUCOUP

COPIEUX → ABONDANT, GROS, LARGE, PLANTUREUX, RICHE (2)

COPIEUX abondant, généreux, plantureux, riche

COPINE → COMPAGNE

COPISTE → COPIER, MANUSCRIT

COPOCLÉPHILE
Voir tab. **Collectionneurs**

COPPA → SAUCISSON

COPROLOGIE → EXCRÉMENT, SELLE

COPROPHAGE → EXCRÉMENT

COPROPHILE → EXCRÉMENT

COPROPRIÉTAIRE → IMMEUBLE (1)

COPROPRIÉTÉ → COMMUNAUTÉ, PROPRIÉTAIRE

COPULATION → ACCOUPLEMENT, RAPPORT, SEXUEL, UNION

COPULE → VERBE

COPYRIGHT → AUTEUR, REPRODUCTION

COQ → BOXEUR, CHEF, HORLOGERIE
Voir tab. **Boxe anglaise**
Voir tab. **Oiseaux (classification simplifiée des)**
Voir tab. **Savate ou boxe française**

COQ bouffant, camail, chapon, cocorico, coquâtre, faucille, gallinacés, gélinotte, girouette, grouse, hocco, huppe, lancette, rémige, rupicole, tanaisie, tétras

COQ DE BRUYÈRE
Voir tab. **Oiseaux (classification simplifiée des)**

COQ DE ROCHE
Voir tab. **Couleurs**

COQUÂTRE → COQ

COQUE → CARROSSERIE, CHÂSSIS, RUBAN
Voir tab. **Café**

COQUE carcasse, carène, coquille, enveloppe

COQUECIGRUE → BALIVERNE

COQUELET → POULET

COQUELICOT
Voir tab. **Couleurs**

COQUELUCHE → ENFANCE, IDOLE, INFECTION
Voir tab. **Vaccins**

COQUERELLE → NOISETTE

COQUERET → AMOUR

COQUERIE → CUISINE

COQUET → CONSÉQUENT, JOLI, MIGNON (2), SOIGNÉ

COQUETIÈRE → ŒUF

COQUETTERIE → GALANTERIE

COQUETTERIE dandysme, pomponner (se), séduction

COQUILLAGE
Voir tab. **Collectionneurs**
Voir tab. **Élevages**

COQUILLAGE byssus, cauri,

columelle, conchyliculture, conchyliologie, conque, fruit de mer, mollusque

COQUILLE → CASQUE, COQUE, CORSET, CUIRASSE, ÉCAILLE, ERREUR, FAUTE, IMPRESSION, ŒUF, PÈLERIN, SPORTIF (1), TYPOGRAPHIE
Voir illus. **Sièges**
Voir tab. **Forme de... (en)**
Voir tab. **Papier (formats de)**

COQUILLE blanc cassé, carapace, conchoïdal, conchylien, écaille, erreur, faute, lumachelle, test

COQUILLE D'ŒUF
Voir tab. **Collectionneurs**

COQUILLÉ
Voir tab. **Couture**

COQUILLETTE → PÂTE

COQUIN → DÉLURÉ, DRÔLE (1), FRIPON (1), MALICIEUX, POLISSON

COQUIN (1) bandit, garnement, polisson, scélérat

COQUIN (2) canaille, égrillard, espiègle, fripon, grivois, leste, malicieux

COR → BOIS, ENDURCISSEMENT, ŒIL, OIGNON, PIED, RAMIFICATION
Voir illus. **Orchestre**
Voir tab. **Instruments de musique**

COR ANGLAIS
Voir tab. **Instruments de musique**

COR DE BASSET
Voir tab. **Instruments de musique**

CORACIADIFORMES
Voir tab. **Oiseaux (classification simplifiée des)**

CORACLE
Voir tab. **Bateaux**

CORAIL
Voir tab. **Animaux (classification simplifiée des)**
Voir tab. **Couleurs**

CORAIL alcyonaires, atoll, cœlentérés, coraillerie, élaps, herpes, madrépore, polypier, puntarelle

CORAILLERIE → CORAIL

CORAN → BIBLE, ISLAM, MUSULMAN (1), RÉCIT
Voir tab. **Islam (vocabulaire de l')**

CORBEAU → ANONYME, LETTRE, OISEAU, SAILLANT, SUPPORT
Voir illus. **Château fort**
Voir illus. **Cheminée**
Voir tab. **Animaux (termes propres aux)**
Voir illus. **Architecture**
Voir tab. **Oiseaux (classification simplifiée des)**

CORBEAU calomniateur, choucas, corbillat, corneille, corvidés, délateur, dénonciateur, freux

CORBEILLE → BALCON, BOURSE, MASSIF (1), PARQUET, PLATEAU, VANNERIE
Voir tab. **Architecture**

CORBEILLE alysse, cagnotte, canéphore, ciste, couffin, flein, ibéris, moïse, paillon, panier

CORBILLARD → CERCUEIL, CHAR, FUNÈBRE, FUNÉRAIRE, OBSÈQUES

CORBILLAT → CORBEAU

Voir tab. **Animaux (termes propres aux)**

CORDAGE → BOSSE, BRIN, RIDE

CORDAGE ajut, balancine, bitord, bout, cargue, draille, drisse, drosse, écoute

CORDE → CÂBLE, CERCLE, CORDON, CRAVATE, FIXATION, MONTAGNE, PIANO, PORTIQUE, POTENCE, SEAU, SUPPLICE, TRAME, VIRAGE
Voir tab. **Arcs et arbalète**
Voir illus. **Guitare**
Voir illus. **Piano**
Voir tab. **Instruments de musique**
Voir tab. **Superstitions**

CORDE araignée, balalaïka, banjo, bourdon, câble, câblerie, câblot, chanterelle, cithare, clavecin, contrebasse, cordeau, corderie, cravate de chanvre, épinette, fildefériste, filin, funambule, funiculaire, guitare, laisse, larderasse, licol, licou, longe, mandoline, piano, pieuvre, quipu, Sandow, seizaine, simbleau, téléphérique, télésiège, tendeur

CORDE DE PENDU
Voir tab. **Collectionneurs**

CORDE VOCALE
Voir illus. **Bouche, nez et gorge**

CORDES (DANS MES) → RAYON

CORDES FROTTÉES → VIOLON

CORDEAU → BRIQUE, CORDE, LIGNE, MÈCHE, SILLON
Voir tab. **Jardinage**

CORDELER → TORDRE

CORDELIER → NŒUD

CORDELIÈRE → CEINTURE, RELIGIEUX (1)

CORDERIE → CORDE

CORDIAL → ACCUEILLANT, AGRÉABLE, AMICAL, BOISSON, CHALEUREUX, FORTIFIANT (1), REMONTANT, SPONTANÉ, SYMPATHIQUE, TONIQUE (1), TONIQUE (2)
Voir tab. **Alcools et eaux-de-vie**

CORDIAL (1) fortifiant, remontant

CORDIAL (2) amène, amical, chaleureux, enthousiaste, franc, sincère, sympathique

CORDIALEMENT → OUVERT

CORDIER → QUEUE
Voir tab. **Violon**

CORDIFOLE
Voir tab. **Salades**

CORDIFORME
Voir tab. **Feuille**

CORDON → BARRAGE, FILE, LACET, MONNAIE, SONNETTE, TAILLE

CORDON câble, corde, dragonne, lido, nombril, ombilic, tombolo

CORDON D'ALIMENTATION → PORTABLE

CORDON DE MANŒUVRE → STORE

CORDON LITTORAL
Voir illus. **Littoral**

CORDON MÉDULLAIRE
Voir illus. **Cerveau**

CORDON-BLEU → CUISINIER

CORDONNAGE → MONNAIE

CORDONNET → MONNAIE

CORDONNIER → CHAUSSURE
Voir tab. **Saints patrons**

CORELIGIONNAIRE → RELIGION

CORIACE → DUR

CORIANDRE → DIGÉRER

Voir tab. **Herbes, épices et aromates**

CORINDON → ÉMERAUDE

Voir tab. **Minéraux et utilisations**

CORINTHE → RAISIN

CORINTHIEN → GREC, ORDRE

Voir illus. **Colonnes**

CORINTHIENS (ÉPÎTRES AUX)

Voir tab. **Bible**

CORMORAN

Voir tab. **Oiseaux (classification simplifiée des)**

CORMORAN DES GALÁPAGOS → OISEAU

CORNAC → CONDUCTEUR, ÉLÉPHANT

CORNALINE → ROUGE

Voir tab. **Pierres précieuses et semi-précieuses**

CORNE → COIN, PEIGNE, PLI, SIGNAL, VOILE

Voir illus. **Sièges**

CORNE andouiller, bois, bugle, cornet, cornet à bouquin, cors, dagorne, licorne, narval, olifant, ramure, rhyton, schofar, trochure, trompe

CORNE D'ABONDANCE → ABONDANCE

CORNE DE BRUME → BRUME, SIGNAL

CORNE DE GAZELLE → PÂTISSERIE

Voir tab. **Gâteaux régionaux et étrangers**

CORNED-BEEF → BŒUF, SINGE

CORNE-DE-CERF

Voir tab. **Salades**

CORNÉE → ŒIL

Voir illus. **Œil**

Voir tab. **Chirurgicales (interventions)**

CORNEILLARD

Voir tab. **Animaux (termes propres aux)**

CORNEILLE → CORBEAU, OISEAU

Voir tab. **Animaux (termes propres aux)**

Voir tab. **Oiseaux (classification simplifiée des)**

CORNEILLE MANTELÉE

Voir tab. **Oiseaux (classification simplifiée des)**

CORNEMUSE → BERGER

Voir tab. **Instruments de musique**

CORNEMUSE bedondaine, biniou, bousine, cabrette, cornemuseur, cornemuseux, musette, pibrock, sonneur

CORNEMUSEUR → CORNEMUSE

CORNEMUSEUX → CORNEMUSE

CORNER → FOOTBALL, PLIER, STOCK

Voir illus. **Football**

CORNET → CORNE, DÉ, NASAL, PAVILLON, TROMPETTE

Voir tab. **Instruments de musique**

CORNET À BOUQUIN → CORNE

CORNETTE → CAVALERIE, DRAPEAU, RELIGIEUX (1)

Voir illus. **Coiffures**

Voir tab. **Salades**

CORNIAUD → BÂTARD, CHIEN

CORNICHE → DESSUS, PIÉDESTAL, PRÉCIPICE, PRÉPARATOIRE, SAILLIE

Voir illus. **Colombage**

Voir illus. **Colonnes**

Voir illus. **Maison**

Voir tab. **Architecture**

CORNICHON → DUPER, VINAIGRE

CORNIÈRE → ÉQUERRE

CORNIQUE → CELTIQUE

CORNUE → FLACON, MAGNÉSIUM, RÉCIPIENT

COROLLAIRE → CONSÉQUENCE

COROLLE → PÉTALE

Voir illus. **Fleur**

Voir tab. **Couture**

CORON → MAISON, MINEUR (1)

CORONAIRE → COURONNE

Voir illus. **Cœur**

CORONARITE → CŒUR, VASCULAIRE

COROPLASTE → SCULPTEUR

COROSSOL → POMME

COROZO → IVOIRE, MARQUETERIE

CORPOPÉTRUSSIENS

Voir tab. **Habitants (comment se nomment les)**

CORPORAL → AUTEL, LITURGIE

CORPORATION → CASTE, CHAPELLE, COMMUNAUTÉ, COMPAGNIE, ENSEMBLE, MÉTIER, ORDRE, RÉUNION, SOCIÉTÉ

CORPOREL → CORPS

CORPS → BÂTIMENT, BUFFET, COMBATTANT, IMPRIMERIE, INSTITUT, LETTRE, SUBSTANCE, TUYAU

Voir tab. **Café**

CORPS anatomie, anesthésie, anthropobiologie, anthropométrie, ascèse, astre, atome, attraction, austérité, chirurgie, condensation, consubstantiation, corporel, corpulence, corpuscule, croissance, délices, densité, développement, diathèse, difformité, dilatation, dynamique, embonpoint, fusion, galaxie, gravitation, gravité, handicap, incarner (s'), kinesthésie, liquéfaction, maladie, masse, mécanique, médecine, métabolisme, molécule, morphologie, mortification, muscle, obésité, organe, organisme, physiologie, planète, poids, rotondité, solidification, somatique, somatotrope, squelette, taille, température, vieillissement, volupté

CORPS CALLEUX

Voir illus. **Cerveau**

CORPS CAVERNEUX

Voir illus. **Génitaux (appareils)**

CORPS CILIAIRE

Voir illus. **Œil**

CORPS D'ARMÉE → TROUPE, UNITÉ

CORPS DE BALLET → BALLET

CORPS DE GARDE

Voir illus. **Château fort**

CORPS DIPLOMATIQUE → DIPLOMATIE

CORPS ÉTRANGERS DES VOIES AÉRIENNES

Voir tab. **Pédiatrie**

CORPS SOCIAL → SOCIÉTÉ

CORPS SPONGIEUX

Voir illus. **Génitaux (appareils)**

CORPS-MORT → BOUÉE, MOUILLAGE

CORPULENCE → CORPS, GROSSEUR

CORPULENT → GROS, IMPOSANT, LOURD, MASSIF (2), PLANTUREUX

CORPUS → INSCRIPTION, MATÉRIAU, RECUEIL, RENSEIGNEMENT

CORPUSCULE → CORPS

CORRAL → ENCLOS, PARC

CORRECT → ACCESSIBLE, CONVENABLE, DÉCENT, FALLOIR, FIDÈLE (2), HONNÊTE, HONORABLE, JUSTE, MŒURS, NORMAL, PUR, RAISONNABLE, RÉGULIER, SUFFISANT

CORRECT bienséante, châtié, convenable, décent, élégant, exact, fidèle, honnête, juste, loyal, pertinent, poli, soutenu

CORRECTEUR → CORRECTION, ESTHÉTIQUE (2), IMPRIMERIE

CORRECTION → CHÂTIMENT, COLLATION, JUSTESSE, MODIFICATION, RÈGLE, SANCTION, TENUE

CORRECTION biffure, collage, correcteur, épreuve, grammaticale, manuscriptologie, orthographique, paperoles, placard, rature, rectification, réécriture, refonte, remaniement, rewriting

CORRECTIONNEL → TRIBUNAL

CORREGIDOR → ESPAGNOL

CORRÉLATIF → RELATIF

CORRÉLATION → CORRESPONDANCE, DÉPENDANCE, LIAISON, RÉCIPROQUE (2), RELATION, SIMILITUDE

CORRESPOND À

Voir tab. **Mathématiques (symboles)**

CORRESPONDANCE → ANALOGIE, CHANGEMENT, CONCORDANCE, CONTACT, ÉCHANGE, INTELLIGENCE, LETTRE, LIAISON, PONDÉRATION, RÉCIPROQUE (2), RELATION, RESSEMBLANCE, SIMILITUDE

CORRESPONDANCE accord, affinité, analogie, bijective, billet, biunivoque, chronique, coïncidence, concordance, corrélation, entente, épistolaire, épître, métaphore, métonymie, missive, pli, poulet, reportage, simultanéité, symbole, synchronie

CORRESPONDANT → CONNAISSANCE, CONTACT, ENVOYÉ, JOURNALISTE, PENDANT (1), RELATIF, REPRÉSENTANT, RÉSEAU

CORRESPONDRE → COMMUNIQUER, CONVENIR, RÉPONDRE, REPRÉSENTER, SYNONYME

CORRICOLO → CALÈCHE

CORRIDA aficionado, arènes, estocade, novillero, paseo, plaza, tauromachie

CORRIDOR → COULOIR

CORRIGER → AMÉLIORER, CHANGER, DÉBARRASSER (SE), DÉLIVRER, GUÉRIR, POLIR, PUNIR, RACHETER, RATTRAPER, RECTIFIER, REDRESSER, RÉPARER, REVOIR (2), ROSSER, SOUPLE

CORRIGER améliorer (s'), amender (s'), atténuer, bonifier, châtier, civiliser, compenser,

dulcifier, fustiger, morigéner, neutraliser, policer, polir (se), punir, rectifier, relire, réparer, reprendre, réprimander, restaurer, retoucher, réviser, sévir, tempérer

CORROBORER → APPUYER, CONFIRMER, FORTIFIER

CORRODANT → CAUSTIQUE

CORRODER → ATTAQUER, ENTAMER, MINER, RONGER, ROUILLE, ROUILLER

CORROMPRE → ACHETER, ALTÉRER, ARGENT, CROUPIR, DÉCOMPOSER, FAUSSER, PAYER, PERVERTIR, POURRIR, SILENCE, TROUBLER

CORROMPRE acheter, soudoyer, stipendier, suborner

CORROMPU → DÉPRAVÉ, IMMORAL, IMPUR, MAUVAIS, PERVERS, POURRI, VENDU

CORROMPU aigri, avarié, dépravé, dissolu, endommagé, faisandé, gâté, infecté, moisi, pervers, pourri, suri, tourné, vénal, vérolé, vicié, vil

CORROSIF → ÂCRE, BRÛLER, CAUSTIQUE

CORROSION → ÉROSION, MÉTAL, USURE

CORROYAGE → ÉTIRAGE, FORGE, TANNAGE

CORROYER → APPRÊTER, DÉGROSSIR

CORRUPTIBLE → PÉRISSABLE

CORRUPTION → ALTÉRATION, DÉBAUCHE, DÉCOMPOSITION, DISSOLUTION, GANGRÈNE, MALHONNÊTE, MŒURS

CORRUPTION concussion, débauche, dégradation, délit d'initiés, dépravation, forfaiture, prévarication

CORS → CORNE

CORSAGE → BUSTE, CHEMISE

CORSAIRE → BANDIT, MARIN, PANTALON, PIRATE (1)

Voir illus. **Modes et styles**

CORSÉ → GÉNÉREUX, NOIR (2), SALÉ

Voir tab. **Vin (vocabulaire du)**

CORSELET → CORSET

CORSET → BAS (1), CEINTURE, GAINE, REDRESSER, VENTRE

CORSET baleine, bandage, busc, ceinture, coquille, corselet, corseter, corsetier, gaine, lacet, lombostat, ptôse

CORSETER → CORSET

CORSETIER → CORSET, COUTURIER

CORSO → CHAR

CORSO FLEURI → CARNAVAL

CORTÈGE → CONVOI, DÉFILÉ, ESCORTE, FILE, MANIFESTATION, NOMBRE, PROCESSION, SÉRIE, SUCCESSION, SUITE

CORTEX → CERVEAU, ÉCORCE, POIL

Voir illus. **Cerveau**

Voir illus. **Poil**

CORTICOÏDE → IMMUNITAIRE

CORTISONE → HORMONE

Voir tab. **Médicaments**

CORTO MALTESE

Voir tab. **Bande dessinée (héros de)**

CORUSCANT → BRILLANT (1)

CORVÉABLE → SOUMETTRE

CORVÉE → CHARGE, TÂCHE, TRAVAIL

CORVETTE
Voir tab. **Bateaux**
CORVIDÉS → CORBEAU, GEAI, PIE (1)
CORYBANTE → GREC
CORYMBE
Voir illus. **Fleur**
CORYPHÉE → BALLET, CHŒUR, DANSEUR
CORYZA → INFLAMMATION, NASAL, NEZ, RHINITE, RHUME
CORYZA SPASMODIQUE → FOIN
COSA NOSTRA → MAFIA
COSAQUE → CAVALIER (1)
COSM(O)- → MODE
COSMÉTIQUE → BEAUTÉ, CRÈME, PEAU, SAVON
COSMÉTOLOGIE → AROMATE, MAQUILLAGE
COSMOGONIE → MONDE, PLANÈTE
COSMOGRAPHIE → ASTRONOMIE, DESCRIPTION
COSMOLOGIE → UNIVERS
Voir tab. **Sciences : termes en -ologie et -ographie**
COSMONAUTE → FUSÉE, VAISSEAU
COSMONAUTIQUE → ASTRONAUTIQUE
COSMOPOLITE → ÉTRANGER (1), INTERNATIONAL, NATIONALITÉ
COSMOS → ESPACE, MONDE, UNIVERS
COSSE → ENVELOPPE, GRAINE, HARICOT
COSSER → HEURTER (SE)
COSSU → AISÉ, RICHE (2)
COSSUS → NOCTURNE, PAPILLON
COST(O)-
Voir tab. **Chirugicales (interventions)**
COSTAUD → ROBUSTE
COSTUME → DÉGUISEMENT, HABILLEMENT, HABIT, TENUE, UNIFORME (1)
COSTUME complet, déguisement, domino, loup, maillot, smoking
COSTUMÉ → BAL
COSTUMER → DÉGUISER, HABILLER (S')
COSY
Voir illus. **Sièges**
COTATION → BOURSE, COURS
COTE → BOURSE, BULLETIN, COURS, NORME, NUMÉRO, PRIX, QUOTE-PART, RÉFÉRENCE, REPÈRE, TAUX
CÔTE → COLLINE, DESCENTE, MONTÉE, RELIEF, RIVAGE, TRANCHE
Voir illus. **Bœuf**
Voir illus. **Cheval**
Voir illus. **Squelette**
Voir tab. **Chirugicales (interventions)**
CÔTE coteau, échouer (s'), falaise, grève, grimpette, littoral, montée, pente, plage, raidillon, rivage
CÔTE ANGLAISE → TRICOT
CÔTE DÉCOUVERTE
Voir illus. **Mouton**
CÔTÉ → ASPECT, BIAIS, CHEVET, FACE, PAN, PARTIE, PARTOUT, PROFIL, TRAVERS (2)
CÔTÉ aile, avers, bâbord, camp, délaisser, écarter, économiser, endroit (à l'), épargner, façade, face, flanc, latéral, latéralité, obvers, optimiste, pan, parti,

positiver, recto, revers, segment, thésauriser, tribord, verso
COTEAU → COLLINE, CÔTE, VERSANT, VIGNE, VIGNOBLE
CÔTELÉ → VELOURS
CÔTELETTE → BARBE, PORC
COTER → ESTIMER, ÉVALUER, INDIQUER, MARQUER, NUMÉROTER
COTEREAU → BANDIT
COTERIE → BANDE, CASTE, CHAPELLE, CLAN, FAMILLE, INTÉRÊT, RÉUNION
COTHURNE → CHAUSSURE, TRAGIQUE
Voir illus. **Chaussures**
COTICÉ
Voir illus. **Héraldique**
COTICULE → AIGUISER
CÔTIÈRE → ZONE
COTIGNAC → CONFITURE
COTILLON → BAL, CARNAVAL, JUPE, JUPON
COTINGA
Voir tab. **Oiseaux (classification simplifiée des)**
COTIR → MEURTRIR
COTISATION → CHARGE, CONTRIBUTION, DÉPENSE, PRIME
Voir tab. **Assurance (vocabulaire de l')**
Voir tab. **Fiscalité**
COTISATION charge, contribution, écot, participation, quote-part
COTISER → ACQUITTER, SOUSCRIRE
COTON → CHEMISE, FIBRE, OUATE, PEINTURE, PNEU, TEXTILE, VÉGÉTAL (2)
Voir tab. **Anniversaires de mariage**
COTON byssinose, calicot, cotonnerie, cotonneux, cotonnier, coutil, cretonne, gaze, jenny, madapolam, moleskine, ouate, picker, tarlatane, tomenteux, velvet
COTONÉASTER → BUISSON
COTONNADE → TISSU
COTONNERIE → COTON
COTONNEUX → COTON, DUVET, SOURD
COTONNIER → COTON
CÔTOYER → APPROCHER, BORDER, FRÉQUENTER, SUIVRE
COTRE/CUTTER → VOILIER
Voir tab. **Bateaux**
COTRET → FAGOT
COTRIADE → SOUPE
Voir tab. **Plats régionaux**
COTTAGE → CAMPAGNE, MAISON
COTTAGE CHEESE
Voir illus. **Fromages**
COTTE → COMBINAISON, JUPE, JUPON, MAILLE
COTTE DE MAILLES → COMBINAISON
Voir illus. **Armures**
COTY (RENÉ)
Voir tab. **Rois et chefs d'État de la France**
COTYLE
Voir tab. **Forme de... (en)**
COTYLÉDON → GRAINE
COTYLOÏDE
Voir tab. **Forme de... (en)**
COTYLOSAURIEN → REPTILE (1)
COU → ATTACHE
Voir tab. **Douleur**
COU atlas, axis, boa, cache-col,

cache-nez, carotide, chaîne, châtelaine, col, collier, complètement, décapitation, décollation, écharpe, encolure, entièrement, étrangler, goitre, gorge, goulot, jugulaire, minerve, nuque, pomme d'Adam, rivière, sautoir, stranguler, thymus, thyroïde, torticolis
COU D'OIE
Voir tab. **Plats régionaux**
COUAC → CANARD, DISCORDANT
COUAILLE → LAINE
COUARD → LÂCHE, PEUREUX, POLTRON, VENTRE
COUARDISE → LÂCHETÉ
COUBBA → TOMBE
COUCHANT → DÉCLIN, HORIZON, OCCIDENT
COUCHE → BANC, FILM, GISEMENT, LANGE, LIT
COUCHE agaric, alluvion, change, change complet, cliquart, cliver, croûte, déliter, galetas, gésine, grabat, lange, mésosphère, monocouche, paillasse, parturition, pellicule, pointe, psalliote, strate, stratosphère, troposphère
COUCHE BASALTIQUE
Voir illus. **Terre**
COUCHE SENSIBLE
Voir tab. **Photographie (vocabulaire de la)**
COUCHÉ → GLACÉ
COUCHER → DESCENDRE, INCLINER (S'), INSCRIRE, PLACER, PORTER, RABATTRE
COUCHER alité, allonger (s'), consigner, demeurer, dormir, écrire, étendre (s'), loger, noter
COUCHER DU SOLEIL → CRÉPUSCULE
COUCHER EN JOUE → VISER
COUCHETTE → LIT
COUCHIS → PAVAGE
COUCOU → HORLOGE, PENDULE, VOITURE
Voir tab. **Oiseaux (classification simplifiée des)**
COUDE → ATTACHE, DÉTOUR, MÉANDRE
COUDE accotoir, accoudoir, courbe, cubital, cubitière, détour, méandre, olécrane, proche, sinuosité
COUDÉE → LONGUEUR
COU-DE-PIED → PIED
COUDER → TORDRE
COUDRE → FERMER, PIQUER
COUDRE alène, brocher, cousoir, faufiler, raccommoder, rafistoler, rapetasser, rapiécer, ravauder, repriser, surfiler, surjeter, suturer
COUDRIER → NOISETTE
COUENNE → COCHON
COUETTE → CHEVEU, COIFFURE, COUVERTURE, HOUSSE, PLUME, QUEUE
Voir illus. **Cheveux (coupes de)**
COUFFIN → BÉBÉ, BERCEAU, CORBEILLE, ENFANT
COUFIQUE → ARABE
COUGUAR → LION, PUMA
COUINER → GRINCER

Voir tab. **Animaux (termes propres aux)**
COULAGE → BÉTON
COULANT → FILET, FLUIDE (2), FOUET, FRAISIER, INDULGENT (2)
COULANT (NŒUD)
Voir illus. **Nœuds**
COULE → CAPUCHON, MOINE
COULÉE DE LAVE
Voir illus. **Volcan**
COULER → ABÎMER (S'), ACIER, ANÉANTIR, BAVER, CHANTER, CHAVIRER, DISPARAÎTRE, ENFONCER, FAUFILER, FILTRER, FONDRE, GLISSER, INSINUER (S'), MOULER, NAUFRAGE, NOYER, PATAUGER, RÉPANDRE (SE), ROULER, SOMBRER, TORPILLER, VIVRE
Voir tab. **Chasse (vocabulaire de la)**
COULER abîmer (s'), bancher, clicher, dégouliner, dégoutter, déverser (se), distiller, engloutir (s'), épancher (s'), étaler (s'), exsuder, extravaser (s'), fondre, gicler, infiltrer (s'), insinuer (s'), instiller, jaillir, mouler, naufrage (faire), répandre (se), ruisseler, sancir, sombrer, sourdre, stéréotyper, suinter
COULER UNE BIELLE
Voir tab. **Garagiste (vocabulaire du)**
COULEUR → BALAYAGE, NUANCE, POLITIQUE (2), ROBE, SENS, STYLE, TEINTE, VIANDE
Voir tab. **Belote**
Voir tab. **Cartes à jouer**
Voir tab. **Poker**
Voir tab. **Tarot**
COULEUR achromatopsie, bigarré, blafard, camaïeu, caméléon, carnation, carreau, chamarré, chiné, chromatisme, chrome, cœur, coloris, cône, cramoisi, daltonisme, diapré, dyschromatopsie, flashant, jaspé, livide, mordoré, nuancier, pique, polychrome, rubicond, teinte, terreux, ton, trèfle
COULEUR MAJEURE
Voir tab. **Bridge**
COULEUR MINEURE
Voir tab. **Bridge**
COULEUVRE → PARESSEUX (2), SERPENT
COULEUVRINE → CANON
COULIS → GLISSER, PURÉE
COULISSANT → MOBILE (2)
COULISSE → DESSOUS, SECRET (1)
Voir illus. **Théâtre**
Voir tab. **Couture**
COULISSER → GLISSER
COULISSIER → AGENT, BOURSE
COULOIR → ALLÉE, DÉFILÉ, DÉPRESSION, ÉTROIT, FILE, PISTE, VALLÉE
COULOIR cheminée, corridor, coursive, défilé, détroit, écho, galerie, gorge, goulet, on-dit, passage, rumeur, tunnel
COULOIRE → PASSOIRE
COULOMB → ÉLECTRICITÉ
COULOMMIERS
Voir illus. **Fromages**

Voir tab. **Habitants (comment se nomment les)**

COULPE → FAUTE

COULURE → AVORTEMENT

COUMARINE → PARFUM

COUP → BOTTE, CHÂTAIGNE, CHÂTIMENT, CONTACT, FAIT, MEURTRISSURE, TRAITEMENT, VIOLENCE

Voir tab. **Bridge**

Voir tab. **Échecs**

COUP bleu, bourrade, châtaigne, choc, claque, contusion, débordement, ecchymose, éclair, gifle, gnon, heurt, horion, lésion, marron, passion, salve, tamponnement

COUP (PÊCHE AU)

Voir tab. **Pêche**

COUP D'ÉTAT → ATTENTAT, RÉVOLTE, SOULÈVEMENT

COUP D'ÉTAT pronunciamiento, putsch, renversement, révolution

COUP DE CHIEN → TEMPÊTE

COUP DE FIL → CONVERSATION

COUP DE FOUDRE → FLÈCHE, PASSION

COUP DE GRÂCE → ACHEVER

COUP DE MAIN → RAID

COUP DE PEIGNE

Voir illus. **Cheveux (coupes de)**

COUP DE PIED À LA LUNE → PLONGEON

COUP DE PIED DE PÉNALITÉ → RUGBY

COUP DE POKER → BLUFF

COUP DE THÉÂTRE → REBONDIR, RÉCIT

COUP DE TORCHON → ALTERCATION

COUP DE VENT

Voir tab. **Vent : échelle de Beaufort**

COUP D'ŒIL → RÉFLEXE, REGARD

COUP DROIT → TENNIS

COUP DU BERGER

Voir tab. **Échecs**

COUP DU ROI

Voir tab. **Chasse (vocabulaire de la)**

COUP DU SORT → ACCIDENT

COUP FRANC → AMENDE, FOOTBALL, RUGBY

COUP SÛR → FORCÉMENT

COUPABLE → CONTREVENIR, FAUTIF, INDIGNE, RESPONSABLE (1)

COUPABLE assassin, blâmable, chenapan, criminel, délictueux, délinquant, fripon, garnement, répréhensible, sacripant

COUPABLE (NON) → INNOCENT (2)

COUPAGE → MOUILLAGE

COUPANT → ACÉRÉ, BREF (1)

COUPE → BOL, CHAMPAGNE, CHAMPIONNAT, DÉPENDANCE, FAÇON, INFÉRIORITÉ, PLAN, PROFIL, RÉCOMPENSE, RELIEF, REPRÉSENTATION, TROPHÉE, VAISSELLE, VASE, VERS, VICTOIRE

COUPE championnat, compétition, compotier, coupon, hémisphérique, jatte, match, pièce, profil, saladier, section

COUPÉ

Voir illus. **Héraldique**

Voir illus. **Voitures (types de)**

COUPE-COUPE → VIERGE (2)

COUPE-FEU → INCENDIE

COUPE-FILE → ACCÈS, LAISSEZ-PASSER, PRIORITÉ

COUPELLE → RÉCIPIENT

COUPE-ONGLES → ONGLE, PINCE

COUPER → ADDITIONNER, BAPTISER, BARRER, CASTRER, CROISER, EFFET, INCISER, INTERROMPRE, MÉLANGER, RACCOURCI, STÉRILISER, TRAVERSER

Voir tab. **Belote**

Voir tab. **Bridge**

Voir tab. **Tarot**

COUPER amputer, censurer, chicaner, courtauder, croiser (se), déchiqueter, dépecer, diviser, ébrancher, écimer, élaguer, émincer, émonder, ergoter, essoriller, étêter, hacher, julienne, mouiller, mutiler, pinailler, ratiociner, réséquer, scinder, sectionner, taillader, tempérer, trancher, tronçonner, tronquer

COUPER COURT → FINIR, SUSPENDRE

COUPERET → BOUCHER (2), COUTEAU

COUPEROSE → DILATATION, INFLAMMATION, MARQUE, ROSACÉE

COUPEUR → TAILLEUR

COUPE-VENT → VESTE

COUPLE → DEUX, RÉUNION

Voir illus. **Manteaux**

Voir tab. **Saints patrons**

COUPLER → JOINDRE, UNIR

COUPLET → CHANSON, DIVISION, LEITMOTIV, STROPHE

COUPOLE → ACADÉMIE, CERCLE, CIRCULAIRE, HÉMISPHÈRE, PARACHUTE, TASSE, TOIT, VOÛTE

Voir tab. **Architecture**

COUPOLE Académie française, bulbe, dôme, tambour, voûte

COUPON → BILLET, BON (2), COUPE, PAN, PIÈCE, TICKET

COUPON-RÉPONSE → QUESTIONNAIRE

COUPURE → BANQUE, BILLET, ENTAILLE, INTERRUPTION, PLAIE

COUPURE article, délestage, extrait, interruption, pause

COUR → GALANTERIE, RÉCRÉATION, SUITE, TRIBUNAL

Voir illus. **Théâtre**

COUR atrium, cloître, patio, préau

COUR (FAIRE LA) → COURTISER, DRAGUER

COUR D'APPEL → TRIBUNAL

COUR D'ASSISES → TRIBUNAL

COUR DE CASSATION → TRIBUNAL

COUR MARTIALE → GUERRE, TRIBUNAL

COURAGE → ARDEUR, AUDACE, CRAN, FERMETÉ, HARDIESSE, IMPASSIBILITÉ, PERSÉVÉRANCE, VAILLANCE, VERTU

COURAGE audace, bravoure, cran, décourager (se), dégonfler (se), démoraliser (se), exalter, galvaniser, hardiesse, héroïsme, stoïcisme, vaillance

COURAGEUX → BRAVE, DANGER, FORT (2), HÉROÏQUE, INÉBRANLABLE, INTRÉPIDE, TRAVAILLEUR (2), VAILLANT, VALEUREUX

COURAGEUX audacieux, brave, intrépide, résolu, stoïque, téméraire, vaillant, valeureux

COURALIN → BARQUE

Voir tab. **Bateaux**

COURAMMENT → GÉNÉRALEMENT

COURANT → BANAL, CLASSIQUE, COURS, ÉCOLE, ÉLECTRICITÉ, FLEUVE, FRÉQUENT, GÉNÉRAL, HABITUEL, MOYEN (2), QUOTIDIEN, ROUTINE, SENSIBILITÉ, SIMPLE, SINGULIER, SOUFFLE, STANDARD (2), TENDANCE, TRIVIAL, USAGE, USUEL, VULGAIRE

COURANT (1) ampère, ampèremètre, électrodynamomètre, induction, informer (s'), renseigner (se), rester branché, vent

COURANT (2) fréquent, habituel, usuel

COURANT (AU) → FAIT

COURANT D'AIR → VENT

COURANT DE FLOT → MARÉE

COURANT DE JUSANT → MARÉE

COURANT ÉLECTRIQUE → DYNAMIQUE

COURANTE → DIARRHÉE

COURBAGE → VANNERIE

COURBARIL → RÉSINE

Voir tab. **Ébénisterie (essences utilisées en)**

COURBATURE → DOS, FATIGUE

COURBE → CERCLE, CHEMIN, COUDE, FORME, GALBE, GRAPHIQUE, MÉANDRE, RELIEF, RIVIÈRE, SCHÉMA, SINUEUX, VARIATION, ZIGZAG

COURBE (1) accolade, arabesque, cambrure, chute, compas, curvigraphe, curvimètre, diagramme, ellipse, feston, galbe, graphique, hélice, hyperbole, parabole, volute

COURBE (2) arqué, arrondi, concave, convexe, curviligne, incurvé

COURBER → CAMBRER, FLÉCHIR, INCLINER, PENCHER (SE), PLIER, TORDRE

COURBER abaisser (s'), arquer, busquer, céder, cintrer, fléchir, gauchir, humilier (s'), incliner (s'), ployer, résigner (se), saluer, soumettre (se)

COURBETTE → INCLINATION, POLITESSE, RÉVÉRENCE, SALUER, SERVILE

COURBURE → GALBE

COURBURE arcure, busqué, flexueux, voussure

COURCAILLET → APPEAU, APPELER, PIÈGE

COURÇON → BRANCHE

COUREUR → CHEVAL, GALANT, INFIDÉLITÉ

COUREUR autruche, casoar, émeu, miler, Philippidès, sprinter, stayer

COURGE

Voir tab. **Végétaux (classification simplifiée des)**

COURIR → FILER, FRÉQUENTER, GALOPER, PRÉCIPITER (SE), RÉPANDRE (SE)

COURIR cavaler, circuler, déguerpir, détaler, enfuir (s'), foncer, fréquenter, galoper, hanter, hâter (se), pourchasser,

poursuivre, précipiter (se), propager (se), répandre (se), sauver (se), presser (se)

COURIR À SA FIN → SOMBRER

COURIR À SA PERTE → SOMBRER

COURLAN

Voir tab. **Oiseaux (classification simplifiée des)**

COURLIS

Voir illus. **Becs**

COUROL

Voir tab. **Oiseaux (classification simplifiée des)**

COURONNE → AGGLOMÉRATION, BANLIEUE, BOUQUET, CEINTURE, DENTAIRE, DÉPARTEMENT, IMPÉRIAL (2), INSIGNE (1), MONARCHIE, NOBLESSE, PAIN, PÉRIPHÉRIE, RÉCOMPENSE, SOUVERAIN (1)

Voir illus. **Cheval**

Voir illus. **Dent**

Voir illus. **Pierres précieuses (taille des)**

Voir tab. **Papier (formats de)**

COURONNE abdiquer, auréole, bandeau, ceindre, coiffer, coronaire, diadème, fritillaire, guirlande, halo, nimbe, pschent, tiare, tresse, trirègne

COURONNEMENT → CONSÉCRATION, MARIAGE

Voir illus. **Escalier**

COURONNEMENT amortissement, chaperon, chapiteau, consécration, entablement, intronisation, pignon, pinacle, sacre

COURONNER → ACHEVER, BLESSER, CONCLURE, REMPLIR, TERMINER

COUROUCOU

Voir tab. **Oiseaux (classification simplifiée des)**

COURRIEL → BOÎTE

COURRIER → DÉPÊCHE, MISSIVE, PLI, RUBRIQUE

COURRIER ÉLECTRONIQUE

Voir tab. **Internet**

COURRIÉRISTE → JOURNALISTE

COURROIE → ATTACHE, BANDE, ENTRAÎNEMENT

Voir illus. **Moteur**

COURROIE bricole, lanière, martingale, poitrinière, rêne, sangle, sous-ventrière, tendeur

COURROIE DE DISTRIBUTION

Voir tab. **Garagiste (vocabulaire du)**

COURROUCÉ → EXASPÉRER, FÂCHÉ, HÉRISSÉ, IRRITÉ

COURROUCER → IRRITER

COURROUX → COLÈRE

COURS → BOULEVARD, BOURSE, DÉROULEMENT, DÉVELOPPEMENT, ÉVOLUTION, FIL, LEÇON, LIT, MANUEL, MODULE, PRIX, RÉCIT, RECUEIL, TAUX, TENDANCE, TOURNURE, TRAITÉ

Voir tab. **Monnaie**

COURS actuel, allée, avenue, CAC 40, colloque, conférence, cotation, cote, courant, déroulement, Dow Jones, durant, enseignement, évolution, fil, fleuve, krach, leçon, marche, Nikkei, pendant, présent, promenade, rivière, ruisseau, taux

OURS (AU) → PENDANT (2)

OURS (AYANT) → CIRCULATION

OURS (EN) → PENDANT (3), VIGUEUR

OURS ÉLÉMENTAIRE → PRÉPARATOIRE

OURS FORCÉ
Voir tab. **Monnaie**

OURS MAGISTRAL → UNIVERSITÉ

OURSE → ÉLAN (1), EXCURSION, MONTAGNE, MOUVEMENT, PROVISION, RAID
Voir tab. **Sports**

OURSE achat, anneau, ascension, Atalante, commission, cross-country, demi-fond, fond, marathon, parcours, piste, plat (en), stade, starter, starting-block, trajet, trekking, vitesse

OURSE CYCLISTE critérium, cyclo-cross, demi-fond, étapes (par), montre (contre la), omnium, poursuite, Tour d'Italie, Tour de France, vélodrome, vitesse

OURSE DE BATEAUX dériveur, monocoque, multicoque, offshore, quillard, voilier

OURSE DE HAIES → ATHLÉTISME, OBSTACLE

OURSE DE TAUREAUX aficionado, becerrada, capea, novillada

OURSE HIPPIQUE attelé, champ, courtines, haie, hippodrome, monté, obstacle, plat, quarté, quinté, réunion, stalle, starting-gate, steeple-chase, tiercé, turf

OURSE RACING → PLANCHE À VOILE

OURSIER → COLIS, COMMISSION, COMMISSIONNAIRE, DÉPÊCHE, GARÇON, LETTRE, MESSAGER

OURSIVE → COULOIR

OURT → BREF (1), CONCIS, INCOMPLET, INTERDIT (2), JUSTE, OS, RADIOÉLECTRIQUE, RAS (1), RÉSUMÉ (2), SOMMAIRE (2), TENNIS

OURT dépourvu (au), brachydactyle, bréviligne, camus, direct, éphémère, fugace, fugitif, momentané, passager, prochainement, provisoire, temporaire, transitoire

OURT (DE) → DÉPOURVU

OURT-BOUILLON → BLEU (2), BOUILLON, NAGE

OURTAGE → COMMISSION, SALAIRE

OURTAUD → QUEUE

OURTAUDER → COUPER

OURTEPOINTE → COUVERTURE, LIT

OURTIER → AGENT, ASSURANCE, BOURSE, COMMERCE, INTERMÉDIAIRE (1), OPÉRATEUR, REPRÉSENTANT, VENDEUR, VOYAGEUR

OURTIER D'ASSURANCES
Voir tab. **Assurance (vocabulaire de l')**

OURTILIÈRE → TAUPE

OURTINE → MUR, RIDEAU
Voir illus. **Château fort**

OURTINES → COURSE HIPPIQUE

OURTISAN → SOUVERAIN (1)

COURTISANE → MONDAIN (1), PROSTITUÉE

COURTISER → BOTTE, DRAGUER, FLATTER, FRÉQUENTER, PLAIRE

COURTISER aduler, conter fleurette, draguer, faire la cour à, flagorner, flatter, séduire

COURTOIS → CHARMANT, DÉLICAT, ÉLEVÉ, GALANT, POLI (2), SOCIABLE

COURTOIS affable, civil, fin'amor, gracieux, poli, raffiné, tournoi, troubadour, trouvère

COURTOISIE → AFFABILITÉ, AMABILITÉ, BIENSÉANCE, CHEVALERIE, CIVILITÉ, DÉLICATESSE, GALANTERIE, MIROIR, RESPECT

COURU → RECHERCHÉ

COURVITE
Voir tab. **Oiseaux (classification simplifiée des)**

COUSCOUS
Voir tab. **Spécialités étrangères**

COUSCOUSSIER → USTENSILE

COUSETTE → APPRENTI, COUTURIER

COUSIN → MOUSTIQUE

COUSOIR → COUDRE

COUSSIN → VIOLON

COUSSIN airbag, carreau, coussinet, oreiller, pouf, traversin

COUSSINET → COUSSIN

COUSU DE FIL BLANC → GROSSIER, MALADROIT

COÛT → FRAIS (1), PRIX, VALEUR

COÛT dispendieux, estimation, évaluation, montant, onéreux, somptuaire, tarif, valeur

COUTEAU → BALANCE, BOUCHER (2), MOLLUSQUE, PIERRE, SORCIÈRE
Voir tab. **Superstitions**

COUTEAU amassette, boskoop, canif, couperet, coutelas, coutelier, coutelière, dague, désoperculateur, entoir, golden, grany, greffoir, hansart, Laguiole, Opinel, poignard, reinette

COUTELAS → BLANC (1), COUTEAU

COUTELIER → AFFÛTER, COUTEAU

COUTELIÈRE → COUTEAU

COÛTER → FAIRE, REVENIR, VALOIR

COÛTER douiller, gratuit, laborieux, pénible, revenir à, valoir

COÛTEUX → DÉPENSE, ONÉREUX, RICHE (2)

COUTIL → COTON, MATELAS, TOILE
Voir tab. **Tissus**

COUTRE → CHARRUE, FENDRE
Voir illus. **Charrue**

COUTUME → HABITUDE, JURISPRUDENCE, MODE, MŒURS, PEUPLE, PRATIQUE, RÈGLE, RITE, TRADITION, USAGE

COUTUME culte, habitude, mode, mœurs, pratique, rite, tradition, usage, vogue

COUTUMES INTERNATIONALES → DROIT (1)

COUTUMIER → FAMILIER (2), HABITUEL, RECUEIL

COUTURE → CICATRICE, HABILLEMENT, OUVRAGE

COUTURE collection, création, dé d'or, défilé

COUTURE (HAUTE) → MODE

COUTURIER → CONFECTION, MODE

Voir illus. **Muscles**

COUTURIER arpète, Catherine, chemisier, corsetier, cousette, créateur, culottier, giletier, midinette, modiste, petite main, styliste, tailleur, trottin

COUVAIN → ABEILLE, ŒUF
Voir tab. **Animaux (termes propres aux)**

COUVAISON → ŒUF

COUVÉE → NID, PETIT (1), PORTÉE

COUVENT → ABBAYE, COMMUNAUTÉ, MAISON, MOINE, MONASTÈRE, RELIGIEUX (1)
Voir tab. **Clergé catholique (vocabulaire du)**

COUVENT abbaye, abbesse, chartreuse, couventine, monastère, noviciat, observance, prieure, prise de voile, règle, supérieure

COUVENTINE → COUVENT

COUVER → ENTOURER, SOIN

COUVERCLE → RÉCIPIENT

COUVERT → CHARGÉ, DÉBARRASSER, GRIS, NÉBULEUX, NUAGE, REMPLIR, SOMBRE, SÛRETÉ, TÉNÉBREUX, TRISTE

COUVERTE → COUVERTURE, ÉMAIL

COUVERTURE → DÉGUISEMENT, DÉPÔT, PROTECTION, RELIURE, TOIT
Voir illus. **Livre relié**

COUVERTURE berner, chabraque, couette, courtepointe, couverte, couvre-lit, édredon, enveloppe, gros titre, housse, manchette, plaid, reliure, toit, toiture, une

COUVERTURE (CHOCOLAT DE)
Voir tab. **Chocolat**

COUVRE-CHEF → CHAPEAU

COUVRE-FEU → SONNERIE

COUVRE-JOINT → BATTEMENT

COUVRE-LIT → COUVERTURE

COUVRE-OBJET → MICROSCOPE

COUVREUR → BÂTIMENT, TOIT

COUVRIR → ABREUVER, ACCABLER, ARROSER, CACHER, EXCUSER, HABILLER (S'), OBSCURCIR, PARCOURIR, PARSEMER, RECOUVRIR
Voir tab. **Échecs**

COUVRIR abreuver, accabler, agonir, camoufler, consteller, cribler, dissimuler, emmitoufler (s'), encenser, féliciter, habiller (s'), joncher, napper, pailler, parer (se), parsemer, recouvrir, répandre, vêtir (se)

COVENT GARDEN → OPÉRA

COW-BOY → CAVALIER (1), CONDUCTEUR

COW-BOY gardian, gaucho, ranch, saloon, vaquero, western

COW-POX → VACHE

COX(O)-
Voir tab. **Chirugicales (interventions)**

COXAL → HANCHE

COXALGIE → ARTICULATION, HANCHE, TUBERCULOSE
Voir tab. **Douleur**

CPP
Voir tab. **Police nationale (organisation de la)**

CR
Voir tab. **Éléments chimiques (symbole des)**

CRABE birgue, décapodes, dromie,

étrille, limule, maïa, pinnothère, portune, poupart, surimi, tourteau

CRABOT → MANIVELLE

CRAC
Voir tab. **Bruits**

CRACHAT → SALIVE

CRACHEMENT → EXPULSION

CRACHER → ÉJECTER, ÉVACUER, REJETER, VOMIR

CRACHER agonir, calomnier, chimère, débagouler, dédaigner, dragon, éructer, expectorer, mépriser, outrager, proférer

CRACHIN → BROUILLARD, PLUIE

CRACHOIR → BASSIN

CRACK → CHAMPION, DROGUE, INTELLIGENT, POULAIN, PRÉFÉRER
Voir tab. **Drogues**

CRACKER → BISCUIT

CRAIE → CALCAIRE, COLORER, CRAYON
Voir tab. **Dessin (vocabulaire du)**
Voir tab. **Minéraux et utilisations**

CRAIE calcaire, carbonate de calcium, crayeux, crétacé, marneux, mastic, stéatite

CRAILLER
Voir tab. **Animaux (termes propres aux)**

CRAINDRE → REDOUTER, SOUFFRIR, SOUPÇONNER, TREMBLER

CRAINDRE appréhender, frémir, redouter, trembler

CRAINTE → APPRÉHENSION, INQUIÉTUDE, PEUR, RESPECT, SOUPÇON

CRAINTE angoisse, anxiété, appréhension, catalepsie, effroi, épouvante, frayeur, intimider, paralysie, paranoïa, phobie, terreur, terroriser

CRAINTIF → SAUVAGE, SOUPÇONNEUX

CRAMBE → CHOU

CRAMER → CHAUFFER

CRAMIQUE → PAIN
Voir tab. **Gâteaux régionaux et étrangers**

CRAMOISI → COULEUR, POURPRE (2), ROUGE
Voir tab. **Couleurs**

CRAMPE → CADENAS, CONTRACTION, TIRAILLEMENT

CRAMPILLON → CLOU

CRAMPON → ATTACHE, BOUT, CLOU, PNEU, RACINE
Voir illus. **Chaussures**

CRAMPONNER (SE) → RETENIR (SE), TENIR

CRAN → COURAGE, ENTAILLE, IRRITÉ, REPÈRE

CRAN bout de nerfs (à), coche, courage, degré, échelon, encoche, énergie, énervé, entaille, exaspéré, volonté

CRAN DE SÛRETÉ
Voir illus. **Pistolet**

CRÂNE → FIER
Voir illus. **Squelette**

CRÂNE (1) brachycéphale, caillou, craniographie, craniologie, dolichocéphale, phrénologie

CRÂNE (2) audacieux, brave, décidé

CRÂNE RASÉ
Voir illus. **Cheveux (coupes de)**

CRÂNEUR → PRÉTENTIEUX

CRANIOGRAPHIE → CRÂNE (1)

CRANIOLOGIE → CRÂNE (1)

Voir tab. **Sciences : termes en -ologie et -ographie**

CRANIOPATHIE

Voir tab. **Médecines alternatives**

CRAPAUD → BOMBARDEMENT, DÉFAUT, DIAMANT, FAUTEUIL, LOUPE, PIANO, PIERRE PRÉCIEUSE, SABOT

Voir illus. **Sièges**

CRAPAUDINE → FOSSILE (2), GRILLE

CRAPOTER → FUMER

CRAPOUILLOT → BOMBARDEMENT, CANON

CRAPULE → MALFAITEUR, MALHONNÊTE

CRAQUAGE → PÉTROLE

CRAQUANT → ADORABLE, IRRÉSISTIBLE

CRAQUELAGE

Voir tab. **Peinture et décoration**

CRAQUELÉ → FENTE

CRAQUELER (SE) → FENDRE

CRAQUELIN → BISCUIT

CRAQUELURE → FISSURE, PEINTURE

CRAQUER → BASCULER, CÉDER, CRÉPITER, ÉCROULER (S'), FOUDRE, PÉTILLER, ROMPRE, RUINE

CRAQUER bondé, crépiter, crisser, croustiller, déchirer, grincer

CRAQUÈTEMENT → BRUIT, GRUE

CRAQUETER

Voir tab. **Animaux (termes propres aux)**

CRASE → CONTRACTION

CRASH → ATTERRISSAGE

CRASSANE → POIRE

CRASSE → DÉFAUT, ÉCUME

CRASSEUX → MALPROPRE, NOIR (2), SALE

CRASSIER → HAUT-FOURNEAU

CRATAEGUS LAEVIGATA

Voir tab. **Plantes médicinales**

CRATÈRE → CREUX (1), DÉPRESSION, MÉTÉORITE, VASE

Voir illus. **Volcan**

CRATERELLE → TROMPETTE

CRAVACHE → BAGUETTE, FOUET

CRAVANT → OIE

CRAVATE → ACCESSOIRE, CHEMISE, DÉCORATION, DRAPEAU

Voir illus. **Modes et styles**

Voir illus. **Nœuds et cravates**

CRAVATE arc-en-ciel, bavette, club, corde, épingle, lavallière, pince, plastron, rabat, régate

CRAVATE DE CHANVRE → CORDE

CRAVATE JAUNE → ALOUETTE

CRAWL → NAGE

CRAWLEUR → NAGEUR

CRAYÈRE → CHAMPAGNE

CRAYEUX → CRAIE, LIVIDE

CRAYON → PAUPIÈRE

Voir tab. **Dessin (vocabulaire du)**

CRAYON craie, feutre, fusain, graphite, marqueur, pastel, photostyle, plombagine, portemine, sanguine, sauce, stylomine

CRAYON OPTIQUE

Voir tab. **Informatique**

CRAYONNER → DESSINER

CRDS

Voir tab. **Fiscalité**

CRÉANCE → CONFIANCE, DETTE, INFLUENCE, PATRIMOINE, TITRE

Voir tab. **Chasse (vocabulaire de la)**

CRÉANCE (DONNER) → CROIRE

CRÉATEUR → AUTEUR, BÂTIR, COUTURIER, INVENTEUR, MODE, PIONNIER, POSITIF

CRÉATEUR patte, style

CRÉATEUR (1) artiste, démiurge, Dieu, entrepreneur, fondateur, griffe, industriel, initiateur, inventeur, promoteur

CRÉATEUR (2) générateur

CRÉATIF → FÉCOND, INVENTER, ORIGINAL

CRÉATION → CARDINAL (1), COUTURE, DESIGN, FABRICATION, FONDATION, FORMATION, INSTITUTION, INVENTION, IVRESSE, NAISSANCE, PRODUCTION

CRÉATION conception, créativité, découverte, fantaisie, Genèse, imagination, invention, trouvaille

CRÉATIVITÉ → CRÉATION, GÉNIE, IDÉE, IMAGINATION, INVENTION, ORIGINALITÉ

CRÉATOPHOBIE

Voir tab. **Phobies**

CRÉATURES MYTHOLOGIQUES

Voir tab. **Mythologiques (créatures)**

CRÉCELLE → JOUET

Voir illus. **Percussions**

Voir tab. **Instruments de musique**

CRÉCERELLE → FAUCON

CRÈCHE → BERGERIE, ÉTABLE, MANGEOIRE, NOËL

CRÉCHER → PERCHER

CRÉCY (À LA) → POTAGE

CRÉDENCE → BUFFET, MEUBLE, TABLE

CRÉDIBLE → CONFIANCE, PLAUSIBLE, VRAISEMBLABLE

CRÉDIRENTIER → RENTE

CRÉDIT → ARDOISE, AVANCE, AVOIR (2), BALANCE, BANQUE, BILAN, BRAS, BUDGET, CONFIANCE, DÉLAI, EMPRUNT, FAVEUR, IMPORTANCE, INFLUENCE, INSTITUTION, POPULARITÉ, PRÊT, RENTRÉE

Voir tab. **Banque**

Voir tab. **Économie**

CRÉDIT dette, emprunt, fond, influencer, prêt, subvention

CRÉDIT (DONNER DU) → CROIRE

CRÉDIT D'IMPÔT → AVOIR (2)

CRÉDIT MUNICIPAL → MONT

CRÉDITER → SOMME

CREDO → RÈGLE, RELIGION, SYMBOLE

Voir tab. **Prières et offices de l'Église catholique romaine**

CRÉDULE → INNOCENT (2), NAÏF, SIMPLE

CRÉDULITÉ → CONFIANCE, INNOCENCE, NAÏVETÉ, NIAISERIE

CRÉER → BÂTIR, COMPOSER, CONSTITUER, ÉDIFIER, ÉRIGER, ÉTABLIR, FABRIQUER, FAIRE, IMAGINER, INNOVER, INVENTER, OCCASIONNER, OUVRIR, PRODUIRE, TROUVER

CRÉER causer, composer, écrire, établir, fabriquer, fonder, instituer, monter, occasionner, produire, provoquer, réaliser, susciter

CRÉMA → HAUT-FOURNEAU

CRÉMAILLÈRE → CHEMINÉE, INSTALLATION, MARMITE

CRÉMANT → CHAMPAGNE, DESSERT, MOUSSEUX, PÉTILLANT

CRÉMATION → BRÛLER, CADAVRE, INCINÉRATION, OBSÈQUES

CRÉMATORIUM → CADAVRE, CIMETIÈRE, INCINÉRATION

CRÈME → BEIGE, BLANC (1), DESSERT, DESSUS, GRATIN, MÉDICAMENT, ONGUENT, PERLE, POMMADE

Voir tab. **Café**

CRÈME baratter, baume, brillantine, cappuccino, chantilly, cold-cream, cosmétique, flan, fleurette, ganache, Gomina, meilleur, mousse, onguent, pâte, pommade, sabayon

CRÈME À BRONZER → PLAGE

CRÈME BRONZANTE → BRONZER

CRÈME PÂTISSIÈRE

Voir tab. **Gâteaux régionaux et étrangers**

CRÈME SOLAIRE → BRONZER, FILTRE

CRÉMERIE → FROMAGE, LAIT, LAITERIE

CRÉMET

Voir illus. **Fromages**

CRÉMEUX → ONCTUEUX

CRÉMONE → FENÊTRE

Voir illus. **Intérieur de maison**

CRÉNEAU → CONCURRENCE, PARAPET

Voir illus. **Château fort**

CRÉNELAGE → BORD, MONNAIE

CRÉNELÉ

Voir illus. **Héraldique**

CRÉNER → IMPRIMERIE, LETTRE

CRÉNOTHÉRAPIE → BAIN

Voir tab. **Médecines alternatives**

CRÉOLE → BOUCLE, ÎLE, LANGUE, RIZ

CRÉOSOTE → DENTAIRE, DISTILLATION

CRÊPAGE

Voir illus. **Cheveux (coupes de)**

CRÊPAGE DE CHIGNON → BAGARRE

CRÊPE → DEUIL, VOILE

Voir tab. **Tissus**

CRÉPI → CHAUX, CIMENT, ENDUIT, MAÇON, MUR, REVÊTEMENT

CREPIDOMA

Voir illus. **Colonnes**

CRÊPIÈRE → POÊLE

CRÉPINE → FRANGE, INTESTIN (1), MEMBRANE, PASSEMENTERIE, TRIPES

CRÉPINETTE → SAUCISSE

CRÉPITEMENT → BRUIT

Voir tab. **Bruits**

CRÉPITER → CRAQUER, PÉTILLER

CRÉPITER craquer, grésiller, pétiller

CRÉPON

Voir tab. **Tissus**

CRÉPUSCULAIRE → CLARTÉ, SOIR

CRÉPUSCULE → ACHÈVEMENT, BRUNE, CHUTE, DÉBUT, DÉCLIN, FIN (1), JOUR, PÉNOMBRE

CRÉPUSCULE chute, coucher du soleil, décadence, déchéance, déclin, déclin du jour, dégénérescence, demi-jour, tombée de la nuit

CRESCENDO → AUGMENTATION

Voir tab. **Musique (vocabulaire de la)**

CRESSON

Voir tab. **Salades**

CRESSONNETTE

Voir tab. **Salades**

CRÉSUS → RICHE (2)

CRÉTACÉ → CRAIE

Voir tab. **Géologiques (échelle des temps)**

CRÊTE → CULMINANT, ÉPINE, EXTRÉMITÉ, HAUT (1), MONTAGNE, POINT, SAILLIE, VAGUE (1)

Voir illus. **Armures**

Voir illus. **Cheveux (coupes de)**

CRÊTE appalachien, arête, béatilles, cime, iroquois, punk, sommet

CRÉTEIL

Voir tab. **Habitants (comment se nomment les)**

CRÉTIN → IDIOT, IMBÉCILE (1), INNOCENT (1)

CRÉTIN idiot, imbécile, minable, nul

CRÉTINERIE → BÊTISE

CRÉTINISER → ABRUTIR

CRÉTINISME → IDIOTIE

CRETONNE → COTON

Voir tab. **Tissus**

CREUSE → HUÎTRE

CREUSÉ → MAIGRE

CREUSER → CAMBRER, FOUILLER, GRATTER, MINER, OUVRIR, PIOCHER

CREUSER affouiller, approfondir, bêcher, champlever, chever, évider, excaver, fouisseur, labourer, percer, piocher, raviner, réfléchir à, terrasser

CREUSET → BRASSAGE, FUSION, HAUT-FOURNEAU, POÊLE, RÉCIPIENT

CREUSOT (LE)

Voir tab. **Habitants (comment se nomment les)**

CREUSOTINS

Voir tab. **Habitants (comment se nomment les)**

CREUX → CAVITÉ, ENFONCEMENT, INÉGALITÉ, INSIGNIFIANT, INTÉRÊT, INUTILE, PLI, TROU, TUILE, VENTRE, VIDE (2)

Voir illus. **Arcs et arbalète**

CREUX (1) abîme, abysse, anfractuosité, antre, baisse, brèche, caverne, cavité, cratère, crevasse, excavation, fléchissement, gorge, gouffre, ouverture, ralentissement, ravin, rigole, trou

CREUX (2) amaigri, cave, émacié, réduit

CREUX POPLITÉ → GENOU

CREVASSE → ACCIDENT, CASSURE, CREUX (1), FENTE, FISSURE, GERÇURE, PRÉCIPICE, PROFOND

Voir illus. **Glacier**

CREVASSÉ → FENTE, SEC

CREVASSER → FENDRE

CREVÉ → DÉGONFLÉ, DOUBLURE, FATIGUER, HARASSÉ

CRÈVE-CŒUR → SOUFFRANCE

CRÈVE-LA-FAIM → AFFAMÉ

CREVER → CŒUR, ÉCLATER, PERCER

CREVER claquer, éborgner, éclater, épuiser, évident, exténuer, flagrant, manifeste, percer, péter, tuer

CREVER (SE) → SURMENER

CREVER UN ŒIL → BORGNE

CREVETTE
Voir tab. **Animaux (classification simplifiée des)**

CREVETTE boucaud, bouquet, bourraque, caridine, crevettier, gamba, gammare, haveneau, palémon, pousseux, salicoque, scampi

CREVETTIER → CREVETTE, FILET
Voir tab. **Bateaux**

CRI → APPEL, ÉCLAT, EXCLAMATION, LAMENTATION, OVATION, RÉCLAMATION, RÉCLAME (2)

CRI alléluia, bravo, clameur, dans le vent, devise, évohé, exclamation, gémissement, hallali, hosanna, hourra, hourvari, huée, hurlement, in, insistance (avec), lamentation, mode (à la), ovation, plainte, slogan, taïaut, tollé, tumulte, vagissement, vivat, vocifération, vogue (en)

CRI DE RALLIEMENT → DEVISE

CRIAILLER → OIE, PERDRIX
Voir tab. **Animaux (termes propres aux)**

CRIANT → ÉVIDENT

CRIARD → AGRESSIF, AIGRE, POINTU
Voir tab. **Bruits**

CRIARD aigu, discordant, perçant, tapageur, tape-à-l'œil, voyant

CRIBLAGE → CHOCOLAT, GRAIN

CRIBLE → PASSOIRE, TAMIS

CRIBLER → ACCABLER, COUVRIR, NETTOYER, PARSEMER, PERCER, REMPLIR, TRIER

CRIC → LEVIER, MANIVELLE

CRICKET → BALLE
Voir tab. **Sports**

CRICOÏDE → LARYNX

CRIÉE (À LA) → ENCHÈRE, VENTE

CRIER → DIRE, FULMINER, GRINCER, HAUSSER, HURLER, PROCLAMER, PROTESTER, RUGIR

CRIER avertissement (sans), beugler, brailler, brusquement, clabauder, clamer, conspuer, égosiller (s'), époumoner (s'), gueuler, huer, hurler, invectiver, tonitruer

CRIER GARE (SANS) → SOUDAIN

CRIME → ATROCITÉ, ATTENTAT, CAS, DROIT (1), FAIT, FAUTE, ILLÉGAL, INFRACTION, MEURTRE

CRIME assassinat, assises, attentat, déportation, destruction, détournement, espionnage, ethnocide, extermination, forfaiture, génocide, harcèlement sexuel, holocauste, homicide, malversation, meurtre, pillage, terrorisme, trahison, vandalisme, viol, vol armé

CRIMINALISTE → CRIMINEL

CRIMINALITÉ → CRIMINEL

CRIMINEL → COUPABLE, DÉLINQUANT, MALFAITEUR, TUEUR

CRIMINEL assassin, criminaliste, criminalité, criminologie, infraction, malfaiteur, meurtrier, pénaliste, tribunal de Nuremberg, violeur

CRIMINOLOGIE → CRIMINEL
Voir tab. **Sciences : termes en -ologie et -ographie**

CRIN → BROSSE, POIL

CRIN agave, cilice, convaincu, crinoline, énergique, étamine, phormion, résolu, tampico, tillandsie

CRINELLE
Voir tab. **Pêche**

CRINIÈRE → CASQUE, CHEVEU, TOUFFE
Voir illus. **Cheval**

CRINOLINE → CRIN, JUPE, VÊTEMENT

CRIOBOLE → SACRIFICE

CRIOLLOS
Voir tab. **Chocolat**

CRIQUE → BAIE, GALETTE
Voir illus. **Littoral**

CRIQUET → INSECTE, SAUTERELLE
Voir illus. **Insectes**

CRISE → ACCÈS, AGGRAVATION, ATTAQUE, BOULEVERSEMENT, BOURSE, DÉPRESSION, MALAISE, PERTURBATION, STAGNATION
Voir tab. **Économie**

CRISE accès, attaque, blues, cafard, conflit, critique, dépression, doute, krach, marasme, paroxysme, poussée, quinte, récession, sanglot, spleen, stagflation, tension

CRISPATION → CONTRACTION, CONVULSION, GRIMACE

CRISPATION angoisse, anxiété, appréhension, contraction, émotion, nervosité, spasme, tétanie

CRISPÉ → TENDU

CRISPER → IRRITER, SERRER

CRISPIN → MANTEAU, MOUSQUETAIRE

CRISSEMENT → AIGU, FROTTEMENT
Voir tab. **Bruits**

CRISSER → CRAQUER, GRINCER

CRISTAL
Voir tab. **Anniversaires de mariage**

CRISTAL cristallerie, cristallin, quartz, spath, strass

CRISTAL DE BACCARAT → VERRE

CRISTAL DE BOHÊME → VERRE

CRISTAL DE VENISE → VERRE

CRISTALLERIE → CRISTAL

CRISTALLIN → CLAIR, CRISTAL, LIMPIDE, PUR, RÉSONNER, TRANSPARENT
Voir illus. **Œil**

CRISTALLISATION → PÉTROLE

CRISTALLISER concrétiser, fixer, rassembler

CRISTALLOGRAPHIE → GÉOLOGIE

CRISTAUX LIQUIDES → MONTRE

CRISTE-MARINE → VINAIGRE

CRISTOLIENS
Voir tab. **Habitants (comment se nomment les)**

CRITÈRE → CARACTÈRE, COMPARAISON, MARQUE, PARAMÈTRE, RÈGLE

CRITÈRE canon, catégorisation, classification, critériologie, étalon, norme, règle, sélection, typologie

CRITÉRIOLOGIE → CRITÈRE

CRITÉRIUM → COMPÉTITION, COURSE CYCLISTE, ÉPREUVE, SÉLECTION, SPORTIF (2)

CRITIQUABLE → IMPARFAIT (2), ORTHODOXE

CRITIQUE → ART, COMMENTAIRE, CONTROVERSE, CRISE, CRUCIAL, DÉCISIF, GRAVE, INDÉPENDANT, INQUIÉTER, INTERPRÉTATION, JOURNALISTE, OBJECTION, OBSERVATEUR, OBSERVATION, RÉDACTEUR, RÉFLEXION, REPROCHE, RÉSERVE, TRAGIQUE

CRITIQUE (1) analyse, appréciation, aristarque, attaque, billet d'humeur, bonne presse, compte rendu, contempteur, détracteur, diatribe, étude, examen, factum, impression, jugement, libelle, objection, pamphlet, remarque, reproche, satire, zoïle

CRITIQUE (2) délicat, difficile, discernement, dur, pénible, perspicacité

CRITIQUER → ATTAQUER, BOUGONNER, CONSIDÉRER, DÉNIGRER, DESCENDRE, JUGER, MALTRAITER, MÉDIRE, PROCÈS, RAISONNEMENT, REPROCHE

CRITIQUER blâmer, condamner, décrier, dénigrer, juger, réprouver

CROASSER
Voir tab. **Animaux (termes propres aux)**

CROC → PENDRE, PERCHE
Voir tab. **Géographie et géologie (termes de)**

CROCHE
Voir illus. **Symboles musicaux**

CROCHET → BOUCHER (2), BOXE, BRODERIE, CAMBRIOLEUR, CLOU, DENTELLE, DÉTOUR, FIXATION, INDIRECT, PENDRE, PONCTUATION
Voir tab. **Forme de... (en)**

CROCHET agrafe, allonge, araignée, charge de (à la), détour, esse, frais de (aux), patte, pendoir, piton, unciforme

CROCHETER → FORCER, OUVRIR, SERRURE

CROCHU → NEZ

CROCODILE → HYPOCRITE, RAIL, TRAIN
Voir tab. **Animaux (termes propres aux)**

CROIRE → IMAGINER, IMPRESSION, PENSER, RECONNAÎTRE, SUPPOSER

CROIRE accepter, adhérer, admettre, apprécier, avaler, compter sur, confiance (avoir), considérer, créance à (donner), crédit à (donner du), estimer, fier à (se), gober, imaginer, juger, penser, rallier (se), remettre à (s'en), supposer

CROISADE → EXPÉDITION, GUERRE
Voir tab. **Histoire (grandes périodes)**

CROISÉ → BÂTARD, ESCRIME, MÉTIS (2), RACE, RIME, TIR
Voir tab. **Tissus**

CROISÉE → MENUISERIE, RUCHE
Voir illus. **Église (plan d'une)**
Voir illus. **Intérieur de maison**

CROISEMENT → ACCOUPLEMENT, BIFURCATION, BRASSAGE, CARREFOUR, EMBRANCHEMENT, ÉTOILE, FOURCHE, JONCTION, RACE, RENCONTRE, REPRODUCTION

CROISEMENT agénésie, bâtard, carrefour, étoile, hybridation, intersection, mâtiné, mendélisme, métis, patte-d'oie, rond-point, sang-mêlé

CROISER → COUPER, TRAVERSER

CROISER battre à l'épée (se), couper, franchir, rencontrer (se), traverser

CROISEUR
Voir tab. **Bateaux**

CROISIÈRE → PAQUEBOT, PROMENADE, VOYAGE

CROISILLON → BARRE, BRANCHE
Voir illus. **Colombage**

CROISSANCE → ACCROISSEMENT, CORPS, DÉVELOPPEMENT, ESSOR, EXPANSION, VENUE
Voir tab. **Économie**
Voir tab. **Entreprise (vocabulaire de l')**

CROISSANCE accroissement, augmentation, développement, essor, explosion, inflation, intensification, montée, NPI (nouveaux pays industrialisés), poussée, progression, récession

CROISSANCE ÉCONOMIQUE
Voir tab. **Histoire (grandes périodes)**

CROISSANCE STATURO-PONDÉRALE
Voir tab. **Pédiatrie**

CROISSANT → QUARTIER, TURC
Voir illus. **Héraldique**
Voir illus. **Lune**
Voir tab. **Forme de... (en)**
Voir tab. **Islam (vocabulaire de l')**

CROISSANT quartier

CROISURE → SOIE

CROÎT
Voir tab. **Mathématiques (symboles)**

CROÎTRE → DÉVELOPPER (SE), GRANDIR, PLAIRE (SE), POUSSER, PROSPÉRER, VENIR

CROÎTRE améliorer (s'), augmenter, développer (se), empirer, grandir, intensifier (s'), monter, multiplier (se), pousser, progresser

CROIX → BRODERIE, DÉCORATION, ÉVÊQUE, FARDEAU, HONORABLE, LÉGION, MARQUE, SIGNATURE, SUPPLICE
Voir illus. **Héraldique**
Voir tab. **Forme de... (en)**

CROIX calvaire, crucifère, crucifix, cruciforme, déposition, égyptienne, gammée, huître marteau, INRI, Lorraine (de), Malte (de), potencée, Saint-André (de), Saint-Antoine (de), sainte Croix, souffrir, station, svastika

CROIX DE GUERRE
Voir illus. **Décorations françaises**

CROIX DE GUERRE TOE
Voir illus. **Décorations françaises**

CROIX DE LA LIBÉRATION
Voir illus. **Décorations françaises**

CROIX DE LA VALEUR MILITAIRE
Voir illus. **Décorations françaises**

CROIX DU COMBATTANT
Voir illus. **Décorations françaises**

CROIX GAMMÉE → FASCISME

CRO-MAGNON (HOMME DE) → PRÉHISTORIQUE

CROMLECH → MENHIR, PIERRE

CROONER → CHARME

CROQUANT → PAYSAN (1)

CROQUE-MITAINE → ENFANT

CROQUE-MORT → OBSÈQUES

CROQUER → BROYER, CARICATURE, DESSINER, MORDRE

CROQUER brosser, claquer, dépenser, dilapider, ébaucher, engloutir, esquisser, flamber, gaspiller

CROQUET → BILLARD, BORDURE, BOULE

Voir tab. **Couture**

CROQUETTE → BOULE, CHOCOLAT, REPAS

CROQUIGNOLE → BISCUIT

CROQUIS → CARTON, COMMENCEMENT, DESSIN, ÉBAUCHE, ESQUISSE, ÉTUDE, FIGURE, PLAN, PROJET

CROSKILL → BRISER

CROSNE → LÉGUME

CROSS-COUNTRY → COURSE

Voir tab. **Sports**

CROSSE → BÂTON, ÉVÊQUE, FER, HOCKEY

Voir illus. **Arcs et arbalète**

Voir illus. **Fusils**

Voir illus. **Pistolet**

Voir illus. **Revolver**

Voir illus. **Sièges**

Voir tab. **Forme de... (en)**

Voir tab. **Sports**

CROSSER → BALLE

CROSSETTE → BOUTURE, BRANCHE

CROSSING-OVER → CHROMOSOME

CROTALE → SERPENT

CROTTE → CHOCOLAT, EXCRÉMENT

CROTTE DE NEZ → NASAL

CROTTÉ → SALE

CROTTIN → CHÈVRE, EXCRÉMENT

CROTTIN DE CHAVIGNOL

Voir illus. **Fromages**

CROULER → FARDEAU

CROUPE → COLLINE, FESSE, SOMMET

Voir illus. **Cheval**

Voir illus. **Maison**

Voir illus. **Toits**

CROUPI → SALE

CROUPION → OISEAU, PLUME, POULET

CROUPIR → INACTION, MOISIR, POURRIR, SÉJOURNER, VIVRE

CROUPIR cloaque, corrompre (se), enliser (s'), stagner

CROUPISSANT → IMMOBILE

CROUPON → VACHE

CROUSTADE → PÂTÉ

CROUSTILLANT → SAVOUREUX

CROUSTILLE → REPAS

CROUSTILLER → CRAQUER

CROÛTE → COUCHE, ÉCORCE

Voir illus. **Terre**

CROÛTE DE LAVE

Voir illus. **Volcan**

CROÛTON → BOUT, PAIN

CROWN-GLASS → VERRE

CROYANCE → CERTITUDE, CONFESSION, CONVICTION, OPINION, PEUPLE, RELIGIEUX (2), RELIGION, VÉRITÉ

CROYANCE chamanisme, doctrine, dogme, foi, occultisme, spiritisme, superstition

CROYANT → FIDÈLE (1), FOI, PIEUX, RELIGION

CROYANT agnostique, athée, bigot, dévot, fidèle, infidèle, libre-penseur, mystique, pratiquant

CRS (COMPAGNIE RÉPUBLICAINE DE SÉCURITÉ) → COMPAGNIE, POLICE

Voir tab. **Police nationale (organisation de la)**

CRU → BRUTAL, CYNIQUE, FABRICATION, GROSSIER, INVENTION, OBSCÈNE, SALÉ, SELLE, VIGNE, VIGNOBLE

Voir tab. **Café**

Voir tab. **Chocolat**

Voir tab. **Thé**

CRU abrupt, brutal, carpaccio, dur, graveleux, grivois, intense, leste, salace, sec, sushi, tartare, terroir (du), vif, violent

CRUAUTÉ → ATROCITÉ, BARBARIE, DURETÉ, FÉROCITÉ, PERVERSITÉ, SAUVAGERIE

CRUAUTÉ barbarie, férocité, inhumanité, méchanceté, sadisme

CRUCHE → POT, VASE

CRUCIAL → DÉCISIF, GRAVE, IMPORTANT, MAJEUR (2)

CRUCIAL critique, décisif, déterminant, essentiel, important, vital

CRUCIFÉRACÉES → GIROFLÉE, MOUTARDE

CRUCIFÈRE → CROIX

CRUCIFIEMENT → CRUCIFIXION, SUPPLICE

CRUCIFIX → CROIX, VAMPIRE

CRUCIFIXION → EXÉCUTION

CRUCIFIXION calvaire, crucifiement, déicide, Golgotha, stigmates

CRUCIFORME → CROIX, VIS

Voir tab. **Forme de... (en)**

CRUCIVERBISTE → MOT

CRUDITÉ → RÉALISME, VERDURE

CRUE → DÉBORDEMENT, FLEUVE, HAUSSE, INONDATION, INTENSE, MONTÉE

CRUEL → AFFREUX, ATROCE, BRUTAL, FÉROCE, IMPITOYABLE, INDIGNE, INHUMAIN, INSENSIBLE, MALHEUREUX, MÉCHANT, PÉNIBLE, PERVERS, RUDE, SANS-CŒUR

CRUEL affligeant, amer, âpre, atroce, barbare, boucher, brutal, chacal, cuisant, despote, draconien, dur, féroce, hostile, impitoyable, implacable, inexorable, inflexible, inhumain, insensible, néronien, pénible, persécuteur, sadique, tyran, ubuesque, violent

CRUISER → YACHT

CRUMBLE

Voir tab. **Gâteaux régionaux et étrangers**

CRÛMENT → CARRÉMENT, CLAIREMENT, NET

CRURAL → CUISSE

Voir illus. **Muscles**

CRUSTACÉ

Voir tab. **Animaux (classification simplifiée des)**

CRUSTACÉ arthropodes, bourraque, calcaire, carcinologie, céphalon, chitine, crustacéologie, drague, entomostracés, fruit de mer, malacostracés, mandibule, maxille, nauplius, péréion, pléon, tramail, trilobite, zoé

CRUSTACÉOLOGIE → CRUSTACÉ

CRY(O)- → FROID

CRYOCHIRURGIE → CHIRURGIE

Voir tab. **Chirurgie (vocabulaire de la)**

CRYOMÈTRE

Voir tab. **Instruments de mesure**

CRYOMÉTRIE → TEMPÉRATURE

CRYOPHILE → PLANTE

CRYOTHÉRAPIE → FROID (1), VERRUE

CRYPTAGE → CHIFFRE

Voir tab. **Multimédia (les mots du)**

CRYPTE → CAVEAU, CIMETIÈRE, ENTERRER, SOUTERRAIN (1), SOUTERRAIN (2)

CRYPTE caveau, chapelle, follicule, galgal, grotte, hypogée, martyrium

CRYPTER → BROUILLER, CACHER, CODE

CRYPTO- → CACHER

CRYPTOGAME → PLANTE

CRYPTOGÉNÉTIQUE → MALADIE

CRYPTOGRAMME → SECRET (2)

CRYPTOGRAPHIE → CODE, ÉCRITURE

CRYPTOLOGIE

Voir tab. **Sciences : termes en -ologie et -ographie**

CS

Voir tab. **Éléments chimiques (symbole des)**

CSG

Voir tab. **Fiscalité**

CU

Voir tab. **Éléments chimiques (symbole des)**

CUBAGE → CONTENANCE, CUBE, VOLUME

CUBE → CARRÉ (1)

Voir illus. **Géométrie (figures de)**

CUBE abacule, cubage, cubique, cuboïde, dé, hexaèdre, hexaédrique, stère

CUBÈBE → POIVRIER

CUBER → MESURER

CUBILOT → ACIER, FOURNEAU

CUBIQUE → CUBE

CUBITAINER → RÉCIPIENT, VIN

CUBITAL → COUDE, MAIN

CUBITIÈRE → COUDE

Voir illus. **Armures**

CUBITUS → BRAS

Voir illus. **Squelette**

Voir tab. **Bande dessinée (héros de)**

CUBOÏDE → CUBE

CUCULIFORMES

Voir tab. **Oiseaux (classification simplifiée des)**

CUCULLE → MOINE

CUCURBITACÉES → CONCOMBRE, MELON

CUE BID

Voir tab. **Bridge**

CUEILLETTE → NOMADE, RÉCOLTE

Voir tab. **Thé**

CUEILLIR → BAISER, CAPTURER, MOISSONNER

CUEILLIR décrocher, gauler, grappiller, marauder, obtenir, rafler, ramasser, récolter, remporter, vendanger

CUEILLOIR → CISAILLE

CUILLER boudoir, café (à), casse, entremets (à), louche, poche, pucheux, soupe (à), spatule, truelle

CUIR → LIAISON

CUIR alutacé, basane, bourrellerie, chagrin, galuchat, maroquin, maroquinerie, moleskine, parchemin, sellerie, similicuir, Skaï, tannage, vélin

CUIR SUÉDÉ → DAIM

CUIRASSE → ARMURE, CARAPACE, DÉFENSIF, SPORTIF (1)

Voir illus. **Armures**

CUIRASSE armure, blinder, carapace, coquille, cuirasser, dossière, plastron

CUIRASSÉ → BÂTIMENT, BLINDÉ, NAVIRE

Voir tab. **Bateaux**

CUIRASSER → CUIRASSE, DURCIR (SE), ENDURCIR, GARNIR

CUIRASSIER → CAVALERIE

CUIRE → CHAUFFER, FEU, MIJOTER, MITONNER, RÔTIR

CUIRE biscuiter, blanchir, blondir, braiser, étuvée (à l'), frire, griller, mijoter, mitonner, rissoler, rôtir, saisir

CUISAGE → CHARBON

CUISANT → AIGU, AMER, CRUEL, FROID (1), MORDANT (2), PESANT, PIQUANT (2), VIF (2)

CUISINE → AROMATE, ORDINAIRE

Voir illus. **Voilier : Dufour 38 Classic**

CUISINE arrière-cuisine, coquerie, cuisiniste, culinaire, gastronome, gastronomie, gourmet, kitchenette, office, ragougnasse, recette, souillarde

CUISINER → ACCOMMODER, APPRÊTER, INTERROGER, MITONNER, PRÉPARER

CUISINIER → MAÎTRE (1), RESTAURANT

Voir illus. **Coiffures**

Voir tab. **Saints patrons**

CUISINIER casserolier, chef, cordon-bleu, cuistot, gâte-sauce, maître coq, maître queux, marmiton, toque

CUISINIÈRE → FOURNEAU

CUISINISTE → CUISINE

CUISSARD → TUBE

Voir illus. **Armures**

CUISSARDE → BOTTE

Voir illus. **Chaussures**

Voir illus. **Modes et styles**

CUISSE → GIGUE, POULET

Voir illus. **Cheval**

CUISSE crural, cuissot, gigolette, gigot, jambon, pilon

CUISSON → CHARCUTERIE

CUISSOT → CUISSE, GIGUE

CUISTOT → CUISINIER

CUISTRE → PÉDANT

CUIT → IVRE

CUITÉ → IVRE

CUIVRE → MÉTAL, TROMPETTE

Voir tab. **Éléments chimiques (symbole des)**

Voir tab. **Instruments de musique**

Voir tab. **Minéraux et utilisations**

CUIVRE airain, bronze, chalcographie, chalcolithique, cuivre jaune, cuprifère, cuprique, laiton, maillechort

CUIVRE JAUNE → CUIVRE

CUIVRÉ → BRUN, BRUYANT, DORÉ, HÂLÉ, TIMBRE

Voir tab. **Bruits**

Voir tab. **Couleurs**

CUIVRER → BRONZER

CUL → BOUTEILLE

CULASSE → MOTEUR, RACINE

Voir illus. **Fusils**

Voir illus. **Moteur**

Voir illus. **Pierres précieuses (taille des)**

Voir tab. **Garagiste (vocabulaire du)**

CULBUTE → CABRIOLE, CHUTE, NATATION, PIROUETTE, ROULER

CULBUTER → BASCULER, BATTRE, BOUSCULER, DÉROUTE, ENFONCER, RENVERSER, TOMBER

CULBUTEUR → SOUPAPE

Voir illus. **Moteur**

Voir tab. **Garagiste (vocabulaire du)**

CUL-DE-BASSE-FOSSE → CACHOT, SOUTERRAIN (2)

CUL-DE-FOUR

Voir illus. **Voûtes**

CUL-DE-JATTE → JAMBE

CUL-DE-LAMPE → CHAPITRE, GRAVURE, IMAGE, VIGNETTE

Voir tab. **Architecture**

CUL-DE-PORC SIMPLE

Voir illus. **Nœuds**

CUL-DE-SAC → IMPASSE, ISSUE, RUE

CULÉE → MAÇONNERIE, PONT, POUSSÉE

Voir illus. **Ponts**

Voir tab. **Architecture**

CULER → RECULER

CULEX → MOUSTIQUE

CULICIDÉS → MOUSTIQUE

CULINAIRE → CUISINE

CULMINANT → HAUT (2)

CULMINANT acmé, apogée, cime, climax, crête, faîte, orgasme, sommet, summum, zénith

CULMINATION → MIDI

CULMINER → BATTRE, MAXIMUM

CULOT → CARTOUCHE, HARDIESSE, PIPE

Voir illus. **Cartouches**

CULOT aplomb, audace, effronterie, toupet

CULOTTE → BOUTON, DESSOUS, ÉQUITATION, VÊTEMENT

Voir illus. **Veau**

CULOTTE barboteuse, bermuda, bloomer, change complet, cycliste, jogging, jupe-culotte, knickerbockers, pantacourt, pantalon, short

CULOTTIER → COUTURIER, TAILLEUR

CULPABILITÉ → VERDICT

CULTE → ADORATION, CONFESSION, COUTUME, HOMMAGE, LITURGIE, PÈLERIN, RABBIN, RELIGIEUX (2), RELIGION, RESPECT, RITE, SACRÉ

CULTE admiration, adoration, androlâtrie, chapelle, dulie, église, fanum, iconolâtrie, idolâtrie, imam, latrie,

mosquée, pasteur, pope, prêtre, rabbin, synagogue, temple, vaudou, vénération

CULTE DE DULIE → SAINT (1)

CULTE DES ANCÊTRES → PIÉTÉ

CULTE DES ESPRITS → ANIMISME

CUL-TERREUX → CULTIVATEUR, PAYSAN (1)

CULTISME → RECHERCHE

CULTIVATEUR → AGRICULTEUR, FERMIER

CULTIVATEUR agriculteur, bouseux, cul-terreux

CULTIVÉ → ÉRUDIT (2)

CULTIVER → COMPLÉTER, ENRICHIR, ENTRETENIR, EXERCER, EXPLOITER, INSTRUIRE (S'), INTÉRESSER (S'), POUSSER, SOIGNER

CULTIVER aiguiser, défricher, développer, entretenir, étudier, exploiter, instruire (s'), labourer, perfectionner

CULTURE → CIVILISATION, CONNAISSANCE, FORMATION, INSTRUCTION, PEUPLE, SAVOIR (1), SCIENCE, VÉGÉTATION

CULTURE agrumiculture, arboriculture, céréaliculture, civilisation, connaissance, docte, éducation, érudit, horticulture, instruction, instruit, lettré, savant, savoir, tradition, viticulture

CULTUREL → CIVILISATION, POLITIQUE (1), SPIRITUEL

CULTURISME → MUSCLE

CUMIN → ANIS

Voir tab. **Herbes, épices et aromates**

CUMULER → RÉUNIR

CUMULO-NIMBUS

Voir illus. **Nuages**

CUMULUS → NUAGE

Voir illus. **Nuages**

CUNÉIFORME → BABYLONIEN, COIN, PERSE (2)

CUNETTE → FOSSÉ

CUNICULICULTURE → LAPIN

Voir tab. **Élevages**

CUNNILINGUS → CARESSE

CUPIDE → AVARE (2), AVIDE, COMPTER, INTÉRESSÉ, MERCENAIRE (2)

CUPIDITÉ → ARGENT, ENVIE, GAIN, INTÉRÊT, PASSION

CUPIDITÉ avidité, convoitise, envie, mercantilisme

CUPIDON → ARC, BÉBÉ, FLÈCHE

CUPRIFÈRE → CUIVRE

CUPRIQUE → CUIVRE

CUPRONICKEL → ALLIAGE, NICKEL

CUPROPLOMB → PLOMB

CUPULE → CHÊNE, GLAND

CUPULIFÈRES → CHÊNE

CURAÇAO → ORANGE

CURAGE → CANAL

Voir tab. **Chirurgie (vocabulaire de la)**

CURARE → FLÈCHE, POISON

Voir tab. **Médicaments**

CURATELLE → INCAPABLE (1), MAJEUR (1)

Voir tab. **Droit (termes de)**

CURATEUR → DÉFENSE

CURATIF → GUÉRIR, SOIGNER

CURCUMINE → TEINTURE

CURE → BÉNÉFICE, CURÉ, HABITATION, RÉGIME, TRAITEMENT

CURÉ → CLERGÉ, CONDUCTEUR, PRÊTRE

Voir tab. **Clergé catholique (vocabulaire du)**

Voir tab. **Politesse (formules de)**

CURÉ cure, desservant, ouailles, presbytère, revenu casuel, séminariste, vicaire

CURÉE → MEUTE

Voir tab. **Chasse (vocabulaire de la)**

CURER → BOUE, DRAGUER, NETTOYER, VASE

CURETAGE → FŒTUS

Voir tab. **Chirurgie (vocabulaire de la)**

CURETTE

Voir tab. **Instruments médicaux**

CURIE → RADIOACTIF, SÉNAT, TRIBU

Voir tab. **Catholique romain (vocabulaire)**

CURIETHÉRAPIE → RADIUM

CURIEUX → BADAUD, BIZARRE, DRÔLE (2), ÉTONNANT, EXTRAORDINAIRE, INCOMPRÉHENSIBLE, INDISCRET, INTÉRESSANT (2), INTRUS, ORIGINAL, OUVERT, PIQUANT (2), SINGULIER, SPÉCIAL, UNIQUE

CURIEUX amateur, anecdote, badaud, bizarre, concierge, désireux, drôle de, étrange, flâneur, fureteur, insolite, original, passionné, singulier

CURIOSITÉ → APPÉTIT, INDISCRÉTION, INTÉRÊT

CURIOSITÉ appétit, autodidacte, avidité, brocante, dépôt-vente, désir, indiscrétion, intérêt, intriguer, nouveauté, rareté, sans-gêne, soif, vide-greniers

CURIUM

Voir tab. **Éléments chimiques (symbole des)**

CURLING → HIVER

Voir tab. **Sports**

CURRICULUM VITÆ → BIOGRAPHIE

CURRY → PIMENT

Voir tab. **Herbes, épices et aromates**

CURRY À L'INDIENNE

Voir tab. **Spécialités étrangères**

CURSIF → SOMMAIRE (2)

CURSUS → CARRIÈRE, CYCLE, ÉTUDE

CURSUS HONORUM → MAGISTRAT

CURULE → CHAISE

CURVIGRAPHE → COURBE (1)

CURVILIGNE → COURBE (2)

CURVIMÈTRE → COURBE (1)

CUSCUTE → PARASITE (2)

CUSPIDE → POINTE

CUSTODE → BOÎTE, CARROSSERIE, HOSTIE, LITURGIE, PAVILLON, VASE

CUTANÉ → ÉPIDERME, PEAU, ULCÈRE

CUTICULE → ONGLE, PELLICULE

Voir illus. **Champignon**

Voir illus. **Ongle**

Voir illus. **Poil**

CUTINE → PLANTE

CUTI-RÉACTION → RÉACTION, TUBERCULOSE

CUTTER → ENCADREMENT

CUVAGE → VIN

CUVE → BAC, HAUT-FOURNEAU, RÉCIPIENT, RÉSERVOIR

CUVELAGE → MINE

CUVER SON VIN → IVRE

CUVETTE → BAROMÈTRE, BASSIN, DÉPRESSION

CUVIER → BAC

CYAN → PRIMAIRE

Voir tab. **Couleurs**

CYANHYDRIQUE (ACIDE)

Voir tab. **Acides**

CYANOCOBALAMINE

Voir tab. **Vitamines**

CYANOGÈNE → GAZ

CYANOSE → BLEU (1)

CYANURATION → DISSOLUTION

CYANURE → POISON

CYBÈLE → MÈRE

CYBERCAFÉ → BISTROT

Voir tab. **Internet**

CYBERCULTURE

Voir tab. **Multimédia (les mots du)**

CYBERESPACE

Voir tab. **Internet**

CYBERNÉTIQUE → AUTOMATIQUE, COMMUNICATION, ORDINATEUR, ROBOT

CYBERSPACE

Voir tab. **Internet**

CYBORG → SCIENCE-FICTION

CYCADACÉES

Voir tab. **Végétaux (classification simplifiée des)**

CYCAS

Voir tab. **Végétaux (classification simplifiée des)**

CYCLE → BOUCLE, ÉPOQUE, RÉCIT, RÉPÉTITION, RETOUR, RÉVOLUTION, SÉRIE

CYCLE cursus, décade, décennie, menstrues, règles, révolution, rotation, série, suite

CYCLE MENSTRUEL → FEMME

Voir illus. **Ovaire**

CYCLE ŒSTRAL → FEMME

CYCLIQUE → ALTERNATIF, CIRCULAIRE, REVENIR

CYCLISME

Voir tab. **Sports**

CYCLISTE → CULOTTE

Voir illus. **Chaussures**

CYCLO-CROSS → COURSE CYCLISTE

Voir tab. **Sports**

CYCLOMOTEUR → BICYCLETTE, MOTOCYCLE, PÉDALE, ROUE, VÉHICULE

CYCLONE → CATASTROPHE, DÉPRESSION, INTEMPÉRIE, OURAGAN, PERTURBATION, SINISTRE (1), TEMPÊTE, TOURBILLON, TURBULENCE, VENT

CYCLONE hurricane, ouragan, tempête, tornade, trombe, typhon

CYCLOPE → BORGNE, ŒIL

Voir tab. **Mythologiques (créatures)**

CYCLOPÉEN → GIGANTESQUE

CYCLOPOUSSE → BICYCLETTE, TAXI

CYCLOTHYMIE → CAFARD, CARACTÈRE, DÉSÉQUILIBRE, MANIAQUE (2), PSYCHOSE

CYCLOTOURISTE → TOURISTE

CYCLOTRON → ACCÉLÉRATEUR

CYGNE → PANACHE

Voir tab. **Oiseaux (classification simplifiée des)**

CYLINDRE → FARINE, ROULEAU, SERRURE
Voir illus. **Géométrie (figures de)**
CYLINDRE broyeur, calibre, meule, rouleau compresseur, tube
CYLINDRÉE → CAPACITÉ
CYLINDRIQUE → ENGRENAGE, ROND (2)
CYMBALE → BATTERIE, PERCUSSION
Voir illus. **Percussions**
Voir tab. **Instruments de musique**
CYMBALUM
Voir tab. **Instruments de musique**
CYME → PLANTE
Voir illus. **Fleur**
CYN(O)- → CHIEN
CYNARA SCOLYMUS
Voir tab. **Plantes médicinales**
CYNÉGÉTIQUE → CHASSE
CYNIQUE → AFFREUX, IMMORAL, INCONVENANT, INSOLENT
CYNIQUE Antisthène, cru, Diogène, effronté, immoral, impudent, inconvenant, insolent, obscène, sardonique, trivial
CYNISME → COMPORTEMENT, INSOLENCE, RÉALISME
CYNODROME → CHAMP
CYNOMANIE
Voir tab. **Manies**
CYNOPHOBIE
Voir tab. **Phobies**
CYPHOSCOLIOSE → COLONNE VERTÉBRALE, DÉFORMATION
CYPHOSE → BOSSE, COLONNE VERTÉBRALE, DÉVIATION
CYPRÈS → CONIFÈRE, DEUIL
CYPRIN DORÉ → ROUGE
CYRILLIQUE → ALPHABET
CYST(O)-
Voir tab. **Chirurgicales (interventions)**
CYSTIQUE → BILE
CYSTITE → INFLAMMATION, VESSIE
CYTODIAGNOSTIC → DIAGNOSTIC
CYTOKINE → IMMUNITAIRE
CYTOLOGIE → CELLULE, MÉDECINE, TISSU
Voir tab. **Sciences : termes en -ologie et -ographie**
CYTOLYSE → DISSOLUTION
CYTOPLASME → CELLULE
Voir illus. **Cellules**
CYTOPONCTION
Voir tab. **Examens médicaux complémentaires**
CYTOTOXIQUE
Voir tab. **Médicaments**
CZARDAS → HONGROIS

D

DAB → BILLET, PÈRE
DA CAPO
Voir tab. **Musique (vocabulaire de la)**
DACITE
Voir tab. **Roches et minerais**
DACQUOIS
Voir tab. **Habitants (comment se nomment les)**
DACRON → TEXTILE

DACRYO-
Voir tab. **Chirurgicales (interventions)**
DACTYL(O)- → DOIGT
DACTYLE → FOURRAGE, MÈTRE
Voir tab. **Poésie (vocabulaire de la)**
DACTYLO → BUREAU, EMPLOYÉ
DACTYLOGRAPHE → SECRÉTAIRE
DACTYLOGRAPHIE → STÉNOGRAPHIE
DACTYLOGRAPHIER → TAPER
DACTYLOLOGIE → DOIGT, LANGAGE, MUET
Voir tab. **Sciences : termes en -ologie et -ographie**
DACTYLOLOGIQUE → ALPHABET
DACTYLOSCOPIE → EMPREINTE
DADA → BATAILLE, DISTRACTION, HOBBY, MAROTTE, PASSE-TEMPS
DADA hobby, marotte, toquade, violon d'Ingres
DADAIS → SOT
DAGOBERT
Voir illus. **Sièges**
Voir tab. **Rois et chefs d'État de la France**
DAGORNE → CORNE
DAGUE → BOIS, CERF, COUTEAU, DAIM
DAGUERRE → PHOTOGRAPHIE
DAGUERRÉOTYPE → PHOTOGRAPHIE
DAGUET → CERF, DAIM
Voir tab. **Animaux (termes propres aux)**
DAHIR → DÉCRET
DAHLIA → POMPON
DAIM → GIBIER
Voir tab. **Animaux (termes propres aux)**
DAIM brocard, cervidé, cuir suédé, dague, daguet, daine, daneau, harpail, nubuck, paumure, perche, suédine
DAÏMIO → NOBLE (1)
DAIMYO → JAPONAIS, NOBLE (1)
DAINE → DAIM
Voir tab. **Animaux (termes propres aux)**
DAINTIER → TESTICULE
DAIQUIRI → CITRON
DAIS → CIEL, PLAFOND, VOÛTE
DALAÏ-LAMA
Voir tab. **Bouddhisme**
DALLAGE → CARREAU, PAVÉ
Voir illus. **Maison**
DALLE → CHAPE, PIERRE
DALLE carreau, chape, darne, lauze, pavement, pierre tombale, plancher, plaque, revêtement, tablette
DALLE FUNÉRAIRE → TOMBE
DALLE TUMULAIRE → TOMBE
DALMATIQUE → CHEMISE, DIACRE, TUNIQUE
DALOT → TROU
DALTONISME → CONFUSION, COULEUR, ŒIL, TROUBLE (1)
DAM → CHÂTIMENT, DAMNÉ, ENFER, MAL (1)
DAMAN
Voir tab. **Mammifères (classification)**
DAMAS → BRODERIE, MOIRÉ
DAMASQUINAGE → MÉTAL
DAMASQUINER → ARGENT

DAMASSÉ
Voir tab. **Couture**
DAME → MASSE, PILON, REINE
DAME camériste, dame d'atour, doña, dulcinée, hie, lady, reine, servante, suivante
DAME D'ATOUR → DAME, TOILETTE
DAME DE COMPAGNIE → ACCOMPAGNATEUR, COMPAGNIE
DAME DE NAGE
Voir illus. **Aviron**
DAME-JEANNE → BOUTEILLE
DAMER → TASSER, VENDANGE
Voir tab. **Échecs**
DAMIER → CENT, PION, PLATEAU
DAMNATION → CONDAMNATION
DAMNÉ châtiment, dam, enfer, géhenne, maudit, perdu, réprouvé, sacré, sale, satané, supplice, Tartare
DAMNER → MAUDIRE
DAMOISEAU → CHEVALIER
DAMOISELLE → FILLE
DAN → JUDO
DANCING → BOÎTE
DANDINER (SE) → AGITER, BALANCER, MARCHER
DANDY → HOMME
DANDY élégant, gandin, muscadin, petit maître, raffiné
DANDYSME → COQUETTERIE, ÉLÉGANCE, GOÛT
DANEAU → DAIM
Voir tab. **Animaux (termes propres aux)**
DANGER → AFFAIRE, ALERTE, ÉCUEIL, ÉPÉE, PÉRIL, RISQUE, SAUF (1), SAUVER, SPECTRE
DANGER abri, affronter, alarme, alerte, anodin, asile, banal, braver, casse-cou, céder, courageux, défendre, dégonfler (se), détresse, écueil, exposer à (s'), flancher, garantir, imprudent, menace, péril, piège, protéger, refuge, retraite (battre en), risque, risquer, téméraire
DANGEREUSE
Voir tab. **Échecs**
DANGEREUX → BRÛLANT, GRAVE, IMPRUDENT, NUISIBLE, PÉRILLEUX, SÉRIEUX (2)
DANGEREUX audacieux, aventureux, délétère, douteux, grave, hasardeux, hors norme, insalubre, malfaisant, méchant, mortel, nocif, périlleux, redoutable, scabreux, toxique
DANIEL → PROPHÈTE
Voir tab. **Bible**
DANOIS → GERMANIQUE
DANS → INTÉRIEUR (1)
DANS LE VENT → CRI
DANSANT → MARCHE
DANSE → RONDE
Voir illus. **Chaussures**
Voir tab. **Muses**
DANSE apokinos, arabesque, assemblé, attitude, bacchanale, ballonné, barre, bharata-natyam, biguine, boléro, bourrée, calypso, chaconne, chassé, déboulé, emmélie, enoplion, entrechat, farandole, galop, gavotte, geranos, gigue, jerk, jeté, kathak, kathakali, kormos, lambada, mambo, manipuri, mazurka, menuet,

musette, pas de basque, pas de bourrée, passe-pied, polka, pyrrhique, quadrille, rigodon, rock, ronde, rumba, saltation, samba, sarabande, saut battu, scottish, sicinnis, sissonne, slow, smurf, swing, tango, thiase, twist, valse, villanelle
DANSE LACÉDÉMONIENNE → PIE (1)
DANSEUR → INTERMITTENT (2)
DANSEUR almée, baladin, ballerine, ballet (corps de), bayadère, boy, cavalier, chausson, collant, compagnie, coryphée, étoile, fildeferiste, funambule, girl, justaucorps, partenaire, rat (petit), tutu
DANTESQUE → SOMBRE, TERRIBLE
DANTONISTE → INDULGENT (1)
DAPHNÉ → SAULE
DAPHNIE → AQUARIUM, PUCE (1)
DAPN
Voir tab. **Police nationale (organisation de la)**
DARAISE → ÉTANG
DARBOUKA → TAMBOUR
Voir illus. **Percussions**
Voir tab. **Instruments de musique**
DARD → JAVELOT, PIQUANT (1), POINTE
DARDER → ÉMETTRE, LANCER
DARDIÈRE
Voir tab. **Chasse (vocabulaire de la)**
DARESA → POMME DE TERRE
DARIOLE → GÂTEAU
DARJEELING → THÉ
Voir tab. **Thé**
DARNE → DALLE, TRANCHE
DARON → PARENT, PÈRE
DARSE → BASSIN
DARTOIS → GÂTEAU
DARTRE → DÉMANGEAISON
DARWINISME → ESPÈCE, ÉVOLUTION, SÉLECTION
DASYURE → KANGOUROU
DAT → NUMÉRIQUE (2)
Voir tab. **Multimédia (les mots du)**
DATCHA → CAMPAGNE, HABITATION
DATE → ÉPOQUE, PASSÉ (1)
DATE ajournement, antidater, calendrier, chronologie, échéance, millésime, péremption (de), postdater, prorogation, quantième, récemment, report, sine die, synchronisme, terme
DATER → DÉLUGE
DATER carbone 14
DATEUR → TAMPON
DATIF → INDIRECT, TUTEUR
DATION → DON
DATTIER → PALMIER
DATURA → NARCOTIQUE (2)
DAUBE → VIANDE
DAUBE daubière, étouffade, ragoût
DAUBER → COMMÉRAGE, DISCRÉDITER, MOQUER (SE)
DAUBIÈRE → DAUBE, MARMITE
DAUCUS CAROTA
Voir tab. **Plantes médicinales**
DAUPHIN → CÉTACÉ, FILS, HÉRITIER, PRINCE, ROI

Voir tab. **Mammifères** (classification des)

DAUPHIN blanc, delphinidés, platanistidés, poulain, souffleur, successeur

DAUPHINE → POMME DE TERRE

DAURADE ROSE
Voir tab. **Poissons** (classification simplifiée des)

DAVANTAGE → PLUS

DAVID → PIQUE, PROPHÈTE
Voir tab. **Cartes à jouer**

DAVIER → BARRE, DENTISTE, MENUISIER, PINCE
Voir tab. **Instruments médicaux**

DAX
Voir tab. **Habitants** (comment se nomment les)

DAZIBAO → AFFICHE, JOURNAL

DCPAF
Voir tab. **Police nationale** (organisation de la)

DCPJ
Voir tab. **Police nationale** (organisation de la)

DCRG
Voir tab. **Police nationale** (organisation de la)

DCSP
Voir tab. **Police nationale** (organisation de la)

DDI → SIDA

DE → NOBLESSE

DE FACTO → FAIT

DE FIDE
Voir tab. **Catholique romain** (vocabulaire)

DE PROFUNDIS → DÉFUNT
Voir tab. **Prières et offices de l'Église catholique romaine**

DE VISU → ADVERBE

DÉ- → DÉTRUIRE

DÉ → CARRÉ (1), CUBE, DOIGT, PIÉDESTAL

DÉ ambesas, bezet, brelan, cochonnet, cornet, farinet, poker d'as, quatre-cent-vingt-et-un, rafle, sonnez, terne, trictrac

DÉ À COUDRE → DOSE

DÉ D'OR → COUTURE

DEA (DIPLÔME D'ÉTUDES APPROFONDIES) → DIPLÔME, UNIVERSITÉ

DÉALBATION → BLANCHIR

DEALER → DROGUE, TRAFIQUANT

DÉAMBULATOIRE → CHŒUR
Voir illus. **Église** (plan d'une)

DÉAMBULER → ALLER, BADAUD, DÉPLACER, ERRER, FLÂNER, MARCHER, PROMENER (SE)

DEAUVILLE (FESTIVAL AMÉRICAIN DE)
Voir tab. **Prix cinématographiques**

DÉBÂCLE → BOURSE, DÉGEL, DÉROUTE, FAILLITE, FLEUVE, FONTE, FUITE, GLACE, PANIQUE, RIVIÈRE, RUINE

DÉBÂCLE banqueroute, bouscueil, débandade, dégel, déroute, faillite, fuite, krach, ruine

DÉBÂCLER → DÉGELER

DÉBAGOULER → COLÈRE, CRACHER, DÉBITER

DÉBALLER → DÉFAIRE, ÉTALER

DÉBANDADE → DÉBÂCLE, DÉROUTE, DÉSORDRE, FUITE, PANIQUE

DÉBANDER → ARC, ÉPARPILLER

DÉBARBOUILLER → NETTOYER

DÉBARCADÈRE → DÉBARQUER, JETÉE, PORT, QUAI

DÉBARDAGE → TRANSPORT

DÉBARDER → DÉBARQUER, TRANSPORTER

DÉBARDEUR → PORT

DÉBARQUER → DESCENDRE, SURVENIR

DÉBARQUER congédier, débarcadère, débarder, décharger, destituer, écarter, éliminer, embarcadère, escale, limoger

DÉBARRAS → PIÈCE, PLACARD

DÉBARRASSER → BALAYER, DÉGAGER, DÉLIVRER, EXPÉDIER, GUÉRIR, JETER, NET, ÔTER, PAÎTRE, QUITTER, SOULAGER, VIDER

DÉBARRASSER abandonner, amender (s'), corriger de (se), couvert (enlever le), déblayer, défaire de (se), délester, déneiger, dératiser, désencombrer, désobstruer, desservir, filtrer, jeter, purger, purifier

DÉBAT → COLLOQUE, COMPÉTITION, CONTROVERSE, DÉLIBÉRATION, DUEL, ÉCHANGE, ENTRETIEN, EXAMEN, FACE-À-FACE, QUERELLE, RENCONTRE, RIVALITÉ

DÉBAT affaire, colloque, contentieux, débatteur, discuter, disputer, face-à-face, forum, intervenant, polémique, procès, séminaire, stichomythie, table ronde

DÉBATTEUR → DÉBAT

DÉBATTRE → DÉLIBÉRER, DISCUTER, SÉANCE

DÉBATTRE argumenter, délibérer, démener (se), discuter, lutter, parlementer, polémiquer

DÉBAUCHAGE → SUPPRESSION

DÉBAUCHE → ABUS, CORRUPTION, DISSOLUTION, ÉTALAGE, EXCÈS, IMPURETÉ, LUXURE, MŒURS, PÉCHÉ, PROFUSION, QUANTITÉ, SURCHARGE

DÉBAUCHE bacchanale, beuverie, corruption, dépravation, dissolu, étalage, goinfrerie, intempérance, libertinage, licence, luxure, orgie, paillardise, partouze, prodigalité, profusion, ripaille, saturnale, surabondance, vice

DÉBAUCHÉ → DÉPRAVÉ, IMMORAL, IVROGNE, LIBERTIN

DÉBAUCHER → RECRUTER, SÉPARER

DÉBET → DETTE

DÉBILE → FAIBLE (1), FRAGILE, IMBÉCILE (1), MALADIF, MALINGRE

DÉBILE attardé, bête, cacochyme, chétive, fou, inconsistant, insensé, nul, rachitique, simple, simpliste

DÉBILITANT → NUISIBLE

DÉBILITÉ → IDIOTIE, INEPTIE

DÉBILITER → AFFAIBLIR

DÉBILLARDER → TAILLER

DÉBINER (SE) → DÉROBER (SE)

DÉBIT → BALANCE, BILAN, BUDGET, BUREAU, CIRCULATION, DETTE, DICTION, PASSIF (1), PRONONCIATION, RÉGIME, RYTHME, VENTE, VOLUME

Voir tab. **Multimédia** (les mots du)

DÉBIT DE TABAC → BOUTIQUE

DÉBITAGE → BOIS, MARBRE

DÉBITANT → COMMERÇANT

DÉBITER → DÉCOUPER, DÉPECER, ENFILER, PRONONCER, RACONTER, RÉCITER, SCIER, SOMME

DÉBITER bois de fente, bonimenter, catéchiser, débagouler, déblatérer, découper, dégoiser, fabriquer, liteau, merrain, morigéner, prêcher, produire, roule, sortir, trancher

DÉBLAI → DÉBRIS, RESTE

DÉBLATÉRER → DÉBITER

DÉBLAYAGE → BALAYAGE

DÉBLAYER → DÉBARRASSER, DÉGAGER, LIBÉRER, NIVELER

DÉBLOCAGE → DÉGEL

DÉBLOQUER → DIVAGUER

DÉBLOQUER décoincer, dégager, dégazer, dégeler, dégripper, libérer, subventionner

DÉBOBINER → DÉROULER

DÉBOIRE → AVENTURE, DÉCEPTION, DÉSILLUSION, ÉCHEC, MALHEUR

DÉBOISÉ → DÉPEUPLÉ

DÉBOISEMENT → FORÊT, VÉGÉTATION

DÉBOÎTEMENT → ARTICULATION, DÉPLACEMENT, ENTORSE

DÉBOÎTER → DISLOQUER, FILE

DÉBONNAIRE → BON (1), DOUX, FAIBLE (2), INDULGENT (2), PACIFIQUE (2), PATIENT (2)

DÉBONNAIRETÉ → BONTÉ

DÉBORD → DÉBORDEMENT, DOUBLURE

DÉBORDÉ → DÉPASSÉ

DÉBORDEMENT → BAVURE, COUP, ÉRUPTION, EXPANSION, EXPLOSION, FLOT, FRÉNÉSIE, INONDATION, INVASION, SENTIMENT

DÉBORDEMENT bordée, crue, débord, déluge, dynamisme, effusion, épanchement, explosion, exubérance, faconde, inondation, logorrhée, loquacité, vigueur, vitalité, volubilité

DÉBORDER → AVANCER, DÉPASSER, EMPIÉTER, PLEIN, RÉPANDRE (SE)

DÉBORDER bouillir, déchaîné, échapper (s'), enjambement, excédent, remonté, sauver (se), surplus, trop-plein

DÉBOSQUAGE → TRANSPORT

DÉBOTTÉ (AU) → BOTTE, DÉPOURVU

DÉBOTTER (SE) → DÉCHAUSSER (SE)

DÉBOUCHÉ → ISSUE, PERSPECTIVE, SORTIE

DÉBOUCHER → JETER, OUVRIR, TERMINER

DÉBOUCHER aboutir à, conduire à, débouchoir, décapsuler, désengorger, désobstruer, donner dans, donner sur, mener à, ouvrir, ouvrir sur, ventouse

DÉBOUCHOIR → DÉBOUCHER

DÉBOULÉ → DANSE
Voir tab. **Danse classique**

DÉBOULER → DESCENDRE, DÉVALER

DÉBOULONNER → DÉMOLIR, DÉPOSSÉDER, RENVERSER

DÉBOUQUER → CANAL

DÉBOURBER → BOUE, VASE

DÉBOURRAGE → PRÉPARATOIRE

DÉBOURRER → DRESSER

DÉBOURS → DÉPENSE, FRAIS (1)

DÉBOURSER → DÉPENSER

DÉBOUSSOLÉ → PERDU

DÉBOUSSOLER → DÉMONTER

DEBOUT → DROIT (2), MAGISTRATURE

DEBOUT (AVOIR À RESTER)
Voir tab. **Phobies**

DÉBOUTÉ (ÊTRE) → PERDRE

DÉBOUTER → REJETER

DÉBOUTONNER → DÉTACHER, OUVRIR

DÉBRAILLÉ → NÉGLIGÉ (2)

DÉBRANCHER → TRIER

DÉBRAYER → GRÈVE

DÉBRIDÉ → FOU (2), RETENUE, VAGABOND (2)

DÉBRIDEMENT
Voir tab. **Chirurgie** (vocabulaire de la)

DÉBRIDER → INCISER

DÉBRIS → CHUTE, FRAGMENT, LAMBEAU, MIETTE, MORCEAU, RELIEF, RESTE

DÉBRIS battiture, bribe, calcin, carcasse, casson, compost, copeau, déblais, décombres, détritus, épave, ferraille, fragment, gravats, groisil, guano, lambeau, limaille, loque, maërl, mitraille, sciure, tesson

DÉBROUILLARD → FUTÉ, MALIN (2), RESSOURCE

DÉBROUILLARD astuce, dégourdi, futé, habile, malin, système D, truc

DÉBROUILLER → DÉGROSSIR, DÉMÊLER, ÉCLAIRCIR, ÉLUCIDER, EXPLIQUER, SÉPARER

DÉBROUILLER arranger (s'), clarifier, délicat, démêler, dénouer, dépatouiller (se), dépêtrer (se), distinguer, éclaircir, élucider, embarrassant, expliquer, indébrouillable, résoudre, trier

DÉBROUSSAILLANT → VÉGÉTAL (2)

DÉBROUSSAILLER → BUISSON, FRICHE, NETTOYER

DÉBROUSSAILLEUSE
Voir tab. **Jardinage**

DÉBUSQUER → SORTIR
Voir tab. **Chasse** (vocabulaire de la)

DÉBUSQUAGE → TRANSPORT

DÉBUSQUER → CHASSER, DÉLOGER, REFUGE (1), SORTIR

DÉBUT → ARRIVÉE, BALBUTIEMENT, COMMENCEMENT, ENFANCE, INAUGURATION, INITIAL, INTRODUCTION, MATIN, OUVERTURE, PRÉLUDE, PREMIER (2), SEUIL

DÉBUT aube, aurore, balbutiement, crépuscule, durée, entrée, hors-d'œuvre, inauguration, indice, initial, matin, origine, prélude, prémices, premier, soir, soirée, tête (en)

DÉBUTANT → BLEU (2), ÉCOLIER, MAIN

DÉBUTANT apprenti, néophyte, novice

DÉBUTER → COMMENCER, DÉMARRER, ENTAMER

DÉCA- → DIX

DÉCA → CAFÉ

DÉCACHETER → DÉFAIRE, OUVRIR

DÉCACHORDE → DIX

DÉCADE → CYCLE, DIX

DÉCADENCE → AGONIE, CHUTE, CRÉPUSCULE, DÉCHÉANCE, DÉCLIN, FIN (1), MŒURS, RUINE

DÉCADENCE déclin, décomposition, décrépitude, dégénérescence, dégradation, déliquescence

DÉCADI → DIXIÈME

DÉCAFÉINÉ → CAFÉ

DÉCALAGE → CONCORDANCE, RETARD

DÉCALAGE accord, concordance, conformité, désaccord, différence, discordance, disharmonie, dissonance, écart, gap

DÉCALCIFICATION → CALCIUM

DÉCALCOMANIE → DESSIN

DÉCALER → POUSSER

DÉCALOGUE → COMMANDEMENT, DIX

DÉCALQUAGE → DESSIN

DÉCALQUER → CALQUE, COPIER, IMPRIMER

DÉCAMÉRON → CONTE, DIX

DÉCAMÈTRE → ARPENTAGE

DÉCAMPER → ALLER, BELLE, COMPAGNIE, DÉGUERPIR, DÉMÉNAGER, FILER, FUIR

DÉCAMPER camp (lever le), enfuir (s'), fuir, sauver (se)

DÉCAN → DIX

Voir tab. **Astrologie**

Voir tab. **Sciences occultes**

DÉCANAT → DOYEN

DÉCANTER → ASSAINIR, DÉPOSER, ÉPURER

DÉCAPAGE → FINITION, NETTOYAGE, PONÇAGE

DÉCAPER → ACIDE (1), FROTTER

DÉCAPER décapeuse, Karcher, nettoyer, polir, poncer, ponceuse, raviver, sabler, sableuse

DÉCAPEUSE → DÉCAPER, VÉHICULE

DÉCAPITATION → COU, EXÉCUTION, GUILLOTINE, PEINE

DÉCAPITER → TÊTE, TRANCHER

DÉCAPITER billot, décimer, découronner, échafaud, étêter, guillotiner

DÉCAPODES → CRABE, ÉCREVISSE, HOMARD

DÉCAPOTABLE → CABRIOLET, TOIT

DÉCAPSULER → DÉBOUCHER

DÉCATHLON → ATHLÉTISME, DIX, SPORTIF (2)

DÉCATIR

Voir tab. **Couture**

DÉCAVAILLONNER → LABOURER

DÉCAVER → RUINER

DECCA → NAVIGATION

DÉCÉDÉ → MORT

DÉCÉDER → ÉTEINDRE, EXPIRER, MOURIR, RENDRE

DÉCÉDER éteindre (s'), expirer, mourir, trépasser

DÉCELER → APERCEVOIR, DÉCHIFFRER, DÉCOUVRIR, PERCER, PERCEVOIR, RÉVÉLER, TRAHIR, TROUVER

DÉCELER découvrir, démontrer, détecter, dévoiler, manifester, percer, prouver, révéler, signaler

DÉCÉLÉRATION → BAISSE, PERTE

DÉCÉLÉRER → RALENTIR, RÉDUIRE

DÉCEM- → DIX

DÉCEMBRE → DIXIÈME

DÉCEMBRE (PRIX)

Voir tab. **Prix littéraires**

DÉCEMVIR → DIX

DÉCENCE → BIENSÉANCE, PUDEUR, RÉSERVE, RETENUE, TENUE

DÉCENCE bienséance, effronterie, honnêteté, inconvenance, indécence, obscénité, politesse, pudeur, réserve, retenue, savoir-vivre, tact

DÉCENNIE → CYCLE, DIX

DÉCENT → CONVENABLE, CORRECT, MŒURS, SAGE

DÉCENT acceptable, bienséant, convenable, correct, digne, discret, honnête, modeste, pudique, réservé, retenu, séant

DÉCENTRALISATION → CAPITALE

DÉCEPTION → DÉPIT, DÉSILLUSION, DOUCHE, REGRET, ZUT

DÉCEPTION aigreur, amertume, bigre, déboire, déconvenue, dépit, désappointement, désenchantement, désillusion, échec, flûte, indélicatesse, ressentiment, trahison, tristesse, tromperie, zut

DÉCEPTION AMOUREUSE → CŒUR

DÉCERNER → ATTRIBUER, RÉCOMPENSE

DÉCERVELER → CONDITIONNER

DÉCÈS → DISPARITION, MORT (1)

DÉCEVOIR → DÉPIT, ESPÉRANCE, FRUSTRER

DÉCEVOIR dépiter, désappointer, frustrer, trahir, tromper

DÉCHAÎNÉ → DÉBORDER, IMPÉTUEUX

DÉCHAÎNEMENT → FRÉNÉSIE, FUREUR

DÉCHAÎNER → EXCITER, PROVOQUER, SOULEVER, VIOLENCE

DÉCHAÎNER ameuter, causer, déclencher, emporter (s'), exciter, fâcher (se), occasionner, prendre à (s'en), provoquer, soulever

DÉCHARGE → ACQUIT, DÉPÔT, FEU, IMMUNITÉ, JUSTIFICATION, MUR, ORDURE, PAIEMENT, PERMISSION, RAFALE, SALETÉ, TÉMOIN

Voir illus. **Colombage**

DÉCHARGER → DÉBARQUER, DÉVERSER, DISPENSER, JUSTIFIER, LIBÉRER, SOULAGER, TIRER, VIDER

DÉCHARGEUR → PORT

DÉCHARNÉ → CHAIR, DESSÉCHÉ, MAIGRE, SEC, SQUELETTE

Voir tab. **Vin (vocabulaire du)**

DÉCHARNER → DÉPOUILLER

DÉCHAULAGE → TANNAGE

DÉCHAUMER → ARRACHER

DÉCHAUSSER → RACINE

DÉCHAUSSER bouge, débotter (se), déchausseuse, déchaussoir, dégravoyé, déraciner, nu (mettre à)

DÉCHAUSSEUSE → DÉCHAUSSER

DÉCHAUSSOIR → DÉCHAUSSER

DÉCHÉANCE → CHUTE, CRÉPUSCULE, DÉCLIN, FAILLITE, PERTE

Voir tab. **Assurance (vocabulaire de l')**

DÉCHÉANCE abject, chute, décadence, déchoir, démence, destitution, fange, folie, forclusion, ignominieux, incapacité, infâme, opprobre, vil

DÉCHET → CHUTE, IMPURETÉ, LOQUE, ORDURE, RÉSIDU, RESTE

DÉCHET blousse, bourre, détriticole, détritus, épluchure, ferraille, freinte, laitier, mâchefer, ordure, pelure, récupération, recyclage, résidu, reste, riblon, rogaton, rognure, scorie, strasse, tournure

DÉCHIFFREMENT → LECTURE, MANUSCRIT

DÉCHIFFRER → LIRE, PARTITION

DÉCHIFFRER comprendre, déceler, décoder, décrypter, lire, percer, saisir

DÉCHIQUETÉ accidenté, mouvementé

DÉCHIQUETER → BROYER, COUPER, DÉCHIRER, MORDRE

DÉCHIQUETER chicoter, déchirer, écharpiller, lacérer, tailler

DÉCHIRANT → AIGU, ÉMOUVANT, INHUMAIN, PERÇANT, TRAGIQUE

Voir tab. **Bruits**

DÉCHIRANT bouleversant, douloureux, dramatique, pathétique, poignant

DÉCHIRÉ → BLESSÉ, ULCÉRÉ

DÉCHIREMENT → SOUFFRANCE

DÉCHIRER → ACCROC, CRAQUER, DÉCHIQUETER, TROUER, USER

DÉCHIRER déchiqueter, dilacérer, écorcher (s'), égratigner (s'), érafler (s'), lacérer, percer, rompre, troubler

DÉCHIRURE → PLAIE, TROU, TROUÉE

DÉCHLORURÉ → SEL

DÉCHOIR → ABAISSER, BAS (2), DÉCHÉANCE, DESCENDRE, TOMBER

DÉCHOIR abaisser (s'), avilir (s'), dégringoler, encanailler (s'), tomber

DÉCHU anges rebelles, dépossédé de, diable, esprits des ténèbres, privé de

DÉCI- → DIVISION, DIX

DÉCIBEL → SON

DÉCIDÉ → CRÂNE (2), ENTENDU, FERME (2), FIXER, HARDI, VIF (2), VOLONTAIRE

DÉCIDÉ catégorique, déterminé, énergique, ferme, résolu, volontaire

DÉCIDER → ARRÊTER, CHOISIR, CONVENIR, DÉCISION, DÉTERMINER, DÉTERMINER (SE), FIXER, INCITER, PERSUADER, PROCLAMER, PRONONCER (SE), RÉSOUDRE (SE), TRANCHER

DÉCIDER arrêter, barguigner, choisir, convaincre de, convenir de, décréter, déterminer à (se), fixer, hésiter, juger, opter, persuader de, résoudre à (se), sanctionner, statuer, stipuler, tergiverser

DÉCIDU → FEUILLE

DÉCIMAL → NOMBRE

DÉCIMATION → DIX

DÉCIME → FRANC (1)

DÉCIMER → DÉCAPITER, PÉRIR, SUPPRIMER, TUER

DÉCIMÉTRIQUE → ONDE

DÉCISIF → BON (1), CAPITAL (2), CONSIDÉRABLE, CRUCIAL, GRAVE, IMPORTANT, MAJEUR (2), MASSUE

DÉCISIF capitale, concluant, convaincant, critique, crucial, important, irréfutable, prépondérant, probant

DÉCISION → CHOIX, DÉTERMINATION, DISPOSITION, INTENTION, JUGEMENT, ORDONNANCE, ORGANISATION, RÉSOLUTION, SENTENCE, VERDICT

DÉCISION arrêt, choisir, décider, décret, délibérer, diktat, énergiquement, exequatur, fermement, fulmination, hardiment, hésitant, incertain, indécis, indéterminé, oukase, référé, résolument, sentence, verdict, volontairement

DÉCISOIRE → SERMENT

DÉCLAMATEUR → DÉCLAMER, ORATEUR

DÉCLAMATION → PRONONCIATION, RÉCIT

DÉCLAMATOIRE → BOURSOUFLÉ, POMPEUX

DÉCLAMER → LIRE, RÉCITER

DÉCLAMER déclamateur, diseur, psalmodier, récitant, scander

DÉCLARANT

Voir tab. **Bridge**

Voir tab. **Tarot**

DÉCLARATIF → PHRASE

DÉCLARATION → APPEL, CONFESSION, DÉPOSITION, MANIFESTE (1), MESSAGE, PROFESSION, RÉVÉLATION

DÉCLARATION annonce, attestation, communiqué, déposition, manifeste, plainte, proclamation, profession de foi, révélation, verdict

DÉCLARÉ → JURÉ, OUVERT

DÉCLARER → CONFESSER, CONNAÎTRE, DIRE, ÉCLATER, JURER, MANIFESTER, PROCLAMER, TÉMOIGNER

DÉCLARER annoncer, déclencher (se), dévoiler, indiquer, informer de, proclamer, prononcer pour (se), publier, signaler, signifier, survenir

DÉCLARER FORFAIT → ABANDONNER

DÉCLASSER → DÉRANGER

DÉCLENCHEMENT → PLUIE

DÉCLENCHER → ACTIVER, ATTIRER (S'), CAUSER, DÉCHAÎNER, DÉCLARER, ENTREPRENDRE, LANCER, OUVRIR, PRODUIRE, PROVOQUER, SURVENIR, SUSCITER

DÉCLENCHER catalyser, commande, déclic, détente, détonateur, entraîner, excitation, provoquer, signal, susciter

DÉCLENCHEUR

Voir tab. **Photographie (vocabulaire de la)**

DÉCLIC → DÉCLENCHER

DÉCLIN → ACHÈVEMENT, AGONIE, APPAUVRISSEMENT, BAISSE, CHUTE, CRÉPUSCULE, DÉCADENCE, DÉGÉNÉRESCENCE, FIN (1)

DÉCLIN abaissement, agonisant, avilissement, couchant, crépuscule, décadence, déchéance, étiolement, finissant, soir

DÉCLIN DU JOUR → CRÉPUSCULE

DÉCLINAISON → ASTRE, CAS

DÉCLINANT → MOURANT

DÉCLINATOIRE → BOUSSOLE

DÉCLINER → AFFAIBLIR, DÉCROÎTRE, DÉFAILLIR, DÉGÉNÉRER, DÉPÉRIR, DESCENDRE, DIMINUER, FAIBLE (2), FAIBLIR, REFUSER, REJETER, SOMBRER, TOMBER, VIEILLIR

DÉCLINER affaiblir (s'), annoncer, baisser, décroître, diminuer, donner, énumérer, péricliter, refuser, rejeter

DÉCLIVE (EN) → PENTE

DÉCLIVITÉ → DESCENTE, INCLINAISON, PENTE

DÉCOCHER → ARC, LANCER

DÉCOCTION → BOISSON, BOUILLIR, COMPOSITION, DIGESTION, TISANE

DÉCODER → DÉCHIFFRER

DÉCOFFRAGE → BÉTON

DÉCOINCER → DÉBLOQUER

DÉCOLLAGE → DÉPART

DÉCOLLATION → COU, SUPPLICE

DÉCOLLER → DÉMARRER, ENVOLER (S'), TÊTE

DÉCOLLETÉ → NU, POITRINE

DÉCOLONISATION → IMPÉRIALISME, INDÉPENDANCE
Voir tab. **Histoire (grandes périodes)**

DÉCOLORATION → BALAYAGE, RAFFINAGE

DÉCOLORATION achromie, albinisme, canitie, chlorose, étiolement

DÉCOLORÉ → BLAFARD, DÉLAVÉ

DÉCOLORÉ déteint, fané, flétri, passé

DÉCOLORER → BLANCHIR, DÉTEINDRE, FLÉTRIR

DÉCOMBRES → DÉBRIS, DÉMOLITION, RUINE, TAS

DÉCOMPLÉTER → INCOMPLET

DÉCOMPOSABLE → INSTABLE

DÉCOMPOSÉ → BLÊME, POURRI

DÉCOMPOSER → DISSOUDRE, DIVISER, PÂLIR, POURRIR

DÉCOMPOSER altérer, analyser, corrompre, désagréger, disloquer, disséquer, dissocier, diviser, faisander (se), mortifier (se), pourrir, putréfier (se), scinder

DÉCOMPOSITION → ALTÉRATION, ANALYSE, DÉCADENCE, DESTRUCTION, INSTABILITÉ, MOISISSURE, POURRITURE

DÉCOMPOSITION analyse, aspergille, blettissement, corruption, désagrégation, diffraction, dispersion, division, moisissure, putréfaction, putrescence, séparation, spectre

DÉCOMPRESSION → DILATATION, EXPANSION

DÉCOMPRESSION caisson, détente, dilatation, dysbarisme, expansion, sas

DÉCOMPTE → DÉDUCTION, SOUSTRACTION

DÉCOMPTE déduction, dépouillement, réduction, retranchement, soustraction

DÉCOMPTER → RABATTRE, VOTE

DÉCONCENTRER → INTERROMPRE

DÉCONCERTANT → BANAL, ÉTONNANT, IMPRÉVU (2), INATTENDU, INCOMPRÉHENSIBLE, SUSPECT (1)

DÉCONCERTÉ → ABASOURDI, CONFUS, DÉPASSÉ, INTERDIT (2), PENAUD, PERDRE, TROUBLÉ

DÉCONCERTÉ déconfit, décontenancé, dérouté, désemparé, désorienté, ébahi, interloqué, pantois, troublé

DÉCONCERTER → BOULEVERSER, CONFONDRE, CONTENANCE, DÉMONTER, DÉSARMER, EMBARRASSER, RENVERSER, SURPRENDRE

DÉCONFIRE → DÉROUTE

DÉCONFIT → DÉCONCERTÉ, INTERDIT (2), PENAUD

DÉCONFITURE → BANQUEROUTE, ÉCHEC, FAILLITE, PRÉCIPICE

DÉCONFORTER → DÉCOURAGER

DÉCONGESTIONNER → DÉGAGER

DÉCONSEILLER → DÉCOURAGER

DÉCONSIDÉRATION → DÉSHONNEUR

DÉCONSIDÉRER → DÉNIGRER, DÉPRÉCIER, DISCRÉDITER, GALVAUDER, MÉDIRE, NUIRE, PERDRE

DÉCONSTRUIRE → DÉFAIRE

DÉCONTAMINATION → RADIOACTIVITÉ

DÉCONTENANCÉ → ABASOURDI, CHOSE (2), DÉCONCERTÉ, SIDÉRÉ, TROUBLÉ

DÉCONTENANCER → BOULEVERSER, CONTENANCE, DÉMONTER, HÉSITER, SURPRENDRE

DÉCONTRACTÉ → CALME (2), SOUPLE

DÉCONTRACTION → FLEGME

DÉCONVENUE → CŒUR, DÉCEPTION, DÉSILLUSION, VESTE

DÉCOR → CADRE, FOND, MILIEU, PAYSAGE, SITE, TABLEAU

DÉCOR accessoiriste, ambiance, architecte d'intérieur, atmosphère, cadre, décorateur, draperie, ensemblier, environnement, étalagiste, incrustation, machiniste, marqueterie, milieu, ornemaniste, paysagiste, placage, pyrogravure, tapisserie, tapissier, tenture

DÉCORATEUR → AMÉNAGER, DÉCOR

DÉCORATION → DISTINCTION, HONNEUR, INSIGNE (1), PARURE, RÉCOMPENSE, SIGNE

DÉCORATION azulejo, cravate, croix, distinction, enluminure, feston, fioritures, guirlande, illumination, jour, macaron, miniature, ornement, papier peint, peinture, smocks, tenture, zellige

DÉCORÉ → OUVRAGÉ

DÉCORER → BRICOLER, ENJOLIVER, GARNIR, ILLUSTRER, ORNER, PARER, PRÉPARER

DÉCORER agrémenter, broder, citer, embellir, enjoliver, garnir, honorer, médailler, orner, parer, passementer

DÉCORTICAGE → CHOCOLAT

DÉCORTICATION
Voir tab. **Chirurgie (vocabulaire de la)**

DÉCORTIQUÉ paddy, rizon

DÉCORTIQUER → DÉPOUILLER, ÉCORCE, ÉPLUCHER

DÉCORTIQUER analyser, désosser, disséquer, écaler, écorcer, éplucher, étudier, examiner, peler

DÉCORUM → CÉRÉMONIE, POLITESSE, RÈGLE, SAVOIR-VIVRE

DÉCOTE → POPULARITÉ

DÉCOULER → CONDITIONNER, DÉPENDRE, ÉMANER, PROVENIR, SORTIR, VENIR

DÉCOUPAGE → CHARCUTERIE, DIVISION, FILM, MONNAIE, SCÉNARIO

DÉCOUPAGE TECHNIQUE
Voir tab. **Cinéma**

DÉCOUPE
Voir tab. **Couture**

DÉCOUPER → DÉBITER, DÉPECER, DIVISER

DÉCOUPER cisaille, ciseau, débiter, découpoir, démembrer, dépecer, détacher (se), diviser, emporte-pièce, fractionner, grignoteur, partager, profiler (se), ressortir, saucissonner, segmenter, tailloir, trancher, tranchoir, tronçonneuse

DÉCOUPLER → MEUTE

DÉCOUPOIR → DÉCOUPER

DÉCOURAGÉ → ABATTU, TRISTE

DÉCOURAGEANT → DÉMORALISANT

DÉCOURAGEMENT abattement, accablement, consternation, déprimer, désenchantement, désespérance, effrayer, écœurement, lassitude

DÉCOURAGER → BRAS, COURAGE, DÉMORALISER, DÉPRIMER, DÉSESPÉRER, EFFRAYER, ÉPUISER, PERDRE, RENONCER

DÉCOURAGER blaser (se), déconforter, déconseiller, dégoûter, démoraliser, déprimer, désenchanter, désespérer (se), détourner, dissuader, lasser (se), persévérance, rebuter, résilience

DÉCOURONNER → DÉCAPITER, DESTITUER

DÉCOUSU → CHEVEU, DÉSORDONNÉ, INCOHÉRENT, STRUCTURE, STUPIDE

DÉCOUSURE → SANGLIER
Voir tab. **Chasse (vocabulaire de la)**

DÉCOUVERT → CONNU, NU

DÉCOUVERTE → BUTIN, CONQUÊTE, CRÉATION, EXPLORATION, IDÉE, ILLUMINATION, INVENTION, RECONNAISSANCE, RÉVÉLATION

DÉCOUVERTE aventurier, chercheur, exploration, fureteur, heuristique, invention, prospecteur, révélation, trouvaille

DÉCOUVREUR → AUTEUR, INVENTEUR, SAVANT

DÉCOUVRIR → ANNONCER, APERCEVOIR, APPARAÎTRE, APPRENDRE, CONNAÎTRE, CONSCIENCE, DÉCELER, DÉGARNIR,

DÉTERRER, DEVINER, INVENTER, NU, PERCER, REGARDER, RÉVÉLER, TROUVER, VISITER

DÉCOUVRIR déceler, dégager, démasquer, dénuder, dépister, détecter, dévêtir, deviner, dévoiler, diagnostiquer, discerner, distinguer, enlever, exposer, percer, percevoir, résoudre, révéler, trouver

DÉCRÉDITER → DISCRÉDITER

DÉCRÉPITATION → BRUIT
Voir tab. **Bruits**

DÉCRÉPITUDE → DÉCADENCE, DÉLABREMENT

DECRESCENDO → BAISSE, DIMINUTION
Voir tab. **Musique (vocabulaire de la)**

DÉCRET → COMMANDEMENT, DÉCISION, ORDONNANCE, RÈGLEMENT
Voir tab. **Catholique romain (vocabulaire)**

DÉCRET arrêté, bulle, canon, dahir, décrétale, encyclique, exequatur, ordonnance, règlement, rescrit

DÉCRÉTALE → BULLE, DÉCRET, PAPAUTÉ

DÉCRÉTER → DÉCIDER, PROCLAMER

DÉCREUSAGE → SOIE

DÉCRI → DÉVALUATION

DÉCRIER → CRITIQUER, DÉNIGRER, DISCRÉDITER, MALTRAITER, MÉDIRE

DÉCRIRE → CARACTÉRISER, DÉVELOPPER, ÉVOQUER, EXPLIQUER, EXPOSER, MONTRER, PEINDRE, RACONTER, RECONSTITUER, REPRÉSENTER, TABLEAU

DÉCRIRE dépeindre, dessiner, détailler, exposer, portrait (brosser le), raconter, retracer, suivre, tracer

DÉCRISPER → DÉGELER

DÉCROCHAGE → RECUL

DÉCROCHER → ACCUMULER, CUEILLIR, DÉPENDRE, DÉTACHER, OBTENIR, RECEVOIR, RECULER, ROCHER

DÉCROISSANCE → BAISSE, DIMINUTION

DÉCROISSEMENT → DIMINUTION

DÉCROÎT
Voir tab. **Mathématiques (symboles)**

DÉCROÎTRE → DÉCLINER, DESCENDRE, DIMINUER, TOMBER

DÉCROÎTRE amoindrir (s'), baisser, décliner, estomper, éteindre

DÉCROTTER → NETTOYER

DÉCROTTOIR → BOUE, BROSSE

DÉCRUE → BAISSE

DÉCRÛMENT → LESSIVE

DÉCRYPTAGE → LECTURE

DÉCRYPTER → CODE, DÉCHIFFRER

DÉÇU → DÉSABUSÉ, DÉSENCHANTÉ, ÉCHAUDER, SATISFAIT

DÉCUBITUS → POSITION

DÉCULTURATION → ABANDON

DÉCUPLE → DIX

DÉCUPLER → ACCROÎTRE

DÉCURIE → DIX

DÉCURRENT
Voir illus. **Champignon**

DÉCUVAISON → VIN

DÉDAIGNER → BAFOUER, CRACHER, DOS, FAIRE, INSULTER,

MÉCONNAÎTRE, MÉPRISER, MOQUER (SE), NÉGLIGER, REFUSER, REJETER, SNOB

DÉDAIGNER faire fi, ignorer, mépriser, négliger, refuser, rejeter, repousser

DÉDAIGNEUX → ALTIER, DISTANT, FIER, HAUTAIN, ORGUEILLEUX, PROTECTEUR (2), SUFFISANT, SUPÉRIEUR

DÉDAIN → IGNORANCE, INDIFFÉRENCE, MÉPRIS, ORGUEIL

DÉDAIN altier, arrogance, baste, condescendant, distant, fi, foin, hautain, impérieux, insolent, mépris, morgue, orgueil, peuh, suffisance, toiser

DÉDALE → COMPLICATION, CONFUSION, ÉCHEVEAU, LABYRINTHE, RÉSEAU

DEDANS → INTÉRIEUR (1)
Voir tab. **Belote**

DÉDICACE → ÉGLISE, HOMMAGE, INAUGURATION

DÉDICACER → DÉDIER

DÉDIER → OFFRIR

DÉDIER consacrer, dédicacer, offrir, vouer

DÉDIRE → DÉMENTIR

DÉDIRE (SE) → DÉSAVOUER, MANQUER, REFUSER, REVENIR, ROMPRE

DÉDIRE (SE) contredire (se), désavouer (se), engager (s'), manquer à, raviser (se), rétracter (se), revenir sur, tenir parole

DÉDIT → OUBLI, PANTOUFLE

DÉDOMMAGEMENT → COMPENSATION, DOMMAGE, INDEMNITÉ, RÉCOMPENSE

DÉDOMMAGEMENT compensation, indemniser, intérêt, prime, rembourser, réparation

DÉDOMMAGER → COMPENSER, MAL (1), PAYER, RENDRE, RÉPARER

DÉDOUANEMENT → IMPORTATION

DÉDOUANER → JUSTIFIER

DÉDUCTIF → RATIONNEL

DÉDUCTION → ABATTEMENT, CONSÉQUENCE, DÉCOMPTE, DÉMONSTRATION, DIALECTIQUE, LOGIQUE (2), MATHÉMATIQUE, RAISONNEMENT, RECONSTITUER, RÉDUCTION, SOUSTRACTION

DÉDUCTION abattement, brut, conclusion, conséquence, décompte, défalcation, dégrèvement, démonstration, inférence, réduction, syllogisme

DÉDUIRE → CONCLURE, ÔTER, RABATTRE, RAISONNER, RETENIR, RETIRER, SOUSTRAIRE, TIRER

DÉESSE → IMMORTEL (2)

DÉESSE apsara, déesse mère, déité, divinité, Érinyes, fée, Furies, grandes déesses, kères, Moires, nixe, nymphe, ondine, parèdre, Parques, Théogonie, walkyrie

DÉESSE MÈRE → DÉESSE

DÉFAILLANCE → ÉCLIPSE, ÉTOURDISSEMENT

DÉFAILLANCE défaut, erreur, étourdissement, évanouissement, faiblesse, incident, malaise, syncope, vertige

DÉFAILLANT → DÉFECTUEUX, INSUFFISANT
Voir tab. **Copropriété**

DÉFAILLIR → ÉVANOUIR (S'), MAL (2), PERDRE

DÉFAILLIR affaiblir (s'), baisser, décliner, évanouir (s'), faiblir, indéfectible, manquer, pâmer (se), tomber dans les pommes

DÉFAIRE → BATTRE, DÉBARRASSER (SE), DÉLIVRER, DÉMONTER, DÉRANGER, DÉROUTE, DESSAISIR (SE), ENFONCER, JETER, QUITTER, RENONCER, RENVERSER

DÉFAIRE abattre, affranchir (s'), déballer, décacheter, déconstruire, dégager (se), délier, démolir, démonter, dénouer, dépasser, desceller, désenlacer (se), distancer, donner, éliminer, émanciper (s'), rompre, troquer, vendre

DÉFAIT → BATTU, SOUFFRANT

DÉFAITE → ÉCHEC, MALHEUR, PERTE, REVERS, VESTE

DÉFAITISME → VAINCU

DÉFAITISTE → FUTUR (1), PESSIMISTE, SOUCI

DÉFALCATION → DÉDUCTION

DÉFALQUER → RABATTRE, RETENIR, RETIRER

DÉFAUSSER → REDRESSER
Voir tab. **Belote**
Voir tab. **Tarot**

DÉFAUSSER (SE)
Voir tab. **Bridge**

DÉFAUT → DÉFAILLANCE, FAIBLESSE, INCONVÉNIENT, INSUFFISANCE, IRRÉGULARITÉ, LIEU, OMBRE, PENCHANT, PRIVATION, RÈGLE, TRAVERS (1), VICE

DÉFAUT bégaiement, blèsement, carence, clichement, contournement, contumace, crapaud, crasse, défectuosité, déficience, distraction, étourderie, faillir à, gerce, impeccable, imperfection, impureté, inadvertance, inconvénient, insuffisance, lacune, lambdacisme, loupe, lunure, malfaçon, manie, manquer, mégarde, négligence, nœud, paille, paillette, parfait, poil, point faible, pur, reprendre, retoucher, sigmatisme, tache, travers, vice, zézaiement

DÉFAUT (FAIRE) → MANQUER

DÉFAUT (SANS) → IMPECCABLE

DÉFAUT DE COMPARUTION → ABSENCE

DÉFAUT DE LA CUIRASSE → VULNÉRABLE

DÉFAUT DE MASSE
Voir tab. **Garagiste (vocabulaire du)**

DÉFAVEUR → HOSTILITÉ

DÉFAVORABLE → DÉPRÉCIATIF, HOSTILE, MAUVAIS, OPPOSÉ, PÉJORATIF

DÉFAVORABLE adverse, contraire, dépréciatif, désavantageuse, dommageable, funeste, hostile, néfaste, négatif, opposé

DÉFAVORISER → INFÉRIORITÉ, INTÉRÊT

DÉFÉCATION → EXCRÉMENT, EXPULSION

DÉFECTIF → CONJUGAISON, INCOMPLET, VERBE

DÉFECTION → TRAHIR

DÉFECTUEUX → ANORMAL, BOITEUX, IMPARFAIT (2), INCOMPLET, MAUVAIS

DÉFECTUEUX bancal, boiteux, défaillant, déficient, incorrect, insuffisant, mauvais

DÉFECTUOSITÉ → DÉFAUT, VICE

DÉFENDRE → AFFIRMER, DANGER, EMPÊCHER, INTERDIRE, INTERVENIR, PLAIDER, PRÉSERVER, PROHIBER, REFUSER, RÉPONDRE, RIPOSTER, SECOURIR, SOUTENIR

DÉFENDRE assister, censurer, condamner, disculper de (se), empêcher de (s'), excuser, garder de (se), interdire, justifier, plaider, prohiber, proscrire, protéger, réfuter, répondre, secourir, suspendre

DÉFENDU → ILLÉGAL, ILLÉGITIME, INTERDIT (2)

DÉFENESTRATION → PRÉCIPITATION

DÉFENESTRER → JETER

DÉFENSE → ANTICORPS, APOLOGIE, ARMURE, DENT, ÉLÉPHANT, IMPÉRATIF (1), INTERDICTION, JUSTIFICATION, PLAIDER, PROTECTION, REFOULEMENT, RÉSISTANCE

DÉFENSE aide, amulette, anti-, anticorps, antitoxine, apologie (faire l'), avocat, curateur, défenseur, démuni, désarmé, faible, glorifier, grigri, intercesseur, intermédiaire, maquis, para-, parade, plaidoirie, plaidoyer, préservation, protection, réaction, rescousse, résistance, riposte, sauvegarde, séclusion, secours, talisman, tuteur

DÉFENSEUR → AMI, AVOCAT, CHAMPION, DÉFENSE, PARTISAN (1), PROTECTEUR (1), SOUTIEN, ZÉLATEUR

DÉFENSEUR avocat, champion, don Quichotte, partisan, plaideur, tribun, zélateur

DÉFENSIF armure, bouclier, cuirasse

DÉFENSIVE → ALERTE, DÉVALUATION

DÉFÉQUER → ÉVACUER, FILTRER

DÉFÉRENCE → RESPECT, RÉVÉRENCE

DÉFÉRENT → TESTICULE

DÉFÉRER → ACCUSER, JUSTICE, LIVRER, REMETTRE (SE), TRADUIRE

DÉFERLANTE → ROULEAU, VAGUE (1)

DÉFERLEMENT → AFFLUENCE, DÉLUGE, INONDATION

DÉFERLER → DÉPLOYER, TENDRE (1), VOILE

DÉFERVESCENCE → FIÈVRE

DÉFET → FEUILLE

DÉFEUILLAISON → FEUILLE

DÉFI → INSULTE

DÉFI bravade, challenge, compétition, hardiesse, hérésie, non-sens, provocation

DÉFIANT → MÉFIANT, SOUPÇONNEUX

DÉFIBREUR → FIBRE

DÉFICIENCE → DÉFAUT, INSUFFISANCE

DÉFICIENCE HÉPATIQUE → MAGNÉSIUM

DÉFICIENT → DÉFECTUEUX, SANTÉ

DÉFICIT → ARGENT, BUDGET, DÉPENSE, INSUFFISANCE
Voir tab. **Économie**

DÉFIER → AFFRONTER, FAÏENCE, FIER (SE), GANT, IGNORER, INSOLENCE, INSULTER, PROVOQUER, TENTER

DÉFIGURATION → DÉFORMATION

DÉFIGURER → CHANGER, DÉSHONORER, FAUSSER, MASSACRER

DÉFIGURER abîmer, altérer, déformer, dégrader, trahir, transformer, vitrioler

DÉFILÉ → COL, COULOIR, COUTURE, ÉTROIT, FILE, GORGE, MASCARADE, PARADE, PROCESSION, RETRAITE, REVUE, SPECTACLE, SUCCESSION, VALLÉE

DÉFILÉ canyon, chenal, cluse, cortège, couloir, détroit, flot, gorge, goulet, grau, manifestation, marche, passage, procession, ravin, succession

DÉFILER → FIL

DÉFINI → FIXE (2), PARTICULIER, PRÉCIS, STIPULER

DÉFINIR → CARACTÉRISER, DÉTERMINER, FIXER, SITUER

DÉFINIR caractériser, circonscrire, délimiter, déterminer, expliquer, exposer, fixer, formuler, préciser, signifier, spécifier

DÉFINITEUR → RELIGIEUX (1)

DÉFINITIF → APPEL, CATÉGORIQUE, DENT, FIXE (1), IRRÉPARABLE, IRRÉVERSIBLE, RETOUR

DÉFINITIF arrêté, catégorique, dernière, finale, finalement, irrémédiable, irrévocable, ultime

DÉFINITION → FIXATION, TÉLÉVISION

DÉFINITION acception, axiome, caractérisation, convention (par), description, indication, logique (en toute), naturellement, postulat, principe, règle, sens, signification, théorème

DÉFINITIVEMENT → FOIS, JAMAIS

DÉFLAGRATION → BOMBE, BRUIT, DÉTONATION, EXPLOSION
Voir tab. **Bruits**

DÉFLAGRER → ENFLAMMER

DÉFLATION → BAISSE, ÉROSION
Voir tab. **Économie**

DÉFLECTEUR → VITRE

DÉFLEGMER → RECTIFIER

DÉFLEXION → DÉVIATION

DÉFLORATION → SEXUEL

DÉFOLIANT → FEUILLE

DÉFOLIATION → AUTOMNE, CHUTE, FEUILLE

DÉFONCE → DÉLIRE, DROGUE

DÉFONCÉ → ABÎMÉ

DÉFONCER → BRISER, EFFONDRER, FORCER, LABOURER, PIOCHER, ROMPRE

DÉFONCER effondrer, embouti, éventrer, houe, pioche

DÉFONCEUSE → VÉHICULE

DÉFORESTATION → ENVIRONNEMENT, FORÊT

DÉFORMATION → CHANGEMENT

DÉFORMATION altération, anamorphose, cyphoscoliose, défiguration, difformité, distorsion, falsification, gauchissement, gibbosité, gondolage, malformation, pleurage, scoliose, trahison, transformation, voilement

DÉFORMÉ → ABÎMÉ, BOSSELÉ, CABOSSÉ, INEXACT, USÉ

DÉFORMER → ADULTÉRER, ALTÉRER, CONTREFAIRE, DÉFIGURER, ÉCORCHER, FAUSSER, FORCER, INTERPRÉTER, PERVERTIR, TRAHIR, TRANSFORMER, TRAVAILLER, USER

DÉFORMER bosseler, bossuer, cabosser, écacher, écraser, indéformable, raide, rigide, solide, thermorésistant

DÉFOULEMENT → DÉPENSE

DÉFOURNER → FOUR

DÉFRAGMENTER
Voir tab. **Informatique**

DÉFRAÎCHI → TERNE

DÉFRAÎCHIR → DÉTEINDRE, FLÉTRIR

DÉFRAIEMENT → INDEMNITÉ

DÉFRAYER → DÉPENSE, PAYER

DÉFRICHEMENT brûlis, écobuage, essartage

DÉFRICHER → ARRACHER, CULTIVER, FRICHE, NETTOYER

DÉFRICHEUR → PIONNIER

DÉFRISAGE
Voir illus. **Cheveux (coupes de)**

DÉFROQUE → GUENILLE, LOQUE

DÉFROQUÉ → MOINE

DÉFUNT → MORT (2)

DÉFUNT De profundis, Dies irae, requiem

DÉGAGÉ → CLAIR, DÉSINVOLTE, FACILE, LIBRE, NATUREL, SEREIN, SOUPLE
Voir tab. **Danse classique**

DÉGAGÉ bleu, cavalier, clair, désinvolte, libre

DÉGAGEMENT → ACCOUCHEMENT, ISSUE, PRODUCTION

DÉGAGER → AFFRANCHIR, DÉBLOQUER, DÉCOUVRIR, DÉFAIRE, DÉLIVRER, ÉCLAIRCIR, ÉMANER, LEVER, LIBÉRER, RELEVER, RÉPANDRE, RESSORTIR, SÉPARER, SORTIR, SOUSTRAIRE

DÉGAGER ardent, brûlant, débarrasser, déblayer, décongestionner, délivrer, désencombrer, désobstruer, diffuser, émaner, émettre, exhaler, extraire, isoler, répandre, ressortir, résulter, retirer, rougi, sourd

DÉGAINER → FOURREAU, TIRER

DÉGARNI → NU

DÉGARNIR → DÉPOUILLER

DÉGARNIR découvrir, dépeupler, dépouiller

DÉGÂT → DOMMAGE, PERTE, RAVAGE

DÉGÂT dégradation, délabrement, déprédation, destruction, détérioration, dévastation, dommage, ravage

DÉGAUCHIR → DRESSER, MENUISERIE, REDRESSER

DÉGAUCHISSEUSE → RABOT

DÉGAZAGE → POLLUTION

DÉGEL → DÉBÂCLE, GLACE

DÉGEL adoucissement, bouscueil, débâcle, déblocage, détente, fonte

DÉGELER → DÉBLOQUER, FONDRE, RÉCHAUFFER

DÉGELER débâcler, décrisper, dérider, détendre, fondre, merzlota

DÉGÉNÉRÉ → IDIOT, IMBÉCILE (1)

DÉGÉNÉRER → AGGRAVER, CHANGER, MAL (2), POURRIR, TOMBER

DÉGÉNÉRER abâtardir (s'), altérer (s'), appauvrir (s'), décliner, dégrader (se), étioler (s'), tourner mal

DÉGÉNÉRESCENCE → CHANGEMENT, CRÉPUSCULE, DÉCADENCE

DÉGÉNÉRESCENCE athérome, déclin, dégradation, dystrophie, fibrose, résorption

DÉGINGANDÉ → DÉMARCHE, DISLOQUÉ

DÉGIVRER → GIVRE

DÉGLACER → MOUILLER
Voir tab. **Cuisine**

DÉGLUTIR → AVALER, SALIVE

DÉGLUTITION → MASTIQUER

DÉGOISER → DÉBITER, DIRE, OISEAU

DÉGONFLÉ crevé, plat (à)

DÉGONFLEMENT → DIMINUTION

DÉGONFLER (SE) → COURAGE, DANGER, DÉROBER (SE)

DÉGONFLER (SE) dérober (se), flancher

DÉGORGEMENT → ÉCOULEMENT, ÉPANCHEMENT

DÉGORGEOIR → ISSUE, PÊCHE
Voir tab. **Pêche**

DÉGORGER → LAVER, RENDRE

DÉGOTER → DÉTERRER

DÉGOULINER → COULER, GOUTTE

DÉGOURDI → ADROIT, DÉBROUILLARD, DÉLURÉ, ÉVEILLÉ, FUTÉ, MALIN (2)

DÉGOURDIR → RÉVEILLER

DÉGOÛT → ANTIPATHIE, IMPRESSION, INDIGNATION, MÉPRIS, NAUSÉE

DÉGOÛT abhorrer, accablement, amertume, aversion, berk, beuh, écœurement, exécrer, haut-le-cœur, honte, inappétence, lassitude, mépris, nausée, pouah, rancœur, répugnance, répugner à, répulsion

DÉGOÛTANT → ÉCŒURANT, IGNOBLE, INFECT

DÉGOÛTANT abject, écœurant, fétide, ignoble, immangeable, immonde, infect, nauséabond, odieux, putride, peu ragoûtant, repoussant, révoltant, sordide

DÉGOÛTÉ → BLASÉ, SATURÉ

DÉGOÛTER → DÉCOURAGER, DÉMORALISER, DÉPLAIRE, LASSER, RÉVOLTER, VENTRE

DÉGOUTTER → COULER, GOUTTE

DÉGOUTTIÈRE → GOUTTIÈRE

DÉGRADANT → INFÂME

DÉGRADATION → ALTÉRATION, CHANGEMENT, CORRUPTION, DÉCADENCE, DÉGÂT, DÉGÉNÉRESCENCE, DÉLABREMENT, ÉROSION, PROSTITUTION, USURE

DÉGRADÉ → ABÎMÉ, FONDU (1)
Voir illus. **Cheveux (coupes de)**

DÉGRADER → ABAISSER, ABÎMER (S'), ABRUTIR, AGGRAVER, BROUILLER, CASSER, DÉFIGURER, DÉGÉNÉRER, DÉSHONORER, DESTITUER, DÉTÉRIORER, EMPIRER, MUTILER, PIRE, POURRIR, PROFANER, RABAISSER, TOMBER

DÉGRADER abîmer, aggraver (s'), avilissant, biodégradable, casser, démettre, dépravant, déshonorant, détériorer, détériorer (se), empirer, endommager

DÉGRAFER → DÉTACHER, OUVRIR

DÉGRAISSAGE → BALAI, NETTOYAGE

DÉGRAISSER congédier, eau athénienne, licencier, limoger, naphte, renvoyer, savon, white-spirit

DÉGRAVOYÉ → DÉCHAUSSER

DEGRÉ → COMPARAISON, CRAN, ÉCHELON, HIÉRARCHIE, MARCHE, NIVEAU, ORDRE, PARENTÉ, PHASE, POINT, RAYON, STADE

DEGRÉ amplitude, apogée, archi-, comparatif, dominante, échelon, étapes (par), faîte, gradation, gradin, graduation, graduellement, hyper-, intensité, marche, médiante, niveau, nuance, paliers (par), paroxysme, progressivement, rang, sensible, sommet, sous-dominante, sous-tonique, summum, superlatif, sus-dominante, sus-tonique, titre, tonique

DEGRÉ CELSIUS → CHALEUR, TEMPÉRATURE

DEGRÉ D'EFFICACITÉ → SPECTRE

DEGRÉ FAHRENHEIT → CHALEUR, TEMPÉRATURE

DEGRÉ KELVIN → TEMPÉRATURE

DEGRÉS (TAILLE À)
Voir illus. **Pierres précieuses (taille des)**

DÉGRÈVEMENT → ABATTEMENT, DÉDUCTION, DIMINUTION, EXEMPTION, IMPÔT, RÉDUCTION

DÉGREVER → ALLÉGER

DÉGRIFFÉ → GRIFFE

DÉGRIFFER → CHER

DÉGRINGOLER → DÉCHOIR, DESCENDRE, DÉVALER, ROULER

DÉGRIPPER → DÉBLOQUER

DÉGRISER (SE) → IVRE

DÉGROSSI → SAUVAGE

DÉGROSSIR → ÉBAUCHER, OR, SCULPTER

DÉGROSSIR blanchir, bûcher, corroyer, débrouiller, ébaucher, épanneler, hacher, limer, meuler, rabattre, rifler

DÉGUENILLÉ → POUILLEUX (1)

DÉGUERPIR → ALLER, BAGAGE, COURIR, DÉMÉNAGER, ENFUIR (S'), FUIR, PARTIR

DÉGUERPIR décamper, enfuir (s'), filer, sauver (se)

DÉGUERPISSEMENT → CESSION

DÉGUISEMENT → ACCOUTREMENT, CARNAVAL, COSTUME, HABIT, MASCARADE, UNIFORME (1)

DÉGUISEMENT accoutrement, affublement, artifice, camouflage, costume, couverture, domino, fard, feinte, loup, mascarade, masque, panoplie, travestissement

DÉGUISER → CACHER, CHANGER, CONTREFAIRE, DISSIMULER, ENVELOPPER, HABILLER (S'), MAQUILLER

DÉGUISER cacher, contrefaire, costumer, dissimuler, falsifier, feindre, maquiller, masquer, travestir, voiler

DÉGUSTER → APPRÉCIER, ESSAYER, GOÛTER, MANGER, SAVEUR

DÉGUSTER buvoter, délecter de (se), dérouiller, encaisser, régaler de (se), savourer, siroter, souffrir, sucer

DÉHANCHÉ → DISLOQUÉ

DÉHANCHER (SE) → MARCHER

DÉHISCENT → FRUIT

DEHORS → ÉTOILE, FAÇADE, PATINAGE

DEHORS (EN) → OUTRE

DÉICIDE → CRUCIFIXION, MEURTRIER

DÉIFIER → GLORIFIER

DÉISME → DIEU, RELIGION

DÉITÉ → DÉESSE

DÉJÀ → JAMAIS

DÉJECTION → EXCRÉMENT

DÉJETÉ → TORDU

DÉJEUNER → REPAS, TASSE

DÉJEUNER banquet, barbecue, brunch, buffet, cocktail, collation, diffa, en-cas, lunch, pique-nique

DÉJOUER → CONFONDRE, ÉCHOUER, EMPÊCHER, TROMPER, VIGILANCE

DÉJOUER confondre, contrarier, contrecarrer, empêcher

DÉLABRÉ → ABÎMÉ

DÉLABREMENT → DÉGÂT, RUINE, USURE

DÉLABREMENT décrépitude, dégradation, dépérissement, ruine, vétusté

DÉLABRER (SE) → ABÎMER (S'), DÉPÉRIR

DÉLACER → DÉTACHER

DÉLAI → ATTENTE, MARGE, PROLONGATION, SUITE, SUPPLÉMENTAIRE

DÉLAI atermoiement, butoir, crédit, dilatoire, échéance, expiration, immédiatement, marge, moratoire, préavis, préfixion, prorogation, répit, séance tenante, sur-le-champ, sursis, terme

DÉLAI DE VIDUITÉ → DIVORCE

DÉLAISSÉ → SEUL

DÉLAISSEMENT → CESSION, ISOLEMENT

DÉLAISSER → ABANDONNER, CÔTÉ, DÉTACHER (SE), LÂCHER, NÉGLIGER, OUBLIER, RENONCER, SACRIFIER

DÉLAISSER abandonner, désintéresser de (se), lâcher, laisser, négliger, quitter

DÉLAITAGE → BEURRE

DÉLARDER → TAILLER

DÉLASSEMENT → PLAISIR, RÉCRÉATION, REPOS

DÉLATEUR → CAFARD, CORBEAU,

DÉNONCER, INDICATEUR, LETTRE, RAPPORTEUR, TRAÎTRE (1)

DÉLATION → ANONYME, BALANCER, VENGEANCE

DÉLAVÉ → BLAFARD, PÂLE, TERNE

DÉLAVÉ décoloré, détrempé, éclairci, étendu, fade, pâle, podzolisé, terne

DÉLAYER → DILUER, ÉTENDRE, MÉLANGER

DÉLAYER allonger la sauce, auge, camion, diluer, dissoudre, fondre, gâcher, gâchoir, godet, noyer, pincelier

DÉLECTABLE → BON (1), DÉLICIEUX, EXQUIS, SAVEUR, SAVOUREUX, SUAVE

DÉLECTATION → DÉLICE, JOUISSANCE, PLAISIR, RÉGAL, VOLUPTÉ

DÉLECTER (SE) → APPRÉCIER, BABINE, DÉGUSTER, DÉLICE, JOUIR, MANGER, PLAIRE (SE), RÉJOUIR (SE), SAVEUR

DÉLÉGATION → AMBASSADE, COMMISSION, MAIRE, MANDAT, MISSION, REPRÉSENTATION

DÉLÉGUÉ → AGENT, ENVOYÉ, INTERMÉDIAIRE (2), REPRÉSENTANT

DÉLÉGUÉ agent, ambassadeur, bureau, comité, commission, conseil, consul, émissaire, envoyé, héraut, légat, mandataire, messager, nonce, plénipotentiaire, porte-parole, représentant, soviet

DÉLÉGUÉ COMMERCIAL → DÉMARCHEUR

DÉLÉGUÉ DU PERSONNEL

Voir tab. **Entreprise (vocabulaire de l')**

DÉLÉGUÉ SYNDICAL

Voir tab. **Entreprise (vocabulaire de l')**

DÉLÉGUER → CONFIER, ENVOYER, TRANSMETTRE

DÉLÉGUER confier, députer, mandater, transmettre

DÉLESTAGE → COUPURE, DÉVIATION

DÉLESTER → DÉBARRASSER, FARDEAU, SOULAGER

DÉLESTEUR → PORT

DÉLÉTÈRE → DANGEREUX, MALSAIN, NUISIBLE, PUTRIDE, TOXIQUE

DELFT → FAÏENCE

DÉLIBÉRATION → CONSULTATION, EXAMEN, RÉFLEXION

DÉLIBÉRATION avis, catastrophe (en), conseil, consultation, débat, discussion, étude, examen, fiat, réflexion, résolution, sentence, verdict

DÉLIBÉRÉ → RÉFLÉCHI, VOLONTAIRE

DÉLIBÉRÉMENT → SANG-FROID

DÉLIBÉRER → DÉBATTRE, DÉCISION, DEMANDER, DISCUTER, HÉSITER, RÉFLÉCHIR, SÉANCE

DÉLIBÉRER concerter (se), consulter (se), débattre, disputer, hésiter, penser, réfléchir, tergiverser

DÉLICAT → BON (1), BOUCHE, BRÛLANT, CRITIQUE (2), DÉBROUILLER, DÉLICIEUX, ÉPINEUX, EXQUIS, FRAGILE, FRÊLE, GRACIEUX, IMPRESSIONNABLE, JOLI, LÉGER, MALINGRE, PÉRILLEUX, PLAISANT, PRÉCIEUX, RAFFINÉ, RECHERCHÉ,

SANTÉ, SENSIBLE, SOIGNEUX, SOUFFRANT, SUAVE, SUBTIL, TENDRE (2), VAPOREUX, VULNÉRABLE

DÉLICAT chétif, complexe, courtois, embarrassant, épineux, éthéré, fin, frêle, gracieux, léger, malingre, minutieux, pénétrant, prévenant, raffiné, scabreux, sensible, soyeux, subtil, vaporeux

DÉLICATEMENT → DOUCEMENT

DÉLICATEMENT doucement, finement, précautionneusement, soigneusement, subtilement

DÉLICATESSE → BALOURDISE, BEAUTÉ, DIPLOMATE, DOUCEUR, ÉLÉGANCE, FINESSE, GALANTERIE, GOÛT, PRÉCAUTION, PUDEUR, SAVOIR-FAIRE, SCRUPULE, SENSIBILITÉ, SUBTILITÉ, TACT

DÉLICATESSE blesser, choquer, courtoisie, désobliger, distinction, élégance, finesse, froisser, grâce, offenser, prévenance, raffinement, recherche, sensibilité, suavité, succulence, tact

DÉLICE → CORPS, JOUISSANCE, PLAISIR, RÉGAL, VOLUPTÉ

DÉLICE charme, délectation, délecter (se), éden, eldorado, félicité, paradis, plaisir, ravissement, régaler (se), savourer

DÉLICIEUX → ADORABLE, CHARMANT, EXCELLENT, EXQUIS, EXTRÊME, FAGOT, FAMEUX, IRRÉSISTIBLE, JOLI, MIGNON (2), SAVEUR, SAVOUREUX, SUAVE

DÉLICIEUX charmant, délectable, délicat, divin, exquis, merveilleux, savoureux, voluptueux

DÉLICTUEUX → COUPABLE

DÉLIÉ → MENU (2), MINCE, SUBTIL

DÉLIER → DÉFAIRE, DÉSUNIR, DÉTACHER, LIBÉRER, RELEVER, RENONCER, SERMENT

DÉLIMITATION → DÉTERMINATION, SÉPARATION

DÉLIMITÉ → PRÉCIS

DÉLIMITER → BORNER, DÉFINIR, MARQUER

DÉLINÉAMENT → CONTOUR, FORME

DÉLINÉER → TRACER

DÉLINQUANT → CONTREVENIR, COUPABLE, GARÇON

DÉLINQUANT blouson noir, contrevenant, criminel, malfaiteur, primaire, récidiviste, vaurien, voyou

DÉLIQUESCENCE → DÉCADENCE, RUINE

DÉLIRANT → CONFUSION, SINGULIER

DÉLIRANT absurde, démentiel, dingue, extravagant, fou

DÉLIRE → ENTHOUSIASME, FRÉNÉSIE, ILLUSION, PASSION, PENSÉE, RAISONNEMENT, VERTIGE

Voir tab. **Psychiatrie**

DÉLIRE agitation, aveuglement, confusion, défonce, delirium tremens, démence, démonomanie, divagation, égarement, exultation, flash, folie, frénésie, hallucination,

lycanthropie, paranoïa, passion, schizophrénie, surexcitation, trip, voyage

DÉLIRER → DÉMÉNAGER, DIVAGUER, RAISON

DELIRIUM TREMENS → ALCOOLISME, DÉLIRE, FOLIE, TREMBLEMENT

DÉLIT → ATTENTAT, CAS, CONTRAVENTION, DROIT (1), FAIT, FAUTE, ILLÉGAL, INFRACTION, PIERRE, VEINE

DÉLIT abus de confiance, concussion, contravention, délit d'imprudence, délit d'omission, délit de commission, délit intentionnel, escroquerie, exaction, faute, flagrant délit, forfait, fraude, infraction, malversation, outrage, péculat, quasi-délit, rébellion, récidive, stupéfiants, vol

DÉLIT DE COMMISSION → DÉLIT

DÉLIT D'IMPRUDENCE → DÉLIT

DÉLIT D'INITIÉ → BOURSE, CORRUPTION, INDISCRÉTION

DÉLIT D'OMISSION → DÉLIT

DÉLIT INTENTIONNEL → DÉLIT

DÉLITER → COUCHE, PIERRE

DÉLIVRANCE → ACCOUCHEMENT, LIVRAISON

DÉLIVRANCE désenchaînement, libération, nirvana, soulagement

DÉLIVRER → AFFRANCHIR, BLOCUS, DÉGAGER, ÉVITER, LIBÉRER, RELEVER, REMETTRE, SAUVER, SOULAGER

DÉLIVRER apaiser, communiquer, corriger de (se), débarrasser de (se), défaire de (se), dégager, désenchaîner, désenvoûter, émanciper de (s'), guérir de (se), libérer, livrer, relâcher, remettre, sauver, secourir, soulager, tranquilliser, transmettre

DÉLOCALISATION → TRANSFERT

DÉLOGER → DÉMÉNAGER

DÉLOGER chasser, débusquer, dénicher, expulser, incruster (s')

DÉLOT → DOIGT

DÉLOYAL → FAUX (2), FOURBE, INCORRECT, INFIDÉLITÉ, LÂCHE, MALHONNÊTE, PERFIDE, SOURNOIS

DÉLOYAUTÉ → ADULTÈRE, INFIDÉLITÉ, TRAHISON

DELPHINIDÉS → DAUPHIN

DELTA → BOUCHE, EMBOUCHURE, FLEUVE

Voir illus. **Littoral**

DELTACISME → PRONONCIATION

DELTAPLANE

Voir tab. **Sports**

DELTAPLANE câblerie, harnais, libériste, mât, pilote, voile

DELTOÏDE → BRAS, ÉPAULE

Voir illus. **Muscles**

DÉLUGE → DÉBORDEMENT, FLOT, INONDATION, PLUIE

DÉLUGE antédiluvien, archaïque (être), avalanche, cataclysme, dater, déferlement, déluge de Deucalion, déluge d'Ogygos, diluvien, inondation, suranné (être), torrentiel, trombe

DÉLUGE DE DEUCALION → DÉLUGE

DÉLUGE D'OGYGOS → DÉLUGE

DÉLURÉ → PÉTILLANT

DÉLURÉ coquin, dégourdi, effronté, fripon, futé, hardi, malin, vif

DÉMAGOGIE → PEUPLE

DÉMAILLER → FILER

DEMANDE → DÉMARCHE, INTERPELLATION, INTERROGATION, PROPOSITION, RÉCLAMATION, REQUÊTE, REVENDICATION

DEMANDE adjuration, désir, exigence, injonction, interpellation, interrogation, pétition, prière, question, réclamation, requête, revendication, sollicitation, sommation, souhait, supplique, vœu

DEMANDÉ → RECHERCHÉ

DEMANDER → INTERROGER (S'), INVITER, PRÉTENDRE, QUESTION, RÉCLAMER, RECOMMANDER, SAVOIR (2), SOLLICITER, SOUHAITER, SUPPOSER, VENIR

DEMANDER briguer, commander, consulter, défrichér, enjoindre, enquérir de (s'), excuser (s'), exiger, harceler, implorer, interroger, nécessiter, ordonner, postuler, prescrire, questionner, réclamer, réfléchir, requérir, supplier, vouloir

DÉMANGEAISON → DÉSIR, INFLAMMATION, URTICAIRE

DÉMANGEAISON chatouillement, dartre, désir, eczéma, envie, grattement, irritation, picotement, prurigo, prurit, titillation, urticaire

DÉMANGER → CHATOUILLER

DÉMANTÈLEMENT → DESTRUCTION

DÉMANTELER → DÉMOLIR

DÉMANTIBULER → DÉMOLIR, DÉMONTER

DÉMAQUILLER (SE) → FARD

DÉMARCATION → FRONTIÈRE, LIMITE, SÉPARATION

DÉMARCHAGE → DÉMARCHEUR

DÉMARCHE → ACTION, FORMALITÉ, PAS (1), TENTATIVE

DÉMARCHE air, allure, antithèse, approche, avance, bévue, bourde, brigue, chaloupée, chancelante, cheminement, dégingandée, demande, gaffe, intrigue, maladresse, méthode, nonchalante, parcours, pataude, pesante, port, raide, requête, synthèse, tentative, thèse, titubation, vacillante

DÉMARCHER → PORTE

DÉMARCHEUR → AGENT, REPRÉSENTANT, VENDEUR, VOYAGEUR

DÉMARCHEUR commis voyageur, délégué commercial, démarchage, porte-à-porte, représentant, représentation, vendeur, visiteur, VRP (voyageur représentant placier)

DÉMARIER → ÉCLAIRCIR, PLANT

DÉMARQUAGE → IMITATION

DÉMARQUE → SOLDE

DÉMARQUÉ → GRIFFE, SOLDÉ

DÉMARQUER → CHER, FOOTBALL

DÉMARRÉ → BAIN

DÉMARRER → ÉBRANLER

DÉMARRER amarre, appareiller, commencer, débuter, décoller, désamarrer, engager, entreprendre, envoler (s')

DÉMARREUR

Voir illus. **Moteur**

Voir tab. **Garagiste** (vocabulaire du)

DÉMASCLAGE → ÉCORCE

DÉMASCLER → LIÈGE

DÉMASQUER → CONFONDRE, DÉCOUVRIR, LAISSER, MASQUE

DÉMÊLÉ → BAGARRE, BEC, CONTENTIEUX, DIFFICULTÉ, QUERELLE

DÉMÊLER → CLAIR, DÉBROUILLER, ÉCLAIRCIR, EXPLIQUER, RÉSOUDRE, SÉPARER

DÉMÊLER brosser, coiffer, débrouiller, dénouer, éclaircir, embrouillé, emmêlé, inextricable, peigner, résoudre

DÉMEMBREMENT → PARTAGE

DÉMEMBRER → DÉCOUPER, DÉPECER, DIVISER, ÉMIETTER, MORCELER

DÉMÉNAGER → CHANGER, LOGEMENT

DÉMÉNAGER camp (lever le), chasser, décamper, déguerpir, délirer, déloger, dérailler, déraisonner, divaguer, émigrer, expatrier (s'), expulser, partir en catimini, place (changer de), transporter

DÉMENCE → DÉCHÉANCE, DÉLIRE, FOLIE, PSYCHOSE

Voir tab. **Maladies de civilisation**

DÉMENER (SE) → AGITER, DÉBATTRE (SE), DÉPENSER (SE), DÉPLOYER

DÉMENT → FOU (1), VIOLENT

DÉMENTI → CONTRADICTION

DÉMENTIEL → AFFOLANT, DÉLIRANT

DÉMENTIR → CONTREDIRE, INSCRIRE (S'), NÉGATIVE, NIER, RÉFUTER

DÉMENTIR arrêter, cesser, contester, contredire, dédire, désavouer, faiblir, infirmer, nier, opposer à (s'), rétorquer, trahir

DÉMESURE → OUTRANCE

DÉMESURÉ → BORNE, COLOSSAL, ÉNORME, EXCESSIF, EXORBITANT, EXTRAORDINAIRE, GIGANTESQUE, GRAND, IMMENSE, INFINI (2), MONSTRUEUX, PROPORTION, UTOPIQUE

DÉMESURÉ colossal, énorme, enragé, excessif, extraordinaire, frénétique, gigantesque, illimité, immense, mégalomanie, monumental, surdimensionné, titanesque

DÉMESURÉMENT → OUTRE

DÉMÉTER → MOISSON, TERRE

DÉMETTRE → BLESSER, DÉGRADER, DÉPOSER, LICENCIER, QUITTER, REFUSER, RENONCER, RÉVOQUER, SUPPRIMER, TABLIER

DÉMETTRE démissionner, destituer, luxer (se), ostéopathe, quitter, rebouteux, retirer de (se), révoquer, tordre (se)

DEMEURANT (AU) → PLUS

DEMEURE → GÎTE, HABITATION, PERMANENCE, RÉSIDENCE

DEMEURE commandement, comminatoire, constamment, contraindre, domicile, enjoindre à, home, obligation (être dans l'), permanence (en), signifier à, sommation, ultimatum

DEMEURÉ → FAIBLE (1), IMBÉCILE (1), INNOCENT (1)

DEMEURER → ATTENDRE, COUCHER, EXISTER, HABITER, LOGER, PERCHER, SUBSISTER, TRAÎNER

DEMEURER arrêter (s'), attarder (s'), éterniser (s'), exister, figer (se), habiter, loger, maintenir (se), persister, résider, rester, séjourner, subsister, vivre

DEMI → BIÈRE, VIOLON

DEMI (1) bière, hémi-, mi-, semi-

DEMI (2) imparfaitement, moitié (à)

DEMI (3) insinuer

DEMI DE MÊLÉE

Voir illus. **Rugby**

DEMI D'OUVERTURE

Voir illus. **Rugby**

DEMI-CADENCE → PONCTUATION

DEMI-CERCLE

Voir illus. **Géométrie (figures de)**

DEMI-CLEF

Voir illus. **Nœuds**

DEMI-CLEF À CAPELER

Voir illus. **Nœuds**

DEMI-DIEU → HÉROS

DÉMIELLER → CIRE

DEMI-ÉLYTRE

Voir illus. **Insectes**

DEMI-FOND → COURSE, COURSE CYCLISTE, MOYEN (2)

DEMI-FOND (COURSE DE)

Voir tab. **Sports**

DEMI-JOUR → CLARTÉ, CRÉPUSCULE, OMBRE, PÉNOMBRE

DÉMILITARISER → DÉSARMER

DEMI-LIVRE → QUART

DEMI-MESURE → INCOMPLET

DÉMINAGE → NEUTRALISATION

DÉMINÉRALISATION → OSSEUX

DEMI-PAUSE → SILENCE

Voir illus. **Symboles musicaux**

DEMI-POINTE → CHAUSSON

DEMI-QUEUE → PIANO

DEMI-SEL

Voir illus. **Fromages**

DEMI-SOMMEIL → SOMMEIL

DEMI-SOUPIR → SILENCE

Voir illus. **Symboles musicaux**

DÉMISSION → ABANDON

DÉMISSION abandon, abdication, déport, fuite, renonciation, révocation

DÉMISSIONNER → ABANDONNER, BAISSER, BRAS, CÉDER, DÉMETTRE, DÉPORTER, QUITTER, RENONCER, SUPPRIMER, TABLIER

DEMI-TON → INTERVALLE

Voir tab. **Musique** (vocabulaire de la)

DÉMIURGE → ARCHITECTE, CRÉATEUR (1)

DÉMOCRATE → RÉPUBLICAIN

DÉMOCRATIE → PEUPLE

Voir tab. **Histoire (grandes périodes)**

DÉMOCRATIE directe, égalité, fraternité, indirecte, liberté,

parlementaire, pouvoir exécutif, pouvoir législatif, Révolution française

DÉMOCRATIQUE → POPULAIRE

DÉMOCRATISER → PEUPLE, POPULAIRE

DÉMOCRITE → ATOME

DÉMODÉ → DÉPASSÉ, DÉSUET, PASSÉ (1), RETARD, RÉTROGRADE, ROCOCO, SURANNÉ, TEMPS, USÉ, VIEUX

DÉMODÉ antédiluvien, archaïque, arriéré, dépassé, désuet, kitsch, obsolète, périmé, ringard, suranné, vieillot, vieux jeu

DEMODEX → ACARIEN, PARASITE (1)

DÉMODULOMÈTRE → MODULATION

DÉMOGRAPHIE → PEUPLE, POPULATION

Voir tab. **Sciences : termes en -ologie et -ographie**

DÉMOGRAPHIE fécondité, migration, mortalité, natalité, nuptialité, population

DEMOISELLE → FILLE, INSECTE, MASSE, PILON

DÉMOLIR → ABATTRE, BOUILLIE, BRISER, DÉFAIRE, DÉTRUIRE, DISLOQUER, PERDRE, RENVERSER, ROMPRE

DÉMOLIR abattre, briser, casser, déboulonner, démanteler, démantibuler, descendre, détériorer, détraquer, détruire, échiner, éreinter, esquinter, perdre, raser, renverser, ruiner, saper

DÉMOLITION → DESTRUCTION

DÉMOLITION décombres, destruction, écroulement, effondrement, gravats, plâtras

DÉMON → DIABLE, GÉNIE, PRINCE, SURNATUREL

Voir tab. **Démonologie**

DÉMON démone, diablesse, djinn, esprit, farfadet, gobelin, incube, lutin, succube

DÉMONE → DÉMON, SORCELLERIE

DÉMONÉTISÉ → TIMBRE-POSTE

DÉMONIAQUE → DIABOLIQUE, MÉCHANT

DÉMONIAQUE diabolique, infernal, machiavélique, méphistophélique, sardonique, satanique

DÉMONOMANIE → DÉLIRE

DÉMONSTRATEUR → PRÉSENTATEUR, VENDEUR

DÉMONSTRATIF → COMMUNICATIF, GESTE, MANIFESTER, PARLANT, SENTIMENT

DÉMONSTRATIF concluant, convaincant, éloquent, expansif, expressif, extraverti, exubérant, probant, significatif

DÉMONSTRATION → DÉDUCTION, EXHIBITION, EXUBÉRANCE, INVESTIGATION, RAISONNEMENT, RÉSOLUTION

DÉMONSTRATION affectation, argument, axiome, déduction, étalage, expression, hypothèse, justification, manifestation, marque, parade, postulat, preuve, protestation, raisonnement, signe, témoignage, théorème

DÉMONSTRATION COLLECTIVE → MANIFESTATION

DÉMONTÉ → CHOSE, MER

DÉMONTE-PNEU → LEVIER

DÉMONTER → CONTENANCE, DÉFAIRE, DISLOQUER, PERDRE, RENVERSER, TROUBLER (SE)

DÉMONTER abasourdir, déboussoler, déconcerter, décontenancer, défaire, démantibuler, dérouter, désarçonner, désassembler, disjoindre, interloquer, renverser

DÉMONTRÉ → RÉEL

DÉMONTRER → CONCLURE, DÉCELER, ÉTABLIR, ÉVIDENCE, EXPLIQUER, JUSTIFIER, PREUVE, PROUVER, TÉMOIGNER

DÉMONTRER établir, indiquer, prouver, révéler

DÉMORALISANT décourageant, démotivant, déprimant, désespérant

DÉMORALISÉ → ABATTU

DÉMORALISER → COURAGE, DÉCOURAGER, DÉPRIMER

DÉMORALISER abattre, décourager, dégoûter, déprimer, désorienter, noyer

DÉMORDRE → RENONCER

DÉMOTIQUE → ÉCRITURE, GREC

DÉMOTIVANT → DÉMORALISANT

DÉMOULAGE → FROMAGE, MOULAGE

DÉMUNI → DÉFENSE, DÉNUÉ, DÉPOURVU DE, RESSOURCE

DÉMUNIR → DÉPOUILLER, PRIVER

DÉMYSTIFIER → DÉTROMPER, RÉFUTER

DÉMYTHIFIER → DÉTROMPER, MYTHE

DÉNATALITÉ → NATALITÉ

DÉNATURÉ → ABÎMÉ, DÉPRAVÉ, GÂTÉ, INDIGNE

DÉNATURER → ADDITIONNER, ADULTÉRER, ADULTÉRER, CHANGER, FALSIFIER, FAUSSER, FORCER, MAQUILLER, MASSACRER, PERVERTIR, TRAFIQUER, TRAHIR, TRANSFORMER

DENDRITE → ARBRE, FOSSILE (2), RAMIFICATION

Voir illus. **Flocons**

DENDRITIQUE → RÉSEAU

DENDRO- → BOIS

DENDROCHRONOLOGIE → TRONC

DENDROCOLAPTE

Voir tab. **Oiseaux (classification simplifiée des)**

DENDROLOGIE

Voir tab. **Sciences : termes en -ologie et -ographie**

DÉNÉBULATEUR → BROUILLARD

DÉNÉGATION → NÉGATION, REFUS

DÉNEIGER → DÉBARRASSER

DÉNERVATION

Voir tab. **Chirurgie** (vocabulaire de la)

DÉNI → NÉGATION, REFUS

DÉNICHER → CHASSER, DÉLOGER, DÉTERRER

DÉNICOTINISEUR → FILTRE

DÉNIER → CONTESTER, NIER, REFUSER

DENIERS → ARGENT, REVENU

DÉNIGREMENT → CALOMNIE

DÉNIGRER → CRITIQUER, DÉPRÉCIER,

DISCRÉDITER, MALTRAITER, MÉDIRE, NOIRCIR

DÉNIGRER calomnier, critiquer, déconsidérer, décrier, déprécier, dépriser, dévaloriser, discréditer, rabaisser

DÉNIGREUR → MÉPRISANT

DÉNIVELER → ABAISSER

DÉNIVELLATION → INÉGALITÉ

DÉNOMBREMENT → COMPTER, INVENTAIRE, LISTE, RECENSEMENT

DÉNOMBRER → APPEL, COMPTER, ÉNUMÉRER

DÉNOMINATEUR → FRACTION

DÉNOMINATION → APPELLATION, DÉSIGNATION, QUALIFICATION

DÉNOMMER → BAPTISER, DÉSIGNER, INDIQUER

DÉNONCER → BALANCER, INSTRUIRE, LIVRER, RENDRE (SE), RÉVÉLER, ROMPRE, SAVOIR (2), SIGNALER, TRAHIR, VENDRE

DÉNONCER accuser, annuler, balance, balancer, délateur, dénoter, indicateur, indiquer, livrer, manifester, moucharder, proclamer, rapporter, résilier, révéler, rompre, sycophante, trahir, vendre

DÉNONCIATEUR → CAFARD, CORBEAU, INDICATEUR, POLICE, RAPPORTEUR

DÉNONCIATION → RUPTURE

DÉNOTER → DÉNONCER, INDIQUER, PROUVER, SIGNALER, SUPPOSER, TRAHIR

DÉNOTER attester, montrer, révéler

DÉNOUÉ → FLOTTANT

DÉNOUEMENT → COMÉDIE, CONCLUSION, FIN (1), RÉCIT, SOLUTION, STADE, TERME

DÉNOUER → DÉBROUILLER, DÉFAIRE, DÉMÊLER

DÉNOYAUTAGE → EXTRACTION

DÉNOYAUTER → NOYAU

DENRÉE → ALIMENT, ARTICLE, MARCHANDISE, PRODUIT

DENRÉE aliments, appertisation, chaîne du froid, congélation, conserve, nourriture, provisions, salaison

DENSE → CONCENTRÉ, CONCIS, ÉPAIS, NOMBREUX, OPAQUE, PESANT, PLEIN, SERRÉ

DENSE compact, concis, condensé, dru, impénétrable, intense, riche, sobre, tassé, touffu

DENSIFICATION → DENSITÉ

DENSIMÈTRE → DENSITÉ

Voir tab. **Instruments de mesure**

DENSITÉ → CORPS

DENSITÉ alcoomètre, aréomètre, compacité, concentration, condensation, densification, densimètre, épaisseur, épaississement, force, galactomètre, hydromètre, intensité, pèse-acide, pèse-lait, pycnomètre, richesse

DENSITOMÉTRIE OSSEUSE → OSSEUX

DENT → MONTAGNE, SOMMET

Voir tab. **Douleur**

Voir tab. **Phobies**

DENT aglyphe, alvéole, anodonte, broche, carie, cément, défense, définitives, dentiforme,

dentition, denture, édenté, émail, ivoire, kyste, lait (de), mâchoire, nécrose, parodontose, pince, pulpe, pulpite, pyorrhée, quenotte, stomatologie

DENT À TENON OU À PIVOT → DENTAIRE

DENTAIRE anesthésie, aurification, bridge, coiffe, couronne, créosote, dent à tenon ou à pivot, dentisterie, dévitalisation, eau oxygénée, eugénol, facette collée, faux moignon, hypochlorite de sodium, inlay, jacket, onlay, plombage, prothèse fixe ou mobile, résine, stomatologie

DENTALE → MOLLUSQUE

DENT-DE-LION → PISSENLIT

Voir tab. **Salades**

DENTÉE → SANGLIER

DENTELÉ

Voir illus. **Héraldique**

DENTELLE → TRAME

Voir tab. **Tissus**

DENTELLE aiguille, animal, Argentan (d'), bride, canezou, carreau, Chantilly, Cluny, col, Colbert, crochet, dessous, floral, frivolité, fuseau, géométrique, guipure, jabot, lingerie, macramé, Malines, mantille, métier, navette, Paris, point d'Irlande, Puy, réseau, rose, striquer, tambour, Valenciennes, végétal, Venise, voile

DENTELURE → TIMBRE-POSTE

DENTIFORME → DENT

DENTINE → IVOIRE

Voir illus. **Dent**

DENTISTE

Voir tab. **Saints patrons**

DENTISTE bistouri, davier, fraise, lancette, odontologiste, orthodontiste, précelle, spatule, stomatologue, Stomatologue

DENTISTERIE → DENTAIRE

DENTITION → DENT, ÉRUPTION

DENTS DE SCIE (EN) → INÉGAL

DENTURE → DENT

DÉNUDATION

Voir tab. **Chirurgie (vocabulaire de la)**

DÉNUDER → DÉCOUVRIR, DÉPOUILLER, DÉSHABILLER

DÉNUÉ → DÉPOURVU DE, MANQUER, PAUVRE, STÉRILE, VIDE (2)

DÉNUÉ arriviste, démuni, dépouillé, dépourvu, dépravé, idiot, insensé, privé, ridicule, sans

DÉNUEMENT → BESOIN, MANQUE, MISÈRE, NÉCESSITÉ, PAUVRETÉ

DÉNUTRITION → MISÈRE, NOURRITURE, NUTRITION

DÉODATIENS

Voir tab. **Habitants (comment se nomment les)**

DÉONTOLOGIE → CONSCIENCE, DEVOIR, ÉTHIQUE, MÉDECIN, MORAL

Voir tab. **Sciences : termes en -ologie et -ographie**

DÉPANNAGE → MAINTENANCE

DÉPANNÉ → BRICOLER

DÉPANNER → RÉPARER

DÉPAREILLÉ → INCOMPLET

DÉPAREILLER → SÉPARER

DÉPARER → DÉSHONORER

DÉPARIER → SÉPARER

DÉPART → COMMENCEMENT, SEUIL

DÉPART alpha, appareillage, commencement (au), décollage, embryon, envol, exil, lancement, licenciement, limogeage, naissance, origine (à l'), partance (en), prémisse, source (à la)

DÉPARTAGER → JUGER

DÉPARTEMENT → COLLECTIVITÉ, DIVISION, PRÉFECTURE, SERVICE, SPÉCIALITÉ, TERRITOIRE, UNITÉ

DÉPARTEMENT arrondissement, banlieue, bureau, canton, circonscription, commune, conseil régional, couronne, direction, district, division, DOM-TOM, ministère, préfecture, préfet, région, service

DÉPARTEMENTAL → ÉLECTION

DÉPARTIR (SE) → RENONCER

DÉPASSÉ → BOURGEOIS (2), DÉMODÉ, DÉSUET, PÉRIMÉ, SURANNÉ, VIEUX

DÉPASSÉ débordé, déconcerté, démodé, dérouté, désuet, noyé, rétro, ringard, submergé, vieillot

DÉPASSEMENT → BUDGET

Voir illus. **Livre relié**

DÉPASSER → DÉFAIRE, DEVANCER, OUTREPASSER, PRÉCÉDER, PULVÉRISER, RAISON, RECORD, SORTIR, SUPÉRIEUR, SURPASSER

DÉPASSER déborder, devancer, distancer, doubler, excéder, forjeter, franchir, outrepasser, saillir, surclasser, transgresser, trémater

DÉPASSIONNÉ → SEREIN

DÉPATOUILLER (SE) → DÉBROUILLER (SE)

DÉPAYSER dérouter, désorienter

DÉPECER → COUPER, DÉCOUPER, DÉPOUILLER

DÉPECER analyser, débiter, découper, démembrer, disséquer, éplucher, équarrir, morceler

DÉPÊCHE → COMMUNICATION, INFORMATION, LETTRE, MALLE, MESSAGE, TÉLÉGRAMME

DÉPÊCHE annonce, avis, courrier, coursier, estafette, lettre, message, messager, missive, petit bleu, télégramme

DÉPÊCHER → ACTIVER (S'), ENVOYER, GROUILLER, HÂTER (SE), MISSION, VITE

DÉPÊCHER (SE) empresser (s'), faire diligence, hâter (se), précipiter (se), presser (se)

DÉPEINDRE → DÉCRIRE, MONTRER, PEINDRE, RACONTER, REPRÉSENTER

DÉPENDANCE → ACCOUTUMANCE, ANNEXE, BESOIN, BRAS, ESCLAVAGE, INFÉRIORITÉ, MANQUE, OBÉISSANCE, RELATION, TUTELLE

DÉPENDANCE accoutumance, addiction, annexe, appentis, asservissement, assuétude, attachement, causalité, colonie, communs, conséquence,

corrélation, coupe, domination, empire, interdépendance, joug, liaison, pharmacodépendance, rapport, relation, satellite, servitude, soumission, subordination, sujétion, vassalité

DÉPENDANT → IMMATURE, SATELLITE

DÉPENDANT (ÊTRE) → PERDRE

DÉPENDRE → DÉTACHER, MERCI, RATTACHER (SE), RELEVER, RESSORT, RÉSULTAT

DÉPENDRE découler, décrocher, dériver de, détacher, émaner de, éventuellement, incomber à, peut-être, procéder de, provenir, relever de, reposer, ressort (être du), résulter

DÉPENSE → BUDGET, CHARGE, FINANCES, FRAIS (1), OFFICE, PRIX

DÉPENSE bénéfice, boni, charge, cotisation, coûteux, débours, déficit, défoulement, défrayer, dispendieuse, écot, extra, folie, frais, impense, lésiner, liarder, mégoter, onéreux, participation, pertes, prodigalité, quote-part, sorties, trou, voluptuaire

DÉPENSÉ → ENGLOUTIR

DÉPENSER → CLAQUER, CROQUER, DÉPLOYER, DILAPIDER, PRODIGUER, VERSER

DÉPENSER claquer, débourser, démener pour (se), dévouer à (se), dilapider, dissiper, engloutir, flamber, gaspiller, payer

DÉPENSIER → FENÊTRE

DÉPENSIER flambeur, panier percé, prodigue

DÉPERDITION → DIMINUTION, PERTE

DÉPÉRIR → AFFAIBLIR, ÉTIOLER, LANGUIR, RUINE, SÉCHER

DÉPÉRIR affaiblir (s'), altérer (s'), anémier (s'), atrophier (s'), consumer (se), décliner, délabrer (se), détériorer (se), diminuer, étioler (s'), faner (se), languir, péricliter

DÉPÉRISSEMENT → AGONIE, AMAIGRISSEMENT, DÉLABREMENT, SANTÉ

DÉPÊTRER (SE) → DÉBROUILLER (SE), SORTIR

DÉPEUPLÉ abandonné, déboisé, désert, éclaircie, inhabité

DÉPEUPLER → DÉGARNIR

DÉPHOSPHORATION → FONTE

DÉPIAUTER → DÉPOUILLER, ÉCORCHER

DÉPILATOIRE → POIL

DÉPIQUER → ÉPI

DÉPISTER → DÉCOUVRIR

DÉPIT → AMERTUME, CHAGRIN, DÉCEPTION, JALOUSIE, ZUT

DÉPIT amertume, blesser, chagriner, déception, décevoir, désappointement, froisser, humiliation, jalousie, malgré, nonobstant, pester, rager, rancœur, ressentiment, vexation

DÉPITER → DÉCEVOIR

DÉPLACÉ → BIENSÉANCE, DÉPLAISANT, FAMILIER (2), INCONGRU, INCONVENANT,

INCORRECT, INDÉCENT, INDISCRET, INSOLENT, MAL (2), SCANDALEUX

DÉPLACÉ apatride, choquant, incongru, inopportun, intempestif, muté, réfugié

DÉPLACEMENT → INCONSCIENT (2), INVERSION, MOUVEMENT, PROJECTION, TRANSFERT

DÉPLACEMENT anagramme, déboîtement, exode, flux, métathèse, migration, mission, mouvement, nomade, rotation, touareg, transfert, transhumance, transit, translation, tsigane, va-et-vient

DÉPLACER → BOUGER, CHANGER, DÉRANGER, ÉLOIGNER, MOUVOIR, ÔTER, POUSSER, RECULER

DÉPLACER ajourner, bouger, chambouler, circuler, déambuler, déranger, détacher, errer, intervertir, inverser, muter, permuter, remettre, reporter, voyager

DÉPLAIRE → INDISPOSER, MÉCONTENTER, OFFUSQUER

DÉPLAIRE choquer, contrarier, dégoûter, ennuyer, froisser, importuner, indisposer, indisposer, lasser, offenser, offusquer, rebuter, répugner

DÉPLAISANT → ANTIPATHIQUE, CONTRARIANT, DÉSAGRÉABLE, FÂCHEUX (2), GÊNANT, INGRAT, ODIEUX, VILAIN

DÉPLAISANT blessant, déplacé, désagréable, désobligeant, embarrassant, fâcheux, pénible, vexant

DÉPLÉTION → DIMINUTION

DÉPLIER → DÉPLOYER, ÉTALER, ÉTENDRE

DÉPLOIEMENT → ÉTALAGE, EXHIBITION, EXTENSION

DÉPLORABLE → CATASTROPHIQUE, DÉSASTREUX, EXÉCRABLE, FÂCHEUX (2), LAMENTABLE, MALHEUREUX, MAUVAIS, MINABLE, NÉFASTE, PAUVRE, PITOYABLE, REGRETTABLE, SALE, SCANDALEUX, SOMBRE, TRISTE

DÉPLORABLE affligeant, désastreux, exécrable, lamentable, mauvais, minable, navrant, nul, regrettable

DÉPLORER → AFFLIGER, PLEURER, REGRETTER

DÉPLORER pleurer

DÉPLOYER → ALLONGER, DÉROULER, DÉVELOPPER, ÉTALER, ÉTENDRE, EXERCER, OUVRIR, PRODIGUER, REGARD, TENDRE (1)

DÉPLOYER activer (s'), allonger, déferler, démener (se), dépenser (se), déplier, dérouler, développer, épanouir (s'), étendre, ouvrir (s')

DÉPLUMER → DÉPOUILLER

DÉPOLARISATION → RÉSOLUTION

DÉPOLI → VERRE

DÉPOLIR → MATER, OR

DÉPONENT → PASSIF (1)

DÉPORT → ARBITRE, DÉMISSION

DÉPORTATION → CAMP, CRIME

DÉPORTATION bannissement, camp de concentration, exil,

goulag, internement, oflag, relégation, stalag, transportation

DÉPORTER → BANNIR, EXILER, RÉCUSER (SE)

DÉPORTER abstenir (s'), condamner, démissionner, détourner, dévier, exiler, récuser (se), reléguer, transporter

DÉPOSANT → TÉMOIN

DÉPOSER → DESTITUER, REMETTRE, RENDRE, TÉMOIGNER, VERSER

DÉPOSER abandonner, abdiquer, alimenter, approvisionner, confier, décanter (se), démettre (se), destituer, détrôner, emmagasiner, enlever, entreposer, mettre, ôter, parapher, placer, précipiter, remettre, rendre (se), stocker, témoigner, verser

DÉPOSER LES ARMES → CAPITULER

DÉPOSITAIRE → COMMERCE, GARDIEN

DÉPOSITION → CROIX, DÉCLARATION, DESCENTE, TÉMOIGNAGE

DÉPOSITION déclaration, récolement, témoignage

DÉPOSSÉDÉ → DÉCHU

DÉPOSSÉDER → DÉPOUILLER, DESSAISIR, PRIVER

DÉPOSSÉDER déboulonner, dépouiller, dessaisir, éliminer, enlever, évincer, exproprier, frustrer, priver, supplanter

DÉPÔT → ARCHIVES, BANQUE, GARAGE, MANDAT, PRISON, STOCK, SUCCURSALE

DÉPÔT acompte, allaise, alluvion, approvisionnement, armurerie, arrhes, arsenal, banqueroute, cartoucherie, cautionnement, cinérite, colluvion, consigne, couverture, décharge, dépotoir, drift, effondrilles, entrepôt, faillite, falun, gage, greffe, javeau, lie, limon, liquidation, magasin, minutier, provision, réserve, résidu, resserre, sédiment, solfatare, stratigraphie, tartre, versement

DÉPÔT DE BILAN → BANQUEROUTE

DÉPOTOIR → CLOAQUE, DÉPÔT, ORDURE, SALETÉ

DÉPÔT-VENTE → CURIOSITÉ

DÉPOUILLE → CADAVRE, MORT (1), MUE

DÉPOUILLÉ → AUSTÈRE, CLASSIQUE, DÉNUÉ, NU, PUR, SERRÉ, SÉVÈRE, SIMPLE, SOBRE

DÉPOUILLEMENT → BULLETIN, DÉCOMPTE, SIMPLICITÉ

DÉPOUILLER → CAMBRIOLER, DÉGARNIR, DÉPOSSÉDER, ÉCORCHER, EXAMINER, FRUSTRER, PERLER, PLUMER, PRIVER, QUITTER, RENONCER, RUINER, SCRUTIN, VOLER, VOTE

DÉPOUILLER décharner, décortiquer, dégarnir, démunir, dénuder (se), dépecer, dépiauter, déplumer, déposséder, écorcher, enlever, ôter, priver, quitter, retirer, spolier

DÉPOUILLES → TROPHÉE

DÉPOUILLES OPIMES → BUTIN

DÉPOURVU → DÉNUÉ, MANQUER, PAUVRE, SANS, STÉRILE, VIDE (2)

DÉPOURVU besoin (dans le), démuni, dénué, déraisonnable, désargenté, insensé, privé

DÉPOURVU DE court (de), débotté (au), improviste (à l'), inopinément

DÉPOURVU (AU) → COURT

DÉPRAVANT → DÉGRADER

DÉPRAVATION → CORRUPTION, DÉBAUCHE, IMPURETÉ, LIBERTINAGE, LUXURE

DÉPRAVÉ → CORROMPU, DÉNUÉ, IMMORAL, IMPUR, MAUVAIS, PERVERS

DÉPRAVÉ corrompu, débauché, dénaturé, faussé, gâté, perverti

DÉPRAVER → ABRUTIR, DÉTOURNER, FAUSSER, PERVERTIR

DÉPRÉCATION → PARDON, PRIÈRE

DÉPRÉCIATIF → DÉFAVORABLE, MÉPRIS, PÉJORATIF

DÉPRÉCIATIF défavorable, dépriser, dévalorisant, discréditer, mépriser, minoratif, négatif, péjoratif

DÉPRÉCIATION

Voir tab. **Monnaie**

DÉPRÉCIER → DÉNIGRER, DÉSHONORER, DIMINUER, GALVAUDER, MÉCONNAÎTRE, MÉDIRE, RABAISSER

DÉPRÉCIER avilir (s'), déconsidérer, dénigrer, dévaloriser (se), discréditer, méjuger, mépriser, rabaisser, ravaler

DÉPRÉDATION → DÉGÂT, DOMMAGE, FOIRE, PILLAGE

DÉPRESSION → ABATTEMENT, BAISSE, BAS (2), BASSIN, CAFARD, CARACTÈRE, CRISE, DÉSÉQUILIBRE, FOSSE, IDÉE, MÉLANCOLIE, MÉTÉOROLOGIE, NID, TRISTESSE

DÉPRESSION abattement, affaiblissement, apathie, asthénie, bassin, cirque, col, couloir, cratère, crise, cuvette, cyclone, déprime, doline, enfoncement, flache, fosse, géosynclinal, gorge, léthargie, marasme, mélancolie, neurasthénie, pénurie, récession, vallée, vallon

DÉPRIMANT → DÉMORALISANT

DÉPRIME → DÉPRESSION

DÉPRIMÉ → DÉSESPÉRÉ, DESSOUS, TRISTE

DÉPRIMER → DÉCOURAGER, DÉMORALISER

DÉPRIMER abattu, découragé, démoraliser

DÉPRISE → CONCESSION

DÉPRISER → DÉNIGRER, DÉPRÉCIATIF, DIMINUER

DÉPUTATION → AMBASSADE, MANDAT, MISSION

DÉPUTÉ → ASSEMBLÉE, ENVOYÉ, REPRÉSENTANT

Voir tab. **Politesse (formules de)**

DÉPUTÉ Assemblée nationale, immunité parlementaire, mandat, mandataire, mission, palais Bourbon, Parlement, parlementaire, siège

DÉPUTER → CONFIER, DÉLÉGUER, ENVOYER

DÉRACINER → ARRACHER, DÉCHAUSSER, DÉTERRER, RACINE

DÉRAILLEMENT → CHEMIN DE FER

DÉRAILLER → DÉMÉNAGER, DIVAGUER, RAIL

DÉRAILLEUR

Voir illus. **Bicyclette**

DÉRAISON → RAISON

DÉRAISONNABLE → DÉPOURVU DE, FOU (2), ILLÉGITIME, INCOMPRÉHENSIBLE, INCONSCIENT, IRRATIONNEL, RAISON, RIDICULE, STUPIDE

DÉRAISONNER → BATTRE, DÉMÉNAGER

DÉRANGÉ → DÉRÉGLÉ, DÉTRAQUÉ, GÊNER

DÉRANGEANT → CONTRARIANT, INDISCRET

DÉRANGEMENT → TRACAS, TROUBLE (1)

DÉRANGEMENT bouleversement, désordre, gêne, pagaille, trouble

DÉRANGER → BOULEVERSER, BOUSCULER, DÉPLACER, DÉTOURNER, DISTRAIRE, EMBÊTER, EMPÊCHER, INTERROMPRE, PERTURBER, TROUBLER

DÉRANGER bouger, bouleverser, contrarier, contrecarrer, déclasser, défaire, déplacer, déplacer (se), disloquer, distraire, gêner, importuner, interrompre, inverser, perturber, troubler

DÉRAPAGE → BAVURE

DÉRAPER → ANCRE, GLISSER, PATINER

DÉRATISER → DÉBARRASSER

DERBY

Voir illus. **Chaussures**

DÉRÉGLÉ → IRRÉGULIER

DÉRÉGLÉ dérangé, désordonné, désorganisé

DÉRÈGLEMENT → TROUBLE (1)

DÉRÉGLER → DÉTRAQUER, FONCTIONNER

DÉRÉGLER altérer, détraquer, malade, perturber, troubler

DÉRÉLICTION → DOULEUR, SOLITUDE

DÉRIDAGE → LIFTING, RIDE

DÉRIDER → DÉGELER, RÉJOUIR, RIRE

DÉRISION → IRONIE

DÉRISOIRE → CHANDELLE, CHÉTIF, DÉRISOIRE, INSIGNIFIANT, MAIGRE, MALHEUREUX, MÉDIOCRE, MENU (2), MESQUIN, MINABLE, MINIME (2), MISÉRABLE (2), NÉGLIGEABLE, PETIT (2), PEU, PIÈTRE, RIDICULE

DÉRISOIRE dérisoire, infime, insignifiant, négligeable, piètre

DÉRIVATIF → DISTRACTION, DIVERSION, SOUPAPE

DÉRIVATION → DÉVIATION, MOBILISATION

DÉRIVE → DÉVIATION, PLANCHE À VOILE

Voir illus. **Avion**

Voir illus. **Aviron**

DÉRIVER → DÉPENDRE, ÉMANER, PROVENIR

DÉRIVEUR → COURSE DE BATEAUX, VOILE

DERMATITE → AFFECTION, PEAU

DERMATOGLYPHES → PAUME

DERMATOLOGIE → PEAU

Voir tab. **Sciences : termes en -ologie et -ographie**

DERMATOLOGIQUE → SAVON

DERMATOLOGUE → MÉDECIN

DERMATOSE → AFFECTION, GRATTER, PEAU

DERME → PEAU

Voir illus. **Ongle**

Voir illus. **Peau**

DERMITE → INFLAMMATION

DERMOPHARMACIE → VENDRE

DERMOPTÈRE

Voir tab. **Mammifères (classification des)**

DERMOTROPE → PEAU

DERNIER → CADET, DÉFINITIF, EXTRÊME, FIN (2), LANTERNE, MOINDRE, PRÉCÉDENT, SUPRÊME

DERNIER antépénultième, benjamin, eschatologie, final, nouveau, pénultième, précédent, récent, suprême, testament, ultime

DÉROBADE → CABRIOLE, FUITE, MOYEN (1), PIROUETTE, SUBTERFUGE

DÉROBÉ → SECRET (2)

DÉROBÉE → CACHETTE, SECRET (1)

DÉROBER → ABRITER (S'), ACQUÉRIR, BAISER, CAMBRIOLER, DÉGONFLER (SE), DÉTOURNER, DISSIMULER, ÉCHAPPER, EMPORTER, ESCAMOTER, ESCROQUER, ÉVITER, FAILLIR, FAUCHER, FUIR, MANQUER, MASQUER, ORBITE, PRENDRE, RECULER, REFUSER (SE), SOUSTRAIRE, VOLER

DÉROBER cacher, chaparder, chiper, dissimuler, éclipser, faucher, soustraire, subtiliser, voler

DÉROBER (SE) débiner (se), dégonfler (se), échapper, esquiver, éviter, fuir, soustraire

DÉROCHAGE → NETTOYAGE

DÉROGATION → AUTORISATION, CONTRAIRE (2), DISPENSE, EXCEPTION, INFRACTION, VIOLATION

DÉROGER → CONTREVENIR, DÉSOBÉIR, ENTORSE, MANQUER, OUBLIER, TRANSGRESSER

DÉROMPOI → FAUX (1)

DÉROUILLER → BATTRE, DÉGUSTER, RÉVEILLER

DÉROULAGE → ÉBÉNISTERIE

DÉROULEMENT → COURS

DÉROULEMENT avancement, cours, développement, écoulement, enchaînement, évolution, marche, succession, suite

DÉROULER → DÉPLOYER, DÉVELOPPER, ÉTALER, LIEU, OPÉRER, SUCCÉDER

DÉROULER débobiner, déployer, désembobiner, dévider, étaler, étendre, passer (se), produire (se)

DÉROUTANT → IMPRÉVU, INATTENDU

DÉROUTE → BATTU, COMBAT, DÉBÂCLE, DÉSASTRE, DÉSORDRE, FUITE, PANIQUE

DÉROUTE culbuter, débâcle, débandade, déconfire, défaire, dérouté, désorienté, ébranlé, écraser, enfoncer, fuite, perdu

DÉROUTÉ → DÉCONCERTÉ,

DÉPASSÉ, DÉROUTE, DÉSEMPARÉ, PERDU

DÉROUTER → DÉMONTER, DÉPAYSER, DÉTOURNER, EMBARRASSER, SURPRENDRE

DERRICK → PÉTROLE

DERRIÈRE (1) arrière-pensée, dos, envers, revers, verso

DERRIÈRE (2) arrière (en), rétroviseur

DÉRURALISATION → RURAL

DERVICHE → RELIGIEUX (1)

DES → INDÉFINI

DÈS QUE → FOIS, MINUTE

DÉSABUSÉ → AIGRI, AMER, BLASÉ, MAUSSADE, PERDRE

DÉSABUSÉ blasé, déçu, désenchanté

DÉSABUSER → DÉTROMPER

DÉSACCORD → CONCORDANCE, CONFLIT, DÉCALAGE, DIFFÉRENCE, DIVERGENCE, FRICTION, FROTTEMENT, INCOMPATIBILITÉ, MALENTENDU, OPPOSITION, SÉPARATION, TIRAILLEMENT

DÉSACCORD brouille, cacophonie, clash, conflit, contradiction, différend, discordance, discorde, disharmonie, dissension, dissentiment, divergence, division, fâcherie, friction, froid, frottement, malentendu, opposition

DÉSACCOUPLER → DÉTACHER, SÉPARER

DÉSACCOUTUMER (SE) → RENONCER

DÉSACRALISER → SACRÉ

DÉSAFFECTION → DÉTACHEMENT

DÉSAGRÉABLE → ANTIPATHIQUE, DÉPLAISANT, GAI (1), IMPOLI, INGRAT, INSOLENT, INSUPPORTABLE, INTRAITABLE, MAUSSADE, VILAIN

DÉSAGRÉABLE acariâtre, acerbe, âcre, amer, antipathique, âpre, arrogant, blessant, déplaisant, disgracieux, exécrable, ingrat, insolent, odieux, offensant, saumâtre, vexant

DÉSAGRÉGATION → DÉCOMPOSITION, ÉROSION, FAILLITE, RUINE, SÉPARATION

DÉSAGRÉGATION désintégration, destruction, dislocation, dissolution, dysharmonie, effritement, morcellement, paranoïa, pulvérisation, schizophrénie, séparation

DÉSAGRÉGER → DÉCOMPOSER, DISSOUDRE, ÉMIETTER

DÉSAGRÉMENT → ENNUI, INCONVÉNIENT, MALHEUR, SOUCI, TRACAS

DÉSALTÉRER → BOIRE, RAFRAÎCHIR, SOIF

DÉSAMARRER → DÉMARRER

DÉSAMORÇAGE → NEUTRALISATION

DÉSAMOUR → DÉTACHEMENT

DÉSAPPARIER → SÉPARER

DÉSAPPOINTÉ → DÉSENCHANTÉ

DÉSAPPOINTEMENT → DÉCEPTION, DÉPIT, DÉSILLUSION, DOUCHE, SOUFFRANCE

DÉSAPPOINTER → DÉCEVOIR, ESPÉRANCE, FRUSTRER

DÉSAPPRENDRE → OUBLIER

DÉSAPPROBATION → OPPOSITION, RÉPROBATION

DÉSAPPROBATION blâme, gueulante, improbation, objurgations, protestation, réprobation, reproche, semonce, sifflement

DÉSAPPROUVER → CONDAMNER, DÉSAVOUER, JUGER, REGRETTER

DÉSARÇONNER → CONTENANCE, DÉMONTER, DÉSARMER, RENVERSER

DÉSARGENTÉ → DÉPOURVU DE

DÉSARMÉ → DÉFENSE, DÉSEMPARÉ, FAIBLE

DÉSARMER → TOUCHER

DÉSARMER adoucir, apaiser, calmer, céder, déconcerter, démilitariser, désarçonner, fléchir, renoncer, toucher

DÉSARROI → DÉTRESSE, INQUIÉTUDE, MALHEUR, TROUBLE (1)

DÉSASPHALTAGE → PÉTROLE

DÉSASSEMBLER → DÉMONTER, DÉSUNIR, DISLOQUER

DÉSASTRE → CATASTROPHE, ÉVÉNEMENT, MALHEUR, PRÉCIPICE

DÉSASTRE banqueroute, calamité, cataclysme, déroute, faillite, fléau, ruine

DÉSASTREUX → CATASTROPHIQUE, DÉPLORABLE, FUNESTE, LAMENTABLE, NÉFASTE

DÉSASTREUX affligeant, catastrophique, consternant, déplorable, désolant, fâcheux, funeste

DÉSAVANTAGE → HANDICAP, INCONVÉNIENT

DÉSAVANTAGER → INFÉRIORITÉ, VIEILLIR

DÉSAVANTAGEUX → DÉFAVORABLE

DÉSAVEU → PATERNITÉ, REVIREMENT

DÉSAVOUER → DÉDIRE (SE), DÉMENTIR, NIER, RÉFUTER, RENIER

DÉSAVOUER blâmer, condamner, dédire (se), désapprouver, raviser (se), refuser, renier, réprouver, rétracter (se), revenir sur

DÉSAXÉ → MANIAQUE (1)

DESCARTES

Voir tab. **Philosophie**

DESCELLER → ARRACHER, BRISER, DÉFAIRE, SÉPARER

DESCENDANCE → EXTRACTION, FAMILLE, FILIATION, GÉNÉALOGIE, GÉNÉRATION, RACE, SUITE

DESCENDANCE filiation, généalogie, maison, postérité, progéniture

DESCENDANT agnat, aïeul, aïeux, ancêtres, ascendants, cognat, enfant, génération, héritier, lignée, maison, primogéniture, souche

DESCENDANTE

Voir tab. **Typographies**

DESCENDERIE → GALERIE, MINE

DESCENDRE → DÉMOLIR, PENDRE, VENIR

DESCENDRE abattre, baisser, baisser, coucher (se), critiquer, débarquer, débouler, déchoir, décliner, décroître, dégringoler, dévaler, diminuer, éreinter, loger, plonger, résider, tuer

DESCENDRE EN BAS → PLÉONASME

DESCENTE → ACCOUCHEMENT, RAID, TUYAU

Voir illus. **Voilier : Dufour 38 Classic**

DESCENTE chasse-neige, côte, déclivité, déposition, désescalade, godille, identité (vérification d'), incursion, invasion, pente, perquisition, prolapsus, ptôse, rafle, raid, saut, schuss, slalom

DESCENTE DE LIT → TAPIS

DESCHANEL (PAUL)

Voir tab. **Rois et chefs d'État de la France**

DESCRIPTIF → ÉTAT, RESSEMBLANCE

DESCRIPTION → DÉFINITION, EXPOSÉ, PORTRAIT, RÉCIT, REPRÉSENTATION

DESCRIPTION cahier des charges, caricature, cosmographie, détail, énumération, ethnographie, étiquette, explication, exposé, inventaire, marche, narration, nosographie, portrait-robot, protocole, rapport, récit, scénario, scène, signalement, sommaire, topo

DÉSEMBOBINER → DÉROULER

DÉSEMBOURBER → BOUE

DÉSEMPARÉ → BÊTE (2), DÉCONCERTÉ, INTERDIT, TROUBLÉ

DÉSEMPARÉ dérouté, désarmé, déstabilisé, perdu

DÉSEMPARER → HÉSITER

DÉSENCHAÎNEMENT → DÉLIVRANCE

DÉSENCHAÎNER → DÉLIVRER

DÉSENCHANTÉ → AIGRI, DÉSABUSÉ, PERDRE

DÉSENCHANTÉ blasé, déçu, désappointé, désillusionné

DÉSENCHANTEMENT → DÉCEPTION, DÉCOURAGEMENT, DÉSILLUSION, PESSIMISME

DÉSENCHANTER → DÉCOURAGER, ESPÉRANCE

DÉSENCLAVER → ISOLEMENT

DÉSENCOMBRER → DÉBARRASSER, DÉGAGER

DÉSENGORGER → DÉBOUCHER

DÉSENLACER (SE) → DÉFAIRE

DÉSENVASEMENT → CANAL

DÉSENVASER → BOUE, DRAGUER, VASE

DÉSENVOÛTER → DÉLIVRER

DÉSÉPAISSIR → ÉPAISSEUR

DÉSÉPAISSISSAGE

Voir illus. **Cheveux (coupes de)**

DÉSÉQUILIBRE → INÉGALITÉ, PERTURBATION, VERTIGE

DÉSÉQUILIBRE cyclothymie, dépression, disharmonie, disparité, disproportion, dissemblance, distorsion, hétérogénéité, instabilité, névrose

DÉSÉQUILIBRÉ → CARACTÉRIEL, FOU (1), INSTABLE, MANIAQUE (1)

DÉSERT → DÉPEUPLÉ, SAUVAGE, SEC, SOLITUDE

Voir tab. **Animaux (termes propres aux)**

DÉSERT Bédouins, cactus, chameau, drinn, dromadaire, dune, erg, hamada, jojoba, khamsin, mirage, nebka, oasis, reg, rtem, sahel, simoun, sirocco, steppe, Touareg, toundra

DÉSERTÉ → FANTÔME

DÉSERTER → ABANDONNER, ENNEMI, QUITTER, SAUVER (SE), TRAHIR

DÉSERTEUR → REBELLE (2)

DÉSERTIFICATION → ENVIRONNEMENT, POLLUTION

DÉSERTION → ABANDON, RÉSISTANCE

DÉSERTIQUE → CHAUD, INCULTE, STÉRILE

DÉSESCALADE → DESCENTE

DÉSESPÉRANCE → DÉCOURAGEMENT, DÉSESPOIR

DÉSESPÉRANT → DÉMORALISANT, REGRETTABLE

DÉSESPÉRÉ → MALHEUREUX, PESSIMISTE, SUPRÊME

DÉSESPÉRÉ déprimé, inconsolable, perdu

DÉSESPÉRÉMENT → ABSOLUMENT

DÉSESPÉRER → DÉCOURAGER, PERDRE

DÉSESPÉRER accabler, affliger, attrister (s'), consterner, décourager, désoler (se), douter, navrer

DÉSESPOIR → ABATTEMENT, REGRET

DÉSESPOIR accablement, affliction, araucaria, désespérance, détresse, prostration, saxifrage, suicide, violence

DÉSHABILLÉ → NÉGLIGÉ (1), NU, ROBE

DÉSHABILLÉ matinée, négligé, robe d'intérieur, saut-de-lit

DÉSHABILLER → RETIRER

DÉSHABILLER dénuder, dévêtir, effeuilleuse, strip-teaseuse

DÉSHERBAGE
Voir tab. **Jardinage**

DÉSHERBANT → VÉGÉTAL (2)

DÉSHERBER → ARRACHER, HERBE, NETTOYER

DÉSHÉRENCE → HÉRITIER, SUCCESSION, VACANT

DÉSHÉRITÉ → MISÉRABLE (2)

DÉSHÉRITER → FRUSTRER, PRIVER, RENONCER

DÉSHONNÊTE → IMPUR, INDÉCENT

DÉSHONNEUR → HONTE, HUMILIATION, INFAMIE, TACHE

DÉSHONNEUR affront, déconsidération, honte, humiliation, ignominie, infamie, opprobre, outrage

DÉSHONORANT → DÉGRADER, IMPUR, INDIGNE, INFÂME

DÉSHONORER → COMPROMETTRE, FACE, FLÉTRIR, GALVAUDER, RÉPUTATION, SALIR

DÉSHONORER abîmer, défigurer, dégrader, déparer, déprécier, détériorer, diffamer, discréditer, entacher, flétrir, salir, souiller

DÉSHYDRATATION → CONSERVATION, EAU, SÉCHER

DÉSHYDRATATION AIGUË
Voir tab. **Pédiatrie**

DÉSHYDRATÉ → DESSÉCHÉ, SEC

DESIDERATA → MANIFESTATION, PRÉTENTION, REVENDICATION

DESIGN → CONCEPTION, ESTHÉTIQUE (1)

DESIGN acier, architecte, architecture, bois, concepteur, conception, création, designer, dessinateur, forme, graphisme, matériau, mobilier, plastique, stylisme, styliste, verre, volume

DÉSIGNATION → AFFECTATION, APPELLATION, INSTITUTION, NOMINATION, QUALIFICATION, RAISON

DÉSIGNATION alias, appellation, choix, dénomination, élection, nom, nomination, onomasiologie, pseudonyme, sobriquet, surnom, titre

DESIGNER → AMÉNAGER, DESIGN

DÉSIGNER → APPELER, CHOISIR, NOMMER, REPRÉSENTER, SIGNIFIER

DÉSIGNER choisir, dénommer, élire, étiqueter, indiquer, matérialiser, montrer, qualifier, représenter, signaler, symboliser

DÉSILLUSION → CŒUR, DÉCEPTION, DOUCHE

DÉSILLUSION aigreur, amertume, déboire, déception, déconvenue, désappointement, désenchantement, rancœur, ressentiment

DÉSILLUSIONNÉ → DÉSENCHANTÉ

DÉSILLUSIONNER → DÉTROMPER

DÉSINCRUSTER (SE) → PARTIR

DÉSINENCE → ADDITION, CAS, CONJUGAISON, ÉLÉMENT, FIN (1), PARTICULE, RADICAL (1), TERMINAISON

DÉSINFECTANT → ANTISEPTIQUE

DÉSINFECTÉ → STÉRILE

DÉSINFECTER → ASSAINIR, NETTOYER, STÉRILISER

DÉSINFECTION → HYGIÈNE, PROPRETÉ, PURIFICATION

DÉSINFECTION antisepsie, aseptisation, assainissement, charbon, chaux (passage de la), filtration, fumigation, hygiène, purification, salubrité, stérilisation

DÉSINFORMATION
Voir tab. **Économie**

DÉSINFORMATION → CONDITIONNEMENT, INFORMATION, INTOXICATION

DÉSINFORMER → CONDITIONNER

DÉSINSECTISER → INSECTE

DÉSINTÉGRATION → DÉSAGRÉGATION, DESTRUCTION, EXPLOSION, MATIÈRE, RÉACTION

DÉSINTÉGRER → MINER

DÉSINTÉRESSÉ → BÉNÉVOLE, GÉNÉREUX, GRATUIT

DÉSINTÉRESSÉ altruiste, généreux, gratuit, impartial, philanthrope, spontané

DÉSINTÉRESSEMENT → INDIFFÉRENCE, OUBLI

DÉSINTÉRESSER (SE) → BAFOUER, DÉLAISSER, MÉPRISER, NÉGLIGER, OUBLIER

DÉSINTÉRÊT → INDIFFÉRENCE

DÉSINTOXIQUER (SE) → RENONCER

DÉSINVESTISSEMENT → DEUIL

DÉSINVOLTE → CAVALIER, DÉGAGÉ, IMPERTINENT, INCONVENANT, INSOLENT, SANS-GÊNE

DÉSINVOLTE cavalier, dégagé, effronté, familier, impertinent,

inconvenant, léger, leste, libre, outrecuidant, provocant, sans-gêne

DÉSINVOLTURE → COMPORTEMENT, FAMILIARITÉ, IMPOLITESSE, INGRATITUDE, INSOLENCE, LAISSER-ALLER, LÉGÈRETÉ, NÉGLIGENCE

DÉSIR → AMBITION, APPÉTIT, ASPIRATION, ATTENTE, BESOIN, CAPRICE, CURIOSITÉ, DEMANDE, DÉMANGEAISON, ENVIE, EXCITATION, FANTAISIE, IMPATIENCE, INCLINATION, INTENTION, PASSION, PENCHANT, RÊVE, SOIF, SOUHAIT

DÉSIR ambition, aphrodisiaque, appétit, aspiration, attrait, avidité, boulimie, caprice, carriérisme, convoitise, démangeaison, exigence, feu, foucade, fringale, impatience, inappétence, passion, possessivité, prurit, soif, tentation, toquade, velléité, voracité

DÉSIRABLE → BEAU

DÉSIRER → DÉVORER, ESPÉRER, LORGNER, PRÉTENDRE, RECHERCHER, RÊVER

DÉSIRER ambitionner, aspirer à, briguer, convoiter, espérer, guigner, jalouser, lorgner, souhaiter, vouloir

DÉSIREUX → CURIEUX (2), IMPATIENT

DÉSISTEMENT → CONCESSION

DÉSISTER (SE) → BILLE, CÉDER, RETIRER (SE)

DÉSISTER (SE) abandonner, renoncer, retirer (se)

DÉSOBÉIR contester, contrevenir à, déroger à, enfreindre, insurger contre (s'), mutiner contre (se), objecter, obtempérer à (ne pas), protester, rebeller contre (se), résister à, révolter contre (se), transgresser, violer

DÉSOBÉISSANCE → OPPOSITION, RÉSISTANCE

DÉSOBÉISSANCE indiscipline, indocilité, insoumission, insubordination, opposition, rébellion, refus, révolte, sédition

DÉSOBÉISSANT → DUR, REBELLE (2)

DÉSOBLIGEANT → DÉPLAISANT, INCORRECT, USAGE

DÉSOBLIGER → CHOQUER, DÉLICATESSE, FROISSER, INDISPOSER, SUSCEPTIBLE, VEXER

DÉSOBSTRUER → DÉBARRASSER, DÉBOUCHER, DÉGAGER

DÉSOCIALISER → ISOLER

DÉSŒUVRÉ → INACTIF, OISIF

DÉSŒUVREMENT → BRAS, DISPONIBILITÉ, ENNUI, INACTION

DÉSOLANT → AFFLIGEANT, DÉSASTREUX, LAMENTABLE, REGRETTABLE, TRISTE

DÉSOLATION → CHAGRIN, CONSTERNATION, DÉTRESSE, PEINE, RAVAGE, RUINE, SOUFFRANCE

DÉSOLÉ → FÂCHÉ

DÉSOLÉ accablé, confus, consterné, contrarié, ennuyé

DÉSOLER → CONTRARIER, DÉSESPÉRER, FENDRE, SACCAGER

DÉSOLER affliger, attrister,

chagriner, contrarier, navrer, peiner

DÉSOPERCULATEUR → COUTEAU

DÉSOPILANT → AMUSANT, COCASSE, COMIQUE, HILARANT, RISIBLE

DÉSORDONNÉ → BROUILLON (2), DÉRÉGLÉ, ÉBOURIFFÉ, FOU (2), INCOHÉRENT, VAGABOND (2)

DÉSORDONNÉ chaotique, confus, décousu, embrouillé, incohérent, indistinct

DÉSORDRE → ANARCHIE, BAZAR, BOULEVERSEMENT, CHAOS, CONFUSION, DÉRANGEMENT, PANIQUE, PÊLE-MÊLE, PERTURBATION, SOULÈVEMENT, TROUBLE (1)

DÉSORDRE bazar, boucan, bric-à-brac, capharnaüm, chahut, chambard, chambardement, chaos, confusion, débandade, déroute, désorganisation, enchevêtrement, fatras, fourbi, gabegie, incohérence, margaille, pagaille, panique, souk, tohu-bohu, trouble, tumulte, vacarme

DÉSORGANISATION → DÉSORDRE, PERTURBATION

DÉSORGANISÉ → DÉRÉGLÉ

DÉSORIENTÉ → CHOSE, DÉCONCERTÉ, DÉROUTE, INDÉCIS, PERDRE, PERDU, TROUBLÉ

DÉSORIENTER → DÉMORALISER, DÉPAYSER, EMBARRASSER, HÉSITER, SURPRENDRE

DÉSORMAIS → MAINTENANT

DÉSOSSER → DÉCORTIQUER

DÉSOXYDATION → RÉDUCTION

DÉSOXYGÉNATION → RÉDUCTION

DÉSOXYRIBONUCLÉIQUE (ACIDE)
Voir tab. **Acides**

DESPERADO → BANDIT, HORS-LA-LOI

DESPOTE → ARBITRAIRE, CRUEL, DICTATEUR, MONARQUE, SOUVERAIN (1), TYRAN

DESPOTIQUE → ABSOLU, AUTORITAIRE, TOTALITAIRE, TYRANNIQUE

DESPOTISME → ABSOLUTISME, DICTATURE, GOUVERNEMENT, SOUMISSION, TYRANNIE

DESQUAMATION → PEAU

DESS (DIPLÔME D'ÉTUDES SUPÉRIEURES SPÉCIALISÉES) → DIPLÔME, UNIVERSITÉ

DESSAISIR → ABANDONNER, DÉPOSSÉDER, RENONCER

DESSAISIR abandonner, céder, défaire de (se), déposséder, enlever à, priver, renoncer à, retirer à

DESSAISISSEMENT → CONCESSION, FAILLITE

DESSALAGE → PÉTROLE

DESSALER → CHAVIRER

DESSÉCHÉ → ARIDE, SEC, SQUELETTE

DESSÉCHÉ décharné, déshydraté, endurci, lyophilisé, rabougri, racorni, rassis, squelettique

DESSÈCHEMENT → ENDURCISSEMENT

DESSÉCHER → FLÉTRIR, RÔTIR

DESSÉCHER boucaner, brouir, brûler, calciner, dessiccateur, griller

DESSEIN → BUT, CALCUL, FIN (1), INTENTION, PENSÉE, PLAN, PRÉTENTION, PROGRAMME, PROJET, PROPOS, VOLONTÉ

DESSERRER → ÉCARTER, LÂCHER, LÂCHER

DESSERRER LES DENTS → TAIRE

DESSERT asti, bûche, cassate, champagne, charlotte, compote, crémant, crème, entremets (à), flan, gâteau, gelée, île flottante, macédoine, marmelade, mendiants, mousse, mousseux, mystère, omelette norvégienne, plombière, pudding, sorbet, soufflé, tarte, tutti frutti, vin blanc

DESSERTE → BUFFET, TABLE

DESSERVANT → CURÉ

DESSERVIR → COMPROMETTRE, DÉBARRASSER, ENLEVER, INTÉRÊT, MAL (1), NUIRE, TORT, TRAHIR

DESSICCATEUR → DESSÉCHER

DESSICCATION → CONSERVATION, EAU, MOMIE, SAUCISSON, SÉCHER
Voir tab. **Thé**

DESSILLER → DÉTROMPER, OUVRIR

DESSIN → ART, CARTON, GRAPHIQUE, ILLUSTRATION, IMAGE, PLAN, SCHÉMA

DESSIN affichiste, arabesque, bariolage, bombage, calque, carton, croquis, décalcomanie, décalquage, emblème, épure, esquisse, étude, figure, fusain, graffiti, grecque, gribouillage, icône, illustrateur, illustration, image, infographiste, logo, motif, ornemaniste, pastel, paysagiste, pictogramme, plan, planche, représentation, sanguine, sauce, schéma, tag, volute

DESSIN ANIMÉ → ANIMATION, IMAGE

DESSINATEUR → DESIGN

DESSINER → ACCUSER, DÉCRIRE, DÉCRIRE, FORMER, INDIQUER, PARAÎTRE, REPRÉSENTER, TRACER

DESSINER crayonner, croquer, ébaucher, esquisser, préciser (se), profiler (se), représenter, reproduire

DESSOLER → SABOT

DESSOÛLER → IVRE

DESSOUS → DENTELLE, INFÉRIEUR, SECRET (1)

DESSOUS abattu, aisselle, body, combinaison, coulisses, culotte, déprimé, jupon, lingerie, mauvais, nul, paume, secrets, semelle, sous-vêtements, soutien-gorge

DESSOUS-DE-TABLE → CADEAU, COMMISSION, ENVELOPPE, GAIN, GRATIFICATION, MALHONNÊTE

DESSUINTAGE → NETTOYER

DESSUS → BUFFET, SUPÉRIORITÉ

DESSUS avantage, corniche, crème, élite, fine fleur, gratin, supériorité

DESSUS (AVOIR LE) → TRIOMPHER

DESSUS DE TÊTE
Voir illus. **Harnais**

DESSUS-DE-PORTE
Voir illus. **Intérieur de maison**

DÉSTABILISÉ → DÉSEMPARÉ

DÉSTABILISER → BOULEVERSER,

COMPROMETTRE, CONTENANCE, ÉBRANLER, INSTABILITÉ, PERTURBER

DESTIN → CHANCE, ÉTOILE, FATALITÉ, FATUM, FORTUNE, HASARD, PROVIDENCE, SORT
Voir tab. **Fêtes religieuses**

DESTIN aléa, destinée, fatal, fatalité, fatidique, fatum, fortune, hasard, kères, Moires, Parques, providence, sort

DESTIN (LIGNE DE)
Voir illus. **Main**

DESTINATAIRE → RÉCEPTEUR

DESTINATAIRE allocutaire, assistance, auditoire, cible, interlocuteur, public, récepteur, spectateur

DESTINATION → APPLICATION, CAP, DIRECTION

DESTINATION affectation, but, direction, emploi, finalité, imputation, orientation, usage, utilisation

DESTINÉ → PROMIS

DESTINÉE → CONDITION, DESTIN, ÉTOILE, FORTUNE, SORT, VOCATION

DESTINER → ADRESSER

DESTINER affecter, appliquer, assigner, attribuer, consacrer, conserver, diriger, garder, orienter, prédestiner, promettre, réserver, vouer

DESTITUER → DÉBARQUER, DÉMETTRE, DÉPOSER, LICENCIER, RELEVER, RENVERSER, RÉVOQUER, SUPPRIMER

DESTITUER découronner, dégrader, déposer, détrôner, inamovible, licencier, limoger, renvoyer, révoquer, suspendre

DESTITUTION → DÉCHÉANCE, RENVOI

DÉSTOCKER → STOCK

DESTRIER → CHEVAL

DESTRO- → DROIT

DESTROYER
Voir tab. **Bateaux**

DESTRUCTEUR → MEURTRIER (2), NUISIBLE

DESTRUCTION → CRIME, DÉGÂT, DÉMOLITION, DÉSAGRÉGATION, ÉCROULEMENT, EXTERMINATION, EXTINCTION, POLLUTION, RAVAGE, RUINE

DESTRUCTION anéantissement, annihilation, décomposition, démantèlement, démolition, désintégration, dévastation, ethnocide, extermination, génocide, massacre, putréfaction, ruine

DÉSUET → ANCIEN (2), ANTIQUE, DÉMODÉ, DÉPASSÉ, EMPLOYER, INUTILISÉ, PASSÉ (1), PÉRIMÉ, RÉCHAUFFÉ, RETARD, SURANNÉ, TEMPS, USAGE, USÉ, VIEUX

DÉSUET archaïque, démodé, dépassé, obsolète, suranné, vieilli, vieillot, vieux

DÉSUÉTUDE → VIEILLESSE

DÉSULFURATION → PÉTROLE

DÉSUNION → RUPTURE

DÉSUNIR → DÉTACHER, DISLOQUER, OPPOSER, SÉPARER

DÉSUNIR brouiller (se), délier, désassembler, détacher, dissocier, divorcer, séparer (se)

DÉTACHABLE → MOBILE (2)

DÉTACHAGE → NETTOYAGE

DÉTACHANT → BENZINE

DÉTACHÉ → BLASÉ, INSENSIBLE

DÉTACHEMENT → ESCORTE, FROIDEUR, INDIFFÉRENCE, INSENSIBILITÉ, PHILOSOPHIE, RECUL, SAGESSE, SANG-FROID, TROUPE

DÉTACHEMENT affectation, ataraxie, autonomie, commando, désaffection, désamour, éclaireurs, indifférence, mutation, patrouille, quiétude, renoncement, sérénité

DÉTACHER → DÉCOUPER, DÉPENDRE, DÉPLACER, DÉSUNIR, DISTRAIRE, ÉLOIGNER, ISOLER, LÂCHER, LAVER, LIBÉRER, MISSION, PERLER, RESSORTIR

DÉTACHER déboutonner, décrocher, dégrafer, délacer, délaisser, délier, dépendre, désaccoupler, désunir, dételer, détourner, distinguer (se), distraire, effeuiller, éloigner (s'), renoncer à, ressortir, séparer (se), trancher

DÉTAIL → ANECDOTE, DESCRIPTION, ÉNUMÉRATION, MENU (1), RECENSEMENT, RÉCIT, SUBTILITÉ

DÉTAIL anecdote, bagatelle, broutille, chicaneur, élément, explication, fignoler, grossièrement, grosso modo, partie, pinailleur, précision, tatillon, unité (à l'), vétille

DÉTAILLANT → COMMERÇANT, VENDRE

DÉTAILLÉ → CONSCIENCIEUX, MÉTICULEUX, PRÉCIS

DÉTAILLER → DÉCRIRE, DÉVELOPPER, ÉNUMÉRER, RACONTER

DÉTALER → ALLER, COURIR, PARTIR

DÉTECTER → DÉCELER, DÉCOUVRIR, TROUVER

DÉTECTEUR → RADAR

DÉTECTIVE → POLICE, RENSEIGNEMENT

DÉTECTIVE enquêteur, fin limier, inspecteur

DÉTEINDRE → DÉCOLORÉ, PÂLIR

DÉTEINDRE décolorer (se), défraîchir (se), influencer, influer sur, passer, répercuter sur (se)

DÉTEINT → BOUGER, PÂLE

DÉTELER → DÉTACHER

DÉTENDRE → CALMER, DÉGELER, ÉLARGIR, ÉTIRER, LÂCHER, PACIFIER, RÉCHAUFFER

DÉTENDU → LÂCHE, SEREIN, SOUPLE, SYMPATHIQUE, TRANQUILLE

DÉTENIR → AVOIR (1), GARDER, OCCUPER, POSSÉDER

DÉTENTE → CALME (1), DÉCLENCHER, DÉCOMPRESSION, DÉGEL, DISTRACTION, HORLOGE, LOISIR, PASSE-TEMPS, RÉCRÉATION, RÉPIT, REPOS, SAUT
Voir illus. **Arcs et arbalète**
Voir illus. **Fusils**
Voir illus. **Pistolet**
Voir illus. **Revolver**

DÉTENTEUR → GARDIEN

DÉTENTION → ARRESTATION, BOUCLER, CAPTIVITÉ, PEINE, PRISON, PROPRIÉTÉ

DÉTENTION captivité,

emprisonnement, incarcération, recel, réclusion

DÉTENTION PRÉVENTIVE → ATTENTE

DÉTENTION PROVISOIRE
Voir tab. **Droit (termes de)**

DÉTENU → CAPTIF, CONDAMNÉ, PRISONNIER

DÉTENU captif, inculpé, interné, otage, prévenu, prisonnier, prisonnier de droit commun, prisonnier politique

DÉTERGENT → DISSOUDRE, LAVER, LESSIVE

DÉTERGER → NETTOYER

DÉTÉRIORATION → ALTÉRATION, DÉGÂT, DOMMAGE, USURE

DÉTÉRIORÉ → ABÎMÉ

DÉTÉRIORER → ABÎMER, AGGRAVER, BROUILLER, CHANGER, DÉGRADER, DÉMOLIR, DÉPÉRIR, DÉSHONORER, DÉTRAQUER, EMPIRER, ENDOMMAGER, FUSILLER, GÂTER, MUTILER, NUIRE, PIRE, POURRIR, SACCAGER, SOUCI

DÉTÉRIORER abîmer, compromettre, dégrader, détruire, empire, endommager, ruiner

DÉTERMINANT → ARTICLE, CARACTÉRISTIQUE, CRUCIAL

DÉTERMINATION → ACHARNEMENT, CHOIX, DIAGNOSTIC, FIXATION, FORCE, INTENTION, OPINIÂTRETÉ, RÉSOLUTION, VOLONTÉ

DÉTERMINATION autodétermination, caractérisation, décision, délimitation, estimation, évaluation, fermeté, fixation, intention, résolution, spécification, ténacité, volonté

DÉTERMINÉ → AMBITIEUX, DÉCIDÉ, DOUTER, FERME (2), FIXE (2), HARDI, INÉBRANLABLE, OPINIÂTRE, PARTICULIER, VIF (2), VOLONTAIRE

DÉTERMINER → CARACTÉRISER, DÉCIDER, DÉFINIR, FIXER, GUIDER, LOCALISER, MESURER, PRONONCER (SE), RECHERCHER, RÉGLER, RÉSOUDRE (SE), SITUER

DÉTERMINER apprécier, arrêter, caractériser, convaincre de, décider, décider à (se), définir, engager, estimer, fixer, identifier, inciter, localiser, persuader de, résoudre à (se), spécifier

DÉTERMINISME → CAUSE, NÉCESSITÉ
Voir tab. **Philosophie**

DÉTERRER arracher, découvrir, dégoter, dénicher, déraciner, exhumer, rappeler, raviver, ressortir

DÉTERSIF → LESSIVE

DÉTESTABLE → AFFREUX, EXÉCRABLE, HORRIBLE, INSUPPORTABLE, ODIEUX, SALE

DÉTESTABLE exécrable, haïssable, infâme, insupportable, invivable, massacrante, mauvaise, odieux

DÉTESTÉ → HONNI

DÉTESTER → GRIPPE, HAÏR

DÉTESTER abhorrer, abominer, exécrer, haïr

DÉTIRER → ÉTIRER
DÉTONANT → BRUIT
Voir tab. **Bruits**
DÉTONATEUR → CAPSULE, DÉCLENCHER, MINE
DÉTONATION → BOMBE, BRUIT, EXPLOSION
Voir tab. **Bruits**
DÉTONATION déflagration, explosion, pétarade, tonnerre
DÉTONER → FULMINER
DÉTONIQUE → EXPLOSIF
DÉTONNER → CHANTER, CONTRASTE, FAUX (2), JURER, TRANCHER
DÉTOUR → CONTOUR, COUDE, CROCHET, FRANCHEMENT, MÉANDRE, MOYEN (1), NET, PÉRIPHRASE, RÉTICENCE, SUBTERFUGE, TERGIVERSER, ZIGZAG
DÉTOUR boucle, carrément, coude, crochet, déviation, directement, franchement, lacet, méandre, sinuosité
DÉTOURER → CONTOUR
DÉTOURNÉ → BIAIS, INDIRECT, OBLIQUE, SINUEUX
DÉTOURNE (À LA)
Voir tab. **Vols (types de)**
DÉTOURNEMENT → CONCURRENCE, CRIME, DÉVIATION, PILLAGE, SOUSTRACTION, TRAFIC
DÉTOURNEMENT D'AVION → TERRORISME
DÉTOURNER → ACQUÉRIR, CONFISQUER, CONTRARIER, DÉCOURAGER, DÉPORTER, DÉTACHER, DISTRAIRE, DIVERSION, ÉCARTER, ÉGARER, ÉLOIGNER, EMPARER (S'), ÉVITER, INTERCEPTER, PARER, RENONCER, VIOLER, VOLER
DÉTOURNER amuser, conjurer, dépraver, déranger, dérober, dérouter, dévier, dissiper, distraire, divertir, fourvoyer, pervertir, soustraire
DÉTRACTEUR → ADVERSAIRE, CRITIQUE (1), ENNEMI, JALOUX, MAUVAIS, OPPOSANT
DÉTRACTION → ACCUSATION
DÉTRAQUÉ → MANIAQUE (1)
DÉTRAQUÉ brouillé, dérangé, troublé
DÉTRAQUER → DÉMOLIR, DÉRÉGLER, FONCTIONNER
DÉTRAQUER dérégler, détériorer
DÉTREMPE → COLLE, PEINTURE
DÉTREMPÉ → DÉLAVÉ, LOURD, TREMPÉ
DÉTRESSE → CAFARD, DANGER, DÉSESPOIR, DOULEUR, INDIGENCE, MALHEUR, NAUFRAGE, PAUVRETÉ, PEINE, TROUBLE (1)
DÉTRESSE affliction, berne, désarroi, désolation, indigence, misère, nécessité, perdition, péril, SOS, warning
DÉTRIMENT → PRÉJUDICE
DÉTRITICOLE → DÉCHET
DÉTRITUS → DÉBRIS, DÉCHET, ORDURE, RÉSIDU
DÉTROIT → BRAS, CANAL, COULOIR, DÉFILÉ, MANCHE, MER
Voir illus. **Littoral**
DÉTROMPER démystifier, démythifier, désabuser, désillusionner, dessiller les yeux de
DÉTRÔNER → DÉPOSER, DESTITUER, RENVERSER
DÉTROQUER → HUÎTRE
DÉTROUSSER → VOLER
DÉTROUSSEUR → BANDIT, MALFAITEUR
DÉTRUIRE → ABOLIR, ANÉANTIR, BALAYER, BRÈCHE, BRISER, CASSER, DÉMOLIR, DÉTÉRIORER, DÉVORER, EFFACER, ÉTEINDRE, MINER, NIER, PULVÉRISER, RÉFUTER, RENVERSER, SACCAGER, SUPPRIMER, TUER
DÉTRUIRE abattre, anti-, briser, brûler, casser, –cide, dé-, démolir, éliminer, raser, réduire à néant, renverser, supprimer
DÉTRUIT → BROYER, NÉANT
DETTE → ARDOISE, CHARGE, CRÉDIT, EMPRUNT, ENGAGEMENT, OBLIGATION, PASSIF (1)
DETTE amortir, ardoise, capital, chirographaire, concordat, consolidée, créance, débet, débit, escompte, flottante, insolvable, principal, rembourser
DÉTUMESCENCE → DIMINUTION
DEUG (DIPLÔME D'ÉTUDES UNIVERSITAIRES GÉNÉRALES) → DIPLÔME, UNIVERSITÉ
DEUIL → DOULEUR, MALHEUR, PERTE
DEUIL berne, blanc, brassard, complainte, crêpe, cyprès, désinvestissement, disparition, gris, mante, mauve, mort, nénies, noir, perte, requiem, vocero, voile
DEUS EX MACHINA → SCÈNE, THÉÂTRE
DEUST → UNIVERSITÉ
DEUTÉRIUM → HYDROGÈNE
DEUTÉROCANONIQUES (LIVRES)
Voir tab. **Bible**
DEUTÉRONOME
Voir tab. **Bible**
DEUX ambi-, ambidextre, ambiguïté, ambivalence, amph(i)-, amphibologie, amphisbène, bi-, bicéphale, bigame, bis-, couple, di-, dichotomie, duo, dupli-, hermaphrodite, jumeaux, métis, paire, siamois
DEUX PAS (À) → PRÈS
DEUXIÈME CYCLE → UNIVERSITÉ
DEUXIÈME PARTIE → REVANCHE
DEUX-MAGOTS (PRIX DES)
Voir tab. **Prix littéraires**
DEUX-MÂTS → NAVIRE
DEUX-PIÈCES → BIKINI, MAILLOT
DEUX-POINTS → CITATION, PONCTUATION
DÉVALER → DESCENDRE
DÉVALER avalanche, débouler, dégringoler, rouler
DÉVALISER → CAMBRIOLER, PILLER, VOLER
DÉVALOIR → ORDURE
DÉVALORISANT → DÉPRÉCIATIF
DÉVALORISER → DÉNIGRER, DÉPRÉCIER (SE), INFÉRIORITÉ
DÉVALUATION → CHANGEMENT, VALEUR
Voir tab. **Monnaie**
DÉVALUATION alignement monétaire, décri, défensive, dévaluation-constat, offensive
DÉVALUATION-CONSTAT → DÉVALUATION
DÉVALUER → DIMINUER
DEVANCER → ANTICIPER, DÉPASSER, DOUBLER, PRÉCÉDER, SURPASSER
DEVANCER anticiper, dépasser, distancer, précéder, prévenir, semer, surpasser
DEVANCIER → ANCÊTRE
DEVANTURE → BOUTIQUE, ÉTALAGE, FAÇADE, MAGASIN, VITRINE
DÉVASTATEUR → MEURTRIER (2)
DÉVASTATION → DÉGÂT, DESTRUCTION, INVASION, PILLAGE, RAVAGE, RUINE, SAC
DÉVASTER → METTRE, PILLER, RUINER, SACCAGER
DÉVEINE → MALCHANCE
DÉVELOPPÉ → FORMULE, INDUSTRIALISER
Voir tab. **Danse classique**
DÉVELOPPEMENT → CORPS, CROISSANCE, DÉROULEMENT, ESSOR, ÉTENDUE, ÉVOLUTION, EXPANSION, EXPOSÉ, FUGUE, PERCÉE, PROCESSUS, PROGRÈS, PROGRESSION, PROMOTION, REBONDIR, VENUE
Voir tab. **Photographie (vocabulaire de la)**
DÉVELOPPEMENT cours, croissance, discours, épanouissement, essor, évolution, expansion, exposé, hypertrophie, hypotrophie, progrès, tirade, tirage
DÉVELOPPER → ACCROÎTRE, AGRANDIR, AMPLIFIER (S'), CROÎTRE, CULTIVER, DÉPLOYER, ENRICHIR, ÉVEILLER, EXERCER, FILER, FORMER, FRUCTIFIER, GRANDIR, IMPORTANCE, MULTIPLIER, PLAIRE (SE), POUSSER, PRÉSENTER, PROGRESSER, PROSPÉRER, RAYONNER, TIRAGE, TRAITER, VENIR
DÉVELOPPER agrandir, croître, décrire, déployer, dérouler, détailler, épanouir (s'), étaler, étendre, exposer, grandir, progresser, prospérer
DEVENIR → ÉVOLUER, PASSER, RENDRE (SE)
DEVENIR avenir, changer, évoluer, évolution, futur, mouvement, muter
DÉVERGONDAGE → EXCÈS, LIBERTINAGE, LUXURE, MŒURS
DÉVERGONDÉ → IMMORAL, PUDEUR
DÉVERROUILLER → VERROU
DÉVERS → PENTE
DÉVERSEMENT → ÉCOULEMENT, ÉPANCHEMENT, ÉVACUATION
DÉVERSER → COULER, ÉVACUER, JETER, VERSER, VIDER
DÉVERSER décharger, écouler (s'), épancher, jeter (se), répandre, verser
DÉVERSOIR → ÉVACUATION, ISSUE, RÉSERVOIR
DÉVÊTIR → DÉCOUVRIR, DÉSHABILLER
DÉVÊTU → NU
DÉVIATION → DÉTOUR, INDIRECT, VARIATION
DÉVIATION aberration, anomalie, by-pass, cyphose, déflexion, délestage, dérivation, dérive, détournement, diffraction, dissidence, hérésie, inflexion, itinéraire *bis*, lordose, réfraction, scoliose
DÉVIATIONNISME → HÉRÉSIE
DÉVIATIONNISTE → COMMUNISME
DÉVIDAGE → SOIE
DÉVIDER → DÉROULER, FILER
DÉVIÉ → INDIRECT
DÉVIER → CONTRARIER, DÉPORTER, DÉTOURNER, ÉCARTER, ÉLOIGNER
DEVIN → AVENIR, DIVINATION, MAGE, PROPHÈTE, SORCIER
DEVINER → APERCEVOIR, APPRENDRE, CONNAÎTRE, DÉCOUVRIR, DISCERNER, DOUTER (SE), IMAGINER, INTERPRÉTER, PÉNÉTRER, PRESSENTIR, RECONNAÎTRE, SENTIR, SOUPÇONNER
DEVINER astrologue, bonneteau, cartomancien, charade, chiromancien, comprendre, découvrir, devinette, douter de (se), entrevoir, flairer, furet, logogriphe, pressentir, prophétiser, sellette, soupçonner, subodorer, voyant
DEVINETTE → DEVINER, ÉNIGME, JEU, QUESTION
DEVIS → ARCHITECTE, ÉVALUER, PROJET
DÉVISAGER → EXAMINER, FIXER, OBSERVER, REGARDER
DEVISE → BLASON, CRI, INSCRIPTION, PATRIE, SENTENCE
Voir illus. **Héraldique**
Voir tab. **Monnaie**
DEVISE cartouche, cri de ralliement, listel, maxime, mot d'ordre, sceau, sentence, slogan
DEVISER → ENTRETENIR, PARLER
DÉVISSER → ROCHER
DÉVITALISATION → DENTAIRE
DÉVITALISER → NERF
DÉVOIEMENT → CHEMINÉE, INCLINAISON
DÉVOILEMENT → RÉVÉLATION
DÉVOILER → ANNONCER, APPARAÎTRE, BRUIT, DÉCELER, DÉCLARER, DÉCOUVRIR, DIVULGUER, GARDER, LAISSER, LIVRER, MANIFESTER, MONTRER, NU, PRÉSENTER, RÉVÉLER, TRAHIR
DÉVOILER divulguer, étaler, exposer, révéler
DEVOIR → AVOIR (1), COMPOSITION, CONTRÔLE, EXAMEN, OBLIGATION, RELIGION, RESPECT, SOIN, TÂCHE, VERTU
DEVOIR astreinte, bienséance, charge, civilité, déontologie, droit, intègre, obligation, politesse, probe, respect, responsabilité, rigoureux, scrupuleux, vertueux
DÉVOLUTION → TRANSMISSION
DEVON → APPÂT
Voir tab. **Pêche**
DÉVONIEN
Voir tab. **Géologique (échelle des temps)**
DÉVORANT → ABSORBANT, BRÛLANT, FERVENT, INSATIABLE
DÉVORÉ (ÊTRE) → BRÛLER
DÉVORER → BAISER, CONSUMER,

DILAPIDER, ENGLOUTIR, ÉPUISER, MANGER, REGARDER

DÉVORER brûler, consumer, convoiter, désirer, détruire, dilapider, engloutir, engouffrer, gaspiller, lamie, loup-garou, miner, Minotaure, ogre, ronger, Sphinx, tourmenter

DÉVOT → ADORATION, BÉNIT, BÉNITIER, BIGOT, CROYANT, FERVENT (2), PIEUX, PROCESSION

DÉVOT béguine, bigot, bondieusard, cagot, calotin, capucinière, dévotieux, hypocrite, papelard, tartufe

DÉVOTIEUX → DÉVOT

DÉVOTION → ADMIRATION, AMOUR, FOI, PASSION, PÈLERIN, PIÉTÉ, RECONNAISSANCE, RELIGIEUX (2)

DÉVOTION adoration, béguinage, bigoterie, bondieuserie, cafarderie, ferveur, piété, tartuferie, vénération, zèle

DÉVOUÉ → BON (1), CŒUR, FIDÈLE (2), LOYAL, SERVIABLE, ZÉLÉ

DÉVOUÉ complaisant, empressé, fidèle, loyal, obligeant, prévenant, serviable, zélé

DÉVOUEMENT → EMPRESSEMENT, FIDÉLITÉ, LOYAUTÉ, OUBLI, SACRIFICE, VERTU, ZÈLE

DÉVOUEMENT abnégation, affection, amour, cœur, générosité, renoncement, sacrifice

DÉVOUER (SE) → DÉPENSER (SE), VIVRE

DÉVOYER → ACHETER, ÉGARER

DEXTÉRITÉ → ADRESSE, AISANCE, HABILETÉ, SAVOIR-FAIRE

DEXTRE → DROIT (2)
Voir illus. **Héraldique**

DEXTRINE → MALT

DEXTROCARDIE → DROIT (2), INVERSION

DEXTRORSUM → MONTRE

DEXTROSE → SUCRE

DFPN
Voir tab. **Police nationale (organisation de la)**

DGPN
Voir tab. **Police nationale (organisation de la)**

DHARANA
Voir tab. **Yoga**

DHYNA
Voir tab. **Yoga**

DI- → DEUX

DIA- → DISTINCTION

DIABASE
Voir tab. **Roches et minerais**

DIABÈTE → SUCRE

DIABÈTE acétonémie, diabétogène, diabétologie, glycosurie, hémochromatose, hyperglycémie, insuline, tolbutamide

DIABÈTE DE LA MATURITÉ
Voir tab. **Maladies de civilisation**

DIABÈTE INSULINODÉPENDANT
Voir tab. **Pédiatrie**

DIABÉTOGÈNE → DIABÈTE

DIABÉTOLOGIE → DIABÈTE

DIABLE → CHARIOT, DÉCHU, MAL (1), TUYAU, USTENSILE, VÉHICULE
Voir tab. **Démonologie**

DIABLE Asmodée, Bêhêmoth, Bélial, Belzébuth, démon, diablotin, dolmens, Dragon (le), enfer, exorcisme, garnement, géhenne, hère, incube, korrigan, Léviathan, loin, Lucifer, lutin, malin, Méphistophélès, polisson, Prince des ténèbres (le), sabbat, Satan, Serpent (le), succube, tentation

DIABLE DE MER → SCORPION

DIABLERIE → SORCELLERIE, THÉÂTRAL

DIABLESSE → DÉMON, SORCELLERIE

DIABLOTIN → DIABLE, FRIPON (1), MALICE, PAPILLOTE, PÉTARD, VOILE

DIABOLIQUE → DÉMONIAQUE

DIABOLIQUE démoniaque, infernal, machiavélique, méphistophélique, pernicieux, pervers, sarcastique, satanique

DIABOLO → JOUET

DIACÉTYLMORPHINE
Voir tab. **Drogues**

DIACHRONIE → HISTORIQUE (2), LANGUE

DIACHRONIQUE → HISTORIQUE (2), PASSÉ (1)

DIACHYLON → FARINE, MÉDICAMENT

DIACLASE → CASSURE, FISSURE, GÉOLOGIQUE
Voir tab. **Géographie et géologie (termes de)**

DIACODE → SIROP

DIACONAT → DIACRE, DIGNITÉ, MAJEUR (2), ORDRE, RELIGIEUX (1)

DIACRE → CATHOLICISME, CLERGÉ, DIGNITÉ
Voir tab. **Clergé catholique (vocabulaire du)**

DIACRE archidiacre, clerc, dalmatique, diaconat, tunique

DIACRITIQUE → ACCENT

DIADÈME → BANDEAU, COURONNE

DIADOQUE → GREC

DIAFOIRUS → MÉDECIN

DIAGHY
Voir tab. **Bateaux**

DIAGNOSTIC → MALADIE, MÉDECIN

DIAGNOSTIC auscultation, connaître, cytodiagnostic, détermination, électrodiagnostic, hypothèse, identification, iridologie, prévision, prodrome, radiodiagnostic, sérodiagnostic, supputation, symptôme, syndrome, trouver

DIAGNOSTIQUER → DÉCOUVRIR, DISCERNER, SYMPTÔME

DIAGONALE → LIGNE, OBLIQUE
Voir tab. **Échecs**

DIAGRAMME → COURBE (1), GRAPHIQUE, REPRÉSENTATION, SCHÉMA

DIALECTE → COMMUNAUTÉ, LANGUE

DIALECTE argot, calo, francien, franco-provençal, gallo, gavot, jargon, oc, occitan, oïl, patois, rhodanien, slang

DIALECTIQUE → CONVAINCRE, LOGIQUE (1), MÉTHODE, RAISONNEMENT

DIALECTIQUE argumentation, déduction, induction,

matérialisme historique, raisonnement, synthèse

DIALOGUE → CONVERSATION, ULTIMATUM

DIALOGUE chat, conversation, doublage, échange, entretien, interactivité, interlocuteur, interview, locuteur, script, tête-à-tête

DIALOGUER → PARLER

DIALYPÉTALES → PÉTALE
Voir tab. **Végétaux (classification simplifiée des)**

DIALYSE → RÉACTION

DIAMANT → BRILLANT (2), CAILLOU, CARBONE, QUARTZ, SOLITAIRE (2)
Voir tab. **Anniversaires de mariage**
Voir tab. **Pierres précieuses et semi-précieuses**

DIAMANT adamantin, bort, brillant (en), brillanter, carat, carbonado, carbone, cliver, crapaud, diamantifère, diamantin, égrisée, étonnement, facetter, feu, gendarme, glace, jardinage, joaillier, kimberlite, lapidaire, paillette, rose (en), solitaire, tailler

DIAMANTAIRE → BIJOU

DIAMANTIFÈRE → DIAMANT

DIAMANTIN → DIAMANT

DIAMÈTRE → CALIBRE, CERCLE, CIRCONFÉRENCE, LARGEUR, MODULE, RAYON, TAILLE
Voir illus. **Géométrie (figures de)**

DIANE → CHASSE, CHASSEUR (2), TAMBOUR

DIANOIA → RAISON

DIAPASON → ACCORDER, ÉTENDUE, MUSICIEN, SON
Voir tab. **Musique (vocabulaire de la)**

DIAPÉDÈSE → INFLAMMATION, MIGRATION

DIAPHANE → CLAIR, LUMIÈRE, TRANSPARENT

DIAPHORÈSE → TRANSPIRATION

DIAPHORÉTIQUE → SUER

DIAPHRAGME → CONTRACEPTIF, MEMBRANE, POITRINE, SEXUEL, VENTRE
Voir illus. **Respiratoire (système)**
Voir tab. **Chirurgicales (interventions)**
Voir tab. **Photographie (vocabulaire de la)**

DIAPHYSE → OS, TRONÇON

DIAPNOPHOBIE → TRANSPIRATION
Voir tab. **Phobies**

DIAPOSITIVE → PHOTOGRAPHIE, TIRAGE
Voir tab. **Photographie (vocabulaire de la)**

DIAPRÉ → BARIOLÉ, CHANGEANT, COULEUR, VARIÉ

DIAPRER → COLORER

DIARRHÉE → COLIQUE, INTESTIN (1), VENTRE

DIARRHÉE courante, dysenterie, élixir parégorique, entérite, lienterie, sprue

DIARRHÉE AIGÜE DU NOURRISSON
Voir tab. **Pédiatrie**

DIARTHROSE → ARTICULATION, OS

DIASCOPE → PROJECTION

DIASPORA → JUIF (2)

DIASTASE → SÉCRÉTER

DIASTOLE → ALTERNATIF, CŒUR, DILATATION

DIATHERMANE → RADIATION

DIATHERMIE → ÉLECTRICITÉ

DIATHÈSE → CORPS, PRÉDISPOSITION

DIATONIQUE
Voir tab. **Musique (vocabulaire de la)**

DIATONISME
Voir tab. **Musique (vocabulaire de la)**

DIATRIBE → ATTAQUE, BROCHURE, CRITIQUE (1), DISCOURS, ÉCRIT (1), PAMPHLET, SATIRE

DIAULE → FLÛTE, GREC

DIBBOUK → ESPRIT

DICÉE
Voir tab. **Oiseaux (classification simplifiée des)**

DICHOTOMIE → BIFURCATION, DEUX, PARTAGE, RAMIFICATION

DICOTYLÉDONES
Voir tab. **Végétaux (classification simplifiée des)**

DICROTE → POULS

DICTAME → CONSOLATION

DICTAPHONE → BUREAU

DICTATEUR → ARBITRAIRE, MONARQUE, SOUVERAIN (1), TYRAN

DICTATEUR autocrate, despote, oppresseur, potentat, shogun, tyran

DICTATORIAL → AUTORITAIRE, RÉGIME, TOTALITAIRE, TRANCHANT

DICTATURE → ABSOLUTISME, DOMINATION, GOUVERNEMENT, OPPRESSION, POLITIQUE (2), RÉPUBLIQUE, SOUMISSION, TYRANNIE ·

DICTATURE absolutisme, autoritarisme, césarisme, despotisme, gérontocratie, totalitarisme, tyrannie

DICTÉ → INSPIRÉ

DICTÉE orthographe, sténographier, transcrire

DICTER → CONDITION, GUIDER, IMPOSER, SOUFFLER

DICTER commander, diktat, imposer, légiférer, ordonner, prescrire, stipuler

DICTION débit, élocution, prononciation

DICTIONNAIRE → LEXIQUE, RECUEIL, RÉFÉRENCE
Voir tab. **Livres**

DICTIONNAIRE articles, bilingue, encyclopédie, entrées, glossaire, gradus, lexicographie, lexique, multilingue, nomenclature, terminologue, thésaurus, trésor, vedettes, vocabulaire

DICTON → PENSÉE, PROVERBE, SENTENCE

DIDACTIQUE → APPRENDRE, ENSEIGNEMENT, INSTRUIRE, MANUEL

DIDASCALIE → INDICATION

DIDELPHE → KANGOUROU, MAMMIFÈRE

DIDJERIDOO
Voir illus. **Percussions**

DIÉLECTRIQUE → ÉLECTRIQUE
Voir tab. **Électricité**

DIÉRÈSE → VOYELLE

Voir tab. **Poésie**
(vocabulaire de la)
DIÈSE → ALTÉRATION, HAUSSER
Voir illus. **Symboles musicaux**
DIESEL → MOTEUR
DIES IRAE → DÉFUNT
DIÈTE → ABSTINENCE, JEÛNE, RÉGIME, REPAS
DIÉTÉTIQUE → ALIMENTATION, HYGIÈNE, RÉGIME, SAIN
DIEU → CAUSE, CRÉATEUR (1), ESPRIT, IMMORTEL (2), RELIGION
DIEU Adonaï, Allah, apothéose, aséité, athéisme, déisme, doxologie, Élohim, éternité, hénothéisme, idole, immensité, immutabilité, Jéhovah, logos, monothéisme, mystique, mythologie, non-croyant, Olympe, panthéisme, panthéon, polythéisme, prophète, révélation, tétragramme (YHVH) théisme, théo-, théocratie, théodicée, théogonie, théologie, théophanie, Yahvé
DIFFA → DÉJEUNER, RÉCEPTION
DIFFAMATEUR → MAUVAIS
DIFFAMATION → ACCUSATION, CALOMNIE, COMMÉRAGE, INJURE, MENSONGE
DIFFAMATION calomnie, médisance
DIFFAMER → CHARGER, COMMÉRAGE, DÉSHONORER, DISCRÉDITER, MAL (1), MÉDIRE, NOIRCIR, PERDRE, RÉPUTATION, SALIR
DIFFÉRÉ (EN) → TÉLÉVISION
DIFFÉRENCE → DÉCALAGE, DISTINCTION, ÉCART, INÉGALITÉ, RELATION, RESTE, SOUSTRACTION
DIFFÉRENCE altérité, caractéristique, comparer, contraste, désaccord, différend, dis-, discernement, discrimination, disparité, disproportion, dissemblance, dissentiment, dissimilitude, distinction, divergence, écart, éclimètre, hétéro-, nuance, particularité, spécificité, subtilité
DIFFÉRENCIATION → DISTINCTION, PERSONNALITÉ
DIFFÉRENCIER → CLASSER, COMPARER, DIFFÉRER, DISTINGUER, RECONNAÎTRE, SÉPARER
DIFFÉRENCIER différer, discriminer, distinguer, distinguer (se), séparer
DIFFÉREND → COMBAT, CONTENTIEUX, DÉSACCORD, DIFFÉRENCE, DIFFICULTÉ, FRICTION, FROTTEMENT, MALENTENDU, QUERELLE
DIFFÉRENT → DISTINCT, DIVERS, PLUSIEURS (2)
DIFFÉRENT allogène, autre, composite, disparate, dissemblable, distinct, hétéroclite, hétérogène, méconnaissable, métamorphosé, transformé
DIFFÉRENT DE
Voir tab. **Mathématiques** (symboles)
DIFFÉRENTIEL → ENGRENAGE
DIFFÉRER → ATTENDRE,

DIFFÉRENCIER (SE) → RECULER, REMETTRE, SUSPENDRE, TARD, TEMPORISER, VARIER
DIFFÉRER différencier de (se), distinguer de (se), diverger, écarter de (s'), opposer (s'), remettre, repousser, retarder
DIFFICILE → ARDU, COMPLIQUÉ, CONTRARIANT, CRITIQUE (2), IMPASSE, IMPOSSIBLE (2), INGRAT, INSUPPORTABLE, INTRAITABLE, LABORIEUX, MALIN (2), OBSCUR, PÉNIBLE, PROBLÈME, RUDE, SAVANT (2)
DIFFICILE abrupt, abscons, abstrus, acariâtre, ardu, capricieux, codé, complexe, douloureux, dyspepsie, dystocie, enchevêtré, énigmatique, escarpé, ésotérique, exigeant, illisible, impossible, impraticable, inaccessible, indéchiffrable, inextricable, infaisable, intraitable, irascible, irritable, laborieux, obscur, ombrageux, pénible, triste
DIFFICILEMENT → MAL (2)
DIFFICULTÉ → ACCROC, AFFAIRE, CAP, COMPLICATION, CONTRADICTION, CONTRETEMPS, EMBÛCHE, ÉPINE, INCIDENT (1), INCONVÉNIENT, NŒUD, OBSTACLE, ORAGE, PEINE, PÉPIN, RÉSISTANCE, SOUCI, TRACAS
DIFFICULTÉ accroc, anicroche, aporie, argumenter contre, aria, avaro, contester, démêlé, différend, dys-, dysacousie, dysarthrie, dysgraphie, dysorthographie, dystasie, écueil, embarras, gêne, hic, nœud gordien, objecter, obstacle, peine, plaider contre, résister
DIFFICULTÉS (FAIRE DES) → PLI
DIFFLUENCE
Voir tab. **Géographie et géologie** (termes de)
DIFFORME → AFFREUX, INFIRME, JAMBE, LAID
DIFFORMITÉ → ANOMALIE, CORPS, DÉFORMATION, INFIRMITÉ, MALFORMATION, MONSTRUOSITÉ, VICE
DIFFRACTION → DÉCOMPOSITION, DÉVIATION, RÉSEAU
DIFFUS → IMPRÉCIS
DIFFUSER → BANALISER, CIRCULATION, DÉGAGER, ÉMETTRE, IRRADIER, PASSER, PROPAGER, RÉPANDRE
DIFFUSER colporter, divulguer, ébruiter, émettre, propager, publier, répandre, retransmettre, transmettre
DIFFUSEUR → ANTENNE
DIFFUSION → DISTRIBUTION, ÉMISSION, EXPANSION, EXPORTATION, INVASION, RÉFLEXION
DIFFUSION arrosage, distribution, expansion, invasion, osmose, propagation, radiodiffusion, retransmission, transmission, vulgarisation
DIGÉRER → MÛRIR, SUPPORTER
DIGÉRER anis, apepsie, assimiler, avaler, badiane, coriandre,

digeste, digestible, dyspepsie, endurer, eupeptique, fenouil, léger, mélisse, menthe, supporter
DIGEST → ABRÉGÉ, RÉSUMÉ (1), SÉLECTION
Voir tab. **Livres**
DIGESTE → DIGÉRER, LÉGER, RECUEIL
Voir tab. **Livres**
DIGESTIBLE → DIGÉRER
DIGESTIF → GINGEMBRE, LIQUEUR, REPAS
Voir tab. **Alcools et eaux-de-vie**
DIGESTION → INTESTIN (1), NUTRITION
DIGESTION apepsie, assimilation, bradypepsie, chyle, coction, décoction, dyspepsie, entérokinase, enzyme, eupeptique, macération, nutrition, péristaltiques, stomachique
DIGICODE → CODE
DIGIFORME → DOIGT
DIGITAL → CHIFFRE, DOIGT
DIGITALE → GANT
DIGITALINE
Voir tab. **Médicaments**
DIGITALISER → NUMÉRIQUE (1)
DIGITÉE
Voir illus. **Feuille**
DIGITI- → DOIGT
DIGITIFORME
Voir tab. **Forme de… (en)**
DIGITIGRADE → DOIGT, MARCHER, PIED
DIGITOPRESSURE
Voir tab. **Médecines alternatives**
DIGNE → DÉCENT, FIER, HONORABLE, IMPOSANT, MAJESTUEUX, RESPECT, SÉRIEUX (2)
DIGNE affecté, approprié à, compassé, conforme à, grave, mériter, respectable, responsable, sérieux
DIGNITAIRE → PERSONNALITÉ
DIGNITÉ → CHARGE, FIERTÉ, FONCTION, GRADE, GRAVITÉ, HONNEUR, MAJESTÉ, RÉSERVE, RESPECT, TENUE, TITRE
DIGNITÉ amour-propre, archevêque, archonte, cardinal, chanoine, diacre, émir, éphore, évêque, fierté, grandeur, honneur, imperium (préture, consulat), khan, mandarin, noblesse, pasteur, pontife, potestas (questure, édilité), rabbin, réserve, retenue, stratège, sultan
DIGNITÉ CARDINALICE → POURPRE (1)
DIGNITÉ CONSULAIRE → POURPRE (1)
DIGON → BÂTON
DIGRESSER → BRODER
DIGRESSION → ÉCART, ÉLOIGNER, PARENTHÈSE
DIGUE → BARRAGE, BARRIÈRE, JETÉE, PORT, POUSSÉE
DIKTAT → DÉCISION, DICTER, ORDRE
DILACÉRER → DÉCHIRER
DILAPIDER → ARGENT, BALAI, CROQUER, DÉPENSER, DÉVORER, DISSIPER, ENGLOUTIR, ÉPARPILLER, ÉPUISER, GRIGNOTER, JETER, PRODIGUER

DILAPIDER claquer, dépenser, dévorer, flamber, gaspiller
DILATATION → AGRANDISSEMENT, AUGMENTATION, CHANGEMENT, CORPS, DÉCOMPRESSION, EXPANSION, EXTENSION, GONFLEMENT
DILATATION angiectasie, augmentation, couperose, décompression, diastole, ectasie, élargissement, expansion, extension, grossissement, hémorroïde, mydriase, varice
DILATER → ÉLARGIR, GONFLER
DILATOIRE → DÉLAI, EXCEPTION, TEMPORISER
DILATOMÈTRE
Voir tab. **Instruments de mesure**
DILECTION → TENDRESSE
DILEMME → ALTERNATIVE, CHOIX, NŒUD, PROBLÈME, RAISONNEMENT
DILEMME alternative, choix
DILETTANTISME → AMATEUR
DILIGENCE → CALÈCHE, FIACRE, PROMPTITUDE, VÉHICULE, VOITURE, ZÈLE
DILIGENCE (FAIRE) → DÉPÊCHER (SE), HÂTER (SE)
DILIGENT → ACTIF, APPLIQUÉ, ATTENTIF, LABORIEUX, RAPIDE, SÉRIEUX (2), SOIN, ZÉLÉ
DILUER → ADDITIONNER, DÉLAYER, ÉTENDRE, NOYER
DILUER allonger, délayer, dissoudre, étendre, mélanger
DILUVIEN → DÉLUGE
DIMANCHE → SEIGNEUR
DIMANCHE dominical, jour du repos, jour du Seigneur, oculi, Pâques, Pentecôte, quadragésime, quinquagésime, Rameaux, week-end
DÎME → CONTRIBUTION, IMPÔT, RÉCOLTE, REDEVANCE
DIMENSION → CALIBRE, ÉCHELLE, ÉTENDUE, FORMAT, IMPORTANCE, MESURE, PERSPECTIVE, PROPORTION
DIMENSION ampleur, épaisseur, étendue, format, grandeur, grosseur, hauteur, importance, largeur, ligne droite, longueur, mensurations, plan, pointure, profondeur, temps, volume
DIMINUÉ → ÉBRÉCHER
DIMINUENDO → DIMINUTION
DIMINUER → ALLÉGER, AMOLLIR (S'), ATTÉNUER, BROUILLER, DÉCLINER, DÉPÉRIR, DESCENDRE, FAIBLIR, MINER, MOINS, RABAISSER, RACCOURCIR, RALENTIR, RECULER, RÉDUIRE, RÉSUMÉ (1), RÉTRÉCIR, SOULAGER, SUPPRIMER, TOMBER
DIMINUER abaisser, abréger, amaigrir, amenuiser, assourdir, atténuer, comprimer, contracter, décliner, décroître, déprécier, dépriser, dévaluer, écourter, effondrer (s'), élégir, estomper (s'), modérer, raccourcir, réduire, resserrer, restreindre, rétrécir
DIMINUTIF → NOM, PETIT (2)
DIMINUTIF -et, -ette, sobriquet, surnom
DIMINUTION → BAISSE, CHANGEMENT, RESTRICTION
DIMINUTION abattement,

abrègement, affaiblissement, alanguissement, allégement, anosmie, apaisement, asthénie, decrescendo, décroissance, décroissement, dégonflement, dégrèvement, déperdition, déplétion, détumescence, diminuendo, discount, escompte, hyp(o)-, hypoacousie, moins-value, rabais, réduction, réfaction, remise, ristourne, soulagement

DIN → ÉMULSION, PHOTOGRAPHIE
Voir tab. **Photographie (vocabulaire de la)**

DINANDERIE → MÉTAL, USTENSILE, VAISSELLE

DINDE
Voir tab. **Animaux (termes propres aux)**

DINDET
Voir tab. **Bateaux**

DINDON → DUPER, MENSONGE
Voir tab. **Animaux (termes propres aux)**
Voir tab. **Oiseaux (classification simplifiée des)**

DINDONNEAU
Voir tab. **Animaux (termes propres aux)**

DÎNER → REPAS, SOIRÉE

DÎNETTE → JOUET, REPAS

DINGHY
Voir tab. **Bateaux**

DINGUE → DÉLIRANT

DINOSAURE brontosaure, dinosauriens, diplodocus, fin de l'ère secondaire, iguanodon, mégalosaure, ornithischiens, saurischiens, stégosaure, tricératops, tyrannosaure

DINOSAURIEN → DINOSAURE, REPTILE (1)

DIOCÉSAIN → CONCILE

DIOCÈSE
Voir tab. **Clergé catholique (vocabulaire du)**

DIODE → ÉLECTRONIQUE, VOYANT (1)

DIODON → HÉRISSON

DIOGÈNE → CYNIQUE

DIOGGOT → HUILE

DIOÏQUE → SEXE

DIONÉE → PLANTE

DIONYSIENS
Voir tab. **Habitants (comment se nomment les)**

DIONYSOS → VIGNE

DIOPTRIE → LENTILLE

DIORAMA → PAYSAGE

DIORITE
Voir tab. **Roches et minerais**

DIOXYDE carboglace, CO$_2$, neige carbonique, NO$_2$, smog photochimique

DIOXYDE DE CHLORE → FARINE

DIPHTÉRIE → INFECTION
Voir tab. **Vaccins**

DIPHTONGUE → VOYELLE

DIPLOCENTIDÉS → SCORPION

DIPLODOCUS → DINOSAURE

DIPLOÏDE → CHROMOSOME

DIPLOMATE → AMBASSADEUR, REPRÉSENTANT, SOUPLE
Voir tab. **Saints patrons**

DIPLOMATE ambassadeur, délicatesse, doigté, envoyé, plénipotentiaire, résident, tact

DIPLOMATIE → ADRESSE, AMBASSADE, ÉTAT, HABILETÉ, MALADROIT, POLITIQUE (1), PRÉCAUTION, RELATION, SAVOIR-FAIRE, TACT, ULTIMATUM

DIPLOMATIE adresse, ambassade, chancellerie, circonspection, consulat, corps diplomatique, doigté, finesse, habileté, mission, tact

DIPLÔME → BREVET, PIÈCE, QUALIFICATION

DIPLÔME baccalauréat, BEP (brevet d'études professionnelles), brevet, BTS (brevet de technicien supérieur), CAP (certificat d'aptitude professionnelle), capacitaire, certificat d'études primaires, DEA (diplôme d'études approfondies), DESS (diplôme d'études supérieures spécialisées), DEUG (diplôme d'études universitaires générales), doctorat, DUT (diplôme universitaire de technologie), impétrant, licence, magistère, maîtrise, parchemin, peau d'âne, récipiendaire

DIPNEUSTES
Voir tab. **Poissons (classification simplifiée des)**

DIPSOMANE → IVROGNE

DIPSOMANIE → ALCOOLISME, BOIRE, SOIF
Voir tab. **Manies**
Voir tab. **Psychiatrie**

DIPTÈRE → AILE, COLONNE

DIPTÈRES → MOUCHE, MOUSTIQUE

DIPTYQUE → TABLEAU

DIRE → ÉNONCER, GLISSER, PARLER, PRONONCER, RÉCITER

DIRE acquiescer, alléguer, articuler, chanter, chuchoter, crier, déclarer, dégoiser, énoncer, hurler, indicible, ineffable, inexprimable, insinuer, jurer, objecter, plaire, proférer, protester, répéter, silence (en), susurrer, tenter, vomir

DIRECT → BOXE, CARRÉ (2), COURT, DÉMOCRATIE, FRANC (2), IMMÉDIAT (2), INTERROGATION, PARENTÉ, ROND (2), SPONTANÉ, TÉLÉVISION

DIRECTEMENT → BRÛLER, BUT, DÉTOUR, FRANCHEMENT, OUVERT

DIRECTEUR → ACADÉMIE, CHEF, MAÎTRE (2), PRINCIPAL (1), RESPONSABLE (1), SCOLAIRE

DIRECTEUR DE CONSCIENCE → MAÎTRE (2)

DIRECTEUR D'ÉTABLISSEMENT SCOLAIRE
Voir tab. **Politesse (formules de)**

DIRECTION → AXE, BUREAU, CAP, DÉPARTEMENT, DESTINATION, MANIEMENT, ORGANISATION, ORIENTATION, POLITIQUE (1), RESPONSABILITÉ, SENS, SURVEILLANCE, TENDANCE, TOUR, TOURNURE, VOIE

DIRECTION axe, azimuts, chemin, collimation, commandement, destination, état-major, gestion, gouvernail, ligne aérienne, management, organisation, orientation, route, sens, siège, timon

DIRECTIVE → CONSIGNE, INDICATION, INSTRUCTION, ORDRE

DIRIGEABLE → BALLON

DIRIGEANT → CADRE, CHEF, CONDUCTEUR, GÉRANT, MENER, PERSONNEL, RESPONSABLE (1)

DIRIGER → ADMINISTRER, ANIMER, BAL, BARRE, BRAQUER, COMMANDER, CONDUIRE, CONSEILLER (2), DESTINER, DOMINER, ENCADRER, GOUVERNAIL, GOUVERNER, INSPIRER, MENER, ORGANISER, ORIENTER, POINTER, PRÉSIDER, PUPITRE, REMETTRE, RETROUVER, ROUTE

DIRIGER acheminer, administrer, aiguiller, ajuster, axer, braquer, cingle, converger, envoyer, expédier, fourvoyer (se), gérer, gouverner, manager, orienter, piloter, porter, régir, tourner, viser, vogue

DIRIGISME → ÉTAT, NATIONALISER

DIRLO → PATRON

DIS- → DIFFÉRENCE, DIVISION

DISCALE → POIDS

DISCERNABLE → PERCEPTIBLE

DISCERNEMENT → CRITIQUE (2), DIFFÉRENCE, DISCRIMINATION, INTELLIGENCE, JUGEMENT, RAISON, RÉFLEXION, SAGESSE, SCIENCE, SENS, TORT

DISCERNEMENT à bon escient, à tort et à travers, aveuglément, bon sens, circonspection, finesse, intelligence, jugement

DISCERNER → APERCEVOIR, APPRÉCIER, COMPRENDRE, CONNAÎTRE, DÉCOUVRIR, DISTINGUER, ENTENDRE, ENTREVOIR, PERCEVOIR, RECONNAÎTRE, SAISIR, SENTIR, VOIR

DISCERNER deviner, diagnostiquer, distinguer, flairer, percevoir, reconnaître, saisir, sentir

DISCIPLE → ACADÉMICIEN, ADEPTE, ADHÉRER, ADMIRATEUR, ÉLÈVE, FIDÈLE (2), FILS, INITIÉ, SECTE

DISCIPLE adepte, apôtre, apprenti, école (faire), élève, évangélisation, fidèle, héritier, initié, partisan, tenant

DISCIPLINE → CHAMP, CONTRAINTE, MATIÈRE, OBÉISSANCE, ORDRE, RÈGLE, TENUE

DISCIPLINE biologie, botanique, branche, chimie, domaine, interdisciplinaire, loi, maître, mathématiques, matière, obéissance, ordre, physique, pluridisciplinaire, professeur, règle, règlement, spécialité

DISCIPLINÉ → DOCILE, FACILE, OBÉISSANT, SAGE

DISCIPLINER → MAÎTRISER, PLIER (SE), SOUMETTRE

DISC-JOCKEY
Voir tab. **Musiques nouvelles**

DISCO
Voir tab. **Danses (types de)**

DISCOGRAPHIE → CATALOGUE

DISCONTINU → INTERMITTENT (2), IRRÉGULIER, VARIABLE (2)

DISCONTINU intermittent, irrégulier, pointillé (en), sporadique

DISCONTINUER (SANS) → INTERRUPTION

DISCONTINUITÉ DE MOHOROVIVCIC
Voir illus. **Terre**

DISCONVENIR → REFUSER

DISCORDANCE → CONTRASTE, DÉCALAGE, DÉSACCORD, OPPOSITION

DISCORDANT → CRIARD, GRINÇANT, INCOMPATIBLE
Voir tab. **Bruits**

DISCORDANT cacophonique, charivari, contraire, couac, dissonant, divergent, incompatible, opposé, tintamarre

DISCORDE → CHICANE, CONFLIT, DÉSACCORD, TIRAILLEMENT, ZIZANIE

DISCOTHÈQUE → BOÎTE, COLLECTION

DISCOUNT → DIMINUTION, PRIX, RABAIS

DISCOUREUR → BAVARD

DISCOURIR → ÉPILOGUER, PARLER

DISCOURS → DÉVELOPPEMENT, PRÊCHE, PROPAGANDE, PROPOS, REPRÉSENTATION, RHÉTORIQUE, STYLE

DISCOURS allocution, amphigouri, apologie, catilinaire, conférence, diatribe, galimatias, harangue, homélie, oraison funèbre, panégyrique, philippique, prêche, prédication, proclamation, prône, réquisitoire, sermon

DISCOURTOIS → GROSSIER, IMPOLI

DISCRÉDIT → RÉPUTATION

DISCRÉDITER → COMMÉRAGE, COMPROMETTRE, DÉNIGRER, DÉPRÉCIATIF, DÉPRÉCIER, DÉSHONORER, FACE, MAL (1), NUIRE, PERDRE

DISCRÉDITER calomnier, dauber, déconsidérer, décréditer, décrier, dénigrer, diffamer, éreinter, tympaniser

DISCRET → BAVARD, DÉCENT, FEUTRÉ, FURTIF, FUYANT, HUMBLE, INTÉRIEUR, LÉGER, MODESTE, PRUDENT, SECRET (2), SOBRE

DISCRET doux, effacé, fond, pudique, réservé, retenu, sobre

DISCRÈT → NEUTRE

DISCRÈTEMENT → MANTEAU, POINTILLÉ (EN), SILENCE

DISCRÉTION → PUDEUR, RÉSERVE, RETENUE, SAVOIR-FAIRE, SILENCE, VOLONTÉ

DISCRÉTOIRE → RELIGIEUX (1)

DISCRIMINATION → DIFFÉRENCE, DISTINCTION, RACISME, SÉPARATION, XÉNOPHOBIE

DISCRIMINATION âgisme, apartheid, discernement, distinction, ghetto, jeunisme, racisme, ségrégation, séparation, sexisme

DISCRIMINER → DIFFÉRENCIER

DISCULPER → ACQUITTER, BLANCHIR, DÉFENDRE, EXCUSER, INNOCENCE, JUSTIFIER, LAVER, PROUVER, SUSPECT (2)

DISCULPER alibi, blanchir, excuser, innocenter, justifier

DISCUSSION → CONTROVERSE, DÉLIBÉRATION, ÉCHANGE, ENTRETIEN, EXAMEN, EXPLICATION, SCÈNE

DISCUSSION controverse, dispute, plaid, polémique, téléconférence, visioconférence

DISCUTABLE → IMPARFAIT (2)

DISCUTER → BAVARDER, CAUSER, DÉBAT, DÉBATTRE, ENTRETENIR, ÉPILOGUER, PARLER, RAISONNER, SÉANCE, TRAITER

DISCUTER bavarder, contester, converser, débattre, délibérer, échanger, ferrailler, négocier, parlementer, polémiquer

DISERT → ÉLOQUENT

DISETTE → ABSENCE, FAIM, MANQUE, MISÈRE, VACHE

DISEUR → AVENIR, DÉCLAMER

DISGRÂCE → INFIRMITÉ, LAIDEUR, SORT

DISGRACIÉ → INFIRME, INGRAT, LAID

DISGRACIEUX → BEAU, DÉSAGRÉABLE, INGRAT, LAID, VILAIN

DISHARMONIE → DÉCALAGE, DÉSACCORD, DÉSÉQUILIBRE

DISJOINDRE → DÉMONTER, DISLOQUER, DIVISER, ÉCARTER, ISOLER, SÉPARER

DISJONCTEUR → INTERROMPRE

DISJONCTIVE → CONJONCTION

DISLOCATION → DÉSAGRÉGATION, SÉPARATION

DISLOQUÉ dégingandé, déhanché

DISLOQUER → BRISER, DÉCOMPOSER, DÉRANGER

DISLOQUER briser, déboîter, démolir, démonter, désassembler, désunir, disjoindre

DISPARAÎTRE → ANÉANTIR, CESSER, DISSIPER (SE), EFFACER, ENFUIR (S'), ENVOLER (S'), ESCAMOTER, EXISTER, FILER, FONDRE, FUMÉE, MOURIR, NAUFRAGE, PARTIR, PÉRIR, RARE, SOMBRER

DISPARAÎTRE abîmer (s'), cacher, chasser, couler, dissimuler, dissiper (se), échapper (s'), effacer, éloigner, enlever, envoler (s'), escamoter, éteindre (s'), évaporer (s'), fuir, ôter, sauver (se), supprimer, tuer, volatiliser (se)

DISPARATE → CONFUS, DIFFÉRENT, DIVERS, ÉLÉMENT, HÉTÉROGÈNE

DISPARITÉ → DÉSÉQUILIBRE, DIFFÉRENCE, INÉGALITÉ, OPPOSITION

DISPARITION → CICATRISATION, DEUIL, DISSOLUTION, EXTINCTION, LEVÉE, MORT (1), SUPPRESSION

DISPARITION abolition, absence, décès, éclipse, extinction, fin, mort, occultation, perte, résorption, suppression, trépas

DISPARU → INTROUVABLE, VICTIME (2)

DISPATCHER → DISTRIBUER, PARTAGER, PLANIFIER, RÉPARTIR

DISPENDIEUX → COÛT, DÉPENSE, ONÉREUX

DISPENSAIRE → PRÉVENTION, SANTÉ, SOIN

DISPENSE → AUTORISATION, EXEMPTION, FRANCHISE, IMMUNITÉ, PERMISSION

DISPENSE autorisation, dérogation, exemption, exonération, franchise, immunité, permission

DISPENSÉ → EXCUSER

DISPENSER → ÉPARGNER, ÉVITER, PASSER, PRODIGUER, RÉPANDRE, SOUSTRAIRE

DISPENSER accorder, décharger, distribuer, donner, épargner, éviter, exempter, soulager

DISPERSER → DISSÉMINER, ENVOLER (S'), ÉPARPILLER, FONDRE, RÉPANDRE, ROMPRE, SEMER

DISPERSER atomiser, canaliser, concentrer, éparpiller, répandre, semer, vaporiser

DISPERSION → DÉCOMPOSITION, FUITE

DISPONIBILITÉ → VACANCE

DISPONIBILITÉ désœuvrement, fonds, inactivité, liquidités, oisiveté, réserve, trésorerie

DISPONIBLE → LIBRE, VIDE (2)

DISPONIBLE libre, vacant

DISPOS → FORME, FRAIS (2)

DISPOSÉ → SUJET

DISPOSER → APPRÊTER (S'), ARRANGER, AVOIR (1), CONSTRUIRE, INSTALLER, JOUIR, POSER, POSSÉDER, PRÉPARER (SE), RÉPARTIR, USER

DISPOSER agencer, apprêter à (s'), bénéficier de, emprunter, installer, jouir de, mettre, partir, placer, posséder, préparer à (se), répartir, retirer (se), servir de (se), songer à, user de, utiliser

DISPOSITIF → AGENCEMENT, APPAREIL, MACHINE

DISPOSITIF appareil, mécanisme, montage, plan

DISPOSITION → APTITUDE, CAPACITÉ, CLAUSE, CONDITION, CONTRAT, DISTRIBUTION, ÉTOFFE, FACILITÉ, FACULTÉ, GOÛT, IMPOSITION, INCLINAISON, INTENTION, LOI, PERSPECTIVE, PLACE, PRÉCAUTION, QUALITÉ, RHÉTORIQUE, RYTHME, STRUCTURE, TENDANCE, VOCATION

DISPOSITION agencement, décision, faculté, goût, inclination, installation, mesure, organisation, penchant, répartition, résolution, structure

DISPOSITION NATURELLE → TALENT

DISPROPORTION → DÉSÉQUILIBRE, DIFFÉRENCE, INÉGALITÉ

DISPROPORTIONNÉ → INÉGAL

DISPUTE → ALTERCATION, BEC, CHICANE, COMBAT, COMPÉTITION, CONFLIT, DISCUSSION, ESCARMOUCHE, EXPLICATION, FRICTION, FROTTEMENT, INCIDENT (1), OPPOSITION, PRISE, QUERELLE, SCÈNE, ZIZANIE

DISPUTE altercation, brouille, chamaillerie, chicane, fâcherie, querelle

DISPUTER → DÉBAT, DÉLIBÉRER, RAISONNER

DISQUALIFICATION → CONCOURS

DISQUALIFIER → ÉLIMINER

DISQUE → ALBUM, CERCLE, FREIN, GALAXIE, HOCKEY, SIGNAL

Voir tab. **Garagiste** (vocabulaire du)

DISQUE (LANCER DU)

Voir tab. **Sports**

DISQUISITION → RECHERCHE

DISRUPTIF → ÉTINCELLE

DISSECTION → ANALYSE, ANATOMIE, AUTOPSIE, EXAMEN, RECHERCHE

Voir tab. **Chirurgie** (vocabulaire de la)

DISSEMBLABLE → DIFFÉRENT, DISTINCT, HÉTÉROGÈNE

DISSEMBLANCE → CONTRASTE, DÉSÉQUILIBRE, DIFFÉRENCE, OPPOSITION

DISSÉMINÉ bourgade, hameau, lieu-dit

DISSÉMINER → ÉPARPILLER, PROPAGER, RÉPANDRE, SEMER

DISSÉMINER disperser, éparpiller, répandre, semer

DISSENSION → CONFLIT, DÉSACCORD, DIVERGENCE, OPPOSITION, SÉPARATION, TENSION

DISSENTIMENT → CONFLIT, DÉSACCORD, DIFFÉRENCE, SÉPARATION

DISSÉQUER → DÉCOMPOSER, DÉCORTIQUER, DÉPECER, ÉPLUCHER

DISSERTATION → COMPOSITION, LITTÉRATURE

DISSERTATION essai, étude, exposé, mémoire

DISSERTER → PARLER, RAISONNER

DISSIDENCE → DÉVIATION, HÉRÉSIE, INDÉPENDANCE, RÉVOLTE, SÉPARATION

DISSIDENT → ADVERSAIRE, HÉTÉRODOXE, NON-CONFORMISTE, ORTHODOXE, PARTI, REBELLE (2), TRAÎTRE (1)

DISSIMILITUDE → DIFFÉRENCE, OPPOSITION

DISSIMULATION → ABUS, ÉTOUFFEMENT, FOI, HYPOCRISIE, OMISSION, OUBLI, VELOURS

DISSIMULATION cachotterie, duplicité, fausseté, franchement, hypocrisie, ouvertement, sournoiserie, tricherie, tromperie

DISSIMULÉ → INCONNU, OBSCUR, SECRET (2), SOURNOIS

DISSIMULER → ABRITER (S'), BLOTTIR (SE), CACHER, COUVRIR, DÉGUISER, DÉROBER, DISPARAÎTRE, ENFOUIR, ENSEVELIR, ENVELOPPER, FUIR, MANGER, MASQUER, OBSTRUER, RECOUVRIR, REFOULER, RÉFUGIER (SE), REGARD, SILENCE, SOUSTRAIRE, TAIRE

DISSIMULER abriter (s'), cacher, déguiser, dérober, feindre, masquer, occulter, soustraire, taire, voiler

DISSIPATION → LEVÉE

DISSIPÉ → TERRIBLE, TURBULENT

DISSIPER → ARGENT, CESSER, DÉPENSER, DÉTOURNER, DISPARAÎTRE, DISPERSER, ÉCARTER, ENDORMIR, ENFUIR (S'), ENGLOUTIR, ENVOLER (S'), ESTOMPER, ÉVANOUIR (S'), GRIGNOTER, LEVER, PRODIGUER

DISSIPER amuser, chasser,

dilapider, disparaître, distraire, divertir, effacer, évaporer (s'), faire cesser, gaspiller, lever (se), ôter, oublier, refouler, supprimer

DISSOCIER → DÉCOMPOSER, DÉSUNIR, SÉPARER

DISSOLU → CORROMPU, DÉBAUCHE, MAUVAIS

DISSOLUTION → DÉSAGRÉGATION, FIN (1), LIBERTINAGE, MŒURS

DISSOLUTION adipolyse, corruption, cyanuration, cytolyse, débauche, disparition, divorce, fibrinolyse, immoralité, ruine, soluté, solution

DISSOLVANT → DISSOUDRE, ONGLE

DISSONANCE → CONFLIT, DÉCALAGE, IMPARFAIT (2), OPPOSITION, RELATION

DISSONANT → DISCORDANT, GRINÇANT

Voir tab. **Bruits**

DISSONER → JURER

DISSOUDRE → DÉLAYER, DILUER, FONDRE, RENONCER

DISSOUDRE absorber, benzène, décomposer, désagréger, détergent, dissolvant, naphte, ronger, soluble

DISSUADER → CONSEILLER (2), CONVAINCRE, DÉCOURAGER, PERSUADER, RENONCER

DISSYMÉTRIQUE → IRRÉGULIER

DISTANCE → ÉCART, ÉLOIGNEMENT, ESPACE, ÉTAPE, FIERTÉ, INTERVALLE, MARGE, SÉPARATION

DISTANCE autonomie, capacité, chaîne d'arpenteur, chemin, compteur, écart, élévation, envergure, espacement, hauteur, intervalle, longueur, parcours, podomètre, portée, proximité (à), radar, trajet

DISTANCER → DÉFAIRE, DÉPASSER, DEVANCER, ESPACER, LÂCHER, SEMER, SURPASSER

DISTANCIATION → RECUL

DISTANCIER → PRÉCÉDER

DISTANT → DÉDAIN, FROID (2), GLACIAL, IMPERSONNEL, INABORDABLE, LOIN, LOINTAIN (2), SNOB

DISTANT dédaigneux, éloigné, fier, hautain, loin, supérieur

DISTENDRE → ALLONGER, ÉLARGIR, GONFLER

DISTENSION → AGRANDISSEMENT, AUGMENTATION, EFFORT, ENTORSE

DISTILLATEUR → BOUILLIR

DISTILLATION → ALCOOL, MAZOUT, RAFFINAGE

Voir tab. **Alcools et eaux-de-vie**

DISTILLATION alambic, athanor, brai, cohobation, coke, créosote, drêche, essence, flegme, hydrolat, raffinage, rectificateur, vinasse

DISTILLATION ATMOSPHÉRIQUE → PÉTROLE

DISTILLER → COULER, ÉPURER, RECTIFIER, RÉPANDRE, SÉCRÉTER

DISTILLERIE → INDUSTRIE, USINE

DISTINCT → CLAIR, CONTRAIRE (2), DIFFÉRENT, DIVERS, INDÉPENDANT, INDIVIDUEL, NET, PRÉCIS, SPÉCIAL, VISIBLE

DISTINCT bafouiller, balbutier,

bredouiller, différent, dissemblable, marmonner

DISTINCTEMENT → CLAIREMENT

DISTINCTIF → CARACTÉRISTIQUE, TYPIQUE

DISTINCTION → ALLURE, ARISTOCRATIE, CLASSE, DÉCORATION, DÉLICATESSE, DIFFÉRENCE, DISCRIMINATION, ÉDUCATION, ÉLÉGANCE, FRONTIÈRE, HONNEUR, PRIX, RÉCOMPENSE, VALEUR

DISTINCTION accessit, classe, décoration, dia-, différence, différenciation, discrimination, distinguo, élégance, noblesse, préférence, prérogative, privilège, prix, raffinement, séparation

DISTINGUÉ → BRILLANT (1), CHIC, IMPOSANT, LITRE, NOBLE (2), RAFFINÉ, SUPÉRIEUR

DISTINGUER → APERCEVOIR, BRILLER, CHOISIR, CONNAÎTRE, DÉBROUILLER, DÉCOUVRIR, DÉTACHER (SE), DIFFÉRENCIER, DIFFÉRENCIER (SE), DIFFÉRER, DISCERNER, ENTENDRE, ENTREVOIR, EXCELLENT, ISOLER, PERCEVOIR, RECONNAÎTRE, REMARQUER, SÉPARER, SIGNALER, VOIR

DISTINGUER apercevoir, différencier, discerner, reconnaître, remarquer, séparer

DISTINGUO → DISTINCTION

DISTORSION → DÉFORMATION, DÉSÉQUILIBRE

DISTRACTION → ACTIVITÉ, ATTENTION, DÉFAUT, DIVERSION, DIVERTISSEMENT, ÉTOURDERIE, FÊTE, INATTENTION, JEU, LOISIR, OMISSION, OUBLI, PLAISIR, RÉCRÉATION

DISTRACTION agrément, dada, dérivatif, détente, diversion, divertissement, étourderie, hobby, inadvertance, inattention, loisir, passe-temps, récréation, violon d'Ingres

DISTRAIRE → DÉRANGER, DÉTACHER, DÉTOURNER, DISSIPER, DIVERTIR (SE), ÉGAYER, ÉTOURDIR, ÉVADER (S'), INTERROMPRE, JOUER, OCCUPER

DISTRAIRE amuser (s'), déranger, détacher, détourner, dissiper, divertir, égayer (s'), importuner, interrompre, retrancher, séparer, soustraire

DISTRAIT → ABSENT, ABSORBÉ, INSENSIBLE, LOINTAIN (2), NUAGE, VAGUE (2)

DISTRAIT absent, étourdi, inattentif (être), rêveur

DISTRAYANT → AMUSANT

DISTRIBUER → APPORTER, DISPENSER, DONNER, ÉCHELONNER, PARTAGER, RÉPANDRE, RÉPARTIR, VENTE

DISTRIBUER amener, conduire, dispatcher, donner, échelonner, partager, répartir

DISTRIBUTEUR → GUICHET, POSTE, RETIRER, TURBINE

DISTRIBUTION → APPROVISIONNEMENT, DIFFUSION, INTERPRÉTATION, PARTAGE, RÔLE, RYTHME

DISTRIBUTION affiche, agencement, aménagement, attribution, casting, classement, diffusion, disposition, largesse, ordonnance, palette d'acteurs, partage, répartition

DISTRICT → DÉPARTEMENT

DISTRICT URBAIN → AGGLOMÉRATION, COMMUNE, TERRITOIRE

DISULFIRAME
Voir tab. **Médicaments**

DITHYRAMBE → APOLOGIE, BIEN, CHŒUR, ÉLOGE, EMPHATIQUE, ENTHOUSIASTE, LOUANGE, POÈME
Voir tab. **Poésie (vocabulaire de la)**

DITHYRAMBIQUE → COMPLIMENT

DIURÉTIQUE → URINE
Voir tab. **Médicaments**

DIURNE → JOUR

DIVA → CHANTEUSE, OPÉRA

DIVAGATION → DÉLIRE

DIVAGUER → BADAUD, BATTRE, DÉMÉNAGER, ERRER, RAISON, RÊVER

DIVAGUER débloquer, délirer, dérailler, égarer (s')

DIVAN → LIT, MEUBLE, POÉSIE, REPOS
Voir illus. **Sièges**

DIVERGENCE → DÉSACCORD, DIFFÉRENCE, FROTTEMENT, RIVALITÉ, SÉPARATION

DIVERGENCE conflit, désaccord, dissension, fossé, malentendu

DIVERGENT → CONTRAIRE (2), DIFFÉRER, DISCORDANT, LENTILLE, MOUVEMENT, OPPOSÉ

DIVERGER → VARIER

DIVERS → HÉTÉROGÈNE, MULTIPLE, NOMBREUX, PLUSIEURS, VARIÉ

DIVERS composite, différent, disparate, distinct, éclectique, hétérogène, maint, multiple, nombreux (de), partagé, plusieurs, varié

DIVERSIFICATION
Voir tab. **Entreprise (vocabulaire de l')**

DIVERSIFIÉ → VARIÉ

DIVERSIFIER → VARIER

DIVERSION → DISTRACTION

DIVERSION dérivatif, détourner, distraction, divertissement, ruser, tromper

DIVERSITÉ → RICHESSE, VARIÉTÉ

DIVERSITÉ hétérogénéité, multiplicité, pluralité, variété

DIVERTIMENTO → DIVERTISSEMENT

DIVERTIR → DÉTOURNER, DISTRAIRE, ÉGAYER, ÉVADER (S'), JOUER, RÉJOUIR, RIRE

DIVERTIR amusant, amuser (s'), bouffon, clown, comique, dissiper, distraire (se), fou, pitre, plaisant, réjouissant

DIVERTISSANT → AMUSANT, PLAISANT

DIVERTISSEMENT → ACTIVITÉ, ATTRACTION, COMÉDIE, DISTRACTION, DIVERSION, FÊTE, JEU, PLAISIR, RÉJOUISSANCE, SPECTACLE

DIVERTISSEMENT distraction, divertimento, jeu, loisir, passe-temps, récréation

DIVIDENDE → DIVISION, INTÉRÊT, NOMBRE

DIVIN → ADMIRABLE, DÉLICIEUX, ÉTERNEL, IMMATÉRIEL, SAVEUR, SAVOUREUX, SUBLIME, SUPRÊME

DIVINATION → AVENIR, CONSULTATION, INSPIRATION, INTERPRÉTATION, INTUITION, PRÉDICTION
Voir tab. **Sciences occultes**

DIVINATION arithmomancie, augure, auspices, chéloniomancie, chiromancie, devin, haruspice, oniromancie, ornithomancie, prédication, présage, prophétie, pythonisse, rhabdomancie

DIVINEMENT → PARFAITEMENT

DIVINEMENT excellent, magnifiquement, merveilleusement, souverainement, suprêmement

DIVINISER → GLORIFIER

DIVINITÉ → DÉESSE, RELIGION

DIVISER → COUPER, DÉCOMPOSER, DÉCOUPER, MORCELER, OPPOSER

DIVISER cliver (se), décomposer, découper, démembrer, disjoindre, exfolier (s'), fendre (se), fractionner, fragmenter, graticuler, lotir, parceller, percussion, répartir (se), scinder (se), sectionner, segmenter, séparer, tomer, trancher, tronçonner

DIVISEUR → DIVISION, NOMBRE

DIVISION → ARTICLE, CALCUL, CAVALERIE, CLUB, DÉCOMPOSITION, DÉPARTEMENT, DÉSACCORD, FRACTION, OPÉRATION, QUOTIENT, SPÉCIALITÉ, TROUPE, UNITÉ
Voir tab. **Mathématiques (symboles)**

DIVISION arrondissement, canton, caste, centi-, chant, chapitre, circonscription, clan, classe, commune, couplet, déci-, découpage, département, dis-, dividende, épisode, fission, milli-, paragraphe, plan, province, quotient, région, régionalisation, reste, scission, séquence, strophe, surate, tribu, verset

DIVISIONNAIRE → INSPECTEUR

DIVISIONNISME → TOUCHE
Voir tab. **Peinture et décoration**

DIVORCE → DISSOLUTION, RUPTURE, SÉPARATION

DIVORCE abandon, adultère, consentement mutuel (par), délai de viduité, divorce-répudiation, infidélité, rupture, séparation, séparation de corps, séparation de fait

DIVORCE-RÉPUDIATION → DIVORCE

DIVORCER → BROUILLER, DÉSUNIR (SE), NOCE, QUITTER, ROMPRE

DIVULGATION → COMMUNICATION, EXPANSION, FUITE, RÉVÉLATION

DIVULGUER → ANNONCER, BRUIT, COMMUNIQUER, CONNAÎTRE, DÉVOILER, LIVRER, MANIFESTER, PRÉSENTER, PROCLAMER, PROPAGER, PUBLIC (2), RÉPANDRE, SAVOIR (2), TRAHIR, TRANSMETTRE

DIVULGUER dévoiler, ébruiter, révéler

DIX cartouche, déca-, décachorde, décade, Décalogue, *Décaméron*, décan, décathlon, décem-, décemvir, décennie, déci-, décimation, décuple, décurie, dizain

DIX DE DER
Voir tab. **Belote**

DIX-CORS → CERF

DIXIELAND → JAZZ

DIXIÈME décadi, décembre, messidor

DIZAIN → DIX

DIZYGOTE → JUMEAU

DJ
Voir tab. **Musiques nouvelles**

DJABR → MARI

DJAMI → ISLAM

DJEBEL → MONTAGNE

DJELLABA → MUSULMAN (1), ROBE, VÊTEMENT
Voir illus. **Modes et styles**

DJEMBÉ → PERCUSSION
Voir illus. **Percussions**

DJICH → TROUPE

DJIHAD → GUERRE, ISLAM, MUSULMAN (1)
Voir tab. **Islam (vocabulaire de l')**

DJINN → DÉMON, ESPRIT, GÉNIE

DNS
Voir tab. **Internet**

DOCILE → FACILE, FLEXIBLE, MALLÉABLE, MANIABLE, OBÉISSANT, PASSIF (2), SAGE, SOUPLE

DOCILE apprivoiser, discipliné, doux, facile, obéissant, sage, soumettre, souple

DOCILITÉ → OBÉISSANCE

DOCIMASIE → CADAVRE, TEST

DOCIMOLOGIE → EXAMEN, TEST

DOCK → BASSIN, ENTREPÔT, HANGAR, QUAI

DOCKER → PORT

DOCMARTENS
Voir illus. **Modes et styles**

DOCTE → CULTURE, ÉRUDIT (2), SAVANT (2), SAVOIR (2)

DOCTEUR → MÉDECIN, PÈRE

DOCTEUR charlatan, doctorat, doctoresse, ès, honoris causa, massorète, médicastre, mollah, Père, rabbin, scribe, spécialisation, théologien, uléma

DOCTEUR DE LA LOI → THÉOLOGIE

DOCTORAL → DOGMATIQUE, GRAVE, MAGISTRAL, SAVANT (2), SENTENCIEUX, SOLENNEL

DOCTORANT → UNIVERSITÉ

DOCTORAT → DIPLÔME, DOCTEUR, UNIVERSITÉ

DOCTORESSE → DOCTEUR

DOCTRINAIRE → SYSTÉMATIQUE

DOCTRINE → CROYANCE, IDÉE, PARTI, PENSÉE, PHILOSOPHIE, RELIGIEUX (2), SECTE, SYSTÈME, THÉORIE

DOCTRINE dogme, école, enseigner, ignorantins, -isme, opinion, système, théorie, thèse

DOCUMENT → ACTE, INFORMATION, MATÉRIAU, PAPIER, PIÈCE, RENSEIGNEMENT

DOCUMENT annales, archives, audiovisuel, chemise, chronique, classeur, documentaire, documentation, écrit, électronique, fichier, informatique, Mémoires, pièce, sonore, télématique, visuel

DOCUMENTAIRE → DOCUMENT, FILM, INFORMATION, REPORTAGE

DOCUMENTALISTE → ARCHIVES, SCOLAIRE, UNIVERSITÉ

DOCUMENTATION → DOCUMENT, RENSEIGNEMENT

DOCUMENTER (SE) → INFORMER

DODÉC(A)- → DOUZE

DODÉCAÈDRE → DOUZE
Voir illus. **Géométrie (figures de)**

DODÉCAGYNE → DOUZE

DODÉCAPHONISME → DOUZE, MUSIQUE, SÉRIE
Voir tab. **Musique (vocabulaire de la)**

DODÉCASTYLE → DOUZE

DODÉCASYLLABE → DOUZE, VERS

DODELINER → BALANCER

DODU → CHAIR, GRAS, PLANTUREUX, ROND (2)

DOGMATIQUE → AFFIRMATION, IMPÉRIEUX, MAGISTRAL, SENTENCIEUX, SYSTÉMATIQUE

DOGMATIQUE assuré, autoritaire, catégorique, doctoral, fanatisme, intolérance, intransigeance, magistral, péremptoire, sentencieux, tranchant

DOGME → CERTITUDE, CROYANCE, DOCTRINE, FOI, RÈGLE, RELIGIEUX (2), VÉRITÉ

DOIGT → BRIN, CINQ, DOSE, GOUTTE, LARME, PEU (1), QUANTITÉ, SOUPÇON
Voir illus. **Oiseau**
Voir tab. **Forme de... (en)**
Voir illus. **Superstitions**

DOIGT annulaire, artiodactyle, auriculaire, boudin, brachydactyle, dactyl-, dactylo-, dactylologie, dé, délot, digiforme, digital, digiti-, digitigrade, doigtier, empan, goutte, imparidigités, index, macrodactyle, majeur ou médius, ongle, onglée, orteil, panaris, paridigitidés, périssodactyles, phalange, phalangette, phalangine, pigeonneau, pouce, poucier, prestidigitateur, tourniole

DOIGTÉ → ADRESSE, DIPLOMATE, DIPLOMATIE, HABILETÉ, SAVOIR-FAIRE, TACT

DOIGTIER → DOIGT

DOJO → ART MARTIAL, JUDO

DOL → CONTRAT
Voir tab. **Droit (termes de)**

DOLBY → BRUIT

DOLÉANCE → GRIEF, LAMENTATION, PLAINTE, RÉCLAMATION, REGRET

DOLENT → PLAINDRE, SOUFFRANT

DOLIC → HARICOT

DOLICHOCÉPHALE → CRÂNE (1), RACE, TÊTE

DOLICHOTIS → LIÈVRE

DOLINE → DÉPRESSION
Voir tab. **Géographie et géologie (termes de)**

DOLLAR → VERT (2)

DOLMAN → VESTE, VÊTEMENT
Voir illus. **Manteaux**

DOLMAS
Voir tab. **Spécialités étrangères**

DOLMEN → DIABLE, MENHIR, PIERRE, TABLE

DOLOIRE → HACHE

DOLOMIE → MAGNÉSIUM

DOLOMITE → MARBRE
Voir tab. **Minéraux et utilisations**

DOLOR- → DOULEUR

DOLORISME → DOULEUR

DOLOSIVE → FRAUDE

DOM → RELIGIEUX (1)
Voir tab. **Catholique romain (vocabulaire)**

DOM-TOM → DÉPARTEMENT, FRANÇAIS (2)

DOMAINE → ACTIVITÉ, CAPITAL (1), CHAMP, COMPÉTENCE, DISCIPLINE, ÉTENDUE, EXPLOITATION, MATIÈRE, PERSPECTIVE, PROPRIÉTÉ, RAYON, RESSORT, ROYAUME, SECTEUR, SPÉCIALITÉ, SPHÈRE, TERRE, UNIVERS

DOMAINE apanage, branche, champ, estancia, étendue, exploitation, fazenda, hacienda, latifundium, matière, partie, patrimoine, propriété, secteur, spécialité, terre, territoire

DOMANIAL → ÉTAT

DÔME → CERCLE, COUPOLE, FOUR, MONTAGNE, SOMMET, TOIT, VOÛTE

DOMESTICATION → CONQUÊTE

DOMESTICITÉ → DOMESTIQUE (1), PERSONNEL (1)

DOMESTIQUE → BÊTE (1), BONNE, CHAMBRE, EMPLOYÉ, FAMILLE, FEMME, GENS, SAUVAGE, VALET

DOMESTIQUE (1) bonne, boy, cameriste, chasseur, domesticité, employé de maison, factotum, fatma, femme de chambre, femme de ménage, gage, gouvernante, groom, intendant, liftier, maître d'hôtel, majordome, nurse, personnel de maison, régisseur, serviteur, soubrette, valet, valetaille

DOMESTIQUE (2) apprivoisé, familier, lares, ménager, pénates

DOMESTIQUER → APPRIVOISER, DRESSER

DOMICILE → DEMEURE, LOGEMENT, MAISON, RÉSIDENCE, ZODIAQUE

DOMICILE beatnik, chez-soi, colporteur, emménager, établir (s'), fixer (se), forain, foyer, habitation, installer (s'), itinérant, nomade, résidence, SDF, siège, télétravail, vagabond, voyageur

DOMINANT → DEGRÉ, GÈNE, GÉNÉRAL, HAUT (2)

DOMINANT ascendant, hégémonie, leadership, suprématie

DOMINATION → AUTORITÉ, CONQUÊTE, DÉPENDANCE, EMPIRE, EMPRISE, ESCLAVAGE, FORCE, HÉGÉMONIE, IMPULSION, INFLUENCE, MAÎTRISE, OPPRESSION, POUVOIR, PRÉPONDÉRANCE, PUISSANCE, RÈGNE, TYRANNIE

DOMINATION ascendant, -cratie, dictature, emprise, influence, joug, tyrannie

DOMINER → COMMANDER, CONTENIR, ÉCRASER, EMPORTER, GOUVERNER, MAÎTRE (2), MAÎTRISER,

MATER, MENER, POSSÉDER (SE), RAISONNER (SE), SANG-FROID, SOUMETTRE, SUBJUGUER, SURMONTER, SURPASSER, TRIOMPHER, VAINCRE

DOMINER assujettir, avoir barre sur, contenir, diriger, gouverner, maîtriser (se), prendre sur soi, régenter, régner sur, réprimer, soumettre, surclasser, surmonter, surpasser, surplomber

DOMINICAINS → MENDIANT (2)

DOMINICAL → DIMANCHE

DOMINO → BAL, CAPUCHON, CARNAVAL, COSTUME, DÉGUISEMENT, MASQUE

DOMITE
Voir tab. **Roches et minerais**

DOMMAGE → CARGAISON, COMPTE, DÉGÂT, IDIOT, MAL (1), PERTE, PRÉJUDICE, SINISTRE (1), TORT
Voir tab. **Assurance (vocabulaire de l')**

DOMMAGE avarie, contrariant, dédommagement, dégât, déprédation, détérioration, ennuyeux, fâcheux, indemne, indemnité, intact, perte, préjudice, ravage, regrettable, tort, vimaire

DOMMAGEABLE → DÉFAVORABLE, NÉFASTE, NUISIBLE

DOMOTIQUE → GESTION, INFORMATIQUE, ROBOT
Voir tab. **Informatique**

DOMPTER → APPRIVOISER, CALMER, COMMANDER, DRESSER, MAÎTRISER, SOUMETTRE, SURMONTER, TRIOMPHER, VAINCRE

DOMPTEUR → CIRQUE, FORAIN

DOMRA
Voir tab. **Instruments de musique**

DON → AUMÔNE, CADEAU, CAPACITÉ, CONCESSION, FACILITÉ, GÉNIE, NOBLESSE, OFFRANDE, PRÉDISPOSITION, QUALITÉ, RÉCOMPENSE, SECOURS, SUBSISTER, TALENT

DON allocation, aumône, bakchich, bénédiction, cadeau, cession, dation, donation, épices, étrenne, fidéicommis, grâce, gratification, legs, manne, matabiche, oblation, obole, offrande, parrainage, pot-de-vin, potlatch, pourboire, présent, sacrifice, sponsorisation, sportule, subside, subvention

DON (FAIRE) → CÉDER

DON JUAN → CŒUR, GALANT, JUPON, LIBERTIN, SÉDUCTEUR

DON QUICHOTTE → DÉFENSEUR

DOÑA → DAME

DONALD DUCK
Voir tab. **Bande dessinée (héros de)**

DONATAIRE → HÉRITIER

DONATEUR → BIENFAITEUR

DONATION → CESSION, DON

DONATISME → HÉRÉSIE

DONC → CONSÉQUENCE

DONJON → TOUR
Voir illus. **Château fort**

DONNE
Voir tab. **Belote**

Voir tab. **Bridge**
Voir tab. **Poker**
Voir tab. **Tarot**

DONNÉ → RÉEL

DONNÉE → BANQUE, ÉLÉMENT, MATÉRIAU, PARAMÈTRE, RENSEIGNEMENT, STATISTIQUE

DONNÉE banque, base, élément, énoncé, hypothèse, information, renseignement

DONNER → APPORTER, CONCÉDER, CONFIER, DÉBOUCHER, DÉCLINER, DÉFAIRE, DISPENSER, DISTRIBUER, ÉTIRER, FILER, FOURNIR, INDIQUER, INFLIGER, LÉGUER, OFFRIR, OUVRIR, PORTER, PRÊTER, PROCURER, PRODIGUER, PRODUIRE, PROPAGER, RECONNAÎTRE, RENDRE, RENDRE (SE), REPRÉSENTER, VERSER

DONNER accorder, adonner à (s'), assener, attribuer, céder, consacrer à (se), distribuer, éveiller, gratifier de, imputer, infliger, laisser, octroyer, offrir, prêter, procurer, rémunérer, représenter, rétribuer, sacrifier pour (se), susciter, verser, vouer à (se)

DONNER CRÉDIT → COMPTANT

DONNER DES NOMS D'OISEAUX À → INJURE

DONNER LA MORT → TUER

DONNER LE SEIN → TÉTER

DONNER RAISON → JUGER

DONNER TORT → JUGER

DONNEUR
Voir tab. **Belote**
Voir tab. **Bridge**
Voir tab. **Poker**
Voir tab. **Tarot**

DONNEUR D'ORDRE → OPÉRATEUR

DONT → RELATIF

DOPANT → STIMULANT

DOPE → DROGUE, FOUET

DOPER → STIMULANT

DOPPLER
Voir tab. **Examens médicaux complémentaires**

DORÉ → BLOND, CHAIR, HÂLÉ
Voir tab. **Couleurs**

DORÉ ambré, bronzé, bruni, cuivré, dorine, grigne, lamée, mordoré, pailletée, vermeil

DORÉE jean-doré, poisson de saint Christophe, poule de mer, saint-pierre, tanche

DORÉNAVANT → MAINTENANT

DORER → BRONZER, JAUNIR, REVENIR, RÔTIR
Voir tab. **Cuisine**

DORER abuser, bronzer, leurrer, revenir, rissoler, tromper

DORIEN → GREC

DORINE → DORÉ

DORIQUE → GREC, ORDRE
Voir illus. **Colonnes**

DORIS
Voir tab. **Bateaux**

DORLOTER → GÂTER, PRODIGUER, SOIN

DORMANCE → REPOS

DORMANT → FIXE (2), IMMOBILE
Voir illus. **Fenêtre**
Voir illus. **Intérieur de maison**

DORMANT fixe, immobile, stagnant

DORMEUR → BÉBÉ
DORMEUSE → BOUCLE
Voir illus. **Sièges**
DORMIR → BRAS, BULLE, COUCHER, INACTION
DORMIR assoupir (s'), chambre, dortoir, écraser (en), endormir (s'), hypersomnie, insomnie, méridienne, narcolepsie, narcotique, pioncer, sieste, somme, sommeiller, somnifère, somnoler, soporifique, stagnant
DORMITION → SOMMEIL, VIERGE (1)
DOROIR → PAIN
DORON
Voir tab. **Géographie et géologie (termes de)**
DORSAL → DOS, PARACHUTE
DORSAL (GRAND) → ÉPAULE
DORSALE (NAGEOIRE) → NAGEOIRE, POISSON
Voir illus. **Poisson**
DORSALE (VERTÈBRE) → VERTÈBRE
Voir illus. **Squelette**
DORSALGIE → COLONNE VERTÉBRALE, DOS, MANIPULATION
Voir tab. **Douleur**
DORTOIR → CHAMBRE, DORMIR
DORURE
Voir illus. **Livre relié**
DORYPHORE → PARASITE (1), POMME DE TERRE
DOS → BORD, BROSSE, DERRIÈRE (1), ÉCHINE, ENVERS, RELIURE, REVERS
Voir illus. **Arcs et arbalète**
Voir illus. **Livre relié**
Voir illus. **Oiseau**
DOS abandonner, acculé (être), adosser (s'), bossu, céder, coccyx, colonne vertébrale, courbature, dédaigner, dorsal, dorsalgie, dossier, échine, endos, espionner, être acculé, lombes, lumbago, noto-, notomèle, notonecte, omoplates, râble, résigner (se), revers, sacrum, surveiller, verso
DOS CRAWLÉ → NAGE
DOSE → POINTE, QUANTITÉ
DOSE dé à coudre, doigt, goutte, mesure, overdose, pincée, posologie, prise, quantité, surdose
DOSER → MESURER
DOSSARD → SPORTIF (1)
DOSSE → PLANCHE, TRANCHÉE, TRONC
DOSSIER → AFFAIRE, BUREAU, CLASSEMENT, DOS, RENSEIGNEMENT, RÉPERTOIRE
Voir illus. **Sièges**
DOSSIER affaire, canapé, cas, cathèdre, chaise, clou, compulser, consulter, étoffe, fauteuil, frange, garniture, marquise, ottoman, veilleuse, voltaire
DOSSIÈRE → CUIRASSE, TORTUE
DOS-VERT
Voir tab. **Prostitution**
DOT → MARIAGE
DOTATION → PENSION, REVENU, TRAITEMENT
DOTÉ → DOUÉ DE
DOTER → JOUIR, MUNIR
DOUAIRE → VEUVE

DOUANE → BARRIÈRE
DOUANE ad valorem, contrebandier, douanier, entrepôt, exportation, fouilleur, importation, inspecteur, loi du cadenas, passavant, receveur, spécifique, transit, triptyque, vérificateur
DOUANIER → DOUANE, FRONTIÈRE
DOUAR → TENTE
DOUARNENEZ
Voir tab. **Habitants (comment se nomment les)**
DOUARNENISTES
Voir tab. **Habitants (comment se nomment les)**
DOUBLAGE → ADAPTATION, DIALOGUE, RENFORT, VERSION
DOUBLE → EXPÉDITION, NOURRICE, PENDANT (1), RÉPLIQUE
Voir illus. **Champignon**
DOUBLE (1) alter ego, copie, dualité, duplicata, duplicité, fac-similé, jumeau, photocopie, réplique, reproduction, sosie
DOUBLE (2) ambigu, amphibologie, doublon, dualisme, équivoque, géminée, polysémie
DOUBLE APPEL → PORTABLE
DOUBLE BARRE
Voir illus. **Symboles musicaux**
DOUBLE BÉMOL → ALTÉRATION
Voir illus. **Symboles musicaux**
DOUBLE BOUCLE
Voir illus. **Main**
DOUBLE CARRÉ
Voir tab. **Papier (formats de)**
DOUBLE COLOMBIER
Voir tab. **Papier (formats de)**
DOUBLE COURONNE
Voir tab. **Papier (formats de)**
DOUBLE CROCHE
Voir illus. **Symboles musicaux**
DOUBLE DIÈSE → ALTÉRATION
Voir illus. **Symboles musicaux**
DOUBLE JÉSUS
Voir tab. **Papier (formats de)**
DOUBLE PAIRE → POKER
Voir tab. **Poker**
DOUBLE RAISIN
Voir tab. **Papier (formats de)**
DOUBLE SCULL
Voir illus. **Aviron**
DOUBLE VITRAGE
Voir illus. **Maison**
DOUBLÉ → FILM
DOUBLEAU → BERCEAU, VOÛTE
DOUBLE-FACE → COLLANT
DOUBLER → DÉPASSER, PARER, RECOUVRIR
DOUBLER augmenter, devancer, postsynchroniser, remplacer, surpasser
DOUBLET → MOT
DOUBLETON
Voir tab. **Bridge**
DOUBLEUR
Voir tab. **Photographie (vocabulaire de la)**
DOUBLON → DOUBLE (2), ERREUR, FAUTE, IMPRESSION, RÉPÉTITION, TYPOGRAPHIE
DOUBLURE
Voir tab. **Couture**
DOUBLURE cascadeur, coiffe, crevé, débord, fourrure,

matelassé, ouate, passepoil, percaline, taillade
DOUCE → CACHETTE, CALME, DISCRET, VELOURS
DOUCEÂTRE → DOUX, FADE, SUCRÉ
DOUCEMENT → DÉLICATEMENT, LENTEMENT, MOLLEMENT, PEU (2)
DOUCEMENT délicatement, faiblement, légèrement, pianissimo, piano
DOUCEREUX → DOUX, FADE, HYPOCRITE, SOURNOIS, SUAVE, SUCRÉ
DOUCETTE
Voir tab. **Salades**
DOUCEUR → BONBON, CLÉMENCE, COLOMBE, CONFISERIE, FRIANDISE, GALANTERIE, GOURMANDISE, JOIE, JOUISSANCE, TENDRESSE
DOUCEUR benoît, délicatesse, légèreté, melliflue, mielleux, mignard, onctuosité, patelin, quiétude, satiné, sérénité, suavité, tendresse, tiédeur, velouté
DOUCHE → PLUIE
DOUCHER → ARROSER, LAVER, RINCER
DOUCHETTE → CODE, DOUCHE
DOUCINE → MENUISIER, MOULURE, RABOT
DOUCIR → LUSTRER, MÉTAL, POLIR
DOUDOUNE → DUVET, VESTE
Voir illus. **Manteaux**
Voir illus. **Modes et styles**
DOUÉ → BRILLANT (1), CAPABLE, EXCELLENT, FORT (1), PRÉCOCE
DOUÉ brillant, doté de, fort
DOUELLE → PLANCHE, TONNEAU
Voir tab. **Architecture**
DOUILLE → CARTOUCHE, MANCHE, MANCHON
Voir illus. **Cartouches**
DOUILLER → COÛTER
DOUILLET → MOELLEUX, MOU
DOUILLETTE → MANTEAU, ROBE, VÊTEMENT
Voir illus. **Manteaux**
DOUILLON AUX POMMES
Voir tab. **Gâteaux régionaux et étrangers**
DOULEUR → CHAGRIN, MAL (1), MEURTRISSURE, PEINE, PINCEMENT, SOUFFRANCE
Voir tab. **Phobies**
DOULEUR affliction, aiguë, alg(o)-, -algésie, algésiogène, -algie, algomanie, algophilie, analgésie, analgésique, analgie, anesthésie, anodine, antalgique, bénigne, bobo, déréliction, détresse, deuil, dolor-, dolorisme, erratique, irradiante, lancinante, mal, masochisme, pongitive, pulsative, souffrance, tristesse
DOULOUREUX → AMER, DÉCHIRANT, DIFFICILE, LAMENTABLE, PÉNIBLE, PESANT, PITOYABLE, SENSIBLE
DOUM → NAIN, PALMIER
DOUMER (PAUL)
Voir tab. **Rois et chefs d'État de la France**
DOUMERGUE (GASTON)
Voir tab. **Rois et chefs d'État de la France**

DOUNDOUNBA
Voir illus. **Percussions**
DOUPION → SOIE
Voir tab. **Tissus**
DOUTE → ADVERBE, CRISE, EMBARRAS, INCERTITUDE, INCROYANCE, INDÉCISION, INQUIÉTUDE, PERPLEXITÉ, RÉSERVE, RÉSISTANCE, SOUPÇON, TROUBLE (1)
Voir tab. **Fêtes religieuses**
DOUTE agnosticisme, dubitatif, hésitation, incertitude, incontestable, indubitable, indubitablement, irrésolution, méfiance, perplexité, peut-être, probablement, scepticisme, sceptique, soupçon, sûrement, suspicion, vraisemblablement
DOUTER → DÉSESPÉRER, DEVINER, FIER (SE), INTERROGER, SOUPÇONNER
DOUTER certain, déterminé, deviner, incertitude, réticence, soupçonner, subodorer, supposer, sûr
DOUTEUX → CAUTION, DANGEREUX, ÉQUIVOQUE (2), HYPOTHÉTIQUE, INCERTAIN, INDÉCIS, LOUCHE, ORTHODOXE, SUSPECT, VAGUE (2)
DOUTEUX contestable, grenouillage, hypothétique, incertain, louche, magouille, malpropre, mauvais, sale, suspect
DOUVAIN → CHÊNE
DOUVE → FOSSÉ, PLANCHE, TONNEAU, VER
Voir illus. **Château fort**
Voir tab. **Animaux (classification simplifiée des)**
DOUVELLE → PLANCHE, TONNEAU
DOUX → DOCILE, GENTIL, INSENSIBLE, MOELLEUX, PÂLE, PATIENT (2), PLACIDE, SATIN, SENSIBLE, SOURD, SUAVE, SUCRÉ, TENDRE (2)
DOUX affable, amène, débonnaire, douceâtre, doucereux, édulcorer, fade, liquoreux, moelleux, onctueux, satiné, sirupeux, soyeux, tamisé, tempéré, tendre, voilé
DOUZAINE grosse
DOUZE alexandrin, apôtres, dodéc(a)-, dodécaèdre, dodécagyne, dodécaphonisme, dodécastyle, dodécasyllabe, duodécimal, duodénum, Hercule (travaux d'), mois du calendrier républicain, salmanazar, zodiaque (signes du)
DOUZIÈME PROVISOIRE → BUDGET
DOW JONES → BOURSE, COURS
Voir tab. **Bourse**
DOWNBEAT
Voir tab. **Musiques nouvelles**
DOXOLOGIE → DIEU, PRIÈRE
Voir tab. **Prières et offices de l'Église catholique romaine**
DOYEN → AÎNÉ, ANCIEN (1), FACULTÉ, PRÊTRE, UNIVERSITÉ
DOYEN décanat, doyenné
DOYEN DE FACULTÉ
Voir tab. **Politesse (formules de)**

DOYENNÉ → DOYEN, HABITATION, POIRE

DPI
Voir tab. **Photographie (vocabulaire de la)**

DRACÉNOIS
Voir tab. **Habitants (comment se nomment les)**

DRACHE → AVERSE, PLUIE

DRACHME → GREC

DRACONIEN → AUSTÈRE, CRUEL, RADICAL (2), RIGOUREUX, SÉVÈRE, STRICT

DRACULA → MONSTRE

DRAG QUEEN → SEXE

DRAGAGE → CANAL

DRAGÉE → BONBON, CONFISERIE, MÉDICAMENT, PASTILLE, PILULE, PLOMB

DRAGÉE amande, baptême, chocolat, communion, drageoir, liqueur, mariage, orangeat, perles, pignolat

DRAGEOIR → BOÎTE, BONBON, DRAGÉE

DRAGEON → BOURGEON, POUSSE

DRAGLINE → VÉHICULE

DRAGON → CAVALERIE, CRACHER, GARDIEN, IMAGINAIRE (2), LÉGENDE, LÉZARD, MONSTRE, SOLDAT, SURNATUREL
Voir tab. **Animaux fabuleux**

DRAGON cavalerie, cerbère, chimère, dragonnade, guivre, hydre, tarasque

DRAGON (LE) → DIABLE

DRAGON BALL Z
Voir tab. **Bande dessinée (héros de)**

DRAGONNADE → DRAGON, PERSÉCUTION

DRAGONNE → CORDON, GALON, POIGNÉE, SABRE

DRAGSTER → MOTOCYCLETTE

DRAGUE → CRUSTACÉ, PÊCHE, PELLE
Voir tab. **Bateaux**

DRAGUER → BOUE, COURTISER, NETTOYER, VASE

DRAGUER conter fleurette, courtiser, curer, désenvaser, faire la cour, nettoyer, séduire

DRAGUEUR → MINE

DRAGUEUR DE MINES
Voir tab. **Bateaux**

DRAGUIGNAN
Voir tab. **Habitants (comment se nomment les)**

DRAILLE → CHEMIN, CORDAGE, MONTAGNE, PISTE

DRAIN → CANALISATION, SONDE, TUBE
Voir tab. **Instruments médicaux**

DRAINAGE → EMPIERREMENT, PÉTROLE
Voir tab. **Chirurgie (vocabulaire de la)**

DRAINE → GRIVE

DRAINER → ASSAINIR, CONDUIRE, ÉGOUTTER, MARAIS, SÉCHER

DRAINER assainir, assécher, attirer, collecter, fossé, gouttière, rassembler, rigole

DRAISIENNE → BICYCLETTE

DRAKKAR → NAVIRE
Voir tab. **Bateaux**

DRAMATIQUE → CATASTROPHIQUE, DÉCHIRANT, ÉMOUVANT, GRAVE, PATHÉTIQUE (2), TRAGIQUE

DRAMATIQUE arioso, comédie, dramaturge, dramaturgie, drame, émouvant, fado, grave, opéra, pathétique, poignant, saisissant, scénique, terrible, théâtrale, tragédie, tragique

DRAMATISER → EXAGÉRER, GROSSIR, NOIRCIR

DRAMATURGE → AUTEUR, DRAMATIQUE, ÉCRIVAIN, THÉÂTRE

DRAMATURGIE → DRAMATIQUE

DRAME → CATASTROPHE, CAUCHEMAR, DRAMATIQUE, ÉVÉNEMENT, MALHEUR, PIÈCE, TRAGÉDIE

DRAME auto, bourgeois, cantate, mélodrame, mimodrame, miracle, mystère, naturaliste, nô, oratorio, romantique

DRAP → SERVIETTE
Voir tab. **Tissus**

DRAPÉ → PLI
Voir tab. **Couture**

DRAPEAU → ENSEIGNE, GUIDON, PATRIE, SIGNAL
Voir tab. **Collectionneurs**

DRAPEAU ballant, bannière, canton, cornette, cravate, enseigne, espar, étamine, fanion, gonfalon, guidon, guindant, hampe, oriflamme, pavillon, pavois, pennon, vexille, vexillologie

DRAPEAU BLANC → CAPITULATION

DRAPEAU NOIR → ANARCHIE

DRAPER → HABILLER

DRAPERIE → DÉCOR

DRASTIQUE → ACTIF, LAXATIF, PUISSANT, RADICAL (2)

DRAYER → TANNAGE

DREADLOCK → TRESSE

DRÈCHE → BIÈRE, DISTILLATION

DRÈGE → LIN, PEIGNE

DRÉPANI
Voir tab. **Oiseaux (classification simplifiée des)**

DRESSAGE → SELLE
Voir tab. **Sports**

DRESSER → APPRIVOISER, ÉTABLIR, EXERCER, LEVER, MAÎTRISER, METTRE, PASSER, PLACER, PLANTER, POLIR, PRÉPARER, PRÊTER, RÉDIGER, TENDRE (1)
Voir tab. **Cuisine**

DRESSER affaiter, aplanir, apprivoiser, arborer, braquer, cabrer, débourrer, dégauchir, domestiquer, dompter, élever, équarrir, ériger, établir, exciter, lever, mettre, monter, raboter, rédiger, rifler, varloper, verbaliser

DRESSER (SE) → CAMPER (SE), COMBATTRE, HISSER (SE), OPPOSER

DRESSER (SE) hérisser (se), insurger contre (s'), opposer à (s'), révolter contre (se)

DRESSER CONTRE → BRAQUER

DRESSEUR → FORAIN

DRESSING → VESTIAIRE

DRESSING-ROOM → VESTIAIRE

DRESSOIR → BUFFET, MEUBLE

DREUX
Voir tab. **Habitants (comment se nomment les)**

DREUX À LA FEUILLE
Voir illus. **Fromages**

DRÈVE → CHEMIN

DRIADES
Voir tab. **Mythologiques (créatures)**

DRIBBLER → FOOTBALL

DRIFT → DÉPÔT

DRILLE → BON VIVANT, BURIN, PERCEUSE

DRINGUELLE → GRATIFICATION

DRINN → DÉSERT

DRISSE → CORDAGE, VOILE
Voir illus. **Drapeaux**

DRIVE → GOLF

DROGUE → CAMELOTE, HALLUCINATION, PHARMACIE

DROGUE accoutumance, accro, antidépresseur, assuétude, black tar, came, chnouf, cocaïne, codéine, crack, dealer, défonce, dope, drugwipe, euphorisant, fixe, flash, haschisch, héroïne, joint, junkie, kif, LSD, lysergide, marijuana, mescaline, méthadone, morphine, narcotique, narcotrafiquant, opium, pétard, pharmacodépendance, psilocybine, psychotrope, shoot, somnifère, stimulant, stupéfiant, toxicomane

DROGUERIE → BAZAR, BOUTIQUE, USTENSILE

DROIT → ACQUIS, AUTORISATION, CARRÉ (2), CHANDELLE, DEVOIR, FACE, FACULTÉ, HONNÊTE, IMPOSITION, IMPÔT, JUSTE, LÉGISLATION, LIBERTÉ, LOYAL, MONNAIE, PIANO, PLONGEON, POUVOIR, RAISON, REDEVANCE, RÈGLE, SINCÈRE, UNIVERSITÉ, VERTICAL (2)
Voir tab. **Monnaie**

DROIT (1) actes de commerce, administratif, affrètement, amnistie, arbitrage, autorisation, Bourse de commerce, civil, commercial, conflits internationaux, constitutionnel, conventions collectives, coutumes internationales, crime, délit, effets de commerce, élections, État, état civil, expulsion, faillite, finances publiques, fonctionnaires (hiérarchie des), immigration, imposition, international privé, international public, libertés publique et individuelle, maritime, nation, nationalité, naturalisation, ONU, organismes européens, patrimoine, péage, pénal, permission, personnes, peuple, police, pouvoir, prérogative, privé, privilège, public, qualité, redevance, réglementation du travail, remembrement, situation des étrangers, société, taxe, territoires sous tutelle, tribunaux, usage

DROIT (2) debout, dextre, dextrocardie, honnête, intègre, loyal, orthogonal, orthoptère, perpendiculaire, probe, rectiligne, tribord, vertical

DROIT (NŒUD)
Voir illus. **Nœuds**

DROIT COUTUMIER → JURISPRUDENCE

DROIT DE PRÉEMPTION → ANTÉRIORITÉ, PRÉFÉRENCE

DROIT DIVIN (DE) → MONARCHIE

DROIT HUMAIN → FRANC-MAÇON

DROITE → NET

DROITIER → COMMUNISME

DROITS D'AUTEUR → AUTEUR

DROITURE → FOI, FRANCHISE, INTÉGRITÉ, LOYAUTÉ, RECTITUDE

DRÔLE → COCASSE, COMIQUE, CURIEUX, HILARANT, IRRÉSISTIBLE, RIRE, RISIBLE, SPIRITUEL

DRÔLE (1) coquin, maraud

DRÔLE (2) amusant, bizarre, cocasse, curieux, étonnant, étrange, extravagant, facétieux, gai, hilarant, insolite, loufoque, poilant, tordant

DRÔLERIE → ORIGINALITÉ

DROMADAIRE → CHAMEAU, DÉSERT
Voir tab. **Animaux (termes propres aux)**

DROME → EMBARCATION
Voir tab. **Oiseaux (classification simplifiée des)**

DROMIE → CRABE

DROMOMANIE → BOUGER

DROMON
Voir tab. **Bateaux**

DROMOPHOBIE
Voir tab. **Phobies**

DRONE → AVION

DRONGO
Voir tab. **Oiseaux (classification simplifiée des)**

DRONTE
Voir tab. **Oiseaux (classification simplifiée des)**

DROP-GOAL → RUGBY
Voir illus. **Rugby**

DROPPER → LÂCHER

DROSERA → PLANTE

DROSOPHILE → MOUCHE

DROSSE → CÂBLE, CORDAGE

DROSSER → ENTRAÎNER

DROUAIS
Voir tab. **Habitants (comment se nomment les)**

DRPJ
Voir tab. **Police nationale (organisation de la)**

DRU → DENSE, ÉPAIS

DRUGWIPE → DROGUE

DRUIDE → CELTIQUE, GAULOIS

DRUMLIN → GLACIER

DRUMMER → BATTERIE

DRUPE → CERISE, NOYAU, PRUNE

DRUUNA
Voir tab. **Bande dessinée (héros de)**

DRUZISME
Voir tab. **Religions et courants religieux**

DRY → CHAMPAGNE

DRY FARMING → TERRE

DRYADE → FORÊT, NYMPHE

DST (DIRECTION DE LA SURVEILLANCE DU TERRITOIRE) → POLICE
Voir tab. **Police nationale (organisation de la)**

DTCP → VACCINATION

DT POLIO → VACCINATION

DUAL → RÉCIPROQUE (2)

DUALISME → ÂME, DOUBLE (2)

DUALITÉ → DOUBLE (1)

DUBITATIF → DOUTE, INCRÉDULE, PERPLEXE, SCEPTIQUE (2)

DUC → NOBLESSE, NOCTURNE, RAPACE

DUCASSE → FÊTE, KERMESSE

DUCE → FASCISME

DUCHESSE BRISÉE
Voir illus. **Sièges**

DUCROIRE → COMMISSION, GARANTIE, WARRANT

DUCTILE → ÉTENDRE, MALLÉABLE, SCÈNE, SOUPLE

DUCTILITÉ → MÉTAL

DUÈGNE → ACCOMPAGNATEUR, BONNE, COMPAGNIE, FEMME, GOUVERNANTE

DUEL → CHEVALIER, COMBAT, PLURIEL, RENCONTRE, SINGULIER

DUEL affaire, cartel, combat, débat, face-à-face, jeter le gant, joute, lutte, ordalie

DUEL VERBAL → FACE-À-FACE

DUFFEL-COAT → MANTEAU, VÊTEMENT
Voir illus. **Manteaux**
Voir illus. **Modes et styles**

DUGONG → VACHE
Voir tab. **Mammifères (classification des)**

DUIT → BARRAGE

DUITE → TRAME

DULCIFIER → ADOUCIR, CORRIGER

DULCIMER
Voir tab. **Instruments de musique**

DULCINÉE → BELLE, DAME

DULIE → ADORATION, ANGE, CULTE, RESPECT

DUMAS (ALEXANDRE) → MOUSQUETAIRE

DUMPER → BENNE, VÉHICULE

DUMPING → BÉNÉFICE, CONCURRENCE, EXPORTATION, IMPORTATION, VENDRE

DUNDEE → NAVIRE, VOILIER

DUNDEE CAKE
Voir tab. **Gâteaux régionaux et étrangers**

DUNE → COLLINE, DÉSERT, SABLE

DUNE DE SABLE → PLÉONASME

DUNETTE → PONT

DUNOIS
Voir tab. **Habitants (comment se nomment les)**

DUO → CONCERT, DEUX

DUODÉCIMAL → DOUZE

DUODÉNUM → DOUZE, INTESTIN (1)
Voir illus. **Digestif (appareil)**

DUODI → JOUR

DUOPOLE → VENDEUR

DUPE → MENSONGE, POIRE, VICTIME (1)

DUPER → ABUSER, ATTRAPER, AVOIR (1), BAILLER, EMBOBINER, ENJÔLER, ESCROQUER, LEURRER, MENTIR, MYSTIFIER, POSSÉDER, TROMPER

DUPER bagout, berner, cornichon, dindon, embobiner, entuber, flatterie, flouer, gruger, illusion, leurrer, pigeon, rouler, tromper

DUPERIE → MENSONGE

DUPEUR → JOUEUR

DUPLEX → APPARTEMENT, ÉTAGE

DUPLI- → DEUX

DUPLICATA → COPIE, DOUBLE (1), EXPÉDITION, REPRODUCTION

DUPLICATION → RÉPÉTITION, REPRÉSENTATION, REPRODUCTION

DUPLICITÉ → DISSIMULATION, DOUBLE (1), FOI, FOURBERIE, HYPOCRISIE

DUPLIQUER → COPIER, IMPRIMER

DUR → BRUTAL, CRITIQUE (2), CRU (2), CRUEL, DIFFICILE, FERME (2), FÉROCE, FROID (2), IMPITOYABLE, INFLEXIBLE, INHUMAIN, INSENSIBLE, INTRANSIGEANT, MÉCHANT, NERVEUX, PIERRE, PORCELAINE, RIGIDE, RIGOUREUX, SEC
Voir tab. **Vin (vocabulaire du)**

DUR adamantin, austère, brutal, capricieux, coriace, désobéissant, endurci, ferme, glacial, rassis, rêche, résistant, rigide, robuste, rugueux, sauvage, sévère, solide, turbulent

DURABILITÉ → STABILITÉ

DURABLE → ÉTERNEL, FIXE (2), IMMUABLE, PERMANENT, SÉRIEUX (2), SOLIDE, STABLE, TENACE, VIVACE

DURABLE consacrer, consolider, constante, enraciner, fixer, instituer, pérenniser, permanent, persistant, solide, stable, vivace

DURABLEMENT → PROFONDÉMENT

DURAMEN → TRONC

DURANT → COURS, PENDANT (2)

DURCIR → AFFERMIR, FORTIFIER, RIGIDE, SOLIDE

DURCIR ciment, concréter, épaissir, indurer (s'), lut, mastic, plâtre, solidifier, tremper

DURCIR (SE) → CONTRACTER (SE)

DURCIR (SE) affermir (s'), aguerrir (s'), cuirasser (se), endurcir (s'), scléroser (se)

DURE (À LA) → SÉVÈRE

DURÉE → DÉBUT, EXISTENCE, PÉRIODE, TEMPS

DURÉE espace, éternité, instant, laps de temps, moment, pérennité, période, perpétuité, phase, règne, stade, valeur

DUREMENT → LOURDEMENT, SÈCHEMENT

DURE-MÈRE → MEMBRANE, MÉNINGE

DURER → CONTINUER, PERSISTER

DURER continuer, éterniser, immortaliser, maintenir, perpétuer, persister, prolonger, proroger, résister, subsister, vivre

DURETÉ → BRUTALITÉ, FERMETÉ, FÉROCITÉ, FROIDEUR, INSENSIBILITÉ, RÉSISTANCE, SÉCHERESSE

DURETÉ consistance, cruauté, inclémence, inhospitalité, intransigeance, méchanceté, perfidie, résistance, rigidité, sécheresse, sévérité, solidité

DURILLON → ENDURCISSEMENT, OIGNON, PIED

DURIT
Voir tab. **Garagiste (vocabulaire du)**

DUROCASSES
Voir tab. **Habitants (comment se nomment les)**

DUST
Voir tab. **Thé**

DUT (DIPLÔME UNIVERSITAIRE DE TECHNOLOGIE) → DIPLÔME, UNIVERSITÉ

DUVET → BARBE, OISEAU, PLUME

DUVET bourre, cotonneux, doudoune, édredon, glabre, lanugineux, pubescent, tomenteux

DVD → FILM, NUMÉRIQUE (2)
Voir tab. **Multimédia (les mots du)**

DVD-ROM → NUMÉRIQUE (2)

DY
Voir tab. **Éléments chimiques (symbole des)**

DYKE
Voir illus. **Volcan**
Voir tab. **Géographie et géologie (termes de)**

DYNAM(O)- → FORCE

DYNAMIQUE → ACTIF, CORPS, MÉCANIQUE (1), MOUVEMENT, VIF (2)

DYNAMIQUE courant électrique, forces, inertie, Leibniz

DYNAMISANT → TONIQUE (2)

DYNAMISME → ACTIVITÉ, DÉBORDEMENT, ÉNERGIE, INITIATIVE, RESSORT, SÈVE

DYNAMO → GÉNÉRATEUR (1)
Voir illus. **Bicyclette**

DYNAMOMÈTRE → FORCE

DYNAMOMÉTRIE → MÉCANIQUE (1)

DYNASTIE → FAMILLE

DYNASTIE Bourbons, Capétiens, Carolingiens, légitimiste, Mérovingiens, succession, Valois

DYS- → DIFFICULTÉ, PERTURBATION

DYSACOUSIE → DIFFICULTÉ

DYSARTHRIE → DIFFICULTÉ, LANGAGE, PAROLE, TROUBLE (1)

DYSBARISME → DÉCOMPRESSION, MAL (1)

DYSCHROMATOPSIE → COULEUR, TROUBLE (1)

DYSCRASIQUE → MALADIE

DYSENTERIE → COLIQUE, DIARRHÉE, INTESTIN (1)

DYSFONCTIONNEMENT → NÉGLIGENCE, PERTURBATION

DYSGÉNIQUE → RACE

DYSGRAPHIE → DIFFICULTÉ, ÉCRITURE, TROUBLE (1)

DYSHARMONIE → DÉSAGRÉGATION

DYSIDROSE → MAIN

DYSKINÉSIE → TROUBLE (1)

DYSLEXIE → CONFUSION, LECTURE, TROUBLE (1)

DYSMÉNORRHÉE → MENSTRUATION

DYSMNÉSIE → RÉCENT

DYSMORPHOPHOBIE
Voir tab. **Phobies**

DYSOREXIE → FAIM, TROUBLE (1)

DYSORTHOGRAPHIE → DIFFICULTÉ, ORTHOGRAPHE

DYSOSMIE → ODORAT

DYSPEPSIE → AIGREUR, DIFFICILE, DIGÉRER, DIGESTION, EMBARRAS, ESTOMAC

DYSPHASIE → EXPRESSION

DYSPHONIE → TROUBLE (1), VOIX

DYSPNÉE → ASTHME, CŒUR, ÉTOUFFEMENT

DYSPROSIUM
Voir tab. **Éléments chimiques (symbole des)**

DYSTASIE → DIFFICULTÉ

DYSTOCIE → ACCOUCHEMENT, DIFFICILE

DYSTOMIE → PRONONCIATION, TROUBLE (1)

DYSTROPHIE → DÉGÉNÉRESCENCE

DYSTROPHIE CORNÉENNE → ŒIL

DYSURIE → COLIQUE, URINE

DYTIQUE → INSECTE

EAU → CENTRALE NUCLÉAIRE, ÉLÉMENT, FLUIDE (1), OXYGÈNE
Voir tab. **Café**
Voir tab. **Phobies**

EAU anhydre, aquatique, aquifère, déshydratation, dessiccation, hydratation, hydraulique, hydrémie, hydrogène, hydrophile, hydrophobie, hydrothérapie, nappe, oxygène

EAU ATHÉNIENNE → DÉGRAISSER

EAU DE FONTE
Voir illus. **Glacier**

EAU DE MÉLISSE → ALCOOL, CALMANT

EAU D'INFILTRATION → SOUTERRAIN (2)

EAU LOURDE → CENTRALE NUCLÉAIRE

EAU OXYGÉNÉE → ANTISEPTIQUE, DENTAIRE, OXYGÈNE

EAU RÉGALE → ACIDE (1)

EAU-DE-VIE → ALCOOL, LIQUEUR, MACÉRER
Voir tab. **Alcools et eaux-de-vie**

EAU-DE-VIE arak, armagnac, cognac, genièvre, gin, kirsch, marc, mirabelle, poire, prune, quetsche, saké, vodka, whisky

EAU-FORTE → ACIDE (1), GRAVURE

EAUX (PRENDRE LES) → BAIN

ÉBAHI → DÉCONCERTÉ, ÉPATÉ, INTERDIT (2), PÉTRIFIÉ, SAISIR, SIDÉRÉ, STUPÉFAIT

ÉBAHI abasourdi, ahuri, étonné, interdit, interloqué, médusé, sidéré, stupéfait

ÉBAHI DE (ÊTRE) → BAVER

ÉBAHIR → BLUFFER, STUPÉFIER

ÉBAHISSEMENT → ÉTONNEMENT, STUPEUR, SURPRISE

ÉBARBAGE → FINITION

ÉBARBER → LIMER, POLIR

ÉBARBURE → BAVURE

ÉBAT → CARESSE

ÉBAUBI → SIDÉRÉ, STUPÉFAIT, SURPRENDRE

ÉBAUCHE → BROUILLON (1), CANEVAS, COMMENCEMENT, CROQUER, ESQUISSE, FAÇON, JET, PREMIER (2), PROJET, SCHÉMA

ÉBAUCHE canevas, commencement, croquis, embryonnaire, esquisse, plan, projet

ÉBAUCHÉ → TIMIDE

E

ÉBAUCHER → COMMENCER, CONTOUR, DÉGROSSIR, DESSINER, INDIQUER, SCULPTER, TRACER

ÉBAUCHER amorcer, dégrossir, entamer, épanneler, esquisser

ÉBAUCHOIR → CISEAU

ÉBAUDIR → ÉGAYER

ÉBÈNE → BOIS, MARQUETERIE, NOIR (2)

Voir illus. **Piano**

Voir tab. **Couleurs**

ÉBÈNE ébénier, ébénisterie, marqueterie, tabletterie

ÉBÈNE DE MACASSAR

Voir tab. **Ébénisterie (essences utilisées en)**

ÉBÉNIER → ÉBÈNE

ÉBÉNISTE → CHAISE, MARQUETERIE, MEUBLE, RABOT

ÉBÉNISTERIE → ART, ÉBÈNE, MENUISERIE

ÉBÉNISTERIE contreplacage, déroulage, marqueterie, meuble, moulure, parquet, placage, tranchage

ÉBERLUÉ → ABASOURDI, STUPÉFAIT, SURPRENDRE

ÉBISELER → BISEAU

ÉBLOUIR → BRILLER, ÉMERVEILLER, FASCINER, SÉDUIRE

ÉBLOUIR émerveiller, fasciner, impressionner, séduire, tromper

ÉBLOUISSANT → ADMIRABLE, BRILLANT (1), ÉCLATANT, FULGURANT, LUMINEUX, MAGNIFIQUE, MERVEILLEUX, RESPLENDISSANT, SPLENDIDE, SUPERBE (2), VIF (2), VIOLENT

ÉBLOUISSANT aveuglant, fascinant, impressionnant, remarquable, séduisant, sublime

ÉBLOUISSEMENT → CLARTÉ, VERTIGE

ÉBLOUISSEMENT émerveillement, enchantement, étourdissement, malaise, scotome, vertige

ÉBONITE → PEIGNE

ÉBORGNER → BORGNE, CREVER, ŒIL

ÉBOUEUR → BOUE, ORDURE

ÉBOUILLANTER → BLANCHIR, ÉCHAUDER

ÉBOUILLANTER blanchir, brûler (se), échauder

ÉBOULEMENT → ACCIDENT, CHUTE, ÉCROULEMENT

ÉBOULER (S') → EFFONDRER (S'), ROULER, TOMBER

ÉBOURGEONNEMENT → TAILLE

ÉBOURGEONNER → TAILLER

ÉBOURIFFANT → INVRAISEMBLABLE

ÉBOURIFFÉ → HÉRISSÉ

ÉBOURIFFÉ désordonné, échevelé, hérissé

ÉBOUTER → BOUT, ÉPLUCHER, RACCOURCIR

ÉBRANCHER → BRANCHE, COUPER

ÉBRANLÉ → DÉROUTE

ÉBRANLEMENT → CHOC, ÉTONNEMENT, TREMBLEMENT

ÉBRANLER → BOULEVERSER, BRÈCHE, CHOQUER, COMPROMETTRE, ENTAMER, FLÉCHIR, IMPRESSIONNER, MOUVOIR, REMUER, RENVERSER

ÉBRANLER affaiblir, affecté, agiter, bouleversé, choqué, commotionné, compromettre,

---

démarrer, déstabiliser, ému, entamer, marche, remuer, saper, secouer, touché, traumatisé

ÉBRASEMENT

Voir illus. **Arcs**

Voir illus. **Intérieur de maison**

ÉBRÉCHER → BRISER, CASSER

ÉBRÉCHER abîmer, diminué, ébréchure, écorné, entamé, réduit

ÉBRÉCHURE → BRÈCHE, ÉBRÉCHER

ÉBRIÉTÉ → IVRESSE

ÉBROÏCIENS

Voir tab. **Habitants (comment se nomment les)**

ÉBROUAGE → NETTOYER

ÉBROUEMENT → BATTEMENT, RONFLEMENT

ÉBROUER (S') → SECOUER

ÉBRUITER → BRUIT, DIFFUSER, DIVULGUER, PERCER, RÉPANDRE, SAVOIR (2), TRAHIR, TRANSPIRER

ÉBRUTER → BRUT

ÉBULLITION → BOUILLONNEMENT

ÉBURNÉ → IVOIRE

Voir tab. **Couleurs**

ÉBURNÉEN → IVOIRE

Voir tab. **Couleurs**

E-BUSINESS → COMMERCE

ÉCACHÉ → PLAT (2)

ÉCACHER → BRISER, DÉFORMER

ÉCAILLE → COQUILLE, MARQUETERIE, PEIGNE

Voir illus. **Poisson**

ÉCAILLE caret, coquille, écailler, fragment, lambeau, lépidoptère, parcelle, poussière, squameux, squamifère, squamule, valve

ÉCAILLEMENT → PEINTURE

ÉCAILLER → ÉCAILLE, HUÎTRE, OUVRIR

ÉCALE → HARICOT, NOIX

ÉCALER → DÉCORTIQUER, ÉPLUCHER, NOIX, PELER

Voir tab. **Cuisine**

ÉCALURE → PELLICULE

ÉCANG → LIN

ÉCARLATE

Voir tab. **Couleurs**

ÉCARQUILLER → AGRANDIR, OUVRIR

ÉCART → BOURDE, DÉCALAGE, DIFFÉRENCE, DISTANCE, ÉLOIGNEMENT, ESPACE, FAUTE, INTERVALLE, MAISON, RÈGLE, RUPTURE, VARIATION, VILLAGE

Voir tab. **Poker**

Voir tab. **Tarot**

ÉCART aparté (en), différence, digression, distance, éloignement, embardée, entorse, fourchette, frasque, fredaine, grossièreté, impertinence, incartade, injure, intervalle, marginal, parenthèse, part (à), quarantaine, variation

ÉCART TYPE → STATISTIQUE

ÉCARTÉ → EXCLURE, INDIRECT, PERDU, SOLITAIRE (1)

ÉCARTELÉ

Voir illus. **Héraldique**

ÉCARTÈLEMENT → SUPPLICE

ÉCARTELER → BALLOTTER

ÉCARTEMENT → INTERVALLE, OUVERTURE

ÉCARTER → BALAYER, BANNIR, CÔTÉ, DÉBARQUER, DÉPLOYER,

DIFFÉRER, EFFACER, ÉLIMINER, ÉLOIGNER, ÉVITER, FENDRE, ISOLER, LEVER, POUSSER, REFUSER, RENONCER, ROUTE, SORTIR, SOUSTRAIRE, SUPPRIMER

Voir tab. **Tarot**

ÉCARTER balayer, bannir, desserrer, détourner (se), dévier, disjoindre, dissiper, effacer (s'), égarer (s'), élargir, éliminer, éloigner (s'), évincer, exclure, fourvoyer (se), refouler, rejeter, repousser, séparer, supprimer

ÉCARTEUR

Voir tab. **Chirurgie (vocabulaire de la)**

Voir illus. **Instruments médicaux**

ECBU → URINE

ECCHYMOSE → BLESSURE, BLEU (1), BOSSE, COUP, INFILTRATION, LÉSION, MARQUE, MEURTRISSURE, VAISSEAU

ECCLÉSIASTE (L')

Voir tab. **Bible**

ECCLÉSIASTIQUE → CLERGÉ, MINISTRE, PRÊTRE, PRÊTRE, RELIGIEUX (1)

Voir tab. **Bible**

Voir tab. **Clergé catholique (vocabulaire du)**

ECCLÉSIOLOGIE → THÉOLOGIE

ÉCERVELÉ → ÉTOURDI, IMPRUDENT, IRRÉFLÉCHI

ECG

Voir tab. **Examens médicaux complémentaires**

ÉCHAE

Voir tab. **Oiseaux (classification simplifiée des)**

ÉCHAFAUD → DÉCAPITER, GUILLOTINE, SUPPLICE

ÉCHAFAUDAGE amas, baliveau, boulin, construction, écoperche, édification, élaboration, pile, plancher, pylône, pyramide

ÉCHAFAUDER → BÂTIR, CONCEVOIR, CONSTRUIRE, ÉLABORER, MÉDITER, MÛRIR, PIED

ÉCHALAS → MAIGRE, PIEU, SOUTIEN, TUTEUR

ÉCHALIER → BARRIÈRE, CLÔTURE, HAIE

ÉCHALOTE → LÉGUME

Voir tab. **Herbes, épices et aromates**

ÉCHANCRER → TAILLER

ÉCHANCRURE → ENFONCEMENT

Voir illus. **Sièges**

Voir illus. **Violon**

ÉCHANGE → CHANGE, CIRCULATION, COMPENSATION, CONTREPARTIE, DIALOGUE, RETOUR

ÉCHANGE altercation, circulation, commerce, compensation, contrepartie (en), conversation, correspondance, débat, discussion, échangisme, échauffourée, libre-échange, perméabilité, prix, protectionnisme, pugilat, querelle, retour (en), rixe, soulte, troc

ÉCHANGER → COMMUNIQUER, DISCUTER

ÉCHANGEUR → CARREFOUR, ROUTE

ÉCHANGISME → ÉCHANGE

ÉCHANSON → BOIRE

ÉCHANTIGNOLE

Voir illus. **Charpente**

ÉCHANTILLON → APERÇU, EXEMPLAIRE (1), IDÉE, INDIVIDU, MODÈLE (1), SONDAGE, STATISTIQUE

ÉCHANTILLON aperçu, échantillonnage, exemple, modèle, panel, spécimen, type

ÉCHANTILLONNAGE → ÉCHANTILLON, SÉLECTION

ÉCHANTILLONNER → ROGNER

ÉCHAPPATOIRE → CABRIOLE, EXCUSE, FUITE, ISSUE, MOYEN (1), PIROUETTE, REFUGE (1), SORTIE, SUBTERFUGE

ÉCHAPPÉ

Voir tab. **Danse classique**

ÉCHAPPÉE → BRÈCHE, SORTIE, TROUÉE

ÉCHAPPEMENT → MOTEUR

ÉCHAPPER → BELLE, DÉBORDER, DÉROBER (SE), DISPARAÎTRE, ENFUIR (S'), ÉVADER (S'), ÉVITER, FILER, RÉPANDRE (SE), SAUVER (SE), SORTIR, SOUSTRAIRE À (SE)

ÉCHAPPER dérober à (se), éclipser (s'), éluder, esquiver, évader (s'), évanouir (s'), éviter, exhaler (s'), glisser, réchapper de, sauver (se), soustraire à (se), tomber

ÉCHARDONNER → CHARDON, FRICHE

ÉCHARPE → CACHE-COL, COU, FOULARD, INSIGNE (1)

ÉCHARPE bande, bandé, bandoulière, baudrier, biais (de), cache-col, cache-nez, ceinture, foulard, obliquement, plâtré

ÉCHARPE (EN) → OBLIQUE

ÉCHARPE D'IRIS → ARC-EN-CIEL

ÉCHARPER → BLESSER, MUTILER

ÉCHARPILLER → DÉCHIQUETER

ÉCHASSES → BÂTON

ÉCHASSIER → BÉCASSE, GRUE, OISEAU

ÉCHASSIÈRE

Voir tab. **Prostitution**

ÉCHAUDAGE → BLÉ

ÉCHAUDER → BLANCHIR, ÉBOUILLANTER, LAVER

ÉCHAUDER blanchir, déçu, ébouillanter, trompé

ÉCHAUFFEMENT → PRÉPARATION

ÉCHAUFFER → ANIMER, BOUILLIR, ENFLAMMER

ÉCHAUFFOURÉE → BAGARRE, COMBAT, ÉCHANGE, ESCARMOUCHE, FOIRE, RENCONTRE

ÉCHAUGUETTE → GUÉRITE, SENTINELLE, TOUR

ÉCHÉANCE → DATE, DÉLAI, FIN (1), TERME

Voir tab. **Assurance (vocabulaire de l')**

ÉCHÉANCIER → CALENDRIER, REGISTRE

ÉCHEC → AVORTEMENT, CONCOURS, DÉCEPTION, FOUR, MALHEUR, PERTE, RÉSULTAT, REVERS, VESTE

Voir tab. **Échecs**

ÉCHEC contrarier, contrecarrer, déboires, déconfiture, défaite, entraver, faillite, fiasco, four, gêner, insuccès, revers, ruine

ÉCHEC À LA DÉCOUVERTE

Voir tab. **Échecs**
ÉCHEC ET MAT
Voir tab. **Échecs**
ÉCHELIER → ÉCHELLE
ÉCHELLE → BRODERIE, CARTE, ÉTRIER, ÉVENTAIL, HIÉRARCHIE, INCENDIE, PORTIQUE, RELIEF
Voir tab. **Forme de... (en)**
Voir tab. **Superstitions**
ÉCHELLE barreau, dimension, échelier, échelon, escabeau, gamme, graduation, hiérarchie, indexation, mesure de (à la), rapport, série, succession, suite
ÉCHELLE DE MERCALLI MODIFIÉE → TREMBLEMENT DE TERRE
ÉCHELLE DE RICHTER → TREMBLEMENT DE TERRE
Voir tab. **Tremblements de terre**
ÉCHELLE D'INTENSITÉ
Voir tab. **Tremblements de terre**
ÉCHELLE EMS → TREMBLEMENT DE TERRE
ÉCHELLE MOBILE → GARANTIE
ÉCHELON → BARREAU, CRAN, DEGRÉ, ÉCHELLE, HIÉRARCHIE, NIVEAU, PHASE, SITUATION, STADE
ÉCHELON degré, grade, graduellement, niveau, palier
ÉCHELONNER → DISTRIBUER, ESPACER, ÉTALER, INTERVALLE, RÉPARTIR
ÉCHELONNER distribuer, étaler, répartir
ÉCHENILLAGE
Voir tab. **Jardinage**
ÉCHENILLEUR
Voir tab. **Oiseaux (classification simplifiée des)**
ÉCHEVEAU → FICELLE, LABYRINTHE, LAINE
ÉCHEVEAU dédale, embrouillamini, enchevêtrement, labyrinthe
ÉCHEVELÉ → ÉBOURIFFÉ
ÉCHIDNÉ → HÉRISSON
Voir tab. **Mammifères (classification des)**
ÉCHIFFRE → GUÉRITE
ECHINACEA PURPUREA
Voir tab. **Plantes médicinales**
ÉCHINACÉE
Voir tab. **Plantes médicinales**
ÉCHINE → COLONNE, COLONNE VERTÉBRALE, DOS, ÉPINE, PORC, SAILLANT
Voir illus. **Colonnes**
Voir illus. **Porc**
Voir tab. **Architecture**
ÉCHINE céder, colonne, dos, épine, longe, plier (se), rachis, soumettre (se)
ÉCHINE (PLIER L') → HUMBLE
ÉCHINER → BATTRE, DÉMOLIR, ÉPUISER, TRAVAILLER
ÉCHINODERMES
Voir tab. **Animaux (classification simplifiée des)**
ÉCHIQUIER → MAÇONNERIE, NORMAND, PION, PLATEAU
ÉCHO → BRUIT, COULOIR, NOUVELLE, ORGUE, RÉFLEXION, RÉPERCUSSION, RÉPÉTITION, SON
Voir tab. **Bruits**
ÉCHO bruit, échotier, information, mondain, nouvelle, propager, radar, réaction, réflexion, répandre, répercussion, répéter,

répétition, réponse, résonance, réverbération
ÉCHO-ENDOSCOPIE
Voir tab. **Examens médicaux complémentaires**
ÉCHO-ENDOVASCULAIRE
Voir tab. **Examens médicaux complémentaires**
ÉCHOGRAPHIE → CLICHÉ, EMBRYON, FŒTUS, RADIOGRAPHIE
Voir tab. **Examens médicaux complémentaires**
ÉCHOIR → ACCROÎTRE, APPARTENIR, CONCERNER, REVENIR
ÉCHOLALIE → LANGAGE
ÉCHOPPE → BOUTIQUE, BURIN, GRAVER, MAGASIN
ÉCHOS → ANECDOTE, ARTICLE, CHRONIQUE, RUBRIQUE
ÉCHOTIER → ÉCHO, JOURNALISTE, RÉDACTEUR
ÉCHOUER → CÔTE, FOND, PERDRE
ÉCHOUER avorté, déjouer, engraver (s'), ensabler (s'), envaser (s'), raté
ÉCHOUER (FAIRE) → TORPILLER
ÉCHUTE → HÉRITAGE
ÉCIMAGE → TAILLE
ÉCIMER → ARBRE, COUPER, RACCOURCIR, TAILLER
ÉCLABOUSSER → GICLER, MOUILLER, TACHER
ÉCLABOUSSER arroser, asperger, compromettre, salir
ÉCLABOUSSURE → PÂTÉ
ÉCLAIR → COUP, ÉLECTRICITÉ, ÉTINCELLE, FOUDRE, ILLUMINATION, ORAGE
Voir tab. **Phobies**
ÉCLAIR éclat, étincelle, flash, foudre, fulguration, lueur, orage, tonnerre, trait
ÉCLAIR DE CHALEUR → LUEUR
ÉCLAIRAGE → ILLUMINATION, PERSPECTIVE
ÉCLAIRAGE angle, antibrouillard, applique, aspect, bougie, code, endoscope, feu, illumination, jour, lampadaire, lampe, luminaire, lustre, néon, phare, point de vue, scialytique, spot, veilleuse
ÉCLAIRAGISTE → INTERMITTENT (1)
ÉCLAIRCIE → ACCALMIE, BEAU, BRUME, DÉLAVÉ, DÉPEUPLÉ, TROUÉE
ÉCLAIRCIR → CESSER, DÉBROUILLER, DÉMÊLER, ÉLUCIDER, EXPLIQUER, ILLUSTRER, INTERPRÉTER, LEVER, PLANT, REMETTRE
ÉCLAIRCIR allonger, débrouiller, dégager (se), démarier, démêler, élucider, polir
ÉCLAIRCIR LA VOIX (S') → TOUSSER
ÉCLAIRCISSEMENT → EXPLICATION, RENSEIGNEMENT
ÉCLAIRÉ → AVERTI, BON (2), BORNÉ, ILLUMINÉ, SAGE
ÉCLAIRER → GUIDER, ILLUSTRER, INFORMER, INSTRUIRE, RAYON, REMPLIR
ÉCLAIRER expliquer, informer, instruire, renseigner
ÉCLAIREUR → DÉTACHEMENT, RECONNAISSANCE, SOLDAT
ÉCLAMPSIE → CONVULSION
ÉCLAT → ÉCLAIR, ESCLANDRE, FASTE (1), FRAGMENT,

FRAÎCHEUR, LUMIÈRE, LUSTRE, MIETTE, MORCEAU, POMPE, RELIEF, RICHESSE, SPLENDEUR, VERNIS
ÉCLAT battiture, brisure, bruit, cri, éclisse, écornure, épaufrure, esquille, faste, feu, flamboiement, fragment, luminosité, lustre, magnificence, magnitude, morceau, recoupe, retentissement, scandale, splendeur
ÉCLATANT → ARDENT, BRUYANT, ÉTINCELANT, ÉVIDENT, FLAMBOYANT, FULGURANT, HILARANT, ILLUSTRE, INSIGNE (2), JOVIAL, LUMINEUX, RADIEUX, RESPLENDISSANT, SANTÉ, SOMPTUEUX, SONORE, SPLENDIDE, SUPERBE (2), VIF (2)
Voir tab. **Bruits**
ÉCLATANT chatoyant, éblouissant, étincelant, évident, manifeste, puissant, radieux, resplendissant, retentissant, rutilant, spectaculaire, triomphant
ÉCLATEMENT → EXPLOSION
ÉCLATER → COLÈRE, CREVER, ÉLEVER, EMPORTER, JAILLIR, PARTIR, RAYONNER, RÉPANDRE (SE), SAUTER
ÉCLATER briser (se), casser (se), commencer, crever, déclarer (se), écuisser, emporter (s'), esclaffer (s'), exploser, fulminer, jurer, pouffer, répandre (se), rompre (se), sauter, tempêter
ÉCLECTIQUE → DIVERS, GOÛT
ÉCLECTISME → FUSION
ÉCLIMÈTRE → DIFFÉRENCE
ÉCLIPSE → ASTRE, DISPARITION, INVISIBLE
ÉCLIPSE annulaire, apparent, défaillance, intermittent, occultation, saros, vrai
ÉCLIPSER → BAGAGE, CACHER, COMPAGNIE, DÉROBER, ÉCHAPPER, ENFUIR (S'), ENVOLER (S'), INTERCEPTER, PARTIR, SORTIR, SURPASSER, VAINCRE
ÉCLIPTIQUE → SOLEIL, ZODIAQUE
ÉCLISSE → ÉCLAT, FRACTURE, TREILLIS
Voir illus. **Violon**
Voir tab. **Instruments médicaux**
ÉCLOPÉ → BLESSÉ, INFIRME
ÉCLORE → FLEURIR, OUVRIR, SORTIR
ÉCLOS → ÉPANOUI
ÉCLOSION → NAISSANCE
ÉCLUSE → BARRAGE, HYDRAULIQUE, RETENIR
ÉCLUSE bajoyer, barrage, bief, éclusée, sas
ÉCLUSÉE → ÉCLUSE
ECMNÉSIE → MÉMOIRE
ÉCOBIOTIQUE → ÉCOLOGIQUE
ÉCOBUAGE → BRÛLER, DÉFRICHEMENT
ÉCOBUER → ENGRAISSER
ÉCŒURANT → DÉGOÛTANT, FADE, INFECT
ÉCŒURANT choquant, dégoûtant, fétide, infect, nauséabond, répugnant, révoltant
ÉCŒURÉ → SATURÉ
ÉCŒUREMENT → DÉCOURAGEMENT, DÉGOÛT, INDIGNATION, NAUSÉE

ÉCŒURER → INDIGNER, LASSER, RÉVOLTER, VENTRE
ÉCOGRAPHIE → ENVIRONNEMENT
ÉCOINÇON → ENCADREMENT, MEUBLE
Voir illus. **Intérieur de maison**
Voir tab. **Architecture**
ÉCOLE → DOCTRINE, ÉTUDE, FAMILLE, INSTITUT, INSTITUTEUR, INSTITUTION, TENDANCE
ÉCOLE académie, chapelle, clan, conservatoire, courant, ENA, ENITA, ENSA, ENSI, instituteur, institution, l'X, maître, mouvement, pension, professeur, prytanée, style
ÉCOLE (À L') → CLASSE
ÉCOLE (FAIRE) → DISCIPLE
ÉCOLE CENTRALE
Voir tab. **Écoles (grandes)**
ÉCOLE DE MIRECOURT → VIOLON
ÉCOLE DES HAUTES ÉTUDES COMMERCIALES
Voir tab. **Écoles (grandes)**
ÉCOLE ÉLÉMENTAIRE → PRIMAIRE, SCOLAIRE
ÉCOLE MATERNELLE → SCOLAIRE
ÉCOLE NATIONALE D'ADMINISTRATION
Voir tab. **Écoles (grandes)**
ÉCOLE NATIONALE DE LA MAGISTRATURE
Voir tab. **Écoles (grandes)**
ÉCOLE NATIONALE DES CHARTES → ARCHIVISTE
ÉCOLE NATIONALE DES PONTS ET CHAUSSÉES
Voir tab. **Écoles (grandes)**
ÉCOLE NORMALE SUPÉRIEURE
Voir tab. **Écoles (grandes)**
ÉCOLE POLYTECHNIQUE
Voir tab. **Écoles (grandes)**
ÉCOLE PRIMAIRE → SCOLAIRE
ÉCOLE SPÉCIALE MILITAIRE DE SAINT-CYR
Voir tab. **Écoles (grandes)**
ÉCOLE SUPÉRIEURE DE COMMERCE DE PARIS
Voir tab. **Écoles (grandes)**
ÉCOLE SUPÉRIEURE DES SCIENCES ÉCONOMIQUES ET COMMERCIALES
Voir tab. **Écoles (grandes)**
ÉCOLIER → ÉLÈVE
Voir tab. **Saints patrons**
ÉCOLIER apprenti, ardoise, cahier, cartable, débutant, élève, livre, novice, tablier, trousse
ÉCOLOGIE → ENVIRONNEMENT, POLLUTION, PROTECTION
Voir tab. **Sciences : termes en -ologie et -ographie**
ÉCOLOGIQUE écobiotique, écosystème
E-COMMERCE → COMMERCE
ÉCONDUIRE → PARTIR, POLI (2), RABROUER, REFUSER (SE)
ÉCONOMAT → INTENDANCE
ÉCONOME → AVARE (2), ÉPLUCHER, INTENDANCE, MODÉRATION, RELIGIEUX (1), TRÉSORIER, USTENSILE
ÉCONOME (1) administrateur, gestionnaire
ÉCONOME (2) avare, chiche, parcimonieux, regardant
ÉCONOMÉTRIE → ÉCONOMIE
ÉCONOMIE → BAS (1), FINANCES,

ORGANISATION, RÉSERVE, RESSOURCE

ÉCONOMIE économétrie, épargne, gain, organisation, pécule, plan, réserve, structure

ÉCONOMIE DIRIGISTE → MARCHÉ

ÉCONOMIE PLANIFIÉE → MARCHÉ

ÉCONOMIQUE → CIVILISATION, POLITIQUE (1)

ÉCONOMISER → CAPITAL (1), CÔTÉ, ÉPARGNER, GAGNER, MÉNAGER, REGARDER

ÉCONOMISER épargner, limiter, ménager, réduire

ÉCONOMISEUR D'ÉCRAN
Voir tab. **Informatique**

ÉCOPE → ÉPUISETTE, PELLE

ÉCOPER → VIDER

ÉCOPERCHE → ÉCHAFAUDAGE, PERCHE

ÉCORÇAGE → VANNERIE

ÉCORCE → BOIS, ROBE
Voir illus. **Tronc**

ÉCORCE cortex, croûte, décortiquer, démasclage, écorcer, grume, peau, pelure, teille

ÉCORCE CÉRÉBRALE → CERVEAU
Voir illus. **Cerveau**

ÉCORCE D'ORANGE
Voir tab. **Gâteaux régionaux et étrangers**

ÉCORCER → DÉCORTIQUER, ÉCORCE, INCISER, PELER

ÉCORCHÉ → BLESSÉ, STATUE

ÉCORCHÉ VIF → BLESSÉ

ÉCORCHEMENT → SUPPLICE

ÉCORCHER → BLESSER, CHOQUER, DÉCHIRER, DÉPOUILLER, ENTAMER, EXPLOITER, LABOURER

ÉCORCHER choquer, déformer, dépiauter, dépouiller, égratigné, éraflé, estropier, excorié, griffé, heurter, offenser

ÉCORCHURE → BLESSURE, ÉGRATIGNURE, ÉRAFLURE, ÉROSION, PLAIE

ÉCORNÉ → ÉBRÉCHER

ÉCORNER → CASSER

ÉCORNIFLER → AVARE (1)

ÉCORNIFLEUR → INTRODUIRE (S'), INVITER (S'), MANGEUR, PARASITE (1), REPAS

ÉCORNURE → BRÈCHE, ÉCLAT

ÉCOSSAIS → CARREAU, QUADRILLAGE, VOLCAN

ÉCOSSE
Voir tab. **Saints patrons**

ÉCOSSER → ÉPLUCHER, FÈVE

ÉCOSYSTÈME → ÉCOLOGIQUE, MILIEU

ÉCOT → CONTRIBUTION, COTISATION, DÉPENSE, PART, QUOTE-PART

ÉCOTAXE → ENVIRONNEMENT

ÉCOULEMENT → CIRCULATION, DÉROULEMENT, ÉPANCHEMENT, ÉVACUATION, INFILTRATION, VENTE

ÉCOULEMENT dégorgement, déversement, épanchement, évacuation, excrétion, flux, jetage, rhéologie, rhéomètre, vente

ÉCOULER → DÉVERSER (SE), ÉPUISER, STOCK, SUIVRE

ÉCOUMÈNE → TERRE

ÉCOURTER → ABRÉGER, BOUT, DIMINUER, RACCOURCIR, RÉSUMÉ (1)

ÉCOUTANT → CONSEILLER (1)

ÉCOUTE → CORDAGE, VOILE

ÉCOUTE SIMPLE (NŒUD D')
Voir illus. **Nœuds**

ÉCOUTER → OBÉIR, PRÊTER, SUIVRE, VIGILANCE

ÉCOUTER obéir à

ÉCOUTEUR → RÉCEPTEUR, TÉLÉPHONE

ÉCOUVILLON → BALAI, BIBERON, BROSSE, FUSIL
Voir illus. **Canon**

ÉCOUVILLONNER → NETTOYER

ÉCRABOUILLER → BOUILLIE

ÉCRAN → FILTRE, INFORMATIQUE, MONITEUR, POSTE

ÉCRAN baffle, empêcher, filtre, interposer (s'), moniteur, pare-étincelles, pare-feu, rideau, sérigraphie, téléviseur, télévision, toile

ÉCRAN (FAIRE) → BOUCHER (1)

ÉCRASANT → ACCABLANT, LOURD, MASSUE

ÉCRASÉ → ÉPATÉ, MARMELADE, OPPRIMER

ÉCRASER → ANÉANTIR, APLATIR, BATTRE, BOUILLIE, COMPRIMER, DÉFORMER, DÉROUTE, FOULER, MOUDRE, OPPRIMER, PIÉTINER, PILER, PINCER, PLAT (2), PULVÉRISER, RENVERSER, SURCHARGER, TRITURER, VAINCRE

ÉCRASER accabler, anéantir, aplatir, briser, broyer, camus, concasser, dominé, égruger, fouler, moudre, opprimé, piler, presser, pulvériser, surcharger, triturer

ÉCRASER (EN) → DORMIR

ÉCRÉMAGE → BEURRE

ÉCRÉMÉ → MAIGRE

ÉCRÊTER → NIVELER

ÉCREVISSE
Voir tab. **Élevages**

ÉCREVISSE astaciculture, balance, décapodes, nasse

ÉCRIN → BIJOU, BOÎTE, VIOLON

ÉCRIRE → COMPOSER, COUCHER, CRÉER, FAIRE, FORMER, INSCRIRE, JETER, PLUME, TRACER

ÉCRIRE agraphie, calligraphier, composer, exposer, graphomanie, graphorrhée, gribouiller, griffonner, inscrire, marquer, noter, orthographier, rédiger, soutenir

ÉCRIRE (DEVOIR)
Voir tab. **Phobies**

ÉCRIT → DOCUMENT, INSTRUCTION, LIVRE, ŒUVRE, POSITIF, PROSE, PUBLICATION

ÉCRIT (1) apocryphe, article, certificat, diatribe, libelle, minute, œuvre, original, ouvrage, pamphlet, pièce, publication, satire, titre

ÉCRIT (2) littéraire, manuscrit, olographe, soutenu, tapuscrit

ÉCRITEAU → INSCRIPTION, PANCARTE, PANNEAU

ÉCRITOIRE → BUREAU

ÉCRITURE → ARTICLE, COMPTABLE (2), FORME, REPRÉSENTATION, STYLE

ÉCRITURE bible, comptabilité, cryptographie, démotique, dysgraphie, graphème, graphie,

graphologie, idéographie, paléographie, pictographie, plume, style, syllabique

ÉCRITURE SAINTE → BIBLE

ÉCRIVAILLEUR → ÉCRIVAIN

ÉCRIVAIN → AUTEUR, GENS
Voir tab. **Saints patrons**

ÉCRIVAIN auteur, dramaturge, écrivailleur, essayiste, nouvelliste, plumitif, poète, polygraphe, prosateur, romancier

ÉCROU → CAHIER, REGISTRE

ÉCROUELLES → ABCÈS

ÉCROUER → BOUCLER, EMPRISONNER, ENFERMER, INSCRIRE, JETER

ÉCROUISSAGE → FORGE

ÉCROULEMENT → DÉMOLITION, FIN (1)

ÉCROULEMENT affaissement, anéantissement, chute, destruction, éboulement, effondrement, ruine

ÉCROULER (S') → CÉDER, EFFONDRER, PÉRIR, RENVERSER, SOMBRER, TOMBER

ÉCROULER (S') craquer, effondrer (s'), sombrer

ÉCRU → BRUT

ECSTASY
Voir tab. **Drogues**

ECTASIE → DILATATION

ECTOPIQUE → GROSSESSE

ECTOPLASME → FANTÔME

ECTROMÉLIE → MONSTRUOSITÉ

ECTROPION → PAUPIÈRE

ECTROSOMIE → MONSTRUOSITÉ

ÉCU → BLASON, BOUCLIER, ENSEIGNE, FORMAT, PIÈCE
Voir illus. **Héraldique**
Voir tab. **Papier (formats de)**

ÉCU abîme, bouclier, canton, champ, cimier, cœur, écusson, meuble, orle, panonceau

ÉCU (EUROPEAN CURRENCY UNIT)
→ MONÉTAIRE

ÉCUEIL → BANC, DANGER, DIFFICULTÉ, FOND, ÎLE, INCONVÉNIENT, OBSTACLE, ROCHER

ÉCUEIL achopper, brisant, danger, piège, récif

ÉCUELLE → ASSIETTE, BOL

ÉCUISSER → ARBRE, ÉCLATER

ÉCULÉ → USÉ

ÉCUME → BAVE, FRANGE, MOUSSE (1), PIPE, SALIVE

ÉCUME bave, crasse, écumer, lie, magnésite, mousse, rebut, scorie, sépiolite, spumescent, spumeux, sueur

ÉCUMER → BAVER, ÉCUME, ENRAGER, PILLER, RAGE

ÉCUMEUR → BANDIT, MARIN (1), PIRATE (1)

ÉCUMOIRE → PASSOIRE

ÉCUREUIL → RONGEUR
Voir tab. **Mammifères (classification des)**

ÉCUREUIL petit-gris, polatouche, sciuridés, suisse, tamia, xérus

ÉCURIE → BÂTIMENT, ÉQUIPE, FERME (1)
Voir tab. **Animaux (termes propres aux)**

ÉCURIE box, lad, palefrenier, stalle

ÉCUSSON → ÉCU, GREFFE, INSIGNE (1)

ÉCUYER → CERF, CHEVAL, CIRQUE, ÉQUITATION, FORAIN, PROFESSEUR

ÉCUYER amazone, cavalier

ÉCUYER TRANCHANT → BANQUET

ECZÉMA → DÉMANGEAISON, GRATTER, PEAU
Voir tab. **Pédiatrie**

ÉDAM → HOLLANDAIS
Voir illus. **Fromages**

EDELWEISS → ÉTOILE, IMMORTEL (1)

ÉDEN → DÉLICE, PARADIS, RÊVE

ÉDENTÉ → DENT

ÉDICTER → ANNONCER, COMMANDER, PRESCRIRE

ÉDICULE → KIOSQUE

ÉDIFIANT → EXEMPLAIRE (2), MODÈLE (2), MORAL, PIEUX

ÉDIFICATION → CONSTRUCTION, ÉCHAFAUDAGE, INSTRUCTION

ÉDIFICE → BÂTIMENT, IMMEUBLE (1), MONUMENT

ÉDIFICE bâtiment, construction, monument

ÉDIFIER → BÂTIR, CONSTRUIRE, ÉTABLIR, FONDER, INSTRUIRE, RENSEIGNEMENT

ÉDIFIER bâtir, constituer, construire, créer, élever, ériger, établir, fonder, instruire

ÉDILITÉ → DIGNITÉ, MAGISTRATURE

ÉDILITÉ DE LA PLÈBE → MAGISTRATURE

ÉDIT → LOI

ÉDIT DE NANTES → PROTESTANT

ÉDITER → ÉTABLIR, IMPRIMER, PARAÎTRE, PUBLIER

ÉDITEUR
Voir tab. **Saints patrons**

ÉDITION → EXEMPLAIRE (1), PUBLICATION, REPRODUCTION

ÉDITION auteur, impression, originale, princeps, procurer, publication, réédition, refonte, réimpression, tirage

ÉDITORIAL → ACTUALITÉ, ARTICLE, JOURNAL, PAPIER, RUBRIQUE

ÉDITORIALISTE → COMMENTAIRE, JOURNALISTE, RÉDACTEUR

ÉDREDON → COUVERTURE, DUVET, PLUME

ÉDUCATEUR
Voir tab. **Saints patrons**

ÉDUCATEUR enseignant, pédagogue, précepteur, spécialisé

ÉDUCATION → CULTURE, FORMATION, INITIATION, INSTRUCTION, SAVOIR (1), TACT

ÉDUCATION apprentissage, distinction, formation, gymnastique, initiation, pédagogie, politesse, savoir-vivre, sport

ÉDULCORANT → SUCRE

ÉDULCORER → ADOUCIR, ADULTÉRER, AFFAIBLIR, ATTÉNUER, DOUX, RAFFINER

ÉDUQUER → ÉLEVER, FORMER, INSTRUIRE, NOURRIR

EEG
Voir tab. **Examens médicaux complémentaires**

ÉFAUFILER → FIL

EFFACÉ → DISCRET, HUMBLE, INSIGNIFIANT, MODESTE, TERNE

EFFACER → DISPARAÎTRE, DISSIPER,

ÔTER, RACHETER, RECTIFIER, RÉPARER, SUPPRIMER

EFFACER abolir, absoudre, atténuer (s'), bannir, détruire, disparaître, écarter (s'), estomper (s'), incliner (s'), modeste, pâlir, refouler, réservé, supprimer, timide

EFFACER (S') → CESSER, ÉCARTER, ENVOLER (S'), ESTOMPER, ÉVANOUIR (S'), PARTIR

EFFARANT → AFFOLANT, INCROYABLE (2)

EFFARÉ → EFFRAYER, SIDÉRÉ, STUPÉFAIT, SUFFOQUER

EFFARÉ effarouché, effrayé, égaré, hagard

EFFAREMENT → STUPEUR

EFFARER → TROUBLER

EFFAROUCHABLE → TIMIDE

EFFAROUCHÉ → EFFARÉ, INQUIET, INTIMIDER

EFFAROUCHER → CHOQUER

EFFAROUCHER choquer, effrayer, intimider, offusquer

EFFECTIF → ACTIF, ACTUEL, CONCRET (2), NOMBRE, POSITIF, RÉEL, VRAI

EFFECTIF actif, certain, concret, espèce, positif, réel, tangible

EFFECTIVEMENT → EFFET

EFFECTUÉ → ACCOMPLI

EFFECTUER → EXÉCUTER, FAIRE, OPÉRER, PROCÉDER, RÉALISER

EFFENDI → TURC

EFFÉRENT → NERF, PÉRIPHÉRIE

EFFERVESCENCE → AGITATION, BOUILLONNEMENT, BRUIT, ÉMOI, EXALTATION, EXCITATION, TROUBLE (1), TURBULENCE
Voir tab. **Bruits**

EFFERVESCENT → ARDENT, BULLE

EFFET → AFFAIRE, CHANGE, CONSÉQUENCE, CONTRECOUP, EMPIRE, IMPULSION, INFLUENCE, RÉACTION, RÉSULTAT, SUITE, VÊTEMENT

EFFET action, agir, assurément, brosser, change, chèque, conséquence, contrecoup, couper, effectivement, efficace, empire, frapper, fruit, illusion, impact, impressionner, influence, linge, opérer, ordre, portée, produit, répercussion, résultat, suite, traite, vêtement, warrant

EFFET DE COMMERCE → ARGENT, DROIT (1), TRAITE

EFFETS SPÉCIAUX → TRUCAGE

EFFEUILLAGE → SPECTACLE

EFFEUILLAISON → FEUILLE

EFFEUILLEMENT → FEUILLE

EFFEUILLER → DÉTACHER, MARGUERITE

EFFEUILLEUSE → DÉSHABILLER

EFFICACE → ACTIF, BON (1), EFFET, ÉNERGIQUE, INFAILLIBLE, PUISSANT, SÛR, UTILE

EFFICACE actif, opérant

EFFICACITÉ → PRODUCTIVITÉ, PUISSANCE

EFFICACITÉ capacité, productivité, puissance, rendement

EFFICIENT → BON (1)

EFFIGIE → EMPREINTE, FIGURE, IMAGE, MÉDAILLE, MONNAIE,

PORTRAIT, REPRÉSENTATION, VISAGE
Voir tab. **Monnaie**

EFFILÉ → ACÉRÉ

EFFILÉE
Voir illus. **Cheveux (coupes de)**

EFFILER → FIL
Voir tab. **Cuisine**

EFFLANQUÉ → MAIGRE, SQUELETTE

EFFLEURAGE → MASSAGE

EFFLEURÉ → FRÔLER

EFFLEUREMENT → CONTACT

EFFLEURER → FRISER, APPROCHER, CARESSER, ÉVOQUER, EXAMINER, RAS (2), TOUCHER

EFFLEURER aborder, allusion, friser, frôler, glisser sur, raser, suggérer, survoler, toucher

EFFLORESCENCE → APPARITION, ÉRUPTION, MOISISSURE
Voir tab. **Chimie**

EFFLUENT (S') → RADIOACTIF

EFFLUENT URBAIN → URBAIN

EFFLUVE → ÉMANATION, PARFUM, SENTEUR

EFFONDREMENT → AGONIE, BAISSE, BOURSE, CHUTE, CONSTERNATION, DÉMOLITION, ÉCROULEMENT, FIN (1), NAUFRAGE, RUINE

EFFONDRER → BRISER, DÉFONCER, DIMINUER, ÉCROULER (S'), FARDEAU, TOMBER

EFFONDRER abattu, accablé, affaisser (s'), anéanti, défoncer, ébouler (s'), écrouler (s'), labourer, prostré

EFFONDRER (S') → CÉDER

EFFONDRILLES → DÉPÔT

EFFORCER (S') → APPLIQUER (S'), ATTACHER, CHERCHER, ENTREPRENDRE, PARVENIR, TÂCHER, TENTER

EFFORCER (S') contraindre (se), escrimer (s'), évertuer (s'), tâcher, tenter

EFFORT → ESSAI, RÉCOMPENSE, RÉSISTANCE

EFFORT application, concentration, distension, entorse, facilement, force, hernie, lumbago, peine (sans), sacrifice

EFFRACTION → BRISER, VIOLATION

EFFRAIE → CHOUETTE, NOCTURNE, RAPACE
Voir tab. **Oiseaux (classification simplifiée des)**

EFFRAYANT → AFFOLANT, CAUCHEMAR, FORMIDABLE, HORRIBLE, IMMENSE, SINISTRE (2), TERRIBLE

EFFRAYÉ → EFFARÉ, INTIMIDER, TERRORISER

EFFRAYER → ANGOISSER, EFFAROUCHER, INQUIÉTER, PANIQUE, TERRORISER

EFFRAYER affoler (s'), alarmer (s'), apeurer, épouvanté, effaré, épouvanté, rebuté, terrorisé

EFFRÉNÉ → ENRAGER, EXCESSIF, FOU (2), IMPÉTUEUX, RETENUE

EFFRITEMENT → DÉSAGRÉGATION

EFFROI → ABOMINABLE, AFFOLEMENT, CRAINTE, FRAYEUR, HORREUR, PANIQUE, PEUR, TERREUR

EFFRONTÉ → CYNIQUE, DÉLURÉ, DÉSINVOLTE, IMPERTINENT, INCONVENANT, INSOLENT, ROUGIR

EFFRONTÉ impoli, impudent, insolent

EFFRONTERIE → APLOMB, CONFIANCE, CULOT, DÉCENCE, FAMILIARITÉ, FRONT, IMPERTINENCE, INSOLENCE

EFFROYABLE → AFFLIGEANT, AFFREUX, ATROCE, CATASTROPHIQUE, ÉPOUVANTABLE, FÉROCE, FORMIDABLE, HORRIBLE, MAUVAIS, MONSTRUEUX, TERRIBLE, TRAGIQUE

EFFROYABLE abominable, assourdissant, atroce, épouvantable, excessif, horrible, immense, monstrueux

EFFUSION → DÉBORDEMENT, ÉPANCHEMENT, EXPANSION, SENTIMENT

EFRIT → GÉNIE

ÉGAILLER (S') → ÉPARPILLER, ROMPRE

ÉGAL → IDENTIQUE, INDIFFÉRENT, PAIR, PAREIL (1), RÉGULIER, SEMBLABLE (2), UNIFORME (2)

ÉGAL constant, équidistant, équilatéral, équinoxe, équitable, équivalent, identique, impartial, incomparable, invariable, isobathe, isocèle, isométrique, lisse, plat, régulier, semblable, soutenu, uni, uniforme, unique

ÉGAL (ÊTRE) → VALOIR

ÉGAL À
Voir tab. **Mathématiques (symboles)**

ÉGALISER → APLANIR, NIVEAU, NIVELER, POLIR, UNIFORMISER

ÉGALISER ajuster, aplanir, équilibrer, niveler

ÉGALISEUR → FILTRE

ÉGALITARISME → ÉGALITÉ, SOCIALISME

ÉGALITÉ → DÉMOCRATIE, ÉQUIVALENCE, PARITÉ, PROPORTION, RELATION, RESSEMBLANCE

ÉGALITÉ ataraxie, égalitarisme, équanimité, équilibre, ex æquo, isochronisme, match nul, parité, sérénité, similitude, talion (loi du)

ÉGARD → ATTENTION, HONNEUR, POLITESSE, RESPECT, SCRUPULE, TACT

ÉGARD (À L') → ADRESSE, ENDROIT, ENVERS

ÉGARDS (AVOIR DES) → MÉNAGER

ÉGARÉ → AVEUGLE (1), EFFARÉ, ÉPERDU, TROUBLÉ

ÉGAREMENT → DÉLIRE, EXTASE, RAISON, VERTIGE

ÉGARER → DIVAGUER, ÉCARTER, NOYER (SE), PATAUGER, PERDRE, ROUTE

ÉGARER abuser, détourner (se), dévoyer, fourvoyer (se), perdre (se), tromper

ÉGAYER → ANIMER, DISTRAIRE, ORNER, RÉJOUIR, STIMULER

ÉGAYER agrémenter, amuser, distraire, divertir, ébaudir, orner, récréer, réjouir

ÉGÉRIE → CONDUCTEUR, CONSEIL, FEMME, GUIDE, INSPIRER, MUSE

ÉGIDE → PATRONAGE, SAUVEGARDE, TUTELLE

ÉGLANTINE → ROSE

ÉGLEFIN → MORUE

ÉGLISE → CONFESSION, CULTE, RELIGIEUX (1)

ÉGLISE abbatiale, apostolicité, basilique, cathédrale, catholicité, chapelle, clergé, collégiale, concile, concordat, dédicace, excommunier, pape, Saint-Siège, sainteté, unité, Vatican

ÉGLISE (L') → MYSTIQUE (2)

ÉGLOGUE → BERGER, CHAMPÊTRE, IDYLLE, PASTORAL, POÈME
Voir tab. **Poésie (vocabulaire de la)**

EGO → MOI, PERSONNALITÉ

ÉGOCENTRIQUE → ÉGOÏSTE, INTÉRIEUR (1)

ÉGOCENTRISME → INDIVIDUALITÉ, MOI, PERSONNEL (2)

ÉGOÏSME → INDIVIDUALITÉ, PERSONNEL (2)

ÉGOÏSME altruisme, générosité

ÉGOÏSTE → INSENSIBLE

ÉGOÏSTE égocentrique, individualiste, personnel

ÉGOMANIE
Voir tab. **Manies**

ÉGORGEUR → TUEUR

ÉGOSILLER (S') → CRIER, GOSIER

ÉGOTISME → MOI

ÉGOUT → CANALISATION, CLOAQUE

ÉGOUT bouche, bourbier, cloaque, conduit, plaque, puisard, regard

ÉGOUTTAGE → FROMAGE, MOULAGE

ÉGOUTTER assécher, drainer

ÉGOUTTOIR cagerotte, clayon, clisse, faisselle, hérisson

ÉGOUTTURE → BOUTEILLE

ÉGRAPPER → GRAIN

ÉGRATIGNÉ → ÉCORCHER

ÉGRATIGNER → BLESSER, DÉCHIRER, ENTAMER, GRIFFER

ÉGRATIGNER blesser, labourer, piquer

ÉGRATIGNURE → ÉRAFLURE

ÉGRATIGNURE blessure, écorchure, éraflure, griffure

ÉGRENER → COMPTER, GRAIN

ÉGRÉSAGE → MARBRE

ÉGRILLARD → COQUIN (2), ÉPICÉ, FRIPON (2), GAI (2)

ÉGRISÉ → DIAMANT, POLIR, POUDRE

ÉGRISER → LUSTRER, POLIR

ÉGROTANT → CONSTITUTION, FAIBLE (2), MALADIF, MALINGRE

ÉGRUGEOIR → PILER, USTENSILE

ÉGRUGER → BRISER, ÉCRASER, MOUDRE, PULVÉRISER, TRITURER

ÉGUEULÉ → VOLCAN

ÉGUEULER → BRISER, CASSER

ÉGYPTIENNE → CROIX

ÉGYPTOLOGIE → ARCHÉOLOGIE

EH ! → INTERPELLER

ÉHONTÉ → SCANDALEUX

EICHHORNIA → MARAIS

EIDER → CANARD, OIE

EINSTEINIUM
Voir tab. **Éléments chimiques (symbole des)**

ÉJACULATION → ÉMISSION

ÉJECTER → PROJETER, REJETER

ÉJECTER cracher, projeter, propulser, rejeter

ÉJOINTER → ROGNER

ÉLABORATION → CONFECTION, ÉCHAFAUDAGE, FABRICATION,

FORMATION, INTELLIGENCE ARTIFICIELLE, NAISSANCE, PRÉPARATION, RAISONNEMENT, USINE

ÉLABORÉ → SÈVE

ÉLABORER → COMPOSER, CONCEVOIR, CONSTRUIRE, FABRIQUER, IMAGINER, MÉDITER, MÛRIR, PRÉPARER

ÉLABORER échafauder, étudier, former, préparer, produire, raffiné, recherché, sophistiqué, transformer

ÉLAGAGE → TAILLE

ÉLAGUER → BRANCHE, COUPER, INUTILE, RACCOURCIR, ROGNER, SUPERFLU (2), SUPPRIMER, TAILLER

ÉLAÏONOPHOBIE
Voir tab. **Phobies**

ÉLAN → ARDEUR, ASPIRATION, CERF, ENTRAÎNEMENT, ESSOR, FOUGUE, IMPULSION, SOUFFLE

ÉLAN (1) course, impulsion, mouvement

ÉLAN (2) cervidés, orignal

ÉLANCÉ → GRAND, LONG

ÉLANCEMENT → ASPIRATION, MYSTIQUE (2)

ÉLANCER (S') → BONDIR, POINTER

ÉLAPS → CORAIL

ÉLARGIR → ACCROÎTRE, ÉCARTER, ÉTENDRE, LIBÉRER

ÉLARGIR agrandir, amplifier, détendre, dilater, distendre, étendre, évaser, libérer, relâcher, relaxer

ÉLARGISSEMENT → AGRANDISSEMENT, DILATATION, EXTENSION

ÉLASMOBRANCHES
Voir tab. **Poissons (classification simplifiée des)**

ÉLASTICITÉ → PLOYER

ÉLASTICITÉ coercibilité, compressibilité, extensibilité, flexibilité, fluctuation, plasticité, souplesse, variation, vigueur

ÉLASTIQUE → CAOUTCHOUC, FLEXIBLE, MERCERIE, SOUPLE

ÉLASTIQUE benji

ÉLASTOMÈRE → CAOUTCHOUC, PLASTIQUE (1)

ELBEUF
Voir tab. **Habitants (comment se nomment les)**

ELBEUVIENS
Voir tab. **Habitants (comment se nomment les)**

ELDORADO → DÉLICE, PARADIS, RÊVE

ÉLECTIF → CHOISIR, MONARCHIE

ÉLECTION → CONSULTATION, DÉSIGNATION, DROIT (1)

ÉLECTION adoption, collège électoral, conclave, cooptation, départemental, législatif, municipal, présidentiel, régional, scrutin, sénatorial, suffrage

ÉLECTORAL → MAJORITÉ

ÉLECTORAT → VOTER

ÉLECTRICITÉ ampère, coulomb, courant, diathermie, éclair, électrifier, électrobiologie, électrocuter, électrogène, électrologie, électron,

électrothérapie, énergie, foudre, hertz, ohm, volt, watt

ÉLECTRICITÉ PHOTOVOLTAÏQUE → SOLAIRE

ÉLECTRIFIER → ÉLECTRICITÉ

ÉLECTRIQUE → FOUR

ÉLECTRIQUE conducteur, diélectrique, électrocinétique, électroencéphalogramme, électromètre, électroscope, électrostatique, isolant

ÉLECTRIQUE À L'ARC → SOUDURE

ÉLECTRIQUE PAR RÉSISTANCE → SOUDURE

ÉLECTRISER → ENFLAMMER, ENTHOUSIASMER, EXALTER

ÉLECTRISER enflammer, enthousiasmer, exalter, galvaniser, transporter

ÉLECTRO
Voir tab. **Musiques nouvelles**

ÉLECTRO-ENCÉPHALOGRAMME
Voir tab. **Examens médicaux complémentaires**

ÉLECTROBIOLOGIE → ÉLECTRICITÉ

ÉLECTROCARDIOGRAMME → ENREGISTREUR
Voir tab. **Examens médicaux complémentaires**

ÉLECTROCHIRURGIE → VERRUE

ÉLECTROCHOC → PSYCHIATRIE
Voir tab. **Psychiatrie**

ÉLECTROCINÉTIQUE → ÉLECTRIQUE

ÉLECTROCOAGULATION → VERRUE

ÉLECTROCUTER → ÉLECTRICITÉ

ÉLECTROCUTION → EXÉCUTION, PEINE

ÉLECTRODE → BOUGIE, PILE, PÔLE

ÉLECTRODIAGNOSTIC → DIAGNOSTIC

ÉLECTRODYNAMIQUE → MICROPHONE

ÉLECTRODYNAMOMÈTRE → COURANT (1)

ÉLECTROENCÉPHALOGRAMME → ÉLECTRIQUE

ÉLECTROGÈNE → ÉLECTRICITÉ

ÉLECTROLOGIE → ÉLECTRICITÉ

ÉLECTROLYSE → RÉACTION
Voir tab. **Chimie**
Voir tab. **Électricité**

ÉLECTROMAGNÉTIQUE → MICROPHONE, ONDE, RADIOÉLECTRIQUE
Voir tab. **Électricité**

ÉLECTROMÈTRE → ÉLECTRIQUE
Voir tab. **Instruments de mesure**

ÉLECTRON → ATOME, ÉLECTRICITÉ

ÉLECTRONARCOSE → PSYCHIATRIE

ÉLECTRONIQUE → DOCUMENT, MICROSCOPE
Voir tab. **Instruments de musique**

ÉLECTRONIQUE bobinage, condensateur, diode, Minitel, photoélectrique, photoélectronique, résistance, thermoélectrique, thermoélectronique, transistor

ÉLECTROSCOPE → ÉLECTRIQUE
Voir tab. **Instruments de mesure**

ÉLECTROSTATIQUE → ÉLECTRIQUE, MICROPHONE

ÉLECTROTHÉRAPIE → ÉLECTRICITÉ

ÉLECTUAIRE → MÉDICAMENT

ÉLÉGANCE → ARISTOCRATIE, CHARME, CLASSE, DÉLICATESSE,

DISTINCTION, FINESSE, GOÛT, GRÂCE, HARMONIE, PANACHE, PURETÉ

ÉLÉGANCE beauté, chic, classe, dandysme, délicatesse, distinction, finesse, grâce, harmonie, raffinement

ÉLÉGANT → CHIC, CLASSIQUE, CORRECT, DANDY, GRACIEUX, INCROYABLE (1), NOBLE (2), SOIGNÉ

ÉLÉGIE → CHANT, POÈME, TRISTESSE
Voir tab. **Poésie (vocabulaire de la)**

ÉLÉGIR → DIMINUER

ÉLÉIS → HUILE, PALMIER

ÉLÉMENT → CONDITION, CONSTITUANT, DÉTAIL, DONNÉE, FACTEUR, MODULE, NOTION, PARAMÈTRE, PIÈCE, PRINCIPE, RÉSUMÉ (1), SAVOIR (1)

ÉLÉMENT affixe, air, composant, composite, désinence, disparate, donnée, eau, feu, force naturelle, hétéroclite, hétérogène, individu, information, morceau, notion, partie, portion, principe, radical, renseignement, rudiment, sujet, terre

ÉLÉMENTAIRE → FACILE, GROSSIER, PARTICULE, PRIMITIF, SOMMAIRE (2)

ÉLÉMENTAIRE enfantin, essentiel, facile, fondamental, minimal, rudimentaire, simple, sommaire

ÉLÉPHANT → BÊTE (1)
Voir tab. **Animaux (termes propres aux)**
Voir tab. **Mammifères (classification des)**

ÉLÉPHANT barrissement, cornac, défense, macrorhine, mammouth, pachyderme, proboscidiens

ÉLÉPHANT DE MER → MORSE, PHOQUE
Voir tab. **Mammifères (classification des)**

ÉLÉPHANTE
Voir tab. **Animaux (termes propres aux)**

ÉLÉPHANTEAU
Voir tab. **Animaux (termes propres aux)**

ÉLÉPHANTESQUE → MONSTRUEUX

ÉLÉPHANTIN → TORTUE
Voir tab. **Animaux (termes propres aux)**

ELEUTHEROCOCCUS SENTICOSUS
Voir tab. **Plantes médicinales**

ÉLEUTHÉROCOQUE
Voir tab. **Plantes médicinales**

ÉLEVAGE → HARAS

ÉLEVAGE colombophilie, faisanderie

ÉLÉVATEUR → PARACHUTE

ÉLÉVATION → CONSTRUCTION, DISTANCE, ÉRECTION, GRANDEUR, MONT

ÉLEVÉ → HAUT (2), IMPORTANT, NOBLE (2), SOUTENIR, SUBLIME

ÉLEVÉ abusif, affable, considérable, courtois, excessif, exorbitant, poli

ÉLÈVE → APPRENTI, DISCIPLE, ÉCOLIER

ÉLÈVE aspirant, cancre, collégien, disciple, écolier, énarque, étudiant, khâgneux, lycéen,

normalien, polytechnicien, saint-cyrien, taupin

ÉLEVÉ (MAL) → SAUVAGE

ÉLEVER → BÂTIR, BRANDIR, DRESSER, ÉDIFIER, EXHAUSSER, FORMER, GRANDIR, HAUSSER, HISSER, MAJORER, PLANTER, POINTER, RELEVER

ÉLEVER augmenter, bâtir, construire, éclater, éduquer, émerger, ériger, exhausser, fuser, hausser, hisser, jaillir, majorer, monter, opposer à (s'), promouvoir, protester, relever, surélever

ÉLEVER CONTRE (S') → COMBATTRE, OPPOSER (S'), PROTESTER

ÉLEVEUR → PRODUCTEUR

ÉLEVEUR engraisseur, herbager, négociant éleveur, nourrisseur, viticulteur éleveur

ELFE → CONTE, ENFANCE, ESPRIT, GÉNIE, IMAGINAIRE (2), SURNATUREL

ÉLIMÉ → USER

ÉLIMER → USER

ÉLIMINATION → PURGE, RÉDUCTION

ÉLIMINATOIRE → SÉLECTION, SPORTIF (2)

ÉLIMINER → DÉBARQUER, DÉFAIRE, DÉPOSSÉDER, DÉTRUIRE, ÉCARTER, ÉVACUER, EXCLURE, EXPULSER, RAYER, REFUSER, REJETER, SUPPRIMER

ÉLIMINER disqualifier, écarter, évacuer, évincer, exclure, excréter, expulser, rejeter, supprimer

ÉLINGUER → BRIDE

ÉLIRE → APPELER, CHOISIR, DÉSIGNER, NOMMER, PORTER

ÉLIRE choisir, nommer, plébisciter

ÉLIRE DOMICILE → HABITER

ÉLISION → VOYELLE

ÉLITE → ARISTOCRATIE, DESSUS, FLEUR, GRATIN, MEILLEUR (1)

ÉLIXIR → BOISSON, CONCENTRÉ, ESSENCE, MÉDICAMENT
Voir tab. **Alcools et eaux-de-vie**

ÉLIXIR essence, philtre, quintessence, remède, teinture composée

ÉLIXIR PARÉGORIQUE → CALMER, DIARRHÉE

ELLÉBORE → FOLIE

ELLÉBORE NOIR → ROSE

ELLIPSE → COURBE (1), MOT, ORBITE, RACCOURCI
Voir illus. **Géométrie (figures de)**
Voir tab. **Rhétorique (figures de)**

ELLIPTIQUE → BREF (1), CONCIS, GALAXIE, OVALE
Voir illus. **Feuille**

ÉLOCUTION → DICTION, EXPRIMER, PRONONCIATION, RHÉTORIQUE

ÉLOGE → ADIEU, APOLOGIE, APPLAUDISSEMENT, APPROBATION, BIEN, FÉLICITATION, LOUANGE, RÉCLAME (1)

ÉLOGE compliment, dithyrambe, félicitation, louange, oraison, panégyrique

ÉLOHIM → DIEU

ÉLOIGNÉ → DISTANT, ÉTRANGER (2), INDIRECT, LOIN, LOINTAIN (2), PERDU, SOLITAIRE

ÉLOIGNEMENT → ADIEU, ÉCART,

INDIFFÉRENCE, INTERVALLE, PERSPECTIVE, SÉPARATION

ÉLOIGNEMENT distance, écart

ÉLOIGNER → DISPARAÎTRE, ISOLER, REFUSER

ÉLOIGNER chasser, déplacer, détacher (se), détourner (se), dévier, digression, écarter (s'), reculer, repousser, retarder, séparer

ÉLOIGNER (S') → DÉTACHER (SE), ÉCARTER, EXILER, SORTIR

ÉLONGATION → BLESSURE, ENTORSE

ÉLONGER → ALLONGER, ÉTIRER

ÉLOQUENCE → ADRESSE, ENFLAMMER, ORATEUR, PARLER, PAROLE, PERSUADER, RHÉTORIQUE, VÉHÉMENCE

ÉLOQUENCE faconde, loquacité, rhétorique, verve

ÉLOQUENT → DÉMONSTRATIF, EXPRESSIF, IMPRESSIONNANT, PARLANT, SIGNIFICATION

ÉLOQUENT disert, expressif, parlant, significatif

ÉLU → BIEN-AIMÉ, SAINT (2)

ÉLUCIDER → CLAIR, DÉBROUILLER, ÉCLAIRCIR, EXPLIQUER, TROUVER

ÉLUCIDER clarifier, débrouiller, éclaircir, expliquer

ÉLUDER → ÉCHAPPER, ESCAMOTER, ÉVITER, FUIR, HABILEMENT, PARENTHÈSE, PASSER, SOUSTRAIRE

ÉLUSIVE → VAGUE (2)

ÉLYSÉE → PRÉSIDENT

ÉLYTRE → AILE

Voir illus. **Insectes**

ÉMACIATION → AMAIGRISSEMENT

ÉMACIÉ → CREUX (2), MAIGRE, SQUELETTE, VISAGE

ÉMAIL → BLASON, DENT, FAÏENCE, VERNIS

Voir illus. **Dent**

Voir tab. **Minéraux et utilisations**

ÉMAIL champlevé, cloisonné, couverte, enduit, fondant, glaçure, mixte, nielle, peint, translucide, vernis

E-MAIL → BOÎTE, MESSAGE

Voir tab. **Internet**

ÉMAILLER → ACCOMPAGNER, ENJOLIVER, ORNER, PARSEMER

ÉMANATION → PARFUM, RADIATION, VAPEUR

ÉMANATION arôme, bouffée, effluve, exhalaison, expression, fragrance, fumerolle, geyser, manifestation, miasme, odeur, parfum, radon, relent, remugle, senteur, thoron, vapeur

ÉMANCHÉ

Voir illus. **Héraldique**

ÉMANCIPATION → INDÉPENDANCE

ÉMANCIPATION libération

ÉMANCIPÉ → MAJORITÉ, MINEUR (1)

ÉMANCIPER → AFFRANCHIR, DÉFAIRE, DÉLIVRER, ESCLAVAGE, LIBÉRER

ÉMANER → DÉGAGER, DÉPENDRE (DE), PARTIR, PROVENIR, RÉPANDRE (SE), SORTIR, VENIR

ÉMANER découler, dégager (se), dériver, procéder, provenir

ÉMARGEMENT → SIGNATURE

ÉMARGER → NOM, POINTER, TOUCHER

ÉMARGINÉ

Voir illus. **Champignon**

ÉMASCULATION → ABLATION, CASTRATION, SEXUEL

ÉMASCULÉ → SEXE

ÉMASCULER → CASTRER, STÉRILISER

ÉMAUX

Voir illus. **Héraldique**

EMBALLAGE → CARTON, CONDITIONNEMENT

EMBALLAGE ballotin, berlingot, blister, conditionnement, étui, flein, harasse, toilette, tourie, tourie

EMBALLAGE (NŒUD D')

Voir illus. **Nœuds**

EMBALLAGE DE SUCRE

Voir tab. **Collectionneurs**

EMBALLÉ → PASSIONNÉ

EMBALLEMENT → ENTHOUSIASME

EMBALLER → CONDITIONNER, ENVELOPPER, PASSIONNER (SE), RAVIR

EMBALLER accélérer, conditionner, empaqueter, emporter (s'), ensacher, enthousiasmé, envelopper, séduit

EMBARCADÈRE → DÉBARQUER, JETÉE, PORT, QUAI

EMBARCATION allège, baleinière, barque, bateau, canot, chaloupe, drome, esquif, gabare, hors-bord, périssoire, pinasse, sampan, tignole, vedette, youyou, Zodiac

EMBARDÉE → ÉCART

EMBARGO → BLOCUS, COMMERCIAL, IMPORTER, INTERDICTION, SANCTION

EMBARQUER → MONTER

EMBARRAS → AFFAIRE, COMPLICATION, DIFFICULTÉ, INCERTITUDE, INCONVÉNIENT, MALAISE, MANIÈRE, PEINE, PERPLEXITÉ, SIMAGRÉES, SOUCI, TRACAS, TROUBLE (1)

EMBARRAS confusion, doute, dyspepsie, enchifrènement, gêne, incertitude, irrésolution, malaise, perplexité, trouble

EMBARRASSANT → DÉBROUILLER, DÉLICAT, DÉPLAISANT, ÉPINEUX, FÂCHEUX (2), PROBLÈME

EMBARRASSÉ → CHARGÉ, CHOSE, CONFUS, EMPRUNTÉ, FORCÉ, GAUCHE, INDÉCIS, INQUIET, INTERDIT (2), LABORIEUX, MALADROIT, PENAUD, TIMIDE

EMBARRASSER → ENNUYER, GÊNER

EMBARRASSER contrarier, déconcerter, dérouter, désorienter, empêtrer (s'), encombrer (s'), gêner, importuner, incommoder

EMBASE → CISEAU

EMBASE DE PLAT DE DOS

Voir illus. **Sièges**

EMBASEMENT → SOUBASSEMENT

EMBASTILLER → EMPRISONNER

EMBAUCHER → ENGAGER, RECRUTER, RÉQUISITIONNER

EMBAUCHER engager, enrôler, louer les services de, recruter

EMBAUCHOIR → CHAUSSURE, FORME

EMBAUMEMENT → CADAVRE, CONSERVATION, MOMIE

EMBAUMER → RÉPANDRE, SENTIR

EMBECQUER → GAVER, NOURRIR

EMBELLI → AMPLIFIER, BEAU, ILLUMINÉ

EMBELLIE → ACCALMIE, BRUME, CALME (1), MER

EMBELLIR → BRODER, DÉCORER, ENJOLIVER, ENRICHIR, IDÉAL (2), ORNER

EMBELLIR agrémenter, avantager, enjoliver, enrichir, flatter, idéaliser, parer, rehausser

EMBELLISSEMENT → AMÉLIORATION, CHANGEMENT, MODIFICATION, TRANSFORMATION, URBANISME

EMBÊTANT → CONTRARIANT

EMBÊTEMENT → SOUCI

EMBÊTER → FATIGUER

EMBÊTER agacer, assommer, contrarier, déranger, empoisonner, ennuyer, importuner, tourmenter

EMBLAVER → BLÉ

EMBLÈME → ARME, ATTRIBUT, BLASON, DESSIN, IMAGE, INSIGNE (1), REPRÉSENTATION, SIGNE

Voir illus. **Drapeaux**

EMBOBINER → BOBINE, DUPER

EMBOBINER abuser, duper, enrouler, jobarder, tromper

EMBOÎTÉ

Voir tab. **Danse classique**

EMBOÎTER → ENCASTRER

EMBOÎTER aboucher, ajuster, assembler, clipser, embrever, embroncher, encastrer, enchâsser, engrener, filer, imbriquer, joindre, sertir, suivre

EMBOÎTER LE PAS → SUIVRE

EMBOLIE → ARTÈRE, BOUCHÉ, CAILLOT, MIGRATION, VAISSEAU, VASCULAIRE

EMBONPOINT → CORPS, GRAISSE, GROSSEUR, VENTRE

EMBOSSAGE → MOUILLAGE

EMBOSSER → IMPRIMER

EMBOUCHE → PÂTURAGE, PRAIRIE

EMBOUCHOIR → BOUT

EMBOUCHURE → BEC, BISEAU, BOUCHE, BOUT, FLEUVE, MER, TROMPETTE

Voir illus. **Littoral**

EMBOUCHURE bec, bouche, delta, estuaire

EMBOUQUER → CANAL

EMBOURBER (S') → EMPÊTRER, ENFONCER, VASE

EMBOURSER → RECEVOIR

EMBOUT → BOUT, GARNITURE

EMBOUTEILLAGE → FLUIDE (2)

EMBOUTEILLER → BOUTEILLE, CONDITIONNER

EMBOUTI → DÉFONCER

EMBOUTIR → HEURTER

EMBOUTISSAGE → HEURT

EMBOUTISSEUSE → MACHINE

EMBOUTISSOIR → POINÇON

EMBRANCHEMENT → BIFURCATION, CARREFOUR, CATÉGORIE, FOURCHE, JONCTION, ROUTE, ZOOLOGIE

EMBRANCHEMENT bifurcation, carrefour, croisement, fourche, intersection, nœud, phylum, sous-embranchement

EMBRASE → RIDEAU

EMBRASÉ → ARDENT, BOUILLONNANT, FLAMME, ILLUMINÉ, RIME

EMBRASEMENT → ALLUMAGE, BOUILLONNEMENT, CLARTÉ, INCENDIE

EMBRASER → BRÛLER, ENFLAMMER, PASSIONNER (SE)

EMBRASER enflammer, exalter, illuminer, incendier

EMBRASSE

Voir illus. **Héraldique**

EMBRASSER → BRAS, CHOISIR, COMPRENDRE, ENLACER, ÉPOUSER, ÉTREINDRE, PARTAGER, PRENDRE, RECOUVRIR, RELIGION, SAISIR, SERRER, SUIVRE, VOIR

EMBRASSER accolade (donner l'), adopter, appréhender, ceindre, choisir, consacrer à (se), englober, enlacer, entourer, environner, épouser, étreindre, saisir

EMBRASURE → ENCADREMENT, FENÊTRE, MUR, OUVERTURE, PARAPET

Voir illus. **Château fort**

EMBRAYAGE → PÉDALE

Voir tab. **Garagiste (vocabulaire du)**

EMBRÉCHITE

Voir tab. **Roches et minerais**

EMBREVER → EMBOÎTER, JOINDRE

EMBRIGADER → RECRUTER

EMBRIGADER enrégimenter, enrôler, recruter

EMBROCATION → ADOUCISSANT, CALMANT, MÉDICAMENT, POMMADE

EMBROCHER → BROCHE

EMBRONCHEMENT → TUILE

EMBRONCHER → EMBOÎTER

EMBROUILLAMINI → ÉCHEVEAU, QUIPROQUO

EMBROUILLÉ → BROUILLON (2), COMPLIQUÉ, DÉMÊLER, DÉSORDONNÉ

EMBROUILLEMENT → MÉLANGE

EMBROUILLER → BROUILLER, EMPÊTRER, OBSCURCIR, PATAUGER

EMBROUILLER brouiller, compliquer, enchevêtrer, ferler, mêler, obscur (rendre), obscurcir, relever, troubler

EMBRUMÉ → BROUILLARD, NÉBULEUX

EMBRUNS → BROUILLARD, MER, PLUIE

EMBRYOGENÈSE → EMBRYON

EMBRYOGÉNIE → EMBRYON

EMBRYOLOGIE → VIE, ZOOLOGIE

EMBRYON → BÉBÉ, COMMENCEMENT, CONCEPTION, DÉPART

EMBRYON allantoïde, amniocentèse, amnios, blastula, chorion, commencement, échographie, embryogenèse, embryogénie, embryopathie, fœtus, gastrula, germe, graine, morula, œuf, placenta, plantule, vitellin

EMBRYONNAIRE → ÉBAUCHE

EMBRYOPATHIE → EMBRYON

EMBU → PEINTURE, TABLEAU, TERNE

Voir tab. **Couture**

EMBÛCHE → ÉPINE, OBSTACLE

EMBÛCHE difficulté, embuscade, guet-apens, obstacle, piège, traquenard

EMBUÉ → HUMIDE

EMBUSCADE → ATTAQUE, EMBÛCHE, PIÈGE

ÉMÉCHÉ → GAI (2), GRIS, IVRE

ÉMERAUDE → VERT
Voir tab. **Anniversaires de mariage**
Voir tab. **Couleurs**
Voir tab. **Pierres précieuses et semi-précieuses**

ÉMERAUDE béryl, corindon, morillon, smaragdin, smaragdite, vert clair

ÉMERGENCE → SORTIE

ÉMERGENT → RAYON

ÉMERGER → APPARAÎTRE, ÉLEVER, PARAÎTRE, POINTER, SORTIR, SURFACE, SURGIR

ÉMERI → ABRASIF, POLIR

ÉMERILLON → CHAÎNE, FAUCON
Voir tab. **Pêche**

ÉMÉRITE → FIN (2), HABILE, SAVANT (2), SUPÉRIEUR

ÉMÉRITE chevronné, éminent

ÉMERVEILLÉ → ENTHOUSIASTE

ÉMERVEILLEMENT → ADMIRATION, ÉBLOUISSEMENT, EXTASE

ÉMERVEILLER → ÉBLOUIR, FASCINER, MIRACLE, PÂMER (SE), STUPÉFIER

ÉMERVEILLER admirer, éblouir, enchanter, extasier (s'), fasciner, ravir

ÉMÉTIQUE → VOMISSEMENT
Voir tab. **Médicaments**

ÉMETTEUR INFRAROUGE → COMMANDE

ÉMETTEUR-RÉCEPTEUR → RADIO

ÉMETTRE → ARROSER, DÉGAGER, DIFFUSER, ENTENDRE, EXPOSER, LÂCHER, LANCER, PRONONCER, RENDRE, RÉPANDRE

ÉMETTRE circulation (mettre en), darder, diffuser, exprimer, formuler, lancer

ÉMEU → COUREUR, OISEAU
Voir tab. **Oiseaux (classification simplifiée des)**

ÉMEUTE → REBELLE (1), RÉVOLTE, SOULÈVEMENT, VIOLENCE

ÉMEUTE agitation, insurrection, mutinerie, rébellion, révolte, sédition, soulèvement, trouble

ÉMEUTIER → AGITATEUR

ÉMIETTER → MORCELER

ÉMIETTER démembré, désagréger, fragmenté, morcelé, parcellisé

ÉMIGRATION → CHANGEMENT, MIGRATION, POPULATION
Voir tab. **Population**

ÉMIGRATION brain drain, exode, expatriation, fuite des cerveaux

ÉMIGRÉ → EXPATRIÉ

ÉMIGRER → DÉMÉNAGER, ÉTRANGER (1), INSTALLER (S'), PARTIR, PATRIE, QUITTER, RÉFUGIER (SE)

ÉMIGRER migrateur

ÉMINCÉ → TRANCHE

ÉMINCÉ DE VEAU À LA ZURICHOISE
Voir tab. **Spécialités étrangères**

ÉMINCER → COUPER
Voir tab. **Cuisine**

ÉMINCEUR → ROBOT

ÉMINENCE → CARDINAL (1), PLI, SAVANT (1)
Voir tab. **Clergé catholique (vocabulaire du)**

ÉMINENCE GRISE → CONDUCTEUR, CONSEIL, INSPIRATEUR

ÉMINENT → CÉLÈBRE, CONSIDÉRABLE, ÉMÉRITE, HAUT (2), SUPÉRIEUR

ÉMIR → ARABE, CHEF, DIGNITÉ, PRINCE

ÉMISSAIRE → AGENT, AMBASSADEUR, CANALISATION, DÉLÉGUÉ, ENVOYÉ, MESSAGER, MISSION

ÉMISSION → ÉRUPTION, JET, PRODUCTION, PROJECTION, RADIATION

ÉMISSION diffusion, éjaculation, miction, retransmission, transmission

ÉMISSION DE CHÉQUIERS → BANQUE

EMMAGASINER → DÉPOSER, MARCHANDISE, STOCK

EMMAILLOTER → ENVELOPPER

EMMANCHURE → MANCHE

EMMÊLÉ → DÉMÊLER

EMMÊLEMENT → MÉLANGE

EMMÊLER → BROUILLER

EMMÉLIE → DANSE

EMMÉNAGEMENT → INSTALLATION

EMMÉNAGER → DOMICILE, HABITER, LOGEMENT

EMMÉNAGOGUE
Voir tab. **Médicaments**

EMMENER → CONDUIRE, RAVIR

EMMENTAL → GRUYÈRE
Voir illus. **Fromages**

EMMÉTROPE → ŒIL

EMMÉTROPIE → VISION

EMMITOUFLER → COUVRIR, ENVELOPPER, HABILLER

EMMURÉ → VASE

ÉMOI → AGITATION, ÉMOTION, EXCITATION, INQUIÉTUDE, SENTIMENT, TROUBLE (1)

ÉMOI agitation, effervescence, émotion, excitation

ÉMOLLIENT → ADOUCISSANT, APAISEMENT

ÉMOLUMENTS → APPOINTEMENTS, FONCTIONNAIRE, PAIEMENT, REVENU, SALAIRE, TRAITEMENT

ÉMONCTOIRE → ISSUE

ÉMONDAGE → TAILLE

ÉMONDER → BRANCHE, COUPER, RACCOURCIR, ROGNER, TAILLER, TRIER

ÉMORFILER → AIGUISER

ÉMOTIF → IMPRESSIONNABLE, NERVEUX, SENSIBLE

ÉMOTIF impressionnable, nerveux, sensible

ÉMOTION → CRISPATION, ÉMOI, SENSATION, SENTIMENT, TROUBLE (1)

ÉMOTION choc, émoi, saisissement

ÉMOTTAGE
Voir tab. **Jardinage**

ÉMOTTER → ROULER

ÉMOUCHET → FAUCON

ÉMOUDRE → AIGUISER

ÉMOUSSÉ → ATTÉNUER, LAME, MOUSSE (2)

ÉMOUSSER → AFFAIBLIR, AMOLLIR, AMORTIR, USER

ÉMOUSTILLANT → EXCITANT (2)

ÉMOUSTILLÉ → GAI (2), IVRE

ÉMOUVANT → DRAMATIQUE, PATHÉTIQUE (2), TRAGIQUE

ÉMOUVANT attendrissant, bouleversant, déchirant, dramatique, pathétique, poignant, touchant, tragique

ÉMOUVOIR → ATTENDRIR, BOULEVERSER, CHAVIRER, FAIRE, FLÉCHIR, INQUIÉTER, PÉNÉTRER, PLAINDRE, REMUER, SECOUER, TOUCHER

ÉMOUVOIR affecter, apitoyer, attendrir, bouleverser, remuer, toucher, troubler

ÉMOUVOIR (S') → COMPATIR À, PITIÉ

EMPAILLAGE → CADAVRE, NATURALISATION

EMPAILLER naturaliser, taxidermie

EMPAILLEUR → NATURALISTE

EMPALER → PERCER

EMPAN → DOIGT, LONGUEUR, MAIN, POUCE

EMPANACHER → PANACHE

EMPANADAS
Voir tab. **Spécialités étrangères**

EMPAQUETER → CONDITIONNER, EMBALLER, ENVELOPPER

EMPARER (S') → CAPTURER, INTERCEPTER, MAIN, OBTENIR, PRENDRE, RAVIR, SAISIR, VOLER

EMPARER (S') accaparer, annexer, approprier (s'), confisquer, conquérir, détourner, enlever, envahir, gagner, kidnapper, saisir (se), soustraire, usurper

EMPÂTER → GAVER, GROSSIR

EMPATTEMENT
Voir tab. **Typographies**

EMPAUMURE → PAUME

EMPÊCHEMENT → CONTRETEMPS, INCONVÉNIENT

EMPÊCHER → DÉJOUER, ÉCRAN, INTERDIRE, NEUTRALISER, PROHIBER, REFUSER, SUPPRIMER

EMPÊCHER abstenir (s'), défendre de (se), déjouer, déranger, gêner, interdire, opposer à (s'), prévenir, prohiber

EMPÊCHER (S') → ABSTENIR (S'), CONTRAINDRE, DÉFENDRE, INTERDIRE (S'), RETENIR (SE)

EMPÊCHER DE PARLER → TAIRE

EMPÊCHEUR DE TOURNER EN ROND → TROUBLE-FÊTE

EMPEIGNE → CHAUSSURE
Voir illus. **Chaussures**

EMPENNAGE → GOUVERNAIL
Voir illus. **Arcs et arbalète**
Voir illus. **Avion**

EMPENNE → FLÈCHE

EMPEREUR → MONARQUE

EMPEREUR imperator, kaiser, mikado, padischah, souverain, sultan, tenno, tsar

EMPESAGE → AMIDON, CHEMISE

EMPESÉ → SÉRIEUX (2), SOLENNEL

EMPESER → APPRÊTER

EMPESTER → EMPOISONNER, RÉPANDRE, SENTIR

EMPÊTRER → EMBARRASSER, PATAUGER

EMPÊTRER embourber (s'), embrouiller (s'), encoubler (s'), enfoncer (s'), enliser (s'), entraver, lier

EMPHASE → ENFLURE,

PATHÉTIQUE (1), POMPE

EMPHATIQUE → BOURSOUFLÉ, COMPLIMENT, GAUCHE, GUINDÉ, IMPOSANT, MAJESTUEUX, POMPEUX, SENTENCIEUX, SOLENNEL, SOPHISTIQUÉ

EMPHATIQUE affecté, ampoulé, dithyrambe, exagéré, excessif, grandiloquent, panégyrique

EMPHYSÈME → ENFLURE, GONFLEMENT, POUMON

EMPHYTÉOSE → BAIL

EMPHYZÈME → INFILTRATION

EMPIERREMENT cailloutage, drainage, macadamisage, pavage, rudération

EMPIÉTER déborder, usurper

EMPIÉTER SUR → ENJAMBER, MORDRE

EMPILAGE amoncellement, enstérage, entassement, fixage

EMPILER → ENTASSER, METTRE, PILE

EMPIRE → AUTORITÉ, COLONIE, DÉPENDANCE, DÉTÉRIORER (SE), EFFET, EMPRISE, IMPÉRIALISME, IMPULSION, MAÎTRISE, PAYS, RÉPUBLIQUE

EMPIRE ascendant, Chine, contrôle, domination, effet, emprise, influence, Japon, maîtrise, monopole, pouvoir, trust

EMPIRE DU MILIEU → CHINOIS

EMPIRE ROMAIN
Voir tab. **Histoire (grandes périodes)**

EMPIRER → AGGRAVER, CROÎTRE, DÉGRADER, ENVENIMER, PROGRESSER

EMPIRER aggraver (s'), dégrader (se), détériorer (se)

EMPIRES COLONIAUX
Voir tab. **Histoire (grandes périodes)**

EMPIRIQUE → IRRATIONNEL, PRATIQUE (1), RAISON, SCIENTIFIQUE (2)

EMPIRISME → CONNAISSANCE, EXPÉRIENCE, RAISON
Voir tab. **Philosophie**

EMPLACEMENT → ENDROIT, LIEU, PLACE, POINT, POSITION, SITUATION

EMPLÂTRE → MÉDICAMENT

EMPLETTE → ACHAT

EMPLIR → CHARGER, OCCUPER, RÉPANDRE (SE)

EMPLIR bourrer, combler, farcir, garnir, ravir, saturer

EMPLOI → CARRIÈRE, CHARGE, CONSOMMATION, DESTINATION, FONCTION, MANIEMENT, OFFICE, PLACE, POSTE, PROFESSION, SITUATION, USAGE, UTILITÉ

EMPLOI affectation, charge, fonction, planning, programme, rôle, sinécure, situation, timing, travail, usage

EMPLOI (SANS) → PAVÉ

EMPLOI DU TEMPS → CALENDRIER, ORGANISATION, PROGRAMME

EMPLOYÉ → BUREAU, PERSONNEL (1), TRAVAILLEUR (1)

EMPLOYÉ agent, barman, bedeau, bureaucrate, cheminot, commis, dactylo, domestique, facteur, gratte-papier, marguillier, préposé, receveur, rond-de-cuir, secrétaire, serveur, sténodactylo, suisse, vendeur

EMPLOYÉ DE MAISON
Voir tab. **Saints patrons**
EMPLOYÉ DE MAISON →
BONNE, DOMESTIQUE (1)
EMPLOYER → AVOIR (1), EXERCER,
MANIER, ŒUVRE, PASSER,
PRATIQUER, PRENDRE, REMPLIR,
SERVIR, USER, UTILISER
EMPLOYER appliquer à (s'), désuet,
étrenner, inaugurer, inusité,
obsolète, œuvre, pratique,
profit, recourir à, servir de (se),
suranné, utiliser, vouer à (se)
EMPLOYER (S') → OCCUPER
EMPOCHER → RECEVOIR
EMPOIGNADE → ALTERCATION,
BAGARRE
EMPOIGNER → PRENDRE, SAISIR
EMPOINTURE → VOILE
EMPOIS → COLLE
EMPOISONNÉ → PERFIDE,
TRAÎTRE (2)
EMPOISONNEMENT → INFECTION,
INTOXICATION, POISON
Voir tab. **Phobies**
EMPOISONNEMENT botulisme,
intoxication, salmonellose,
toxicologie, trichinose
EMPOISONNER → EMBÊTER,
ENVENIMER, TROUBLER, VENIN
EMPOISONNER empester,
empuantir, fielleux, gâcher,
gâter, mauvais, perfide, polluer,
venimeux
EMPORIUM → COMPTOIR
EMPORT → CHARGE
EMPORTÉ → BOUILLONNANT,
COLÈRE, ENTRAÎNER, IMPÉTUEUX,
IMPULSIF, VIF (2)
EMPORTE-PIÈCE → DÉCOUPER,
SATIRIQUE
EMPORTEMENT → COLÈRE,
EXCITATION, FUREUR, PROMPTITUDE,
VÉHÉMENCE
EMPORTER → BALAYER, MUNIR,
PORTER, PRENDRE, SURPASSER,
TRIOMPHER, VAINCRE
EMPORTER arraché, balayé,
dérober, dominer, éclater,
enlever, entraîné, exploser,
fougueux, fulminer, impétueux,
irascible, irritable, prévaloir,
ravir, soustraire, tempêter,
triompher, vaincre, violent
EMPORTER (S') → DÉCHAÎNER,
ÉCLATER, EMBALLER, ENFLAMMER,
FÂCHER, FULMINER, INDIGNER (S'),
IRRITER
EMPOSIEU → GOUFFRE
EMPOURPRER (S') → ROUGIR
EMPREINDRE → COLORER
EMPREINT → REMPLIR
EMPREINTE → GRIFFE, INFLUENCE,
MARQUE, MOULAGE, PAS (1),
RECONNAISSANCE, REVOIR (1),
SCEAU, TRACE
EMPREINTE cache, clichage,
dactyloscopie, effigie, fossile,
galvanoplastie, impression,
moulage, pas, stigmate, style,
touche, trace
EMPRESSÉ → DÉVOUÉ, GALANT,
SERVIABLE, SOIN
EMPRESSEMENT → ACCOURIR,
IMPATIENCE, POLITESSE,
PRÉCIPITATION, ZÈLE
EMPRESSEMENT ardeur, attention,
bienveillance, célérité,

complaisance, dévouement,
prévenance, zèle
EMPRESSER (S') → AFFAIRER (S'),
DÉPÊCHER (SE), HÂTER (SE)
EMPRÉSURAGE → FROMAGE,
MOULAGE
EMPRISE → BRAS, DOMINATION,
EMPIRE, FORCE, IMPULSION,
INFLUENCE, MANIPULATION,
POUVOIR, PRISE
EMPRISE ascendant, domination,
empire, influence
EMPRISONNÉ → VASE, VERROU
EMPRISONNEMENT → CAPTIVITÉ,
DÉTENTION
EMPRISONNER → BOUCLER,
ENFERMER, JETER, RETENIR
EMPRISONNER claustrer, écrouer,
embastiller, enfermer, enserrer,
incarcérer, interner, séquestrer
EMPRUNT → CALQUE, CRÉDIT,
INTRODUCTION, PRÊT
EMPRUNT amortissable, artificiel,
consolidé, crédit, dette, dette à
long terme, dette flottante,
factice, indexé, obligation,
plagiat, pseudonyme,
souscription
EMPRUNTÉ → GAUCHE, MANIÈRE,
SNOB, TIMIDE
EMPRUNTÉ embarrassé, gauche,
guindé
EMPRUNTER → CONTRACTER,
DISPOSER, IMITER, PRENDRE,
RÉPÉTER, SUIVRE, TIRER, UTILISER
EMPUANTIR → EMPOISONNER,
RÉPANDRE, SENTIR
EMPYÈME → ÉPANCHEMENT
EMPYRÉE → CIEL
EMPYREUMATIQUE → ÂCRE
EMPYREUME → FEU, ODEUR
ÉMU → AFFECTÉ, CHOQUER,
ÉBRANLER, ÉPERDU, FRAPPER,
IMPRESSIONNER, SAISIR, TROUBLÉ
ÉMULATION → CONCURRENCE
Voir tab. **Informatique**
ÉMULATION concurrence, rivalité
ÉMULE → ADVERSAIRE,
COMPÉTITION, CONCOURS
ÉMULSIFIANT → CONSERVATEUR
ÉMULSION
Voir tab. **Photographie
(vocabulaire de la)**
ÉMULSION ASA, DIN, ISO
EN MÊME TEMPS →
CONJOINTEMENT
EN-AVANT → RUGBY
EN-BUT → RUGBY
EN-CAS → COLLATION, DÉJEUNER,
REPAS
EN-TÊTE → VIGNETTE
ENA → ÉCOLE
Voir tab. **Écoles (grandes)**
ÉNAMOURÉ → LANGOUREUX,
LANGUISSANT
ÉNAMOURER (S') → TOMBER
ÉNARQUE → ÉLÈVE
ENCADREMENT → CHÂSSIS,
RESPONSABILITÉ
Voir illus. **Intérieur de maison**
ENCADREMENT baguette,
biseau, carton-bois, carton-
plume, chasse-clou,
contrecollé, cutter,
écoinçon, embrasure,
lavis, marie-louise, passe-
partout, pavé, règle lourde,
tire-ligne

ENCADRER accompagner, border,
contrôler, diriger, entourer,
escorter, protéger
ENCAISSEMENT → BANQUE,
PERCEPTION
ENCAISSER → DÉGUSTER,
PERCEVOIR, RECEVOIR, RECOUVRER,
SUPPORTER, TOUCHER
ENCAISSER border, enclore,
enserrer, recevoir, toucher
ENCALMINÉ → IMMOBILISER
ENCAN (À L') → ENCHÈRE, VENTE
ENCANAILLER (S') →
COMMETTRE (SE), DÉCHOIR
ENCART → PUBLICITAIRE
ENCARTER → INSÉRER
ENCASTELURE → SABOT
ENCASTRABLE → ENCASTRER
ENCASTRER → EMBOÎTER, INSÉRER
ENCASTRER emboîter, encastrable,
enchâsser, enclaver
ENCAUSTIQUE → CIRE, PARQUET
ENCAUSTIQUER → CIRER
ENCEINTE → CONTOUR, ENCLOS,
FORTIFICATION, HAUT-PARLEUR,
LIMITE
ENCEINTE baffle, ceinture,
fortification, rempart
ENCENS → GOMME, MAGE, RÉSINE
ENCENS benjoin, cassolette,
encensoir, navette, oliban,
résine, thuriféraire
ENCENSEMENT → COMPLIMENT
ENCENSER → ACCORDER, COUVRIR,
FLATTER, HONORER, LOUANGE,
LOUER
ENCENSER flagorner, flatter,
honorer, louer
ENCENSOIR → BRÛLER, ENCENS
ENCENSOIR flagornerie, flatterie,
louange
ENCÉPAGEMENT → VIGNOBLE
ENCÉPHALE → CERVEAU (1),
NERVEUX
ENCÉPHALITE
Voir tab. **Vaccins**
ENCÉPHALOCÈLE →
MONSTRUOSITÉ
ENCÉPHALOGRAMME → CLICHÉ
**ENCÉPHALOPATHIE SPONGIFORME
BOVINE** → VACHE
ENCERCLER → ENVELOPPER,
INVESTIR, SIÈGE
ENCERCLER assiéger, boucler,
ceindre, cerné, entourer,
environner
ENCHAÎNEMENT → ASSOCIATION,
DÉROULEMENT, FIL, FILIATION,
ORDRE, RÉUNION, SUCCESSION
ENCHAÎNER → ESCLAVAGE, FER,
RATTACHER (SE), RETENIR,
SOUMETTRE, SUCCÉDER
ENCHAÎNER asservir, associer,
assujettir, attacher, bâillonner,
coordonner, garrotter, lié,
museler, relier, retenu,
soumettre, subjuguer,
succéder (se), suivre (se)
ENCHANTÉ → CHARMER,
CONTENT (2), HEUREUX, IVRE, JOIE
ENCHANTEMENT → BONHEUR,
CHARME, ÉBLOUISSEMENT,
ILLUSION, INCANTATION, IVRESSE,
JOIE, SORT
ENCHANTEMENT ensorcellement,
incantation, magie, sort,
sortilège
ENCHANTER → CAPTIVER,

CHARMER, ÉMERVEILLER, FASCINER,
PLAIRE, PLAISIR, RAVIR, RÉJOUIR
ENCHANTER charmer, ensorceler,
envoûter, ravir, subjuguer,
transporter
ENCHANTEUR → AGRÉABLE,
CHARMANT, MAGICIEN,
MERVEILLEUX, PITTORESQUE,
SÉDUISANT, SPLENDIDE
ENCHÂSSER → BAGUE, EMBOÎTER,
ENCASTRER, INSÉRER, MONTER
ENCHATONNER → BAGUE, INSÉRE
ENCHAUD PÉRIGOURDIN
Voir tab. **Plats régionaux**
ENCHAUSSER → PAILLE
ENCHÈRE → ADJUDICATION, OFFRE,
SAISIE, VENTE
Voir tab. **Bridge**
ENCHÈRE commissaire-priseur,
criée (à la), encan (à l'),
licitation, surenchérir
ENCHÈRE ARTIFICIELLE
Voir tab. **Bridge**
ENCHÉRISSEUR → ACHAT,
ACHETEUR
ENCHEVÊTRÉ → DIFFICILE
ENCHEVÊTREMENT →
COMPLICATION, DÉSORDRE,
ÉCHEVEAU, LABYRINTHE, MÉLANGE,
RÉSEAU
ENCHEVÊTRER → BROUILLER,
EMBROUILLER
ENCHIFRENÉ (ÊTRE) → RHUME
ENCHIFRÈNEMENT → EMBARRAS
ENCHILADA
Voir tab. **Spécialités étrangères**
ENCHONDRALE → OSSIFICATION
ENCKE → COMÈTE
ENCLAVER → ENCASTRER
ENCLENCHER → MOUVOIR
ENCLIN → PORTER, SUJET
ENCLIN (ÊTRE) → TENDANCE
ENCLITIQUE → ACCENT
ENCLOISONNÉ → SERRURE
ENCLORE → ENCAISSER
ENCLOS → BARRIÈRE, PARC
ENCLOS clos, clôture, corral,
enceinte, parc, pâtis, pâturage
ENCLUME → FORGE, OREILLE
Voir illus. **Oreille**
ENCLUME bigorne, maréchale
ENCOCHE → CRAN, ENTAILLE,
MARQUE, REPÈRE
Voir illus. **Arcs et arbalète**
ENCOCHER → ARC
ENCODER → CODE
ENCOIGNURE → ANGLE, COIN,
MEUBLE
ENCOLLAGE → PEINTURE, TISSAGE
ENCOLURE → COU
Voir illus. **Cheval**
ENCOMBRANT → FATIGANT,
LOURD, PESANT
ENCOMBRÉ → BOUCHÉ, FARCI,
SATURÉ, SURCHARGER
ENCOMBREMENT → BOUCHON
ENCOMBRER → BLOQUER,
CHARGER, EMBARRASSER, FARCIR,
GÊNER, OBSTRUER
ENCOMBRER gêner, obstruer
ENCORBELLEMENT → BALCON,
MAISON, SAILLIE
ENCOUBLER (S') → EMPÊTRER
ENCOURAGEMENT → BULLETIN,
EXCITATION
ENCOURAGER → ACCOMPAGNER,
APPLAUDIR, APPUYER, FAVORISER,
INCITER, PARTICIPER, POUSSER,

PROTÉGER, SECONDER, SOUTENIR, STIMULER, SUPPORTER

ENCOURAGER aiguillonner, enhardir, exciter, exhorter à, favoriser, flatter, inciter à, parrainer, pousser à, soutenir, sponsoriser, stimuler

ENCOURIR → EXPOSER, MÉRITER, SUBIR

ENCRASSÉ → SALE

ENCRASSEMENT → PEINTURE

ENCRE → MYCOSE

ENCRE autographique, buvard, calmar, encrivore, pâté, rouge (encre), seiche, sépia, sympathique

ENCRE DE CHINE → LAVIS

Voir tab. **Dessin (vocabulaire du)**

ENCRIVORE → ENCRE

ENCYCLIQUE → BREF (1), BULLE, CONSTITUTION, DÉCRET, LETTRE, PAPAUTÉ

Voir tab. **Catholique romain (vocabulaire)**

ENCYCLOPÉDIE → CONNAISSANCE, DICTIONNAIRE, RÉFÉRENCE

ENDÉMIE → ÉPIDÉMIE

ENDÉMIQUE → MALADIE

ENDETTER → ACCABLER, CHARGER, CONTRACTER

ENDIABLÉ → IMPÉTUEUX, JOYEUX

ENDIABLÉ ardent, fougueux, impétueux, vif

ENDIGUER → ARRÊTER, CONTENIR

ENDIMANCHER → HABILLER

ENDIVE

Voir tab. **Salades**

ENDOCARDE → ENVELOPPE, MEMBRANE

ENDOCARDITE → CŒUR

ENDOCARPE → FRUIT

ENDOCRINE → INTERNE (2), SÉCRÉTER

ENDOCRINE (GLANDE)

Voir tab. **Endocrinologie**

ENDOCRINOLOGIE

Voir tab. **Sciences : termes en -ologie et -ographie**

ENDOCTRINEMENT → INTOXICATION, PROPAGANDE, SECTE

ENDOCTRINER → CONDITIONNER, PROPAGANDE

ENDOGAMIE → CASTE, CLAN

ENDOGÈNE → MORTALITÉ, ROCHE

ENDOMÈTRE

Voir illus. **Génitaux (appareils)**

ENDOMMAGÉ → ABÎMÉ, CORROMPU

ENDOMMAGER → ABÎMER, ACCROCHER, BRÈCHE, DÉGRADER, DÉTÉRIORER, MEURTRIR, MUTILER, NUIRE, USER

ENDOMMAGER abîmer, altérer, avarié, détériorer, gâté

ENDOPHASIE → INTÉRIEUR (2)

ENDORMI → ENGOURDI, INACTIF, INDOLENT, SILENCIEUX

ENDORMI apathique, ensommeillé, indolent, léthargique, somnolent

ENDORMIR → ABRUTIR, APAISER, BERCER, CALMER, DORMIR, LEURRER, TROMPER, VIGILANCE

ENDORMIR anesthésier, apaiser, assoupir (s'), calmer, chloroformer, dissiper, hypnotiser, insomnie, soulager

ENDOS → DOS

ENDOSCOPE → ÉCLAIRAGE, EXPLORATION, SONDE

ENDOSCOPIE → VESSIE

Voir tab. **Examens médicaux complémentaires**

ENDOSSER → CHÈQUE, METTRE, NOM, SIGNER, SOI

ENDOSSER accepter, assumer, revêtir, signer

ENDOTOXINE → TOXIQUE

ENDROIT → ENVERS, LIEU, OPPOSÉ, PLACE, POINT, SITE

ENDROIT égard de (à l'), emplacement, envers, lieu, place, recto, verso

ENDROIT (À L') → ADRESSE, CÔTÉ

ENDUIRE → APPRÊTER, BARBOUILLER, FROTTER, GRAISSER, RECOUVRIR

ENDUIT → ÉMAIL, IMPRESSION, PEINTURE, RÉSINE, VERNIS

Voir illus. **Intérieur de maison**

ENDUIT apprêt, crépi, galipot, glaçure, gunite, incrustation, mastic, protection, revêtement, vernis

ENDUOPHOBIE

Voir tab. **Phobies**

ENDURANCE → ENDURCISSEMENT, FOND, FORCE, RÉSISTANCE, SANTÉ, SOUFFLE

Voir tab. **Sports**

ENDURANCE enduro, marathon, résistance

ENDURCI → BLINDÉ, DESSÉCHÉ, DUR, INSENSIBLE

ENDURCIR → BRONZER, DURCIR (SE), FORMER, FORTIFIER, HABITUER

ENDURCIR aguerrir, blinder (se), cuirasser (se), endurcir (s'), entraîner, fortifier, irréductible, tremper

ENDURCISSEMENT accoutumance, cal, callosité, cor, dessèchement, durillon, endurance, induration, insensibilité, œil-de-perdrix, résistance

ENDURER → ACCEPTER, DIGÉRER, ESSUYER, PÂTIR, RECEVOIR, SOUTENIR, SUBIR, SUPPORTER, VIVRE

ENDURER souffrir, subir, supporter

ENDURER (FAIRE) → INFLIGER

ENDURO → ENDURANCE, MOTOCYCLETTE

Voir tab. **Sports**

ENDYMION → JACINTHE

ÉNÉIDE (L') → RÉCIT

ÉNERGÉTIQUE → ÉNERGIE, NOURRISSANT, RICHE (2)

ÉNERGIE → ARDEUR, CRAN, ÉLECTRICITÉ, FORCE, MORDANT (1), RESSORT, RESSOURCE, SÈVE, VIE, VIGUEUR

ÉNERGIE atonie, chaleur, chimique, dynamisme, énergétique, éolien, force, hydraulique, joule, langueur, libido, mollesse, nucléaire, puissance, ressort, solaire, thermique, vitalité, vivacité

ÉNERGIQUE → CRIN, DÉCIDÉ, PUISSANT, ROBUSTE

ÉNERGIQUE actif, efficace, ferme, puissant, rigoureux, véhément, vigoureux, violent

ÉNERGIQUEMENT → DÉCISION

ÉNERGUMÈNE → EXCITÉ, INDIVIDU

ÉNERVANT → SUPPORTER

ÉNERVATION → SUPPLICE

Voir tab. **Chirurgie (vocabulaire de la)**

ÉNERVÉ → CRAN, EXASPÉRER, EXCITÉ, IRRITÉ

ÉNERVEMENT → IMPATIENCE, NERVOSITÉ, ZUT

ÉNERVER → CONTRARIER, FÂCHER, INDISPOSER, SANG-FROID

ÉNERVER agacer, exaspérer, excéder, impatienter (s'), irriter

ENFANCE → ÂGE, INNOCENCE, SEUIL

ENFANCE commencement, coqueluche, début, elfe, fée, gnome, instituteur, nurse, ogre, oreillons, pédiatre, puéricultrice, rougeole, rubéole, scarlatine, sénilité, sorcière, varicelle

ENFANT → DESCENDANT, INACTIF

Voir tab. **Croissance de l'enfant**

ENFANT babillage, balbutiement, barbouillage, berceau, berceuse, cirque, comptine, couffin, croque-mitaine, enfantillage, gaminerie, gazouillis, gribouillage, guignol, infanticide, landau, loup, marâtre, ogre, parâtre, père Fouettard, poussette, progéniture, puérilité, vagissement

ENFANTEMENT → ACCOUCHEMENT, MATERNITÉ, NAISSANCE, REPRODUCTION

ENFANTER → ACCOUCHER, FAIRE, MONDE

ENFANTILLAGE → ENFANT, IMMATURE, INFANTILE

ENFANTIN → ÉLÉMENTAIRE, FACILE, INFANTILE

ENFER → BIBLIOTHÈQUE, DAMNÉ, DIABLE, SOUFFRANCE, SUPPLICE

Voir tab. **Catholique romain (vocabulaire)**

ENFER Achéron, Cerbère, Champs Élysées, Cocyte, dam, excessif, géhenne, Hadès, Léthé, limbes, pandémonium, Phlégéton, Satan, sens, Styx, supplice, tourment, violent, Yama

ENFERMER → CONFINER, EMPRISONNER, ISOLER (S'), JETER, MURER, PERSÉVÉRER

ENFERMER cantonner (se), claustrophobie, cloître, coffrer, coincer, confiner, écrouer, emprisonner, incarcérer, interner, murer (se), séquestrer

ENFERRER (S') → MENSONGE

ENFEU → NICHE

ENFIELLÉ → FIEL

ENFIÉVRER → BRÛLER

ENFILADE → FILE, SUITE

ENFILER débiter, engager dans (s')

ENFIN → BREF (2)

ENFLAMMÉ → ARDENT, BOUILLONNANT, FLAMME, ZÉLÉ

ENFLAMMER → ALLUMER, ANIMER, BRÛLER, ÉLECTRISER, EMBRASER, ENTHOUSIASMER, ENVENIMER, EXALTER, IRRITER, PASSIONNER, REMPLIR, ROUGIR, STIMULER

ENFLAMMER animer (s'), déflagrer,

échauffer, électriser, éloquence, embraser, emporter (s'), enthousiasmer, envenimer, exalter, galvaniser, infecter, inflammable, irriter, passionner (se), verve

ENFLÉ → BOUFFI, BOURSOUFLÉ, PRÉTENTIEUX

ENFLER → ARRONDIR (S'), EXAGÉRER, GONFLER, GROSSIR, REMPLIR

ENFLEURER → PARFUM

ENFLURE → BOSSE, CHAIR

ENFLURE bouffissure, boursouflure, emphase, emphysème, gonflement, intumescence, œdème, pompe, tuméfaction

ENFONCÉ → CABOSSÉ

ENFONCEMENT → DÉPRESSION

ENFONCEMENT cavité, creux, échancrure, fracture, profondeur

ENFONCER → APPUYER, BRISER, DÉROUTE, EMPÊTRER, FICHER, INTRODUIRE, OUVRIR, PÉNÉTRER, PLANTER, PLONGER, PRESSER, RENVERSER, SOMBRER

ENFONCER abîmer (s'), absorber (s'), affaisser (s'), brèche, briser, couler, culbuter, défaire, embourber (s'), enfouir, engloutir (s'), enliser (s'), ficher, forcer, pénétrer, planter, plonger, sombrer

ENFONCER LE CLOU → INSISTER

ENFOUIR → ENFONCER, ENSEVELIR, ENTERRER, GARDER, PLONGER

ENFOUIR blottir (se), dissimuler, ensevelir, enterrer

ENFOURCHEMENT → ASSEMBLAGE, MENUISERIE

ENFOURNER → FOUR

ENFOURNEUSE → PELLE

ENFREINDRE → CONTREVENIR, DÉSOBÉIR, ENTORSE, MANQUER, OUBLIER, PASSER, TRANSGRESSER, VIOLER

ENFUIR (S') → BAGAGE, BELLE, BOUT, CESSER, COURIR, DÉCAMPER, DÉGUERPIR, ENVOLER (S'), ÉVADER (S'), FILER, PARTIR, RÉFUGIER (SE)

ENFUIR (S') déguerpir, disparaître, dissiper (se), échapper (s'), éclipser (s'), esquiver (s'), évader (s'), évanouir (s'), exiler (s'), expatrier (s'), fuguer

ENGAGÉ → FERVENT (2), MILITAIRE (1)

ENGAGEANT → APPÉTISSANT, ATTIRANT, FAMILIER (2), SOCIABLE, SYMPATHIQUE

ENGAGEMENT → ACCOUCHEMENT, CONTRAT, ESCARMOUCHE, LEVÉE, OBLIGATION, PROMESSE, RECRUTER, RENCONTRE, TRAITÉ, VŒU

ENGAGEMENT accrochage, dette, escarmouche, inscription, obligation, promesse, rompre, serment, violer

ENGAGER → DÉMARRER, DÉTERMINER, EMBAUCHER, ENTREPRENDRE, INCITER, INTRODUIRE, INVESTIR, INVITER, LANCER, LOGER, METTRE, OBLIGER, PRENDRE, RECRUTER, SOLLICITER

ENGAGER convier, embaucher, entamer, entreprendre, exhorter, gage (mettre en), inciter, intenter, investir, inviter, livrer, placer, recruter

ENGAGER (S') → CHOISIR, DÉDIRE (SE), ENFILER, LANCER, PÉNÉTRER

ENGAMER
Voir tab. **Pêche**

ENGEANCE → CATÉGORIE, RACE

ENGELS → MARXISTE

ENGELURE → FISSURE, FROID (1)

ENGENDREMENT → REPRODUCTION

ENGENDRER → ACCOUCHER, CAUSER, CONCEVOIR, EXISTENCE, FAIRE, NAÎTRE, OCCASIONNER, PRODUIRE, PROVOQUER, SOULEVER

ENGENDRER concevoir, générer, procréer, produire, provoquer, susciter

ENGIN → APPAREIL, INSTRUMENT, MACHINE, MODULE

ENGINEERING → USINE

ENGLOBER → COMPRENDRE, COMPTER, EMBRASSER

ENGLOUTI → ENSEVELIR, ENTERRER, NOYER

ENGLOUTIR → ABSORBER, AVALER, CROQUER, DÉPENSER, DÉVORER, MANGER, VIDER

ENGLOUTIR abîmer (s'), dépensé, dévorer, dilapider, dissiper, engouffrer, sombrer

ENGLOUTIR (S') → ABÎMER (S'), COULER, ENFONCER, NAUFRAGE, SOMBRER

ENGLOUTISSEMENT → ABSORPTION

ENGONCÉ → GÊNER

ENGORGÉ → BOUCHÉ

ENGORGEMENT → BOUCHON

ENGORGER → OBSTRUER

ENGOUEMENT → ADMIRATION

ENGOUER (S') → PASSIONNER (SE)

ENGOUFFRER → CONSOMMER, DÉVORER, ENGLOUTIR, ENTRER, MANGER, PRÉCIPITER (SE)

ENGOULEVENT
Voir tab. **Oiseaux (classification simplifiée des)**

ENGOURDI → IMMOBILE, INSENSIBLE

ENGOURDI apathique, endormi, gourd, lent, raide, transi

ENGOURDIR → ABRUTIR, ALOURDIR, PARALYSER, ROUILLER (SE)

ENGOURDISSEMENT → INACTION, SOMMEIL, STUPEUR, TORPEUR

ENGOURDISSEMENT ankylose, estivation, hibernation, léthargie, onglée, paralysie, torpeur

ENGRAIS → AZOTE, FERTILE, FUMIER, NITRATE, RENDEMENT
Voir tab. **Jardinage**
Voir tab. **Minéraux et utilisations**

ENGRAIS amendement, chimique, compost, fertilisant, fumier, gadoue, guano, terramare, tourteau

ENGRAISSER → BONIFIER, GAVER, GROSSIR, NOURRIR

ENGRAISSER appâter, écobuer, engrener, épaissir, faluner, forcir, fumer, gaver, gorger, grossir, marner

ENGRAISSEUR → ÉLEVEUR

ENGRANGER → GRANGE, MOISSONNER, RÉSERVE

ENGRAVER (S') → ÉCHOUER, FOND, SABLE

ENGRÊLÉ
Voir illus. **Héraldique**
Voir tab. **Héraldique (vocabulaire de l')**

ENGRENAGE → ENTRAÎNEMENT

ENGRENAGE chaîne (à), conique, cylindrique, différentiel, escalade, hélicoïdal, hyperboloïde, pignon, roue, spirale, transmission

ENGRENER → EMBOÎTER, ENGRAISSER, POLIR

ENGUEULADE → RÉPRIMANDE

ENGUICHURE → BOUCLIER

ENHARDIR → ENCOURAGER, STIMULER

ÉNIGMATIQUE → DIFFICILE, INCOMPRÉHENSIBLE, INCONNU, INDÉCHIFFRABLE, MYSTÉRIEUX, OBSCUR, RÉSOUDRE

ÉNIGMATIQUE équivoque, étrange, insolite, obscur, sibyllin

ÉNIGME → COMPLEXE, PROBLÈME

ÉNIGME affaire, charade, devinette, explication, logogriphe, métagramme, mystère, rébus, secret, solution

ENITA → ÉCOLE

ENIVRANT → ABSORBANT, FORT (2), IRRÉSISTIBLE, SÉDUISANT

ENIVRANT capiteux, exaltant, grisant, troublant

ENIVREMENT → IVRESSE, VERTIGE

ENIVRER → BOIRE, ÉTOURDIR, GRISER, IVRE, PASSIONNER, REMPLIR

ÉNIVRER → ALCOOL

ENJAMBÉE → MARCHER, PAS (1)

ENJAMBEMENT → DÉBORDER
Voir tab. **Poésie (vocabulaire de la)**

ENJAMBER → FRANCHIR, PASSER, SAUTER

ENJAMBER empiéter sur, franchir, prolonger (se), sauter

ENJEU → JEU, MISE, PARI

ENJOINDRE → COMMANDER, DEMANDER, DEMEURE, ORDONNER, PRESCRIRE, PRIER, SIGNIFIER

ENJÔLER → ATTIRER, ATTRAPER, CHARME

ENJÔLER abuser, captiver, charmer, duper, séduire, subjuguer, tromper

ENJÔLEUR → AFFECTUEUX, ENVELOPPANT

ENJOLIVÉ → AMPLIFIER, SCULPTER

ENJOLIVER → BRODER, DÉCORER, EMBELLIR, MENTIR, ORNER

ENJOLIVER agrémenter, broder, décorer, émailler, embellir, orner, parer

ENJOUÉ → GAI (2), JOVIAL, JOYEUX

ENJOUEMENT → GAIETÉ, HUMEUR

ENLACEMENT → CARESSE

ENLACER → CARESSER, EMBRASSER, ENTOURER, ÉTREINDRE, SERRER, TENIR

ENLACER embrasser, entrecroiser, entrelacer, entremêler, étreindre

ENLAIDI → GÂTÉ

ENLAIDIR → GÂTER

ENLÈVEMENT → BALAYAGE, DÉLIT, LEVÉE, PRISE, STATIONNEMENT

ENLÈVEMENT fourrière, kidnapping, préfourrière, rapt, ravissement

ENLEVER → ARRACHER, CAPTURER, DÉCOUVRIR, DÉPOSER, DÉPOSSÉDER, DÉPOUILLER, DISPARAÎTRE, EMPARER (S'), EMPORTER, EXTRAIRE, ÔTER, PRENDRE, PRIVER, QUITTER, RAVIR, RAYER, SORTIR

ENLEVER arracher, captiver, conquérir, desservir, énucléer, extraire, kidnapper, ôter, retirer, séduire, supprimer

ENLEVER À → DESSAISIR

ENLEVURE → RELIEF

ENLISER (S') → CROUPIR, EMPÊTRER, ENFONCER, VASE

ENLUMINÉ → MAJUSCULE, ROUGE
Voir tab. **Couleurs**

ENLUMINER → COLORER

ENLUMINEUR → MANUSCRIT, PEINTRE

ENLUMINURE → DÉCORATION, ILLUMINATION, ILLUSTRATION, IMAGE, MINIATURE, ORNEMENT

ENM
Voir tab. **Écoles (grandes)**

ENNÉADE → NEUF (2)

ENNÉAGONE → NEUF (2)

ENNEMI → HOSTILE, OPPOSANT, RIVAL

ENNEMI adversaire, antagoniste, déserter, détracteur, misonéiste, rival, trahir

ENNOBLIR → GRANDIR, RELEVER

ENNUI → CONTRETEMPS, ÉPINE, ÉVÉNEMENT, HISTOIRE, INCONVÉNIENT, MALHEUR, MISÈRE, PÉPIN, SOUCI, TRACAS

ENNUI aria, désagrément, désœuvrement, langueur, lassitude, mélancolie, souci, spleen, tracas

ENNUYÉ → DÉSOLÉ, FÂCHER

ENNUYER → DÉPLAIRE, EMBÊTER, FATIGUER, INQUIÉTER, INTERROMPRE, LANGUIR, MÉCONTENTER, PRÉOCCUPER, TOURMENTER

ENNUYER embarrasser, gêner, importuner, morfondre (se), tarabuster

ENNUYER (S') → LANGUIR

ENNUYEUX → CONTRARIANT, DOMMAGE, INSIGNIFIANT, LASSER, MAUSSADE, MONOTONE, MORTEL, PESANT, SECOND, SINISTRE (2)

ENNUYEUX assommant, contrariant, fastidieux, inquiétant, monotone, préoccupant, rébarbatif, rebutant, soporifique

ÉNONCÉ → DONNÉE, RAISONNEMENT, STIPULER, TEXTE

ÉNONCER → DIRE, ENTENDRE, EXPOSER, FIXER, MENTION, POSER, PRONONCER, RÉCITER

ÉNONCER dire, énonciation, exprimer, formuler, mentionner, stipuler

ÉNONCIATION → ÉNONCER

ENOPLION → DANSE

ENORGUEILLIR (S') → FLATTER, GLORIFIER, VANITÉ, VANTER

ÉNORME → COLOSSAL, CONSIDÉRABLE, DÉMESURÉ, EXCESSIF, EXTRAORDINAIRE, IMMENSE, INDUSTRIEL (2), INFINI (2), INOUÏ, OBÈSE, PHÉNOMÉNAL

ÉNORME colossal, démesuré, excessif, extraordinaire, fou, gargantuesque, gigantesque, immense, inouï, obèse, titanesque

ÉNORMÉMENT → BEAUCOUP

ENQUÉRIR (S') → CHERCHER, DEMANDER, INFORMER, INTERROGER, QUESTIONNER, SAVOIR (2)

ENQUÊTE → CONSULTATION, EXAMEN, INFORMATION, INQUISITION, INTERROGATION, INVESTIGATION, QUESTIONNAIRE, RECHERCHE

ENQUÊTE contre-enquête, étude, examen, information, instruction, interrogatoire, investigation, micro-trottoir, recherche, sondage

ENQUÊTER → CHERCHER, INFORMER, INTERROGER, QUESTION, RENSEIGNEMENT

ENQUÊTEUR → DÉTECTIVE, POLICE, RENSEIGNEMENT

ENRACINÉ → SOLIDE

ENRACINER → CONSOLIDER, DURABLE, INSTALLER (S'), RACINE

ENRACINER ancrer, implanter, tenace

ENRAGÉ → DÉMESURÉ, FANATIQUE (2), FURIEUX (1), IRRITÉ, VIOLENT

ENRAGER → RAGE

ENRAGER acharné, écumer, effréné, furieux, irriter, passionné, rager, taquiner, violent

ENRAGER (FAIRE) → RAGE

ENRALINGUE → VOILE

ENRAYER → ARRÊTER, FREINER, MAÎTRISER, NEUTRALISER, PROGRESSER

ENRAYURE → CHARRUE, SEMER, TRANCHÉE

ENRÉGIMENTER → EMBRIGADER, MOBILISER, RECRUTER

ENREGISTREMENT → ACTE, ALBUM, AVION, INSCRIPTION, POINTAGE, REPRODUCTION

ENREGISTREMENT boîte noire, magnétique, magnéto-optique, optique

ENREGISTRER → INSCRIRE, NOTER, POINTER, RECUEILLIR, REGISTRE, RETENIR

ENREGISTRER archiver, consigner, constater, étiqueter, fixer, inventorier, observer, percevoir, peser, recueillir, répertorier, représenter, sauvegarder, transcrire

ENREGISTREUR baromètre, compte-tours, compteur, électrocardiogramme, magnétophone, magnétoscope, sphygmomanomètre, tachymètre

ENRICHIR → BONIFIER, EMBELLIR, FERTILE, GAGNER, NOURRIR, ORNER

ENRICHIR amender, augmenter, broder, cultiver, développer, fertiliser, nourrir, orner

ENRICHISSANT → INTÉRESSANT

ENRICHISSEMENT → GAIN, PROFIT

ENROBER → ENTOURER, RECOUVRIR

ENRÔLÉ → INCORPORER

ENRÔLEMENT → LEVÉE, RECRUTER

ENRÔLER → EMBAUCHER, EMBRIGADER, INSCRIRE (S'), MOBILISER, RECRUTER

ENROUÉ → SOURD

ENROUEMENT → ALTÉRATION, VOIX

ENROULER → EMBOBINER, ENTOURER, ROULER, TORDRE, TRAME

ENROULER bobiner, envelopper (s'), lover (se), tordre (se), torsader, vriller (se)

ENROULEUR DE GÉNOIS
Voir tab. **Voilier : Dufour 38 Classic**

ENRUBANNER → RUBAN

ENSA → ÉCOLE

ENSABLER → ÉCHOUER, FOND, SABLE

ENSACHER → EMBALLER, ENVELOPPER

ENSANGLANTER → ROUGIR

ENSEIGNANT → ÉDUCATEUR, INSTITUTEUR, MAÎTRE, PROFESSEUR, RABBIN
Voir tab. **Saints patrons**

ENSEIGNE → COMMERCE, DRAPEAU, FAVEUR, GUIDON, INSCRIPTION

ENSEIGNE blason, caducée, drapeau, écu, étendard, marque, panneau, panonceau

ENSEIGNE DE VAISSEAU
Voir illus. **Grades militaires**

ENSEIGNEMENT → CONCLUSION, COURS, ÉTUDE, INSTRUCTION, LEÇON, MORALE, RABBIN, RÉCIT

ENSEIGNEMENT catéchisme, didactique, ésotérique, exotérique, intruction, pédagogie, précepte, règle

ENSEIGNER → APPRENDRE, DOCTRINE, EXPLIQUER, INDIQUER, INITIER, INSTRUIRE, MONTRER, PERPÉTUER, PRÊCHER, PROPAGER, SAVOIR (1)

ENSEIGNER apprendre, christianiser, évangéliser, former, inculquer, initier, prêcher, transmettre

ENSELLURE → COLONNE VERTÉBRALE

ENSEMBLE → COMPAGNIE, CONJOINTEMENT, FAISCEAU, FORMATION, PAIR, PÂTÉ, RÉPÉTITION, RÉUNION, TOUT (1), VARIÉTÉ

ENSEMBLE assortiment, batterie, chœur, chorale, collection, collectivité, communauté, corporation, ensemblier, groupe, harmonie, orchestre, parure, patate, système, tout, troupe

ENSEMBLE (DANS L') → GROS

ENSEMBLE PÊCHEUR → TRICOTER

ENSEMBLIER → DÉCOR, ENSEMBLE

ENSEMENCEMENT → REPRODUCTION
Voir tab. **Jardinage**

ENSEMENCER → PLANTER, RÉPANDRE

ENSERRER → CONTENIR, EMPRISONNER, ENCAISSER, ENTOURER, SERRER

ENSEUILLEMENT → FENÊTRE

ENSEVELIR → CADAVRE, ENFOUIR, RECOUVRIR

ENSEVELIR dissimuler, enfouir, englouti, enterrer, inhumer

ENSEVELISSEMENT → ENTERREMENT

ENSI → ÉCOLE

ENSILAGE → FOURRAGE, MAÏS

ENSIMER → HUILER

ENSOLEILLÉ → CLAIR, ILLUMINÉ, RADIEUX

ENSOMMEILLÉ → ENDORMI

ENSORCELANT → ATTIRANT, SÉDUISANT

ENSORCELÉ → CAPTIVER, POSSÉDÉ

ENSORCELER → BRILLER, CAPTIVER, CONQUÉRIR, ENCHANTER, FASCINER, JETER, MAGNÉTISER, RAVIR, SÉDUIRE, SUBJUGUER

ENSORCELER captivé, envoûter, marabouter, séduit, sort, subjugué

ENSORCELLEMENT → CHARME, ENCHANTEMENT, HYPNOSE

ENSTÉRAGE → EMPILAGE

ENSUITE → PEU (2), TARD

ENSUIVRE (S') → RÉSULTAT

ENTABLEMENT → COURONNEMENT, SAILLIE
Voir illus. **Colonnes**
Voir tab. **Architecture**

ENTABLURE → CISEAU

ENTACHER → DÉSHONORER, FLÉTRIR, HONNEUR

ENTAILLE → BLESSURE, CICATRICE, CRAN, ÉRAFLURE, MARQUE, PLAIE, REPÈRE

ENTAILLE balafre, coupure, cran, encoche, entamure, estafilade, feuillure, incision, mortaise, rainure, scarification, taillade

ENTAILLÉ → FENTE

ENTAILLER → INCISER, SERRURE

ENTAILLEUR D'IMAGES → SCULPTURE

ENTAME → BOUT, JAMBON, MORCEAU
Voir tab. **Belote**
Voir tab. **Tarot**

ENTAMÉ → ÉBRÉCHER

ENTAMER → ABORDER, ACIDE (1), ATTAQUER, BRÈCHE, ÉBAUCHER, ÉBRANLER, ENGAGER, ENTREPRENDRE, INITIATIVE, MANGER, MORDRE, OUVRIR, RONGER
Voir tab. **Bridge**

ENTAMER affaiblir, attaquer, commencer, corroder, débuter, ébranler, écorcher, égratigner, mordre, ouvrir, ronger, saper

ENTAMEUR
Voir tab. **Belote**
Voir tab. **Bridge**
Voir tab. **Tarot**

ENTAMURE → ENTAILLE

ENTASSEMENT → ACCUMULATION, EMPILAGE, FOULE, PILE, PYRAMIDE, RÉUNION, TAS

ENTASSER → ACCUMULER, AMASSER, CONCENTRER, CONSERVER, PILE, PRESSER (SE), SERRER, TASSER

ENTASSER accumuler, agglomérer (s'), agglutiner (s'), amasser, amonceler, collectionner, empiler, multiplier, serrer (se), stocker

ENTE → BRANCHE, GREFFE, MANCHE, PINCEAU

ENTÉLÉCHIE → PERFECTION

ENTENDEMENT → COMPRÉHENSION, ESPRIT, INTELLIGENCE, JUGEMENT, PENSER, PHÉNOMÈNE, RAISON

ENTENDRE → COMPRENDRE, COMPRENDRE, CONCERTER (SE), CONNAÎTRE, PERCEVOIR, RECONNAÎTRE

ENTENDRE accorder (s'), apprécier (ne pas), comprendre, concerter (se), connaître (ne pas), discerner, distinguer, émettre, énoncer, inaudible, insinuer, percevoir, prononcer, saisir, sousentendre, surdité

ENTENDRE (S') → COMPOSER

ENTENDU assurément, complice, compris, conclu, conçu, connivence (de), convenu, décidé, évidemment, naturellement, réglé

ENTENTE → AMITIÉ, COALITION, COLLUSION, COMPLICITÉ, CONCILIATION, CONCORDANCE, CONVENTION, CORRESPONDANCE, FRATERNITÉ, INTELLIGENCE, PACTE, RÉUNION, TERME, TRAITÉ, UNION

ENTENTE accord, alliance, cabale, coalition, collusion, complicité, concorde, connivence, conspiration, convention, harmonie, ligue, pacte, traité, union

ENTENTE (TERRAIN D') → NÉGOCIATION

ENTENTE TACITE → COMPRÉHENSION

ENTER → ASSEMBLER, BOUT, BRANCHE, INSÉRER

ENTÉR(O)- → INTESTIN (1)
Voir tab. **Chirurgicales (interventions)**

ENTÉRALGIE → INTESTIN (1)

ENTÉRINEMENT → RATIFICATION, SANCTION

ENTÉRINER → ADOPTER, APPROUVER, CONFIRMER, VALIDER

ENTÉRINER approuver, confirmer, homologuer, ratifier, valider

ENTÉRIQUE → INTESTIN (1)

ENTÉRITE → COLIQUE, DIARRHÉE, INTESTIN (1)

ENTÉROCOLITE → INTESTIN (1)

ENTÉROKINASE → DIGESTION

ENTÉROVACCIN → INTESTIN (1)

ENTERREMENT → FUNÈBRE, FUNÉRAIRE, OBSÈQUES, SERVICE

ENTERREMENT ensevelissement, funérailles, inhumation, lugubre, obsèques, sinistre, sombre

ENTERRER → ENFOUIR, ENSEVELIR, RECOUVRIR

ENTERRER abandonner, cacher, catacombe, caveau, cimetière, cloîtrer (se), crypte, enfouir, englouti, étouffer, hypogée, isoler (s'), nécropole, oublier, renoncer à, retirer (se), tombe, tombeau

ENTÊTÉ → IDÉE, OBSTINÉ, OPINIÂTRE, TENACE, TÊTU

ENTÊTEMENT → OPINIÂTRETÉ

ENTÊTEMENT obstination, opiniâtreté, ténacité

ENTÊTER (S') → BUTER, PERSÉVÉRER

ENTHOUSIASME → ARDEUR, BOUILLONNEMENT, CHALEUR, CŒUR, EXCITATION, FEU, FOUGUE, FRÉNÉSIE, FUREUR, INSPIRATION, IVRESSE, PÉTULANCE

ENTHOUSIASME allégresse, ardeur, chaleur, délire, emballement, entrain, exaltation, fanatisme, ferveur, frénésie, hystérie, inspiration, joie, jubilation, passion, transport, zèle

ENTHOUSIASMÉ → CONTENT (2), EMBALLER

ENTHOUSIASMER → CHARMER, ÉLECTRISER, ENFLAMMER, EXALTER, PASSIONNER, PLAIRE, RAVIR, SÉDUIRE

ENTHOUSIASMER animer (s'), électriser, enflammer (s'), galvaniser

ENTHOUSIASTE → CHALEUREUX, CORDIAL (2), FANATIQUE (2), FERVENT (2), ROMANTIQUE, TONIQUE (2), ZÉLÉ

ENTHOUSIASTE admiratif, conquis, dithyrambe, émerveillé, ravi

ENTICHÉ → FOU (2)

ENTICHER (S') → PASSIONNER (SE), TOMBER

ENTIER → ABSOLU, BRUTAL, INTACT, INTÉGRAL (2), INTRAITABLE, NOMBRE, NUANCE, PLEIN, POUVOIR, RÉSERVE, RESTRICTION, ROND (2), TOTAL, VIOLON

ENTIER absolu, complet, étalon, intact, intégrale, intraitable, intransigeant, obstiné, réserve (sans), restriction (sans), total

ENTIÈREMENT → ABSOLUMENT, COMBLE (1), COU, FOND

ENTIÈRETÉ → COMPLET, TOUT (1)

ENTITÉ → ABSTRACTION

ENTOILAGE → BRODERIE

ENTOIR → COUTEAU

ENTÔLAGE (À L')
Voir tab. **Vols (types de)**

ENTÔLEUSE
Voir tab. **Prostitution**

ENTOMOLOGIE → INSECTE, NATUREL, ZOOLOGIE
Voir tab. **Sciences : termes en -ologie et -ographie**

ENTOMOLOGISTE → NATURALISTE

ENTOMOPHAGE → INSECTE

ENTOMOPHILE → PLANTE

ENTOMOPHILIE → POLLEN

ENTOMOPHOBIE
Voir tab. **Phobies**

ENTOMOSTRACÉS → CRUSTACÉ

ENTONNER → CHANTER, COMMENCER, TONNEAU, VERSER

ENTONNOIR → TROU, USTENSILE

ENTORSE → ARTICULATION, BLESSURE, BRÈCHE, ÉCART, EFFORT, FOULER, INFRACTION, IRRÉGULARITÉ, LÉSION

ENTORSE contrevenir à, déboîtement, déroger à, distension, élongation, enfreindre, foulure, luxation, rupture, transgresser

ENTORSE AU RÈGLEMENT → CONTRAVENTION

ENTORTILLÉ → COMPLIQUÉ

ENTOURAGE → CADRE, ENVIRONNEMENT, MILIEU, PROCHE (1)

ENTOURER → EMBRASSER, ENCADRER, ENCERCLER

ENTOURER auréolé, bordé, ceindre, choyé, clôturer, couvé, enlacer, cnrober, enrouler, enserrer, envelopper, environné, étreindre, fermer, ligoter, rassembler, réunir

ENTOURNURE → MANCHE

ENTRACTE → INTERRUPTION, INTERVALLE, PAUSE, REPOS

ENTRACTE interlude, intermède, intervalle, pause, répit

ENTRAIDE → BIENFAISANCE, SOLIDARITÉ

ENTRAIDER (S') → ÉPAULER

ENTRAILLES → BOYAU, INTESTIN (1), SEIN

ENTRAIN → ACTIVITÉ, ANIMATION, ARDEUR, CŒUR, ENTHOUSIASME, FOUGUE, GAIETÉ, HUMEUR, PÉTULANCE

ENTRAÎNANT → GAI (2), JOYEUX

ENTRAÎNÉ → EMPORTER, POUSSER

ENTRAÎNEMENT → PRATIQUE (1), PRÉPARATION

ENTRAÎNEMENT courroie, élan, engrenage, exercice, impulsion, mouvement, préparation, répétition, transmission

ENTRAÎNER → ACCOUTUMER, AMENER, CAUSER, DÉCLENCHER, ENDURCIR, FAIRE, FORMER, I NCITER, INCITER, MENER, OCCASIONNER, PRODUIRE, PROPAGANDE, PROVOQUER, RÉSULTAT, SOULEVER

ENTRAÎNER acculer, charrié, conduire, convaincre, drosser, emporté, inciter, occasionner, pousser, provoquer

ENTRAÎNER À → HABITUER

ENTRAÎNEUR → BOXEUR, COACH, MONITEUR

ENTRAIT → FERME (1), POUTRE
Voir illus. **Charpente**
Voir illus. **Maison**

ENTRAPERCEVOIR → APERCEVOIR

ENTRAVE → CARCAN, COMPLICATION, CONTRADICTION, CONTRAINTE, INCONVÉNIENT, LIEN, OBSTACLE

ENTRAVER → ARRÊTER, BLOQUER, CONTRAINDRE, CONTRARIER, ÉCHEC, EMPÊTRER, GÊNER

ENTRE AMIS → INTIME (2)

ENTRE AUTRES → NOTAMMENT

ENTREBÂILLER → BÂILLER, OUVRIR

ENTREBÂILLEUR → FENÊTRE

ENTRECHAT → DANSE, GAMBADE, SAUT
Voir tab. **Danse classique**

ENTRECHOQUER (S') → HEURTER (SE)

ENTRECÔTE → BIFTECK
Voir illus. **Bœuf**

ENTRECÔTE À LA BORDELAISE
Voir tab. **Plats régionaux**

ENTRECOUPER → HACHER, INTERROMPRE

ENTRECROISÉ
Voir illus. **Colombage**

ENTRECROISER → ENLACER

ENTRE-DEUX → BRODERIE, INTERMÉDIAIRE (2)

ENTREDOUBLURE
Voir tab. **Couture**

ENTRÉE → ANTICHAMBRE, ATTENTE, BALLET, COMMENCEMENT, DÉBUT, DICTIONNAIRE, HALL, HORS-D'ŒUVRE, INTRODUCTION, PLACE, PORCHE, REPAS, VESTIBULE

ENTRÉE accès, admission, antichambre, avant-propos, commencement, exorde, hall, introduction, octroi, préambule, propylée, saisie, vestibule

ENTRÉE EN MATIÈRE → INTRODUCTION

ENTREFILET → ARTICLE, COMMENTAIRE, JOURNAL, PARAGRAPHE

ENTREGENT → HABILETÉ, LONG, SAVOIR-FAIRE, TACT

ENTREJAMBE
Voir illus. **Sièges**

ENTRELACER → ENLACER

ENTRELACS → RÉSEAU

ENTREMÊLER → ENLACER

ENTREMETS (À) → CUILLER, DESSERT

ENTREMETTEUR → INTERMÉDIAIRE (2), PROSTITUÉE

ENTREMETTEUSE → MARIAGE

ENTREMETTRE (S') → INTERPOSER (S'), INTERVENIR, MÊLER

ENTREMISE → BIAIS, INTERMÉDIAIRE (1), INTERVENTION, MÉDIATION, MOYEN (1), RÉCONCILIER

ENTREMISE arbitrage, intermédiaire, intervention, médiation, truchement

ENTREPOSER → DÉPOSER, MARCHANDISE, STOCK

ENTREPÔT → ABRI, DÉPÔT, DOUANE, HALLE, HANGAR, MAGASIN, RÉSERVE, STOCK

ENTREPÔT dock, fondouk, hangar

ENTREPRENANT → ACTIF, CONQUÉRANT, HARDI, POSITIF

ENTREPRENDRE → ATTAQUER (S'), COMMENCER, DÉMARRER, ENGAGER, INITIATIVE, OSER, OUVRIR

ENTREPRENDRE commencer, déclencher, efforcer de (s'), engager, entamer, entretenir de, intenter, provoquer, tenter de

ENTREPRENEUR → CRÉATEUR (1), HOMME D'AFFAIRES, INDUSTRIEL (1), MAISON, PATRON

ENTREPRENEUR bâtisseur, chef d'entreprise, constructeur

ENTREPRENEUR DIRECT → NATIONALISER

ENTREPRISE → FABRIQUE, INDUSTRIE, OPÉRATION, ORGANISATION, SOCIÉTÉ
Voir tab. **Économie**

ENTREPRISE affaire, aventure, cartel, combinat, commerce, consortium, exploitation, holding, industrie, négoce, société, tâche, tentative, travail, trust

ENTREPRISE INDIVIDUELLE
Voir tab. **Entreprise (vocabulaire de l')**

ENTRER → INSCRIRE (S'), INTÉGRER, PÉNÉTRER, SEUIL

ENTRER adhérer à, adopter, affilier (s'), engouffrer (s'), envahir, faire irruption, faufiler (se), glisser (se), immiscer (s'), infiltrer (s'), insinuer (s'), intervenir, introduire (s'), investir, mêler de (se), partager, pénétrer

ENTRE-TEMPS → INTERVALLE

ENTRETENIR → ANIMER, BRICOLER, CARESSER, CONSERVER, CULTIVER, ENTREPRENDRE, MAINTENIR, NOURRIR, OCCUPER, PERPÉTUER, PROLONGER, RUMINER, SOIGNER, SOIN, SOUTENIR

ENTRETENIR alimenter, bercer (se), converser, cultiver, deviser, discuter, exercer, nourrir (se)

ENTRETENU → PROPRE (2)

ENTRETIEN → CONFÉRENCE, CONVERSATION, DIALOGUE, ENTREVUE, INTERVIEW, MAINTENANCE

ENTRETIEN aparté, audience, colloque, conciliabule, conférence, conversation, débat, discussion, entrevue, interview, maintenance, messe basse, négociation, pourparlers, tête-à-tête, tractation

ENTREVOIR → APERCEVOIR, DEVINER, ESPÉRER, PRESSENTIR, SOUPÇONNER

ENTREVOIR apercevoir, conjecturer, discerner, distinguer, présager, pressentir, prévoir, soupçonner

ENTREVOUS → PLÂTRE

ENTREVUE → CONTACT, CONVERSATION, ENTRETIEN, INTERVIEW, RÉCONCILIER, RENCONTRE, VISITE

ENTREVUE entretien, rencontre, rendez-vous

ENTRISME → INFILTRATION, PÉNÉTRATION

ENTROPION → PAUPIÈRE

ENTROUVERT → BÂILLER, FENTE

ENTROUVRIR → OUVRIR

ENTUBER → DUPER

ENTURE → CHEVILLE

ÉNUCLÉATION → ABLATION, EXTRACTION

ÉNUCLÉER → BORGNE, ENLEVER, ŒIL

ÉNUMÉRATION → COMPTE, COMPTER, DESCRIPTION, LISTE, RECENSEMENT

ÉNUMÉRATION catalogue, détail, inventaire, kyrielle, liste, litanie, répertoire

ÉNUMÉRER → DÉCLINER, INDIQUER, NOMMER

ÉNUMÉRER compter, dénombrer, détailler, recenser

ÉNURÉSIE → URINE

ENVAHIR → EMPARER (S'), ENTRER, OCCUPER, REMPLIR, RÉPANDRE (SE)

ENVAHIR assailli, conquérir, gagné, importun, indiscret, infesté, inondée, investir, occuper, submergée

ENVAHISSANT → SANS-GÊNE

ENVAHISSEMENT → INFILTRATION, INONDATION, INVASION, OCCUPATION, PÉNÉTRATION

ENVAHISSEUR → OCCUPANT

ENVASER (S') → ÉCHOUER, VASE

ENVELOPPANT captivant, enjôleur, séduisant

ENVELOPPE → BUDGET, BULLETIN, CAPSULE, COMMISSION, COQUE, COUVERTURE, GAIN, GARNITURE, MUR, REVÊTEMENT, ROBE

ENVELOPPE atmosphère, bogue, budget, chemise, cosse, dessous-de-table, endocarde, épiderme, gaine, liège, membrane, peau, périanthe, péricarde, périoste, plèvre, pot-de-vin, robe, tégument, tissu, tunique, volve

ENVELOPPÉ (ÊTRE) → BAIGNER

ENVELOPPEMENT → ESCRIME

ENVELOPPER → EMBALLER, ENROULER, ENTOURER, RECOUVRIR, ROULER

ENVELOPPER cacher, cerner, déguiser, dissimuler, emballer, emmailloter, emmitoufler, empaqueter, encercler, ensacher, investir

ENVENIMÉ → FIEL

ENVENIMER → AGGRAVER, ENFLAMMER, GÂTER, VENIN

ENVENIMER aggraver, attiser, aviver, empirer, empoisonner, enflammer, infecter, irriter

ENVERGURE → CALIBRE, CARRURE, DISTANCE, ÉTENDUE, LARGEUR, QUALITÉ, RAYON, VALEUR

ENVERS → DERRIÈRE (1), ENDROIT, INFÉRIEUR, MONNAIE, OPPOSÉ, REVERS

ENVERS dos, égard de (à l'), endroit, endroit de (à l'), pile, recto, revers, verlan, verso, vis-à-vis de

ENVI (À L') → MIEUX (2)

ENVIABLE → BON (2), BRILLANT (2)

ENVIDER → BOBINE, TRAME

ENVIE → AMBITION, CAPRICE, CAPRICE, CUPIDITÉ, DÉMANGEAISON, FAIM, FANTAISIE, FRAISE, INCLINATION, JALOUSIE, ONGLE, PEAU, PÉCHÉ, SOIF, TACHE

ENVIE ambition, angiome, avidité, besoin, caprice, convoitise, cupidité, désir, jalousie, lubie, nævus, souhait, tache

ENVIER → JALOUSER

ENVIEUX → JALOUX

ENVIRON → COIN, PEU (2), PRÈS, VOISINAGE

ENVIRON ÉGAL À
Voir tab. **Mathématiques (symboles)**

ENVIRONNÉ → ENTOURER

ENVIRONNEMENT → AMBIANCE, CADRE, DÉCOR, MILIEU, NATURE, SPHÈRE

ENVIRONNEMENT ambiance, atmosphère, bruit, déforestation, désertification, écographie, écologie, écotaxe, entourage, environnementaliste, milieu, pollution

ENVIRONNEMENTALISTE → ENVIRONNEMENT

ENVIRONNER → EMBRASSER, ENCERCLER

ENVISAGEABLE → POSSIBLE

ENVISAGER → IMAGINER, PENSER, PRENDRE, PRÉVOIR, PROJETER, REGARDER, SONGER, SUPPOSER, VOIR

ENVISAGER considérer, examiner, prévoir, projeter, songer à

ENVOI → EXPÉDITION

ENVOL → DÉPART, ESSOR, VOL

ENVOLER (S') → DÉMARRER, DISPARAÎTRE, ÉVANOUIR (S')

ENVOLER (S') décoller, disparaître, disperser (se), dissiper (se), éclipser (s'), effacer (s'), enfuir (s'), éparpiller (s'), évanouir (s'), volatiliser (se)

ENVOÛTANT → BON (2), SÉDUISANT

ENVOÛTÉ → POSSÉDÉ

ENVOÛTEMENT → CHARME, HYPNOSE, ILLUSION, MAGIQUE

ENVOÛTEMENT attraction, charme, fascination, pouvoir

ENVOÛTER → CAPTIVER, CONQUÉRIR, ENCHANTER, ENSORCELER, FASCINER, JETER, SÉDUIRE, SUBJUGUER

ENVOYÉ → AMBASSADEUR, DÉLÉGUÉ, DIPLOMATE, MESSAGER

ENVOYÉ agent, ambassadeur, correspondant, délégué, député, émissaire, légat, missionnaire, nonce, parlementaire, plénipotentiaire

ENVOYÉ SPÉCIAL → JOURNALISTE

ENVOYER → ADRESSER, DIRIGER, EXPÉDIER, FARCIR, INJECTER, JETER, LÂCHER, LANCER, PROPULSER
Voir tab. **Belote**

ENVOYER déléguer, dépêcher, députer, expédier, lancer, mandater, tirer, transmettre

ENVOYER AU DIABLE → RABROUER

ENVOYEUR
Voir tab. **Belote**

ENZOOTIE → ÉPIDÉMIE

ENZYME → BIOCHIMIE, DIGESTION, FERMENT, PROTÉINE
Voir tab. **Chimie**

ÉOCÈNE
Voir tab. **Géologique (échelle des temps)**

ÉOLIEN → ÉNERGIE, GREC

ÉOLIENNE → VENT

ÉPACTE → ÂGE, LUNE

ÉPAIS → ABONDANT, CONCENTRÉ, LOURD, OPAQUE, PESANT, PROFOND, SIROP

ÉPAIS abondant, consistant, dense, dru, fort, fourni, grossier, lourd, massif, obtus, pâteux, pesant, serré, solide, touffu

ÉPAISSEUR → DENSITÉ, DIMENSION, RELIEF, SOLIDITÉ

ÉPAISSEUR désépaissir, jouée

ÉPAISSIR → CONDENSER, DURCIR, ENGRAISSER, PRENDRE

ÉPAISSISSEMENT → DENSITÉ

ÉPANCHEMENT → DÉBORDEMENT, ÉCOULEMENT, EXPANSION, INFILTRATION, SENTIMENT

ÉPANCHEMENT abandon, ascite, aveu, confidence, dégorgement, déversement, écoulement, effusion, empyème, hématome, hémorragie, hydarthrose, infiltration, œdème, pleurésie

ÉPANCHER → COMMUNIQUER, CONFIER, COULER, DÉVERSER, RÉPANDRE, RÉPANDRE (SE)

ÉPANDEUR → FUMIER

ÉPANDRE → ÉTALER, FUMIER, RÉPANDRE, VERSER

ÉPANNELER → DÉGROSSIR, ÉBAUCHER, SCULPTER

ÉPANOUI → BIENHEUREUX (2), GAI (2), GROS, HEUREUX, JOVIAL, LARGE, OUVERT, RADIEUX, SOMPTUEUX

ÉPANOUI éclos, ouvert, radieux, rayonnant, réjoui

ÉPANOUIR (S') → DÉPLOYER, DÉVELOPPER (SE), FLEURIR, OUVRIR, RÉALISER (SE)

ÉPANOUISSEMENT → ADULTE, DÉVELOPPEMENT, EXPANSION, NAISSANCE, PLÉNITUDE

ÉPAR → BARRE

ÉPARGNE → ACCUMULATION, BAS (1), ÉCONOMIE, PLACEMENT, RÉSERVE
Voir tab. **Économie**

ÉPARGNE intérêt

ÉPARGNER → CÔTÉ, DISPENSER, ÉCONOMISER, ÉVITER, MÉNAGER, RÉSERVE

ÉPARGNER dispenser de, économiser, éviter, gracier, ménager, respecter, sauf, thésauriser

ÉPARPILLER → DISPERSER, DISSÉMINER, ENVOLER (S'), RÉPANDRE, ROMPRE, SEMER

ÉPARPILLER concentrer (se), débander (se), dilapider, disperser, disperser (se), disséminer, égailler (s'), gaspiller, papillonner, semer

ÉPARQUE → PRÉFET

ÉPATANT → ÉTONNANT, FANTASTIQUE, FORMIDABLE, UNIQUE

ÉPATÉ → IMPRESSIONNER

ÉPATÉ ahuri, aplati, camus, ébahi, écrasé, étonné, impressionné, interloqué, stupéfait, surpris

ÉPAUFRURE → ÉCLAT

ÉPAULE → ATTACHE, BRAS, PLATE-FORME
Voir illus. **Cheval**
Voir illus. **Mouton**
Voir illus. **Porc**
Voir illus. **Veau**

ÉPAULE carrure, clavicule, deltoïde, dorsal, omoplate, rond, sous-épineux, sous-scapulaire, sus-épineux

ÉPAULEMENT → PNEU
Voir tab. **Danse classique**

ÉPAULER → AIDER, APPUYER, RECOMMANDER, SECONDER, SOUTENIR, SUPPORTER

ÉPAULER aider, appuyer, assister, entraider (s'), recommander, soutenir

ÉPAULETTE → CARRURE

ÉPAULIÈRE
Voir illus. **Armures**

ÉPAVE → DÉBRIS, LOQUE, RUINE

ÉPAVE accident, carcasse, épaviste, ferrailleur, loque, naufrage

ÉPAVISTE → BROCANTEUR, ÉPAVE

ÉPEAUTRE → BLÉ

ÉPÉE → ACADÉMIE, BLANC (2), ESCRIME, NOBLESSE

ÉPÉE baudrier, bretteur, claymore, danger, épéiste, espadon, estoc, fil, flamberge, fleuret, menace, rapière, spadassin, taille

ÉPEIRE → ARAIGNÉE

ÉPÉISTE → ÉPÉE

ÉPELER → LIRE, MOT, ORTHOGRAPHE

ÉPENTHÈSE → LETTRE

ÉPÉPINER → PÉPIN

ÉPERDU → EXTRÊME, TROUBLÉ

ÉPERDU affolé, égaré, ému, exalté, extrême, fou, passionné, troublé, vif, violent

ÉPERDUMENT → FOLIE

ÉPERNAY
Voir tab. **Habitants (comment se nomment les)**

ÉPERON → APPUI, GRIFFE

ÉPERON aiguillon, arrière-bec, avancée, avant-bec, ergot, molette, rostre, saillie

ÉPERONNER → EXCITER, PIQUER, STIMULER

ÉPERVIER → BELLIQUEUX, FILET, RAPACE
Voir illus. **Rapaces**

ÉPERVIER falconidés, fauconnerie

ÉPHÈBE → ADOLESCENT, BEAU, GARÇON

ÉPHÉLIDE → PEAU, SON, TACHE

ÉPHÉMÈRE → BREF (2), COURT, FRAGILE, INSTABLE, JOUR, LENDEMAIN, MOMENT, MOUCHE, PASSAGER (2), PÉRISSABLE

ÉPHÉMÈRE fragile, fugace, fugitif, momentané, passager, précaire, temporaire

ÉPHÉMÉRIDE → BUREAU, CALENDRIER, CHRONOLOGIE, JOUR, ZODIAQUE

ÉPHÉMÉROPHYTE → PLANTE

ÉPHÉSIENS (ÉPÎTRES AUX)
Voir tab. **Bible**

ÉPHOD → HÉBREU

ÉPHORE → DIGNITÉ

ÉPI → CHEVEU, MÈCHE, TOUFFE
Voir illus. **Fleur**

ÉPI balle, barbe, battre, dépiquer, épiage, épier, épillet, fléau, glanage, glume, panicule, rachis, spiciforme

ÉPI DE FAÎTAGE
Voir illus. **Maison**

ÉPIAGE → ÉPI

ÉPICANTHUS → BRIDE

ÉPICARPE → FRUIT

ÉPICE → AROMATE

ÉPICÉ → FORT (2), PIQUANT (2), SALÉ

ÉPICÉ égrillard, grivois, leste, osé, pimenté, poivré, relevé

ÉPICÉA → CONIFÈRE, PARQUET, SAPIN

ÉPICÈNE → GENRE, MASCULIN

ÉPICENTRE → TREMBLEMENT DE TERRE
Voir tab. **Tremblements de terre**

ÉPICER → RELEVER

ÉPICERIE → BOUTIQUE

ÉPICES → DON

ÉPICIER → COMMERCE
Voir tab. **Saints patrons**

ÉPICURE → ATOME

ÉPICURIEN → BON VIVANT, SENSUEL

ÉPICURISME → JOUISSANCE, PLAISIR
Voir tab. **Philosophie**

ÉPIDÉMIE → CONTAGION, INFECTION, MALADIE
Voir tab. **Phobies**

ÉPIDÉMIE bacille, contagion, endémie, enzootie, épidémiologie, épiphytie, épizootie, microbe, pandémie, virus

ÉPIDÉMIOLOGIE → ÉPIDÉMIE, MÉDECINE

Voir tab. **Sciences : termes en -ologie et -ographie**

ÉPIDÉMIOPHOBIE
Voir tab. **Phobies**

ÉPIDERME → ENVELOPPE, PEAU
Voir illus. **Ongle**
Voir illus. **Peau**

ÉPIDERME cutané, épithélium, phanère, susceptible

ÉPIDIDYME → TESTICULE
Voir illus. **Testicule**

ÉPIER → CONTRÔLER, ÉPI, ESPIONNER, GUETTER, LORGNER, OBSERVER, SURVEILLER

ÉPIER espionner, filer, guetter, observer, pister, surveiller

ÉPIEU → BÂTON

ÉPIGASTRE → ABDOMEN, ESTOMAC, VENTRE

ÉPIGÉNIE → GÉOLOGIQUE

ÉPIGLOTTE → LARYNX
Voir illus. **Bouche, nez et gorge**
Voir illus. **Digestif (appareil)**
Voir illus. **Langue**
Voir illus. **Respiratoire (système)**

ÉPIGONE → HÉRITIER, IMITATEUR

ÉPIGRAMME → ATTAQUE, FLÈCHE, MOQUERIE, MOT, SATIRIQUE, TRAIT
Voir tab. **Poésie (vocabulaire de la)**

ÉPIGRAPHE → INSCRIPTION, MONUMENT

ÉPIGRAPHIE → ARCHÉOLOGIE, INSCRIPTION
Voir tab. **Sciences : termes en -ologie et -ographie**

ÉPILEPSIE → CONVULSION, SPASME

ÉPILER → POIL

ÉPILLET → ÉPI

ÉPILOGUE → CONCLUSION, FIN (1)

ÉPILOGUER → OBJECTION

ÉPILOGUER chicaner, discourir, discuter, ergoter, vétiller

ÉPINAIE → BUISSON

ÉPINAL
Voir tab. **Habitants (comment se nomment les)**

ÉPINARD → LÉGUME, VERT
Voir tab. **Couleurs**

ÉPINARD baselle, chénopode, pariétaire, tétragone

ÉPINE → ÉCHINE, PIQUANT (1), POINTE, SAILLIE

ÉPINE aiguille, aubépine, azerolier, colonne vertébrale, crête, difficulté, échine, embûche, ennui, fragon, inerme, jujubier, nerprun, paliure, piquant, pointe, prunellier, rachis

ÉPINE DORSALE → COLONNE VERTÉBRALE, VERTÈBRE

ÉPINETTE → CAGE, CORDE, MUE, PIANO, POULET, SAPIN, VOLAILLE
Voir tab. **Instruments de musique**

ÉPINEUX → BRÛLANT, DÉLICAT, HÉRISSÉ

ÉPINEUX délicat, embarrassant

ÉPINEUX (RAYONS)
Voir illus. **Poisson**

ÉPINGLE → CHEMISE, CRAVATE
Voir tab. **Phobies**

ÉPINGLE attache, brusque, camion, épinglerie, épinglier, fibule, pelote, pince, serré

ÉPINGLÉ → VELOURS

ÉPINGLE À CHEVEUX → VIRAGE

ÉPINGLER → PIQUER

ÉPINGLERIE → ÉPINGLE

ÉPINGLETTE → BADGE, BROCHE
Voir illus. **Bijoux**

ÉPINGLIER → ÉPINGLE

ÉPINOCHE
Voir tab. **Poissons (classification simplifiée des)**

ÉPIPALÉOLITHIQUE → PRÉHISTOIRE

ÉPIPHANIE → FÈVE, JOUR, MAGE, ROI
Voir tab. **Fêtes religieuses**

ÉPIPHÉNOMÈNE → PHÉNOMÈNE

ÉPIPHONÈME → EXCLAMATION

ÉPIPHORA → LARME

ÉPIPHYSE → CERVEAU, OS
Voir illus. **Cerveau**
Voir tab. **Endocrinologie**

ÉPIPHYTE → ORCHIDÉE

ÉPIPHYTIE → ÉPIDÉMIE, MALADIE

ÉPIPLOON
Voir tab. **Chirurgicales (interventions)**

ÉPIQUE → HÉROÏQUE, ROMANESQUE

ÉPIROGENÈSE → GÉOLOGIQUE

ÉPISCOPAT → ÉVÊQUE, MAJEUR (2)

ÉPISCOPONTINS
Voir tab. **Habitants (comment se nomment les)**

ÉPISODE → DIVISION, ÉVÉNEMENT, PAN, PÉRIPÉTIE, PHASE, RÉCIT

ÉPISODE feuilleton, incident, péripétie, phase

ÉPISODIQUE → INTERMITTENT (2)

ÉPISSER → ASSEMBLER, JOINDRE

ÉPISSOIR → POINÇON

ÉPISTASIE → GÈNE

ÉPISTAXIS → HÉMORRAGIE, NASAL, NEZ, SAIGNEMENT, SANG

ÉPISTÉMÈ → PHILOSOPHIE

ÉPISTÉMOLOGIE → SCIENCE
Voir tab. **Philosophie**
Voir tab. **Sciences : termes en -ologie et -ographie**

ÉPISTOLAIRE → CORRESPONDANCE, LETTRE

ÉPITAPHE → INSCRIPTION, TOMBE

ÉPITE → CALER, CHEVILLE

ÉPITHALAME → CHANT, MARIAGE, NUPTIAL, POÈME
Voir tab. **Poésie (vocabulaire de la)**

ÉPITHÉLIOMA → CANCER

ÉPITHÉLIUM → ÉPIDERME, MEMBRANE, TISSU

ÉPITHÈTE → ADJECTIF

ÉPITOGE → AVOCAT, MAGISTRAT, ROBE, TOGE
Voir illus. **Manteaux**

ÉPITOMÉ → LIVRE, RÉSUMÉ (1)
Voir tab. **Livres**

ÉPÎTRE → APÔTRE, CORRESPONDANCE, LETTRE
Voir tab. **Bible**

ÉPITROPE → CONCESSION

ÉPIZOOTIE → ÉPIDÉMIE, MALADIE

ÉPLOYÉ
Voir tab. **Héraldique (vocabulaire de l')**

ÉPLUCHE-LÉGUMES → ÉPLUCHER

ÉPLUCHER → DÉCORTIQUER, DÉPECER, LÉGUME, PELER

ÉPLUCHER décortiquer, disséquer, ébouter, écaler, économe, écosser, épluche-légumes, examiner, peler

ÉPLUCHURE → DÉCHET

ÉPODE → SATIRIQUE, STROPHE

Voir tab. **Poésie (vocabulaire de la)**

ÉPOI → BOIS

ÉPOINTER → AIGUISER, CASSER, USER

ÉPOISSES
Voir illus. **Fromages**

ÉPONGE → PLOMB
Voir tab. **Animaux (classification simplifiée des)**
Voir tab. **Élevages**

ÉPONGE abandonner, bédégar, forfait, luffa, oublier, pardonner, spongiculture

ÉPONGER → ESSUYER, TAMPONNER

ÉPONGER absorber, essuyer, étancher, résorber, sécher

ÉPONTE → PAROI

ÉPONYCHION
Voir illus. **Ongle**

ÉPONYME → HÉROS, NOM

ÉPOPÉE → CHEVALERIE, CONTE, GESTE, RÉCIT
Voir tab. **Muses**
Voir tab. **Poésie (vocabulaire de la)**

ÉPOQUE → ÈRE, ÉTAPE, PÉRIODE, SAISON, SIÈCLE, TEMPS

ÉPOQUE âge, authentique, cycle, date, ère, étape, marquer, moment, période, saison

ÉPOQUE CONTEMPORAINE
Voir tab. **Histoire (grandes périodes)**

ÉPOUILLER → POU

ÉPOUMONER (S') → CRIER, ESSOUFFLER (S'), FATIGUER, HURLER, POUMON

ÉPOUSAILLES → MARIAGE

ÉPOUSE → COMPAGNE, FEMME

ÉPOUSER → AUTEL, EMBRASSER, MOULER, SOUTENIR, UNIR

ÉPOUSER convoler, embrasser, marier (se), modeler sur (se), mouler, partager, soutenir, suivre, unir (s')

ÉPOUSSETER → BATTRE, ESSUYER, PLUMEAU, POUSSIÈRE

ÉPOUSSETTE → BALAI, BROSSE

ÉPOUVANTABLE → AFFREUX, ATROCE, CATASTROPHIQUE, EFFROYABLE, EXÉCRABLE, FÉROCE, FORMIDABLE, HORRIBLE, INSUPPORTABLE, MAUVAIS, MONSTRUEUX, SUPPORTER, TERRIBLE

ÉPOUVANTABLE affreux, atroce, effroyable, exécrable, horrible, massacrant, monstrueux, terrifiant

ÉPOUVANTE → AFFOLEMENT, CRAINTE, FRAYEUR, HORREUR, INQUIÉTUDE, PANIQUE, PEUR, TERREUR

ÉPOUVANTÉ → EFFRAYER, INQUIET

ÉPOUVANTER → INQUIÉTER, TERRORISER

ÉPOUVANTER terroriser

ÉPOUX → COMPAGNON, MARI

ÉPOUX adultère, compagnon, conjoint, conjugal, fiancé, mari, promis

ÉPREINDRE → CITRON

ÉPREINTES → COLIQUE

ÉPRENDRE DE (S') → PASSIONNER (SE), TOMBER

ÉPREUVE → ADVERSITÉ, BANC, CLICHÉ, COMPÉTITION, CONTRÔLE, CORRECTION, ESSAI, EXAMEN,

EXEMPLAIRE (1), EXPÉRIENCE, INTERROGATION, MAL (1), PAGE, RENCONTRE, REPRODUCTION, TEST

ÉPREUVE adversité, bizutage, brimade, chagrin, challenge, compétition, critérium, essai, expérience, inébranlable, malheur, match, morasse, ordalie, placard, probation, rencontre, rush, schibboleth, solide, test, tribulation, vérification

ÉPREUVE (À TOUTE) → INÉBRANLABLE

ÉPRIS → FOU (2), PASSIONNÉ

ÉPRIS (ÊTRE) → AIMER

ÉPROUVÉ → MALHEUREUX, SÛR

ÉPROUVER → AVOIR (1), CONNAÎTRE, CONSTATER, ESSUYER, PEINER, PERCEVOIR, RECEVOIR, RESSENTIR, SENTIR, SUBIR

ÉPROUVER atteint, constater, expérimenter, frappé, heurter à (se), réaliser, rencontrer, ressentir, sentir, subir, touché

ÉPROUVETTE → ESSAI, RÉCIPIENT, TUBE, VASE

ÉPUISANT → FATIGANT

ÉPUISÉ → ABATTU, BOUT, FATIGUER, HARASSÉ

ÉPUISEMENT → ABATTEMENT, APPAUVRISSEMENT, EXTINCTION, USURE

ÉPUISEMENT abattement, affaiblissement, anéantissement, appauvrissement, assèchement, consomption, étiolement, exhaure, exténuation, fatigue, langueur, pénurie, raréfaction, tarissement

ÉPUISER → CLAQUER, CREVER, ESSOUFFLER (S'), FLANC, PEINER, SURMENER, USER

ÉPUISER absorber, décourager, dévorer, dilapider, échiner à (s'), écouler, éreinter à (s'), évertuer à (s'), exhaustion, lasser, ruiner, vendre

ÉPUISETTE → FILET, PÊCHE

ÉPUISETTE écope, filet, haveneau

ÉPULIDE → TUMEUR

ÉPURATION → PARTI, PERSÉCUTION, PÉTROLE, PLOMB, PURGE, PURIFICATION

ÉPURE → ARCHITECTE, CONDENSÉ, DESSIN

ÉPURÉ → SIMPLIFIÉ

ÉPURER → ASSAINIR, FILTRER, INUTILE, PERFECTIONNER, RAFFINER, RECTIFIER, TRAITER

ÉPURER affiner, châtier, clarifier, décanter, distiller, exclure, expulser, filtrer, parfaire, perfectionner, polir, purifier, raffiner, rectifier

ÉQUANIMITÉ → ÉGALITÉ, HUMEUR

ÉQUARRIR → CARRÉ (2), DÉPECER, DRESSER, POLIR, TAILLER

ÉQUARRISSAGE → BOIS

ÉQUATEUR → CERCLE, LIGNE
Voir illus. **Saisons (mécanisme des)**

ÉQUATEUR équatorial, équinoxe, hémisphère, latitude, méridien

ÉQUATORIAL → BRÛLANT, CHAUD, CLIMAT, ÉQUATEUR, TORRIDE, TROPICAL

ÉQUERRAGE → ADJACENT

ÉQUERRE → ANGLE, APPUI, GÉOMÉTRIE, POTENCE

ÉQUERRE angle droit (à), biveau, cornière, graphomètre, onglet (à), pied à coulisse, sauterelle, té

ÉQUESTRE
Voir tab. **Sports**

ÉQUEUTER → BOUT

ÉQUIANGLE → TRIANGLE

ÉQUIDÉS → ZÈBRE

ÉQUIDISTANT → ÉGAL

ÉQUILATÉRAL → ÉGAL, TRIANGLE
Voir illus. **Géométrie (figures de)**

ÉQUILIBRE → AGENCEMENT, ASSIETTE, ÉGALITÉ, HARMONIE, INDIFFÉRENCE, NAGEOIRE, OREILLE, PLONGEON, PONDÉRATION, PROPORTION, RYTHME, STABILITÉ, UNITÉ, YOGA

ÉQUILIBRE acrobatie, aplomb, assiette, balance, calme, chanceler, compenser, contrebalancer, eurythmie, harmonie, hydrostatique, mesure, pondération, proportion, sérénité, stabiliser, statique, symétrie, tituber, trébucher, vaciller

ÉQUILIBRÉ → HARMONIEUX, RÉGULIER, SAIN, STABLE
Voir tab. **Vin (vocabulaire du)**

ÉQUILIBRÉ sain, stable

ÉQUILIBRER → ASSAINIR, BOUCLER, COMPENSER, CONTREPOIDS, ÉGALISER, NEUTRALISER

ÉQUILIBRISTE → ACROBATE

ÉQUIN
Voir tab. **Animaux (termes propres aux)**

ÉQUINOXE → ÉGAL, ÉQUATEUR, JOUR, SAISON, SOLEIL
Voir illus. **Marées**

ÉQUIPAGE → CONVOI, SUITE, VAISSEAU

ÉQUIPAGE amariner, bordée, marine, navigation, oculaire, personnel de manœuvre, personnel de service

ÉQUIPAGE (SANS) → SOLITAIRE (2)

ÉQUIPE → BANDE, CAMP, COLLABORATION, COLLECTIF

ÉQUIPE associer (s'), brain-trust, brigade, contremaître, écurie, escouade, groupe, pool, porion, prote, solidarité, stick

ÉQUIPÉE → ESCAPADE, FOLIE

ÉQUIPEMENT → ARMEMENT, BAGAGE, INSTALLATION, MATÉRIEL (1), OUTIL, OUTILLAGE

ÉQUIPEMENT avitaillement

ÉQUIPER → AMÉNAGER, ARMER, DOTER, INDUSTRIALISER, INSTALLER, MONTER, MUNIR, POURVOIR, PRENDRE

ÉQUIPER aménager, appareiller, armer, fréter, gréer, harnacher, industrialiser, installer, munir, outiller, vêtir (se)

ÉQUIPIER → JOUEUR

ÉQUIPIER coéquipier, joueur, partenaire

ÉQUISÉTINÉES
Voir tab. **Végétaux (classification simplifiée des)**

EQUISETUM ARVENSE
Voir tab. **Plantes médicinales**

ÉQUITABLE → ÉGAL, EXACT, JUSTE, OBJECTIF

ÉQUITATION
Voir illus. **Chaussures**

ÉQUITATION américain, basse école, bombe, bottes, culotte, écuyer, haie, haute école, hippisme, instructeur, manège, obstacle, obstacle droit, obstacle en largeur, reprise, rivière, Saumur, veste, voltige

ÉQUITÉ → JUSTICE, OBJECTIVITÉ

ÉQUIVALENCE → IDENTITÉ, RESSEMBLANCE
Voir tab. **Mathématiques (symboles)**

ÉQUIVALENCE adéquation, congruence, égalité, homologie, identité, modulo

ÉQUIVALENT → ANALOGUE, CONFORME, ÉGAL, IDENTIQUE, SEMBLABLE (2)

ÉQUIVALENT (1) tep, valence-gramme

ÉQUIVALENT (2) comparable, identique, semblable, similaire, synonyme

ÉQUIVALOIR → VALOIR

ÉQUIVOQUE → AMBIGU, DOUBLE (2), ÉNIGMATIQUE, FAUX (2), FIGUE, INCERTAIN, INDÉCIS, INTERPRÉTATION, LOUCHE, OBSCUR, SENS, SUSPECT, VAGUE (2)

ÉQUIVOQUE (1) clairement, malentendu

ÉQUIVOQUE (2) ambigu, amphibologique, douteux, imprécise, inquiétant, interlope, obscure, suspect

ÉQUIVOQUE (SANS) → CLAIR, MALENTENDU

ER
Voir tab. **Éléments chimiques (symbole des)**

ÉRABLE → MARQUETERIE
Voir tab. **Ébénisterie (essences utilisées en)**

ÉRADIQUER → ARRACHER, BALAYER

ÉRAFLÉ → ÉCORCHER

ÉRAFLER → ACCROCHER, BLESSER, DÉCHIRER, GRIFFER, RAYER

ÉRAFLURE → ÉGRATIGNURE

ÉRAFLURE écorchure, égratignure, entaille, excoriation, fente

ÉRAILLÉ
Voir tab. **Bruits**

ÉRAILLEMENT → PAUPIÈRE

ÉRAILLER → BLESSER

ÉRAILLER (S')
Voir tab. **Couture**

ÉRAILLURE → MARQUE

ÉRATHÈME → ÈRE

ÉRATO → POÉSIE
Voir tab. **Muses**

ERBIUM
Voir tab. **Éléments chimiques (symbole des)**

ÈRE → ÂGE, CIVILISATION, ÉPOQUE, GÉOLOGIQUE, PÉRIODE, TEMPS

ÈRE âge, archéozoïque, cénozoïque, époque, érathème, hégire, mésozoïque, paléozoïque, période

ÉRECTION → CONSTRUCTION, REDRESSER (SE)

ÉRECTION construction, élévation, ithyphallique, tumescence, turgescence

ÉREINTANT → FATIGANT, PÉNIBLE, RUDE

ÉREINTÉ → BOUT, BRISER, BROYER, FATIGUER, HARASSÉ

ÉREINTEMENT → USURE

ÉREINTER → CLAQUER, DÉMOLIR, DESCENDRE, DISCRÉDITER, ÉPUISER, FLANC, MALMENER, MALTRAITER, SURMENER, TRAVAILLER

ÉRÉTHISME → EXCITATION, PASSION, TENSION

ÉREUTOPHOBIE → ROUGIR
Voir tab. **Phobies**
Voir tab. **Psychiatrie**

ERG → DÉSERT
Voir tab. **Géographie et géologie (termes de)**

ERGASTULE → CACHOT, PRISON

ERGOCRATIE → TRAVAIL

ERGOMANIE
Voir tab. **Manies**

ERGOMÉTRIE → TRAVAIL

ERGONOMIE → TRAVAIL

ERGOT → BRANCHE, CHAMPIGNON, ÉPERON, GRIFFE, NOIR (1), SEIGLE
Voir illus. **Cheval**

ERGOTER → BÊTE (1), CHICANER, COUPER, ÉPILOGUER, OBJECTION, RAISONNER

ERGOTERIE → CHICANE

ERGOTEUR → CHICANER, POINTILLEUX

ERGOTHÉRAPIE → TRAVAIL

ERGOTISME → ARDENT

ÉRICACÉES → BRUYÈRE, RHODODENDRON

ÉRIGER → BÂTIR, CONSTRUIRE, DRESSER, ÉDIFIER, ÉLEVER, FAIRE, FONDER, POSER (SE)

ÉRIGER créer, établir, fonder, instituer, poser en (se), présenter comme (se), transformer

ÉRINNOPHILE
Voir tab. **Collectionneurs**

ÉRINYES → DÉESSE, FURIE
Voir tab. **Mythologiques (créatures)**

ÉRISTIQUE → CONTROVERSE

ERMITE → MOINE, RELIGIEUX (1), SEUL, SOLITAIRE (2)

ÉRODER → MINER, RONGER, USER

ÉROGÈNE → SEXUEL

ÉROS → ARC, FLÈCHE

EROS-CENTER
Voir tab. **Prostitution**

ÉROSION → RELIEF, USURE

ÉROSION abrasion, affouillement, corrosion, déflation, dégradation, désagrégation, écorchure, excoriation, ravinement, ulcération

ÉROTIQUE → CHAUD, GALANT, LASCIF, SENSUEL

ÉROTIQUE aphrodisiaque, érotomanie, excitant, licencieux, sensuel, sexuel, strip-tease, voluptueux

ÉROTISME → JOUISSANCE, PLAISIR

ÉROTOLOGIE → SEXUALITÉ

ÉROTOMANIE → ÉROTIQUE
Voir tab. **Manies**

ERPÉTOLOGIE → ZOOLOGIE

ERQUY
Voir tab. **Habitants (comment se nomment les)**

ERRANCE → INSTABILITÉ, NOMADE, VOYAGE

ERRATA → COMPLÉMENT, ERREUR, FAUTE, LISTE

ERRATIQUE → DOULEUR, INTERMITTENT (2)

ERREMENT → HÉSITATION

ERRER → ALLER, BATTRE, DÉPLACER, MARCHER, TRAÎNER

ERRER déambuler, divaguer, flâner, traîner, vagabonder

ERRES → CERF, PISTE, TRACE

ERREUR → ABSURDITÉ, BAVURE, BOURDE, CLERC, COQUILLE, DÉFAILLANCE, FAUTE, GAFFE, IGNORANCE, ILLUSION, IMPAIR, IMPRESSION, INEXACTITUDE, IRRÉGULARITÉ, MALENTENDU, NÉGLIGENCE, TORT

ERREUR absurdité, anachronisme, bévue, bourdon, confusion, contresens, coquille, doublon, errata, faute, fourvoiement, hallucination, illusion, impair, inexactitude, maladresse, malentendu, mastic, mécompte, méprise, mirage, quiproquo

ERREUR (ÊTRE DANS L') → TORT

ERREUR (PAR) → TORT

ERREUR TYPE → STATISTIQUE

ERRONÉ → FAUTIF, FAUX (2), INEXACT, MAUVAIS

ERRONÉE → IMPROPRE

ERSATZ → PRODUIT, SUBSTITUTION

ÉRUBESCENCE → ROUGIR

ÉRUBESCENT
Voir tab. **Couleurs**

ÉRUCIFORME → CHENILLE

ÉRUCTATION → BRUIT, RENVOI, ROT
Voir tab. **Bruits**

ÉRUCTER → ABOYER, CRACHER, VOMIR

ÉRUDIT → COMPÉTENT, CULTURE, PUITS, SAVANT (1), SAVOIR (1)

ÉRUDIT (1) humaniste

ÉRUDIT (2) cultivé, docte, instruit, lettré, savant

ÉRUDITION → CONNAISSANCE, INSTRUCTION, SAVOIR (1), SCIENCE

ÉRUPTION → ACTIVITÉ, APPARITION, INFLAMMATION, JET, POUSSÉE, VOLCAN

ÉRUPTION acné, débordement, dentition, efflorescence, émission, exanthème, explosion, expulsion, jaillissement, poussée, urticaire

ÉRYTHÈME → BRÛLURE, CONGESTION, TACHE

ÉRYTHÈME FESSIER
Voir tab. **Pédiatrie**

ÉRYTHROCYTE → GLOBULE

ÉRYTHROPOÏÈSE → FOIE, GLOBULE

ÉRYTHROPOÏÉTINE → REIN

ES
Voir tab. **Éléments chimiques (symbole des)**

ÈS → DOCTEUR

ESB → VACHE

ESBROUFE (À L')
Voir tab. **Vols (types de)**

ESBROUFER → BLUFFER

ESCABEAU → ÉCHELLE, TABOURET
Voir illus. **Sièges**

ESCABELLE → BANC
Voir illus. **Sièges**

ESCADRE → FLOTTE

ESCADRILLE → AVION, FLOTTE

ESCADRON → ARMÉE, CAPITAINE, CAVALERIE, COMPAGNIE, FORMATION

ESCALADE → ALPINISME, ENGRENAGE, ROCHER
Voir illus. **Chaussures**
Voir tab. **Sports**

ESCALADE aggravation, ascension, augmentation, flambée, hausse, intensification, surenchère, varappe

ESCALADER → FRANCHIR, GRAVIR, GRIMPER, PASSER

ESCALE → ARRÊT, DÉBARQUER, ÉTAPE, HALTE, VOYAGE

ESCALE (FAIRE) → TOUCHER

ESCALIER
Voir tab. **Forme de... (en)**
Voir tab. **Superstitions**

ESCALOPE → TRANCHE, VIANDE

ESCALOPER
Voir tab. **Cuisine**

ESCAMOTAGE → PRESTIDIGITATION, SOUSTRACTION, TOUR

ESCAMOTER → CACHER, DISPARAÎTRE, ÉVITER, SOUSTRAIRE

ESCAMOTER cacher, contourner, dérober, disparaître (faire), éluder, esquiver, rentrer, replier, subtiliser

ESCAMOTEUR → ADRESSE, ILLUSION, VOLEUR

ESCAPADE → FOLIE, FUGUE, SORTIE

ESCAPADE équipée, frasque, fredaine, fugue

ESCAPE → TIGE

ESCARBILLE → CENDRE, HOUILLE

ESCARBOUCLE → GRENAT

ESCARCELLE → BOURSE, SAC

ESCARGOT → MOLLUSQUE
Voir tab. **Animaux (classification simplifiée des)**
Voir tab. **Élevages**

ESCARGOT bigorneau, colimaçon, escargotière, héliciculture, limaçon, mollusque, radula

ESCARGOT À LA BOURGUIGNONNE
Voir tab. **Plats régionaux**

ESCARGOTIÈRE → ESCARGOT

ESCARMOUCHE → COMBAT, ENGAGEMENT, RENCONTRE

ESCARMOUCHE accrochage, dispute, échauffourée, engagement, querelle

ESCARPE → FOSSÉ

ESCARPÉ → DIFFICILE

ESCARPIN → CHAUSSURE
Voir illus. **Chaussures**
Voir illus. **Modes et styles**

ESCARPOLETTE → BALANCER
Voir illus. **Sièges**

ESCARRE → BRÛLURE

ESCHATOLOGIE → DERNIER, FIN (1)
Voir tab. **Sciences : termes en -ologie et -ographie**

ESCHE → APPÂT, PÊCHE

ESCHER → APPÂTER

ESCHYLE → TRAGÉDIE

ESCIENT (À BON) → DISCERNEMENT

ESCLAFFER (S') → ÉCLATER, RIRE

ESCLANDRE → QUERELLE, SCÈNE

ESCLANDRE éclat, querelle, scandale, scène, tapage

ESCLAVAGE → CARCAN, CONTRAINTE, SERVITUDE

Voir tab. **Histoire (grandes périodes)**

ESCLAVAGE accoutumance, affranchir, aliéner, asservissement, assuétude, assujettir, captivité, dépendance, domination, émanciper, enchaîner, joug, oppression, servitude, sujétion, tyrannie

ESCLAVE → PRISONNIER, VALISE

ESCLAVE ilote, manumission, obséquieux, odalisque, saturnales, serf, servile, traite

ESCOFFION
Voir illus. **Coiffures**

ESCOMPTE → AVANCE, BAISSE, BANQUE, DETTE, DIMINUTION, INTÉRÊT, MOBILISATION, RABAIS
Voir tab. **Banque**

ESCOMPTER → ATTENDRE (S'), ESPÉRER

ESCOMPTER attendre, compter sur, prévoir, tabler sur

ESCORTE → CONVOI, GARDE, SUITE

ESCORTE accompagner, cortège, détachement, escorteur, suite

ESCORTER → ACCOMPAGNER, CONDUIRE, ENCADRER, SUIVRE

ESCORTEUR → ESCORTE

ESCOUADE → ARMÉE, ÉQUIPE, GROUPE

ESCOURGEON → CÉRÉALE, ORGE

ESCP
Voir tab. **Écoles (grandes)**

ESCRIME
Voir tab. **Sports**

ESCRIME battement, bretteur, croisé, enveloppement, épée, feinte, fendre (se), fleuret, froissement, liement, maître d'armes, parade, pression, prévôt d'armes, sabre

ESCRIMER (S') → ACHARNER (S'), EFFORCER (S'), TÂCHER, TENTER

ESCRIMEUR
Voir illus. **Chaussures**

ESCROC → BANDIT, CHARLATAN, FAISAN, INTRIGUE, MALFAITEUR, MALHONNÊTE, PIRATE (1), VOLEUR

ESCROQUER → PLUMER, TROMPER, VOLER

ESCROQUER abuser, dérober, duper, extorquer, soustraire, soutirer, tromper

ESCROQUERIE → ABUS, DÉLIT, FRAUDE, INTRIGUE

ESCULAPE → MÉDECINE

ESDRAS
Voir tab. **Bible**

ESKER
Voir illus. **Glacier**

ÉSOCICULTURE
Voir tab. **Élevages**

ÉSOTÉRIQUE → DIFFICILE, ENSEIGNEMENT, HERMÉTIQUE, INACCESSIBLE, INCOMPRÉHENSIBLE, INITIATION, MYSTÉRIEUX, OBSCUR, SECRET (2)

ÉSOTÉRISME → OCCULTISME, RELIGION
Voir tab. **Sciences occultes**

ESPACE → ASTRONAUTIQUE, BLANC (2), DURÉE, ÉTENDUE, FENTE, INTERVALLE, PLACE, VIDE (1)

ESPACE astronautique, blanc, chemin, cosmos, distance, écart, étendue, éther, fente,

hyperespace, interligne, interstice, intervalle, laps, lieu, marge, superficie, trajet

ESPACEMENT → DISTANCE

ESPACER → INTERVALLE

ESPACER distancer, échelonner, étaler

ESPACES CLOS
Voir tab. **Phobies**

ESPACES LIBRES
Voir tab. **Phobies**

ESPADON → ÉPÉE
Voir illus. **Épées**

ESPADRILLE → CHAUSSURE
Voir illus. **Chaussures**

ESPAGNE
Voir tab. **Saints patrons**

ESPAGNOL → ROMAN (2)

ESPAGNOL alcade, castillan, corregidor, hidalgo, hispanique, Ibérique, peseta

ESPAGNOLETTE → FENÊTRE, POIGNÉE

ESPALIER → GALÈRE, GYMNASE, SOUTIEN

ESPAR → DRAPEAU

ESPÈCE → CATÉGORIE, CLASSE, CLASSER, EFFECTIF, ESSENCE, GENRE, INSTRUMENT, NATURE, RACE, ZOOLOGIE

ESPÈCE catégorie, classe, darwinisme, essence, évolutionnisme, famille, genre, hybridation, lamarckisme, métissage, mutationnisme, nature, numéraire, ordre, particulier, qualité, race, sorte, spécifique, transformisme, type

ESPÈCES → COMPTANT, LIQUIDE

ESPÉRANCE → ANCRE, ASPIRATION, CONFIANCE, HÉRITAGE, RESSOURCE, VERTU

ESPÉRANCE décevoir, désappointer, désenchanter

ESPÉRANCE DE VIE → VIE

ESPÉRANTO → LANGUE

ESPÉRER → DÉSIRER, PENSER, SOUHAITER

ESPÉRER aspirer à, attendre, compter, compter sur, désirer, entrevoir, escompter, penser, promettre, souhaiter, tabler sur

ESPERLUETTE (&) → SIGNE

ESPIÈGLE → ASTUCIEUX, COQUIN, ÉVEILLÉ, FRIPON (2), GAMIN (2), MALICIEUX, PÉTILLANT

ESPION → AGENT, CAFARD, GLACE, INDICATEUR, RENSEIGNEMENT, SECRET (2)

ESPION affidé, agent secret, indicateur, mouchard, taupe

ESPIONITE → PHOBIE

ESPIONNAGE → CRIME

ESPIONNER → CONTRÔLER, DOS, ÉPIER, OBSERVER, RENSEIGNEMENT, SUIVRE, SURVEILLER

ESPIONNER épier, filer, surveiller, table d'écoute

ESPLANADE → PLACE, TERRASSE

ESPOIR → ASPIRATION, ATTENTE, SOUHAIT

ESPOIR assurance, attente, certitude, chimère, confiance, conviction, illusion, leurre, rêve, souhait, utopie

ESPRINGALE → FRONDE

ESPRIT → ÂME, CERVEAU (2),

DÉMON, FANTÔME, IMAGINATION, INSPIRATION, INTELLIGENCE, PENSÉE, RAISON, SEL, SPECTRE, SURNATUREL

ESPRIT alcoolat, ange, boutade, calembour, chimère, dibbouk, Dieu, djinn, elfe, entendement, fantôme, farfadet, grâce, humour, illusion, inspiration, intelligence, ironie, ironiser, kobold, korrigan, lare, lutin, mânes, médium, mentalité, nécromancie, noologie, Panctificateur, Paraclet, Pentecôte, persifler, promptitude, railler, raison, revenant, Satan, souffle, spiritisme, sylphe, utopie, vivacité

ESPRIT DE CORPS → FRATERNITÉ

ESPRITS DES TÉNÈBRES → DÉCHU

ESPRIT FORT → IRRÉLIGIEUX, LIBERTIN

ESPRIT GRÉGAIRE → TROUPEAU

ESPRIT-DE-BOIS → ALCOOL

ESQUIF → BARQUE, BATEAU, EMBARCATION

ESQUILLE → ÉCLAT, OS

ESQUILLEUSE
Voir illus. **Fractures**

ESQUIMAU hutte, igloo, Inuit, inupik, kayak, umiak, yupik

ESQUINTER → DÉMOLIR, MALMENER, MALTRAITER

ESQUIPOT → TIRELIRE

ESQUISSE → ABRÉGER, BROUILLON (1), COMMENCEMENT, CROQUER, DESSIN, ÉBAUCHE, ÉTUDE, FAÇON, JET, PREMIER (2), PROJET, SCHÉMA

ESQUISSE amorce, aperçu, canevas, croquis, ébauche, maquette, pochade, projet, schéma

ESQUISSÉ → TIMIDE

ESQUISSER → CONTOUR, DESSINER, ÉBAUCHER, INDIQUER, TRACER

ESQUIVER → DÉROBER (SE), ÉCHAPPER, ENFUIR (S'), ESCAMOTER, ÉVITER, FAILLIR, FUIR, HABILEMENT, PARER, SORTIR, SOUSTRAIRE

ESSAI → AUDITION, CERF, DISSERTATION, ÉPREUVE, ÉTUDE, EXPÉRIENCE, MARQUER, PROSE, PROTOTYPE, RECHERCHE, TENTATIVE, TEST
Voir illus. **Rugby**

ESSAI analyse, effort, épreuve, éprouvette, expérimentation, probation, prototype, tentative, test, vérification

ESSAIM → BANDE, FLOT, GROUPE, MÉTÉORITE, MULTITUDE, QUANTITÉ
Voir tab. **Animaux (termes propres aux)**

ESSAIMER → RUCHE

ESSANGER → LAVER

ESSART → TERRAIN

ESSARTAGE → DÉFRICHEMENT, FRICHE

ESSARTER → ARRACHER, BUISSON

ESSAYER → CHERCHER, PARVENIR, TÉMÉRAIRE, TENTER

ESSAYER appliquer à (s'), chercher à, contrôler, déguster, exercer à (s'), goûter, initier à (s')

ESSAYISTE → AUTEUR, ÉCRIVAIN

ESSE → ACCROCHER, CROCHET, PENDRE

ESSEC
Voir tab. **Écoles (grandes)**

ESSENCE → CONCENTRÉ, DISTILLATION, ÉLIXIR, ESPÈCE, EXTRAIT, NATURE, PARFUM, PENSÉE, QUALITÉ, RACINE, RAFFINÉ, SUBSTANCE
Voir tab. **Ébénisterie (essences utilisées en)**

ESSENCE élixir, espèce, extrait, huile, intrinsèquement, nature, quiddité, quintessence, substance

ESSENCE DE PÉTROLE → PEINTURE

ESSENCE DE TÉRÉBENTHINE → PEINTURE

ESSENTAGE → MUR

ESSENTIEL → CAPITAL (2), CARACTÉRISTIQUE, CARDINAL (2), CRUCIAL, ÉLÉMENTAIRE, FONDAMENTAL, IMPORTANT, MAÎTRE (2), MAJEUR (2), PREMIER (2), PRINCIPAL (2), RADICAL (2), SUBSTANCE, UNIVERSEL, VITAL

ESSENTIEL capital, constitutif, fondamental, idiopathie, indispensable, inhérent, nécessaire, primordial, sine qua non

ESSENTIEL (À L') → FAIT

ESSEULÉ → SEUL

ESSEULEMENT → ISOLEMENT

ESSIEU → AXE

ESSOR → CROISSANCE, DÉVELOPPEMENT, EXTENSION, IMPULSION, PROGRÈS, PROGRESSION, VOL

ESSOR autonomie, croissance, développement, élan, envol, expansion, indépendance, progrès

ESSORER → EXPRIMER

ESSORILLEMENT → SUPPLICE

ESSORILLER → COUPER, OREILLE

ESSOUCHER → ARRACHER

ESSOUFFLÉ → HALEINE, HALETANT, SOUFFLE

ESSOUFFLER (S') ahaner, amenuiser (s'), époumoner (s'), épuiser (s'), haleter, peiner, suffoquer

ESSUIE-MAINS → SERVIETTE, TORCHON

ESSUIE-MEUBLE → CHIFFON

ESSUIE-PIEDS → PAILLASSON

ESSUIE-TOUT → ABSORBANT

ESSUIE-VERRE(S) → TORCHON

ESSUYER → ÉPONGER, POUSSIÈRE, RECEVOIR, REPROCHE, SÉCHER, SUBIR, TAMPONNER

ESSUYER bouchonner, endurer, éponger, épousseter, éprouver, nettoyer, subir

EST → CARDINAL (2), ORIENT

EST levant, orient, Orient-Express, Trans-Europe-Express, Transsibérien

ESTACADE → BARRAGE, JETÉE

ESTAFETTE → DÉPÊCHE

ESTAFILADE → BALAFRE, BLESSURE, CICATRICE, ENTAILLE

ESTAGNON → HUILE

ESTAMINET → BAR, BISTROT, CAFÉ

ESTAMPE → FIGURE, GRAVURE, IMAGE, VIGNETTE

ESTAMPÉ → RELIEF

ESTAMPER → EXPLOITER, IMPRIMER, SCEAU

ESTAMPILLE → CACHET, CONTRÔLE, MARQUE, POINÇON, SCEAU, TAMPON

ESTAMPILLER → FRAPPER

ESTANCIA → DOMAINE, EXPLOITATION

ESTER → JUSTICE, POURSUIVRE, PROCÈS
Voir tab. **Chimie**

ESTHER
Voir tab. **Bible**

ESTHÈTE → AMATEUR, ART

ESTHÉTICIENNE → ESTHÉTIQUE (1)

ESTHÉTIQUE → ART, BEAUTÉ, CIVILISATION, PHILOSOPHIE, PLASTIQUE (2), STYLE

ESTHÉTIQUE (1) beauté, design, esthéticienne, grâce, harmonie, plastique

ESTHÉTIQUE (2) artistique, correcteur, lipectomie, plastique, rhinoplastie

ESTHÉTISME
Voir tab. **Philosophie**

ESTIMABLE → APPRÉCIABLE, BAS (2), LOUABLE

ESTIMATIF → APPROXIMATIF

ESTIMATION → APERÇU, APPRÉCIATION, CALCUL, COÛT, DÉTERMINATION, ÉVALUATION, STATISTIQUE, SUPPOSITION

ESTIME → ATTACHEMENT, FAVEUR, RÉPUTATION, RESPECT, SYMPATHIE

ESTIMÉ → POPULAIRE

ESTIME (À L') → NAVIGATION

ESTIMER → ADMIRER, APPRÉCIER, CALCULER, CAS, COMPTER, CONSIDÉRER, CROIRE, DÉTERMINER, EXAMINER, GOÛTER, IDÉE, JAUGER, JUGER, MESURER, OPINION, PENSER, PESER, REGARDER, SENTIR, TROUVER, VALEUR, VALOIR, VÉNÉRER

ESTIMER apprécier, conjecturer, coter, évaluer, expertiser, supputer

ESTIVAGE → TROUPEAU

ESTIVANT → TOURISTE, VACANCE

ESTIVATION → CHALEUR, ENGOURDISSEMENT

ESTIVE → CHARGE, MONTAGNE, PÂTURAGE

ESTOC → ÉPÉE, POINTE

ESTOCADE → CORRIDA

ESTOMAC → VENTRE
Voir illus. **Digestif (appareil)**
Voir illus. **Chirurgicales (interventions)**
Voir tab. **Douleur**

ESTOMAC bonnet, caillette, cardia, dyspepsie, épigastre, feuillet, gastralgie, gastrectomie, gastrite, gastrocèle, gastroscopie, gésier, hyperchlorhydrie, hypochlorhydrie, jabot, panse, pylore, pyrosis, ulcère, ventricule succenturié

ESTOMAC DANS LES TALONS → VENTRE

ESTOMAC VIDE → VENTRE

ESTOMAQUÉ → SUFFOQUER

ESTOMPE
Voir tab. **Dessin (vocabulaire du)**

ESTOMPÉ → FONDU (1), VAPOREUX

ESTOMPER → AMORTIR, CESSER, DÉCROÎTRE, DIMINUER, EFFACER,

ÉVANOUIR (S'), MASQUER, NEUTRALISER, PÂLIR, SUPPRIMER

ESTOMPER adoucir, atténuer (s'), dissiper (se), effacer (s'), ombrer, voiler

ESTRADE → PLANCHER, PLATE-FORME, SCÈNE, SURÉLEVÉ

ESTRAGON
Voir tab. **Herbes, épices et aromates**

ESTRAMAÇON
Voir illus. **Épées**

ESTRAN → MARÉE

ESTRAPADE → POTENCE, SUPPLICE, TORTURE

ESTROPE → FOUET, POULIE

ESTROPIÉ → BLESSÉ, INFIRME, INVALIDE (1)

ESTROPIER → AMPUTER, BLESSER, ÉCORCHER, MUTILER

ESTUAIRE → BOUCHE, EMBOUCHURE, FLEUVE, GOLFE
Voir illus. **Littoral**

ESTURGEON
Voir tab. **Poissons (classification simplifiée des)**

ESTURGEON acipenséridé, caviar, sterlet

ÉTABLE → BÂTIMENT, FERME (1)
Voir tab. **Animaux (termes propres aux)**

ÉTABLE auge, bouverie, crèche, établer, litière, râtelier, soue, stabulation, vacherie

ÉTABLER → ÉTABLE

ÉTABLI → BANC, FIXE (2), MENUISIER, ORDINAIRE, SÛR, TABLE

ÉTABLIR → BÂTIR, CONSTATER, CONSTITUER, CRÉER, DÉMONTRER, DOMICILE, DRESSER, ÉDIFIER, ÉRIGER, FAIRE, FIXER, FONDER, HABITER, INSTALLER, INSTALLER (S'), OUVRIR, POSER, PROUVER, RÉDIGER, RÉGLER

ÉTABLIR acquis, arrêter, asseoir, avéré, certain, constituer, créer, démontrer, dresser, édifier, éditer, fixer, fonder, installer, instaurer, instituer, monter, poster, prouver, reconnu

ÉTABLISSEMENT → FIXATION, FONDS, INDUSTRIE, INSTALLATION, INSTITUT, INSTITUTION, SOCIÉTÉ, USINE

ÉTAGE → GÉOLOGIQUE, TERRASSE

ÉTAGE duplex, niveau

ÉTAGÈRE → BUFFET, RAYON

ÉTAI → APPUI, BÉQUILLE, RENFORT, SUPPORT, TRANCHÉE
Voir illus. **Voilier : Dufour 38 Classic**

ÉTAIM → LAINE

ÉTAIN → MÉTAL
Voir tab. **Anniversaires de mariage**
Voir tab. **Éléments chimiques (symbole des)**
Voir tab. **Minéraux et utilisations**

ÉTAIN bronze, cassiterite, chrysocale, étainier, étamage, mussif, potée d'étain, stannifère, tain

ÉTAINIER → ÉTAIN

ÉTAL → BOUCHER (2), ÉTALAGE, TABLE

ÉTALAGE → BOUTIQUE, DÉBAUCHE, DÉMONSTRATION, EXCÈS, EXHIBITION, HAUT-FOURNEAU, OSTENTATION, RAYON

ÉTALAGE abondance, affectation, débauche, déploiement, devanture, étal, éventaire, montre, ostentation, parade, profusion, vitrine

ÉTALAGE (À L')
Voir tab. **Vols (types de)**

ÉTALAGISTE → DÉCOR, VITRINE

ÉTALE → LISSE, MARÉE, MER, STATIONNAIRE

ÉTALER → AFFICHER, APPLIQUER, BAVER, BRILLER, COULER, DÉROULER, DÉVELOPPER, DÉVOILER, ÉCHELONNER, ESPACER, ÉTENDRE, EXHIBER, EXPOSER, MONTRER, PARADE, PROPOSER, REGARD, RÉPARTIR, VALOIR

ÉTALER abattre, afficher, allonger, arborer, déballer, déplier, déployer, dérouler, échelonner, épandre, exhiber, exposer, répartir

ÉTALINGURE → CHAÎNE

ÉTALON → CANON, CHEVAL, CRITÈRE, ENTIER, HARAS, MODÈLE (1), MONÉTAIRE, NORME, PROTOTYPE, RÉFÉRENCE, REPÈRE, REPRODUCTEUR, TYPE, UNITÉ
Voir tab. **Animaux (termes propres aux)**

ÉTALON (1) baudet

ÉTALON (2) archétype, bimétallisme, calibre, modèle, monométallisme, référence

ÉTALONNER → VÉRIFIER

ÉTAMAGE → ÉTAIN

ÉTAMBOT → GOUVERNAIL

ÉTAMINE → CRIN, DRAPEAU, FILTRE, FILTRER, FLEUR, MÂLE, POLLEN, SAUCE
Voir illus. **Fleur**
Voir tab. **Tissus**

ÉTAMPE → POINÇON

ÉTAMPERCHE → PERCHE

ÉTAMPURE → TROU

ÉTANCHE → HERMÉTIQUE, IMPERMÉABLE (2)

ÉTANCHE hermétique, imperméable, waterproof

ÉTANCHER → APAISER, CALMER, ÉPONGER, ÉTEINDRE, PASSER, SATISFAIRE, SÉCHER, SOIF, TAMPONNER

ÉTANÇON → APPUI, BÉQUILLE, CHARRUE, RENFORT, SOUTIEN, SUPPORT
Voir illus. **Charrue**

ÉTANÇONNER → APPUYER, SOUTENIR

ÉTANG → LAC, NAPPE, PIÈCE, POINT, RETENUE

ÉTANG alevinier, bassin, bonde, canardière, chaussée, daraise, lac, lagune, mare, vivier

ÉTAPE → ARRÊT, CAP, CIRCUIT, ÉPOQUE, HALTE, PAS (1), PHASE, RELAIS, STADE, VOYAGE

ÉTAPE distance, époque, escale, graduellement, halte, période, phase, progressivement, route, trajet

ÉTAPES (PAR) → COURSE CYCLISTE, DEGRÉ

ÉTARQUER → TENDRE (1)

ÉTAT → DROIT (1), FACTURE, INVENTAIRE, LISTE, NATION, PROVINCE, PUBLIC (2), PUISSANCE, SITUATION, SORT

ÉTAT artisans, bilan, bordereau, bourgeois, canton, cantonal, capable de, citer, clergé, communauté, compte rendu, comté, connaissement, descriptif, diplomatie, dirigisme, domanial, étatisation, étatisme, exposé, facture, fédéral, fonctionnaire, humeur, impression, interventionnisme, inventaire, land, mentalité, mentionner, mesure de (en), moment, nation, nationalisation, noblesse, note, paysans, phase, position, pronunciamento, province, provincial, public, putsch, rapport, reçu, région, réparer, république, restaurer, roturiers, sensation, sentiment, sentiment, situation, société, statistique, traumatisme, volition

ÉTAT (D') → VERBE

ÉTAT (EN BON) → TENIR

ÉTAT CIVIL → ARCHIVES, DROIT (1), MAIRIE, NAISSANCE

ÉTAT CIVIL (FICHE D') → IDENTITÉ

ÉTAT GENDARME
Voir tab. **Économie**

ÉTAT PROVIDENCE
Voir tab. **Économie**
Voir tab. **Histoire (grandes périodes)**

ÉTAT-MAJOR → COMMANDEMENT, DIRECTION, MILITAIRE (2)

ÉTATISATION → ÉTAT

ÉTATISME → CAPITALISME, COMMUNISME, ÉTAT, NATIONALISER, SOCIALISME

ÉTATS PONTIFICAUX
Voir tab. **Catholique romain (vocabulaire)**

ÉTAU coercition, mors, tenaille

ÉTAYER → APPUYER, ASSURER, CONSOLIDER, FORTIFIER, JUSTIFIER, MAINTENIR, SOUTENIR

ÉTÉ
Voir illus. **Saisons (mécanisme des)**

ÉTEIGNOIR → CIERGE, TROUBLE-FÊTE

ÉTEINDRE → AMORTIR, ANNULER, APAISER, CESSER, DÉCÉDER, DÉCROÎTRE, DISPARAÎTRE, ÉTOUFFER, EXISTER, EXPIRER, MAÎTRISER, PAYER, PÉRIR

ÉTEINDRE acquitter (s'), affaiblir, amortir, anéantir, annuler, apaiser, circonscrire, décéder, détruire, étancher, étouffer, inextinguible, maîtriser, moucher, mourir, saper, ternir

ÉTEINDRE (S') → MOURIR

ÉTEINT → MORNE, TERNE, TRISTE, USÉ

ÉTEINT apathique, atone, étouffé, morne, terne, vide

ÉTENDARD → ENSEIGNE, GUIDON
Voir illus. **Drapeaux**

ÉTENDRE → ACCROÎTRE, AGRANDIR, ALLONGER, APPLIQUER, DÉPLOYER, DÉROULER, DÉVELOPPER, DILUER, ÉLARGIR, ÉTIRER, GÉNÉRALISER, MÉLANGER, PENDRE, PLACER, PROLONGER, RECULER, RENVERSER, RÉPANDRE

ÉTENDRE agrandir, allonger,

approfondir, augmenter, délayer, déplier, déployer, diluer, ductile, élargir, étaler, étirer, laminer, mouiller, propager (se), répandre (se), tréfiler

ÉTENDRE (S') → AGRANDIR, AMPLIFIER (S'), COUCHER (SE), GAGNER, GRANDIR, IMPORTANCE, PROPAGER (SE), PROSPÉRER, RAYONNER

ÉTENDU → AMPLE, GRAND, IMMENSE, LARGE

ÉTENDUE → AMPLEUR, DÉLAVÉ, DIMENSION, DOMAINE, ESPACE, PROPORTION, RAYON, REGISTRE, SITE

ÉTENDUE ampleur, champ, développement, diapason, dimension, domaine, envergure, espace, grandeur, importance, largeur, longueur, portée, registre, sphère, surface, taille, volume

ÉTÉOCLE → FRÈRE

ÉTERNEL → IMMORTEL (2), INFINI (2), INSÉPARABLE, INVARIABLE, PERPÉTUEL, RENOUVELER (SE), TEMPS

ÉTERNEL absolu, constant, continuel, divin, durable, immortel, impérissable, incessant, indéfectible, indestructible, infini, inséparable, intemporel, perpétuel, sempiternel

ÉTERNELLEMENT → JAMAIS

ÉTERNISER (S') → CONTINUER, DEMEURER, DURER, TRAÎNER

ÉTERNITÉ → DIEU, DURÉE, FUTUR (2), IMMORTEL (2), LONGTEMPS, LUSTRE, PERPÉTUITÉ, RELIGION

ÉTERNITÉ (DE TOUTE) → TEMPS

ÉTERNUEMENT → BRUIT

Voir tab. **Bruits**

ÉTERNUER sternutation, sternutatoire

ÉTÉSIEN → PÉRIODIQUE (2)

ÉTÊTAGE → TAILLE

ÉTÊTER → ARBRE, COUPER, DÉCAPITER, TAILLER

ÉTEUF → BALLE

ÉTEULE → PAILLE, TIGE

ÉTH(O)- → MŒURS

ÉTHANE → COMBUSTIBLE

ÉTHANOL → CARBURANT, VIN

Voir tab. **Alcools et eaux-de-vie**

Voir tab. **Drogues**

ÉTHER → AIR, ANESTHÉSIE, CIEL, ESPACE

ÉTHER anesthésiant, antiseptique, éthérisation, éthérisme, éthéromanie, solvant

ÉTHÉRÉ → AÉRIEN, DÉLICAT, LÉGER, PLATONIQUE, SUBLIME

ÉTHÉRISATION → ÉTHER

ÉTHÉRISME → ÉTHER

ÉTHÉROMANIE → ÉTHER

ÉTHIQUE → CONSCIENCE, MORAL, MORALE, PHILOSOPHIE

Voir tab. **Philosophie**

ÉTHIQUE bioéthique, déontologie, morale

ETHMOÏDE → NASAL

ETHNIE → HUMAIN, RACE, TRIBU

ETHNOCIDE → ANÉANTISSEMENT, CRIME, DESTRUCTION, EXTERMINATION

ETHNOGRAPHIE → DESCRIPTION, PEUPLE

ETHNOLOGIE → GROUPE, HOMME, MŒURS, PEUPLE, SOCIÉTÉ

Voir tab. **Sciences : termes en -ologie et -ographie**

ETHNOPSYCHIATRIE → PSYCHIATRIE

ÉTHOLOGIE → ANIMAL, ZOOLOGIE

Voir tab. **Sciences : termes en -ologie et -ographie**

ÉTHYLABELLOPHILE → BOUTEILLE

Voir tab. **Collectionneurs**

ÉTHYLIQUE → IVROGNE

ÉTHYLIQUE (ALCOOL) →

Voir tab. **Alcools et eaux-de-vie**

ÉTHYLISME → ALCOOLISME, IVRESSE

ÉTIAGE → BAISSE, FLEUVE, RÉGIME, RIVIÈRE

ÉTIENNE (SAINT) → MARTYR

ÉTINCELAGE (PAR) → SOUDURE

ÉTINCELANT → BRILLANT (1), ÉCLATANT, FLAMBOYANT, FULGURANT, LUISANT, LUMINEUX, SPLENDIDE, VIF (2)

ÉTINCELANT brillant, éclatant, radieux, resplendissant, scintillant

ÉTINCELER → BRILLER, CHATOYER, LUIRE, MIROITER

ÉTINCELLE → ÉCLAIR, FLAMME

ÉTINCELLE briquet, disruptif, éclair, fusil, lueur, once, parcelle

ÉTINCELLER → RAYON

ÉTIOLÉ → CHÉTIF

ÉTIOLEMENT → APPAUVRISSEMENT, DÉCLIN, DÉCOLORATION, ÉPUISEMENT, SANTÉ

ÉTIOLER affaiblir, anémier, dépérir, faner (se), languir, rabougrir (se)

ÉTIOLER (S') → AFFAIBLIR, DÉGÉNÉRER, DÉPÉRIR, FAIBLE (2), LANGUIR, PERDRE

ÉTIOLOGIE → CAUSE, MALADIE

Voir tab. **Sciences : termes en -ologie et -ographie**

ÉTIOPATHE → MANIPULATION

ÉTIOPATHIE

Voir tab. **Médecines alternatives**

ÉTIQUE → MAIGRE, SEC, SQUELETTE

ÉTIQUETAGE

Voir tab. **Café**

ÉTIQUETER → CLASSER, DÉSIGNER, ENREGISTRER

ÉTIQUETTE → BIENSÉANCE, CÉRÉMONIE, CONTENU, CONVENTION, DESCRIPTION, FORMALITÉ, INSCRIPTION, POLITESSE, PRIX, RÈGLE, SAVOIR-VIVRE

ÉTIQUETTE DE FROMAGE

Voir tab. **Collectionneurs**

ÉTIQUETTE DE LIQUEUR

Voir tab. **Collectionneurs**

ÉTIQUETTE DE VIN

Voir tab. **Collectionneurs**

ÉTIRAGE corroyage, filetage, filière, laminage, lifting, lissage, tréfilage

ÉTIRÉ → LONG

ÉTIREMENT → YOGA

ÉTIRER → ALLONGER, ÉTENDRE, TENDRE (1)

ÉTIRER détendre (se), détirer, donner, élonger, étendre, fileter, laminer, prêter, stretch, tréfiler

ETNA → VOLCAN

ÉTOC → ROCHER

ÉTOFFE → DOSSIER, SUJET, VALEUR

ÉTOFFE aptitude, compétence, disposition, matière, qualité, sujet, textile, tissu, valeur

ÉTOFFÉ → CHAIR

ÉTOFFER → NOURRIR

ÉTOILE → ASTRE, BALLET, CIEL, CROISEMENT, DANSEUR, HÔTEL, LÉGION, RESTAURANT, VEDETTE

Voir illus. **Flocons**

Voir illus. **Pierres précieuses (taille des)**

Voir tab. **Superstitions**

ÉTOILE aérolithe, artiste, astérie, astérisque, astre, astrolabe, bolide, carrefour, céphéide, chance, constellation, croisement, dehors, destin, destinée, edelweiss, fortune, galaxie, lunette, météorite, patte-d'oie, plein air (en), poinsettia, protoétoile, pulsar, rond-point, sort, star, stellaire, télescope, trèfle, vedette, Vénus

ÉTOILE DE MER

Voir tab. **Animaux (classification simplifiée des)**

ÉTOILE FILANTE → MÉTÉORE

Voir tab. **Prostitution**

ÉTOILER → PARSEMER

ÉTOLE → FOURRURE

ÉTONNANT → DRÔLE (2), EXCEPTION, EXTRAORDINAIRE, FRAPPANT, INCONCEVABLE, INCROYABLE (2), INOUÏ, INSOLITE, INVRAISEMBLABLE, MIRACULEUX, ORIGINAL, PAIR, SENSATIONNEL, SINGULIER

ÉTONNANT ahurissant, bizarre, curieux, déconcertant, épatant, étrange, extraordinaire, fantastique, formidable, impressionnant, inattendu, incroyable, insolite, original, rare, remarquable, saisissant, singulier, stupéfiant, surprenant

ÉTONNÉ → ÉBAHI, ÉPATÉ, HÉBÉTÉ, IMPRESSIONNER, STUPÉFAIT

ÉTONNÉ abasourdi, sidéré, stupéfait

ÉTONNEMENT → DIAMANT, STUPEUR

ÉTONNEMENT ébahissement, ébranlement, fêlure, lézarde, stupéfaction, stupeur, surprise

ÉTOUFFADE → DAUBE

ÉTOUFFANT → LOURD, SUFFOQUER

ÉTOUFFANT touffeur

ÉTOUFFÉ → ÉTEINT, FEUTRÉ, MAT, SOURD

ÉTOUFFÉ (ÊTRE) → SUFFOQUER

ÉTOUFFEMENT → ASTHME

ÉTOUFFEMENT asphyxie, dissimulation, dyspnée, étranglement, répression, suffocation

ÉTOUFFER → AMORTIR, ASSOURDIR, BÂILLONNER, CACHER, ENTERRER, ÉTEINDRE, ÉTRANGLER, NOYER, OPPRIMER, REFOULER, REFUSER, RESPIRER, RETENIR, TAIRE

ÉTOUFFER amortir, assourdir, contenir, dissimuler, éteindre, étrangler (s'), gêner, juguler, oppresser, refouler, réfréner, réprimer, retenir

ÉTOUFFOIR → PAIN, PIANO

Voir illus. **Piano**

ÉTOUPER → BOUCHER (1)

ÉTOUPILLE

Voir illus. **Canon**

ÉTOURDERIE → ATTENTION, BÉVUE, BOURDE, DÉFAUT, DISTRACTION, IMPRUDENCE, INATTENTION, OUBLI

ÉTOURDERIE bévue, distraction, imprudence, inadvertance (par), inattention, insouciance, irréflexion, mégarde (par), oubli

ÉTOURDI → DISTRAIT, INCONSIDÉRÉ, INSOUCIANT, IRRÉFLÉCHI, SURPRENDRE

ÉTOURDI écervelé, évaporé, irréfléchi, léger

ÉTOURDIR → ASSOURDIR, ÉVADER (S'), GRISER

ÉTOURDIR assommer, distraire (se), enivrer, évader (s'), fatiguer, griser, importuner

ÉTOURDISSANT → FATIGANT, SENSATIONNEL

ÉTOURDISSEMENT → DÉFAILLANCE, ÉBLOUISSEMENT, VERTIGE

ÉTOURDISSEMENT défaillance, évanouissement, syncope, vertige

ÉTOURNEAU → OISEAU

ÉTOURNEAU passereaux, sansonnet, sturnidés

ÉTRANGE → BIZARRE, CURIEUX (2), DRÔLE (2), ÉNIGMATIQUE, ÉTONNANT, INATTENDU, INCOMPRÉHENSIBLE, INOUÏ, MYSTÉRIEUX, PARTICULIER, SINGULIER, SPÉCIAL, SUSPECT

ÉTRANGE abracadabrant, bizarre, extraordinaire, inaccoutumé, indéfinissable, inexplicable, inhabituel, inquiétant, insolite, singulier, surprenant

ÉTRANGER → EXTÉRIEUR, INCONNU (1), INSENSIBLE, MÉTÈQUE, NATIF

Voir tab. **Phobies**

Voir tab. **Population**

ÉTRANGER (1) apatride, chauvinisme, cosmopolite, émigrer, expatrier (s'), extrader, extranéité, heimatlos, immigré, naturaliser, racisme, réfugié, résident, touriste, xénélasie, xénophobie

ÉTRANGER (2) éloigné, ignorant, inconnu, profane

ÉTRANGETÉ → ORIGINALITÉ

ÉTRANGLEMENT → ÉTOUFFEMENT, FLEUVE

ÉTRANGLER → COU, ÉTOUFFER, RESPIRER, SUFFOQUER

ÉTRANGLER asphyxier, assassiner, carguer, coincer, comprimer, étouffer (s'), garrotage, resserrer, rétrécir, serrer, stranguler

ÉTRAVE DE PILE

Voir illus. **Ponts**

ÊTRE → RÉALITÉ

ÊTRE DE → CONSISTER À

ÊTRE DIGNE → MÉRITER

ÊTRE ENTERRÉ VIVANT

Voir tab. **Phobies**

ÊTRE HUMAIN → INDIVIDU

ÊTRE PESSIMISTE → NOIR

ÊTRE SÛR → PARIER

ÊTRE SUR LE POINT DE → APPRÊTER (S')

ÊTRE SUR SES GARDES → VIGILANCE

ÉTREINDRE → CARESSER, EMBRASSER, ENLACER, ENTOURER, PRENDRE, SAISIR, SERRER, TENIR

ÉTREINDRE embrasser, enlacer, oppresser, serrer, tenailler

ÉTREINTE → CARESSE

ÉTRENNE → DON

ÉTRENNER → COMMENCER, EMPLOYER

ÉTRENNES → CADEAU, GRATIFICATION, SALAIRE

ÉTRÉSILLON → APPUI, TRANCHÉE

ÉTRIER → MONTAGNE, OREILLE, RENFORT, SELLE

Voir illus. **Arcs et arbalète**

Voir illus. **Oreille**

Voir illus. **Selle**

ÉTRIER échelle, étrivière, osselet, pied gauche, talonnière

ÉTRIER PLAT → STORE

ÉTRIER ROND → STORE

ÉTRILLE → BROSSE, CRABE

ÉTRILLER → BATTRE, FROTTER, NETTOYER

ÉTRIQUÉ → BORNÉ, ÉTROIT, JUSTE, MÉDIOCRE, MESQUIN, MINABLE

ÉTRIVIÈRE → ÉTRIER

Voir illus. **Selle**

ÉTROIT → BORNÉ, INTIME (2), MESQUIN, STUPIDE

ÉTROIT borné, boyau, chant, chatière, couloir, défilé, étriqué, exigu, gorge, goulet, intime, intolérant, juste, mesquin, obtus, petit, réduit, restreint, serré, stricto sensu

ÉTROIT D'ESPRIT → TOLÉRANCE

ÉTROITESSE → PETITESSE

ÉTROITESSE D'ESPRIT → INTOLÉRANCE

ÉTRONÇONNER → TAILLER, TRONC

ÉTUDE → AGENCE, ANALYSE, BUREAU, CABINET, CARTON, CONCEPTION, CONSULTATION, CRITIQUE (1), DÉLIBÉRATION, DESSIN, DISSERTATION, ENQUÊTE, EXAMEN, NOTAIRE, OBSERVATION, OFFICE, PIANO, PRÉPARATOIRE, PROJET, RECHERCHE, RÉFLEXION, TRAITÉ

Voir tab. **Musicales (formes)**

ÉTUDE cabinet, charge, croquis, cursus, école, enseignement, esquisse, essai, exercice, investigation, pion, prospection, scolarité, surveillant, traité

ÉTUDE TOXICOLOGIQUE → AUTOPSIE

ÉTUDIANT → ÉLÈVE, INACTIF

Voir illus. **Coiffures**

Voir tab. **Saints patrons**

ÉTUDIANT carabin, hypokhâgneux, hypotaupin, khâgneux, taupin

ÉTUDIÉ → AFFECTÉ, FORCÉ, RECHERCHÉ, SOIGNÉ, SOPHISTIQUÉ

ÉTUDIER → APPRENDRE, CONSIDÉRER, CULTIVER (SE), DÉCORTIQUER, ÉLABORER, EXPLORER, INSTRUIRE (S'), MÉDITER, OBSERVER, PENCHER (SE), RÉFLÉCHIR, SONDER, TÂTER, TRAITER

ÉTUDIER analyser, apprendre, approfondir, commenter, considérer, examiner, exercer (s'), instruire (s'), observer, préparer, répéter

ÉTUI → BOÎTE, CARTOUCHE, EMBALLAGE, FOURREAU, GAINE, HOUSSE, TROUSSE, VIOLON

Voir illus. **Cartouches**

ÉTUVE → BAIN, CHALEUR, CHAUD, CONSERVE, SÉCHER, STÉRILISATION, VAPEUR

ÉTUVÉE (À L') → CUIRE

ÉTUVER → STÉRILISER

ÉTYMOLOGIE → FILIATION, MOT, ORIGINE, RACINE

Voir tab. **Sciences : termes en -ologie et -ographie**

ÉTYMON → FAMILLE, RADICAL (1)

EU

Voir tab. **Éléments chimiques (symbole des)**

Voir tab. **Habitants (comment se nomment les)**

EUBAGE → GAULOIS

EUCALYPTOL → ANTISEPTIQUE

EUCALYPTUS

Voir tab. **Plantes médicinales**

EUCALYPTUS GLOBULUS

Voir tab. **Plantes médicinales**

EUCARYOTE → CELLULE

EUCHARISTIE → AUTEL, BÉNIT, COMMUNION, HOSTIE, LITURGIE, MESSE, PAIN, SACREMENT

Voir tab. **Catholique romain (vocabulaire)**

Voir tab. **Sacrements**

EUCHROMOSOME → CHROMOSOME

EUCOLOGE → LITURGIE, LIVRE, PAROISSE, PRIÈRE

EUDÉMIS → CHENILLE, PAPILLON

EUDÉMONISME → BONHEUR, PLAISIR

EUDIOMÈTRE → GAZ

Voir tab. **Chimie**

EUDOIS

Voir tab. **Habitants (comment se nomment les)**

EUGÉNATE → AMALGAME, PANSEMENT

EUGÉNIQUE → SÉLECTION

EUGÉNISME → HUMAIN, PROGRÈS, RACE, SÉLECTION

EUGÉNOL → DENTAIRE

EUGLÈNE → ALGUE

EUMÉNIDES → FURIE

Voir tab. **Mythologiques (créatures)**

EUNUQUE → CHÂTRER, GARDIEN, HOMME, IMPUISSANCE, NEUTRE, SEXE

EUPEPTIQUE → DIGÉRER, DIGESTION

EUPHÉMISME → MOT, PÉRIPHRASE, PRÉCAUTION

Voir tab. **Rhétorique (figures de)**

EUPHONIE → HARMONIE, SON

EUPHORBIACÉES → RICIN

EUPHORE → CAOUTCHOUC

EUPHORIE → BÉATITUDE, BIEN-ÊTRE, BONHEUR, JOIE, PLAISIR, SATISFACTION

EUPHORISANT → DROGUE

EUPHROSYNE → GRÂCE

EUPHUISME → LANGAGE, RECHERCHE

EURASIEN → MÉTIS (1)

EURÊKA → TROUVER

EURIPIDE → TRAGÉDIE

EURL

Voir tab. **Entreprise (vocabulaire de l')**

EURO → FRANC (1), MONÉTAIRE

EUROCRATE → TECHNICIEN

EUROPE

Voir tab. **Saints patrons**

EUROPÉEN → CHAT, PARLEMENT

EUROPIUM

Voir tab. **Éléments chimiques (symbole des)**

EUROVISION → TÉLÉVISION

EURYLAIME

Voir tab. **Oiseaux (classification simplifiée des)**

EURYTHMIE → ÉQUILIBRE, HARMONIE, PROPORTION, RYTHME, SON

EUSTACHE → BLANC (1)

EUTERPE → MUSIQUE

Voir tab. **Muses**

EUTHANASIE → ABRÉGER, MORT (1)

EUTHANASIER → PIQUER

EUTHÉRIEN → MAMMIFÈRE

ÉVACUATION → ÉCOULEMENT, ISSUE

ÉVACUATION déversement, déversoir, écoulement

ÉVACUER → ABANDONNER, ÉLIMINER, EXPULSER, PARTIR, SORTIR, VIDER

ÉVACUER abandonner, cracher, déféquer, déverser, éliminer, expectorer, expulser, quitter, rejeter, retirer de (se), uriner, vidanger, vider, vomir

ÉVADER (S') → BELLE, CADRE, ÉCHAPPER, ENFUIR (S'), ÉTOURDIR, LIBÉRER, PARTIR, SAUVER (SE)

ÉVADER (S') distraire (se), divertir (se), échapper (s'), enfuir (s'), étourdir (s'), fuir, libérer de (se), sauver (se), soustraire à (se)

ÉVALUABLE → APPRÉCIABLE

ÉVALUATION → APPRÉCIATION, COÛT, DÉTERMINATION, FIXATION, RECENSEMENT, STATISTIQUE

ÉVALUATION appréciation, approximation, estimation, expertise, prisée

ÉVALUER → APPRÉCIER, CALCULER, COMPARER, COMPTER, CONSIDÉRER, ESTIMER, EXAMINER, IDÉE, JAUGER, JUGER, MESURER, PESER, VALEUR

ÉVALUER calculer, chiffrer, coter, devis, jauger, supputer, ventiler

ÉVANESCENT → ÉVANOUIR (S'), MOURANT

ÉVANGÉLIAIRE → LITURGIE, MESSE

ÉVANGÉLIQUE

Voir tab. **Églises**

ÉVANGÉLISATION → APÔTRE, COLONISATION, DISCIPLE, MISSION

ÉVANGÉLISER → CONVERTIR, ENSEIGNER, PRÊCHER, RELIGION

ÉVANGÉLISTE → CONVERTIR, SAINT (1)

ÉVANGÉLISTES (LES QUATRE)

Voir tab. **Bible**

ÉVANGILE → BIBLE

ÉVANGILES → RÉCIT

Voir tab. **Bible**

ÉVANOUI → INANIMÉ, INÉGALITÉ

ÉVANOUIR (S') → CESSER, DÉFAILLIR, ÉCHAPPER, ENFUIR (S'), ENVOLER (S'), FONDRE, MAL (2), PERDRE

ÉVANOUIR (S') connaissance, défaillir, dissiper (se), effacer (s'), envoler (s'),

estomper (s'), évanescent, fugace, fugitif, pâmer (se), syncope

ÉVANOUISSEMENT → DÉFAILLANCE, ÉTOURDISSEMENT, INCONSCIENCE, MALAISE, VERTIGE

ÉVAPORATION caléfaction, exhalation, transpiration, vaporisation

ÉVAPORÉ → ÉTOURDI

ÉVAPORER (S') → DISPARAÎTRE, DISSIPER (SE)

ÉVASÉ → LARGE

ÉVASER → ÉLARGIR

ÉVASIF → AMBIGU, IMPRÉCIS, VAGUE (2)

ÉVASION → FUITE

ÉVASIVE → FUYANT

ÉVÊCHÉ → BÉNÉFICE, ÉVÊQUE, PALAIS

ÉVEIL alarme, alerte, réveil

ÉVEILLÉ → INTELLIGENT, MALIN (2), OUVERT, VIF (2), VIVANT

ÉVEILLÉ dégourdi, espiègle, malicieux, ouvert, vif

ÉVEILLER → ALLUMER, DONNER, ÉVOQUER, NAÎTRE, PIQUER, RÉVEILLER, SOLLICITER, STIMULER, SUSCITER

ÉVEILLER aiguiser, animer, développer, évoquer, exciter, piquer, provoquer, stimuler, susciter

ÉVEINAGE → VASCULAIRE

ÉVÉNEMENT → CAS, FAIT, PHÉNOMÈNE, RENCONTRE

ÉVÉNEMENT accident, affaire, annales, bonheur, calamité, chance, complication, contretemps, désastre, drame, ennui, épisode, fait, incident, moment, péripétie, succès, tragédie

ÉVENTAIL → CHOIX, COLLECTION, GAMME, REGISTRE, SÉLECTION

ÉVENTAIL assortiment, choix, échelle, éventaillerie, éventer (s'), feuille, flabellé, flabelliforme, gamme, monture

ÉVENTAILLERIE → ÉVENTAIL

ÉVENTAIRE → ÉTALAGE, PANIER, PLATEAU, RAYON

ÉVENTÉ → ABÎMÉ, GOÛT, PARFUM

ÉVENTER → ALTÉRER, ÉVENTAIL, RÉPANDRE

ÉVENTRATION → HERNIE

ÉVENTRER → DÉFONCER, FORCER

ÉVENT → NARINE

ÉVENTUALITÉ → CAS, HYPOTHÈSE, IDÉE, PERSPECTIVE, POSSIBILITÉ, PROBABILITÉ, RENCONTRE

ÉVENTUEL → ACCIDENTEL, CONDITIONNEL, INCERTAIN, POSSIBLE

ÉVENTUEL casuel, contingent, hypothétique, incertain, occasionnel, possible

ÉVENTUELLEMENT → OCCASION

ÉVÊQUE

Voir tab. **Clergé catholique (vocabulaire du)**

ÉVÊQUE → CATHÉDRALE, CATHOLICISME, CLERGÉ, DIGNITÉ, EXCELLENCE, PRINCE, RELIGIEUX (1)

Voir illus. **Coiffures**

Voir tab. **Politesse (formules de)**

ÉVÊQUE améthyste, anneau, collège d'évêques, croix, crosse, épiscopat, évêché, faldistoire, mense, mitre, pectorale, prélat, synode

ÉVÊQUE DE ROME → PAPE

ÉVÊQUE IN PARTIBUS INFIDELIUM
Voir tab. **Clergé catholique (vocabulaire du)**

ÉVÊQUE TITULAIRE
Voir tab. **Clergé catholique (vocabulaire du)**

ÉVERTUER → FATIGUER

ÉVERTUER (S') → APPLIQUER (S'), CHERCHER, EFFORCER (S'), ÉPUISER, PARVENIR, PEINER, TÂCHER, TENTER

ÉVIDEMENT
Voir tab. **Chirurgie (vocabulaire de la)**

ÉVIDEMMENT → ENTENDU

ÉVIDENCE → RAISONNEMENT, RÉALITÉ, VEDETTE

ÉVIDENCE démontrer, exhiber, exposer, prouver

ÉVIDENT → APPARENT, CLAIR, CONNU, CREVER, ÉCLATANT, FLAGRANT, FORCÉ, FRAPPANT, INCONTESTABLE, NOTOIRE, OSTENSIBLE, PALPABLE, TRANSPARENT, VÉRITÉ, VISIBLE

ÉVIDENT assuré, axiome, certain, clair, connu, criant, éclatant, incontestable, indéniable, lapalissade, manifeste, notoire, patent, truisme

ÉVIDER → CREUSER, VIDER

ÉVINCÉ → CIRCUIT, EXCLURE

ÉVINCER → DÉPOSSÉDER, ÉCARTER, ÉLIMINER, REFUSER, SUPPRIMER

ÉVIRÉ
Voir tab. **Héraldique (vocabulaire de l')**

ÉVITER → DÉROBER (SE), DISPENSER, ÉCHAPPER, ÉPARGNER, FRÔLER, GARER, INTERDIRE (S'), PARER, PASSER, SUPPRIMER

ÉVITER abstenir (s'), conjurer, délivrer de, dérober à (se), détourner, dispenser de, écarter, échapper à, éluder, épargner, escamoter, esquiver, garder de (se), obvier à, parer, prévenir

ÉVOCATEUR → PITTORESQUE, SUGGÉRER

ÉVOCATION → ASSOCIATION, INCANTATION, RAPPEL, REPRÉSENTATION

ÉVOHÉ → CRI

ÉVOLUÉ → RAFFINÉ, SOPHISTIQUÉ

ÉVOLUER → CHANGER, DEVENIR (2), MODIFIER, MOUVOIR, PERFECTIONNER (SE), VARIER

ÉVOLUER améliorer, changer, devenir, modifier (se), progresser, stagner, transformer (se)

ÉVOLUTION → ADAPTATION, ADOLESCENCE, ALTÉRATION, CHANGEMENT, CHEMINEMENT, CIVILISATION, COURS, DÉROULEMENT, DÉVELOPPEMENT, DEVENIR (1), PROCESSUS, PROGRÈS, TENDANCE, TOUR, TOURNURE, VARIATION

ÉVOLUTION continuité, cours, darwinisme, développement, évolutionnisme, histoire, immobilisme, lamarckisme, manœuvre, marche,

mouvement, mutationnisme, passage, phylogenèse, processus

ÉVOLUTIONNISME → ESPÈCE, ÉVOLUTION, GÉNÉALOGIE

ÉVOQUER → ABORDER, ALLUSION, CITER, ÉVEILLER, IMAGINER, MONTRER, PENSER, PERSONNIFIER, REPRÉSENTER, SIGNALER, SUGGÉRER, SYNONYME

ÉVOQUER aborder, apostropher, décrire, effleurer, éveiller, interpeller, invoquer, poser, prosopopée, remémorer, représenter, saisir de (se), suggérer, susciter

ÉVREUX
Voir tab. **Habitants (comment se nomment les)**

EVZONE → GREC, SOLDAT

EX ABRUPTO → ABRUPTEMENT

EX ÆQUO → ÉGALITÉ

EXACERBATION → AUGMENTATION, INTENSITÉ

EXACERBER → ACCROÎTRE, ACERBE, AGGRAVER, AIGUISER, EXASPÉRER, EXCITER, VIOLENCE

EXACT → CORRECT, FIDÈLE (2), JUSTE, LITTÉRAL, PRÉCIS, RATIONNEL, RÉEL, RIGOUREUX, SINCÈRE

EXACT astronomie, authentique, chimie, équitable, fidèle, juste, littéral, mathématiques, physique, ponctuel, réel, rigoureux, sincère, textuel, véridique

EXACTEMENT → PLUS

EXACTION → ACTION, ATROCITÉ, DÉLIT, FONCTIONNAIRE, INJUSTE, MALHONNÊTE, PILLAGE

EXACTITUDE → FIDÉLITÉ, HORAIRE, JUSTESSE, PONCTUALITÉ, RECTITUDE, VÉRACITÉ, VÉRITÉ

EXACTITUDE application, assiduité, conscience professionnelle, minutie, soin

EXAGÉRATION → OUTRANCE
Voir tab. **Manies**

EXAGÉRATION hyperbole, modérément

EXAGÉRÉ → EMPHATIQUE, EXCESSIF, EXORBITANT, EXTRAVAGANT, INABORDABLE, INJUSTE, RAISONNABLE

EXAGÉRÉ abusif, excessif, exorbitant

EXAGÉRER → BRODER, FORCER, GONFLER, GRANDIR, GROSSIR, INVENTER, NOIRCIR

EXAGÉRER amplifier, broder, dramatiser, enfler, fanfaronner, forcer, grossir, outrer, simuler, vanter (se)

EXALTANT → ENIVRANT, PALPITANT, PASSIONNANT, RAVIR

EXALTATION → ANIMATION, ARDEUR, CHALEUR, CONVULSION, ENTHOUSIASME, EXCITATION, FEU, FIÈVRE, FRÉNÉSIE, IVRESSE, PASSION, ZODIAQUE

EXALTATION agitation, effervescence, griserie

EXALTÉ → ARDENT, BOUILLONNANT, ÉPERDU, FANATIQUE (2), ILLUMINÉ, INQUIET, INSPIRÉ, IVRE, ROMANTIQUE, SUBLIME

EXALTER → ACCROÎTRE, ANIMER, BÉNIR, CÉLÉBRER, COURAGE, ÉLECTRISER, EMBRASER,

ENFLAMMER, GLORIFIER, GRANDIR, GRISER, LOUER, PASSIONNER, PIÉDESTAL, PLAIRE, PORTER, RELEVER, STIMULER, SURPASSER, VALEUR, VIOLENCE

EXALTER célébrer, électriser, enflammer, enthousiasmer, galvaniser, glorifier, louer, magnifier, soulever, transporter, vanter

EXAMEN → ANALYSE, BILAN, BREVET, CENSURE, CONSULTATION, CONTRÔLE, CRITIQUE (1), DÉLIBÉRATION, ENQUÊTE, INFORMATION, INSPECTION, INVESTIGATION, OBSERVATION, POINT, RECHERCHE, RENVOI, RÉVISION, REVUE, VISITE
Voir tab. **Examens médicaux complémentaires**

EXAMEN analyse, auscultation, autopsie, biopsie, collation, commentaire, contrôle, débat, délibération, devoir, discussion, dissection, docimologie, enquête, épreuve, étude, examinateur, exploration, fouille, information, instruction, interrogation, introspection, jury, palpation, recension, reconnaissance

EXAMEN CYTOBACTÉRIOLOGIQUE → URINE

EXAMEN DE RATTRAPAGE → UNIVERSITÉ

EXAMEN HISTOLOGIQUE → AUTOPSIE

EXAMEN SCOLAIRE → CHINOIS

EXAMEN TERMINAL → UNIVERSITÉ

EXAMENS
Voir tab. **Saints patrons**

EXAMINATEUR → CANDIDAT, EXAMEN

EXAMINER → APPROFONDIR, ASSURER (S'), CONSIDÉRER, CONTRÔLER, DÉCORTIQUER, ENVISAGER, ÉPLUCHER, ÉTUDIER, EXPLORER, INSPECTER, JAUGER, JUGER, OBSERVER, PENCHER (SE), PLONGER, RÉFLÉCHIR, REGARDER, SCRUTER, TOUCHER, TRAITER, VÉRIFIER, VOIR

EXAMINER compulser, considérer, consulter, dépouiller, dévisager, effleurer, estimer, évaluer, expertiser, fixer, observer, parcourir, peser, prospecter, scruter, survoler, toiser

EXANTHÈME → BRÛLURE, ÉRUPTION, URTICAIRE

EXANTHÈME SUBIT
Voir tab. **Pédiatrie**

EXASPÉRER → ÉNERVER

EXASPÉRANT → SUPPORTER

EXASPÉRATION → COLÈRE, IMPATIENCE, NERVOSITÉ

EXASPÉRÉ → CRAN, HÉRISSÉ, IRRITÉ

EXASPÉRER → AGACER, BOUILLIR, IRRITER

EXASPÉRER aiguiser, aviver, courroucé, énervé, exacerber, excédé, fâché, irrité

EXAUCER → RÉALISER, SATISFAIRE

EXCAVATION → ARCHÉOLOGIE, CREUX (1), FOSSE, FOUILLE, GROTTE, NID, PUITS, RECHERCHE, SOUTERRAIN (1), TROU

EXCAVATRICE → PELLE

EXCAVER → CREUSER

EXCÉCUTION crucifixion

EXCÉDÉ → EXASPÉRER, HÉRISSÉ

EXCÉDENT → BÉNÉFICE, BUDGET, DÉBORDER, EXCÈS, GAIN, STOCK, SUPPLÉMENT, SURCHARGE, SURPLUS, TROP-PLEIN

EXCÉDENT bénéfice, boni, reste, surcharge, surcroît, surplus

EXCÉDER → AGACER, BOUILLIR, BRISER, DÉPASSER, ÉNERVER, IRRITER, OUTREPASSER, PASSER

EXCELLEMMENT → PARFAITEMENT

EXCELLENCE → PERFECTION

EXCELLENCE ambassadeur, archevêque, évêque, ministre, précellence, préexcellence

EXCELLENT → ACCOMPLI, ADMIRABLE, BON (1), DIVINEMENT, FAGOT, FAMEUX, IMPECCABLE, MAGISTRAL, MEILLEUR, PARFAIT, SAVOUREUX, UNIQUE

EXCELLENT admirable, briller, délicieux, distinguer (se), doué, exceller, exquis, merveilleux, parfait, sensationnel, succulent, surpasser (se), talentueux, triompher

EXCELLER → BRILLER, EXCELLENT

EXCENTRÉ → EXCENTRIQUE

EXCENTRICITÉ → ORIGINALITÉ, SINGULARITÉ

EXCENTRICITÉ anticonformisme, extravagance, fantaisie, folie, originalité, singularité

EXCENTRIQUE → ANORMAL, BIZARRE, EXTRAORDINAIRE, EXTRAVAGANT, INSOLITE, ORIGINAL, RAISONNABLE

EXCENTRIQUE absurde, baroque, excentré, périphérique

EXCEPTÉ → EXCEPTION, PART, SAUF (2)

EXCEPTION → BRÈCHE, CAS, IRRÉGULARITÉ, PARTICULARITÉ, RÈGLE, RÉSERVE

EXCEPTION anomalie, casuistique, dérogation, dilatoire, étonnant, excepté, exciper de, extraordinaire, hormis, irrégularité, norme, particulier, privilégié, restriction, singulier, spécial

EXCEPTIONNEL → ACCIDENTEL, ANORMAL, BANAL, BŒUF, BRILLANT (1), CONSIDÉRABLE, EXTRAORDINAIRE, FABULEUX, FAMEUX, FORMIDABLE, IMPRÉVU (1), MERVEILLEUX, OCCASIONNEL, PAIR, PARFAIT, PRÉCÉDENT (1), RARE, SINGULIER, SPÉCIAL, SPLENDIDE, UNIQUE

EXCEPTIONNEL inattendu, inouï, occasionnel, prodigieux, rare, remarquable, supérieur

EXCEPTIONNELLEMENT → FOIS, PARTICULIÈREMENT

EXCÈS → ABUS, OUTRANCE, PRÉCIPITATION, PROFUSION, SURPLUS, TROP-PLEIN

EXCÈS débauche, dévergondage, étalage, excédent, extrémisme, fanatisme, grossièreté, hyperglycémie, impertinence, inconvenance, injure, intempérance, logorrhée, luxe, luxure, obésité, orgie, pléthore, profusion, surabondance, surmenage, surplus

EXCESSIF → DÉMESURÉ, EFFROYABLE, ÉLEVÉ, EMPHATIQUE, ENFER, ÉNORME, EXAGÉRÉ, EXORBITANT, EXTRAVAGANT, EXTRÊME, INABORDABLE, INSENSÉ, RAISONNABLE

EXCESSIF abusif, caniculaire, démesuré, effréné, énorme, exagéré, exorbitant, extrême, immodéré, incommensurable, manie, monstrueux, outrancier, outré, phobie, surarmement, torride

EXCESSIVEMENT → BEAUCOUP, OUTRE

EXCIPER DE → EXCEPTION

EXCIPIENT → MÉDICAMENT

EXCISION → ABLATION, SEXUEL
Voir tab. **Chirurgie** (vocabulaire de la)

EXCITABILITÉ → SENSIBILITÉ

EXCITABLE → SUSCEPTIBLE

EXCITANT → ÉROTIQUE, PALPITANT, PIQUANT (2), STIMULANT

EXCITANT (1) réconfortant, remontant, stimulant, tonique

EXCITANT (2) apétissant, émoustillant, motivant, provocant, séduisant, tentant

EXCITATION → CONVULSION, DÉCLENCHER, ÉMOI, FIÈVRE, IMPULSION, IVRESSE, NERVOSITÉ, PASSION, TURBULENCE

EXCITATION agitation, désir, effervescence, émoi, emportement, encouragement, enthousiasme, éréthisme, exaltation, exhortation, fièvre, incitation

EXCITÉ → TURBULENT

EXCITÉ agité, énergumène, énervé, nerveux

EXCITER → AGACER, ALLUMER, ANIMER, ATTIRER (S'), CHATOUILLER, DÉCHAÎNER, DRESSER, ENCOURAGER, ÉVEILLER, GRISER, INCITER, OUVRIR, PIQUER, PROVOQUER, STIMULER, SUSCITER

EXCITER aiguillonner, aiguiser, apitoyer, attendrir, attiser, aviver, déchaîner, éperonner, exacerber, provoquer, stimuler, susciter

EXCLAMATIF → ADJECTIF, PHRASE

EXCLAMATION → CRI, INTERJECTION

EXCLAMATION bravo, cri, épiphonème, interjection, juron, tollé, vivat

EXCLU → CIRCUIT

EXCLURE → ABSTRACTION, BANNIR, ÉCARTER, ÉLIMINER, ÉPURER, EXPULSER, INTERDIRE, ISOLER, PARENTHÈSE, PROHIBER, REFOULER, REFUSER

EXCLURE abandonner, annuler (s'), bannir, blackbouler, écarté, éliminer, évincé, excommunier, expulser, neutraliser (se), rejeter, renvoyé, repoussé

EXCLUSIF → INTERDIT (1), JALOUX, POSSESSIF, SEUL, UNIQUE

EXCLUSIF absolu, monopole, particulier, personnel, propre, unique

EXCLUSION → CHOIX, RENVOI, XÉNOPHOBIE
Voir tab. **Assurance** (vocabulaire de l')

EXCLUSION ostracisme, quarantaine, radiation

EXCLUSIVITÉ → INFORMATION, MONOPOLE

EXCLUSIVITÉ monopole, primeur, scoop

EXCOMMUNICATION → CENSURE, CONDAMNATION, FOUDRE, INTERDIT

EXCOMMUNICATION anathème, bulle, fulminer, hérétique, lancer

EXCOMMUNIÉ → RELIGION

EXCOMMUNIER → BANNIR, ÉGLISE, EXCLURE

EXCORIATION → ÉRAFLURE, ÉROSION

EXCORIÉ → ÉCORCHER

EXCORIER → BLESSER

EXCRÉMENT → ORDURE, SELLE

EXCRÉMENT bouse, chiure, colombine, coprologie, coprophage, coprophile, crotte, crottin, défécation, déjection, fèces, fiente, fumée, guano, laissée, litière, méconium, scatologique, selle, stercoral

EXCRÉTER → ÉLIMINER

EXCRÉTION → ÉCOULEMENT

EXCROISSANCE → GROSSEUR, NŒUD, RELIEF, VERRUE

EXCURSION → PROMENADE, VOYAGE

EXCURSION ascension, course, expédition, promenade, randonnée, tournée, trekking, voyage

EXCUSE → ALIBI, JUSTIFICATION, MOYEN (1), PRÉTEXTE, RAISON
Voir tab. **Tarot**

EXCUSE alibi, circonstance, échappatoire, faux-fuyant, motif, prétexte, raison, regret

EXCUSER → DÉFENDRE, DEMANDER, DISCULPER, INDULGENT (2), JUSTIFIER, OUBLIER, PARDON, PARDONNER, TOLÉRER

EXCUSER absoudre, blanchir, couvrir, disculper, disculper (se), dispensé, exempté, justifier (se)

EXÉCRABLE → DÉPLORABLE, DÉSAGRÉABLE, DÉTESTABLE, ÉPOUVANTABLE, HORRIBLE, LAMENTABLE, ODIEUX, SALE

EXÉCRABLE abominable, affreux, déplorable, détestable, épouvantable, horrible, infâme, infect, odieux, pestilentiel

EXÉCRATION → HAINE, MALÉDICTION

EXÉCRER → DÉGOÛT, DÉTESTER, HAÏR, HORREUR, MAUDIRE, VOMIR

EXÉCUTANT → INTERPRÈTE, MUSICIEN

EXÉCUTÉ → ACCOMPLI

EXÉCUTER → ARME, COMMANDE, COMMETTRE, CONSOMMER, FAIRE, FUSILLER, INTERPRÉTER, JOUER, MENER, OBÉIR, OPÉRER, PASSER, PROCÉDER, RÉALISER, REMPLIR, SAISIR, SATISFAIRE

EXÉCUTER accomplir, effectuer,

interpréter, mort (mettre à), obéir, obtempérer, réaliser

EXÉCUTEUR → TORTURE

EXÉCUTEUR DES BASSES ŒUVRES → BOURREAU

EXÉCUTEUR DES HAUTES ŒUVRES → BOURREAU, TORTURE

EXÉCUTEUR TESTAMENTAIRE → TESTAMENT

EXÉCUTIF → COMITÉ, POUVOIR

EXÉCUTION → EXPÉDITION, FAÇON, FACTURE, GUILLOTINE, INTERPRÉTATION, PRATIQUE (1), SUPPLICE, TRAVAIL

EXÉCUTION adresse, asphyxie, composition, décapitation, électrocution, fusillade, habileté, pendaison, rédaction, tour de main

EXÉCUTOIRE → ACTE

EXÈDRE → CONVERSATION
Voir illus. **Sièges**

EXÉGÈSE → ANALYSE, BIBLE, COMMENTAIRE, EXPLICATION, INTERPRÉTATION, TEXTE

EXÉGÈTE → INTERPRÈTE

EXEMPLAIRE → BON (2), INDIVIDU, MODÈLE (2), NUMÉRO, PARFAIT, PIEUX, PILOTE

EXEMPLAIRE (1) copie, échantillon, édition, épreuve, prototype, spécimen

EXEMPLAIRE (2) édifiant, remarquable

EXEMPLE → ÉCHANTILLON, IDÉE, MODÈLE (1), PRÉCÉDENT (1), RÈGLE

EXEMPLE citation, exemplifier, image de (à l'), instar de (à l'), modèle, paradigme, parangon

EXEMPLIFIER → EXEMPLE

EXEMPT → LIBRE

EXEMPTÉ → EXCUSER, NET

EXEMPTER → DISPENSER, SOUSTRAIRE

EXEMPTION → AMNISTIE, AUTORISATION, DISPENSE, FRANCHISE, IMMUNITÉ, PERMISSION, RÉFORME

EXEMPTION dégrèvement, dispense, exonération, franchise, grâce, immunité, réforme

EXEQUATUR → DÉCISION, DÉCRET

EXERCÉ → EXPÉRIMENTÉ, HABILE

EXERCER → ACCOUTUMER, ACTIVITÉ, APPRENDRE, ENTRETENIR, ESSAYER, ÉTUDIER, FAIRE, GAMME, HABITUER, PRATIQUER, REMPLIR, TENIR

EXERCER acquitter (s'), cultiver, déployer, développer, dresser, employer, façonner, former, remplir

EXERCICE → ENTRAÎNEMENT, ÉTUDE, PIÉTÉ, PRATIQUE (1)

EXERCICE activité, application (en), fonction (en), gymnastique, manœuvre, pratique, sport, vigueur (en), vocalise

EXÉRÈSE → ABLATION, EXTRACTION
Voir tab. **Chirurgie** (vocabulaire de la)

EXERGUE → INSCRIPTION

EXFOLIATION → CHUTE

EXFOLIER (S') → DIVISER (SE)

EXHALAISON → ÉMANATION, PARFUM

EXHALATION → ÉVAPORATION

EXHALER → DÉGAGER, ÉCHAPPER, POUSSER, RENDRE, RÉPANDRE, RESPIRER, SENTIR, SORTIR, SUER

EXHAURE → ÉPUISEMENT

EXHAUSSÉ → SURÉLEVÉ

EXHAUSSER → ÉLEVER

EXHAUSSER élever, hausser, surélever, surhausser

EXHAUSTIF → COMPLET

EXHAUSTION → ÉPUISER, HYPOTHÈSE

EXHAUSTIF → CONSCIENCIEUX

EXHAUSTIVEMENT → POINT

EXHÉRÉDÉ → HÉRITIER

EXHÉRÉDER → HÉRITAGE

EXHIBER → AFFICHER, BRANDIR, ÉTALER, ÉVIDENCE, MONTRER, OFFRIR, PARADE, PORTER, PRODUIRE, PROPOSER, SPECTACLE

EXHIBER arborer, étaler, montrer (se), parader, produire (se)

EXHIBITION démonstration, déploiement, étalage, exhibitionnisme, exposition, parade, présentation, représentation, spectacle

EXHIBITIONNISME → EXHIBITION, SEXUALITÉ

EXHORTATION → APPEL, CONSEIL, EXCITATION, IMPÉRATIF (1), INVITATION, SERMON

EXHORTER → CONSEILLER, ENCOURAGER, ENGAGER, INCITER, PARLER, PERSUADER, POUSSER, PRÊCHER, RECOMMANDER, SOLLICITER, SUPPLIER

EXHUMER → CADAVRE, DÉTERRER, SORTIR

EXIGÉ → OBLIGATOIRE

EXIGEANT → DIFFICILE, SÉVÈRE, STRICT

EXIGEANT absorbant, accaparant, astreignant, intraitable, perfectionniste, pointilleux, rigoureux, sévère, strict

EXIGENCE → CAPRICE, CONTRAINTE, DEMANDE, DÉSIR, IMPÉRATIF (1), MANIFESTATION, NÉCESSITÉ, OBLIGATION, PRÉTENTION, REVENDICATION, VOLONTÉ

EXIGENCE condition, prétention, revendication

EXIGER → DEMANDER, IMPOSER, ORDONNER, PRESCRIRE, PRÉTENDRE, RÉCLAMER, SUPPOSER, VOULOIR

EXIGER imposer, obliger, ordonner, réclamer, requérir, revendiquer, sommer

EXIGU → ÉTROIT, MINUSCULE

EXIGUÏTÉ → PETITESSE

EXIL → ADIEU, CHANGEMENT, CONDAMNATION, DÉPART, DÉPORTATION, RENVOI, SÉPARATION, ZODIAQUE

EXIL isolement, réclusion, retraite

EXILÉ → BANNI, EXPATRIÉ, IMMIGRÉ, INTERDIT (2)

EXILER → BANNIR, CHASSER, DÉPORTER, ENFUIR (S'), EXPULSER, PARTIR, PATRIE, RÉFUGIER (SE)

EXILER bannir, déporter, éloigner (s'), expatrier (s'), expulser, proscrire, reléguer, retirer (se)

EXISTANT → MATÉRIEL, RÉEL

EXISTENCE → PRÉSENCE, VIE

EXISTENCE durée, engendrer,

existentialisme, monde, ontologique, présence, ressource, vie

EXISTENTIALISME → EXISTENCE, LITTÉRAIRE
Voir tab. **Philosophie**

EXISTER → DEMEURER, RÉALITÉ

EXISTER coexister, compter, demeurer, disparaître, éteindre (s'), importer, perdurer, persister, préexister, subsister

EXITER → GRISER

EX-LIBRIS → INSCRIPTION, LIVRE, VIGNETTE

EXOCET
Voir tab. **Poissons (classification simplifiée des)**

EXOCRINE → SÉCRÉTER

EXOCRINE (GLANDE)
Voir tab. **Endocrinologie**

EXODE → DÉPLACEMENT, ÉMIGRATION, FUITE, MIGRATION, RURAL

EXODE (L')
Voir tab. **Bible**

EXODE DES CERVEAUX → FUITE

EXOGAMIE → CLAN

EXOGÈNE → EXTÉRIEUR, EXTERNE, MORTALITÉ

EXONÉRATION → DISPENSE, EXEMPTION, EXPULSION, FRANCHISE, IMPÔT

EXONÉRER → ALLÉGER

EXOPHTALMIE → SAILLIE

EXORBITANT → ÉLEVÉ, EXAGÉRÉ, EXCESSIF, FOU (2), INABORDABLE, INSENSÉ

EXORBITANT démesuré, exagéré, excessif, extraordinaire, extravagant

EXORBITÉ → ORBITE

EXORCISER → CONJURER

EXORCISME → DIABLE
Voir tab. **Démonologie**

EXORCISTE → ORDRE
Voir tab. **Clergé catholique (vocabulaire du)**
Voir tab. **Démonologie**

EXORDE → COMMENCEMENT, ENTRÉE, INTRODUCTION

EXOSPHÈRE
Voir illus. **Atmosphère**

EXOSQUELETTE → CARAPACE

EXOSTOSE → OSSEUX

EXOTÉRIQUE → ENSEIGNEMENT

EXOTIQUE → ÎLE

EXOTOXINE → TOXIQUE

EXPANSIF → COMMUNICATIF, COMMUNIQUER, DÉMONSTRATIF, MANIFESTER, SENTIMENT

EXPANSION → DÉCOMPRESSION, DÉVELOPPEMENT, DIFFUSION, DILATATION, ESSOR, EXTENSION

EXPANSION colonialisme, croissance, débordement, décompression, développement, diffusion, dilatation, divulgation, effusion, épanchement, épanouissement, expansionnisme, hypertrophie, impérialisme, propagation

EXPANSIONNISME → EXPANSION, IMPÉRIALISME

EXPANSIONNISTE → COLONIE, CONQUÉRANT (2)

EXPANSIVITÉ → EXUBÉRANCE

EXPATRIATION → CHANGEMENT, ÉMIGRATION, MIGRATION

EXPATRIÉ → IMMIGRÉ

EXPATRIÉ apatride, émigré, exilé, heimatlos, réfugié

EXPATRIER → INSTALLER

EXPATRIER (S') → DÉMÉNAGER, ENFUIR (S'), ÉTRANGER (1), EXILER, PARTIR, PATRIE, QUITTER, RÉFUGIER (SE)

EXPECTATIVE → ATTENTE

EXPECTORANT → SIROP
Voir tab. **Médicaments**

EXPECTORATION → EXPULSION, TOUX

EXPECTORER → CRACHER, ÉVACUER, REJETER

EXPÉDIENT → ISSUE, MOYEN (1), OPPORTUN, RÉSOUDRE, RESSOURCE, SOULAGER

EXPÉDIER → ADRESSER, BÂCLER, CONGÉ, DIRIGER, ENVOYER, NÉGLIGER, RÉGLER, TERMINER, VITE

EXPÉDIER adresser, bâcler, congédier, débarrasser, envoyer, liquidé, réglé, transmettre, tuer

EXPÉDITIF → RAPIDE, SOMMAIRE

EXPÉDITION → COPIE, EXCURSION, EXPLORATION, FRET, PÉRIPLE, VOYAGE

EXPÉDITION ampliation, campagne, copie, croisade, double, duplicata, envoi, exécution, exportation, grosse, guerre, mission, raid, représailles, voyage

EXPÉDITION MILITAIRE → CAMPAGNE

EXPÉRIENCE → APPRENTISSAGE, ÉPREUVE, HABITUDE, MÉTIER, PRATIQUE (1), RECHERCHE, SAGESSE, SAVOIR (1), SCIENCE, TEST

EXPÉRIENCE a posteriori, cobaye, empirisme, épreuve, essai, expérimental, expérimentation, habitude, novice, pratique, test, usage, vétéran, vivisection

EXPÉRIENCE (FAIRE L') → TÂTER

EXPÉRIMENTAL → EXPÉRIENCE, PRATIQUE (1), RAISON

EXPÉRIMENTATION → ESSAI, EXPÉRIENCE, TEST

EXPÉRIMENTÉ → AVERTI, CAPABLE, COMPÉTENT, HABILE

EXPÉRIMENTÉ averti, chevronné, compétent, exercé, rompu à, versé dans

EXPÉRIMENTER → CONNAÎTRE, ÉPROUVER, GOÛTER, VÉRIFIER

EXPERT → ACCOMPLI, CAPABLE, COMPÉTENT, COMPTABLE (1), CONSEILLER (1), FIN (2), MAÎTRE (2), PROFESSIONNEL (1), SAVANT (1), SAVANT (2), TECHNICIEN, VÉRIFIER

EXPERT auditeur, commissaire aux comptes, commissaire-priseur, vérificateur

EXPERTISE → APPRÉCIATION, COMPÉTENCE, CONSTATATION, CONSULTATION, ÉVALUATION
Voir tab. **Assurance (vocabulaire de l')**

EXPERTISER → ESTIMER, EXAMINER

EXPIATION → CHÂTIMENT, PÉNITENCE

EXPIATOIRE → SACRIFICE

EXPIER → COMPENSER, RACHETER, RÉPARER

EXPIRANT → AGONIE

EXPIRATION → ASPIRATION, BAIL, DÉLAI, FIN (1), RESPIRATION, SOUFFLE, TERME

EXPIRER → ÂME, CESSER, DÉCÉDER, MOURIR, PÉRIR, RENDRE

EXPIRER décéder, éteindre (s'), fin, mourir, souffler

EXPLICATION → CLEF, COMMENTAIRE, COMPTE, DESCRIPTION, DÉTAIL, ÉNIGME, INTERPRÉTATION, INTRODUCTION, JUSTIFICATION, PARAPHRASE, RAISON, RÉPONSE, SOLUTION

EXPLICATION commentaire, discussion, dispute, éclaircissement, exégèse, glose, herméneutique, légende, mise au point, mode d'emploi, note, notice, onirologie, raison, remarque, scolie

EXPLICITE → EXPRIMER, FACILE, FORMEL, FRANC (2), NET, PRÉCIS

EXPLICITER → CLAIR, FORMULER, INTERPRÉTER, STIPULER

EXPLIQUER → CLAIR, DÉBROUILLER, DÉFINIR, ÉCLAIRER, ÉLUCIDER, EXPRIMER, ILLUSTRER, INDIQUER, INTERPRÉTATION, INTERPRÉTER, JUSTIFIER, MONTRER, TRAITER

EXPLIQUER apprendre, compte, débrouiller, décrire, démêler, démontrer, éclaircir, élucider, enseigner, exposer, inculquer, justifier, montrer

EXPLOIT → ACTION, ARME, FAIT, HUISSIER, PERFORMANCE, PROUESSE, RECORD, RÉUSSITE, SUCCÈS, VAILLANCE

EXPLOIT acte, action d'éclat, haut fait, performance, prouesse

EXPLOITANT → AGRICULTEUR, CINÉMA, FERMIER

EXPLOITATION → COLONISATION, DOMAINE, ENTREPRISE, FONDS, INDUSTRIE, TERRE

EXPLOITATION domaine, estancia, faire-valoir, fazenda, fermage, ferme, hacienda, kibboutz, métayage, propriété

EXPLOITER → CULTIVER, OPPRIMER, PROFIT, PROFITER, SERVIR, UTILISER, VALOIR

EXPLOITER abuser de, cultiver, écorcher, estamper, gruger, pressurer, profit, sous-payer, utiliser

EXPLORATEUR → VOYAGEUR

EXPLORATION → CONQUÊTE, DÉCOUVERTE, EXAMEN, RECONNAISSANCE

EXPLORATION aquanaute, auscultation, circumnavigation, découverte, endoscope, expédition, mission, océanaute, périple, reconnaissance, scanographie, spéléologie, stratigraphie, tomographie

EXPLORATOIRE → NÉGOCIATION

EXPLORER → APPROFONDIR, BATTRE, FOUILLER, INSPECTER, RECHERCHER, SCRUTER, SONDER, VISITER

EXPLORER approfondir, étudier, examiner, prospecter, sonder

EXPLOSER → ÉCLATER, EMPORTER, FULMINER, SAUTER

EXPLOSIF → AZOTE, ORAGEUX, PLASTIQUE
Voir tab. **Bruits**

EXPLOSIF bombe, coléreux, détonique, foudroyant, fulgurant, impétueux, irascible, mine, obus, pétard, précipité, pyrotechnie, torpille, violent, volcanique

EXPLOSION → CROISSANCE, DÉBORDEMENT, DÉTONATION, RÉACTION
Voir tab. **Bruits**

EXPLOSION boom, débordement, déflagration, désintégration, détonation, éclatement, fulmination, grisou (coup de), manifestation, tempête, trou noir, vocifération

EXPORTATION → COMMERCE, DOUANE, EXPÉDITION, INTERNATIONAL, RENTRÉE

EXPORTATION diffusion, dumping, propagation

EXPORTER → VENDRE

EXPOSANT → EXPOSITION, NOMBRE, PUISSANCE

EXPOSÉ → ARGUMENT, COMPTE, CONFÉRENCE, DESCRIPTION, DÉVELOPPEMENT, DISSERTATION, ÉTAT, NARRATION, PROGRAMME, RAPPORT, RÉCIT, SUJET

EXPOSÉ analyse, communication, compte rendu, conférence, description, développement, leçon, rapport, récit

EXPOSER → AFFRONTER, COMPROMETTRE (SE), DANGER, DÉCOUVRIR, DÉCRIRE, DÉFINIR, DÉVELOPPER, DÉVOILER, ÉCRIRE, ÉTALER, ÉVIDENCE, EXPLIQUER, FIXER, FLANC, FORMULER, INDIQUER, JOUER, MÉRITER, NARRATION, ORIENTER, PÉRIL, PRÉSENTER, PROPOSER, PUBLIER, RACONTER, REGARD, RENDRE, REPRÉSENTER, RESSORTIR, RÉVÉLER, SPECTACLE, TABLEAU, TRAITER

EXPOSER affronter, braver, décrire, émettre, encourir, énoncer, étaler, exprimer, hasarder, impressionner, péril, relater, retracer, risquer, soumettre à (se)

EXPOSITION → ART, EXHIBITION, FOIRE, FUGUE, MANIFESTATION, ORIENTATION, SITUATION
Voir tab. **Photographie (vocabulaire de la)**

EXPOSITION concours, exposant, foire, happening, montre, orientation, présentation, salon, vernissage

EXPRÈS → PRÉCIS

EXPRESS → CAFÉ

EXPRESSIF → DÉMONSTRATIF, ÉLOQUENT, PARLANT, SIGNIFICATION

EXPRESSIF animé, coloré, éloquent, mobile, parlant, pittoresque, significatif, vivant

EXPRESSION → DÉMONSTRATION, ÉMANATION, FORME, FORMULE, LOCUTION, MASQUE, MOT, PHYSIONOMIE, SIGNE, STYLE, TERME, TON, VERBE

EXPRESSION aphasie, bégaiement, dysphasie, extériorisation, figure, grimace, idiotisme, image, incarnation, locution, manifestation, métaphore, mimique, moue, mutisme, personnification, tournure, zézaiement

EXPRESSO → CAFÉ
Voir tab. **Café**

EXPRIMER → BEC, COMMUNIQUER, CONNAÎTRE, ÉMETTRE, ÉNONCER, EXPOSER, FORMULER, MANIFESTER, MONTRER, PARLER, PERSONNIFIER, PRÉSENTER, PRONONCER, RÉALISER (SE), REFLÉTER, RENDRE, REPRÉSENTER, RESPIRER, STIPULER, TÉMOIGNER, TIRER, TRADUIRE

EXPRIMER élocution, essorer, explicite, expliquer (s'), indicible, montrer, parler, peindre, représenter, témoigner, traduire

EXPROPRIATION → SAISIE, SITE
EXPROPRIER → DÉPOSSÉDER
EXPULSER → BANNIR, DÉLOGER, DÉMÉNAGER, ÉLIMINER, ÉPURER, ÉVACUER, EXCLURE, EXILER, FICHER, PARTIR, REFOULER, REJETER, SORTIR, VIRER

EXPULSER bannir, chasser, éliminer, évacuer, exclure, exiler, extrader, renvoyer

EXPULSION → CHOIX, DROIT (1), ÉRUPTION, RENVOI

EXPULSION crachement, défécation, exonération, expectoration

EXPURGER → MUTILER, SUPPRIMER
EXQUIS → ADMIRABLE, ADORABLE, BON (2), CHARMANT, DÉLICIEUX, EXCELLENT, FAGOT, FAMEUX, JOLI, RAFFINÉ, RECHERCHÉ, SAVEUR, SAVOUREUX, SUAVE

EXQUIS adorable, aimable, attentionné, charmant, délectable, délicat, délicieux, prévenant, raffiné, savoureux

EXSANGUE → BLAFARD, BLÊME, LIVIDE, SANG

EXSUDER → COULER, TRANSPIRER
EXTASE → BÉATITUDE, BONHEUR, IVRESSE, JOIE, SATISFACTION

EXTASE admiration, contemplation, égarement, émerveillement, illumination, ravissement, transport

EXTASIER (S') → ABSORBER, ADMIRER, ÉMERVEILLER, MIRACLE, PÂMER (SE)

EXTENSIBILITÉ → ÉLASTICITÉ
EXTENSIBLE → SOUPLE
EXTENSION → ACCROISSEMENT, AGRANDISSEMENT, DILATATION, MOUVEMENT, POSTICHE, PROGRESSION, YOGA

EXTENSION agrandissement, allongement, déploiement, dilatation, élargissement, essor, expansion, propagation

EXTÉNUANT → FATIGANT
EXTÉNUATION → ÉPUISEMENT
EXTÉNUÉ → FATIGUER, HARASSÉ
EXTÉNUER → ACCABLER, CREVER, FLANC, SURMENER

EXTÉRIEUR → EXTERNE, FAÇADE
EXTÉRIEUR accidentel, adventice, étranger, exogène, externe,

extraverti, extrinsèque, hétéronome, périphérie

EXTÉRIEUR (BOULEVARD) → BOULEVARD

EXTÉRIORISATION → EXPRESSION
EXTÉRIORISER → COMMUNIQUER, CONNAÎTRE, MANIFESTER, MONTRER

EXTERMINATION → ANÉANTISSEMENT, CRIME, DESTRUCTION, HOLOCAUSTE

EXTERMINATION anéantissement, destruction, ethnocide, génocide, massacre

EXTERMINER → MASSACRER, PÉRIR, PULVÉRISER, SUPPRIMER, TUER

EXTERMINER supprimer, tuer
EXTERNE → EXTÉRIEUR, MÉDECIN, MÉDECINE

EXTERNE adventice, exogène, extérieur, extrinsèque, superficiel

EXTINCTEUR → FEU, INCENDIE
EXTINCTION → DISPARITION, EXTRÉMITÉ, MORT (1), SUPPRESSION

EXTINCTION abolition, affaiblissement, annulation, aphonie, destruction, disparition, épuisement, fin, suppression

EXTINCTION DE VOIX → VOIX
EXTIRPATION → EXTRACTION
EXTIRPER → ARRACHER, EXTRAIRE
EXTORQUER → ACQUÉRIR, ARRACHER, CONQUÉRIR, ESCROQUER, OBTENIR

EXTORSION → MALHONNÊTE
EXTRA → DÉPENSE
EXTRACTION → CONDITION, MARBRE, NAISSANCE, ORIGINE, PÉTROLE, RACE, REQUÊTE, SANG

EXTRACTION ablation, avulsion, condition, dénoyautage, descendance, énucléation, exérèse, extirpation, lignage, naissance, origine

EXTRADER → ÉTRANGER (1), EXPULSER, LIVRER

EXTRADOS → VOILURE
Voir illus. **Arcs**
Voir tab. **Architecture**

EXTRA-FORT → MERCERIE, RUBAN
EXTRAIRE → ARRACHER, DÉGAGER, ENLEVER, ISOLER, POMPER, SORTIR, SUCER, TIRER

EXTRAIRE arracher, calculer, choisir, enlever, extirper, isoler, presser, recueillir, retirer, sélectionner, séparer

EXTRAIT → BRIBE, CITATION, COUPURE, ESSENCE, FRAGMENT, PASSAGE, RÉSUMÉ (1)

EXTRAIT anthologie, bribe, essence, florilège, fragment, morceau, passage

EXTRALUCIDE → VOYANT (1)
EXTRA-MUROS → MUR
EXTRANÉITÉ → ÉTRANGER (1)
EXTRANET
Voir tab. **Internet**

EXTRAORDINAIRE → ACCIDENTEL, BANAL, DÉMESURÉ, ÉNORME, ÉTONNANT, ÉTRANGE, EXCEPTION, EXORBITANT, EXTRAVAGANT, EXTRÊME, FABULEUX, FANTASTIQUE, FORMIDABLE, ILLUSTRE, INCONCEVABLE, INCROYABLE (2), INOUÏ, INSOLITE, INVRAISEMBLABLE, MERVEILLEUX, MIRACULEUX, PAIR,

RARE, ROMANESQUE, SACRÉ, SINGULIER, SPÉCIAL, SPLENDIDE, SUBLIME, SUPERBE (2), SURNATUREL, UNIQUE

EXTRAORDINAIRE admirable, bizarre, colossal, curieux, démesuré, énorme, étonnant, excentrique, exceptionnel, extravagant, extrême, fabuleux, gargantuesque, herculéen, immense, imprévu, ineffable, inhabituel, inouï, insolite, intense, invraisemblable, miracle, mystère, phénoménal, prodige, prodigieux, raffiné, rare, remarquable, sublime, subtil

EXTRAPOLER → GÉNÉRALISER
EXTRASYSTOLE → CŒUR
EXTRATERRESTRE → HABITANT, SCIENCE-FICTION

EXTRAVAGANCE → CONDUITE, EXCENTRICITÉ, ORIGINALITÉ, SINGULARITÉ

EXTRAVAGANT → BANAL, BIZARRE, BURLESQUE, CHEVEU, DÉLIRANT, DRÔLE, EXORBITANT, EXTRAORDINAIRE, FOU (1), GROTESQUE, IMPOSSIBLE (2), INCOHÉRENT, INSENSÉ, INSOLITE, INVRAISEMBLABLE, IRRATIONNEL, ORIGINAL, PÉRIPÉTIE, RAISONNABLE, SPÉCIAL, STUPIDE, UNIQUE

EXTRAVAGANT biscornu, bizarre, exagéré, excentrique, excessif, extraordinaire, grotesque, inhabituel, insensé

EXTRAVAGUER → BATTRE
EXTRAVASER (S') → COULER, RÉPANDRE (SE)

EXTRAVERTI → DÉMONSTRATIF, EXTÉRIEUR, MANIFESTER

EXTRÊME → ÉPERDU, EXCESSIF, EXTRAORDINAIRE, HAUT (2), INFINI (2), INTENSE, PROFOND, RECORD

EXTRÊME atroce, confins, contraire, délicieux, dernier, éperdu, excessif, extraordinaire, final, frontière, horrible, indicible, intolérable, opposé, outrancier, paroxysme, passionné, profond, summum, suprême, terminal, ultime

EXTRÊMEMENT → FRANCHEMENT, PROFONDÉMENT

EXTRÊME-ONCTION → AGONIE, BÉNÉDICTION, COMMUNION, SACREMENT
Voir tab. **Catholique romain (vocabulaire)**
Voir tab. **Sacrements**

EXTRÊME POINTE → AVANT-GARDE
EXTRÉMISME → EXCÈS, INTOLÉRANCE

EXTRÉMISTE → RADICAL (2), RÉVOLUTIONNAIRE (1)

EXTRÉMITÉ → APPENDICE, BOUT, PARTIE, POINTE, PÔLE, RESSORT

EXTRÉMITÉ cime, crête, extinction, faîte, flèche, limite, lisière, sommet, sommité

EXTRINSÈQUE → AJOUTER, ARBITRAIRE, EXTÉRIEUR, EXTERNE, FICTIF

EXUBÉRANCE → DÉBORDEMENT, PÉTULANCE, VIVACITÉ

EXUBÉRANCE abondance,

démonstration, expansivité, faconde, loquacité, luxuriance, profusion, prolixité, volubilité

EXUBÉRANT → COMMUNIQUER, DÉMONSTRATIF, GESTE, MANIFESTER

EXULCÉRER → ULCÉRÉ
EXULTATION → DÉLIRE, GAIETÉ, JOIE

EXULTER → RÉJOUIR (SE)
EXUTOIRE → SOUPAPE
EXUVIE → MUE
EX-VOTO → RECONNAISSANCE, VŒU

EYE-LINER → MAQUILLAGE, PAUPIÈRE

EYRA → PUMA
ÉZÉCHIEL → PROPHÈTE
Voir tab. **Bible**

F
Voir tab. **Éléments chimiques (symbole des)**

FA
Voir illus. **Symboles musicaux**
FABLE → IMAGE, LÉGENDE, MYTHE, PARABOLE, PROVERBE, RÉCIT
FABLE (LA) → MYTHOLOGIE
FABLIAU → CONTE, RÉCIT
FABLIER → RÉCIT, RECUEIL
FABRICANT → FACTEUR, PRODUCTEUR

FABRICATEUR contrefacteur, falsificateur, faussaire, faux-monnayeur, fraudeur

FABRICATION → CONFECTION, FAÇON, INVENTION, PRÉPARATION, PRODUCTION

FABRICATION confection, création, cru, élaboration, façon, facture, FAO, invention, montage, production

FABRICIEN → CONSEIL, FABRIQUE
FABRIQUE → ATELIER, INDUSTRIE, JARDIN, MANUFACTURE, USINE

FABRIQUE atelier, entreprise, fabricien, industrie, laverie, manufacture, marguillier, usine

FABRIQUÉ → ARTIFICIEL
FABRIQUER → CONSTRUIRE, CRÉER, DÉBITER, FAÇONNER, FAIRE, IMAGINER, INVENTER, PRODUIRE, SÉCRÉTER

FABRIQUER concocter, confectionner, constituer (se), créer, élaborer, façonner, imaginer (s'), inventer (s'), modeler, préparer, produire

FABULATION → ILLUSION
FABULER → INVENTER, RACONTER
FABULEUX → EXTRAORDINAIRE, FANTASTIQUE, FICTIF, IMMENSE, INCROYABLE (2), INOUÏ, INVRAISEMBLABLE, LÉGENDAIRE, ROMANESQUE, SPLENDIDE, SUBLIME, SURNATUREL

FABULEUX astronomique, chimérique, colossal, considérable, exceptionnel, extraordinaire, fantastique, fictif, imaginaire, incroyable, inouï, invraisemblable, irréel, légendaire, mythique, phénoménal, prodigieux

FAÇADE → APPARENCE, BÂTIMENT, CÔTÉ, MINE, VERNIS
Voir illus. **Église (plan d'une)**
Voir illus. **Sièges**

FAÇADE air, apparence, apparent, aspect, attitude, dehors, devanture, extérieur, frontispice, masque, superficiel, trompeur, vitrine

FACE → ASPECT, CÔTÉ, OPPOSÉ, PAN, VERSANT, VISAGE
Voir illus. **Théâtre**

FACE adret, affronter, ambigu, angle, apparence, aspect, avers, braver, côté, déshonorer (se), discréditer (se), droit, facial, faciès, figure, flanc, fourbe, mine, parer à, paroi, physionomie, pile, regard (en), résister à, revers, ridiculiser (se), ubac, versant, vis-à-vis (en), visage

FACE (EN) → REGARD

FACE-À-FACE → DÉBAT, DUEL, NEZ, RENCONTRE

FACE-À-FACE confrontation, débat, duel verbal, joute oratoire

FACE-À-MAIN → LUNETTES

FACÉTIE → BLAGUE, FARCE, PLAISANTERIE

FACÉTIE blague, canular, facétieux, farce, plaisanterie, tour

FACÉTIEUX → DRÔLE (2), FACÉTIE, MOQUEUR

FACETTE COLLÉE → DENTAIRE

FACETTE DE LA CULASSE
Voir illus. **Pierres précieuses (taille des)**

FACETTER → DIAMANT, TAILLER

FÂCHÉ → EXASPÉRER, FROID (1), IRRITÉ, SATISFAIT

FÂCHÉ agacé, brouillé, colère (en), contrarié, courroucé, désolé, froid (en), irrité, mauvais termes (en), mécontent, navré, vexé

FÂCHER → CHOQUER, INDISPOSER

FÂCHER affligé, agacer, attristé, brouiller (se), chagriné, coléreux, contrarier, emporter (s'), énerver, ennuyé, indisposer, irascible, irriter, mécontenter, navré, peiner, rompre avec

FÂCHER (SE) → BROUILLER, DÉCHAÎNER, INDIGNER (S'), IRRITER, OFFENSER (S'), VEXER

FÂCHERIE → DÉSACCORD, DISPUTE

FÂCHEUSEMENT → MALHEUR

FÂCHEUX → AFFLIGEANT, CONTRARIANT, DÉPLAISANT, DÉSASTREUX, DOMMAGE, FATIGANT, GAI (1), IDIOT, INDISCRET, MALHEUREUX, MAUVAIS, REGRETTABLE, SALE, SOMBRE, VILAIN

FÂCHEUX (1) gêneur, importun, indiscret

FÂCHEUX (2) contrariant, déplaisant, déplorable, embarrassant, gênant, incommodant, inopportun, intempestif, malencontreux, regrettable

FACIAL → FACE

FACIÈS → FACE, FIGURE, TRAIT, VISAGE

FACILE → AISÉ, DOCILE,

ÉLÉMENTAIRE, SIMPLE, SOUPLE, TRIVIAL

FACILE abordable, accessible, accessible, accommodant, affable, agréable, aimable, aisé, arrangeant, avenant, charmant, clair, commode, complaisant, compréhensible, conciliant, dégagé, discipliné, docile, élémentaire, enfantin, explicite, intelligible, léger, liant, limpide, obéissant, plat, praticable, pratique, privilégié, réalisable, sage, simple, simpliste, sociable, tolérant, usé

FACILEMENT → EFFORT

FACILITATION → TRANSPORT

FACILITÉ → AISANCE, COMMODITÉ, FAVORISER

FACILITÉ aptitude, avantage, clarté, disposition, don, faculté, intelligibilité, latitude, liberté, potentialité, prérogative, privilège, simplicité

FACILITER → SIMPLIFIER

FACILITER favoriser, simplifier

FAÇON → CÉRÉMONIE, CONFECTION, FABRICATION, FACTURE, IMITATION, INVENTION, MAIN-D'ŒUVRE, MANIÈRE, MINAUDERIE, MODALITÉ, MODE, PRATIQUE (1), SIMAGRÉES, TRAVAIL

FAÇON attitude, cérémonieux, chichi, comportement, conception, confection, coupe, ébauche, esquisse, exécution, fabrication, façonnier, finissage, finition, forme, gêne (sans), guise, main-d'œuvre, malfaçon, manière, maniéré, mignardise, minauderie, optique, réalisation, simagrée, vision

FAÇON (SANS) → SIMPLE

FAÇON DE VOIR → JUGEMENT

FAÇON TAILLEUR
Voir tab. **Couture**

FACONDE → DÉBORDEMENT, ÉLOQUENCE, EXUBÉRANCE

FAÇONNAGE → MARBRE, VANNERIE

FAÇONNÉ → TRAVAILLÉ

FAÇONNER → BÂTIR, EXERCER, FABRIQUER, FAIRE, MANIER, MODELER, SCULPTER

FAÇONNER confectionner, fabriquer, modeler, ouvrer, travailler

FAÇONNIER → ARTISAN, FAÇON

FAC-SIMILÉ → COPIE, DOUBLE (1), REPRODUCTION

FACTAGE → FACTEUR, LETTRE, PRIX, TRANSPORT

FACTEUR → EMPLOYÉ, LETTRE, PARAMÈTRE, PIANO, STATISTIQUE

FACTEUR agent, cause, élément, fabricant, factage, factoriel, multiplicande, multiplicateur, paramètre, préposé

FACTEUR D'ORGUES → ORGUE

FACTEUR RHÉSUS → IMMUNITAIRE

FACTICE → ARTIFICIEL, EMPRUNT, FAUX (2), FORCÉ, POSTICHE, SYNTHÉTIQUE

FACTIEUX → AGITATEUR, REBELLE (2), RÉVOLUTIONNAIRE

FACTION → BANDE, MACHINATION, PARTI, SURVEILLANCE

FACTIONNAIRE → GARDE

FACTIONNAIRE garde, guet, sentinelle, surveillance

FACTORERIE → AGENCE, COLONIE, COMMERCE, COMPTOIR

FACTORIEL → FACTEUR

FACTOTUM → AGENT, DOMESTIQUE (1), INTENDANCE

FACTUEL → FAIT

FACTUM → ATTAQUE, BROCHURE, CRITIQUE (1), PAMPHLET, RÉCIT, SATIRE

FACTURE → ART, BON (2), COMPTE, ÉTAT, FABRICATION, NOTE, PAIEMENT, PRIX, STYLE, TECHNIQUE (1), TRAVAIL

FACTURE addition, état, exécution, façon, facturier, justificatif, note, quittance, récépissé, style, technique, travail

FACTURETTE → PAIEMENT

FACTURIER → FACTURE

FACULE → SOLEIL

FACULTAIRE → FACULTÉ

FACULTÉ → APTITUDE, CAPACITÉ, COMPÉTENCE, DISPOSITION, FACILITÉ, MARCHANDISE, MOYEN (1), POSSIBILITÉ, POUVOIR, PRÉROGATIVE, RESSOURCE

FACULTÉ apanage, appariteur, aptitude, avantage, capacité, cargaison, chargement, disposition, doyen, droit, facultaire, fonction, fret, liberté, loisir, moyen, possibilité, prérogative, privilège, propriété, ressource, université, vertu

FADAISE → BALIVERNE, BÊTISE, BLAGUE, CONTE, FRIVOLITÉ, FUTILE, INUTILE, NIAISERIE, PAROLE, PLATITUDE, SOTTISE

FADE → DÉLAVÉ, DOUX, GOÛT, MÉDIOCRE, PÂLE, PLAT (2), SAVEUR, TERNE, VIDE (2)

FADE affadir, douceâtre, doucereux, écœurant, fastidieux, insipide, languissant, melliflu, mièvre, monotone

FADO → DRAMATIQUE, PORTUGAIS

FAED
Voir tab. **Police nationale (organisation de la)**

FAFNER
Voir tab. **Mythologiques (créatures)**

FAGACÉES → HÊTRE

FAGNE → MARAIS, NAPPE

FAGOT âme, bourrée, brande, cotret, délicieux, excellent, exquis, fagotier, falourde, fascine, hart, javelle, ligot, margotin, rouette, tour

FAGOTAGE → ACCOUTREMENT

FAGOTER → HABILLER, LIER, VÊTIR

FAGOTIER → FAGOT

FAGOUE → PANCRÉAS

FAI
Voir tab. **Internet**

FAIBLE → DÉFENSE, FRAGILE, INDÉCIS, INSENSIBLE, INSUFFISANT, LÉGER, MALINGRE, MOU, PÂLE, PAUVRE, PRÉDILECTION, RESSORT, VACILLANT, VENTRE

FAIBLE (1) apathique, arriéré, attirance, débile, demeuré, goût, idiot, imbécile, inclination, indécis, lâche, mou, penchant, prédilection

FAIBLE (2) aboulique,

---

accommodant, affaiblir (s'), anémique, bonasse, cacochyme, caduc, chétif, contestable, débonnaire, décliner, désarmé, égrotant, étioler (s'), fluet, fragile, frêle, grêle, laxiste, malingre, mauvais, médiocre, pusillanime, réfutable, souffreteux, valétudinaire, velléitaire, veule, vulnérable

FAIBLEMENT → DOUCEMENT, MOLLEMENT, PEU (2), VAGUEMENT

FAIBLESSE → DÉFAILLANCE, FAUTE, FISSURE, IMPUISSANCE, INFÉRIORITÉ, INFIRMITÉ, INSUFFISANCE, LÂCHETÉ, LACUNE, PÉCHÉ, PENCHANT

FAIBLESSE adynamie, asthénie, consomption, défaut, faille, insignifiance, insuffisance, lacune, modicité, pauvreté, petitesse

FAIBLIR → AMOLLIR (S'), CHANCELER, DÉFAILLIR, DÉMENTIR, FLÉCHIR, SOMBRER, TOMBER

FAIBLIR atténuer (s'), baisser, chanceler, décliner, diminuer, faillir, fléchir, plier, ployer, relâcher (se)

FAIBLISSANT → MOURANT

FAÏENCE → CÉRAMIQUE, POTERIE

FAÏENCE barbotine, biscuit, défier (se), Delft, émail, faïencerie, glaçure, grand feu, Imari, kaolin, majolique, Nevers, petit feu, Rouen, toiser (se)

FAÏENCERIE → FAÏENCE

FAILLE → CASSURE, FAIBLESSE, FENTE, FISSURE, FRACTURE, GÉOLOGIQUE, SOIE
Voir tab. **Couture**
Voir tab. **Tissus**

FAILLI → FAILLITE

FAILLIBLE → FAILLIR, FAUTE

FAILLIR → DÉFAUT, FAIBLIR, MANQUER, MENTIR, PÉCHÉ

FAILLIR dérober (se), esquiver (s), faillible, fauter, labile, manquer, pécher, tomber

FAILLITE → AVORTEMENT, BANQUEROUTE, BILAN, DÉBÂCLE, DÉPÔT, DÉSASTRE, DROIT (1), ÉCHEC, PRÉCIPICE, RUINE

FAILLITE banqueroute, concordat, débâcle, déchéance, déconfiture, désagrégation, dessaisissement, failli, masse, ruine, scellés, syndic, union

FAIM → INSTINCT, NOURRITURE, SOIF, VENTRE

FAIM affameur, affres, anorexie, anorexigène, avide (être), boulimie, disette, dysorexie, envie, faim-calle, faim-valle, famélique, famine, fringale, inappétence, insatisfait, malnutrition, rassasiement, satiété, soif, sous-alimentation

FAIM-CALLE → FAIM

FAIM-VALLE → FAIM

FAINE → HÊTRE, PORC

FAINÉANT → INDOLENT, NONCHALANT

FAINÉANT (1) paresseux

FAINÉANT (2) inactif, indolent, nonchalant

FAINÉANTER → INACTION, TRAÎNER

FAINÉANTISE → BRAS, INACTION, PARESSE

FAIRE → FARCIR, PROCÉDER

FAIRE accomplir, accoutumer (s'), améliorer (s'), approprier (s'), attribuer (s'), bâtir, bonifier (se), causer, cirer, composer, confectionner, construire, coûter, créer, dédaigner, écrire, effectuer, émouvoir, enfanter,. engendrer, entraîner, ériger, établir, exécuter, exercer, fabriquer, façonner, gagner, habituer (s'), impressionner, instaurer, instituer, manucurer, mépriser, négliger, nettoyer, occasionner, percevoir, porter, pratiquer, préparer, procréer, produire, provoquer, ranger, réaliser, rejeter, souci (se faire du), toucher, tourmenter (se), tracasser (se), troubler, valoir

FAIRE CONNAÎTRE → PRÉSENTER

FAIRE DU BRUIT → FOIN

FAIRE EN SORTE → TÂCHER, VEILLER

FAIRE ÉTAT → FIXER

FAIRE FACE → OPPOSER, SATISFAIRE

FAIRE FI DE → IGNORER, NÉGLIGER

FAIRE FOND → SPÉCULER

FAIRE FORT (SE) → FLATTER

FAIRE PARAÎTRE → PUBLIER

FAIRE PART → INFORMER, SAVOIR (2)

FAIRE SIEN → ADOPTER

FAIRE-PART → ANNONCE, BILLET, INFORMATION, INVITATION, LETTRE

FAIRE-VALOIR → EXPLOITATION

FAIR-PLAY → JOUEUR, LOYAUTÉ, SPORTIF (2)

FAIRWAY → GOLF

FAISABLE → POSSIBLE

FAISAN → GIBIER

Voir tab. **Oiseaux (classification simplifiée des)**

FAISAN escroc, faisandage, faisandeau, faisanderie, faisanneau, filou, galliformes, gallinacés, juchée, phasianidés, pouillard, turbot

FAISANDAGE → FAISAN

FAISANDÉ → CORROMPU, POURRI, PUTRIDE

FAISANDEAU → FAISAN

FAISANDER → DÉCOMPOSER, POURRIR, VIANDE

FAISANDERIE → ÉLEVAGE, FAISAN

FAISANNEAU → FAISAN

FAISCEAU → BOTTE, CÂBLE, FASCISME, FUSIL, GERBE, RAYON

FAISCEAU accumulation, ensemble, pinceau, rai, rayon

FAIS-DODO → BAL

FAISSELLE → ÉGOUTTOIR, FROMAGE, MOULE

Voir illus. **Fromages**

FAIT → AMIABLE, CAS, ÉVÉNEMENT, FAUTE, PHÉNOMÈNE, RÉALITÉ

Voir tab. **Vin (vocabulaire du)**

FAIT circonstance, cliché, conjoncture, coup, courant de (au), courant (mettre au), crime, de facto, délit, essentiel (à l'), événement, exploit, factuel, fardé, faute, flagrant délit (en), forfait, informé de, informer, infraction, maquillé, mûr,

phénomène, poncif, préjugé, prouesse, réalité, renseigné sur, sévices, situation, vernis, violence

FAIT (AU) → PROPOS (À)

FAIT ET CAUSE (PRENDRE) → INTERVENIR

FAIT DIVERS → RUBRIQUE

FAIT EXPRÈS → COÏNCIDENCE

FAIT POUR → PROPRE (2)

FAIT (SUR LE) → FLAGRANT

FAÎTAGE

Voir illus. **Charpente**

Voir illus. **Maison**

FAÎTE → ARBRE, CULMINANT, DEGRÉ, EXTRÉMITÉ, HAUT (1), MONTAGNE, POINT, POINTE, POUTRE, SOMMET, SUPÉRIEUR, TOIT, ZÉNITH

Voir illus. **Maison**

FAÎTIÈRE → TOIT

Voir illus. **Toits**

FAITOUT → MARMITE, USTENSILE

FAIX → FARDEAU, FŒTUS, MAISON, POIDS

FALACHA → JUIF (1)

FALAFEL

Voir tab. **Spécialités étrangères**

FALAISE → CÔTE, PAROI

Voir illus. **Littoral**

FALBALA → VOLANT

FALCIFORME

Voir illus. **Feuille**

FALCONIDÉS → ÉPERVIER, FAUCON

FALCONIFORMES → RAPACE

Voir tab. **Oiseaux (classification simplifiée des)**

FALDISTOIRE → ÉVÊQUE, FAUTEUIL

Voir illus. **Sièges**

FALLACIEUX → APPARENCE, FAUX (2), MALHONNÊTE, MENSONGE, PERFIDE, RAISONNEMENT, TROMPEUR, VAIN

FALLIÈRES (ARMAND)

Voir tab. **Rois et chefs d'État de la France**

FALLOIR → IMPERSONNEL

FALLOIR convenable, convenir, correct

FALOT → INSIGNIFIANT, LANTERNE, TERNE

FALOURDE → BOIS, FAGOT

FALSIFICATEUR → CONTREFAÇON, FABRICATEUR, MALFAITEUR

FALSIFICATION → ALTÉRATION, CONTREFAÇON, COPIE, DÉFORMATION, FRAUDE, REPRODUCTION

FALSIFIÉ → FAUX (2)

FALSIFIER → ADULTÉRER, ALTÉRER, CONTREFAIRE, DÉGUISER, FAUSSER, MAQUILLER, MASQUER, TRUQUER

FALSIFIER altérer, contrefaire, copier, dénaturer, fausser, frelater, imiter, reproduire, travestir

FALUCHE → BÉRET

Voir illus. **Coiffures**

FALUN → DÉPÔT, SABLE

FALUNER → ENGRAISSER

FALZAR → PANTALON

FAMAS 5,56 F1 → FUSIL

FAMÉ (MAL) → BORGNE

FAMÉLIQUE → AFFAMÉ, FAIM, MAIGRE

FAMEUX → BRILLANT (1), CÉLÈBRE, FIER, GLORIEUX, GRAND, ILLUSTRE, INSIGNE (2), NOTOIRE, PARFAIT, SACRÉ

FAMEUX célèbre, délicieux, excellent, exceptionnel, exquis, glorieux, illustre, inoubliable, insigne, marquant, mémorable, notoire, renommé, réputé, succulent

FAMILIAL → FAMILLE, PRIVÉ

FAMILIARISATION → ACCOUTUMANCE

FAMILIARISER (SE) → ADAPTER, HABITUER (S')

FAMILIARITÉ → INTIMITÉ, LIBERTÉ

FAMILIARITÉ désinvolture, effronterie, impertinence, impudence, insolence, liberté, privauté

FAMILIER → DÉSINVOLTE, DOMESTIQUE (2), HABITUÉ, INQUISITION, INSOLENT, INTIME, INTRODUIRE, ORDINAIRE, PILIER, POPULAIRE, SANS-GÊNE, SIMPLE, USUEL

FAMILIER (1) ami, conseiller, habitué, intime, proche

FAMILIER (2) abordable, accessible, affable, cavalier, connu, coutumière, déplacé, engageant, habituelle, inconvenant, intempestif, lares, leste, liant, malséant, mécanique, usuel

FAMILLE → CATÉGORIE, CLASSER, ESPÈCE, PROCHE (1), ZOOLOGIE

Voir tab. **Population**

FAMILLE aïeul, ancêtre, ascendant, atavisme, clan, collatéraux, consanguin, coterie, descendance, domestique, dynastie, école, étymon, familial, généalogie, hérédité, lignée, pater familias, patriarche, patrimoine, patronyme, postérité, racine, ressembler (se), souche

FAMILLE (LIVRET DE) → IDENTITÉ

FAMINE → FAIM, MANGER

FAN → FONDU (2), IDOLE

FANAL → FEU, LANTERNE, SIGNAL

FANATIQUE → ADMIRATEUR, FERVENT (1), FONDU (2), FURIEUX (1), INTRANSIGEANT, PASSIONNÉ

FANATIQUE (1) accro, admirateur, aficionado, fou, groupie, mordu, passionné, séide

FANATIQUE (2) enragé, enthousiaste, exalté, fervent, intolérant, passionné

FANATISME → DOGMATIQUE, ENTHOUSIASME, EXCÈS, INTOLÉRANCE, RELIGIEUX (2), RELIGION, ZÈLE

FANCHON → FICHU

FANE → POMME DE TERRE

FANÉ → DÉCOLORÉ, SEC, TERNE

FANER → FLÉTRIR, FOIN

FANER (SE) → DÉPÉRIR, ÉTIOLER, LANGUIR

FANFARE → FORMATION, ORCHESTRE, RELIURE

FANFARE clique, orchestre, orphéon, philharmonie

FANFARON → BRAVE

FANFARON bravache, fier-à-bras, forfanterie, gasconnade, hâblerie, matamore, rodomontade, tartarin, tranche-montagne, vantardise

FANFARONNADE → MENSONGE

FANFARONNER → EXAGÉRER, IMPORTANCE

FANFRELUCHE → BABIOLE, FRIVOLITÉ, ORNEMENT

FANGE → BOUE, DÉCHÉANCE

FANGEUX → BOUEUX, SALE, TROUBLE (2)

FANGOTHÉRAPIE → BOUE

Voir tab. **Médecines alternatives**

FANION → DRAPEAU, GUIDON

FANNINGS

Voir tab. **Thé**

FANON → BALEINE, PLI, TOUFFE

Voir illus. **Cheval**

FANTAISIE → CAPRICE, CRÉATION, EXCENTRICITÉ, IDÉE, IMAGINATION, INÉGALITÉ, INITIATIVE, INVENTION, IRONIE, ORIGINALITÉ, VANNERIE

Voir tab. **Musicales (formes)**

FANTAISIE aléa, aventure, caprice, désir, envie, fantasque, goût, humeur, imprévu, lubie, original, paraphrase, passade, toquade, volonté

FANTAISISTE → CHEVEU, COMIQUE, MARGINAL, ORIGINAL, SINGULIER

FANTASMAGORIE → FANTÔME, ILLUSION, IMAGINATION, MAGIQUE

FANTASME → CHIMÈRE, RÊVE

FANTASQUE → BIZARRE, FANTAISIE, INÉGAL, ORIGINAL, SINGULIER, VAGABOND (2)

FANTASSIN → INFANTERIE, SOLDAT

Voir tab. **Saints patrons**

FANTASTIQUE → ÉTONNANT, FABULEUX, IMAGINAIRE (2), INCROYABLE (2), INVRAISEMBLABLE, IRRÉEL, ROMANESQUE, SENSATIONNEL, SINGULIER

FANTASTIQUE chimérique, épatant, extraordinaire, fabuleux, féerique, formidable, imaginaire, impensable, inconcevable, incroyable, inouï, invraisemblable, irréel, mythique, sensationnel, surnaturel

FANTASTIQUE (FESTIVAL INTERNATIONAL DU FILM)

Voir tab. **Prix cinématographiques**

FANTOCHE → MARIONNETTE

FANTÔME → APPARITION, ESPRIT, ILLUSION, IMAGINATION, SEMBLANT, SPECTRE

FANTÔME amputé, apparition, chaînes, chimère, combiné, déserté, ectoplasme, esprit, fantasmagorie, hanté, illusion, imaginaire, immatériel, inexistant, larve, lémure, linceul, médium, revenant, semblant, simulacre, spectre, strige, suaire, vampire

FANTÔME (MEMBRE) → MEMBRE

FANUM → CULTE, TEMPLE

FANZINE → REVUE

FAO → FABRICATION

FAON → BÊTE (1), CHEVREUIL

Voir tab. **Animaux (termes propres aux)**

FAQ

Voir tab. **Internet**

FAQUIN → FRIPON (1)

FAR

Voir tab. **Gâteaux régionaux et étrangers**

FARAD

Voir tab. **Électricité**

FARADAY

Voir tab. **Électricité**

FARAMINEUX → INABORDABLE

FARANDOLE → DANSE, PROVENÇAL

FARAUD → MALIN (1)

FARCE → BÊTISE, COMIQUE, FACÉTIE, MYSTIFIER, PLAISANTERIE, SAUCISSE, THÉÂTRAL, TOUR, VIANDE

FARCE atellanes, blague, blagueur, bouffonnerie, canular, facétie, hachis, mystères, mystificateur, mystification, niche, pantalonnade, pitrerie, plaisanterie, plaisantin, sottie, tour

FARCEUR → BOUFFON (1)

FARCI

Voir tab. **Plats régionaux**

FARCI bourré, encombré, rempli, surchargé, truffé

FARCIR → EMPLIR, REMPLIR

FARCIR assumer, bourrer, encombrer, envoyer (se), faire, payer (se), payer (se), supporter, taper (se)

FARD → ARTIFICE, DÉGUISEMENT, MAQUILLAGE, PAUPIÈRE, POUDRE

FARD artifices (sans), blush, brillant, démaquiller (se), farder (se), fond de teint, franchise (avec), gloss, maquillage, maquiller (se), naturellement, ombre à paupières, poudre, rouge

FARDAGE → ALTÉRATION

FARDE → CAFÉ

FARDÉ → FAIT

FARDEAU → POIDS

FARDEAU ahaner, boulet, charge, charge, croix, crouler, délester, effondrer (s'), faix, poids, poids

FARDER → COLORER, MASQUER

FARDER (SE) → BEAUTÉ, FARD, MAQUILLER

FARDIER → CHARIOT, CHARRETTE, VÉHICULE

FARFADET → DÉMON, ESPRIT, FÉE, GÉNIE, IMAGINAIRE (2), LUTIN, MALICE, NAIN

FARFELU → BIZARRE, IRRATIONNEL, SINGULIER, SPÉCIAL

FARIBOLE → BALIVERNE, FUTILE, SOTTISE

FARIGOULE → THYM

FARINE → AMIDON, BOUILLIE

FARINE alvéographe, blutage, bluter, blutoir, broyage, cataplasme, claquage, convertissage, cylindre, diachylon, dioxyde de chlore, fécule, gruau, issues, Maïzena, meule, meunerie, minoterie, mouture, recoupe, remoulage, sassage, sasser, semoule, son, tamis, tamiser, tapioca, ténébrion, tétroxyde d'azote, trichlorure d'azote

FARINE D'ORGE → PORC

FARINET → DÉ

FARNIENTE → BRAS, LOISIR, PARESSE

FARO → BIÈRE

FAROUCH → TRÈFLE

FAROUCHE → CONVAINCU, MISANTHROPE (2), RUDE, SAUVAGE, TIMIDE

FAROUCHE féroce, insociable, misanthrope, sauvage, timide, violent

FARSI → PERSE (2)

FART → SKI

FASCE → HONORABLE

Voir illus. **Héraldique**

FASCIA → MUSCLE

FASCIATHÉRAPIE

Voir tab. **Médecines alternatives**

FASCICULE → LIVRET

FASCICULÉ → RACINE

FASCINANT → BON (1), ÉBLOUISSANT, INTÉRESSANT, PALPITANT, PASSIONNANT, SÉDUISANT

FASCINANT attachant, attractif, captivant, charmant, séduisant

FASCINATION → ADMIRATION, ATTRACTION, ENVOÛTEMENT, INFLUENCE, TENTATION

FASCINE → FAGOT

FASCINER → CAPTIVER, CHARME, CONQUÉRIR, ÉBLOUIR, ÉMERVEILLER, MAGNÉTISER, PASSIONNER, PLAIRE, PLAIRE, STUPÉFIER, SUBJUGUER

FASCINER captiver, éblouir, émerveiller, enchanter, ensorceler, envoûter, hypnotiser, magnétiser, subjuguer

FASCISME → GOUVERNEMENT

FASCISME Chemises brunes, Chemises noires, croix gammée, Duce, faisceau, Führer, nazisme, Phalange

FASCISTE → TOTALITAIRE

FASEYER → BATTRE, FLOTTER, VOILE

FASTE → BRILLANT (2), ÉCLAT, HEUREUX, LUXE, POMPE, RICHESSE, SPLENDEUR, VANITÉ

FASTE (1) apparat, éclat, luxe, magnificence, opulence, pompe, richesse, somptuosité, splendeur

FASTE (2) bénéfique, bon, chance, favorable, heureux, propice

FASTES → CHRONOLOGIE, REGISTRE

FASTES annales, calendrier, histoire, registres

FAST-FOOD → RESTAURANT

FASTIDIEUX → ENNUYEUX, FADE, FATIGANT, MORTEL

FASTIGIÉ → BRANCHE

FASTUEUX → BEAU, MAGNIFIQUE, OPULENT, ROYAL, SOMPTUEUX, SUPERBE (2), THÉÂTRAL

FAT → CONQUÉRANT (2), CONTENT (2), FIER, GLORIEUX, IDÉE, IMPORTANT, ORGUEILLEUX, PÉDANT, PRÉTENTIEUX, SUFFISANT

FATAL → DESTIN, FORCÉ, FUNESTE, GRAVE, INÉVITABLE, IRRÉVERSIBLE, MORTEL, NÉFASTE, NOIR

FATAL fatalisme, fatidique, funeste, immanquable, implacable, inéluctable, inévitable, inexorable, irrévocable, mortel, néfaste, sinistre, vamp

FATALEMENT → FORCÉMENT

FATALISME → FATAL, FATALITÉ

FATALISTE → INDIFFÉRENT, SOUCI

FATALITÉ → ADVERSITÉ, CONDITION, DESTIN, HASARD, MALÉDICTION, SORT

FATALITÉ destin, fatalisme, fatidique, fatum, Moires, Parques, prédestination, sort

FATIDIQUE → DESTIN, FATAL, FATALITÉ

FATIGANT accablant, assourdissant, encombrant, épuisant, éreintant, étourdissant, exténuant, fâcheux, fastidieux, gênant, harassant, importun, inopportun, lassant, stressant

FATIGUE → ÉPUISEMENT, RÉSISTANCE, SURMENER, USURE

FATIGUÉ → HARASSÉ, SATURÉ, SOUFFRANT, VIEUX

FATIGUE abattement, adynamie, affaiblissement, asthénie, brisé, courbature, fortraiture, moulu, prostration, recru, résistance, surmenage

FATIGUER → CLAQUER, ÉTOURDIR, LASSER, PEINER, SURMENER, USER

FATIGUER barber, crever, embêter, ennuyer, époumoner, épuiser, éreinter, évertuer, exténuer, harceler, importuner, lasser, lessiver, mélanger, remuer, retourner, tuer

FATMA → DOMESTIQUE (1)

FATMA (MAIN DE) → MAIN

FATRAS → ACCUMULATION, BAZAR, CONFUSION, DÉSORDRE, MÉLANGE, RÉUNION

FATRASIE → POÈME

Voir tab. **Poésie (vocabulaire de la)**

FATUITÉ → CONFIANCE, OSTENTATION, PRÉSOMPTION, PRÉTENTION, SATISFACTION, SUPERBE (1), VANITÉ

FATUM → CONDITION, DESTIN, FATALITÉ, FORTUNE, SORT

FATWA

Voir tab. **Islam (vocabulaire de l')**

FAUBERT → BALAI

FAUBERTER → NETTOYER

FAUBOURG → BANLIEUE, CEINTURE, PÉRIPHÉRIE, QUARTIER, VILLE, ZONE

FAUCARD → FAUX (1)

FAUCHER → DÉROBER

FAUCHER dérober, moissonner, piquer, renverser, voler

FAUCHEUSE → FAUX (1), MORT (1)

FAUCHON → FAUX (1)

FAUCILLE → COQ, FAUX (1), MOISSON

Voir tab. **Jardinage**

FAUCON → BELLIQUEUX, CANON, RAPACE

Voir illus. **Rapaces**

Voir tab. **Oiseaux (classification simplifiée des)**

FAUCON affaitage, béjaune, chaperon, crécerelle, émerillon, émouchet, falconidés, fauconneau, fauconnerie, fauconnier, gerfaut, hobereau, laneret, lanier, leurre, pèlerin, réclame, tiercelet, vervelle, volerie

FAUCONNEAU → FAUCON

FAUCONNERIE → CHASSE, ÉPERVIER, FAUCON

FAUCONNIER → CHASSEUR (1), FAUCON

FAUCONNIÈRE → GIBECIÈRE

FAUFILER → BÂTI (2), COUDRE, FIL, OURLET

FAUFILER bâtir, couler (se),

glisser (se), immiscer (s'), insinuer (s'), introduire (s')

FAUFILER (SE) → ENTRER, GLISSER, HABILEMENT, INSINUER (S'), INTRODUIRE (S')

FAUNE → ANIMAL, CHAMPÊTRE, HOMME, JAMBE, RESSOURCE

FAURE (FÉLIX)

Voir tab. **Rois et chefs d'État de la France**

FAUSSAIRE → CONTREFAÇON, FABRICATEUR, FAUX (2), IMITATEUR, MALFAITEUR, MONNAIE

FAUSSÉ → DÉPRAVÉ

FAUSSE CHICORÉE → PISSENLIT

FAUSSE CLEF → CAMBRIOLEUR

FAUSSE-COUCHE → AVORTEMENT, FŒTUS

FAUSSEMENT → TORT

FAUSSER → CHANGER, FALSIFIER, FORCER, MAQUILLER, PLIER, TORDRE

FAUSSER abandonner, altérer, corrompre, défigurer, déformer, dénaturer, dépraver, falsifier, pervertir, quitter, tordre, transformer, travestir, truquer, vicier, voiler

FAUSSER COMPAGNIE → FUIR

FAUSSET → BOUCHON, CHEVILLE

FAUSSETÉ → DISSIMULATION, FOI

FAUTE → BAVURE, CLERC, COQUILLE, DÉLIT, ERREUR, FAIT, IMPRUDENCE, INEXACTITUDE, INFRACTION, LACUNE, NÉGLIGENCE, OFFENSE, RÈGLE, TACHE, TORT

FAUTE absence, absolution, attentat, attrition, avouer, barbarisme, bavure, bévue, bourdon, confesser, contrition, convenir de, coquille, coulpe, crime, délit, doublon, écart, errata, erreur, faiblesse, faillible, fait, faux pas, forfait, forfaiture, gaffe, gaucherie, grâce, impair, impropriété, inconduite, incorrection, infraction, lapsus, maladresse, manque, mea culpa, méfait, non-sens, pataquès, peccable, peccadille, péché, pécheur, pénitence, pénurie, récidiviste, repentir, résipiscence, responsabilité, solécisme, velours

FAUTE VÉNIELLE → RUGBY

FAUTER → FAILLIR

FAUTEUIL → ACADÉMIE, BUREAU, DOSSIER, PLACE, VANNERIE

Voir illus. **Sièges**

FAUTEUIL accotoir, accoudoir, berceuse, bergère, canapé, capitonner, causeuse, chaire, chauffeuse, club, crapaud, faldistoire, méridienne, ottomane, rocking-chair, sofa, tapissier, tête-à-tête, transatlantique, trône, voltaire

FAUTIF → INCORRECT

FAUTIF coupable, erronée, fausse, incorrecte, inexacte, responsable

FAUVE → BÊTE (1), BLOND, JAUNE, ROUX, SAUVAGE

Voir tab. **Couleurs**

FAUVE (1) fauverie, félidés, guépard, jaguar, léopard, lion, ménagerie, panthère, tigre

FAUVE (2) ambré, roussâtre

FAUVERIE → CIRQUE, FAUVE (1)

FAUVETTE
Voir tab. **Oiseaux (classification simplifiée des)**

FAUVETTE AMÉRICAINE
Voir tab. **Oiseaux (classification simplifiée des)**

FAUX → APPARENT, CONTREFAÇON, COPIE, FAUTIF, FOURBE, HYPOCRITE, ILLUSOIRE, IMITATION, INCORRECT, INEXACT, INVRAISEMBLABLE, MENTEUR, POSTICHE, SIGNATURE, SOURNOIS, SYNTHÉTIQUE, VAIN

FAUX (1) dérompoir, faucard, faucheuse, fauchon, faucille, moissonneuse, serpe

FAUX (2) affecté, ambigu, apocryphe, artificiel, captieux, contrefaçon, contrefaire, controuvé, copie, déloyal, détonner, équivoque, erroné, factice, fallacieux, falsifié, faussaire, feint, fictif, fourbe, hérésie, hypocrite, idole, illusoire, imaginaire, imitation, inauthentique, inexact, infondé, inventé, mensonger, paralogisme, parjure, pastiche, perfide, perruque, plagiat, postiche, pseudo-, pseudonyme, rumeur, simil(i)-, simulé, sophisme, sournois, trompeur, truqué, usurpé

FAUX EN ÉCRITURE → FALSIFIER

FAUX LIMON
Voir illus. **Escalier**

FAUX MOIGNON → DENTAIRE

FAUX MONDAIN → SNOB

FAUX PAS → BAVURE, FAUTE

FAUX QUARTIER
Voir illus. **Selle**

FAUX SAUNIER → SEL

FAUX SENS → TRADUCTION

FAUX SOLEIL → SOLEIL

FAUX TITRE
Voir illus. **Livre relié**

FAUX TOUPET → ARTIFICIEL

FAUX-BOURDON
Voir tab. **Animaux (termes propres aux)**

FAUX-FILET → FILET
Voir illus. **Bœuf**

FAUX-FUYANT → EXCUSE, FUITE, SORTIE, SUBTERFUGE, TERGIVERSER

FAUX-MONNAYEUR → FABRICATEUR, MONNAIE

FAUX-PAS → IMPAIR (1)

FAUX-SAUNAGE → CONTREBANDE

FAUX-SEMBLANT → APPARENCE

FAUX-SENS → INTERPRÉTATION

FAVELA → TAUDIS

FAVEUR → AMNISTIE, BÉNÉFICE, BIENFAIT, GRÂCE, HONNEUR, POPULARITÉ, PRÉFÉRENCE, PRÉROGATIVE, PRIVILÈGE, PROTECTION, RUBAN, SALUT, SERVICE, SUCCÈS

FAVEUR affection, aide, amitié, appui, aumône, avantage, bénédiction, bienveillance, considération, crédit, enseigne, estime, favoritisme, générosité, grâce, invitation, népotisme, passe-droit, prérogative, privilège, protection, recommandation, ruban, soutien

FAVISSA → TEMPLE

FAVORABLE → ADÉQUAT,

APPROPRIÉ, AVANTAGEUX, BON (1), CONVENABLE, FASTE (2), MEILLEUR (2), OPPORTUN, POSITIF, PROPICE

FAVORABLE acquis, adapté, adéquat, approbateur, approprié, avantageux, bénéfique, bienfaisant, confortable, consentant, de bon augure, opportun, profitable, propice, protecteur, salutaire, tutélaire

FAVORI → BARBE, MIGNON (1), POULAIN, PRÉDILECTION, PRÉFÉRER

FAVORI (1) chouchou, maîtresse, mignon, patte de lapin, préféré, rouflaquette

FAVORI (2) outsider

FAVORISER → BALANCE, BÉNIR, ENCOURAGER, FACILITER, PRÉFÉRER, PROTÉGER, SECONDER, SERVIR, SOUTENIR, SUPPORTER

FAVORISER aider, appuyer, avantager, encourager, faciliter, pousser, privilégier, protéger, servir, soutenir

FAVORITE → SOUVERAIN (1)

FAVORITISME → FAVEUR, MALHONNÊTE

FAVUS → MYCOSE, TEIGNE

FAX → MESSAGE

FAYARD → HÊTRE

FAYOT → HARICOT

FAZENDA → DOMAINE, EXPLOITATION, FERME (1)

FE
Voir tab. **Éléments chimiques (symbole des)**

FÉAL → CHEVALIER, FIDÈLE (2), LOYAL

FÉBRIFUGE → FIÈVRE, TEMPÉRATURE
Voir tab. **Médicaments**

FÉBRILE → FIÈVRE, SOUFFRANT, VIF (2)

FÉBRILITÉ → BOUILLONNEMENT, FIÈVRE, IMPATIENCE, NERVOSITÉ

FÉCALOGRAMME → SELLE

FÈCES → CIDRE, EXCRÉMENT, SELLE

FÉCOND → ABONDANCE, BON (1), FERTILE, FRUCTUEUX, GÉNÉREUX, INVENTER, RICHE (2), SUCCÈS

FÉCOND créatif, fertile, fructueux, généreux, imaginatif, inépuisable, inventif, productif, profitable, prolifique

FÉCONDATION → COMMENCEMENT, REPRODUCTION, UNIQUE

FÉCONDATION amphimixie, anthérozoïde, bébé-éprouvette, FIV, fivete, gamètes, gift, hétérogamie, in vitro, insémination artificielle, oosphère, ovule, parthénogenèse, pollen, semence, spermatozoïde, zygote

FÉCONDER → FRUCTIFIER

FÉCONDITÉ → DÉMOGRAPHIE
Voir tab. **Population**

FÉCULE → AMIDON, FARINE

FÉCULERIE → USINE

FÉDÉRAL → ÉTAT

FÉDÉRAL autonomie, fédération, législation, participation

FÉDÉRATION → AMICALE, CLUB, COMMUNAUTÉ, FÉDÉRAL, GROUPEMENT, PARTI, RÉUNION, SPORT, UNION

FÉDÉRATION alliance, association,

club, coalition, ligue, parti, syndicat

FÉDÉRÉ → SOLDAT

FÉDÉRER → BLOC, UNIR

FÉE → CONTE, DÉESSE, ENFANCE, IMAGINAIRE (2), SURNATUREL

FÉE adroite, baguette magique, Carabosse, farfadet, génie, gnome, habile, hennin, lutin, maléfice, mégalithe, Mélusine, Morgane, sort, troll, Viviane

FEEDER → PÉTROLE

FEELING → IMPRESSION, INTUITION

FÉERIQUE → FANTASTIQUE, MERVEILLEUX, SINGULIER, SPLENDIDE, SURNATUREL

FEIJOADA
Voir tab. **Spécialités étrangères**

FEINDRE → BOITER, COMÉDIE, COMPOSER, DÉGUISER, DISSIMULER, SEMBLANT

FEINT → APPARENT, DÉGUISEMENT, ESCRIME, FAUX (2), HYPOCRITE, IMAGINAIRE (2), RUSE

FEINTER → FOOTBALL

FELDSPATH → MINÉRAL (1), PORCELAINE

FÊLE → TUBE

FÊLÉ → FENTE

FÊLER (SE) → FENDRE

FÉLIBRE → LANGUE, POÈTE

FÉLICITATION → APPLAUDISSEMENT, APPROBATION, BULLETIN, ÉLOGE, LETTRE, LOUANGE

FÉLICITATION applaudissement, compliment, congratulation, éloge, louange, ovation

FÉLICITÉ → BÉATITUDE, BIEN-ÊTRE, BONHEUR, CONTENTEMENT, DÉLICE, PLAISIR

FÉLICITER → COUVRIR, LOUER, RÉJOUIR (SE), VICTOIRE

FÉLICITER acclamer, adulateur, applaudir, caudataire, complimenter, congratuler, flagorneur, laudateur, réjouir (se), thuriféraire

FÉLIDÉS → FAUVE (1), LION, PANTHÈRE, PUMA, TIGRE

FÉLIN → CHAT, SOUPLE
Voir tab. **Animaux (termes propres aux)**

FÉLIX LE CHAT
Voir tab. **Bande dessinée (héros de)**

FELLAH → ARABE, PAYSAN (1)

FELLATION → CARESSE

FÉLON → TRAÎTRE (1)

FÉLONIE → ADULTÈRE, FOI, TRAHISON

FELOUQUE
Voir tab. **Bateaux**

FÊLURE → CHOC, ÉTONNEMENT, FISSURE, FRACTURE, LÉSION

FEMELLE (1) mère, multipare, nullipare, portée, primipare, unipare

FEMELLE (2) gynécée, ovule, pistil

FÉMELOT → GOUVERNAIL

FEMINA (PRIX) → CONCOURS, LITTÉRATURE
Voir tab. **Prix littéraires**

FÉMININ → RIME, SYLLABE

FÉMINISME → FEMME

FEMME → BEAU, COMPAGNE
Voir tab. **Phobies**

FEMME bas-bleu, bonne, call-girl, camériste, chaperon,

compagne, concubine, cycle menstruel, cycle œstral, domestique, duègne, égérie, épouse, féminisme, grossesse, gyné(co)-, gynécée, gynécologue, harem, harpie, lesbienne, machiste, mariage, maternité, ménopause, menstruation, misogyne, muse, nymphe, nymphomane, ovulation, pacs, parturiente, péripatéticienne, phallocrate, polyandre, prostituée, puberté, sérail, servante, sirène, sphinx, sylphide, vénus, virago, XX

FEMME AILÉE → VICTOIRE

FEMME AU FOYER → INACTIF

FEMME DE CHAMBRE → BONNE, DOMESTIQUE (1)

FEMME DE MÉNAGE → DOMESTIQUE (1)

FEMME PÉDANTE → BAS (1), BLEU (1)

FEMMES ENCEINTE
Voir tab. **Saints patrons**

FÉMUR → JAMBE
Voir illus. **Squelette**

FENAISON → FOIN, RÉCOLTE

FENDAGE → FENDRE, VANNERIE

FENDARD → PANTALON

FENDERIE → FENDRE

FENDEUR → FENDRE

FENDEUSE → FENDRE

FENDILLÉ → FENTE

FENDILLER → CASSER, FENDRE

FENDRE → CASSER, CŒUR, DIVISER (SE), ESCRIME, FOULE

FENDRE affliger, attrister, chagriner, cliver, cognée, coin, consterner, coutre, craqueler (se), crevasser (se), désoler, écarter, fêler (se), fendage, fenderie, fendeur, fendeuse, fendiller (se), fente, fissile, fissurer (se), hache, lézarder (se), merlin, peiner, percer, scissile, soc, traverser

FENDRE L'AIR → VITE

FENDU → FENTE

FENÊTRE → OUVERTURE, PERCÉE
Voir illus. **Maison**

FENÊTRE archère, baie, barbacane, bow-window, brise-bise, cantonnière, carreau, contrevent, crémone, dépensier, embrasure, enseuillement, entrebâilleur, espagnolette, fenêtrer, houteau, hublot, jalousie, lambrequin, lucarne, lunette, meurtrière, oculus, œil-de-bœuf, oriel, persienne, rideau, store, tabatière, vitrail, vitre, voilage

FENÊTRER → FENÊTRE

FENICE (LA) → OPÉRA

FENIL → FERME (1), FOIN, GRANGE, GRENIER, HANGAR, RÉCOLTE

FENOUIL → DIGÉRER, LÉGUME
Voir tab. **Herbes, épices et aromates**
Voir tab. **Plantes médicinales**

FENTE → ÉRAFLURE, ESPACE, FENDRE, INTERVALLE

FENTE bifide, craquelé, crevasse, crevassé, entaillé, entrouvert, espace, faille, fêlé, fendillé, fendu, fissuré, gélivure, gercé, interstice, lézardé, vide

FÉODAL adoubement, cens, fief, inféoder, investiture, mainmorte, manant, roturier, serf, serment d'allégeance, suzerain, synallagmatique, vassal, vavasseur, vilain

FÉODALITÉ
Voir tab. **Histoire (grandes périodes)**

FER → BRONZE, CHAÎNE, INÉBRANLABLE, INFLEXIBLE, LAME, MATÉRIAU, MÉTAL, POMME DE TERRE, PRÉHISTOIRE, RENFORT
Voir tab. **Éléments chimiques (symbole des)**
Voir tab. **Minéraux et utilisations**

FER barbelé, carreau, casuarina, club, crosse, enchaîner, ferrade, ferreux, ferri-, ferrifère, ferrique, ferro-, ferronnerie, ferrugineux, ferrure, forceps, hématite, limonite, lophira, magnétite, marcassite, oligiste, pointe, pyrite, rouille, sidér(o)-, sidérose, sidéroxylon, sidérurgie

FER À CHEVAL → PORTE-BONHEUR
Voir illus. **Arcs**
Voir tab. **Superstitions**

FER À REPASSER
Voir tab. **Collectionneurs**

FER À SOUDER → SOUDURE

FER DE LANCE
Voir illus. **Drapeaux**

FER-BLANC → TÔLE

FÈRE-CHAMPENOISE
Voir tab. **Habitants (comment se nomment les)**

FÉRETONS
Voir tab. **Habitants (comment se nomment les)**

FÉRIA → FÊTE

FÉRIÉ → REPOS

FÉRIÉ chômé, ouvrable, ouvré

FERLER → EMBROUILLER, VOILE

FERMAGE → EXPLOITATION, FERME (1), IMPÔT

FERME → CHARPENTE, CONSTANT, DÉCIDÉ, DUR, ÉNERGIQUE, EXPLOITATION, FORT (2), IMMUABLE, INÉBRANLABLE, INFLEXIBLE, INTRÉPIDE, INVARIABLE, PANNE, PRÉCIS, SÉVÈRE, SOLIDE, STABLE, VIGOUREUX

FERME (1) affermage, arbalétrier, basse-cour, bergerie, clapier, contre-fiche, écurie, entrait, étable, fazenda, fenil, fermage, grange, grenier, hacienda, hangar, kibboutz, kolkhoze, mas, métayage, pailler, poinçon, porcherie, poulailler, ranch, remise, silo, sovkhoze

FERME (2) arrêté, assuré, autoritaire, compact, constant, décidé, déterminé, dur, fiable, fixe, immuable, impassible, impavide, imperturbable, inébranlable, inflexible, intransigeant, invariable, irrévocable, raffermir, résistant, résolument, sans appel, solide, stable, stoïque

FERME (À) → BAIL

FERMÉ → CIRCUIT, IMPERMÉABLE, INACCESSIBLE, INSENSIBLE, JOINT (2), REBELLE (2), SYLLABE

FERMEMENT → CARRÉMENT, DÉCISION, FORMELLEMENT

FERMENT → GERME, LEVURE, PRINCIPE

FERMENT bifidus, cause, enzyme, germe, lactobacille, levain, source, zym(o)-

FERMENTATIF → FERMENTATION

FERMENTATION → ACIDE (1), ALCOOL
Voir tab. **Chimie**
Voir tab. **Chocolat**
Voir tab. **Thé**

FERMENTATION alcoolification, fermentatif, fermentescible, kwas, levure, moût, pasteurisation, vinification, zymotechnie, zymotique

FERMENTATION ALCOOLIQUE → VIN

FERMENTER → TRAVAILLER

FERMENTESCIBLE → FERMENTATION

FERMER → BOUCHER (1), CLORE, CONDAMNER, ENTOURER, PLIER, SOLDER, VERROU

FERMER agrafer, assombrir (s'), attacher, barrer, barricader, bloquer, borner, boucher, boutonner, cacheter, cadenasser, cicatriser, clore, clôturer, colmater, condamner, coudre, limiter, murer, obstruer, obturer, occlure, refuser, renfermer (se), renfrogner (se), rester sourd, sceller, suturer, verrouiller

FERMER LES YEUX SUR → TOLÉRER

FERMETÉ → ANCRE, CONSISTANCE, DÉTERMINATION, FORCE, IMPASSIBILITÉ, OPINIÂTRETÉ, PERSÉVÉRANCE, RECTITUDE, RÉSISTANCE, SOLIDITÉ, STABILITÉ

FERMETÉ autorité, constance, courage, dureté, obstination, opiniâtreté, persévérance, poigne, résistance, sang-froid, stabilité, sûreté, ténacité, vaillance, vigueur

FERMETTE → BARRAGE, CAMPAGNE

FERMETURE → CICATRISATION, OCCLUSION

FERMETURE barre, bobinette, cadenas, congé, loquet, relâche, serrure, verrou, zipper

FERMETURE À GLISSIÈRE → MERCERIE
Voir illus. **Manteaux**
Voir illus. **Modes et styles**

FERMIER → AGRICULTEUR, BAIL, COLON, FINANCES, POULET

FERMIER agriculteur, aides, colon, cultivateur, exploitant, gabelle, métayer, paysan, publicain, traites

FERMIÈRE → BROSSE

FERMIUM
Voir tab. **Éléments chimiques (symbole des)**

FERMOIR → ATTACHE

FÉROCE → AGRESSIF, BARBARE, BÊTE (1), CRUEL, FAROUCHE, IMPITOYABLE, INHUMAIN, MÉCHANT, SAUVAGE, VIOLENT

FÉROCE atroce, barbare, cruel, dur, effroyable, épouvantable, gargantuesque, horrible, impitoyable, inhumain, sanguinaire, sauvage, terrible, terrifiant

FÉROCITÉ → ATROCITÉ, BARBARIE, BRUTALITÉ, CRUAUTÉ, SAUVAGERIE

FÉROCITÉ acharnement, atrocité, barbarie, cruauté, dureté, rage, sadisme, sauvagerie, violence

FERRADE → FER, MARQUER

FERRAILLAGE → BÉTON

FERRAILLE → DÉBRIS, DÉCHET

FERRAILLER → DISCUTER

FERRAILLEUR → BROCANTEUR, ÉPAVE, OCCASION

FERRATIER → FERRER, MARTEAU

FERRER
Voir tab. **Pêche**

FERRER brochoir, caboche, ferratier, forge, maréchal-ferrant, maréchalerie, piquer, plomber

FERRET
Voir illus. **Chaussures**

FERREUX → FER

FERRI- → FER

FERRIÈRE → SERRURIER

FERRIFÈRE → FER

FERRIMAGNÉTISME → MAGNÉTIQUE

FERRIQUE → FER

FERRITE → ACIER

FERRO- → FER

FERROMAGNÉTISME → MAGNÉTIQUE

FERRONICKEL → NICKEL

FERRONNERIE → FER, MÉTAL

FERRONNIER → SERRURIER

FERRONNIÈRE → CHAÎNE, FRONT

FERROUTAGE → TRANSPORT

FERROVIAIRE → CHEMIN DE FER, RÉSEAU, TRAIN

FERROVIPATHE
Voir tab. **Collectionneurs**

FERRUGINEUX → FER

FERRURE → CHARNIÈRE, FER, FICHE, GARNITURE

FERRURE D'ÉTRAVE
Voir illus. **Voilier : Dufour 38 Classic**

FERRY-BOAT → NAVETTE, TRAIN, TRANSPORT
Voir tab. **Bateaux**

FERRY (JULES) → INSTRUCTION

FERS → CHAÎNE

FERTILE → ABONDANCE, BON (1), FÉCOND, FRUCTIFIER, GÉNÉREUX, RICHE (2)

FERTILE améliorer, amender, assolement, bonifier, chaulage, colmatage, engrais, enrichir, fécond, fumage, généreux, marnage, plantureux, plâtrage, productif, tchernozem, terreautage

FERTILISANT → ENGRAIS, FUMIER, NITRATE

FERTILISATION → TERRE
Voir tab. **Jardinage**

FERTILISER → ARROSER, BONIFIER, ENRICHIR, FUMER

FERTONS
Voir tab. **Habitants (comment se nomment les)**

FÉRU → FOU (2), PASSIONNÉ

FÉRULE → AUTORITÉ, PALETTE

FERVENT → FANATIQUE (2), PASSIONNÉ, PIEUX, PROFOND

FERVENT (1) admirateur, adorateur, adulateur, fanatique, fou

FERVENT (2) ardent, bigot, brûlant, dévorant, dévot, engagé, enthousiaste, grenouille de bénitier, punaise de sacristie, zélé

FERVEUR → AMOUR, ARDEUR, CHALEUR, DÉVOTION, ENTHOUSIASME, FOI, INSPIRATION, PASSION, PIÉTÉ, ZÈLE

FESSE → POSTÉRIEUR (1)
Voir illus. **Cheval**

FESSE callipyge, croupe, stéatopyge

FESSÉE → CLAQUE

FESSE-MATHIEU → GRIPPE-SOU

FESSIER
Voir illus. **Muscles**

FESTIN → BANQUET, BOMBANCE, REPAS

FESTIN agapes, banquet, bombance, festoyer, ribote

FESTIVAL → ART, FÊTE, MANIFESTATION

FESTIVAL DU FILM DE...
Voir tab. **Prix cinématographiques**

FESTIVITÉ → KERMESSE, RÉJOUISSANCE

FEST-NOZ → FÊTE

FESTON → BORDER, BRODERIE, COURBE (1), DÉCORATION, GUIRLANDE
Voir tab. **Couture**

FESTOYER → BANQUET, BOMBANCE, FESTIN, REPAS

FETA
Voir illus. **Fromages**

FÊTE → CARNAVAL, CÉLÉBRATION, KERMESSE, RÉCEPTION, RÉJOUISSANCE, SOIRÉE

FÊTE bal, bambocheur, distraction, divertissement, ducasse, féria, festival, fest-noz, frairie, gala, garden-party, guinguette, kermesse, noceur, réception, redoute, réjouissance, viveur, zouker

FÊTE DU TRAVAIL → MAI, MUGUET

FÊTER → CÉLÉBRER, MARQUER

FÉTICHE → AMULETTE, BONHEUR, CHANCE, IDOLE, MAGIQUE, PORTE-BONHEUR, TALISMAN

FÉTICHE amulette, grigri, mascotte, porte-bonheur, talisman

FÉTICHISME → ANIMISME, SEXUALITÉ

FÉTICHISTE → ADORATION

FÉTIDE → DÉGOÛTANT, ÉCŒURANT, INFECT, MALSAIN, MAUVAIS, ODEUR, POURRI, PUTRIDE, SALE

FETTUCINI
Voir illus. **Pâtes**

FÉTU → BRIN, PAILLE, TIGE

FÉTUQUE → FOURRAGE, PELOUSE

FEU → AMOUR, ARDEUR, DÉSIR, DIAMANT, ÉCLAIRAGE, ÉCLAT, ÉLÉMENT, FLAMME, FORCE, FOUGUE, INCENDIE, MORT (2), PASSION, SIGNAL, SPLENDEUR, VÉHÉMENCE
Voir tab. **Couleurs**
Voir tab. **Manies**
Voir tab. **Phobies**

FEU apyre, ardent, ardeur, armistice, âtre, autodafé, bivouaquer, bombarder, bombardier d'eau, Canadair, cataphote, cheminée, clignotant, cuire des aliments, décharge, empyreume, enthousiasme, exaltation, extincteur, fanal, flammerole, fougue, fourgonner, foyer, fusil, fusillade, fusil-mitrailleur, Héphaïstos, holocauste, igni-, ignifugé, ignivome, impétuosité, incendiaire, incombustible, ininflammable, insert, interruption, mitraille, mitrailler, Patagonie, pétroleuse, phare, phlogistique, pistolet, pistolet-mitrailleur, poêle, projecteur, pyr(o)-, Pyrex, pyromane, rafale, répit, revolver, salve, silex, spot, tirer, tisonner, trêve, veiller, vestale, Vulcain, warning

FEU (UNITÉ DE) → MUNITION

FEU D'ARTIFICE → CHINOIS, ILLUMINATION

FEU D'ARTIFICE apothéose, artificier, bouquet, chandelle romaine, clou, fusée, pétard, pyrotechnie

FEU DE POSITION → LANTERNE

FEU DE POUPE
Voir illus. **Voilier : Dufour 38 Classic**

FEU DE ROUTE → PHARE

FEU FIXE → PHARE

FEU TOURNANT → PHARE

FEUDATAIRE → VASSAL

FEUILLAGE → ARBRE, BRANCHE, OMBRAGE
Voir illus. **Arbre**

FEUILLAGE berceau, caduc, charmille, feuillagiste, frondaison, ramage, ramée, sempervirent, tonnelle

FEUILLAGISTE → FEUILLAGE

FEUILLAISON → ARBRE, FEUILLE

FEUILLARD → SAULE

FEUILLE → BOUTURE, CAHIER, ÉVENTAIL, FICHE, FILM, IMPRIMER

FEUILLE acanthe, aphylle, bulletin, caduc, chlorophylle, décidu, défet, défeuillaison, défoliant, défoliation, effeuillaison, effeuillement, feuillaison, fiche, foliation, foliole, frondaison, limbe, nervure, pétiole, phyll(o)-, phyllotaxie, recto, reverdissement, verso

FEUILLE D'ACANTHE
Voir illus. **Sièges**

FEUILLE DE DREUX
Voir illus. **Fromages**

FEUILLE DE PAIE → BULLETIN

FEUILLE-DE-CHÊNE
Voir tab. **Salades**

FEUILLÉE → ABRI

FEUILLÉES → COMMODITÉ, FOSSE, TRANCHÉE, WATER-CLOSET

FEUILLE-MORTE
Voir illus. **Couleurs**

FEUILLET → BŒUF, CAHIER, ESTOMAC, PAPIER

FEUILLETAGE → FEUILLETER

FEUILLETÉ → PÂTE, VERRE
Voir tab. **Gâteaux régionaux et étrangers**

FEUILLETER → PARCOURIR

FEUILLETER compulser, consulter, feuilletage, parcourir, référer à (se), survoler

FEUILLETIS → ARDOISE
Voir illus. **Pierres précieuses (taille des)**

FEUILLETON → ÉPISODE, RÉCIT, SÉRIE

FEUILLETON chronique, nouvelle, roman, rubrique, série, sitcom, soap opera

FEUILLETONISTE → RÉDACTEUR

FEUILLETTE → TONNEAU

FEUILLURE → ENTAILLE
Voir illus. **Intérieur de maison**
Voir illus. **Porte**
Voir illus. **Serrure**

FEULEMENT → TIGRE

FEULER
Voir tab. **Animaux (termes propres aux)**

FEUTRAGE → FEUTRE

FEUTRE → CRAYON
Voir illus. **Coiffures**

FEUTRE feutrage, foulon, indélébile, marqueur, surligneur

FEUTRE BITUMINEUX
Voir illus. **Toits**

FEUTRÉ → SILENCIEUX

FEUTRÉ amorti, discret, étouffé, ouaté, silencieux

FEUTRER → AMORTIR, ASSOURDIR

FÈVE → CACAO, LÉGUME
Voir tab. **Café**
Voir tab. **Chocolat**

FÈVE écosser, Épiphanie, féveroles

FÉVEROLES → FÈVE

FEZ → MUSULMAN (1)
Voir illus. **Coiffures**

FI → DÉDAIN

FI (FAIRE) → BAFOUER, DÉDAIGNER, MÉPRISER, MOQUER (SE)

FIABILITÉ → FIDÉLITÉ

FIABLE → CONFIANCE, CONSÉQUENT, FERME (2), FIDÈLE (2), SÉRIEUX (2), SOLIDE, SÛR

FIACRE → CALÈCHE, VÉHICULE

FIACRE automédon, calèche, diligence, omnibus

FIACRE (SAINT) → JARDINIER

FIADONE
Voir tab. **Gâteaux régionaux et étrangers**

FIANÇAILLES → PROMESSE

FIANCÉ → BELLE, BIEN-AIMÉ, ÉPOUX
Voir tab. **Saints patrons**

FIANCÉ accordé, futur, prétendu, promis

FIASCO → ÉCHEC, THÉÂTRE, VESTE

FIASQUE → BOUTEILLE

FIAT → DÉLIBÉRATION

FIBRANNE
Voir tab. **Tissus**

FIBRANNE DE VERRE → VERRE

FIBRE → SENSIBILITÉ
Voir illus. **Champignon**

FIBRE acrylique, banlon, chanvre, coton, défibreur, fibrille, fibro-, fibrome, instinct, jute, laine, lin, Nylon, Orlon, polyester, raphia, soie, Tergal

FIBRE OPTIQUE → CÂBLE

FIBRILLE → FIBRE, RACINE
Voir illus. **Champignon**

FIBRILLEUX
Voir illus. **Champignon**

FIBRINOLYSE → DISSOLUTION

FIBRO- → FIBRE

FIBROCIMENT → AMIANTE, CIMENT

FIBROME → FIBRE, TUMEUR

FIBROSCOPE → SONDE

FIBROSCOPIE
Voir tab. **Examens médicaux complémentaires**

FIBROSE → DÉGÉNÉRESCENCE

FIBULANOMISTE → BOUTON
Voir tab. **Collectionneurs**

FIBULE → BOUTON, BROCHE, ÉPINGLE

FICAIRE → BOUTON

FICELER → LACER

FICELLE → ARTIFICE, BAGUETTE, PAIN, RUSE

FICELLE astuce, brider, écheveau, ficellerie, finesse, macramé, pelote, trousser

FICELLERIE → FICELLE

FICHE → CHARNIÈRE, CHEVILLE, FEUILLE, INFORMATION
Voir tab. **Prostitution**

FICHE broche, carte, carton, ferrure, feuille, formulaire, jack, jeton, monnaie, papier, paumelle, penture, plaque

FICHE DE PAIE → BULLETIN

FICHER → ENFONCER, FIXER, PLANTER

FICHER administrer, chasser, clouer, congédier, enfoncer, expulser, flanquer, gausser de (se), indifférent à (être), introduire, jeter, mettre, mettre dehors, moquer de (se), planter, répertorier, rire de, virer

FICHIER → CATALOGUE, DOCUMENT, RENSEIGNEMENT, RÉPERTOIRE

FICHU → FOULARD, MOUCHOIR

FICHU barbette, capuche, carré, châle, fanchon, foulard, foulard islamique, guimpe, mantille, mouchoir, pointe, tchador

FICOÏDE
Voir tab. **Forme de... (en)**

FICOÏDE GLACIALE
Voir tab. **Salades**

FICTIF → FABULEUX, FAUX (2), IDÉAL (2), ILLUSOIRE, IMAGINAIRE (2), INVENTER, IRRÉEL

FICTIF allégorique, conventionnel, extrinsèque, fabuleux, imaginaire, inventé, irréel, supposé, théorique

FICTION → CONTE, HISTOIRE, IMAGINATION, INVENTION, MENSONGE, RÉALITÉ, RÉCIT

FICUS → CAOUTCHOUC

FIDÉICOMMIS → DON

FIDÉISME → RAISON, RÉVÉLATION

FIDÉJUSSION → GARANTIE

FIDÈLE → ADEPTE, CONSTANT, CORRECT, CROYANT, DÉVOUÉ, DISCIPLE, EXACT, FOI, INSÉPARABLE, LOYAL, RELIGION, SINCÈRE, SOLIDE, SÛR

FIDÈLE (1) croyant, partisan, serviteur, suppôt

FIDÈLE (2) adepte, attaché à, conforme, correct, dévoué, disciple, exact, féal, fiable, honnête, inconditionnel, intègre, lige, loyal, probe, rigoureux, scrupuleux, sincère

FIDÉLITÉ → LOYAUTÉ, RÉALISME, RESSEMBLANCE, SOLIDITÉ, VÉRACITÉ, VÉRITÉ

FIDÉLITÉ assiduité, attachement, chien, constance, dévouement, exactitude, fiabilité, franchise, honnêteté, loyauté, régularité, sincérité, véracité, véridicité

FIDUCIAIRE → MONNAIE
Voir tab. **Monnaie**

FIEF → BASTION, FÉODAL, ROYAUME, SECTEUR, SEIGNEUR

FIEFFÉ → FIER, FRANC (2), PARFAIT

FIEL → AMER, BAVE, BILE, HAINE, VENIN

FIEL acrimonie, aigreur, animosité, âpreté, bile, enfiellé, envenimé, hargne

FIELLEUX → EMPOISONNER, HOSTILE, MÉCHANT, PERFIDE, VENIMEUX

FIENTE → EXCRÉMENT, OISEAU

FIER → ALTIER, DISTANT, GLORIEUX, MARBRE, ORGUEILLEUX, SUFFISANT

FIER altier, arrogant, brave, condescendant, content, crâne, dédaigneux, digne, fameux, fat, fieffé, hautain, heureux, magnanime, noble, présomptueux, prétentieux, renchéri, satisfait, suffisant, superbe, vaniteux

FIER (SE) → CONFIER, CROIRE, REMETTRE (SE)

FIER (SE) abandonner (s'), avoir confiance en, compter sur, confier à (se), défier de (se), douter de, faire confiance à, garder de (se), méfier de (se), référer à (se), remettre à (s'en), reposer sur (se), tabler sur

FIER-À-BRAS → BRAVE, FANFARON

FIERTÉ → AMOUR-PROPRE, DIGNITÉ, HONNEUR, ORGUEIL, SATISFACTION, SUFFISANT, SUPERBE (1)

FIERTÉ amour-propre, arrogance, contentement, dignité, distance, hauteur, infatuation, mépris, morgue, orgueil, satisfaction, suffisance, superbe

FIÈVRE → EXCITATION, FRÉNÉSIE, IMPATIENCE, PASSION, RAGE, TURBULENCE

FIÈVRE agitation, antipyrétique, antithermique, aphteuse, apyrexie, défervescence, exaltation, excitation, fébrifuge, fébrile, fébrilité, fiévreux, hectique, hyperthermie, passion, puerpérale, température, vitulaire, vomito negro

FIÈVRE DES MARAIS → PALUDISME

FIÈVRE JAUNE → INFECTION
Voir tab. **Vaccins**

FIÈVRE OBSIDIONALE → SIÈGE

FIÈVRE PALUSTRE → PALUDISME

FIÉVREUX → CHAUD, FIÈVRE, INQUIET

FIFRE → FLÛTE

FIFTY-FIFTY → MOITIÉ, VOILIER, YACHT

FIGATELLE → SAUCISSON

FIGÉ → FIXE (2), IMMOBILE, STANDARD (2)

FIGER → CAILLER, DEMEURER, GLACER, IMMOBILISER, PÉTRIFIER (SE), SOLIDE

FIGNOLÉ → LÉCHER, OUVRAGÉ, SOIGNÉ

FIGNOLER → BÂCLER, CISELER, DÉTAIL, POLIR, RAFFINER

FIGUE → MENDIANT (1)
Voir tab. **Forme de... (en)**

FIGUE ambigu, amphibologique, caprification, caprifigue, équivoque, figueraie, figuerie, figuier, kaki, moracées, nopal, phaquemine, sycophante, violet

FIGUERAIE → FIGUE

FIGUERIE → FIGUE

FIGUIER → FIGUE

FIGUIER DE BARBARIE → CACTUS

FIGULINE → VASE

FIGURANT → CINÉMA, COMÉDIEN, FIGURER, FILM, PERSONNAGE, RÔLE

FIGURATIF
Voir tab. **Peinture et décoration**

FIGURATIF (NON) → ABSTRAIT

FIGURATION → REPRÉSENTATION

FIGURE → COMPARAISON, DESSIN, EXPRESSION, FACE, IMAGE, PORTRAIT, SCHÉMA, SIGNE, SILHOUETTE, SKI, SYMBOLIQUE, VIGNETTE, VISAGE

FIGURÉ → SPIRITUEL

FIGURE croquis, effigie, estampe, faciès, gravure, honneurs, illustration, mine, passer pour, physionomie, schéma, vignette, visage

FIGURE DE PROUE → BUSTE

FIGURER → FLATTER, IMAGINER, PARAÎTRE, PEINDRE, REPRÉSENTER, REPRÉSENTER (SE), SUPPOSER

FIGURER allégorie, citer, comparse, figurant, imaginer (s'), incarner, mentionner, nommer, représenter, représenter (se), signaler, symboliser

FIGURER (FAIRE) → COMPTER

FIGURINE → CIBLE, SUJET

FIGURISTE → SCULPTURE

FIL → BRIN, COURS, ÉPÉE, FLEUVE, LAME
Voir tab. **Forme de... (en)**

FIL affiler, affûter, aiguiser, Ariane, biais, canette, catgut, cours, défiler, éfaufiler, effiler, enchaînement, faufiler, filaire, filature, fils de la Vierge, fuseau, lien, ligneul, logique, Moires, némat(o)-, Parques, précaire, quenouille, rapport, retors, rouet, surfiler, taille, torque, tranchant, tréfilerie

FIL BLANC (COUSU DE) → GROSSIER

FIL DE LA VIERGE → FIL

FIL PÊCHANT
Voir tab. **Pêche**

FILADIÈRE
Voir tab. **Bateaux**

FIL-À-FIL
Voir tab. **Tissus**

FILAGE → RÉPÉTITION

FILAIRE → FIL, PARASITE (2), VER

FILAMENT
Voir illus. **Fleur**

FILANDREUX → BROUILLON (2), NÉBULEUX, NERVEUX

FILANT → POULS

FILANZANE → CHAISE

FILARIOSE → INFECTION

FILATURE → BROCHE, FIL, INDUSTRIE, SOIE, TEXTILE, USINE

FILDEFÉRISTE → CORDE, DANSEUR, FORAIN, MARCHER

FILE → PROCESSION, QUEUE, RANG, SÉRIE, SUITE

FILÉ → TISSAGE

FILE colonne, cordon, cortège, couloir, déboîter, défilé, enfilade (en), haie, procession,

queue leu leu (à la), rang d'oignons (en), voie

FILER → ALLER, DÉGUERPIR, EMBOÎTER, ÉPIER, ESPIONNER, FUMER, LÂCHER, SUIVRE, SURVEILLER, VITE

FILER aller (s'en), assener, courir, décamper, démailler, développer, dévider, disparaître, donner, échapper, enfuir, filocher, flanquer, foncer, fuseau, laisser aller, obéir, partir, passer, pister, poursuivre, prendre en filature, prêter, quenouille, refiler, rouet, soumettre (se), suivre, vivre

FILER À L'ANGLAISE → FUIR, SORTIR

FILER SES CARTES
Voir tab. **Poker**

FILET → BADMINTON, BLANC (2), CEINTURE, ÉPUISETTE, FRAISIER, FREIN, LANGUE, LIGNE, PIÈGE, PROVISION, RÉSEAU, SAC, VIS
Voir illus. **Bœuf**
Voir illus. **Colonnes**
Voir illus. **Harnais**
Voir illus. **Livre relié**
Voir illus. **Porc**
Voir illus. **Violon**
Voir tab. **Tissus**

FILET ableret, aiguillette, araignée, arrestation, balance, bolier, carpaccio, carrelet, caudrette, chalut, chateaubriand, coulant, crevettier, épervier, épuisette, faux-filet, flotte, gabare, grenadin, guideau, hamac, haveneau, listel, magret, nasse, nœud d'écoute, nœud de tisserand, nœud sur le pouce, pantière, pêchette, plombée, radouber, rafle, résille, réticule, ridée, seine, stolon, tirasse, tournedos, traîne, tramail, troubleau, truble, verveux

FILET MIGNON → PORC
Voir illus. **Porc**

FILETAGE → ÉTIRAGE, VIS

FILETER → ÉTIRER

FILIALE → AGENCE, ANNEXE, MAISON, SUCCURSALE

FILIATION → ANCÊTRE, ARBRE, DESCENDANCE, GÉNÉALOGIE, ORDRE, PARENTÉ, RECONNAISSANCE, SUCCESSION

FILIATION acte de naissance, arbre généalogique, descendance, enchaînement, étymologie, liaison, parenté, succession, suite

FILICINÉES
Voir tab. **Végétaux (classification simplifiée des)**

FILIÈRE → ÉTIRAGE, INDUSTRIE, PROCÉDURE, TOILE D'ARAIGNÉE
Voir tab. **Voilier : Dufour 38 Classic**

FILIFORME → GRÊLE (2), MAIGRE, MINCE, POULS
Voir tab. **Forme de... (en)**

FILIGRANE → PAPIER

FILIN → BRIN, CÂBLE, CORDE

FILIPENDULA ULMARIA
Voir tab. **Plantes médicinales**

FILLE → PROSTITUÉE

FILLE bambine, catherinette, célibataire, damoiselle,

demoiselle, gamine, grisette, infante, jouvencelle, mai, midinette, nubile, œilleton, pubère, pucelle, rosière

FILLE À MARIER
Voir tab. **Saints patrons**

FILLE REPENTIE
Voir tab. **Saints patrons**

FILLÉR → HONGROIS

FILLEUL → BAPTÊME, MARRAINE, PARRAIN

FILM → PELLICULE, PHOTOGRAPHIE, PRODUCTION
Voir tab. **Photographie (vocabulaire de la)**

FILM avance sur recettes, bande, bande-annonce, caméscope, cassette, casting, ciné-roman, cinémathèque, couche, découpage, documentaire, DVD, feuille, figurant, filmographie, filmothèque, flash-back, magnétoscope, métrage, pellicule, pellicule, péplum, plateau, protagoniste, scénario, studio, synopsis, thriller, travelling, version doublée, version originale (VO), version sous-titrée, western

FILM INVERSIBLE
Voir tab. **Photographie (vocabulaire de la)**

FILMOGRAPHIE → CATALOGUE, FILM

FILMOTHÈQUE → FILM, IMAGE

FILOCHER → FILER

FILON → GISEMENT, MINERAI

FILOU → BANDIT, CAMBRIOLEUR, FAISAN, MALFAITEUR

FILOUTER → TRICHER

FILS aîné, autodidacte, beau-fils, benjamin, cadet, dauphin, disciple, Jésus-Christ, petit-fils, prince héritier, puîné

FILS DE DIEU → CHRIST

FILTRAT → FILTRER

FILTRATION → DÉSINFECTION

FILTRE → ÉCRAN, PASSOIRE
Voir tab. **Photographie (vocabulaire de la)**

FILTRE chausse, chinois, crème solaire, dénicotiniseur, écran, égaliseur, étamine, passoire, percolateur, purificateur

FILTRE À AIR
Voir tab. **Garagiste (vocabulaire du)**

FILTRE À ESSENCE
Voir tab. **Garagiste (vocabulaire du)**

FILTRE À HUILE
Voir illus. **Moteur**

FILTRÉ
Voir tab. **Vin (vocabulaire du)**

FILTRER → ASSAINIR, BARRAGE, DÉBARRASSER, ÉPURER, PERCER, TRANSPIRER, TRAVERSER, TRIER

FILTRER blanchet, canaliser, censeur, chausse, chinois, clarifier, contrôler, couler, déféquer, épurer, étamine, filtrat, passer au crible, passoire, purifier, sourdre, suinter, tamiser, voiler

FIN → ARRIVÉE, ASTUCIEUX, BON (1), BRILLANT (1), BUT, CLAIR, CLAIRVOYANT, DÉLICAT,

DISPARITION, EXPIRER, EXTINCTION, FRÊLE, HABILE, INTELLIGENT, INTENTION, INTUITION, ISSUE, JOLI, MALICIEUX, MINCE, MORT (1), PERTINENT, PRÉCIEUX, QUEUE, RAISON, RÉSULTAT, RUINE, SOLUTION, STADE, SUBTIL, VAPOREUX

FIN (1) aboutissement, achèvement, agonie, alpha et oméga, ambition, anéantissement, apocalypse, article de la mort, attelage, cadence, chute, clôture, coda, conclusion, crépuscule, décadence, déclin, dénouement, désinence, dessein, dissolution, échéance, écroulement, effondrement, épilogue, eschatologie, expiration, final, finisseur, levée, mort, nec plus ultra, objectif, opposition, péroraison, refus, ruine, selle, suffixe, summum, terme, terminaison, vainqueur, veto, visée

FIN (2) adroit, artificieux, astucieux, compétent, dernier, émérite, expert, final, habile, ingénieux, menu, mince, retors, rusé, ténu, ultime

FIN DE L'ÈRE SECONDAIRE → DINOSAURE

FIN DU FIN → MIEUX (1)

FIN LIMIER → DÉTECTIVE

FIN MOT → SECRET (1)

FINAL → BALLET, BOUQUET, CONCLUSION, DÉFINITIF, DERNIER, EXTRÊME, FIN (1), FIN (2), SUPRÊME

FINALE → DÉFINITIF, TERMINAISON

FINALEMENT → DÉFINITIF

FINALITÉ → DESTINATION

FIN'AMOR → COURTOIS

FINANCEMENT → BANQUE

FINANCER → PAYER, PRODUIRE

FINANCES → AFFAIRE, BUDGET, FONDS

FINANCES banque, Bourse, budget, comptabilité, dépenses, économie, fermier, financier, fisc, recettes

FINANCES PUBLIQUES → DROIT (1)

FINANCIAL TIMES INDEX
Voir tab. **Bourse**

FINANCIER → BANQUE, FINANCES, POLITIQUE (2)

FINANCIER (1) banquier

FINANCIER (2) caisses de l'État, mécénat, partenariat, sponsoring, Trésor

FINASSER → SUBTERFUGE

FINAUD → FUTÉ, MALIN (2)

FINE BOUCHE → GOURMAND (1)

FINE DE CLAIRE → HUÎTRE

FINE FLEUR → DESSUS, GRATIN

FINE MOUCHE → MALIN (2)

FINEMENT → DÉLICATEMENT

FINESSE → BALOURDISE, DÉLICATESSE, DIPLOMATIE, DISCERNEMENT, ÉLÉGANCE, FICELLE, GOÛT, JUGEMENT, NUANCE, PÉNÉTRATION, PERFECTION, PERSPICACITÉ, PSYCHOLOGIE, SAVOIR-FAIRE, SENSIBILITÉ, SUBTIL, SUBTILITÉ, TACT

FINESSE argutie, clairvoyance, délicatesse, élégance, grâce, légèreté, pénétration, perspicacité, sagacité, subtilité

FINETTE
Voir tab. **Couture**
Voir tab. **Tissus**

FINI → FRANC (2), INDUSTRIEL (2), SOIGNÉ

FINIR → BREF (1), CESSER, CLORE, INTERROMPRE, VENIR

FINIR accomplir, achever, arrêter, couper court à, lécher, mettre fin à, mettre la dernière main à, mettre un terme à, parachever, parfaire, polir, régler, résoudre, tarir, terminer

FINIR (NE PAS EN) → TRAÎNER

FINISSAGE → FAÇON

FINISSANT → DÉCLIN

FINISSEUR → FIN (1), FINITION

FINITION → FAÇON

FINITION assemblage, boutonnière, ciselure, décapage, ébarbage, finisseur, ourlet, parachever, patine, repavage

FINITUDE → BORNE

FINN → YACHT

FIOLE → AMPOULE, BOUTEILLE, FLACON

FIORITURE → BRODERIE, DÉCORATION, ORNEMENT

FIOUL → MAZOUT

FIREWALL
Voir tab. **Internet**

FIRMAMENT → CIEL

FIRME → SOCIÉTÉ

FIRMINY
Voir tab. **Habitants (comment se nomment les)**

FISC → FINANCES, IMPÔT, TRÉSOR

FISCALISER → IMPÔT

FISH-EYE → PHOTOGRAPHIE
Voir tab. **Photographie (vocabulaire de la)**

FISSILE → FENDRE

FISSION → ATOME, DIVISION, RÉACTION

FISSION DE L'URANIUM → CENTRALE NUCLÉAIRE

FISSIPARITÉ → REPRODUCTION

FISSURE → CASSURE, CHOC

FISSURE anfractuosité, cassure, craquelure, crevasse, diaclase, engelure, faisceau, faille, fêlure, fleurine, gélivure, gerce, gerçure, lézarde

FISSURÉ → FENTE

FISSURER → CASSER

FISSURER (SE) → FENDRE

FISTULINE → FOIE

FIT
Voir tab. **Bridge**

FIV → FÉCONDATION

FIVETE → ACCOUPLEMENT, CONCEPTION, FÉCONDATION

FIXAGE → EMPILAGE

FIXATEUR → COIFFURE
Voir tab. **Photographie (vocabulaire de la)**

FIXATION → ATTACHEMENT, DÉTERMINATION

FIXATION accrochage, agrafe, amarrage, arrimage, calcul, clou, colle, corde, crochet, définition, détermination, établissement, évaluation, implantation, installation, limitation, punaise,

réglementation, Scotch, sédentarisation, vis

FIXE → DORMANT, DROGUE, FERME (2), IMMOBILE, IMMUABLE, INDÉPENDANT, INVARIABLE, POULIE, RÉGULIER, SALAIRE, STABLE, STATIONNAIRE

FIXE (1) injection, piqûre, salaire, shoot

FIXE (2) arrêté, constant, défini, définitif, déterminé, dormant, durable, établi, figé, hantise, immobile, immuable, inaltérable, invariablement, manie, obsession, permanent, régulièrement, sédentaire, stable

FIXÉ → INDIQUER

FIXER → ATTACHER, CLOUER, COLLER, CONVENIR, CRISTALLISER, DÉCIDER, DÉFINIR, DÉTERMINER, DOMICILE, DURABLE, ENREGISTRER, ÉTABLIR, EXAMINER, GRAVER, HABITER, IMMOBILISER, IMPOSER, IMPRIMER, INSTALLER (S'), METTRE, OBSERVER, PIQUER, PLANTER, POSER, PRESCRIRE, REGARDER, RÉGLER, RENSEIGNEMENT, RETENIR, SUSPENDRE

FIXER accrocher, amarrer, assigner, assujettir, attacher, concentrer (se), décider, définir, déterminer, dévisager, énoncer, établir (s'), exposer, faire état de, ficher, formuler, implanter (s'), incertain, indécis, indiquer, installer (s'), observer, planter, scruter, stipuler, suspendre

FIXITÉ → STABILITÉ

FJELD
Voir tab. **Géographie et géologie (termes de)**

FJORD → BAIE, GOLFE, MER
Voir illus. **Littoral**
Voir tab. **Géographie et géologie (termes de)**

FLABELLÉ → ÉVENTAIL

FLABELLIFORME → ÉVENTAIL

FLACHE → DÉPRESSION, TROU

FLACON → BOUTEILLE, CONDITIONNEMENT, VERRE

FLACON bouteille, burette, cornue, fiole, flasque, urinal

FLAG → FLAGRANT

FLAGELLATION → PÉNITENCE

FLAGELLE
Voir illus. **Testicule**

FLAGELLER → FOUET

FLAGEOLANT → VACILLANT

FLAGEOLER → TREMBLER

FLAGEOLET → BERGER, FLÛTE, HARICOT

FLAGORNER → BOTTE, COURTISER, ENCENSER, FLATTER, PLAIRE, POMMADE

FLAGORNERIE → COMPLAISANCE, COMPLIMENT, ENCENSOIR, LOUANGE

FLAGORNEUR → FÉLICITER

FLAGRANT → CREVER, INCONTESTABLE, MANIFESTE (2), NOTOIRE, OSTENSIBLE, VISIBLE

FLAGRANT certain, évident, fait (sur le), flag, incontestable, indéniable, indubitable, manifeste, notoire, patent

FLAGRANT DÉLIT → DÉLIT, FAIT

FLAIR → INSTINCT, INTUITION, NEZ, ODORAT, PRESSENTIR

FLAIRER → DEVINER, DISCERNER, PRESSENTIR, SENTIR

FLAMAND → BELGE, GERMANIQUE, TUILE

FLAMANT
Voir tab. **Oiseaux (classification simplifiée des)**

FLAMBEAU → BOUGIE, SAVOIR (1), TORCHE

FLAMBEAU brandon, candélabre, chandelier, torche, torchère

FLAMBÉE → ACCROISSEMENT, ESCALADE, HAUSSE, MONTÉE, PRIX

FLAMBER → BRÛLER, CLAQUER, CONSUMER (SE), CROQUER, DÉPENSER, DILAPIDER
Voir tab. **Cuisine**

FLAMBER UNE BIELLE
Voir tab. **Garagiste (vocabulaire du)**

FLAMBERGE → ÉPÉE

FLAMBEUR → DÉPENSIER, JOUEUR

FLAMBOIEMENT → ÉCLAT

FLAMBOYANT → ARDENT, LUISANT

FLAMBOYANT brillant, éclatant, étincelant, gothique, rutilant

FLAMBOYER → BRILLER, LUIRE

FLAMENCO
Voir tab. **Danses (types de)**

FLAMICHE → POIREAU, TARTE
Voir tab. **Plats régionaux**

FLAMINGANT → BELGE

FLAMME → AMPOULE, ANIMATION, PÉTULANCE, SIGNAL, TAMPON

FLAMME amour, ardent, clarté, embrasé, enflammé, étincelle, feu, flammèche, lancette, lueur, lumière, moucher, passion

FLAMMÈCHE → FLAMME

FLAMMEROLE → FEU

FLAN → CRÈME, DESSERT, GÂTEAU
Voir tab. **Gâteaux régionaux et étrangers**
Voir tab. **Monnaie**

FLANC → CÔTÉ, FACE, HONORABLE, PNEU
Voir illus. **Cheval**
Voir illus. **Héraldique**
Voir illus. **Oiseau**
Voir tab. **Chirugicales (interventions)**

FLANC aile, épuiser, éreinter, exposer à (s'), exténuer, harasser

FLANCHER → DANGER, DÉGONFLER (SE), FLÉCHIR

FLANCHET
Voir illus. **Veau**

FLANDRICISME → BELGE

FLANELLE
Voir tab. **Tissus**

FLÂNER → ALLER, BADAUD, BATTRE, ERRER, MARCHER, PRENDRE, PROMENER (SE), TRAÎNER

FLÂNER baguenauder, balader (se), déambuler, flemmarder, lambiner, lanterner, musarder, paresser, promener (se), vadrouiller

FLÂNEUR → BADAUD, CURIEUX

FLANQUER → FICHER, FILER

FLAQUE → TROU

FLASH → ACTUALITÉ, BULLETIN, DÉLIRE, DROGUE, ÉCLAIR, INFORMATION, PLAISIR, RÉCIT, RÉSUMÉ (1)
Voir tab. **Cinéma**
Voir tab. **Photographie (vocabulaire de la)**

FLASH GORDON
Voir tab. **Bande dessinée (héros de)**

FLASHANT → COULEUR

FLASH-BACK → FILM, NARRATION, PASSÉ (1), RÉCIT, RETOUR
Voir tab. **Cinéma**

FLASHER → FOUDRE

FLASQUE → FLACON, MOU

FLATTER → BERCER, CIRER, COURTISER, EMBELLIR, ENCENSER, ENCOURAGER, GANT, GLORIFIER, HONORER, ILLUSION, LOUER, PLAIRE, POMMADE, VANTER

FLATTER abuser, aduler, avantager, bercer, complimenter, compter, courtiser, embellir, encenser, enorgueillir (s'), faire fort (se), figurer (se), flagorner, glorifier (se), leurrer, louanger, piquer (se), prétendre, prévaloir (se), targuer (se), vanter (se)

FLATTERIE → COMPLAISANCE, COMPLIMENT, DUPER, ENCENSOIR

FLATTEUR → AVANTAGEUX, JETON

FLATTEUR caudataire, obligeant, obséquieux, prévenant

FLATULENCE → GAZ, INTESTIN (1)

FLATUOSITÉ → BRUIT, COLIQUE
Voir tab. **Bruits**

FLAVESCENT → BLOND, JAUNE
Voir tab. **Couleurs**

FLAVEUR → SAVEUR

FLÉAU → BALANCE, DÉSASTRE, ÉPI, MALHEUR

FLÉAU D'ARMES → FOUET

FLÈCHE → BRANCHE, EXTRÉMITÉ, HAUTEUR, LARD, MÂT, MOQUERIE, POINTE, SOMMET
Voir illus. **Arcs et arbalète**
Voir illus. **Littoral**
Voir tab. **Forme de... (en)**

FLÈCHE aiguille, arbalète, arc, attelage, brocard, carquois, carreau, coup de foudre, Cupidon, curare, empenne, épigramme, Éros, matras, raillerie, sagette, sagittaire, sarbacane, sarcasme, timon, trait, upas

FLÉCHI → SOUPLE

FLÉCHIR → AMOLLIR (S'), CAPITULER, CÉDER, CHANCELER, COURBER, DÉSARMER, FAIBLIR, INCLINER, PLIER, RECULER, SOUMETTRE

FLÉCHIR agenouiller (s'), apitoyer, attendrir, baisser, céder, courber, courber (se), ébranler, émouvoir, faiblir, flancher, gauchir, incurver (s'), mollir, plier, ployer, toucher, vaciller

FLÉCHISSEMENT → CREUX (1)

FLEGMATIQUE → CALME, LENT, MOU, SEREIN

FLEGME → CALME, CONTRÔLE, DISTILLATION, FROIDEUR, HUMEUR, IMPASSIBILITÉ, SANG-FROID

FLEGME Britanniques, calme, décontraction, froideur, impassibilité, indifférence, maîtrise de soi, placidité, sérénité

FLEIN → CORBEILLE, EMBALLAGE

FLEMMARDER → FLÂNER

FLEMME → PARESSE

FLÉOLE → FOURRAGE

FLÉTRI → DÉCOLORÉ, RIDE, SEC, STRIER

FLÉTRIR → BLÂMER, DÉSHONORER, GÂTER, LANGUIR, RÉPUTATION, SALIR, TATOUAGE

FLÉTRIR chiffonner (se), décolorer, défraîchir, déshonorer, dessécher, entacher, faner, friper (se), ratatiner (se), rider (se), salir, sécher, souiller, ternir

FLÉTRISSAGE

Voir tab. **Thé**

FLÉTRISSURE → MARQUE, TACHE

FLETTE

Voir tab. **Bateaux**

FLEUR → ARISTOCRATIE

Voir tab. **Manies**

FLEUR angiosperme, antho-, bouquetière, bractée, capitule, élite, étamine, fleurdelisé, fleuriste, fleuron, flor-, floraison, floralies, flori-, floricole, floriculture, florifère, inflorescence, jardinière, mycoderme, nectar, parterre, pédoncule, périanthe, phanérogame, pincer, pistil, plate-bande, pollen, romanesque, sentimental, sessile, tendre

FLEUR BLEUE → ROMANESQUE, SENTIMENTAL

FLEUR DE LYS

Voir illus. **Héraldique**

FLEUR DE VIN → MOISISSURE

FLEURAGE → PAIN, TAPIS

FLEURDELISÉ → FLEUR

FLEURER → RÉPANDRE, SENTIR

FLEURET → ÉPÉE, ESCRIME

Voir illus. **Épées**

FLEURETTE → CRÈME, LAIT

FLEURI → FRAIS (2), PARFUM

FLEURI coloré, florissant, frais, imagé, orné, vermeil, vif

FLEURINE → FISSURE

FLEURIR éclore, épanouir (s'), multiplier (se), ouvrir (s'), proliférer, remontant

FLEURISTE → FLEUR

FLEURON → FLEUR, MARGUERITE, MEILLEUR (1), ORNEMENT

Voir illus. **Colonnes**

FLEUVE → COURS, FLOT, RIVIÈRE

Voir illus. **Littoral**

Voir tab. **Fleuves**

FLEUVE affluent, alluvions, amont, aval, bassin, berge, cascade, cataracte, cingle, cluse, confluent, courant, crue, débâcle, delta, embouchure, estuaire, étiage, étranglement, fil, Léthé, lit, marigot, méandre, module, pertuis, potamo-, potamologie, profil, régime, rive, saut, Styx

FLEUVE BLEU

Voir tab. **Fleuves**

FLEUVE JAUNE

Voir tab. **Fleuves**

FLEXATON

Voir illus. **Percussions**

Voir tab. **Instruments de musique**

FLEXIBILISER → SOUPLE

FLEXIBILITÉ → ADAPTER, ÉLASTICITÉ, PLOYER

FLEXIBLE → ACCOMMODANT, MALLÉABLE, MANIABLE, SOUPLE

FLEXIBLE accommodant, aménagé, docile, élastique, malléable, souple

FLEXION → MOUVEMENT, SPASME, YOGA

FLEXIONNEL → RACINE

FLEXOGRAPHIE → IMPRESSION

FLEXUEUX → COURBURE

FLIBUSTE → PIRATE (1)

FLIBUSTIER → BANDIT, MALFAITEUR, MARIN (1), PIRATE (1)

FLIC → POLICIER (1)

FLINGUE → REVOLVER

FLINT-GLASS → VERRE

FLIP → SAUT

FLIP-FLAP → PATINAGE

FLIPPER → BILLARD

FLIRT → AMOURETTE, BÉGUIN, BIEN-AIMÉ, GALANTERIE, IDYLLE, INTRIGUE, RELATION

FLIRT amourette, aventure, béguin, caprice, idylle, passade

FLOC

Voir tab. **Bruits**

FLOCHE → HOUPPE

FLOCHE (SOIE)

Voir tab. **Couture**

FLOCON → BRUME

FLOCONNEUX

Voir illus. **Champignon**

FLOCULATION → PRÉCIPITATION

FLOPÉE → FLOT, QUANTITÉ

FLOQUÉ

Voir tab. **Tissus**

FLOR- → FLEUR

FLORAISON → FLEUR, NAISSANCE

FLORAL → DENTELLE

FLORALIES → FLEUR

FLORE → JARDIN, PLANTE, RESSOURCE, VÉGÉTATION

FLORE (PRIX DE)

Voir tab. **Prix littéraires**

FLORÉAL

Voir tab. **Mois du calendrier républicain**

FLORÈS (FAIRE) → BRILLER

FLORI- → FLEUR

FLORICOLE → FLEUR

FLORICULTURE → FLEUR, HORTICULTURE

FLORIFÈRE → FLEUR

FLORILÈGE → BEST OF, CHOISIR, EXTRAIT, LITTÉRATURE, MORCEAU, POÈME, RECUEIL, SÉLECTION

Voir tab. **Livres**

FLORISSANT → ABONDANCE, BRILLANT (1), FLEURI, RICHE (2), SANTÉ

FLOT → AFFLUENCE, DÉFILÉ, INONDATION, MULTITUDE, PROFUSION, QUANTITÉ, SUITE, TORRENT

FLOT abondamment, afflux, débordement, déluge, essaim, fleuve, flopée, flux, foule, mer, multitude, océan, onde, torrent, vague

FLOTTANT → DETTE, FLOU, INDÉCIS, LÂCHE, MOUVANT, PARQUET, PONT, VAGABOND (2), VAGUE (2), VARIABLE

FLOTTANT ample, dénoué, flou, fluctuant, hésitant, iceberg, incertain, inconstant, indécis, indéterminé, instable, irrésolu, lâché, large, lunatique, mobile, pendant, plate-forme, vague, variable

FLOTTE → FILET, NAVAL

FLOTTE escadre, escadrille, flottille, Invincible Armada

FLOTTEMENT → HÉSITATION, INCERTITUDE, INDÉCISION

FLOTTER → INDÉCISION, NAGER, OSCILLER

FLOTTER faseyer, insubmersible, ondoyer, surnager

FLOTTEUR → BOUCHON, BOUÉE, PLANCHE À VOILE, SIGNAL

Voir illus. **Planche à voile**

FLOTTILLE → AVION, FLOTTE

FLOU → APPROXIMATIF, BRUME, FLOTTANT, FONDU (1), IMPRÉCIS, INDÉCIS, NÉBULEUX, OBSCUR, VAGUE (2), VAPOREUX

FLOU ample, brouillé, brumeux, flottant, fondu, imprécis, incertain, indécis, indéterminé, indistinct, lâche, nébuleux, obscur, sfumato, trouble, vague, vaporeux

FLOUER → DUPER, TROMPER

FLOWERY ORANGE PEKOE

Voir tab. **Thé**

FLUCTUANT → FLOTTANT, INSTABLE, MOUVANT

FLUCTUATION → ÉLASTICITÉ, INCERTITUDE, INSTABILITÉ, MOBILITÉ, MODIFICATION, OSCILLATION, REFLUX, RETOUR, VARIATION

FLUCTUER → CHANGER, VARIER

FLUET → FAIBLE (2), FRÊLE, GRÊLE (2), MAIGRE, MENU (2), MINCE

FLUIDE → LÂCHE, LIQUIDE, MAGNÉTIQUE

FLUIDE (1) aérodynamique, eau, frottement, gaz, guérisseur, hydrodynamique, hydrostatique, magnétiseur, magnétisme, mécanique des fluides, médium, métal liquide, pression, statique des fluides

FLUIDE (2) aisé, bouchon, clair, coulant, embouteillage, limpide, liquide, ralentissement

FLUIDITÉ → LÉGÈRETÉ

FLUOR

Voir tab. **Éléments chimiques (symbole des)**

FLUORESCENCE → RADIOACTIVITÉ

FLUORESCENT → PHOSPHORESCENT

FLUORINE → MINÉRAL (1)

Voir tab. **Minéraux et utilisations**

FLUSH → POKER

Voir tab. **Poker**

Voir tab. **Thé**

FLÛTE → BAGUETTE, CHAMPAGNE, DÉCEPTION, PAIN, ZUT

Voir illus. **Orchestre**

Voir tab. **Bateaux**

Voir tab. **Instruments de musique**

FLÛTE bigophone, chalumeau, diaule, fifre, flageolet, flûte de Pan, flûtiau, galoubet, larigot, mirliton, octavin, piccolo, pipeau, syrinx

FLÛTE DE PAN → FLÛTE, POÉSIE

FLÛTIAU → FLÛTE

FLUVIAL → PÊCHE, RÉGIME

FLUVIATILE → RIVIÈRE

FLUX → DÉPLACEMENT, ÉCOULEMENT, FLOT, MARÉE

FLUX D'EAU

Voir illus. **Moulins à vent et à eau**

FLUX MENSTRUEL → SAIGNEMENT

FLUXION → CONGESTION, GONFLEMENT, POITRINE, SANG

FM → MODULATION

Voir tab. **Éléments chimiques (symbole des)**

FMI (FONDS MONÉTAIRE INTERNATIONAL) → MONÉTAIRE

Voir tab. **Monnaie**

FOAL → POULAIN

FOAMBACK

Voir tab. **Tissus**

FOC → VOILE

Voir illus. **Voilier : Dufour 38 Classic**

FOCALE → FOYER

Voir tab. **Photographie (vocabulaire de la)**

FOCALE FIXE → PHOTOGRAPHIE

FOCALE VARIABLE → PHOTOGRAPHIE

FOCALISER (SE) → CONCENTRER

FOD (FUEL-OIL DOMESTIQUE) → MAZOUT

FŒHN → VENT

Voir tab. **Vents**

FOÈNE → FOURCHE, PÊCHE

FOENICULUM VULGARE

Voir tab. **Plantes médicinales**

FŒTICIDE → FŒTUS

FŒTOPATHIE → FŒTUS

FŒTUS → BÉBÉ, COMMENCEMENT, EMBRYON, GROSSESSE

FŒTUS accouchement, allantoïde, amniocentèse, amniotique, aspiration, avortement, curetage, échographie, faix, fausse-couche, fœticide, fœtopathie, IVG, placenta, utérus

FOGGARA → GALERIE

FOI → CONFESSION, CONFIANCE, CONVICTION, CROYANCE, OPINION, PATIENCE, RELIGIEUX (2), RELIGION, TÉMOIGNAGE, VERTU

FOI compter sur, confession, confiance en (avoir), croyant, dévotion, dissimulation, dogme, droiture, duplicité, fausseté, félonie, ferveur, fidèle, forfaiture, honnêteté, intégrité, loyauté, parjure, perfidie, piété, probité, religion, sincérité, trahison, traîtrise, zèle

FOIE → BILE, VENTRE

Voir illus. **Digestif (appareil)**

Voir tab. **Chirurgicales (interventions)**

Voir tab. **Douleur**

FOIE bile, cirrhose, érythropoïèse, fistuline, hématopoïèse, hépat(o)-, hépatite, hépatocyte, hépatologie, hépatomégalie, ictère, jaunisse, lobe, petit épiploon, peur (avoir), stéatose, vésicule

FOIE GRAS

Voir tab. **Charcuterie**

FOIN → DÉDAIN, HERBE, POIL, PRAIRIE

FOIN andain, andainage,

andaineur, barge, bruit (faire du), catarrhe, coryza spasmodique, faner, fenaison, fenil, fourrage, meule, protester, râtelier

FOIRAIL → FOIRE

FOIRE → EXPOSITION, RÉJOUISSANCE, RÉUNION, VIS

FOIRE affrontement, déprédation, échauffourée, exposition, foirail, forain, mêlée, mise à sac, pillage, rivalité, rixe, salon

FOIS → PRISE

FOIS atermoyer, balancer, circonstance, définitivement, dès l'instant que, dès que, exceptionnellement, irrémédiablement, irréversiblement, irrévocablement, jour, occasion, occurrence, quand, simultanément, tergiverser

FOISON → ABONDAMMENT, ABONDANCE, PROFUSION

FOISON abondance (en), beaucoup, multitude, profusion (à)

FOISONNEMENT → PROFUSION, QUANTITÉ

FOIX
Voir tab. **Habitants (comment se nomment les)**

FOLÂTRER → SAUTER

FOLIATION → ARBRE, FEUILLE

FOLIE → ABSURDITÉ, DÉCHÉANCE, DÉLIRE, DÉPENSE, EXCENTRICITÉ, FRÉNÉSIE, INCONSCIENCE, MAISON, MAROTTE, PASSION, PAVILLON, PSYCHOSE, VERTIGE

FOLIE aliénation, asile, camisole de force, delirium tremens, démence, ellébore, éperdument, équipée, escapade, frasque, fredaine, hôpital psychiatrique, incartade, lubie, manie, marotte, mégalomanie, passionnément, psychose, vésanie

FOLIO → LIVRE, PAGE

FOLIOLE → FEUILLE

FOLIOTER → NUMÉROTER

FOLIQUE (ACIDE)
Voir tab. **Vitamines**

FOLKLORE → LÉGENDE, PEUPLE, POPULAIRE, PROVINCE, TRADITION

FOLKLORIQUE → PAYSAN (2), PITTORESQUE, TRADITIONNEL

FOLLE → POULIE

FOLLET → GÉNIE

FOLLICULAIRE → JOURNALISTE

FOLLICULE → CRYPTE, FRUIT, POIL
Voir illus. **Ovaire**
Voir illus. **Peau**
Voir illus. **Poil**

FOLLICULINE → HORMONE, OVAIRE

FOMENTER → COMPLOTER, MACHINATION, PRÉPARER, SUSCITER

FONCÉ → NOIR (2), NUIT, SOMBRE

FONCÉ basané, mat, obscur, profond, sombre

FONCER → COURIR, FILER, FOND, FONDRE, PRÉCIPITER (SE), VITE
Voir tab. **Cuisine**

FONCIER → FONDAMENTAL, IMPÔT, INNÉ, RADICAL (2)

FONCIÈRE (TAXE)
Voir tab. **Fiscalité**

FONCIÈREMENT → PROFONDÉMENT

FONCTION → CHARGE, EMPLOI, EXERCICE, FACULTÉ, MÉTIER, OFFICE, POSTE, PROFESSION, QUALITÉ, RAISON, RÔLE, SELON, SERVICE, SITUATION, TRAVAIL, UTILITÉ, VARIABLE

FONCTION action, activité, application, carrière, charge, dignité, emploi, gagne-pain, métier, ministère, mission, office, place, poste, profession, rôle, situation, tâche, utilité

FONCTION (FAIRE) → SERVIR

FONCTIONNAIRE → DROIT (1), ÉTAT, PERSONNEL (1), PUBLIC (2)
Voir tab. **Saints patrons**

FONCTIONNAIRE agent public, concussion, contractuel, émoluments, exaction, forfaiture, malversation, prévarication, soustraction, surnuméraire, traitement

FONCTIONNEL → PARALYSIE, PRATIQUE (2), RATIONNEL

FONCTIONNEMENT → MARCHE

FONCTIONNEMENT CORPOREL
Voir tab. **Phobies**

FONCTIONNER → MARCHER, REMPLIR, RÉPONDRE

FONCTIONNER actionner, dérégler (se), détraquer (se), gripper (se), manœuvrer, marcher

FOND → BOUTEILLE, CASSEROLE, COURSE, CRÉDIT, DISCRET, IDÉE, IMPRESSION, LOINTAIN (1), MARGE, MOUILLER, PROFONDÉMENT, SAUCE, SUBSTANCE, SUJET, VIF (1)
Voir illus. **Intérieur de maison**

FOND abysse, ancre (jeter l'), arrière-plan (à l'), banc, bas-fond, benthos, complètement, contenu, décor, échouer (s'), écueil, endurance, engraver (s'), ensabler (s'), entièrement, foncer, haut-fond, intégralement, lointain (dans le), matière, mouiller, nœud, ophtalmoscopie, profondeur, stayer, sujet, teneur, thème, totalement

FOND (COURSE DE)
Voir tab. **Sports**

FOND (JEU DE) → ORGUE

FOND (SANS) → INSONDABLE

FOND DE TEINT → FARD, MAQUILLAGE

FOND DE TRAIN (À) → VITE

FONDAMENTAL → CAPITAL (2), CARDINAL (2), ÉLÉMENTAIRE, ESSENTIEL, IMPORTANT, MAJEUR (2), PREMIER (2), PRIMAIRE, PRINCIPAL (2), PUR, RADICAL (2), VITAL
Voir tab. **Couleurs**

FONDAMENTAL capital, essentiel, foncier, indispensable, primordial, radical, vital

FONDAMENTALEMENT → TOUT (1)

FONDAMENTALISTE → TRADITIONALISTE

FONDANT → BONBON, CONFISERIE, ÉMAIL, FUSION, SAVOUREUX
Voir tab. **Chocolat**

FONDATEUR → BÂTIR, CRÉATEUR (1)

FONDATION → BASE, INFÉRIEUR, INSTITUTION, SOUBASSEMENT

FONDATION constitution, création, formation, Genèse, naissance, soubassement

FONDÉ → JUSTE, LÉGITIME, RAISON, SÉRIEUX (2)

FONDÉ (NON) → VIDE (2)

FONDÉ DE POUVOIR → AGENT, MANDAT, POUVOIR

FONDEMENT → BASE, CAUSE, CENTRE, CONDITION, INFÉRIEUR, PIVOT, PRINCIPE, RÈGLE, SOUBASSEMENT, SOURCE

FONDER → APPUYER, ASSEOIR, BÂTIR, COMMENCER, CONSTITUER, CRÉER, ÉDIFIER, ÉRIGER, ÉTABLIR, FORMER, JUSTIFIER, OUVRIR

FONDER appuyer (s'), asseoir, baser, bâtir, construire, édifier, ériger, établir, instaurer, instituer, ouvrir

FONDERIE → HAUT-FOURNEAU, INDUSTRIE, MÉTAL, MONNAIE, USINE

FONDEUR → FORGE, MÉTALLURGIE

FONDOUK → ENTREPÔT

FONDRE → ABATTRE, AMOLLIR (S'), ASSAILLIR, COULER, DÉGELER, DÉLAYER, INCORPORER (S'), JETER, MOULER, PLONGER, PRÉCIPITER (SE)
Voir tab. **Cuisine**

FONDRE abattre (s'), amalgamer, assaillir, charger, couler, dégeler, disparaître, disperser (se), dissoudre, évanouir (s'), foncer sur, fusible, fusionner, jeter (se), liquation, liquéfier (se), mêler, mouler, piquer sur, précipiter (se), ruer sur (se), soluble, tomber sur, volatiliser (se)

FONDRE (FAIRE) → SUCER

FONDRE EN LARMES → PLEURER

FONDRIÈRE → BOUE, TROU

FONDS → ARGENT, CAPITAL (1), DISPONIBILITÉ, JEU, RESSOURCE, STOCK

FONDS argent, boutique, capital, commanditaire, établissement, exploitation, finance, liquidité, magasin, moyens, ressource, sicav

FONDS COMMUN DE PLACEMENT → VALEUR

FONDS DE GARANTIE
Voir tab. **Assurance (vocabulaire de l')**

FONDS DE PENSION
Voir tab. **Bourse**

FONDS DE ROULEMENT
Voir tab. **Copropriété**

FONDS MONÉTAIRE INTERNATIONAL → MONÉTAIRE
Voir tab. **Monnaie**

FONDU → FLOU, TEINTE, TRUCAGE, VAPOREUX
Voir tab. **Cinéma**

FONDU (1) dégradé, estompé, flou, fou, givré, imprécis, vaporeux

FONDU (2) fan, fanatique, mordu

FONDU AU NOIR → TRANSITION

FONDU ENCHAÎNÉ → TRANSITION
Voir tab. **Cinéma**

FONDUE → FROMAGE, TOMATE

FONGIBLE → BIEN

FONGICIDE → CHAMPIGNON, MYCOSE, SAVON, VÉGÉTAL (2)

FONGIFORME → CHAMPIGNON

FONTAINE → POINT, SOURCE
Voir tab. **Cuisine**
Voir tab. **Superstitions**

FONTAINE Jouvence (de), mascaron, nymphée, vasque

FONTAINE LUMINEUSE → ILLUMINATION

FONTAINEBLEAU
Voir illus. **Fromages**
Voir tab. **Habitants (comment se nomment les)**

FONTAINEBLEAU (CHÂTEAU DE)
Voir tab. **Monuments français du patrimoine mondial**

FONTANELLE → TÊTE

FONTE → DÉGEL, FOURREAU, FUSION, MOULAGE, SELLE

FONTE affinage, barrière de dégel, blanche, débâcle, déphosphoration, grise, gueuse, lingot, saumon

FONTE DES NEIGES → INONDATION

FONTENAISIENS
Voir tab. **Habitants (comment se nomment les)**

FONTENAY (ABBAYE DE)
Voir tab. **Monuments français du patrimoine mondial**

FONTENAY-AUX-ROSES
Voir tab. **Habitants (comment se nomment les)**

FONTS BAPTISMAUX → BAPTÊME

FONTURE → TRICOTER
Voir tab. **Couture**

FOOTBALL → BALLON, ONZE
Voir tab. **Sports**

FOOTBALL ailier, arbitre, arrière, avant-centre, bloquer, carton jaune, carton rouge, corner, coup franc, démarquer (se), milieu de terrain, dribbler, feinter, footballeur, gardien de but, goal, hors-jeu, intercepter, libero, ligne de touche, marquer, mi-temps, penalty, prolongation, shooter, surface de réparation, tacler, touche

FOOTBALL AMÉRICAIN → BALLON, ONZE

FOOTBALLEUR → FOOTBALL

FOR INTÉRIEUR → INTIME (2)

FORAIN → CAMPER, CIRQUE, COMMERÇANT, CONDUCTEUR, DOMICILE, FOIRE, MOUILLAGE, NOMADE

FORAIN auguste, bateleur, clown, dompteur, dresseur, écuyer, fildefériste, funambule, hercule, histrion, magicien, prestidigitateur, saltimbanque, trapéziste

FORASTEROS
Voir tab. **Chocolat**

FORBAN → BANDIT, MALFAITEUR, MARIN (1), PIRATE (1)

FORÇAGE → MATURATION

FORÇAT → BAGNARD, CAILLOU

FORCE → ARDEUR, CAPACITÉ, CARDINAL (2), CISEAU, COMBATTANT, DENSITÉ, DYNAMIQUE, EFFORT, ÉNERGIE, IMPORTANCE, INTENSITÉ, POIDS, POSSIBILITÉ, POTENTIEL (1), PRESSION, RÉSISTANCE, RESSORT, SÈVE, SIGNIFICATION, VÉHÉMENCE, VIGUEUR, VIOLENCE
Voir tab. **Café**

FORCE analeptique, ardeur,

ascendant, autorité, constance, détermination, domination, dynam(o)-, dynamomètre, emprise, endurance, énergie, fermeté, feu, fougue, herculéenne, impétuosité, influence, intensité, newton, niveau, puissance, ragaillardir, remonter, résistance, résolution, revigorer, robustesse, ténacité, véhémence, vigueur, violence

FORCE D'ÂME → VOLONTÉ

FORCE DE L'ÂGE → PLÉNITUDE

FORCE NATURELLE → ÉLÉMENT

FORCÉ → HÂTIF, INVOLONTAIRE

FORCÉ artificiel, contraint, embarrassé, étudié, évident, factice, fatal, immanquable, inéluctable, inévitable, involontaire, nécessaire, obligatoire

FORCÉMENT à coup sûr, fatalement, immanquablement, inéluctablement, inévitablement, infailliblement, nécessairement, obligatoirement

FORCENÉ → FURIEUX (1)

FORCEPS → FER, PINCE

Voir tab. **Instruments médicaux**

FORCER → BRISER, CONTRAINDRE, ENFONCER, EXAGÉRER, HÂTER, INFLIGER, OBLIGER, POURSUIVRE, RABATTRE, SOUMETTRE, SURMENER, VAINCRE

Voir tab. **Belote**

Voir tab. **Tarot**

FORCER acculer, astreindre, briser, condamner, contraindre, crocheter, défoncer, déformer, dénaturer, éventrer, exagérer, fausser, fracturer, obliger, outrer, pervertir, réduire, traquer, travestir, violer

FORCES → CISEAU

FORCIR → ENGRAISSER, GROSSIR

FORCLUSION → DÉCHÉANCE, NÉGATION, PERTE

FORER → OUVRIR, PUITS, SONDER

FORET → BURIN, FRAISE, MÈCHE, PERÇANT

FORÊT

Voir tab. **Animaux (termes propres aux)**

FORÊT affouage, baliveau, bois, boqueteau, chênaie, clairière, déboisement, déforestation, dryade, gaulis, hêtraie, laie, layon, ligne, lisière, mangrove, orée, pinède, placette, sapinière, sempervirente, strate, sylvain, sylve, sylvicole, sylviculture, sylvo-, taïga, taillis

FORÊT-NOIRE → CHOCOLAT

Voir tab. **Gâteaux régionaux et étrangers**

FOREUSE → PERCEUSE

FORFAIRE → MANQUER

FORFAIT → ABONNEMENT, ACTION, DÉLIT, ÉPONGE, FAIT, FAUTE, PRIME

FORFAITURE → CORRUPTION, CRIME, FAUTE, FOI, FONCTIONNAIRE, INFIDÉLITÉ, TRAHISON

FORFANTERIE → FANFARON

FORGE → FERRER, USINE

FORGE corroyage, écrouissage, enclume, fondeur, forgeron,

Héphaïstos, maréchal-ferrant, marteau, martelage, orfèvre, soufflet, tenailles, Vulcain

FORGER → ACIER, CONSTRUIRE, IMAGINER, INVENTER, RACONTER

FORGERON → FORGE

Voir tab. **Saints patrons**

FORGES-LES-EAUX

Voir tab. **Habitants (comment se nomment les)**

FORGIONS

Voir tab. **Habitants (comment se nomment les)**

FORHU

Voir tab. **Chasse (vocabulaire de la)**

FORHUER

Voir tab. **Chasse (vocabulaire de la)**

FORINT → HONGROIS

FORJET → SAILLIE

FORJETER → DÉPASSER

FORLANCER

Voir tab. **Chasse (vocabulaire de la)**

FORLONGER

Voir tab. **Chasse (vocabulaire de la)**

FORMALISER (SE) → OFFENSER (S'), OMBRAGE, SCANDALISER (SE), VEXER

FORMALISME → RÈGLE

FORMALISTE → FORME, MINUTIEUX, POINTILLEUX, SCRUPULEUX

FORMALITÉ → CONDITION, RÈGLE

FORMALITÉ bienséance, cérémonial, convenances, démarches, étiquette, procédure, protocole

FORMANT → RACINE

FORMAT → DIMENSION, NORME, TAILLE

FORMAT aigle, cavalier, colombier, dimension, écu, formater, in-douze, in-folio, in-octavo, in-plano, in-quarto, raisin, taille, tellière

FORMAT DE FICHIER

Voir tab. **Photographie (vocabulaire de la)**

FORMATER → FORMAT

FORMATION → APPRENTISSAGE, AVION, COMMUNAUTÉ, ÉDUCATION, FONDATION, INSTRUCTION, INTRODUCTION, ORGANISATION, PARTI, PRÉPARATION, PRODUCTION, SAVOIR (1)

FORMATION apprentissage, bagage, commando, composition, connaissance, constitution, création, culture, éducation, élaboration, ensemble, escadron, fanfare, formation continue, formation en alternance, formation permanente, formation professionnelle, groupe, harmonie, instruction, mouvement, nouaison, orchestre, organisation, parti, puberté, régiment, syntaxe, unité

FORMATION CONTINUE → FORMATION

FORMATION EN ALTERNANCE → FORMATION

FORMATION PERMANENTE → FORMATION

FORMATION PROFESSIONNELLE → FORMATION

FORME → ASPECT, CHAUSSURE, CONTOUR, DESIGN, FAÇON, GENRE, LIÈVRE, MATRICE, MOULE, PATRON, STRUCTURE

Voir tab. **Animaux (termes propres aux)**

FORME apparence, aspect, composition, configuration, contour, courbe, délinéament, dispos, écriture, embauchoir, expression, formaliste, frite, gabarit, galbe, géomorphologie, gestaltisme, isomorphe, ligne, matrice, méforme, métamorphoser (se), modelé, morph(o)-, morphologie, morphologique, moule, patron, pêche, plastique, rédaction, structure, style, tournure

FORME NOMINALE → INFINITIF

FORMEL → CATÉGORIQUE, MATÉRIEL (2), NET, PRÉCIS, VALIDE

FORMEL catégorique, cérémonieux, clair, conventionnel, explicite, incontestable, indéniable, indiscutable, indubitable, irréfutable, net, précis

FORMELLEMENT catégoriquement, fermement, rigoureusement, strictement

FORMER → ACCOUTUMER, COMPOSER, ÉLABORER, ENSEIGNER, EXERCER, INITIER, INSTRUIRE, NOURRIR

FORMER aguerrir, composer, constituer, dessiner, développer, écrire, éduquer, élever, endurcir, entraîner, fonder, tracer

FORMERET → VOÛTE

Voir tab. **Architecture**

FORMICATION → FOURMI

FORMICIDÉS → FOURMI

FORMIDABLE → ÉTONNANT, FANTASTIQUE, IMPECCABLE, INOUÏ, LITRE, SENSATIONNEL

FORMIDABLE considérable, effrayant, effroyable, épatant, épouvantable, exceptionnel, extraordinaire, imposant, phénoménal, sensationnel, stupéfiant, terrifiant

FORMIQUE → FOURMI

Voir tab. **Acides**

Voir tab. **Animaux (termes propres aux)**

FORMOL → ANTISEPTIQUE

FORMULAIRE → BON (2), CATALOGUE, FICHE, IMPRIMER, QUESTIONNAIRE, RECUEIL

Voir tab. **Livres**

FORMULATION → TOURNURE

FORMULE → CHIMIE, COMPOSITION, LOCUTION, MODALITÉ, MODÈLE (1), MOYEN (1), PAROLE, PHARMACIE, PHRASE, RECETTE, RÈGLE, TERME

FORMULE adage, aphorisme, apophtegme, brute, cliché, concise, développée, expression, isomères, laconique, lapidaire, libellé, lieu commun, locution, mantra, marche à suivre, maxime,

méthode, mnémotechnique, panacée, poncif, précepte, procédé, sentence, sésame, slogan, stéréotype, tournure

FORMULE 1

Voir tab. **Sports**

FORMULÉ → STIPULER

FORMULER → CONCRET (2), DÉFINIR, ÉMETTRE, ÉNONCER, FIXER, POSER, PRÉSENTER, PRONONCER, RÉDIGER

FORMULER expliciter, exposer, exprimer

FORNICATION → RAPPORT, RELATION, SEXUEL, UNION

FORT → AMPLE, DOUÉ, ÉPAIS, GROS, IMPÉTUEUX, IMPORTANT, INCROYABLE (2), INOUÏ, INTENSE, NOIR (2), OPULENT, PLACE, PLANTUREUX, PROFOND, PUISSANT, ROBUSTE, SOLIDE, VALIDE

Voir tab. **Chasse (vocabulaire de la)**

FORT (1) bastille, casemate, citadelle, forteresse, fortin, imprenable, inexpugnable, spécialité

FORT (2) astucieux, brillant, capiteux, clairsonnant, courageux, doué, enivrant, épicé, ferme, habile, Hercule, ingénieux, lourd, piquant, piquer de (se), relevé, retentissant, Samson, sonore, stoïque, talentueux, targuer de (se), vaillant, valeureux, vanter de (se), violent

FORT COUP DE VENT

Voir tab. **Vent : échelle de Beaufort**

FORTE

Voir tab. **Musique (vocabulaire de la)**

FORTEMENT → VIVEMENT

FORTERESSE → BASTION, CITADELLE, FORT (1), MILITAIRE (1), PLACE

FORTIFIANT → CORDIAL (1), REMONTANT, STIMULANT, TONIQUE (1), TONIQUE (2)

FORTIFIANT (1) analeptique, cordial, reconstituant, revigorant, stimulant, tonifiant, tonique

FORTIFIANT (2) reconstituant, remontant, roboratif

FORTIFICATION → ARCHITECTURE, CHÂTEAU, ENCEINTE, OUVRAGE, RÉSEAU

FORTIFICATION bastide, bastion, enceinte, ksar, médina, oppidum, poterne, redoute, retranchement, Vauban

FORTIFIER → ACCROÎTRE, AFFERMIR, ARMER, ASSEOIR, CONSOLIDER, ENDURCIR, SOLIDE

FORTIFIER affermir, aguerrir, confirmer, consolider, corroborer, durcir, endurcir, étayer, nourrissant, ragaillardir, réconfortant, renforcer, revigorer, soutenir, substantiel, tremper

FORTIN → ABRI, BLINDÉ, CITADELLE, FORT (1), PLACE

FORTRAITURE → FATIGUE

FORTRAN → LANGAGE

FORTUIT → ACCIDENTEL,

CONDITIONNEL, CONTINGENT, IMPRÉVU (2), INATTENDU, INOPINÉ, OCCASIONNEL, SOUDAIN

FORTUITEMENT → ACCIDENT, HASARD

FORTUNE → ABONDANCE, AVOIR (2), BIEN, CAPITAL (1), CHANCE, CONDITION, DESTIN, ÉTOILE, IMPÔT, IMPROVISÉ, MÂT, PATRIMOINE, PROVIDENCE, RESSOURCE, RICHESSE, SUCCÈS

FORTUNÉ → AISÉ, OPULENT, RICHE (2)

FORTUNE aléas, avenir, capital, chance, destin, destinée, fatum, hasard, patrimoine, pis-aller, prospérité, provisoire, réussite, richesses, sort, succès, temporaire, traverses, tribulations, vicissitudes

FORTUNE DU POT (À LA) → SIMPLE

FORUM → ASSEMBLÉE, CARREFOUR, COLLOQUE, CONVERSATION, DÉBAT, PLACE, RENCONTRE, RÉUNION, SITE, VIRTUEL

Voir tab. **Internet**

FOSBURY FLOP → SAUT

FOSSE → CIMETIÈRE, DÉPRESSION, GOUFFRE, NASAL, PIÈGE, PROFOND

FOSSE abysse, caveau, charnier, dépression, excavation, feuillées, fossoyeur, géosynclinal, latrines, tombe

FOSSE D'AISANCES → WATER-CLOSET

FOSSÉ → ABÎME, DIVERGENCE, DRAINER

Voir illus. **Château fort**

FOSSÉ abîme, contrescarpe, cunette, douve, escarpe, graben, rift, rigole, saignée, saut-de-loup, tranchée

FOSSILE → EMPREINTE, FOUILLE

FOSSILE (1) ammonite, carbone 14, fossilifère, lépidodendron, paléobotanique, paléontologue, paléozoologie, percoptéris

FOSSILE (2) crapaudine, dendrite, trilobite, zoolithe

FOSSILIFÈRE → FOSSILE (1)

FOSSOYEUR → FOSSE, MORT (1)

FOSSOYEUSE (LA) → MORT (1)

FOU → AFFOLANT, BOUFFON (1), CARACTÉRIEL, DÉBILE, DÉLIRANT, DIVERTIR, ÉNORME, ÉPERDU, FANATIQUE (1), FERVENT (1), FONDU (1), INCONSCIENT (2), INOUÏ, INSENSÉ, IRRATIONNEL, MALADE, POSSÉDÉ, RAISON, TÉMÉRAIRE

Voir tab. **Échecs**

Voir tab. **Oiseaux (classification simplifiée des)**

FOU (1) aliéné, bouffon, dément, déséquilibré, extravagant, inconscient, inconséquent, insane, marotte, obsédé

FOU (2) astronomique, débridé, déraisonnable, désordonné, effréné, entiché, épris, exorbitant, féru, hasardeux, idolâtre, insensé

FOU (DEVENIR)

Voir tab. **Phobies**

FOUACE → PAIN

Voir tab. **Gâteaux régionaux et étrangers**

FOUAGE → REDEVANCE

FOUAILLE → SANGLIER

Voir tab. **Chasse (vocabulaire de la)**

FOUCADE → CAPRICE, DÉSIR, MANIE, PASSION

FOUDRE → COLÈRE, ÉCLAIR, ÉLECTRICITÉ, REPROCHE, TONNEAU, VIN

FOUDRE anathématisation, condamnation, craquer, éclair, excommunication, flasher sur, fulguration, Jupiter, paratonnerre, réprobation, reproche, science fulgurante, tonnerre, Zeus

FOUDROYANT → EXPLOSIF, FULGURANT, SOUDAIN, SUBIT, TERRIBLE

FOUDROYÉ → INTERDIT (2), SIDÉRÉ

FOUDROYER → FUSILLER, RENVERSER

FOUET → CHÂTIMENT, FRAISIER, PÂTISSERIE, QUEUE

Voir illus. **Percussions**

FOUET batteur, chambrière, chat à neuf queues, coulant, cravache, dope, estrope, flageller, fléau d'armes, fouetter, fustiger, knout, martinet, ragaillardir, revigorer, scorpion, stimuler

FOUETTÉ

Voir tab. **Danse classique**

FOUETTER → BATTRE, BROUILLER, FOUET, GIFLER, STIMULER

Voir tab. **Pêche**

FOUGER → FOUILLER

FOUGERAIS

Voir tab. **Habitants (comment se nomment les)**

FOUGÈRE

Voir tab. **Végétaux (classification simplifiée des)**

FOUGÈRES

Voir tab. **Habitants (comment se nomment les)**

FOUGUE → ACHARNEMENT, ANIMATION, ARDEUR, CHALEUR, FEU, FORCE, MORDANT (1), PÉTULANCE, PROMPTITUDE, VÉHÉMENCE, VIVACITÉ

FOUGUE ardeur, élan, enthousiasme, entrain, feu, impétuosité, vigueur

FOUGUEUX → AMOUREUX, ARDENT, AUDACIEUX, BOUILLONNANT, EMPORTER, ENDIABLÉ, IMPATIENT, IMPÉTUEUX, IMPULSIF, NERVEUX, PASSIONNÉ, VIF (2), VIGOUREUX

FOUILLE → ARCHÉOLOGIE, EXAMEN, RECHERCHE, TRANCHÉE, VISITE

FOUILLE archéologie, archéologue, excavation, fossile, paléontologue, prospection aérienne

FOUILLER → CHERCHER, GRATTER, INSPECTER, RATISSER, RECHERCHER, REGARDER, SCULPTER, TRAVAILLER

FOUILLER approfondir, battre, creuser, explorer, fouger, fouiner, four, fourrager, fureter, perquisitionner, vermiller, vermillonner, visiter

FOUILLER DU REGARD → SCRUTER

FOUILLEUR → DOUANE

FOUILLIS → BAZAR, MÉLANGE, PÊLE-MÊLE

FOUINER → CHERCHER, FOUILLER, RECHERCHER

FOUINEUR → INDISCRET

FOUIR → FOUILLER

FOUISSEUR → CREUSER, TAUPE

FOULAGE → FOULER, IMPRIMERIE, TANNAGE, VIN

FOULARD → ACCESSOIRE, CACHE-COL, ÉCHARPE, FICHU, MOUCHOIR

FOULARD bandana, cache-col, cache-nez, carré, écharpe, fichu, madras, pointe

FOULARD ISLAMIQUE → FICHU

FOULE → AFFLUENCE, BEAUCOUP, FLOT, MASSE, MONDE, MULTITUDE, NOMBRE, QUANTITÉ

Voir tab. **Phobies**

FOULE accumulation, affluence, amas, attroupement, bas-peuple, bousculade, cohue, entassement, fendre, monceau, mouton de Panurge, ochlophobie, plèbe, populace, presse

FOULÉE → PAS (1), PISTE, TRACE

FOULER → BLESSER, ÉCRASER, PRESSER, VENDANGE

FOULER bafouer, écraser, faire litière de, faire une entorse (se), foulage, foulerie, fouloir, foulon, foulonner, piétiner, pressoir

FOULER AUX PIEDS → BAFOUER, MÉPRISER

FOULERIE → FOULER

FOULOIR → FOULER

FOULON → FEUTRE, FOULER

FOULONNER → FOULER

FOULURE → ENTORSE, LÉSION

FOUR → ÉCHEC, PAIN, THÉÂTRE, VESTE

FOUR bide, bouche, chapelle, chaufournier, défourner, dôme, échec, enfourner, four à catalyse, four à pyrolyse, four électrique, four micro-ondes, fourgon, fournaise, fournier, fournil, gueule, héliostat, insuccès, lèchefrite, pelle, sole, tournebroche, trémie

FOURBE → CACHER, FACE, FAUX (2), FRÈRE, HYPOCRITE, PERFIDE, SOURNOIS, TRAÎTRE (2)

FOURBE déloyal, faux, patelin, perfide, sournois

FOURBERIE → ARTIFICE, HYPOCRISIE, PERVERSITÉ

FOURBERIE duplicité, hypocrisie, matoiserie, ruse, Scapin, supercherie, tromperie

FOURBI → BAGAGE, BAZAR, DÉSORDRE

FOURBIR → FROTTER, NETTOYER, POLIR

FOURBURE → SABOT

FOURCHE → BIFURCATION, CARREFOUR, EMBRANCHEMENT, JONCTION

Voir illus. **Bicyclette**

Voir illus. **Couture**

FOURCHE bident, croisement, embranchement, foène, fourchon, fuscine, gibet, patte-d'oie, trident

FOURCHES PATIBULAIRES → COMMUNE, SUPPLICE

FOURCHETTE → ÉCART, SABOT

Voir illus. **Cheval**

Voir tab. **Belote**

Voir tab. **Bridge**

Voir tab. **Échecs**

FOURCHON → FOURCHE

FOURGON → CAMION, CHARIOT, FOUR, VÉHICULE, WAGON

FOURGONNER → FEU

FOURGONNETTE → CAMION

FOURIÉRISME → SOCIALISTE

FOURME D'AMBERT → BLEU (1)

Voir illus. **Fromages**

FOURME DE MONTBRISON

Voir illus. **Fromages**

FOURMI → IMPATIENCE, INSECTE

Voir illus. **Insectes**

Voir tab. **Animaux (termes propres aux)**

FOURMI aptère, formication, formicidés, formique, fourmilier, fourmilière, fourmi-lion, fourmillement, hyménoptères, long, magnan, minutieux, myrm(éco)-, myrmécophile, myrmidon, pangolin, picotement, tamandua, tamanoir

FOURMILIER → FOURMI

Voir tab. **Mammifères (classification des)**

Voir tab. **Oiseaux (classification simplifiée des)**

FOURMILIÈRE → FOURMI, NID

Voir tab. **Animaux (termes propres aux)**

FOURMI-LION → FOURMI

FOURMILLEMENT → FOURMI, IMPATIENCE

FOURMILLER → GROUILLER

FOURNAISE → CHALEUR, CHAUD, FOUR

FOURNEAU → CHAUFFAGE, MINE, PIPE, POÊLE (1)

FOURNEAU cubilot, haut-fourneau

FOURNI → ABONDANT, ÉPAIS

FOURNIER → FOUR

Voir tab. **Oiseaux (classification simplifiée des)**

FOURNIL → BOULANGER (1), FOUR, PAIN

FOURNIMENT → BAGAGE, BAZAR

FOURNIR → ALIMENTER, APPORTER, DOTER, INDIQUER, OFFRIR, POURVOIR, PROCURER, PRODUIRE, SERVIR

Voir tab. **Tarot**

FOURNIR alimenter, apporter, approvisionner, donner, livrer, pourvoir à, présenter, procurer, ravitailler, subvenir à, transmettre

FOURNISSEUR → MARCHAND

FOURNISSEUR approvisionneur, commerçant, marchand, pourvoyeur, prestataire de services, ravitailleur

FOURNISSEUR D'ACCÈS INTERNET

Voir tab. **Internet**

FOURNITURE accessoire, matériel

FOURRAGE → FOIN, PAILLE

FOURRAGE dactyle, ensilage, fétuque, fléole, gesse, lotier, luzerne, pouture, provende, râtelier, ray-grass, sainfoin, sorgho, trèfle, vesce

FOURRAGER → CHERCHER, FOUILLER

FOURRAGÈRE → CHARIOT, MILITAIRE (1), UNIFORME (1)

FOURRÉ → BOIS, BUISSON

FOURREAU → GAINE, ROBE

FOURREAU bouterolle, dégainer, étui, fontes, gaine, galuchat, phrygane

FOURRER → GARNIR, INTRODUIRE, PLONGER

FOURREUR → FOURRURE

FOURRIER → MILITAIRE (1)

FOURRIÈRE → ENLÈVEMENT

FOURRURE → BLASON, DOUBLURE, PELAGE, POIL

Voir illus. **Héraldique**

FOURRURE acrylique, bourre, étole, fourreur, hermine, jarre, manchon, naphtaline, pelage, pelisse, pelleterie, poil, sauvagine, synthétique, toison, toque, trappeur

FOURVOIEMENT → ERREUR

FOURVOYER → DÉTOURNER, DIRIGER, ÉCARTER, ÉGARER, PERDRE, ROUTE, TROMPER

FOUTEAU → HÊTRE

FOX-TROT

Voir tab. **Danses (types de)**

FOYER → BIENFAISANCE, CENTRE, CHEMINÉE, DOMICILE, FEU, INSTITUTION, INTÉRIEUR (1), LOGEMENT, MAISON, POÊLE, SIÈGE, SOURCE

Voir illus. **Cheminée**

Voir illus. **Intérieur de maison**

FOYER âtre, atrium, bercail, bifocal, cheminée, focale, lares, ménage, pénates, pôle

FR

Voir tab. **Éléments chimiques (symbole des)**

FRAC → HABIT, UNIFORME (1), VÊTEMENT

Voir illus. **Manteaux**

FRACAS → BRUIT

Voir tab. **Bruits**

FRACASSANT → BRUIT

Voir tab. **Bruits**

FRACASSER → BRISER, CASSER

FRACTION → BRIBE

FRACTION dénominateur, division, morceau, numérateur, parcelle, partie, portion, rationnel

FRACTIONNAIRE → NOMBRE

FRACTIONNEMENT → RAFFINAGE

FRACTIONNER → DÉCOUPER, DIVISER, MORCELER

FRACTURATION → PÉTROLE

FRACTURE → CASSURE, CONTINUITÉ, ENFONCEMENT, LÉSION, RUPTURE

FRACTURE attelle, broche, cal, cassure, éclisse, faille, fêlure, gouttière, oblique, ostéosynthèse, plaque, plâtre, spiroïde, transversal

FRACTURER → BRISER, FORCER

FRAGILE → BLESSÉ, CHÉTIF, CONSISTANCE, ÉPHÉMÈRE, FAIBLE (2), FRÊLE, INSTABLE, MALINGRE, SENSIBLE, VULNÉRABLE

FRAGILE branlant, cassante, chancelant, chétif, débile, délicat, éphémère, faible, fugace, incertain, inconsistante, instable, malingre, précaire, précaire, souffreteux, titubant, vacillant, vulnérable

FRAGILITÉ → IMPUISSANCE, INCERTITUDE, INFIRMITÉ, INSTABILITÉ

FRAGMENT → BRIBE, DÉBRIS, ÉCAILLE, ÉCLAT, EXTRAIT, LAMBEAU, MIETTE, MORCEAU, PASSAGE

FRAGMENT bout, bribe, centon, citation, débris, éclat, extrait, miette, morceau, passage

FRAGMENTAIRE → INCOMPLET, PARTIEL, SOMMAIRE (2)

FRAGMENTATION → CASSURE

FRAGMENTÉ → ÉMIETTER

FRAGMENTER → DIVISER, PARTAGER

FRAGON → ÉPINE, HOUX, PIQUANT (2)

FRAGRANCE → ÉMANATION, ODEUR, PARFUM

FRAI → BATRACIEN, POISSON

FRAÎCHEUR → INNOCENCE, JEUNESSE, NAÏVETÉ, ORIGINALITÉ

FRAÎCHEUR authenticité, beauté, éclat, froid, froideur, hostilité, inhospitalité, innocence, jeunesse, légèreté, naïveté, naturel, nouveauté, pureté, sincérité, spontanéité, vivacité

FRAÎCHIN → MARÉE, POISSON

FRAÎCHIR → LEVER

FRAIRIE → BANQUET, FÊTE, KERMESSE

FRAIS → CHARGE, DÉPENSE, FLEURI, GAI (1), PRIX, RÉCENT

FRAIS (1) allocation, coût, débours, dépenses

FRAIS (2) dispos, fleuri, frisquet, récent, resplendissant, vermeil

FRAIS DE (AUX) → CROCHET

FRAIS RÉEL → IMPÔT

FRAISE → BURIN, COL, DENTISTE, INTESTIN (1), LIME, MÈCHE, ROULETTE, TRIPES

Voir tab. **Couleurs**

FRAISE angiome, caroncule, collerette, envie, foret, fraisier, fraisure, godron, mésentère, nævus, roulette, tache de vin, tuyau

FRAISÉE → VIS

FRAISER

Voir tab. **Cuisine**

FRAISERAIE → FRAISIER

FRAISEUR → MÉTALLURGIE

FRAISEUSE → MACHINE

FRAISIER → FRAISE

FRAISIER coulant, filet, fouet, fraiseraie, fraisière, fraisiériste, rhizome, rosacées, stolon

FRAISIÉRISTE → FRAISIER

FRAISIL → CENDRE

FRAISURE → FRAISE

FRAMBOISE

Voir tab. **Alcools et eaux-de-vie**

FRAMBOISÉ → CIDRE

FRAMÉE → JAVELOT

FRANC → BARBARBE, BRUTAL, CORDIAL (2), JOVIAL, LOYAL, NATUREL, NET, ROND (2), SINCÈRE, SPONTANÉ, TERRE

Voir tab. **Vin (vocabulaire du)**

FRANC (1) balles, bâton, brique, centime, décime, euro, franc CFA, millime, patate, sou

FRANC (2) accompli, achevé, ambages (sans), bonne foi, catégorique, clair, direct, explicite, fieffé, fini, honnête,
libre, loyal, ouvertement, parfait, sincère

FRANC CFA → FRANC (1)

FRANC-BORD → BORDER

FRANÇAIS → BELGE, ROMAN (2), SUISSE

Voir tab. **Phobies**

FRANÇAIS (1) francophile, francophobe, francophonie, langue d'oïl

FRANÇAIS (2) DOM-TOM, franciser, gallicisme, gallomanie, Hexagone

FRANCE

Voir tab. **Saints patrons**

FRANCE (NORWAY) → PAQUEBOT

FRANCFORT → SAUCISSE

Voir illus. **Charcuterie**

FRANCHEMENT → CARRÉMENT, CLAIREMENT, DÉTOUR, DISSIMULATION, OUVERT, PARLER, SINCÈRE

FRANCHEMENT ambages (sans), clairement, détours (sans), directement, extrêmement, franco, honnêtement, loyalement, ouvertement, résolument, rondement, sincèrement, très, vraiment

FRANCHIR → CROISER, DÉPASSER, ENJAMBER, GRAVIR, OUTREPASSER, PARCOURIR, PASSER, RAISON, SAUTER, SURMONTER, TRAVERSER, VAINCRE

FRANCHIR enjamber, escalader, outrepasser, parcourir, sauter, surmonter, transgresser, vaincre, venir à bout de

FRANCHISE → DISPENSE, EXEMPTION, FARD, FIDÉLITÉ, IMMUNITÉ, INDÉPENDANCE, LIBERTÉ, RECTITUDE, SIMPLICITÉ, VÉRITÉ

Voir tab. **Assurance (vocabulaire de l')**

FRANCHISE dispense, droiture, exemption, exonération, franc-parler, franchisé, franchiseur, loyauté, sincérité, spontanéité

FRANCHISE DOUANIÈRE → VALISE

FRANCHISÉ → FRANCHISE

FRANCHISEUR → FRANCHISE

FRANCHISSEMENT → PASSAGE

FRANCIEN → DIALECTE

FRANCIQUE → FRANCS

FRANCISCAINS → MENDIANT (2), NŒUD

FRANCISER → FRANÇAIS (2)

FRANCISQUE → FRANCS, HACHE

FRANCIUM

Voir tab. **Éléments chimiques (symbole des)**

FRANC-JEU → LOYAUTÉ

FRANC-MAÇON apprenti, compagnon, convent, Droit humain, fraternité, grand maître, Grand Orient de France, Grande Loge de France, Grande Loge féminine de France, loge, maître, obédience, vénérable

FRANC-MAÇONNERIE → ORIENT, SOCIÉTÉ

FRANCO → FRANCHEMENT

FRANÇOIS Iᵉʳ

Voir tab. **Rois et chefs d'État de la France**

FRANÇOIS II
Voir tab. **Rois et chefs d'État de la France**

FRANCOPHILE → FRANÇAIS (1)

FRANCOPHOBE → FRANÇAIS (1)

FRANCOPHOBIE

Voir tab. **Phobies**

FRANCOPHONIE → FRANÇAIS (1)

FRANCOPHONIE (GRAND PRIX DE LA)

Voir tab. **Prix littéraires**

FRANCO-PROVENÇAL → DIALECTE

FRANC-PARLER → FRANCHISE, LIBERTÉ

FRANC-QUARTIER

Voir illus. **Héraldique**

FRANCS → BARBARE

FRANCS angon, francique, francisque, loi salique, Ripuaires, Saliens, scramasaxe, wergeld

FRANC-TIREUR → PARTISAN (1), RÉSISTANT (1), SOLDAT

FRANGE → DOSSIER, FRONT, MINORITÉ

FRANGE brisant, chiens, crépine, écume, galon de tête, guipage, jupe de fils, minorité

FRAPPANT → IMPRESSIONNANT, SAILLANT

FRAPPANT étonnant, évident, impressionnant, indéniable, indubitable, manifeste, marquant, percutant, saisissant

FRAPPE → MONNAIE

FRAPPÉ → ABASOURDI, ÉPROUVER, GLACÉ, SAISIR

Voir tab. **Café**

FRAPPÉ (ÊTRE) → RECEVOIR

FRAPPE-DEVANT → MARTEAU

FRAPPER → AFFLIGER, ATTEINDRE, BATTRE, COGNER, EFFET, IMPOSER, MALTRAITER, RAFRAÎCHIR, ROSSER, TAPER

Voir tab. **Poker**

FRAPPER affecté, battre, battre sa coulpe, bouleversé, brutaliser, choqué, cogner, ému, estampiller, heurtoir, impressionné, maltraiter, poinçonner, saisi, tambouriner, toquer

FRAPPER D'OSTRACISME → ISOLER

FRAPPER DU PIED → TRÉPIGNER

FRASQUE → CONDUITE, ÉCART, ESCAPADE, FOLIE

FRATERNITÉ → AMITIÉ, COMPRÉHENSION, DÉMOCRATIE, FRANC-MAÇON, SOLIDARITÉ, UNION

FRATERNITÉ altruisme, camaraderie, compagnonnage, concorde, entente, esprit de corps, solidarité

FRATRICIDE → FRÈRE, MEURTRIER, SŒUR

FRATRIE → SŒUR

FRAUDE → COMMERCE, CONCURRENCE, CONTREBANDE, DÉLIT, MANIPULATION

FRAUDE collusion, contrebandier, dolosive, escroquerie, falsification, interlope, stellionat, supercherie, tromperie

FRAUDER → TROMPER

FRAUDEUR → FABRICATEUR, JOUEUR

FRAUDULEUX → HONNÊTE

FRAXINUS EXCELSIOR

Voir tab. **Plantes médicinales**

FRAYER → FRÉQUENTER, LIER, OUVRIR, TRACER, USER

FRAYÈRE → POISSON

FRAYEUR → CRAINTE, PEUR, TERREUR

FRAYEUR affolement, chair de poule, effroi, épouvante, frisson, hantise, pâleur, panique, phobie, sueur froide, terreur

RAYOIR → CERF

REDAINE → CONDUITE, ÉCART, ESCAPADE, FOLIE

REDONNER → CHANTER, OISEAU

REE JAZZ → JAZZ

REE-LANCE → INDÉPENDANT, PROFESSION, TRAVAILLEUR (1)

REE-MARTIN → JUMEAU

REEWARE

Voir tab. **Informatique**
Voir tab. **Internet**

RÉGATE

Voir tab. **Bateaux**
Voir tab. **Oiseaux (classification simplifiée des)**

FREIN → HANDICAP, LANGUE, OBSTACLE, PÉDALE, RÉSISTANCE

Voir illus. **Bicyclette**

FREIN ABS, borne, disque, filet, limites, maître-cylindre, rétrograder, servofrein, tambour

FREINER → AMORTIR, ARRÊTER, CONTRARIER, IMMOBILISER, MODÉRER, RALENTIR, RÉDUIRE, TEMPÉRER

FREINER ABS (Antiblockiersystem), contenir, enrayer, inhiber, modérer, ralentir, réfréner, réprimer

FREINTE → DÉCHET, POIDS

FRELATER → ADDITIONNER, FALSIFIER, TRAFIQUER

FRÊLE → DÉLICAT, FAIBLE (2), MALINGRE, MENU (2), MINCE

FRÊLE chétif, délicat, fin, fluet, fragile, menu, mince, ténu

FRELON → BOURDONNEMENT, GUÊPE

FRELUCHE → HOUPPE

FRÉMIR → CRAINDRE, HORREUR, MURMURER, ONDOYANT, TREMBLER, TRESSAILLIR

FRÉMIR bruire, frissonner, palpiter, vibrer

FRÉMISSEMENT → BATTEMENT, BRUISSEMENT, BRUIT, FRISSON, SECOUSSE, TREMBLEMENT

Voir tab. **Bruits**

FRÉMISSEMENT bruissement, frisson, frissonnement, murmure, reprise, sursaut

FRÊNAIE → FRÊNE

FRÊNE

Voir tab. **Plantes médicinales**
Voir tab. **Végétaux (classification simplifiée des)**

FRÊNE frênaie, frénette, manne, oléacées, orne, oxyphylle, quinquina d'Europe, samare

FRÉNÉSIE → AGITATION, BOUILLONNEMENT, DÉLIRE, ENTHOUSIASME, FUREUR, PASSION, PRÉCIPITATION

FRÉNÉSIE agitation, ardeur, arrache-pied (d'), débordement, déchaînement, délire, enthousiasme, exaltation, fièvre, folie, fureur, passion

FRÉNÉTIQUE → ARDENT, DÉMESURÉ, IMPÉTUEUX

FRÉNETTE → FRÊNE

FRÉON → FROID (1)

FRÉQUENCE → NOMBRE, PHÉNOMÈNE, RÉGIME, RÉPÉTITION, SON

FRÉQUENT → COURANT (2), RÉGULIER, USUEL

FRÉQUENT courant, habituel, ordinaire, usuel

FRÉQUENTABLE → CONVENABLE

FRÉQUENTATIF → RÉPÉTITION

FRÉQUENTATION → ACCOINTANCES, CONNAISSANCE, CONTACT, RELATION

FRÉQUENTATION accointances, assiduité, connaissances, relations

FRÉQUENTÉ → PASSAGER (2), PASSANT (2)

FRÉQUENTER → APPROCHER, COURIR, HANTER, LIER

FRÉQUENTER côtoyer, courir, courtiser, frayer avec, hanter, pilier de bar

FRÈRE → RELIGIEUX (1)

Voir tab. **Clergé catholique (vocabulaire du)**

FRÈRE ami, besson, Caïn, camarade, compagnon, consanguin, Étéocle, fourbe, fratricide, frère convers, frère lai, frère mineur, frère prêcheur, frère servant, germain, hypocrite, judas, Polynice, puîné, siamois, traître, utérin

FRÈRE CONVERS → FRÈRE

FRÈRE LAI → FRÈRE

FRÈRE MINEUR → FRÈRE

FRÈRE PRÊCHEUR → FRÈRE

FRÈRE SERVANT → FRÈRE

FRESQUE → PEINTURE

Voir tab. **Peinture et décoration**

FRET → CAMION, CARGAISON, CHARGE, CONTENU, FACULTÉ, MARCHANDISE, PRIX, TRANSPORT

FRET acheminement, affréter, affréteur, cargaison, chargement, expédition, fréter, fréteur, noliser, transport

FRÉTER → ÉQUIPER, FRET, VAISSEAU

FRÉTEUR → FRET

FRETIN → POISSON

FRETTE → ANNEAU, BAGUETTE, MÉANDRE

Voir illus. **Guitare**

FREUD (SIGMUND)

Voir tab. **Psychanalyse**

FREUX → CORBEAU

FREYR → MYTHOLOGIE

FRIABLE → TENDRE (2)

FRIAND → GOURMAND (2), PÂTÉ

Voir tab. **Vin (vocabulaire du)**

FRIANDISE → BONBON, CONFISERIE, GOURMANDISE, SUCRE

FRIANDISE chatterie, confiserie, douceur, gourmandise, sucrerie

FRICASSÉE → SAUCE, VIANDE

FRICASSÉE gibelotte, ragoût

FRICATIVE

Voir tab. **Bruits**

FRICHE → BRUT, CHAMP, INCULTE, JACHÈRE, LANDE, REPOS

FRICHE abandon (à l'), brande, débroussailler, défricher, échardonner, essartage, garrigue, jachère, lande, maquis, pâtis, terrain vague

FRICOTER → MIJOTER, TRIPOTER

FRICTION → DÉSACCORD, FROTTEMENT, HEURT, MASSAGE

FRICTION accrochage, conflit, désaccord, différend, dispute, frottement, gommage, grippage, heurt, massage, tension, tiraillement

FRICTIONNER (SE) → FROTTER

FRIGIDARIUM → BAIN

FRIGIDITÉ → ORGASME, SEXUALITÉ

FRIGORI- → FROID

FRIGORIFIER → FROID (1)

FRILEUX → FROID (1), HÉSITER, TIMIDE

FRIMAIRE

Voir tab. **Mois du calendrier républicain**

FRIMAS → BROUILLARD, FROID (2), GELER, GIVRE, HIVER

FRIMOUSSE → VISAGE

FRINGALE → DÉSIR, FAIM

FRIPÉ → CHIFFONNÉ

FRIPER → FLÉTRIR, FROISSER

FRIPIER → BROCANTEUR, COMMERÇANT

FRIPON → COQUIN, COUPABLE, DÉLURÉ, MALICIEUX, POLISSON

FRIPON (1) canaille, chenapan, coquin, diablotin, faquin, galapiat, garnement, gredin, maraud, maroufle, pendard, sacripant, vaurien

FRIPON (2) égrillard, espiègle, grivois, malicieux, narquois, polisson

FRIQUÉ → RICHE (2)

FRIQUET → MOINEAU

FRIRE → CUIRE, HUILE

FRISE → BANDEAU, ORNEMENT, PARQUET, RELIEF

Voir illus. **Colonnes**
Voir illus. **Intérieur de maison**
Voir tab. **Architecture**
Voir tab. **Peinture et décoration**

FRISÉ → CHOU, VELOURS

FRISELIS → BRUISSEMENT, FRISSON

Voir tab. **Bruits**

FRISER → APPROCHER, BOUCLER, EFFLEURER, FRÔLER, TOUCHER

FRISER bigoudis, boucler, calamistrer, confiner (se), effleurer, faire une permanente, frôler, raser, ratiner

FRISETTE → BOUCLE, PARQUET, PLAFOND

FRISON → BOUCLE, GERMANIQUE

FRISONNE → BOVIN

FRISOTTIS → BOUCLE

FRISQUET → FRAIS (2), FROID (2)

FRISSON → FRAYEUR, FRÉMISSEMENT, TREMBLEMENT

FRISSON bruissement, chair de poule, convulsif, frémissement, friselis, haut-le-corps, horripilation, murmure, soubresaut, spasmodique, tremblement, tressaillement

FRISSONNEMENT → FRÉMISSEMENT

FRISSONNER → FRÉMIR, ONDOYANT, TREMBLER, TRESSAILLIR

FRISSONNER agiter (s'), grelotter, trembler, tressaillir

FRITE → FORME, POMME DE TERRE

FRITILLAIRE → COURONNE

FRITONS → RÉSIDU

FRITTE → CÉRAMIQUE

FRITURE → PERTURBATION, POISSON

FRITURE beignet, grésillement, panure, pet-de-nonne

FRIVOLE → FUTILE, INSIGNIFIANT, INSOUCIANT, LÉGER, MONDAIN (2), SOUCI, SUPERFICIEL

FRIVOLE futile, inconsistant, inconstant, infidèle, insignifiant, insouciant, léger, superficiel, volage

FRIVOLITÉ → DENTELLE, INCERTITUDE, INCONSTANCE

FRIVOLITÉ bagatelle, broutille, colifichet, fadaise, fanfreluche, vétille

FROC → MOINE, PANTALON, ROBE

FROID → ANTIPATHIQUE, DÉSACCORD, FRAÎCHEUR, GLACIAL, IMPERSONNEL, INHUMAIN, INSENSIBLE, PIERRE, RIGOUREUX, SEC, SÉRIEUX (2), SÉVÈRE

FROID brouillé, congeler, cryothérapie, cry(o)-, cuisant, distant, dur, engelure, fâché, Fréon, frigori-, frigorifier, frileux, frimas, frisquet, glace (de), glacial, hibernation, impassible, inexpressif, intense, marbre (de), marmoréen, mauvais termes (en), morfondu, noir, onglée, pénétrant, piquant, pœcilotherme, poïkilotherme, réfrigérer, réservé, rigoureux, surgeler, transi

FROID (EN) → FÂCHÉ

FROIDEMENT → SANG-FROID, SÈCHEMENT

FROIDEUR → ANTIPATHIE, FLEGME, FRAÎCHEUR, IMPASSIBILITÉ, INSENSIBILITÉ, SÉCHERESSE

FROIDEUR détachement, dureté, flegme, impassibilité, imperturbabilité, indifférence, insensibilité, sang-froid

FROISSABLE → SOUPLE

FROISSÉ → CHIFFONNÉ, ULCÉRÉ

FROISSEMENT → BRUISSEMENT, ESCRIME

Voir tab. **Bruits**

FROISSER → BLESSER, BROUILLER, CHOQUER, CONTRARIER, DÉLICATESSE, DÉPIT, DÉPLAIRE, HEURTER, INDISPOSER, MORTIFIER, OFFENSER, OFFENSER (S'), OFFUSQUER, OMBRAGE, PEINER, PIQUER, SCANDALISER (SE), SUSCEPTIBLE, VEXER

FROISSER bouchonner, chiffonner, désobliger, friper, indisposer, mortifier, offenser, piquer au vif, vexer

FROISSURE → PLI

FRÔLEMENT → BRUISSEMENT, CONTACT

Voir tab. **Bruits**

FRÔLER → APPROCHER, CARESSER, EFFLEURER, FRISER, RAS (2), SERRER, TOUCHER

FRÔLER effleurer, éviter, friser, raser

FROMAGE → GRUYÈRE, HISTOIRE

FROMAGE affinage, buron, caget, caillage, caillé, crémerie, démoulage, égouttage, emprésurage, faisselle, fondue, fruitière, gougère, meule, moulage, œil, présure, ramequin, raton, salage, tyr(o)-

FROMAGE BLANC
Voir tab. **Gâteaux régionaux et étrangers**

FROMAGERIE → ABRI, COOPÉRATIVE

FROMENT → BLÉ, CÉRÉALE

FROMENTAL → AVOINE

FRONCE → BOUILLON, PLI

FRONCÉ → RENFROGNÉ

FRONCER → PLISSER

FRONCER plisser, rider

FRONDAISON → ARBRE, BRANCHE, FEUILLAGE, FEUILLE

FRONDE → JOUET

FRONDE baliste, catapulte, espringale, Fronde des princes, Fronde parlementaire, insurrection, journées des Barricades, lance-pierres, mazarinade, onagre, rébellion, révolte, sédition

FRONDE DES PRINCES → FRONDE

FRONDE PARLEMENTAIRE → FRONDE

FRONDEUR → MOQUEUR, SOLDAT

FRONT → COALITION, GROUPEMENT, PARTI
Voir illus. **Cheval**
Voir tab. **Architecture**

FRONT audace, bloc, cartel, chiens, coalition, combat, effronterie, ligne (en), ferronnière, frange, fronteau, hardiesse, impudence, simultanément

FRONT (COURBER LE) → HUMBLE

FRONT DE GLACIER
Voir illus. **Glacier**

FRONT DE MER → BORDURE

FRONTAIL → BRIDE

FRONTAL → CERVEAU
Voir illus. **Cerveau**
Voir illus. **Squelette**

FRONTALIER → FRONTIÈRE

FRONTEAU → BANDEAU, FRONT, RELIGIEUX (1)

FRONTIÈRE → BORNE, CONTOUR, EXTRÊME, LIGNE, LIMITE, PARTAGE, SÉPARATION

FRONTIÈRE bordure, borne, clandestin, confins, contrebandier, démarcation, distinction, douanier, frontalier, limite, limitrophe, lisière, orée, séparation

FRONTISPICE → FAÇADE, GRAVURE, IMAGE, LIVRE, TITRE

FRONTON
Voir illus. **Colonnes**
Voir tab. **Architecture**

FRONTON acrotère, pelote basque, rampant, tympan

FROTTAGE
Voir tab. **Peinture et décoration**

FROTTEMENT → DÉSACCORD, FLUIDE (1), FRICTION, RÉSISTANCE

FROTTEMENT arc-boutement, coincement, crissement, désaccord, différend, dispute, divergence, friction, glissement, graisse, grippage, huile, lubrifiant, tension, tiraillement, tribologie

FROTTER → NETTOYER, POLIR

FROTTER astiquer, bouchonner, briquer, décaper, enduire,

étriller, fourbir, frictionner (se), masser (se), oindre, paille de fer, papier abrasif, polir, poncer, strigile, toile émeri

FROTTIS → PRÉLÈVEMENT

FROTTOIR → BROSSE

FROUER → IMITER, OISEAU

FROUFROU → BRUISSEMENT
Voir tab. **Bruits**

FROUFROUTEMENT → BRUISSEMENT
Voir tab. **Bruits**

FROUSSE → JETON, PEUR

FRUCTIDOR
Voir tab. **Mois du calendrier républicain**

FRUCTIFÈRE → FRUCTUEUX, FRUIT

FRUCTIFICATION → ACCROISSEMENT

FRUCTIFIER → AGRANDIR, VALOIR

FRUCTIFIER développer (se), féconder, fertile, productif, rapporter

FRUCTOSE → FRUIT, SUCRE

FRUCTUEUX → ABONDANCE, BÉNÉFICE, FÉCOND, GAIN, HEUREUX, OR, RENTABLE, SUCCÈS

FRUCTUEUX avantageux, bon, fécond, fructifère, lucratif, payant, profitable, rémunérateur, rentable, utile

FRUGAL → LÉGER, MANGER, SOBRE

FRUGALEMENT → PEU

FRUGALITÉ → MODÉRATION

FRUGIVORE → FRUIT

FRUIT → BIEN, EFFET, GAIN, INCLINAISON, MUR
Voir tab. **Phobies**

FRUIT agrume, akène, bénéfice, blet, capsule, carpo-, charnu, déhiscent, endocarpe, épicarpe, follicule, fructifère, fructose, frugivore, lévulose, macédoine, mannequin, mendiant, mésocarpe, nouaison, pédoncule, péricarpe, pomi-, pomme, pomo-, pomologie, Pomone, produit, rob, samare, silique, tavelé, zeste

FRUIT (EAUX-DE-VIE DE)
Voir tab. **Alcools et eaux-de-vie**

FRUIT CONFIT
Voir tab. **Gâteaux régionaux et étrangers**

FRUIT DE MER → COQUILLAGE, CRUSTACÉ

FRUIT ROUGE
Voir tab. **Gâteaux régionaux et étrangers**

FRUITÉ
Voir tab. **Vin (vocabulaire du)**

FRUITICULTEUR → FRUITIER

FRUITIER → ABRI, CARGO, JARDIN

FRUITIER fruiticulteur, Vertumne

FRUITIÈRE → COOPÉRATIVE, FROMAGE

FRUITIÈRE verger

FRUSQUE → GUENILLE, HABIT

FRUSTE → BRUT, RUDE, SAUVAGE, GROSSIER

FRUSTRATION → AFFECTIF, BESOIN, CHAGRIN, PRIVATION

FRUSTRÉ → SATISFAIT

FRUSTRER → DÉCEVOIR, PRIVER

FRUSTRER décevoir, déposséder, dépouiller, désappointer, déshériter, léser, priver, spolier, trahir, tromper

FRUSTRÉS (LES)
Voir tab. **Bande dessinée (héros de)**

FSA 49-56 → FUSIL

FTP (FILE TRANSFER PROTOCOL) → SITE

FUCHSIA
Voir tab. **Couleurs**

FUCUS → ALGUE

FUEL-OIL → MAZOUT

FUGACE → COURT, ÉPHÉMÈRE, ÉVANOUIR (S'), FRAGILE, FURTIF, FUYANT, MOMENT, PASSAGER (2)

FUGITIF → COURT, ÉPHÉMÈRE, ÉVANOUIR (S'), FURTIF, FUYANT, MOUVANT, PASSAGER (2)

FUGUE → ESCAPADE, ORGUE, PIANO, SUJET
Voir tab. **Musicales (formes)**

FUGUE canon, développement, escapade, exposition, fugueur, strette

FUGUER → ENFUIR (S'), FUIR

FUGUEUR → FUGUE

FÜHRER → FASCISME

FUIE → COLOMBE, PIGEON

FUIR → COMPAGNIE, DÉCAMPER, DÉROBER (SE), DISPARAÎTRE, ÉVADER (S'), SAUVER, SOUSTRAIRE

FUIR brûler la politesse à, cacher (se), décamper, déguerpir, dissimuler (se), éluder, fausser compagnie à, filer à l'anglaise, fuguer, goutter, prendre la poudre d'escampette, récuser (se), esquiver (s'), dérober à (se), soustraire à (se)

FUITE → DÉBÂCLE, DÉMISSION, DÉROUTE, INDISCRÉTION, INFILTRATION, INSAISISSABLE

FUITE brain drain, débâcle, débandade, dérobade, déroute, dispersion, divulgation, échappatoire, évasion, exode, exode des cerveaux, faux-fuyant, indiscrétion, perspective, plombier, reculade, sauve-qui-peut

FUITE AU JOINT
Voir tab. **Garagiste (vocabulaire du)**

FUITE DES CERVEAUX → ÉMIGRATION

FUJI-YAMA → VOLCAN

FULGURANT → EXPLOSIF, INTENSE, SUBIT, TERRIBLE

FULGURANT aigu, aveuglant, éblouissant, éclatant, étincelant, foudroyant, intense, perçant, rapide, soudain

FULGURATION → ÉCLAIR, FOUDRE, LUEUR, TONNERRE

FULIGINEUX → NOIR (2), SUIE
Voir tab. **Couleurs**

FULIGULE → CANARD

FULL → POKER
Voir tab. **Poker**

FULL-CONTACT → BOXE
Voir tab. **Sports**

FULMINATION → DÉCISION, EXPLOSION

FULMINER → BRUIT, BULLE, COLÈRE, ÉCLATER, EMPORTER, EXCOMMUNICATION, INDIGNER (S'), MENACE, RAGE, VÉHÉMENCE
Voir tab. **Bruits**

FULMINER crier, détoner, emporter (s'), exploser,

invectiver, lancer, pester, prononcer, tempêter, tonner

FUMAGE → CHARCUTERIE, FERTILE

FUMAGINE → NOIR (1), SUIE

FUMÉ → GRAVURE
Voir tab. **Thé**

FUME-CIGARETTE
Voir illus. **Modes et styles**

FUMÉE → EXCRÉMENT, POLLUTION, VAPEUR

FUMÉE disparaître, fumerolle, fumigateur, fumigène, fumimètre, fumivore, lacrymogène, mofette, smog, volute

FUMER → BONIFIER, ENGRAISSER, OPIUM

FUMER amender, boucaner, crapoter, fertiliser, filer, fumeron, fumette, griller, pétuner, saurer

FUMEROLLE → ÉMANATION, FUMÉE, VOLCAN

FUMERON → FUMER

FUMET → GOÛT, ODEUR, PARFUM, SAUCE, SENTEUR

FUMETTE → FUMER

FUMEUSE
Voir illus. **Sièges**

FUMEUX → BRUME, NÉBULEUX

FUMIER → ENGRAIS

FUMIER compost, engrais, épandeur, épandre, fertilisant, fumure, guano, lisier, purin

FUMIGATEUR → FUMÉE, MÉDICAMENT

FUMIGATION → DÉSINFECTION, VAPEUR

FUMIGÈNE → FUMÉE

FUMIMÈTRE → FUMÉE

FUMISTE → CHAUFFAGE

FUMISTERIE → BLAGUE, MYSTIFIER

FUMIVORE → FUMÉE

FUMOIR → SALON

FUMURE → FUMIER

FUNAMBULE → ACROBATE, CORDE, DANSEUR, FORAIN, MARCHER

FUNAMBULESQUE → BIZARRE

FUNBOARD → PLANCHE À VOILE
Voir tab. **Sports**

FUNÈBRE → LUGUBRE, MACABRE, MORTUAIRE, NOIR (2), SINISTRE (2), SOMBRE

FUNÈBRE absoute, cippe, corbillard, enterrement, funérailles, glas, litre, macabre, obsèques, oraison funèbre, ordonnateur, requiem, sépulcral, vocero

FUNÉRAILLES → CONVOI, ENTERREMENT, FUNÈBRE, FUNÉRAIRE, LITURGIE, OBSÈQUES, SERVICE

FUNÉRAIRE → MORTUAIRE

FUNÉRAIRE cippe, corbillard, corse, vocero, enterrement, funérailles, obsèques

FUNÉRARIUM → OBSÈQUES

FUNESTE → AFFLIGEANT, DÉFAVORABLE, DÉSASTREUX, FATAL, IRRÉMÉDIABLE, LUGUBRE, MAUVAIS, MORTEL, NÉFASTE, NOIR (2), NUISIBLE, SINISTRE (2), SOMBRE, TRISTE

FUNESTE affligeant, aruspice, augure, catastrophique, désastreux, fatal, lugubre, menaçant, mortel, néfaste, oiseau de mauvais augure, patibulaire, préjudiciable, sinistre, sombre, tragique

FUNICULAIRE → CORDE, SKI

FUNKY BREAKS
Voir tab. **Musiques nouvelles**

FURET → BROSSE, DEVINER

FURETER → CHERCHER, FOUILLER, RECHERCHER, REGARDER

FURETEUR → CURIEUX (1), DÉCOUVERTE, INDISCRET

FUREUR → COLÈRE, FRÉNÉSIE, INDIGNATION, INSPIRATION, RAGE, VIOLENCE

FUREUR acharnement, colère, déchaînement, emportement, enthousiasme, frénésie, impétuosité, mode (à la), possession, rage, transport, violence, vogue (en)

FURIBOND → FURIEUX (2)

FURIE → DÉESSE, RAGE, SORCIÈRE

FURIE Alecto, colère, Érinyes, Euménides, harpie, mégère, Mégère, rage, Tisiphoné

FURIEUX → ENRAGER, IMPÉTUEUX, INDIGNER, IRRITÉ, POSSÉDÉ

FURIEUX (1) enragé, fanatique, forcené

FURIEUX (2) furibond

FURONCLE → ABCÈS, BOUTON, INFILTRATION

FURONCULOSE → PEAU

FURTIF → FUYANT, INVISIBLE, RADAR

FURTIF discret, fugace, fugitif, rapide, subreptice

FURTIVEMENT → SECRET (1)

FUSAIN → CHARBON, COLORER, CRAYON, DESSIN
Voir tab. **Dessin (vocabulaire du)**

FUSAIN bonnet-carré, bonnet-de-prêtre, célastracées, fusainiste, sanguine

FUSAINISTE → FUSAIN

FUSCINE → FOURCHE

FUSEAU → BROCHE, DENTELLE, FIL, FILER, MOLLUSQUE, TAILLE, VÊTEMENT
Voir illus. **Avion**
Voir illus. **Sièges**

FUSEAU bobine, heure légale, méridien, Parques (fuseau des), rochet

FUSÉE → ASTRONAUTIQUE, CARTOUCHE, FEU D'ARTIFICE, MONTURE, PROJECTILE, RÉACTION, ROUE, SIGNAL

FUSÉE aérospatiale, Apollo 11, Ariane, astronaute, chandelle romaine, coiffe, cosmonaute, lanceur, missile, ogive, propergol, rampe de lancement, roquette, satellite, serpenteau, spationaute, Spoutnik 1

FUSELAGE
Voir illus. **Avion**

FUSELÉ
Voir illus. **Sièges**

FUSER → ÉLEVER, JAILLIR, PARTIR

FUSETTE → BOBINE

FUSIBILITÉ → MÉTAL

FUSIBLE → FONDRE
Voir tab. **Électricité**

FUSIL → AFFÛTER, BOUCHER (2), ÉTINCELLE, FEU
Voir illus. **Cartouches**

FUSIL armurier, balle, calibre,

carabine, cartouche, chassepot, chevrotine, choke-bore, écouvillon, faisceaux, FAMAS 5,56 F1, FSA 49-56, fusil à broche, fusil à percussion centrale, hammerless, lebel, MAS 36-51

FUSIL PHOTOGRAPHIQUE → CINÉMA

FUSILIER → INFANTERIE, MARIN (1)

FUSILLADE → EXÉCUTION, FEU, PEINE

FUSILLER → ARME, BUTER, PASSER

FUSILLER bousiller, casser, détériorer, exécuter, foudroyer, mettre au poteau, peloton d'exécution

FUSIL-MITRAILLEUR → FEU

FUSION → ABSORPTION, ALLIAGE, AMALGAME, ATOME, CAPITALISME, COMBINAISON, CORPS, LIQUIDE, MÉLANGE, RÉACTION, RÉUNION, UNION

FUSION absorption, alliage, amalgame, assimilation, cartel, combinaison, concentration, consortium, consubstantialité, creuset, éclectisme, fondant, fonte, incorporation, intégration, lave, liquéfaction, magma, mélange, métissage, syncrétisme, trust

FUSION RÉDUCTRICE → PLOMB

FUSIONNER → CONFONDRE, FONDRE, UNIFIER

FUSTANELLE → GREC, JUPE

FUSTIGER → BAGUETTE, BLÂME, CORRIGER, FOUET

FUSTINE → TEINTURE

FÛT → COLONNE, TIGE, TONNEAU, TRONC, VIN
Voir illus. **Arbre**
Voir illus. **Arcs et arbalète**
Voir illus. **Colonnes**
Voir tab. **Architecture**

FUTAILLE → TONNEAU, VIN

FUTAINE → MATELAS, TRAME

FUTAL → PANTALON

FUTÉ → DÉBROUILLARD, DÉLURÉ, HABILE, MALIN (2), RESSOURCE

FUTÉ astucieux, débrouillard, dégourdi, finaud, malicieux, malin, matois, roué, rusé

FUTÉE → COLLE

FUTILE → FRIVOLE, INSIGNIFIANT, INSOUCIANT, MONDAIN (2), NÉGLIGEABLE, SUPERFICIEL, VAIN, VIDE (2)

FUTILE bagatelle, baliverne, billevesée, broutille, calembredaine, fadaise, faribole, frivole, insignifiant, rien, vétille

FUTILITÉ → BABIOLE, BÊTISE, INSIGNIFIANT, NIAISERIE

FUTILITÉ inanité, inutilité, vanité

FUTUR → AVENIR, DEVENIR (1), FIANCÉ, LENDEMAIN, POSTÉRIEUR (2), ULTÉRIEUR, VENIR

FUTUR (1) anticipation, avenir, défaitiste, futur antérieur, futurible, futurologue, optimiste, pessimiste, prédestination, procrastination

FUTUR (2) éternité, herbe (en), immortalité, métempsycose, palingénésie, postérieur, prochain, réincarnation, ultérieur

FUTUR ANTÉRIEUR → FUTUR (1), PASSÉ (1)

FUTURIBLE → FUTUR (1)

FUTURISTE → PROGRÈS, RÉCIT, RÉVOLUTIONNAIRE (2)

FUTUROLOGIE → PRÉVISION
Voir tab. **Sciences : termes en -ologie et -ographie**

FUTUROLOGUE → FUTUR (1)

FUXÉENS
Voir tab. **Habitants (comment se nomment les)**

FUYANT → INSTABLE, PROFIL, VAGUE (2)

FUYANT discret, évasif, fugace, fugitif, furtif, insaisissable, secret

GA
Voir tab. **Éléments chimiques (symbole des)**

GABARDINE → IMPERMÉABLE (2), MANTEAU, VÊTEMENT
Voir illus. **Manteaux**

GABARE → EMBARCATION, FILET
Voir tab. **Bateaux**

GABARIT → COMPARAISON, FORME, MODÈLE (1), MODULE, NORME, PATRON

GABBRO
Voir tab. **Roches et minerais**

GABEGIE → DÉSORDRE, GÂCHIS, LAISSER-ALLER, ORGANISATION

GABELLE → CONTRIBUTION, FERMIER, IMPÔT, SEL, TAXE

GABIER → MARIN (1)

GABION → PANIER
Voir tab. **Chasse (vocabulaire de la)**

GABLE
Voir tab. **Architecture**

GÂCHAGE → MAÇON

GÂCHE → PLÂTRE, SERRURE
Voir illus. **Fenêtre**
Voir illus. **Intérieur de maison**
Voir illus. **Serrure**

GÂCHÉ → GÂTÉ, PERDU

GÂCHER → DÉLAYER, EMPOISONNER, MASSACRER, MORTIER

GÂCHER bâcler, compromettre, galvauder, gaspiller, manquer, rater, saboter

GÂCHIS → BOUILLIE, CIMENT, PÂTE, PLÂTRE

GÂCHIS gabegie, gaspillage

GÂCHOIR → DÉLAYER

GADGET → BABIOLE, CHOSE

GADIFORMES → MORUE

GADJO → TSIGANE

GADOLINIUM
Voir tab. **Éléments chimiques (symbole des)**

GADOUE → BOUE, ENGRAIS

GAÉLIQUE → CELTIQUE

GAFFE → BÊTISE, CLERC, DÉMARCHE, FAUTE, IMPAIR (1), MALADRESSE, PERCHE, SOTTISE
Voir tab. **Pêche**

GAFFE balourdise, bévue, erreur, impair, maladresse

GAG → COMIQUE

GAGAKU → JAPONAIS

GAGE → AMENDE, APPOINTEMENTS, DÉPÔT, DOMESTIQUE (1), GAIN, GARANT, GARANTIE, IMMEUBLE (1), OTAGE, PUNITION, RÉMUNÉRATION, SALAIRE, SÛRETÉ, TÉMOIGNAGE, VALET, WARRANT

GAGE appointements, assurance, garantie, mont-de-piété, nantissement, nervi, preuve, promesse, rétribution, sicaire, spadassin, témoignage, warrant

GAGE (METTRE EN) → ENGAGER

GAGEURE → PARI

GAGNAGE → CERF, PÂTURAGE
Voir tab. **Chasse (vocabulaire de la)**

GAGNANT → CHAMPION, LAURÉAT, VAINQUEUR

GAGNÉ → ENVAHIR

GAGNE-PAIN → FONCTION

GAGNER → ARRIVER, ATTIRER (S'), CONCILIER (SE), CONQUÉRIR, CONTRER, CONVERTIR, EMPARER (S'), FAIRE, MÉRITER, MOISSONNER, OBTENIR, PROPAGER (SE), RECUEILLIR, RÉPANDRE (SE), VAINCRE

GAGNER apprivoiser, capter, concilier (se), conquérir, convertir, économiser, enrichir (s'), étendre (s'), progresser, propager (se), rallier, remporter, triompher

GAI → ANIMÉ, COMIQUE, CONTENT, DRÔLE (2), GRIS, IVRE, JOVIAL, JOYEUX, VIF (2)

GAI (1) homosexuel

GAI (2) allègre, badine, boute-en-train, contrariant, désagréable, égrillard, éméché, émoustillé, enjoué, entraînant, épanoui, fâcheux, frais, gaillard, gris, grivois, guilleret, jovial, joyeux drille, leste, réjoui, riant, vif

GAI LURON → JOVIAL
Voir tab. **Bande dessinée (héros de)**

GAÏA → TERRE

GAIETÉ → JOIE

GAIETÉ alacrité, enjouement, entrain, exultation, jovialité, jubilation

GAILLARD → GAI (2), GAULOIS, JOVIAL, PONT, ROBUSTE, SAIN, SALÉ, TYPE, VERT (2)

GAILLARDISE → PLAISANTERIE

GAILLET → CAILLER

GAILLETTE → CHARBON

GAIN → BÉNÉFICE, ÉCONOMIE, PRODUIT, PROFIT, RAPPORT, RECETTE, RÉCOLTE, RÉMUNÉRATION, REVENU, SUCCÈS, VELOURS

GAIN bakchich, bénéfice, boni, commission, cupidité, dessous-de-table, enrichissement, enveloppe, excédent, fructueux, fruit, gages, gratification, honoraires, lucratif, lucre, pot-de-vin, prime, profit, rémunération, rentable, rétribution, revenu, salaire, succès, victoire

GAIN DE CAUSE → SATISFACTION

GAINE → BAS (1), CAISSE, CEINTURE, CORSET, ENVELOPPE, FOURREAU, HORLOGE, MARIONNETTE, POIL, VENTRE
Voir illus. **Poils**

G

Voir illus. **Sièges**

GAINE aponévrose, corset, étui, fourreau, névrilème

GAIZE
Voir tab. **Roches et minerais**

GALA → CÉRÉMONIE, FÊTE, RÉCEPTION, REPAS, SPECTACLE

GALACTOMÈTRE → DENSITÉ, LAIT

GALACTOPHORE → MAMELLE, SEIN

GALACTOSE → SUCRE

GALANDAGE → BRIQUE, PAROI

GALANT → ADMIRATEUR, CHARMANT, POLI (2)

GALANT attentionné, badinage, conter fleurette, coureur, courtois, don juan, empressé, érotique, libertin, marivaudage, prétentaine (courir la), prévenant, séducteur

GALANT ÂGÉ → BEAU

GALANTERIE → RESPECT

GALANTERIE amabilité, civilité, compliment, coquetterie, cour, courtoisie, délicatesse, douceur, flirt, marivaudage, politesse, raffinement, séduction

GALANTINE
Voir illus. **Charcuterie**

GALAPIAT → FRIPON (1), GALOPIN

GALATES (ÉPÎTRES AUX)
Voir tab. **Bible**

GALAXIE → CORPS, ÉTOILE, UNIVERS

GALAXIE bulbe, disque, elliptique, halo, irrégulière, lenticulaire, noyau, quasar, spirale, Voie lactée

GALBANUM → GOMME

GALBE → CONTOUR, COURBE (1), FORME, PROFIL, SILHOUETTE, VASE

GALBE cintrage, courbe, courbure, ligne, panse

GALBULE → CONIFÈRE

GALE acarus, antipsorique, miliaire, peste, rogne, rouvieux, sarcopte, scabieux, teigne

GALÉASSE → GALÈRE
Voir tab. **Bateaux**

GALÉE
Voir tab. **Bateaux**

GALÉIMORPHES
Voir tab. **Poissons (classification simplifiée des)**

GALÉJADE → BLAGUE, MYSTIFIER, PLAISANTERIE

GALÈNE → PLOMB, RADIOÉLECTRIQUE
Voir tab. **Minéraux et utilisations**

GALÉNIQUE → MÉDICAMENT, PHARMACIE

GALÉOPITHÈQUE
Voir tab. **Mammifères (classification des)**

GALÈRE → BATEAU, NAVIRE
Voir tab. **Bateaux**

GALÈRE birème, Bucentaure, chiourme, espalier, galéasse, galiote, mahonne, réale, sultane, trière, trirème

GALERIE → ART, BALCON, COLLECTION, COULOIR, PARADIS, PASSAGE, PEINTURE, PORTIQUE, SOUTERRAIN (1), SPECTATEUR
Voir illus. **Moulins à vent et à eau**

GALERIE assistance, auditoire, boyau, bure, descenderie, foggara, jubé, paradis, péristyle,

poulailler, public, triforium, tunnel

GALERIE SÈCHE
Voir illus. **Grotte sous-marine**

GALÉRIEN → BAGNARD

GALERISTE → ART

GALERNE → VENT

GALET → CAILLOU, PIERRE, ROULETTE
Voir illus. **Littoral**

GALETAS → BOUGE, CHAMBRE, COMBLE (1), COUCHE, GRENIER, HABITATION, MAISON, SALE, TAUDIS

GALETTE crique, rösti, tortilla

GALGAL → CRYPTE, TERRE, TOMBE

GALIBOT → MANŒUVRE, MINEUR (1)

GALIMATIAS → CONFUS, DISCOURS, LITTÉRATURE, STYLE

GALION
Voir tab. **Bateaux**

GALIOTE → BATEAU, GALÈRE, VOILIER
Voir tab. **Bateaux**

GALIPETTE → CABRIOLE, GAMBADE, PIROUETTE, ROULER

GALIPOT → CONIFÈRE, ENDUIT, PIN, RÉSINE, TÉRÉBENTHINE

GALLE → CHÊNE

GALLÉRIE → RUCHE, TEIGNE

GALLICANE
Voir tab. **Églises**

GALLICISME → FRANÇAIS (2), LANGUE, LOCUTION

GALLIFORMES → FAISAN
Voir tab. **Oiseaux (classification simplifiée des)**

GALLINACÉS → COQ, FAISAN, PERDRIX, POULE

GALLINULE → POULE

GALLIUM
Voir tab. **Éléments chimiques (symbole des)**

GALLO → DIALECTE

GALLOIS → CELTIQUE

GALLOMANIE → FRANÇAIS (2)

GALLUP → INTERROGATION

GALOCHE → MENTON, POULIE, SABOT
Voir illus. **Chaussures**

GALON → BORDURE, GARNITURE, GRADE, SIGNE

GALON brandebourg, chevron, dragonne, ganse, grade (monter en), lézarde, passement, soutache

GALON DE TÊTE → FRANGE

GALONNER → ORNER

GALOP → DANSE

GALOP (COURSE DE)
Voir tab. **Sports**

GALOPER → COURIR

GALOPER courir, précipiter (se)

GALOPIN → GAMIN (1)

GALOPIN chenapan, galapiat, garnement, polisson, vaurien

GALOUBET → FLÛTE

GALUCHAT → ANGE, CUIR, FOURREAU

GALVANIQUE
Voir tab. **Électricité**

GALVANISATION → NICKEL

GALVANISÉ → TÔLE

GALVANISER → ACCROÎTRE, COURAGE, ÉLECTRISER, ENFLAMMER, ENTHOUSIASMER, EXALTER, MÉTAL, PASSIONNER, STIMULER, ZINC

GALVANOMÈTRE
Voir tab. **Électricité**

GALVANOPLASTIE → EMPREINTE, NICKEL

GALVANOTYPE → CLICHÉ

GALVAUDER → GÂCHER

GALVAUDER abaisser (s'), avilir, déconsidérer, déprécier, déshonorer, gaspiller, perdre

GAM(O)- → MARIAGE

GAMBA → CREVETTE

GAMBADE → CABRIOLE

GAMBADE cabriole, entrechat, galipette

GAMBADER → BONDIR, SAUTER

GAMBARDIÈRE → TUILE

GAMBERGER → RÉFLÉCHIR

GAMBEYER → VOILE

GAMBIER → VOILE

GAMBIT
Voir tab. **Échecs**

GAMELLE → ASSIETTE, REPAS

GAMÈTE → CELLULE, CONCEPTION, FÉCONDATION, REPRODUCTEUR, REPRODUCTION

GAMÈTE anthérozoïde, génome, oosphère, ovocyte, ovule, spermatozoïde, zygote

GAMÈTE FEMELLE → OVULE

GAMÈTE MÂLE → SPERME

GAMIN (1) galopin, garnement, gavroche, polisson, poulbot, titi

GAMIN (2) espiègle, mutin, taquin

GAMINE → FILLE

GAMINERIE → ENFANT, IMMATURE, INFANTILE

GAMMA OH OU GHB
Voir tab. **Drogues**

GAMMAGLOBULINE → IMMUNITAIRE

GAMMARE → CREVETTE, PUCE

GAMME → ÉCHELLE, ÉVENTAIL, MUSIQUE, PALETTE, REGISTRE, TONALITÉ
Voir tab. **Musique (vocabulaire de la)**

GAMME éventail, exercer (s'), luxueux, prestigieux

GAMMÉE → CROIX

GAMOPÉTALE → PÉTALE

GAMOPÉTALES
Voir tab. **Végétaux (classification simplifiée des)**

GANACHE → CHOCOLAT, CRÈME
Voir illus. **Cheval**
Voir tab. **Chocolat**

GANADERIA → TAUREAU

GANDHI → NON-VIOLENCE

GANDIN → DANDY

GANDOURA → TUNIQUE

GANG → BANDE, MALFAITEUR

GANGA
Voir tab. **Oiseaux (classification simplifiée des)**

GANGLION adénite, adénopathie, bubon, lymphogranulomatose

GANGLIONS LYMPHATIQUES
Voir tab. **Chirurgicales (interventions)**

GANGRÈNE corruption, mortification, nécrose, pourriture, sphacèle

GANGSTER → BANDIT, MALFAITEUR

GANGUE → MINERAI

GANJAS
Voir tab. **Bateaux**

GANSE → BORDURE, GALON, GARNITURE, MERCERIE, RUBAN
Voir tab. **Couture**

GANSÉ

Voir tab. **Couture**

GANT → ACCESSOIRE, MAIN, MOUFLE, PELOTE, SPORTIF (1)

GANT braver, ceste, chistera, défier, digitale, flatter (se), gantelet, manicle, manique, ménager, mitaine, moufle, vanter (se)

GANTELET → GANT, PAUME
Voir illus. **Armures**

GANYMÈDE → HOMOSEXUEL (2)

GAP → DÉCALAGE

Voir tab. **Habitants (comment se nomment les)**

GAPENÇAIS

Voir tab. **Habitants (comment se nomment les)**

GAPERON
Voir illus. **Fromages**

GARAGE → PARC, PARKING
Voir illus. **Maison**
Voir tab. **Musiques nouvelles**

GARAGE dépôt, hangar, parking

GARAMOND
Voir tab. **Typographies**

GARANCE
Voir tab. **Couleurs**

GARANCER → TEINDRE

GARANT → BOUCLIER, CAUTION, OTAGE

GARANT assurer, attestation, caution, gage, garantie, indice, preuve, répondre, sûreté

GARANTI → BREVETÉ, SÛR

GARANTIE → BREVET, GAGE, GARANT, PROTECTION, SAUVEGARDE, SÛRETÉ

GARANTIE assurance, aval, caution, ducroire, échelle mobile, fidéjussion, gage, hypothèque, indexation, palladium, poinçon, sauvegarde

GARANTIR → ABRITER (S'), AFFIRMER, ARMER (S'), ASSURER, ASSURER (S'), CONSERVER, DANGER, PARRAIN, PRÉCAUTION, RECOMMANDER, RÉPONDRE

GARANTIR assurer, attester, avaliser, certifier, confirmer, immuniser contre, prémunir (se) contre, préserver de, protéger de, répondre

GARBURE → CHOU, PAIN, SOUPE
Voir tab. **Plats régionaux**

GARCE → CHIPIE

GARCETTE → TRESSE

GARÇON → APPRENTI, REPAS

GARÇON adonis, apollon, barman, chasseur, coursier, délinquant, éphèbe, garçonnière, groom, lad, livreur, page, palefrenier, serveur, steward, vaurien, voyou

GARÇON BOUCHER → BOUCHER (2)

GARÇON D'HONNEUR → NOCE

GARÇON ÉTALIER → BOUCHER (2)

GARÇONNE (À LA)
Voir illus. **Cheveux (coupes de)**

GARÇONNIÈRE → APPARTEMENT, GARÇON

GARDE → FACTIONNAIRE, INTERNE (1), MÉFIANT, MELON, MONTURE, PATROUILLE, QUART, SENTINELLE, SERVICE, TAROT, VIGILANCE

GARDE astreinte, bouterolle, chambrier, escorte, factionnaire, guetteur, janissaire, licteur, mamelouk, prétorien, sentinelle, service

GARDE (PAGE DE)
Voir illus. **Livre relié**

GARDE À VUE → ARRESTATION

GARDE CONTRE → TAROT

GARDE DES SCEAUX → MAGISTRAT

GARDE DU CORPS → ACCOMPAGNATEUR, PROTECTION, SÉCURITÉ

GARDE SANS → TAROT

GARDE VOLANTE
Voir illus. **Livre relié**

GARDE-BOTTE → MANÈGE

GARDE-BOUE
Voir illus. **Bicyclette**

GARDE-CHIOURME → SURVEILLER

GARDE-CORPS → BALUSTRADE, BARRIÈRE

GARDE-FEU → CHEMINÉE

GARDE-FOU → BALUSTRADE, BARRIÈRE, MUR, PASSERELLE, RAMPE

GARDE-MAIN
Voir illus. **Fusils**

GARDE-MALADE → INFIRMIER

GARDEN-PARTY → FÊTE

GARDER → ABSTENIR (S'), CONSERVER, DÉFENDRE, DESTINER, ÉVITER, INVITER, MAINTENIR, PRÉSERVER, RÉSERVE, RETENIR, FIER (SE), VEILLER

GARDER claustrer, détenir, dévoiler, divulguer, enfouir, inviter, préserver, protéger, receler, refouler, réserver, séquestrer, trahir, veiller

GARDE POUR SOI → TAIRE

GARDERIE → JARDIN

GARDE-ROBE → PENDERIE, PLACARD, VÊTEMENT

GARDEUR → GARDIEN

GARDIAN → CAVALIER (1), CONDUCTEUR, COW-BOY

GARDIEN → CONCIERGE, CONSERVATEUR, IMMEUBLE (1), PORTIER, PROTECTEUR (1), SENTINELLE, SURVEILLER

GARDIEN Argus, berger, bouvier, cerbère, chevrier, dépositaire, détenteur, dragon, eunuque, gardeur, geôlier, séquestre, surveillant, vacher

GARDIEN DE BUT → FOOTBALL
Voir illus. **Football**

GARDIEN DE LA PAIX → POLICE

GARDIEN DE PRISON
Voir illus. **Saints patrons**

GARENNE → LAPIN

GARER → RANGER

GARER éviter, mettre à l'abri, parquer, préserver (se), protéger (se), ranger, stationner

GARFIELD
Voir tab. **Bande dessinée (héros de)**

GARGANTUA → GLOUTON, MANGEUR

GARGANTUESQUE → ABONDANT, ÉNORME, EXTRAORDINAIRE, FÉROCE, GIGANTESQUE

GARGARISER → GORGE, RINCER (SE)

GARGARISME → BAIN, MÉDICAMENT

GARGOTE → BAR, BOUGE, RESTAURANT

GARGOUILLADE → SAUT
Voir tab. **Danse classique**

GARGOUILLE → AFFREUX, CATHÉDRALE, MONSTRE
Voir tab. **Architecture**

GARGOUILLEMENT
Voir tab. **Bruits**

GARGOUILLIS → BRUIT, INTESTIN (1)
Voir tab. **Bruits**

GARGOULETTE → VASE

GARGOUSSE → CANON
Voir illus. **Canon**

GARNEMENT → COQUIN, COUPABLE, DIABLE, FRIPON (1), GALOPIN, GAMIN (1)

GARNIR → DÉCORER, EMPLIR, MUNIR, REMPLIR

GARNIR agrémenter, armer, blinder, canner, capitonner, cercler, clayonner, cuirasser, décorer, fourrer, gréer, matelasser, orner, ouatiner, pourvoir, rembourrer, rempailler

GARNISON → MILITAIRE (2)

GARNITURE → BROSSE, DOSSIER
Voir illus. **Violon**

GARNITURE bouterolle, calandre, embout, enveloppe, ferrure, galon, ganse, passementerie, protection, renfort, virole

GARONNAISE → BOVIN

GARRIGUE → BUISSON, FRICHE, LANDE, TERRAIN, VÉGÉTATION

GARROT → HÉMORRAGIE, LIEN, SUPPLICE, TORTURE
Voir illus. **Cheval**
Voir tab. **Instruments médicaux**

GARROTAGE → ÉTRANGLER

GARROTTER → BÂILLONNER, ENCHAÎNER

GASCONNADE → FANFARON

GASCONNE → BOVIN

GASOIL DE CHAUFFE → MAZOUT

GASPACHO → POTAGE, SOUPE, TOMATE
Voir tab. **Spécialités étrangères**

GASPAR → MAGE

GASPILLAGE → GÂCHIS

GASPILLER → CLAQUER, CROQUER, DÉPENSER, DÉVORER, DILAPIDER, DISSIPER, ÉPARPILLER, GÂCHER, GALVAUDER, JETER, PRODIGUER

GASTÉROPODES → MOLLUSQUE

GASTON LAGAFFE
Voir tab. **Bande dessinée (héros de)**

GASTR(O)-
Voir tab. **Chirugicales (interventions)**

GASTRALGIE → ESTOMAC
Voir tab. **Douleur**

GASTRECTOMIE → ESTOMAC

GASTRITE → ESTOMAC

GASTRO-ENTÉRITE → INTESTIN (1)

GASTRO-ENTÉROLOGUE → MÉDECIN

GASTROCÈLE → ESTOMAC

GASTRONOME → AMATEUR, BOUCHE, CUISINE, GOURMAND (1), MANGER, REPAS

GASTRONOMIE → CUISINE

GASTROSCOPIE → ESTOMAC

GASTROTOMIE → VENTRE

GASTRULA → EMBRYON

GÂT
Voir tab. **Géographie et géologie (termes de)**

GÂTÉ → ABÎMÉ, CAPRICE, CORROMPU, DÉPRAVÉ, ENDOMMAGER, POURRI

GÂTÉ aigre, altéré, avarier, blet, capricieux, carier, dénaturé, enlaidi, gâché, moisi, pourri, putréfier

GÂTE-SAUCE → CUISINIER

GÂTEAU → DESSERT, RAYON

GÂTEAU bavarois, chausson, clafoutis, dariole, dartois, flan, gosette, kouglof, pithiviers, rayon, tourteau

GÂTER → ALTÉRER, BROUILLER, CADEAU, EMPOISONNER, MAL (2), POURRIR, TROUBLER

GÂTER abîmer, altérer, choyer, détériorer (se), dorloter, enlaidir (s'), envenimer (s'), flétrir (se), ruiner, ternir, vieillir

GÂTERIE → GOURMANDISE

GATEWAY
Voir tab. **Internet**

GAUCHE → EMPRUNTÉ, LABORIEUX, MALADROIT, TIMIDE, TORDU

GAUCHE ampoulé, bâbord, contrainte, embarrassé, emphatique, emprunté, lévogyre, lourd, malhabile, sénestrogyre

GAUCHEMENT → MAL (2)

GAUCHER → TORDRE

GAUCHERIE → BALOURDISE, FAUTE, LOURDEUR

GAUCHIR → COURBER, FLÉCHIR, TRAVAILLER

GAUCHISSEMENT → DÉFORMATION

GAUCHO → CAVALIER (1), COW-BOY

GAUDE → BOUILLIE, TEINTURE

GAUFRE → CIRE, MOULE

GAUFRÉ → RELIEF

GAULE → BAGUETTE, CANNE, PÊCHE, PERCHE

GAULER → CUEILLIR, NOIX

GAULIS → FORÊT, TAILLIS

GAULLE (CHARLES DE)
Voir tab. **Rois et chefs d'État de la France**

GAULOIS → CELTIQUE, LIBRE, POLISSON (2)

GAULOIS barde, celtique, druide, eubage, gaillard, grivois, leste, licencieux, rabelaisien

GAULOISERIE → PLAISANTERIE

GAUSSER (SE) → BAFOUER, BOÎTE, FICHER, MOQUER (SE), RIRE

GAUSSERIE → PLAISANTERIE

GAVE → TORRENT

GAVER → ENGRAISSER, MANGER, NOURRIR

GAVER embecquer, empâter, engraisser, glouton, goinfre, goulu

GAVIIFORMES
Voir tab. **Oiseaux (classification simplifiée des)**

GAVOT → DIALECTE

GAVOTTE → DANSE

GAVROCHE → GAMIN (1)

GAY → HOMOSEXUEL (1)

GAZ → FLUIDE (1), VAPEUR

GAZ argon, arsine, azote, cyanogène, eudiomètre, flatulence, grisou, hélium, hydrogène, krypton, méthane, néon, oxygène, ozone,

protoxyde d'azote, radon, réverbère, ypérite

GAZ MOUTARDE → YPÉRITE

GAZE → COTON

GAZÉIFIER → VAPORISER

GAZELLE → HÉLICOPTÈRE

GAZETTE → BAVARD, INFORMATION, JOURNAL

GAZETTE bavard, commère, concierge, journal, revue

GAZEUX → BULLE, PÉTILLANT, PIQUANT (2), VOLCAN

GAZODUC → TUYAU

GAZOLE → CARBURANT, COMBUSTIBLE

GAZON → HERBE, PELOUSE, VERDURE

GAZOUILLER → CHANTER, OISEAU
Voir tab. **Animaux (termes propres aux)**

GAZOUILLIS → BÉBÉ, BRUIT, CHANT, ENFANT, PAROLE
Voir tab. **Bruits**

GD
Voir tab. **Éléments chimiques (symbole des)**

GE
Voir tab. **Éléments chimiques (symbole des)**

GÊ → TERRE

GEAI → OISEAU

GEAI cajoler, corvidés, jaser, passériformes, rollier

GÉANT → IMMENSE

GÉANT Atlas, colosse, considérable, gigantomachie, Goliath, hercule, Immense, mastodonte, ogre, Polyphème, titan

GÉANT (PAS DE) → PAS (1)

GÉANTE ROUGE
Voir illus. **Étoiles (formation des)**

GÉDÉON
Voir tab. **Bande dessinée (héros de)**

GÉGÈNE → TORTURE

GÉHENNE → DAMNÉ, DIABLE, ENFER, TORTURE

GEIGER (COMPTEUR)
Voir tab. **Instruments de mesure**

GEIGNEMENT
Voir tab. **Bruits**

GEINDRE → BOUGONNER, GÉMIR, PLAINDRE (SE)

GEISHA → JAPONAIS

GEL → COIFFURE, POMMADE, SAVON

GEL accot, antigel, brillantine, gomina, paillage

GÉLATINE → COLLE, PROTÉINE

GELÉ gourd, transi

GELÉE → CONFITURE, DESSERT

GELÉE blanc-manger, brouissure, champlure, coing, givre, rhizostome

GELÉE BLANCHE → BROUILLARD

GELER → BLOQUER, IMMOBILISER

GELER Arrêter, bloquer, frimas, glacer, grille, immobiliser, paralyser, réfrigérer, suspendre

GÉLINOTTE → COQ

GÉLINOTTE COMMUNE → POULE

GÉLIVURE → FENTE, FISSURE, GERÇURE, LOUPE

GÉLULE → CACHET, CAPSULE, COMPRIMÉ (1), MÉDICAMENT, PASTILLE, PILULE

GÉMEAUX → CASTOR

Voir tab. **Astrologie**

Voir tab. **Zodiaque**

GÉMINÉE → CONSONNE, DOUBLE (2)

GÉMIR → PLAINDRE, PLAINDRE (SE), RÉCLAMER

GÉMIR geindre, lamenter (se), larmoyer, sangloter

GÉMISSEMENT → CRI, LAMENTATION, PLAINTE, SOUPIR, VENT

Voir tab. **Bruits**

GÉMISSEMENT jérémiade, lamentation, murmure, plainte, râle

GEMMAGE → PIN, RÉSINE

GEMMATION → MULTIPLICATION

GEMME → CONIFÈRE, MINÉRAL (1), PIERRE PRÉCIEUSE, PIN, RÉSINE

GEMMOTHÉRAPIE → HOMÉOPATHIE, PLANTE

GEMMULE → GRAINE

GÉMONIES → SUPPLICE

GÊNANT → FÂCHEUX (2), FATIGANT

GÊNANT déplaisant, importun, inconfortable, inopportun, intempestif, pesant

GENCIVE

Voir illus. **Dent**

GENDARME → DIAMANT, LOUPE, PAILLETTE, PIERRE PRÉCIEUSE, SAUCISSE

Voir illus. **Grades de la gendarmerie**

Voir tab. **Saints patrons**

GENDARME pyrrhocoris, ralentisseur, virago

GENDARME COUCHÉ → RALENTIR

GENDARMERIE → ORDRE, POLICE, VILLE

GENDARMERIE brigade, carabinier, légion, maréchaussée, prévôté

GÈNE allèle, chromosome, dominant, épistasie, génétique, génique, génome, génothèque, génotype, récessif

GÊNE → BESOIN, DÉRANGEMENT, DIFFICULTÉ, EMBARRAS, HONTE, INCONVÉNIENT, INSUFFISANCE, MALAISE, MISÈRE, NÉCESSITÉ, OBSTACLE, PAUVRETÉ, PESER

GÊNE (SANS) → FAÇON

GÊNÉ → BÊTE (2), HONTEUX, PENAUD, TIMIDE

GÉNÉALOGIE → ANCÊTRE, DESCENDANCE, FAMILLE, HISTOIRE, PARENTÉ

Voir tab. **Sciences : termes en -ologie et -ographie**

GÉNÉALOGIE ascendance, descendance, évolutionnisme, filiation, lignée, origine, pedigree, phylogenèse, phylogénie, théogonie

GÉNÉPI → NAIN

GÊNER → CONTRAINDRE, DÉRANGER, ÉCHEC, EMBARRASSER, EMPÊCHER, ENCOMBRER, ENNUYER, ÉTOUFFER, INDISPOSER, INTIMIDER, NUIRE, OBSTRUER, PERTURBER, TROUBLER

GÊNER brider, contraindre (se), contrarier, dérangé, embarrasser, encombrer, engoncé, entraver, importuner, incommodé, indisposé, intimider, oppresser, troubler

GÉNÉRAL → CHEF, COLLECTIF,

ORDINAIRE, PUBLIC (2), RELIGIEUX (1), RÉPÉTITION, TAMBOUR, TOTAL, UNANIME, UNIVERSEL

GÉNÉRAL collective, commune, courant, dominant, générique, habituel, imprécis, ordinaire (d'), plénière, répandu, superficiel, synoptique, total, unanime, universel, vague

GÉNÉRAL D'ARMÉE

Voir illus. **Grades militaires**

GÉNÉRAL DE BRIGADE

Voir illus. **Grades de la gendarmerie**

Voir illus. **Grades militaires**

GÉNÉRAL DE CORPS

Voir illus. **Grades militaires**

GÉNÉRAL DE DIVISION

Voir illus. **Grades de la gendarmerie**

Voir illus. **Grades militaires**

GÉNÉRALEMENT → PLUPART (LA)

GÉNÉRALEMENT couramment, habituellement, ordinairement

GÉNÉRALISER → RÉPANDRE

GÉNÉRALISER étendre, extrapoler, répandre, universaliser

GÉNÉRALISTE → MÉDECIN

GÉNÉRALISTE omnipraticien

GÉNÉRATEUR → CIRCUIT, CRÉATEUR (2), PILE, SOURCE

Voir tab. **Électricité**

GÉNÉRATEUR (1) accumulateur, batterie, dynamo, pile

GÉNÉRATEUR (2) reproduction, source

GÉNÉRATION → DESCENDANT, MATERNITÉ, RACE, REPRODUCTION

Voir tab. **Population**

GÉNÉRATION descendance, génésique, hétérogenèse, multiplication

GÉNÉRATIVISME → LINGUISTIQUE

GÉNÉRER → ENGENDRER, NAÎTRE, PRODUIRE

GÉNÉREUSEMENT → GRANDEMENT

GÉNÉREUX → ABONDANT, BON (1), BUSTE, CHARITABLE, CŒUR, COPIEUX, DÉSINTÉRESSÉ, FÉCOND, FERTILE, GROS, INDULGENT (2), LARGE, NOBLE (2), OPULENT, OR, PARDONNER, PLANTUREUX, PRINCE, RICHE (2), ROMANTIQUE

Voir tab. **Vin (vocabulaire du)**

GÉNÉREUX abondant, altruiste, charitable, clément, corsé, désintéressé, fécond, fertile, large, libéral, magnanime, mécène, munificent, opulent, philanthrope, planureux, prodigue, productif, rebondi, riche

GÉNÉRIQUE → COLLABORATEUR, GÉNÉRAL, INDICATIF

GÉNÉROSITÉ → BIENFAISANCE, CHARITÉ, CLÉMENCE, CŒUR, DÉVOUEMENT, ÉGOÏSME, FAVEUR, GRANDEUR, INDULGENCE, VERTU

GENÈSE → COMMENCEMENT, CRÉATION, FONDATION, MONDE, NAISSANCE

Voir tab. **Bible**

GÉNÉSIQUE → GÉNÉRATION

GENÊT → ARBUSTES

GÉNÉTHLIAQUE → HOROSCOPE

Voir tab. **Astrologie**

GÉNÉTIQUE → GÈNE, HÉRÉDITÉ, SONDE

GÊNEUR → FÂCHEUX (1), INTRUS

GENEVOIS → SUISSE

GÉNIAL → ORIGINAL

GÉNIE → COMMUNICATION, CONTE, FÉE, INTELLIGENT, MILITAIRE (1), MUNITION, SUBTILITÉ, SURNATUREL

GÉNIE créativité, démon, djinn, don, efrit, elfe, farfadet, follet, gnome, gobelin, kères, kobold, korrigan, lutin, maestria, maître, nixe, ondin, péri, phénix, prodige, surdoué, sylphe, talent, troll, virtuose, virtuosité

GÉNIE GÉNÉTIQUE → MANIPULATION

GENIÈVRE → EAU-DE-VIE

Voir tab. **Herbes, épices et aromates**

GÉNIQUE → GÈNE

GÉNISSE → BŒUF, VACHE

Voir tab. **Animaux (termes propres aux)**

GÉNITAL → REPRODUCTION, SEXUEL

GÉNITEUR → PARENT

GÉNOCIDE → ANÉANTISSEMENT, CRIME, DESTRUCTION, EXTERMINATION, HOLOCAUSTE, MASSACRE

GÉNOIS → VOILE

Voir illus. **Voilier : Dufour 38 Classic**

GÉNOISE → BISCUIT

GÉNOME → GAMÈTE, GÈNE

GÉNOTHÈQUE → GÈNE

GÉNOTYPE → GÈNE, HÉRÉDITAIRE, PARENT, PATRIMOINE

GENOU → ATTACHE

Voir illus. **Cheval**

Voir tab. **Chirurgicales (interventions)**

Voir tab. **Douleur**

GENOU cagneux, creux poplité, genouillère, génuflexion, jarret, rotule

GENOUILLÈRE → CHARNIÈRE, GENOU, SPORTIF (1)

Voir illus. **Armures**

GENRE → CATÉGORIE, CLASSE, CLASSER, ESPÈCE, MANIÈRE, MODE, NATURE, RACE, SORTE, ZOOLOGIE

GENRE apparence, attitude, comportement, conduite, épicène, espèce, forme, griffe, manières, marque, mode, race, sorte, style, tenue, type

GENS → PERSONNE

GENS auteur, domestique, écrivain, serviteur

GENTIANE → TONIQUE (2)

GENTIL → BRAVE, CHIC, CHRÉTIEN, IMPIE, JUIF (1), PAÏEN (1), RELIGION, SAGE

GENTIL affable, aimable, avenant, doux, infidèle, inoffensif, obéissant, obligeant, païen, poli, prévenant, sage, serviable

GENTILÉ → HABITANT

GENTILHOMME → MOUSQUETAIRE, SEIGNEUR

GENTILHOMMIÈRE → CHÂTEAU, MAISON

GENTILLESSE → AMABILITÉ, BONTÉ, COMPLAISANCE, OBLIGEANCE

GENTILLESSE amabilité, aménité, bienveillance, indulgence, ménagement, obligeance

GENTLEMAN → HOMME

GENTLEMAN RIDER → JOCKEY

GENTRY → NOBLESSE, SOCIÉTÉ

GÉNUFLEXION → GENOU, SALUER, SERVILE

GÉOCHIMIE → TERRE

GÉODE

Voir tab. **Roches et minerais**

GÉODÉSIE → GÉOGRAPHIE, TERRE

GÉODÉSIQUE → SATELLITE

GÉODYNAMIQUE → TERRE

GÉOGRAPHIE → RELIEF, TERRE

GÉOGRAPHIE géodésie, géomorphologie, hydrographie, orographie, paléogéographie, phytogéographie, topographie

GEÔLE → CACHOT, CELLULE (2)

GEÔLIER → GARDIEN, PRISON

GÉOLOGIE → NATUREL, SCIENCE, TERRE

GÉOLOGIE cénozoïque, cristallographie, mésozoïque, minéralogie, paléontologie, paléozoïque, pédologie, pétrographie, précambrien, sédimentologie, stratigraphie, système, tectonique

GÉOLOGIQUE anticlinal, diaclase, épigénie, épirogenèse, ère, étage, faille, orogenèse, synclinal

GÉOLOGUE → NATURALISTE, PRÉHISTOIRE

GÉOMAGNÉTISME → MAGNÉTISME

GÉOMÈTRE → CHENILLE, NIVELLEMENT

GÉOMÈTRE arpenteur, géométridés

GÉOMÉTRIDÉS → GÉOMÈTRE

GÉOMÉTRIE → ANGLE, MATHÉMATIQUE

GÉOMÉTRIE compas, équerre, rapporteur, stéréométrie, té, topologie

GÉOMÉTRIQUE → DENTELLE, MOYENNE, RATIONNEL

GÉOMORPHOLOGIE → FORME, GÉOGRAPHIE, MORPHOLOGIE, RELIEF, TERRE

GÉOPHAGE → TERRE

GÉOPHOBIE

Voir tab. **Phobies**

GÉOPHYSIQUE → RELIEF, TERRE

GÉOPHYTE → PLANTE

GEORGES → CAVALIER (2)

GÉOSTATIONNAIRE → SATELLITE

GÉOSYNCHRONE → SATELLITE

GÉOSYNCLINAL → DÉPRESSION, FOSSE

GÉOTHERMIE → TERRE

GÉRANCE → AGENCE

GÉRANIACÉES → GÉRANIUM

GÉRANIOL → GÉRANIUM

GÉRANIUM

Voir tab. **Végétaux (classification simplifiée des)**

GÉRANIUM géraniacées, géraniol, pélargonium

GERANOS → DANSE

GÉRANT → ADMINISTRATEUR, AGENT, BIEN

GÉRANT administrateur, dirigeant,

gestionnaire, intendant, manager, régisseur, syndic

GÉRARDMER
Voir tab. **Habitants (comment se nomment les)**

GÉRARDMER (FESTIVAL DE)
Voir tab. **Prix cinématographiques**

GERBE → BOTTE, BOUQUET, COMPOSITION, JET

GERBE faisceau, gerbier, geyser, jet

GERBERA → MARGUERITE

GERBIER → GERBE, TAS

GERBIÈRE → CHARRETTE

GERCE → DÉFAUT, FISSURE, LOUPE, TEIGNE

GERCÉ → FENTE, SEC

GERÇURE → FISSURE, LÈVRE

GERÇURE crevasse, gélivure, rhagade

GÉRER → ADMINISTRER, CONDUIRE, COORDONNER, DIRIGER, MENER, TENIR

GÉRER autogéré, cogérer, tuteur

GERFAUT → FAUCON

GÉRIATRE → MÉDECIN

GÉRIATRIE → VIEILLARD, VIEILLESSE

GERMAIN → ALLEMAND, FRÈRE, PARENT

GERMANIQUE → ALLEMAND

GERMANIQUE Alamans, allemand, anglais, Angles, anglo-saxon, Ases, Burgondes, danois, flamand, frison, Goths, gotique, islandais, Jutes, néerlandais, norrois, norvégien, ostique, suédois, Vandales, Vanes, yiddish

GERMANIUM
Voir tab. **Éléments chimiques (symbole des)**

GERMANOPHONE → ALLEMAND

GERME → COMMENCEMENT, CONCEPTION, EMBRYON, FERMENT, MICROBE, POUSSE, PRINCIPE, SEMENCE, SOURCE
Voir illus. **Œuf**

GERME brandon, cause, cicatricule, ferment, inoculer, levain, origine, plantule, semence, source

GERMEN → REPRODUCTION

GERMINAL
Voir tab. **Mois du calendrier républicain**

GERMINATION → MALT

GERMON → THON

GÉROMOIS
Voir tab. **Habitants (comment se nomment les)**

GÉRONDIF → IMPERSONNEL, PARTICIPE

GÉRONTISME → PRÉCOCE, VIEILLESSE

GÉRONTOCRATIE → DICTATURE, VIEILLARD

GÉRONTOLOGIE → VIEILLARD, VIEILLESSE
Voir tab. **Sciences : termes en -ologie et -ographie**

GÉRONTOPHILIE → VIEILLARD

GEROUSIA → SÉNAT

GÉRYON
Voir tab. **Animaux fabuleux**

GÉSIER → ESTOMAC, OISEAU

GÉSINE → COUCHE, NAISSANCE

GESSE → FOURRAGE

GESSIENS

Voir tab. **Habitants (comment se nomment les)**

GESTALT-THÉRAPIE → PSYCHOLOGIE

GESTALTISME → FORME

GESTATION → ATTENTE, GROSSESSE, PRÉPARATION

GESTE → ORAL, RÉCIT, SIGNE

GESTE acte, démonstratif, épopée, exubérant, gestique, gestualité, gestuelle, manière, mimique, minauderie, pantomime, simagrée, tic

GESTICULER → AGITER

GESTION → DIRECTION, INTENDANCE, MANIEMENT, RÉGIE

GESTION cobol, domotique, GPAO, SGBD

GESTIONNAIRE → COMPTABLE (1), CONSERVATEUR, ÉCONOME (1), GÉRANT

GESTIQUE → GESTE

GESTUALITÉ → GESTE

GESTUELLE → COMPORTEMENT, GESTE, LANGAGE

GESTUER → REPRÉSENTER

GEX
Voir tab. **Habitants (comment se nomment les)**

GEX (BLEU DE)
Voir tab. **Fromages**

GEXOIS
Voir tab. **Habitants (comment se nomment les)**

GEYSER → ÉMANATION, GERBE, SOURCE
Voir illus. **Volcan**
Voir tab. **Géographie et géologie (termes de)**

GHETTO → DISCRIMINATION, QUARTIER

GIAOUR → CHRÉTIEN, ISLAM

GIBBÉRELLINE → HORMONE

GIBBEUSE
Voir illus. **Lune**

GIBBOSITÉ → BOSSE, COLONNE VERTÉBRALE, DÉFORMATION

GIBECIÈRE → BOURSE, SAC

GIBECIÈRE besace, bissac, carnassière, carnier, fauconnière, musette, panetière

GIBELOTTE → FRICASSÉE, SAUCE, VIANDE

GIBERNE → CARTOUCHE

GIBET → FOURCHE, PENDAISON, POTENCE, SUPPLICE

GIBIER → VIANDE

GIBIER alouette, bécasse, caille, cerf, chevreuil, daim, faisan, giboyeux, grive, harle, lièvre, macreuse, milouin, palombe, perdrix, pluvier, sanglier, sarcelle, vanneau, venaison

GIBOULÉE → AVERSE, PLUIE

GIBOYEUR → CHASSEUR (1)

GIBOYEUX → GIBIER

GIBUS → CHAPEAU
Voir illus. **Coiffures**

GICLÉE → JET, PROJECTION

GICLER → COULER, JAILLIR

GICLER asperger, éclabousser

GICLEUR → INCENDIE

GIE (GROUPEMENT D'INTÉRÊT ÉCONOMIQUE) → GROUPEMENT

GIF
Voir tab. **Internet**

GIFLE → CLAQUE, CONTACT, COUP

GIFLE affront, camouflet, claque, humiliation, soufflet

GIFLER → TAPER

GIFLER cinglé, fouetté

GIFT → ACCOUPLEMENT, FÉCONDATION

GIG
Voir tab. **Bateaux**

GIGANTESQUE → COLOSSAL, DÉMESURÉ, ÉNORME, GRANDIOSE, IMMENSE, INDUSTRIEL (2), MONSTRUEUX, MONUMENTAL

GIGANTESQUE abyssal, babylonien, colossal, cyclopéen, démesuré, gargantuesque, incommensurable, insondable, monumental, pantagruélique, tentaculaire, titanesque

GIGANTISME → AGRANDISSEMENT, GLANDE

GIGANTOMACHIE → COMBAT, GÉANT

GIGOGNE → TABLE

GIGOLETTE → CUISSE

GIGOT → CUISSE, GIGUE, MANCHE, RÔTI (1)
Voir illus. **Mouton**

GIGOTER → AGITER, REMUER

GIGUE → CHEVREUIL, DANSE

GIGUE cuisse, cuissot, gigot

GILET → CEINTURE, LAINE, POCHE, TRICOT, VESTE
Voir illus. **Modes et styles**

GILETIER → COUTURIER

GILL SANS
Voir tab. **Typographies**

GILLES DE LA TOURETTE (MALADIE OU SYNDROME DE) → TIC
Voir tab. **Psychiatrie**

GIMBLETTE → BISCUIT

GIN → EAU-DE-VIE
Voir tab. **Alcools et eaux-de-vie**

GINDRE → BOULANGER (1), PAIN

GINGEMBRE
Voir tab. **Herbes, épices et aromates**
Voir tab. **Plantes médicinales**

GINGEMBRE carminatif, digestif, tonique, zingibéracées

GINGIVITE → INFLAMMATION

GINKGO
Voir tab. **Plantes médicinales**
Voir tab. **Végétaux (classification simplifiée des)**

GINKGO BILOBA
Voir tab. **Plantes médicinales**

GINKGOACÉES
Voir tab. **Végétaux (classification simplifiée des)**

GINSENG
Voir tab. **Plantes médicinales**

GINSENG araliacées, cardiotonique, panax, stimulant

GIOBERTITE → MAGNÉSIUM

GIPN
Voir tab. **Police nationale (organisation de la)**

GIPSY → BOHÉMIEN

GIRAFE → PERCHE, POTENCE
Voir tab. **Animaux (termes propres aux)**
Voir tab. **Mammifères (classification des)**

GIRAFE amble, girafeau, girafidés, girafon, okapi

GIRAFEAU → GIRAFE
Voir tab. **Animaux (termes propres aux)**

GIRAFIDÉS → GIRAFE

GIRAFON → GIRAFE
Voir tab. **Animaux (termes propres aux)**

GIRANDOLE → BOUCLE, BOUGIE, GRAPPE, GUIRLANDE, ILLUMINATION, PENDENTIF, TAILLE

GIRASOL → QUARTZ

GIRATION → ROTATION

GIRATOIRE → CIRCULAIRE, TOURNANT (2)

GIRAVION → HÉLICOPTÈRE

GIRL → DANSEUR

GIRODYNE → HÉLICOPTÈRE

GIROFLE
Voir tab. **Herbes, épices et aromates**

GIROFLÉE cocardeau, cruciféracées, mathiole, quarantaine, ravenelle, violier

GIRON → BRAS, SEIN
Voir illus. **Escalier**
Voir illus. **Héraldique**

GIRONNÉ → MARCHE
Voir illus. **Héraldique**

GIROUETTE → COQ, PANTIN, SOMMET, TOIT
Voir illus. **Maison**

GIROUETTE pantin, penon, protée

GISANT → STATUE

GISCARD D'ESTAING (VALÉRY)
Voir tab. **Rois et chefs d'État de la France**

GISEMENT → BASSIN, MINERAI, PÉTROLE, VEINE

GISEMENT bassin, couche, filon, gîte, mine, nappe, placer, puits, veine

GITAN → BOHÉMIEN, NOMADE, TSIGANE

GÎTE → ABRI, GISEMENT, HÔTEL, INCLINAISON, LIÈVRE, MINERAI, REFUGE (1), REPAIRE, SABLE, TANIÈRE
Voir tab. **Bœuf**
Voir tab. **Animaux (termes propres aux)**

GÎTE abri, antre, bauge, demeure, liteau, logement, maison, rabouillère, refuge, repaire, retraite, tanière, terrier

GÎTE À LA NOIX
Voir illus. **Bœuf**

GÎTE RURAL → MAISON

GITOLOGIE → SOL

GITON → HOMOSEXUEL (1)

GIVRE → GELÉE, GLACE, VERGLAS

GIVRE dégivrer, frimas, givrure, glace

GIVRÉ → FONDU (1)

GIVRURE → GIVRE, LOUPE, PIERRE PRÉCIEUSE

GIZEH
Voir illus. **Monde (les Sept Merveilles du)**

GLABELLE → SOURCIL

GLABRE → BARBE, DUVET, LISSE, POIL

GLAÇANT → GLACIAL

GLACE → DIAMANT, FROID (2), GIVRE, INFLEXIBLE, MIROIR, OMELETTE, PIERRE, PIERRE PRÉCIEUSE, SEAU, VERGLAS, VERRE

GLACE banquise, calcin, cassate, débâcle, dégel, espion, givre, granité, grêle, grésil, iceberg, igloo, miroir, parfait, plombières, psyché, sorbet, tain, trumeau, verglas

GLACÉ → PARALYSÉ

GLACÉ brillant, couché, frappé, glaciale, hostile, satiné

GLACER → GELER, INTIMIDER, LUSTRER

GLACER calandrer, figer, inhiber, intimider, lisser, moirer, paralyser, pétrifier, terroriser

GLACIAIRE → PÉRIODE, RÉGIME

GLACIAL → DUR, FROID (2), GLACÉ, INSENSIBLE, RIGOUREUX, SEC

GLACIAL distant, froid, glaçant, imperturbable, insensible, méprisant, réfrigérant

GLACIER drumlin, glaciologie, inlandsis, kame, nunatak, sérac

GLACIOLOGIE → GLACIER

GLACIS → PEINTURE, PENTE, TALUS

Voir tab. **Architecture**

GLACOPHILE

Voir tab. **Collectionneurs**

GLAÇURE → ÉMAIL, ENDUIT, FAÏENCE, VERNIS

GLADIATEUR → ARÈNE, CIRQUE

GLADIATEUR belluaire, bestiaire, hoplomachie, laniste, mirmillon, rétiaire

GLAIREUX → GLUANT

GLAISE → ARGILE, TERRE

GLAIVE → ATTRIBUT, BLANC (1), JUSTICE

Voir tab. **Forme de... (en)**

GLANAGE → ÉPI

GLAND → CHÊNE, PORC

Voir illus. **Génitaux (appareils)**

GLAND akène, balane, balanite, cupule, prépuce

GLANDE

Voir illus. **Sein**

GLANDE -adénite, adéno-, adénome, gigantisme, goitre, myxœdème, nanisme, opothérapie

GLANDE DE COWPER

Voir illus. **Génitaux (appareils)**

GLANDE LACRYMALE

Voir illus. **Œil**

Voir tab. **Chirugicales (interventions)**

GLANDE MAMMAIRE

Voir tab. **Chirugicales (interventions)**

GLANDE PINÉALE → CERVEAU

GLANDE PITUITAIRE → CERVEAU

GLANDE SÉBACÉE

Voir illus. **Poil**

GLANDÉE → RÉCOLTE

GLANDOPHILE

Voir tab. **Collectionneurs**

GLANE → CHAPELET

GLANER → RECUEILLIR

GLAPIR → ABOYER, HURLER

Voir tab. **Animaux (termes propres aux)**

GLAPISSANT → AIGRE

GLAPISSEMENT → CHIEN, GRUE

Voir tab. **Bruits**

GLARÉOLE → HIRONDELLE

Voir tab. **Oiseaux (classification simplifiée des)**

GLAS → CLOCHE, FUNÈBRE, MORT (1), SONNER

GLASNOST → COMMUNISME

GLATIR

Voir tab. **Animaux (termes propres aux)**

GLAUCOME → ŒIL

GLAUQUE → VERT

Voir tab. **Couleurs**

GLÈBE → SOL

GLEY

Voir tab. **Géographie et géologie (termes de)**

GLIAL → CELLULE

GLIOME → TUMEUR

GLISSADE → CHUTE

Voir tab. **Danse classique**

GLISSANDO

Voir tab. **Musique (vocabulaire de la)**

GLISSÉ

Voir tab. **Danse classique**

GLISSEMENT → ACCIDENT, FROTTEMENT, MOUVEMENT

GLISSER → ÉCHAPPER, EFFLEURER, ENTRER, FAUFILER, INSINUER (S'), INTERPOSER, INTRODUIRE (S'), METTRE, PASSER, PATINER, REPRODUCTION, SOMBRER, SOUFFLER

GLISSER chasser, couler (se), coulis, coulisser, déraper, dire, faufiler (se), infiltrer (s'), insinuer (s'), patiner, riper, abandonner (s'), sombrer, souffler, verser

GLISSIÈRE → RAIL, TRICOTER

GLISSIÈRE DE SÉCURITÉ BARRIÈRE

GLISSOIR → CHAUSSURE

GLISSOIRE → PISTE

GLOBAL → TOTAL

GLOBALEMENT → BLOC, GROS

GLOBALITÉ → TOUT (1)

GLOBE → AMPOULE, CERCLE, SPHÈRE, TERRE

GLOBE globulaire, hémisphère, mappemonde, planisphère

GLOBE-TROTTEUR → VOYAGEUR

GLOBULAIRE → GLOBE

GLOBULE → CELLULE, PILULE

GLOBULE bulle, érythrocyte, érythropoïèse, hématie, leucocyte, leucopoïèse

GLOBULE BLANC → IMMUNITAIRE, SANG

GLOBULE ROUGE → SANG

GLOBULEUX → SAILLANT

Voir illus. **Champignon**

GLOBULINE → PROTÉINE

GLOCKENSPIEL → PERCUSSION

Voir illus. **Percussions**

Voir tab. **Instruments de musique**

GLOIRE → BÉATITUDE, CÉLÉBRITÉ, GRANDEUR, HOMMAGE, HONNEUR, LAURIER, MAJESTÉ, PANACHE, POMPE, RÉPUTATION, SPLENDEUR, SUCCÈS, TRINITÉ

GLOIRE apothéose, célébrité, consécration, glorifier, honneurs, lauriers, mérite, notoriété, panthéon, pavois (hisser sur le), phare, pinacle (porter au), renommée

GLOME

Voir illus. **Cheval**

GLORIA → CAFÉ, CHANT, HYMNE

Voir tab. **Prières et offices de l'Église catholique romaine**

GLORIETTE → ABRI, CAGE, JARDIN, KIOSQUE, PAVILLON, SALON, TONNELLE

GLORIEUX → BRILLANT (1), CÉLÈBRE, FAMEUX, ILLUSTRE, IMMORTEL (2), SAINT (2)

GLORIEUX fameux, fat, fier, illustre, mémorable, présomptueux, remarquable, suffisant, Trente Glorieuses (1945-1975), vaniteux

GLORIFIER → BÉNIR, CÉLÉBRER, DÉFENSE, EXALTER, FLATTER, GLOIRE, HONORER, IMPORTANCE, LOUANGE, LOUER, VANITÉ, VANTER, VICTOIRE

GLORIFIER bénir, célébrer, chanter, déifier, diviniser, enorgueillir (s'), exalter, flatter (se), louer, magnifier, prévaloir (se), targuer (se)

GLORIOLE → OSTENTATION

GLOSE → ANALYSE, COMMENTAIRE, EXPLICATION, INTERPRÉTATION, NOTE

GLOSER → INTERPRÉTER, TRADUIRE

GLOSS → FARD

GLOSS(O)-

Voir tab. **Chirugicales (interventions)**

GLOSSAIRE → CATALOGUE, DICTIONNAIRE, LEXIQUE, MOT, RECUEIL, VOCABULAIRE

GLOSSATEUR → COMMENTAIRE

GLOSSITE → LANGUE

GLOSSOLALIE → LANGUE, PAROLE

GLOSSOPHOBIE

Voir tab. **Phobies**

GLOSSOPLÉGIE → LANGUE

GLOSSOTOMIE → LANGUE

GLOTTE → LARYNX

GLOTTOCHRONOLOGIE

Voir tab. **Sciences : termes en -ologie et -ographie**

GLOTTORER

Voir tab. **Animaux (termes propres aux)**

GLOUGLOUTER

Voir tab. **Animaux (termes propres aux)**

GLOUSSEMENT → POULE

GLOUSSER → RIRE

GLOUTON → GAVER, MANGEUR

GLOUTON gargantua, goinfre, goulu, inassouvissable, insatiable, vorace

GLOUTONNERIE → APPÉTIT

GLU → COLLE

GLUANT → COLLANT

GLUANT chassie, glaireux, glutineux, poisseux, visqueux

GLUAU → CHASSE, PIÈGE

GLUCAGON → PANCRÉAS

GLUCOSE → MAÏS, SUCRE

GLUI → PAILLE, TOIT

GLUME → BALLE, CÉRÉALE, ÉPI, GRAINE

GLUMELLE → BALLE

GLUTEN → MAÏS

GLUTINEUX → GLUANT

GLYCÉMIE → SUCRE

GLYCÉRINE → SAVON

GLYCÉROL → SAVON

GLYCOPHILE

Voir tab. **Collectionneurs**

GLYCOSURIE → DIABÈTE, URINE

GLYPHE → GRAVER, TRAIT

GLYPTIQUE → GRAVER, SCULPTER

GLYPTOTHÈQUE → ART, CABINET, MUSÉE, SCULPTURE

GMT → MÉRIDIEN

GNATHOSTOMES

Voir tab. **Animaux (classification simplifiée des)**

Voir tab. **Poissons (classification simplifiée des)**

GNEISS → QUARTZ

Voir tab. **Roches et minerais**

GNOME → CONTE, ENFANCE, FÉE, GÉNIE, IMAGINAIRE (2), NAIN, PETIT (2)

GNOMIQUE → SENTENCE

GNOMON → CADRAN, SOLAIRE

GNON → CHÂTAIGNE, COUP

GNOSE → RELIGION

GNOSIE → SENS

GNOSTICISME → RELIGION

GNÔTHI SEAUTON → CONNAÎTRE

GO → CHINOIS

GO-BAN → PLATEAU

GOA

Voir tab. **Musiques nouvelles**

GOAL → FOOTBALL

GOBAGE

Voir tab. **Pêche**

GOBELET → VERRE

GOBELET chope, gobelière, godet, quart, timbale

GOBELIÈRE → GOBELET

GOBELIN → DÉMON, GÉNIE, SURNATUREL

GOBELINS → TAPISSERIE

GOBE-MOUCHE → BADAUD

Voir tab. **Oiseaux (classification simplifiée des)**

GOBER → COMPTANT, CROIRE

GOBERGER (SE) → BOMBANCE

GOBETIS → PLÂTRE

GODAGE → PLI

GODEMICHÉ → PHALLUS

GODET → CAPSULE, DÉLAYER, GOBELET, PEINTRE

GODET À ESCARGOTS → VAISSELLE

GODICHE → NIAIS, SOT

GODILLE → AVIRON, DESCENTE

Voir tab. **Bateaux**

GODILLER → CONDUIRE

GODILLOT → BOTTE, CHAUSSURE

Voir illus. **Chaussures**

GODIVEAU → PÂTÉ, VIANDE

GODRON → FRAISE, PLI

Voir tab. **Architecture**

GODRONNER → PLISSER

GOÉLAND

Voir tab. **Oiseaux (classification simplifiée des)**

GOÉLETTE → VOILIER

Voir tab. **Bateaux**

GOÉMON → ALGUE

GOÉTIE → MAGIE

GOGUENARD → IRONIQUE, MOQUEUR, SARCASTIQUE

GOGUENARDISE → PLAISANTERIE

GOGUETTE (EN) → IVRE

GOINFRE → GAVER, GLOUTON, MANGEUR

GOINFRERIE → DÉBAUCHE

GOITRE → COU, GLANDE, GORGE

GOLDEN → COUTEAU, POMME

GOLDEN GLOBES

Voir tab. **Prix cinématographiques**

GOLF → BALLE

Voir tab. **Sports**

GOLF bunker, caddie, club, drive, fairway, green, knickerbockers, links, par, putt, rough, swing, tee

GOLFE → BAIE

GOLFE aber, estuaire, fjord, ria

GOLGOTHA → CRUCIFIXION

GOLIATH → GÉANT

GOMINA → CRÈME, GEL, POMMADE

GOMMAGE → FRICTION

GOMME → CAOUTCHOUC, CONIFÈRE, RÉSINE

Voir tab. **Dessin (vocabulaire du)**

GOMME adragante, assa-fœtida, encens, galbanum, gommose, ladanum, latex, myrrhe, oliban, opopanax

GOMMOSE → GOMME

GOMORRHÉENNE → HOMOSEXUEL (2)

GON → GRADE

GON(O)-

Voir tab. **Chirugicales (interventions)**

GONALGIE

Voir tab. **Douleur**

GONCOURT → CONCOURS, LITTÉRATURE

GONCOURT (PRIX)

Voir tab. **Prix littéraires**

GONCOURT DES LYCÉENS (PRIX)

Voir tab. **Prix littéraires**

GOND → CHARNIÈRE

GONDOLAGE → DÉFORMATION

GONDOLE → BARQUE, BATEAU

Voir illus. **Sièges**

Voir tab. **Bateaux**

GONDOLER → TRAVAILLER

GONFALON → DRAPEAU

Voir illus. **Drapeaux**

GONFLÉ → BOUFFI, BOURSOUFLÉ

GONFLEMENT → ENFLURE

GONFLEMENT abcès, dilatation, emphysème, fluxion, météorisme, œdème, tuméfaction, tumescence, turgescence, tympanisme

GONFLER → ARRONDIR (S'), GROSSIR, MAJORER, REMPLIR, TRAVAILLER

GONFLER amplifier, ballonner, bouffant, bouffe, bouffir, boursoufler, dilater, distendre, enfler, exagérer, grossir, lever, vultueux

GONG → BATTERIE, PERCUSSION, SIGNAL

Voir illus. **Percussions**

Voir tab. **Instruments de musique**

GONGORISME → LANGAGE, RECHERCHE

GONIOMÈTRE

Voir tab. **Instruments de mesure**

GONIOMÉTRIE → ANGLE

GONOSOME → CHROMOSOME

GORE-TEX → TEXTILE

GORET → BALAI, COCHON, PORC

Voir tab. **Animaux (termes propres aux)**

GORGE → BUSTE, COU, COULOIR, CREUX (1), DÉFILÉ, DÉPRESSION, ÉTROIT, GOSIER, POITRINE, SERRURE, VALLÉE

Voir illus. **Cheval**

Voir illus. **Oiseau**

GORGE amygdalite, angine, buste, canyon, défilé, gargariser, goitre, gosier, guttural, jugulaire, laryngite, moquer (se), pharyngite, poitrine, railler, seins, trachéotomie

GORGE (PRENDRE À LA) → JETER

GORGE-DE-PIGEON → CHANGEANT

GORGÉ DE SOLEIL → SAVOUREUX

GORGER → ENGRAISSER, NOURRIR

GORGERETTE → COL

GORGERIN

Voir illus. **Colonnes**

GORGET → MENUISIER, RABOT

Voir illus. **Armures**

GORGONE → PÉTRIFIER

Voir tab. **Animaux fabuleux**

Voir tab. **Mythologiques (créatures)**

GORGONZOLA → BLEU

Voir illus. **Fromages**

GORILLE → PROTECTION, SÉCURITÉ

GOSETTE → GÂTEAU

GOSIER → GORGE

GOSIER égosiller (s'), gorge

GOTHA → GRATIN

GOTHIQUE → ARCHITECTURE, FLAMBOYANT

GOTHS → BARBARE, GERMANIQUE

GOTIQUE → GERMANIQUE

GOUACHE → PEINTURE

Voir tab. **Peinture et décoration**

GOUAILLEUR → MOQUEUR, SARCASTIQUE

GOUALANTE → CHANSON

GOUDA → HOLLANDAIS

Voir illus. **Fromages**

GOUDRON → BITUME, CHAUSSÉE, REVÊTEMENT, SOL

Voir tab. **Alcools et eaux-de-vie**

GOUDRON asphalte, bitume, brai, coaltar, ploc, poix

GOUDRONNER → RECOUVRIR

GOUFFRE → ABÎME, CAVITÉ, CREUX (1), PRÉCIPICE, PROFOND, TOURBILLON, VIDE (1)

GOUFFRE abîme, abysse, aven, bétoire, emposieu, fosse, igue, spéléologie

GOUGE → BURIN, CISEAU, GRAVER, MENUISIER

Voir tab. **Instruments médicaux**

GOUGÈRE → FROMAGE

Voir tab. **Plats régionaux**

GOUINE → HOMOSEXUEL (1), SEXE

GOUJAT → GROSSIER, IMPOLI, MALOTRU, MUFLE

GOUJATERIE → AMABILITÉ, BALOURDISE

GOUJON → CHEVILLE, CLOU, MENUISERIE

Voir tab. **Prostitution**

GOULAG → CAMP, DÉPORTATION

GOULASCH → HONGROIS, RAGOÛT

Voir tab. **Spécialités étrangères**

GOULE → VAMPIRE

GOULET → COULOIR, DÉFILÉ, ÉTROIT, PISTE, PORT, VALLÉE

GOULEYANT → CIDRE

Voir tab. **Vin (vocabulaire du)**

GOULOT → BOUTEILLE, COL, COU, VASE

GOULU → GAVER, GLOUTON

GOULU avide, gourmand, mange-tout

GOUM → TROUPE

GOUMIER → CAVALIER (1)

GOUPILLE → CHEVILLE, SERRURE

GOUPILLON → BIBERON, BOUTEILLE, BROSSE, RINCER

GOURA → PIGEON

GOURBET → SABLE

GOURD → ENGOURDI, GELÉ, IMMOBILE

GOURDE → BOUTEILLE, INSENSIBLE, PÈLERIN

GOURDIN → BÂTON, MASSUE, MATRAQUE

GOURDIN massue, matraque, trique

GOUREN → LUTTE

GOURMAND → BRANCHE, GOULU

GOURMAND (1) bec fin, fine bouche, gastronome, gourmet

GOURMAND (2) amateur, friand, intempérant

GOURMANDER → BOUSCULER, GRONDER, REPROCHE

GOURMANDISE → FRIANDISE, PÉCHÉ, SUCRE

GOURMANDISE chatterie, douceur, friandise, gâterie, sucrerie

GOURMÉ → GRAVE, GUINDÉ

GOURMET → AMATEUR, BOUCHE, CUISINE, GOURMAND (1), MANGER, REPAS

GOURMETTE → BRACELET, CHAÎNE, POIGNET

Voir illus. **Bijoux**

Voir illus. **Harnais**

GOURNABLE → CHEVILLE

GOUROU → CONDUCTEUR, GUIDE, INSPIRATEUR, MAÎTRE (1), SECTE

GOUSSE → AIL

GOUSSET → BOURSE, MANCHE, MONTRE, POCHE

Voir illus. **Héraldique**

GOÛT → ATTRAIT, CONVENANCE, DISPOSITION, FANTAISIE, INCLINATION, PENCHANT, PRÉDILECTION, SAVEUR, SENS

GOÛT agueusie, attirance, attrait, bouquet, dandysme, délicatesse, disposition, éclectique, élégance, élégance, évané, fade, finesse, fumet, gustatif, insipide, langue, palais, papilles, penchant, penchant, prédilection, préférence, raffinement, recherche, sapidité, saveur, savoir-vivre, tact

GOÛTER → ADMIRER, APPRÉCIER, COLLATION, ESSAYER, JOUIR, REPAS, SENTIR, TÂTER

GOÛTER aimer, apprécier, déguster, estimer, expérimenter, priser, raffoler, savourer, tâter de

GOÛTEUX → SAVEUR

GOUTTE → ARTICULATION, DOIGT, DOSE, GRAIN, LARME, MÉDICAMENT, PEU (1), PIED, QUANTITÉ, SOUPÇON, VIN

Voir tab. **Architecture**

GOUTTE dégouliner, dégoutter, doigt, instiller, larme, nuage, perle, pipette, podagre, stillatoire, stilligoutte

GOUTTE DE SUIF → VIS

GOUTTE-À-GOUTTE → TRANSFUSION

Voir tab. **Jardinage**

GOUTTER → FUIR, PERLER

GOUTTEREAU → MUR

GOUTTEROT

Voir illus. **Toits**

GOUTTIÈRE → CANALISATION, DRAINER, FRACTURE, PLUIE, RECUEILLIR, TOIT

Voir illus. **Livre relié**

Voir illus. **Maison**

Voir illus. **Toits**

GOUTTIÈRE chéneau, dégouttière, larmier

GOUTTIÈRE JUGULAIRE

Voir illus. **Cheval**

GOUVERNAIL → DIRIGER

Voir illus. **Avion**

Voir illus. **Aviron**

Voir illus. **Moulins à vent et à eau**

GOUVERNAIL aiguillot, barre, conduire, direction, empennage, étambot, fémelot, gouverne, mèche, palonnier, safran, timon

GOUVERNANTE → BONNE, COMPAGNIE, DOMESTIQUE (1), SERVANTE

GOUVERNANTE chaperon, duègne, nurse

GOUVERNE → GOUVERNAIL, RÈGLE

GOUVERNE DE PROFONDEUR

Voir illus. **Avion**

GOUVERNEMENT → CONSTITUTION, POUVOIR, PUBLIC (2), RÉGIME

GOUVERNEMENT Administration, autocratie, cabinet, constitution, despotisme, dictature, fascisme, ministère, oligarchie, pentarchie, ploutocratie, régence, régime, théocratie, totalitarisme, tyrannie

GOUVERNEMENTAL → OFFICIEL

GOUVERNER → ADMINISTRER, BAL, BARRE, COMMANDER, CONDUIRE, DIRIGER, DOMINER, MENER

GOUVERNER administrer, barrer, diriger, dominer, maîtriser, régner sur, tenir la barre

GOUVERNEUR → COLONIE

GOUVERNEUR bey, légat, pacha, proconsul, procurateur, satrape, stathouder, tétrarque, vice-roi, voïvode

GOY → CHRÉTIEN, JUIF (1), RELIGION

GOYÈRE

Voir tab. **Plats régionaux**

GPAO → GESTION

GPS → GUIDER

Voir tab. **Automobile**

Voir tab. **Multimédia (les mots du)**

GRABAT → COUCHE, LIT

GRABATAIRE → INVALIDE (2), MALADE

GRABEN → BLOC, FOSSÉ

GRÂCE → AGRÉMENT, AMABILITÉ, AMNISTIE, ATTRAIT, BEAUTÉ, CONVERSION, DÉLICATESSE, DON, ÉLÉGANCE, ESPRIT, ESTHÉTIQUE (1), EXEMPTION, FAUTE, FAVEUR, FINESSE, HONNEUR, INSPIRATION, LÉGÈRETÉ, MISÉRICORDE, MOYEN (1), PERFECTION, RECONNAISSANCE, SALUT, SERVICE, CHARME, MERCI

GRÂCE Aglaé, agrément, aisance, attrait, bon gré (de), charisme, charme, élégance, Euphrosyne, faveur, indulgence, jansénisme, légèreté, mignardise, miséricorde, molinisme, pitié, Thalie, vénusté, volontiers, pardon, rémission

GRÂCES
Voir tab. **Prières et offices de l'Église catholique romaine**
GRACIER → ÉPARGNER, REMETTRE
GRACIEUSEMENT → CONTREPARTIE
GRACIEUX → AGRÉABLE, BEAU, BÉNÉVOLE, COURTOIS, DÉLICAT, GRATUIT, JOLI, MIGNON (2), MOELLEUX, PLAISANT, SOCIABLE
GRACIEUX accorte, charmant, délicat, élégant, plaisant
GRACILE → GRÊLE (2), MENU (2), MINCE
GRADATION → DEGRÉ, ORDRE, PASSAGE, PROGRESSION
GRADE → ÉCHELON, GALON, RANG
Voir tab. **Thé**
GRADE avancement, dignité, galon, gon, hiérarchie, promotion, titre
GRADIENT → MÉTÉOROLOGIE
GRADIN → BANC, CIRQUE, DEGRÉ, STADE, TERRASSE
GRADINE → CISEAU
GRADUATION → DEGRÉ, ÉCHELLE, GRADUER
GRADUEL → INSENSIBLE
GRADUELLEMENT → DEGRÉ, ÉCHELON, ÉTAPE, PAS (1), PETIT (2), PROCHE
GRADUER graduation
GRADUS → DICTIONNAIRE
GRAFFITER → BARBOUILLER
GRAFFITI → DESSIN, INSCRIPTION
GRAILLER → APPELER, SONNER
GRAILLON → LARD
GRAIN → AVERSE, BRIN, PHOTOGRAPHIE, PLUIE, POINTE, QUANTITÉ, TEMPÊTE, VIANDE, WHISKY
GRAIN balle, bourrasque, brin, caryopse, cendrée, criblage, égrapper, égrener, goutte, grani-, granuleux, gren-, grenaille, grené, grenier, grenu, grume, lentigo, nævus, once, pincée, pointe, silo, tempête, vannage
GRAIN (EAUX-DE-VIE DE)
Voir tab. **Alcools et eaux-de-vie**
GRAIN DE BEAUTÉ → PEAU, TACHE
GRAIN DE BLÉ → TRICOT
GRAIN DE RAISIN
Voir tab. **Forme de... (en)**
GRAINE → EMBRYON
GRAINE albumen, angiospermes, cardamome, cosse, cotylédon, gemmule, glume, gymnospermes, radicule, semence, tégument, vesce
GRAISSE → FROTTEMENT, VIN
Voir illus. **Sein**
GRAISSE adip(o)-, adipogenèse, adipose, axonge, cambouis, embonpoint, lard, lip(o)-, lipoïde, lipolyse, liposuccion, obésité, panne, paraffine, saindoux, stéar(o)-, stéarine, stéat(o)-, suif, vaseline
GRAISSER → HUILER
GRAISSER altérer (s'), enduire, huiler, lubrifier, oindre, salir, souiller
GRAISSEUX → ADIPEUX, SALE
GRALLINE
Voir tab. **Oiseaux (classification simplifiée des)**
GRAMINACÉES → AVOINE

GRAMINÉES → BLÉ, CÉRÉALE, HERBE, MAÏS
GRAMMAIRE → RÈGLE
GRAMMAIRE barbarisme, purisme, solécisme
GRAMMATICALE → CORRECTION
GRAND → ILLUSTRE, IMPORTANT, INTENSE, LONG, NOBLE (2), SEIGNEUR, SUPRÊME
GRAND ample, auguste, considérable, démesuré, élancé, étendu, fameux, illustre, immense, imposant, indicible, ineffable, intense, large, macro-, magn-, méga-, mégalo-, spacieux, vaste, violente, vive
GRAND AIGLE
Voir tab. **Papier (formats de)**
GRAND ANGLE → OBJECTIF (1)
GRAND ARGENTIER → TRÉSORIER
GRAND DUC → HIBOU
GRAND ÉCART
Voir tab. **Danse classique**
GRAND ÉLECTEUR → SÉNATEUR
GRAND FEU → FAÏENCE
GRAND FRAIS
Voir tab. **Vent : échelle de Beaufort**
GRAND FRISSON → SENSATION
GRAND HUIT → RAIL
GRAND LARGUE
Voir illus. **Allures de voile**
GRAND LIVRE → COMPTABILITÉ
GRAND MONDE
Voir tab. **Papier (formats de)**
GRAND ORGUE → ORGUE
GRAND ORIENT DE FRANCE → FRANC-MAÇON
GRAND PALMAIRE → MAIN
GRAND SECOURS (ÊTRE D'UN) → UTILE
GRAND TEINT → TEINTURE
GRAND VIZIR → TURC
GRAND-ANGLE → PHOTOGRAPHIE
Voir tab. **Photographie (vocabulaire de la)**
GRANDE LOGE DE FRANCE → FRANC-MAÇON
GRANDE LOGE FÉMININE DE FRANCE → FRANC-MAÇON
GRANDE PERLE → THÉ
GRANDE SURFACE → VENTE
GRANDEMENT → VIVEMENT
GRANDEMENT généreusement, majestueusement
GRANDES DÉCOUVERTES
Voir tab. **Histoire (grandes périodes)**
GRANDES DÉESSES → DÉESSE
GRANDES ÉCOLES
Voir tab. **Écoles (grandes)**
GRANDES INVASIONS
Voir tab. **Histoire (grandes périodes)**
GRANDEUR → DIGNITÉ, DIMENSION, ÉTENDUE, MAJESTÉ, SPLENDEUR
Voir tab. **Manies**
GRANDEUR amplitude, élévation, générosité, gloire, magnanimité, magnitude, mégalomanie, noblesse, prospérité, puissance, richesse
GRANDILOQUENCE → POMPE
GRANDILOQUENT → AFFECTÉ, BOURSOUFLÉ, COMPLIMENT, EMPHATIQUE, GUINDÉ,

MAJESTUEUX, POMPEUX, PRÉTENTIEUX
GRANDIOSE → ADMIRABLE, BŒUF, COLOSSAL, IMPOSANT, IMPRESSIONNANT, MAGNIFIQUE, MAJESTUEUX, MONUMENTAL, ROYAL, THÉÂTRAL
GRANDIOSE gigantesque, imposant, impressionnant, magnifique, majestueux, monumental, sublime
GRANDIR → CROÎTRE, DÉVELOPPER (SE), POUSSER, RELEVER, VENIR
GRANDIR accroître (s'), amplifier, augmenter, croître, développer (se), élever, ennoblir, étendre (s'), exagérer, exalter, intensifier, pousser
GRAND-GUIGNOLESQUE → BURLESQUE
GRANDS-PARENTS → PARENT
GRAND-LIVRE → ORGANE
GRAND-MAÎTRE → MAÇON
GRAND-PÈRE → PATRIARCHE
GRAND-VOILE
Voir illus. **Voilier : Dufour 38 Classic**
GRANGE → BÂTIMENT, FERME (1), GRENIER, RÉCOLTE
GRANGE engranger, fenil, grenier, pailler
GRANI- → GRAIN
GRANITE
Voir tab. **Roches et minerais**
GRANITÉ → GLACE
GRANITO → BÉTON
GRANNY → POMME
GRANULAIRE → GRANULÉ
GRANULAT → MAÇON, MORTIER
GRANULE → COMPRIMÉ (1), HOMÉOPATHIE, PASTILLE, PILULE
GRANULÉ → MÉDICAMENT
GRANULÉ granulaire, granuleux
GRANULEUX → GRAIN, GRANULÉ
GRANULIE → TUBERCULOSE
GRANULOME → TUMEUR
GRANY → COUTEAU
GRAPHE → GRAPHIQUE, SCHÉMA
GRAPHÈME → ÉCRITURE
GRAPHIE → ÉCRITURE
GRAPHIQUE → COURBE (1), SCHÉMA
GRAPHIQUE affiche, bande dessinée, courbe, dessin, diagramme, graphe, histogramme, peinture, tracé
GRAPHISME → DESIGN
GRAPHITE → CARBONE, CENTRALE NUCLÉAIRE, COLORER, CRAYON, MINE, PLOMB
Voir tab. **Minéraux et utilisations**
GRAPHOLOGIE → ÉCRITURE
GRAPHOMANIE → ÉCRIRE
GRAPHOMÈTRE → ANGLE, ÉQUERRE
GRAPHOPHOBIE
Voir tab. **Phobies**
GRAPHORRHÉE → ÉCRIRE
GRAPPE → PLANTE, RÉGIME
Voir illus. **Fleur**
Voir tab. **Informatique**
GRAPPE girandole, inflorescence, pampre, régime, trochet
GRAPPILLER → AVARE (1), CUEILLIR, VENDANGE
GRAPPIN → ANCRE

GRAPPIN (NŒUD DE)
Voir illus. **Nœuds**
GRAS → BOUFFI, CIDRE, OBÈSE, OBSCÈNE, SALE
Voir tab. **Typographies**
GRAS adipeux, bouffi, charnu, dodu, graveleux, huileux, licencieux, lipide, lipotrope, obèse, obscène, plantureux, poisseux, replet, ronde, sébum
GRAS-DOUBLE → ABATS
GRASPING-REFLEX → NOURRISSON
GRASS-TRACK
Voir tab. **Sports**
GRASSE MATINÉE → TRAÎNER
GRASSET
Voir illus. **Cheval**
GRASSETTE → PLANTE
GRASSEYEMENT → PRONONCIATION
GRASSOUILLET → CHAIR, ROND (2)
GRATICULATION → CARRÉ (1)
GRATICULE → TREILLIS
GRATICULER → DIVISER
GRATIFICATION → APPOINTEMENTS, CADEAU, DON, GAIN, PRIME, RÉCOMPENSE, SALAIRE
GRATIFICATION bakchich, commission, dessous-de-table, dringuelle, étrennes, guelte, largesse, libéralité, pot-de-vin, pourboire, prime
GRATIFIER → DONNER
GRATIFIER accorder à, allouer à, attribuer à, honorer, imputer à, nantir, pourvoir
GRATIN → DESSUS
GRATIN crème, élite, fine fleur, gotha
GRATIN DAUPHINOIS → POMME DE TERRE
Voir tab. **Plats régionaux**
GRATINÉ → SOUPE
GRATIOLE → PRÉ
GRATIS → ADVERBE, GRATUIT
GRATITUDE → CHANDELLE, RECONNAISSANCE
GRATITUDE gré, reconnaissance
GRATTE-CIEL → IMMEUBLE (1)
GRATTE-PAPIER → BUREAU, EMPLOYÉ
GRATTE-PIEDS → BOUE, BROSSE, PAILLASSON
GRATTEMENT → DÉMANGEAISON
GRATTER creuser, dermatose, eczéma, fouiller, prurigo, racler, râper, riper, urticaire
GRATTOIR → BOUE, BROSSE
GRATTONS → RÉSIDU
GRATUIT → BÉNÉVOLE, COÛTER, DÉSINTÉRESSÉ, IRRATIONNEL
GRATUIT arbitraire, bénévole, désintéressé, gracieux, gratis, immotivé, injustifié, irrationnel, libre, non fondé
GRATUITEMENT → CONTREPARTIE
GRAU → COL, DÉFILÉ
Voir illus. **Littoral**
Voir tab. **Géographie et géologie (termes de)**
GRAVATS → DÉBRIS, DÉMOLITION, PIERRE, TAS
GRAVE → ACCENT, AMPLE, DANGEREUX, DIGNE, DRAMATIQUE, IMPOSANT, INQUIÉTER, MAJESTUEUX, PROFOND,

SÉRIEUX (2), SOLENNEL, TRAGIQUE
Voir tab. **Musique (vocabulaire de la)**

GRAVE alarmant, austère, caverneux, circonspect, compassé, contralto, critique, crucial, dangereux, décisif, doctoral, dramatique, fatal, imposant, gourmé, guttural, posé, préoccupant, réservé, rigide, sentencieux, sépulcral, sérieux, solennel, tragique

GRAVELEUX → CRU (2), GRAS, OBSCÈNE, SALACE

GRAVELLE → CALCUL, URINE, VESSIE

GRAVELOT
Voir tab. **Oiseaux (classification simplifiée des)**

GRAVER → CISEAU, COPIER, IMPRESSION, IMPRIMER, INSCRIRE

GRAVER burin, buriner, camée, ciseau, ciseler, échoppe, fixer, glyphe, glyptique, gouge, guilloché, imprimer, incruster, intailler, poinçon, scarabée

GRAVETTE → HUÎTRE

GRAVEUR aquafortiste, médailliste, nielleur

GRAVIDIQUE → GROSSESSE

GRAVIER → CALCUL, PIERRE, URINE

GRAVIMÈTRE
Voir tab. **Instruments de mesure**

GRAVIR → GRIMPER, MONTER

GRAVIR ascensionner, escalader, franchir, grimper

GRAVISSIME → MALIN (2)

GRAVITATION → ATTRACTION, CORPS, GRAVITÉ

GRAVITÉ → AMPLEUR, CORPS, IMPORTANCE, INERTIE

GRAVITÉ attraction, barycentre, componction, dignité, gravitation, majesté, pesanteur, sérieux

GRAVITER → TOURNER

GRAVLAX
Voir tab. **Spécialités étrangères**

GRAVURE → ART, FIGURE, ILLUSTRATION, IMAGE, REPRODUCTION, VIGNETTE

GRAVURE aquatinte, chalcographie, cul-de-lampe, eau-forte, estampe, frontispice, fumé, hyalographie, lithographie, mezzotinto, pyrogravure, vignette, xylographie

GRÉ → CONVENANCE, GRATITUDE, VOLONTÉ

GRÈBE
Voir tab. **Oiseaux (classification simplifiée des)**

GRÉBIFOULQUE
Voir tab. **Oiseaux (classification simplifiée des)**

GREC → ORTHODOXE

GREC achéen, adyton, aède, attique, chiton, chlamyde, corinthien, corybante, démotique, diadoque, diaule, dorien, dorique, drachme, éolien, evzone, fustanelle, hellénique, hétaïre, himation, hoplite, ionien, ionique, mystagogue, naos, opisthodome, peltaste, péplum, pronaos, propylée, retsina, sambuque, stoa, tholos

GRÉCO-ROMAINE → LUTTE

GRECQUE → DESSIN, MÉANDRE

GREDIN → FRIPON (1)

GRÉEMENT → MANŒUVRE, VOILURE

GREEN → GOLF, RAS (1)

GREENWICH (MÉRIDIEN DE) → MÉRIDIEN

GRÉER → ARMER, ÉQUIPER, GARNIR, VOILE

GREFFAGE
Voir tab. **Jardinage**

GREFFE → BOUTURE, BUREAU, CHIRURGIE, DÉPÔT, ORGANE, POINÇON, TRIBUNAL
Voir tab. **Chirurgie (vocabulaire de la)**
Voir tab. **Jardinage**

GREFFE anaplastie, autoplastie, écusson, ente, hétéroplastie, kératoplastie, parabiose, sauvageon, scion

GREFFER → BRANCHE, CŒUR

GREFFOIR → COUTEAU

GREFFON → BRANCHE

GRÉGAIRE → INSTINCT

GRÉGARISME → GROUPE

GRÈGE → BEIGE, BRUT

GRÉGORIEN → CALENDRIER, CHANT, CONCERT, MOINE

GRÊLE → FAIBLE (2), GLACE, MAIGRE, MINCE, ORAGE, PLUIE, PRÉCIPITATION

GRÊLE (1) grésil

GRÊLE (2) filiforme, fluet, gracile, iléon, jéjunum, menu

GRELOT → CLOCHETTE
Voir illus. **Percussions**
Voir tab. **Instruments de musique**

GRELOTTER → CLAQUER, FRISSONNER, TREMBLER

GREN- → GRAIN

GRENADE → PROJECTILE, UNIFORME (1)

GRENADIER
Voir tab. **Poissons (classification simplifiée des)**

GRENADILLE → PASSION

GRENADIN → FILET, ŒILLET

GRENAILLE → GRAIN, PLOMB

GRENAT → POURPRE (2), ROUGE
Voir tab. **Couleurs**
Voir tab. **Pierres précieuses et semi-précieuses**

GRENAT almandin, escarboucle, pyrénéite

GRENÉ → GRAIN

GRÈNETIS → BORD, MONNAIE

GRENIER → FERME (1), GRAIN, GRANGE, RÉCOLTE, RÉSERVE

GRENIER attique, fenil, galetas, grange, magasin, mansarde, pailler

GRENOUILLAGE → DOUTEUX, INTRIGUE

GRENOUILLE → TIRELIRE
Voir tab. **Animaux (classification simplifiée des)**
Voir tab. **Animaux (termes propres aux)**

GRENOUILLE DE BÉNITIER → FERVENT (2)

GRENOUILLÈRE → BÉBÉ

GRENOUILLETTE → LANGUE, TUMEUR

GRENU → GRAIN, INÉGAL

GRÈS → CARRELAGE, CÉRAMIQUE, POTERIE

GRÉSER → POLIR, ROGNER

GRÉSIL → GLACE, GRÊLE (1), PLUIE, PRÉCIPITATION

GRÉSILLEMENT → BRUIT, FRITURE
Voir tab. **Bruits**

GRÉSILLER → CRÉPITER

GRÉSILLONS
Voir tab. **Habitants (comment se nomment les)**

GRESSIN → PAIN

GRÈVE → BORD, CONTESTATION, CÔTE, JAMBE, MER, PERTURBATION, PLAGE, RÉACTION, REVENDICATION, RIVAGE, SABLE
Voir illus. **Armures**

GRÈVE débrayer, jaune, lock-out

GRÈVE DE LA FAIM → JEÛNE

GRÈVE SUR LE TAS → OCCUPATION

GREVER → ACCABLER, BUDGET, CHARGER, IMPOSER, SURCHARGER

GRÉVY (JULES)
Voir tab. **Rois et chefs d'État de la France**

GRIBANE → BARQUE
Voir tab. **Bateaux**

GRIBOUILLAGE → DESSIN, ENFANT

GRIBOUILLER → BARBOUILLER, ÉCRIRE, RÉDIGER

GRIBOUILLEUR → PEINTRE

GRIEF → ACCUSATION, PLAINTE

GRIEF blâmer, doléance, incriminer, plainte, rancœur, rancune, récrimination, réquisitoire, ressentiment

GRIFFE → CARACTÈRE, CRÉATEUR (1), GENRE, ONGLE, PATTE, SCEAU, SIGNATURE
Voir illus. **Bijoux**
Voir illus. **Oiseau**

GRIFFE dégriffé, démarqué, empreinte, éperon, ergot, harpe, marque, serres, style

GRIFFER → ÉCORCHER

GRIFFER égratigner, érafler

GRIFFON → CANALISATION, LÉGENDE, MONSTRE, VAUTOUR
Voir illus. **Animaux fabuleux**
Voir tab. **Mythologiques (créatures)**

GRIFFONNEMENT → SCULPTURE

GRIFFONNER → BARBOUILLER, ÉCRIRE, JETER, RÉDIGER, TRACER

GRIFFURE → ÉGRATIGNURE

GRIGNE → DORÉ, PAIN

GRIGNER
Voir tab. **Couture**

GRIGNOTER → MANGER, RONGER

GRIGNOTER dilapider, dissiper, manger, ronger

GRIGNOTEUR → DÉCOUPER

GRIGRI → AMULETTE, CHANCE, DÉFENSE, FÉTICHE, MAGIQUE, PORTE-BONHEUR, PRÉSERVER, TALISMAN

GRILLADE → REPAS

GRILLAGE → CLÔTURE, PLOMB

GRILLE → BARREAU, CODE, GELER, POÊLE, PORTE, QUADRILLAGE
Voir illus. **Selle**

GRILLE barbeline, crapaudine, herse, pilastre

GRILLÉ → RÔTI (2)

GRILLER → BRÛLER, CHAUFFER, CUIRE, DESSÉCHER, FUMER, RÔTIR

GRILLER calciné, carbonnade, rôtir, torréfier

GRILLON → INSECTE, SAUTERELLE

GRIMACE → EXPRESSION, PHYSIONOMIE, SINGE

GRIMACE crispation, lippe, mimique, minauderie, mine, moue, rictus, simagrée, tic

GRIMER → COLORER, MAQUILLER

GRIMOIRE → LIVRE, MAGICIEN, SORCELLERIE
Voir tab. **Livres**

GRIMPE → ALPINISME, ROCHER

GRIMPER → GRAVIR, MONTER

GRIMPER escalader, gravir, hisser (se), jucher, percher

GRIMPEREAUX
Voir tab. **Oiseaux (classification simplifiée des)**

GRIMPETTE → CÔTE

GRINÇANT amer, discordant, dissonant, irrité, mordant

GRINCEMENT
Voir tab. **Bruits**

GRINCER → CRAQUER

GRINCER bruxomanie, couiner, crier, crisser

GRINCHEUX → ACARIÂTRE, GROGNON, RENFROGNÉ

GRINCHEUX acariâtre, grognon, hargneux, revêche

GRINGALET → MAIGRE

GRINGOTTER → OISEAU

GRIOT → POÈTE

GRIOTTE → AIGRE, CERISE, MARBRE

GRIPPAGE → FRICTION, FROTTEMENT

GRIPPE → INFECTION, VACCINATION
Voir tab. **Vaccins**

GRIPPE détester, haïr, influenza

GRIPPE-SOU → COMPTER

GRIPPE-SOU avare, fesse-mathieu, harpagon, ladre

GRIPPER → FONCTIONNER

GRIS → DEUIL, GAI (2), IMPRIMERIE, IVRE, PERLE, POIVRE, SOMBRE, TABAC, TERNE, TRISTE
Voir tab. **Chevaux (robes des)**

GRIS argenté, brumeux, couvert, éméché, gai, grisonner, intelligence, maussade, morne, poivre et sel, réflexion, terne

GRISAILLE
Voir tab. **Peinture et décoration**

GRISANT → ENIVRANT

GRISARD → PEUPLIER

GRISÂTRE → TRISTE
Voir tab. **Couleurs**

GRISE → FONTE

GRISÉ → IVRE, PASSIONNÉ

GRISER → BOIRE, ÉTOURDIR, IVRE, RAVIR

GRISER enivrer, enivrer (s'), étourdir, exalter (s'), exciter, repaître (se), saouler

GRISERIE → EXALTATION, IVRESSE, VERTIGE

GRISETTE → FILLE

GRISOLLER → ALOUETTE

GRISONNANT → POIVRE

GRISONNER → GRIS

GRISOU → EXPLOSION, GAZ, HOUILLE, MINE

GRIVE → GIBIER

GRIVE babil, draine, jocasse, litorne, mauvis, passériformes, turdidés, vendangette

GRIVELÉ → TACHE
Voir tab. **Couleurs**
GRIVOIS → CRU (2), COQUIN (2), ÉPICÉ, FRIPON (2), GAI (2), GAULOIS, LÉGER, POLISSON, SALACE, SALÉ, SEXUEL
GRIVOISERIE → OBSCÉNITÉ, PLAISANTERIE
GRIZZLI → OURS
GROENLAND
Voir tab. **Îles du monde**
GROGNARD → SOLDAT
GROGNEMENT → MURMURE, OURS, PORC
GROGNER → BABINE, GROMMELER, PLAINDRE (SE)
Voir tab. **Animaux (termes propres aux)**
GROGNER bougonner, grommeler, marmonner, marmotter, maugréer
GROGNON → BOUDEUR, GRINCHEUX, MAUSSADE
GROGNON bougon, bourru, grincheux, rogue
GROGNONNER → BOUGONNER
GROIN → MUSEAU, NEZ, PORC
GROISIL → DÉBRIS
GROISILLONS
Voir tab. **Habitants (comment se nomment les)**
GROIX (ÎLE DE)
Voir tab. **Habitants (comment se nomment les)**
GROLLE → CHAUSSURE
GROMMELER → BALBUTIER, BARBE, BOUGONNER, GROGNER, MURMURER
Voir tab. **Animaux (termes propres aux)**
GROMMELER bougonner, grogner, gronder, maugréer, ronchonner
GRONDEMENT → OURS, TONNERRE
GRONDEMENT ronflement, vrombissement
GRONDER → ATTRAPER, BRUIT, COLÈRE, GROMMELER, MOUCHER, MUGIR, RABROUER, REPROCHE, RUGIR
Voir tab. **Animaux (termes propres aux)**
Voir tab. **Bruits**
GRONDER admonester, chapitrer, gourmander, morigéner, réprimander, tancer, tonner
GRONDERIE → RÉPRIMANDE
GRONDIN
Voir tab. **Poissons (classification simplifiée des)**
GROOM → ADOLESCENT, CHASSEUR (1), CONTREPOIDS, DOMESTIQUE (1), GARÇON, HÔTEL
GROS → IMPORTANT, LOURD, MER, OBÈSE, PLANTUREUX, SUBSTANCE, VENTRE
GROS abondant, astronomique, bedonnant, considérable, copieux, corpulent, dans l'ensemble, épanoui, fort, généreux, globalement, grossièreté, important, influent, injure, insulte, juron, lippue, macrocéphale, massif, obèse, opulent, pansu, rondelette, trapu, ventripotent, volumineux
GROS MOT → JURON

GROS PLAN
Voir tab. **Cinéma**
GROS TIRAGE → SUCCÈS
GROS TITRE → COUVERTURE
GROS-BEC
Voir illus. **Becs**
GROSEILLE → BAIE
Voir tab. **Couleurs**
GROSEILLIER → ARBUSTE
GROS-GRAIN → MERCERIE
GROSSE → COPIE, DOUZAINE, EXPÉDITION, MINUTE
GROSSE CAISSE → CAISSE
Voir illus. **Percussions**
Voir tab. **Instruments de musique**
GROSSERIE → VAISSELLE
GROSSESSE → ATTENTE, FEMME
GROSSESSE accouchement, avortement, chloasma, ectopique, fœtus, gestation, gravidique, maternité, ovarienne, péritonéale, progestérone, tubaire
GROSSEUR → CALIBRE, DIMENSION
GROSSEUR abcès, calibre, corpulence, embonpoint, excroissance, hypertrophie, kyste, obésité, polysarcie, tumeur
GROSSIER → BARBARE, BESTIAL, BRUT, BULLE, CAVALIER (2), ÉPAIS, IMPARFAIT (2), IMPOLI, IMPRÉCIS, INCONGRU, INCONVENANT, INCORRECT, INSOLENT, LOURD, MALADROIT, MALPROPRE, OBSCÈNE, ORDINAIRE, PRIMAIRE, PUDEUR, SALÉ, SAUVAGE, VULGAIRE
GROSSIER approximatif, butor, cru, discourtois, élémentaire, fil blanc (cousu de), fruste, goujat, imparfait, inconvenant, mal dégrossi, maladroit, malappris, malotru, mufle, ordinaire, ordurier, rude, rudimentaire, rustre, sommaire, trivial, vulgaire
GROSSIÈREMENT → DÉTAIL, LOURDEMENT, SUBSTANCE
GROSSIÈRETÉ → AMABILITÉ, BALOURDISE, BRUTALITÉ, COMPORTEMENT, ÉCART, EXCÈS, GROS, IMPOLITESSE, INSULTE, JURON, OBSCÉNITÉ, ORDURE, SALETÉ
GROSSIÈRETÉ incongruité, juron, obscénité, ordure, saleté
GROSSIR → ARRONDIR (S'), ENGRAISSER, EXAGÉRER, GONFLER
GROSSIR accroître, amplifier, augmenter, dramatiser, empâter, enfler, engraisser, exagérer, forcir, gonfler, renforcer
GROSSISSEMENT → DILATATION
GROSSISTE → COMMERÇANT, COMMERCE, MARCHAND, PRODUCTEUR, VENDRE
GROSSO MODO → ADVERBE, DÉTAIL, SUBSTANCE
GROSSOYER → COPIER
GROTESQUE → ABSURDE, BÊTE (2), BIZARRE, BOUFFON (2), BURLESQUE, CARICATURE, EXTRAVAGANT, RIDICULE, RISIBLE
Voir tab. **Peinture et décoration**
GROTESQUE burlesque, caricatural, cocasse, extravagant, ridicule, risible

GROTTE → CAVITÉ, CRYPTE, PRÉHISTORIQUE
GROTTE antre, baume, caverne, cavité, excavation, nymphée, oréade, spéléologie, stalactite, stalagmite, troglodyte
GROTTES
Voir tab. **Phobies**
GROUILLER abonder, dépêcher (se), être plein de, fourmiller, hâter (se), pulluler
GROUPE → BANDE, CAMP, CATÉGORIE, CERCLE, CLAN, CLASSE, CLASSER, COLLECTIVITÉ, CONGLOMÉRAT, ENSEMBLE, ÉQUIPE, FORMATION, INDUSTRIE, NOYAU, ORGANISATION, PÂTÉ, RÉUNION, SÉRIE, TRIBU, TROUPE, UNITÉ
GROUPE anthropologie, cénacle, cercle, chapelle, club, commando, constellation, convoi, escouade, essaim, ethnologie, grégarisme, holding, lobby, octuor, peloton, phalanstère, phratrie, pléiade, quatuor, quintette, septuor, sextuor, trio, trust
GROUPÉ → PLONGEON
GROUPE DE DISCUSSION
Voir tab. **Internet**
GROUPEMENT → CENTRE, RÉUNION, UNION
GROUPEMENT amalgame, cellule, coalition, concentration, fédération, front, GIE (groupement d'intérêt économique), macédoine, trust
GROUPER → AMASSER, CONCENTRER
GROUPER amasser, assembler, classer, collectionner, réunir
GROUPIE → FANATIQUE (1), IDOLE
GROUSE → BRUYÈRE, COQ
GRS
Voir tab. **Sports**
GRUAU → AVOINE, FARINE
GRUE
Voir tab. **Oiseaux (classification simplifiée des)**
Voir tab. **Prostitution**
GRUE bigue, craquètement, échassiers, glapissement, ralliformes
GRUGER → DUPER, EXPLOITER, VOLER
GRUIFORMES
Voir tab. **Oiseaux (classification simplifiée des)**
GRUME → BLOC, ÉCORCE, GRAIN, RAISIN, TRONC
GRUMEAU → CAILLÉ, CAILLOT
GRUYÈRE
Voir illus. **Fromages**
GRUYÈRE aisy, aisy, comté, emmental, fromage, vacherin
GRYPHÉE → HUÎTRE
GSM → NORME, PORTABLE
Voir tab. **Multimédia (les mots du)**
GUACAMOLE → TOMATE
GUACHARO
Voir tab. **Oiseaux (classification simplifiée des)**
GUAI → HARENG
GUANACO → LAMA
GUANO → DÉBRIS, ENGRAIS, EXCRÉMENT, FUMIER, OISEAU

GUARANA
Voir tab. **Plantes médicinales**
GUARNERIUS → VIOLON
GUÉ → RIVIÈRE
GUÈBRES → PERSE (1)
GUÈDE → BLEU (2), COLORANT, TEINTURE
Voir tab. **Couleurs**
GUELTE → GRATIFICATION, SALAIRE
GUÉMÉNÉ
Voir illus. **Charcuterie**
GUENEAU
Voir tab. **Bridge**
GUENILLE → AFFREUX, CHIFFON, HABIT, LAMBEAU, LOQUE, MISÉRABLE (2), VÊTEMENT
GUENILLE défroque, frusques, haillon, harde, oripeau
GUENON
Voir tab. **Animaux (termes propres aux)**
GUENUCHE
Voir tab. **Animaux (termes propres aux)**
GUÉPARD → FAUVE (1)
GUÊPE → BOURDONNEMENT
GUÊPE avisé, frelon, hyménoptères, poliste, rusé, sphex, vespidés
GUÊPIER → NID
Voir tab. **Oiseaux (classification simplifiée des)**
GUÊPIÈRE
Voir illus. **Modes et styles**
GUÉRET → JACHÈRE, LABOURER
Voir tab. **Habitants (comment se nomment les)**
GUÉRÉTOIS
Voir tab. **Habitants (comment se nomment les)**
GUÉRIDON → MEUBLE, TABLE
GUÉRILLA → GUERRE
GUÉRILLERO → ADVERSAIRE, PARTISAN (1)
GUÉRIR → DÉLIVRER, RELEVER (SE), REMETTRE (SE), REVENIR, SAUVER, SORTIR
GUÉRIR adoucir, ajouter, amender, apaiser, atténuer, calmer, corriger, curatif, débarrasser de (se), panacée, recouvrer la santé, rétablir (se), soulager, thérapeutique
GUÉRISON → CICATRISATION
GUÉRISON convalescence
GUÉRISSEUR → FLUIDE (1), MÉDECIN
GUÉRISSEUR chaman, mège, rebouteux
GUÉRITE → ABRI, SENTINELLE
GUÉRITE échauguette, échiffre, poivrière
GUERRE → CAMPAGNE, COMBAT, CONFLIT, EXPÉDITION, RÈGLEMENT
GUERRE angarie, Arès, armistice, bellicisme, belligérant, Bellone, blitzkrieg, casus belli, cessez-le-feu, cour martiale, croisade, djihad, guérilla, hostilités, Intifada, Mars, poilu, polémologie, traître, transfuge, trève
GUERRE CIVILE → SOULÈVEMENT
GUERRE DE CENT ANS
Voir tab. **Histoire (grandes périodes)**
GUERRE DES ÉTOILES → INITIATIVE
GUERRE DU PÉLOPONNÈSE

Voir tab. **Histoire (grandes périodes)**

GUERRE SAINTE
Voir tab. **Islam (vocabulaire de l')**

GUERRES DE RELIGIONS
Voir tab. **Histoire (grandes périodes)**

GUERRES MÉDIQUES
Voir tab. **Histoire (grandes périodes)**

GUERRIER → BELLIQUEUX, COMBATTANT, SOLDAT

GUERROYEUR → BELLIQUEUX

GUET → FACTIONNAIRE, PATROUILLE, SURVEILLANCE

GUET-APENS → ATTAQUE, EMBÛCHE, PIÈGE

GUÈTE → SENTINELLE

GUÊTRE → BAS (1), JAMBE

GUETTE → SENTINELLE

GUETTER → ATTENDRE, ÉPIER, SURVEILLER, VEILLER

GUETTER affût (être à l'), aguets (être aux), épier, surveiller

GUETTEUR → GARDE, INFANTERIE, SENTINELLE

GUEULANTE → DÉSAPPROBATION

GUEULARD → GUEULE, HAUT-FOURNEAU

GUEULE → BOUCHE, FOUR

GUEULE gueulard

GUEULE-DE-RAIE (NŒUD DE)
Voir illus. **Nœuds**

GUEULER → CRIER, RUGIR

GUEULES → BLASON
Voir illus. **Héraldique**

GUEULETON → REPAS

GUEULETONNER → BOMBANCE

GUEULIN → PÊCHE

GUEUSE → FONTE, HAUT-FOURNEAU

GUEUX → MENDIANT (1), MISÉRABLE

GUEUX hère, mendiant, miséreux, va-nu-pieds, vagabond

GUEUZE → BIÈRE

GUGUSSE → CLOWN

GUI → CHÊNE, PARASITE (1)
Voir tab. **Plantes médicinales**

GUICHE → BOUCLE, BOUCLIER, MÈCHE

GUICHET → BUREAU, OUVERTURE, PORTE, RETIRER

GUICHET billetterie, distributeur, hygiaphone, judas

GUIDE → ACCOMPAGNATEUR, CONDUCTEUR, INSPIRATEUR, RECUEIL

GUIDE cicérone, égérie, gourou, mentor, rêne, sherpa

GUIDE-FIL → TRICOTER

GUIDEAU → FILET

GUIDER → CONDUIRE, CONSEILLER (2), MENER, ORIENTER, REMETTRE

GUIDER aiguiller, commander, conseiller, déterminer, dicter, éclairer, GPS, mener, orienter, piloter, radioguidé, repérer (se), téléguidé

GUIDON → CAVALERIE, DRAPEAU
Voir illus. **Drapeaux**
Voir illus. **Fusils**
Voir illus. **Pistolet**
Voir illus. **Revolver**

GUIDON drapeau, enseigne, étendard, fanion, oriflamme

GUIGNE → CERISE, MALCHANCE

GUIGNER → DÉSIRER, LORGNER, LOUCHER, OBSERVER, REGARDER

GUIGNOL → BOUFFON (1), CLOWN, COMIQUE, ENFANT, MARIONNETTE, PANTIN, POLICHINELLE, SPECTACLE, ZOUAVE

GUIGNOL charlot, pantin

GUIGNOLET → CERISE

GUILDE → COMMUNAUTÉ, MÉDIÉVAL, SOCIÉTÉ

GUILLAUME → MENUISIER, RABOT

GUILLEMET → CITATION, PONCTUATION

GUILLEMOT → PINGOUIN
Voir tab. **Oiseaux (classification simplifiée des)**

GUILLERET → GAI (2)

GUILLOCHE → BURIN

GUILLOCHÉ → GRAVER

GUILLOCHER → ORNER

GUILLOTINE décapitation, échafaud, exécution

GUILLOTINE (NŒUD À)
Voir illus. **Nœuds**

GUILLOTINER → DÉCAPITER, TÊTE, TRANCHER

GUIMAUVE → BONBON

GUIMBARDE → CHARIOT, MENUISIER
Voir illus. **Percussions**
Voir tab. **Instruments de musique**

GUIMPE → BUSTE, FICHU, RELIGIEUX (1), VÊTEMENT

GUINCHE → BAL

GUINDANT → DRAPEAU
Voir illus. **Drapeaux**

GUINDÉ → ACADÉMIQUE, AFFECTÉ, CONVENTIONNEL, EMPRUNTÉ, MANIÈRE, SOLENNEL

GUINDÉ affecté, ampoulé, apprêté, compassé, emphatique, gourmé, grandiloquent, pompeux, prétentieux, solennel

GUINDER → LEVER, POULIE

GUINÉE → LIVRE STERLING, POIVRE

GUINGOIS → TRAVERS (2)

GUINGUETTE → BAL, FÊTE

GUIPAGE → FRANGE

GUIPON → BALAI

GUIPURE → BRODERIE, DENTELLE
Voir tab. **Tissus**

GUIRLANDE → COURONNE, DÉCORATION, ILLUMINATION, PARURE

GUIRLANDE feston, girandole, rinceau

GUÏRO
Voir illus. **Percussions**
Voir tab. **Instruments de musique**

GUISARME → LANCE

GUISE → FAÇON, VOLONTÉ

GUITARE → CORDE, INSTRUMENT, PLECTRE
Voir tab. **Instruments de musique**

GUITARE capodastre, médiator, plectre, tablature

GUITOUNE → BIVOUAC

GUIVRE → CHAUVE-SOURIS, DRAGON, SERPENT

GUNITE → CIMENT, ENDUIT

GUNITER → BÉTONNER

GUS → POLICHINELLE

GUSTATIF → GOÛT

GUTTURAL → GORGE, GRAVE, SOURD

GUYOT → POIRE

GYMNASE → SPORT

GYMNASE barre fixe, espalier, gymnasiarque, palestre, poutre, xyste

GYMNASIARQUE → GYMNASE

GYMNASTE → ACROBATE

GYMNASTIQUE → ÉDUCATION, EXERCICE, PHYSIQUE
Voir tab. **Sports**

GYMNASTIQUE agrès, anneaux, athlétisme, barre, cheval d'arçon, haltère, hébertisme, trapèze

GYMNORHINE
Voir tab. **Oiseaux (classification simplifiée des)**

GYMNOSPERMES → GRAINE, PLANTE
Voir tab. **Végétaux (classification simplifiée des)**

GYMNOTE → ANGUILLE
Voir tab. **Poissons (classification simplifiée des)**

GYNÉ(CO)- → FEMME

GYNÉCÉE → APPARTEMENT, FEMELLE (2), FEMME, PISTIL

GYNÉCOLOGIE
Voir tab. **Sciences : termes en -ologie et -ographie**

GYNÉCOLOGUE → ACCOUCHER, ACCOUCHEUR, FEMME, MÉDECIN

GYNÉPHOBIE
Voir tab. **Phobies**

GYPAÈTE → RAPACE, VAUTOUR

GYPSE → CALCIUM, PLÂTRE
Voir tab. **Minéraux et utilisations**

GYPSE alabastrite, albâtre

GYROCOMPAS → BOUSSOLE

GYROSCOPE → INERTIE

GYROVAGUE → MOINE

H → HYDROGÈNE
Voir tab. **Éléments chimiques (symbole des)**

H (BOMBE) → BOMBE

H₂O → MOLÉCULE

HA → HECTARE

HABACUC
Voir tab. **Bible**

HABEAS CORPUS → LIBERTÉ

HABILE → CAPABLE, DÉBROUILLARD, FÉE, FIN (2), FORT (3), INTELLIGENT, MALIN (2), RÉFLÉCHI, RESSOURCE, SAVANT (2), SUBTIL

HABILE adroit, astucieux, calculateur, compétent, émérite, exercé, expérimenté, fin, futé, ingénieux, malin, roué, subtil

HABILEMENT éluder, esquiver, faufiler (se)

HABILETÉ → AISANCE, APTITUDE, CAPACITÉ, DIPLOMATIE, EXÉCUTION, MAÎTRISE, SAVOIR, SAVOIR-FAIRE, SCIENCE, SUBTILITÉ, SÛRETÉ, TACT

HABILETÉ adresse, artifice, brio, dextérité, diplomatie, doigté, entregent, impéritie, incompétence, maestria, virtuosité

HABILITÉ → COMPÉTENCE

HABILITER → AUTORISER

HABILLEMENT accoutrement, affublement, bonneterie, confection, costume, couture, lingerie

HABILLER → APPRÊTER (S'), COUVRIR, RECOUVRIR, VÊTIR
Voir tab. **Phobies**

HABILLER accoutrer, affubler, attifer, costumer (se), couvrir (se), déguiser (se), draper, emmitoufler, endimancher, fagoter, parer, travestir (se), vêtir (se)

HABIT → TENUE, UNIFORME (1), VÊTEMENT
Voir illus. **Manteaux**

HABIT complet, costume, déguisement, frac, frusque, guenille, haillon, livrée, oripeau, queue-de-pie, smoking, treillis, uniforme

HABIT VERT → ACADÉMIE

HABITACLE → CAPSULE, PILOTE

HABITANT aborigène, administré, âme, autochtone, citadin, citoyen, extraterrestre, gentilé, indigène, insulaire, martien, riverain, sujet, troglodyte, villageois

HABITAT → URBANISME

HABITATION → APPARTEMENT, DOMICILE, IMMEUBLE (1), INTÉRIEUR (1), LOGEMENT

HABITATION cabane, case, cure, datcha, demeure, doyenné, galetas, isba, loft, logement, masure, nomade, presbytère, résidence, taudis, tipi, wigwam

HABITATION (TAXE D') → IMPÔT
Voir tab. **Fiscalité**

HABITER → DEMEURER, LOGER, OCCUPER, PERCHER, PEUPLER, REMPLIR

HABITER demeurer, élire domicile, emménager, établir (s'), fixer (se), hanter, loger, occuper, posséder, poursuivre, résider, séjourner

HABITUDE → COUTUME, EXPÉRIENCE, MŒURS, ORDINAIRE, PLI, PLUPART (LA), PRATIQUE (1), RÈGLE, ROUTINE, SPÉCIALITÉ, TRADITION

HABITUDE accoutumance, automatisme, coutume, expérience, manie, marotte, mœurs, pratique, réflexe, rite, routine, tic, tradition, us, usage

HABITUÉ → CLIENT, FAMILIER (1), PILIER

HABITUÉ commensal, familier, pilier de bar

HABITUEL → CLASSIQUE, CONSACRÉ, CONSTANT, COURANT (2), FAMILIER, FRÉQUENT, GÉNÉRAL, INÉVITABLE, NATUREL, NORMAL, QUOTIDIEN, RÉGULIER, STANDARD (2), USUEL

HABITUEL classique, consacré, courant, coutumier, normal, ordinaire, régulier, rituel, traditionnel, usuel

HABITUELLEMENT → GÉNÉRALEMENT, ORDINAIRE

HABITUER → ACCOUTUMER (S'), EXERCER, FAIRE

HABITUER acclimater (s'),

H

adapter (s'), aguerrir, endurcir, entraîner à, exercer à, familiariser avec (se), plier, rompre à

HÂBLERIE → BLUFF, FANFARON, MENSONGE

HACHAGE → CHARCUTERIE

HACHE → BÛCHE, FENDRE

HACHE bipenne, cochoir, cognée, doloire, francisque, hansart, herminette, merlin, tille, tomahawk

HACHÉ → IRRÉGULIER

HACHER → COUPER, DÉGROSSIR

HACHER entrecouper, interrompre

HACHIS → FARCE, SAUCISSE

HACHIS PARMENTIER → POMME DE TERRE

HACHOIR → BOUCHER (2), CHARCUTERIE

HACIENDA → AGRICOLE, DOMAINE, EXPLOITATION, FERME (1)

HACKAMORE
Voir illus. **Harnais**

HACKER
Voir tab. **Internet**

HADDOCK → MORUE

HADÈS → ENFER, MORT (1)

HADITH → RECUEIL
Voir tab. **Islam** (vocabulaire de l')

HADJ
Voir tab. **Islam** (vocabulaire de l')

HADJDJ → MUSULMAN (1)

HADJI → ISLAM

HADRON → PARTICULE

HAEMOPHILUS INFLUENZAE DE TYPE B (HIB)
Voir tab. **Vaccins**

HAFNIUM
Voir tab. **Éléments chimiques** (symbole des)

HÄGAR DÜNOR
Voir tab. **Bande dessinée** (héros de)

HAGARD → EFFARÉ, PERDU

HAGIOGRAPHE → HÉROS

HAGIOGRAPHIE → BIOGRAPHIE, COMPLIMENT, HISTOIRE, LOUANGE, SAINT (1)
Voir tab. **Livres**

HAHNEMANN (SAMUEL) → HOMÉOPATHIE

HAÏ → HONNI

HAIE → CLÔTURE, COURSE HIPPIQUE, ÉQUITATION, FILE, VERDURE

HAIE aubépine, baragne, bocage, bouchure, breuil, brise-vent, bryone, charmille, échalier, lamier, thuya, viorne

HAIE BARRÉE → OBSTACLE

HAIES (COURSE DE)
Voir tab. **Sports**

HAÏK → MUSULMAN (1), VÊTEMENT

HAÏKU → JAPONAIS, POÈME

HAILLON → AFFREUX, CHIFFON, GUENILLE, HABIT, LAMBEAU, LOQUE, MISÉRABLE (2), VÊTEMENT

HAINE → JALOUSIE, MALVEILLANCE, PHOBIE, VENIN, XÉNOPHOBIE

HAINE androphobie, animadversion, animosité, antipathie, aversion, exécration, fiel, inimitié, mis(o)-, misandrie, misanthropie, misogynie, -phobie, répulsion,

ressentiment, venin, xénophobie

HAINEUX → MÉCHANT, VENIMEUX

HAINEUX agressif, hargneux, hostile, malveillant, méchant, méprisant

HAÏR → DÉTESTER, GRIPPE, MAUDIRE

HAÏR abhorrer, abominer, détester, exécrer, honnir

HAIRE → CHEMISE, PÉNITENCE

HAÏSSABLE → DÉTESTABLE, INSUPPORTABLE, ODIEUX, SALE

HAL(O)- → MER

HALAGE → TRACTION

HALAL → BOUCHERIE, MUSULMAN (2)

HALBI → CIDRE, NORMAND, POIRE

HALBRAN → CANARD
Voir tab. **Animaux (termes propres aux)**

HALÉ rémorqué, tiré

HÂLÉ → BASANÉ, BRUN, NOIR (2)

HÂLÉ basané, bistré, boucané, bronzé, cuivré, doré, tanné

HALEBAS
Voir illus. **Voilier : Dufour 38 Classic**

HALEFI
Voir illus. **Pierres précieuses (taille des)**

HALEINE → RESPIRATION, SOUFFLE

HALEINE à bout de souffle, essoufflé, haletant, suspense

HALER → TIRER

HÂLER → BRONZER

HALETANT → HALEINE, SOUFFLE

HALETANT essoufflé, hors d'haleine, pantelant

HALETER → ESSOUFFLER (S'), RESPIRER, SUFFOQUER

HALF-TRACK → BLINDÉ, VÉHICULE

HALI- → MER

HALICARNASSE
Voir illus. **Monde (les Sept Merveilles du)**

HALIEUTIQUE → PÊCHE

HALIOTIDE → OREILLE

HALITE → SEL
Voir tab. **Minéraux et utilisations**

HALITUEUX → MOITE

HALL → ANTICHAMBRE, ATTENTE, ENTRÉE, PORCHE, VESTIBULE

HALL antichambre, entrée, vestibule

HALLALI → CHASSE, CRI, SONNER
Voir tab. **Chasse** (vocabulaire de la)

HALLE entrepôt, magasin, marché

HALLEBARDE → LANCE, SEAU

HALLEBARDIER → INFANTERIE

HALLES → MARCHÉ

HALLEY → COMÈTE

HALLIER → BUISSON

HALLUCINANT → AFFOLANT

HALLUCINATION → APPARENCE, CAUCHEMAR, DÉLIRE, ERREUR, ILLUSION, PERCEPTION, RAGE, VISION
Voir tab. **Psychiatrie**

HALLUCINATION apparitions, drogue, hypnagogique, illusion, mirage, vision, zoopsie

HALLUCINÉ → BIZARRE

HALLUCINOGÈNE → HASCHISCH

HALO → CERCLE, COURONNE, GALAXIE

HALOGÈNE → LAMPE
Voir tab. **Chimie**

HALOPHILE → VÉGÉTATION

HALTE → ARRÊT, ÉTAPE, PAUSE, REFUGE (1), STATION, VOYAGE

HALTE accalmie, aire de repos, escale, étape, pause, répit, station

HALTÈRE → GYMNASTIQUE

HALTÉROPHILIE → POIDS
Voir tab. **Sports**

HAMAC → FILET, LIT, REPOS

HAMADA → DÉSERT, PLATEAU

HAMADRYADE → ARBRE, NYMPHE

HAMAMÉLIS
Voir tab. **Plantes médicinales**

HAMAMELIS VIRGINIANA
Voir tab. **Plantes médicinales**

HAMARTOME → KYSTE

HAMBURGER → BIFTECK

HAMEAU → CAMPAGNE, DISSÉMINÉ, MAISON, VILLAGE

HAMEÇON → MORDRE
Voir tab. **Pêche**

HAMMAM → BAIN, SUER, TURC, VAPEUR

HAMMERLESS → FUSIL

HAMMOND (ORGUE)
Voir tab. **Instruments de musique**

HAMPE → BÂTON, BIFTECK, DRAPEAU, LANCE, LETTRE, MANCHE, PINCEAU, TIGE
Voir illus. **Canon**
Voir illus. **Drapeaux**

HANCHE → ATTACHE
Voir tab. **Chirurgicales (interventions)**
Voir tab. **Douleur**

HANCHE bassin, coxal, coxalgie, iliaque, ischiatique, luxation, sciatique

HANDBALL → BALLON
Voir tab. **Sports**

HANDICAP → CORPS, INCONVÉNIENT, INFIRMITÉ, SURCHARGE

HANDICAP désavantage, frein, inconvénient, infirmité, invalidité, malformation, obstacle, omnium

HANDICAPÉ → BLESSÉ, INFIRME, INVALIDE (1), PARALYSIE

HANDICAPER → INFÉRIORITÉ

HANGAR → ABRI, BARAQUE, BÂTIMENT, ENTREPÔT, FERME (1), GARAGE

HANGAR appentis, carbet, chartil, docks, entrepôt, fenil, pailler, remise, resserre, rotonde

HANNETON
Voir illus. **Insectes**

HANOUKKA
Voir tab. **Fêtes religieuses**

HANSART → COUTEAU, HACHE

HANSEN (DE) → LÈPRE

HANTÉ → FANTÔME, POURSUIVRE, PROIE

HANTER → COURIR, FRÉQUENTER, HABITER, OBSÉDER, PEUPLER

HANTER fréquenter, harceler, obséder, persécuter, peupler, poursuivre, ronger

HANTISE → CAUCHEMAR, FIXE (2), FRAYEUR, IDÉE, MANIE, OBSESSION, PEUR

HAPAX → MOT

HAPPENING → EXPOSITION

HAPPER → ATTRAPER, BEC, PRENDRE, SAISIR

HAPPY END → CONCLUSION

HAPTONOMIE → BÉBÉ

HAQUENÉE → CHEVAL, JUMENT

HAQUET → CHARRETTE

HARA-KIRI → JAPONAIS, SUICIDE

HARAM → MOSQUÉE, VOILE

HARANGUE → DISCOURS, SERMON

HARANGUER → PARLER

HARAS → CHEVAL

HARAS élevage, étalon, reproduction, sélection

HARASSANT → FATIGANT, PÉNIBLE

HARASSE → CAISSE, EMBALLAGE

HARASSÉ → BRISER

HARASSÉ crevé, épuisé, éreinté, exténué, fatigué, lessivé

HARASSEMENT → USURE

HARASSER → ACCABLER, FLANC

HARCELANT → RÉPIT

HARCELÉ → INQUIÉTER, PROIE

HARCÈLEMENT → PERSÉCUTION

HARCÈLEMENT SEXUEL → CRIME

HARCELER → ACHARNER (S'), ASSAILLIR, ATTAQUE, BOMBARDER, BRISER, DEMANDER, FATIGUER, HANTER, INSISTER, OBSÉDER, PERSÉCUTER, POURSUIVRE, PRESSER, PROVOQUER, SOLLICITER, TAQUINER, TOURMENTER, TYRANNISER

HARCELER assaillir, asticoter, houspiller, importuner, miner, mitrailler, obséder, presser, ronger, talonner, tarabuster, tourmenter

HARDCORE
Voir tab. **Musiques nouvelles**

HARDE → AFFREUX, BICHE, CERF, CHIFFON, GUENILLE, LAMBEAU, LOQUE, SANGLIER, TROUPE, VÊTEMENT
Voir tab. **Animaux (termes propres aux)**

HARDÉ → ŒUF

HARDÉES → BRANCHE

HARDES → MISÉRABLE

HARDI → BRAVE, CAVALIER (2), DÉLURÉ, INTRÉPIDE, OSÉ, TÉMÉRAIRE

HARDI audacieuse, avant-gardiste, décidé, déterminé, entreprenant, intrépide, leste, novateur, original, osé, résolu, téméraire

HARDIESSE → APLOMB, AUDACE, CONFIANCE, COURAGE, DÉFI, FRONT, IMPRUDENCE, ORIGINALITÉ

HARDIESSE arrogance, bravoure, courage, culot, impertinence, impudence, témérité, toupet, vaillance

HARDIMENT → DÉCISION

HARDWARE → MATÉRIEL (1)
Voir tab. **Informatique**

HAREM → FEMME, SULTAN

HARENG
Voir illus. **Nœuds et cravates**
Voir tab. **Prostitution**

HARENG caque, clupéidés, clupéiformes, guai, kipper, rogue, rollmops, saur, saurin, treuilles, trinquart

HARENG-SAUR
Voir tab. **Prostitution**

HARENGUIER → PÊCHE

HARET → CHAT

HARFANG → CHOUETTE, NOCTURNE

HARGNE → FIEL

HARGNEUX → AGRESSIF,

GRINCHEUX, HAINEUX, MAUSSADE, MÉCHANT, REVÊCHE

HARGNEUX acariâtre, acerbe, agressif, coléreux, hostile, méchant, revêche, teigneux

HARICOT → BASSIN, MOUTON

Voir tab. **Végétaux (classification simplifiée des)**

HARICOT beurre, chevrier, coco, cosse, dolic, écale, fayot, flageolet, mange-tout, papilionacées, phaseolus, soissons

HARIDELLE → CHEVAL

HARIJAN → CASTE

HARIRA

Voir tab. **Spécialités étrangères**

HARISSA → PIMENT

HARKA → MILICE

HARKI → MILICE

HARLE → GIBIER

Voir tab. **Oiseaux (classification simplifiée des)**

HARMATTAN → VENT

Voir tab. **Vents**

HARMONIE → ACCORD, AGENCEMENT, COMBINAISON, COMMUNION, COMPOSITION, CONCORDANCE, CONFORMITÉ, ÉLÉGANCE, ENSEMBLE, ENTENTE, ÉQUILIBRE, ESTHÉTIQUE (1), FORMATION, INTELLIGENCE, MUSIQUE, ORCHESTRE, PROPORTION, RELATION, RESSEMBLANCE, RYTHME, SIMILITUDE, SON, UNANIMITÉ, UNION, UNITÉ

HARMONIE accord, cadence, cohésion, communion, concorde (dans la), élégance, équilibre, euphonie, eurythmie, homogénéité, régularité, unisson (à l')

HARMONIEUX → BEAU, COHÉRENT, HEUREUX, JOLI, NOMBREUX, RÉGULIER, SUAVE

HARMONIEUX cohérent, équilibré, homogène, mélodieux, musicaux

HARMONIQUE

Voir tab. **Musique (vocabulaire de la)**

HARMONISATION → ASSIMILATION, ORCHESTRATION

HARMONISER → COMBINER, MARIER, ORCHESTRER

HARMONISER arranger, homogénéiser, orchestrer

HARMONIUM → CLAVIER

Voir tab. **Instruments de musique**

HARNACHEMENT → VÊTEMENT

HARNACHER → ÉQUIPER, HARNAIS, VÊTIR

HARNAIS → BÊTE (1), DELTAPLANE, PARACHUTE

HARNAIS bourrelier, harnacher, sellerie

HARO → INDIGNATION

HAROUELLE

Voir tab. **Pêche**

HARPAGON → AVARE (1), COMPTER, GRIPPE-SOU

HARPAGOPHYTUM

Voir tab. **Plantes médicinales**

HARPAGOPHYTUM PROCUMBENS

Voir tab. **Plantes médicinales**

HARPAIL → BICHE, CERF, DAIM, TROUPE

Voir tab. **Animaux (termes propres aux)**

HARPAILLE

Voir tab. **Animaux (termes propres aux)**

HARPE → GRIFFE, MUR

Voir illus. **Maison**

Voir illus. **Orchestre**

Voir tab. **Instruments de musique**

HARPE console, harpe chromatique, lyre, sambuque

HARPE CHROMATIQUE → HARPE

HARPIE → FEMME, FURIE, MONSTRE, SORCIÈRE

Voir tab. **Animaux fabuleux**

Voir tab. **Mythologiques (créatures)**

HART → FAGOT, PENDAISON, PENDRE

HARUSPICE → AVENIR, DIVINATION, FUNESTE, PRÉSAGE, VICTIME (1)

HAS BEEN → CÉLÈBRE

HASARD → CAS, CHANCE, CIRCONSTANCE, COÏNCIDENCE, DESTIN, FORTUNE, IMPRÉVU (1), INCERTITUDE, PROVIDENCE, RÉFLEXION, RENCONTRE, RISQUE

HASARD accidentellement, aléas, aubaine, aventure (d'), bonheur (au petit), chance, coïncidence, contingent, destin, fatalité, fortuitement, impondérables, sort, stochastique

HASARDER → AVENTURE, EXPOSER, JOUER, LANCER, OSER, RISQUER (SE)

HASARDEUX → DANGEREUX, FOU (2), IMPRUDENT, INDÉTERMINÉ, PÉRILLEUX, TÉMÉRAIRE

HASCHISCH → DROGUE

Voir tab. **Drogues**

HASCHISCH analgésique, antispasmodique, cannabis, chanvre indien, hallucinogène, joint, kif, madjoun, marihuana, pétard, sédatif, shilom

HASE → LIÈVRE

Voir tab. **Animaux (termes propres aux)**

HASSIDI → RELIGIEUX (1)

HASTAIRE → LÉGION

HASTÉE

Voir illus. **Feuille**

HÂTE → ACCOURIR, IMPATIENCE, PRÉCIPITATION, PROMPTITUDE, VITE

HÂTELET → BROCHE, TIGE

HÂTER → ACCÉLÉRER, ACTIVER (S'), COURIR, DÉPÊCHER (SE), GROUILLER, PRÉCIPITER, PRESSER, VITE

HÂTER accélérer, activer, brusquer, dépêcher (se), diligence (faire), empresser (s'), forcer, précipiter, presser

HATHOR → VACHE

HÂTIER → BROCHE, CHENET

HÂTIF → MÛR, PRÉCOCE, TÔT

HÂTIF accéléré, forcé, précipité, préjugé, prématuré, primeur

HÂTIVEAU → PRÉCOCE

HÂTIVEMENT → VITE

HAUBAN → CÂBLE, MÂT

Voir illus. **Ponts**

HAUBERT → CHEMISE, COMBINAISON, MAILLE

Voir illus. **Armures**

Voir illus. **Coiffures**

HAUSSE → ACCROISSEMENT, BARRAGE, CHANGEMENT, ESCALADE, MONTÉE, RUCHE

Voir illus. **Violon**

HAUSSE accroissement, augmentation, boom, crue, flambée, inflation, majoration, relèvement, renchérissement, revalorisation, valorisation

HAUSSÉ → SURÉLEVÉ

HAUSSER → ÉLEVER, EXHAUSSER, HISSER (SE), LEVER, MAJORER, MONTER, RELEVER, SOULEVER

HAUSSER crier, dièse, élever, hisser (se), monter, remblayer

HAUSSIER → BOURSE

HAUT → CLAIR, IMPORTANT, PLEIN, TALON

HAUT (1) cime, crête, faîte

HAUT (2) aigu, apogé, climax, culminant, dominant, élevé, éminent, extrême, large, paroxysme, rapide, soprano, suprême, ténor, zénith

HAUT DE CÔTES

Voir illus. **Mouton**

Voir illus. **Veau**

HAUT DE GAMME → CHER

HAUT FAIT → EXPLOIT, PROUESSE

HAUT PLACÉ → PUISSANT

HAUTAIN → ALTIER, DÉDAIN, DISTANT, FIER, INABORDABLE, MÉPRIS, ORGUEILLEUX, PRÉTENTIEUX, PROTECTEUR (2), SUPERBE (2), SUPÉRIEUR

HAUTAIN arrogant, condescendant, dédaigneux, méprisant, supérieur

HAUTBOIS

Voir illus. **Orchestre**

Voir tab. **Instruments de musique**

HAUT-DE-FORME

Voir illus. **Coiffures**

HAUTE COUR

Voir illus. **Château fort**

HAUTE ÉCOLE → ÉQUITATION

HAUTE TRAHISON → TRAHISON

HAUTE-CONTRE → VOIX

HAUTE-LISSIER → TISSER

HAUTES SPHÈRES → SOCIÉTÉ

HAUTEUR → COLLINE, CONCURRENCE, DIMENSION, DISTANCE, FIERTÉ, INSOLENCE, INTONATION, MONT, NIVEAU, PERPENDICULAIRE (1), PORTÉE, SONORITÉ, TON

Voir tab. **Phobies**

HAUTEUR altitude, arrogance, belvédère, condescendance, flèche, morgue, noblesse, profondeur, stature, taille

HAUTEUR (SAUT EN)

Voir tab. **Sports**

HAUT-FOND → FOND, ÎLE, PLATEAU

HAUT-FOURNEAU → FOURNEAU, USINE

HAUT-FOURNEAU cadmie, crassier, créma, creuset, cuve, étalage, fonderie, gueulard, gueuse, tuyère, ventre

HAUT-LE-CŒUR → DÉGOÛT, NAUSÉE, VOMIR

HAUT-LE-CORPS → FRISSON, SAUT, SURSAUTER, TREMBLEMENT

HAUT-PARLEUR → WOOFER

Voir illus. **Aviron**

HAUT-PARLEUR baffle, boumeur, enceinte, tweeter, woofer

HAUT-RELIEF → RELIEF

HAUTURIÈRE → NAVIGATION, PÊCHE

HAVAGE → MINEUR (1)

HAVANE → BRUN, CIGARE, MARRON (2), TABAC

HÂVE → BLAFARD, BLANC (2), BLÊME, LIVIDE, MAIGRE, PÂLE, SQUELETTE

HAVENEAU → CREVETTE, ÉPUISETTE, FILET

HAVEUSE → MINEUR

HAVRE → ABRI, OASIS, PORT, REFUGE (1), RETRAITE

HAVRESAC → SAC

HAWAIIEN → VOLCAN

HAZZAN → SYNAGOGUE

HE

Voir tab. **Éléments chimiques (symbole des)**

HÉ ! → INTERPELLER

HEAUME → CASQUE

Voir illus. **Coiffures**

Voir illus. **Héraldique**

HEBDOMADAIRE → JOURNAL, MOIS, PÉRIODIQUE (2), PUBLICATION, SEMAINE

HEBDOMADIER → RELIGIEUX (1)

HÉBÉ → JEUNESSE

HÉBERGEMENT → LOGEMENT

HÉBERGER → ABRITER, ACCUEILLIR, LOGER, RECEVOIR, RECUEILLIR

HÉBERTISME → GYMNASTIQUE

HÉBÉTÉ → ABRUTI, SIDÉRÉ

HÉBÉTÉ abasourdi, abruti, ahuri, étonné

HÉBÉTUDE → IVRESSE, STUPEUR

HÉBRAÏQUE → HÉBREU, ISRAÉLITE

HÉBREU → RABBIN

HÉBREU éphod, hébraïque, israélite, juif, lévite, massorah, rational, tabernacle, Torah

HÉBREUX (ÉPÎTRES AUX)

Voir tab. **Bible**

HEC

Voir tab. **Écoles (grandes)**

HÉCATE → MAGIE

HÉCATOMBE → BOUCHERIE, CENT, MASSACRE, OFFRANDE, SACRIFICE

HÉCATOMBE boucherie, carnage, immolation, massacre, sacrifice, tuerie

HECTARE are, ha

HECTIQUE → FIÈVRE

HECTOMÉTRIQUE → ONDE

HECTOPASCAL → BAR, BAROMÈTRE

HECTOR → VALET

Voir tab. **Cartes à jouer**

HÉDONISME → JOUISSANCE, PLAISIR

Voir tab. **Philosophie**

HÉDONISTE → BON VIVANT

HÉDONOMANIE

Voir tab. **Manies**

HEGEL

Voir tab. **Philosophie**

HÉGÉMONIE → DOMINANT, MAÎTRISE, POUVOIR, PRÉPONDÉRANCE, SUPÉRIORITÉ

HÉGÉMONIE domination, suprématie

HÉGÉMONIQUE → ABSOLU

HÉGIRE → CHRONOLOGIE, ÈRE, MUSULMAN (1)

Voir tab. **Fêtes religieuses**

Voir tab. **Islam**
(vocabulaire de l')

HEGOA
Voir tab. **Vents**

HEIDUQUE → HONGROIS

HEILONG JIANG
Voir tab. **Fleuves**

HEIMATLOS → ÉTRANGER (1),
EXPATRIÉ, NATIONALITÉ, PATRIE

HÉLAS → PLAINTE

HÉLÉPOLE → TOUR

HÉLER → ABORDER, ADRESSER,
APOSTROPHER, APPELER,
INTERPELLER

HÉLIANTHE → SOLEIL, TOURNESOL

HÉLIASTE → JUGE

HÉLICE → COURBE (1)
Voir tab. **Forme de... (en)**

HÉLICE colimaçon (en), hélicier,
hélicoïdal, moyeu, pale, vrille

HÉLICE REPLIABLE
Voir illus. **Voilier : Dufour 38
Classic**

HÉLICICULTURE → ESCARGOT
Voir tab. **Élevages**

HÉLICIER → HÉLICE

HÉLICOÏDAL → ENGRENAGE,
HÉLICE, MOUVEMENT, SPIRALE
Voir tab. **Forme de... (en)**

HÉLICOÏDE → PARABOLE

HÉLICON → MUSE
Voir tab. **Instruments de
musique**

HÉLICOPTÈRE → VÉHICULE

HÉLICOPTÈRE autogire, banane,
Cobra Bell, Gazelle, giravion,
girodyne, hélicostat, héligrue,
héliport, Lama, Puma, rotor,
Super Frelon

HÉLICOSTAT → HÉLICOPTÈRE

HÉLIGRUE → HÉLICOPTÈRE

HÉLIO → PAPIER

HÉLIOCHROMIE → REPRODUCTION

HÉLIODORE
Voir tab. **Pierres précieuses et
semi-précieuses**

HÉLIOFUGE → SOLEIL

HÉLIOGRAPHE → SOLEIL, SOLEIL,
TÉLÉGRAPHIE

HÉLIOGRAVURE → IMPRESSION,
IMPRIMERIE

HÉLIOMÈTRE → LUNETTE

HÉLION → ALPHA

HÉLIOPHILE → PLANTE

HÉLIOPHOBE → SOLEIL

HÉLIOPHOTOMÈTRE → SOLEIL

HÉLIOSCOPE → SOLEIL

HÉLIOSTAT → FOUR, SOLEIL

HÉLIOSYNCHRONE → SATELLITE

HÉLIOTHÉRAPIE → BAIN, SOLEIL

HÉLIOTROPE → SOLEIL, VERRUE
Voir tab. **Pierres précieuses et
semi-précieuses**

HÉLIOTROPIQUE → SOLEIL

HÉLIOTROPISME → TOURNESOL

HÉLIPORT → AÉROPORT,
HÉLICOPTÈRE

HÉLIPORTAGE → TRANSPORT

HÉLIPORTÉ → TRANSPORT

HÉLISTATION → AÉROPORT

HÉLIUM → GAZ
Voir tab. **Éléments chimiques
(symbole des)**

HÉLIX
Voir illus. **Colonnes**

HÉLIX → OREILLE
Voir illus. **Oreille**

HELLÉNIQUE → GREC

HELMINTHIASE → PARASITE (2)

HELMINTHOLOGIE → ZOOLOGIE
Voir tab. **Sciences : termes
en -ologie et -ographie**

HÉLOÏSE ET ABÉLARD → AMANT

HÉLOPHYTE → PLANTE

HELVETICA
Voir tab. **Typographies**

HELVÉTIQUE → SUISSE

HÉMATÉMÈSE → HÉMORRAGIE,
VOMISSEMENT

HÉMATIE → CELLULE (1), GLOBULE,
SANG

HÉMATITE → FER
Voir tab. **Minéraux et utilisations**

HÉMATOLOGIE
Voir tab. **Sciences : termes
en -ologie et -ographie**

HÉMATOLOGISTE → MÉDECIN

HÉMATOME → BLESSURE, BLEU (1),
BOSSE, ÉPANCHEMENT, LÉSION,
VAISSEAU

HÉMATOPHOBIE
Voir tab. **Phobies**

HÉMATOPOÏÈSE → FOIE

HÉMATOPOÏÉTIQUE → MOELLE

HÉMATOSE → POUMON

HÉMATURIE → COLIQUE, SANG

HÉMÉROCALLE → LIS

HÉMI- → DEMI (1), MOITIÉ

HÉMICRÂNIE → MIGRAINE,
NAUSÉE, TÊTE

HÉMIMÉLIE → MONSTRUOSITÉ

HÉMIONE → ÂNE

HÉMIPLÉGIE → INERTIE, MOITIÉ,
PARALYSIE

HÉMISPHÈRE → CERVEAU,
ÉQUATEUR, GLOBE, MOITIÉ

HÉMISPHÈRE austral, boréal,
calotte, coupole, méninge,
méridional, néocortex,
septentrional

HÉMISPHÈRE CÉRÉBRAL
Voir illus. **Cerveau**

HÉMISPHÉRIQUE → COUPE
Voir illus. **Champignon**

HÉMISTICHE → MOITIÉ, VERS
Voir tab. **Poésie
(vocabulaire de la)**

HÉMOCHROMATOSE → DIABÈTE

HÉMOGÉNIE → HÉMORRAGIE

HÉMOGLOBINE → PIGMENT, SANG

HÉMOGRAMME → SANG

HÉMOPHILE → SANG

HÉMOPHILIE → HÉMORRAGIE

HÉMOPHOBIE
Voir tab. **Phobies**

HÉMOPHTALMIE → SAIGNEMENT

HÉMOPTYSIE → TUBERCULOSE

HÉMORRAGIE → ÉPANCHEMENT,
PERTE, SAIGNEMENT, SANG,
VAISSEAU

HÉMORRAGIE épistaxis, garrot,
hématémèse, hémorragie,
hémophilie, hémostase,
métrorragie, phléborragie,
purpura, tourniquet, vibice

HÉMORROÏDE → ANUS, DILATATION

HÉMOSTASE → HÉMORRAGIE

HÉMOSTATIQUE → SAIGNEMENT

HENNÉ → COLORANT, TEINTURE

HENNIN → FÉE
Voir illus. **Coiffures**

HENNIR
Voir tab. **Animaux (termes
propres aux)**

HÉNOTHÉISME → DIEU

HENRI Iᵉʳ
Voir tab. **Rois et chefs d'État de
la France**

HENRI II
Voir tab. **Rois et chefs d'État de
la France**

HENRI III
Voir tab. **Rois et chefs d'État de
la France**

HENRI IV
Voir tab. **Rois et chefs d'État de
la France**

HENRY
Voir tab. **Électricité**

HENRY CAVENDISH →
HYDROGÈNE

HEP ! → INTERPELLER

HÉPARINE
Voir tab. **Médicaments**

HÉPAT(O)- → FOIE
Voir tab. **Chirugicales
(interventions)**

HÉPATALGIE
Voir tab. **Douleur**

HÉPATECTOMIE → VENTRE

HÉPATIQUES
Voir tab. **Végétaux (classification
simplifiée des)**

HÉPATITE → FOIE, JAUNISSE

HÉPATITE A
Voir tab. **Vaccins**

HÉPATITE B → VACCINATION
Voir tab. **Vaccins**

HÉPATITE C
Voir tab. **Maladies de civilisation**

HÉPATOCÈLE → HERNIE

HÉPATOCYTE → FOIE

HÉPATOLOGIE → FOIE

HÉPATOMÉGALIE → FOIE

HÉPHAÏSTOS → BOITEUX, FEU,
FORGE

HEPTAGONE
Voir illus. **Géométrie (figures de)**

HEPTATHLON → ATHLÉTISME

HÉRA → MARIAGE

HÉRALDIQUE → BLASON

HÉRALDISTE
Voir tab. **Collectionneurs**

HÉRAUT → DÉLÉGUÉ,
MESSAGE

HERBAGE → BÉTAIL, PRAIRIE

HERBAGER → ÉLEVEUR

HERBE → AROMATE
Voir tab. **Drogues**

HERBE alpage, boulingrin, cataire,
cerfeuil, chiendent, ciboulette,
désherber, foin, gazon,
graminée, ivraie, népète,
pâturage, pelouse, prairie,
pré, regain, sarcler, simples,
vertugadin

HERBE (MAUVAISE) → VÉGÉTAL (1)

HERBES DE PROVENCE
Voir tab. **Herbes, épices et
aromates**

HERBICIDE → POLLUTION,
VÉGÉTAL (2)

HERBIER → BOTANIQUE (1),
COLLECTION, PLANTE, RECUEIL
Voir tab. **Livres**

HERBIVORE → MANGER

HERBORISATION → BOTANIQUE (1)

HERBORISTE → PLANTE

HERBORISTERIE → PHARMACIE

HERBUE → TERRE

HERCHAGE → MINEUR

HERCHE → BENNE

HERCULANUM → PÉTRIFIÉ

HERCULE → FORAIN, FORT (2),
GÉANT

HERCULE (TRAVAUX D') → DOUZE

HERCULÉEN → COLOSSAL,
EXTRAORDINAIRE, FORCE, IMMENSE

HERD-BOOK → BOVIN, RACE,
REGISTRE

HÈRE → CERF, DIABLE, GUEUX, TYPE
Voir tab. **Animaux (termes
propres aux)**

HÈRE (PAUVRE) → MISÉRABLE (1)

HÉRÉDITAIRE → INNÉ, MONARCHIE,
NATUREL

HÉRÉDITAIRE ancestral, génotype,
hérédofamilial, successible,
transmissible

HÉRÉDITÉ → CASTE, FAMILLE,
HÉRITAGE, PASSÉ, REPRODUCTION,
TRANSMISSION

HÉRÉDITÉ atavisme, chromosome,
génétique, lamarckisme,
mendélisme

HÉRÉDOFAMILIAL → HÉRÉDITAIRE

HÉRÉSIARQUE → HÉRÉSIE,
RELIGION

HÉRÉSIE → DÉFI, DÉVIATION,
FAUX (2), PÉCHÉ, RELIGION,
SACRILÈGE (1)
Voir tab. **Démonologie**

HÉRÉSIE adamisme, apostat,
arianisme, catharisme,
déviationnisme, dissidence,
donatisme, hérésiarque,
hérétique, hétérodoxie,
Inquisition, laps,
montanisme, pélagianisme,
relaps, sabellianisme,
schisme, scission,
socinianisme

HÉRÉTIQUE → EXCOMMUNICATION,
HÉRÉSIE, HÉTÉRODOXE, IMPIE, NON-
CONFORMISTE, ORTHODOXE,
RELIGION

HÉRISSÉ → ÉBOURIFFÉ

HÉRISSÉ agacé, barbu, courroucé,
ébouriffé, épineux, exaspéré,
excédé, hirsute, hispide,
horripilation, irrité, révolté

HÉRISSER → AGACER, DRESSER (SE),
INDISPOSER

HÉRISSON → BALAI, BOUTEILLE,
BROSSE, CHEMINÉE, ÉGOUTTOIR,
NOCTURNE, SUIE
Voir tab. **Mammifères
(classification des)**

HÉRISSON diodon, échidné,
insectivores, oursin, tanrec,
tétrodon, volvation

HÉRITAGE → BIEN, PATRIMOINE,
PÈRE, SUCCESSION

HÉRITAGE échute, espérance,
exhéréder, hérédité,
hoirie (avancement d'),
legs, mainmorte, mortaille,
patrimoine, saisine,
salique (loi), succession,
testament

HÉRITER → ACQUÉRIR, RECEVOIR,
RECUEILLIR

HÉRITIER → DESCENDANT, DISCIPLE

HÉRITIER ayant cause, Dauphin,
déshérence, donataire,
épigone, exhérédé, légataire,
successeur

HÉRITIER RÉSERVATAIRE →
SUCCESSION

HERMAPHRODITE → BISEXUÉ,
DEUX, MÂLE, SEXE

HERMÉNEUTIQUE → BIBLE, EXPLICATION, INTERPRÉTATION, TEXTE

HERMÈS → CONDUCTEUR

HERMÉTIQUE → ABSTRAIT, ÉTANCHE, IMPERMÉABLE, INACCESSIBLE, INCOMPRÉHENSIBLE, INITIATION, MYSTÉRIEUX, OBSCUR, OPAQUE, SECRET (2), TÉNÉBREUX

HERMÉTIQUE abscons, ésotérique, étanche, hostile, impénétrable, incompréhensible, mystérieux, sibyllin

HERMÉTISME → OCCULTISME

HERMINE → BLASON, FOURRURE, MAGISTRAT, NOCTURNE

Voir illus. **Héraldique**

HERMINE belette, martre blanche, mustélidés, roselet

HERMINETTE → HACHE

HERNIE → EFFORT

HERNIE brayer, éventration, hépatocèle, hernie hiatale, hystérocèle, laparocèle, métrocèle, néphrocèle

HERNIE HIATALE → HERNIE

HÉROÏNE → DROGUE, OPIUM, POUDRE

Voir tab. **Drogues**

HÉROÏQUE → ADMIRABLE, BRAVE

HÉROÏQUE barde, chevaleresque, courageux, épique, homérique, mémorable, prestigieux, stoïque, vaillant, valeureux

HÉROÏSME → COURAGE

HÉRON

Voir tab. **Oiseaux (classification simplifiée des)**

HÉROS → ACTEUR, PERSONNAGE, PRINCIPAL (2), RÔLE

HÉROS brave, demi-dieu, éponyme, hagiographe, hymne, paladin, personnage, preux, protagoniste, surhomme

HERPÈS → CORAIL

HERPÈS → PEAU

HERPÈS LABIAL → BOUTON

HERPÉTOLOGIE → ZOOLOGIE

Voir tab. **Sciences : termes en -ologie et -ographie**

HERSE → BOUGIE, CIERGE, GRILLE, LABOUR

Voir illus. **Château fort**

HERSER → LABOURER, PIOCHER

HERTZ → ÉLECTRICITÉ, RADIOÉLECTRIQUE

HERTZIEN → RADIOÉLECTRIQUE

Voir illus. **Maison**

HÉSITANT → DÉCISION, FLOTTANT, INDÉCIS, TIMIDE, VACILLANT

HÉSITANT ânonnement, incertain, indécis, indéterminé, perplexe

HÉSITATION → BÉGAIEMENT, DOUTE, INCERTITUDE, INDÉCISION, PERPLEXITÉ, RÉSERVE, RÉSISTANCE, RETARD, RÉTICENCE

HÉSITATION atermoiement, errements, flottement, incertitude, indécision, irrésolution, perplexité, réserve, réticence, tergiversation

HÉSITER → BRONCHER, DÉCIDER, DÉLIBÉRER, INDÉCISION, OSCILLER, RECULER, TÂTER

HÉSITER atermoyer, balancer, barguigner, décontenancer, délibérer, désemparer, désorienter, frileux, osciller,

rechigner à, tâtonner, tergiverser

HÉTAÏRE → GREC, PROSTITUÉE

HÉTAÏRIE → COMPLOT

HÉTÉRO- → DIFFÉRENCE

HÉTÉROCERQUE → NAGEOIRE

HÉTÉROCHROMOSOME → CHROMOSOME

HÉTÉROCLITE → CONFUS, DIFFÉRENT, ÉLÉMENT, HÉTÉROGÈNE, MÊLÉ, VARIÉ

HÉTÉRODOXE → NON-CONFORMISTE

HÉTÉRODOXE anticonformiste, dissident, hérétique, réformé, schismatique

HÉTÉRODOXIE → HÉRÉSIE, RELIGION

HÉTÉROGAMIE → FÉCONDATION

HÉTÉROGÈNE → DIFFÉRENT, DIVERS, ÉLÉMENT, MÊLÉ

HÉTÉROGÈNE agrégat, amalgame, bigarré, composite, disparate, dissemblable, divers, hétéroclite

HÉTÉROGÉNÉITÉ → DÉSÉQUILIBRE, DIVERSITÉ

HÉTÉROGENÈSE → GÉNÉRATION

HÉTÉRONOME → EXTÉRIEUR

HÉTÉROPLASTIE → GREFFE

HÉTÉROPTÈRE

Voir illus. **Insectes**

HÊTRAIE → FORÊT, HÊTRE

HÊTRE → PARQUET

HÊTRE fagacées, faine, fayard, fouteau, hêtraie

HEU

Voir tab. **Bateaux**

HEURE cadran solaire, canonial, complies, horaire, horloge, horo-, horodaté, laudes, matines, montre, none, pendule, ponctuel, prime, sciographie, sexte, tierce, vêpres

HEURE (SUR L') → SUITE

HEURE LÉGALE → FUSEAU

HEURES

Voir tab. **Livres**

HEURES CANONIALES

Voir tab. **Prières et offices de l'Église catholique romaine**

HEUREUX → CHARMÉ, CONTENT, FASTE (2), FIER, JOYEUX, RADIEUX, RAVI, SATISFAIT, SEREIN

HEUREUX avantageux, charmé, comblé, content, enchanté, épanoui, faste, fructueux, harmonieux, juste, opportun, radieux, ravi, rayonnant, réjoui, réussi, transporté

HEURISTIQUE → DÉCOUVERTE

HEURT → CONFLIT, COUP, FRICTION, RENCONTRE

HEURT accrochage, choc, collision, conflit, emboutissage, friction, tamponnement

HEURTÉ → IRRÉGULIER

HEURTER → ACCROCHER, AFFRONTER, BLESSER, BOUSCULER, BUTER, CHOQUER, COGNER, COGNER (SE), ÉCORCHER, ÉPROUVER, OBSTACLE, OFFENSER, OFFUSQUER, TAMPONNER (SE), VEXER

HEURTER bousculer, brusquer, buter, caramboler, cogner (se), cosser, emboutir, entrechoquer (s'), froisser,

offenser, offusquer, percuter, télescoper, trinquer

HEURTOIR → FRAPPER

HÉVÉA → CAOUTCHOUC

HEXAÈDRE → CUBE

HEXAÉDRIQUE → CUBE

HEXAGONE → FRANÇAIS (2), POLYGONE, SIX

Voir illus. **Géométrie (figures de)**

HEZBOLLAH → ISLAM

HF → ONDE

Voir tab. **Éléments chimiques (symbole des)**

HG → MERCURE

Voir tab. **Éléments chimiques (symbole des)**

HI-HAT

Voir illus. **Percussions**

HIATUS → INTERROMPRE, RENCONTRE, VOYELLE

Voir tab. **Poésie (vocabulaire de la)**

Voir tab. **Rhétorique (figures de)**

HIB → VACCINATION

HIBERNATION → ENGOURDISSEMENT, FROID (2), HIVER, MARMOTTE, REPOS, SOMMEIL

HIBISCUS abelmosque, ambrette, ketmie, malvacées

HIBOU → NOCTURNE, RAPACE

Voir tab. **Animaux (termes propres aux)**

Voir tab. **Oiseaux (classification simplifiée des)**

Voir tab. **Superstitions**

HIBOU boubouler, grand duc, huer, moyen duc, petit duc, strigidés, strigiformes, ululer

HIBOUS

Voir tab. **Habitants (comment se nomment les)**

HIC → DIFFICULTÉ

HICHIRIKI → JAPONAIS

HIDALGO → ESPAGNOL, NOBLE (1)

HIDEUX → AFFREUX, BEAU, HORRIBLE, LAID, VILAIN

HIDEUX abject, affreux, horrible, ignoble, immonde, monstrueux, repoussant, répugnant

HIDJAB → ISLAM

HIDRORRHÉE → SUEUR

HIE → DAME, MASSE, MOUTON, PILON

HIÉMAL → HIVER

HIER → PASSÉ (1)

HIÉRARCHIE → CASTE, ÉCHELLE, GRADE, STRUCTURE

HIÉRARCHIE classification, degré, échelle, échelon, ordre, organigramme, subordination

HIÉRARCHISER → SÉRIE

HIÉRATIQUE → SACRÉ

HIÉROGLYPHE → INSCRIPTION, SIGNE

HIÉROGLYPHE hiéroglyphite, hiérogramme, idéogramme, Jean-François Champollion, Rosette (pierre de)

HIÉROGLYPHITE → HIÉROGLYPHE

HIÉROGRAMME → HIÉROGLYPHE

HIÉROPHANTE → MYSTÈRE

HILARANT → AMUSANT, COCASSE, COMIQUE, DRÔLE (2), RIRE, RISIBLE

HILARANT amusant, désopilant, drôle, éclatant, poilant, tordant

HILARE → JOYEUX

HILOIRE

Voir illus. **Aviron**

Voir illus. **Voilier : Dufour 38 Classic**

HIMATION → GREC, MANTEAU

Voir illus. **Manteaux**

HÎNAYÂNA

Voir tab. **Bouddhisme**

HINDOU → INDIEN (1)

HINDOU bouddhisme, cipaye, jaïnisme, lamaïsme, maharaja, maharani, tantrisme

HINDOUISME → RÉINCARNATION

Voir tab. **Religions et courants religieux**

HIP-HOP

Voir tab. **Musiques nouvelles**

HIPPARCHIE → CAVALERIE

HIPPARQUE → CAVALIER (1)

HIPPIE → MARGINAL

HIPPIQUE → CHEVAL

HIPPISME → ÉQUITATION

HIPPOCAMPE

Voir tab. **Animaux fabuleux**

Voir tab. **Poissons (classification simplifiée des)**

HIPPOCRATE → MÉDECIN, SERMENT

HIPPOCRÈNE → MUSE

HIPPODROME → CHAMP, CIRQUE, COURSE HIPPIQUE, PISTE

HIPPOGRIFFE → CHEVAL

HIPPOMANIE

Voir tab. **Manies**

HIPPOMOBILE → CHEVAL

HIPPOPHAGE → CHEVAL

HIPPOPHAGIQUE → BOUCHERIE, VIANDE

HIPPOPOTAME

Voir tab. **Mammifères (classification des)**

HIPPOPOTAME artiodactyle, porcins, rohart

HIPPOTECHNIE → CHEVAL

HIRCIN → BOUC, CHÈVRE

Voir tab. **Animaux (termes propres aux)**

HIRONDEAU

Voir tab. **Animaux (termes propres aux)**

HIRONDELLE → OISEAU, PRINTEMPS

Voir tab. **Animaux (termes propres aux)**

Voir tab. **Oiseaux (classification simplifiée des)**

HIRONDELLE aronde (à queue d'), glaréole, martinet, mottereau, passereaux, salangane, sterne, sylviidés, trisser

HIROSHIMA → ATOMIQUE

HIRSUTE → HÉRISSÉ

HIRSUTISME → POIL

HIRUDINICULTURE

Voir tab. **Élevages**

HISPANIQUE → ESPAGNOL

HISPIDE → HÉRISSÉ

HISSÉ → SURÉLEVÉ

HISSER → ÉLEVER, GRIMPER, HAUSSER (SE), LEVER, MONTER, PLANTER, SOULEVER

HISSER dresser (se), élever, hausser (se), monter, soulever

HISTOGENÈSE → TISSU

HISTOGRAMME → BÂTON, GRAPHIQUE, STATISTIQUE

HISTOIRE → AFFAIRE, AVENTURE, BONIMENT, CHRONOLOGIE, CONTE, ÉVOLUTION, FASTES, INTRIGUE,

LÉGENDE, LITANIE, PASSÉ (1), RELATION
Voir tab. **Muses**

HISTOIRE affaire, anecdote, anicroche, annales, archives, autobiographie, baliverne, chronologie, Clio, complication, ennui, fiction, fromage, généalogie, hagiographie, historiographe, incident, Mémoires, mensonge, plat, problème, protohistoire, sornette, zwanze

HISTOLOGIE → ANATOMIE, CELLULE, MÉDECINE, TISSU, ZOOLOGIE
Voir tab. **Sciences : termes en -ologie et -ographie**

HISTOLYSE → TISSU

HISTORICITÉ → HISTORIQUE (2), RÉALITÉ

HISTORIER → RACONTER

HISTORIETTE → ANECDOTE, NOUVELLE, RÉCIT

HISTORIOGRAPHE → ARCHIVES, BIOGRAPHIE, HISTOIRE

HISTORIQUE → RÉEL

HISTORIQUE (1) traçabilité

HISTORIQUE (2) diachronie, diachronique, historicité, inoubliable, mémorable

HISTRION → ACTEUR, BALADIN, BOUFFON (1), FORAIN, PANTOMIME

HITLÉRIEN → BRUN, TOTALITAIRE

HIV → SIDA

HIVER
Voir illus. **Saisons (mécanisme des)**

HIVER bise, bobsleigh, bora, brumal, curling, frimas, hibernation, hiémal, hivernage, luge, pampéro, patinage, ski, surf

HIVERNAGE → HIVER, LABOUR

HIVERNANT → TOURISTE, VACANCE

HLM → MODÉRÉ

HO
Voir tab. **Éléments chimiques (symbole des)**

HO ! → INTERPELLER

HOAX
Voir tab. **Internet**

HOAZIN
Voir tab. **Oiseaux (classification simplifiée des)**

HOBBY → ACTIVITÉ, DADA, DISTRACTION, INTÉRÊT, LOISIR, OCCUPATION, PASSE-TEMPS, VIOLON

HOBBY dada, passe-temps, violon d'Ingres

HOBEREAU → FAUCON, NOBLE (1)

HOCCO → COQ
Voir tab. **Oiseaux (classification simplifiée des)**

HOCHEPOT
Voir tab. **Plats régionaux**

HOCHER → BALANCER, REMUER, SECOUER

HOCHET → JOUET

HOCKEY → PATIN
Voir tab. **Sports**

HOCKEY crosse, disque, puck, rondelle, stick

HOCKEY SUR GAZON → BALLE, ONZE

HOIRIE → HÉRITAGE, SUCCESSION

HOKKAIDO → JAPONAIS

HOLÀ ! → INTERPELLER

HOLD-UP → BRAQUER, VOL

HOLDING → CONGLOMÉRAT, ENTREPRISE, GROUPE, INDUSTRIE, SOCIÉTÉ

HOLLANDAIS batave, édam, gouda, jonkheer, lecrdamer, mimolette, néerlandaise, stathouder, tête-de-Maure

HOLLANDAISE → BOVIN

HOLLANDE → PAPIER, PORCELAINE

HOLMIUM
Voir tab. **Éléments chimiques (symbole des)**

HOLOCAUSTE → CRIME, FEU, MASSACRE, OFFRANDE, SACRIFICE, VICTIME

HOLOCAUSTE extermination, génocide, immolation, sacrifice, Shoah

HOLOCÈNE
Voir tab. **Géologique (échelle des temps)**

HOLOCÉPHALES
Voir tab. **Poissons (classification simplifiée des)**

HOLOCRINE (GLANDE)
Voir tab. **Endocrinologie**

HOLOGRAMME → IMAGE, LASER, VIRTUEL

HOLOGRAPHE → MANUSCRIT

HOLOGRAPHIE → PHOTOGRAPHIE, TRIDIMENSIONNEL

HOLOPHRASTIQUE → LANGUE

HOLOPROTÉINE → PROTÉINE

HOLOSTÉENS
Voir tab. **Poissons (classification simplifiée des)**

HOLOTHURIE → CONCOMBRE

HOLSTER → VESTE

HOMALOGRAPHIQUE
Voir illus. **Cartes géographiques**

HOMARD
Voir tab. **Animaux (classification simplifiée des)**

HOMARD américaine (à l'), bisque, décapodes, homarderie, langoustine, thermidor

HOMARDERIE → HOMARD

HOME → DEMEURE

HOMÉLIE → DISCOURS, MESSE, PRÊCHE

HOMÉOPATHE → MÉDECIN

HOMÉOPATHIE → PARALLÈLE (2)
Voir tab. **Médecines alternatives**

HOMÉOPATHIE gemmothérapie, granule, infinitésimal, Hahnemann (Samuel)

HOMÉOPATHIQUE → REMÈDE

HOMÉOTÉLEUTE → RÉPÉTITION

HOMÉOTHERME → TEMPÉRATURE

HOMEPAGE → SITE
Voir tab. **Internet**

HOMÉRIQUE → HÉROÏQUE

HOMICIDE → CRIME

HOMICIDE VOLONTAIRE → MEURTRE

HOMILÉTIQUE → RHÉTORIQUE

HOMINISATION → HOMME

HOMMAGE → HONNEUR, SALUER, VASSAL

HOMMAGE compliment, culte, dédicace, gloire, honneur de (en l'), respect

HOMMASSE → MASCULIN

HOMME → BRAS, HUMAIN
Voir tab. **Mammifères**

(classification des)
Voir tab. **Phobies**

HOMME ægipan, ami, -andre, -andrie, andro-, andropause, androphobie, -anthrope, anthropo-, anthropologie, bonhomme, castrat, centaure, compagnon, dandy, ethnologie, eunuque, faune, gentleman, hominisation, humanité, machisme, mari, mec, Minotaure, misandrie, misanthropie, phallocratie, polyandre, polygame, prête-nom, satyre, vir-, virilité

HOMME D'AFFAIRE
Voir tab. **Saints patrons**

HOMME D'AFFAIRES affairiste, brasseur d'affaires, businessman, entrepreneur, jeune loup, magnat, spéculateur, yuppie

HOMME D'ÉQUIPAGE → MARIN (1)

HOMME D'ÉTAT → POLITICIEN

HOMME DU RANG
Voir illus. **Grades militaires**

HOMME-GRENOUILLE → NAGEUR, PLONGEUR

HOMME-SANDWICH → PUBLICITÉ

HOMOCERQUE → NAGEOIRE

HOMO ERECTUS
Voir illus. **Hominidés**

HOMOGAMIE
Voir tab. **Population**

HOMOGÈNE → COHÉRENT, HARMONIEUX, NOMBRE, RÉGULIER, SEMBLABLE (2)

HOMOGÉNÉISER → HARMONISER, UNIFORMISER

HOMOGÉNÉITÉ → ACCORD, HARMONIE, UNITÉ

HOMOGRAPHE → MOT, ORTHOGRAPHE

HOMOGRAPHIE → RESSEMBLANCE

HOMO HABILIS
Voir illus. **Hominidés**

HOMOLOGATION → CONFIRMATION, PERFORMANCE, RATIFICATION, SANCTION, VÉRIFICATION

HOMOLOGIE → ÉQUIVALENCE

HOMOLOGUE → SEMBLABLE (2)

HOMOLOGUER → APPROUVER, CONFIRMER, ENTÉRINER, NORME, VALIDER

HOMONCULE → SORCELLERIE

HOMONYME → MOT, NOM, PRONONCIATION

HOMONYMIE → RESSEMBLANCE

HOMOPHILE → HOMOSEXUEL (1)

HOMOPHONE → MOT, PRONONCIATION

HOMOPHONIE → RESSEMBLANCE

HOMO SAPIENS
Voir illus. **Hominidés**

HOMOSEXUALITÉ → SEXE

HOMOSEXUEL → GAI (1)

HOMOSEXUEL pédale, pédé, tante, tapette

HOMOSEXUEL (1) ganymède, gay, giton, gouine, homophile, mignon, tantouse, travelo, travesti, uraniste

HOMOSEXUEL (2) gomorrhéenne, lesbianisme, lesbienne, pédérastie, saphisme, tribade

HOMOTHÉTIE → SIMILITUDE

HOMUNCULE → PETIT (2), SORCELLERIE

HONGRE → CHEVAL
Voir tab. **Animaux (termes propres aux)**

HONGRER → CASTRER, STÉRILISER

HONGRIE
Voir tab. **Saints patrons**

HONGROIS czardas, fillér, forint, goulasch, heiduque, hussard, magnat, magyar, palatin, pandour, tokay

HONGROYER → APPRÊTER

HONNÊTE → BIEN, BRAVE, CONSCIENCIEUX, CORRECT, DÉCENT, DROIT (2), FIDÈLE (2), FRANC (2), INATTAQUABLE, JUSTE, LOYAL, MOYEN (2), NORMAL, PASSABLE, PRÉTENTION, PROPRE (2), RAISONNABLE, ROND (2), SCRUPULEUX, SINCÈRE, SUFFISANT

HONNÊTE convenable, correct, droit, frauduleux, illicite, incorruptible, intègre, irréprochable, probe, ripou, satisfaisant, scrupuleux

HONNÊTEMENT → CARRÉMENT, FRANCHEMENT

HONNÊTETÉ → DÉCENCE, FIDÉLITÉ, FOI, INTÉGRITÉ, LOYAUTÉ, MORALITÉ, RECTITUDE

HONNEUR → CARTE, DIGNITÉ, FIGURE, GLOIRE, HOMMAGE, PRÉROGATIVE, RÉPUTATION, RESPECT, SONNERIE, SUCCÈS
Voir tab. **Belote**
Voir tab. **Tarot**

HONNEUR décoration, dignité, distinction, égard, entacher, faveur, fierté, gloire, grâce, hommage à (en), orgueil, prérogative, réputation, respect

HONNEUR MAÎTRE
Voir tab. **Belote**

HONNEURS
Voir tab. **Bridge**

HONNI détesté, haï, rejeté

HONNIR → BAFOUER, HAÏR, MAUDIRE, MÉPRISER

HONORABLE → BAS (2), CONVENABLE, LOUABLE, RESPECT, SUFFISANT

HONORABLE acceptable, champagne, chef, chevron, convenable, correcte, croix, digne, fasce, flanc, respectable, satisfaisante, sautoir

HONORAIRE → CACHET, MEMBRE

HONORAIRES → APPOINTEMENTS, GAIN, RÉMUNÉRATION, SALAIRE, TRAITEMENT

HONORER → DÉCORER, ENCENSER, GRATIFIER, VÉNÉRER

HONORER acquitter (s'), encenser, flatter, glorifier, payer, respecter

HONORIS CAUSA → DOCTEUR

HONSHU → JAPONAIS

HONTE → DÉGOÛT, DÉSHONNEUR, HUMILIATION, INDIGNATION, INFAMIE, SCRUPULE

HONTE abomination, affront, avilir (s'), déshonneur, gêne, humiliation, ignominie, infamie, mortifier, opprobre, pudeur, scandale, scrupule, vergogne

HONTEUX → IGNOBLE, INFÂME,

LÂCHE, LAID, MŒURS, PITEUX, SCANDALEUX

HONTEUX abject, choquant, confus, contrit, gêné, ignominieux, inavouable, infâme, méprisable, penaud, scandaleux, turpide, vil

HÔPITAL CHR, CHU, clinique, hospice, hôtel-Dieu, ladrerie, léproserie, maladrerie, sanatorium

HÔPITAL PSYCHIATRIQUE → FOLIE

HOPLITE → GREC, SOLDAT

HOPLOMACHIE → COMBAT, GLADIATEUR

HOQUET → BRUIT
Voir tab. **Bruits**

HOQUETON → VESTE
Voir tab. **Manteaux**

HORAIRE → HEURE, INDICATEUR

HORAIRE exactitude, horodateur, minuter, parcmètre, ponctualité

HORDE → BANDE

HORION → COUP

HORIZON → LOIN, LOINTAIN (1), PERSPECTIVE

HORIZON almicantarat, couchant, levant, observation, occident, orient, panorama, passage en revue, perspective, vue

HORLOGE → HEURE

HORLOGE ancre, biorythme, cadran, carillon, cartel, clepsydre, comtoise, coucou, détente, gaine, jaquemart, pendillon, pendule, tambour

HORLOGE COMTOISE → PENDULE

HORLOGERIE barillet, coq, platine, rochet, verge

HORMIS → EXCEPTION, PART, SAUF (2)

HORMONE → SÉCRÉTER
Voir tab. **Endocrinologie**

HORMONE adrénaline, androstérone, auxine, calcitonine, cortisone, folliculine, gibbérelline, hormonémie, hormoniurie, insuline, œstradiol, phytohormone, progestérone, testostérone, thyroxine, vasopressine

HORMONÉMIE → HORMONE

HORMONIURIE → HORMONE

HORMONOTHÉRAPIE → CANCER

HORO- → HEURE

HORODATÉ → HEURE

HORODATEUR → HORAIRE, PARKING, STATIONNEMENT, TICKET

HOROSCOPE → PRÉDICTION
Voir tab. **Astrologie**

HOROSCOPE généthliaque, thème

HORREUR → ABOMINABLE, ATROCITÉ, BÊTE (1), INFAMIE, INJURE, MONSTRUOSITÉ, PHOBIE

HORREUR abhorrer, abjection, abominer, affres, atrocité, aversion, effroi, épouvante, exécrer, frémir, ignominie, infamie, monstruosité, phobie, répulsion, terreur, vilenie

HORREUR (AVOIR) → VOMIR

HORRIBLE → ABOMINABLE, AFFREUX, ATROCE, CAUCHEMAR, EFFROYABLE, ÉPOUVANTABLE, EXÉCRABLE, EXTRÊME, FÉROCE,

HIDEUX, LAID, MAUVAIS, TERRIBLE, TRAGIQUE

HORRIBLE abominable, affreux, atroce, détestable, effrayant, effroyable, épouvantable, exécrable, hideux, horrifiant, infect, insoutenable, insupportable, intolérable, laid, moche, répugnant, révoltant

HORRIFIANT → HORRIBLE, TERRIBLE

HORRIFIER → TERRORISER

HORRIPILANT → SUPPORTER

HORRIPILATEUR → POIL
Voir illus. **Poil**

HORRIPILATION → FRISSON, HÉRISSÉ

HORRIPILE → IRRITER

HORRIPILER → AGACER

HORS D'ATTEINTE → INACCESSIBLE

HORS DE LUI → IRRITÉ

HORS D'HALEINE → HALETANT

HORS DU COMMUN → MERVEILLEUX

HORS GEL (METTRE) → PURGER

HORS NORME → DANGEREUX

HORS SERVICE → USAGE

HORS-BORD → BATEAU, EMBARCATION
Voir tab. **Bateaux**

HORS-D'ŒUVRE → DÉBUT, REPAS

HORS-D'ŒUVRE amuse-gueule, antipasti, apéritif, entrée, mezze, ravier, tapas, zakouski

HORSE-BALL
Voir tab. **Sports**

HORSE-GUARD → SOLDAT

HORS-JEU → FOOTBALL

HORS-LA-LOI → BANDIT, ILLÉGITIME, LOI, MALFAITEUR

HORS-LA-LOI desperado, outlaw

HORST → BLOC

HORTICULTEUR → ARBRE, JARDINIER

HORTICULTURE → ARBRE, CULTURE
Voir tab. **Jardinage**

HORTICULTURE arboriculture, floriculture, maraîchage

HORTILLONNAGE → LÉGUME, MARAIS

HORUS → SOLEIL

HOSANNA → CRI, HYMNE, JOIE

HOSPICE → HÔPITAL, INVALIDE (1), REFUGE (1), RÉSIDENCE

HOSPITALIER → ACCUEILLANT, PHARMACIEN

HOSPITALIER accueillant, chirurgien, infirmier, médecin, ouvert, sage-femme

HOSPITALISATION → ADMISSION

HOSPITALISME
Voir tab. **Psychiatrie**

HOSPITALITÉ → ACCUEILLIR, REFUGE (1)

HOSPITALITÉ accueil, hôte, hôtesse

HOST
Voir tab. **Internet**

HOSTIE → COMMUNION, CONSACRÉ, VICTIME

HOSTIE ciboire, communion, consubstantiation, custode, eucharistie, ostensoir, oublie, patène

HOSTILE → AGRESSIF, CRUEL, DÉFAVORABLE, GLACÉ, HAINEUX, HARGNEUX, HERMÉTIQUE, INGRAT, OPPOSÉ

HOSTILE antagonique, anti-, défavorable, ennemie, fielleux,

inamical, inhospitalier, malveillant, -phobe

HOSTILITÉ → ANIMOSITÉ, FRAÎCHEUR, MALVEILLANCE, TRAVERS (2), XÉNOPHOBIE

HOSTILITÉ animosité, antipathie, défaveur, inimitié, ressentiment

HOSTILITÉS → GUERRE

HÔTE → ACCUEILLIR, AUBERGE, BANQUET, COMPAGNON, HOSPITALITÉ, INVITÉ, MAÎTRE (1), RÉCEPTION, REPAS
Voir tab. **Internet**

HÔTE amphitryon, commensal, convive, invité, maître de maison, réceptionniste

HÔTEL → RELAIS

HÔTEL auberge, caravansérail, chasseur, étoile, gîte, groom, liftier, mairie, majordome, motel, palace, parador, pension de famille, riokan, single, suite

HÔTEL DE PASSE
Voir tab. **Prostitution**

HÔTEL DE VILLE → COMMUNE, MAIRIE, VILLE

HÔTEL-DIEU → HÔPITAL

HÔTELIER
Voir tab. **Saints patrons**

HÔTESSE → BUREAU, HOSPITALITÉ

HOTTE → PANIER, VANNERIE, VENDANGE
Voir illus. **Cheminée**

HOU (À LA)
Voir tab. **Chasse (vocabulaire de la)**

HOUANG HO
Voir tab. **Fleuves**

HOUBLON → BIÈRE
Voir tab. **Végétaux (classification simplifiée des)**

HOUBLONNAGE → BIÈRE

HOUDAN → POULE

HOUE → BÊCHE, DÉFONCER, LABOUR, PIOCHE
Voir tab. **Jardinage**

HOUGNETTE → CISEAU

HOUGRE
Voir tab. **Bateaux**

HOUILLE → CHARBON, COMBUSTIBLE

HOUILLE airure, escarbille, grisou, houillère, mâchefer, poussier, scorie, senisse, tête-de-moineau, tout-venant

HOUILLE BLANCHE → HYDRAULIQUE

HOUILLE BLEUE → HYDRAULIQUE

HOUILLÈRE → HOUILLE, MINE

HOUKA → PIPE

HOULE → AGITATION, MER

HOULETTE → BÂTON, BERGER, PELLE

HOULEUX → ANIMÉ, MOUVEMENTÉ, ORAGEUX

HOUPPA → MARIAGE

HOUPPE → CHEVEU, PANACHE, POUDRE

HOUPPE aigrette, floche, freluche, huppe, lambrequin, panache, pompon, toupet

HOUPPELANDE → CAPE
Voir illus. **Manteaux**

HOUPPETTE → MAQUILLER, POUDRE

HOUPPIER
Voir illus. **Arbre**

HOURD → PLATE-FORME

HOURDAGE → MAÇONNERIE

HOURDER → PLÂTRE

HOURDIS → BRIQUE
Voir illus. **Colombage**

HOURI
Voir tab. **Bateaux**

HOURQUE
Voir tab. **Bateaux**

HOURRA → CRI

HOURVARI → BRUIT, CRI, TAPAGE, TRAQUER
Voir tab. **Bruits**

HOUSE
Voir tab. **Musiques nouvelles**

HOUSEAU → BOTTE, JAMBE

HOUSPILLER → HARCELER, MALMENER

HOUSSAIE → HOUX

HOUSSE → COUVERTURE, PORTABLE

HOUSSE boîte, couette, étui, taie

HOUSSER → NETTOYER

HOUSSET → MALLE

HOUSSIÈRE → HOUX

HOUSSINE → BAGUETTE

HOUSSINER → BATTRE

HOUSSOIR → BALAI, PLUME, PLUMEAU

HOUTEAU → FENÊTRE

HOUX → PIQUANT (1)

HOUX aquifoliacées, cenelle, fragon, houssaie, houssière, maté

HOVERCRAFT → TRANSPORT, VÉHICULE

HOYAU → PIOCHE

HSING-I
Voir tab. **Sports**

HTML → WEB
Voir tab. **Internet**

HUANG HE
Voir tab. **Fleuves**

HUB
Voir tab. **Informatique**

HUBERT → CHASSEUR (1)

HUBLOT → FENÊTRE, LUCARNE
Voir illus. **Voilier : Dufour 38 Classic**

HUCHE → BOULANGER (1), CAISSE, COFFRE, PAIN

HUCHER → APPELER
Voir tab. **Chasse (vocabulaire de la)**

HUCHET
Voir tab. **Chasse (vocabulaire de la)**

HUÉE → BOUCLIER, INDIGNATION, RÉPROBATION

HUÉES → CRI

HUER → BAFOUER, CRIER, HIBOU, SIFFLER
Voir tab. **Animaux (termes propres aux)**

HUER chahuter, conspuer, siffler

HUERTA → PLAINE

HUGUENOT → PROTESTANT (1)

HUGUENOTE → MARMITE

HUGUES CAPET
Voir tab. **Rois et chefs d'État de la France**

HUILE → BONNET, ESSENCE, FROTTEMENT, PEINTURE
Voir tab. **Phobies**

HUILE aleurite, ampoule (sainte), burette, cambouis, cérat, chrême, dioggot, éléis, estagnon, frire, lubrifiant, macassar, néroli, olé(i)-, olé(o)-, oléagineux, oléomètre, rissoler

HUILE D'ŒILLETTE → PEINTURE

HUILE DE LIN → PEINTURE

HUILE DE NOIX → PEINTURE

HUILE ESSENTIELLE → PARFUM

HUILER → GRAISSER

HUILER ensimer, graisser, lubrifier

HUILEUX → GRAS

HUISSERIE → MENUISERIE

HUISSIER → BUREAU, CONSTATER, MINISTÉRIEL, OFFICIER, PORTIER

HUISSIER appariteur, assignation, chaouch, commandement, exploit, massier, recors

HUIT → PATINAGE

HUIT huitain, montagnes russes, oct(o)-, octave, octet, octogone, octuor

HUIT (NŒUD EN)
Voir illus. **Nœuds**

HUITAIN → HUIT

HUITAINE → SEMAINE

HUITANTE → QUATRE-VINGTS

HUITIÈME DE SOUPIR
Voir tab. **Symboles musicaux**

HUÎTRE → MOLLUSQUE
Voir tab. **Animaux (classification simplifiée des)**
Voir tab. **Élevages**

HUÎTRE acul, amareyeur, belon, bourriche, clayère, cloyère, creuse, détroquer, écailler, fine de claire, gravette, gryphée, marennes, méléagrine, naissain, ostréiculture, ostréidés, parqueur, perlot, pintadine

HUIT-REFLETS → CHAPEAU

HUÎTRE MARTEAU → CROIX

HUÎTRIER → PIE (1)
Voir tab. **Oiseaux (classification simplifiée des)**

HUÎTRIÈRE → BANC

HULOTTE → CHOUETTE, NOCTURNE

HULULEMENT → CHOUETTE, OISEAU

HUM
Voir tab. **Géographie et géologie (termes de)**

HUMAIN → PITOYABLE

HUMAIN androïde, anthropomorphisme, anthropophage, artefact, bienveillant, cannibale, charitable, compatissant, ethnie, eugénisme, homme, mortel, secourable

HUMANISME → LITTÉRATURE
Voir tab. **Histoire (grandes périodes)**
Voir tab. **Philosophie**

HUMANISTE → ÉRUDIT (1), SAVANT (1)

HUMANITÉ → BONTÉ, CHARITÉ, CLÉMENCE, HOMME, INDULGENCE, MONDE, SENSIBILITÉ

HUMANITÉ bienveillance, clémence, compassion, indulgence, misanthropie, monde, philanthropie, pitié, sensibilité, Terre

HUMANITÉS → LATIN

HUMANOÏDE → ROBOT, SCIENCE-FICTION

HUMBLE → MODESTE, PRÉTENTION, SIMPLE

HUMBLE aplatir (s'), discret, échine (plier l'), effacé, front (courber le), modeste, obscure, obséquieux, pauvre, ramper, servile, simple, soumis

HUMECTÉ → HUMIDE

HUMECTER → MOUILLER

HUMER → RESPIRER, SENTIR

HUMÉRAL → MESSE

HUMÉRUS → BRAS
Voir illus. **Squelette**

HUMEUR → ÉTAT, FANTAISIE
Voir tab. **Psychiatrie**

HUMEUR acrimonie, caprice, chagrin (esprit), enjouement, entrain, équanimité, flegme, lubie, lunatique, maussaderie, naturel, tempérament, thymique, versatile

HUMEUR AQUEUSE
Voir tab. **Œil**

HUMEUR NOIRE → MÉLANCOLIE

HUMEUR VITRÉE
Voir illus. **Œil**

HUMIDE → MOITE

HUMIDE brumeux, embué, humecté, hygrophile, marais, marécage, moite, pluvieux, suintant, uligineux

HUMIDIFICATEUR → HUMIDITÉ

HUMIDIFIER → MOUILLER

HUMIDIFUGE → HUMIDITÉ

HUMIDITÉ → VAPEUR

HUMIDITÉ humidificateur, humidifuge, hydrofuge, hygromètre, hygrophile, hygrostat, lyophilisé, mouillure, psychromètre, ressue, saturateur, sec

HUMILIATION → AFFRONT, DÉPIT, DÉSHONNEUR, GIFLE, HONTE, INJURE, INSULTE, PERSÉCUTION

HUMILIATION affront, avanie, avilissement, camouflet, déshonneur, honte, mortification, vexation

HUMILIÉ → OPPRIMER

HUMILIER → ABAISSER, ANÉANTIR, BLESSER, CHOQUER, COURBER, MORTIFIER, RABAISSER, VENTRE

HUMILIER aplatir (s'), blesser, offensé, offenser, ramper, vexer

HUMILITÉ → SIMPLICITÉ

HUMORISTE → CARICATURE

HUMORISTIQUE → SPIRITUEL

HUMOUR → ESPRIT, IRONIE

HUMOUR ironie, persiflage, sarcasme, zwanze

HUMUS → BRUYÈRE, SOL, TERRE, VÉGÉTAL (2)

HUN-TUN
Voir tab. **Spécialités étrangères**

HUNE → MÂT

HUNIER → CARRÉ (2), VOILE

HUNS → BARBARE

HUPPE → COQ, HOUPPE, PANACHE, PLUME
Voir tab. **Oiseaux (classification simplifiée des)**

HUPPÉ → MÉSANGE

HURE → MUSEAU, PORC, TÊTE

HURLEMENT → BEUGLEMENT, BRUIT, CRI, VENT
Voir tab. **Bruits**

HURLER → ABOYER, CRIER, DIRE, PLEURER, POUSSER, RUGIR
Voir tab. **Animaux (termes propres aux)**

HURLER aboyer, beugler, brailler, clamer, crier, époumoner (s'), glapir, mugir, rugir, tonitruer, vociférer

HURLUBERLU → BIZARRE, INDIVIDU

HURON → MALOTRU

HURON (LAC)
Voir tab. **Lacs et mers**

HURRICANE → CYCLONE, TOURBILLON, VENT

HUSKY → TRAÎNEAU

HUSSARD → CAVALERIE, CAVALIER (1), HONGROIS, SOLDAT
Voir illus. **Coiffures**

HUTINET → MARTEAU

HUTTE → BARAQUE, CASE, ESQUIMAU, MARAIS, WIGWAM

HUTTE ajoupa, borie, cahute, case, paillote, wigwam, yourte

HUTTEAU
Voir tab. **Chasse (vocabulaire de la)**

HYACINTHE → JACINTHE
Voir tab. **Pierres précieuses et semi-précieuses**

HYADES → NYMPHE

HYALIN → QUARTZ

HYALOGRAPHIE → GRAVURE

HYALOÏDE → TRANSPARENT

HYALOPHOBIE
Voir tab. **Phobies**

HYALOPLASME → MATIÈRE

HYBRIDATION → ACCOUPLEMENT, BRASSAGE, CROISEMENT, ESPÈCE, RACE, REPRODUCTION, VARIÉTÉ

HYBRIDE → BÂTARD, MÉTIS (2)
Voir tab. **Multimédia (les mots du)**

HYBRIDE bardot, chimère, clémentine, métis, mulard, mule, mulet, poméló, tangerine, tigron, triticale

HYDARTHROSE → ÉPANCHEMENT

HYDRACIDE → HYDROGÈNE

HYDRANT → BORNE

HYDRANTE → BORNE

HYDRARGYRE → MERCURE

HYDRATATION → EAU

HYDRAULE → HYDRAULIQUE

HYDRAULIQUE → EAU, ÉNERGIE, ROUE

HYDRAULIQUE aqueduc, aube, barrage, bélier hydraulique, écluse, houille blanche, houille bleue, hydraule, noria, tympan

HYDRAVION → AVION, VÉHICULE

HYDRE → DRAGON, IMAGINAIRE (2)
Voir tab. **Animaux fabuleux**
Voir tab. **Mythologiques (créatures)**

HYDRE DE LERNE → MONSTRE, SERPENT

HYDRÉMIE → EAU, SANG

HYDROCARBURE → CARBONE, POLLUTION, RAFFINÉ
Voir tab. **Chimie**

HYDROCÉPHALIE → MONSTRUOSITÉ

HYDROCRAQUAGE → RAFFINAGE

HYDRODYNAMIQUE → FLUIDE (1)

HYDROFUGE → HUMIDITÉ, VERNIS

HYDROFUGER → PROTÉGER

HYDROGÈNE → EAU, GAZ
Voir tab. **Éléments chimiques (symbole des)**

HYDROGÈNE deutérium, H, Henry Cavendish, hydracide, hydrure, proton

HYDROGÈNE SULFURÉ → SOUFRE

HYDROGLISSEUR → VÉHICULE
Voir tab. **Bateaux**

HYDROGRAPHIE → GÉOGRAPHIE, MER, OCÉAN

HYDROLAT → DISTILLATION

HYDROLOGIE
Voir tab. **Sciences : termes en -ologie et -ographie**

HYDROLYSE
Voir tab. **Chimie**

HYDROMEL → BOISSON, MIEL

HYDROMÉTÉORE → MÉTÉORE

HYDROMÈTRE → ARAIGNÉE, DENSITÉ
Voir tab. **Instruments de mesure**

HYDROPHILE → EAU

HYDROPHOBIE → EAU, RAGE
Voir tab. **Phobies**

HYDROPHYTE → PLANTE

HYDROPTÈRE
Voir tab. **Bateaux**

HYDROSTATIQUE → ÉQUILIBRE, FLUIDE (1), MÉCANIQUE (1)

HYDROTHÉRAPIE → BAIN, EAU
Voir tab. **Médecines alternatives**

HYDROXYDE → BASE

HYDROXYDE DE SODIUM → CAUSTIQUE

HYDRURE → HYDROGÈNE

HYÈNE
Voir tab. **Mammifères (classification des)**

HYÈNE charognard, hyénidés, lycaon, protèle, rire

HYÉNIDÉS → HYÈNE

HYGIAPHONE → GUICHET

HYGIE → SANTÉ

HYGIÈNE → DÉSINFECTION, PAUVRETÉ, PROPRETÉ, URBANISME

HYGIÈNE asepsie, assainissement, désinfection, diététique, prophylactique, propreté, salubrité, sanitaire

HYGIÉNIQUE → SAIN

HYGROMÈTRE → AIR, HUMIDITÉ, MÉTÉOROLOGIE
Voir tab. **Instruments de mesure**

HYGROMÉTRIE → MOITEUR

HYGROPHILE → HUMIDE, HUMIDITÉ, VÉGÉTATION

HYGROSTAT → HUMIDITÉ

HYLÉSINE → OLIVE

HYLOZOÏSME → MATIÈRE

HYMEN → MARIAGE, MEMBRANE

HYMÉNÉE → MARIAGE

HYMÉNOPTÈRE
Voir illus. **Insectes**

HYMÉNOPTÈRES → FOURMI, GUÊPE

HYMNAIRE → HYMNE

HYMNE → CHANT, HÉROS, PATRIE, POÈME

HYMNE cantique, choral, gloria, hosanna, hymnaire, Marseillaise (la), ode, péan, psaume, sanctus, Te Deum

HYP(O)- → DIMINUTION

HYPALLAGE → LICENCE
Voir tab. **Rhétorique (figures de)**

HYPER- → DEGRÉ

HYPERACOUSIE → AUDITION

HYPERBILIRUBINÉMIE → SANG

HYPERBOLE → COURBE (1), EXAGÉRATION
Voir tab. **Rhétorique (figures de)**

HYPERBOLOÏDE → ENGRENAGE

HYPERCHLORHYDRIE → ESTOMAC

HYPERCHOLESTÉROLÉMIE → SANG
Voir tab. **Maladies de civilisation**

HYPERDULIE → VIERGE (1)

HYPERÉMIE → SANG, VAISSEAU,

CONGESTION
HYPERESPACE → ESPACE
HYPERFOCALE
Voir tab. **Photographie**
(vocabulaire de la)
HYPERGLYCÉMIE → DIABÈTE, EXCÈS
HYPERMARCHÉ → VENTE
HYPERMÉDIA
Voir tab. **Multimédia**
(les mots du)
HYPERMÉTROPE → MYOPIE
HYPERMÉTROPIE → VUE
HYPERMNÉSIE → MÉMOIRE
HYPÉRODON → CACHALOT
HYPERRÉALISME → RÉALITÉ
HYPERSENSIBILITÉ → ALLERGIE
HYPERSIALIE → SALIVE
HYPERSOMNIE → DORMIR
HYPERTEXT MARKUP LANGUAGE
Voir tab. **Internet**
HYPERTEXTE
Voir tab. **Internet**
Voir tab. **Multimédia**
(les mots du)
HYPERTHERMIE → FIÈVRE
HYPERTRICHOSE → POIL
HYPERTROPHIE →
AGRANDISSEMENT,
DÉVELOPPEMENT, EXPANSION,
GROSSEUR
HYPERTROPHIÉ → BOUFFI
HYPÈTHRE → TOIT
HYPNAGOGIQUE →
HALLUCINATION, SOMMEIL, VEILLE
HYPNE → MOUSSE (1)
HYPNOLOGIE
Voir tab. **Sciences : termes
en -ologie et -ographie**
HYPNOPHOBIE
Voir tab. **Phobies**
HYPNOSE → SOMMEIL
HYPNOSE catalepsie,
ensorcellement, envoûtement,
léthargie, magnétiseur, narcose,
somnambulisme, transe
HYPNOTIQUE → NARCOTIQUE (1)
Voir tab. **Médicaments**
HYPNOTISER → ENDORMIR,
FASCINER, MAGNÉTISER
HYPO- → INFÉRIEUR
HYPOACOUSIE → AUDITION,
DIMINUTION
Voir tab. **Pédiatrie**
HYPOCAUSTE → BAIN, CHAUFFAGE
HYPOCENTRE → TREMBLEMENT DE
TERRE
Voir tab. **Tremblements de terre**
HYPOCHLORHYDRIE → ESTOMAC
HYPOCHLORITE DE SODIUM →
DENTAIRE
HYPOCONDRIAQUE →
IMAGINAIRE (2), MALADE,
PESSIMISTE
HYPOCORISTIQUE → AFFECTUEUX,
TERME
HYPOCRAS → VIN
HYPOCRISIE → DISSIMULATION,
FOURBERIE, MASCARADE,
SIMAGRÉES, VELOURS
HYPOCRISIE bigoterie, cagoterie,
dissimulation, duplicité,
fourberie, mascarade,
momerie, papelardise, perfidie,
pharisaïsme, tartuferie
HYPOCRITE → CACHER, COMÉDIEN,
DÉVOT, FAUX (2), FRÈRE, JETON,
MENTEUR, SOURNOIS, SUCRÉ,
TRAÎTRE (2)

HYPOCRITE affecté, artificieux,
cauteleux, chafouin,
chattemite (de), crocodile (de),
doucereux, faux, feint, fourbe,
insidieux, jésuitique, mielleux,
patelin, retors, simulé, sournois
HYPODERME → PEAU
HYPOGASTRE → ABDOMEN,
VENTRE
HYPOGÉ
Voir tab. **Géographie et géologie**
(termes de)
HYPOGÉE → CAVEAU, CIMETIÈRE,
CRYPTE, ENTERRER, SOUTERRAIN (1),
TOMBEAU
HYPOGLOSSE → LANGUE
HYPOGLYCÉMIE → MALAISE,
SANG
HYPOKHÂGNE → PRÉPARATOIRE
HYPOKHÂGNEUX → ÉTUDIANT
HYPOPHYSE → CERVEAU
Voir tab. **Endocrinologie**
HYPOPLASIE → MOELLE
HYPOSODÉ → SEL
HYPOSTASE → PERSONNE, TRINITÉ
HYPOSTYLE → COLONNE
HYPOTAUPIN → ÉTUDIANT
HYPOTENSEUR → TENSION
ARTÉRIELLE
HYPOTÉNUSE → TRIANGLE
Voir tab. **Géométrie (figures de)**
HYPOTHALAMUS
Voir illus. **Cerveau**
Voir tab. **Endocrinologie**
HYPOTHÈQUE → GARANTIE,
IMMEUBLE (1), SÛRETÉ
HYPOTHERMIE → TEMPÉRATURE
HYPOTHÈSE → CAS, CONJECTURE,
DÉMONSTRATION, DIAGNOSTIC,
DONNÉE, POSSIBILITÉ, PRÉSAGE,
PRÉSOMPTION, PRÉVISION,
PRINCIPE, SUPPOSITION, THÉORIE
HYPOTHÈSE assomption, axiome,
conjecture, éventualité,
exhaustion, possibilité,
postulat, supposition
HYPOTHÉTIQUE → CONDITIONNEL,
DOUTEUX, ÉVENTUEL,
IMAGINAIRE (2), INCERTAIN,
POTENTIEL (2)
HYPOTHÉTIQUE aléatoire,
douteux, improbable,
incertain
HYPOTHYROÏDIE CONGÉNITALE
Voir tab. **Pédiatrie**
HYPOTRACHELION
Voir illus. **Colonnes**
HYPOTROPHIE → DÉVELOPPEMENT
HYPOXÉMIE → SANG
HYPSOMÈTRE
Voir tab. **Instruments de mesure**
HYPSOMÉTRIE → ALTITUDE, RELIEF
HYRACOÏDE
Voir tab. **Mammifères**
(classification des)
HYSON-HAYSWEN → THÉ
HYSON-JUNIOR → THÉ
HYSON-SCHOUTONG → THÉ
HYSON-SKIN → THÉ
HYSTÉR(O)-
Voir tab. **Chirurgicales**
(interventions)
HYSTÉRECTOMIE → VENTRE
HYSTÉRIE → ENTHOUSIASME
Voir tab. **Phobies**
Voir tab. **Psychiatrie**
HYSTÉRIE névrose, piblokto,
pithiatique

HYSTÉROCÈLE → HERNIE
HYSTÉROPHOBIE
Voir tab. **Phobies**

I → INCONVENANT
Voir tab. **Éléments chimiques**
(symbole des)
IAGO → TRAÎTRE (1)
IAMBE → MÈTRE
Voir tab. **Poésie**
(vocabulaire de la)
IBÉRIQUE → ESPAGNOL
IBÉRIS → CORBEILLE
IBIJAUX
Voir tab. **Oiseaux (classification
simplifiée des)**
IC (GRANDE-BRETAGNE) → TRAIN
ICAQUE → PRUNE
ICARE → AILÉ
ICE (ALLEMAGNE) → TRAIN
ICEBERG → BLOC, FLOTTANT, GLACE
Voir tab. **Salades**
ICEBERG inlandsis, tabulaire, vêlage
ICEFJELD
Voir tab. **Géographie et géologie**
(termes de)
ICHOR → PUS
ICHTYOCOLLE → COLLE
ICHTYOÏDE → POISSON
ICHTYOLITHE → POISSON
ICHTYOLOGIE → POISSON,
ZOOLOGIE
Voir tab. **Sciences : termes
en -ologie et -ographie**
ICHTYOPHAGE → MANGER,
POISSON
ICHTYOSISME → POISSON
ICI aborigène, autochtone,
indigène
ICÔNE → DESSIN, IMAGE,
REPRÉSENTATION, SYMBOLIQUE
ICONOCLASME → SACRILÈGE (2)
ICONOCLASTE → ART, BRISER,
IMAGE, RELIGIEUX (2),
REPRÉSENTATION
ICONOGRAPHIE → ILLUSTRATION,
IMAGE
ICONOLÂTRE → RELIGIEUX (2),
REPRÉSENTATION
ICONOLÂTRIE → CULTE, IMAGE
ICONOLOGIE → REPRÉSENTATION
ICONOTHÈQUE → COLLECTION,
CONSULTATION
ICOSAÈDRE → VINGT
Voir illus. **Géométrie (figures de)**
ICOSAGONE → VINGT
ICTÈRE → BILE, FOIE, JAUNISSE,
SANG
ICTUS → ACCÈS
IDÉAL → ACCOMPLI, AMBITION,
CANON, IVRESSE, PARFAIT,
PERFECTION, RÉEL, RÊVE
IDÉAL (1) absolu, archétype,
aspiration, canon, modèle,
modèle, parangon, perfection,
utopie
IDÉAL (2) embellir, fictif,
imaginaire, magnifier, optimal,
parfait, rêvé, sublimer, utopique
IDÉALISÉ → IMAGINAIRE
IDÉALISER → EMBELLIR, SPIRITUEL
IDÉALISME → RÉALISME
Voir tab. **Philosophie**

IDÉALISTE → IRRÉALISABLE,
ROMANESQUE, ROMANTIQUE
IDÉAUX → NORME
IDÉE → APERÇU, CONCEPTION,
CONSCIENCE, INSPIRATION,
INTELLECTUEL, INTENTION, NOTION,
PENSÉE, PHILOSOPHIE, POSITION,
PROPOSITION, RAISONNEMENT,
RÉFLEXION, SIGNIFICATION, VISION
IDÉE accepter, acharné, admettre,
allégorie, analogie, aperçu,
apprécier, arrogant, avis,
bourdon, cafard, chimère,
compréhensif, concept,
conception, convenir, créativité,
découverte, dépression,
doctrine, échantillon, entêté,
estimer, évaluer, éventualité,
exemple, fantaisie, fat, fond,
hantise, illusion, imagination,
imbu, impression, infatué,
inspiration, invention,
inventivité, libéral, manie,
marotte, mélancolie,
métaphore, notion,
obnubilation, obsession,
obstiné, opiniâtre, opinion,
orgueilleux, pensée,
persévérant, perspective, plan,
préjugé, présomptueux,
pressentiment, prétentieux,
projet, rapport, rêverie,
similitude, spleen, suffisant,
sujet, symbole, tenace, têtu,
thème, théorie, tolérant,
trouvaille, vague à l'âme,
vaniteux
IDÉE FIXE → MANIE, OBSESSION
IDÉE NOIRE → CAFARD
IDÉE UNIQUE
Voir tab. **Manies**
IDÉFIX
Voir tab. **Bande dessinée**
(héros de)
IDEM → RÉPÉTITION
IDENTIFICATION → ASSIMILATION,
DIAGNOSTIC, IDENTITÉ,
PERSONNALITÉ, PROJECTION
IDENTIFIER → DÉTERMINER, ISOLER,
RECONNAÎTRE, SEMBLABLE (2)
IDENTIQUE → COMMUN,
CONFORME, ÉGAL, ÉQUIVALENT (2),
PAREIL, SEMBLABLE (2),
STATIONNAIRE, UNIFORME (2)
IDENTIQUE analogue, constant,
égal, équivalent, même, pareil,
portrait craché, semblable,
similaire, sosie, stable
IDENTIQUE À
Voir tab. **Mathématiques**
(symboles)
IDENTITÉ → CARACTÈRE,
ÉQUIVALENCE, INDIVIDUALITÉ,
RELATION, RESSEMBLANCE,
SIMILITUDE
IDENTITÉ accord, caractère, carte
d'identité, coexistence,
coïncidence, consubstantialité,
équivalence, état civil (fiche d'),
famille (livret de),
identification, incorporation,
intériorisation, introjection,
naissance (extrait de),
originalité, passeport, permis
de conduire, personnalité,
projection, relation, similitude,
singularité, subjectivité,
tempérament

IDENTITÉ (D') → PRINCIPE
IDENTITÉ (VÉRIFICATION D') → DESCENTE
IDÉOGRAMMATIQUE → MOT
IDÉOGRAMME → CHINOIS, HIÉROGLYPHE, REPRÉSENTATION, SIGNE
IDÉOGRAPHIE → ÉCRITURE
IDÉOLOGIE → PARTI, PHILOSOPHIE, SECTE, SYSTÈME
IDÉOLOGUE → INTELLECTUEL
IDES → CALENDRIER
IDIOLECTE → LANGUE
IDIOME → LANGUE, PARTICULIER, STYLE
IDIOPATHIE → ESSENTIEL
IDIOSYNCRASIE → INTOLÉRANCE, NATURE, PARTICULIER, RÉACTION, TEMPÉRAMENT
IDIOT → CRÉTIN, DÉNUÉ, FAIBLE (1), IMBÉCILE (1), INNOCENT (1), NIAIS
IDIOT abruti, absurde, bête, crétin, dégénéré, dommage, fâcheux, incohérent, inepte, insensé, malheureux, niais, regrettable, sot, stupide
IDIOTIE → INEPTIE, NIAISERIE, SOTTISE
IDIOTIE absurdité, aliénation, arriération, balourdise, bêtise, crétinisme, débilité, imbécillité, ineptie, insanité, niaiserie, sottise, stupidité
IDIOTISME → EXPRESSION, LANGUE, LOCUTION, TOURNURE
IDO → LANGUE
IDOINE → ADÉQUAT, APPROPRIÉ, BON (1), JUSTE
IDOLÂTRE → ADMIRATEUR, FOU (2), PAÏEN (1), VÉNÉRER
IDOLÂTRER → ADORER, PASSION
IDOLÂTRIE → ADORATION, CULTE, RELIGION
IDOLE → DIEU, FAUX (2)
IDOLE célébrité, coqueluche, fan, fétiche, groupie, image, star, statue, vedette
IDS → INITIATIVE
IDYLLE → AMOUR, AMOURETTE, BERGER, CAPRICE, FLIRT, INTRIGUE, PASSION, PASTORAL, POÈME
IDYLLE amourette, aventure, béguin, bergerie, bucolique, églogue, flirt, intrigue, liaison, passade, pastorale, pastourelle, tocade, villanelle
IDYLLIQUE → PARFAIT
IENISSEÏ
Voir tab. **Fleuves**
IF → CONIFÈRE
Voir tab. **Ébénisterie (essences utilisées en)**
Voir tab. **Végétaux (classification simplifiée des)**
IGLOO → ESQUIMAU, GLACE
IGNARE → IGNORANCE, INCULTE
IGNI- → FEU
IGNIFUGE → BRÛLER, FEU
IGNIPUNCTURE → BRÛLER
IGNITION → BRÛLER, COMBUSTION, INCENDIE
IGNIVOME → FEU
IGNOBLE → AFFREUX, ATROCE, BAS (2), DÉGOÛTANT, HIDEUX, INDIGNE, INFÂME, INFECT, LÂCHE, LAID, MAUVAIS, MÉPRIS, ODIEUX, SALE
IGNOBLE abject, bas, dégoûtant,

honteux, immonde, indigne, infâme, insalubre, méprisable, misérable, obscène, odieux, repoussant, répugnant, sale, sordide
IGNOMINIE → BOUE, DÉSHONNEUR, HONTE, HORREUR, INFAMIE, LAIDEUR
IGNOMINIEUX → BAS (2), DÉCHÉANCE, HONTEUX, ODIEUX
IGNORANCE → INCONSCIENCE, INSTRUCTION, INSUFFISANCE, LACUNE, MALADRESSE
IGNORANCE analphabète, arrogance, cancre, candeur, dédain, erreur, ignare, illettré, impéritie, incompétence, inculte, inexpérience, ingénuité, innocence, lacune, manque, méconnaissance, mépris, naïveté, omission
IGNORANCE (DANS L') → INSU
IGNORANT → ÂNE, ÉTRANGER (2), ILLETTRÉ (2), INCAPABLE (1), INCULTE, INNOCENT (2), SAUVAGE
IGNORANTIN → DOCTRINE
IGNORÉ anonyme, incognito, inconnu, inexploré, méconnu, négligé, obscur, vierge
IGNORER → DÉDAIGNER, MÉCONNAÎTRE, PASSER
IGNORER affronter, bouder, braver, défier, faire fi de, méconnaître, mépriser, provoquer
IGPN
Voir tab. **Police nationale (organisation de la)**
IGS (INSPECTION GÉNÉRALE DE LA POLICE NATIONALE) → POLICE
Voir tab. **Police nationale (organisation de la)**
IGUANE → LÉZARD
IGUANODON → DINOSAURE
IGUE → GOUFFRE
IKEBANA → BOUQUET, COMPOSITION, JAPONAIS
ILANG-ILANG → PARFUM
ÎLE
Voir illus. **Littoral**
ÎLE Antilles, archipel, atoll, atterrissement, banc, brisant, créole, écueil, exotique, haut-fond, îlot, insulaire, péninsule, presqu'île, récif
ÎLE FLOTTANTE → DESSERT
ÎLE-DE-FRANCE → RÉGION
ILÉO-
Voir tab. **Chirurgicales (interventions)**
ILÉON → GRÊLE (2), INTESTIN (1)
Voir illus. **Digestif (appareil)**
Voir tab. **Chirurgicales (interventions)**
ILÉUS → INTESTIN (1), VENTRE
ILIADE (L') → RÉCIT
ILIAQUE → HANCHE
Voir illus. **Squelette**
ILLÉGAL → INJUSTE, INTERDIT (2), IRRÉGULIER, LOI, NOIR (1)
ILLÉGAL crime, défendu, délit, illégitime, illicite, infraction, interdit, irrégulier, prohibé, usurpatoire
ILLÉGALITÉ → IRRÉGULARITÉ
ILLÉGITIME → ADULTÈRE, BÂTARD, ILLÉGAL, INJUSTE, IRRÉGULIER, NATUREL

ILLÉGITIME adultérin, bâtard, défendu, déraisonnable, hors-la-loi, illicite, infondé, injustifié, interdit, naturel
ILLÉGITIMEMENT → TORT
ILLETTRÉ → BRUT, IGNORANCE, INCULTE, LIRE
ILLETTRÉ (1) illettrisme
ILLETTRÉ (2) analphabète, ignorant, inculte
ILLETTRISME → ILLETTRÉ (1)
ILLICITE → CLANDESTIN, HONNÊTE, ILLÉGAL, ILLÉGITIME, INTERDIT (2), LOI, MARGINAL, ORTHODOXE, PIRATE (2), PROHIBER, SOUTERRAIN (2)
ILLIMITÉ → AVEUGLE (2), BORNE, DÉMESURÉ, IMMENSE, INDÉFINI, INDÉTERMINÉ, INFINI (2)
ILLIMITÉ absolu, immense, incalculable, incommensurable, indéfini, indéterminé, infini, total
ILLISIBLE → DIFFICILE, INDÉCHIFFRABLE
ILLOGIQUE → BANCAL, CHEVEU, INCOHÉRENT, INVRAISEMBLABLE, IRRATIONNEL, STUPIDE, SUITE
ILLOGISME → RAISONNEMENT
ILLUMINATION → CONVERSION, DÉCORATION, ÉCLAIRAGE, EXTASE, INSPIRATION, RELIGIEUX (2), RÉVÉLATION
ILLUMINATION conversion, découverte, éclair, éclairage, enluminure, feu d'artifice, fontaine lumineuse, girandole, guirlande, inspiration, lampion, projecteur, révélation, spot, trait de génie
ILLUMINÉ → INSPIRÉ, MYSTIQUE (1)
ILLUMINÉ éclairé, embelli, embrasé, ensoleillé, exalté, inspiré, mystique, rayonnant, resplendissant, visionnaire
ILLUMINER → BRILLER, EMBRASER, ORNER
ILLUMINER briller, pétiller
ILLUSION → APPARENCE, CHIMÈRE, DUPER, EFFET, ERREUR, ESPOIR, ESPRIT, FANTÔME, HALLUCINATION, IDÉE, IMAGE, MENSONGE, MIRAGE, MYTHE, PESSIMISTE, SEMBLANT, SONGE, UTOPIQUE, VISION
ILLUSION abuser (s'), affabulation, aveugler (s'), charlatan, charme, chimère, délire, enchantement, envoûtement, erreur, escamoteur, fabulation, fantasmagorie, fantôme, flatter (se), hallucination, illusionniste, imaginer (s'), imposteur, leurre, leurrer (se), magicien, mirage, mythomanie, prestidigitateur, rêve, rêverie, songe, sortilège, trompe-l'œil, tromper (se), tromperie, truqueur, utopie, vision, voyant
ILLUSIONNER → BERCER, LEURRER
ILLUSIONNISME → PRESTIDIGITATION
ILLUSIONNISTE → ADRESSE, CIRQUE, ILLUSION, MAGICIEN, MANIPULATION
ILLUSOIRE → APPARENT, FAUX (2), IMAGINAIRE (2), VAIN
ILLUSOIRE apparent, chimérique, faux, fictif, inutile, stérile, vain

ILLUSTRATEUR → DESSIN
ILLUSTRATION → DESSIN, FIGURE, IMAGE, REPRÉSENTATION, VIGNETTE
ILLUSTRATION dessin, enluminure, gravure, iconographie, illustré, image, manifestation, miniature
ILLUSTRE → BRILLANT (1), CÉLÈBRE, FAMEUX, GLORIEUX, GRAND, IMMORTEL, LÉGENDAIRE, PRESTIGIEUX
ILLUSTRE aristocrate, brillant, célèbre, éclatant, extraordinaire, fameux, glorieux, grand, noble
ILLUSTRÉ → ILLUSTRATION
ILLUSTRER → INTERPRÉTATION, ORNER, SIGNALER
ILLUSTRER décorer, éclaircir, éclairer, expliquer, orner
ILLUTATION → BAIN
ÎLOT → ÎLE, PÂTÉ, QUARTIER
Voir illus. **Littoral**
ILOTE → ESCLAVE, SOUMISSION
ÎLOTIER → POLICE
ILS → VISIBILITÉ
IMAGE → CLICHÉ, COMPARAISON, CONSCIENCE, DESSIN, EXEMPLE, EXPRESSION, IDOLE, ILLUSTRATION, INSTANTANÉ (1), OMBRE, PENSÉE, PERCEPTION, PORTRAIT, RÉCOMPENSE, REPRODUCTION, SIGNE, SILHOUETTE, SYMBOLIQUE, VIGNETTE, VISION
IMAGE allégorie, anamorphose, animation, apologue, aquatinte, audiovisuel, bélinographe, calme, caricature, cliché, comparaison, cul-de-lampe, dessin, dessin animé, effigie, emblème, enluminure, estampe, fable, figure, filmothèque, frontispice, gravure, hologramme, icône, iconoclaste, iconographie, iconolâtrie, illusion, illustration, infographie, lanterne magique, lieu commun, lithographie, look, métaphore, mezzotinto, mirage, modèle, narcissisme, pantographe, parabole, peinture, photogramme, pixel, pochoir, popularité, portrait, posé, prestige, reflet, renommée, représentation, réputation, sérigraphie, signe, souvenir, stéréotype, symbole, télévision, vignette, vision, xylographie
IMAGÉ → FLEURI, PITTORESQUE
IMAGE DE MARQUE → RÉPUTATION
IMAGE LATENTE
Voir tab. **Photographie (vocabulaire de la)**
IMAGERIE PAR RÉSONANCE MAGNÉTIQUE
Voir tab. **Examens médicaux complémentaires**
IMAGIER → SCULPTURE
IMAGINAIRE → CONTE, FABULEUX, FANTASTIQUE, FANTÔME, FAUX (2), FICTIF, IDÉAL (2), INVENTER, IRRÉEL, LÉGENDAIRE
IMAGINAIRE idéalisé
IMAGINAIRE (1) registre
IMAGINAIRE (2) centaure, Cerbère, chimérique, complexe, dragon, elfe, fantastique, farfadet, fée, feint, fictif, gnome, hydre,

hypocondriaque, hypothétique, illusoire, irréel, licorne, lutin, mélancolique, pégase, Phénix, science-fiction, sirène, troll, utopique, vampire

IMAGINATIF → FÉCOND, INVENTER

IMAGINATION → CRÉATION, IDÉE, INVENTION, PENSÉE, REPRÉSENTATION

IMAGINATION créativité, esprit, fantaisie, fantasmagorie, fantôme, fiction, inspiration, invention, mémoire, pensée, rêverie

IMAGINER → ANTICIPER, CHERCHER, COMPOSER, CONCEVOIR, CROIRE, FABRIQUER, FIGURER, ILLUSION, IMPRESSION, INVENTER, PRÉSUMER, PRÉVOIR, PROJETER, RACONTER, REPRÉSENTER (SE), RÊVER, SONGER, SUPPOSER, TROUVER, VENIR

IMAGINER admettre, anticiper, chercher, combiner, comprendre, concevoir, conjecturer, construire, créer, croire, deviner, élaborer, envisager, évoquer, fabriquer, figurer (se), forger, penser, pressentir, représenter (se), savoir, supposer, supputer, trouver

IMAM → CULTE, ISLAM, MUSULMAN (1), RELIGIEUX (1)
Voir tab. **Islam** (vocabulaire de l')

IMAM BAYALDI
Voir tab. **Spécialités étrangères**

IMARI → FAÏENCE

IMBATTABLE → INFAILLIBLE

IMBÉCILE → ÂNE, CRÉTIN, FAIBLE (1), INCAPABLE (1)

IMBÉCILE aberrant, abruti, âne, arriéré, bête, crétin, débile, dégénéré, demeuré, idiot, incapable, incohérent, insensé, niais, sot, stupide

IMBÉCILE (À L') → MANCHE

IMBÉCILLITÉ → IDIOTIE, INEPTIE, SOTTISE

IMBERBE → BARBE, POIL

IMBIBÉ → IMPRÉGNER, TREMPÉ

IMBIBER → ABSORBER, ARROSER, BOIRE, MOUILLER

IMBIBITION → PÉNÉTRATION

IMBRICE → TUILE

IMBRIQUER → EMBOÎTER, INSÉRER, RECOUVRIR (SE)

IMBROGLIO → COMPLICATION, MALENTENDU, MAQUIS, MÉLANGE, QUIPROQUO

IMBU → IDÉE, IMPRÉGNER, PLEIN, REMPLIR

IMBU DE LUI-MÊME → PRÉTENTIEUX

IMBUVABLE → INSUPPORTABLE

IMITATEUR → COPIER

IMITATEUR caricaturiste, contrefacteur, copieur, épigone, faussaire, pasticheur, plagiaire, suiveur

IMITATION → CALQUE, CONTREFAÇON, COPIE, FAUX (2), INFLUENCE, PARODIE, RÉPÉTITION, REPRÉSENTATION, REPRODUCTION

IMITATION affectation, calque, caricature, charge, contrefaçon, copie, démarquage, façon, faux,

instar (à l'), manière (à la), mime, mimétisme, mimologie, modèle (sur le), parodie, pastiche, plagiat, reproduction, simili, simulacre, singerie

IMITER → CALQUER, CONTREFAIRE, FALSIFIER, INSPIRER, MIMER, RÉPÉTER, REPRÉSENTER, SUIVRE

IMITER appeau, caricaturer, charger, contrefaire, copier, emprunter, frouer, inspirer (s'), marcher sur les pas de, mimer, parodier, plagier, répéter, reproduire, ressembler à, simuler, singer, suivre l'exemple de, utiliser

IMMACULÉ → BLANC (1), NET, PROPRE (2), TACHE, VIERGE (2)

IMMACULÉE CONCEPTION → VIERGE (1)

IMMANENT → APPARTENIR

IMMANGEABLE → DÉGOÛTANT, MAUVAIS

IMMANQUABLE → FATAL, FORCÉ, INÉVITABLE, INFAILLIBLE

IMMANQUABLEMENT → FORCÉMENT, TÔT

IMMATÉRIEL → AÉRIEN, FANTÔME, IMPERSONNEL, LÉGER, SPIRITUEL, SURNATUREL

IMMATÉRIEL céleste, divin, incorporel, spirituel

IMMATRICULATION → INSCRIPTION, MATRICULE

IMMATRICULER → INSCRIRE

IMMATURE → INFANTILE, INSTABLE, MÛR, RETARD

IMMATURE dépendant, enfantillage, gaminerie, inachevé, irresponsable, niaiserie, prématuré, puérilité

IMMÉDIAT → INSTANTANÉ, SOUDAIN

IMMÉDIAT actuel, direct, imminent, instantané, présent, primitif, prompt, rapide, simple, subit

IMMÉDIATEMENT → COMPTANT, DÉLAI, MINUTE, QUART, RÉEL, SÉANCE, SUITE, URGENCE

IMMÉMORIAL → ANCIEN (2)

IMMENSE → COLOSSAL, CONSIDÉRABLE, DÉMESURÉ, EFFROYABLE, ÉNORME, EXTRAORDINAIRE, GÉANT, GRAND, ILLIMITÉ, INFINI (2), MONSTRUEUX, MONUMENTAL, PROFOND

IMMENSE ample, colossal, considérable, démesuré, effrayant, énorme, étendu, fabuleux, géant, gigantesque, herculéen, illimité, incalculable, incommensurable, infini, prodigieux, profond, titanesque, vaste

IMMENSITÉ → DIEU, INFINI (1)

IMMERGÉ → NOYER

IMMERGENT → RAYON

IMMERGER → BAIGNER, PLONGER, TREMPER

IMMÉRITÉ → INJUSTE

IMMERSION → BAPTISER, INONDATION

IMMEUBLE → BÂTIMENT, BIEN, RÉSIDENCE

IMMEUBLE concierge

IMMEUBLE (1) acquêts, antichrèse, barre, bâtiment, building,

conquêts, construction, copropriétaire, édifice, gage, gardien, gratte-ciel, habitation, hypothèque, logement, résidence, syndic, tour

IMMEUBLE (2) bâtiment, immobilier, patrimoine, sol

IMMIGRATION → CHANGEMENT, CITOYEN, DROIT (1), MIGRATION, POPULATION
Voir tab. **Population**

IMMIGRÉ → ÉTRANGER (1), NATIF, PAYS
Voir tab. **Saints patrons**

IMMIGRÉ apatride, assimilation, beur, beurette, carte de séjour, exilé, expatrié, intégration, naturalisation, permis de travail, racisme, réfugié, résident, ressortissant, xénophobie

IMMINENT → IMMÉDIAT (2), MENAÇANT, PRÈS, PROCHE

IMMISCER → ENTRER, FAUFILER, INSINUER, INTERVENIR, INTRODUIRE, JOINDRE, MÊLER, PARTICIPER

IMMIXTION → INTERVENTION

IMMOBILE → DORMANT, FIXE (2), INACTIF, INANIMÉ, INERTE, INVARIABLE, REPOS, STATIONNAIRE

IMMOBILE abasourdi, aboulique, apathique, arrêt (à l'), croupissant, dormant, engourdi, figé, fixe, gourd, immuable, inactif, inanimé, inerte, invariable, médusé, mou, panne (en), paralysé, perclus, pétrifié, sidéré, stagnant, stupéfait, transi

IMMOBILIER → IMMEUBLE (2)

IMMOBILISATION → JUDO, PLACEMENT

IMMOBILISER → BLOQUER, COINCER, GELER, MAÎTRISER, NEUTRALISER, PÉTRIFIER (SE), RETENIR

IMMOBILISER amarrer, ancrer, arrêter, attacher, bloquer, coincer, encalminé, figer, fixer, freiner, geler, paralyser, pétrifier, plâtrer, river, scléroser, visser

IMMOBILISME → CHANGEMENT, ÉVOLUTION, INERTIE, STAGNATION

IMMOBILITÉ → IMPASSIBILITÉ, STAGNATION

IMMODÉRÉ → ARDENT, EXCESSIF

IMMODESTE → INDÉCENT

IMMOLATEUR → SACRIFICE

IMMOLATION → HÉCATOMBE, HOLOCAUSTE, SACRIFICE

IMMOLER → PÉRIR, TUER

IMMONDE → DÉGOÛTANT, HIDEUX, IGNOBLE, INDIGNE, INFÂME, MAUVAIS, SALE

IMMONDICES → IMPURETÉ

IMMORAL → CYNIQUE, IMPUR, MALHONNÊTE, MAUVAIS, MŒURS, OBSCÈNE

IMMORAL amoral, corrompu, cynique, débauché, dépravé, dévergondé, indécent, irrévérencieux, libertin, libidineux, licencieux, malhonnête, malsain, obscène, pervers, scandaleux, vicieux

IMMORALITÉ → DISSOLUTION

IMMORTALISER → CONSERVER, DURER, PERPÉTUER

IMMORTALITÉ → ÂME, FUTUR (2)

IMMORTEL → ACADÉMICIEN, ACADÉMIE, ÉTERNEL, QUARANTE

IMMORTEL illustre

IMMORTEL (1) académicien, edelweiss

IMMORTEL (2) au-delà, célèbre, déesse, dieu, éternel, éternité, glorieux, impérissable, salut

IMMOTIVÉ → GRATUIT

IMMUABILITÉ → PERMANENCE

IMMUABLE → CONSTANT, FERME (2), FIXE (2), IMMOBILE, INALTÉRABLE, INVARIABLE, PERPÉTUEL, SOLIDE, STABLE

IMMUABLE absolu, constant, continu, durable, ferme, fixe, inaltérable, intemporel, invariable

IMMUNISATION → ACCOUTUMANCE, IMMUNITÉ

IMMUNISÉ → BLINDÉ

IMMUNISÉ blindé, invulnérable, mithridatisé, protégé, vacciné

IMMUNISER → GARANTIR, VACCINATION

IMMUNITAIRE allergie, anticorps, antigène, corticoïde, cytokine, facteur Rhésus, gammaglobuline, globule blanc, immunodéficience, immunodépresseur, immunoglobine, immunostimulant, immunosuppresseur, inflammation, interféron, lymphocyte, maladie auto-immune, phagocytose, réponse, rhumatisme articulaire, sclérose en plaques, sérum, sida, vaccin

IMMUNITÉ → AMNISTIE, ANTICORPS, DISPENSE, EXEMPTION, IRRESPONSABLE, PRÉROGATIVE, PRIVILÈGE, VACCIN

IMMUNITÉ accoutumance, décharge, dispense, exemption, franchise, immunisation, immunocompétence, inviolabilité, mithridatisation, privilège, tolérance, vaccination

IMMUNITÉ PARLEMENTAIRE → DÉPUTÉ

IMMUNOCOMPÉTENCE → IMMUNITÉ

IMMUNODÉFICIENCE → IMMUNITAIRE

IMMUNODÉPRESSEUR → IMMUNITAIRE

IMMUNOGLOBINE → IMMUNITAIRE

IMMUNOSTIMULANT → IMMUNITAIRE

IMMUNOSUPPRESSEUR → IMMUNITAIRE

IMMUNOTHÉRAPIE → CANCER

IMMUTABILITÉ → DIEU

IMPACT → CONSÉQUENCE, EFFET, INFLUENCE, PROJECTILE

IMPACTION
Voir illus. **Fractures**

IMPAIR → BÉVUE, BOURDE, CLERC, ERREUR, FAUTE, GAFFE, MALADRESSE

IMPAIR bévue, bourde, erreur

IMPAIR (1) faux-pas, gaffe, maladresse

IMPAIR (2) irrégulier, syncopé, unique

IMPALUDÉ → PALUDISME

IMPARABLE → INÉVITABLE, INFAILLIBLE

IMPARDONNABLE → MONUMENTAL, PARDONNER

IMPARFAIT → BOITEUX, GROSSIER, INCOMPLET, INÉGAL, PASSÉ (1)

IMPARFAIT (1) passé non accompli

IMPARFAIT (2) approximatif, critiquable, défectueux, discutable, dissonance, grossier, imprécis, inachevé, incomplet, indicatif, inégal, insuffisant, rudimentaire, subjonctif, vague

IMPARFAITEMENT → DEMI (2), MAL (2)

IMPARIDIGITÉS → DOIGT

IMPARTIAL → CHOIX, DÉSINTÉRESSÉ, ÉGAL, IMPERSONNEL, JUSTE, NEUTRE, OBJECTIF (2), PRÉJUGÉ, SEREIN

IMPARTIALITÉ → INTÉGRITÉ, OBJECTIVITÉ

IMPARTIR → ACCORDER, RÉPARTIR

IMPASSE → ISSUE, RUE
Voir tab. **Belote**

IMPASSE belote, bridge, cul-de-sac, difficile, issue (sans), solution (sans)

IMPASSIBILITÉ → FLEGME, FROIDEUR, INDIFFÉRENCE, INSENSIBILITÉ, SANG-FROID

IMPASSIBILITÉ ataraxie, calme, courage, fermeté, flegme, froideur, immobilité, impavidité, imperturbabilité, indifférence, insensibilité, maîtrise de soi, sang-froid, stoïcisme

IMPASSIBLE → CALME (2), FERME (2), FROID (2), INDIFFÉRENT, INÉBRANLABLE, MARBRE, NEUTRE, SEREIN

IMPASSIBLE (RESTER) → BRONCHER

IMPATIENCE → DÉSIR, NERVOSITÉ, PRÉCIPITATION

IMPATIENCE agacement, agitation, colère, désir, empressement, énervement, exaspération, fébrilité, fièvre, fourmi, fourmillement, hâte, inquiétude, irritation

IMPATIENS → IMPATIENT (1)

IMPATIENT → AVIDE, INQUIET

IMPATIENT fougueux, turbulent

IMPATIENT (1) balsamine, impatiens, noli me tangere

IMPATIENT (2) ardent, avide, bouillant, désireux, impétueux, nerveux, pressé, vif

IMPATIENTER → BOUILLIR, ÉNERVER, IRRITER

IMPATRONISER (S') → MAÎTRE (1)

IMPAVIDE → FERME (2), INÉBRANLABLE, INTRÉPIDE, MARBRE, PEUREUX

IMPAVIDITÉ → IMPASSIBILITÉ

IMPAYABLE → UNIQUE

IMPECCABLE → BAVURE, DÉFAUT, INATTAQUABLE, IRRÉPROCHABLE, MAGISTRAL, NET, PARFAIT, PROPRE (2), REPROCHE

IMPECCABLE défaut (sans), excellent, formidable, infaillible, irréprochable, magistral, parfait, sensationnel

IMPEDIMENTA → BAGAGE

IMPÉNÉTRABLE → DENSE, HERMÉTIQUE, IMPERMÉABLE, INABORDABLE, INACCESSIBLE, INCOMPRÉHENSIBLE, INSONDABLE, MYSTÉRIEUX, OPAQUE, TÉNÉBREUX

IMPÉNITENCE → PERSISTANCE

IMPÉNITENT → IMPITOYABLE, TERRIBLE

IMPENSABLE → FANTASTIQUE, IMPOSSIBLE (2), INCONCEVABLE, INCROYABLE (2), INVRAISEMBLABLE

IMPENSE → AMÉLIORATION, DÉPENSE

IMPÉRATIF → BREF (2), COMMANDEMENT, IMPÉRIEUX, OBLIGATION, PHRASE, TRANCHANT

IMPÉRATIF obligatoire

IMPÉRATIF (1) commandement, conseil, contrainte, défense, exhortation, exigence, loi, moral, ordre, prescription, prière, souhait

IMPÉRATIF (2) absolu, autoritaire, bref, impérieux, pressant, sec, urgent

IMPERATOR → EMPEREUR

IMPERCEPTIBLE → INSAISISSABLE, INSENSIBLE, INVISIBLE, LÉGER, PETIT (2)

IMPERFECTION → BAVURE, DÉFAUT, INFIRMITÉ, INSUFFISANCE, TRAVERS (1), VICE

IMPÉRIAL → IMPOSANT, THÉ

IMPÉRIAL (1) barbiche

IMPÉRIAL (2) aigle, couronne, imposant, majestueux, nem, noble, sceptre, solennel, supérieur

IMPÉRIALE → BARBE, BOUC, MENTON
Voir tab. **Bouteilles**

IMPÉRIALISME → COLONIE, EXPANSION

IMPÉRIALISME anticolonialisme, autodétermination, colonialisme, colonie, Commonwealth, décolonisation, empire, expansionnisme, suprématie

IMPÉRIALISTE → COLONIE, CONQUÉRANT (2)

IMPÉRIEUX → ABSOLU, AUTORITAIRE, CATÉGORIQUE, DÉDAIN, IMPÉRATIF (2), INTENSE, IRRÉSISTIBLE, MAGISTRAL, RÉPLIQUE, TRANCHANT, URGENT

IMPÉRIEUX absolu, autoritaire, cassant, dogmatique, impératif, incoercible, intransigeant, irrésistible, pressant, tranchant, tyrannique, urgent

IMPÉRIOSITÉ → VÉHÉMENCE

IMPÉRISSABLE → ÉTERNEL, IMMORTEL (2), PERPÉTUEL

IMPÉRITIE → HABILETÉ, IGNORANCE, INSUFFISANCE, MALADRESSE

IMPERIUM → DIGNITÉ

IMPERMÉABLE → ÉTANCHE, INACCESSIBLE, MANTEAU, REBELLE (2), VÊTEMENT
Voir illus. **Manteaux**

IMPERMÉABLE fermé, hermétique, impénétrable, inaccessible, indifférent, insondable, riding-coat

IMPERMÉABLE (1) ciré, mackintosh, trench-coat

IMPERMÉABLE (2) argile,
caoutchouc, étanche, gabardine, plastique, silicone, waterproof

IMPERSONNEL → ANONYME, BANAL, VERBE

IMPERSONNEL anonyme, banal, collectif, distant, falloir, froid, gérondif, immatériel, impartial, infinitif, neiger, neutre, objectif, participe passé, participe présent, pleuvoir, universel

IMPERTINENCE → ÉCART, EXCÈS, FAMILIARITÉ, HARDIESSE, INSOLENCE, RESPECT

IMPERTINENCE effronterie, impolitesse, impudence, insolence, irrévérence, outrecuidance

IMPERTINENT → CAVALIER (2), DÉSINVOLTE, IMPOLI, INCONGRU, INCONVENANT, INCORRECT, INSOLENT, IRRÉVÉRENCIEUX

IMPERTINENT absurde, cavalier, désinvolte, effronté, impoli, impudent, incorrect, insolent, irrévérencieux, mutin

IMPERTURBABILITÉ → FROIDEUR, IMPASSIBILITÉ

IMPERTURBABLE → CALME (2), FERME (2), GLACIAL, INDIFFÉRENT, INFAILLIBLE, INSENSIBLE, SEREIN

IMPÉTRANT → BÉNÉFICE, DIPLÔME

IMPÉTRATION → BÉNÉFICE

IMPÉTUEUX → ARDENT, AUDACIEUX, BOUILLONNANT, BRUSQUE, COLÈRE, EMPORTER, ENDIABLÉ, EXPLOSIF, IMPATIENT (2), VIF (2), VIGOUREUX, VIOLENT

IMPÉTUEUX ardent, bouillant, déchaîné, effréné, emporté, endiablé, fort, fougueux, frénétique, furieux, pétulant, véhément, vif, violent, volcanique

IMPÉTUOSITÉ → ARDEUR, FEU, FORCE, FOUGUE, FUREUR, MORDANT (1), PÉTULANCE, PRÉCIPITATION, VÉHÉMENCE

IMPIE → ATHÉE, BLASPHÈME, IRRÉLIGIEUX, LIBERTIN, MÉCRÉANT (1), PAÏEN (1), RELIGION

IMPIE agnostique, apostat, athée, blasphémateur, blasphématoire, gentil, hérétique, incroyant, infidèle, irréligieux, libertin, libre-penseur, mécréant, païen, profanateur, sacrilège, schismatique

IMPIÉTÉ → SACRILÈGE

IMPITOYABLE → BARBARE, BRONZE, CRUEL, FÉROCE, INFLEXIBLE, INHUMAIN, INSENSIBLE, INTRAITABLE, MERCI, PITIÉ, SÉVÈRE, SOURD

IMPITOYABLE appel (sans), cœur (sans), cruel, dur, féroce, impénitent, implacable, inexorable, infatigable, inflexible, inhumain, insensible, intarissable, intraitable, sans merci, sévère

IMPLACABLE → BRONZE, CRUEL, FATAL, IMPITOYABLE, INFLEXIBLE, INHUMAIN, INSENSIBLE, IRRÉSISTIBLE, MALHEUREUX, PITIÉ, RIGOUREUX, SÉVÈRE, SOURD

IMPLANT → PILULE

IMPLANTATION → CHIRURGIE, FIXATION

IMPLANTER → CŒUR, ENRACINER, FIXER, INSÉRER, INTRODUIRE, INVESTIR, OUVRIR, RACINE

IMPLICATION
Voir tab. **Mathématiques (symboles)**

IMPLICITE → ALLUSION, SILENCIEUX, SOUS-ENTENDU (2)

IMPLICITEMENT → POINTILLÉ (EN)

IMPLIQUER → ACCUSER, COMPROMETTRE (SE), INVESTIR (S'), MÊLER, SIGNIFIER, SUPPOSER

IMPLIQUER associer, cause (mettre en), compromettre, concerné par, investir (s'), mêler, nécessiter, présupposer, signifier, supposer

IMPLORER → APPELER, CONJURER, DEMANDER, PARDON, PRIER, RÉCLAMER, SOLLICITER, SUPPLIER

IMPLUVIUM → PLUIE, RECUEILLIR

IMPOLI → BIENSÉANCE, EFFRONTÉ, IMPERTINENT, INCORRECT, INSOLENT, IRRÉVÉRENCIEUX, SANS-GÊNE

IMPOLI désagréable, discourtois, goujat, grossier, impertinent, incivil, inconvenant, incorrect, insolent, irrespectueux, irrévérencieux, malappris, mal éduqué, mal élevé, malotru, mufle, rustre

IMPOLIMENT → LOURDEMENT

IMPOLITESSE → BRUTALITÉ, IMPERTINENCE, INSOLENCE

IMPOLITESSE désinvolture, grossièreté, incorrection, sans-gêne

IMPONDÉRABLE → IMPRÉVU (2), LÉGER, POIDS

IMPONDÉRABLES → HASARD

IMPORT-EXPORT → CIRCULATION, IMPORTATION, NÉGOCE

IMPORTANCE → AMPLEUR, DIMENSION, ÉTENDUE, INTÉRÊT, RÉPUTATION, VALEUR

IMPORTANCE accroître, affirmer, aggraver, alourdir, autorité, compter, crédit, développer (se), dimension, étendre (s'), fanfaronner, force, glorifier (se), gravité, imposer, influence, intérêt, pavoiser, poids, portée, prestige, tenir à, valeur, vanter (se)

IMPORTANT → APPRÉCIABLE, CONSÉQUENT, CRUCIAL, DÉCISIF, GROS, IMPOSANT, INSIGNE (2), INTÉRESSANT (2), INTÉRÊT, JOLI, NOTABLE (2), PESANT, PRÉCIEUX, SENSIBLE, SIGNALÉ, URGENT

IMPORTANT appréciable, cacique, caïd, capital, clef, conséquent, considérable, crucial, décisif, élevé, essentiel, fat, fondamental, fort, grand, gros, haut, influent, intéressant, magnat, majeure, nécessaire, notable, ponte, potentat, principal, puissant, remarquable, sensible, sérieux, stratégique, substantiel, suffisant, utile, vaniteux, vital

IMPORTATION → DOUANE, INTERNATIONAL, INTRODUCTION

IMPORTATION commerce

international, contingentement, dédouanement, dumping, import-export, introduction, libre-échangisme, licence, protectionnisme, transfert

IMPORTER → EXISTER, INTRODUIRE, INTRODUIRE

IMPORTER boycott, chaloir, copier, embargo, intéresser, mal, quiconque, tout, transférer

IMPORTUN → ENVAHIR, FÂCHEUX (1), FATIGANT, GÊNANT, INDISCRET, INTRUS, PESANT, PESER, SANS-GÊNE, TROUBLE-FÊTE

IMPORTUNER → ACCROCHER, BOUSCULER, DÉPLAIRE, DÉRANGER, DISTRAIRE, EMBARRASSER, EMBÊTER, ENNUYER, ÉTOURDIR, FATIGUER, GÊNER, HARCELER, INDISPOSER, INTERROMPRE, LASSER, POURSUIVRE, SOLLICITER, TOURMENTER

IMPOSABLE → IMPÔT

IMPOSANT → FORMIDABLE, GRAND, GRANDIOSE, GRAVE, IMPÉRIA (2), IMPRESSIONNANT, MAJESTUEUX, MONUMENTAL, NOBLE (2), SOLENNEL, SUPERBE (2)

IMPOSANT considérable, corpulent, digne, distingué, emphatique, grandiose, grave, impérial, important, impressionnant, majestueux, noble, prestigieux, retenu, sentencieux, sérieux, sévère, solennel, superbe

IMPOSÉ → OBLIGATOIRE, PATINAGE

IMPOSER → CHARGER, CONTRAINDRE, DICTER, EXIGER, IMPORTANCE, INFLIGER, OBLIGER, ORDONNER, PRESCRIRE, TAXER

IMPOSER accabler, accepter (faire), admettre (faire), bénir, charger, commander, dicter, exiger, fixer, frapper, grever, impressionner, indispensable, infliger, nécessaire, obligatoire, obliger, subjuguer, taxer

IMPOSER LE SILENCE → TAIRE

IMPOSEUR → IMPOSITION, IMPRIMERIE, TYPOGRAPHIE

IMPOSITION → CHARGE, DROIT (1), PAGE

IMPOSITION bénédiction, charge, consécration, contribution, disposition, droit, imposeur, impôt, prélèvement, regroupement, sacrement, taxe

IMPOSSIBILITÉ → IMPUISSANCE

IMPOSSIBILITÉ LÉGALE → INCOMPATIBILITÉ

IMPOSSIBLE → DIFFICILE, INCONCEVABLE, INSUPPORTABLE, INTRAITABLE, IRRÉALISABLE, SOLUTION, UTOPIQUE

IMPOSSIBLE improbable, inacceptable, inadmissible, insoutenable, irrecevable

IMPOSSIBLE (1) la Lune

IMPOSSIBLE (2) bizarre, chimérique, difficile, extravagant, impensable, inapaisable, incroyable, indéfinissable, indescriptible, indicible, inenvisageable, inexécutable, inexprimable, inexpugnable, inextinguible, infaisable, inimaginable, insatiable, insensé,

insupportable, invincible, invivable, invraisemblable, irréel, irréalisable, pénible, saugrenu, surhumain, utopique

IMPOSSIBLE (FAIRE L') → TÂCHER

IMPOSTE
Voir illus. **Arcs**
Voir illus. **Fenêtre**

IMPOSTEUR → CHARLATAN, ILLUSION, MENSONGE, PROPHÈTE

IMPOSTURE → MASCARADE

IMPÔT → CHARGE, CONTRIBUTION, IMPOSITION, RECETTE, REDEVANCE, RELIEF, RESSOURCE
Voir tab. **Fiscalité**

IMPÔT accise, acompte, aide, allégement, assiette, assujetti, capitation, charge, collecteur, contrainte, contribuable, contribution, contrôleur, dégrèvement, dîme, droit, exonération, fermage, fisc, fiscaliser, foncier, fortune, frais réel, gabelle, habitation (taxe d'), imposable, inspecteur, majoration, mensualisation, patente, percepteur, péréquation, poursuite, prestation, quotient familial, receveur, recouvrement, redevable, redevance, régie, rente, revenu, saisie, salaire, sommation, taille, taxe, tiers provisionnel, timbre, Trésor public, Trésorerie, tribut, valeur, valeur immobilière, valeur mobilière, vente

IMPÔT DE SOLIDARITÉ SUR LA FORTUNE
Voir tab. **Fiscalité**

IMPOTENCE → INFIRMITÉ

IMPOTENT → INFIRME, INVALIDE (1), INVALIDE (2)

IMPRATICABLE → DIFFICILE, INACCESSIBLE

IMPRÉCATION → BLASPHÈME, JURON, MALÉDICTION

IMPRÉCIS → APPROXIMATIF, ÉQUIVOQUE (2), FLOU, FONDU, GÉNÉRAL, IMPARFAIT (2), INCERTAIN, INDÉCIS, INDÉFINI, OBSCUR, VAGUE (2)

IMPRÉCIS ambigu, approximatif, confus, diffus, évasif, flou, grossier, incertain, indéterminé, indistinct, lointain, vague

IMPRÉCISION → VAGUE (2)

IMPRÉGNATION → PÉNÉTRATION

IMPRÉGNÉ → TREMPÉ

IMPRÉGNÉ (ÊTRE) → BAIGNER

IMPRÉGNER → ABREUVER, ABSORBER, APPRÊTER, MOUILLER, PÉNÉTRER

IMPRÉGNER absorbé par, baigné, imbibé, imbu de, influencé par, inondé, marqué par, pénétré de, rempli, trempé

IMPRENABLE → FORT (1), INATTAQUABLE, INÉBRANLABLE, SIÈGE

IMPRESSION → CRITIQUE (1), ÉDITION, EMPREINTE, ÉTAT, IDÉE, PERCEPTION, REPRODUCTION, SENSATION, SENTIMENT

IMPRESSION appréciation, avis, coquille, croire, dégoût, doublon, enduit, erreur, feeling, flexographie, fond, graver,

héliogravure, imaginer, impression tabellaire, impressionnisme, imprimante, imprimer, intuition, lithographie, mastic, offset, opinion, paraître, photocopie, photogravure, phototypie, quadrichromie, réimpression, reprographie, répugnance, saisissement, sembler, sensation, sentiment, sérigraphie, similigravure, supposer, typographie, xérographie, xylographie

IMPRESSION TABELLAIRE → IMPRESSION

IMPRESSIONNABLE → ÉMOTIF

IMPRESSIONNABLE délicat, émotif, sensible

IMPRESSIONNANT → ÉBLOUISSANT, ÉTONNANT, FRAPPANT, GRANDIOSE, IMPOSANT, MAJESTUEUX, MARQUANT, MONUMENTAL, SENSATIONNEL

IMPRESSIONNANT brillant, considérable, éloquent, frappant, grandiose, imposant, prodigieux, saisissant

IMPRESSIONNÉ → ÉPATÉ, FRAPPER, SAISIR, TROUBLÉ

IMPRESSIONNER → BLUFFER, BRILLER, ÉBLOUIR, EFFET, EXPOSER, FAIRE, IMPOSER, INTIMIDER

IMPRESSIONNER affecté, bluffer, bouleversé, choqué, ébranler, ému, épaté, étonné, intimider, perturbé, sidéré, touché, traumatisé, troubler

IMPRESSIONNISME → IMPRESSION

IMPRESSIONNISTE → TOUCHE

IMPRÉVISIBLE → IMPULSIF

IMPRÉVOYANT → IMPRUDENT, INSOUCIANT, IRRÉFLÉCHI, SOUCI

IMPRÉVU → ACCIDENTEL, CAS, EXTRAORDINAIRE, IMPROVISTE, INATTENDU, INÉDIT, INESPÉRÉ, INOPINÉ, PÉRIPÉTIE, REBONDIR, SOUDAIN, SUBIT, SURPRISE

IMPRÉVU (1) exceptionnel, hasard

IMPRÉVU (2) accidentel, brusque, déconcertant, déroutant, fortuit, impondérable, inattendu, inespéré, inopiné, saugrenu, soudain, subit

IMPRIMANTE → BUREAU, IMPRESSION, INFORMATIQUE

IMPRIMATUR
Voir tab. **Catholique romain (vocabulaire)**

IMPRIMÉ → BROCHURE, PROGRAMME

IMPRIMER → GRAVER, IMPRESSION, INSPIRER, PUBLIER

IMPRIMER appliquer, apposer, brochure, capter, catalogue, communiquer, comprendre, décalquer, dupliquer, éditer, embosser, estamper, feuille, fixer, formulaire, graver, incunable, journal, magazine, marquer, piger, prospectus, publicité, publier, rotative, stigmatiser, tirer, tract, transmettre

IMPRIMERIE → CHINOIS

IMPRIMERIE apprêter, assembleur, bavure, blanchir, chasse,

clicheur, compositeur, corps, correcteur, créner, foulage, gris, héliogravure, imposeur, justificateur, justifier, linotypiste, lithographie, maculage, marger, œil, offset, phototypie, prote, stéréotypie, surimpression, type, typographe

IMPROBABLE → HYPOTHÉTIQUE, IMPOSSIBLE, INVRAISEMBLABLE

IMPROBATION → DÉSAPPROBATION

IMPROBE → MALHONNÊTE

IMPRODUCTIF → ARIDE

IMPRODUCTIVITÉ → BRAS, SÉCHERESSE, STAGNATION

IMPROMPTU → IMPROVISÉ, IMPROVISTE, SOUDAIN, SURPRISE
Voir tab. **Musicales (formes)**

IMPROPRE → INCORRECT

IMPROPRE erroné, inadéquat, inapproprié, incorrect, inexact

IMPROPRIÉTÉ → ABUS, BARBARE, FAUTE, MOT

IMPROVISÉ fortune, impromptu, pied levé (au), spontané

IMPROVISER → INVENTER

IMPROVISTE (À L') → DÉPOURVU, INATTENDU, SOUDAIN, SUBITEMENT

IMPROVISTE (À L' inopinément, manière imprévue (de), manière impromptue (de), manière inattendue (de), subitement

IMPRUDENCE → BERGERIE, ÉTOURDERIE, LÉGÈRETÉ, NÉGLIGENCE, PAS (1), PRÉCAUTION

IMPRUDENCE étourderie, faute, hardiesse, inattention, irresponsabilité, légèreté, maladresse, témérité

IMPRUDENT → AVENTURIER, DANGER, INCONSIDÉRÉ, TÉMÉRAIRE

IMPRUDENT audacieux, aventureux, casse-cou, dangereux, écervelé, hasardeux, imprévoyant, inconséquent, inconsidéré, insouciant, irresponsable, malavisé, osé, risque-tout, téméraire

IMPUDENCE → APLOMB, AUDACE, FAMILIARITÉ, FRONT, HARDIESSE, IMPERTINENCE, INSOLENCE

IMPUDENT → CYNIQUE, EFFRONTÉ, IMPERTINENT, INSOLENT, ROUGIR

IMPUDICITÉ → IMPURETÉ, OBSCÉNITÉ

IMPUDIQUE → IMPUR, INDÉCENT, OBSCÈNE, PUDEUR

IMPUISSANCE → INFIRMITÉ, SEXUALITÉ

IMPUISSANCE eunuque, faiblesse, fragilité, impossibilité, inaptitude, incapacité, inefficacité, inhabileté

IMPUISSANT → INCAPABLE (2)

IMPULSIF → SPONTANÉ

IMPULSIF coléreux, emporté, fougueux, imprévisible, incontrôlable, instinctif, irascible, irréfléchi, irritable, spontané, violent

IMPULSION → APPEL, ÉLAN (1), ENTRAÎNEMENT, INFLUENCE, PENCHANT

IMPULSION branle (mettre en), domination, effet, élan, empire, emprise, essor, excitation,

influence, mouvement, penchant, pousser, pulsion, tendance

IMPUNITÉ → AMNISTIE

IMPUR boueux, bourbeux, corrompu, dépravé, déshonnête, déshonorant, immoral, impudique, incestueux, indécent, indigne, infâme, infidèle, lubrique, obscène, péché, pervers, pollué, potable (non), sale, souillé, vicié, vicieux, vil

IMPURETÉ → DÉFAUT

IMPURETÉ débauche, déchets, dépravation, immondices, impudicité, lubricité, luxure, obscénité, pollution, purger, saleté, souillure, souillure

IMPUTATION → ACCUSATION, DESTINATION

IMPUTER → BUDGET, CHARGER, COMPTE, DONNER, GRATIFIER, PRÊTER, RESPONSABLE (2)

IMPUTER accuser, affecter, appliquer, attribuer à, charger, incriminer, rejeter sur, reprocher

IMPUTRESCIBLE → INALTÉRABLE

IN → CRI, MODE
Voir tab. **Éléments chimiques (symbole des)**

IN EXTENSO → ADVERBE, COMPLET

IN EXTREMIS → ADVERBE

IN PACE → CACHOT, CONDAMNATION, PRISON

IN PETTO → INTÉRIEUR (2)

IN VITRO → CONCEPTION, FÉCONDATION

IN-DOUZE → FORMAT, VOLUME
Voir tab. **Livres**

IN-FOLIO → FORMAT, VOLUME
Voir tab. **Livres**

IN-OCTAVO → FORMAT, VOLUME
Voir tab. **Livres**

IN-PLANO → FORMAT, VOLUME
Voir tab. **Livres**

IN-QUARANTE-HUIT
Voir tab. **Livres**

IN-QUARTO → FORMAT, VOLUME
Voir tab. **Livres**

IN-SEIZE
Voir tab. **Livres**

IN-TRENTE-DEUX
Voir tab. **Livres**

INABORDABLE → INACCESSIBLE, SAVANT (2)

INABORDABLE arrogant, cher, distant, exagéré, excessif, exorbitant, faramineux, hautain, impénétrable, inaccessible, infranchissable, insupportable, prix (hors de), ruineux

INACCEPTABLE → IMPOSSIBLE, INCONCEVABLE, LAMENTABLE

INACCEPTABLE inadmissible, inconcevable, inconvenant, intolérable, irrecevable, révoltant, scandaleux

INACCESSIBLE → DIFFICILE, IMPERMÉABLE, INABORDABLE, INSENSIBLE, SAVANT (2)

INACCESSIBLE ésotérique, fermé, hermétique, hors d'atteinte, impénétrable, impénétrable, imperméable, impraticable, inabordable, inintelligible, insensible

INACCOUTUMÉ → ANORMAL, BANAL, ÉTRANGE, NOUVEAU, RARE

INACHEVÉ → IMMATURE, IMPARFAIT (2), INCOMPLET

INACTIF → FAINÉANT (2), IMMOBILE, OISIF, REPOS
Voir tab. **Population**

INACTIF aboulique, apathique, assisté, désœuvré, endormi, enfant, étudiant, femme au foyer, immobile, indolent, inefficace, inerte, léthargique, militaire, mou, oisif, parasite, paresseux, retraité

INACTION → INDOLENCE, INERTIE, STAGNATION, TORPEUR

INACTION aboulie, apathie, assoupissement, croupir, désœuvrement, dormir, engourdissement, fainéanter, fainéantise, inactivité, inoccupation, oisiveté, paresse, passivité, torpeur, végéter

INACTIVITÉ → BRAS, DISPONIBILITÉ, INACTION

INADAPTÉ → INAPTE

INADÉQUAT → IMPROPRE, MAUVAIS

INADMISSIBLE → IMPOSSIBLE, INACCEPTABLE, INCONCEVABLE, INCROYABLE, INJUSTE

INADVERTANCE → ATTENTION, DÉFAUT, DISTRACTION, ÉTOURDERIE, INATTENTION

INALTÉRABLE → BÂTI (1), FIXE (2), IMMUABLE, INÉBRANLABLE, INVARIABLE, STABLE

INALTÉRABLE constant, immuable, imputrescible, inattaquable, incorruptible, inoxydable, inusable, invariable, permanent, perpétuel, stable

INALTÉRÉ → INTACT, PUR, SAUF (1)

INAMICAL → HOSTILE

INAMOVIBILITÉ → MAGISTRAT, STABILITÉ

INAMOVIBLE → DESTITUER, RÉVOQUER

INANIMÉ → IMMOBILE, INERTE

INANIMÉ évanoui, immobile, inerte, matière, mort, objet, vie (sans)

INANITÉ → FUTILITÉ, VIDE (2)

INANITION → ALIMENT, MOURIR, NOURRITURE

INAPAISABLE → IMPOSSIBLE (2), INSATIABLE

INAPPÉTENCE → DÉGOÛT, DÉSIR, FAIM, INDIFFÉRENCE

INAPPRIVOISABLE → SAUVAGE

INAPPRIVOISÉ → SAUVAGE

INAPPROPRIÉ → IMPROPRE

INAPTE → INCAPABLE (2)

INAPTE inadapté, incapable, incompétent

INAPTITUDE → IMPUISSANCE, INSUFFISANCE

INASSOUVISSABLE → GLOUTON, INSATIABLE

INATTAQUABLE → INALTÉRABLE, INCONTESTABLE, IRRÉPROCHABLE

INATTAQUABLE certain, honnête, impeccable, imprenable, incontestable, intouchable, invincible, irréfutable, irréprochable, parfait, protégé

INATTAQUABLE (RENDRE) → BÉTONNER

INATTENDU → BIZARRE, BRUSQUE,

COCASSE, ÉTONNANT, EXCEPTIONNEL, IMPRÉVU (2), IMPROVISTE, INÉDIT, INESPÉRÉ, INOPINÉ, SOUDAIN, SUBIT, SURPRISE

INATTENDU accidentel, déconcertant, déroutant, étrange, fortuit, imprévu, improviste (à l'), inespéré, inopiné, insoupçonné, surprenant, surprise

INATTENTIF → ABSENT, DISTRAIT, IRRÉFLÉCHI

INATTENTION → DISTRACTION, ÉTOURDERIE, IMPRUDENCE, OUBLI

INATTENTION absence, distraction, étourderie, inadvertance, insouciance, légèreté, négligence, omission, oubli

INAUDIBLE → ENTENDRE, INSAISISSABLE

INAUGURATION → CÉRÉMONIE, DÉBUT, OUVERTURE

INAUGURATION commencement, début, dédicace, ouverture, première, rentrée, vernissage

INAUGURER → EMPLOYER

INAUTHENTIQUE → FAUX (2)

INAVOUABLE → HONTEUX, TROUBLE (2)

INCALCULABLE → ILLIMITÉ, IMMENSE, INFINI (2)

INCANDESCENCE → CHALEUR

INCANDESCENT → ARDENT, ROUGE

INCANTATION → CHARME, ENCHANTEMENT, MAGIQUE

INCANTATION conjuration, enchantement, évocation, invocation, magie, prière, sorcellerie, supplication

INCAPABLE → IMBÉCILE (1), INAPTE, INCONSCIENT (2)

INCAPABLE (1) aliéné, bon à rien, curatelle, ignorant, imbécile, médiocre, nul, nullité, tutelle

INCAPABLE (2) aboulique, apathique, impuissant, inapte, incompétent, inhabile, inoffensif, insensible, léthargique, maladroit, malhabile, mou

INCAPABLE DE NUIRE → INOFFENSIF

INCAPACITÉ → DÉCHÉANCE, IMPUISSANCE, INSUFFISANCE

INCAPACITÉ PERMANENTE
Voir tab. **Assurance (vocabulaire de l')**

INCARCÉRATION → ADMISSION, ARRESTATION, CAPTIVITÉ, DÉTENTION

INCARCÉRÉ → CONDAMNÉ

INCARCÉRER → BOUCLER, EMPRISONNER, ENFERMER, INSCRIRE, JETER

INCARNADIN
Voir tab. **Couleurs**

INCARNAT
Voir tab. **Couleurs**

INCARNATION → CATHOLICISME, EXPRESSION, MYSTÈRE, SYMBOLE, TYPE

INCARNER → CORPS, FIGURER, INTERPRÉTER, JOUER, PERSONNIFIER, RÉALISER, REPRÉSENTER

INCARTADE → CONDUITE, ÉCART, FOLIE, INÉGALITÉ

INCASSABLE → SOLIDE

INCENDIAIRE → BRÛLER, FEU, INCENDIE

INCENDIE → SINISTRE (1)

INCENDIE arsin, avertisseur, bombardier, brasier, calcination, Canadair, combustion, coupe-feu, échelle, embrasement, extincteur, feu, gicleur, ignition, incendiaire, pare-feu, pétroleuse, pompe, pyromane, sapeur-pompier

INCENDIER → BRÛLER, EMBRASER, INJURE, REPROCHE

INCÉRATION → CIRE

INCERTAIN → AMBIGU, CHANGEANT, CONTINGENT, DÉCISION, ÉVENTUEL, FIXER, FLOTTANT, FLOU, FRAGILE, HÉSITANT, HYPOTHÉTIQUE, IMPRÉCIS, INDÉFINI, INDÉTERMINÉ, LENT, OBSCUR, TIMIDE, VARIABLE (2)

INCERTAIN aléatoire, ambigu, changeant, confus, contestable, contingent, douteux, équivoque, éventuel, hypothétique, imprécis, indéfini, indéterminé, instable, oscur, vague, variable

INCERTAINE → DOUTEUX, VAPOREUX

INCERTITUDE → BROUILLARD, DOUTE, DOUTER, EMBARRAS, HÉSITATION, INCONSTANCE, INDÉCISION, INSTABILITÉ, PERPLEXITÉ

INCERTITUDE aléa, ambiguïté, atermoiement, chance, doute, embarras, flottement, fluctuation, fragilité, frivolité, hasard, hésitation, inconstance, indécision, indétermination, instabilité, irrésolution, légèreté, obscurité, oscillation, perplexité, précarité, tâtonnement, tergiversation, versatilité

INCESSAMMENT → BIENTÔT, PEU (1), SUITE, TÔT

INCESSANT → CONTINU, ÉTERNEL, INTERMINABLE, PERPÉTUEL

INCESTUEUX → IMPUR

INCHANGÉ → INTACT, STATIONNAIRE

INCIDEMMENT → PARENTHÈSE, PASSER

INCIDENCE → CONSÉQUENCE, INFLUENCE, RÉPERCUSSION

INCIDENT → ACCIDENT, ACCROC, AVENTURE, BAVURE, CHOSE (1), CONTRETEMPS, DÉFAILLANCE, ÉPISODE, ÉVÉNEMENT, HISTOIRE, PÉRIPÉTIE, SUBIT

INCIDENT (1) accroc, anicroche, aventure, chicane, circonstance, difficulté, dispute, mésaventure, obstacle, péripétie, querelle, rixe, situation, souci

INCIDENT (2) accessoire, adventice, incise, secondaire

INCINÉRATION → BRÛLER, CADAVRE, CENDRE, OBSÈQUES, ORDURE

INCINÉRATION colombaire, columbarium, crémation, crématorium, urne cinéraire

INCINÉRER → MORT (1)

INCIPIT → LIVRE, SOMMAIRE (1)

INCISE → INCIDENT (2)

INCISER → OUVRIR

INCISER couper, débrider, écorcer, entailler, écorcer, ouvrir, saigner, scarifier

INCISIF → ACÉRÉ, ÂCRE, BREF (2), CAUSTIQUE, CONCIS, PÉNÉTRANT, PERÇANT, RUDE, SARCASTIQUE, SATIRIQUE, TRANCHANT, VIF (2)

INCISION → ABCÈS, CHIRURGIE, CONGESTION, ENTAILLE

INCISIVE → NERVEUX
Voir illus. **Bouche, nez et gorge**
Voir illus. **Dent**

INCITATION → APPEL, EXCITATION, INVITATION

INCITER → DÉTERMINER, ENCOURAGER, ENGAGER, ENTRAÎNER, INVITER, POUSSER, SOLLICITER

INCITER conseiller, convier, décider, encourager, engager, entraîner, exciter, exhorter, inviter, motiver, porter, pousser, presser, soutenir, stimuler

INCIVIL → IMPOLI

INCIVILISÉ → SAUVAGE

INCLÉMENCE → DURETÉ

INCLÉMENT → RIGOUREUX, RUDE

INCLINAISON → PENTE, PLANÈTE

INCLINAISON aclinique, bande, clinomètre, déclivité, dévoiement, fruit, gîte, inclinomètre, isocline, pente, position, rampe

INCLINAISON LATÉRALE → YOGA

INCLINATION → AFFECTION, AMITIÉ, APPÉTIT, ATTRAIT, DISPOSITION, FAIBLE (1), PENCHANT, PRÉDILECTION, SENTIMENT, SYMPATHIQUE, TALENT, TENDANCE, VOCATION

INCLINATION affection, amour, appétit, attachement, attirance, attrait, courbette, désir, disposition, envie, goût, penchant, préférence, propension, révérence, salut, sympathie, tendance, tendresse

INCLINÉ → PENTE

INCLINER → AGENOUILLER (S'), CAPITULER, COURBER, EFFACER, PENCHER (SE), PLIER, RENVERSER, SOUMETTRE, SUBIR

INCLINER abandonner, baisser, bande (à la), céder, coucher (se), courber, fléchir, influencer, obéir, pencher, perdre, persuader, plier, prosterner (se), résigner (se), soumettre (se), tendre à

INCLINOMÈTRE → INCLINAISON, NIVEAU

INCLURE → BORNER, COMPRENDRE, CONTENIR, INSÉRER, INTÉGRER, INTRODUIRE, JOINDRE

INCLUS ci-joint, compris, contenu, inséré, intégré

INCLUSION
Voir tab. **Mathématiques (symboles)**

INCOERCIBLE → CONTENIR, IMPÉRIEUX, IRRÉSISTIBLE, RETENIR, VOMISSEMENT

INCOGNITO → CLANDESTIN, IGNORÉ, INCONNU (2), NOM, SECRET (1)

INCOHÉRENCE → ANOMALIE, CONFLIT, DÉSORDRE, LACUNE

INCOHÉRENT → BANCAL, CHEVEU, CONFUS, DÉSORDONNÉ, IDIOT, IMBÉCILE, INCOMPRÉHENSIBLE, INSENSÉ, INVRAISEMBLABLE, IRRATIONNEL, STRUCTURE, STUPIDE, SUITE

INCOHÉRENT abracadabrant, absurde, brouillon, contradictoire, décousu, désordonné, extravagant, illogique, incompréhensible, inepte, insolite, sans queue ni tête, saugrenu

INCOLLABLE → RÉPONSE

INCOLORE → BANAL, TERNE

INCOMBER → ACCROÎTRE, APPARTENIR, CONCERNER, DÉPENDRE (DE), PESER, REVENIR

INCOMBUSTIBLE → BRÛLER, FEU

INCOMMENSURABLE → BORNE, CONSIDÉRABLE, EXCESSIF, GIGANTESQUE, ILLIMITÉ, IMMENSE, INFINI, INVRAISEMBLABLE, MONUMENTAL, NOMBRE, NOMBREUX

INCOMMODANT → FÂCHEUX (2)

INCOMMODÉ → GÊNER, MALADE, SOUFFRANT

INCOMMODER → EMBARRASSER, INDISPOSER

INCOMMODITÉ → INCONVÉNIENT

INCOMMUNICABLE → INEXPRIMABLE

INCOMPARABLE → BANAL, BON (2), ÉGAL, MÉRITE, PAREIL (1), PARFAIT, UNIQUE

INCOMPARABLE admirable, inégalable, parfait, rare, remarquable, singulière, supérieur, unique

INCOMPATIBILITÉ antagonisme, antinomie, contradiction, désaccord, impossibilité légale, opposition

INCOMPATIBLE → CONTRAIRE (2), DISCORDANT, OPPOSÉ

INCOMPATIBLE antinomique, contraire, discordant, inconciliable, opposé

INCOMPÉTENCE → HABILETÉ, IGNORANCE, MALADRESSE

INCOMPÉTENT → INAPTE, INCAPABLE (2)

INCOMPLET → IMPARFAIT (2), PARTIEL

INCOMPLET approximatif, boiteux, court, décompléter, défectif, défectueux, demi-mesure, dépareillé, fragmentaire, imparfait, inachevé, insuffisant, partiel

INCOMPRÉHENSIBLE → HERMÉTIQUE, INCOHÉRENT, INDÉCHIFFRABLE, INSONDABLE, MYSTÉRIEUX, NÉBULEUX, OBSCUR, OPAQUE, SUITE, TÉNÉBREUX

INCOMPRÉHENSIBLE aberrant, abscons, abstrus, bizarre, curieux, déconcertant, déraisonnable, énigmatique, ésotérique, étrange, hermétique, impénétrable, incohérent, inconcevable, inexplicable, inintelligible, insoluble, insondable, mystérieux, obscur, sibyllin

INCOMPRÉHENSIF → BORNÉ

INCOMPRÉHENSION → BARRIÈRE

INCONCEVABLE → FANTASTIQUE, INACCEPTABLE, INCOMPRÉHENSIBLE, INCROYABLE (2), INOUÏ

INCONCEVABLE étonnant, extraordinaire, impensable, impossible, inacceptable, inadmissible, incroyable, inimaginable, inimaginable, inouï, irrecevable

INCONCILIABLE → CONTRAIRE (2), INCOMPATIBLE, OPPOSÉ

INCONDITIONNÉ → ABSOLU, NÉCESSAIRE

INCONDITIONNEL → FIDÈLE (2), SYSTÉMATIQUE

INCONDUITE → FAUTE

INCONFORTABLE → GÊNANT

INCONGRU → BIENSÉANCE, BIZARRE, DÉPLACÉ, INCONVENANT, MAL (2), SCANDALEUX

INCONGRU déplacé, grossier, impertinent, inconvenant, incorrect, indécent, insolent, malséant, malvenu, pet, rot

INCONGRUITÉ → ABSURDITÉ, GROSSIÈRETÉ

INCONNU → ANONYME, ÉTRANGER (2), IGNORÉ, INÉDIT, NEUF (2), NOUVEAU, OBSCUR, OCCULTE, ORIGINAL

INCONNU anonymement, caché, contre X, dissimulé, énigmatique, étranger, incognito, indéterminé, inédit, inexploré, méconnu, mystérieux, neuf, nouveau, obscur, occulte, oublié, secret, sous X, vierge

INCONSCIEMMENT → INSU, RÉFLEXION

INCONSCIENCE → INSENSIBILITÉ, LÉGÈRETÉ, PRÉCAUTION

INCONSCIENCE absence, anesthésie, aveuglement, coma, évanouissement, folie, ignorance, insensibilité, irréflexion, irresponsabilité, légèreté, narcose, syncope

INCONSCIENT → FOU (1), INSTINCTIF, IRRESPONSABLE, SPONTANÉ
Voir tab. **Psychanalyse**
Voir tab. **Psychiatrie**

INCONSCIENT automatique, ça, censure, condensation, déplacement, déraisonnable, fou, incapable, infraliminal, instinctif, irréfléchi, irresponsable, machinal, processus primaires, pulsion, refoulement, représentation, spontané, subliminal, surmoi, téméraire

INCONSCIENT COLLECTIF
Voir tab. **Psychanalyse**

INCONSÉQUENCE → LÉGÈRETÉ

INCONSÉQUENT → FOU (1), IMPRUDENT, INCONSIDÉRÉ, INSIGNIFIANT, IRRÉFLÉCHI

INCONSIDÉRÉ → IMPRUDENT, TÉMÉRAIRE

INCONSIDÉRÉ absurde, étourdi, imprudent, inconséquent, indiscret, inopportun, irréfléchi, maladroit, stupide

INCONSIDÉRÉMENT → TORT

INCONSISTANT → CONSISTANCE,

DÉBILE, FRAGILE, FRIVOLE, INDÉCIS, INSIGNIFIANT

INCONSOLABLE → DÉSESPÉRÉ

INCONSTANCE → INCERTITUDE, INFIDÉLITÉ, INSTABILITÉ, MOBILITÉ

INCONSTANCE abandon, adultère, caprice, frivolité, incertitude, infidélité, instabilité, légèreté, mobilité, trahison, versatilité

INCONSTANT → CHANGEANT, CHANGER, FLOTTANT, FRIVOLE, INÉGAL, INSTABLE, LÉGER, MOUVANT, ONDOYANT, STABLE

INCONTESTABLE → DOUTE, ÉVIDENT, FLAGRANT, FORMEL, INATTAQUABLE, IRRÉSISTIBLE, MANIFESTE (2), RÉFUTER, RIGOUREUX, SÛR, TÉMOIGNAGE, VRAI

INCONTESTABLE avéré, certain, évident, flagrant, inattaquable, indéniable, indiscutable, sûr

INCONTINENCE → URINE

INCONTOURNABLE → INÉVITABLE, INFLEXIBLE

INCONTRÔLABLE → CONTENIR, IMPULSIF

INCONVENANCE → DÉCENCE, EXCÈS, OBSCÉNITÉ

INCONVENANT → BIENSÉANCE, CYNIQUE, DÉSINVOLTE, FAMILIER (2), GROSSIER, IMPOLI, INACCEPTABLE, INCONGRU, INCORRECT, INDÉCENT, INDISCRET, MALHONNÊTE, MALPROPRE, OBSCÈNE, SANS-GÊNE, SCANDALEUX, USAGE

INCONVENANT choquant, choquant, cynique, déplacé, désinvolte, effronté, grossier, impertinent, incongru, indécent, licencieux, malséant, osé, sans-gêne

INCONVÉNIENT → DÉFAUT, HANDICAP, MALHEUR, OBJECTION, OMBRE, RISQUE

INCONVÉNIENT défaut, désagrément, désavantage, difficulté, écueil, embarras, empêchement, ennui, entrave, gêne, handicap, incommodité, objection, obstacle, problème, risque

INCONVERTIBILITÉ
Voir tab. **Monnaie**

INCORPORATION → ANNEXION, APPEL, CONVOCATION, FUSION, IDENTITÉ, RÉUNION

INCORPOREL → IMMATÉRIEL, SPIRITUEL

INCORPORER → INTÉGRER, INTRODUIRE, JOINDRE, MÉLANGER, RATTACHER, RECRUTER, VERSER

INCORPORER agréger (s'), ajouter, amalgamer, annexer, appelé, assimiler (s'), enrôlé, fondre (se), insérer, intégrer, introduire, joindre, mélanger, rattacher, recruté, réunir

INCORRECT → DÉFECTUEUX, FAUTIF, IMPERTINENT, IMPOLI, IMPROPRE, INCONGRU, INDÉCENT, INEXACT, MALHONNÊTE, MAUVAIS, SCANDALEUX, USAGE

INCORRECT barbare, déloyal, déplacé, désobligeant, fautif, faux, grossier, impertinent, impoli, impropre, inconvenant, indécent, indélicat, inexact, insolent, mauvais

INCORRECTEMENT → MAL (2)

INCORRECTION → BARBARE, FAUTE, IMPOLITESSE, IRRÉGULIER, RUGBY

INCORRIGIBLE → INCURABLE, TERRIBLE

INCORRUPTIBILITÉ → INTÉGRITÉ

INCORRUPTIBLE → HONNÊTE, INALTÉRABLE

INCOTERM → VENDEUR

INCRÉDULE → LIBERTIN, MÉCRÉANT (1), MÉFIANT, SCEPTIQUE (2)

INCRÉDULE agnostique, athée, dubitatif, incroyant, irréligieux, libre-penseur, mécréant, méfiant, païen, perplexe, sceptique

INCRÉDULITÉ → INCROYANCE

INCRIMINER → ACCUSER, ATTRIBUER, BLÂMER, CHARGER, COMPTE, GRIEF, IMPUTER, JUGER, PLAINTE, PRENDRE, PROCÈS, SOUPÇONNER, SUSPECT (1)

INCROYABLE → AHURISSANT, ÉTONNANT, FABULEUX, FANTASTIQUE, IMPENSABLE (2), INCONCEVABLE, INDUSTRIEL (2), INOUÏ, INVRAISEMBLABLE, SACRÉ, SENSATIONNEL, SINGULIER

INCROYABLE (1) élégant, muscadin

INCROYABLE (2) effarant, étonnant, extraordinaire, fabuleux, fantastique, fort, impensable, inadmissible, inconcevable, inimaginable, inouï, invraisemblable, prodigieux, renversant, rocambolesque, stupéfiant, surprenant, unique

INCROYANCE agnosticisme, athéisme, doute, incrédulité, perplexité

INCROYANT → ATHÉE, IMPIE, INCRÉDULE, IRRÉLIGIEUX, MÉCRÉANT (1), PAÏEN (1), SCEPTIQUE (2)

INCRUSTATION → DÉCOR, ENDUIT, MARQUETERIE, TRUCAGE

INCRUSTER → DÉLOGER, GRAVER, INSÉRER, INSTALLER, ORNER

INCUBATION → COMMENCEMENT, INVASION, MALADIE, ŒUF

INCUBE → DÉMON, DIABLE, SORCELLERIE, SURNATUREL

INCULPATION → INSTRUCTION

INCULPÉ → DÉTENU

INCULPER → ACCUSER, CONDAMNER

INCULQUER → APPRENDRE, ENSEIGNER, EXPLIQUER, PERSUADER, SAVOIR (1)

INCULTE → ARIDE, BARBARE, BRUT, IGNORANCE, ILLETTRÉ (2), SAUVAGE, STÉRILE, VIERGE (2)

INCULTE abandon, analphabète, aride, désertique, friche (en), ignare, ignorant, illettré, incultivable, jachère, sauvage, stérile

INCULTIVABLE → INCULTE, STÉRILE

INCUNABLE → IMPRIMER, LIVRE

INCURABLE → CONDAMNÉ, IRRÉMÉDIABLE, MALADE, PERDU, REMÈDE

INCURABLE condamné,

incorrigible, inguérissable, insondable, irrémédiable, perdu

INCURIE → LAISSER-ALLER, ORGANISATION, PARESSE

INCURSION → BRUSQUE, BUTIN, DESCENTE, INVASION, PILLAGE, RAID, TROMBE

INCURVÉ → COURBE (2)

INCURVER → CAMBRER, FLÉCHIR

INDE

Voir tab. **Bouddhisme**

Voir tab. **Saints patrons**

INDE (D') → MARRON (1)

INDÉBROUILLABLE → DÉBROUILLER

INDÉCENCE → DÉCENCE, OBSCÉNITÉ

INDÉCENT → BIENSÉANCE, IMMORAL, IMPUR, INCONGRU, INCONVENANT, INCORRECT, MALHONNÊTE, MALPROPRE, OBSCÈNE, OSÉ, PUDEUR, SALACE

INDÉCENT choquant, déplacé, déshonnête, immodeste, impudique, inconvenant, incorrect, malséant, obscène, osé, scabreux

INDÉCHIFFRABLE → DIFFICILE

INDÉCHIFFRABLE énigmatique, illisible, incompréhensible, inexplicable, inintelligible, mystérieux, obscur

INDÉCIS → AMBIGU, BALLOTTER, DÉCISION, FIXER, FLOTTANT, FLOU, HÉSITANT, INSTABLE, LENT, NÉBULEUX

INDÉCIS ambigu, approximatif, confus, désorienté, douteux, embarrassé, équivoque, faible, flottant, flou, hésitant, imprécis, inconsistant, indéfini, indéterminé, indistinct, irrésolu, perplexe, timoré, trouble, vacillant, vague

INDÉCISION → HÉSITATION, INCERTITUDE, PERPLEXITÉ, VAGUE (2)

INDÉCISION atermoyer, balancer, ballotter, doute, flottement, flotter, hésitation, hésiter, incertitude, indétermination, irrésolution, perplexité, tergiversation

INDÉCLINABLE → INVARIABLE

INDÉCOMPOSABLE → SIMPLE

INDÉFECTIBLE → CONTINU, DÉFAILLIR, ÉTERNEL, SOLIDE, SÛR

INDÉFINI → ADJECTIF, APPROXIMATIF, ILLIMITÉ, INCERTAIN, INDÉCIS, INDÉTERMINÉ, VAGUE (2)

INDÉFINI aucun, autre, autrui, certain, chaque, des, illimité, imprécis, incertain, indéterminé, infini, plusieurs, quelconque, quelqu'un, quelque, quiconque, tous, tout, un, une, vague

INDÉFINISSABLE → ÉTRANGE, IMPOSSIBLE (2)

INDÉFORMABLE → DÉFORMER

INDÉFRISABLE → BOUCLER

INDÉLÉBILE → FEUTRE

INDÉLICAT → INCORRECT, MALHONNÊTE, PUDEUR, TACT

INDÉLICATESSE → BALOURDISE, DÉCEPTION, INDISCRÉTION

INDÉMAILLABLE → MAILLE

Voir tab. **Couture**

INDEMNE → COMPTE, DOMMAGE, INTACT, SAIN, SAUF (1), SAUVER

INDEMNISATION → CONTREPARTIE, INDEMNITÉ

INDEMNISER → COMPENSER, DÉDOMMAGEMENT, MAL (1), PAYER, RÉPARER

INDEMNITÉ → COMPENSATION, DOMMAGE, PRESTATION, PRIME, SALAIRE

INDEMNITÉ allocation, compensation, dédommagement, défraiement, indemnisation, prime

INDÉMONTRABLE → VÉRITÉ

INDÉNIABLE → ÉVIDENT, FLAGRANT, FORMEL, FRAPPANT, INCONTESTABLE, MANIFESTE (2), RÉFUTER

INDÉPENDAMMENT → OUTRE

INDÉPENDANCE → AUTONOMIE, ESSOR, LIBERTÉ

INDÉPENDANCE affranchissement, autonomie, décolonisation, dissidence, émancipation, franchise, individualisme, indocilité, liberté, non-conformisme, particularisme, rébellion, sécession, séparatisme, souveraineté

INDÉPENDANT → LIBRE, NON-CONFORMISTE, PROFESSION, RELATION

INDÉPENDANT absolu, aligné (non), autonome, constant, critique, distinct, fixe, free-lance, individualiste, indocile, libéral, libre, pigiste, séparé

INDÉPENDANTE → PROPOSITION

INDÉPENDANTISTE → NATIONALISME, SÉPARATION

INDÉRACINABLE → TENACE

INDESCRIPTIBLE → IMPOSSIBLE (2), INEXPRIMABLE

INDÉSIRABLE → INTRUS

INDESTRUCTIBLE → BÂTI (1), ÉTERNEL, INÉBRANLABLE, SOLIDE

INDÉTERMINATION → INCERTITUDE, INDÉCISION

INDÉTERMINÉ → APPROXIMATIF, DÉCISION, FLOTTANT, FLOU, HÉSITANT, ILLIMITÉ, IMPRÉCIS, INCERTAIN, INCONNU (2), INDÉCIS, INDÉFINI

INDÉTERMINÉ contingent, hasardeux, illimité, incertain, indéfini

INDEX → AIGUILLE, CATALOGUE, CENSURE, CLEF, DOIGT, INTERDIT (2), LISTE, MAIN, PAPAUTÉ, PARTIE, RECUEIL, RÉFÉRENCE, RÉPERTOIRE, TABLE

Voir illus. **Main**

INDEX (METTRE À L') → QUARANTAINE

INDEX LIBRORUM

Voir tab. **Catholique romain (vocabulaire)**

INDEXATION → ÉCHELLE, GARANTIE

Voir tab. **Assurance (vocabulaire de l')**

INDEXÉ → EMPRUNT

INDICATEUR → DÉNONCER, ESPION, ITINÉRAIRE (1), POLICE, RAPPORTEUR

Voir tab. **Oiseaux (classification simplifiée des)**

INDICATEUR altimètre, baromètre, borne, compteur, délateur, dénonciateur, espion, horaire, indice, informateur, jauge,

manomètre, marqueur, mouchard, panneau, poteau, tachymètre, traceur

INDICATEUR CONJONCTUREL DE FÉCONDITÉ

Voir tab. **Population**

INDICATIF → IMPARFAIT

INDICATIF générique, information (pour), jingle, préfixe (téléphonique), réalité, sonal

INDICATION → ADRESSE, DÉFINITION, INFORMATION, ORDRE, PARTITION, RENSEIGNEMENT, SIGNE

INDICATION avis, didascalie, directives, instruction, mention, précision, prescription, renseignement, tuyau

INDICE → ANNONCE, CHARGE, CHIFFRE, COMMENCEMENT, DÉBUT, GARANT, INDICATEUR, INFORMATION, PRÉSOMPTION, RACINE, RECONNAISSANCE, RENSEIGNEMENT, SIGNE, STATISTIQUE, SYMPTÔME

Voir tab. **Bourse**

INDICIBLE → DIRE, EXPRIMER, EXTRÊME, GRAND, IMPOSSIBLE (2), INEXPRIMABLE, NOM, PARFAIT

INDICTION → BULLE, CONVOCATION

INDIEN → AUTOCHTONE, OCÉAN

INDIEN (1) Amérindien, hindou, sari

INDIEN (2) calumet, over arm stroke, queue leu leu (à la), sachem, scalp, squaw, tipi, tomahawk

INDIENNE → NAGE, TOILE

INDIFFÉRENCE → DÉTACHEMENT, FLEGME, FROIDEUR, IMPASSIBILITÉ, INDOLENCE, INSENSIBILITÉ, OUBLI, SANG-FROID

INDIFFÉRENCE agnosticisme, apathie, assoupissement, ataraxie, dédain, désintéressement, désintérêt, détachement, éloignement, équilibre, impassibilité, inappétence, indolence, insensibilité, mépris, neutralité, scepticisme

INDIFFÉRENT → BLASÉ, FICHER, IMPERMÉABLE, INSENSIBLE, INSOUCIANT, PASSIF (2), RÉAGIR, SEC, SOURD

INDIFFÉRENT égal, fataliste, impassible, imperturbable, insensible, insoucieux, résigné

INDIGENCE → BESOIN, DÉTRESSE, INSUFFISANCE, MANQUE, NÉCESSITÉ, PAUVRETÉ

INDIGENCE besoin, détresse, insuffisance, manque, médiocrité, misère, nécessité, pauvreté, privation

INDIGÈNE → AUTOCHTONE, HABITANT, ICI, NATIF, PAYS

INDIGÈNE aborigène, autochtone, natif, originaire

INDIGENT → MISÉRABLE (2)

INDIGESTE → LOURD, PESANT

INDIGNATION → RÉVOLTE

INDIGNATION colère, dégoût, écœurement, fureur, haro, honte, huée, rage, révolte, scandale, tollé, vocifération

INDIGNE → BAS (2), IGNOBLE, IMPUR, INFÂME, SCANDALEUX

INDIGNE abject, avilissant, coupable, cruel, dénaturé, déshonorant, ignoble, immonde, infâme, inqualifiable, maltraitant, méprisable, vil

INDIGNER → IRRITER, OFFENSER (S'), RÉVOLTER, SCANDALISER (SE), SOULEVER

INDIGNER affligé, atterré, choquer, écœurer, furieux, outré, révolter, scandaliser, vouer aux gémonies

INDIGNER (S') emporter (s'), fâcher (se), fulminer, irriter (s'), maudire, offenser (s'), protester, vitupérer

INDIGNITÉ → INJURE, LÂCHETÉ, MÉCHANCETÉ

INDIGO → BLEU (2), COLORANT, PRIMITIF, SPECTRE, TEINTURE
Voir tab. **Couleurs**

INDIGOTERIE → USINE

INDIQUÉ → BON (2), INSCRIRE, OPPORTUN

INDIQUER → CITER, CONSEILLER, DÉCLARER, DÉMONTRER, DÉNONCER, DÉSIGNER, FIXER, MARQUER, MONTRER, PROUVER, REFLÉTER, RÉVÉLER, SUPPOSER

INDIQUER annoncer, apprendre, attester, citer, conseillé, coter, dénommer, dénoter, dessiner, donner, ébaucher, enseigner, énumérer, esquisser, expliquer, exposer, fixé, fournir, manifester, marque, mentionner, montrer, nommer, préciser, recommandé (pas), révéler, signaler, témoigner de, tracer, trahir

INDIRECT → DÉMOCRATIE, INTERMÉDIAIRE (2), INTERROGATION, LOINTAIN (2), OBLIQUE

INDIRECT allusion, biaiser, contrecoup, datif, détourné, dévié, écarté, éloigné, faire un crochet, insinuation, médiation, oblique, sous-entendu, suivre une déviation

INDIRECTEMENT → BIAIS, CONTRECOUP

INDISCERNABLE → INSAISISSABLE

INDISCIPLINE → DÉSOBÉISSANCE

INDISCIPLINÉ → REBELLE (2), TERRIBLE

INDISCRET → ENVAHIR, FÂCHEUX (1), INCONSIDÉRÉ, SANS-GÊNE
Voir illus. **Sièges**

INDISCRET bavard, cancaner, commère, curieux, déplacé, dérangeant, fâcheux, fouineur, fureteur, importun, inconvenant, intrus, jaser, malséant, parler à tort et à travers, pipelette, sans-gêne

INDISCRÉTION → CURIOSITÉ, FUITE

INDISCRÉTION bavardage, cancan, curiosité, délit d'initié, fuite, indélicatesse, potin, racontar, ragot, révélation

INDISCUTABLE → CATÉGORIQUE, FORMEL, INCONTESTABLE

INDISPENSABLE → ESSENTIEL, FONDAMENTAL, IMPOSER (S'),

INÉVITABLE, IRREMPLAÇABLE, OBLIGÉ, PREMIER, UTILE, VITAL

INDISPOSÉ → GÊNER, MALADE, SOUFFRANT

INDISPOSER → DÉPLAIRE, FÂCHER, FROISSER

INDISPOSER accable, agacer, déplaire à, désobliger, énerver, fâcher, froisser, gêner, hérisser, importuner, incommoder, mécontenter

INDISPOSITION → MALAISE

INDISSOCIABLE → INSÉPARABLE

INDISTINCT → DÉSORDONNÉ, FLOU, IMPRÉCIS, INDÉCIS, NÉBULEUX, OBSCUR, SOURD, TROUBLE (2), VAGUE (2)

INDISTINCTEMENT → VAGUEMENT

INDIUM
Voir tab. **Éléments chimiques (symbole des)**

INDIVIDU → ÉLÉMENT, PERSONNE

INDIVIDU animaux, échantillon, énergumène, être humain, exemplaire, hurluberlu, individualité, moi, numéro, oiseau, phénomène, plante, quidam, sire, spécimen, type, unité, vaurien, voyou, zèbre, zigoto

INDIVIDUALISME → INDÉPENDANCE, INDIVIDUALITÉ, INTÉRÊT, PERSONNEL

INDIVIDUALISTE → ÉGOÏSTE, INDÉPENDANT

INDIVIDUALITÉ → INDIVIDU, SINGULARITÉ

INDIVIDUALITÉ caractère, égocentrisme, égoïsme, identité, individualisme, moi, narcissisme, originalité, personnalité, singularité, solipsisme, tempérament

INDIVIDUATION → PERSONNALITÉ

INDIVIDUEL → PARTICULIER, PERSONNE, SPÉCIAL

INDIVIDUEL distinct, isolé, particulier, personnel, privé, propre, singulier, spécial, subjectif, unique

INDIVIDUELLE-ACCIDENT
Voir tab. **Assurance (vocabulaire de l')**

INDIVIS → COMMUN

INDIVISIBLE → SIMPLE

INDIVISION → COMMUNAUTÉ

INDO-IRANIEN → PERSE (2)

INDOCILE → INDÉPENDANT, INSUPPORTABLE, REBELLE (2), RÉCALCITRANT

INDOCILITÉ → DÉSOBÉISSANCE, INDÉPENDANCE

INDOLEMMENT → MOLLEMENT

INDOLENCE → INDIFFÉRENCE, INERTIE, INSENSIBILITÉ, NÉGLIGENCE, NONCHALANCE, PARESSEUX

INDOLENCE aboulie, apathie, inaction, indifférence, inertie, insouciance, langueur, mollesse, nonchalance, paresse, passivité, torpeur

INDOLENT → ENDORMI, FAINÉANT (2), INACTIF, INSOUCIANT, LENT, MOU, NONCHALANT

INDOLENT alangui, apathique, endormi, fainéant, insouciant, languide, languissant,

lymphatique, mou, nonchalant, paresseux

INDOMPTABLE → INÉBRANLABLE, INFLEXIBLE, IRRÉDUCTIBLE, SAUVAGE

INDU → INJUSTE

INDUBITABLE → AUTHENTIQUE, DOUTE, FLAGRANT, FORMEL, FRAPPANT, RÉEL, RIGOUREUX

INDUBITABLEMENT → DOUTE

INDUCTANCE → INERTIE

INDUCTIF → RAISONNEMENT

INDUCTION → ANALOGIE, COURANT (1), DIALECTIQUE, MATHÉMATIQUE, VARIATION
Voir tab. **Électricité**

INDUIRE → CONDITIONNER, RAISONNER, SUGGÉRER, SUPPOSER

INDUIRE EN ERREUR → TROMPER

INDULGENCE → BIENVEILLANCE, COMPRÉHENSION, GENTILLESSE, GRÂCE, HUMANITÉ, INTÉRÊT, MISÉRICORDE, PATIENCE
Voir tab. **Catholique romain (vocabulaire)**

INDULGENCE bienveillance, bonté, charité, clémence, complaisance, compréhension, générosité, humanité, jubilé, laxisme, longanimité, mansuétude, miséricorde, tolérance

INDULGENT → ACCOMMODANT, COMPRÉHENSIF, PARDONNER, PATIENT

INDULGENT absoudre, avoir pitié, bienveillant, bon, charitable, clément, complaisant, conciliant, compréhensif, coulant, dantoniste, débonnaire, excuser, généreux, large, laxiste, magnanime, miséricordieux, oublier, pardonner, patient, tolérant, tolérer

INDULT → BÉNÉFICE, PAPE, PRIVILÈGE

INDÛMENT → TORT

INDURATION → ENDURCISSEMENT, TISSU

INDURER (S') → DURCIR

INDUS
Voir tab. **Musiques nouvelles**

INDUSTRIALISATION → CAPITALISME

INDUSTRIALISER → ÉQUIPER

INDUSTRIALISER automatiser, développé, équiper, informatiser, mécaniser, robotiser

INDUSTRIE → ENTREPRISE, FABRIQUE, INTELLIGENCE

INDUSTRIE agent de maîtrise, artisanat, atelier, cartel, chef d'équipe, cokerie, combinat, concentration, confection, contremaître, distillerie, entreprise, établissement, exploitation, fabrique, filature, filière, fonderie, groupe, holding, manœuvre, manufacture, multinationale, nationalisé, prêt-à-porter, raffinerie, rationalisation, sidérurgie, spécialisation, standardisation, technicien, trust, usine

INDUSTRIEL → CRÉATEUR (1), PHARMACIE, POLITIQUE (1)

Voir tab. **Musiques nouvelles**

INDUSTRIEL (1) entrepreneur, P-DG, patron

INDUSTRIEL (2) énorme, fini, gigantesque, incroyable, nationalisation, préfabriqué, privatisation, secondaire, semi-fini

INDUSTRIEUX → SAVANT (2)

INDUVIE → CHÊNE

INÉBRANLABLE → BÂTI (1), CALME (2), CONSTANT, ÉPREUVE, FERME (2), INFAILLIBLE, INTRÉPIDE, SOLIDE

INÉBRANLABLE constant, courageux, déterminé, épreuve (à toute), fer (de), ferme, impassible, impavide, imprenable, inaltérable, indestructible, indomptable, inexpugnable, inflexible, intransigeant, rigoureux, robuste, solide, stoïque

INÉDIT → BANAL, INCONNU, NOUVEAU, RÉVOLUTIONNAIRE (2), SINGULIER

INÉDIT imprévu, inattendu, inconnu, innovation, nouveau, original, trouvaille

INEFFABLE → DIRE, EXTRAORDINAIRE, GRAND, INEXPRIMABLE, PARFAIT

INEFFICACE → INACTIF, INUTILE, STÉRILE, SUPERFLU (2), VAIN

INEFFICACITÉ → IMPUISSANCE

INÉGAL → IMPARFAIT (2), IRRÉGULIER, RABOTEUX

INÉGAL arythmique, capricant, capricieux, changeant, disproportionné, en dents de scie, fantasque, grenu, imparfait, inconstant, instable, irrégulier, libre, lunatique, quelconque, raboteux, rêche, rude, rugueux, scalène, variable, versatile

INÉGALABLE → INCOMPARABLE

INÉGALÉ → RIVAL (1)

INÉGALITÉ → IRRÉGULARITÉ

INÉGALITÉ aboulique, accident, anfractuosité, aspérité, cahot, caprice, creux, dénivellation, déséquilibre, différence, disparité, disproportion, évanoui, fantaisie, incartade, inéquation, lubie, monticule, ornière, rugosité, saillie, sans vie, saute

INÉLUCTABLE → FATAL, FORCÉ, INÉVITABLE, NÉCESSAIRE, SÛR

INÉLUCTABLEMENT → FORCÉMENT

INÉNARRABLE → COCASSE, INEXPRIMABLE

INENVISAGEABLE → IMPOSSIBLE (2)

INEPTE → ABSURDE, BÊTE (2), BOUCHÉ, IDIOT, INCOHÉRENT, INSENSÉ, STUPIDE

INEPTIE → ABSURDITÉ, BÊTISE, IDIOTIE, SENS

INEPTIE absurdité, bêtise, débilité, idiotie, imbécillité, niaiserie, sottise, stupidité

INÉPUISABLE → FÉCOND

INÉQUATION → INÉGALITÉ

INÉQUITABLE → INJUSTE

INERME → ÉPINE

INERTE → IMMOBILE, INACTIF,

INANIMÉ, PASSIF (2), RÉAGIR, REPOS, RESSORT

INERTE amorphe, apathique, immobile, inanimé, passif

INERTIE → DYNAMIQUE, INDOLENCE, PARESSE, RÉSISTANCE, STAGNATION, TORPEUR

INERTIE apathie, atonie, barycentre, gravité, gyroscope, hémiplégie, immobilisme, inaction, indolence, inductance, non-violence, paralysie, paresse, passivité, résistance, résistance (passive), sommeiller, stagnation, torpeur, végéter

INESPÉRÉ → IMPRÉVU (2), INATTENDU

INESPÉRÉ imprévu, inattendu, inopiné, miraculeux

INESTHÉTIQUE → BEAU, LAID

INESTIMABLE → CHER, PRÉCIEUX

INÉVITABLE → FATAL, FORCÉ, INSÉPARABLE, NÉCESSAIRE, OBLIGÉ, SÛR

INÉVITABLE assuré, certain, fatal, habituel, immanquable, imparable, incontournable, indispensable, inéluctable, inséparable, logique, nécessaire, obligatoire, rituel, sempiternel

INÉVITABLEMENT → FORCÉMENT, TÔT

INEXACT → FAUTIF, FAUX (2), IMPROPRE, INCORRECT, MAUVAIS

INEXACT approximatif, déformé, erroné, faux, incorrect, infidèle, mauvais

INEXACTITUDE → ERREUR, INFIDÉLITÉ

INEXACTITUDE à-peu-près, erreur, faute

INEXÉCUTABLE → IMPOSSIBLE (2), IRRÉALISABLE, UTOPIQUE

INEXISTANT → FANTÔME, NUL

INEXORABLE → CRUEL, FATAL, IMPITOYABLE, INFLEXIBLE, INSENSIBLE, SÉVÈRE, SOURD

INEXPÉRIENCE → IGNORANCE, NAÏVETÉ

INEXPÉRIMENTÉ → NEUF (2)

INEXPLICABLE → ÉTRANGE, INCOMPRÉHENSIBLE, INDÉCHIFFRABLE, INEXPRIMABLE, MYSTÉRIEUX, SINGULIER

INEXPLOITÉ → VIERGE (2)

INEXPLORÉ → IGNORÉ, INCONNU (2), INTACT, VIERGE (2)

INEXPRESSIF → FROID (2), MORNE, NEUTRE, TERNE

INEXPRIMABLE → DIRE, IMPOSSIBLE (2), PARFAIT

INEXPRIMABLE incommunicable, indescriptible, indicible, ineffable, inénarrable, inexplicable

INEXPUGNABLE → CHÂTEAU, FORT (1), IMPOSSIBLE (2), INÉBRANLABLE, SIÈGE

INEXTINGUIBLE → ÉTEINDRE, IMPOSSIBLE (2), INSATIABLE

INEXTIRPABLE → TENACE

INEXTRICABLE → COMPLIQUÉ, DÉMÊLER, DIFFICILE, RÉSOUDRE

INFAILLIBILITÉ
Voir tab. **Catholique romain (vocabulaire)**

INFAILLIBLE → IMPECCABLE, SOUVERAIN (2), SÛR

INFAILLIBLE assuré, certain, efficace, imbattable, immanquable, imparable, imperturbable, inébranlable, inviolable, loyal, parfait, radical, souverain, sûr

INFAILLIBLEMENT → FORCÉMENT

INFAISABLE → DIFFICILE, IMPOSSIBLE, IRRÉALISABLE

INFÂME → BAS (2), DÉCHÉANCE, DÉTESTABLE, EXÉCRABLE, HONTEUX, IGNOBLE, IMPUR, INDIGNE, INFECT, ODIEUX, SALE

INFÂME abject, avilissant, bas, dégradant, déshonorant, honteux, ignoble, immonde, indigne, infect, insalubre, nauséabond, odieux, répugnant, sale, sordide

INFAMIE → BOUE, DÉSHONNEUR, HONTE, HORREUR, INJURE, RÉPUTATION, SALETÉ

INFAMIE abjection, bassesse, déshonneur, honte, horreur, ignominie, scandale, scélératesse, turpitude, vilenie

INFANT → PRINCE

INFANTE → FILLE

INFANTERIE → ARMÉE, SOLDAT

INFANTERIE adjudant, adjudant-chef, arbalétrier, archer, arquebusier, biffin, fantassin, fusilier, guetteur, hallebardier, major, mousquetaire, parachutiste, pionnier, pioupiou, piquier, sapeur, sergent, sergent-chef, tirailleur, voltigeur, zouave

INFANTICIDE → ENFANT, MEURTRE

INFANTILE → MORTALITÉ

INFANTILE badinerie, enfantillage, enfantin, gaminerie, immature, irresponsable, pédiatrie, pédopsychiatrie, puéril, puérilité

INFARCTUS → ACCÈS, MALAISE, VASCULAIRE

INFARCTUS DU MYOCARDE → CŒUR

INFATIGABLE → IMPITOYABLE, RÉSISTANT (2), ROBUSTE

INFATUATION → FIERTÉ

INFATUÉ → CONTENT (2), IDÉE, ORGUEILLEUX, PLEIN, SUFFISANT

INFÉCOND → ARIDE, MAIGRE

INFECT → DÉGOÛTANT, ÉCŒURANT, EXÉCRABLE, HORRIBLE, INFÂME, MAUVAIS

INFECT abject, dégoûtant, écœurant, fétide, ignoble, infâme, pestilentiel, pourri, putride, répugnant, sordide

INFECTÉ → CONTAMINÉ, CORROMPU

INFECTER → COMMUNIQUER, ENFLAMMER, ENVENIMER

INFECTION → RAGE, TRANSMISSION

INFECTION antiseptie, antitoxine, bilharziose, choléra, contagion, contamination, coqueluche, diphtérie, empoisonnement, épidémie, fièvre jaune, filariose, grippe, infestation, maladie du sommeil, malaria, mycose, oreillons, paludisme, peste, pestilence, puanteur, rougeole, rubéole, scarlatine, septicémie, trichinose, tuberculose, typhus, varicelle, variole

INFÉODATION → SOUMISSION

INFÉODER → FÉODAL, OBÉIR

INFÉRENCE → ANALOGIE, CONSÉQUENCE, DÉDUCTION, RAISONNEMENT

INFÉRER → CONCLURE, TIRER

INFÉRIEUR → MOINDRE, PLANÈTE

INFÉRIEUR base, cave, dessous, envers, fondation, fondement, hypo-, infra-, médiocre, mineur, moindre, secondaire, sous-, sous-directeur, sous-fifre, sous-ordre, sous-sol, sub-, subalterne, subordonné, verso, vice-président

INFÉRIEUR À
Voir tab. **Mathématiques (symboles)**

INFÉRIEUR OU ÉGAL À
Voir tab. **Mathématiques (symboles)**

INFÉRIORITÉ → INSUFFISANCE

INFÉRIORITÉ affaiblir, assujettissement, complexer, coupe de (sous la), défavoriser, dépendance, désavantager, dévaloriser, faiblesse, handicaper, moins, ordre, servitude, soumission, subordination, sujétion, tutelle

INFERNAL → DÉMONIAQUE, DIABOLIQUE, INSUPPORTABLE

INFERTILE → MAIGRE, PAUVRE, SEC

INFESTATION → INFECTION

INFESTÉ → ENVAHIR

INFIDÈLE → CROYANT, FRIVOLE, GENTIL, IMPIE, IMPUR, INEXACT, LÉGER, PERFIDE, RELIGION

INFIDÉLITÉ → ADULTÈRE, CLANDESTIN, DIVORCE, INCONSTANCE, TRAHISON

INFIDÉLITÉ adultère, artichaut (cœur d'), coureur, déloyal, déloyauté, forfaiture, inconstance, inexactitude, instabilité, légèreté, liaison, parjure, perfidie, scélérat, scélératesse, trahison, traître, traîtrise, tromperie, volage (cœur)

INFIGHTING → BOXE

INFILTRATION → ÉPANCHEMENT, PÉNÉTRATION

INFILTRATION abcès, adiposité, anthrax, calcification, contagion, ecchymose, écoulement, emphyzème, entrisme, envahissement, épanchement, fuite, furoncle, injection, invasion, noyautage, obésité, œdème, panaris, phlegmon, purpura

INFILTRER → COULER, ENTRER, GLISSER, INSINUER (S'), INTRODUIRE, PÉNÉTRER

INFIME → DÉRISOIRE, INSENSIBLE, INSIGNIFIANT, LÉGER, MINIME (2), MINUSCULE, NÉGLIGEABLE, PETIT (2), SUBTIL

INFINI → ABSOLU, BORNE, ÉTERNEL, ILLIMITÉ, IMMENSE, INDÉFINI, INTERMINABLE
Voir tab. **Mathématiques (symboles)**

INFINI absolu, démesuré, énorme, éternel, extrême, illimité, incommensurable, immense, immensité, incalculable, innombrable, interminable, parfait, perpétuel, profond, vaste

INFINIMENT → BEAUCOUP

INFINITÉSIMAL → HOMÉOPATHIE, MINUSCULE, PETIT (2)

INFINITIF → IMPERSONNEL, VERBE

INFINITIF forme nominale, proposition infinitive

INFIRMATION → RENVOI

INFIRME → BLESSÉ, INVALIDE (1), INVALIDE

INFIRME boiteux, difforme, disgracié, éclopé, estropié, handicapé, impotent, invalide, mutilé, paraplégique

INFIRMER → ANNULER, CASSER, CONTESTER, DÉMENTIR, NIER, NUL, RÉFUTER

INFIRMIER → HOSPITALIER, MÉDECINE

INFIRMIER
Voir tab. **Saints patrons**

INFIRMIER aide-soignant, brancardier, garde-malade, panseur, surveillant

INFIRMIÈRE
Voir tab. **Saints patrons**

INFIRMITÉ → HANDICAP, MALFORMATION

INFIRMITÉ difformité, disgrâce, faiblesse, fragilité, handicap, imperfection, impotence, impuissance, invalidité, malformation, médiocrité, tare

INFIXE → MOT, RACINE, RADICAL (1)

INFLAMMABLE → ENFLAMMER

INFLAMMABLE combustible, pyrophore

INFLAMMATION → IMMUNITAIRE

INFLAMMATION allergie, anti-inflammatoire, antiphlogistique, artérite, catarrhe, coryza, couperose, cystite, démangeaison, dermite, diapédèse, éruption, gingivite, intertrigo, irritation, néphrite, panaris, parulie, phlébite, phlogose, prurigo, rhume, rougeur

INFLATION → ACCROISSEMENT, AUGMENTATION, CROISSANCE, HAUSSE, PRIX
Voir tab. **Économie**

INFLEXIBLE → ABSOLU, BRONZE, CONSTANT, CRUEL, FERME (2), IMPITOYABLE, INÉBRANLABLE, INTRAITABLE, INTRANSIGEANT, RIGIDE, SÉVÈRE, SOURD, STRICT

INFLEXIBLE absolu, dur, fer (de), ferme, glace (de), impitoyable, implacable, incontournable, indomptable, inexorable, insensible, intraitable, intransigeant, marbre (de), psycho-rigide, rigide, rigoureux, sévère

INFLEXION → ACCENT, DÉVIATION, INTONATION, MODULATION, TON, TOURNANT (1)

INFLIGER → ADMINISTRER, DONNER, IMPOSER, PRONONCER

INFLIGER administrer, appliquer, donner, endurer (faire), forcer à (se), imposer, imposer (s'), martyriser, obliger à (s'), prononcer, supplicier, torturer

INFLORESCENCE → FLEUR, GRAPPE

INFLUENÇABLE → MALLÉABLE, MANIABLE, PERMÉABLE

INFLUENCE → AUTORITÉ, BRAS, DOMINATION, EFFET, EMPIRE, EMPRISE, FORCE, IMPORTANCE, IMPULSION, INSPIRATION, LONG, MANIPULATION, POIDS, POUVOIR, PRESSION, PRISE, SUPÉRIORITÉ

INFLUENCE ascendant, autorité, bras long, charisme, créance, crédit, domination, effet, empreinte, emprise, fascination, imitation, impact, impulsion, incidence, influer, intercéder, intervenir, magnétisme, mainmise, marque, orienter, osmose, persuasion, peser, poids, pouvoir, pression, prestige, puissance, rayonnement, rôle, séduction, tellurisme, tyrannie

INFLUENCER → CONDITIONNER, CRÉDIT, DÉTEINDRE, IMPRÉGNER, INCLINER, PROPAGANDE

INFLUENT → GROS, IMPORTANT, PUISSANT

INFLUENZA → GRIPPE

INFLUER → AGIR, CONDITIONNER, DÉTEINDRE, INFLUENCE

INFOGRAPHIE → IMAGE

INFOGRAPHISTE → DESSIN

INFONDÉ → FAUX (2), ILLÉGITIME

INFORMATEUR → INDICATEUR

INFORMATICIEN → INFORMATIQUE

INFORMATION → ACTUALITÉ, BULLETIN, DONNÉE, ÉCHO, ÉLÉMENT, ENQUÊTE, EXAMEN, INDICATIF, INSTRUCTION, NOUVELLE, RENSEIGNEMENT

Voir tab. **Droit (termes de)**

INFORMATION actualité, affiche, annonce, annuaire, archives, avis, brève, briefing, bulletin, catalogue, censure, communiqué, compte rendu, dépêche, désinformation, document, documentaire, enquête, examen, exclusivité, faire-part, fiche, flash, gazette, indication, indice, informatique, instruction, Internet, interview, investigation, journal, livre, média, microfilm, notification, nouvelle, on-dit, organe, placard, propos, radio, renseignement, reportage, revue, rumeur, scoop, sous-information, télévision, témoignage, tuyau, web

INFORMATIQUE → DOCUMENT, INFORMATION

INFORMATIQUE bureautique, calculateur, clavier, domotique, écran, imprimante, informaticien, langage, lecteur, logiciel, ordinateur, programmateur, programme, scanner, serveur, souris

INFORMATISER → INDUSTRIALISER

INFORMÉ → AVERTI, FAIT

INFORMER → APPRENDRE, AVERTIR, CONNAÎTRE, COURANT (1), DÉCLARER, ÉCLAIRER, FAIT, INITIATIVE, INSTRUIRE, INTERROGER,

PART, PRÉVENIR, RENSEIGNEMENT, SAVOIR (2)

INFORMER annoncer, apprendre, avertir, aviser, communiquer, connaître, documenter (se), éclairer, enquérir (s'), enquêter, faire part à, instruire, interroger, notifier, notifier à, prévenir, publier, renseigner, renseigner (se), savoir

INFORMER (S') → QUESTIONNER

INFORTUNE → ACCIDENT, ADVERSITÉ, MALCHANCE, MISÈRE, REVERS, SORT

INFORTUNÉ → MALHEUREUX

INFRA → BAS (2), LOIN

INFRA- → INFÉRIEUR

INFRACTION → CONTRAIRE (2), CONTRAVENTION, CRIMINEL (2), DÉLIT, FAIT, FAUTE, ILLÉGAL, VIOLATION

INFRACTION contravention, crime, délit, dérogation, entorse, faute, manquement, procès-verbal, transgression, violation

INFRALIMINAL → INCONSCIENT (1)

INFRANCHISSABLE → INABORDABLE

INFRAROUGE → INVISIBLE

INFRASON → PHÉNOMÈNE, SON, VIBRATION

INFRASTRUCTURE → ORGANISATION

INFRUCTUEUX → INGRAT, INUTILE, RÉSULTAT, STÉRILE, VAIN

INFULE → BANDEAU

INFUS → NAISSANCE

INFUSER → MACÉRER, TRANSMETTRE

INFUSIBLE → BRÛLER

INFUSION → BOISSON, TISANE

INGAMBE → ALERTE, JAMBE, MARCHER, SAIN

INGÉNIER (S') → TÂCHER

INGÉNIERIE → USINE

INGÉNIEUR → ARCHITECTE, CADRE, TECHNICIEN

Voir tab. **Saints patrons**

INGÉNIEUX → ADROIT, ASTUCIEUX, FIN (2), FORT (2), HABILE, INTELLIGENT, INVENTER, LUMINEUX, SAVANT (2), SUBTIL

INGÉNIOSITÉ → INTELLIGENCE

INGÉNU → BLEU (1), INNOCENT (2), NAÏF, SIMPLE

INGÉNUITÉ → CONFIANCE, IGNORANCE, INNOCENCE, NAÏVETÉ

INGÉRENCE → INTERVENTION, PAYS

INGÉRER → ABSORBER, AVALER, BOIRE, INTERVENIR, INTRODUIRE, MÊLER, OPIUM, PARTICIPER, PRENDRE

INGESTION → ABSORPTION, ASSIMILATION, PRISE

INGNÉ → ARDENT

INGRAT → ARIDE, DÉSAGRÉABLE, LAID, OUBLIEUX, STÉRILE

INGRAT agressif, ardu, aride, déplaisant, désagréable, difficile, disgracié, disgracieux, hostile, infructueux, inhospitalier, laid, négligent, obligé, oublieux, pénible, rébarbatif, reconnaissant, stérile

INGRATITUDE → OUBLI

INGRATITUDE désinvolture, légèreté, méconnaissance, oubli

INGRES

Voir tab. **Dessin (vocabulaire du)**

INGUÉRISSABLE → CONDAMNÉ, INCURABLE, IRRÉMÉDIABLE, REMÈDE

INGUINAL → AINE

INGURGITER → ABSORBER, AVALER, BOIRE, CONSOMMER

INHABILE → INCAPABLE (2)

INHABILETÉ → IMPUISSANCE, MALADRESSE

INHABITÉ → DÉPEUPLÉ, SAUVAGE, VACANT

INHABITUEL → ANORMAL, ÉTRANGE, EXTRAORDINAIRE, EXTRAVAGANT, INSOLITE, NOUVEAU, RARE, SPÉCIAL

INHALATION → ABSORPTION, ASPIRATION, INSPIRATION

INHALER → RESPIRER

INHÉRENT → APPARTENIR, ESSENTIEL, INSÉPARABLE

INHIBÉ → TIMIDE

INHIBER → FREINER, GLACER, INTIMIDER, PARALYSER, SUPPRIMER

INHIBITION → BARRAGE, REFOULEMENT, SEXUALITÉ

INHOSPITALIER → HOSTILE, INGRAT

INHOSPITALITÉ → DURETÉ, FRAÎCHEUR

INHUMAIN → BARBARE, CRUEL, FÉROCE, IMPITOYABLE

INHUMAIN barbare, bestial, brutal, cruel, déchirant, dur, féroce, froid, impitoyable, implacable, insensible, insupportable, lointain, monstrueux, terrible, terrifiant

INHUMANITÉ → BARBARIE, CRUAUTÉ, MASSACRE

INHUMATION → ENTERREMENT, OBSÈQUES

INHUMER → CADAVRE, ENSEVELIR, RECOUVRIR

INIMAGINABLE → IMPOSSIBLE (2), INCONCEVABLE, INCROYABLE (2), INVRAISEMBLABLE, PHÉNOMÉNAL, SINGULIER

INIMITABLE → UNIQUE

INIMITIÉ → ANTIPATHIE, HAINE, HOSTILITÉ, MALVEILLANCE

ININFLAMMABLE → BRÛLER, FEU

ININTELLIGIBLE → INACCESSIBLE, INCOMPRÉHENSIBLE, INDÉCHIFFRABLE, NÉBULEUX, OBSCUR, OPAQUE

ININTÉRESSANT → LANGUISSANT

ININTERROMPU → CONTINU, MONOTONE, SUIVI

INIQUE → INJUSTE

INIQUITÉ → INJUSTICE

INITIAL → COMMENCEMENT, DÉBUT, ORIGINEL, PRIMITIF

INITIAL acompte, acronyme, arrhes, au commencement, au début, chiffre, en tête, majuscule, marque, monogramme, originel, préfixe, premier, primitif, sigle

INITIALE → PREMIER, SIGNATURE

INITIATEUR → CRÉATEUR (1), INSPIRATEUR, PIONNIER

INITIATION → ADOLESCENCE, APPRENTISSAGE, ÉDUCATION, INSTRUCTION, INTRODUCTION, SAVOIR (1)

INITIATION admission, affiliation, apprentissage, baptême, bizutage, éducation, ésotérique,

hermétique, instruction, introduction, maître, mystagogie, parrain, passage, rite

INITIATIVE → CONFIANCE, PROPOSITION, TENTATIVE

INITIATIVE action, activité, bon vouloir, dynamisme, entamer, entreprendre, fantaisie, guerre des étoiles, IDS, informer, intervention, intuition, inventivité, originalité, provoquer, renseigner, spontanément, volonté

INITIÉ → DISCIPLE

INITIÉ adepte, disciple, prosélyte

INITIER → APPRENDRE, COMMENCER, ENSEIGNER, ESSAYER, INSTRUIRE, PREMIER, TRANSMETTRE

INITIER apprendre, enseigner, former, instruire

INJECTÉ → SANG

INJECTER → INTRODUIRE

INJECTER administrer, apporter, envoyer, introduire, piquer (se), shooter (se)

INJECTION → FIXE (1), INFILTRATION, PIQÛRE, PRISE, VACCIN

INJONCTION → COMMANDEMENT, CONSIGNE, DEMANDE, MISE, ORDRE, SOMMATION

INJURE → AFFRONT, COLÈRE, ÉCART, EXCÈS, GROS, INSULTE, INTERPELLATION, JURON, OUTRAGE, VIOLENCE

INJURE affront, agonir, attaque, avanie, blesser, calomnie, camouflet, chanter pouilles à, diffamation, donner des noms d'oiseaux à, horreur, humiliation, incendier, indignité, infamie, insolence, insulte, insulter, invective, invectiver, irrévérence, médisance, obscénité, offense, ordure, outrage, traîner dans la boue, vilenie, vociférer

INJURIER → INSOLENCE, INSULTER

INJUSTE abusif, arbitraire, attentatoire, exaction, exagéré, illégal, illégitime, immérité, inadmissible, indu, inéquitable, inique, léonin, malversation, partial, passe-droit, usurpation

INJUSTEMENT → TORT

INJUSTICE abus, arbitraire, iniquité, partialité

INJUSTIFIÉ → ARBITRAIRE, GRATUIT, ILLÉGITIME

INLANDSIS → GLACIER, ICEBERG

INLAY → DENTAIRE

INNÉ → NAISSANCE, NATUREL, ORIGINEL

INNÉ congénital, foncier, héréditaire, natif, naturel

INNERVATION → NERF

INNOCENCE → FRAÎCHEUR, IGNORANCE, NAÏVETÉ

INNOCENCE acquittement, candeur, crédulité, disculper, enfance, fraîcheur, ingénuité, innocuité, naïveté, pureté

INNOCENT → BLANC (2), CHASTETÉ, CLAIR, INOFFENSIF, NAÏF, PUR, SIMPLE

INNOCENT (1) crétin, demeuré, idiot, simple d'esprit

INNOCENT (2) angélique, blanc comme neige, candide, coupable (non), crédule, ignorant, ingénu, irréprehensible, irréprochable, irresponsable, naïf, niais, pur

INNOCENTÉ → ACCUSÉ (1)

INNOCENTER → BLANCHIR, DISCULPER, JUSTIFIER, LAVER, SUSPECT

INNOCUITÉ → INNOCENCE

INNOMBRABLE → CONSIDÉRABLE, INFINI (2), NOMBREUX

INNOMMABLE → NOM

INNOVATEUR → INVENTER, PIONNIER

INNOVATION → CAPRICE, INÉDIT, ORIGINALITÉ
Voir tab. **Entreprise (vocabulaire de l')**

INNOVER → CHANGER

INNOVER changer, créer, inventer, modifier, progresser

INOCCUPATION → INACTION

INOCCUPÉ → LIBRE, OISIF, VACANT, VIDE (2)

INOCULATION → VACCIN

INOCULER → COMMUNIQUER, GERME, INTRODUIRE, MALADIE, TRANSMETTRE

INOFFENSIF → BÉNIN, GENTIL, INCAPABLE (2)

INOFFENSIF anodin, bénin, comestible, incapable de nuire, innocent

INONDATION → DÉBORDEMENT, DÉLUGE, INVASION, SINISTRE (1)

INONDATION afflux, cataclysme, crue, débordement, déferlement, déluge, envahissement, flot, fonte des neiges, immersion, invasion, submersion, tempête, torrent

INONDÉ → IMPRÉGNER, NOYER, TREMPÉ

INONDER → ABREUVER, ENVAHIR, REMPLIR

INOPINÉ → BRUSQUE, IMPRÉVU (2), INATTENDU, INESPÉRÉ, SOUDAIN, SUBIT, SURPRISE

INOPINÉ fortuit, imprévu, inattendu, surprenant

INOPINÉMENT → ACCIDENT, BEAU, DÉPOURVU, IMPROVISTE, SOUDAIN

INOPPORTUN → CONTRETEMPS, DÉPLACÉ, FÂCHEUX (2), FATIGANT, GÊNANT, INCONSIDÉRÉ, MAL (2), MAUVAIS

INORGANIQUE → MINÉRAL (2)
Voir tab. **Chimie**

INOUBLIABLE → FAMEUX, HISTORIQUE (2)

INOUI → AHURISSANT, FANTASTIQUE

INOUÏ → ÉNORME, EXCEPTIONNEL, EXTRAORDINAIRE, FABULEUX, INCONCEVABLE, INCROYABLE (2), INVRAISEMBLABLE, MONUMENTAL, PRÉCÉDENT, SENSATIONNEL, SINGULIER, UNIQUE

INOUÏ énorme, étonnant, étrange, extraordinaire, fabuleux, formidable, fort, fou, inconcevable, incroyable, invraisemblable, prodigieux, surprenant

INOXYDABLE → INALTÉRABLE

INQUALIFIABLE → ABOMINABLE, INDIGNE

INQUIET → ANXIEUX, PESSIMISTE, TENDU, TOURMENTÉ

INQUIET agité, angoissé, anxieux, apeuré, effarouché, embarrassé, épouvanté, exalté, fiévreux, impatient, insatisfait, ombrageux, perplexe, pusillanime, soucieux, timoré, tourmenté, troublé

INQUIÉTANT → ENNUYEUX, ÉQUIVOQUE (2), ÉTRANGE, SÉRIEUX (2), SINISTRE (2), SOMBRE, TRAGIQUE

INQUIÉTER → BILE, JALOUSIE, PRÉOCCUPER (SE), PRESSENTIR, SOUCIER, TOURMENTER (SE), TROUBLER

INQUIÉTER alarme, angoisser, chagriner, critique, effrayer, émouvoir, ennuyer, épouvanter, grave, harcelé, louche, menaçant, menacé, patibulaire, perturber, sinistre, tourmenter, tracasser, troubler

INQUIÉTER (S') affoler (s'), faire du souci (se), faire un sang d'encre (se), préoccuper (se), ronger les sangs (se), soucier (se), tracasser (se)

INQUIÉTUDE → AGITATION, ANGOISSE, APPRÉHENSION, IMPATIENCE, PEUR, TRACAS

INQUIÉTUDE affolement, affres, alarme, angoisse, anxiété, appréhension, crainte, désarroi, doute, émoi, épouvante, malaise, panique, peine, peur, souci, terreur, tourment, tracas, transe

INQUISITEUR → INQUISITION, INTENSE, REGARD

INQUISITION → CONDAMNATION, HÉRÉSIE, PERSÉCUTION, RELIGION, SORCIÈRE
Voir tab. **Démonologie**

INQUISITION autodafé, enquête, familier, inquisiteur, interrogatoire, investigation, perquisition, réconcilié, relaps, Saint-Office, suprême, torture

INRI → CROIX

INRO → MÉDICAMENT

INRÔ → KIMONO

INSAISISSABLE → FUYANT, INSENSIBLE, OPAQUE

INSAISISSABLE fuite (en), imperceptible, inaudible, indiscernable

INSALUBRE → DANGEREUX, IGNOBLE, INFÂME, MALPROPRE, NUISIBLE

INSANE → ABSURDE, FOU (1), INSENSÉ, RAISON

INSANITÉ → IDIOTIE

INSATIABLE → CONSOMMATEUR, GLOUTON, IMPOSSIBLE (2)

INSATIABLE dévorant, inapaisable, inassouvissable, inextinguible, insatisfait, vorace

INSATISFACTION → AFFECTIF, BESOIN

INSATISFAISANT → INSUFFISANT

INSATISFAIT → FAIM, INQUIET, INSATIABLE, SATISFAIT

INSCRIPTION → AFFILIATION, ENGAGEMENT, INTRODUCTION

INSCRIPTION adhésion, affiche, affiliation, âme, cartouche, cippe, citation, colonne, conscription, corpus, devise, écriteau, enregistrement, enseigne, épigraphe, épigraphie, épitaphe, étiquette, ex-libris, exergue, graffiti, hiéroglyphe, immatriculation, légende, listel, paléographie, pancarte, panonceau, placard, plaque, rune, stèle, tag, tatouage, titre

INSCRIPTION À L'INVENTAIRE → SITE

INSCRIRE → BUDGET, ÉCRIRE, INSÉRER, MARQUER, NOTER, PORTER, RELEVER

INSCRIRE colloquer, consigner, copier, coucher, écrire, écrouer, enregistrer, graver, immatriculer, incarcérer, indiqué, marqué, mentionné, noter, porter, réfuter, rôle

INSCRIRE (S') adhérer, afficher (s'), affilier (s'), contredire, démentir, enrôler (s'), entrer, nier

INSCULPER → MARQUER, POINÇON

INSECTE → BÊTE (1)
Voir tab. **Animaux (classification simplifiée des)**
Voir tab. **Phobies**

INSECTE abeille, æschne, cigale, coccinelle, cochenille, criquet, demoiselle, désinsectiser, dytique, entomologie, entomophage, fourmi, grillon, insecticide, insectifuge, insectivore, libellule, mouche, moustique, papillon, puce, puceron, punaise, sauterelle, scarabée, taon, termite, ver luisant

INSECTICIDE → INSECTE, POLLUTION
Voir tab. **Jardinage**

INSECTIFUGE → INSECTE

INSECTIVORE → HÉRISSON, INSECTE
Voir tab. **Mammifères (classification des)**

INSELBERG
Voir illus. **Désert**
Voir tab. **Géographie et géologie (termes de)**

INSÉMINATION → ACCOUPLEMENT

INSÉMINATION ARTIFICIELLE → FÉCONDATION

INSENSÉ → AFFOLANT, AHURISSANT, DÉBILE, DÉNUÉ, DÉPOURVU DE, EXTRAVAGANT, FOU (2), IDIOT, IMBÉCILE, IMPOSSIBLE (2), IRRATIONNEL, IRRESPONSABLE, RAISON, RIDICULE, STUPIDE, TÉMÉRAIRE

INSENSÉ aberrant, absurde, excessif, exorbitant, extravagant, fou, incohérent, inepte, insane, prohibitif, stupide

INSENSIBILISATION → ACCOUTUMANCE, ANESTHÉSIE, CHIRURGICAL

INSENSIBILITÉ → ACCOUTUMANCE, ENDURCISSEMENT, FROIDEUR, IMPASSIBILITÉ, INCONSCIENCE, INDIFFÉRENCE, SÉCHERESSE

INSENSIBILITÉ analgésie, anesthésie, ankylose, apathie, calme, coma, détachement, dureté, froideur, impassibilité, inconscience, indifférence, indolence, léthargie, paralysie

INSENSIBLE → BLASÉ, CRUEL, GLACIAL, IMPITOYABLE, INACCESSIBLE, INCAPABLE (2), INDIFFÉRENT, INFLEXIBLE, INHUMAIN, PERCEPTIBLE, SANS-CŒUR, SEC, SOURD

INSENSIBLE ankylosé, apathique, cruel, de bronze, de marbre, de pierre, détaché, distrait, doux, dur, égoïste, endurci, engourdi, étranger, faible, fermé, froid, glacial, gourd, graduel, imperceptible, imperturbable, impitoyable, implacable, inaccessible, indifférent, inexorable, infime, insaisissable, invisible, léger, progressif, réfractaire, sec, sourd

INSENSIBLEMENT → LENTEMENT, PEU (2)

INSÉPARABLE → ÉTERNEL, INÉVITABLE, INTIME (2)

INSÉPARABLE attaché, compagnon, compère, éternel, fidèle, indissociable, inévitable, inhérent à, lié, soudé, uni

INSÉRÉ → INCLUS

INSÉRER → AJOUTER, COMPRENDRE, INCORPORER, INTRODUIRE, JOINDRE, METTRE, PARENTHÈSE

INSÉRER ajouter, assimiler (s'), caler, encarter, encastrer, enchâsser, enchatonner, enter, imbriquer, implanter, inclure, incruster, inscrire, intégrer (s'), intercaler, interposer, introduire, mettre, orner, placer, sertir

INSERMENTÉ → SERMENT

INSERT → CHAUFFAGE, FEU, POÊLE (1)
Voir tab. **Cinéma**

INSIDIEUX → APPARENCE, HYPOCRITE, MALHONNÊTE, PERFIDE, SOURNOIS, TROMPEUR

INSIGNE → BADGE, FAMEUX, MAGNIFIQUE, SIGNALÉ, SIGNE

INSIGNE (1) badge, broche, couronne, décoration, écharpe, écusson, emblème, livrée, macaron, marque, médaille, pin's, ruban, sceptre, signe, symbole

INSIGNE (2) éclatant, fameux, important, remarquable

INSIGNIFIANCE → FAIBLESSE

INSIGNIFIANT → BANAL, BÉNIN, CONSÉQUENCE, DÉRISOIRE, FRIVOLE, FUTILE, INTÉRÊT, LÉGER, MAIGRE, MÉDIOCRE, MESQUIN, MINABLE, MINCE, MINIME (2), MISÉRABLE (2), NÉGLIGEABLE, PEU, QUELCONQUE, RIDICULE, SECONDAIRE, SUPERFICIEL, TERNE, VAGUE (2), VIDE (2)

INSIGNIFIANT bagatelle, banal, bricole, broutille, creux, dérisoire, effacé, ennuyeux, falot, frivole, futile, futilité, inconséquent, inconsistant, infime, insipide, malheureux, médiocre, mince, minime, misérable, négligeable, obscur, pâle, peccadille, plat, quelconque, superficiel, terne, vain, vétille

INSINUANT → SOURNOIS

INSINUATION → INDIRECT, SOUS-ENTENDU (1)

INSINUER → ALLUSION, COMMÉRAGE, COULER, DEMI (3), DIRE, ENTENDRE, ENTRER, FAUFILER, GLISSER, PÉNÉTRER, SUGGÉRER

INSINUER couler, faire allusion, faufiler (se), glisser (se), immiscer, infiltrer (s'), instiller, introduire (s'), mêler, pénétrer, prétendre, souffler, sous-entendre, suggérer

INSIPIDE → BANAL, CHARME, FADE, GOÛT, INSIGNIFIANT, MONOTONE, PÂLE, PLAT (2), QUELCONQUE, SAVEUR, SECOND (2), TERNE, VIDE (2)

INSIPIDITÉ → PLATITUDE

INSISTANCE → CRI, OBSTINATION

INSISTANT → PRESSANT, REGARD

INSISTER → ACCENT, CHARGE, PERSÉVÉRER, SOULIGNER

INSISTER accentuer, acharner (s'), appesantir (s'), appuyer sur, arrêter sur (s'), continuer, enfoncer le clou, harceler, marteler, mettre les points sur les i, obstiner (s'), persévérer, persister, presser, prier, répéter, souligner

INSOCIABLE → FAROUCHE, MISANTHROPE (2), SAUVAGE, SEUL

INSOLATION → BRÛLER

INSOLENCE → AUDACE, FAMILIARITÉ, IMPERTINENCE, INJURE, RESPECT

INSOLENCE arrogance, cynisme, défier, désinvolture, effronterie, hauteur, impertinence, impolitesse, impudence, injurier, insulter, irrespect, irrévérence, morgue, narguer, offenser, orgueil, suffisance

INSOLENT → CAVALIER (2), CYNIQUE, DÉDAIN, DÉSAGRÉABLE, EFFRONTÉ, IMPERTINENT, IMPOLI, INCONGRU, INCORRECT, IRRÉVÉRENCIEUX, ROUGIR

INSOLENT arrogant, cavalier, cynique, déplacé, désagréable, désinvolte, effronté, familier, grossier, impertinent, impoli, impudent, irrespectueux, irrévérencieux, leste, paltoquet, rustre

INSOLITE → ANORMAL, BANAL, BIZARRE, CURIEUX (2), DRÔLE (2), ÉNIGMATIQUE, ÉTONNANT, ÉTRANGE, EXTRAORDINAIRE, INCOHÉRENT, MYSTÉRIEUX, NOUVEAU, ORIGINAL, RARE, SINGULIER, SPÉCIAL

INSOLITE anormal, bizarre, étonnant, excentrique, extraordinaire, extravagant, inhabituel, original, rare, singulier

INSOLUBLE → COMPLIQUÉ, INCOMPRÉHENSIBLE, RÉSOUDRE, SOLUTION

INSOLVABLE → DETTE

INSOMNIE → DORMIR, ENDORMIR, PASSION, SOMMEIL, VEILLE
Voir tab. **Phobies**

INSONDABLE → GIGANTESQUE, IMPERMÉABLE, INCOMPRÉHENSIBLE, INCURABLE, MYSTÉRIEUX

INSONDABLE abyssal, fond (sans), impénétrable, incompréhensible, mystérieux, obscur, vertigineux

INSONORE → SON

INSONORISATION → BRUIT

INSONORISER → ISOLER

INSOUCIANCE → ÉTOURDERIE, INATTENTION, INDOLENCE, LÉGÈRETÉ, NAÏVETÉ

INSOUCIANT → FRIVOLE, IMPRUDENT, INDOLENT, IRRESPONSABLE, OUBLIEUX, SOUCI

INSOUCIANT étourdi, frivole, futile, imprévoyant, indifférent à, indolent, insoucieux, léger, négligent, nonchalant, oublieux, sans-souci, superficiel, vain, volage

INSOUCIEUX → INDIFFÉRENT, INSOUCIANT, SOUCI

INSOUMIS → REBELLE (2), RÉCALCITRANT

INSOUMISSION → DÉSOBÉISSANCE, RÉSISTANCE, RÉVOLTE

INSOUPÇONNÉ → INATTENDU, PRESSENTIR

INSOUTENABLE → ABOMINABLE, HORRIBLE, IMPOSSIBLE, INSUPPORTABLE, SUPPORTER, TERRIBLE

INSPECTER → CONTRÔLER, REGARDER, SCRUTER, SURVEILLER

INSPECTER arraisonner, conduire, contrôler, examiner, explorer, fouiller, reconnaître, revue (passer en), scruter, sonder, surveiller, vérifier, visiter

INSPECTEUR → DÉTECTIVE, DOUANE, IMPÔT, POLICE, VÉRIFICATION

INSPECTEUR contrôler, divisionnaire, principal, surveiller, vérifier

INSPECTION → CONTRÔLE, RECONNAISSANCE, REVUE, RONDE, VISITE

INSPECTION arraisonnement, examen, inspectorat, reconnaissance, revue, visite

INSPECTORAT → INSPECTION

INSPIRATEUR → ÂME, ANIMATEUR, CERVEAU, MUSE

INSPIRATEUR artisan, conseiller, éminence grise, gourou, guide, initiateur, instigateur, promoteur, spirituel

INSPIRATION → ASPIRATION, ENTHOUSIASME, ESPRIT, IDÉE, ILLUMINATION, IMAGINATION, INSTINCT, INTUITION, INVENTION, RESPIRATION, RÉVÉLATION, VEINE

INSPIRATION aspiration, divination, enthousiasme, esprit, ferveur, fureur, grâce, idée, illumination, influence, inhalation, instigation, lyrisme, respiration, souffle, veine, verve

INSPIRÉ → CONDUIRE, ILLUMINÉ, MYSTIQUE (1), ORIGINAL

INSPIRÉ avisé, dicté, exalté, illuminé, mystique, suggéré

INSPIRER → CONSEILLER, IMITER, PERSUADER, SOUFFLER, SUGGÉRER

INSPIRER animer, causer, conseiller, diriger, égérie, imiter, imprimer, insuffler, muse, naître (faire), provoquer, suggérer

INSTABILITÉ → DÉSÉQUILIBRE, INCERTITUDE, INCONSTANCE, INFIDÉLITÉ, MOBILITÉ

INSTABILITÉ aléas, décomposition, déstabiliser, errance, fluctuation, fragilité, incertitude, inconstance, nomadisme, précarité, variation, versatilité, vicissitude

INSTABLE → CHANGEANT, CHANGER, CONSISTANCE, FLOTTANT, FRAGILE, INCERTAIN, INÉGAL, MOBILE (2), MOUVANT, VAGABOND (2), VARIABLE (2)

INSTABLE altérable, bancal, boiteux, branlant, capricieux, changeant, décomposable, déséquilibré, éphémère, fluctuant, fragile, fuyant, immature, inconstant, indécis, mal assuré, mobile, mouvant, précaire, temporaire, variable, volage

INSTALLATION → DISPOSITION, FIXATION

INSTALLATION aménagement, arrivée, baraque, branchement, camp, campement, cantonnement, crémaillère, emménagement, équipement, établissement, intronisation, montage, pose, squat

INSTALLER → ARRANGER, BRICOLER, DISPOSER, DOMICILE, ÉQUIPER, ÉTABLIR, FIXER, METTRE, PLACER

INSTALLER agencer, aménager, arranger, caser, disposer, émigrer, enraciner (s'), équiper, établir, établir (s'), expatrier, fixer (se), incruster, loger, mettre, placer, poser

INSTANCE → ORGANISME, PENDANT (2), REQUÊTE, TRIBUNAL

INSTANT → DURÉE, SUITE, TEMPS

INSTANT aussitôt, bientôt, Carpe diem, cesse (sans), clin d'œil (en un), constant, continuellement, minute, moment, mort, perpétuel, puisque, rapidement, seconde, soudain, tournemain (en un), tout de suite

INSTANTANÉ → IMMÉDIAT (2), SOUDAIN, SUBIT

INSTANTANÉ (1) cliché, image, photo, souvenir

INSTANTANÉ (2) bref, immédiat, lyophilisé, rapide, soudain, subit

INSTAR → EXEMPLE, IMITATION

INSTAURATION → INSTITUTION

INSTAURER → COMMENCER, ÉTABLIR, FAIRE, FONDER

INSTIGATEUR → ANIMATEUR, INSPIRATEUR

INSTIGATION → INSPIRATION

INSTILLER → COULER, GOUTTE, INSINUER, VERSER

INSTINCT → APPÉTIT, FIBRE, INTUITION, PRESSENTIR

INSTINCT amour, autoconservation, faim, flair, grégaire, inspiration, intuition, involontaire, irrationnel, irréfléchi, libido, migratoire, nature, penchant, pressentiment, pulsion, réflexe, reproducteur, sentiment, sexualité, spontané, tendance

INSTINCTIF → AUTOMATIQUE, IMPULSIF, INCONSCIENT (2), INVOLONTAIRE, SPONTANÉ

INSTINCTIF animal, inconscient, involontaire, irréfléchi, machinal, mécanique, spontané, viscéral

INSTINCTIVEMENT → RÉFLEXE

INSTITUER → CONSTITUER, CRÉER, DURABLE, ÉRIGER, ÉTABLIR, FAIRE, FONDER

INSTITUT → INSTITUTION, RÈGLE, RELIGIEUX (2)

INSTITUT académie, corps, école, établissement, institution, salon, université

INSTITUT DE BEAUTÉ → BEAUTÉ

INSTITUTEUR → ÉCOLE, ENFANCE, MAÎTRE (1), PROFESSEUR

INSTITUTEUR classe, école, enseignant, maître, maîtresse, précepteur, professeur des écoles

INSTITUTEUR ET PROFESSEUR DU 2ᵉ DEGRÉ
Voir tab. **Politesse (formules de)**

INSTITUTION → ÉCOLE, INSTITUT, NOMINATION, PENSION, RÉGIME

INSTITUTION banque, collège, Constitution, création, crédit (établissement de), désignation, école, établissement, fondation, foyer, instauration, institut, juridique, lycée, nomination, pensionnat, politique, religieux, social

INSTRUCTEUR → ÉQUITATION, MONITEUR, PROFESSEUR

INSTRUCTIF → BON (2), MANUEL

INSTRUCTION → APPRENTISSAGE, BAGAGE, COMMANDE, COMMANDEMENT, CONSIGNE, CULTURE, ENQUÊTE, EXAMEN, FORMATION, INDICATION, INFORMATION, INITIATION, ORDRE, PRÉPARATION, SAVOIR (1), SCIENCE

INSTRUCTION accusation, apprentissage, avis, bagage, catéchisme, circulaire, connaissance, conseil, consigne, culture, directive, écrit, édification, éducation, enseignement, érudition, formation, ignorance, inculpation, information, initiation, interrogatoire, Jules Ferry, lettres, non-lieu, note, obscurantisme, ordre, pédagogie, précepte, préjugé, prescription, procédure, règle, renvoi, savoir, science

INSTRUIRE → CULTIVER (SE), ÉCLAIRER, ÉDIFIER, ÉTUDIER, INFORMER, INITIER, RENSEIGNEMENT

INSTRUIRE alerter, apprendre, autodidacte, avertir, aviser, cultiver (se), dénoncer, didactique, éclairer, édifier, éduquer, enseigner, étudier, former, informer, initier, prévenir, renseigner

INSTRUIT → AVERTI, CULTURE, ÉRUDIT

INSTRUMENT → APPAREIL, OBJET, OUTIL, OUTILLAGE, RÉSULTAT

INSTRUMENT accessoire, agent, appareil, baromètre, bras, carte de crédit, centimètre, chèque, chronographe, contrebasse, engin, espèce, guitare, instrumentiste, machine, matériel, microphone, microscope, monnaie, orgue, outil, piano, saxophone, sismographe, tambour, téléphone, télescope, thermomètre, trompette, ustensile, vibraphone, violon

INSTRUMENT OPTIQUE
Voir tab. **Minéraux et utilisations**

INSTRUMENTATION → ORCHESTRATION

INSTRUMENTISTE → CHIRURGIEN, INSTRUMENT, INTERPRÈTE, ORCHESTRE

INSU dans l'ignorance, inconsciemment, involontairement

INSUBMERSIBLE → FLOTTER, SURFACE

INSUBORDINATION → DÉSOBÉISSANCE, REBELLE (2), RÉVOLTE

INSUCCÈS → AVORTEMENT, ÉCHEC, FOUR, REVERS

INSUFFISANCE → DÉFAUT, FAIBLESSE, INDIGENCE, LACUNE

INSUFFISANCE besoin, carence, défaut, déficience, déficit, faiblesse, gêne, ignorance, imperfection, impéritie, inaptitude, incapacité, indigence, infériorité, lacune, manque, médiocrité, misère, nécessité, pauvreté, sous-alimentation, sous-production, sous-qualification

INSUFFISANT → CHÉTIF, DÉFECTUEUX, IMPARFAIT (2), INCOMPLET, LÉGER, MÉDIOCRE

INSUFFISANT défaillant, faible, insatisfaisant, lacunaire, limité, médiocre, pauvre, piètre

INSUFFLATION → RESPIRATION

INSUFFLER → INSPIRER, SOUFFLER

INSULAIRE → HABITANT, ÎLE

INSULINE → DIABÈTE, HORMONE, PANCRÉAS
Voir tab. **Médicaments**

INSULTE → ATTAQUE, BAVE, COLÈRE, GROS, INJURE, INTERPELLATION, JURON, OFFENSE, OUTRAGE, OUTRAGE, VIOLENCE

INSULTE affront, camouflet, défi, grossièreté, humiliation, injure, invective, mortification, offense, outrage, vexation

INSULTER → INJURE, INSOLENCE

INSULTER attaquer, blasphémer, braver, dédaigner, défier, injurier, mépriser, offenser, outrager

INSUPPORTABLE → ATROCE, DÉTESTABLE, HORRIBLE, IMPOSSIBLE,

INABORDABLE, INHUMAIN, ODIEUX, SUPPORTER, TERRIBLE, VIOLENT

INSUPPORTABLE accablant, agaçant, atroce, désagréable, détestable, difficile, épouvantable, haïssable, imbuvable, impossible, indocile, infernal, insoutenable, intenable, intolérable, invivable, odieux, pénible, turbulent

INSURGÉ → ADVERSAIRE, REBELLE, RÉVOLUTIONNAIRE (1)

INSURGER (S') → DÉSOBÉIR, DRESSER (SE), PROTESTER, RÉVOLTER

INSURMONTABLE → MAJEUR (2)

INSURRECTION → AGITATION, ÉMEUTE, FRONDE, REBELLE, RÉSISTANCE, RÉVOLTE, SOULÈVEMENT

INTACT → COMPLET, DOMMAGE, ENTIER, PUR, SAUF (1), SAUVAGE, VIERGE (2)

INTACT complet, entier, inaltéré, inchangé, indemne, inexploré, pur, sauf, vierge

INTAILLE → SCULPTER

INTAILLER → GRAVER

INTANGIBLE → IRRÉEL, SACRÉ

INTARISSABLE → IMPITOYABLE

INTÉGRAL → CASQUE, COMPLET, ENTIER, RESTRICTION, TOTAL

INTÉGRAL absolu, complet, entier, intégration, total

INTÉGRALEMENT → FOND

INTÉGRALITÉ → COMPLET, INTÉGRITÉ, PLÉNITUDE, TOUT (1)

INTÉGRATION → ABANDON, ADAPTATION, ASSIMILATION, CITOYEN, FUSION, IMMIGRÉ, INTÉGRAL (2)

INTÉGRÉ → INCLUS

INTÈGRE → BIEN, CONSCIENCIEUX, DEVOIR, DROIT (2), FIDÈLE (2), HONNÊTE, JUSTE, PROPRE, PUR, SCRUPULEUX

INTÉGRER → INCORPORER, INSÉRER (S'), INTRODUIRE, JOINDRE

INTÉGRER adapter (s'), assimiler, assimiler (s'), comprendre, entrer dans, inclure, incorporer, introduire, reçu

INTÉGRISME → CATHOLICISME

INTÉGRISTE → LITURGIE, TRADITIONALISTE

INTÉGRITÉ → CONSCIENCE, FOI, PURETÉ

INTÉGRITÉ droiture, honnêteté, impartialité, incorruptibilité, intégralité, loyauté, plénitude, probité, totalité

INTELLECT → INTELLIGENCE, PENSER

INTELLECTION → COMPRÉHENSION, INTELLIGENCE

INTELLECTUALISME → INTELLECTUEL

INTELLECTUEL → CLERC, MANDARIN, SPIRITUEL

INTELLECTUEL cérébral, idée, idéologue, intellectualisme, intelligentsia, mandarin, mental, psychique, représentatif, spirituel

INTELLIGEMMENT → CLAIREMENT

INTELLIGENCE → ACCORD, AMITIÉ, CERVEAU, COLLUSION, COMMUNAUTÉ, COMPLICITÉ, DISCERNEMENT, ESPRIT, GRIS,

JUGEMENT, PENSÉE, PENSER, RAISON, RÉFLEXION, UNION

INTELLIGENCE abstraction, accointance, accord, brillant, clairvoyance, collusion, complicité, compréhension, conception, concert, concorde, connivence, correspondance, discernement, entendement, entente, esprit, harmonie, industrie, ingéniosité, intellect, intellection, inventivité, jugement, matière grise, pénétration, pensée, perception, perspicacité, raison, rationalisation, réflexion, savoir-faire, sens, surdoué, théorisation

INTELLIGENCE ARTIFICIELLE automatisme, calculateur électronique, computer, connexionnisme, construction, élaboration, jeu de société, ordinateur, procédure, règle, théorème

INTELLIGENCE SERVICE (GB) → SERVICE

INTELLIGENT → BORNÉ, CLAIR, COMPÉTENT, JUDICIEUX, PÉTILLANT, RAISONNABLE

INTELLIGENT aigle, as, astucieux, cerveau, crack, éveillé, fin, génie, habile, ingénieux, malin, pensant, perspicace, raisonnable, sagace, subtil, surdoué, tête, virtuose

INTELLIGENTSIA → INTELLECTUEL

INTELLIGIBILITÉ → FACILITÉ

INTELLIGIBLE → ABORDABLE, ACCESSIBLE, CLAIR, COMPRÉHENSIBLE, FACILE, LIMPIDE, TRANSPARENT

INTEMPÉRANCE → ABUS, DÉBAUCHE, EXCÈS, IVRESSE

INTEMPÉRANT → GOURMAND (2), MANGER

INTEMPÉRIE → TEMPS

INTEMPÉRIE cataclysme, cyclone, orage, ouragan, pluie, tempête, vent

INTEMPESTIF → CONTRETEMPS, DÉPLACÉ, FÂCHEUX (2), FAMILIER (2), GÊNANT, MAL (2)

INTEMPOREL → ÉTERNEL, IMMUABLE, SPIRITUEL, TEMPS

INTENABLE → INSUPPORTABLE, TERRIBLE, TURBULENT

INTENDANCE → AGENCE, RAVITAILLEMENT

INTENDANCE administrateur, administration, économat, économe, factotum, gestion, intendant, logistique, régisseur

INTENDANT → ADMINISTRATEUR, AGENT, DOMESTIQUE (1), GÉRANT, INTENDANCE, RELIGIEUX (1), TRÉSORIER

INTENSE → CRU (2), DENSE, EXTRAORDINAIRE, FROID, FULGURANT, GRAND, PÉNÉTRANT, PROFOND, SOUTENU, VIF (2), VIOLENT

INTENSE aigu, complet, cru, extrême, fort, fulgurant, grand, impérieux, inquisiteur, irrésistible, pénétrant, perçant,

plein, profond, scrutateur, total, tyrannique, véhément, vif, violent

INTENSÉMENT → PROFONDÉMENT, VIVEMENT

INTENSIF assidu, régulier, soutenu

INTENSIFICATION → ACCENTUATION, AGGRAVATION, AUGMENTATION, CROISSANCE, ESCALADE

INTENSIFIER → AGGRAVER, AMPLIFIER (S'), CROÎTRE, GRANDIR, SOULIGNER

INTENSITÉ → DEGRÉ, DENSITÉ, FORCE, POINT, SONORITÉ, VÉHÉMENCE, VIGUEUR, VIOLENCE, VIVACITÉ
Voir tab. **Tremblements de terre**

INTENSITÉ acmé, aggravation, ampérage, brillance, exacerbation, force, luminosité, paroxysme, puissance, recrudescence, summum, véhémence, violence

INTENTER → ENGAGER, ENTREPRENDRE

INTENTER UNE PROCÉDURE → PLAIDER

INTENTION → ADRESSE, BATTERIE, BUT, CALCUL, CAUSE, DÉTERMINATION, MOTIF, PENSÉE, PENSER, PRÉTENTION, PROGRAMME, PROJET, PROPOS, VOLONTÉ

INTENTION arrière-pensée, but, calcul, compter, décision, désir, dessein, détermination, disposition, fin, idée, machination, mobile, motif, objectif, objet, perspective, préméditation, projet, projeter, propos, résolution, velléité, visée, volonté, vue

INTENTIONNEL → VOLONTAIRE

INTER (PRIX)
Voir tab. **Prix littéraires**

INTERACTION → RÉCIPROQUE (2)

INTERACTIVITÉ → COMMUNICATION, DIALOGUE
Voir tab. **Multimédia (les mots du)**

INTERALLIÉ → LITTÉRATURE

INTERALLIÉ (PRIX)
Voir tab. **Prix littéraires**

INTERCALER → AJOUTER, INSÉRER, INTERPOSER, METTRE

INTERCÉDER → AGIR, INFLUENCE, INTERVENIR, PARLER, RÉCLAMER

INTERCEPTER → ARRÊTER, BOUCHER (1), CAPTURER, COINCER, FOOTBALL, PRENDRE, SAISIR

INTERCEPTER arrêter, cacher, capter, détourner, éclipser, emparer de (s'), saisir, surprendre

INTERCESSEUR → AVOCAT, DÉFENSE

INTERCESSION → INTERVENTION

INTERCLASSE → INTERRUPTION, INTERVALLE, PAUSE

INTERCURRENCE → VARIATION

INTERDÉPENDANCE → DÉPENDANCE, LIAISON, RÉCIPROQUE (2), RELATION

INTERDICTION → CONSIGNE

INTERDICTION bannissement, blocus, boycott, défense,

embargo, privation, prohibition, suspension, tabou

INTERDIGITAUX
Voir illus. **Muscles**

INTERDIRE → ABSTENIR (S'), BARRER, DÉFENDRE, EMPÊCHER, PROHIBER, REFUSER

INTERDIRE abstenir (s'), censurer, condamner, défendre, empêcher, empêcher (s'), éviter, exclure, opposer (s'), prohiber, proscrire, refuser, suspendre

INTERDISCIPLINAIRE → DISCIPLINE, PLUSIEURS

INTERDIT → BÊTE (2), CENSURE, ÉBAHI, ILLÉGAL, ILLÉGITIME, PÈRE, PÉTRIFIÉ, PIRATE (2), RÉPONSE, SIDÉRÉ, STUPÉFAIT, TABOU

INTERDIT ahuri, banni, coi, confondu, confus, consterné, court, déconcerté, déconfit, défendu, désemparé, ébahi, embarrassé, exclusive, excommunication, exilé, foudroyé, illégal, illicite, Index, interloqué, pantois, paralysé, prohibé, proscrit, stupéfait, tétanisé, troublé, veto

INTÉRESSANT → ATTIRANT, AVANTAGEUX, CHARMANT, IMPORTANT, RICHE (2), SÉDUISANT, VALABLE, VISER

INTÉRESSANT amusant, attractif, attrayant, avantageux, brillant, captivant, curieux, enrichissant, fascinant, important, lucratif, malin, mariolle, palpitant, passionnant, piquant, prenant, profitable, rentable, séduisant, spirituel

INTÉRESSÉ → MERCENAIRE (2), UTILITAIRE (2)

INTÉRESSEMENT → PARTICIPATION, SALAIRE

INTÉRESSER → APPLIQUER (S'), CAPTIVER, IMPORTER, OCCUPER, PENCHER (SE), PENSER, REGARDER, SONGER

INTÉRESSER adonner à (s'), aimer, âpre au gain, associer, avare, avide, calculateur, captive, concerner, cultiver, cupide, occuper de (s'), passionner, pencher sur (se), pratiquer, préoccuper, suivre, toucher, vénal

INTÉRÊT → ARGENT, ATTRAIT, BANQUE, BIEN, CAPITAL (1), CURIOSITÉ, DÉDOMMAGEMENT, ÉPARGNE, IMPORTANCE, PRÊT, RÉMUNÉRATION, REVENU, UTILITÉ, VALEUR

INTÉRÊT action, affection, agio, annuité, ardeur, arrérages, attention, attrait, avantage, avarice, bénéfice, bien, bienveillance, calcul, chapelle, clan, commission, compassion, compréhension, coterie, creux, cupidité, curiosité, défavoriser, desservir, dividende, escompte, hobby, importance, important, individualisme, indulgence, insignifiant, nuire à, passe-temps, passion, penchant, plaisir, pourcentage, préjudice (porter), profit, rapport, rente, revenu,

sollicitude, superficiel, tort (faire du), usure, utile, utilité, vain, vide, violon d'Ingres

INTÉRÊT (AVEC) → CŒUR

INTÉRÊT (TAUX D')
Voir tab. **Banque**

INTERFACE → JONCTION

INTERFÉRENCE → CONJONCTION, RENCONTRE

INTERFÉRON → IMMUNITAIRE

INTERGLACIAIRE → PÉRIODE

INTÉRIEUR → DOMESTIQUE (2), INTESTIN (2)

INTÉRIEUR (1) admis, âme, autopsie, chez-soi, cœur, conscience, dans, dedans, discret, égocentrique, foyer, habitation, intra-muros, introduit, introspection, introverti, logement, logis, psychisme, replié sur lui-même, studio (en)

INTÉRIEUR (2) endophasie, in petto, interne

INTÉRIEUR (TENUE D') → NÉGLIGÉ

INTÉRIM → INTERVALLE

INTÉRIMAIRE → INTERMITTENT (2), PROVISOIRE, TEMPORAIRE

INTÉRIORISATION → IDENTITÉ

INTÉRIORITÉ → PERSONNALITÉ

INTERJECTION → APPEL, EXCLAMATION

INTERJECTION exclamation, intervention, introduction, juron, onomatopée

INTERKRAFT → PAPIER

INTERLIGNE → ESPACE, INTERVALLE

INTERLINGUA → LANGUE

INTERLOCK
Voir tab. **Tissus**

INTERLOCUTEUR → DESTINATAIRE, DIALOGUE, NÉGOCIATION, RÉCEPTEUR

INTERLOPE → CLANDESTIN, CONTREBANDE, ÉQUIVOQUE (2), FRAUDE, LOUCHE, SUSPECT

INTERLOQUÉ → ABASOURDI, DÉCONCERTÉ, ÉBAHI, ÉPATÉ, INTERDIT (2), SIDÉRÉ, STUPÉFAIT, SURPRENDRE

INTERLOQUER → DÉMONTER

INTERLUDE → ENTRACTE, INTERVALLE, OPÉRA, PLAGE, TRANSITION

INTERMÈDE → ENTRACTE, INTERVALLE, PLAGE, TRANSITION

INTERMÉDIAIRE → BIAIS, COMMISSIONNAIRE, DÉFENSE, ENTREMISE, INTERPRÈTE, INTERVALLE, MÉDIATEUR, MOYEN (1), MOYEN (2), RELAIS

INTERMÉDIAIRE (1) agent, broker, canal, commissionnaire, courtier, entremise, médiation, trader, truchement, voie

INTERMÉDIAIRE (2) compromis, délégué, entre-deux, entremetteur, indirect, interprète, mandataire, médiat, médiateur, médium, moyen, négociateur, paille (homme de), prête-nom, transitaire, transitoire

INTERMÉDIAIRE (FAIRE L') → INTERVENIR

INTERMEZZO → OPÉRA

INTERMINABLE → INFINI (2), LONG

INTERMINABLE incessant, infini, long

INTERMITTENCE (PAR) → INTERVALLE

INTERMITTENT → CIRCULAIRE, DISCONTINU, ÉCLIPSE, IRRÉGULIER

INTERMITTENT (1) acteur, chanteur, comédien, danseur, éclairagiste, musicien, régisseur, sonorisateur, technicien

INTERMITTENT (2) apyrexie, clignotant, discontinu, épisodique, erratique, intérimaire, irrégulier, psychose, rémittent, saccade, soubresaut, sporadique, temporaire, transitoire, tic

INTERMOUSSE
Voir tab. **Tissus**

INTERNAT → PENSION

INTERNATIONAL → MONDIAL

INTERNATIONAL cosmopolite, exportation, importation, mondial, sélectionné, universel

INTERNATIONAL PRIVÉ → DROIT (1)

INTERNATIONAL PUBLIC → DROIT (1)

INTERNATIONALE → COMMUNISME

INTERNATIONALE Karl Marx

INTERNAUTE
Voir tab. **Internet**

INTERNE → INTÉRIEUR (2), INTESTIN (2), MÉDECIN, MÉDECINE

INTERNE (1) garde, pensionnaire, urgence

INTERNE (2) endocrine, intrinsèque

INTERNÉ → DÉTENU

INTERNEMENT → ADMISSION, CAPTIVITÉ, DÉPORTATION, PLACEMENT

INTERNER → EMPRISONNER, ENFERMER

INTERNET → COMMUNICATION, CONSULTATION, INFORMATION, NUMÉRIQUE (2), RÉSEAU, WEB
Voir tab. **Internet**
Voir tab. **Multimédia**
(les mots du)

INTERPELLATION → DEMANDE, PARLEMENT, SOMMATION

INTERPELLATION apostrophe, appel, demande d'explication, injure, insulte, question

INTERPELLER → ADRESSER, APOSTROPHER, APPELER, ARRÊTER, ÉVOQUER, INTERROGER

INTERPELLER apostropher, appeler, eh ! , hé ! , héler, hep ! , ho ! , holà ! , interroger, questionner, sommer de

INTERPOL → POLICE

INTERPOLER → TEXTE

INTERPOSER → ÉCRAN, INSÉRER, INTERVALLE, INTERVENIR

INTERPOSER entremettre (s'), glisser, intercaler, intervenir

INTERPRÉTATION → COMMENTAIRE, PARAPHRASE, REGARD, VERSION

INTERPRÉTATION accomplissement, ambiguïté, amphibologie, chiromancie, commentaire, communication, contresens, critique, distribution, divination, équivoque,

exécution, exégèse, explication, expliquer, faux-sens, glose, herméneutique, illustrer, intervention, jeu, lecture, malentendu, mise en scène, non-sens, note, oniromancie, ornithomancie, paraphrase, réalisation, traduire, version

INTERPRÈTE → ACTEUR, INTERMÉDIAIRE (2), MUSICIEN, TRADUCTEUR

INTERPRÈTE acteur, artiste, chanteur, comédien, commentateur, exécutant, exégète, instrumentiste, intermédiaire, musicien, porte-parole, traducteur

INTERPRÉTER → EXÉCUTER, JOUER, REPRÉSENTER, TRADUIRE

INTERPRÉTER chanter, commenter, comprendre, déformer, deviner, éclaircir, exécuter, expliciter, expliquer, gloser, incarner, jouer, prendre, traduire, travestir

INTERRACIAL → MIXTE

INTERROGATIF → ADJECTIF, PHRASE

INTERROGATION → ADVERBE, CONTRÔLE, DEMANDE, EXAMEN

INTERROGATION colle, composition, contrôle, demande, directe, enquête, épreuve, gallup, indirecte, interrogatoire, intonation, partielle, point d'interrogation, rhétorique, sondage, test, totale

INTERROGATIVE → PROPOSITION

INTERROGATOIRE → ENQUÊTE, INQUISITION, INSTRUCTION, INTERROGATION

INTERROGER → DEMANDER, INFORMER, INTERPELLER, QUESTION, SONDER

INTERROGER adresser à (s'), chercher, consulter, cuisiner, demander (se), douter, enquérir (s'), enquêter, informer (s'), interpeller, interviewé, nez (tirer les vers du), poser des questions (se), pressentir, presser de questions, renseigner (se), sonder, tâter le pouls

INTERROMPRE → ARRÊTER, BLOQUER, BREF (2), BRISER, CESSER, DÉRANGER, DISTRAIRE, HACHER, PLUS, SUSPENDRE

INTERROMPRE abandonner, arrêter, cesser, couper, déconcentrer, déranger, disjoncter, distraire, ennuyer, entrecouper, finir, hiatus, importuner, interrupteur, mettre un terme, relâche (faire), suspendre, suspendre les armes, trêve (faire une), troubler

INTERRUPTEUR → BOUTON, INTERROMPRE

INTERRUPTION → COUPURE, FEU, PANNE, PARENTHÈSE, PAUSE, SILENCE

INTERRUPTION affilée (d'), arrêt, avortement, cessation, consécutivement, coupure, discontinuer (sans), entracte, interclasse, IVG, panne, pause, récréation, relâche, répit, suite (de), suspension, traite (d'une seule)

INTERSAISON → INTERVALLE

INTERSECTION → BIFURCATION, CARREFOUR, CROISEMENT, EMBRANCHEMENT, ROUTE

Voir tab. **Mathématiques (symboles)**

INTERSEMESTRE → REPOS

INTERSESSION → INTERVALLE

INTERSTICE → BRÈCHE, ESPACE, FENTE, INTERVALLE, INTERVALLE

INTERTITRE → PARAGRAPHE

INTERTRIGO → INFLAMMATION

INTERVALLE → ARRÊT, BATTEMENT, BLANC (1), DISTANCE, ÉCART, ENTRACTE, ESPACE, MARGE, PÉRIODE, PLAGE

Voir tab. **Musique (vocabulaire de la)**

INTERVALLE battement, demi-ton, distance, écart, écartement, échelonner, éloignement, entracte, entre-temps, espace, espacer, fente, interclasse, intérim, interligne, interlude, intermède, intermédiaire, intermittence (par), interposer, intersaison, intersession, interstice, jalonner, laps, moment, moments (par), octave, pause, période, périodique, quarte, quinte, régence, rémission, répit, seconde, septième, silence, sixte, temps à autre (de), temps en temps (de), tierce, ton, transitoire

INTERVENANT → DÉBAT, ORATEUR

INTERVENIR → ENTRER, INFLUENCE, INTERPOSER (S'), JOINDRE, PARTICIPER, PRENDRE

INTERVENIR agir, arbitrer, arranger, arriver, défendre, entremettre (s'), faire l'intermédiaire, fait et cause (prendre), immiscer (s'), ingérer (s'), intercéder, interposer (s'), mêler à (se), négocier, plaider, prendre part à, produire (se), réconcilier, régler, survenir

INTERVENTION → ACTE, ACTION, ENTREMISE, INITIATIVE, INTERJECTION, INTERPRÉTATION, MÉDIATION, OPÉRATION, PAYS

INTERVENTION aide, appui, arbitrage, bons offices, concours, entremise, immixtion, ingérence, intercession, interventionnisme, intrusion, médiation, ministère, opération, services

INTERVENTIONNISME → CONFLIT, ÉTAT, INTERVENTION, NATIONALISER

INTERVERSION → CHANGEMENT, TRANSPOSITION

INTERVERTIR → BROUILLER, CHANGER, CONFONDRE, DÉPLACER, RENVERSER, SUBSTITUER

INTERVERTIR changé, inversé, permuté, renverser

INTERVIEW → DIALOGUE, ENTRETIEN, INFORMATION

INTERVIEW audience, conférence de presse, entretien, entrevue

INTERVIEWÉ → INTERROGER

INTERVIEWER → QUESTIONNER

INTESTAT → TESTAMENT

INTESTIN → CIVIL, VENTRE

Voir illus. **Digestif (appareil)**

Voir tab. **Chirurgicales (interventions)**

INTESTIN (1) ballonnement, borborygme, boyau, cæcum, chyle, cœliaque, colique, colite, côlon, constipation, crépine, diarrhée, digestion, duodénum, dysenterie, entér(o)-, entéralgie, entérique, entérite, entérocolite, entérovaccin, entrailles, flatulence, fraise, gargouillis, gastro-entérite, iléon, iléus, jéjunum, mésentère, mésentérite, occlusion, péritoine, péritonite, rectum, tripes, viscères

INTESTIN (2) civil, intérieur, interne

INTIFADA → GUERRE, PIERRE

INTIMATION → SOMMATION

INTIME → ÉTROIT, FAMILIER (1), PARTICULIER, PERSONNE, PERSONNEL (2), TOLÉRANCE

INTIME (1) ami, confident, proche

INTIME (2) âme, cœur, conscience, entre familiers, étroit, for intérieur, inséparable, particulier, personnel, privé, profond, psychisme, recoins, replis, secret, sentimental, tréfonds

INTIMER → COMMANDER, CONVOQUER, ORDONNER, SIGNIFIER

INTIMIDATION → MENACE

INTIMIDÉ → CHOSE, PARALYSÉ, TERRORISER, TROUBLÉ

INTIMIDER → BLUFFER, CRAINTE, EFFAROUCHER, GÊNER, GLACER, IMPRESSIONNER

INTIMIDER bluffer, effarouché, effrayé, gêner, glacer, impressionner, inhiber, paralyser, pétrifier, terrorisé, tromper, troubler

INTIMITÉ → AMITIÉ

INTIMITÉ familiarité, privé, union

INTITULER → APPELER (S'), TITRE

INTOLÉRABLE → ATROCE, EXTRÊME, HORRIBLE, INACCEPTABLE, INSUPPORTABLE, SUPPORTER, TERRIBLE, VIOLENT

INTOLÉRANCE → DOGMATIQUE, RELIGION

INTOLÉRANCE allergie, autoritarisme, étroitesse d'esprit, extrémisme, fanatisme, idiosyncrasie, intransigeance, sectarisme, sensibilisation

INTOLÉRANT → ÉTROIT, FANATIQUE (2), INTRANSIGEANT, TOLÉRANCE

INTONATION → ACCENT, INTERROGATION, TON

INTONATION accent, hauteur, inflexion, mélodie, prosodie

INTOUCHABLE → CASTE, INATTAQUABLE, SACRÉ

INTOXICATION → CONDITIONNEMENT, EMPOISONNEMENT, POISON

INTOXICATION asphyxie, benzolisme, bromisme, conditionnement, désinformation, empoisonnement,

endoctrinement, lavage de cerveau, matraquage, médiatisation, saturnisme, toxi-infection, toxicomanie, toxicose

INTOXIQUER → CONDITIONNER, PROPAGANDE

INTRA-MUROS → ADVERBE, INTÉRIEUR (1), MUR

INTRADOS → VOILURE

Voir illus. **Arcs**

Voir tab. **Architecture**

INTRAITABLE → DIFFICILE, ENTIER, EXIGEANT, IMPITOYABLE, INFLEXIBLE, INTRANSIGEANT, IRRÉDUCTIBLE, RIGIDE, SÉVÈRE, TÊTU

INTRAITABLE désagréable, difficile, entier, impitoyable, impossible, inflexible, intransigeant, irréductible, sévère

INTRAMOLÉCULAIRE → MOLÉCULE

INTRAMUSCULAIRE → PIQÛRE

INTRANET

Voir tab. **Internet**

INTRANSIGEANCE → DOGMATIQUE, DURETÉ, INTOLÉRANCE

INTRANSIGEANT → ABSOLU, AUTORITAIRE, ENTIER, FERME (2), IMPÉRIEUX, INÉBRANLABLE, INFLEXIBLE, INTRAITABLE, IRRÉDUCTIBLE, NUANCE, PURITAIN, RIGIDE, SÉVÈRE, TOLÉRANCE

INTRANSIGEANT dur, fanatique, inflexible, intolérant, intraitable, irréductible, rigoriste, sectaire

INTRAVEINEUSE → PIQÛRE, VEINE

INTRÉPIDE → BRAVE, COURAGEUX, HARDI, TÉMÉRAIRE

INTRÉPIDE audacieux, brave, courageux, ferme, hardi, impavide, inébranlable, résolu, vaillant

INTRÉPIDITÉ → AUDACE

INTRIGANT → COMPLOTER, INTRIGUE

INTRIGUE → ACTION, AVENTURE, CABALE, CHARPENTE, COMÉDIE, CONSPIRATION, DÉMARCHE, IDYLLE, MACHINATION, MANIPULATION, NŒUD, OSSATURE, PÉRIPÉTIE, RÉCIT, RELATION, SCÉNARIO, SCÈNE

INTRIGUE action, affaire de cœur, agissement, arriviste, aventure, aventurier, brigue, cabale, combine, complot, conspiration, escroc, escroquerie, flirt, grenouillage, histoire, idylle, intrigant, liaison, machination, magouille, manigance, manœuvre, menées, mic-mac, ourdir, scénario, trame, tramer, tripotage

INTRIGUÉ → PUCE

INTRIGUER → BAS (2), COMBINER, CURIOSITÉ, PIQUER

INTRINSÈQUE → APPARTENIR, INTERNE (2), PROPRE (2)

INTRINSÈQUEMENT → ESSENCE, NATURE

INTRODUCTION → ENTRÉE, IMPORTATION, INITIATION, INTERJECTION, PARTIE, PÉNÉTRATION, PRÉLIMINAIRE, SOMMAIRE (1)

INTRODUCTION admission, adoption, avant-propos, début, emprunt, entrée,

entrée en matière, exorde, explication, formation, importation, initiation, inscription, intromission, ouverture, préambule, préface, prélude, préparation, présentation, prolégomènes, prologue, recommandation

INTRODUIRE → ADMETTRE, FAUFILER, FICHER, INCORPORER, INJECTER, INSÉRER, INTÉGRER, LOGER, METTRE, PLONGER, PRÉSENTER, RECOMMANDER

INTRODUIRE absorber, acclimater, admettre, avaler, écornifler, enfoncer, engager, familier, fourrer, immiscer, implanter, importer, inclure, incorporer, infiltrer, ingérer, injecter, inoculer, insérer, intégrer, intrus, lancer, parasite, parrainer, pique-assiette, plonger, présenter

INTRODUIRE (S') → ENTRER, INSINUER (S'), PÉNÉTRER

INTRODUIRE (S') faufiler (se), glisser (se)

INTRODUIRE UNE INSTANCE → PLAIDER

INTRODUIT → INTÉRIEUR (1)

INTROJECTION → IDENTITÉ

INTROMISSION → INTRODUCTION, PÉNÉTRATION

INTRONISATION → ADMISSION, COURONNEMENT, INSTALLATION, RÉCEPTION, ROI

INTROSPECTION → ANALYSE, CONSCIENCE, EXAMEN, INTÉRIEUR (1), REGARD

INTROUVABLE caché, disparu, perdu, précieux, rare

INTROVERTI → INTÉRIEUR (1)

INTRUCTION → ENSEIGNEMENT

INTRUS → INDISCRET, INTRODUIRE, INVITER

INTRUS curieux, gêneur, importun, indésirable, usurpateur

INTRUSION → INTERVENTION

INTUITIF → IRRÉFLÉCHI

INTUITION → CONNAISSANCE, CONSCIENCE, IMPRESSION, INITIATIVE, INSTINCT, NEZ, PENSÉE, PERCEPTION, PHÉNOMÈNE, PRESSENTIMENT, PRESSENTIR, PSYCHOLOGIE, SENSATION

INTUITION clairvoyant, divination, feeling, fin, flair, inspiration, instinct, intuitionnisme, pénétrant, perspicacité, prémonition, pressentiment, prospective, sagacité, sensible, soupçonner, subodorer

INTUITIONNISME → INTUITION

INTUMESCENCE → CHAIR, ENFLURE

INUIT → ESQUIMAU

INUPIK → ESQUIMAU

INUSABLE → INALTÉRABLE, SOLIDE

INUSITÉ → EMPLOYER, INUTILISÉ, NOUVEAU, SINGULIER

INUTILE → ILLUSOIRE, RÉSULTAT, STÉRILE, SUPERFLU (2), VAIN

INUTILE affiner, alléger, bavardage, creux, élaguer, épurer, fadaise, inefficace, infructueux, oiseux, parasite, stérile, superfétatoire, superflu, vain, verbiage, vide

INUTILEMENT → SUCCÈS, VAIN

INUTILISABLE → USAGE

INUTILISÉ désuet, inusité, obsolète

INUTILITÉ → FUTILITÉ

INVAGINATION → INVERSION

INVALIDATION → RENVOI

INVALIDE → BLESSÉ, INFIRME

INVALIDE (1) blessé, estropié, handicapé, hospice, impotent, infirme, mutilé

INVALIDE (2) annuler, grabataire, impotent, infirme, invalider, nul

INVALIDER → ABOLIR, ABROGER, ANNULER, INVALIDE (2), NUL

INVALIDITÉ → HANDICAP, I NFIRMITÉ

Voir tab. **Assurance (vocabulaire de l')**

INVAR → NICKEL

INVARIABILITÉ → PERMANENCE

INVARIABLE → ÉGAL, FERME (2), IMMOBILE, IMMUABLE, INALTÉRABLE, STATIONNAIRE, STATIONNAIRE

INVARIABLE constant, éternel, ferme, fixe, immobile, immuable, inaltérable, indéclinable, sûr, universel

INVARIABLEMENT → FIXE (2)

INVASION → DESCENTE, DIFFUSION, INFILTRATION, INONDATION, OPÉRATION, PÉNÉTRATION

INVASION agression, attaque, débordement, dévastation, diffusion, envahissement, incubation, incursion, inondation, irruption, occupation, pénétration, propagation, ruée

INVECTIVE → ATTAQUE, COLÈRE, INJURE, INSULTE, PIQUE, VIOLENCE

INVECTIVER → CRIER, FULMINER, INJURE

INVENDU → BOUILLON, RETOUR

INVENTAIRE → CATALOGUE, COMPTE, DESCRIPTION, ÉNUMÉRATION, ÉTAT, LISTE, RECENSEMENT

INVENTAIRE catalogue, dénombrement, état, inventorier, liste, passer en revue, recensement, relevé

INVENTÉ → FAUX (2), FICTIF

INVENTER → CHERCHER, FABRIQUER, INNOVER, RACONTER, TROUVER

INVENTER arranger, artificiel, astucieux, broder, chercher, concevoir, créatif, créer, découvrir, exagérer, fabriquer, fabuler, fécond, ficelé, forger, imaginaire, imaginatif, imaginer, improviser, ingénieux, innovateur, inventif, mentir, supposer

INVENTEUR → AUTEUR, CRÉATEUR (1), SAVANT (1), TRÉSOR

INVENTEUR auteur, créateur, découvreur, mère, père

INVENTIF → FÉCOND, INVENTER, ORIGINAL

INVENTION → CRÉATION, DÉCOUVERTE, FABRICATION, IDÉE, IMAGINATION, NOUVEAUTÉ, ORIGINALITÉ, PIANO, RHÉTORIQUE

INVENTION création, créativité, cru, découverte, fabrication, façon, fantaisie, fiction,

imagination, inspiration, inventivité, trouvaille

INVENTIVITÉ → IDÉE, INITIATIVE, INTELLIGENCE, INVENTION

INVENTORIAGE → COMPTER

INVENTORIER → COMPTER, ENREGISTRER, INVENTAIRE, REVUE

INVERSE → CONTRAIRE (1), CONTRE-PIED, OPPOSÉ, RÉCIPROQUE (2), RÉTROGRADE

INVERSE antipode, antithèse, contraire, contrairement, contrepartie, contre-pied, marche arrière, opposé, réciproque, régresser, renversé, rétrograder, revenir sur ses pas, vice versa

INVERSÉ → INTERVERTIR

INVERSER → CHANGER, DÉPLACER, DÉRANGER, RENVERSER

INVERSION → SEXE, YOGA

INVERSION déplacement, dextrocardie, invagination, repliement

INVERTÉBRÉ

Voir tab. **Animaux (classification simplifiée des)**

INVESTIGATION → ENQUÊTE, ÉTUDE, INFORMATION, INQUISITION, RECHERCHE, RECONNAISSANCE

INVESTIGATION clinique, démonstration, enquête, examen, perquisition, recherche

INVESTIGUER → RENSEIGNEMENT

INVESTIR → ASSIÉGER, BLOQUER, CAPITAL (1), ENGAGER, ENTRER, ENVAHIR, ENVELOPPER, IMPLIQUER, PLACER, SIÈGE

INVESTIR assiéger, attaquer, cerner, encercler, engager, implanter (s'), impliquer (s'), placer

INVESTISSEMENT → BLOCUS, MISE, PLACEMENT

Voir tab. **Économie**

INVESTISSEUR INSTITUTIONNEL

Voir tab. **Bourse**

INVESTITURE → BÉNÉFICE, FÉODAL

INVÉTÉRÉ → TENACE, TERRIBLE, VIEUX

INVINCIBLE → IMPOSSIBLE, INATTAQUABLE, IRRÉDUCTIBLE

INVINCIBLE ARMADA → FLOTTE

INVIOLABILITÉ → IMMUNITÉ

INVIOLABLE → INFAILLIBLE, SACRÉ

INVISIBLE → INSENSIBLE

INVISIBLE absent, éclipse, furtif, imperceptible, infrarouge, microscopique, mystérieux, retiré, secret, sympathique, ultraviolet

INVITATION → APPEL, FAVEUR

INVITATION appel, attrait, avertissement, billet, carte, carton, exhortation, faire-part, incitation, invite, lettre, prière, semonce, sollicitation, sommation, tentation

INVITE → CONSEIL, INVITATION

INVITÉ → HÔTE

INVITÉ convive, hôte

INVITER → ACCUEILLIR, ENGAGER, GARDER, INCITER, PRIER, RECEVOIR, RETENIR, RÉUNIR, SOLLICITER

INVITER convier, demander à, écornifleur, engager, garder, inciter, intrus, parasite, pique-assiette, porter à, pousser à,

proposer à, recevoir, recommander, retenir, réunir, stimuler

INVIVABLE → DÉTESTABLE, IMPOSSIBLE (2), INSUPPORTABLE

INVOCATION → INCANTATION

INVOLONTAIRE → AUTOMATIQUE, FORCÉ, INSTINCT, INSTINCTIF, MÉCANIQUE, SPONTANÉ

INVOLONTAIRE automatique, automatisme, convulsif, forcé, instinctif, irréfléchi, malgré soi, réflexe, spontané

INVOLONTAIREMENT → INSU, RÉFLEXE

INVOQUER → APPELER, AVANCER, CITER, ÉVOQUER, OPPOSER, PRIER, SUPPLIER

INVRAISEMBLABLE → EXTRAORDINAIRE, FABULEUX, FANTASTIQUE, IMPOSSIBLE (2), INCROYABLE (2), INOUÏ, SENSATIONNEL

INVRAISEMBLABLE bizarre, chimérique, ébouriffant, étonnant, extraordinaire, extravagant, fabuleux, fabuleux, fantastique, faux, illogique, impensable, improbable, incohérent, incommensurable, incroyable, inimaginable, inouï, renversant, rocambolesque

INVULNÉRABLE → IMMUNISÉ

IO → VACHE

IODE → ALGUE, MER, POMME DE TERRE

Voir tab. **Éléments chimiques (symbole des)**

IODE antiseptique, iodisme, iodure, révulsif, teinture

IODISME → IODE

IODLER → TYROLIEN

IODURE → IODE, MAGNÉSIUM

ION

Voir tab. **Chimie**

IONIEN → GREC

IONIQUE → GREC, ORDRE

Voir illus. **Colonnes**

IOTACISME → PRONONCIATION

IOULER → TYROLIEN

IPSO FACTO → CONSÉQUENCE

IR

Voir tab. **Éléments chimiques (symbole des)**

Voir tab. **Fiscalité**

IRANIEN → PERSE (1), PERSE (2)

IRASCIBILITÉ → NERVOSITÉ

IRASCIBLE → BRUTAL, COLÈRE, DIFFICILE, EMPORTER, EXPLOSIF, FÂCHER, IMPULSIF, VIF (2), VIOLENT

IRE → COLÈRE

IRÉNISME → PACIFIQUE (2)

IRIDIUM

Voir tab. **Éléments chimiques (symbole des)**

IRIDOCYCLITE → ŒIL

IRIDOLOGIE → DIAGNOSTIC

IRIS → BLEU (2)

Voir illus. **Œil**

Voir tab. **Végétaux (classification simplifiée des)**

IRISATION → PERLE

IRISH COFFEE → WHISKY

IRISH STEW

Voir tab. **Spécialités étrangères**

IRITIS → ŒIL

IRLANDAIS → CELTIQUE

IRLANDE

Voir tab. **Saints patrons**

IRM (IMAGERIE PAR RÉSONANCE MAGNÉTIQUE) → RADIOGRAPHIE

Voir tab. **Examens médicaux complémentaires**

IRONIE → ESPRIT, HUMOUR, TRAIT

IRONIE antiphrase, caprice, dérision, fantaisie, humour, moquerie, persiflage, plaisanterie, pointe, raillerie, sarcasme, satire, socratique

IRONIQUE → ACIDE (2), CAUSTIQUE, MALICIEUX, MOQUEUR, SARCASTIQUE, SATIRIQUE

IRONIQUE goguenard, moqueur, narquois, persifleur, railleur, sarcastique

IRONISER → ESPRIT

IRONISER blaguer, moquer (se), railler, tourner en dérision

IROQUOIS → CRÊTE

Voir illus. **Cheveux (coupes de)**

IRRADIANTE → DOULEUR

IRRADIATION → ATOMIQUE, RADIATION, TRANSMISSION

IRRADIER → BRILLER, RAYON

IRRADIER briller, brûlé, contaminé, diffuser (se), propager (se), rayonner (se), resplendit

IRRAISONNÉ → ARBITRAIRE, RAISON

IRRATIONNEL → CHEVEU, GRATUIT, INSTINCT, NOMBRE, SUITE

IRRATIONNEL absurde, anormal, déraisonnable, empirique, extravagant, farfelu, fou, gratuit, illogique, incohérent, insensé, saugrenu

IRRÉALISABLE → IMPOSSIBLE, UTOPIQUE

IRRÉALISABLE chimérique, idéaliste, impossible, inexécutable, infaisable, irréaliste, utopique

IRRÉALISTE → IRRÉALISABLE, UTOPIQUE

IRRECEVABLE → IMPOSSIBLE, INACCEPTABLE, INCONCEVABLE

IRRÉCUSABLE → NÉCESSAIRE, RÉCUSER, TÉMOIGNAGE

IRRÉDENTISME → TERRITOIRE

IRRÉDUCTIBLE → ABSOLU, ENDURCIR, INTRAITABLE, INTRANSIGEANT, SIMPLE

IRRÉDUCTIBLE acharné, indomptable, intraitable, intransigeant, invincible, obstiné

IRRÉEL → FABULEUX, FANTASTIQUE, FICTIF, IMAGINAIRE (2), IMPOSSIBLE, SURNATUREL

IRRÉEL abstrait, conditionnel, fantastique, fictif, imaginaire, intangible, utopique, virtuel

IRRÉFLÉCHI → ÉTOURDI, IMPULSIF, INCONSCIENT (2), INCONSIDÉRÉ, INSTINCT, INSTINCTIF, INVOLONTAIRE, RAISONNABLE, SPONTANÉ

IRRÉFLÉCHI automatique, écervelé, étourdi, imprévoyant, inattentif, inconséquent, intuitif, machinal, mécanique, spontané

IRRÉFLEXION → ÉTOURDERIE, INCONSCIENCE, LÉGÈRETÉ

IRRÉFRAGABLE → CONTREDIRE,

NÉCESSAIRE, RÉCUSER, TÉMOIGNAGE

IRRÉFUTABLE → ACCABLANT, BON (2), DÉCISIF, FORMEL, INATTAQUABLE, MANIFESTE (2), NÉCESSAIRE, RÉCUSER, RIGOUREUX, TÉMOIGNAGE

IRRÉGULARITÉ → ANOMALIE, EXCEPTION, PARTICULARITÉ, RÈGLE

IRRÉGULARITÉ abus, anomalie, défaut, entorse, erreur, exception, illégalité, inégalité, passe-droit, perturbation

IRRÉGULIER → ANORMAL, DISCONTINU, ILLÉGAL, IMPAIR (2), INÉGAL, INTERMITTENT (2), TOURMENTÉ, VARIABLE (2), VERBE

IRRÉGULIER abusif, anormal, arbitraire, arythmique, barbarisme, biscornu, capricant, déréglé, discontinu, dissymétrique, haché, heurté, illégal, illégitime, incorrection, inégal, intermittent, libre, marron, saccadé, solécisme, sporadique, variable, véreux

IRRÉGULIÈRE → GALAXIE

IRRÉLIGIEUX → ATHÉE, BLASPHÈME, IMPIE, INCRÉDULE, MÉCRÉANT (2), SCEPTIQUE (2)

IRRÉLIGIEUX agnostique, areligieux, athée, esprit fort, impie, incroyant, libertin, libre-penseur, mécréant, sceptique

IRRÉMÉDIABLE → DÉFINITIF, INCURABLE, IRRÉPARABLE

IRRÉMÉDIABLE funeste, incurable, inguérissable, irréparable

IRRÉMÉDIABLEMENT → FOIS

IRRÉMISSIBLE → PARDONNER

IRREMPLAÇABLE → PRÉCIEUX, UNIQUE

IRREMPLAÇABLE cher, indispensable, spécial, unique

IRRÉPARABLE → IRRÉMÉDIABLE

IRRÉPARABLE définitif, irrémédiable

IRRÉPRÉHENSIBLE → INNOCENT (2), IRRÉPROCHABLE

IRRÉPRESSIBLE → CONTENIR, IRRÉSISTIBLE, RETENIR

IRRÉPROCHABLE → BAVURE, HONNÊTE, IMPECCABLE, INATTAQUABLE, INNOCENT (2), MAGISTRAL, PARFAIT, REPROCHE

IRRÉPROCHABLE impeccable, inattaquable, irrépréhensible, parfait

IRRÉSISTIBLE → IMPÉRIEUX, INTENSE, RETENIR

IRRÉSISTIBLE adorable, charmant, comique, concluant, craquant, délicieux, drôle, enivrant, impérieux, implacable, incoercible, incontestable, irrépressible, séduisant

IRRÉSOLU → CONSISTANCE, FLOTTANT, INDÉCIS, LENT

IRRÉSOLUTION → DOUTE, EMBARRAS, HÉSITATION, INCERTITUDE, INDÉCISION

IRRESPECT → COMPORTEMENT, INSOLENCE

IRRESPECTUEUX → IMPOLI, INSOLENT, IRRÉVÉRENCIEUX

IRRESPONSABILITÉ → IMPRUDENCE, INCONSCIENCE

IRRESPONSABLE → IMMATURE,

IMPRUDENT, INCONSCIENT (2), INFANTILE, INNOCENT (2)

IRRESPONSABLE immunité, inconscient, insensé, insouciant

IRRÉVÉRENCE → COMPORTEMENT, IMPERTINENCE, INJURE, INSOLENCE, RESPECT, SACRILÈGE (1)

IRRÉVÉRENCIEUX → IMMORAL, IMPERTINENT, IMPOLI, INSOLENT

IRRÉVÉRENCIEUX impertinent, impoli, insolent, irrespectueux

IRRÉVERSIBLE → ACCOMPLI, RETOUR

IRRÉVERSIBLE définitif, fatal, irrévocable, retour (sans)

IRRÉVERSIBLEMENT → FOIS

IRRÉVOCABLE → DÉFINITIF, FATAL, FERME (2), IRRÉVERSIBLE, RÉVOQUER

IRRÉVOCABLEMENT → FOIS, JAMAIS

IRRIGATION arrosage, baignage, barrage, buse, circulation sanguine, colateur, conduit, rigole, tuyau

IRRIGUER → ARROSER

IRRITABLE → COLÈRE, DIFFICILE, EMPORTER, IMPULSIF, SUSCEPTIBLE

IRRITANT → ÂCRE, SUPPORTER

IRRITATION → BRÛLURE, COLÈRE, DÉMANGEAISON, IMPATIENCE, INFLAMMATION, NERVOSITÉ

IRRITÉ → EXASPÉRER, FÂCHÉ, GRINCANT, HÉRISSÉ, VIF (1)

IRRITÉ à cran, agité, courroucé, énervé, enragé, exaspéré, fâché, furieux, hors de lui

IRRITER → AGACER, BOUILLIR, CONTRARIER, ÉNERVER, ENFLAMMER, ENRAGER, ENVENIMER, EXASPÉRER, INDIGNER (S'), PIQUER

IRRITER agacer, blesser, brûler, contrarier, courroucer, crisper, emporter (s'), enflammer, exaspérer, excéder, fâcher (se), faire sortir de ses gonds, horripiler, impatienter, impatienter (s'), indigner (s'), mettre en colère, monter (se), piquer, tourmenter

IRRORATION → ROSÉE

IRRUPTION → BRUSQUE, INVASION, TROMBE

IRRUPTION (FAIRE) → ENTRER

IRTYCH

Voir tab. **Fleuves**

IS

Voir tab. **Fiscalité**

ISABELLE → JAUNE

Voir tab. **Chevaux (robes des)**

Voir tab. **Couleurs**

ISAÏE → PROPHÈTE

Voir tab. **Bible**

ISATIS → TEINTURE

ISBA → HABITATION

ISBN (INTERNATIONAL STANDARD BOOK NUMBER) → LIVRE

ISCHÉMIE → SANG

ISCHIATIQUE → HANCHE

ISCHION

Voir illus. **Squelette**

ISCHURIE → URINE

ISF

Voir tab. **Fiscalité**

ISHTAR → BABYLONIEN

ISLAM → ARABE, MUSULMAN (1)

Voir tab. **Histoire (grandes périodes)**

Voir tab. **Islam (vocabulaire de l')**

Voir tab. **Religions et courants religieux**

ISLAM Aïd-el-Kébir, baïram, charia, chiite, Coran, djami, djihad, giaour, hadji, hezbollah, hidjab, imam, islamisme, khalife, masdjid, mosquée, muezzin, musulman, ramadan, sadjada, soufisme, sunnite, tchador

ISLAMISME → ISLAM

ISLANDAIS → GERMANIQUE

ISMAILIENS

Voir tab. **Religions et courants religieux**

ISO → ÉMULSION, PHOTOGRAPHIE

Voir tab. **Photographie (vocabulaire de la)**

ISOBARE → ATMOSPHÉRIQUE, MÉTÉOROLOGIE

ISOBATHE → ÉGAL

ISOCÈLE → ÉGAL, TRIANGLE

Voir illus. **Géométrie (figures de)**

ISOCHRONE → TEMPS

ISOCHRONISME → ÉGALITÉ

ISOCLINE → INCLINAISON

ISOGONE → ANGLE

ISOLANT → ÉLECTRIQUE, LAINE

ISOLATION → BRUIT, ISOLEMENT

ISOLÉ → INDIVIDUEL, LOIN, LOINTAIN (2), PERDU, SOLITAIRE, UNIQUE, VASE

Voir tab. **Échecs**

ISOLEMENT → BLOCUS, EXIL, QUARANTAINE

ISOLEMENT abandon, autarcie, autisme, captivité, claustration, délaissement, désenclaver, esseulement, isolation, ivoire (tour d'), ostracisme, protection, protectionnisme, quarantaine, repli, ségrégation, séquestration, solitude

ISOLER → CONFINER (SE), DÉGAGER, ENTERRER, EXTRAIRE, QUARANTAINE, RETIRER (SE), SÉPARER, SEUL, VIDE (1)

ISOLER abstraire, barricader (se), blocus, confiner (se), désocialiser, détacher, disjoindre, distinguer, écarter, éloigner, enfermer (s'), exclure, extraire, frapper d'ostracisme, identifier, insonoriser, isoloir, pratiquer l'apartheid, replier (se), retirer (se), séparer, terrer (se)

ISOLOIR → CABINE, ISOLER (S'), VOTE

ISOMÈRE → FORMULE

Voir tab. **Chimie**

ISOMÉRISATION → PÉTROLE

ISOMÉTRIQUE → CONTRACTION, ÉGAL

ISOMORPHE → FORME

ISOTHERME → CHALEUR, MÉTÉOROLOGIE, TEMPÉRATURE

ISOTONIQUE → CONTRACTION

ISOTOPE → ATOMIQUE

Voir tab. **Chimie**

ISOTRON → ACCÉLÉRATEUR

ISRAÉLITE → HÉBREU

ISRAÉLITE hébraïque, judaïsme

ISSANT

Voir tab. **Héraldique (vocabulaire de l')**

ISSÉENS

Voir tab. **Habitants (comment se nomment les)**

ISSU (ÊTRE) → VENIR

ISSUE → RÉSULTAT, SOLUTION, SORTIE, STADE, TERME

ISSUE abats, aboutissement, cul-de-sac, débouché, dégagement, dégorgeoir, déversoir, échappatoire, émonctoire, évacuation, expédient, fin, impasse, ouverture, porte, profession, résidu, résultat, solution, son, sortie

ISSUE (SANS) → IMPASSE

ISSUES → BOUCHERIE, FARINE

ISSY-LES-MOULINEAUX

Voir tab. **Habitants (comment se nomment les)**

ISTHME → MER, PÉNINSULE, TERRE

Voir illus. **Littoral**

ITALIANISME → ITALIEN (1)

ITALIE

Voir tab. **Saints patrons**

ITALIEN → ROMAN (2), SUISSE

Voir tab. **Café**

ITALIEN (1) italianisme, Ritals

ITALIEN (2) commedia dell'arte, lire, macaroni, pizza, podestat, polenta, risotto, spaghetti, transalpine

ITALIENNE (À L') → STORE

Voir tab. **Vols (types de)**

ITALIQUE

Voir tab. **Typographies**

ITELLE

Voir tab. **Oiseaux (classification simplifiée des)**

ITÉRATIF → RÉCURRENT, RÉPÉTITION

ITHYPHALLIQUE → ÉRECTION, PHALLUS

ITIÈRE (FAIRE) → FOULER

ITINÉRAIRE → CIRCUIT, ROUTE, TRAJET

Voir tab. **Livres**

ITINÉRAIRE chemin, cheminement, circuit, indicateur, kilomètre, lieue, mille, nœud, parcours, pensée, route, stade, trajet, voyage

ITINÉRAIRE BIS → DÉVIATION

ITINÉRANT → DOMICILE

IUT (INSTITUT UNIVERSITAIRE DE TECHNOLOGIE) → UNIVERSITÉ

IVG → AVORTEMENT, FŒTUS, INTERRUPTION

IVOIRE → BLANC (1), DENT, MARQUETERIE, PEIGNE

Voir illus. **Dent**

Voir illus. **Piano**

Voir tab. **Couleurs**

IVOIRE bleu, chryséléphantine, corozo, dentine, éburné, éburnéen, ivoirerie, ivoirier, ivoirin, ivoirine, marqueterie, morfil, mort, noir, rohart, toreutique, vert

IVOIRE (TOUR D') → ISOLEMENT

IVOIRERIE → IVOIRE

IVOIRIER → IVOIRE

IVOIRIN → BLANC (2), IVOIRE

Voir tab. **Couleurs**

IVOIRINE → IVOIRE

IVRAIE → CÉRÉALE, HERBE

IVRE aviné, blindé, bourré, cuit, cuité, cuver son vin, dégriser (se), dessoûler, éméché, émoustillé, enchanté, enivrer, exalté, gai, goguette (en), gris, grisé, griser, monter à la tête, noir, paf, parti, plein, pompette, rond, schlass, soûl, transporté

IVRE DE JOIE → JOIE

IVRESSE → VERTIGE

IVRESSE alcoolisme, création, ébriété, enchantement, enivrement, enthousiasme, éthylisme, exaltation, excitation, extase, griserie, hébétude, idéal, intempérance, transport, trouble, volupté

IVROGNE
Voir tab. **Saints patrons**

IVROGNE alcoolique, biberon, buveur, débauché, dipsomane, éthylique, pilier de comptoir, poivrot, rogomme, soiffard, soûlographe, vide-bouteille

IVRY-SUR-SEINE
Voir tab. **Habitants (comment se nomment les)**

IVRYENS
Voir tab. **Habitants (comment se nomment les)**

IWAN → MOSQUÉE

IZNOGOUD
Voir tab. **Bande dessinée (héros de)**

JABLE → PLANCHE

JABOT → COL, DENTELLE, ESTOMAC, OISEAU, POCHE

JACAMAR
Voir tab. **Oiseaux (classification simplifiée des)**

JACANA
Voir tab. **Oiseaux (classification simplifiée des)**

JACASSER → BAVARDER, CAUSER, PIE (1)

JACASSERIE → BAVARDAGE

JACHÈRE → AGRICOLE, CHAMP, FRICHE, INCULTE, REPOS, TERRE

JACHÈRE abandon (à l'), assolement, friche (en), guéret, rotation des cultures

JACINTHE → CLOCHETTE

JACINTHE clochette, endymion, hyacinthe, liliacées, muscari, scille

JACK → FICHE

JACKET → DENTAIRE

JACKPOT → COMBINAISON

JACQUARD → TRICOT
Voir tab. **Tissus**

JACQUERIE → RÉVOLTE
Voir tab. **Histoire (grandes périodes)**

JACQUES → AGRICULTEUR, PAYSAN (1)
Voir tab. **Jésus (disciples de)**

JACQUES LE MAJEUR → PÈLERIN

JACQUES-FOUCHIER (PRIX)
Voir tab. **Prix littéraires**

JACQUIER → URTICAIRE

JACQUOT → PERROQUET

JACTANCE → VANITÉ

JACUZZI → BAIN

JADE → VERT

Voir tab. **Couleurs**
Voir tab. **Pierres précieuses et semi-précieuses**

JADE jadéite, néphrite

JADÉITE → JADE

JADIS → PASSÉ (1)

JAEUR
Voir tab. **Oiseaux (classification simplifiée des)**

JAGUAR → FAUVE (1)

JAILLIR → COULER, ÉLEVER, PARTIR, POINTER, SORTIR, SURGIR

JAILLIR bondir, éclater, fuser, gicler, sortir, sourdre, surgir

JAILLISSEMENT → ÉRUPTION, JET

JAÏNISME → HINDOU
Voir tab. **Religions et courants religieux**

JAIS → NOIR (2)
Voir tab. **Couleurs**
Voir tab. **Minéraux et utilisations**
Voir tab. **Pierres précieuses et semi-précieuses**

JALON → ARPENTAGE, MARQUE, REPÈRE, RUBAN

JALONNER → INTERVALLE, TRACER

JALOUSER → DÉSIRER

JALOUSER envier

JALOUSIE → DÉPIT, ENVIE, FENÊTRE, PASSION, RIVALITÉ, TREILLIS, VOLET

JALOUSIE contrevent, convoitise, dépit, envie, haine, inquiéter de (s'), mesquinerie, offenser de (s'), offusquer de (s'), ombrage de (prendre), persienne, rivalité, store, volet

JALOUX → POSSESSIF, SOUPÇONNEUX

JALOUX détracteur, envieux, exclusif, ombrageux, soupçonneux, tchicaneur

JAM → BŒUF

JAM-SESSION → BŒUF, JAZZ

JAMAIS → CAS

JAMAIS à aucun prix, certainement pas, définitivement, déjà, éternellement, irrévocablement, jour (un), pas, pour rien au monde, pour toujours, sans retour

JAMBAGE → LETTRE
Voir illus. **Cheminée**
Voir illus. **Intérieur de maison**

JAMBE
Voir illus. **Cheval**
Voir illus. **Vin (vocabulaire du)**

JAMBE chèvre-pied, cnémide, cul-de-jatte, difforme, faune, fémur, grève, guêtre, houseau, ingambe, jambière, leggings, molletière, Pan, paraplégie, péroné, pilon, rotule, satyre, tibia, tordu, torse

JAMBE DE CHIEN (NŒUD DE)
Voir illus. **Nœuds**

JAMBIÈRE → BAS (1), JAMBE, VÊTEMENT
Voir illus. **Armures**

JAMBON → CUISSE, PORC
Voir illus. **Charcuterie**
Voir illus. **Porc**

JAMBON bayonne, entame, mayence, parme, talon

JAMBOREE → RÉUNION

JANGADA → CABANE

JANISSAIRE → GARDE, SOLDAT, TURC

Voir tab. **Couleurs**
Voir tab. **Pierres précieuses et semi-précieuses**

JANSÉNISME → GRÂCE

JANSÉNISTE → RELIURE

JANTE → POULIE, ROUE
Voir illus. **Bicyclette**

JANTILLE → PALETTE

JANUS → JANVIER

JANVIER Janus, nivôse, pluviôse

JAPON → EMPIRE, PAPIER

JAPONAIS aïkido, biwa, bonsaï, bugaku, bunraku, bushi, daimyo, gagaku, geisha, haïku, hara-kiri, hichiriki, Hokkaido, Honshu, ikebana, judo, jujitsu, kabuki, kakemono, kakko, kamikaze, kana, kanji, karaté, kendo, kimono, komafuyé, koto, kyogen, kyudo, Kyushu, makimono, mikado, nippon, nô, obi, oteki, rônin, ryu, saké, samouraï, sashimi, seppuku, shamisen, Shikoku, shintoïsme, shogun, sumo, sushi, taiko, tanka, tatami, tempura, tsuzumi, yakitori, yakuza, yen

JAPONETTE → SOIE
Voir tab. **Tissus**

JAPPEMENT → CHIEN

JAPPER → ABOYER
Voir tab. **Animaux (termes propres aux)**

JAQUEMART → HORLOGE

JAQUET → DÉ

JAQUETTE
Voir illus. **Manteaux**
Voir illus. **Modes et styles**

JAR
Voir tab. **Argot et langages populaires**

JARDIN → PARC
Voir illus. **Théâtre**

JARDIN clos, closerie, fabrique, Flore, fruitier, garderie, gloriette, kiosque, massif, orangerie, ouche, parc, parterre, paysagiste, pergola, Pomone, potager, rocaille, square, tonnelle, verger, Vertumne, zoo

JARDIN D'ACCLIMATATION → PARC

JARDIN D'ENFANTS → MATERNEL

JARDIN SECRET → SECRET (2)

JARDINAGE → DIAMANT, LOUPE

JARDINIER → PAYSAGE

JARDINIER arboriculteur, Fiacre (saint), horticulteur, maraîcher, pépiniériste

JARDINIÈRE → FLEUR

JARDINS SUSPENDUS DE SÉMIRAMIS
Voir tab. **Monde (les Sept Merveilles du)**

JARGAUDER → OIE

JARGON → DIALECTE, LANGAGE, SPÉCIALITÉ

JARGONAPHASIE → RAPIDE

JARGONNER
Voir tab. **Animaux (termes propres aux)**

JARRE → FOURRURE, VASE

JARRET → GENOU, SAILLIE
Voir illus. **Cheval**
Voir illus. **Porc**
Voir illus. **Veau**

JARRETIÈRE → BAS (1), MARIAGE

JARS → OIE
Voir tab. **Animaux (termes propres aux)**

Voir tab. **Argot et langages populaires**

JAS → MARAIS

JASER → BAVARDER, COMMÉRAGE, GEAI, INDISCRET, MÉDIRE, PIE (1)

JASER bavarder, cancaner, caqueter, causer, commérage (faire des), médire, parler, potiner, racontar

JASERAN → CHAÎNE, CHEMISE, MAILLE

JASERIE → CONVERSATION

JASEUR → BAVARD

JASMIN bignone de Virginie, oléacées, sampac

JASPE → QUARTZ
Voir tab. **Pierres précieuses et semi-précieuses**

JASPÉ → COULEUR, MARBRE

JASPIN → BAVARDAGE

JATAKA
Voir tab. **Bouddhisme**

JATI
Voir tab. **Hindouisme**

JATTE → BOL, COUPE

JAUGE → INDICATEUR, TONNAGE

JAUGE tonnage

JAUGER → CONSIDÉRER, ÉVALUER, JUGER, MESURER, PESER, TENIR

JAUGER apprécier, considérer (se), contrôler, estimer, évaluer, examiner (s'), juger (se), mesurer, toiser (se), valeur (fixer la)

JAUNÂTRE
Voir tab. **Couleurs**

JAUNE → GRÈVE, PRIMAIRE, PRIMITIF, SPECTRE, SYNDICAT
Voir illus. **Œuf**
Voir tab. **Couleurs**

JAUNE ambre, beurre-frais, bilieux, canari, chamois, cireux, citron, fauve, flavescent, isabelle, jaunet d'eau, jonquille, kaki, mordoré, nankin, ocre, paille, safrané, sauré, topaze, xanthie

JAUNE (FLEUVE)
Voir tab. **Fleuves**

JAUNE-VERT → PRUNE

JAUNET → PIÈCE

JAUNET D'EAU → JAUNE

JAUNIR blondir, dorer

JAUNISSE → BILE, FOIE, SANG

JAUNISSE cholémie, hépatite, ictère, xanthopsie

JAVA → LANGAGE
Voir tab. **Danses (types de)**
Voir tab. **Internet**

JAVANAIS
Voir tab. **Argot et langages populaires**

JAVEAU → DÉPÔT, SABLE

JAVELINE → JAVELOT

JAVELLE → FAGOT, TAS

JAVELLISATION → PURIFICATION, STÉRILISATION

JAVELLISER → STÉRILISER

JAVELOT → LANCE

JAVELOT angon, dard, framée, javeline, lance, pilum, sagaie

JAVELOT (LANCER DU)
Voir tab. **Sports**

JAZZ be-bop, blues, break, chorus, dixieland, free jazz, jam-session, jazz cool, negro spiritual, ragtime, rhythm and blues, scat, swing

J

JAZZ COOL → JAZZ

JAZZ HOUSE
Voir tab. **Musiques nouvelles**

JE VOUS SALUE MARIE →
VIERGE (1)

JEAN → PANTALON
Voir illus. **Modes et styles**
Voir tab. **Jésus (disciples de)**

JEAN II LE BON
Voir tab. **Rois et chefs d'État de
la France**

JEAN-DORÉ → DORÉE

JEAN-FRANÇOIS CHAMPOLLION
→ HIÉROGLYPHE

JEANNE D'ARC → BERGER

JEANNE D'ARC (À LA)
Voir illus. **Cheveux (coupes de)**

JECTISSE → PIERRE, TERRE

JEEP → VÉHICULE

JÉHOVAH → DIEU

JÉJUNO-
Voir tab. **Chirurgicales
(interventions)**

JÉJUNUM → GRÊLE (2), INTESTIN (1)
Voir illus. **Digestif (appareil)**
Voir tab. **Chirurgicales
(interventions)**

JENNY → COTON

JÉRÉMIADE → BÊLEMENT,
GÉMISSEMENT, LAMENTATION,
PLAINTE, PLEUR

JÉRÉMIE → PROPHÈTE
Voir tab. **Bible**

JEREZ → XÉRÈS

JERK → DANSE
Voir tab. **Danses (types de)**

JÉROBOAM → CHAMPAGNE, LITRE
Voir tab. **Bouteilles**

JERRICAN → CAISSE

JERRYCAN → NOURRICE

JERSEY → MAILLE, TRICOT
Voir tab. **Tissus**

JÉRUSALEM → LAMENTATION, VILLE
Voir tab. **Islam
(vocabulaire de l')**

JÉSUITIQUE → HYPOCRITE

JÉSUS → SAUCISSON
Voir tab. **Papier (formats de)**

JÉSUS-CHRIST → CHRIST, FILS,
MESSIE, MYSTIQUE (2), PASTEUR

JET → AVION, BOURGEON, GERBE,
PROJECTION, RAYON, VÉHICULE

JET artichaut, ébauche, émission,
éruption, esquisse, gerbe,
giclée, jaillissement, lancer,
projection, ruissellement

JET-SET → SOCIÉTÉ

JET-SOCIETY → SOCIÉTÉ

JETAGE → ÉCOULEMENT, NASAL

JETÉ → DANSE
Voir tab. **Danse classique**

JETÉE → BARRAGE, PORT

JETÉE brise-lames, débarcadère,
digue, embarcadère, estacade,
môle, musoir, quai

JETER → CONSTRUIRE,
DÉBARRASSER (SE), DÉVERSER (SE),
FICHER, FONDRE, LÂCHER, LANCER,
PLONGER, POSER, PRÉCIPITER (SE),
RÉFUGIER (SE), RENVERSER,
RÉPANDRE

JETER agresser, anéantir,
assaillir, collet (prendre au),
débarrasser (se), déboucher,
défaire (se), défenestrer,
déverser, dilapider, écrire,
écrouer, emprisonner,
enfermer, ensorceler, envoûter,

envoyer (s'), fondre sur, gaspiller,
gorge (prendre à la), griffonner,
incarcérer, jettatore, lancer (se),
noter, plaquer, plonger,
pousser, précipiter sur (se),
rebut (mettre au), renverser,
sauter sur, tomber (faire)

JETER BAS → RENVERSER

JETER L'ÉPONGE → ABANDONNER,
CAPITULER

JETER LA CONFUSION →
BROUILLER

JETER LE GANT → DUEL

JETER SON DÉVOLU → CHOISIR

JETEUR DE SORT → MALÉDICTION

JETON → FICHE, PEUR
Voir tab. **Collectionneurs**

JETON cavalier, flatteur, frousse,
hypocrite, jeton de présence,
marque, marron, palet, peur,
pion, plaque, plaquette,
simulateur, tessère, trompeur,
trouille

JETON DE PRÉSENCE → JETON,
SALAIRE

JETONOPHILE
Voir tab. **Collectionneurs**

JETTATORE → JETER

JETTATURA → MALÉDICTION

JEU → ATTRACTION,
DIVERTISSEMENT, INTERPRÉTATION,
MANÈGE, RÉCRÉATION, SÉRIE

JEU amusement, anagramme,
anastrophe, anches, baccara,
badinage, bandit manchot,
batifolage, black jack,
calembour, cave, charade,
contrepèterie, devinette,
distraction, divertissement,
enjeu, fonds, jeux Pythiques,
lipogramme, loterie, loto,
ludisme, mise, mixture, mots
croisés, mots fléchés,
olympiade, passe-temps, poker,
poule, rébus, récréation,
roulette, Scrabble

JEU D'ORGUE → ORGUE

JEU DE SOCIÉTÉ → INTELLIGENCE
ARTIFICIELLE

JEU DE TIMBRES
Voir tab. **Instruments de
musique**

JEUNE → NOUVEAU, RÉCENT, VERT

JEUNE adolescent(e), benjamin,
cadet, jouvenceau, jouvencelle,
junior, juvénile, mousse,
novice, puîné, vert

JEÛNE → ABSTINENCE, PÉNITENCE,
PRIVATION

JEÛNE abstinence, carême, diète,
grève de la faim, pénitence,
quatre-temps, ramadan,
Yom Kippour

JEUNE ÉCRIVAIN (PRIX)
Voir tab. **Prix littéraires**

JEUNE LOUP → HOMME D'AFFAIRES

JEÛNER → MANGER, REPAS

JEUNESSE → BEAU, FRAÎCHEUR,
PRINTEMPS

JEUNESSE adolescence, fraîcheur,
Hébé, jouvence (de), printemps
de la vie, verdeur, vigueur

**JEUNESSE (GRAND PRIX ISC DE
LA)**
Voir tab. **Prix
cinématographiques**

JEUNISME → DISCRIMINATION

JEUX PYTHIQUES → JEU

JINGLE → INDICATIF, PUBLICITAIRE

JINGO → PATRIOTE

JIU-JITSU → ART MARTIAL
Voir tab. **Sports**

JOAILLERIE → PLATINE
Voir tab. **Minéraux et utilisations**

JOAILLIER → BIJOU, DIAMANT

JOB → PLACE, PROFESSION
Voir tab. **Bible**

JOBARD → NIAIS, SOT

JOBARDER → EMBOBINER

JOBARDERIE → NAÏVETÉ, NIAISERIE

JOBELIN
Voir tab. **Argot et langages
populaires**

JOCASSE → GRIVE

JOCKEY → CHEVAL

JOCKEY casaque, gentleman rider,
toque

JOCRISSE → NIAIS, SOT

JODEL → TYROLIEN

JODHPUR → PANTALON

JODLER → TYROLIEN

JOËL
Voir tab. **Bible**

JOGGEUR → CHAUSSURE
Voir illus. **Chaussures**

JOGGING → CULOTTE
Voir illus. **Modes et styles**

JOIE → CONTENTEMENT,
ENTHOUSIASME, JOUISSANCE, PIE
(1), PLAISIR, RÉGAL, SATISFACTION

JOIE acclamation, agrément,
allégresse, alléluia, anges (aux),
béatitude, comblé, douceur,
enchanté, enchantement,
euphorie, extase, exultation,
gaieté, hosanna, ivre de joie,
jubilation, liesse, plaisir,
radieux, ravissement,
rayonnant, réjouir, réjouissance,
septième ciel (au)

JOIGNY
Voir tab. **Habitants (comment se
nomment les)**

JOINDRE → ADJOINDRE, AJUSTER,
BOUT, CONJUGUER, INCORPORER,
INCORPORER, MÊLER, PARTICIPER,
RACCORDER, RÉUNIR, SERRER,
TOUCHER, UNIR

JOINDRE aboucher, abouter,
accoler, accoupler, adapter,
adhérer à, adjoindre,
agréger (s'), ajouter, ajuster,
allier, anastomoser, assembler,
associer, associer (s'), braser,
conjuguer, contact (mettre en),
contacter, coupler, embrever,
épisser, immiscer dans (s'),
inclure, incorporer, insérer,
intégrer, intervenir dans,
jumeler, lier, mêler à (se),
participer à, prendre part à,
rapprocher, regrouper,
rejoindre, relier, souder,
superposer, toucher,
toucher (faire se), unir

JOINT → DROGUE, HASCHISCH,
PÉTARD, RONDELLE, SOUDURE

JOINT (1) articulation, attache,
commissure, jointoyer, jointure

JOINT (2) additionnel, ajouté,
annexe, attaché, cacheté, clos,
fermé

JOINT DE CULASSE
Voir tab. **Garagiste
(vocabulaire du)**

JOINT SPI

Voir tab. **Garagiste
(vocabulaire du)**

JOINTOYER → JOINT (1)

JOINTURE → ARTICULATION,
JOINT (1)

JOJOBA → DÉSERT

JOKER → CARTE

JOLI → PLAISANT

JOLI adorable, aimable, charmant,
conséquent, coquet, délicat,
délicieux, exquis, fin, gracieux,
harmonieux, important,
mignon, pimpant, ravissant,
rondelet, substantiel

JOLIE BRISE
Voir tab. **Vent : échelle de
Beaufort**

JOLIESSE → BEAUTÉ

JONAS
Voir tab. **Bible**

JONC → BAGUE, BAGUETTE,
BRACELET, CANNE, PANIER,
VANNERIE
Voir illus. **Bijoux**

JONCÉ
Voir illus. **Sièges**

JONCER → CHAISE

JONCHER → COUVRIR, PARSEMER,
RECOUVRIR, RÉPANDRE

JONCTION → NŒUD, RENCONTRE,
RÉUNION, SOUDURE

JONCTION aiguillage, assemblage,
bifurcation, bretelle, carrefour,
communication, confluent,
connexion, contact, croisement,
embranchement, fourche,
interface, liaison, raccordement,
rencontre, réunion

JONGLER → JOUER

JONGLER assiette, bateler, boule,
cerceau, massue, torche

JONGLEUR → ACROBATE, ADRESSE,
POÈTE

JONKHEER → HOLLANDAIS

JONQUE → BATEAU, VOILIER
Voir tab. **Bateaux**

JONQUILLE → JAUNE

JONQUILLE amaryllidacées, narcisse
des prés, narcisse jonquille

JOSUÉ
Voir tab. **Bible**

JOUBARDE → VERRUE

JOUE
Voir illus. **Cheval**
Voir illus. **Sièges**

JOUE abajoue, bajoue, buccinateur,
joufflu, jugal, mafflu, malaire,
masséter, pommette,
zygomatique

JOUÉE → ÉPAISSEUR
Voir illus. **Maison**

JOUER → BADINER, BAFOUER,
BOÎTE, INTERPRÉTER, PARIER,
PRODUIRE (SE), REMPLIR,
REPRÉSENTER, RISQUER

JOUER abuser, agioter, amuser (s'),
boursicoter, distraire (se),
divertir (se), exécuter, exposer,
hasarder, incarner, interpréter,
jongler, miser, parier,
récréer (se), représenter,
risquer (se), spéculer, tromper

JOUER LE RÔLE → OFFICE

JOUET → VICTIME

JOUET baigneur, bilboquet,
crécelle, diabolo, dînette,
fronde, hochet, ludion, poupée,
toton, tours

JOUETTE → TROU

JOUEUR → ÉQUIPIER, PARTENAIRE

JOUEUR coéquipier, dupeur, équipier, fair-play, flambeur, fraudeur, loyal, parieur, partenaire, pipeur, tricheur, turfiste

JOUFFLU → BOUFFI, JOUE, ROND (2)

JOUG → BALANCE, CARCAN, DÉPENDANCE, DOMINATION, ESCLAVAGE, OPPRESSION, SERVITUDE

JOUIR → AVOIR (1), DISPOSER, POSSÉDER, PROFITER, USER

JOUIR apprécier, avoir, bénéficier, délecter (se), disposer, doter de (être), goûter, jouissance, posséder, profiter, savourer, usage, usufruit de

JOUISSANCE → JOUIR, ORGASME, PLAISIR, PROPRIÉTÉ, SATISFACTION, VOLUPTÉ

JOUISSANCE agrément, bien-être, contentement, délectation, délice, douceur, épicurisme, érotisme, hédonisme, joie, orgasme, plaisir, possession, propriété, satisfaction, sensualité, usage, usufruit, volupté

JOUISSEUR → BON VIVANT, LIBERTIN, SENSUEL

JOULE → ÉNERGIE

Voir tab. **Électricité**

JOUR → ASPECT, BRÈCHE, BRODERIE, DÉCORATION, ÉCLAIRAGE, FOIS, ORIFICE, OUVERTURE, PERSPECTIVE, TROU

JOUR aube, aurore, brune, calendes, crépuscule, diurne, duodi, éphémère, éphéméride, Épiphanie, équinoxe, jour (au point du), nonidi, octidi, potron-minet (dès), primedi, quantième, quartidi, quintidi, quotidien, sabbat, septidi, sextidi, soir, tombée de la nuit, tridi

JOUR (AU POINT DU) → JOUR

JOUR (UN) → JAMAIS

JOUR D'ABSTINENCE → VIANDE

JOUR D'AUJOURD'HUI (AU) → PLÉONASME

JOUR DU REPOS → DIMANCHE

JOUR DU SEIGNEUR → DIMANCHE

JOUR GRAS → VIANDE

JOUR MAIGRE → VIANDE

JOUR OU L'AUTRE (UN) → TÔT

JOURNAL → ACTUALITÉ, BULLETIN, CARNET, COMPTABILITÉ, GAZETTE, IMPRIMER, INFORMATION, ORGANE, PÉRIODIQUE (1), RÉCIT, REGISTRE

JOURNAL bouillon, brûlot, bulletin, carnet, dazibao, éditorial, entrefilet, gazette, hebdomadaire, magazine, manchette, mensuel, morasse, nécrologie, organe, périodique, quotidien, revue, tabloïd

JOURNAL OFFICIEL → BULLETIN

JOURNAL TÉLÉVISÉ → NOUVELLE

JOURNALIER → AGRICULTEUR, JOURNÉE, OUVRIER, QUOTIDIEN, TRAVAILLEUR (1)

JOURNALISTE → PRÉSENTATEUR, RÉDACTEUR

Voir tab. **Saints patrons**

JOURNALISTE chroniqueur,

correspondant, courriériste, critique, échotier, éditorialiste, envoyé spécial, folliculaire, libelliste, pamphlétaire, pigiste, plumitif, polémiste, rédacteur, reporter

JOURNÉE après-midi, journalier, matin, matinée

JOURNÉES DES BARRICADES → FRONDE

JOUTE → CHEVALIER, COMBAT, COMPÉTITION, CONCURRENCE, CONTROVERSE, DUEL, LANCE, MÉDIÉVAL, RIVALITÉ, TOURNOI

JOUTE ORATOIRE → FACE-À-FACE

JOUVENCE (DE) → FONTAINE, JEUNESSE

JOUVENCEAU → JEUNE

JOUVENCELLE → FILLE, JEUNE

JOUXTER → TOUCHER

JOUY (TOILE DE)

Voir tab. **Tissus**

JOVIAL → GAI (2), JOYEUX

JOVIAL boute-en-train, bruyant, communicatif, contagieux, éclatant, enjoué, épanoui, franc, gai, gai luron, gaillard, joyeux, joyeux drille, rayonnant, réjoui, rieur, sonore, souriant, vivant (bon)

JOVIALITÉ → GAIETÉ

JOVINIENS

Voir tab. **Habitants (comment se nomment les)**

JOYAU → BIJOU, SOLITAIRE

JOYEUX → CONTENT (2), JOVIAL, PLAISANT, RADIEUX

JOYEUX allègre, endiablé, enjoué, entraînant, gai, heureux, hilare, jovial, radieux, rayonnant, réjoui, riant, souriant

JOYEUX DRILLE → GAI (2), JOVIAL

JPEG

Voir tab. **Internet**

JUBARTE → BALEINE

JUBÉ → CLÔTURE, GALERIE

JUBILATION → ENTHOUSIASME, GAIETÉ, JOIE

JUBILÉ → ANNIVERSAIRE, CÉLÉBRATION, CÉRÉMONIE, INDULGENCE, PARDON

JUBILER → RÉJOUIR (SE)

JUCHÉE → FAISAN

JUCHER → GRIMPER, PERCHER (SE), POSER (SE)

JUDAÏSME → ISRAÉLITE, JUIF (2)

Voir tab. **Religions et courants religieux**

JUDAS → FRÈRE, GUICHET, ŒIL, OUVERTURE, PORTE, TRAÎTRE (1)

JUDAS (BAISER DE) → BAISER

JUDAS ISCARIOTE

Voir tab. **Jésus (disciples de)**

JUDICATURE → JUGE

JUDICIAIRE → POLICE, POUVOIR

JUDICIEUX → ADÉQUAT, ADROIT, BON (2), CONSEIL, JUSTE, LOGIQUE, OPPORTUN, PERTINENT, PRUDENT, RAISONNABLE, SAGE

JUDICIEUX intelligent, pertinent, raisonnable, sagace, sage, sensé

JUDITH

Voir tab. **Bible**

Voir tab. **Cartes à jouer**

JUDO → ART MARTIAL, JAPONAIS

Voir tab. **Sports**

JUDO clef, dan, dojo, immobilisation, judoka, jujitsu,

kumikata, kyu, nage-wasa, newasa, projection, strangulation, tori, uke

JUDOKA → JUDO

JUGAL → JOUE

JUGE alcade, cadi, conseiller d'État, consulaire, héliaste, judicature, magistrat, official, vergobret, viguier

JUGE D'INSTRUCTION

Voir tab. **Droit (termes de)**

JUGE DE TOUCHE

Voir illus. **Football**

JUGEMENT → ARRÊT, AVIS, CENSURE, COMPARAISON, CONCEPTION, CONDAMNATION, CRITIQUE (1), DISCERNEMENT, INTELLIGENCE, OPINION, ORDONNANCE, POSITION, RAISON, REGARD, SAGESSE, SENS, SENTENCE, SENTIMENT, VERDICT

JUGEMENT arrêt, avis, clairvoyance, décision, discernement, entendement, façon de voir, finesse, intelligence, lucidité, opinion, ordalie, ordonnance, perspicacité, point de vue, psychostasie, raison, sagacité, sentence, sentiment, verdict

JUGER → CLASSER, CONSIDÉRER, CRITIQUER, CROIRE, DÉCIDER, JAUGER, PRONONCER, RECONNAÎTRE, REGARDER, TRANCHER, TROUVER

JUGER apprécier, arbitrer, blâmer, condamner, considérer, critiquer, départager, désapprouver, donner raison, donner tort, estimer, évaluer, examiner, incriminer, jauger, mesurer, peser, prononcer sur (se), régler, réprouver, statuer sur, stigmatiser, trancher

JUGES (LES)

Voir tab. **Bible**

JUGULAIRE → CASQUE, COU, GORGE, MENTON

JUGULER → ARRÊTER, ÉTOUFFER, MAÎTRISER

JUIF (1) → HÉBREU, SAINT (2)

JUIF (1) antisémitisme, ashkénaze, Falacha, gentil, goy, Kabbale, kippa, marrane, phylactère, sabbat, sanhédrin, séfarade, tallith, tefillin

JUIF (2) bar-mitsva, bat-mitsva, circoncision, Diaspora, judaïsme, kaddish, kasher, mellah, menora, parascève, Pessah, pogrom, rabbin, Rosh ha-Shana, schofar, sionisme, synagogue, Talmud, yiddish, Yom Kippour

JUIF PRATIQUANT

Voir tab. **Coiffures**

JUILLETTISTE → TOURISTE, VACANCE

JUJITSU → JAPONAIS, JUDO

JUJUBIER → ÉPINE

JULEP → BOISSON, MÉDICAMENT, POTION

JULIEN → CALENDRIER

JULIENNE → COUPER, POTAGE

Voir tab. **Cuisine**

JUMEAU → DOUBLE (1), RÉPLIQUE, RESSEMBLANCE

Voir illus. **Bœuf**

Voir illus. **Muscles**

JUMEAU bivitellin, dizygote, free-martin, monozygote, siamois, sosie, univitellin

JUMEAUX → DEUX, MOLLET

JUMELÉ → ADJACENT

JUMELER → JOINDRE

JUMELLE → OPTIQUE

JUMENT

Voir tab. **Animaux (termes propres aux)**

JUMENT cavale, haquenée, mulassière, naisseur, paddock, pouliche, poulinière, suitée

JUMPING

Voir tab. **Sports**

JUNG (CARL GUSTAV)

Voir tab. **Psychanalyse**

JUNGLE → VÉGÉTATION

Voir tab. **Musiques nouvelles**

JUNGLE JIM

Voir tab. **Bande dessinée (héros de)**

JUNIOR → CADET, CATÉGORIE, JEUNE, SPORTIF (1)

JUNKER → NOBLE (1)

JUNKIE → DROGUE

JUNON → MARIAGE

JUPE

Voir illus. **Modes et styles**

JUPE amazone, basquine, cotillon, cotte, crinoline, fustanelle, jupon, kilt, pagne, panier, paréo, philibeg, sarong, vertugadin

JUPE ARRIÈRE

Voir illus. **Voilier : Dufour 38 Classic**

JUPE DE FILS → FRANGE

JUPE-CULOTTE → CULOTTE

JUPITER → FOUDRE, PLANÈTE, SOLAIRE

Voir illus. **Système solaire**

Voir tab. **Astrologie**

Voir tab. **Planètes du système solaire**

JUPITER (MONT DE)

Voir illus. **Main**

JUPON → DESSOUS, JUPE

JUPON Casanova, charmeur, cotillon, cotte, don juan, séducteur, tombeur

JURASSIQUE

Voir tab. **Géologique (échelle des temps)**

JURE → CONTRASTE

JURÉ → MAGISTRAT

JURÉ déclaré

JUREMENT → BLASPHÈME, JURON, SERMENT

JURER → AFFIRMER, BOUGONNER, DIRE, ÉCLATER, PRÊTER

JURER affirmer, blasphémer, certifier, déclarer, détonner, dissoner, maudire, opposer (s'), outrager, parjurer (se), parole (donner sa), pester, promettre, sacrer, serment (prêter), tempêter, trancher

JURIDICTION → JUSTICE, RAYON, SECTEUR, TRIBUNAL

JURIDIQUE → ACTE, INSTITUTION, LÉGAL

JURISPRUDENCE → JUSTICE, PRÉCÉDENT (1)

JURISPRUDENCE coutume, droit coutumier

K

JURISTE → LOI
Voir tab. **Saints patrons**
JURON → COLÈRE, EXCLAMATION, GROS, GROSSIÈRETÉ, INTERJECTION
JURON blasphème, gros mot, grossièreté, imprécation, injure, insulte, jurement, sacrilège
JURY → CANDIDAT, EXAMEN
JUS → POMME, VÉGÉTAL (1)
JUS coco, juteux, liquide, sauce, suc, verjus, vesou
JUS DE CHAUSSETTE → CAFÉ
JUSANT → BAISSE, REFLUX
Voir tab. **Géographie et géologie (termes de)**
JUSQUIAME → CALMANT, NARCOTIQUE (2)
JUSSION → COMMANDEMENT
JUSTAUCORPS → COMBINAISON, DANSEUR, MAILLOT, VÊTEMENT
JUSTE → APPROPRIÉ, BIEN, CONVENABLE, CORRECT, ÉTROIT, EXACT, HEUREUX, LÉGITIME, PERTINENT, PLUS, PRÉCIS, RAISON, RAISON, SAGE, SINCÈRE
JUSTE adapté, adéquat, approprié, bon, conforme, convenable, correct, court, droit, équitable, étriqué, exact, fondé, honnête, idoine, impartial, intègre, judicieux, légitime, loyal, motivé, pertinent, probe, raisonnable, sensé, serré, sincère
JUSTESSE → RAISON, RECTITUDE, VÉRITÉ
JUSTESSE clarté, convenance, correction, de peu, exactitude, logique, précision, rationalité, rectitude, rigueur
JUSTICE → CARDINAL (2), VERTU
JUSTICE assigner, balance, chancellerie, citer, déférer, équité, ester, glaive, juridiction, jurisprudence, légalité, poursuivre, soutenir, traduire, vacation
JUSTICE (PALAIS DE) → VENTE
JUSTIFICATEUR → IMPRIMERIE
JUSTIFICATIF → BON (1), FACTURE, PREUVE
JUSTIFICATION → ALIBI, APOLOGIE, ARGUMENT, COMPTE, DÉMONSTRATION
JUSTIFICATION alibi, apologie, argument, compte, décharge, défense, excuse, explication, preuve, raison
JUSTIFIÉ → LÉGITIME
JUSTIFIER → COMPTE, DÉFENDRE, DISCULPER, EXCUSER, EXPLIQUER, IMPRIMERIE, PROUVER
JUSTIFIER argumenter, blanchir, décharger, dédouaner, démontrer, disculper, étayer, excuser (s'), expliquer (s'), fonder, innocenter, légitimer, motiver, prouver, rendre des comptes
JUTE → FIBRE, PEINTURE, TEXTILE, VÉGÉTAL (2)
JUTE (TOILE DE)
Voir tab. **Tissus**
JUTES → GERMANIQUE
JUTEUX → JUS, SAVOUREUX
JUVÉNILE → JEUNE
JUXTALINÉAIRE → TRADUCTION

JUXTAPOSÉ → ADJACENT
JUXTAPOSER → METTRE

K
Voir tab. **Éléments chimiques (symbole des)**
KA'BA → MUSULMAN (1)
KABBALE → JUIF (1), RABBIN, RECUEIL, TRADITION
KABBALISTE → THÉOLOGIE
KABBALISTIQUE → MAGIQUE, MYSTÉRIEUX, OBSCUR
KABIG → MANTEAU
Voir illus. **Manteaux**
KABUKI → JAPONAIS, THÉÂTRAL
KADAÏF → PÂTISSERIE
KADDISH → JUIF (2), PRIÈRE
KAGOU
Voir tab. **Oiseaux (classification simplifiée des)**
KAHLER (MALADIE DE) → MOELLE
KAÏNOPHOBIE → CHANGEMENT
KAINOTÊTOPHOBIE
Voir tab. **Phobies**
KAISER → EMPEREUR
KAKEMONO → JAPONAIS
KAKI → BRUN, FIGUE, JAUNE
Voir tab. **Couleurs**
KAKKO → JAPONAIS
KALACHNIKOV → PISTOLET
KALIMBA
Voir illus. **Percussions**
KALPACK
Voir illus. **Coiffures**
KAMALA → TEINTURE
KAME → GLACIER
Voir illus. **Glacier**
KAMICHI
Voir tab. **Oiseaux (classification simplifiée des)**
KAMIK
Voir illus. **Chaussures**
KAMIKAZE → AVION, JAPONAIS, SUICIDE
KANA → JAPONAIS
KANGOUROU
Voir tab. **Mammifères (classification des)**
KANGOUROU dasyure, didelphes, macropodidés, marsupiaux, marsupium, pétrogale, potorou, wallaby
KANJI → JAPONAIS
KANT
Voir tab. **Philosophie**
KAOLIN → ARGILE, CÉRAMIQUE, FAÏENCE, PAPIER, PORCELAINE
Voir tab. **Minéraux et utilisations**
KAPOK → SOIE, VÉGÉTAL (2)
Voir tab. **Couture**
KAPTAH → POMME DE TERRE
KARAKUÇAK → LUTTE
KARAKUL → MOUTON
KARATÉ → ART MARTIAL, JAPONAIS
Voir tab. **Sports**
KARATÉ karatéka, kata, katana, kiaï, kyu, tatami
KARATÉKA → KARATÉ
KARCHER → DÉCAPER
KARMA → CONDITION
KARSTIQUE → CALCAIRE
KART → VOITURE

KARTING
Voir tab. **Sports**
KASHER → BOUCHERIE, JUIF (2), RABBIN
KASPERL → MARIONNETTE
KATA → KARATÉ
KATANA → KARATÉ
KATHAK → DANSE
KATHAKALI → DANSE
KAWA → POIVRIER
Voir tab. **Café**
KAYAK → AVIRON, BATEAU, ESQUIMAU
Voir tab. **Bateaux**
KAZOO
Voir illus. **Percussions**
KEBAB → BROCHE, RÔTI (2)
KEFFIEH
Voir illus. **Coiffures**
KEFTA → BOULE
KENDO → ART MARTIAL, JAPONAIS
Voir tab. **Sports**
KÉNOPHOBIE → OBSCURITÉ
Voir tab. **Phobies**
KENTIA → PALMIER
KÉPHIR → LAIT
KÉPI → VISIÈRE
Voir illus. **Coiffures**
KÉPI campagne (de), chapska, liseré en croix (triple), nœud hongrois de tresses, officier, shako, sous-officier, tresse
KÉPI DES GENDARMES AUXILLIAIRES
Voir illus. **Grades de la gendarmerie**
KÉRATINE → POIL, PROTÉINE
KÉRATINISATION → PILULE
KÉRATITE → ŒIL
KÉRATO-
Voir tab. **Chirugicales (interventions)**
KÉRATOPLASTIE → GREFFE
KERDOMÈTRE → TÉLÉPHONE
KÈRES → DÉESSE, DESTIN, GÉNIE
KÉRION → TEIGNE
KERMÈS → CHÊNE
KERMESSE → FÊTE, RÉJOUISSANCE
KERMESSE ducasse, festivité, fête, frairie
KÉROSÈNE → AVION, CARBURANT
KÉTAMINE
Voir tab. **Drogues**
KETCH → NAVIRE, VOILIER
Voir tab. **Bateaux**
KETCHUP → TOMATE
KETMIE → HIBISCUS
KETTLE
Voir illus. **Glacier**
KEUF → POLICIER (1)
KEYNÉSIANISME
Voir tab. **Économie**
KG → KILOGRAMME
KGB (RUSSIE) → SERVICE
KHÂGNE → PRÉPARATOIRE
KHÂGNEUX → ÉLÈVE, ÉTUDIANT
KHALIFE → ISLAM
KHAMSIN → DÉSERT, SIROCCO, VENT
Voir tab. **Vents**
KHAN → CARAVANE, DIGNITÉ, SOUVERAIN (1)
KHARIDJISME → MUSULMAN (2)
KHÔL → MAQUILLAGE, PAUPIÈRE
KIAÏ → KARATÉ
KIBBOUTZ → AGRICOLE, COMMUNAUTÉ, COOPÉRATIVE, EXPLOITATION, FERME (1)

KICK → MOTOCYCLETTE
KICK BOXING → BOXE
KIDNAPPER → CAPTURER, EMPARER (S'), ENLEVER, RAVIR
KIDNAPPING → ENLÈVEMENT, PRISE
KIESELGUHR → POLIR
KIF → DROGUE, HASCHISCH, TABAC
KILIM → TAPIS
KILO → KILOGRAMME
KILOGRAMME → POIDS
KILOGRAMME kg, kilo, livre, quintal, tonne
KILOHERTZ → RADIOÉLECTRIQUE
KILOMÈTRE → ITINÉRAIRE
KILOMÈTRE kilométrer, km, quantité, tonne
KILOMÉTRER → KILOMÈTRE
KILOMÉTRIQUE → ONDE
KILOTONNE → TONNE
KILT → JUPE
KIMBERLITE → DIAMANT
KIMONO → JAPONAIS, MANCHE, VÊTEMENT
Voir illus. **Modes et styles**
KIMONO inrô, netsuke, obi
KINÉSITHÉRAPEUTE → MÉDECINE
KINESTHÉSIE → CORPS, MUSCLE, SENSATION
KINÉTOSCOPE → CINÉMA
KIOSQUE → CONCERT, JARDIN, PAVILLON, SALON
KIOSQUE aubette, édicule, gloriette, kiosquier, pavillon
KIOSQUIER → KIOSQUE
KIPPA → JUIF (1)
KIPPER → HARENG
KIPPER TIE
Voir illus. **Modes et styles**
KIPPOUR
Voir tab. **Fêtes religieuses**
KIRSCH → CERISE, EAU-DE-VIE
Voir tab. **Alcools et eaux-de-vie**
KIT → ASSEMBLAGE, PIÈCE, VENDRE
KIT PIÉTON → PORTABLE
KIT VOITURE → PORTABLE
KITCHENETTE → CUISINE
KITSCH → DÉMODÉ, SURANNÉ
KIWI → OISEAU
Voir tab. **Oiseaux (classification simplifiée des)**
KLAXON → SIGNAL
KLEPTOMANE → VOLEUR
KLEPTOMANIE
Voir tab. **Manies**
KM → KILOMÈTRE
KNARR
Voir tab. **Bateaux**
KNICKERBOCKERS → CULOTTE, GOLF, VÊTEMENT
Voir illus. **Modes et styles**
KNICKERS
Voir illus. **Modes et styles**
KNOCK-OUT → BOXEUR
KNÖDEL
Voir tab. **Spécialités étrangères**
KNOUT → FOUET, TORTURE
KO → BOXEUR
KOBOLD → ESPRIT, GÉNIE
KOCH (DE) → TUBERCULOSE
KODIAK → OURS
KOHEN → RABBIN
KOHLER
Voir tab. **Chocolat**
KOINÈ → LANGUE
KOLKHOZE → AGRICOLE, COMMUNAUTÉ, COOPÉRATIVE, FERME (1)

KOMAFUYÉ → JAPONAIS

KOPJE
Voir tab. **Géographie et géologie** (termes de)

KORÉPHOBIE
Voir tab. **Phobies**

KORMOS → DANSE

KORRIGAN → DIABLE, ESPRIT, GÉNIE, NAIN

KOTO → JAPONAIS

KOUBBA
Voir tab. **Islam** (vocabulaire de l')

KOUDOURROU → BABYLONIEN

KOUFFA
Voir tab. **Bateaux**

KOUGELHOPF
Voir tab. **Gâteaux régionaux et étrangers**

KOUGLOF → GÂTEAU, MOULE

KOUIGN-AMANN
Voir tab. **Gâteaux régionaux et étrangers**

KOUILLOU → CAFÉ

KOULAK → PAYSAN (1)

KOULIBIAK
Voir tab. **Spécialités étrangères**

KOULITCH
Voir tab. **Gâteaux régionaux et étrangers**

KOUMIS → LAIT

KOUROS → STATUE

KR
Voir tab. **Éléments chimiques** (symbole des)

KRAAL → PARC

KRACH → BAISSE, BANQUEROUTE, BOURSE, CHUTE, COURS, CRISE, DÉBÂCLE

KRACH BOURSIER
Voir tab. **Bourse**
Voir tab. **Économie**

KRAFT → PAPIER

KRAK → CITADELLE

KRAKATAU → VOLCAN

KRAKEN → MONSTRE
Voir tab. **Animaux fabuleux**
Voir tab. **Mythologiques** (créatures)

KRIEK → BIÈRE

KRILL → BALEINE

KRISS → BLANC (1)

KRYPTON → GAZ
Voir tab. **Éléments chimiques** (symbole des)

KSAR → CITADELLE, FORTIFICATION

KSHATRIYA
Voir tab. **Hindouisme**

KUMIKATA → JUDO

KUNG-FU → CHINOIS
Voir tab. **Sports**

KWAK → BIÈRE

KWAS → FERMENTATION

K-WAY
Voir illus. **Manteaux**

KYOGEN → JAPONAIS, THÉÂTRAL

KYRIE ELEISON
Voir tab. **Prières et offices de l'Église catholique romaine**

KYRIELLE → ÉNUMÉRATION, NOMBRE, QUANTITÉ, SÉRIE, SUCCESSION, SUITE

KYSTE → DENT, GROSSEUR, VERRUE

KYSTE hamartome, kystectomie, loupe, tanne

KYSTECTOMIE → KYSTE

KYU → JUDO, KARATÉ

KYUDO → ARC, ART MARTIAL, JAPONAIS, TIR À L'ARC

KYUSHU → JAPONAIS

LA
Voir tab. **Éléments chimiques** (symbole des)

LABBE
Voir tab. **Oiseaux** (classification simplifiée des)

LABEL → APPELLATION, CONTRÔLE, MARCHANDISE, MARQUE, POINÇON, SCEAU, TAMPON

LABELLE → ORCHIDÉE

LABEUR → BESOGNE, OUVRAGE, TRAVAIL

LABEUR besogne, occupation, ouvrage, tâche, travail

LABIACÉES → LAVANDE, THYM

LABIAL → LÈVRE

LABIÉES → MENTHE, THYM

LABILE → FAILLIR

LABIUM → LÈVRE

LABORANTIN → LABORATOIRE, PHARMACIE

LABORATOIRE → PHARMACIE

LABORATOIRE animalerie, cobaye, laborantin, officine, préparateur

LABORIEUSEMENT → PEINE

LABORIEUX → ARDU, COÛTER, DIFFICILE, POPULAIRE, TRAVAILLEUR (2)

LABORIEUX actif, amphigourique, ardu, consciencieux, difficile, diligent, embarrassé, gauche, lourd, maladroit, malaisé, pénible, pesant, zélé

LABOUR araire, bêche, charrue, herse, hivernage, houe

LABOURER → CREUSER, CULTIVER, EFFONDRER, ÉGRATIGNER

LABOURER arable, billonner, biloquer, décavaillonner, défoncer, écorcher, guéret, herser, lacérer, retourner, scarifier, tailladiter, tiercer

LABRE → ABEILLE, LÈVRE

LABRIT → BERGER

LABYRINTHE → COMPLICATION, CONFUSION, ÉCHEVEAU, RÉSEAU

LABYRINTHE dédale, écheveau, enchevêtrement, lacis, méandre, Minotaure, réseau

LAC → CHASSE, ÉTANG, LACET, NŒUD, PIÈCE, PIÈGE, RETENUE

LAC chott, étang, lacustre, lagon, limnologie, loch, palafitte, réservoir, sebkha, seiche

LAC DE CIRQUE
Voir illus. **Glacier**

LAC GLACIAIRE
Voir illus. **Glacier**

LACAN (JACQUES-MARIE)
Voir tab. **Psychanalyse**

LACCASE → LAQUE

LACCOLITE
Voir illus. **Volcan**

LACER → NOUER, SERRER

LACER attacher, attacher, ficeler, lier, nouer, serrer

LACÉRER → DÉCHIQUETER, DÉCHIRER, LABOURER

LACERTILIENS → LÉZARD

LACET → ATTACHE, CHASSE, CONTOUR, CORSET, DÉTOUR, MÉANDRE, NŒUD, PASSEMENTERIE, PIÈGE, SINUEUX, TOURNANT (1), VIRAGE, ZIGZAG

LACET collet, cordon, lac, méandre, piège, tournant, virage, zigzag (en)

LACHANOPHOBIE
Voir tab. **Phobies**

LÂCHE → FAIBLE, FLOU, MOU, PASSIF, PEUREUX, POLTRON, VAGUE (2), VEINE, VENTRE

LÂCHE abject, ample, couard, déloyal, détendu, flottant, fluide, honteux, ignoble, large, méprisable, peureux, pleutre, poltron, vague, vil

LÂCHÉ → FLOTTANT

LÂCHER → DÉLAISSER, LANCER, QUITTER, ROMPRE

LÂCHER abandonner, casser, céder, délaisser, desserrer, détacher, détendre, distancer, dropper, émettre, envoyer, filer, jeter, lancer, larguer, parachuter, pousser, quitter, rompre, semer

LÂCHETÉ → AUTRUCHE

LÂCHETÉ bassesse, couardise, faiblesse, indignité, pusillanimité, veulerie

LACIS → CONFUSION, LABYRINTHE, RÉSEAU

LACONIQUE → BAVARD, BREF (2), CONCIS, FORMULE, SERRÉ, SOMMAIRE (2)

LACRYMAL → LARME

LACRYMALE (GLANDE)
Voir tab. **Endocrinologie**

LACRYMOGÈNE → FUMÉE, LARME

LACS D'AMOUR (NŒUD)
Voir illus. **Nœuds**

LACTASE → LAIT

LACTATE → MAGNÉSIUM

LACTÉ
Voir tab. **Couleurs**

LACTÉAL → MAMELLE

LACTESCENT → BLANC (2), LAIT

LACTIQUE (ACIDE)
Voir tab. **Acides**

LACTOBACILLE → FERMENT

LACTOMÈTRE → LAIT

LACTOSE → LAIT, SUCRE

LACTUCARIUM → LAITUE

LACUNAIRE → INSUFFISANT

LACUNE → DÉFAUT, FAIBLESSE, IGNORANCE, INSUFFISANCE, MANQUE, OMISSION, OUBLI, TROU

LACUNE faiblesse, faute, ignorance, incohérence, insuffisance, manque, omission, oubli, trou

LACUNE LATÉRALE → SABOT

LACUNE MÉDIANE → SABOT

LACUSTRE → LAC, PÊCHE

LAD → CHEVAL, ÉCURIE, GARÇON, VALET

LADANUM → GOMME, RÉSINE

LADRE → COMPTER, GRIPPE-SOU

LADRERIE → HÔPITAL, PETITESSE, PORC

LADY → DAME

LAGNY-SUR-MARNE
Voir tab. **Habitants (comment se nomment les)**

LAGOMORPHE
Voir tab. **Mammifères** (classification des)

LAGOMORPHES → LAPIN, LIÈVRE

LAGON → LAC
Voir illus. **Littoral**

LAGOPÈDE → BRUYÈRE, PERDRIX

LAGUIOLE → COUTEAU
Voir illus. **Fromages**

LAGUNAIRE → LAGUNE

LAGUNE → ÉTANG, MER
Voir illus. **Littoral**

LAGUNE lagunaire, liman, moere

LAHIRE → VALET
Voir tab. **Cartes à jouer**

LAI → POÈME, RELIGIEUX (1)
Voir tab. **Poésie** (vocabulaire de la)

LAID → BEAU, HORRIBLE, INGRAT, VILAIN

LAID abominable, affreux, bas, difforme, disgracié, disgracieux, hideux, honteux, horrible, ignoble, inesthétique, ingrat, méprisable, odieux, repoussant, répugnant, vilain

LAIDERON → AFFREUX

LAIDEUR abjection, disgrâce, ignominie, lourdeur, noirceur, turpitude, vilenie

LAIE → CHEMIN, FORÊT, MARTEAU, PIERRE, SANGLIER, TAILLEUR
Voir tab. **Animaux (termes propres aux)**

LAINAGE → TISSU, TRICOT

LAINE → FIBRE, PELAGE, TEXTILE
Voir tab. **Anniversaires de mariage**

LAINE agneline, alépine, blousse, bourre lanice, carder, carmeline, chandail, cheviotte, couaille, écheveau, étaim, gilet, isolant, lanifère, lanigère, lanugineux, mère laine, mérinos, mule-jenny, pelote, ploquer, pull-over, riflard, silésienne, suint, surge

LAINE DE VERRE → VERRE

LAINE MORTE → VIERGE (2)

LAINE SECONDAIRE → VIERGE (2)

LAINER → MOELLEUX

LAINERIE → USINE

LAÏQUE → CIVIL, CLERGÉ, MONDAIN (2), PUBLIC (2), RELIGION

LAIS → ARBRE, TAILLIS

LAISSE → CORDE, TIRADE

LAISSÉE → EXCRÉMENT

LAISSER → CÉDER, DÉLAISSER, DONNER, LÉGUER, REMETTRE, RENONCER

LAISSER abandonner, accepter, aliéner, confier, consentir, démasquer, dévoiler, négliger, omettre, permettre, quitter, remettre

LAISSER ALLER → FILER, LIVRER, NÉGLIGER

LAISSER ENTENDRE → ALLUSION

LAISSER SÉDUIRE (SE) → SUCCOMBER

LAISSER TENTER (SE) → SUCCOMBER

LAISSER TOMBER → PLAQUER

LAISSER-ALLER → BRAS, NÉGLIGENCE, ORGANISATION

LAISSER-ALLER désinvolture, gabegie, incurie, légèreté, négligence, relâchement

LAISSEZ-PASSER → ACCÈS, AUTORISATION, PERMISSION

LAISSEZ-PASSER Ausweis, coupe-file, navicert, pass book, passavant, passe-debout, sauf-conduit

LAIT → DENT

LAIT agalactie, babeurre, berthe, boille, bouille, bourru, butyromètre, caillebotte, caséine, colostrum, crémerie, fleurette, galactomètre, képhir, koumis, lactase, lactescent, lactomètre, lactose, lait ribot, laiterie, puron, sevrer, traire

LAIT EN POUDRE → BOUILLIE

LAIT RIBOT → LAIT

LAITANCE → POISSON, SPERME

LAITE → POISSON, SPERME

LAITERIE → LAIT, USINE

LAITERIE crémerie

LAITEUX → BLANC (2)
Voir tab. **Couleurs**

LAITIER → DÉCHET

LAITON → CUIVRE, ZINC

LAITUE batavia, chicon, composées, lactucarium, romaine, thridace

LAITUE ROUGE
Voir tab. **Salades**

LAÏUS → RÉCIT

LAIZE → LARGEUR

LALLATION → BÉBÉ, BRUIT
Voir tab. **Bruits**

LAMA → CHAMEAU, HÉLICOPTÈRE, MOINE, RELIGIEUX (1)
Voir tab. **Bouddhisme**

LAMA alpaga, camélidés, guanaco, moine, prêtre, vigogne

LAMAÏSME → BOUDDHISME, HINDOU

LAMANEUR → PILOTE

LAMANTIN
Voir tab. **Mammifères (classification des)**

LAMARCKISME → ESPÈCE, ÉVOLUTION, HÉRÉDITÉ, SÉLECTION

LAMASERIE → MONASTÈRE

LAMBADA → DANSE
Voir tab. **Danses (types de)**

LAMBDA → MOYEN (2), PERSONNE

LAMBDACISME → DÉFAUT, PRONONCIATION

LAMBEAU → CHIFFON, DÉBRIS, ÉCAILLE, LOQUE

LAMBEAU bout, bribe, débris, fragment, guenille, haillon, harde, loque, morceau

LAMBEL
Voir illus. **Héraldique**

LAMBIC → BIÈRE

LAMBIN → LENT

LAMBINER → FLÂNER, TRAÎNER

LAMBOURDE → PARQUET, PIERRE

LAMBREQUIN → FENÊTRE, HOUPPE
Voir illus. **Héraldique**

LAMBRIS → PARQUET, PLAFOND, REVÊTEMENT
Voir illus. **Intérieur de maison**
Voir tab. **Architecture**

LAMBRISSAGE → MENUISERIE

LAMBRISSER → PLÂTRE

LAMBSWOOL
Voir tab. **Tissus**

LAME → CISEAU, MER, MICROSCOPE, ROULEAU, TISSAGE, VAGUE (1)
Voir illus. **Champignon**

LAME busc, colichemarde, émoussé, fer, fil, lamellaire,

laminer, morfil, onglet, rouleau, tranchant, vague

LAMÉ → DORÉ
Voir tab. **Tissus**

LAME DE COUTEAU (EN) → VISAGE

LAMELLAIRE → LAME

LAMELLE → MICROSCOPE
Voir tab. **Forme de... (en)**

LAMELLIBRANCHES → MOLLUSQUE, MOULE

LAMELLIFORME
Voir tab. **Forme de... (en)**

LAMELLULE
Voir illus. **Champignon**

LAMENTABLE → AFFLIGEANT, CATASTROPHIQUE, DÉPLORABLE, MAUVAIS, MINABLE, MISÉRABLE (2), PITEUX, PITOYABLE, SINISTRE (2), SOMBRE, TRISTE

LAMENTABLE affligeant, déplorable, désastreux, désolant, douloureux, exécrable, inacceptable, navrant, piètre, piteux, pitoyable

LAMENTATION → CRI, GÉMISSEMENT, PLAINTE, PLEUR, REGRET

LAMENTATION cri, doléance, gémissement, jérémiade, Jérusalem, plainte, sanglot

LAMENTATIONS (LES)
Voir tab. **Bible**

LAMENTER
Voir tab. **Animaux (termes propres aux)**

LAMENTER (SE) → GÉMIR, PLEURER

LAMIACÉES → THYM

LAMIE → DÉVORER, TAUPE
Voir tab. **Animaux fabuleux**

LAMIER → HAIE

LAMINAGE → ÉTIRAGE, MONNAIE

LAMINER → ACIER, APLATIR, ÉTENDRE, ÉTIRER, LAME, PRESSER

LAMINOIR → MACHINE, MÉTALLURGIE

LAMPADAIRE → ÉCLAIRAGE

LAMPARO → LAMPE

LAMPAS → SOIE
Voir tab. **Tissus**

LAMPE → ÉCLAIRAGE

LAMPE ampoule, applique, baïonnette, broche, carcel, halogène, lamparo, lampiste, lumignon, luminaire, néon, panache, photophore, quinquet, vérine, vis

LAMPE À SOUDER → SOUDURE

LAMPE INACTINIQUE
Voir tab. **Photographie (vocabulaire de la)**

LAMPER → BOIRE

LAMPION → BOUGIE, ILLUMINATION, LANTERNE

LAMPISTE → CHEMINOT, LAMPE

LAMPRIS
Voir tab. **Poissons (classification simplifiée des)**

LAMPROIE
Voir tab. **Animaux (classification simplifiée des)**
Voir tab. **Poissons (classification simplifiée des)**

LAMPSANE → MAMELLE

LAMPYRE → LUISANT, LUMIÈRE, PHOSPHORESCENT

LANCE → CANNE, JAVELOT

LANCE agrape, guisarme, hallebarde, hampe, javelot,

joute, morne, pertuisane, sarisse, tournoi

LANCELOT → TRÈFLE, VALET
Voir tab. **Cartes à jouer**

LANCEMENT → DÉPART, SORTIE

LANCÉOLÉ
Voir tab. **Forme de... (en)**

LANCÉOLÉE
Voir illus. **Feuille**

LANCE-PIERRES → FRONDE

LANCER → ACTIVER, ATHLÉTISME, CIRCULATION, ÉMETTRE, ENVOYER, EXCOMMUNICATION, FULMINER, INTRODUIRE, JET, JETER, LÂCHER, PROJETER, PROPULSER, PUBLICITÉ, REGARD, RÉPANDRE
Voir tab. **Sports**

LANCER baliste, catapulte, commercialiser, darder, déclencher, décocher, émettre, engager, engager (s'), envoyer, hasarder (se), jeter, jeter (se), lâcher, larguer, perrière, plonger, précipiter (se), projeter, trébuchet

LANCER (PÊCHE AU)
Voir tab. **Pêche**

LANCETTE → COQ, DENTISTE, FLAMME, SAIGNÉE
Voir illus. **Arcs**
Voir illus. **Fenêtre**
Voir tab. **Instruments médicaux**

LANCEUR → FUSÉE

LANCEUR → FUSÉE

LANCINANT → AIGU, DOULEUR

LAND → ÉTAT, PROVINCE

LANDAIS
Voir tab. **Gâteaux régionaux et étrangers**

LANDAU → ENFANT, VÉHICULE, VOITURE

LANDE → BRUYÈRE, BUISSON, FRICHE, TERRAIN, VÉGÉTATION

LANDE brande, friche, garrigue, maquis

LANDIER → CHENET

LANDOLPHIA → CAOUTCHOUC

LANERET → FAUCON

LANGAGE → INFORMATIQUE, PENSÉE, REPRÉSENTATION, VERBE

LANGAGE algol, aphasie, baragouin, basic, bégaiement, C, charabia, cobol, dactylologie, dysarthrie, écholalie, euphuisme, fortran, gestuelle, gongorisme, jargon, java, langue de bois, linguistique, logographe, logorrhée, métalangage, morse, palilalie, pascal, perl, phonétique, phonologie, prolog, psittacisme, purisme, sémantique, sémasiologie, terminologie

LANGAGE DE PROGRAMMATION
Voir tab. **Informatique**

LANGE → COUCHE

LANGE couche

LANGOUREUX → LANGUISSANT, MOURANT, NONCHALANT

LANGOUREUX alangui, énamouré, languide, transi

LANGOUSTE
Voir tab. **Prostitution**

LANGOUSTIER
Voir tab. **Bateaux**

LANGOUSTINE → HOMARD

LANGRAYEN

Voir tab. **Oiseaux (classification simplifiée des)**

LANGUE → GOÛT, PÉNINSULE, PENSÉE, REPRÉSENTATION, STYLE
Voir tab. **Chirugicales (interventions)**
Voir tab. **Phobies**

LANGUE agglutinante, apex, créole, diachronie, dialecte, espéranto, félibre, filet, frein, gallicisme, -glosse, glossite, glossolalie, glossoplégie, glossotomie, grenouillette, holophrastique, hypoglosse, idiolecte, idiome, idiotisme, ido, interlingua, koinè, langue véhiculaire, langue vernaculaire, lingual, multilingue, novial, papille, pépie, philologie, pidgin, plurilingue, polyglotte, ranine, ranule, sabir, volapük

LANGUE D'OC → PROVENÇAL

LANGUE D'OÏL → FRANÇAIS (1)

LANGUE DE BOIS → LANGAGE

LANGUE DE VIPÈRE → MAUVAIS

LANGUE VERTE
Voir tab. **Argot et langages populaires**

LANGUE-DE-BŒUF → CHÊNE, MAÇON

LANGUETTE → BALANCE, PLANCHE
Voir illus. **Chaussures**
Voir tab. **Forme de... (en)**

LANGUEUR → ÉNERGIE, ENNUI, ÉPUISEMENT, INDOLENCE, LÉTHARGIE, NONCHALANCE, PARESSEUX (1), TORPEUR

LANGUIDE → INDOLENT, LANGOUREUX, LANGUISSANT, MOURANT

LANGUIR → AFFAIBLIR, ATTENDRE, DÉPÉRIR, ÉTIOLER, MOISIR, SÉCHER, TRAÎNER

LANGUIR amoureux de (être), attendre, consumer (se), dépérir, ennuyer (s'), étioler (s'), faner (se), flétrir, morfondre (se), mourir (se), traîner

LANGUISSANT → FADE, INDOLENT, MOURANT, NONCHALANT

LANGUISSANT énamouré, inintéressant, langoureux, languide, morne, stagnant

LANIAQUES
Voir tab. **Habitants (comment se nomment les)**

LANIER → FAUCON

LANIÈRE → BANDE, COURROIE

LANIFÈRE → LAINE

LANIGÈRE → LAINE

LANISTE → GLADIATEUR

LANOLINE → POMMADE, SAVON

LANTERNE → BOUGIE, TOUR

LANTERNE campanile, dernier, falot, fanal, feux de position, lampion, veilleuse

LANTERNE MAGIQUE → CINÉMA, IMAGE

LANTERNER → BADAUD, FLÂNER

LANTHANE
Voir tab. **Éléments chimiques (symbole des)**

LANUGINEUX → DUVET, LAINE

LAPALISSADE → ÉVIDENT, VÉRITÉ

LAPALISSE
Voir tab. **Habitants (comment se nomment les)**

LAPALISSOIS

Voir tab. **Habitants (comment se nomment les)**

LAPARO-
Voir tab. **Chirugicales (interventions)**

LAPAROCÈLE → HERNIE
LAPAROTOMIE → VENTRE
LAPER → BOIRE
LAPEREAU
Voir tab. **Animaux (termes propres aux)**

LAPIAZ → RUISSEAU
LAPIDAIRE → AFFIRMATION, BAVARD, BIJOU, BREF (2), CONCIS, DIAMANT, FORMULE, PIERRE PRÉCIEUSE, RÉSUMÉ (2), TAILLEUR
LAPIDATION → SUPPLICE
LAPIDER → PIERRE, TUER
LAPIDIFICATION → PIERRE
LAPILLI → VOLCAN
LAPIN → VIANDE
Voir tab. **Animaux (termes propres aux)**
Voir tab. **Élevages**
Voir tab. **Mammifères (classification des)**
Voir tab. **Superstitions**

LAPIN bouquin, clapier, clapir (se), cuniculiculture, garenne, lagomorphes, léporidés, myxomatose, rabouillère

LAPINE
Voir tab. **Animaux (termes propres aux)**

LAPINIÈRE → CAGE
LAPIS → BLEU (2)
LAPIS-LAZULI → BLEU (2)
Voir tab. **Pierres précieuses et semi-précieuses**

LAPS → ESPACE, HÉRÉSIE, INTERVALLE
LAPS DE TEMPS → DURÉE, MOMENT, TEMPS
LAPSUS → ACTE, BOURDE, FAUTE, MOT
Voir tab. **Psychanalyse**
Voir tab. **Psychiatrie**

LAQUE → COIFFURE, RÉSINE
LAQUE laccase, laqueur, laquier, laquiste, sumac
LAQUEUR → LAQUE
LAQUIER → LAQUE
LAQUISTE → LAQUE
LARAIRE → AUTEL, NICHE, SACRIFICE
LARBIN → VALISE
LARCIN → VOL
LARD → COCHON, GRAISSE
Voir illus. **Porc**
LARD barde, flèche, graillon, lardon, panne, ventrèche
LARDER → PERCER, SERRURE
LARDERASSE → CORDE
LARDON → LARD
LARE → DOMESTIQUE (2), ESPRIT, FAMILIER (2), FOYER
LARGE → AMPLE, CARRÉ (2), FLOTTANT, GÉNÉREUX, GRAND, HAUT (2), INDULGENT (2), LÂCHE, NAVIGATION, ROND (2), VAGUE (2)
LARGE aller (s'en), ample, compréhensif, copieux, épanoui, étendu, évasé, généreux, latitudinaire, lato sensu, laxiste, libéral, marin, munificent, ouvert, partir, prodigue, tolérant, vaste

LARGE D'ESPRIT → COMPRÉHENSIF, PRÉJUGÉ
LARGEMENT → ABONDAMMENT, BEAUCOUP
LARGESSE → BIENFAIT, DISTRIBUTION, GRATIFICATION
LARGEUR → AMPLEUR, CARRURE, DIMENSION, ÉTENDUE
LARGEUR calibre, carrure, diamètre, envergure, laize, lé
LARGEUR D'ESPRIT → TOLÉRANCE
LARGHETTO → MOUVEMENT
LARGO → AMPLE, MOUVEMENT
Voir tab. **Musique (vocabulaire de la)**

LARGO WINCH
Voir tab. **Bande dessinée (héros de)**

LARGONJI
Voir tab. **Argot et langages populaires**

LARGUE → ALLURE
Voir illus. **Allures de voile**

LARGUÉ → PERDU
LARGUER → LÂCHER, LANCER, PLAQUER, VOILE
LARICIO D'AUTRICHE → PIN
LARIFORMES
Voir tab. **Oiseaux (classification simplifiée des)**

LARIGOT → FLÛTE
LARME → CHAGRIN, GOUTTE, PEU (1), PLEUR, QUANTITÉ, SOUPÇON
LARME doigt, épiphora, goutte, lacrymale, lacrymogène, larmoiement, pleur, sanglot, soupçon
LARMIER → GOUTTIÈRE
LARMOIEMENT → LARME, PLAINTE
LARMOYER → GÉMIR, PLAINDRE (SE), PLEURER
LARRON → COMPLICE
LARSEN → MICROPHONE
LARVE → CHENILLE, FANTÔME, MORT (1), VER
Voir tab. **Animaux (termes propres aux)**

LARVE asticot, axolotl, cénure, chenille, man, naissain, nauplius, têtard, turc, ver blanc, zoé
LARYNGECTOMIE → LARYNX
LARYNGITE → GORGE, LARYNX
LARYNGOLOGIE → LARYNX
LARYNGOTOMIE → LARYNX
LARYNX
Voir illus. **Bouche, nez et gorge**
Voir illus. **Respiratoire (système)**
LARYNX Adam (pomme d'), aryténoïde, cricoïde, épiglotte, glotte, laryngectomie, laryngite, laryngologie, laryngotomie, thyroïde
LAS → ABATTU, BLASÉ
LASAGNE → TOMATE
LASAGNES À LA BOLOGNAISE
Voir tab. **Spécialités étrangères**
LASAGNES VERTES
Voir illus. **Pâtes**
LASCAR → TYPE
LASCAUX (GROTTE)
Voir tab. **Monuments français du patrimoine mondial**
LASCIF → AMOUREUX, SENSUEL, SEXUEL
LASCIF concupiscent, érotique,

libidineux, lubrique, luxurieux, pervers, sensuel, vicieux, voluptueux
LASCIVITÉ → BOUC, LUXURE
LASER → SOUDURE
LASER hologramme, lasérothérapie, maser
LASÉROTHÉRAPIE → LASER
LASSANT → FATIGANT, MONOTONE
LASSÉ → USÉ
LASSER → DÉCOURAGER, DÉPLAIRE, ÉPUISER, FATIGUER
LASSER dégoûter, écœurer, ennuyeux, fatiguer, importuner
LASSITUDE → ABATTEMENT, DÉCOURAGEMENT, DÉGOÛT, ENNUI
LASSO → NŒUD
LASTEX → MERCERIE
LASTING → RAS
LASURE → REVÊTEMENT
LATANIER → PALMIER
LATENT → MUET, SOUS-ENTENDU (2)
LATÉRAL → CÔTÉ
Voir tab. **Garagiste (vocabulaire du)**
LATÉRAL accotement, aile, bas-côté, bord
LATÉRALITÉ → CÔTÉ
LATEX → CAOUTCHOUC, GOMME, RÉSINE
LATICLAVE → BANDE, SÉNATEUR, TOGE, TUNIQUE
LATIFUNDIUM → AGRICOLE, DOMAINE
LATIGNACIENS
Voir tab. **Habitants (comment se nomment les)**
LATIN → ALPHABET, ROMAN (2)
LATIN humanités, latinisme, macaronique, romane
LATINISME → LATIN
LATITUDE → CARTE, ÉQUATEUR, FACILITÉ, LIBERTÉ, MARGE, POINT
LATITUDINAIRE → LARGE
LATO SENSU → LARGE
LATOMIES → PRISON
LATRIE → ADORATION, CULTE
LATRINES → COMMODITÉ, FOSSE, WATER-CLOSET
LATTAGE
Voir illus. **Toits**
LATTE → SABRE
Voir illus. **Moulins à vent et à eau**
Voir illus. **Toits**
LATTES
Voir illus. **Planche à voile**
LATTIS
Voir illus. **Charpente**
LAUDANUM → CALMER, OPIUM
LAUDATEUR → FÉLICITER
LAUDATIF → COMPLIMENT, LOUANGE
LAUDES → HEURE, LOUANGE, MOINE
Voir tab. **Prières et offices de l'Église catholique romaine**
LAUDIENS
Voir tab. **Habitants (comment se nomment les)**
LAURACÉES → LAURIER
LAURÉAT → RÉCOMPENSE, VAINQUEUR
LAURÉAT gagnant, vainqueur
LAURENT → POMPIER

LAURIER → GLOIRE, POÈTE, VICTOIRE
Voir tab. **Herbes, épices et aromates**
LAURIER aromate, gloire, lauracées, victoire
LAUZE → DALLE, PIERRE, PLAQUE, TOIT
LAVABLAINE
Voir tab. **Tissus**
LAVABO
Voir illus. **Voilier : Dufour 38 Classic**
LAVABO aiguière, aquamanile, lave-mains
LAVAGE → CIDRE, NETTOYAGE
LAVAGE DE CERVEAU → INTOXICATION
LAVALLIÈRE → CRAVATE
Voir illus. **Bijoux**
Voir illus. **Nœuds et cravates**
Voir tab. **Couleurs**
LAVANDE → BLEU (2)
Voir tab. **Couleurs**
Voir tab. **Plantes médicinales**
Voir tab. **Végétaux (classification simplifiée des)**
LAVANDE aspic, labiacées, lavandin
LAVANDIÈRE → LESSIVE
LAVANDIN → LAVANDE
LAVANDULA ANGUSTIFOLIA
Voir tab. **Plantes médicinales**
LAVE → FUSION, VOLCAN
Voir illus. **Volcan**
LAVE andésite, basalte, magma, rhyolithe, scorie, trachyte
LAVÉ → LAVIS
LAVE-DOS → BROSSE
LAVE-MAINS → LAVABO
LAVE-PONT → BALAI, BROSSE
LAVER → NETTOYER, RÉPARER, RINCER, VENGER
LAVER baigner (se), blanchir, dégorger, détacher, détergent, disculper, doucher (se), échauder, essanger, innocenter, lessiver, lustral, nettoyer, nettoyer (se), récurer
LAVERDURE
Voir tab. **Bande dessinée (héros de)**
LAVERIE → FABRIQUE
LAVEUR blanchisseuse, loricariidés, plongeur
LAVIS → ENCADREMENT, PEINTURE
Voir tab. **Dessin (vocabulaire du)**
LAVIS aplat, aquarelle, aquatinte, bistre, encre de Chine, lavé, sépia
LAWRENCIUM
Voir tab. **Éléments chimiques (symbole des)**
LAXATIF → PURGE
Voir tab. **Médicaments**
LAXATIF cathartique, drastique, purgatif
LAXISME → INDULGENCE
LAXISTE → FAIBLE (2), INDULGENT (2), LARGE
LAYER → MARQUER
LAYETIER → CAISSE
LAYETTE → BÉBÉ, COFFRE, LINGE
LAYETTE vêtement
LAYLAT AL-QADR
Voir tab. **Fêtes religieuses**
LAYON → CHEMIN, FORÊT
LAZARE → PEINTRE
LAZARET → CONTAGIEUX
LAZARISTE → MISSION

LAZULITE → BLEU (2)
Voir tab. **Pierres précieuses et semi-précieuses**

LAZZI → MOQUERIE, PANTOMIME, PLAISANTERIE

LÉ → BANDE, CHEMIN, LARGEUR, PAN, PIÈCE

LEADER → ANIMATEUR, CONDUCTEUR, MENER, PARTI, RESPONSABLE

LEADERSHIP → DOMINANT, SUPÉRIORITÉ

LEAF
Voir tab. **Thé**

LEASING → LOCATION

LEBEL → FUSIL

LEBRUN (ALBERT)
Voir tab. **Rois et chefs d'État de la France**

LÉCANORE → LICHEN

LÉCHÉ → MINUTIEUX, OUVRAGÉ, SOIGNÉ

LÈCHEFRITE → BROCHE, FOUR, USTENSILE

LÉCHER → FINIR, POLIR

LÉCHER fignolé, peaufiné, pourlécher (se), soigné

LÈCHE-VITRINES → BOUTIQUE, PROMENADE, SHOPPING

LECKERLI
Voir tab. **Gâteaux régionaux et étrangers**

LEÇON → CONCLUSION, COURS, EXPOSÉ, LECTURE, PUNITION, RÉCIT

LEÇON admonester, chapitrer, classe, conférence, cours, enseignement, précepteur, punition, réprimander, sermonner

LECTEUR → CLIENT, INFORMATIQUE, ORDRE, UNIVERSITÉ
Voir tab. **Informatique**

LECTEUR DE CARTE
Voir tab. **Photographie (vocabulaire de la)**

LECTEUR LASER → PLATINE

LECTIONNAIRE
Voir tab. **Livres**

LECTURE → CONSULTATION, INTERPRÉTATION, MESSE, PRONONCIATION

LECTURE abécédaire, anagnoste, ânonnement, asthénopie, déchiffrement, décryptage, dyslexie, leçon, phonocapteur

LÉCYTHE → VASE

LÉDONIENS
Voir tab. **Habitants (comment se nomment les)**

LEERDAMER → HOLLANDAIS

LÉGAL → LOI, PERMIS, VALABLE

LÉGAL autorisé, juridique, légitime, licite, permis, réglementaire

LÉGALISER → CONSTATER, CONSTITUER

LÉGALISER authentifier, certifier, confirmer, légitimer, officialiser

LÉGALITÉ → JUSTICE

LÉGALITÉ loi, règlement, régularité

LÉGAT → AMBASSADEUR, DÉLÉGUÉ, ENVOYÉ, GOUVERNEUR, PAPE

LÉGATAIRE → HÉRITIER, TESTAMENT

LÉGATAIRE UNIVERSEL → SUCCESSION

LEGATO
Voir tab. **Musique (vocabulaire de la)**

LÈGE → CHARGE

LÉGENDAIRE → CÉLÈBRE, CONNU, FABULEUX, NOTOIRE

LÉGENDAIRE célèbre, connu, fabuleux, illustre, imaginaire, merveilleux, mythique, notoire, proverbial

LÉGENDE → CONTE, EXPLICATION, INSCRIPTION, MONNAIE, MYTHE, PARABOLE, RÉCIT, SAINT (1)

LÉGENDE carnèle, chimère, conte, dragon, fable, folklore, griffon, histoire, licorne, loup-garou, mythe, sirène, tarasque

LÉGER → BÉNIN, BOXEUR, CONSISTANCE, DÉLICAT, DÉSINVOLTE, DIGÉRER, ÉTOURDI, INSENSIBLE, INSOUCIANT, MONDAIN (2), MOUSSEUX, OSÉ, PÂLE, PLUME, RAISONNABLE, SOBRE, SOUPLE, SUPERFICIEL, VAPOREUX
Voir tab. **Boxe anglaise**
Voir tab. **Savate ou boxe française**
Voir tab. **Vin (vocabulaire du)**

LÉGER aérien, anodin, arachnéen, délicat, digeste, discret, éthéré, facile, faible, frivole, frugal, grivois, immatériel, imperceptible, impondérable, inconstant, infidèle, infime, insignifiant, insuffisant, licencieux, minime, subtil, superficiel, ténu, vaporeux, véniel, veule, volage

LÉGÈRE (À LA) → TORT

LÉGÈRE BRISE
Voir tab. **Vent : échelle de Beaufort**

LÉGÈREMENT → DOUCEMENT

LÉGÈRETÉ → DOUCEUR, FINESSE, FRAÎCHEUR, GRÂCE, IMPRUDENCE, INATTENTION, INCERTITUDE, INCONSCIENCE, INCONSTANCE, INFIDÉLITÉ, INGRATITUDE, LAISSER-ALLER

LÉGÈRETÉ aisance, désinvolture, fluidité, grâce, imprudence, inconscience, inconséquence, insouciance, irréflexion

LEGGINGS → JAMBE

LEGHORN → POULE

LÉGIFÉRER → DICTER, LOI, PRESCRIRE

LÉGION → BATAILLON, GENDARMERIE, MULTITUDE, TROUPE

LÉGION centurie, cohorte, croix, étoile, hastaire, manipule, nombreux, rosette, tortue, triaire

LÉGION D'HONNEUR → CHEVALERIE, RUBAN
Voir illus. **Décorations françaises**

LÉGION DIABOLIQUE
Voir tab. **Démonologie**

LÉGIONNAIRE → BÉRET

LÉGISLATIF → ACTE, ÉLECTION, PARLEMENT, POUVOIR

LÉGISLATION → FÉDÉRAL, LOI, NORME

LÉGISLATION droit, loi, règlement

LÉGISTE → AUTOPSIE, CONSEILLER, LOI, MÉDECIN

LÉGITIMATION → RECONNAISSANCE

LÉGITIME → JUSTE, LÉGAL, LOI, NORMAL, PATERNITÉ, PERMIS, RAISON

LÉGITIME compréhensible, fondé,

juste, justifié, motivé, naturel, raisonnable

LÉGITIMER → JUSTIFIER, LÉGALISER

LÉGITIMISTE → DYNASTIE

LÉGITIMITÉ → BIEN-FONDÉ

LÉGITIMITÉ bien-fondé

LEGS → CESSION, CONCESSION, DON, HÉRITAGE, SUCCESSION

LÉGUER → CÉDER, CONFIER, PASSER, TRANSMETTRE

LÉGUER communiquer, donner, laisser, transmettre

LÉGUME
Voir tab. **Phobies**

LÉGUME ail, artichaut, asperge, bette, betterave, cardon, carotte, céleri, céleri-rave, chou, crosne, échalote, épinard, éplucher, fenouil, fève, hortillonnage, lentille, maraîcher, marchand des quatre-saisons, navet, oignon, peler, pois chiche, pomme de terre, Pomone, potager, primeur, radis, rutabaga, salade, salsifis, topinambour, végétalisme

LÉGUMIER → VAISSELLE

LEIBNIZ → DYNAMIQUE

LEITMOTIV → MOTIF, RÉPÉTITION, REVENIR, THÈME
Voir tab. **Musique (vocabulaire de la)**

LEITMOTIV antienne, couplet, refrain, rengaine

LEMME → RAISONNEMENT

LEMNISCATE → SPIRALE

LÉMURE → FANTÔME, MORT (1)

LÉMURIEN
Voir tab. **Mammifères (classification des)**

LENA
Voir tab. **Fleuves**

LENDEMAIN → SUIVANT

LENDEMAIN avenir, éphémère, futur, promptement, rapidement, suite, temps (en un rien de)

LÉNIFIANT → APAISANT, CALMANT, CALMER

LÉNIFIER → ADOUCIR

LÉNINE → BOLCHEVISME

LÉNINISME → COMMUNISME

LENT → ENGOURDI

LENT apathique, flegmatique, incertain, indécis, indolent, irrésolu, lambin, mou, nonchalant, traînant, traînard, tranquille

LENTE → ŒUF, POU

LENTEMENT → MOLLEMENT, PEU

LENTEMENT doucement, insensiblement, peu à peu, progressivement, prudemment, ralenti (au)

LENTEUR → NONCHALANCE, PARESSE, RETARD

LENTICULAIRE → GALAXIE
Voir tab. **Forme de... (en)**

LENTICULE → LENTILLE, MARAIS

LENTIFORME
Voir tab. **Forme de... (en)**

LENTIGO → GRAIN, TACHE

LENTILLE → LÉGUME, OPTIQUE
Voir tab. **Forme de... (en)**

LENTILLE bonnette, convergent, dioptrie, divergent, lenticule, lentillon, papilionacées, verre de contact

LENTILLON → LENTILLE

LENTISQUE → MAQUIS

LÉONARDS
Voir tab. **Habitants (comment se nomment les)**

LÉONIN → INJUSTE, LION
Voir tab. **Animaux (termes propres aux)**

LÉONTOCÉPHALE → LION

LÉOPARD → FAUVE (1), PANTHÈRE

LÉOPARD DE MER → PHOQUE

LÉPIDODENDRON → FOSSILE (1)

LÉPIDOPTÈRE → ÉCAILLE
Voir illus. **Insectes**

LÉPIDOPTÈRES → PAPILLON

LÉPIDOPTÉRISTE
Voir tab. **Collectionneurs**

LÉPISOSTÉE
Voir tab. **Poissons (classification simplifiée des)**

LÉPORIDÉS → LAPIN, LIÈVRE

LÈPRE Hansen (de), lèpre maculeuse, lèpre mutilante, lépride, léprologie, léprome, léproserie

LÈPRE MACULEUSE → LÈPRE

LÈPRE MUTILANTE → LÈPRE

LÉPREUX
Voir tab. **Saints patrons**

LÉPRIDE → LÈPRE

LÉPROLOGIE → LÈPRE

LÉPROME → LÈPRE

LÉPROSERIE → HÔPITAL, LÈPRE

LEPTE → ACARIEN

LEPTOCÉPHALE → ANGUILLE

LEPTOMÉNINGES → MÉNINGE

LEPTON → PARTICULE

LEPTOSPIROSE
Voir tab. **Vaccins**

LEPTYNITE
Voir tab. **Roches et minerais**

LEQUEL → RELATIF

LESBIANISME → AMOUR, HOMOSEXUEL (2), SEXE

LESBIENNE → FEMME, HOMOSEXUEL (2), SEXE

LÈSE-MAJESTÉ → MAJESTÉ

LÉSER → BLESSER, FRUSTRER, MAL (1), NUIRE, TORT, VOLER

LÉSINER → AVARE (1), COMPTER, DÉPENSE, MARCHANDER

LÉSION → BLESSURE, CONTRAT, COUP, TORT

LÉSION blessure, bleu, ecchymose, entorse, fêlure, foulure, fracture, hématome, luxation, plaie

LESSIVE buandière, charrée, décrûment, détergent, détersif, lavandière, linge

LESSIVÉ → FATIGUER, HARASSÉ

LESSIVER → LAVER

LEST → CHARGE

LESTE → ADROIT, AGILE, ALERTE, COQUIN (2), CRU (2), DÉSINVOLTE, ÉPICE, FAMILIER (2), GAI (2), GAULOIS, HARDI, INSOLENT, LIBRE, OSÉ, POLISSON, SOUPLE, VIF (2)
Voir tab. **Vents**

LESTER → PLOMBER

LET → TENNIS

LÉTALITÉ → MORTALITÉ

LÉTHARGIE → DÉPRESSION, ENGOURDISSEMENT, HYPNOSE, INSENSIBILITÉ, SOMMEIL

LÉTHARGIE apathie, atonie, catalepsie, langueur, prostration, torpeur

LÉTHARGIQUE → ENDORMI, INACTIF, INCAPABLE (2)

LÉTHÉ → ENFER, FLEUVE, OUBLI

LETTRE → BILLET, DÉPÊCHE, INVITATION, MESSAGE, MISSIVE, PLI, POULET, REPRÉSENTATION

LETTRE aérogramme, anagramme, approche, bas-de-casse, billet doux, bref, bulle, capitale, caractère, château (lettre de), chiffre, circulaire, condoléances (lettre de), consonne, corbeau, corps, correspondance, coursier, créner, délateur, dépêche, encyclique, épenthèse, épistolaire, épître, factage, facteur, faire-part, félicitations (lettre de), hampe, jambage, lettrine, libellé, majuscule, minuscule, missive, monogramme, panse, pli, poulet, rescrit, rigoureusement, semi-consonne, sigle, strictement, teneur, tétragramme, voyelle

LETTRÉ → CLERC, COMPÉTENT, CULTURE, ÉRUDIT (2), MANDARIN

LETTRE CAPITULAIRE → CHAPITRE

LETTRE DE CHANGE → ARGENT, BILLET, PAIEMENT

LETTRE DE CHANGE-RELEVÉ → TRAITE

LETTRE ONCIALE → CHAPITRE

LETTRES → INSTRUCTION

LETTRES ET SCIENCES HUMAINES → UNIVERSITÉ

LETTRINE → CAPITAL (2), CHAPITRE, LETTRE, MAJUSCULE, PARAGRAPHE

LEUC(O)- → BLANC (2)

LEUCÉMIE → CANCER, SANG

LEUCOCYTE → BLANC (2), CELLULE (1), GLOBULE, SANG

LEUCOCYTOSE → SANG

LEUCODERMIE → BLANC (2)

LEUCOME → PEUPLIER, TACHE

LEUCOPLASTE
Voir illus. **Cellules**

LEUCOPOÏÈSE → GLOBULE

LEUCOSÉLOPHOBIE
Voir tab. **Phobies**

LEURRE → APPÂT, APPEAU, APPELER, ARTIFICE, BLUFF, CHASSE, ESPOIR, FAUCON, ILLUSION, MIROIR
Voir tab. **Pêche**

LEURRER → ABUSER, ATTIRER, ATTRAPER, AVOIR (1), BERCER, DORER, DUPER, FLATTER, ILLUSION, SÉDUIRE, TROMPER

LEURRER bercer, berner, duper, endormir, illusionner (s'), mystifier, raconter des histoires (se), tromper

LEVAIN → FERMENT, GERME, PAIN

LEVANT → EST, HORIZON, ORIENT

LEVÉ DE PLANS → ARPENTAGE

LÉVÉCHÉ
Voir tab. **Vents**

LEVÉE → FIN (1), PERCEPTION, PLI
Voir tab. **Belote**
Voir tab. **Bridge**
Voir tab. **Tarot**

LEVÉE capot (être), collecte, disparition, dissipation, engagement, enlèvement, enrôlement, perception, pli

LEVÉE DE CHUTE
Voir tab. **Bridge**

LEVÉE DE MIEUX
Voir tab. **Bridge**

LEVER → APLANIR, BRANDIR, CESSER, CLORE, DISSIPER (SE), DRESSER, GONFLER, MOBILISER, RECUEILLIR, SOULEVER, TRAVAILLER

LEVER appareiller, arrêter, balayer, close, dégager (se), dissiper, dissiper (se), dresser, écarter, éclaircir (s'), fraîchir, guinder, hausser, hisser, ôter, poindre, redresser, relever, supprimer, suspendre

LEVER DU JOUR → TÔT

LEVER DU JOUR aube, aurore, point du jour

LEVER SON VERRE → TRINQUER

LEVEUSE
Voir tab. **Prostitution**

LÉVIATHAN → BALEINE, DIABLE, MONSTRE
Voir tab. **Animaux fabuleux**

LEVIER → BICHE, COMMANDE, MACHINE, MANIVELLE
Voir illus. **Serrure**

LEVIER anspect, commande, cric, démonte-pneu, manette, pédale, pied-de-biche

LEVIER D'ÉCHAPPEMENT
Voir illus. **Piano**

LÉVIGATION
Voir tab. **Chimie**

LÉVIGER → POUDRE

LÉVIRAT → VEUVE

LÉVITE → HÉBREU, RABBIN, RELIGIEUX (1)

LÉVITIQUE (LE)
Voir tab. **Bible**

LÉVOGYRE → GAUCHE

LEVRAUT
Voir tab. **Animaux (termes propres aux)**

LÈVRE → BABINE, BLESSURE, BORD, PLAIE
Voir illus. **Cheval**
Voir illus. **Chirugicales (interventions)**

LÈVRE babine, commissure, gerçure, labial, labium, labre, lippe, nymphes, perlèche

LÉVULOSE → FRUIT, SUCRE

LEVURAGE → VIN

LEVURE → FERMENTATION, PAIN

LEVURE boulangerie, brasserie, ferment, pâtisserie

LEXÈME → BASE

LEXICOGRAPHE → DICTIONNAIRE, LEXIQUE

LEXICOGRAPHIE → VOCABULAIRE
Voir tab. **Sciences : termes en -ologie et -ographie**

LEXICOLOGIE → LEXIQUE, LINGUISTIQUE, MOT, SENS, VOCABULAIRE
Voir tab. **Sciences : termes en -ologie et -ographie**

LEXIE → PHRASE

LEXIQUE → CATALOGUE, DICTIONNAIRE, MOT, RECUEIL, VOCABULAIRE

LEXIQUE dictionnaire, glossaire, lexicographe, lexicologie, terminologie, vocabulaire

LEXIS → VIRTUEL

LEXOVIENS
Voir tab. **Habitants (comment se nomment les)**

LEYDE
Voir illus. **Fromages**

LÉZARD → PARESSEUX (2)
Voir tab. **Animaux (classification simplifiée des)**

LÉZARD anolis, autotomie, caméléon, dragon, iguane, lacertiliens, orvet, sauriens, tupinambis, varan

LÉZARDE → ÉTONNEMENT, FISSURE, GALON, MUR

LÉZARDÉ → FENTE

LÉZARDER (SE) → FENDRE

LHERZOLITE
Voir tab. **Roches et minerais**

LI → CHINOIS
Voir tab. **Éléments chimiques (symbole des)**

LIAIS → CALCAIRE

LIAISON → ACCOINTANCES, AVENTURE, COMMUNICATION, CONJONCTION, CONNEXION, CONTACT, DÉPENDANCE, FILIATION, IDYLLE, INFIDÉLITÉ, INTRIGUE, JONCTION, RELATION, RÉUNION, SOUDURE, TRANSITION, UNION

LIAISON asyndète, communication, connexion, contact, corrélation, correspondance, cuir, interdépendance, lien, pataquès, rapport, transition, velours

LIAISONNER → LIER

LIANT → FACILE, FAMILIER (2), SOCIABLE

LIARD → PEUPLIER, POIRE

LIARDER → COMPTER, DÉPENSE

LIASSE → PAQUET, TAS

LIBATION → BOIRE, CADEAU, SACRIFICE

LIBECCIO
Voir tab. **Vents**

LIBELLE → ATTAQUE, BROCHURE, CRITIQUE (1), ÉCRIT (1), PAMPHLET, SATIRE, TRACT

LIBELLÉ → FORMULE, LETTRE, TERME

LIBELLER → PASSER, RÉDIGER

LIBELLISTE → JOURNALISTE

LIBELLULE → INSECTE
Voir tab. **Animaux (classification simplifiée des)**

LIBER → PLANTE, TISSU
Voir illus. **Tronc**

LIBÉRAL → DÉMOCRATIE, GÉNÉREUX, IDÉE, INDÉPENDANT, LARGE, TOTALITAIRE

LIBÉRAL (1) whig

LIBÉRAL (2) antiprotectionniste, libre-échange, physiocrate

LIBÉRALISME → CAPITALISME, CONCURRENCE, POLITIQUE, SOCIALISME
Voir tab. **Économie**

LIBÉRALITÉ → BIENFAIT, GRATIFICATION

LIBÉRATION → DÉLIVRANCE, ÉMANCIPATION, RÉSISTANCE

LIBÉRER → AFFRANCHIR, BLOCUS, DÉBLOQUER, DÉLIVRER, ÉLARGIR, ÉVADER (S'), PRESCRIRE, RACHETER, SAUVER, SECOUER, SOULAGER

LIBÉRER alléger, déblayer, décharger, dégager, délier, délivrer, détacher, élargir, émanciper (s'), évader de (s'), relâcher, relaxer, soulager, soustraire à (se)

LIBERICA → CAFÉ

LIBÉRISTE → DELTAPLANE

LIBERO → FOOTBALL, MILIEU
Voir illus. **Football**

LIBERTAIRE → ANARCHIE, NORME, SOCIALISME

LIBERTÉ → AUTONOMIE, DÉMOCRATIE, FACILITÉ, FACULTÉ, FAMILIARITÉ, INDÉPENDANCE, LOISIR, POUVOIR

LIBERTÉ affranchir, autodétermination, autonomie, autorisation, droit, familiarité, franchise, franc-parler, habeas corpus, indépendance, latitude, loisirs, permission, privauté, souveraineté

LIBERTÉ D'EXPRESSION (ÔTER LA) → BÂILLONNER

LIBERTÉS PUBLIQUE ET INDIVIDUELLE → DROIT (1)

LIBERTIN → ATHÉE, BON VIVANT, GALANT, IMMORAL, IMPIE, IRRÉLIGIEUX, OSÉ, RELIGION, SÉDUCTEUR

LIBERTIN Casanova, concupiscent, débauché, don Juan, esprit fort, impie, incrédule, jouisseur, libidineux, libre-penseur, luxurieux, noceur, sensuel, sybarite, viveur, voluptueux

LIBERTINAGE → DÉBAUCHE, MŒURS

LIBERTINAGE dépravation, dévergondage, dissolution, licence

LIBERTY
Voir tab. **Tissus**

LIBERTY-SHIP
Voir tab. **Bateaux**

LIBIDINEUX → AVIDE, IMMORAL, LASCIF, LIBERTIN, POLISSON, PUDEUR, SEXUEL

LIBIDO → ÉNERGIE, INSTINCT, PLAISIR, SEXUEL
Voir tab. **Psychanalyse**

LIBRATION → LUNE

LIBRE → BÉNÉVOLE, DÉGAGÉ, DÉSINVOLTE, DISPONIBLE, FRANC (2), GRATUIT, INDÉPENDANT, INÉGAL, IRRÉGULIER, NATUREL, OSÉ, PATINAGE, PRIVÉ, RETENUE, VIDE (2)

LIBRE affranchi, autonome, cavalier, concubinage, dégagé, disponible, exempt, gaulois, indépendant, inoccupé, leste, libre arbitre, osé, souverain, vacant, volontaire

LIBRE ARBITRE → LIBRE

LIBRE-ÉCHANGE → COMMERCIAL, ÉCHANGE, LIBÉRAL (2)

LIBRE-ÉCHANGISME → CONCURRENCE, IMPORTATION

LIBRE-PENSÉE → PENSÉE

LIBRE-PENSEUR → ATHÉE, CLERGÉ, CROYANT, IMPIE, INCRÉDULE, IRRÉLIGIEUX, LIBERTIN, NON-CROYANT

LIBREMENT → CLAIREMENT

LIBRETTISTE → LIVRET, OPÉRA

LIBRETTO → LIVRET, OPÉRA

LIBURNE
Voir tab. **Bateaux**

LICE → CHÂTEAU, CHIEN, PALISSADE, TOURNOI
Voir illus. **Château fort**
Voir tab. **Animaux (termes propres aux)**

LICENCE → BREVET, DÉBAUCHE, DIPLÔME, IMPORTATION, LIBERTINAGE, MŒURS, PERMISSION, UNIVERSITÉ

LICENCE anacoluthe, anastrophe, autorisation, hypallage, licence IV, permis, syllepse, zeugma

LICENCE IV → LICENCE

LICENCIÉ (ÊTRE) → PERDRE

LICENCIEMENT → BALAI, DÉPART, MISE, RENVOI, SUPPRESSION

LICENCIER → CHÔMAGE, COMPTE, CONGÉ, DÉGRAISSER, DESTITUER, PIED, REFUSER, SÉPARER, VIRER

LICENCIER casser, congé (donner), congédier, démettre, destituer, limoger, relever, remercier, renvoyer, révoquer

LICENCIEUX → ÉROTIQUE, GAULOIS, GRAS, IMMORAL, INCONVENANT, LÉGER, MALSAIN, MŒURS, OBSCÈNE, OSÉ, POLISSON, SALACE, SALÉ, SEXUEL

LICHEN → CHAMPIGNON

LICHEN apothécie, lécanore, orseille, parmélie, rocelle, thallophytes, usnée, verrucaire

LICITATION → ENCHÈRE, VENTE

LICITE → LÉGAL, LOI, PERMIS

LICITER → VENDRE

LICOL → CORDE

LICORNE → CORNE, IMAGINAIRE (2), LÉGENDE
Voir tab. **Animaux fabuleux**

LICOU → CORDE, LIEN

LICTEUR → GARDE

LIDO → CORDON, PLAGE

LIE → CIDRE, DÉPÔT, ÉCUME, VIN

LIÉ → ENCHAÎNER, INSÉPARABLE, UNI

LIE-DE-VIN → VIOLET
Voir tab. **Couleurs**

LIED → CHANT, MÉLODIE, POÈME
Voir tab. **Musicales (formes)**

LIÈGE → ENVELOPPE

LIÈGE démascler, phellogènes, suber

LIEMENT → ESCRIME

LIEN → ACCOINTANCES, ATTACHE, FIL, LIAISON, RAPPORT, RELATION, SIMILITUDE, SOUDURE

LIEN accolure, attache, chaîne, entrave, garrot, licou, ligature, longe, Sandow, Sangle, tendeur

LIEN HYPERTEXTE → RENVOI

LIENTERIE → DIARRHÉE

LIER → EMPÊTRER, JOINDRE, LACER, NOUER, SAUCE, UNIR
Voir tab. **Cuisine**

LIER acoquiner (s'), amitié (prendre en), asservi, assujetti, botteler, fagoter, frayer avec, fréquenter, liaisonner, sympathiser

LIERNE
Voir tab. **Architecture**

LIESSE → JOIE, RÉJOUISSANCE

LIEU → ENDROIT, ESPACE, PLACE, POINT, RAISON, SITE, UNITÉ
Voir tab. **Phobies**

LIEU à la place de, arriver, banalité, cliché, dérouler (se), emplacement, endroit, local, passer (se), place, plutôt que de, poncif, position, produire (se), secteur, siège, site, théâtre, thébaïde, -tope, topoagnosie, topographie, toponyme, ubiquité

LIEU (AVOIR) → ARRIVER, SURVENIR

LIEU (DONNER) → OCCASIONNER

LIEU COMMUN → BANALITÉ, CLICHÉ, FORMULE, IMAGE, PHRASE, PLATITUDE

LIEU DE SÉJOUR → STATION

LIEU SÛR → SÛRETÉ

LIEU-DIT → CAMPAGNE, DISSÉMINÉ, VILLAGE

LIEUE → ITINÉRAIRE

LIEUTENANT → CHEF
Voir illus. **Grades de la gendarmerie**
Voir illus. **Grades militaires**

LIEUTENANT DE VAISSEAU
Voir illus. **Grades militaires**

LIEUTENANT-COLONEL
Voir illus. **Grades militaires**

LIEUX (EN TOUS) → PARTOUT

LIEUX D'AISANCES → CABINET, COMMODITÉS, WATER-CLOSET

LIÈVRE → GIBIER
Voir tab. **Animaux (termes propres aux)**
Voir tab. **Mammifères (classification des)**

LIÈVRE agouti, capucin, dolichotis, forme, gîte, hase, lagomorphes, léporidés, mara, vagissement

LIÈVRETEAU
Voir tab. **Animaux (termes propres aux)**

LIFT → TENNIS

LIFTIER → CHASSEUR (1), DOMESTIQUE (1), HÔTEL

LIFTING → ÉTIRAGE, RIDE

LIFTING déridage, lissage, remodelage

LIGAMENT → ARTICULATION
Voir tab. **Chirurgicales (interventions)**

LIGAMENT SUSPENSEUR
Voir illus. **Œil**

LIGATURE → CHIRURGIE, CONJONCTION, LIEN

LIGE → FIDÈLE (2)

LIGN(I)- → BOIS

LIGNAGE → EXTRACTION, NAISSANCE, RACE, SANG

LIGNE → BALAYAGE, BASE, BUDGET, FORÊT, FORME, FRONT, GALBE, MOTEUR, ORIENTATION, PARENTÉ, PÊCHE, PUNITION, QUADRILLAGE, RANG, RÈGLE, SILHOUETTE, VOIE
Voir illus. **Main**
Voir tab. **Pêche**

LIGNE arête, axe, bissectrice, boustrophédon, chiromancie, cordeau, diagonale, équateur, filet, frontière, linéaire, linéament, médiatrice, méridien, règle, strie

LIGNE AÉRIENNE → DIRECTION

LIGNE D'ASSISE
Voir illus. **Arcs**

LIGNE DE BALLON MORT → RUGBY

LIGNE DE BUT
Voir illus. **Football**

LIGNE DE CONDUITE → TACTIQUE

LIGNE DE TOUCHE → FOOTBALL
Voir illus. **Football**

LIGNE DROITE → DIMENSION

LIGNE LATÉRALE
Voir illus. **Poisson**

LIGNÉE → ARBRE, DESCENDANT, FAMILLE, GÉNÉALOGIE, NAISSANCE, ORIGINE, RACE, SUITE

LIGNEUL → BROSSE, FIL

LIGNICOLE → BOIS

LIGNINE → PLANTE

LIGNITE → CHARBON

LIGOT → FAGOT

LIGOTER → ATTACHER, ENTOURER

LIGUE → ALLIANCE, BANDE, COALITION, COMMUNAUTÉ, CONSPIRATION, ENTENTE, FÉDÉRATION, RÉFORME, SOCIÉTÉ, UNION

LIGUER → BLOC, CABALE, UNIR

LIGULÉ
Voir tab. **Forme de... (en)**

LILAS → VIOLET
Voir tab. **Couleurs**

LILIACÉES → AIL, JACINTHE, LIS, MUGUET, OIGNON, POIREAU

LILIAL → BLANC (2), LIS

LILIUM → LIS

LILLIPUTIEN → MINUSCULE, NAIN, PETIT (2)

LIMACE → MOLLUSQUE

LIMAÇON → ESCARGOT, OREILLE
Voir illus. **Oreille**

LIMAILLE → DÉBRIS, MÉTAL

LIMAN → LAGUNE

LIMBE → ASTRE, BORD, CERCLE, FEUILLE

LIMBES → BAPTÊME, ENFER
Voir tab. **Catholique romain (vocabulaire)**

LIME → CITRON, POLIR, PONCER

LIME carreau, carrelet, fraise, queue-de-rat, râpe, riflard, rifloir, tiers-point

LIME À ONGLES → ONGLE

LIMER → DÉGROSSIR

LIMER ébarber, polir, râpé, usé

LIMIER → CHIEN

LIMINAL → PERCEPTIBLE

LIMITATION → FIXATION, RESTRICTION

LIMITE → BORNE, BOUT, CONTOUR, EXTRÉMITÉ, FREIN, FRONTIÈRE, PARTAGE, PLAFOND, POSSIBILITÉ, SEUIL

LIMITE borne, confins, démarcation, enceinte, frontière, limitrophe, lisière, orée, plafond, terme

LIMITÉ → INSUFFISANT, MODESTE, RELATIF, STUPIDE, TIÈDE

LIMITER → ÉCONOMISER, FERMER, LOCALISER, MODÉRER, RÉDUIRE, RÉTRÉCIR, TENIR

LIMITER cantonner à (se), circonscrire, contingenter, localiser, restreindre (se)

LIMITROPHE → FRONTIÈRE, LIMITE, PROCHE (2), VOISIN

LIMNOLOGIE → LAC
Voir tab. **Sciences : termes en -ologie et -ographie**

LIMOGÉ (ÊTRE) → PERDRE

LIMOGEAGE → BALAI, DÉPART

LIMOGER → DÉBARQUER, DÉGRAISSER, DESTITUER, LICENCIER, PIED, RELEVER, RÉVOQUER, SUPPRIMER

LIMOGES → PORCELAINE
Voir tab. **Habitants (comment se nomment les)**

LIMON → BOUE, CITRON, DÉPÔT, SABLE, TERRE, VASE
Voir illus. **Escalier**

LIMONADIER → BAR

LIMONAIRE → ORGUE

LIMONEUX → BOUEUX

LIMONITE → FER

LIMOUGEAUDS
Voir tab. **Habitants (comment se nomment les)**

LIMOUSINAGE → MAÇONNERIE

LIMOUSINE → BOVIN, MANTEAU
Voir illus. **Manteau**
Voir illus. **Voitures (types de)**

LIMPIDE → CLAIR, FACILE, FLUIDE (2), LUMINEUX, PROPRE (2), PUR, RÉSONNER, SIMPLE, TRANSPARENT

LIMPIDE clair, compréhensible, cristallin, intelligible, pur

LIMULES → CRABE
Voir tab. **Animaux (classification simplifiée des)**

LIN → FIBRE, PEINTURE, TEXTILE, VÉGÉTAL (2)

LIN alençon, batiste, bongeau, cambrai, drège, écang, linacées, linaire, linette, liniculture, macque, phormium, rouir

LIN (TOILE DE)
Voir tab. **Tissus**

LINACÉES → LIN

LINAIRE → LIN

LINCEUL → FANTÔME, LINGE, MORT (1)

LINDT
Voir tab. **Chocolat**

LINÉAIRE → LIGNE, MAGASIN
Voir illus. **Feuille**
Voir illus. **Fractures**

LINÉAMENT → LIGNE

LINETTE → LIN

LINGE → EFFET, LESSIVE

LINGE layette, linceul, manuterge, pale, suaire, tavaïolle, trousseau

LINGÈRE
Voir tab. **Saints patrons**

LINGERIE → DENTELLE, DESSOUS, HABILLEMENT

LINGOT → BARRE, FONTE, OR

LINGOTIÈRE → ACIER

LINGUAL → LANGUE

LINGUATULOSE → RHINITE

LINGUETTE → COMPRIMÉ (1)

LINGUISTIQUE → LANGAGE

LINGUISTIQUE générativisme, lexicologie, morphologie, phonétique, phonologie, Saussure (Ferdinand de), sémantique, syntaxe

LINICULTURE → LIN

LINIMENT → ADOUCISSANT, BAUME, MÉDICAMENT, POMMADE

LINKS → GOLF

LINNÉ → BOTANIQUE (1)

LINOLÉUM → REVÊTEMENT, TAPIS

LINON → TOILE
Voir tab. **Tissus**

LINOTYPE → COMPOSER, PLOMB

LINOTYPIE → COMPOSITION

LINOTYPISTE → IMPRIMERIE

LINTEAU → MANTEAU, PORTE, POUTRE
Voir illus. **Colombage**
Voir illus. **Intérieur de maison**
Voir tab. **Architecture**

LINZERTARTE
Voir tab. **Gâteaux régionaux et étrangers**

LION → CINÉMA, FAUVE (1)
Voir illus. **Héraldique**
Voir tab. **Animaux (termes propres aux)**

Voir tab. **Astrologie**
Voir tab. **Zodiaque**

LION couguar, félidés, léonin, léontocéphale, phoque, puma, rugissement, tigron

LION D'OR
Voir tab. **Prix cinématographiques**

LIONCEAU
Voir tab. **Animaux (termes propres aux)**

LIONNE
Voir tab. **Animaux (termes propres aux)**

LIP(O)- → GRAISSE

LIPARIS → NOCTURNE, PAPILLON

LIPECTOMIE → ESTHÉTIQUE (2)

LIPIDE → GRAS

LIPOASPIRATION
Voir tab. **Chirurgie (vocabulaire de la)**

LIPOGRAMME → JEU

LIPOÏDE → GRAISSE

LIPOLYSE → GRAISSE

LIPOME → TUMEUR

LIPOSUCCION → ASPIRATION, GRAISSE, PRÉLÈVEMENT
Voir tab. **Chirurgie (vocabulaire de la)**

LIPOTHYMIE → MALAISE, SYNCOPE

LIPOTROPE → GRAS

LIPPE → GRIMACE, LÈVRE

LIPPU → GROS, OURS

LIQUATION → FONDRE

LIQUÉFACTION → CORPS, FUSION, LIQUIDE

LIQUÉFIER → ALLONGER, FONDRE

LIQUEUR → ALCOOL, DRAGÉE, REPAS
Voir tab. **Alcools et eaux-de-vie**

LIQUEUR absinthe, arak, Bénédictine, brou de noix, canard, Chartreuse, digestif, eau-de-vie, liquoriste, marasquin, raki, ratafia, scubac, spiritueux

LIQUIDAMBAR → BAUME, RÉSINE

LIQUIDATEUR → MANDATAIRE

LIQUIDATION → BANQUEROUTE, BILAN, BOURSE, DÉPÔT, SOLDE, SUPPRESSION

LIQUIDE → COMPTANT, FLUIDE (2), JUS, SAVON

LIQUIDE aréomètre, chyle, coagulation, colature, espèces, fluide, fusion, liquéfaction, piézomètre, plasma, sérum, soluté, solution, suc

LIQUIDÉ → EXPÉDIER

LIQUIDE SÉMINAL → SPERME

LIQUIDER → RÉALISER, RÉGLER, SOLDER, STOCK, TERMINER, VENDRE

LIQUIDER UN PASSIF → PAYER

LIQUIDITÉ → CAPITAL (1), DISPONIBILITÉ, FONDS

LIQUOREUX → DOUX, MOELLEUX, SIROP, SUCRÉ

LIQUORISTE → LIQUEUR

LIRE → DÉCHIFFRER, ITALIEN (2), RÉCITER

LIRE alexie, analphabète, compulser, déchiffrer, déclamer, épeler, illettré, parcourir, prédire, survoler

LIS → MONARCHIE, PURETÉ

LIS amaryllis, hémérocalle, liliacées, lilial, lilium, martagon, pureté, virginité

LIS DE MER
Voir tab. **Animaux (classification simplifiée des)**

LISE → MOUVANT

LISERÉ → BORDURE, RUBAN
Voir tab. **Couture**

LISERÉ EN CROIX (TRIPLE) → KÉPI

LISERER → BORDER

LISETTE → MAQUEREAU

LISIBLE → COMPRÉHENSIBLE, SOIGNÉ

LISIER → FUMIER

LISIÈRE → BOIS, BORD, EXTRÉMITÉ, FORÊT, FRONTIÈRE, LIMITE, MARGE

LISIÈRE bord, bordure, orée

LISIEUX
Voir tab. **Habitants (comment se nomment les)**

LISSAGE → ÉTIRAGE, LIFTING, RIDE
Voir tab. **Multimédia (les mots du)**

LISSE → ÉGAL

LISSE calme, étale, glabre, plane, poli, tranquille, uni

LISSE (BASSE) → TAPISSERIE

LISSE (HAUTE) → TAPISSERIE

LISSER → GLACER, LUSTRER

LISSIER → TISSER

LISSOIR → POLIR

LISTE → CATALOGUE, ÉNUMÉRATION, INVENTAIRE, RÔLE

LISTE catalogue, dénombrement, énumération, errata, état, Index, inventaire, martyrologe, nomenclature, palmarès, pouillé, récapitulation, répertoire, rôle, série

LISTE DE DIFFUSION
Voir tab. **Internet**

LISTE ROUGE → TÉLÉPHONE

LISTEL → BAGUETTE, DEVISE, FILET, INSCRIPTION, MONNAIE, MOULURE
Voir illus. **Héraldique**
Voir tab. **Architecture**
Voir tab. **Héraldique (vocabulaire de l')**

LISTON
Voir tab. **Architecture**

LIT → BANC, FLEUVE, REPOS

LIT alcôve, baldaquin, banquette, bassinoire, bat-flanc, bouillotte, châlit, chevet, ciel, clic-clac, convertible, couche, couchette, cours, courtepointe, divan, être alité, grabat, hamac, paillasse, quenouille, ruelle, tāra, triclinium

LIT DE L'ONGLE
Voir tab. **Ongle**

LIT DE REPOS
Voir illus. **Sièges**

LITANIE → CHANT, ÉNUMÉRATION, PRIÈRE, SAINT (1), SÉRIE, SUCCESSION, SUITE

LITANIE antienne, histoire, refrain, rengaine

LITANIES
Voir tab. **Prières et offices de l'Église catholique romaine**

LITEAU → BAGUETTE, DÉBITER, GÎTE, LOUP
Voir illus. **Maison**
Voir illus. **Toits**
Voir tab. **Animaux (termes propres aux)**

LITH(O)-
Voir tab. **Chirugicales (interventions)**

LITHAM → VOILE

LITHARGE → PLOMB

LITHIASE → CALCUL, URINE

LITHIASE URINAIRE → VESSIE

LITHIQUE → PIERRE

LITHIUM
Voir tab. **Éléments chimiques (symbole des)**

LITHOCLASE → PIERRE

LITHOGÈNE → PIERRE

LITHOGRAPHIE → GRAVURE, IMAGE, IMPRESSION, IMPRIMERIE, REPRODUCTION

LITHOÏDE → PIERRE

LITHOLOGIE → ROCHE
Voir tab. **Sciences : termes en -ologie et -ographie**

LITHOPHANIE → PORCELAINE, VERRE

LITHOPHILE
Voir tab. **Collectionneurs**

LITHOPONE → ZINC

LITHOSPHÈRE → TERRESTRE

LITHOTRIPSIE → VESSIE
Voir tab. **Chirurgie (vocabulaire de la)**

LITHOTRITIE → VESSIE

LITIÈRE → ÉTABLE, EXCRÉMENT

LITIÈRE basterne, brancard, civière, palanquin

LITIÈRE (FAIRE) → BAFOUER

LITIGE → AFFAIRE, CONTENTIEUX

LITISPENDANCE → TRIBUNAL

LITORNE → GRIVE

LITOTE
Voir tab. **Rhétorique (figures de)**

LITRE → FUNÈBRE, SEIGNEUR

LITRE balthazar, baron, distingué, formidable, jéroboam, magnum, mathusalem, nabuchodonosor, parfait, réhoboam, salmanazar, sérieux

LITTÉRAIRE → ÉCRIT (2)

LITTÉRAIRE classicisme, existentialisme, littérarité, livresque, naturalisme, nouveau roman, Parnasse, préciosité, surréalisme, unanimisme

LITTÉRAL → EXACT, MOT, PROPRE (2), SENS, STRICT, TRADUCTION

LITTÉRAL exact, mot à mot, plagiat, propre

LITTÉRALEMENT → STRICT

LITTÉRARITÉ → LITTÉRAIRE

LITTÉRATURE
Voir tab. **Prix littéraires**

LITTÉRATURE amphigouri, anthologie, dissertation, Femina, florilège, galimatias, Goncourt, humanisme, Interallié, Médicis, pathos, Renaudot

LITTORAL → BORD, CÔTE, PÊCHE, RIVAGE, VÉGÉTATION, ZONE

LITURGIE → CÉRÉMONIE, MESSE, RELIGIEUX (2), RITE, SACRÉ

LITURGIE antiphonaire, autel, baptême, bréviaire, calice, cérémonial, ciboire, confirmation, corporal, culte, custode, eucharistie, eucologe, évangéliaire, funérailles, intégriste, mariage, missel, oblats, office, onction, ostensoir, paroissien, patène, pénitence, plain-chant, sacrement, tabernacle

LITURGIE DE LA PAROLE → MESSE

LITURGIQUE → PRIÈRE

LIURE → CÂBLE, CHARRETTE

LIVAROT → NORMAND
Voir illus. **Fromages**

LIVE → REPORTAGE

LIVIDE → BLAFARD, BLANC (2), BLÊME, COULEUR, PÂLE, VERT
Voir tab. **Couleurs**

LIVIDE blafard, blême, cadavérique, cireux, crayeux, exsangue, hâve, pâle, plombé

LIVING → SALON

LIVRAISON → NUMÉRO

LIVRAISON arrivage, délivrance, lot, remise

LIVRE → CAHIER, ÉCOLIER, INFORMATION, KILOGRAMME, ŒUVRE, OUVRAGE, PRODUCTION
Voir tab. **Collectionneurs**
Voir tab. **Manies**

LIVRE abrégé, addenda, annexes, appendice, bibliomanie, bibliophilie, bréviaire, écrit, épitomé, eucologe, ex-libris, folio, frontispice, grimoire, incipit, incunable, ISBN (international standard book number), lutrin, manuel, missel, opuscule, ouvrage, page de garde, plaquette, portulan, précis, psautier, registre, rossignol, signet, tome, tranche, volume

LIVRE RÉVÉLÉ → BIBLE

LIVRE STERLING guinée, penny, shilling, souverain

LIVRÉE → HABIT, INSIGNE (1), UNIFORME (1)
Voir illus. **Avion**

LIVRER → ACTIVITÉ, ADONNER (S'), BALANCER, COMMUNIQUER, CONFIER, DÉLIVRER, DÉNONCER, ENGAGER, FOURNIR, PRISONNIER, REMETTRE, RENDRE (SE), SOUMETTRE, TRAHIR, TRANSMETTRE, VENDRE

LIVRER abandonner (s'), adonner (s'), atteler (s'), confier, consacrer à (se), déférer, dénoncer, dévoiler, divulguer, extrader, laisser aller (se), plonger (se), rendre (se), révéler, trahir, vaquer à

LIVRESQUE → LITTÉRAIRE

LIVRET → BROCHURE, CAHIER, OPÉRA, OPUSCULE, PROGRAMME, SCÉNARIO

LIVRET brochure, carnet, fascicule, librettiste, libretto, programme

LIVREUR → COMMISSIONNAIRE, GARÇON

LL. MM. → MAJESTÉ

LLANO
Voir tab. **Géographie et géologie (termes de)**

LOB → TENNIS

LOBBY → GROUPE, PRESSION

LOBE → CERVEAU, FOIE, OREILLE, POUMON
Voir illus. **Cerveau**
Voir illus. **Oreille**
Voir illus. **Respiratoire (système)**
Voir tab. **Architecture**

LOBECTOMIE → CERVEAU

LOBÉLIE → TABAC

LOBOTOMIE → CERVEAU, PSYCHIATRIE

LOBULE → POUMON
Voir illus. **Oreille**

LOCAL → LIEU, PERMANENCE

LOCAL atelier, cercle, club, loft, loge

LOCALISATION → POSITION, SITUATION

LOCALISER → DÉTERMINER, LIMITER, SITUER

LOCALISER circonscrire, déterminer, limiter, repérer, situer

LOCALITÉ agglomération, bourg, bourgade, village

LOCATAIRE → BAIL, OCCUPANT

LOCATION affermage, amodiation, bail, leasing, métayage

LOCH → LAC, MARINE

LOCH NESS (MONSTRE DU) → MONSTRE

LOCHER → NOIX

LOCK-OUT → GRÈVE

LOCOMOTION → MEMBRE, NAGEOIRE, TRANSPORT

LOCOMOTIVE → RAIL

LOCOMOTIVE locomotrice, locotracteur, pantographe

LOCOMOTRICE → LOCOMOTIVE

LOCOTRACTEUR → LOCOMOTIVE, TRACTEUR

LOCULE → LOGE

LOCUTEUR → DIALOGUE, USAGER

LOCUTION → EXPRESSION, FORMULE, MOT

LOCUTION expression, formule, gallicisme, idiotisme, tournure

LOCUTION PRÉPOSITIVE → PRÉPOSITION

LODEN → MANTEAU

Voir illus. **Manteaux**

Voir tab. **Tissus**

LŒSS → SABLE

LOFER

Voir illus. **Planche à voile**

LOFT → HABITATION, LOCAL

LOGE → CABANE, COMPAGNIE, FRANC-MAÇON, LOCAL, PLACE

Voir illus. **Théâtre**

LOGE atelier, baignoire, box, cassetin, locule, stalle

LOGEMENT → APPARTEMENT, GÎTE, HABITATION, IMMEUBLE (1), INTÉRIEUR (1)

LOGEMENT appartement, clochard, déménager, domicile, emménager, foyer, habitation, hébergement, logis, maison, sans domicile fixe (SDF), sans-abri, squat, toit

LOGER → ABRITER, ACCUEILLIR, COUCHER, DEMEURER, DESCENDRE, HABITER, INSTALLER, PERCHER

LOGER abriter, accueillir, demeurer, engager, habiter, héberger, introduire, occuper, placer, recevoir, résider, séjourner, vivre

LOGEUR → PROPRIÉTAIRE

LOGGIA → APPARTEMENT, BALCON

LOGICIEL → INFORMATIQUE, ORDINATEUR, PROGRAMME

Voir tab. **Informatique**

LOGICIEN → LOGIQUE (1)

LOGIN

Voir tab. **Internet**

LOGIQUE → ABSTRAIT, COHÉRENT, CONSÉQUENT, CONTRADICTION, FIL, INÉVITABLE, JUSTESSE, MATHÉMATIQUE, MÉTHODE, MÉTHODIQUE, PHILOSOPHIE,

RAISON, RAISONNABLE, RAISONNEMENT, RATIONNEL, RECTITUDE, RÈGLE, RIGOUREUX, SCIENCE, SUIVI, SYSTÉMATIQUE, UNITÉ

LOGIQUE (1) dialectique, logicien, postulat, prémisse, raison, raisonnement, sens commun, tautologie

LOGIQUE (2) cartésien, cohérent, conséquent, déduction, judicieux, rationnel, rigoureux, sensée, sophisme, syllogisme

LOGIQUE (EN TOUTE) → DÉFINITION

LOGIQUEMENT → PRINCIPE

LOGIS → INTÉRIEUR (1), LOGEMENT, MAISON

LOGISTICIEN → MUNITION

LOGISTIQUE → ARMÉE, INTENDANCE, RAVITAILLEMENT

LOGO → COMMERCE, DESSIN, REPRÉSENTATION, SYMBOLE

LOGO(TYPE) → SIGNE

LOGOGRAMME → SIGNE

LOGOGRAPHIE → STÉNOGRAPHIE

LOGOGRIPHE → DEVINER, ÉNIGME, LANGAGE

LOGOMACHIE → BAVARDAGE, COMBAT, COMPÉTITION, CONTROVERSE, MOT

LOGOMANIE

Voir tab. **Manies**

LOGOPATHIE → PAROLE

LOGOPÉDIE → PRONONCIATION

LOGOPHOBIE

Voir tab. **Phobies**

LOGORRHÉE → ABONDANCE, BAVARDAGE, DÉBORDEMENT, EXCÈS, LANGAGE, PAROLE, PROFUSION

LOGOS → DIEU

LOGOTYPE → MARQUE

LOI → AUTORITÉ, CODE, COMMANDEMENT, CONDUITE, CONTRAINTE, DISCIPLINE, IMPÉRATIF (1), LÉGALITÉ, LÉGISLATION, NORME, ORDRE, PÈRE, PRINCIPE, RAISON, RÈGLE

LOI abroger, amendement, anomie, article, bill, caduque, canon, code, contrevenir à, disposition, édit, hors-la-loi, illégal, illicite, juriste, légal, légiférer, législation, légiste, légitime, licite, martial, nomographie, ordonnance, promulguer, transgresser

LOI DU CADENAS → DOUANE

LOI DU TALION → RÉCIPROQUE (2), VENGEANCE

LOI MARTIALE → ARMÉE, RÉPRESSION

LOI MOSAÏQUE → RABBIN

LOI SALIQUE → FRANCS

LOIN → BAS (2), DIABLE, DISTANT, PROFONDÉMENT

LOIN distant, éloigné, horizon (à l'), infra, isolé, retiré

LOINTAIN → IMPRÉCIS, INHUMAIN, PRÉHISTORIQUE, SCÈNE

Voir illus. **Théâtre**

LOINTAIN (1) arrière-plan (à l'), fond (au), horizon (à l')

LOINTAIN (2) absent, distant, distrait, éloigné, indirect, isolé, reculé, retiré, vague

LOINTAIN (DANS LE) → FOND

LOIR → NOCTURNE, PARESSEUX (2), RONGEUR

LOISIR → ACTIVITÉ, ATTRACTION, DISTRACTION, DIVERTISSEMENT, FACULTÉ, LIBERTÉ, OCCUPATION, PASSE-TEMPS, PERMISSION, POSSIBILITÉ, RÉCRÉATION, REPOS, URBANISME, VIOLON

LOISIR détente, distraction, farniente, hobby, liberté, occasion, passe-temps, permission, repos, temps, vacances, violon d'Ingres

LOLLO

Voir tab. **Salades**

LOLLO ROSSA

Voir tab. **Salades**

LOMBAIRE → VERTÈBRE

Voir illus. **Squelette**

LOMBALGIE → COLONNE VERTÉBRALE, MANIPULATION

Voir tab. **Douleur**

LOMBES → DOS

Voir tab. **Chirugicales (interventions)**

LOMBO-

Voir tab. **Chirugicales (interventions)**

LOMBOSTAT → CORSET

LOMBRIC → VER

Voir tab. **Animaux (classification simplifiée des)**

LONDRÈS → CIGARE

LONG → FOURMI, INTERMINABLE, OS, POIVRE

Voir tab. **Belote**

LONG ambitieux, arriviste, avec le temps, barlong, élancé, entregent (avoir de l'), étiré, grand, influence (de l'), interminable, longi-, -macro-, oblong, pendant, prolixe, verbeux

LONG COURS → NAVIGATION

LONG EN BOUCHE

Voir tab. **Vin (vocabulaire du)**

LONGANIMITÉ → BIENVEILLANCE, INDULGENCE, PATIENCE

LONGE → BORDER, CHEVREUIL, CORDE, ÉCHINE, LIEN, PORC

LONGER → RAS, SUIVRE

LONGERON → POUTRE

LONGÉVITÉ → RÉSISTANCE, VIE

LONGI- → LONG

LONGICAULE → TIGE

LONGITUDE → CARTE, MÉRIDIEN, POINT

LONGITUDINAL → LONGUEUR

LONGTEMPS → BEAU

LONGTEMPS belle lurette, éternité, longuement

LONGUE → RADIOÉLECTRIQUE

Voir tab. **Bridge**

LONGUEMENT → BEAUCOUP, LONGTEMPS

LONGUET → MARTEAU

LONGUEUR → ALOURDIR, DIMENSION, DISTANCE, ÉTENDUE

LONGUEUR année-lumière, aune, coudée, empan, longitudinal, mètre, mile, mille marin, parsec (pc), pied, pouce, toise

LONGUEUR (SAUT EN)

Voir tab. **Sports**

LONGUE-VUE → LUNETTE, OPTIQUE

LONS-LE-SAUNIER

Voir tab. **Habitants (comment se nomment les)**

LONZO → SAUCISSON

LOOCH → POTION, SIROP

LOOK → COMPOSITION, IMAGE

LOOPING → AÉRIEN, AVION, BOUCLE

LOPHIRA → FER

LOPHOPHORE → PANACHE

LOPIN → BOUT, MORCEAU, PARCELLE, PORTION, TERRE

LOQUACE → BAVARD, PARLANT

LOQUACE (PEU) → SOBRE

LOQUACITÉ → ABONDANCE, DÉBORDEMENT, ÉLOQUENCE, EXUBÉRANCE, PARLER

LOQUE → AFFREUX, CHIFFON, DÉBRIS, ÉPAVE, LAMBEAU, MISÉRABLE (2), RUINE, VÊTEMENT

LOQUE chiffon, déchet, défroque, épave, guenille, haillon, harde, lambeau

LOQUET → FERMETURE

LOQUET DE BAILLE À MOUILLAGE

Voir illus. **Voilier : Dufour 38 Classic**

LORAN → NAVIGATION

LORD → NOBLE (1)

LORD-MAIRE → MAIRE

LORDOSE → COLONNE VERTÉBRALE, DÉVIATION

LORES

Voir illus. **Oiseau**

LORGNER → DÉSIRER, LOUCHER, OBSERVER, REGARDER

LORGNER convoiter, désirer, épier, guigner, loucher sur, reluquer

LORGNON → LUNETTES

LORI → PERROQUET

LORICARIIDÉS → LAVEUR

LORIOT

Voir illus. **Becs**

Voir tab. **Oiseaux (classification simplifiée des)**

LORRAINE → CROIX

Voir illus. **Croix**

LORRY → WAGON

LORSQUE → PENDANT (3)

LOSANGE → QUADRILATÈRE

Voir illus. **Géométrie (figures de)**

Voir tab. **Forme de... (en)**

LOSANGE arlequin, rhombique, rhomboèdre, rhomboïdal

LOSER → PERDANT

LOT → CONTINGENT, LIVRAISON, PORTION, SORT

Voir tab. **Copropriété**

LOTERIE → COMBINAISON, JEU

LOTERIE blanque, sweepstake, tombola, tranche

LOTHAIRE

Voir tab. **Rois et chefs d'État de la France**

LOTIER → FOURRAGE, TALUS

LOTIER CORNICULÉ → TRÈFLE

LOTIR → DIVISER, MORCELER, RÉPARTIR

LOTISSEMENT → MAISON, PARCELLE, PART

LOTO → JEU

LOTO bingo, quine, totocalcio

LOUABLE → BON (2)

LOUABLE bon, estimable, honorable, méritoire

LOUAGE → CONTRAT

LOUANGE → APOLOGIE, APPLAUDISSEMENT, APPROBATION,

BIEN, COMPLIMENT, ÉLOGE, ENCENSER, FÉLICITATION

LOUANGE apologie, dithyrambe, éloge, encenser, félicitation, flagornerie, glorifier, hagiographie, laudatif, laudes, panégyrique

LOUANGER → FLATTER

LOUBET (ÉMILE)
Voir tab. **Rois et chefs d'État de la France**

LOUCHE → BORGNE, CUILLER, DOUTEUX, INQUIÉTER, POT, SUSPECT (1), TROUBLE (2)

LOUCHE ambigu, douteux, équivoque, interlope, malfamé, malsain, suspect, trouble

LOUCHER → LORGNER, REGARDER

LOUCHER convoiter, guigner, lorgner, reluquer, strabisme

LOUCHERBEM
Voir tab. **Argot et langages populaires**

LOUCHET → BÊCHE, PELLE

LOUER → ACCORDER, APPLAUDIR, BÉNIR, CÉLÉBRER, ENCENSER, EXALTER, GLORIFIER, PORTER, PRÊCHER, PRENDRE, RETENIR, VANTER

LOUER affermer, affréter, arrenter, complimenter, encenser, exalter, féliciter, flatter, glorifier, magnifier, noliser, porter au pinacle, porter aux nues, prôner, vanter

LOUER LES SERVICES → EMBAUCHER

LOUEUR → BAIL

LOUFOQUE → BIZARRE, BURLESQUE, DRÔLE (2)

LOUIS → OR, PIÈCE

LOUIS Iᵉʳ LE DÉBONNAIRE
Voir tab. **Rois et chefs d'État de la France**

LOUIS Iᵉʳ LE PIEUX
Voir tab. **Rois et chefs d'État de la France**

LOUIS II LE BÈGUE
Voir tab. **Rois et chefs d'État de la France**

LOUIS III
Voir tab. **Rois et chefs d'État de la France**

LOUIS IV D'OUTRE-MER
Voir tab. **Rois et chefs d'État de la France**

LOUIS V
Voir tab. **Rois et chefs d'État de la France**

LOUIS VI LE GROS
Voir tab. **Rois et chefs d'État de la France**

LOUIS VII LE JEUNE
Voir tab. **Rois et chefs d'État de la France**

LOUIS VIII
Voir tab. **Rois et chefs d'État de la France**

LOUIS IX
Voir tab. **Rois et chefs d'État de la France**

LOUIS X LE HUTIN
Voir tab. **Rois et chefs d'État de la France**

LOUIS XI
Voir tab. **Rois et chefs d'État de la France**

LOUIS XII
Voir tab. **Rois et chefs d'État de la France**

LOUIS XIII
Voir tab. **Rois et chefs d'État de la France**

LOUIS XIV
Voir tab. **Rois et chefs d'État de la France**

LOUIS XV → BICHE, TALON

LOUIS XVI
Voir tab. **Rois et chefs d'État de la France**

LOUIS XVIII
Voir tab. **Rois et chefs d'État de la France**

LOUIS-PHILIPPE Iᵉʳ → CITOYEN
Voir tab. **Rois et chefs d'État de la France**

LOUIS-DELLUC (PRIX)
Voir tab. **Prix cinématographiques**

LOUKOUM → PÂTISSERIE

LOUP → BAL, BAR, CADRE, CARNAVAL, CARRIÈRE, COSTUME, DÉGUISEMENT, ENFANT, MASQUE, POLITICIEN, VELOURS
Voir tab. **Animaux (termes propres aux)**

LOUP bar, canidés, chacal, liteau, louvart, louve, louveteau, louvetier, lupercales, lycanthropie, lynx, marin expérimenté, masque, perciformes

LOUP (PAS DE) → PAS (1)

LOUP DE MER → MARIN (1)

LOUP-GAROU → DÉVORER, LÉGENDE, MONSTRE

LOUPE → AGRANDISSEMENT, ARBRE, BOIS, DÉFAUT, KYSTE, NŒUD, OPTIQUE, PIERRE PRÉCIEUSE

LOUPE broussin, crapaud, gélivure, gendarme, gerce, givrure, jardinage, lunure, madrure, minutieusement, nœud, roulure

LOUPE (LA)
Voir tab. **Habitants (comment se nomment les)**

LOUPÉENS
Voir tab. **Habitants (comment se nomment les)**

LOUPIOTS
Voir tab. **Habitants (comment se nomment les)**

LOURD → ACCABLANT, BOXEUR, BRUT, CHARGÉ, ÉPAIS, FORT (2), GAUCHE, LABORIEUX, MALADROIT, ORAGEUX, PESANT, PROFOND, TRANSPARENT
Voir tab. **Boxe anglaise**
Voir tab. **Savate ou boxe française**

LOURD accablant, collant, corpulent, détrempé, écrasant, encombrant, épais, étouffant, gros, grossier, indigeste, massif, onéreux, oppressant, pesant, pondéreux, profond, suffocant

LOURD-LÉGER
Voir tab. **Boxe anglaise**

LOURDAUD → MALADROIT

LOURDE → OPULENT

LOURDEMENT → MAL (2)

LOURDEMENT durement, grossièrement, impoliment, sévèrement

LOURDEUR → BALOURDISE, LAIDEUR, POIDS

LOURDEUR gaucherie, maladresse, pesanteur

LOUVART → LOUP
Voir tab. **Animaux (termes propres aux)**

LOUVE → LOUP
Voir tab. **Animaux (termes propres aux)**

LOUVET
Voir tab. **Chevaux (robes des)**

LOUVETEAU → LOUP
Voir tab. **Animaux (termes propres aux)**

LOUVETER → LOUP

LOUVIERS
Voir tab. **Habitants (comment se nomment les)**

LOUVOYER → AMBIGU, NOYER, POT, TERGIVERSER

LOVELACE → SÉDUCTEUR

LOVER (SE) → BOULE, ENROULER, PELOTONNER (SE)

LOVÉRIENS
Voir tab. **Habitants (comment se nomment les)**

LOYAL → CORRECT, DÉVOUÉ, DROIT (2), FIDÈLE (2), FRANC (2), INFAILLIBLE, JOUEUR, JUSTE, RÉGULIER, ROND (2), SINCÈRE, SPONTANÉ

LOYAL dévoué, droit, féal, fidèle, franc, honnête, probe, régulier, sincère, sûr

LOYALEMENT → CARRÉMENT, FRANCHEMENT, SINCÈRE

LOYAUTÉ → CHEVALERIE, FIDÉLITÉ, FOI, FRANCHISE, INTÉGRITÉ, MORALITÉ, VÉRITÉ

LOYAUTÉ dévouement, droiture, fair-play, fidélité, franc-jeu, honnêteté, régularité

LPS
Voir tab. **Police nationale (organisation de la)**

LR
Voir tab. **Éléments chimiques (symbole des)**

LSD → DROGUE
Voir tab. **Drogues**

LU
Voir tab. **Éléments chimiques (symbole des)**

LUBIE → CAPRICE, ENVIE, FANTAISIE, FOLIE, HUMEUR, INÉGALITÉ, MANIE, MAROTTE

LUBIN → BAR

LUBRICITÉ → IMPURETÉ, LUXURE

LUBRIFIANT → FROTTEMENT, HUILE

LUBRIFIER → GRAISSER, HUILER

LUBRIQUE → BESTIAL, IMPUR, LASCIF, SEXUEL

LUC → PEINTRE

LUCARNE → FENÊTRE, ŒIL, TOIT
Voir illus. **Fenêtre**
Voir illus. **Maison**

LUCARNE hublot, œil-de-bœuf, tabatière, vasistas

LUCHON
Voir tab. **Habitants (comment se nomment les)**

LUCHONNAIS
Voir tab. **Habitants (comment se nomment les)**

LUCIDE → CLAIR, CLAIRVOYANT, PÉNÉTRANT, PERÇANT, PERSPICACE

LUCIDE clairvoyant, conscient, perspicace, sensé, tête (ne plus avoir sa)

LUCIDITÉ → CONSCIENCE, JUGEMENT, NET, PERSPICACITÉ, RAISON

LUCIEN
Voir tab. **Bande dessinée (héros de)**

LUCIFER → ANGE, DIABLE, MAL (1)

LUCIFUGE → LUMIÈRE

LUCILIE → MOUCHE

LUCIOLE → LUMIÈRE, PHOSPHORESCENT

LUCKY LUKE
Voir tab. **Bande dessinée (héros de)**

LUCRATIF → ARGENT, BÉNÉFICE, BON (2), FRUCTUEUX, GAIN, INTÉRESSANT (2), RENTABLE, SALAIRE

LUCRE → GAIN, RECHERCHE

LUCRÈCE → ATOME

LUDION → JOUET

LUDISME → JEU

LUETTE
Voir illus. **Bouche, nez et gorge**

LUEUR → CLARTÉ, ÉCLAIR, ÉTINCELLE, FLAMME, TRACE

LUEUR brasillement, éclair de chaleur, fulguration, nitescence, scintillement

LUFFA → ÉPONGE

LUGE → HIVER, NEIGE, TRAÎNEAU
Voir tab. **Sports**

LUGUBRE → ENTERREMENT, FUNESTE, MACABRE, SINISTRE (2)

LUGUBRE funèbre, funeste, macabre, maussade, mortuaire, sinistre, triste

LUIRE → BRILLER, CHATOYER, LUMIÈRE, PÉTILLER, RAYON, RÉFLÉCHIR (SE)

LUIRE briller, chatoyer, étinceler, flamboyer, miroiter, scintiller

LUISANT → PHOSPHORESCENT

LUISANT brillant, chatoyant, étincelant, flamboyant, lampyre, nitescent, rutilant

LULLE → ALCHIMISTE

LUMACHELLE → COQUILLE

LUMBAGO → COLONNE VERTÉBRALE, DOS, EFFORT, MANIPULATION, REIN

LUMEN (LM) → LUMIÈRE

LUMIÈRE → FLAMME, PERSPECTIVE, RÉGIE, RENSEIGNEMENT, SAVOIR (1), SPLENDEUR
Voir tab. **Phobies**

LUMIÈRE actinique, brillant, candela (cd), catadioptre, cataphote, clair-obscur, clarté, diaphane, éclat, lampyre, lucifuge, luciole, luire, lumen (lm), luminescence, lux (lx), méduse acalèphe, pénombre, phot (ph), photogénie, photon, photophobie, radieux, rayonnant, réverbération, salpe, splendeur, translucide, ver luisant

LUMIÈRES → RAISON

LUMIERES (FÊTE DES)
Voir tab. **Fêtes religieuses**

LUMIGNON → BOUGIE, LAMPE, MÈCHE

LUMINAIRE → BOUGIE, CIERGE, ÉCLAIRAGE, LAMPE, LUSTRE

LUMINESCENCE → LUMIÈRE

LUMINESCENT → PHOSPHORESCENT

LUMINEUX → ARDENT, CLAIR, RESPLENDISSANT, SIMPLE, TRANSPARENT

LUMINEUX chatoyant, clair, éblouissant, éclatant, étincelant, ingénieux, limpide, phosphorescent

LUMINISTE → PEINTRE

LUMINOSITÉ → ÉCLAT, INTENSITÉ

LUNAIRE → MONNAIE

LUNAISON → LUNE, MOIS, PHASE

LUNATIQUE → BIZARRE, CHANGEANT, FLOTTANT, HUMEUR, INÉGAL, ONDOYANT, REVIREMENT, STABLE

LUNCH → BUFFET, DÉJEUNER

LUNE → ASTRE, CIEL, IMPOSSIBLE, ZODIAQUE

Voir illus. **Éclipses**

Voir tab. **Astrologie**

Voir tab. **Jardinage**

LUNE alunir, cave, conjonction, épacte, libration, lunaison, Neil Armstrong, néoménie, quadrature, Séléné, sélénite, sélénographie, syzygie, terminateur

LUNE (DANS LA) → NUAGE

LUNE (MONT DE)

Voir illus. **Main**

LUNE NOIRE

Voir tab. **Astrologie**

LUNETIER

Voir tab. **Saints patrons**

LUNETTE → ÉTOILE, FENÊTRE, OPTIQUE, VITRE

LUNETTE héliomètre, longue-vue, objectif, oculaire, télescope, théodolite

LUNETTE ASTRONOMIQUE → OPTIQUE

LUNETTES → PLONGEUR

LUNETTES besicles, binocle, châsse, face-à-main, lorgnon, monocle, opticien, pince-nez

LUNETTES DE SOLEIL → PLAGE

LUNULAIRE

Voir tab. **Forme de... (en)**

LUNULE → ONGLE

Voir illus. **Ongle**

LUNURE → DÉFAUT, LOUPE

LUPANAR → MAISON, PROSTITUÉE, TOLÉRANCE

Voir tab. **Prostitution**

LUPERCALES → LOUP

LUPUS → TUBERCULOSE

LURON → BON VIVANT

LUSIGNAN

Voir tab. **Habitants (comment se nomment les)**

LUSOPHONE → PORTUGAIS

LUSTRAGE → MARBRE

LUSTRAL → LAVER

LUSTRATION → PURIFICATION

LUSTRE → BRILLANT (2), ÉCLAIRAGE, ÉCLAT, PERLE, PLAFOND, POLI (1), RELIEF, SPLENDEUR

LUSTRE brillant, éclat, éternité, luminaire, suspension

LUSTRER → BRILLER, POLIR

LUSTRER calandrer, cirer, doucir, égriser, glacer, lisser, moirer, patiner, satiner

LUSTRINE → TOILE

LUSTROIR → POLIR

LUT → DURCIR, VASE

LUTER → BOUCHER (1)

LUTÉTIUM

Voir tab. **Éléments chimiques (symbole des)**

LUTH → POÉSIE, POÈTE

Voir tab. **Instruments de musique**

LUTH angélique, cistre, luthier, mandore, pandore, théorbe

LUTHÉRANISME → RÉFORME

LUTHÉRIEN → PROTESTANT

LUTHIER → LUTH, VIOLON

LUTIN → DÉMON, DIABLE, ESPRIT, FÉE, GÉNIE, IMAGINAIRE (2), MALICE, NAIN, SURNATUREL

LUTIN farfadet

LUTINER → AGACER, TAQUINER

LUTRIN → LIVRE, PARTITION, PUPITRE

LUTTE → ANTAGONISME, COMBAT, CONFLIT, DUEL, RÉSISTANCE, RIVALITÉ, SAILLIE, SEXUEL

Voir tab. **Sports**

LUTTE antagonisme, bagarre, bragoù, catch, chankonabé, combat, conflit, gouren, gréco-romaine, karakuçak, onnazumo, pancrace, pugilat, rahba, rixe, roched, sumo, sumotori, yagli guresh

LUTTER → COMBATTRE, DÉBATTRE (SE), MESURER, MILITER, SUCCOMBER, SUPPRIMER

LUTTER affronter, affronter (s'), battre (se), combattre, mesurer à (se), militer, rivaliser

LUTZ → PATINAGE, SAUT

LUX (LX) → LUMIÈRE

LUXATION → ARTICULATION, BLESSURE, ENTORSE, HANCHE, LÉSION

LUXATION CONGÉNITALE DE LA HANCHE

Voir tab. **Pédiatrie**

LUXE → ABONDANCE, EXCÈS, FASTE (1), POMPE, QUANTITÉ, RICHESSE, SPLENDEUR, SUPERFLU (1)

LUXE faste, magnificence, opulence, ostentation, pompe, somptuaire, somptuosité, splendeur, superfluité, voluptuaire

LUXEMBOURG

Voir tab. **Saints patrons**

LUXER (SE) → BLESSER, DÉMETTRE

LUXEUIL-LES-BAINS

Voir tab. **Habitants (comment se nomment les)**

LUXMÈTRE

Voir tab. **Instruments de mesure**

LUXOVIENS

Voir tab. **Habitants (comment se nomment les)**

LUXUEUX → GAMME, MAGNIFIQUE, OPULENT, PRÉCIEUX, RICHE (2), SOMPTUEUX

LUXURE → ABUS, DÉBAUCHE, EXCÈS, IMPURETÉ, PÉCHÉ

LUXURE débauche, dépravation, dévergondage, lascivité, lubricité, stupre, vice

LUXURIANCE → EXUBÉRANCE

LUXURIANT → ABONDANCE

LUXURIEUX → LASCIF, LIBERTIN

LUZERNE → FOURRAGE

LYCANTHROPIE → DÉLIRE, LOUP

LYCAON → HYÈNE

LYCÉE → INSTITUTION, SCOLAIRE

LYCÉE AGRICOLE → SCOLAIRE

LYCÉE PROFESSIONNEL → SCOLAIRE

LYCÉEN → ÉLÈVE

LYCOPODES

Voir tab. **Végétaux (classification simplifiée des)**

LYCOPODINÉES

Voir tab. **Végétaux (classification simplifiée des)**

LYCOSE → TOILE D'ARAIGNÉE

LYCRA → TEXTILE, TISSU

LYCTUS → BOIS

LYMPH(O)-

Voir tab. **Chirugicales (interventions)**

LYMPHATIQUE → INDOLENT, MOU, VAISSEAU

LYMPHE → AMPOULE

LYMPHOCYTE → IMMUNITAIRE

LYMPHOCYTOSE → SANG

LYMPHOGRANULOMATOSE → GANGLION

LYNCHER → BATTRE, MASSACRER

LYNX → LOUP

LYOPHILISATION → CAFÉ, CONSERVATION, SÉCHER

LYOPHILISÉ → DESSÉCHÉ, HUMIDITÉ, INSTANTANÉ (2), SEC

LYRE → HARPE, PIANO, POÉSIE, POÈTE

LYRÉE

Voir illus. **Feuille**

LYRIQUE → PASSION

LYRISME → INSPIRATION

LYSERGIDE → DROGUE

LYSOSOME

Voir illus. **Cellules**

MAAR

Voir tab. **Géographie et géologie (termes de)**

MAC

Voir tab. **Prostitution**

MACABRE → FUNÈBRE, LUGUBRE, MORTUAIRE, NOIR, SINISTRE (2), SOMBRE

MACABRE funèbre, lugubre, sinistre

MACADAM → BITUME, CHAUSSÉE, REVÊTEMENT, RUE

MACADAMISAGE → EMPIERREMENT

MACAREUX → PERROQUET, PINGOUIN

Voir tab. **Oiseaux (classification simplifiée des)**

MACARON → BADGE, BISCUIT, BROCHE, COIFFURE, DÉCORATION, INSIGNE (1), TRESSE

Voir illus. **Cheveux (coupes de)**

MACARONI → ITALIEN (2), PÂTE

Voir illus. **Pâtes**

MACARONIQUE → LATIN

MACASSAR → HUILE

MACASSAR (ÉBÈNE DE)

Voir tab. **Ébénisterie (essences utilisées en)**

MACCABÉES (LES)

Voir tab. **Bible**

MACCARTHYSME → PERSÉCUTION, SORCIÈRE

MACCHABÉE → CADAVRE

MACÉDOINE → DESSERT, FRUIT, GROUPEMENT, SALADE

MACÉRATION → DIGESTION, PÉNITENCE

MACÉRER → MALTRAITER, MARINER, MORTIFIER, TREMPER

MACÉRER châtier, eau-de-vie, infuser, marinade, mortifier

MACFARLANE → CAPE, MANTEAU

Voir illus. **Manteaux**

MACHAIROPHOBIE

Voir tab. **Phobies**

MÂCHE

Voir tab. **Salades**

Voir tab. **Vin (vocabulaire du)**

MÂCHEFER → DÉCHET, HOUILLE

MÂCHER → BROYER, MASTIQUER, TRITURER

MÂCHER alimentaire (bol), bétel, chewing-gum, chiquer, masticatoire, mastiquer, molaire

MACHIAVÉLIQUE → DÉMONIAQUE, DIABOLIQUE, PERFIDE, SCRUPULE

MACHIAVÉLISME → MALVEILLANCE, RUSE

MÂCHICOULIS

Voir illus. **Château fort**

MACHINAL → AUTOMATIQUE, INCONSCIENT (2), INSTINCTIF, IRRÉFLÉCHI, MÉCANIQUE (2)

MACHINALEMENT → RÉFLEXE

MACHINATION → BATTERIE, CABALE, COMBINAISON, INTENTION, INTRIGUE, RESSORT

MACHINATION brigue, cabale, complot, conjuration, conspiration, faction, fomenter, intrigue, manigance, manœuvre, menées, ourdir, tramer

MACHINE → APPAREIL, INSTRUMENT, ROBOT

MACHINE aléseuse, appareil, automate, baliste, bélier, catapulte, chariot, clavier, dispositif, emboutisseuse, engin, fraiseuse, laminoir, levier, maintenance, mécan(o)-, mécanicien, mortaiseuse, plan, poulie, robotique, rouleau, ruban, simulateur, tabulateur, taylorisme, tenonneuse, treuil, vis

MACHINE ARRIÈRE (FAIRE) → VAPEUR

MACHINER → PRÉPARER

MACHINISTE → DÉCOR

MACHISME → HOMME, SEXE

MACHISTE → FEMME

MACHMÈTRE

Voir tab. **Instruments de mesure**

MÂCHOIRE → DENT

MÂCHOIRE agnathe, mandibule, prognathe

MÂCHON → RESTAURANT

MÂCHONNER → MORDRE

MÂCHURÉ → SALE

MÂCHURER → TACHER

MACIS

Voir tab. **Herbes, épices et aromates**

MACKENZIE-PEACE

Voir tab. **Fleuves**

MACKINTOSH → IMPERMÉABLE (1)

Voir illus. **Manteaux**

MAC-MAHON (EDME PATRICE DE)

Voir tab. **Rois et chefs d'État de la France**

MAÇON → BÂTIMENT

MAÇON appareilleur, auge, bétonnière, boucharde, bouloir, crépi, gâchage, granulat, langue-de-bœuf, oiseau, truelle

MAÇONNERIE appareil (d'), bauge, blocage, brique, butée, culée, échiquier (en), hourdage, limousinage, meulière, moellon, mortier, opus incertum, orillon, ouvrage (gros), parement, parpaing, pierre de taille, pierre sèche, pisé, plâtre, torchis

MACQUE → BROYER, LIN

MACQUER → CASSER

MACRAMÉ → DENTELLE, FICELLE, NOUER

MACREUSE → GIBIER

Voir tab. **Oiseaux (classification simplifiée des)**

MACRO- → GRAND

MACROBIOTIQUE → VIE

MACROCÉPHALE → CACHALOT, CRÂNE, GROS

MACROCOSME → MONDE, UNIVERS

MACRODACTYLE → DOIGT

MACROMÉLIE → MEMBRE

MACROMOLÉCULE → MOLÉCULE

MACROPHOTOGRAPHIE → AGRANDISSEMENT

Voir tab. **Photographie (vocabulaire de la)**

MACROPODE → NAGEOIRE

MACROPODIDÉS → KANGOUROU

MACRORHINE → ÉLÉPHANT

MACROSCELIDES

Voir tab. **Mammifères (classification des)**

MACROSÉISME → TREMBLEMENT DE TERRE

MACROSTOMIE → BOUCHE

MACROURES → QUEUE

MACULAGE → IMPRIMERIE

MACULE → BAVURE, TACHE

MACULÉ → MALPROPRE, SALE

MACULER → BARBOUILLER, NOIRCIR, TACHER

MADAGASCAR

Voir tab. **Îles du monde**

Voir tab. **Saints patrons**

MADAPOLAM → CHEMISE, COTON

MADE IN → PROVENANCE

MADÈRE malvoisie, sercial

MADÉRISÉ

Voir tab. **Vin (vocabulaire du)**

MADISON

Voir tab. **Danses (types de)**

MADJOUN → HASCHISCH

MADONE → VIERGE (1)

MADRAGUE

Voir tab. **Pêche**

MADRAS → CARREAU, FOULARD, MOUCHOIR, SOIE

Voir illus. **Coiffures**

MADRASA → MUSULMAN (2)

Voir tab. **Islam (vocabulaire de l')**

MADRÉ → MALIN (2)

MADRÉPORE → CORAIL

MADRIER → PLAFOND, TRONC

MADRONA

Voir tab. **Ébénisterie (essences utilisées en)**

MADRURE → LOUPE

MAELSTRÖM → TOURBILLON

MAËRL → DÉBRIS

MAESTA → VIERGE (1)

MAESTOSO

Voir tab. **Musique (vocabulaire de la)**

MAESTRIA → BRILLANT (1), GÉNIE, HABILETÉ, MAÎTRISE, PERFECTION, SAVOIR-FAIRE, TALENT

MAESTRO → CHEF, MUSICIEN

MAFFLU → BOUFFI, JOUE, ROND (2)

MAFIA → BANDE, MALFAITEUR, RÉSEAU, SOCIÉTÉ

MAFIA Camorra, Cosa Nostra, mafioso, mafioter, noyauter, omerta, triade, yakuza

MAFIOSO → MAFIA

MAFIOTER → MAFIA

MAGASIN → BOUTIQUE, DÉPÔT, FONDS, GRENIER, HALLE, POÊLE, RÉSERVE, VENTE

Voir illus. **Fusils**

MAGASIN arrière-boutique, arsenal, Boucicaut (Aristide), boutique, chai, commerce, devanture, échoppe, entrepôt, linéaire, officine, poudrière, réserve, resserre, roche-réservoir, silo, succursale

MAGASIN D'ANTIQUITÉS → BROCANTEUR

MAGASINAGE → SHOPPING

MAGAZINE → IMPRIMER, JOURNAL, PÉRIODIQUE (1), REVUE

MAGDUNOIS

Voir tab. **Habitants (comment se nomment les)**

MAGE astrologue, Balthazar, devin, encens, Épiphanie, Gaspar, Melchior, myrrhe, or, prophète, vaticinateur, voyant

MAGENTA → PRIMAIRE

Voir tab. **Couleurs**

MAGICIEN → FORAIN, ILLUSION

MAGICIEN bateleur, enchanteur, grimoire, illusionniste, Merlin, prestidigitateur, sorcier, thaumaturge, ventriloque

MAGICIENNE Circé, Médée

MAGIE → ANIMISME, ENCHANTEMENT, INCANTATION, OCCULTE, PRESTIDIGITATION, TOUR

MAGIE charme, goétie, Hécate, occultisme, Phylactère, séduction, théurgie, vaudou

MAGIE NOIRE → SORCELLERIE

MAGIQUE → MERVEILLEUX, SURNATUREL

MAGIQUE amulette, apparition, conjuration, envoûtement, fantasmagorie, fétiche, grigri, incantation, kabbalistique, maléfice, mandragore, métamorphose, miraculeux, philtre, prodigieux, sésame, sortilège, surnaturel, talisman

MAGISTÈRE → DIPLÔME, UNIVERSITÉ

MAGISTRAL → ADMIRABLE, DOGMATIQUE, IMPECCABLE, MÉDICAMENT, PARFAIT, PHARMACIE, SOLENNEL, SUPÉRIEUR

MAGISTRAL doctoral, dogmatique, excellent, impeccable, impérieux, irréprochable, maître (de), parfait, péremptoire, remarquable, solennel

MAGISTRAT → JUGE, PALAIS, PRÉSIDENT, ROBE

MAGISTRAT assesseur, avocat général, cursus honorum, épitoge, garde des Sceaux, hermine, inamovibilité, juré, mortier, parquet (du), procureur de la République, procureur général, siège (du), substitut, substitut général, toge

MAGISTRATURE assise, censure, consulat, debout, édilité, édilité de la plèbe, magistrature curule, préture, questure, tribunat

MAGISTRATURE CURULE → MAGISTRATURE

MAGISTRATURE DEBOUT → MINISTÈRE

MAGLEV → TRAIN

MAGMA → BOUILLIE, FUSION, LAVE, MASSE

Voir illus. **Terre**

Voir illus. **Volcan**

MAGN- → GRAND

MAGNAN → FOURMI

MAGNANIER → VER

MAGNANIME → BON (1), FIER, GÉNÉREUX, INDULGENT (2), NOBLE (2), PARDONNER, PRINCE

MAGNANIMITÉ → BIENVEILLANCE, BONTÉ, CLÉMENCE, GRANDEUR, VERTU

MAGNAT → BONNET, HOMME D'AFFAIRES, HONGROIS, IMPORTANT, SEIGNEUR

MAGNÉSIE → MAGNÉSIUM

MAGNÉSITE → ÉCUME, MAGNÉSIUM

MAGNÉSIUM

Voir tab. **Éléments chimiques (symbole des)**

MAGNÉSIUM bromure, carbonate, chlorure, citrate, cornue, déficience hépatique, dolomie, giobertite, iodure, lactate, magnésie, magnésite, Mg, périclase, spasmophilie, stéatite, talc, tétanie, trouble neurologique

MAGNÉTIQUE → ENREGISTREMENT

MAGNÉTIQUE ampère par mètre (A/m), antiferromagnétisme, ferrimagnétisme, ferromagnétisme, fluide, réluctance, rémanence, tesla (T)

MAGNÉTISER → CHARME, FASCINER

MAGNÉTISER aimanter, captiver, charmer, ensorceler, fasciner, hypnotiser

MAGNÉTISEUR → FLUIDE (1), HYPNOSE

MAGNÉTISME → AIMANT, ATTRACTION, BOUSSOLE, FLUIDE (1), INFLUENCE

MAGNÉTISME biomagnétisme, géomagnétisme

MAGNÉTITE → FER

MAGNÉTOMÈTRE

Voir tab. **Instruments de mesure**

MAGNÉTO-OPTIQUE → ENREGISTREMENT

MAGNÉTOPHONE → ENREGISTREMENT

MAGNÉTOSCOPE → ENREGISTREUR, FILM, TÉLÉVISION

MAGNIFICAT → CHANT, VIERGE (1)

MAGNIFICENCE → BRILLANT (2), ÉCLAT, FASTE (1), LUXE, POMPE, RICHESSE, SPLENDEUR

MAGNIFIER → CÉLÉBRER, EXALTER, GLORIFIER, IDÉAL (2), LOUER

MAGNIFIQUE → BEAU, GRANDIOSE, MERVEILLEUX, PRESTIGIEUX, RAVIR, RESPLENDISSANT, ROYAL, SOMPTUEUX, SPLENDIDE, SUPERBE (2)

MAGNIFIQUE admirable, éblouissant, fastueux, grandiose, insigne, luxueux, remarquable, somptueux, splendide, superbe

MAGNIFIQUEMENT → BEAUTÉ, DIVINEMENT, PRINCE

MAGNITUDE → ÉCLAT, GRANDEUR

Voir tab. **Tremblements de terre**

MAGNUM → CHAMPAGNE, LITRE

Voir tab. **Bouteilles**

MAGOT → PORCELAINE, TRÉSOR

MAGOUILLE → DOUTEUX, INTRIGUE

MAGOUILLER → TRIPOTER

MAGRET → CANARD, FILET

MAGYAR → HONGROIS

MAHABHARATA → RÉCIT

MAHARAJA → HINDOU, PRINCE

MAHARANI → HINDOU

MĀHĀYĀNA

Voir tab. **Bouddhisme**

MAH-JONG → CHINOIS

MAHOMET → PROPHÈTE

Voir tab. **Islam (vocabulaire de l')**

MAHOMÉTAN → MUSULMAN (1)

Voir tab. **Islam (vocabulaire de l')**

MAHONNE → GALÈRE

MAI → FILLE, VIERGE (1)

MAI Ascension, fête du Travail, maianthemum, muguet, victoire de 1945

MAÏA → ARAIGNÉE, CRABE

MAIANTHEMUM → MAI

MAIE → BOULANGER (1), CAISSE, COFFRE, PAIN, TABLE

MAÏEUR → MAIRE

MAÏEUTIQUE → ACCOUCHEMENT, CONNAÎTRE

MAIGRE → CHÉTIF, MALHEUREUX, MÉDIOCRE, MODESTE, OSSEUX, SEC, SOBRE

Voir tab. **Typographies**

Voir tab. **Vin (vocabulaire du)**

MAIGRE aride, chétif, creusé, décharné, dérisoire, échalas, écrémé, efflanqué, émacié, étique, famélique, filiforme, fluet, grêle, gringalet, hâve, infécond, infertile, insignifiant, piètre, rabougri, rachitique, squelettique, stérile

MAIGREUR anorexie, athrepsie, cachexie

MAIL → BOULEVARD, RUE

MAIL-COACH → TOIT, VÉHICULE

MAILING LIST

Voir tab. **Internet**

MAILLE → CHAÎNON, PERDRIX, RÉSEAU, TACHE

Voir illus. **Armures**

MAILLE aile, chaînon, cotte, haubert, indémaillable, jaseran, jersey, maillon, obole, pied, tête

MAILLECHORT → ARGENT, CUIVRE, NICKEL, ZINC

MAILLET → MARTEAU, PERCUSSION

Voir illus. **Percussions**

Voir tab. **Instruments de musique**

MAILLETON → BOUTURE

MAILLOCHE → MARTEAU, PERCUSSION, TAMBOUR
Voir illus. **Percussions**
Voir tab. **Instruments de musique**

MAILLON → ANNEAU, CHAÎNON, MAILLE

MAILLOT → CALEÇON, COMBINAISON, COSTUME, TRICOT

MAILLOT Bikini, deux-pièces, justaucorps, monokini, tricot de peau, vainqueur

MAILLOT DE BAIN → BIKINI, PLAGE

MAILLOTIN → OLIVE

MAIN
Voir illus. **Nœuds et cravates**
Voir tab. **Tarot**

MAIN accoucheur, ambidextre, annulaire, apprenti, artisanal, ataxique, auriculaire, bot, calleux, charger de (se), chir(o)-, chiromancien, contraindre, cubital, débutant, dysidrose, empan, emparer de (s'), Fatma (main de), gant, grand palmaire, index, majeur, manchon, manucure, médian, menotte, métacarpe, mitaine, moufle, obliger, occasion (d'), occuper de (s'), palmaire, paume, phalange, piller, poigne, pouce, prédicateur, préhension, quadrumane, radial, rampe, réjouir (se), secrètement, séide, singe, succulent, thalamique, thénar, tueur à gages

MAIN (TENDRE LA) → MENDIER

MAIN COURANTE → RAMPE
Voir illus. **Escalier**
Voir illus. **Maison**
Voir illus. **Voilier : Dufour 38 Classic**

MAINATE → OISEAU
Voir tab. **Oiseaux (classification simplifiée des)**

MAIN-D'ŒUVRE → BRAS, FAÇON

MAIN-D'ŒUVRE façon, ouvrier, personnel, ressources humaines, travailleur

MAINLEVÉE
Voir tab. **Droit (termes de)**

MAINMISE → COMMERCIAL, CONFISQUER, INFLUENCE

MAINMORTE → FÉODAL, HÉRITAGE, MOINE

MAINT → BEAUCOUP, DIVERS, PLUSIEURS (2)

MAINTENANCE → ENTRETIEN, MACHINE

MAINTENANCE dépannage, entretien

MAINTENANT → SUITE

MAINTENANT actuellement, désormais, dorénavant, présentement, sur-le-champ

MAINTENIR → AFFIRMER, APPUYER, ATTACHER, CONSERVER, CONTINUER, DURER, PERPÉTUER, POURSUIVRE, PRÉSERVER, RETENIR, SOUTENIR

MAINTENIR certifier, confirmer, conserver, entretenir, étayer, garder, prétendre, retenir, soutenir, stationner, subsister, supporter

MAINTENIR (SE) → DEMEURER, SUBSISTER

MAINTENUE → CONFIRMATION

MAINTIEN → ALLURE, ATTITUDE, COMPORTEMENT, PORT, POSTURE, TENUE

MAINTIEN allure, attitude, conservation, contenance, port, pose, prestance

MAIRE → OFFICIER, VILLE
Voir tab. **Politesse (formules de)**

MAIRE alcade, bourgmestre, commune, conseil municipal, délégation, lord-maire, maïeur, mandat, municipalité

MAIRIE → COMMUNE, HÔTEL, PASSEPORT

MAIRIE état civil, hôtel de ville, maison commune, maison de ville

MAIS (LES) → FILLE

MAÏS → CÉRÉALE

MAÏS amidon, ensilage, glucose, gluten, graminées, maïsiculteur, maïsine, Maïzena, polenta, pop-corn, rafle, râpe, soie, spathe

MAÏSICULTEUR → MAÏS

MAÏSINE → MAÏS

MAISON → ASTROLOGIE, BÂTIMENT, DESCENDANCE, DESCENDANT, GÎTE, LOGEMENT, RACE, SOCIÉTÉ
Voir tab. **Astrologie**

MAISON abbaye, aîtres, architecte, bastide, bâtisse, bercail (rentrer au), bicoque, bungalow, cassine, chaumière, cloître, colombages, combles, coron, cottage, couvent, domicile, écart, encorbellement, entrepreneur, faix, filiale, folie, foyer, galetas, gentilhommière, gîte rural, hameau, logis, lotissement, lupanar, mas, masure, monastère, patio, pavillon, pénates (regagner ses), pied-à-terre, pignon, préfabriqué, promoteur, rendez-vous, résidence, succursale, taudis, vestibule, viabiliser, villa

MAISON CENTRALE → PRISON

MAISON CLOSE → PROSTITUÉE, TOLÉRANCE
Voir tab. **Prostitution**

MAISON COMMUNE → MAIRIE

MAISON D'ARRÊT → PRISON

MAISON DE PASSE → TOLÉRANCE

MAISON DE RETRAITE → RÉSIDENCE

MAISON DE VILLE → MAIRIE

MAISON-BLANCHE → PRÉSIDENT

MAISONNETTE → CABANE

MAÎTRE → CHAMPION, CONDUCTEUR, DISCIPLINE, ÉCOLE, FRANC-MAÇON, GÉNIE, INITIATION, INSTITUTEUR, MAGISTRAL, NOTAIRE, PROFESSEUR, PROPRIÉTAIRE, SAVANT (2), SEIGNEUR
Voir illus. **Grades militaires**

MAÎTRE (1) amphitryon, chef cuisinier, cuisinier, directeur de conscience, enseignant, gourou, hôte, impatroniser (s'), instituteur, maître à penser, pédagogue, précepteur, professeur, sommelier

MAÎTRE (2) clef, compétent, contrôler (se), directeur, dominer (se), essentiel, expert, virtuose

MAÎTRE À PENSER → MAÎTRE (1)

MAÎTRE AUXILIAIRE → SCOLAIRE

MAÎTRE CHANTEUR → CHANTAGE

MAÎTRE COQ → CUISINIER

MAÎTRE D'ARMES → ESCRIME, MONITEUR

MAÎTRE DE BALLET → BALLET

MAÎTRE DE CONFÉRENCES → UNIVERSITÉ

MAÎTRE DE MAISON → HÔTE

MAÎTRE DE MANÈGE → PROFESSEUR

MAÎTRE D'HÔTEL → DOMESTIQUE (1), RESTAURANT

MAÎTRE D'ŒUVRE → ARCHITECTE, CERVEAU (2)

MAÎTRE NAGEUR → MONITEUR, NATATION, PROFESSEUR

MAÎTRE PRINCIPAL
Voir illus. **Grades militaires**

MAÎTRE QUEUX → CHEF, CUISINIER, RESTAURANT

MAÎTRE-AUTEL → AUTEL

MAÎTRE-CYLINDRE → FREIN

MAÎTRESSE → BELLE, BIEN-AIMÉ, COMPAGNE, FAVORI (1), INSTITUTEUR

MAÎTRESSE adultère, amant

MAÎTRE-TOILE → SITE

MAÎTRISE → CHANT, CHŒUR, CONTRÔLE, DIPLÔME, EMPIRE, RESPONSABILITÉ, UNIVERSITÉ

MAÎTRISE adresse, brio, calme, domination, empire, habileté, hégémonie, maestria, manécanterie, prépondérance, sang-froid, self-control, suprématie, virtuosité

MAÎTRISE DE SOI → FLEGME, IMPASSIBILITÉ

MAÎTRISÉ → SOURD

MAÎTRISER → APPRIVOISER, BOUT, CALMER, COMMANDER, CONNAÎTRE, CONTRÔLER, DOMINER (SE), ÉTEINDRE, GOUVERNER, MATER, POSSÉDER, POSSÉDER (SE), PRATIQUER, REFOULER, RESSAISIR (SE), RETENIR, SANG-FROID, SOUMETTRE, SURMONTER, VAINCRE

MAÎTRISER apprivoiser, arrêter, circonscrire, contenir, contrôler (se), discipliner, dominer (se), dompter, dresser, enrayer, éteindre, immobiliser, juguler, refouler, réprimer, surmonter, vaincre

MAÏZENA → FARINE, MAÏS

MAJESTÉ → GRAVITÉ, MODESTIE, POMPE, ROI, SOUVERAIN (1)

MAJESTÉ dignité, gloire, grandeur, lèse-majesté, LL. MM., noblesse, VV. MM.

MAJESTUEUSEMENT → GRANDEMENT

MAJESTUEUX → BEAU, GRANDIOSE, IMPÉRIAL (2), IMPOSANT, NOBLE (2), ROYAL, SOLENNEL, SPLENDIDE, THÉÂTRAL

MAJESTUEUX ampoulé, auguste, colossal, digne, emphatique, grandiloquent, grandiose, grave, imposant, impressionnant, monumental, noble, olympien, pompeux, pontifiant, prodigieux, respectable, sentencieux, solennel, vénérable

MAJEUR → CAPITAL (2), CONSIDÉRABLE, DOIGT, IMPORTANT, MAIN, MILIEU, MODE, PLUS, PRINCIPAL (2)
Voir illus. **Main**

MAJEUR (1) curatelle, médius, sauvegarde de justice, syllogisme, tutelle

MAJEUR (2) capital, crucial, décisif, diaconat, épiscopat, essentiel, fondamental, insurmontable, marquant, prêtrise

MAJEURE → PRÉMISSE

MAJOLIQUE → FAÏENCE

MAJOR → CONCOURS, INFANTERIE, PREMIER (2)
Voir illus. **Grades de la gendarmerie**
Voir illus. **Grades militaires**

MAJOR (SORTIR) → BRILLER

MAJORATION → ADDITION, AUGMENTATION, BANQUE, CHANGEMENT, HAUSSE, IMPÔT

MAJORDOME → ADMINISTRATEUR, DOMESTIQUE (1), HÔTEL

MAJORER → ÉLEVER, RELEVER

MAJORER augmenter, élever, gonfler, hausser

MAJORITAIRE → SCRUTIN

MAJORITÉ → ÂGE, MASSE, NOMBRE, PLUPART (LA)
Voir tab. **Copropriété**

MAJORITÉ absolu, civil, électoral, émancipé, opposition, pénal, relatif, renforcé

MAJUSCULE → CAPITAL (2), INITIAL, LETTRE

MAJUSCULE bas-de-casse, capitale, enluminé, lettrine, minuscule

MAKHZEN → SULTAN

MAKI
Voir tab. **Mammifères (classification des)**

MAKIMONO → JAPONAIS

MAKROUD → BEIGNET

MAL → AFFECTION, DOULEUR, IMPORTER, PEINE, SOUFFRANCE

MAL (1) affliction, Belzébuth, blessure, calomnier, calvaire, céphalée, compatir, dam, dédommager, desservir, diable, diffamer, discréditer, dommage, douleur, dysbarisme, épreuve, indemniser, léser, Lucifer, manichéisme, médire de, Méphistophélès, migraine, naupathie, nostalgie, nuire à, panaris, péché, peine, pervers, préjudice, Satan, souffrance, supplice, tort, vice

MAL (2) défaillir, dégénérer, déplacé, difficilement, évanouir (s'), gâter (se), gauchement, imparfaitement, incongru, incorrectement, inopportun, intempestif, lourdement, maladroitement, malaisément, péniblement

MAL À L'AISE → CHOSE

MAL ASSURÉ → INSTABLE

MAL DÉGROSSI → GROSSIER

MAL DE MER → NAUSÉE

MAL DU PAYS → NOSTALGIE

MAL ÉDUQUÉ → IMPOLI

MAL ÉLEVÉ → CAPRICE, IMPOLI

MALACHIE
Voir tab. **Bible**

MALACHITE → MINÉRAL (1), VERT (2)

Voir tab. **Couleurs**
Voir tab. **Minéraux et utilisations**
Voir tab. **Pierres précieuses et
semi-précieuses**
MALACOLOGIE → ZOOLOGIE
Voir tab. **Sciences : termes
en -ologie et -ographie**
MALACOSTRACÉ → CRUSTACÉ
MALADE → CARACTÉRIEL,
DÉRÉGLER, PATIENT (1), SOUFFRANT
Voir tab. **Saints patrons**
MALADE agonisant, aliéné,
condamné, fou, grabataire,
hypocondriaque, incommodé,
incurable, indisposé, moribond,
souffrant
MALADIE → CORPS
Voir tab. **Phobies**
MALADIE affection, bénigne,
contracter, convalescence,
cryptogénétique, diagnostic,
dyscrasique, endémique,
épidémie, épiphytie, épizootie,
étiologie, incubation, inoculer,
maligne, mortelle, nosocomiale,
nosographie, nosophobie,
pandémie, patho-, pathogène,
pathologie, pathophobie,
pronostic, prophylaxie,
psychosomatique, rémission,
rémittence, séquelle, sporadique,
symptôme, syndrome,
thérapeutique, vacciner
MALADIE AUTO-IMMUNE →
IMMUNITAIRE
MALADIE DE BOUILLAUD →
RHUMATISME
MALADIE DU SCRUPULE →
VÉRIFICATION
MALADIE DU SOMMEIL →
INFECTION
MALADIE MENTALE → PSYCHIATRIE
**MALADIE SEXUELLEMENT
TRANSMISSIBLE (MST)** →
SEXUEL
MALADIE VÉNÉRIENNE → SEXUEL
MALADIF → SOUFFRANT
MALADIF cacochyme, débile,
égrotant, malingre, malsain,
morbide, souffreteux,
valétudinaire
MALADRERIE → HÔPITAL
MALADRESSE → BALOURDISE,
BÊTISE, BÉVUE, BOURDE, CLERC,
DÉMARCHE, ERREUR, FAUTE, GAFFE,
IMPAIR (1), IMPRUDENCE, LOURDEUR,
PAVÉ, SOTTISE
MALADRESSE bévue, bourde, gaffe,
ignorance, impair, impéritie,
incompétence, inhabileté
MALADROIT → BRISER, GROSSIER,
INCAPABLE (2), INCONSIDÉRÉ,
LABORIEUX, TACT
MALADROIT balourd,
circonspection, cousu de fil
blanc, diplomatie, embarrassé,
gauche, grossier, lourd,
lourdaud, malhabile, pataud,
tact
MALADROITEMENT → MAL (2)
MALAGA → RAISIN
MALAIRE → JOUE
MALAISE → DÉFAILLANCE,
ÉBLOUISSEMENT, EMBARRAS,
INQUIÉTUDE, VERTIGE
MALAISE attaque, collapsus, crise,
embarras, embarras,
évanouissement, gêne,

hypoglycémie (crise d'),
indisposition, infarctus,
lipothymie, marasme, nausée,
pâmoison, PLS (position
latérale de sécurité), sudation,
syncope, tétanie (crise de),
trouble, vapeurs, vertige
MALAISÉ → ARDU, LABORIEUX
MALAISÉMENT → MAL (2)
MALAKOFF
Voir tab. **Habitants (comment se
nomment les)**
MALAKOFFIOTS
Voir tab. **Habitants (comment se
nomment les)**
MALANDRE → NŒUD, POURRI
MALANDRIN → BANDIT,
MALFAITEUR
MALAPPRIS → GROSSIER, IMPOLI,
MUFLE
MALARD → CANARD
Voir tab. **Animaux (termes
propres aux)**
MALARIA → INFECTION, MARAIS,
PALUDISME
MALARIA anophèle, paludisme,
quinine
MALARIALOGIE → PALUDISME
MALART
Voir tab. **Animaux (termes
propres aux)**
MALAVISÉ → IMPRUDENT
MALAXAGE → BÉTON, BEURRE
MALAXATION → MASSAGE
MALAXER → MÉLANGER, PÂTE,
REMUER
MALCHANCE → ADVERSITÉ,
MALÉDICTION
MALCHANCE adversité, déveine,
guigne, infortune, malédiction,
mésaventure, poisse
MALDONNE → MALENTENDU
MÂLE → MASCULIN, VIRIL
MÂLE anthérozoïde, étamine,
hermaphrodite, masculin,
spermatozoïde, testicule,
testostérone, viril
MALÉDICTION →
CONDAMNATION, MALCHANCE
MALÉDICTION anathème, conjurer,
exécration, fatalité,
imprécation, jeteur de sort,
jettatura, malchance,
réprobation
MALÉFICE → CHARME, FÉE,
MAGIQUE, SORCIER, SORT
MALÉFIQUE → MALFAISANT, MALIN
(2)
MALENCONTREUSEMENT →
MALHEUR
MALENCONTREUX →
CONTRETEMPS, FÂCHEUX (2)
MALENTENDU → DÉSACCORD,
DIVERGENCE, ÉQUIVOQUE (1),
ERREUR, INTERPRÉTATION
MALENTENDU ambages (sans),
ambigu, confusion, désaccord,
différend, équivoque (sans),
erreur, imbroglio, maldonne,
méprise, nébuleux, obscur,
quiproquo
MALFAÇON → DÉFAUT, FAÇON,
VICE
MALFADE
Voir illus. **Pâtes**
MALFAISANT → NUIRE
MALFAISANT → DANGEREUX,
MAUVAIS, MÉCHANT, SINISTRE

MALFAISANT maléfique, mauvais,
méchant, nocif, nuisible,
pernicieux
MALFAITEUR → BANDIT,
CAMBRIOLER, CRIMINEL (1),
DÉLINQUANT
MALFAITEUR aigrefin, bandit,
boucanier, brigand, canaille,
contrefacteur, crapule, criminel,
détrousseur, escroc,
falsificateur, faussaire, filou,
flibustier, forban, gang,
gangster, hors-la-loi, mafia,
malandrin, malfrat,
malhonnête, pillard, pirate,
scélérat, truand, voleur
MALFAMÉ → LOUCHE
MALFORMATION → ANOMALIE,
DÉFORMATION, HANDICAP,
INFIRMITÉ, MONSTRUOSITÉ, VICE
MALFORMATION congénital,
difformité, infirmité, rubéole,
sexdigitisme, sténose,
toxoplasmose
MALFRAT → MALFAITEUR
MALGRÉ → DÉPIT
MALGRÉ SOI → INVOLONTAIRE
MALHABILE → GAUCHE, INCAPABLE
(2), MALADROIT
MALHEUR → ACCIDENT, ADVERSITÉ,
CATASTROPHE, CHAGRIN, ÉPREUVE,
PEINE, SORT
MALHEUR abattement, adversité,
affliction, anathématiser,
calamité, cataclysme,
catastrophe, conjurer,
consternation, déboire, défaite,
désagrément, désarroi, désastre,
détresse, deuil, drame, échec,
ennui, fâcheusement, fléau,
inconvénient,
malencontreusement, maudire,
mauvais augure, misère, plus
(en), revers, souffrance,
superstitieux, surcroît (de),
tribulations, Vae victis
MALHEUREUX → IDIOT, SINISTRE,
TRISTE
MALHEUREUX affligé, affligeant,
cruel, déplorable, dérisoire,
désespéré, éprouvé, fâcheux,
implacable, infortuné,
insignifiant, maigre, misérable,
noir, piètre, piteux, pitoyable,
préjudiciable, regrettable, triste
MALHONNÊTE → IMMORAL,
MALFAITEUR, MARRON (2), TRAÎTRE
(2)
MALHONNÊTE bakchich, canaille,
captieux, combine,
concussionnaire, corruption,
crapule, déloyal, dessous-de-
table, escroc, exaction,
extorsion, fallacieux,
favoritisme, immoral, improbe,
inconvenant, incorrect,
indécent, indélicat, insidieux,
malversation, népotisme,
péculat, spécieux, véreux
MALICE → RUSE
MALICE astuce, diablotin, farfadet,
lutin, malignité, malveillance,
moquerie, perfidie, polisson,
raillerie, ruse
MALICIEUX → ASTUCIEUX,
COQUIN, ÉVEILLÉ, FRIPON (2), FUTÉ,
PÉTILLANT, SPIRITUEL, VIF (2)
MALICIEUX coquin, espiègle, fin,

fripon, ironique, malin,
narquois, piquant, spirituel,
taquin, vif
MALIGNE → BÉNIN, MALADIE,
TUMEUR
MALIGNITÉ → MALICE,
MALVEILLANCE, PERVERSITÉ
MALIN → ASTUCIEUX,
DÉBROUILLARD, DÉLURÉ, DIABLE,
FUTÉ, HABILE, INTELLIGENT,
INTÉRESSANT (1), MALICIEUX,
SOURNOIS
MALIN (1) faraud
MALIN (2) astucieux, cancéreux,
cauteleux, compliqué,
débrouillard, dégourdi, difficile,
éveillé, finaud, fine mouche,
futé, gravissime, habile, madré,
maléfique, matois, néfaste,
nocif, pernicieux, roué, sagace,
sorcier, sournois, subtil
MALINES → DENTELLE
MALINGRE → CHÉTIF, DÉLICAT,
FAIBLE (2), FRAGILE, MALADIF
MALINGRE cacochyme, chétif,
débile, délicat, égrotant, faible,
fragile, frêle, souffreteux,
valétudinaire
MALINOIS → BERGER
MALIQUE (ACIDE)
Voir tab. **Acides**
MALLE → BAGAGE, CAISSE, COFFRE,
OLIVE, VALISE
MALLE boucler, cadenasser,
cantine, chapelière, dépêche,
housset, malletier, marmotte,
moraillon, sangler
MALLÉABILITÉ → MÉTAL
MALLÉABLE → FLEXIBLE, MANIABLE,
MOU, SOUPLE
MALLÉABLE docile, ductile, flexible,
influençable, maniable,
obéissant, plastique, souple
MALLÉOLE → CHEVILLE
MALLE-POSTE → VÉHICULE,
VOITURE
MALLETIER → MALLE
MALLETTE → BAGAGE, VALISE
MALMENER → MALTRAITER,
RUDOYER, TRAITER
MALMENER bousculer, brutaliser,
éreinter, esquinter, houspiller,
maltraiter, molester, rudoyer,
secouer
MALNUTRITION → FAIM, MANGER,
NUTRITION
MALODORANT → ODEUR
MALOTRU → GROSSIER, IMPOLI,
MUFLE
MALOTRU butor, goujat, huron,
mufle, rustre
MALPIGHIE → CERISE
MALPROPRE → DOUTEUX
MALPROPRE crasseux, grossier,
inconvenant, indécent,
insalubre, maculé, malsain,
malsonnant, maritorne, négligé,
obscène, ordurier, sale, souillon
MALSAIN → IMMORAL, LOUCHE,
MALADIF, MALPROPRE, NUISIBLE,
TROUBLE (2)
MALSAIN cloaque, contaminé,
délétère, fétide, licencieux,
méphitique, miasmatique,
morbide, nauséabond, nocif,
nuisible, obscène, pernicieux,
pestilentiel, putride, vicié
MALSÉANT → BIENSÉANCE,

FAMILIER (2), INCONGRU, INCONVENANT, INDÉCENT, INDISCRET, SCANDALEUX

MALSONNANT → MALPROPRE

MALT → CAFÉ, WHISKY

MALT blé, dextrine, germination, malter, maltose, moût, orge, riz, torréfier, touraillage

MALTAGE → BIÈRE, ORGE

MALTAISE (MAYONNAISE) → MAYONNAISE

MALTE → CHEVALERIE, CROIX

Voir illus. **Croix**

MALTER → MALT

MALTHUSIANISME → CONTRÔLE, NAISSANCE, RESTRICTION, SÉLECTION

MALTOSE → MALT, SUCRE

MALTRAITANCE → BRUTALITÉ

MALTRAITANT → INDIGNE

MALTRAITÉ → BATTU

MALTRAITER → BATTRE, BOUSCULER, FRAPPER, MALMENER, RUDOYER, TAPER, TRAITER

MALTRAITER abîmer, blâmer, brutaliser, châtier, critiquer, décrier, dénigrer, éreinter, esquinter, frapper, macérer, malmener, molester, mortifier, rosser, rudoyer, vitupérer

MALUS → ASSURANCE, PRIME

Voir tab. **Assurance (vocabulaire de l')**

MALVACÉES → HIBISCUS

MALVEILLANCE → ANIMOSITÉ, MALICE, MÉCHANCETÉ, NUIRE, TRAVERS (2)

MALVEILLANCE agressivité, animosité, haine, hostilité, inimitié, machiavélisme, malignité, perfidie, préméditation, sabotage

MALVEILLANT → HAINEUX, HOSTILE, MAUVAIS, MÉCHANT

MALVENU → INCONGRU

MALVERSATION → CRIME, DÉLIT, FONCTIONNAIRE, INJUSTE, MALHONNÊTE, PILLAGE, TRAFIC

MALVOISIE → MADÈRE

MALVOYANT → BORGNE

MAMBO → DANSE

Voir tab. **Danses (types de)**

MAMELLE

Voir illus. **Cheval**

MAMELLE galactophore, lactéal, lampsane, mammite, pis, tétine, tette, trayon

MAMELON → BOUT, COLLINE, SEIN, SOMMET

Voir illus. **Sein**

MAMELONNÉ

Voir illus. **Champignon**

MAMELOUK → CAVALIER (1), GARDE

MAMILLOPLASTIE → SEIN

MAMMAIRE (GLANDE)

Voir tab. **Endocrinologie**

MAMMALOGIE → MAMMIFÈRE

MAMMECTOMIE → SEIN

MAMMIFÈRE → BALEINE, PHOQUE

Voir tab. **Animaux (classification simplifiée des)**

MAMMIFÈRE didelphe, euthérien, mammalogie, marsupial, méthathérien, monodelphe, monotrème, ornithodelphe, placentaire, protothérien

MAMMITE → MAMELLE

MAMMOGRAPHIE → SEIN

MAMMOLOGIE → ZOOLOGIE

MAMMOPLASTIE → SEIN

MAMMOUTH → ÉLÉPHANT

MAN → LARVE

MANADE → TROUPEAU

Voir tab. **Animaux (termes propres aux)**

MANAGEMENT → DIRECTION

MANAGER → BOXEUR, CONDUIRE, DIRIGER, GÉRANT

Voir tab. **Oiseaux (classification simplifiée des)**

MANANT → FÉODAL

MANCEAUX

Voir tab. **Habitants (comment se nomment les)**

MANCELLE → CHAÎNE

MANCENILLIER → POISON

MANCHE → BROSSE, CASSEROLE, CISEAU, MARTEAU, POIGNÉE, QUEUE, TUYAU

Voir illus. **Guitare**

MANCHE aileron (en), amadis (en), ange (d'), ballon, belle, béret (en), bombarde (à la), chauve-souris, chevillier, détroit, douille, emmanchure, ente, entournure, gigot, gousset, hampe, imbécile (à l'), kimono, mancheron, manicle, montée, monter, pagode, raglan, retrousser, revanche, set, soie

MANCHE (FAIRE LA) → AUMÔNE

MANCHERON → CHARRUE, MANCHE

Voir illus. **Charrue**

MANCHETTE → COUVERTURE, JOURNAL, MARGE, MOUSQUETAIRE, POIGNET, TITRE

Voir illus. **Sièges**

MANCHON → ANNEAU, FOURRURE, MAIN

MANCHON anneau, bague, bride, collier, douille

MANCHOT → ABLATION, OISEAU

Voir tab. **Oiseaux (classification simplifiée des)**

MANCHOT ADÉLIE → PINGOUIN

MANCHOT EMPEREUR → PINGOUIN

MANCHY → CHAISE

MANCOLISTE → TIMBRE-POSTE

MANDANT → MANDAT

MANDARIN → BONNET, CHINOIS, DIGNITÉ, INTELLECTUEL

MANDARIN anatidés, intellectuel, lettré, patron, pékinois, ponte, pontife, potentat

MANDAT → CHARGE, COLONIE, DÉPUTÉ, MAIRE, MISSION, PAIEMENT, POUVOIR, REPRÉSENTATION

MANDAT amener (d'), apostolique, arrêt (d'), commettant, commissionnaire, comparution (de), délégation, dépôt (de), députation, fondé de pouvoir, mandant, mandataire, mandature, mission, optique, procuration, tutelle

MANDAT D'ARRÊT → ARRESTATION

MANDATAIRE → AGENT, COMMISSIONNAIRE, DÉLÉGUÉ, DÉPUTÉ, INTERMÉDIAIRE (2), MANDAT, POUVOIR, REPRÉSENTANT

Voir tab. **Copropriété**

MANDATAIRE liquidateur, syndic

MANDATER → CONFIER, DÉLÉGUER, ENVOYER

MANDATURE → MANDAT

MANDER → APPELER, COMMUNIQUER, CONVOQUER

MANDIBULATES

Voir tab. **Animaux (classification simplifiée des)**

MANDIBULE → CRUSTACÉ, MÂCHOIRE, MENTON

Voir illus. **Oiseau**

Voir illus. **Poisson**

MANDILLE

Voir illus. **Manteaux**

MANDOLINE → CORDE, PLECTRE

Voir illus. **Instruments de musique**

MANDORE → LUTH

MANDRAGORE → MAGIQUE

MANDRAKE

Voir tab. **Bande dessinée (héros de)**

MANDRIN → POINÇON

MANDUCATION → MANGER

MANÉCANTERIE → CHANT, CHŒUR, MAÎTRISE

MANÈGE → CHEVAL, ÉQUITATION

MANÈGE agissement, carrière, carrousel, chambrière, garde-botte, jeu, manigance, manœuvre, passade

MÂNES → ESPRIT

MANETON → MANIVELLE, POIGNÉE

MANETTE → COMMANDE, LEVIER, POIGNÉE

MANGANÈSE

Voir tab. **Éléments chimiques (symbole des)**

MANGANIN → NICKEL

MANGEAILLE → REPAS

MANGEOIRE auge, crèche, râtelier, trémie

MANGER → BAISER, CONSOMMER, GRIGNOTER, VIDER

MANGER alimenter (s'), anorexie, anthropophage, approvisionner, boulimie, bourrer de (se), cacher, cannibale, carnivore, chipoter, comestible, commensal, déguster, délecter (se), dévorer, dissimuler, engloutir, engouffrer, entamer, famine, frugal, gastronome, gaver de (se), gourmet, grignoter, herbivore, ichtyophage, intempérant, jeûner, malnutrition, manducation, nourrir (se), omnivore, phag(o)-, –phage, –phagie, –phagique, picorer, pignocher, rassasier (se), ravitailler, régaler (se), repu, restaurer (se), ronger, savourer, sustenter (se), végétalien, végétarien, -vore

MANGE-TOUT → GOULU, HARICOT

MANGEUR écornifleur, Gargantua, glouton, goinfre, parasite, pique-assiette

MANGOUSTE → PINCEAU

Voir tab. **Mammifères (classification des)**

MANGROVE → FORÊT, MARAIS

MANI → PERSE (1)

MANIABLE → MALLÉABLE, PRATIQUE (2), SOUPLE

MANIABLE commode, docile, flexible, influençable, malléable,

manœuvrable, portatif, pratique, souple, traitable

MANIAQUE → MÉTICULEUX, MINUTIEUX, OBSÉDÉ, POINTILLEUX, SCRUPULEUX

MANIAQUE (1) désaxé, déséquilibré, détraqué, obsédé

MANIAQUE (2) cyclothymie, pointilleux, tatillon, vétilleux

MANICHÉISME → MAL (1), PERSE (1)

Voir tab. **Religions et courants religieux**

MANICLE → GANT, MANCHE

MANIE → DÉFAUT, EXCESSIF, FIXE (2), FOLIE, HABITUDE, IDÉE, MAROTTE, OBSESSION, SPÉCIALITÉ, TIC

Voir tab. **Psychiatrie**

MANIE foucade, hantise, idée fixe, lubie, marotte, monomanie, obsession, phobie, tic

MANIE DÉPILATOIRE → TIC

MANIEMENT → MANIPULATION

MANIEMENT administration, direction, emploi, gestion, manipulation, usage

MANIER → BRASSER, TÂTER, USER

MANIER brasser, conduire, employer, façonner, manipuler, manœuvrer, mener, recourir à, servir de (se), utiliser

MANIÉRÉ → AFFECTÉ, FAÇON, POLI (2), PRÉCIEUX, PRÉTENTIEUX, SENTENCIEUX, SOPHISTIQUÉ, SUFFISANT, TARABISCOTÉ

MANIÈRE → CÉRÉMONIE, CONDUITE, FAÇON, GENRE, GESTE, MINAUDERIE, MODALITÉ, RELATION, SIMAGRÉES, TECHNIQUE (1), USAGE

MANIÈRE affecté, agissement, apprêté, bienséance, chichi, compassé, comportement, conduite, embarras, emprunté, façon, façons, genre, guindé, manigance, menées, méthode, mijaurée, minauderie, politesse, précieuse, procédé, savoir-faire, savoir-vivre, simagrées, style, technique, urbanité

MANIÈRE DE (À LA) → IMITATION

MANIÈRE DE PENSER → OPINION

MANIÉRISME → AFFECTATION

MANIFESTATION → APPARITION, CONTESTATION, DÉFILÉ, DÉMONSTRATION, ÉMANATION, EXPLOSION, EXPRESSION, ILLUSTRATION, MARCHE, PHÉNOMÈNE, RÉACTION, RÉVÉLATION, REVENDICATION, SIGNE, SOULÈVEMENT, SYMPTÔME

MANIFESTATION banderole, cortège, démonstration collective, desiderata, exigence, exposition, festival, marque, rassemblement, revendication, salon, signe, sit-in, slogan, témoignage

MANIFESTE → AFFICHE, APPARENT, CREVER, DÉCELER, DÉCLARATION, ÉCLATANT, ÉVIDENT, FLAGRANT, FRAPPANT, MARCHANDISE, NOTOIRE, OSTENSIBLE, OUVERT, PALPABLE, PROFESSION, PUBLIC (2), VISIBLE

MANIFESTE (1) déclaration, proclamation, profession de foi, pronunciamiento

MANIFESTE (2) avéré, flagrant, incontestable, indéniable, irréfutable, notoire, patent, tangible

MANIFESTER → ANNONCER, APPARAÎTRE, COMMUNIQUER, DÉNONCER, INDIQUER, MARQUER, MONTRER, PREUVE, RÉPANDRE (SE), SENTIR, SURVENIR, TÉMOIGNER, TRADUIRE, TRAHIR

MANIFESTER annoncer, déclarer (se), démonstratif, dévoiler, divulguer, expansif, exprimer, extérioriser, extraverti, exubérant, révéler, signaler, traduire, trahir

MANIFOLD → CARNET

MANIGANCE → ACTION, COLLUSION, COMBINAISON, COMPLOT, INTRIGUE, MACHINATION, MANÈGE, MANIÈRE, MANIPULATION

MANIGANCER → BAS (2), COMBINER, COMPLOTER, CONCERTER, MÉDITER, MIJOTER, PRÉMÉDITER, PROJETER

MANILLE → ANNEAU, CARTE, CHAÎNE
Voir illus. **Coiffures**

MANIPULATEUR → TÉLÉGRAPHIE

MANIPULATION → MANIEMENT

MANIPULATION agiotage, cervicalgie, chiropracteur, dorsalgie, emprise, étiopathe, fraude, génie génétique, illusionniste, influence, intrigue, lombalgie, lumbago, maniement, manigance, ostéopathe, prestidigitateur, rhumatologue, trafic, tripotage

MANIPULE → LÉGION

MANIPULER → BRASSER, MANIER

MANIPURI → DANSE

MANIQUE → GANT

MANITOU → BONNET

MANIVEAU → PANIER

MANIVELLE bielle, crabot, cric, levier, maneton, nille, vilebrequin

MANNE → DON, FRÊNE, NOURRITURE, PANIER

MANNEQUIN → FRUIT, MOULAGE, PANIER, POSER

MANNITÉ → VIN

MANŒUVRABLE → MANIABLE

MANŒUVRE → ARMÉE, ARTIFICE, BRAS, ÉVOLUTION, EXERCICE, INDUSTRIE, INTRIGUE, MACHINATION, MANÈGE, MOYEN (1), OPÉRATION, OUVRIER, RETARD, TACTIQUE, TRAVAILLEUR (1)

MANŒUVRE appareillage, bosser, capelage, galibot, gréement, manœuvrier, mouillage, pilotage, stratège

MANŒUVRER → CONDUIRE, FONCTIONNER, MANIER

MANOMÈTRE → INDICATEUR, TENSION
Voir tab. **Instruments de mesure**

MANOQUE → BOTTE, PELOTE, TABAC

MANOUCHE → BOHÉMIEN

MANOUVRIER → MANŒUVRE

MANQUE → BESOIN, FAUTE, IGNORANCE, INDIGENCE, INSUFFISANCE, LACUNE, PRIVATION

MANQUE absence, assuétude, besoin, carence, dénuement, dépendance, disette, indigence,

lacune, omission, pallier, pénurie, suppléer à

MANQUÉ → MOULE

MANQUEMENT → INFRACTION, NÉGLIGENCE, OUBLI, VIOLATION

MANQUER → DÉDIRE (SE), DÉFAILLIR, DÉFAUT, FAILLIR, GÂCHER, OUBLIER
Voir tab. **Chasse (vocabulaire de la)**

MANQUER contrevenir, dédire (se), dérober (se), déroger, enfreindre, être dénué de, être dépourvu de, faillir, faire défaut, forfaire, offenser, soustraire (se), trahir, transgresser, tromper, violer

MANS (LE)
Voir tab. **Habitants (comment se nomment les)**

MANSARDE → CHAMBRE, COMBLE (1), GRENIER, TOIT

MANSARDÉ
Voir illus. **Toits**

MANSION → MYSTÈRE

MANSUÉTUDE → BIENVEILLANCE, BONTÉ, CHARITÉ, CLÉMENCE, COMPRÉHENSION, INDULGENCE

MANTE → DEUIL, MANTEAU
Voir illus. **Manteaux**
Voir tab. **Poissons (classification simplifiée des)**

MANTE RELIGIEUSE → AMANT
Voir illus. **Insectes**

MANTEAU → BLASON, MOLLUSQUE, SORCIÈRE
Voir illus. **Cheminée**
Voir illus. **Modes et styles**
Voir illus. **Terre**

MANTEAU burnous, caban, cache-poussière, cape, cappa, chape, chlamyde, ciré, clandestinement, Crispin (à la), discrètement, douillette, duffel-coat, gabardine, himation, imperméable, kabig, limousine, linteau, loden, macfarlane, mante, pallium, pardessus, parka, pèlerine, pelisse, piédroit, plate-bande, poncho, redingote, sagum, secrètement, sous-main (en), tabard, trench-coat, trois-quarts

MANTEAU D'ARLEQUIN → RIDEAU

MANTELET → CAPE, VOLET
Voir illus. **Manteaux**

MANTELINE
Voir illus. **Manteaux**

MANTILLE → DENTELLE, FICHU

MANTRA → FORMULE, PAROLE

MANUCURE → MAIN, ONGLE, VERNIS

MANUCURER → FAIRE

MANUEL → ARTISAN, LIVRE, RECUEIL, TRAITÉ

MANUEL abrégé, aide-mémoire, anthologie, cours, didactique, instructif, mémento, vade-mecum

MANUÉLIN → PORTUGAIS

MANUFACTURE → ATELIER, CONFECTION, FABRIQUE, INDUSTRIE, USINE

MANUFACTURE fabrique, manufacturier, usine

MANUFACTURIER → MANUFACTURE

MANULUVE → BAIN

MANUMISSION → AFFRANCHISSEMENT, ESCLAVE

MANUSCRIPTOLOGIE → CORRECTION, MANUSCRIT

MANUSCRIT → ÉCRIT (2), TEXTE

MANUSCRIT apparat critique, archiver, collationner, copiste, déchiffrement, enlumineur, holographe, manuscriptologie, palimpseste, papyrus, parchemin, rouleau, scribe, tapuscrit

MANUTERGE → LINGE

MANZANILLA → XÉRÈS

MAO → COL

MAOÏSME → COMMUNISME, MARXISTE

MAPPEMONDE → CARTE, GLOBE, SPHÈRE

MAQUEREAU → PROSTITUÉE
Voir tab. **Prostitution**

MAQUEREAU boëte, chevillé, lisette, perciformes, scombridés

MAQUETTE → CONCEPTION, ESQUISSE, MODÈLE (1), PAGE, PROJET, PROTOTYPE

MAQUIGNON → BÉTAIL, CHEVAL, TRAFIQUANT

MAQUIGNONNAGE → TRAFIC

MAQUILLAGE → ARTIFICE, FARD, PEAU

MAQUILLAGE blush, cosmétologie, eye-liner, fard, fond de teint, khôl, mascara, palette, poudre, Rimmel, waterproof

MAQUILLÉ → FAIT

MAQUILLER → BEAUTÉ, CACHER, COLORER, DÉGUISER, FARD, TRAFIQUER, TRICHER

MAQUILLER camoufler, déguiser, dénaturer, falsifier, farder (se), fausser, grimer, houppette, travestir

MAQUIS → BUISSON, DÉFENSE, FRICHE, LANDE, TERRAIN, VÉGÉTATION

MAQUIS arbousier, calycotome, chêne kermès, chêne-liège, ciste, imbroglio, lentisque, maquisard, myrte, résistant, siliceux

MAQUISARD → MAQUIS, PARTISAN (1), RÉSISTANT (1)

MARA → LIÈVRE

MARABOUT → MUSULMAN (1), RELIGIEUX (1), SAINT (1), TOMBE
Voir tab. **Islam (vocabulaire de l')**

MARABOUTER → ENSORCELER

MARACAS
Voir illus. **Percussions**
Voir tab. **Instruments de musique**

MARACUJA → PASSION

MARAÎCHAGE → HORTICULTURE

MARAÎCHER → JARDINIER, LÉGUME

MARAIS → HUMIDE, NAPPE

MARAIS affût (à l'), assainir, azolla, botte (à la), bourbe, drainer, eichhornia, fagne, hortillonnage, hutte (à la), jas, lenticule, malaria, mangrove, marécage, maremme, massette, méthane, nénuphar, œillet, paludéen, paluder, paludisme, palus, palustre, passée (à la), polder, roseau, saline, salvinia,

tourbière, typha, varaigne, vasière

MARAIS MARITIME
Voir illus. **Littoral**

MARAIS SALANT → SEL

MARASME → BAISSE, CHANGEMENT, CRISE, DÉPRESSION, MALAISE, STAGNATION

MARASQUE → CERISE

MARASQUIN → CERISE, LIQUEUR

MARATHON → ATHLÉTISME, COURSE, ENDURANCE
Voir tab. **Sports**

MARÂTRE → ENFANT, MÈRE

MARAUD → DRÔLE (1), FRIPON (1)

MARAUDER → CAMBRIOLER, CUEILLIR

MARAUDEUR → VOLEUR

MARBRE → BRONZE, CARRELAGE, FROID (2), INFLEXIBLE, INSENSIBLE, MARQUETERIE, PÂTISSERIE

MARBRE adoucissage, brocatelle, calcite, cipolin, débitage, dolomite, égrésage, extraction, façonnage, fier, griotte, impassible, impavide, jaspé, lustrage, marbrière, marmoréen, parian, polissage, pouf, stuc, tranchage, veine

MARBRÉ
Voir illus. **Champignon**

MARBRIÈRE → MARBRE

MARBRURE → MARQUE
Voir illus. **Livre relié**

MARC → CIDRE, EAU-DE-VIE, RÉSIDU
Voir tab. **Alcools et eaux-de-vie**
Voir tab. **Café**

MARCASSIN → SANGLIER
Voir tab. **Animaux (termes propres aux)**

MARCASSITE → FER

MARCELINE → SOIE

MARCHAND → ART, COMMERÇANT, COMMERCE, FOURNISSEUR

MARCHAND buraliste, camelot, colporteur, commerçant, fournisseur, grossiste, margoulin, mercanti, négociant, quatre-saisons (des), représentant, sauvette (à la), VRP (voyageur représentant placier)

MARCHAND DES QUATRE-SAISONS → LÉGUME

MARCHAND FORAIN → VENDEUR

MARCHANDER → PRIX, VENDEUR

MARCHANDER chicaner, lésiner

MARCHANDISAGE → CONSOMMATEUR, MARCHANDISE

MARCHANDISE → ARTICLE, CARGAISON, PRODUIT

MARCHANDISE article, cargaison, conditionnement, connaissement, containérisation, conteneurisation, denrée, emmagasiner, entreposer, facultés, fret, label, manifeste, marchandisage, merchandising, produit, stocker

MARCHE → BORNE, CAHIER, CHEMINEMENT, COURS, DÉFILÉ, DEGRÉ, DÉROULEMENT, DESCRIPTION, ÉBRANLER, ÉVOLUTION, MÉTHODE, ORGUE, PROGRESSION, PROMENADE, TACTIQUE, TRACE

Voir illus. **Escalier**
Voir tab. **Sports**
MARCHE allure, balancé, dansante, degré, fonctionnement, gironnée, grande randonnée (GR), manifestation, méthode, palière, processus, randonnée, tactique
MARCHE ARRIÈRE → INVERSE
MARCHE À SUIVRE → FORMULE
MARCHE NUPTIALE → MARIAGE
MARCHÉ → ACHETEUR, AFFAIRE, BAZAR, CONSOMMATEUR, HALLE, PACTE, PERSPECTIVE, PUBLIC (1), VENTE
Voir tab. **Bourse**
MARCHÉ adjudication, affaire, bazar, Bourse des valeurs, braderie, brocante, clandestin, contrat, économie dirigiste, économie planifiée, halles, marketing, mercatique, monopole, oligopole, puces, résilier, souk, transaction
MARCHÉ AUX PUCES → VENTE
MARCHÉ CLANDESTIN → TRAFIC
MARCHÉ DES CHANGES
Voir tab. **Monnaie**
MARCHÉ NOIR → TRAFIC
MARCHER → FONCTIONNER, MORDRE, PIÉTINER, PROMENER (SE)
MARCHER abuser, amble (aller l'), arpenter, avancer, berner, chalouper, claudiquer, clocher, clopiner, dandiner (se), déambuler, déhancher (se), digitigrade, enjambée, errer, fildefériste, flâner, fonctionner, funambule, ingambe, noctambule, onguligrade, patauger, piétiner, plantigrade, somnambule, talonner, tromper, trotter, trottiner, vagabonder, zigzaguer
MARCHER (DEVOIR)
Voir tab. **Phobies**
MARCHER SUR LES PAS DE → IMITER
MARCHEUSE
Voir tab. **Prostitution**
MARCOPHILE
Voir tab. **Collectionneurs**
MARCOTTAGE → MULTIPLICATION, VÉGÉTAL (1)
Voir tab. **Jardinage**
MARCOTTE → BOUTURE, BRANCHE, PLANT
MARCOTTER → PLANTER
MARDI GRAS → CARNAVAL, MASQUE
MARE → ÉTANG, NAPPE, POINT, RETENUE
Voir tab. **Animaux (termes propres aux)**
MARÉCAGE → BOUE, HUMIDE, MARAIS, NAPPE
MARÉCHAL DE FRANCE
Voir illus. **Grades militaires**
MARÉCHAL DES LOGIS
Voir illus. **Grades de la gendarmerie**
MARÉCHAL DES LOGIS-CHEF
Voir illus. **Grades de la gendarmerie**
Voir illus. **Grades militaires**
MARÉCHALE → ENCLUME
MARÉCHALERIE → FERRER

MARÉCHAL-FERRANT → FERRER, FORGE
MARÉCHAUSSÉE → GENDARMERIE
MARÉE → REFLUX
MARÉE courant de flot, courant de jusant, estran, étale, flux, fraîchin, mareyeur, marnage, mascaret, mésolittoral (étage), mortes-eaux, perdant, poissonnier, quadrature, reflux, syzygie, vives-eaux
MARÉE NOIRE → NAPPE, POLLUTION
MARELLE palet
MAREMME → MARAIS
MARENNES → HUÎTRE
MAREYEUR → MARÉE
MARGAILLE → DÉSORDRE
MARGE → BÉNÉFICE, DÉLAI, ESPACE
MARGE annotation, apostille, blanc de pied, blanc de tête, bord, bordure, cash-flow, délai, distance, fond (grand), fond (petit), intervalle, latitude, lisière, manchette, marge au pli, marginal, marginer, massicot, MBA, réserve, volant
MARGE AU PLI → MARGE
MARGELLE → BORD
MARGER → IMPRIMERIE
MARGINAL → CLOCHARD, ÉCART, MARGE, MENTION, NON-CONFORMITÉ, NORME, PART
MARGINAL accessoire, anticonformiste, baba, beatnik, clochard, fantaisiste, hippie, illicite, novateur, original, original, paria, secondaire, singulier
MARGINALITÉ → ORIGINALITÉ
MARGINER → MARGE
MARGOTIN → BOIS, FAGOT
MARGOUILLIS → BOUE
MARGOULIN → MARCHAND
MARGUERITE → PÂQUERETTE
Voir tab. **Végétaux (classification simplifiée des)**
MARGUERITE capitule, composées, effeuiller, fleuron, gerbera, pâquerette
MARGUERITE-YOURCENAR (PRIX)
Voir tab. **Prix littéraires**
MARGUILLIER → CONSEIL, EMPLOYÉ, FABRIQUE
MARI → COMPAGNON, ÉPOUX, HOMME
MARI conjoint, djabr, époux, marital, polyandre, répudiation, veuf
MARI TROMPÉ
Voir tab. **Saints patrons**
MARIAGE → BÉNÉDICTION, DRAGÉE, FEMME, LITURGIE, RELIGIEUX (2), RÉUNION, SACREMENT, UNION
Voir tab. **Sacrements**
MARIAGE ban, blanc, charivari, communauté conventionnelle, conjungo, couronnement, dot, entremetteuse, épithalame, épousailles, gam(o)-, -game, -gamie, Héra, houppa, hymen, Hyménée, jarretière, Junon, marche nuptiale, marieuse, mixte, morganatique, noces, participation aux acquêts, posthume, pot de chambre, prénuptial, procuration (par),

quiddoushim, séparation de biens, simulé, témoin, trousseau, vivaha
MARIALOGIE → VIERGE (1)
MARIANNES → PACIFIQUE (1)
MARIE-LOUISE → CADRE, ENCADREMENT
MARIER → ASSEMBLER, ÉPOUSER, RANGER (SE), RÉUNIR, UNIR
MARIER associer, assortir, combiner, contracter mariage, convoler, harmoniser, unir, viduité (de)
MARIE-SALOPE
Voir tab. **Bateaux**
MARIEUSE → MARIAGE
MARIGOT → BOUE, FLEUVE
MARIJUANA → DROGUE, HASCHISCH
Voir tab. **Drogues**
MARIMBA → PERCUSSION, XYLOPHONE
Voir illus. **Percussions**
Voir tab. **Instruments de musique**
MARIN → COL, LARGE, MARITIME, MATELOT
Voir tab. **Saints patrons**
Voir tab. **Vents**
MARIN (1) boucanier, caban, cadre de maistrance, corsaire, écumeur, flibustier, forban, fusilier, gabier, homme d'équipage, loup de mer, marin d'eau douce, mousse, navigateur, pirate, soutier, suroît, timonier, vareuse, vigie
MARIN (2) mille, necton, off-shore, plancton, portulan, raz de marée, tsunami
MARIN D'EAU DOUCE → MARIN (1)
MARIN EXPÉRIMENTÉ → LOUP
MARINADE → MACÉRER
MARINE → ARMÉE, BLEU (1), ÉQUIPAGE, NAVAL, PEINTURE
Voir tab. **Couleurs**
MARINE aconier, asdic, astrolabe, compas, loch, Royale, sextant, sonar
MARINER → TREMPER
MARINER macérer
MARINGOUIN → MOUSTIQUE
MARINIER → BATEAU
MARINIÈRE → BLOUSE, NAGE
MARIOLLE → INTÉRESSANT (1)
MARIONNETTE → PANTIN, POULIE
MARIONNETTE burattino, castelet, fantoche, gaine (à), Guignol, Kasperl, montreur, pantin, Polichinelle, Punch, pupazzo
MARITAL → MARI
MARITALEMENT → NOTOIRE
MARITIME → DROIT (1), PÊCHE
MARITIME marin, naval
MARITORNE → AFFREUX, MALPROPRE
MARIVAUDAGE → COMÉDIE, CONVERSATION, GALANT, GALANTERIE, RELATION
MARIVAUDAGE badinage
MARJOLAINE
Voir tab. **Herbes, épices et aromates**
MARKETING → ACHETEUR, COMMERCE, CONCURRENCE, CONSOMMATEUR, MARCHÉ, PROMOTION

MARLI → ASSIETTE, BORD
MARLOU
Voir tab. **Prostitution**
MARMANDE → TOMATE
MARMELADE → CONFITURE, DESSERT
MARMELADE compote, confiture, écrasé
MARMENTEAU → ARBRE, BOIS
MARMITE → USTENSILE
MARMITE autoclave, autocuiseur, braisière, camion, cocotte, Cocotte-Minute, crémaillère, daubière, faitout, huguenote
MARMITE DIEPPOISE
Voir tab. **Plats régionaux**
MARMITON → CUISINIER
MARMONNEMENT → BRUISSEMENT
Voir tab. **Bruits**
MARMONNER → BALBUTIER, BARBE, BOUGONNER, CHUCHOTER, DISTINCT, GROGNER, MURMURER
MARMORÉEN → FROID (2), MARBRE
MARMOTTE → BAGAGE, MALLE, RONGEUR
MARMOTTE bobak, hibernation, murmel, rongeurs, sciuridés, souslik
MARMOTTER → BALBUTIER, BARBE, GROGNER, MURMURER
MARMOUSET → CHENET
MARNAGE → FERTILE, MARÉE, TERRE
MARNE → ARGILE, TERRE
Voir tab. **Roches et minerais**
MARNER → BONIFIER, ENGRAISSER
MARNEUX → CRAIE
MAROILLES
Voir illus. **Fromages**
MARONNER → RAGE
MAROQUIN → CHÈVRE, CUIR, MINISTRE
MAROQUINERIE → CUIR
MAROTTE → BATAILLE, DADA, FOLIE, FOU (1), HABITUDE, IDÉE, MANIE, TIC
MAROTTE dada, folie, lubie, manie, passion, tocade
MAROUFLAGE → PEINTURE
MAROUFLE → FRIPON (1)
MAROUFLER → COLLER, TABLEAU
MARQUANT → FAMEUX, FRAPPANT, MAJEUR (2), SAILLANT
MARQUANT impressionnant, mémorable, remarquable
MARQUE → APPELLATION, CACHET, CARACTÉRISTIQUE, CHIFFRE, DÉMONSTRATION, ENSEIGNE, GENRE, GRIFFE, INFLUENCE, INITIAL, INSIGNE (1), JETON, MANIFESTATION, NUMÉRO, POINT, PREUVE, RECONNAISSANCE, RENVOI, REPÈRE, SCEAU, SIGNE, TACHE, TÉMOIGNAGE, TRACE, TRACE, VESTIGE
Voir tab. **Tarot**
MARQUE appareil (d'), astérisque, balafre, cachet, chiffre, cicatrice, connaissance, couperose, critère, croix, ecchymose, empreinte, encoche, entaille, éraillure, estampille, flétrissure, jalon, label, logotype, marbrure, monogramme, poinçon, preuve, rayure, repère, réputation, scarification, sceau, signe, starting-blocks, stigmate, tâcheron (de), témoignage, trace, tuméfaction, vergeture, zébrure

MARQUE POSTALE
Voir tab. **Collectionneurs**
MARQUÉ → ACCUSÉ (2), NET, PRONONCÉ
MARQUE-PAGE
Voir tab. **Internet**
MARQUER → BORNER, BUT, CARACTÉRISER, COLORER, ÉCRIRE, ÉPOQUE, FOOTBALL, IMPRÉGNER, IMPRIMER, INSCRIRE, POINTER, PONCTUER, SIGNALER, VÉRIFIER
MARQUER baliser, but, célébrer, circonscrire, cocher, coter, délimiter, essai, ferrade, fêter, indiquer, inscrire, insculper, layer, manifester, noter, panier, ponctuer, scander, signet, souligner, tatouer
MARQUER UN ESSAI → RUGBY
MARQUETÉ → TACHE
MARQUETERIE → DÉCOR, ÉBÈNE, ÉBÉNISTERIE, IVOIRE, MENUISERIE, MEUBLE
MARQUETERIE anis, cèdre, corozo, ébène, ébéniste, écaille, érable, incrustation, ivoire, marbre, marqueteur, nacre, noyer, placage, tabletier
MARQUETEUR → MARQUETERIE
MARQUETTE → CIRE
MARQUEUR → CRAYON, FEUTRE, INDICATEUR
MARQUIS → NOBLESSE
Voir illus. **Coiffures**
MARQUISE → BAGUE, DOSSIER, TENTE, TOIT
Voir illus. **Sièges**
MARQUISE (TAILLE EN)
Voir illus. **Pierres précieuses (taille des)**
MARQUISETTE
Voir tab. **Tissus**
MARQUOIR → TAILLEUR
MARRAINE → BAPTÊME, PARENT
MARRAINE filleul
MARRANE → JUIF (1)
MARRE → CLAQUE
MARRON → BRUN, CHÂTAIGNE, COUP, IRRÉGULIER, JETON, NÈGRE, PERSONNE
Voir tab. **Couleurs**
MARRON (1) bogue, châtaigne, Inde (d'), mont-blanc
MARRON (2) beige, brun, châtain, chocolat, havane, malhonnête, tabac, véreux
MARRONNIER D'INDE
Voir tab. **Plantes médicinales**
MARS → GUERRE, PLANÈTE, SOLAIRE
Voir illus. **Système solaire**
Voir tab. **Astrologie**
Voir tab. **Chocolat**
Voir tab. **Planètes du système solaire**
MARSAULT → SAULE
MARSÈCHE → ORGE
MARSEILLAISE (LA) → HYMNE
MARSEILLE (DE) → SAVON
MARSHALL → PACIFIQUE (1)
MARSILLANE
Voir tab. **Bateaux**
MARSOUIN → CÉTACÉ, TENTE
MARSUPIAUX → KANGOUROU, MAMMIFÈRE
Voir tab. **Mammifères (classification des)**
MARSUPILAMI (LE)

Voir tab. **Bande dessinée (héros de)**
MARSUPIUM → KANGOUROU
MARTAGON → LIS
MARTEAU → BROYER, FORGE, MONTAGNE, OREILLE, PIANO, TAILLEUR
Voir illus. **Oreille**
Voir illus. **Piano**
MARTEAU angrois, asseau, batte, bisaiguë, boucharde, brochoir, châsse, ferratier, frappe-devant, hutinet, laie, longuet, maillet, mailloche, manche, marteline, martoire, masse, merlin, œil, panne, picot, renard, rustique, smille, table, taillet, têtu
MARTEAU (LANCER DU)
Voir tab. **Sports**
MARTEGALLAIS
Voir tab. **Habitants (comment se nomment les)**
MARTÉGAUX
Voir tab. **Habitants (comment se nomment les)**
MARTELAGE → FORGE
MARTELÉ → BOSSELÉ
MARTÈLEMENT → BATTEMENT
Voir tab. **Bruits**
MARTELER → ACIER, INSISTER, RÉSONNER
MARTELINE → MARTEAU
MARTELLEMENT → CHOC
MARTENSITE → ACIER
MARTIALE → LOI
MARTIEN → HABITANT
MARTIGUES
Voir tab. **Habitants (comment se nomment les)**
MARTINET → FOUET, HIRONDELLE
Voir tab. **Oiseaux (classification simplifiée des)**
MARTINGALE → CALCUL, COURROIE, PLAN
Voir illus. **Manteaux**
MARTIN-PÊCHEUR
Voir tab. **Oiseaux (classification simplifiée des)**
MARTOIRE → MARTEAU
MARTRE → PINCEAU
MARTRE BLANCHE → HERMINE
MARTYR → BATTU, SAINT (1), VICTIME (2)
MARTYR auréole, confesseur, Étienne (saint), martyrium, martyrologe, nimbe, palme, relique, souffre-douleur
MARTYRE → BAPTÊME, SOUFFRANCE, SUPPLICE, TORTURE
MARTYRE baptême du sang, calvaire, persécution, supplice, torture
MARTYRISER → ACHARNER (S'), INFLIGER, OPPRIMER, PERSÉCUTER
MARTYRIUM → CHAPELLE, CRYPTE, MARTYR, TOMBEAU
MARTYROLOGE → CATALOGUE, LISTE, MARTYR, SAINT (1)
MARX → MARXISTE
Voir tab. **Philosophie**
MARXISME → CAPITALISME, COMMUNISME
Voir tab. **Économie**
MARXISTE Engels, le Capital, maoïsme, Marx, marxologie, matérialisme dialectique, matérialisme historique

MARXOLOGIE → MARXISTE
MARYLAND → TABAC
MAS → CAMPAGNE, FERME (1), MAISON
MAS 36-51 → FUSIL
MASCARA → MAQUILLAGE
MASCARADE → CARNAVAL, DÉGUISEMENT, HYPOCRISIE, SPECTACLE
MASCARADE carnaval, cavalcade, chienlit, comédie, défilé, déguisement, hypocrisie, imposture, masque
MASCARET → MARÉE, REFLUX, VAGUE (1)
Voir tab. **Géographie et géologie (termes de)**
MASCARON → FONTAINE, MASQUE, MONSTRE
MASCARPONE
Voir tab. **Gâteaux régionaux et étrangers**
MASCOTTE → AMULETTE, BONHEUR, CHANCE, FÉTICHE, PORTE-BONHEUR
MASCULIN → MÂLE, RIME, VIRIL
MASCULIN épicène, hommasse, mâle, masculinité, virago, virilité
MASCULINITÉ → MASCULIN
MASDJID → ISLAM
MASER → LASER
MASOCHISME → DOULEUR, SEXUALITÉ, SOUFFRANCE
MASOCHISME sadomasochisme
MASOCHISTE → SOUFFRIR
MASQUE → CAGOULE, DÉGUISEMENT, FAÇADE, LOUP, MASCARADE, SPORTIF (1)
MASQUE air, carnaval, chloasma, confondre, démasquer, domino, expression, loup, mardi gras, mascaron, mi-carême, touret de nez, voile
MASQUÉ → BAL
MASQUER → CACHER, DÉGUISER, DISSIMULER, RECOUVRIR
MASQUER cacher, camoufler, dérober, dissimuler, estomper, falsifier, farder, recouvrir, travestir, voiler
MASS MEDIA → COMMUNICATION
MASSACRANT → DÉTESTABLE, ÉPOUVANTABLE, MAUVAIS
MASSACRE → BOUCHERIE, DESTRUCTION, EXTERMINATION, HÉCATOMBE, TROPHÉE
MASSACRE barbarie, boucherie, carnage, génocide, hécatombe, holocauste, inhumanité, septembrisades, Shoah, tuerie
MASSACRER → ANÉANTIR, SUPPRIMER, TUER
MASSACRER anéantir, défigurer, dénaturer, exterminer, gâcher, lyncher
MASSAGE → FRICTION
MASSAGE effleurage, friction, malaxation, masseur-kinésithérapeute, percussion, pétrissage, pincement, pression, roulade, vibration
MASSE → BLOC, CORPS, FAILLITE, MARTEAU, MULTITUDE, NOMBRE, RÉUNION, SOMME
MASSE agglomérat, agrégat, baryonique, casse-tête, dame, demoiselle, foule, hie, magma,

majorité, massue, mouton, peuple, plommée
MASSE SALARIALE
Voir tab. **Entreprise (vocabulaire de l')**
MASSELOTTE → BAVURE
MASSER → BILLARD, FROTTER, SERRER
MASSER rassembler, regrouper, réunir
MASSÉTER → JOUE
MASSETTE → BRIQUE, MARAIS, ROSEAU, TAILLEUR
MASSEUBE
Voir tab. **Habitants (comment se nomment les)**
MASSEUR → SOIN
MASSEUR-KINÉSITHÉRAPEUTE → MASSAGE
MASSICOT → MARGE, PLOMB
MASSICOTER → CASSER, ROGNER
MASSIER → HUISSIER
MASSIF → CARRÉ (1), COMPOSITION, ÉPAIS, GROS, JARDIN, LOURD, PESANT, PLEIN, SOLIDE
MASSIF (1) antéglise, bosquet, corbeille, parterre, westbau
MASSIF (2) corpulent, mastoc, pesant, trapu
MASSIF D'ANCRAGE DES CÂBLES
Voir illus. **Ponts**
MASSORAH → HÉBREU
MASSORE → BIBLE
MASSORÈTE → DOCTEUR
MASSUE → BÂTON, GOURDIN, JONGLER, MASSE
MASSUE choc, décisif, écrasant, gourdin, matraque
MASSYLVAINS
Voir tab. **Habitants (comment se nomment les)**
MAST(O)-
Voir tab. **Chirugicales (interventions)**
MASTABA → PYRAMIDE, TOMBEAU
MASTECTOMIE → SEIN
MASTIC → COLLE, CRAIE, DURCIR, ENDUIT, ERREUR, IMPRESSION, TRANSPOSITION, TYPOGRAPHIE
Voir tab. **Couleurs**
MASTICATOIRE → MÂCHER, MASTIQUER
MASTIGADOUR → SALIVE
MASTIQUER → MÂCHER, TRITURER
MASTIQUER déglutition, mâcher, masticatoire
MASTOC → MASSIF (2)
MASTODONTE → GÉANT
MASTOÏDIE → SEIN
MASTROQUET → BAR, CAFÉ
MASTURBATION → SEXUEL
MASURE → BARAQUE, BOUGE, HABITATION, MAISON, TAUDIS
MAT → BASANÉ, PEINTURE, POTERIE, SOURD, FONCÉ
Voir tab. **Échecs**
MAT basané, bistre, étouffé, matir, sourd, tanné, terne
MÂT → DELTAPLANE, PLANCHE À VOILE, POTEAU
Voir illus. **Planche à voile**
Voir illus. **Voilier : Dufour 38 Classic**
MÂT artimon (d'), beaupré (de), cacatois (de), caler, cocagne (de), flèche (de), fortune (de), grand mât, hauban, hune (de),

mâtereau, misaine (de), pavillon (de), perroquet (de), pible (à), pomme, senau (de)

MÂT (GRAND) → MÂT

MAT ÉTOUFFÉ

Voir tab. **Échecs**

MATABICHE → DON

MATAMORE → BRAVE, FANFARON

MATCH → BASKET-BALL, COMPÉTITION, COUPE, ÉPREUVE, RENCONTRE

MATCH assaut, combat, compétition, confrontation, rencontre, tournoi

MATCH NUL → ÉGALITÉ

MATCH-RETOUR → BELLE

MATÉ → BOISSON, HOUX, THÉ

MATELAS alèse, capitonner, carcasse, carder, coutil, futaine, matelassure, paillasse, rebattre, sommier

MATELASSÉ → DOUBLURE, TISSU

Voir illus. **Sièges**

MATELASSER → GARNIR

MATELASSURE → MATELAS

Voir illus. **Selle**

MATELOT marin, mousse, novice

MATELOTAGE → NŒUD

MATER → BOUT, REFOULER

MATER dépolir, dominer, maîtriser, matir, matoir, modérer, réduire, réfréner, réprimer, soumettre, vaincre

MATER DOLOROSA → STATUE, VIERGE (1)

MÂTEREAU → MÂT

MATÉRIALISER → CONCRET (2), DÉSIGNER

MATÉRIALISER accomplir, concrétiser, réaliser, représenter, signaliser, symboliser

MATÉRIALISME → ÂME, MATIÈRE, RÉALITÉ

Voir tab. **Philosophie**

MATÉRIALISME DIALECTIQUE → MARXISTE

MATÉRIALISME HISTORIQUE → DIALECTIQUE, MARXISTE

MATÉRIALISTE → ATHÉE, MATÉRIEL (2)

MATÉRIALITÉ → RÉALITÉ

MATÉRIAU → DESIGN, MATIÈRE

Voir tab. **Jardinage**

MATÉRIAU acier, aluminium, bois, ciment, corpus, document, donnée, fer, matière, pièce, pierre, plâtre, verre, zinc

MATÉRIEL → ARMEMENT, FOURNITURE, INSTRUMENT, OUTIL, OUTILLAGE, PALPABLE, TERRESTRE, VULGAIRE

Voir tab. **Informatique**

MATÉRIEL (1) armement, équipement, hardware, outillage

MATÉRIEL (2) concret, existant, formel, matérialiste, palpable, prosaïque, réel, tangible, terre à terre, visible

MATERNEL → MORTALITÉ

MATERNEL jardin d'enfants, maternisé, matrilinéaire

MATERNISÉ → MATERNEL

MATERNITÉ → FEMME, GROSSESSE

MATERNITÉ enfantement, génération, obstétricien, procréation

MATHÉMATIQUE arithmétique,

astronomie, déduction, géométrie, induction, logique, musique, précis, rigoureux, théorème

MATHÉMATIQUES → DISCIPLINE, EXACT

MATHÉMATIQUES calcul, quadrivium

MATHÉMATIQUES SPÉCIALES → PRÉPARATOIRE

MATHÉMATIQUES SUPÉRIEURES → PRÉPARATOIRE

MATHIOLE → GIROFLÉE

MATHUSALEM → CHAMPAGNE, LITRE

Voir tab. **Bouteilles**

MATIÈRE → CATÉGORIE, CONCRET (1), DISCIPLINE, DOMAINE, ÉTOFFE, FOND, INANIMÉ, MATÉRIAU, OBJET, SUBSTANCE, SUJET

MATIÈRE atome, cause, chapitre, désintégration, discipline, domaine, hyaloplasme, hylozoïsme, matérialisme, matériau, matiérisme, molécule, motif, occasion, prétexte, substance, sujet, transmutation

MATIÈRE FÉCALE → SELLE

MATIÈRE GRISE → INTELLIGENCE

MATIÈRE PREMIÈRE → RESSOURCE

MATIÉRISME → MATIÈRE

MATIN → DÉBUT, JOURNÉE, SEUIL

MATIN aube, aurore, commencement, début, matines (dès), point du jour, potron-jaquet (dès), potron-minet (dès), rosée

MATIN (DE BON) → TÔT

MÂTIN → CHIEN

MATINAL aubade, matineux, matinier, matutinal

MÂTINÉ → BÂTARD, CHIEN, CROISEMENT, RACE

MATINÉE → APRÈS-MIDI, DÉSHABILLÉ, JOURNÉE, REPRÉSENTATION, SPECTACLE

MATINES → HEURE, MATIN, MOINE

Voir tab. **Prières et offices de l'Église catholique romaine**

MATINEUX → MATINAL

MATINIER → MATINAL

MATIR → MAT, MATER

MATOIR → CISEAU, MATER

MATOIS → FUTÉ, MALIN (2)

MATOISERIE → FOURBERIE

MATON → PRISON

MATOU

Voir tab. **Animaux (termes propres aux)**

MATRAQUAGE → INTOXICATION

MATRAQUE → BÂTON, GOURDIN, MASSUE

MATRAQUE contondant, gourdin, trique

MATRAS → FLÈCHE, VASE

Voir tab. **Chimie**

MATRIARCAT → MÈRE

MATRIÇAGE → MATRICE

MATRICE → CADASTRE, FORME, MODÈLE (1), MOULE, REGISTRE, SCEAU

Voir illus. **Ongle**

Voir tab. **Multimédia (les mots du)**

MATRICE forme, matriçage, moule, pattern, registre, utérus

MATRICIDE → MÈRE

MATRICULE → NUMÉRO

MATRICULE immatriculation, registre

MATRILINÉAIRE → MATERNEL, MÈRE

MATRIOCHKAS → POUPÉE

MATRONE → ACCOUCHEUR, SAGE-FEMME

MATRONYME → MÈRE

MATTHIEU

Voir tab. **Jésus (disciples de)**

MATURATION → MATURITÉ

MATURATION forçage, mûrissement, véraison

MATURE → PARVENU (2)

MATURITÉ → ADULTE, PLÉNITUDE, RAISON, SAGESSE

MATURITÉ circonspection, maturation, mûrissage, précocité, sagesse, tardiveté

MATUTINAL → MATINAL

MAUBÈCHE → BÉCASSE

MAUDIRE → INDIGNER (S'), JURER, MALHEUR

MAUDIRE abhorrer, abominer, anathématiser, condamner, damner, exécrer, haïr, honnir, récriminer contre, réprouver, vouer aux gémonies

MAUDIT → DAMNÉ

MAUGRÉER → BALBUTIER, BOUGONNER, GROGNER, GROMMELER, MURMURER, PLAINDRE (SE), RAGE

MAUL → RUGBY

MAULTASCHEN

Voir tab. **Spécialités étrangères**

MAURE → ARABE, BRUN

MAUSOLÉE → CAVEAU, TOMBEAU

MAUSOLÉE D'HALICARNASSE

Voir illus. **Monde (les Sept Merveilles du)**

MAUSSADE → BOUDEUR, GRIS, LUGUBRE, MAUVAIS, MORNE, MOROSE, RENFROGNÉ, SINISTRE, SOMBRE, TÉNÉBREUX, TRISTE, VILAIN

MAUSSADE acariâtre, acerbe, acrimonieux, boudeur, chagrin, désabusé, désagréable, ennuyeux, grognon, hargneux, mélancolique, morose, pessimiste, rechigné, renfrogné, revêche, sombre, triste

MAUSSADERIE → HUMEUR

MAUVAIS → CATASTROPHIQUE, DÉFECTUEUX, DÉPLORABLE, DESSOUS, DÉTESTABLE, DOUTEUX, EMPOISONNER, FAIBLE (2), INCORRECT, INEXACT, MALFAISANT, NÉFASTE, ODIEUX, PIÈTRE, PITEUX, SINISTRE

MAUVAIS abominable, adventice, affligeant, caco-, corrompu, défavorable, défectueux, déplorable, dépravé, détracteur, diffamateur, dissolu, effroyable, épouvantable, erroné, fâcheux, fétide, funeste, horrible, ignoble, immangeable, immonde, immoral, inadéquat, incorrect, inexact, infect, inopportun, lamentable, langue de vipère, malfaisant, malveillant, massacrant, maussade, nauséabond, néfaste, pendable, pervers, putride, répugnant

MAUVAIS RÊVE → CAUCHEMAR

MAUVAIS SANG → SOUCI

MAUVAIS TERMES → FÂCHÉ, FROID (1)

MAUVAISE HERBE → VÉGÉTAL (1)

MAUVE → DEUIL, VIOLET

Voir tab. **Couleurs**

MAUVIETTE → ALOUETTE

MAUVIS → GRIVE

MAXILLAIRE

Voir illus. **Poisson**

Voir illus. **Squelette**

MAXILLAIRE INFÉRIEUR → MENTON

MAXILLE → CRUSTACÉ

MAXIMAL → RECORD

MAXIMAPHILE

Voir tab. **Collectionneurs**

MAXIME → CITATION, DEVISE, FORMULE, MORALE, PAROLE, PENSÉE, PROVERBE, RAISONNEMENT, RÉFLEXION, SENTENCE

MAXIMISER → PERFECTIONNER

MAXIMUM → PLAFOND

MAXIMUM acmé, anticyclone, apogée, comble, culminer, paroxysme, plafonner, sommet, summum

MAYENCE → JAMBON

MAYONNAISE

Voir tab. **Garagiste (vocabulaire du)**

MAYONNAISE aïoli, andalouse, collée, maltaise, rémoulade

MAZAGRAN → CAFÉ, TASSE

MAZARINADE → FRONDE, PAMPHLET

MAZDÉISME → PERSE (1)

Voir tab. **Religions et courants religieux**

MAZOUT → CARBURE

MAZOUT distillation, fioul, FOD (fuel-oil domestique), fuel-oil, gasoil de chauffe, viscosité

MAZURKA → DANSE

MBA → MARGE

MD

Voir tab. **Éléments chimiques (symbole des)**

MEA CULPA → FAUTE, PÉCHÉ, PRIÈRE

MÉANDRE → BOUCLE, CONTOUR, COUDE, DÉTOUR, FLEUVE, LABYRINTHE, LACET, RIVIÈRE, SINUEUX, VARIATION, ZIGZAG

MÉANDRE biais, contour, coude, courbe, détour, frette, grecque, lacet, ruse, sinuosité, virage, zigzag

MÉANDREUX → SINUEUX

MEAUX

Voir tab. **Habitants (comment se nomment les)**

MEAUX (BRIE DE)

Voir illus. **Fromages**

MEC → HOMME

MÉCAN(O)- → MACHINE

MÉCANICIEN → CONDUCTEUR, MACHINE

MÉCANICIEN conducteur

MÉCANIQUE → AUTOMATIQUE, CORPS, FAMILIER (2), INSTINCTIF, IRRÉFLÉCHI, ONDE, PIANO, PRESSE, TUILE

MÉCANIQUE (1) balistique, cinématique, dynamique, dynamométrie, hydrostatique, ondulatoire, quantique, statique

MÉCANIQUE (2) automatique, involontaire, machinal, réflexe

MÉCANIQUE DES FLUIDES → FLUIDE (1)

MÉCANISER → INDUSTRIALISER

MÉCANISME → AGENCEMENT, DISPOSITIF, ORGANE, SCÉNARIO

MÉCÉNAT → BIENFAITEUR, FINANCIER (2)

MÉCÈNE → ART, BIENFAITEUR, GÉNÉREUX, PROTECTEUR (1)

MÉCHAGE
Voir tab. **Chirurgie** (vocabulaire de la)

MÉCHAMMENT → SÈCHEMENT

MÉCHANCETÉ → CRUAUTÉ, DURETÉ, MÉDISANCE, PERVERSITÉ, PIQUE, TRAHISON

MÉCHANCETÉ bassesse, indignité, malveillance, noirceur, vilenie

MÉCHANT → DANGEREUX, HAINEUX, HARGNEUX, MALFAISANT, SANS-CŒUR, SINISTRE, VENIMEUX, VILAIN

MÉCHANT acerbe, acrimonieux, caustique, cruel, démoniaque, dur, féroce, fielleux, haineux, hargneux, malfaisant, méphistophélique, perfide, sarcastique, sardonique, satanique, venimeux

MÈCHE → BALAYAGE, CHEVEU, GOUVERNAIL, PERCEUSE, PÉTARD
Voir illus. **Violon**

MÈCHE accroche-cœur, amadou, balayage, bickford, champignon, cordeau, épi, foret, fraise, guiche, lumignon, moucher, moucheron

MÉCHER → TONNEAU

MÉCHOUI → BROCHE, MOUTON, REPAS

MÉCOMPTE → ERREUR

MÉCONIUM → EXCRÉMENT

MÉCONNAISSABLE → DIFFÉRENT

MÉCONNAISSANCE → IGNORANCE, INGRATITUDE

MÉCONNAÎTRE → IGNORER, NÉGLIGER

MÉCONNAÎTRE dédaigner, déprécier, ignorer, méjuger, méprendre sur (se), mésestimer, négliger, oublier, sous-estimer

MÉCONNU → IGNORÉ, INCONNU

MÉCONTENT → FÂCHÉ, SATISFAIT

MÉCONTENTEMENT → COLÈRE, RÉVOLTE

MÉCONTENTER → CONTRARIER, FÂCHER, INDISPOSER

MÉCONTENTER affliger, contrarier, contrister, déplaire à, ennuyer, navrer

MÉCRÉANT → ATHÉE, IMPIE, INCRÉDULE, IRRÉLIGIEUX, PAÏEN (1), RELIGION

MÉCRÉANT (1) athée, impie, incrédule, incroyant

MÉCRÉANT (2) irréligieux

MÉDAILLE → INSIGNE (1), RÉCOMPENSE, TROPHÉE, VICTOIRE

MÉDAILLE agnus-Dei, effigie, médaillier, numismate

MÉDAILLE COMMÉMORATIVE
Voir illus. **Décorations françaises**

MÉDAILLE DE L'AÉRONAUTIQUE
Voir illus. **Décorations françaises**

MÉDAILLE DE LA RÉSISTANCE
Voir illus. **Décorations françaises**

MÉDAILLE D'HONNEUR DES ACTES DE COURAGE ET DE DÉVOUEMENT
Voir illus. **Décorations françaises**

MÉDAILLE MILITAIRE
Voir illus. **Décorations françaises**

MÉDAILLER → DÉCORER

MÉDAILLIER → COMPARTIMENT, MÉDAILLE

MÉDAILLISTE → GRAVEUR

MÉDAILLON → PORTRAIT
Voir illus. **Bijoux**
Voir illus. **Sièges**

MÉDECIN → HOSPITALIER
Voir tab. **Saints patrons**

MÉDECIN allergologue, allopathe, anesthésiste, archiatre, bioéthique, caducée, cancérologue, cardiologue, charlatan, chef de clinique, chef de service, clinicien, Conseil de l'ordre, consultation, conventionné, déontologie, dermatologue, diafoirus, diagnostic, docteur, externe, gastro-entérologue, généraliste, gériatre, guérisseur, gynécologue, hématologiste, Hippocrate (d'), homéopathe, interne, légiste, médicastre, néphrologue, neurologue, obstétricien, omnipraticien, ophtalmologiste, ordonnance, orthopédiste, oto-rhino-laryngologiste (ORL), pédiatre, phlébologue, pneumologue, praticien, praticien hospitalier, prescription, psychiatre, radiologue, rebouteux, rhumatologue, stéthoscope, stomatologue, thérapeute, urologue, vétérinaire

MÉDECIN MARRON → MÉDECINE

MÉDECINE → CORPS, UNIVERSITÉ
Voir tab. **Examens médicaux complémentaires**

MÉDECINE acupuncture, aide-soignant, anatomie, Asclépios, auriculothérapie, bactériologie, biochimie, biologie, carabin, chiropraxie, cytologie, épidémiologie, Esculape, externe, histologie, infirmier, interne, kinésithérapeute, médecin marron, oligothérapie, ostéopathie, pathologie, pédicure, pharmacologie, physiologie, phytothérapie, prophylaxie, sage-femme, sophrologie, thalassothérapie, traumatologie, yang, yin

MÉDÉE → MAGICIENNE

MEDERSA → RELIGIEUX (2)

MÈDES → PERSE (2)

MÉDIA → ACTUALITÉ, COMMUNICATION, INFORMATION, PRESSE, PROPAGANDE, PUBLICITÉ

MÉDIAN → MAIN, MILIEU, SYMÉTRIE

MÉDIANE → STATISTIQUE

MÉDIANOCHE → MINUIT, REPAS

MÉDIANTE → DEGRÉ

MÉDIASCOPE → TÉLÉVISION

MÉDIASTIN → POUMON

MÉDIAT → INTERMÉDIAIRE (2)

MÉDIATEUR → ARBITRE, CITOYEN, CONCILIATEUR, INTERMÉDIAIRE (2), NÉGOCIER

MÉDIATEUR arbitre, conciliateur, intermédiaire, négociateur, neuromédiateur, ombudsman

MÉDIATHÈQUE → BIBLIOTHÈQUE, CENTRE

MÉDIATION → BIAIS, CONCILIATION, ENTREMISE, INDIRECT, INTERMÉDIAIRE (1), INTERVENTION, RÉCONCILIER
Voir tab. **Assurance** (vocabulaire de l')

MÉDIATION bons offices, entremise, intervention

MÉDIATISATION → INTOXICATION

MÉDIATOR → GUITARE, PLECTRE

MÉDIATRICE → LIGNE, PERPENDICULAIRE (1)

MÉDICAMENT → PHARMACIE, POTION

MÉDICAMENT ampoule, baume, cachet, cataplasme, Codex, collutoire, collyre, comprimé, contre-indication, crème, diachylon, dragée, électuaire, élixir, embrocation, emplâtre, excipient, fumigateur, galénique, gargarisme, gélule, gouttes, granulé, inro, julep, liniment, magistral, onguent, opiat, ovule, panacée, parentéral, pastille, pharmacodépendance, Pharmacopée, placebo, pommade, posologie, sirop, soluté, suppositoire, thériaque

MÉDICASTRE → DOCTEUR, MÉDECIN

MÉDICATION → SOIGNER, TRAITEMENT

MÉDICINAL → BOUILLON, SAVON, SOIGNER

MÉDICIS (PRIX) → CONCOURS, LITTÉRATURE
Voir tab. **Prix littéraires**

MÉDIÉVAL chanson de geste, guilde, joute, médiévisme, médiéviste, moyenâgeux, tournoi

MÉDIÉVISME → MÉDIÉVAL

MÉDIÉVISTE → MÉDIÉVAL

MÉDINA → FORTIFICATION

MÉDINE → VILLE
Voir tab. **Islam** (vocabulaire de l')

MÉDIOCRE → CHÉTIF, FAIBLE (2), INCAPABLE (1), INFÉRIEUR, INSIGNIFIANT, INSUFFISANT, MINABLE, MINIME (2), MOYEN (2), ORDINAIRE, PASSABLE, PIÈTRE, PITOYABLE, PLAT (2), QUELCONQUE, SECOND (2), VALEUR

MÉDIOCRE banal, dérisoire, étriqué, fade, insignifiant, insuffisant, maigre, mesquin, minime, modeste, modique, morose, négligeable, ordinaire, piètre, quelconque, terne

MÉDIOCREMENT → PEU (2)

MÉDIOCRITÉ → INDIGENCE, INFIRMITÉ, INSUFFISANCE, PAUVRETÉ, PETITESSE

MÉDIOCRITÉ banalité, pauvreté, platitude

MÉDIRE → BAVER, COMMÉRAGE, JASER, MAL (1), NUIRE, RACONTER

MÉDIRE attaquer, calomnier, cancaner, clabauder, critiquer, déconsidérer, décrier, dénigrer, déprécier, diffamer, jaser

MÉDISANCE → ACCUSATION, BAVARDAGE, BAVE, CALOMNIE, COMMENTAIRE, COMMÉRAGE, DIFFAMATION, INJURE

MÉDISANCE commérage, méchanceté, potin, racontar, ragot

MÉDISANT → MAUVAIS

MÉDITATIF → ABSORBÉ

MÉDITATION → PENSÉE, RÉFLEXION

MÉDITER → CONCENTRER, MÛRIR, RECUEILLIR (SE), SONGER, SPÉCULER

MÉDITER combiner, concentrer sur (se), échafauder, élaborer, étudier, manigancer, mijoter, mûrir, ourdir, préparer, projeter, recueillir (se), réfléchir sur, rêver, songer, spéculer, tramer

MÉDITERRANÉE → BLEU (1)

MÉDITERRANÉEN → CLIMAT

MÉDIUM → ESPRIT, FANTÔME, FLUIDE (1), INTERMÉDIAIRE (2), PEINTURE
Voir tab. **Sciences occultes**

MÉDIUS → DOIGT, MAJEUR (1), MILIEU

MÉDULLAIRE → MOELLE

MÉDUSE → PÉTRIFIER, STATUE
Voir tab. **Animaux (classification simplifiée des)**

MÉDUSE ACALÈPHE → LUMIÈRE

MÉDUSÉ → ÉBAHI, IMMOBILE, PÉTRIFIÉ, SIDÉRÉ, STUPÉFAIT, SURPRISE

MÉDUSER → CLOUER

MEETING → COLLOQUE, CONGRÈS, PARTI, RÉUNION

MÉFAIT → ACTION, FAUTE

MÉFIANCE → DOUTE, SOUPÇON, XÉNOPHOBIE

MÉFIANT → INCRÉDULE, SOUPÇONNEUX, SOURNOIS

MÉFIANT aguets (aux), avisé, cauteleux, circonspect, défiant, gardes (sur ses), incrédule, ombrageux, précautionneux, prudent, pusillanime, qui-vive (sur le), sceptique, soupçonneux, suspicieux, timoré

MÉFIER (SE) → FIER (SE), VIGILANCE

MÉFORME → FORME

MÉGA- → GRAND

MÉGAHERTZ → ONDE, RADIOÉLECTRIQUE

MÉGALITHE → FÉE, PIERRE

MÉGALITHISME → MENHIR

MÉGALO- → GRAND

MÉGALOMANE → COLOSSAL

MÉGALOMANIE → AMBITION, DÉMESURÉ, FOLIE, GRANDEUR
Voir tab. **Manies**
Voir tab. **Psychiatrie**

MÉGALOPOLE → AGGLOMÉRATION, CONCENTRATION, URBAIN, VILLE

MÉGALOSAURE → DINOSAURE

MÉGAPHONE → AMPLIFIER

MÉGAPODE
Voir tab. **Oiseaux (classification simplifiée des)**

MÉGAPOLE → URBAIN, VILLE

MÉGAPTÈRES → BALEINE, CÉTACÉ

MÉGARAMA → CENTRE

MÉGARDE → DÉFAUT, ÉTOURDERIE, OMISSION

MÈGE → GUÉRISSEUR

MÉGÈRE → COMMÉRAGE, FURIE, SORCIÈRE

MÉGISSERIE → TANNAGE

MÉGOT → BOUT

MÉGOTER → DÉPENSE

MÉHARI → CHAMEAU
Voir tab. **Animaux (termes propres aux)**

MEILLEUR → CRÈME, PREMIER (2), PRINCE

MEILLEUR (1) élite, fleuron, quintessence

MEILLEUR (2) améliorer (s'), amender (s'), bonifier, excellent, favorable, nec plus ultra, optimal, propice, supérieur

MEILLEUR DE SOI (DONNER LE) → SURPASSER

MÉIOSE → NOYAU

MÉITE
Voir tab. **Oiseaux (classification simplifiée des)**

MÉJUGER → DÉPRÉCIER, MÉCONNAÎTRE, TROMPER

MÉKONG
Voir tab. **Fleuves**

MÉL → MESSAGE

MÉLAMPYRE → VACHE

MÉLANCOLIE → BILE, CAFARD, DÉPRESSION, ENNUI, IDÉE, NOSTALGIE, NOIR (2), PSYCHOSE, TRISTESSE, VAGUE (1)
Voir tab. **Psychiatrie**

MÉLANCOLIE abattement, atrabile, blues, cafard, chagrin, dépression, humeur noire, morne, morose, neurasthénie, sombre, spleen, ténébreux, vague à l'âme

MÉLANCOLIQUE → IMAGINAIRE (2), MAUSSADE, MOROSE, NOIR, PESSIMISTE, ROMANTIQUE, SOMBRE, TÉNÉBREUX

MÉLANGE → AMALGAME, ASSEMBLAGE, BRASSAGE, CARBURANT, COMBINAISON, FUSION, MIXTURE, RECUEIL, RÉUNION, UNION
Voir tab. **Café**

MÉLANGE alliage, amalgame, assemblage, association, brassage, capharnaüm, cocktail, combinaison, embrouillement, emmêlement, enchevêtrement, fatras, fouillis, fusion, imbroglio, méli-mélo, mesclun, métissage, miscellanées, mixture, pêle-mêle, pot-pourri, précipité, préparation, ramassis, salmigondis, syncrétisme, tissu

MÉLANGÉ → MIXTE, VARIÉ

MÉLANGER → BROUILLER, CONFONDRE, DILUER, FATIGUER, INCORPORER, PANACHER

MÉLANGER allonger, batteur, battre, confondre, couper, délayer, étendre, incorporer, malaxer, mêler, mixeur, mixtionner, mouiller, shaker

MÉLANGEUR → PLONGEUR, ROBINET

MÉLANINE → PIGMENT

MÉLANOCYTE
Voir illus. **Peau**
Voir illus. **Poil**

MÉLANOME → CANCER, PEAU, TUMEUR

MÉLASSE → SIROP, SUCRE

MELCHIOR → MAGE, ZINC

MELDOIS
Voir tab. **Habitants (comment se nomment les)**

MÊLÉ → RIME

MÊLÉ bigarré, composite, hétéroclite, hétérogène

MÉLÉAGRICULTURE
Voir tab. **Élevages**

MÉLÉAGRINE → HUÎTRE

MÊLÉE → BAGARRE, FOIRE, RUGBY

MÊLER → BATTRE, BRASSER, CONFONDRE, EMBROUILLER, ENTRER, FONDRE, IMPLIQUER, INSINUER, INTERVENIR, JOINDRE, MÉLANGER, OCCUPER, PARTICIPER

MÊLER allier, associer à, entremettre dans (s'), immiscer dans (s'), impliquer dans, ingérer dans (s'), joindre à (se), rallier à (se)

MÉLÈZE → CONIFÈRE, SAPIN, TÉRÉBENTHINE

MÉLILOT
Voir tab. **Plantes médicinales**

MELILOTUS OFFICINALIS
Voir tab. **Plantes médicinales**

MÉLI-MÉLO → MÉLANGE, RÉSEAU

MÉLIPHAGE
Voir tab. **Oiseaux (classification simplifiée des)**

MÉLIQUE → POÉSIE

MÉLISSE → DIGÉRER

MELLAH → JUIF (2), QUARTIER

MELLIFÈRE → MIEL

MELLIFICATION → MIEL

MELLIFLU → DOUCEUR, FADE, MIEL, SUAVE, SUCRÉ

MELLITE → MIEL

MÉLO- → MUSIQUE

MÉLODIE → AIR, CHANSON, CHANT, INTONATION, MUSIQUE

MÉLODIE air, aria, lied, mélopée

MÉLODIEUX → HARMONIEUX, SUAVE

MÉLODRAME → DRAME, THÉÂTRE

MÉLOMANE → AMATEUR, MUSIQUE

MELON → CACHALOT, CHAPEAU
Voir illus. **Coiffures**
Voir illus. **Modes et styles**

MELON cantaloup, cavaillon, cucurbitacées, garde (de), melonnière, muscadet, pastèque, sucrin

MELONNIÈRE → MELON

MÉLOPÉE → CHANT, MÉLODIE, RÉCIT

MÉLOPHAGE → MOUTON

MELPOMÈNE → TRAGÉDIE
Voir tab. **Muses**

MELTING-POT → BRASSAGE

MELUN (BRIE DE)
Voir tab. **Fromages**

MÉLUSINE → FÉE

MÉLUSINS
Voir tab. **Habitants (comment se nomment les)**

MEMBRANE → ENVELOPPE

MEMBRANE amnios, aponévrose, arachnoïde, caduque, chorion, choroïde, crépine, diaphragme, dure-mère, endocarde, épithélium, hymen, membranelle, membranophone, membranule, muqueuse, péricarde, périchondre, périoste, péritoine, pie-mère, plèvre, rétine, sclérotique, séreuse, tympan

MEMBRANE COQUILLIÈRE
Voir illus. **Œuf**

MEMBRANE DU TYMPAN
Voir illus. **Oreille**

MEMBRANE OLFACTIVE
Voir illus. **Bouche, nez, gorge**

MEMBRANE PÉRIDONTALE
Voir illus. **Dent**

MEMBRANE VITELLINE
Voir illus. **Œuf**

MEMBRANELLE → MEMBRANE

MEMBRANOPHONE → MEMBRANE, TAMBOUR

MEMBRANULE → MEMBRANE

MEMBRE → ACADÉMICIEN, ADEPTE, ADHÉRENT (1), PARTI, SEXE

MEMBRE abdominal, adhérent, amputer, ceinture, chiridium, fantôme (membre), honoraire, locomotion, macromélie, moignon, pelvienne, préhension, prothèse, scapulaire, sustentation, thoracique, toucher

MEMBRON → BAGUETTE

MEMBRURE
Voir illus. **Ponts**

MÊME → COMPARAISON, IDENTIQUE

MÉMENTO → AGENDA, CARNET, MANUEL, MÉMOIRE, RÉSUMÉ (1), SOUVENIR (SE)

MEMENTO MORI → TÊTE

MÉMOIRE → BROCHURE, CATALOGUE, COMPTE, DISSERTATION, IMAGINATION, NOTE, PASSÉ (1), RAPPEL, RÉCIT, RECUEIL, SOUVENIR
Voir tab. **Informatique**

MÉMOIRE agenda, amnésie, autobiographie, ecmnésie, hypermnésie, mémento, mémorandum, mném(o)-, Mnémosyne, mnémotechnique, –mnésie, paramnésie, pense-bête

MÉMOIRES → BIOGRAPHIE, CHRONIQUE, DOCUMENT, HISTOIRE, RÉCIT, VIE

MÉMORABLE → CÉLÈBRE, FAMEUX, GLORIEUX, HÉROÏQUE, HISTORIQUE (2), MARQUANT

MÉMORANDUM → AGENDA, CARNET, COMMUNICATION, MÉMOIRE, NOTE

MÉMORIAL → MONUMENT

MÉMORISER → RETENIR

MENAÇANT → AGRESSIF, FUNESTE, INQUIÉTER, SINISTRE, SOMBRE

MENAÇANT agressif, comminatoire, imminent

MENACE → DANGER, ÉPÉE, PÉRIL, SPECTRE

MENACE admonestation, admonition, avertissement, bluff, chantage, fulminer, intimidation, rodomontade, semonce, ultimatum

MENACER → BRANDIR, INQUIÉTER, RESPECT

MÉNAGE → FOYER
Voir tab. **Économie**

MÉNAGE (CHOCOLAT DE)
Voir tab. **Chocolat**

MÉNAGEMENT → BRÛLER, GENTILLESSE, MESURE, PRÉCAUTION, RÉTICENCE

MÉNAGER → AMENER, ARRANGER, DOMESTIQUE (2), ÉCONOMISER, ÉPARGNER, GANT, ORGANISER, PERCER, PRÉPARER, SOIN

MÉNAGER arranger, avoir des égards pour, combiner, économiser, épargner, mesurer, modérer, organiser

MÉNAGERIE → CIRQUE, FAUVE (1), PARC

MÉNARCHE → MENSTRUATION

MENCHEVIK → BOLCHEVISME

MENDÉLÉVIUM
Voir tab. **Éléments chimiques (symbole des)**

MENDÉLISME → CROISEMENT, HÉRÉDITÉ

MENDIANT → CLOCHARD, DESSERT, FRUIT, GUEUX, MISÉRABLE, VAGABOND
Voir tab. **Saints patrons**

MENDIANT (1) amande, chemineau, clochard, figue, gueux, noisette, obole, raisin, sébile

MENDIANT (2) Augustins, Carmes, Dominicains, Franciscains

MENDIER → AUMÔNE, CHARITÉ, SOLLICITER

MENDIER demander l'aumône, quémander, quêter, tendre la main

MENEAU → BARRE

MENEAUX
Voir illus. **Fenêtre**

MÉNECHME → RESSEMBLANCE

MENÉES → ACTION, INTRIGUE, MACHINATION, MANIÈRE

MÉNÉES → SAINT (1)

MENER → CONDUIRE, DÉBOUCHER, GUIDER, MANIER, PRÉSIDER, TERMINER, TRACER

MENER aboutir à, accomplir, avantage (avoir l'), conduire, dirigeant, diriger, dominer, entraîner, exécuter, gérer, gouverner, guider, leader, réaliser

MENER À BIEN → RÉALISER

MENER À TERME → ACHEVER

MENER AU BOUT
Voir tab. **Tarot**

MÉNESTREL → CHANTEUR, MUSICIEN, POÈTE, TROUBADOUR

MÉNÉTRIER → MUSICIEN, VIOLON

MENEUR → ANIMATEUR
Voir tab. **Chasse (vocabulaire de la)**

MENHIR → PIERRE

MENHIR cromlech, dolmen, mégalithisme, monolithe, peulven

MENIER
Voir tab. **Chocolat**

MENIN → NOBLE (1)

MÉNINGE → CERVEAU, HÉMISPHÈRE

MÉNINGE arachnoïde, dure-mère, leptoméninges, méningite, méningocèle, pie-mère

MÉNINGITE → MÉNINGE
Voir tab. **Pédiatrie**

MÉNINGOCÈLE → MÉNINGE, MONSTRUOSITÉ

MÉNINGOCOQUE
Voir tab. **Vaccins**

MENNONITE → BAPTÊME

MÉNOLOGE → CATALOGUE, SAINT (1)

MENON → BOUC, CHÈVRE

MÉNOPAUSE → ÂGE, FEMME, MENSTRUATION

MENORA → JUIF (2), SYNAGOGUE

MÉNORRAGIE → MENSTRUATION

MÉNORRHÉE → SAIGNEMENT

MENOTTE → CADENAS, MAIN

MENSE → ÉVÊQUE, REVENU

MENSONGE → BLUFF, BONIMENT, COMMÉRAGE, HISTOIRE, MIRAGE

Voir tab. **Manies**

MENSONGE calomnie, diffamation, dindon, dupe, duperie, enferrer (s'), fallacieux, fanfaronnade, fiction, hâblerie, illusion, imposteur, mirage, mythomanie, obreptice, vantardise

MENSONGER → FAUX (2), MENTEUR, SOURNOIS, TROMPEUR

MENSTRUATION → ADOLESCENCE, FEMME, SAIGNEMENT

MENSTRUATION aménorrhée, cataménial, dysménorrhée, ménarche, ménopause, ménorragie, puberté

MENSTRUES → CYCLE, RÈGLE

MENSUALISATION → IMPÔT, MOIS

MENSUALITÉ → MOIS, PAIEMENT, PARTIEL

MENSUEL → JOURNAL, MOIS, PÉRIODIQUE (2), PUBLICATION

MENSURATION → DIMENSION, MESURE

MENSURATION anthropométrie, bertillonnage

MENTAGRE → POIL

MENTAL → INTELLECTUEL, PRIÈRE

MENTAL névrose, psychiatre, psychique, psychisme, psychose, quotient intellectuel (QI)

MENTALITÉ → ESPRIT, ÉTAT

MENTEUR → CHARLATAN, PERFIDE

MENTEUR faux, hypocrite, mensonger, trompeur

MENTHA PIPERITA

Voir tab. **Plantes médicinales**

MENTHE → DIGÉRER

Voir tab. **Herbes, épices et aromates**

Voir tab. **Plantes médicinales**

MENTHE labiées, menthol, peppermint, poivrée

MENTHOL → CALMANT, MENTHE

MENTION → APPRÉCIATION, CLAUSE, COMMUNICATION, CONCOURS, INDICATION, NOMINATION, RÉCOMPENSE, SIGNALER, STIPULER

MENTION alléguer, biffer, citer, consigner, énoncer, marginal, référence

MENTIONNÉ → INSCRIRE

MENTIONNER → CITER, ÉNONCER, ÉTAT, FIGURER, INDIQUER, REPRÉSENTER, SIGNALER, STIPULER

MENTIR → INVENTER, VÉRITÉ

MENTIR broder, duper, enjoliver, faillir à, mystifier, tromper

MENTON

Voir illus. **Cheval**

MENTON barbiche, bouc, galoche (en), impériale, jugulaire,

mandibule, maxillaire inférieur, mentonnière, mentoplastie, prognathe

MENTONNIÈRE → BANDAGE, CASQUE, MENTON, VIOLON

Voir illus. **Armures**

Voir illus. **Violon**

MENTOPLASTIE → MENTON

MENTOR → CONSEIL, GUIDE, SAGE

MENU → CONTENU, FIN (2), FRÊLE, GRÊLE (2), REPAS, RESTAURANT

Voir tab. **Informatique**

MENU (1) détail (en)

MENU (2) délié, dérisoire, fluet, frêle, gracile, microscopique, minuscule, négligeable, svelte, ténu

MENUET → DANSE

MENUISE → PLOMB, POISSON

MENUISERIE

Voir tab. **Ébénisterie (essences Utilisées En)**

MENUISERIE chanfreiner, chantourner, cloison, croisée, dégauchir, ébénisterie, enfourchement (à), goujons (à), huisserie, lambrissage, marqueterie, mors d'âne (à), onglet (à), persienne, placard, queue d'aronde (à), raboter, tabletterie, tenon et mortaise (à), varloper

MENUISIER → BÂTIMENT, RABOT

Voir tab. **Saints patrons**

MENUISIER agencement, bâtiment, bédane, bouvet, chignole, davier, doucine, établi, gorget, gouge, guillaume, guimbarde, riflard, trusquin, vilebrequin, voiture (en)

MÉNURE → OISEAU

MENUS TRAVAUX (FAIRE DE) → BRICOLER

MÉNYANTHE → TRÈFLE

MÉPHISTOPHÉLÈS → DIABLE, MAL (1)

MÉPHISTOPHÉLIQUE → DÉMONIAQUE, DIABOLIQUE, MÉCHANT

MÉPHITIQUE → MALSAIN

MÉPHITISME → POLLUTION

MÉPLAT → PLAN, TEMPE

MÉPRENDRE (SE) → COMPTE, MÉCONNAÎTRE, TROMPER

MÉPRIS → DÉDAIN, DÉGOÛT, FIERTÉ, IGNORANCE, INDIFFÉRENCE

MÉPRIS abject, altier, arrogant, condescendant, dédain, dégoût, dépréciatif, hautain, ignoble, mésestime, péjoratif, vil

MÉPRISABLE → BAS (2), HONTEUX, IGNOBLE, INDIGNE, LÂCHE, LAID, RIEN (2)

MÉPRISANT → ALTIER, GLACIAL, HAINEUX, HAUTAIN, SUFFISANT, SUPÉRIEUR

MÉPRISANT arrogant, contempteur, dénigreur

MÉPRISE → BÉVUE, BOURDE, ERREUR, MALENTENDU

MÉPRISER → BAFOUER, BRAVE, CRACHER, DÉDAIGNER, DÉPRÉCIATIF, DÉPRÉCIER, FAIRE, IGNORER, INSULTER, MOQUER (SE), OPINION, SNOB

MÉPRISER abhorrer, braver, conspuer, dédaigner, désintéresser de (se), faire fi de,

fouler aux pieds, honnir, négliger, transgresser, vilipender

MER → FLOT

Voir tab. **Phobies**

MER abysse, Amphitrite, benthique, bonace, brasiller, démonté, détroit, embellie, embouchure, embruns, étale, fjord, grève, gros, hal(o)-, hali-, -halin, houle, hydrographie, iode, isthme, lagune, lame, mugissement, naupathie, Neptune, Nérée, pélagique, plancton, polder, Poséidon, poudrin, ria, thalasso-, thalassothérapie

MERCANTI → COMMERÇANT, MARCHAND, TRAFIQUANT

MERCANTILISME → CAPITALISME, COMMERCE, CUPIDITÉ

MERCAPTAN

Voir tab. **Chimie**

MERCATIQUE → COMMERCE, CONSOMMATEUR, MARCHÉ

MERCATOR

Voir illus. **Cartes géographiques**

MERCENAIRE → ARGENT, SOLDAT

MERCENAIRE (1) condottiere, reître

MERCENAIRE (2) avide, cupide, intéressé, vénal

MERCERIE agrafe, bande Velcro, biais, bouton, élastique, extra-fort, fermeture à glissière, ganse, gros-grain, Lastex, passementerie, pièce thermocollante, pression, ruban, ruflette, toile tailleur, tresse, triplure

MERCHANDISING → COMMERCE, MARCHANDISE

MERCI acharné, dépendre de, grâce, impitoyable, miséricorde, pitié, remerciement

MERCURE → BAROMÈTRE, PLANÈTE, SOLAIRE, THERMOMÈTRE

Voir tab. **Système solaire**

Voir tab. **Astrologie**

Voir tab. **Éléments chimiques (symbole des)**

Voir tab. **Planètes du système solaire**

MERCURE calomel, cinabre, Hg, hydrargyre, mercurescéine, mercurobutol, méthylation, tain, vif-argent

MERCURE (MONT DE)

Voir illus. **Main**

MERCURE ARGENTAL → AMALGAME

MERCURESCÉINE → MERCURE

MERCURIALE → PRIX, RÉPRIMANDE, SERMON, VENDRE

MERCUROBUTOL → MERCURE

MERCUROCHROME → ANTISEPTIQUE

MÈRE → FEMELLE (1), INVENTEUR, RELIGIEUX (1), VINAIGRE

MÈRE complexe d'Œdipe, Cybèle, marâtre, matriarcat, matricide, matrilinéaire, matronyme, utérin

MÈRE DE FAMILLE

Voir tab. **Saints patrons**

MÈRE LAINE → LAINE

MÉRENGUÉ

Voir tab. **Danses (types de)**

MERGUEZ → SAUCISSE

MERGULE → PINGOUIN

MÉRIDIEN → CERCLE, ÉQUATEUR, FUSEAU, LIGNE, MIDI, POINT, PÔLE

MÉRIDIEN GMT, Greenwich (méridien de), longitude, UTC

MÉRIDIENNE → APRÈS-MIDI, DORMIR, FAUTEUIL, MEUBLE, REPOS

Voir illus. **Sièges**

MÉRIDIONAL → HÉMISPHÈRE, MIDI, PÔLE, SUD (1)

MERINGUE → OMELETTE

Voir tab. **Gâteaux régionaux et étrangers**

MÉRINOS → LAINE, MOUTON, TISSU

MERISE → CERISE

MÉRISTÈME → BOURGEON

MÉRITE → BÉATITUDE, GLOIRE, MORALITÉ, QUALITÉ, RÉCOMPENSE, UTILITÉ, VALEUR

MÉRITE admirable, avantage, capacité, incomparable, qualité, remarquable, valeur

MÉRITE AGRICOLE

Voir illus. **Décorations françaises**

MÉRITE MARITIME

Voir illus. **Décorations françaises**

MÉRITER → DIGNE, VALOIR

MÉRITER encourir, être digne, être passible de, exposer à (s'), gagner à, valoir

MÉRITOIRE → LOUABLE

MERLE

Voir tab. **Oiseaux (classification simplifiée des)**

MERLE bleu, merleau, muscicapidés, noir, passereau, plastron (à), roche (de), sifflement

MERLEAU → MERLE

MERLIN → BÛCHE, FENDRE, HACHE, MAGICIEN, MARTEAU

MERLON

Voir illus. **Château fort**

MERLUCHE → MORUE

MÉROCRINE (GLANDE)

Voir tab. **Endocrinologie**

MÉROVINGIENS → DYNASTIE

Voir tab. **Rois et chefs d'État de la France**

MERRAIN → BOIS, CHÊNE, DÉBITER

MERVEILLE → BEIGNET, MIRACLE, PHÉNOMÈNE

MERVEILLE chef-d'œuvre

MERVEILLEUSEMENT → DIVINEMENT

MERVEILLEUX → CONTE, DÉLICIEUX, EXCELLENT, LÉGENDAIRE, SENSATIONNEL, SINGULIER, SPLENDIDE, SUPERBE (2), SURNATUREL, UNIQUE

MERVEILLEUX admirable, éblouissant, enchanteur, exceptionnel, extraordinaire, féerique, hors du commun, magique, magnifique, paradisiaque, prodigieux, remarquable, splendide, superbe

MERZLOTA → DÉGELER

MÉS(O)- → MILIEU

MESA → PLATEAU

Voir illus. **Désert**

Voir tab. **Géographie et géologie (termes de)**

MÉSANGE

Voir tab. **Oiseaux (classification simplifiée des)**

MÉSANGE ægithal, boréal, charbonnier, huppé, meunier,

nonnette, paridés, passereau, rémiz, sultan

MÉSAVENTURE → ACCIDENT, AVENTURE, INCIDENT, MALCHANCE, PÉRIPÉTIE

MESCAL → TEQUILA

MESCALINE → DROGUE

MESCLUN → MÉLANGE, SALADE
Voir tab. **Salades**

MÉSENTENTE → TENSION, ZIZANIE

MÉSENTÈRE → FRAISE, INTESTIN (1)

MÉSENTÉRITE → INTESTIN (1)

MÉSESTIME → MÉPRIS

MÉSESTIMER → MÉCONNAÎTRE, OPINION

MÉSINTELLIGENCE → TENSION

MÉSOCARPE → CHAIR, FRUIT

MÉSOCÉPHALE → RACE

MÉSOLITHIQUE → ÂGE, PRÉHISTOIRE
Voir illus. **Hominidés**

MÉSOLITTORAL (ÉTAGE) → MARÉE

MÉSOSCAPHE → PROFONDEUR

MÉSOSPHÈRE → COUCHE
Voir illus. **Atmosphère**

MÉSOYAGE → BÊCHE

MÉSOZOÏQUE → ÈRE, GÉOLOGIE, SECONDAIRE
Voir tab. **Géologiques (échelle des temps)**

MESQUIN → BAS (2), BORNÉ, CHANDELLE, ÉTROIT, MÉDIOCRE

MESQUIN avare, chiche, dérisoire, étriqué, étroit, insignifiant, parcimonieux, piètre, sordide

MESQUINERIE → JALOUSIE, PETITESSE

MESQUINERIE bassesse, parcimonie, petitesse

MESS → REPAS

MESSAGE → COMMUNICATION, DÉPÊCHE, PLI, POULET, RENSEIGNEMENT

MESSAGE allocution, annonce, avis, bande publique, bélinogramme, citizen band (CB), communication, déclaration, dépêche, e-mail, fax, héraut, lettre, mél, missive, pli, pneumatique, spot, télécopie, télégramme, texto

MESSAGE SPÉCIAL → BULLETIN

MESSAGER → COMMISSIONNAIRE, DÉLÉGUÉ, DÉPÊCHE

MESSAGER ambassadeur, annonciateur, avant-coureur, coursier, émissaire, envoyé, porteur, précurseur

MESSAGERIE → BOÎTE, PORTABLE, TRANSPORT

MESSE → CÉLÉBRATION, CÉRÉMONIE, CONCERT, OFFICE, RELIGIEUX (2), SERVICE

MESSE amict, aube, autel, capitulaire, chaire, chasuble, communion, concertant, consécration, eucharistie, évangéliaire, homélie, huméral, lecture, liturgie, liturgie de la Parole, missel, oblats, offertoire, polyphonique a cappella, prière universelle, profession de foi, psaume, requiem (de), rite d'ouverture, rite de conclusion

MESSE BASSE → ENTRETIEN, SECRET (2)

MESSE NOIRE → SORCIER
Voir tab. **Démonologie**

MESSE TRIDENTINE
Voir tab. **Catholique romain (vocabulaire)**

MESSIANISME → MESSIE

MESSIDOR → DIXIÈME
Voir tab. **Mois du calendrier républicain**

MESSIE → CHRIST

MESSIE Jésus-Christ, messianisme, parousie

MESSINS
Voir tab. **Habitants (comment se nomment les)**

MESURAGE → ARPENTAGE

MESURE → BATTERIE, CADENCE, CAPABLE, DISPOSITION, DOSE, ÉCHELLE, ÉQUILIBRE, ÉTAT, MODÉRATION, NUANCE, PONDÉRATION, POULS, PRÉCAUTION, RETENUE, RYTHME, SUIVANT (2)
Voir illus. **Symboles musicaux**

MESURE cadence, circonspection, dimension, ménagement, mensuration, métr(o)-, -mètre, -métrie, métronome, modération, picotin, pondération, ration, réserve, retenue, rythme

MESURÉ → BAVARD, MODÉRÉ, RAISONNABLE, RÉGULIER, RELATIF, SAGE, SOBRE

MESURE CONSERVATOIRE
Voir tab. **Droit (termes de)**

MESURER → CALCULER, COMPTER, JAUGER, JUGER, LUTTER, MÉNAGER

MESURER affronter, arpenter, battre (se), calculer, calibrer, chaîner, cuber, déterminer, doser, estimer, évaluer, jauger, lutter, sonder, stérer, toise

MÉTA → COMBUSTIBLE

MÉTABOLISME → BIOCHIMIE, CORPS

MÉTACARPE → MAIN

MÉTACARPIEN
Voir illus. **Squelette**

MÉTAGRAMME → ÉNIGME

MÉTAIRIE → BÂTIMENT

MÉTAL → ARGENT, BLASON
Voir illus. **Héraldique**

MÉTAL alliage, argent, cément, conductibilité, corrosion, cuivre, damasquinage, dinanderie, doucir, ductilité, étain, fer, ferronnerie, fonderie, fusibilité, galvaniser, limaille, malléabilité, métalliser, or, orfèvrerie, plomb, saumon, scorie, ténacité, transmutation, tréfilerie, vif-argent

MÉTAL LIQUIDE → FLUIDE (1)

MÉTALANGAGE → LANGAGE

MÉTALEPSE → PÉRIPHRASE

MÉTALLIQUE → MINÉRAL (1)
Voir tab. **Monnaie**

MÉTALLISATION → NICKEL

MÉTALLISER → MÉTAL

MÉTALLOCHROMIE → COLORATION

MÉTALLOPHOBIE
Voir tab. **Phobies**

MÉTALLOPHONE → PERCUSSION
Voir illus. **Percussions**
Voir illus. **Instruments de musique**

MÉTALLURGIE → ACIER, PLOMB

MÉTALLURGIE ajusteur, bocard,

chaudronnier, fondeur, fraiseur, laminoir, riveur, sidérurgie

MÉTAMORPHIQUE → ROCHE

MÉTAMORPHISME → TRANSFORMATION

MÉTAMORPHOSE → CHANGEMENT, CHANGEMENT, MAGIQUE, MODIFICATION, MUE, TRANSFORMATION, VARIATION

MÉTAMORPHOSÉ → DIFFÉRENT

MÉTAMORPHOSER → CHANGER, FORME, MODIFIER, NEUF (2), SUBSTITUER, TRANSFIGURER, TRANSFORMER

MÉTAPHORE → COMPARAISON, CORRESPONDANCE, EXPRESSION, IDÉE, IMAGE, POÉSIE, RELATION
Voir tab. **Rhétorique (figures de)**

MÉTAPHYSIQUE → ABSTRAIT, PENSÉE, PHILOSOPHIE
Voir tab. **Philosophie**

MÉTAPHYSIQUE ontologie

MÉTAPSYCHIQUE → TRANSMISSION

MÉTASTASE → CANCER, MIGRATION

MÉTATARSIEN
Voir illus. **Squelette**

MÉTATHÈSE → DÉPLACEMENT, TRANSPOSITION

MÉTAUX
Voir tab. **Phobies**

MÉTAYAGE → EXPLOITATION, FERME (1), LOCATION

MÉTAYER → AGRICULTEUR, BAIL, COLON, FERMIER

MÉTAZOAIRE → PARASITE
Voir tab. **Animaux (classification simplifiée des)**

MÉTEIL → SEIGLE

MÉTEMPSYCOSE → ÂME, FUTUR (2), MIGRATION, RÉINCARNATION

MÉTÉORE → ATMOSPHÈRE, PIERRE

MÉTÉORE étoile filante, hydrométéore

MÉTÉORISME → GONFLEMENT

MÉTÉORITE → ÉTOILE

MÉTÉORITE aérolithe, chondrite, cratère, essaim, météoroïde, sidérite, sidérolithe

MÉTÉOROÏDE → MÉTÉORITE

MÉTÉOROLOGIE → ASTRONAUTIQUE, ATMOSPHÉRIQUE, PRÉVISION, TEMPS
Voir tab. **Sciences : termes en -ologie et -ographie**

MÉTÉOROLOGIE agrométéorologie, anémomètre, anticyclone, bar, baromètre, climatologie, dépression, gradient, hygromètre, isobare, isotherme, Météosat, pluviomètre, sismographe

MÉTÉOSAT → MÉTÉOROLOGIE

MÉTÈQUE étranger

MÉTHADONE → DROGUE
Voir tab. **Drogues**

MÉTHANE → GAZ, MARAIS

MÉTHANIER → BATEAU, CARGO, TRANSPORT

MÉTHATHÉRIEN → MAMMIFÈRE

MÉTHODE → CONDUITE, DÉMARCHE, FORMULE, MANIÈRE, MARCHE, MOYEN (1), ORGANISATION, PRATIQUE, PROCÉDURE, RECETTE, RÈGLE, SYSTÈME

MÉTHODE dialectique, logique,

marche, méthodologie, organisation, procédé, procédure, Système, technique

MÉTHODE CATHARTIQUE
Voir tab. **Psychanalyse**

MÉTHODE KARMANN → AVORTEMENT

MÉTHODIQUE → PROTESTANT (2), RATIONNEL, SYSTÉMATIQUE

MÉTHODIQUE cartésien, logique, ordonné, organisé, rationnel, rigoureux, serré, systématique

MÉTHODIQUEMENT → POINT

MÉTHODOLOGIE → MÉTHODE, SCIENTIFIQUE (2)

MÉTHYLATION → MERCURE

MÉTICULEUX → CONSCIENCIEUX, MINUTIEUX, POINTILLEUX, PRÉCIS, RIGOUREUX, SCRUPULEUX, SOIGNEUX

MÉTICULEUX consciencieux, détaillé, maniaque, minutieux, pointilleux, précis, scrupuleux, soigneux

MÉTICULOSITÉ → SOIN

MÉTIER → CARRIÈRE, DENTELLE, FONCTION, PLACE, RÔLE, SITUATION, TRAVAIL

MÉTIER apprenti, carriériste, collègue, confrère, corporation, expérience, fonction, pratique, profession, rôle, savoir-faire, situation

MÉTIS → CROISEMENT, DEUX, HYBRIDE
Voir tab. **Tissus**

MÉTIS (1) eurasien, mulâtre, octavon, quarteron

MÉTIS (2) croisé, hybride

MÉTISSAGE → BRASSAGE, ESPÈCE, FUSION, MÉLANGE, RACE

MÉTONOMASIE → TRADUCTION

MÉTONYMIE → CORRESPONDANCE, RELATION
Voir tab. **Rhétorique (figures de)**

MÉTOPE
Voir illus. **Colonnes**

MÉTOPOMANCIE → TRAIT

MÉTOPOSCOPIE → TRAIT

MÉTR(O)- → MESURE

MÉTRAGE → FILM

MÈTRE → LONGUEUR, RADIOÉLECTRIQUE
Voir tab. **Poésie (vocabulaire de la)**

MÈTRE anapeste, centiare, dactyle, iambe, scansion, spondée, stère, tétramètre, tribraque, trimètre, trochée

MÉTRIQUE → POÉSIE, STYLE, VERS
Voir tab. **Poésie (vocabulaire de la)**

MÉTRO → VÉHICULE

MÉTRO aérien, bouche, composteur, métropolitain, rame, strapontin, Val (véhicule automatique léger)

MÉTROCÈLE → HERNIE

MÉTROLOGIE
Voir tab. **Sciences : termes en -ologie et -ographie**

MÉTRONOME → MESURE, MUSICIEN, RYTHME

MÉTROPOLE → CAPITALE, CENTRE, CONCENTRATION, PAYS, VILLE

MÉTROPOLITAIN → MÉTRO
Voir tab. **Catholique romain (vocabulaire)**

MÉTRORRAGIE → HÉMORRAGIE

METS → PRÉPARATION, REPAS

METTABLE → PASSABLE

METTEUR EN PAGES → TYPOGRAPHIE

METTRE → DÉPOSER, DISPOSER, DRESSER, FICHER, INSÉRER, INSTALLER, PLONGER, POSER, PRÉPARER, VERSER

METTRE assécher, causer, convertir, dévaster, dresser, empiler, endosser, engager, fixer, glisser, insérer, installer, intercaler, introduire, juxtaposer, passer, piller, poser, provoquer, ravager, revêtir, saccager, semer, superposer, susciter, tarir

METTRE À L'ABRI → GARER

METTRE À LA DISPOSITION DE (SE) → UTILE

METTRE À MORT → EXÉCUTER

METTRE À PIED → CHÔMAGE

METTRE À SAC → SACCAGER

METTRE AU BAN → CHASSER

METTRE AU COURANT → FAIT, SAVOIR (2)

METTRE AU PLACARD → RELÉGUER

METTRE AU POINT → RÉGLER

METTRE AU POTEAU → FUSILLER

METTRE AUX CHAMPS → COMPAGNON

METTRE DANS LE MILLE → BUT

METTRE DEHORS → FICHER

METTRE EN ATTENTE → TÉLÉPHONE

METTRE EN CAUSE → PROCÈS, SUSPECT (1)

METTRE EN COLÈRE → IRRITER

METTRE EN DEMEURE → SIGNIFIER

METTRE EN DOUTE → NIER

METTRE EN ÉVIDENCE → SOULIGNER

METTRE EN GARDE → PRÉVENIR

METTRE EN RELIEF → VALEUR

METTRE FIN À → COMBATTRE, FINIR, TERMINER, TUER

METTRE LA DERNIÈRE MAIN À → FINIR

METTRE LES POINTS SUR LES I → INSISTER

METTRE UN TERME → CESSER, CLORE, FINIR, INTERROMPRE, TERMINER

METZ
Voir tab. **Habitants (comment se nomment les)**

MEUBLE → AMEUBLEMENT, AMOUREUX, BIEN, ÉBÉNISTERIE, ÉCU, MOU
Voir illus. **Héraldique**
Voir tab. **Héraldique (vocabulaire de l')**

MEUBLE antiquaire, brocanteur, buffet, canapé, causeuse, chiffonnier, commode, console, crédence, divan, dressoir, ébéniste, écoinçon, encoignure, guéridon, marqueterie, méridienne, ottomane, passementerie, psyché, semainier, sofa, tapissier, tête-à-tête, vaisselier

MEUBLÉ → CHAMBRE

MEUBLER → OCCUPER, REMPLIR

MEUGLEMENT → BEUGLEMENT, BŒUF, VACHE

MEUGLER → MUGIR
Voir tab. **Animaux (termes propres aux)**

MEULE → AIGUISER, BROYER, CYLINDRE, FARINE, FOIN, FROMAGE, MOUDRE, MOULIN, PAILLE, POLIR, TAS

MEULER → DÉGROSSIR

MEULIÈRE → MAÇONNERIE, PAVILLON, PIERRE

MEULON → PAILLE, TAS

MEUNERIE → FARINE, MEUNIER

MEUNG-SUR-LOIRE
Voir tab. **Habitants (comment se nomment les)**

MEUNIER → MÉSANGE

MEUNIER meunerie, minotier, moulin

MEURTRE → CRIME, DÉLIT

MEURTRE assassinat, crime, homicide volontaire, infanticide, perpétrer, préméditation

MEURTRI → BLESSÉ, ULCÉRÉ

MEURTRIER → CRIMINEL (1), TUEUR

MEURTRIER (1) déicide, fratricide, parricide, régicide, sicaire, tueur à gages

MEURTRIER (2) destructeur, dévastateur, ravageur, sanglant

MEURTRIÈRE → FENÊTRE, OUVERTURE, PARAPET
Voir illus. **Château fort**

MEURTRIR → PINCER

MEURTRIR contusionner, cotir, endommager, pocher, taler

MEURTRISSURE → BLESSURE, BLEU (2)

MEURTRISSURE bleu, contusion, coup, douleur, ecchymose, peine, plaie

MEUTE → BANDE, POURSUITE, TROUPE
Voir tab. **Animaux (termes propres aux)**
Voir tab. **Chasse (vocabulaire de la)**

MEUTE aboi, ameuter, curée, découpler

MÉVENTE → VENTE

MÉZAIL → VISIÈRE

MEZZA VOCE → VOIX

MEZZANINE → BALCON, PLATE-FORME

MEZZE → HORS-D'ŒUVRE

MEZZO FORTE
Voir illus. **Symboles musicaux**

MEZZO-SOPRANO → VOIX

MEZZOTINTO → GRAVURE, IMAGE

MF → ONDE

MG → MAGNÉSIUM, MF
Voir tab. **Éléments chimiques (symbole des)**

MI- → DEMI 1, MOITIÉ

MIASMATIQUE → MALSAIN, ODEUR

MIASME → ÉMANATION, ODEUR, POLLUTION, PUTRIDE

MIAULER
Voir tab. **Animaux (termes propres aux)**

MIC → MODULATION

MICA → MINÉRAL (1)
Voir tab. **Minéraux et utilisations**

MI-CARÊME → CARNAVAL, MASQUE

MICASCHISTE → QUARTZ

MICELLE → MOLÉCULE

MICHE → PAIN

MICHÉ
Voir tab. **Prostitution**

MICHÉE
Voir tab. **Bible**

MICHEL VAILLANT
Voir tab. **Bande dessinée (héros de)**

MICHEL-D'ORNANO (PRIX)
Voir tab. **Prix cinématographiques**

MICHELINE → TRAIN

MICHEL-SIMON (PRIX)
Voir tab. **Prix cinématographiques**

MICHETON
Voir tab. **Prostitution**

MICHETONNEUR
Voir tab. **Prostitution**

MICHETONNEUSE
Voir tab. **Prostitution**

MICHIGAN (LAC)
Voir tab. **Lacs et mers**

MICKEY MOUSE
Voir tab. **Bande dessinée (héros de)**

MIC-MAC → INTRIGUE

MICRO DE FRÉQUENCES
Voir illus. **Guitare**

MICROBE → BACTÉRIE, ÉPIDÉMIE, STÉRILISATION
Voir tab. **Phobies**

MICROBE antibiotique, antisepsie, asepsie, bacille, bactérie, germe, micro-organisme, microbicide, microbiologie, pasteurisation, pathogène, protophyte, protozoaire, saprophyte, scissiparité, spirille, spirochète, toxine, virus

MICROBICIDE → MICROBE

MICROBIOLOGIE → MICROBE

MICROBIOPHOBIE
Voir tab. **Phobies**

MICROCLIMAT → CLIMAT

MICROCOSME → MONDE

MICROFIBRE → TEXTILE

MICROFILM → ARCHIVES, INFORMATION

MICROGRAPHIE → MICROSCOPE

MICROLITHE
Voir tab. **Minéraux et utilisations**

MICROMÈTRE
Voir tab. **Instruments de mesure**

MICROMÉTRIQUE → VIS

MICRO-ONDES → FOUR

MICRO-ORGANISME → MICROBE, ORGANISME

MICROPAIEMENT
Voir tab. **Multimédia (les mots du)**

MICROPHONE → INSTRUMENT, TÉLÉPHONE

MICROPHONE bonnette, électrodynamique, électromagnétique, électrostatique, larsen, perche, piézoélectrique

MICROPILULE → CONTRACEPTIF, PILULE

MICROPOREUX → PORE

MICROPROCESSEUR
Voir tab. **Informatique**

MICROSCOPE → AGRANDISSEMENT, INSTRUMENT, OPTIQUE

MICROSCOPE acoustique, condensateur, couvre-objet, électronique, lame, lamelle, micrographie, miroir, objectif, oculaire, optique, platine, prisme

MICROSCOPIQUE → INVISIBLE, MENU (2), MINUSCULE, PERCEPTIBLE, PETIT (2)

MICROSÉISME → TREMBLEMENT DE TERRE

MICROTRACTEUR → TRACTEUR

MICRO-TROTTOIR → ENQUÊTE, SONDAGE

MICTION → ÉMISSION, URINE, VESSIE

MIDI → SUD (1)

MIDI culmination, méridien, méridional, Sud, zénith

MIDINETTE → APPRENTI, COUTURIER, FILLE

MIE DE PAIN
Voir tab. **Dessin (vocabulaire du)**

MIEL
Voir tab. **Gâteaux régionaux et étrangers**

MIEL alvéole, ambroisie, apiculteur, baklava, hydromel, mellifère, mellification, melliflue, mellite, nectar, nougat, pain d'épice, zlebia

MIELLEUX → COMPLIMENT, DOUCEUR, HYPOCRITE, SOURNOIS, SUCRÉ

MIETTE → BRIBE, FRAGMENT, PARCELLE, PEU (1), POUCE, RELIEF

MIETTE bribe, chapelure, débris, éclat, fragment, morceau, panure, parcelle

MIEUX (1) amélioration, fin du fin, nec plus ultra, progrès

MIEUX (2) envi (à l'), préférable

MIÈVRE → FADE, NIAIS, SUCRÉ

MIÈVRERIE → RECHERCHE

MIGMATITE → PÉTRIFIÉ

MIGNARD → DOUCEUR, RECHERCHÉ

MIGNARDISE → CONFISERIE, FAÇON, GRÂCE, RECHERCHE

MIGNON → ADORABLE, FAVORI (1), HOMOSEXUEL (1), JOLI

MIGNON (1) favori

MIGNON (2) adorable, charmant, coquet, délicieux, gracieux, ravissant

MIGNONNETTE → POIVRE
Voir tab. **Tissus**

MIGRAINE → MAL (1), NAUSÉE, TÊTE

MIGRAINE céphalée, céphalgie, hémicrânie, migraineux, phosphène, scotome

MIGRAINEUX → MIGRAINE

MIGRATEUR → ÉMIGRER, NOMADE

MIGRATION → DÉMOGRAPHIE, DÉPLACEMENT, MOBILITÉ, MOUVEMENT, POPULATION
Voir tab. **Population**

MIGRATION diapédèse, embolie, émigration, exode, expatriation, immigration, métastase, métempsycose, montaison, transhumance, transmigration

MIGRATOIRE → INSTINCT

MIHRAB → MOSQUÉE, NICHE

MIJAURÉE → MANIÈRE

MIJOTER → BOUILLIR, CUIRE, MÉDITER, MITONNER, PRÉMÉDITER, RÉFLÉCHIR

MIJOTER bouillir, comploter, cuire, fricoter, manigancer, mitonner, ourdir, préparer, tramer

MIKADO → EMPEREUR, JAPONAIS

MIL → MILLE

MILAD

Voir tab. **Police nationale** (organisation de la)

MILAN → RAPACE

MILDIOU → CHAMPIGNON, POMME DE TERRE, ROUILLE, VIGNE

MILE → LONGUEUR

MILER → COUREUR

MILIAIRE → GALE

MILICE → COMBATTANT, COMMANDO

MILICE harka, harki, tontons macoutes

MILIEU → AMBIANCE, CADRE, CATÉGORIE, CENTRE, CLASSE, CONDITION, DÉCOR, ENVIRONNEMENT, ORBITE, PARTIE, SOCIÉTÉ, SPHÈRE

MILIEU ambiance, atmosphère, biotope, cadre, cadre de vie, centre, cœur, décor, écosystème, entourage, entourage, environnement, libero, majeur, médian, médius, més(o)-, mitan, pègre, station, surtout, voisinage

MILIEU DE TERRAIN → FOOTBALL

Voir illus. **Football**

MILITAIRE → INACTIF

Voir tab. **Saints patrons**

MILITAIRE (1) base, caserne, engagé, forteresse, fourragère, fourrier, génie, paquetage, prytanée, quartier, réserviste, treillis

MILITAIRE (2) appelé, conscrit, contingent, état-major, garnison, polémologie, pronunciamiento, putsch, Saint-Cyr

MILITANT → ADEPTE, ADHÉRENT (1), BASE, PARTI, PARTISAN (1)

MILITANT militantisme, partisan, pasionaria

MILITANTISME → MILITANT

MILITER → LUTTER

MILITER agir, lutter, œuvrer, plaider pour, prendre part à

MILK-BAR → BAR

MILK-SHAKE → BATTU

MILLAU

Voir tab. **Habitants** (comment se nomment les)

MILLAVOIS

Voir tab. **Habitants** (comment se nomment les)

MILLE → ITINÉRAIRE (2), MARIN (2)

MILLE mil, millénaire, millésime, millier, myria-, myrio-, tonne

MILLE (METTRE DANS LE) → BUT

MILLE MARIN → LONGUEUR

MILLE-FLEURS → TAPISSERIE

MILLÉNAIRE → MILLE, SIÈCLE

MILLE-PATTES

Voir tab. **Animaux** (classification simplifiée des)

MILLE-RAIES → TISSU

MILLERAND (ALEXANDRE)

Voir tab. **Rois et chefs d'État de la France**

MILLERANDAGE → AVORTEMENT, VIGNE

MILLÉSIME → ANNÉE, DATE, MILLE, MONNAIE, VIN

MILLI- → DIVISION

MILLIARD → MILLION

MILLIBAR → BAR, BAROMÈTRE

MILLIÈME

Voir tab. **Copropriété**

MILLIER → MILLE

MILLIME → FRANC (1)

MILLION billion, milliard, quatrillion, quintillion, trillion

MILORD → CABRIOLET, CALÈCHE, VÉHICULE

MILOU

Voir tab. **Bande dessinée** (héros de)

MILOUIN → CANARD, GIBIER

MI-LOURD → BOXEUR

Voir tab. **Boxe anglaise**

Voir tab. **Savate ou boxe française**

MIME → COMÉDIEN, COMIQUE, IMITATION

MIME commedia dell'arte, mimique, mimodrame, mimographe, pantomime

MIMER → CONTREFAIRE, COPIER, IMITER, REPRÉSENTER

MIMER imiter, parodier, singer

MIMÉTISME → ADAPTATION, IMITATION

MIMIQUE → EXPRESSION, GESTE, GRIMACE, MIME, PANTOMIME, PHYSIONOMIE, SINGE

MIMODRAME → DRAME, MIME, MUET

MIMOGRAPHE → MIME

MIMOLETTE → HOLLANDAIS

Voir illus. **Fromages**

MIMOLOGIE → IMITATION

MI-MOUCHE

Voir tab. **Boxe anglaise**

MI-MOYEN

Voir tab. **Boxe anglaise**

Voir tab. **Savate ou boxe française**

MINABLE → CRÉTIN, DÉPLORABLE, MISÉRABLE (2), PIÈTRE, PITOYABLE

MINABLE déplorable, dérisoire, étriqué, insignifiant, lamentable, médiocre, misérable, miteux, pitoyable, ridicule

MINARET → MOSQUÉE, TOUR

Voir tab. **Islam** (vocabulaire de l')

MINAUDER → MINE, SIMAGRÉES

MINAUDERIE → FAÇON, GESTE, GRIMACE, MANIÈRE, SIMAGRÉES

MINAUDERIE agacerie, chichi, façons, manières, simagrées

MINBAR → MOSQUÉE

MINCE → FIN (2), FRÊLE, INSIGNIFIANT, PEU (1), PLAT (2), SUBTIL, ZUT

MINCE délié, filiforme, fin, fluet, frêle, gracile, grêle, insignifiant, négligeable, svelte, ténu

MINCE-MEAT

Voir tab. **Spécialités étrangères**

MINE → APPARENCE, EXPLOSIF, FACE, FIGURE, GISEMENT, GRIMACE, PHYSIONOMIE, TRÉSOR

MINE air, albraque, apparence, berline, bure, buse, carreau, chambre, cuvelage, descenderie, détonateur, dragueur, façade, fourneau, graphite, grisou, houillère, minauder, mouiller,

physionomie, plombagine, puits, skip, stot, terril, travers-banc, visage

MINE DE PLOMB

Voir tab. **Dessin** (vocabulaire du)

MINER → BRÈCHE, CONSUMER, DÉVORER, HARCELER, MOINS, RONGER, RUINER, SOUCI

MINER abattre, affaiblir, brûler, caver, consumer, corroder, creuser, désintégrer, détruire, diminuer, éroder, ronger, saper, user

MINERAI filon, gangue, gisement, gîte, minéralier, minéraliser, schlich, veine

MINÉRAL → PIGMENT, RÈGNE

MINÉRAL (1) azurite, cireux, clivage, feldspath, fluorine, gemme, malachite, métallique, mica, minéralogie, nacré, quartz, réalgar, vitreux

MINÉRAL (2) inorganique, minéralurgie, nomenclature

MINÉRALIER → CARGO, MINERAI

Voir tab. **Bateaux**

MINÉRALISER → MINERAI

MINÉRALOGIE → GÉOLOGIE, MINÉRAL (1), NATUREL, PIERRE, SCIENCE

MINÉRALOGISTE → NATURALISTE

MINÉRALOPHILE

Voir tab. **Collectionneurs**

MINÉRALURGIE → MINÉRAL (2)

MINÉRAUX

Voir tab. **Collectionneurs**

MINERVE → BANDAGE, COU, SAGESSE

MINERVISTE → TYPOGRAPHIE

MINESTRONE → POTAGE, RIZ, SOUPE

Voir tab. **Spécialités étrangères**

MINEUR → CONTINGENT, INFÉRIEUR, MODE, MOINDRE, SECONDAIRE

MINEUR (1) abattage, coron, émancipé, galibot, havage, haveuse, herchage, porion, raucheur, rivelaine, roulage, silicose, tuteur

MINEURE → PRÉMISSE, RELATIF

MINIATURE → CHAPITRE, DÉCORATION, ILLUSTRATION, MINUSCULE, ORNEMENT, TABLEAU

Voir tab. **Échecs**

MINIATURE abrégé (en), enluminure, miniaturiste, raccourci (en), réduction (en)

MINIATURISTE → MINIATURE, PEINTRE

MINI-COQ

Voir tab. **Savate ou boxe française**

MINIJUPE

Voir illus. **Modes et styles**

MINI-LÉGER

Voir tab. **Savate ou boxe française**

MINIMAL → ÉLÉMENTAIRE, PLANCHER

MINIME → CADET, CATÉGORIE, INSIGNIFIANT, LÉGER, MÉDIOCRE, MISÉRABLE (2), PAUVRE, PEU (1), RIDICULE, SPORTIF (1)

MINIME (1) benjamin, cadet

MINIME (2) dérisoire, infime, insignifiant, médiocre, piètre

MINI-MOUCHE

Voir tab. **Savate ou boxe française**

MINIPILULE → PILULE

MINI-PLUME

Voir tab. **Savate ou boxe française**

MINISHORT

Voir illus. **Modes et styles**

MINISTÈRE → CABINET, DÉPARTEMENT, FONCTION, GOUVERNEMENT, INTERVENTION, RELIGIEUX (1)

MINISTÈRE magistrature debout, parquet, sacerdoce

MINISTÈRE DE L'INTÉRIEUR → POLICE

MINISTÉRIEL arrêté, avoué, commissaire-priseur, huissier, notaire

MINISTRE → EXCELLENCE, PASTEUR, RELIGIEUX (1)

Voir tab. **Politesse** (formules de)

MINISTRE aumônier, cabinet, ecclésiastique, maroquin, pasteur, portefeuille, prédicant, président du Conseil, prêtre, vizir

MINISTRE DES FINANCES → ARGENT

MINISTRE DU CULTE → PRÊTRE

MINISTRE OFFICIANT → RABBIN

MINITEL → CONSULTATION, ÉLECTRONIQUE

MINIUM → PLOMB, ROUILLE

MINIVAGUE → BOUCLER

Voir illus. **Cheveux** (coupes de)

MINNESÄNGER → CHANTEUR, POÈTE, TROUBADOUR

MINOIS → VISAGE

MINORATIF → DÉPRÉCIATIF

MINORITÉ → FRANGE

MINORITÉ frange

MINOTAURE → DÉVORER, HOMME, LABYRINTHE, MONSTRE, TAUREAU

Voir tab. **Animaux fabuleux**

Voir tab. **Mythologiques** (créatures)

MINOTERIE → FARINE, USINE

MINOTIER → MEUNIER

MINUIT → ZÉRO (2)

MINUIT médianoche

MINUSCULE → LETTRE, MAJUSCULE, MENU (2), PETIT (2)

MINUSCULE bas-de-casse, exigu, infime, infinitésimal, lilliputien, microscopique, miniature

MINUTE → ÉCRIT (1), INSTANT, ORIGINAL, RÉCIT

Voir tab. **Droit** (termes de)

MINUTE dès que, grosse, immédiatement, minutier, moment où (au), original

MINUTER → HORAIRE, RÉDIGER

MINUTIE → APPLICATION, CONSCIENCE, EXACTITUDE, SOIN

MINUTIER → CAHIER, DÉPÔT, MINUTE, NOTAIRE, REGISTRE

MINUTIEUSEMENT → LOUPE, POINT

MINUTIEUX → CONSCIENCIEUX, DÉLICAT, FOURMI, MÉTICULEUX, POINTILLEUX, SCRUPULEUX, SOIGNÉ, SOIGNEUX

MINUTIEUX appliqué, consciencieux, formaliste, léché, maniaque, méticuleux, pointilleux, rigoureux, scrupuleux, soigné, tatillon, vétilleux

MIOCÈNE
Voir tab. **Géologiques (échelle des temps)**

MIRABELLE → EAU-DE-VIE, PRUNE
Voir tab. **Alcools et eaux-de-vie**

MIRABILIS → NUIT

MIRACLE → DRAME, EXTRAORDINAIRE, PHÉNOMÈNE, SURNATUREL, THÉÂTRAL

MIRACLE émerveiller (s'), extasier (s'), merveille, prodige, thaumaturge

MIRACULÉ → SURVIVANT (1)

MIRACULEUX → INESPÉRÉ, MAGIQUE

MIRACULEUX étonnant, extraordinaire, surnaturel

MIRADOR → OBSERVATION, OBSERVATOIRE, POSTE

MIRAGE → APPARENCE, CHIMÈRE, DÉSERT, ERREUR, HALLUCINATION, ILLUSION, IMAGE, MENSONGE, RÊVE, UTOPIQUE, VISION

MIRAGE chimère, illusion, mensonge

MIRAPICIENS
Voir tab. **Habitants (comment se nomment les)**

MIRE → NIVELLEMENT, TIR
Voir illus. **Arcs et arbalète**

MIRE (CRAN DE)
Voir illus. **Pistolet**

MIREPOIX
Voir tab. **Cuisine**
Voir tab. **Habitants (comment se nomment les)**

MIRER → ŒUF, REGARDER (SE)

MIRHAB
Voir tab. **Islam (vocabulaire de l')**

MIRIFIQUE → SPLENDIDE

MIRLITON → FLÛTE, ROSEAU, VERS

MIRMILLON → GLADIATEUR

MIROIR → GLACE, MICROSCOPE, RAYON, VERRE
Voir tab. **Internet**
Voir tab. **Superstitions**

MIROIR courtoisie, glace, leurre, miroiterie, piège, psyché, réflecteur, reflet, représentation, rétroviseur, trumeau

MIROITANT → MOBILE (2), MOIRÉ

MIROITER → BRILLER, CHATOYER, LUIRE, RÉFLÉCHIR (SE)

MIROITER briller, chatoyer, étinceler, scintiller

MIROITERIE → MIROIR

MIRONTON → BŒUF

MIROTON → BŒUF

MIRROR
Voir tab. **Internet**

MIS À L'ÉCART → SEUL

MIS À PART → SEUL

MIS EN EXAMEN → ACCUSÉ
Voir tab. **Droit (termes de)**

MIS(O)- → HAINE

MISAINE → MÂT, VOILE

MISANDRIE → HAINE, HOMME, SEXE

MISANTHROPE → FAROUCHE, OURS, SAUVAGE

MISANTHROPE (1) Alceste, l'Atrabilaire amoureux

MISANTHROPE (2) farouche, insociable, ours, sauvage, solitaire

MISANTHROPIE → HAINE, HOMME, HUMANITÉ

MISCELLANÉES → MÉLANGE, RECUEIL

MISE → APPLICATION, JEU, PARI, TENUE, TOILETTE

MISE admonestation, avertissement, enjeu, injonction, investissement, licenciement, parturition, parure, placement, poule, remontrance, renvoi, scénographie, semonce, sommation, tenue, toilette

MISE À FEU → ALLUMAGE

MISE À JOUR → RÉVISION, VERSION

MISE À L'ÉPREUVE → SURSIS

MISE À L'INDEX → CONDAMNATION

MISE À SAC → FOIRE, PILLAGE

MISE AU POINT → EXPLICATION
Voir tab. **Photographie (vocabulaire de la)**

MISE BAS → NAISSANCE

MISE DE FONDS → PARTICIPATION

MISE EN ABYME → RÉCIT

MISE EN BOUCHE → REPAS

MISE EN DEMEURE → SOMMATION, ULTIMATUM

MISE EN GARDE → MOBILISATION

MISE EN PLIS
Voir illus. **Cheveux (coupes de)**

MISE EN PRATIQUE → APPLICATION

MISE EN SCÈNE → INTERPRÉTATION

MISE SUR LE PIED DE GUERRE → MOBILISATION

MISER → JOUER, PARIER

MISÉRABILISME → MISÈRE

MISÉRABLE → IGNOBLE, INSIGNIFIANT, MALHEUREUX, MINABLE, PAUVRE, PITOYABLE, PLAINDRE, POUILLEUX, SINISTRE (2), TRISTE

MISÉRABLE (1) gueux, hère (pauvre), mendiant, miséreux, vagabond

MISÉRABLE (2) dérisoire, déshérité, guenilles, haillons, hardes, indigent, insignifiant, lamentable, loques, minable, minime, nécessiteux, piètre

MISÈRE → ADVERSITÉ, BESOIN, DÉTRESSE, INDIGENCE, INSUFFISANCE, MALHEUR, NÉCESSITÉ, PAUVRETÉ, PEINE

MISÈRE bagatelle, besoin, bidonville, calamité, colleter avec (se), dénuement, dénutrition, disette, ennui, gêne, infortune, misérabilisme, paupérisme, pénurie, souci, taquinerie, tracas, tristesse, vétille

MISERERE
Voir tab. **Prières et offices de l'Église catholique romaine**

MISÉREUX → GUEUX, MISÉRABLE (1)

MISÉRICORDE → APPUI, BONTÉ, CHARITÉ, COMPASSION, GRÂCE, INDULGENCE, MERCI, PITIÉ

MISÉRICORDE absolution, bonté, charité, clémence, commisération, compassion, grâce, indulgence, pardon, pitié

MISÉRICORDIEUX → INDULGENT, PARDONNER

MISOGYNE → FEMME

MISOGYNIE → HAINE, SEXE

MISONÉISME → ROUTINE

MISONÉISTE → ENNEMI, NOUVEAU

MISS → REINE

MISSEL → LITURGIE, LIVRE, MESSE, PAROISSE, PRIÈRE
Voir tab. **Catholique romain (vocabulaire)**
Voir tab. **Livres**

MISSILE → ARTILLERIE, FUSÉE, PROJECTILE

MISSION → AMBASSADE, CHARGE, DÉPLACEMENT, DÉPUTÉ, DIPLOMATIE, EXPÉDITION, EXPLORATION, FONCTION, MANDAT, POUVOIR, RELIGION, REPRÉSENTATION, RESPONSABILITÉ, RÔLE, SOIN, TÂCHE, VOCATION, VOYAGE

MISSION ambassadeur, charge, commission, délégation, dépêcher, députation, détacher, émissaire, évangélisation, lazariste, mandat, rôle, vocation

MISSIONNAIRE → CONVERTIR, ENVOYÉ, PAÏEN (1)
Voir tab. **Saints patrons**

MISSISSIPPI
Voir tab. **Fleuves**

MISSIVE → BILLET, CORRESPONDANCE, DÉPÊCHE, LETTRE, MESSAGE, PLI, POULET

MISSIVE billet, courrier, lettre, pli

MISSOURI READ ROCK
Voir tab. **Fleuves**

MISTELLE
Voir tab. **Alcools et eaux-de-vie**

MISTIGRI → CARTE, VALET

MISTRAL → NORD (1), VENT

MITAINE → GANT, MAIN, MOUFLE

MITAN → MILIEU

MITARD → CACHOT, PRISON

MITE → TEIGNE

MI-TEMPS → FOOTBALL, PARTIEL, PAUSE

MITEUX → MINABLE, POUILLEUX (1)

MITHRAÏSME → PERSE (1)

MITHRIDATISATION → ACCOUTUMANCE, IMMUNITÉ, POISON

MITHRIDATISÉ → IMMUNISÉ

MITIGÉ → RAISIN, TIÈDE

MITIGER → ADOUCIR, MODÉRER

MITIGEUR → ROBINET

MITOCHONDRIE
Voir illus. **Cellules**

MITONNER → BOUILLIR, CUIRE, MIJOTER

MITONNER cuire, cuisiner, mijoter, préparer

MITOSE → CELLULE, CHROMOSOME, MULTIPLICATION, NOYAU

MITOYEN → ADJACENT, COMMUN

MITRAILLADE → MITRAILLEUSE

MITRAILLE → CANON, DÉBRIS, FEU

MITRAILLER → ARROSER, BOMBARDER, FEU, HARCELER

MITRAILLEUSE → AUTOMATIQUE

MITRAILLEUSE affût, canon automatique, mitraillade, rafale

MITRE → BONNET, CHAPEAU, COIFFURE, ÉVÊQUE
Voir illus. **Coiffures**

MITRE D'HIPPOCRATE → BANDAGE

MITRON → ADOLESCENT, APPRENTI, BOULANGER (1), PAIN
Voir illus. **Maison**

MITTERRAND (FRANÇOIS)
Voir tab. **Rois et chefs d'État de la France**

MI-WELTER → BOXEUR

MIXEUR → MÉLANGER, ROBOT

MIXTE → BÂTARD, ÉMAIL, MARIAGE, SEXE
Voir tab. **Assurance (vocabulaire de l')**

MIXTE composé, interracial, mélangé, privé, public

MIXTION → MIXTURE

MIXTIONNER → MÉLANGER

MIXTURE → JEU, MÉLANGE

MIXTURE amalgame, cocktail, mélange, mixtion

MKSA (MÈTRE-KILO-SECONDE-AMPÈRE) → UNITÉ

MN
Voir tab. **Éléments chimiques (symbole des)**

MNÉM(O)- → MÉMOIRE

MNÉMOSYNE → MÉMOIRE

MNÉMOTECHNIQUE → AIDER, FORMULE, MÉMOIRE, SOUVENIR (SE)

MO
Voir tab. **Éléments chimiques (symbole des)**

MOBILE → CAUSE, EXPRESSIF, FLOTTANT, INSTABLE, INTENTION, MOTIF, MOUVANT, PONT, PORTABLE, RAISON
Voir tab. **Multimédia (les mots du)**

MOBILE (1) cause, motif, motivation

MOBILE (2) amovible, Ascension, changeant, chatoyant, coulissant, détachable, instable, miroitant, Pâques, Pentecôte, pivotant, portable, repliable

MOBIL-HOME → CARAVANE, VÉHICULE

MOBILIER → AMEUBLEMENT, DESIGN

MOBILISATION → ACTION, APPEL, CONVOCATION

MOBILISATION actif, activation, appel aux armes, dérivation, escompte, mise en garde, mise sur le pied de guerre, passif, rassemblement, réserviste, réunion, titrisation

MOBILISER → RECRUTER, RÉQUISITIONNER

MOBILISER enrégimenter, enrôler, lever, rassembler, recruter

MOBILITÉ → ADAPTER, INCONSTANCE

MOBILITÉ fluctuation, inconstance, instabilité, migration, motilité, motricité, mouvement, variabilité, versatilité

MOBLOT → SOLDAT

MOBY DICK → BALEINE

MOCASSIN → CHAUSSURE
Voir illus. **Chaussures**

MOCHE → HORRIBLE

MODALITÉ → CONDITION, CONDITION

MODALITÉ circonstance, façon, formule, manière, mode, moyen, particularité, phrase (de)

MODE → COUTUME, CRI, FUREUR, GENRE, MODALITÉ, RECHERCHÉ, STATISTIQUE, TRADITION, VERBE, VOGUE

MODE branché, cosm(o)-, coutume, couture (haute), couturier, créateur, façon, genre, in, majeur, mineur, mœurs, notice, pratique, prêt-à-porter, style, styliste, tendance, vogue (en)

MODE D'EMPLOI → CONSIGNE, EXPLICATION

MODE DE SCRUTIN → SCRUTIN

MODELAGE → ARGILE, PLASTIQUE (2), POTERIE

MODELÉ → FORME, RELIEF

MODÈLE → ACCOMPLI, CANON, COMPARAISON, ÉCHANTILLON, ÉTALON (2), EXEMPLE, IDÉAL (1), IMAGE, IMITATION, NORME, PATRON, PROTOTYPE, RÈGLE, REPRÉSENTER, TYPE

MODÈLE (1) académie, archétype, carton, échantillon, étalon, exemple, formule, gabarit, maquette, matrice, modeleur, modélisation, modéliste, paradigme, parangon, patron, pattern, prototype, spécimen

MODÈLE (2) édifiant, exemplaire, pilote

MODELER → CONFORMER, ÉPOUSER, FABRIQUER, FAÇONNER, MOULER, PÂTE, SCULPTER

MODELER façonner, pétrir, plast-, -plaste, -plastie, sculpter, travailler

MODELEUR → MODÈLE (1), SCULPTURE

MODÉLISATION → MODÈLE (1)

MODÉLISTE → MODÈLE (1)

MODEM → NUMÉRIQUE (2)

Voir tab. **Informatique**

Voir tab. **Internet**

MODÉRANTISTE → MODÉRÉ

MODÉRATEUR

Voir tab. **Internet**

MODÉRATEUR ralentisseur, régulateur

MODÉRATION → MESURE, PONDÉRATION, PRUDENCE, RÉSERVE, RETENUE, SAGESSE

MODÉRATION circonspection, économe, frugalité, mesure, prudence, réserve, retenue, sagesse, sobriété, tempérance

MODERATO → MOYEN (2)

MODÉRÉ → MOYEN (2), RAISONNABLE, RELATIF, SOBRE, TIÈDE

MODÉRÉ centriste, HLM, mesuré, modérantiste, moderato, modique, pondéré, raisonnable

MODÉRÉMENT → EXAGÉRATION, PEU (2)

MODÉRER → ADOUCIR, AMORTIR, ATTÉNUER, BORNER, CONTENIR, DIMINUER, FREINER, MATER, MÉNAGER, PROFIL, RALENTIR, RÉDUIRE, RETENIR, TEMPÉRER

MODÉRER adoucir, affaiblir, amortir, assagir (s'), atténuer, borner, calmer (se), contenir (se), freiner, limiter, mitiger, ralentir, réduire, réprimer, retenir (se), tempérer

MODERN DANCE

Voir tab. **Danse classique**

MODERNE → CONTEMPORAIN, NEUF (2), NOUVEAU, ORIGINAL, PROGRÈS, RÉCENT, TEMPS

MODERNE contemporain, modernité, nouveau, novateur, pointe (de), réactionnaire, récent, rétrograde, ultramoderne

MODERNISER → ADAPTER, RÉPARER

MODERNISER actualiser, adapter, réformer, rénover, transformer

MODERNITÉ → MODERNE

MODESTE → DÉCENT, EFFACER, HUMBLE, MÉDIOCRE, SIMPLE

MODESTE discret, effacé, humble, limité, maigre, modique, réservé, restreint, simple

MODESTIE → RETENUE, SIMPLICITÉ

MODESTIE majesté (de)

MODICITÉ → FAIBLESSE, PETITESSE

MODIFICATION → ALTÉRATION, ASSIMILATION, RÉFORME, RÉVISION, TRANSFORMATION, VARIATION

MODIFICATION aggravation, altération, amélioration, amendement, changement, correction, embellissement, fluctuation, métamorphose, rectification, réfection, refonte, remaniement, restauration, retouches, variation

MODIFIER → CHANGER, ÉVOLUER, INNOVER, RECTIFIER, TRANSFORMER, VARIER

MODIFIER amender, changer, évoluer, métamorphoser, reprendre, réviser, transformer, transmuer, varier

MODILLON → APPUI

Voir tab. **Architecture**

MODIQUE → MÉDIOCRE, MODÉRÉ, MODESTE

MODISTE → CHAPEAU, CONFECTION, COUTURIER

MODULABLE → SOUPLE

MODULATEUR → MODULATION

MODULATION → TON, TONALITÉ

MODULATION baud, démodulomètre, FM, inflexion, MIC, modulateur, transmodulation, tuner

MODULE → FLEUVE

MODULE calibre, cours, diamètre, élément, engin, gabarit, norme, sous-programme, UV (unité de valeur)

MODULO → ÉQUIVALENCE

MODUS VIVENDI → ACCORD, COMPROMIS

MOELLE → OS, POIL

Voir illus. **Poil**

Voir illus. **Tronc**

MOELLE amourettes, aplasie, cérébro-spinal, hématopoïétique, hypoplasie, Kahler (maladie de), médullaire, myél(o)-, myélite, myélogramme, myélographie, myélomatose, névraxe, ostéomyélite, poliomyélite, rachidien (canal), syringomyélie

MOELLE ALLONGÉE

Voir illus. **Cerveau**

MOELLE ÉPINIÈRE → NERVEUX

MOELLEUX → AMOUREUX, DOUX, MOU

MOELLEUX confortable, douillet, doux, gracieux, lainer, liquoreux, mollet, onctueux, souple, velouté

MOELLON → MAÇONNERIE

MOERE → LAGUNE

MŒURS → COUTUME, HABITUDE, MODE

MŒURS bienséant, convenable, correct, corruption, coutume, débauche, décadence, décent, dévergondage, dissolution, éth(o)-, ethnologie, habitude, honteux, immoral, libertinage, licence, licencieux, obscène, outrage, puritanisme, rigorisme, tradition, us, usage

MOFETTE → FUMÉE, VOLCAN

MOHAIR → CHÈVRE, TISSU

Voir tab. **Tissus**

MOI → INDIVIDU, INDIVIDUALITÉ, PERSONNALITÉ

Voir tab. **Psychanalyse**

MOI ça, ego, égocentrisme, égotisme, narcissisme, surmoi

MOIGNON → MEMBRE

MOINDRE → CADET, INFÉRIEUR, PETIT (2), PLUS

MOINDRE cadet, dernier, inférieur, mineur, secondaire, subalterne

MOINDRE IMPORTANCE → SECONDAIRE

MOINDRE SOUPÇON → OMBRE

MOINE → CHAUFFER, CLERGÉ, LAMA, PHOQUE, RELIGIEUX (1), SOLITAIRE (2)

Voir tab. **Clergé catholique (vocabulaire du)**

MOINE abbaye, anachorète, bonze, caloyer, cellérier, cénobite, chartreuse, cloître, complies, congrégation, coule, couvent, cuculle, défroqué, ermite, froc, grégorien, gyrovague, lama, laudes, mainmorte, matines, monachisme, monastère, none, novice, oblat, plain-chant, prieuré, prime, profès, profession, régulier, scapulaire (grand), sexte, tierce, tonsure, trappe, vêpres, vêture

MOINEAU

Voir tab. **Oiseaux (classification simplifiée des)**

MOINEAU friquet, passereau, piaf, pierrot, plocéidés

MOINS → INFÉRIORITÉ

MOINS adoucir, affaiblir, amenuiser, amoindrir, amortir, atténuer, diminuer, miner, réduire

MOINS-VALUE → DIMINUTION

MOIRE

Voir tab. **Tissus**

MOIRÉ → CHANGEANT

MOIRÉ calandrer, chatoyant, damas, miroitant, moirure, ondé

MOIRER → CHATOYANT, GLACER, LUSTRER

MOIRES → DÉESSE, DESTIN, FATALITÉ, FIL

MOIRURE → MOIRÉ

MOIS → TEMPS

MOIS bimensuel, bimestriel, hebdomadaire, lunaison, mensualisation, mensualité, mensuel, quantième, semestriel, trimestriel

MOIS DU CALENDRIER RÉPUBLICAIN → DOUZE

Voir tab. **Mois du calendrier républicain**

MOÏSE → BÉBÉ, BERCEAU, CORBEILLE, PROPHÈTE

MOISI → ABÎMÉ, CORROMPU, GÂTÉ

MOISIR → POURRIR

MOISIR croupir, languir, morfondre (se)

MOISISSURE → DÉCOMPOSITION

MOISISSURE chancissure, décomposition, efflorescence, fleur de vin, pourriture, salpêtre

MOISSON → CÉRÉALE, RÉCOLTE

MOISSON Cérès, Déméter, faucille, moissonneuse-batteuse, récolte

MOISSONNER → FAUCHER

MOISSONNER cueillir, engranger, gagner, ramasser, récolter

MOISSONNEUSE → FAUX (1)

MOISSONNEUSE-BATTEUSE → MOISSON

MOITE → HUMIDE

MOITE halitueux, humide, moitir

MOITEUR hygrométrie, sudation, touffeur, transpiration

MOITIÉ → DEMI (2), QUART

MOITIÉ fifty-fifty, hémi-, hémiplégie, hémisphère, hémistiche, mi-, semi-

MOITIR → MOITE

MOKA → CAFÉ

Voir tab. **Café**

MOLAIRE → MÂCHER

Voir illus. **Bouche, nez, gorge**

Voir illus. **Dent**

MOLASSE

Voir tab. **Roches et minerais**

MÔLE → JETÉE, PORT

MOLÉCULAIRE → SONDE

MOLÉCULE → ATOME, CORPS, MATIÈRE, PARTIE

MOLÉCULE atome, biatomique, bivalente, combinaison, H_2O, intramoléculaire, macromolécule, micelle

MOLESKINE → COTON, CUIR, TOILE

MOLESTER → BATTRE, MALMENER, MALTRAITER, PERSÉCUTER, RUDOYER, TRAITER

MOLETTE → ÉPERON, PILON, ROULETTE

MOLIÈRE → RÉCOMPENSE

MOLINISME → GRÂCE

MOLLAH → DOCTEUR, MUSULMAN (1), RELIGIEUX (1)

Voir tab. **Islam (vocabulaire de l')**

MOLLEMENT → VAGUEMENT

MOLLEMENT doucement, faiblement, indolemment, lentement, nonchalamment, paresseusement, timidement, tranquillement

MOLLESSE → ÉNERGIE, INDOLENCE, NONCHALANCE, PARESSE, PARESSEUX, RÉSISTANCE

MOLLET → MOELLEUX, MOU

MOLLET jumeaux, soléaire, sural

MOLLETIÈRE → JAMBE

MOLLIR → FLÉCHIR, RÉSOLUTION

MOLLUSCUM → TUMEUR

MOLLUSQUE → COQUILLAGE, ESCARGOT

Voir tab. **Animaux (classification simplifiée des)**

MOLLUSQUE amphineures, argonaute, calmar, céphalopodes, chiton, couteau, dentale, escargot, fuseau, gastéropodes, huître, lamellibranches, limace, manteau, monoplacophores, moule, nautile, néopilina, ormeau, palourde, patelle, peigne, pieuvre, porcelaine, poulpe, praire, scaphopodes, seiche

MOLLWEIDE
Voir illus. **Cartes géographiques**

MOLOSSE → CHIEN

MOLYBDÈNE
Voir tab. **Éléments chimiques (symbole des)**

MOLYSMOLOGIE → POLLUTION

MOMENT → CIRCONSTANCE, DURÉE, ÉPOQUE, ÉTAT, ÉVÉNEMENT, INSTANT, INTERVALLE, MINUTE, OCCASION, PAN, QUART, SAISON, TEMPS

MOMENT circonstance, éphémère, fugace, laps de temps, momentané, occasion

MOMENT CAPITAL → TOURNANT (1)

MOMENT DÉCISIF → TOURNANT (1)

MOMENTANÉ → BREF (1), COURT, ÉPHÉMÈRE, MOMENT, PASSAGER (2), PROVISOIRE, TEMPORAIRE

MOMERIE → BIGOT, HYPOCRISIE

MOMIE bandelette, canope, dessiccation, embaumement, momifier

MOMIFICATION → CADAVRE

MOMIFIER → MOMIE

MOMORDIQUE → POMME

MOMOT
Voir tab. **Oiseaux (classification simplifiée des)**

MONACHISME → MOINE

MONACO
Voir tab. **Saints patrons**

MONADE → UNITÉ

MONADNOCK
Voir tab. **Géographie et géologie (termes de)**

MONARCHIE → POLITIQUE (2), RÉGIME, RÉPUBLIQUE, ROYAUME

MONARCHIE absolu, constitutionnel, couronne, droit divin (de), électif, héréditaire, lis, monarchiste, monarque, parlementaire, roi, royaume, souverain

MONARCHISTE → MONARCHIE

MONARQUE → MONARCHIE, PRINCE, ROI
Voir illus. **Insectes**

MONARQUE autocrate, despote, dictateur, empereur, potentat, prince, régicide, roi, souverain, tyran

MONASTÈRE → ABBAYE, COMMUNAUTÉ, COUVENT, MAISON, MOINE, RELIGIEUX (1)
Voir tab. **Clergé catholique (vocabulaire du)**

MONASTÈRE ashram, béguinage, bonzerie, capitulaire, cartulaire, chartreuse, cloître, couvent, lamaserie, moutier, préau, prieuré

MONASTIQUE → RELIGIEUX (2)

MONCEAU → FOULE, PILE, QUANTITÉ, TAS

MONDAIN → BRILLANT (1), ÉCHO, SOCIAL

MONDAIN (1) courtisane, Voltaire

MONDAIN (2) carnet, frivole, futile, laïque, léger, mondanités, profane, salonnier, séculier, superficiel

MONDAINE → RÉPRESSION

MONDANITÉ → MONDAIN (2)

MONDE → ABÎME, EXISTENCE, HUMANITÉ, NATURE, RÉALITÉ, SOCIÉTÉ, SPHÈRE, TERRE, UNIVERS
Voir tab. **Papier (formats de)**

MONDE accoucher, affluence, Amérique, apocalypse, big bang, cosmogonie, cosmos, enfanter, foule, Genèse, humanité, macrocosme, microcosme, Univers

MONDER → NETTOYER, PÉPIN
Voir tab. **Cuisine**

MONDIAL → INTERNATIONAL

MONDIAL international, planétaire, universel

MONDIALISATION
Voir tab. **Économie**

MONDOUBLEAU
Voir tab. **Habitants (comment se nomment les)**

MONDOUBLOTIERS
Voir tab. **Habitants (comment se nomment les)**

MONDOVISION → TÉLÉVISION

MONEL → NICKEL

MONÈME → RACINE

MONÉTAIRE bimétallisme, écu (European Currency Unit), étalon, euro, FMI, monométallisme

MONÉTISER → MONNAIE

MONGOLIEN → MONGOLISME

MONGOLISME mongolien, mongoloïde, trisomie 21

MONGOLOÏDE → MONGOLISME

MONIALE → SŒUR
Voir tab. **Clergé catholique (vocabulaire du)**

MONISME → UNITÉ

MONITEUR → ACCOMPAGNATEUR, ANIMATEUR, COACH, ÉCRAN, PROFESSEUR

MONITEUR écran, entraîneur, instructeur, maître d'armes, maître nageur, monitorage, monitorat, monitoring, prévôt d'armes

MONITION → CENSURE

MONITORAGE → MONITEUR

MONITORAT → MONITEUR

MONITORING → CONTRÔLE, MONITEUR

MONNAIE → ARGENT, FICHE, INSTRUMENT
Voir tab. **Collectionneurs**

MONNAIE aloi, avers, battre monnaie, carnèle, coin, cordon, cordonnage, cordonnet, crénelage, découpage, droit, effigie, envers, faussaire, faux-monnayeur, fiduciaire, fonderie, frappe, grènetis, laminage, légende, listel, lunaire, millésime, monétiser, monnayer, numismatique, obvers, recuit, revers, scripturale, trébuchet, troc, type, virole

MONNAIE FIDUCIAIRE → BANQUE, BILLET

MONNAYER → MONNAIE, NÉGOCIER

MONNAYER tirer argent de, vendre

MONOBLOC → CARROSSERIE

MONOCLE → LUNETTES

MONOCOQUE → COURSE DE BATEAUX
Voir illus. **Coques de bateaux**

MONOCORDE → MONOTONE, NEUTRE, TIMBRE

MONOCOTYLÉDONES → PALMIER
Voir tab. **Végétaux (classification simplifiée des)**

MONOCOUCHE → COUCHE

MONOCULAIRE → BORGNE

MONOCULTURE → AGRICOLE

MONODELPHE → MAMMIFÈRE

MONODIE → CHANT

MONOGRAMME → ABRÉVIATION, CHIFFRE, INITIAL, LETTRE, MARQUE, SIGNATURE

MONOGRAPHIE → TRAITÉ
Voir tab. **Livres**

MONOÏQUE → BISEXUÉ, SEXE

MONOKINI → MAILLOT

MONOLITHE → BLOC, MENHIR, PIERRE

MONOLOGUE → COMÉDIEN, TIRADE

MONOLOGUER → PARLER, SEUL

MONOMANIE → MANIE, OBSESSION
Voir tab. **Manies**

MONOMÉTALLISME → ÉTALON (2), MONÉTAIRE

MONONUCLÉAIRE → NOYAU

MONOPARENTALE (FAMILLE) → PARENT
Voir tab. **Population**

MONOPHASÉ
Voir tab. **Électricité**

MONOPLACOPHORE → MOLLUSQUE

MONOPOLE → CAPITALISME, CONCURRENCE, EMPIRE, EXCLUSIF, EXCLUSIVITÉ, MARCHÉ, PROPRE

MONOPOLE cartel, exclusivité, monopoleur, monopoliste, régie, trust

MONOPOLEUR → MONOPOLE

MONOPOLISER → ACCAPARER, ACHETER, PRENDRE, RÉUNIR

MONOPOLISTE → MONOPOLE

MONOPTÈRE → COLONNE

MONORAIL → TRAIN

MONOSKI → NEIGE, SKI

MONOSPACE → CARROSSERIE
Voir illus. **Voitures (types de)**

MONOSYLLABE → SYLLABE

MONOTHÉISME → DIEU, UNIQUE
Voir tab. **Religions et courants religieux**

MONOTHÉISTE → RELIGION

MONOTONE → ENNUYEUX, FADE, MORNE, TERNE, UNIFORME (2)

MONOTONE continuel, ennuyeux, ininterrompu, insipide, lassant, monocorde, régulier, uniforme

MONOTRÈMES → MAMMIFÈRE
Voir tab. **Mammifères (classification des)**

MONOTYPE → COMPOSER

MONOTYPIE → COMPOSITION

MONOVALENT → UNIVALENT

MONOZYGOTE → JUMEAU

MONSEIGNEUR
Voir tab. **Catholique romain (vocabulaire)**
Voir tab. **Clergé catholique (vocabulaire du)**

MONSTRE centaure, Cerbère, Chimère, Dracula, dragon, gargouille, griffon, Harpie, Hydre de Lerne, kraken, Léviathan, loch Ness (monstre du), loup-garou, mascaron, Minotaure, poulpe colossal, Sphinx, térat(o)-, tératogène, tératologie, yeti

MONSTRUEUX → ABOMINABLE, AFFREUX, ATROCE, EFFROYABLE, ÉPOUVANTABLE, EXCESSIF, HIDEUX, INHUMAIN, PHÉNOMÉNAL

MONSTRUEUX abominable, affreux, colossal, démesuré, effroyable, éléphantesque, épouvantable, gigantesque, immense

MONSTRUOSITÉ → ANOMALIE, ATROCITÉ, HORREUR

MONSTRUOSITÉ anencéphalie, atrocité, difformité, ectromélie, ectrosomie, encéphalocèle, hémimélie, horreur, hydrocéphalie, malformation, méningocèle, phocomélie

MONT → COLLINE

MONT butte, clou, colline, crédit municipal, élévation, hauteur, montueux, pénil, tante (ma)

MONTACUTAINS
Voir tab. **Habitants (comment se nomment les)**

MONTAGE → ASSEMBLAGE, CHAÎNE, DISPOSITIF, FABRICATION, INSTALLATION
Voir tab. **Cinéma**

MONTAGNE
Voir tab. **Phobies**

MONTAGNE adret, aiguille, alpage, alpinisme, arête, ballon, broche à glace, casse, chaussure, cime, cirque glaciaire, col, corde, course, crête, dent, djebel, dôme, draille, estive, étrier, faîte, marteau, mousqueton, névé, oréade, oro-, orogenèse, orographie, pas, pastoralisme, pic, piolet, piton, puy, refuge, sierra, soulane, tamponnoir, ubac, varappe, vis à glace

MONTAGNES RUSSES → HUIT, RAIL

MONTAGNEUX → TOURMENTÉ

MONTAIGU
Voir tab. **Habitants (comment se nomment les)**

MONTAISON → MIGRATION

MONTALBANAIS
Voir tab. **Habitants (comment se nomment les)**

MONTANISME → HÉRÉSIE

MONTANT → BRIDE, COL, COÛT, PRIX, SOMME, TARIF
Voir illus. **Fenêtre**
Voir illus. **Harnais**
Voir illus. **Porte**
Voir illus. **Sièges**

MONTANTE
Voir tab. **Typographies**

MONTAUBAN
Voir tab. **Habitants (comment se nomment les)**

MONTBÉLIARD → SAUCISSE

MONT-BLANC → MARRON (1)
MONTBRISON (FOURME DE)
Voir tab. **Fromages**
MONT-DE-MARSAN
Voir tab. **Habitants (comment se nomment les)**
MONT-DE-PIÉTÉ → GAGE, MUNICIPAL, PRÊT
MONTDIDÉRIENS
Voir tab. **Habitants (comment se nomment les)**
MONTDIDIER
Voir tab. **Habitants (comment se nomment les)**
MONTE → REPRODUCTION, SAILLIE, SEXUEL
MONTÉ → COURSE HIPPIQUE, SURÉLEVÉ
MONTÉE → ACCROISSEMENT, CÔTE, CROISSANCE, MANCHE, POUSSÉE
MONTÉE augmentation, côte, crue, flambée, hausse, progression, raidillon, rampe
MONTE-EN-L'AIR → CAMBRIOLER
MONTÉLIMAR
Voir tab. **Habitants (comment se nomment les)**
MONTER → ASSEMBLER, BAGUE, BATTRE, CONSTITUER, CRÉER, CROÎTRE, DRESSER, ÉLEVER, ÉTABLIR, HAUSSER, HISSER, IRRITER, MANCHE, PERCER, PERCHER (SE), POINTER, REPRÉSENTER
Voir tab. **Belote**
Voir tab. **Tarot**
MONTER assembler, combiner, embarquer, enchâsser, équiper (s'), gravir, grimper, hausser, hisser (se), ourdir, relever, sertir, tramer
MONTER À LA TÊTE → IVRE
MONTER EN GRADE → AVANCER
MONTER EN HAUT → PLÉONASME
MONTER LA GARDE → VEILLER
MONTESQUIEU → PERSAN (2)
MONTGOLFIÈRE → BALLON
MONTICULE → BOSSE, INÉGALITÉ
MONTILIENS
Voir tab. **Habitants (comment se nomment les)**
MONTMORENCY → CERISE
MONTOIS
Voir tab. **Habitants (comment se nomment les)**
MONTRE → ÉTALAGE, EXPOSITION, HEURE, VITRINE
MONTRE analogique, cristaux liquides (à), dextrorsum, gousset, œuf, oignon, savonnette
MONTRE (CONTRE LA) → COURSE CYCLISTE
MONTRE (FAIRE) → AFFICHER, PARADE
MONTRER → DÉNOTER, DÉSIGNER, EXHIBER, EXPRIMER, INDIQUER, OFFRIR, PRÉSENTER, PREUVE, PRODUIRE, PROPOSER, PROUVER, RENDRE (SE), RÉVÉLER, SIGNALER, SPECTACLE, TÉMOIGNER, TRAHIR
MONTRER afficher, apparaître, apprendre, arborer, avérer (s'), décrire, dépeindre, dévoiler, enseigner, étaler, évoquer, exhiber, expliquer, exprimer, extérioriser, indiquer, manifester, présenter, prouver, révéler, révéler (se), témoigner

MONTREUR → MARIONNETTE
MONT-SAINT-MICHEL (LE)
Voir tab. **Monuments français du patrimoine mondial**
MONTUEUX → MONT
MONTURE → BROSSE, ÉVENTAIL
MONTURE avançon, cheval de selle, fusée, garde, pommeau
MONUMENT → BÂTIMENT, ÉDIFICE
MONUMENT bâtiment, construction, édifice, épigraphe, mémorial, panthéon, patrimoine, restauration
MONUMENTAL → COLOSSAL, DÉMESURÉ, GIGANTESQUE, GRANDIOSE, MAJESTUEUX, PHÉNOMÉNAL, SPLENDIDE
MONUMENTAL colossal, gigantesque, grandiose, immense, impardonnable, imposant, impressionnant, incommensurable, inouï, prodigieux
MOQUER (SE) → BAILLER, BRAVE, FICHER, GORGE, IRONISER, PLAISANTER, RIDICULISER, RIRE, SATIRE
MOQUER (SE) braver, chiner, dauber, dédaigner, faire fi de, gausser de (se), mépriser, narguer, persifler, railler, ridiculiser, rire de
MOQUERIE → IRONIE, MALICE, TRAIT
MOQUERIE brocard, épigramme, flèche, lazzi, persiflage, quolibet, sarcasme
MOQUETTE → REVÊTEMENT
MOQUEUR → CAUSTIQUE, IRONIQUE, SARCASTIQUE
Voir tab. **Oiseaux (classification simplifiée des)**
MOQUEUR caustique, charge, facétieux, frondeur, goguenard, gouailleur, ironique, narquois, parodie, persifleur, pince-sans-rire, railleur, sardonique, satire
MORACÉES → FIGUE
MORAILLE → NARINE, PINCE
MORAILLON → MALLE
MORAINE
Voir illus. **Glacier**
Voir tab. **Géographie et géologie (termes de)**
MORAINIQUE
Voir illus. **Glacier**
MORAL → IMPÉRATIF (1), SPIRITUEL
MORAL déontologie, édifiant, éthique, principe
MORALE → CONCLUSION, CONDUITE, ÉTHIQUE, VERTU
MORALE apologue, casuistique, conclusion, enseignement, éthique, maxime, moralité
MORALISATEUR → MORALISTE
MORALISER → RAISONNER
MORALISER admonester, morigéner, sermonner
MORALISTE moralisateur
MORALITÉ → MORALE, TÉMOIN
MORALITÉ conscience, honnêteté, loyauté, mérite
MORASSE → ÉPREUVE, JOURNAL, PAGE
MORATOIRE → DÉLAI

MORBIDE → MALADIF, MALSAIN, SINISTRE (2)
MORBIER
Voir illus. **Fromages**
MORCEAU → BOUT, BRIN, ÉCLAT, ÉLÉMENT, EXTRAIT, FRACTION, FRAGMENT, LAMBEAU, MIETTE, PAN, PART, PASSAGE, PIÈCE, PORTION, POUCE
MORCEAU anthologie, bribe, chrestomathie, débris, éclat, entame, florilège, fragment, lopin, parcelle, partie, patchwork, portion, quignon, segment, tronçon
MORCEAU DE BRAVOURE → TIRADE
MORCEAUX CHOISIS → SÉLECTION
MORCELÉ → ÉMIETTER
MORCELER → DÉPECER
MORCELER démembrer, diviser, émietter, fractionner, lotir, partager
MORCELLEMENT → DÉSAGRÉGATION, PARTAGE
MORDACHE → SERRER
MORDANCER → MORDANT (1)
MORDANT → ACERBE, ACÉRÉ, ÂCRE, AIGRE, CASSANT, CAUSTIQUE, GRINÇANT, PÉNÉTRANT, PERÇANT, PIQUANT (2), RUDE, SARCASTIQUE, SATIRIQUE, TEINTURE, VENIMEUX, VERNIS, VIF (2)
MORDANT (1) énergie, fougue, impétuosité, mordancer, pep, punch, ressort, virulence, vivacité
MORDANT (2) acerbe, acrimonieux, agressif, âpre, caustique, cuisant, piquant, sarcastique, vif
MORDILLER → MORDRE
MORDORÉ → BRUN, COULEUR, DORÉ, JAUNE
Voir tab. **Couleurs**
MORDRE → ACIDE (1), AVANCER, ENTAMER
MORDRE appât, attaquer, croquer, déchiqueter, empiéter sur, entamer, hameçon, mâchonner, marcher sur, mordiller, muselière, ronger
MORDU → FANATIQUE (1), FONDU (2), PASSIONNÉ
MOREAU → NOIR (1)
MORFIL → IVOIRE, LAME
MORFONDRE (SE) → ATTENDRE, ENNUYER, LANGUIR, MOISIR
MORFONDU → FROID (1)
MORGANATIQUE → MARIAGE, UNION
MORGANE → FÉE
MORGANITE
Voir tab. **Pierres précieuses et semi-précieuses**
MORGUE → CADAVRE, CHAMBRE, DÉDAIN, FIERTÉ, HAUTEUR, INSOLENCE, MORT (1), ORGUEIL, SUFFISANT, SUPERBE (1)
MORIBOND → AGONIE, ARTICLE, MALADE, MOURANT, MOURIR
MORIGÉNER → BRETELLE, CORRIGER, DÉBITER, GRONDER, MORALISER, REPROCHE
MORILLON → CANARD, ÉMERAUDE

MORMON → SECTE
MORMYRE
Voir tab. **Poissons (classification simplifiée des)**
MORNE → ÉTEINT, GRIS, LANCE, LANGUISSANT, MÉLANCOLIE, MOROSE, PÉNIBLE, SOMBRE, TERNE, TRISTE
MORNE abattu, éteint, inexpressif, maussade, monotone, morose, sombre, terne, triste
MORNÉ
Voir tab. **Héraldique (vocabulaire de l')**
MOROSE → BOUDEUR, MAUSSADE, MÉDIOCRE, MÉLANCOLIE, MORNE, PESSIMISTE, RENFROGNÉ, SINISTRE (2), SOMBRE, TÉNÉBREUX, TRISTE
MOROSE chagrin, maussade, mélancolique, morne, rechigné, renfrogné, revêche, sombre, terne
MOROSITÉ → ABATTEMENT, CAFARD, PESSIMISME
MORPH(O)- → FORME
MORPHÉE → SOMMEIL
MORPHÈME → BASE, MOT
MORPHINE → DROGUE, OPIUM, POISON
Voir tab. **Drogues**
Voir tab. **Médicaments**
MORPHING
Voir tab. **Multimédia (les mots du)**
MORPHOLOGIE → ANATOMIE, CORPS, FORME, LINGUISTIQUE, MOT
MORPHOLOGIE anatomie, géomorphologie, morphopsychologie, physiognomonie
MORPHOLOGIQUE → FORME
MORPHOPSYCHOLOGIE → MORPHOLOGIE, PHYSIONOMIE, TRAIT
MORPION → POU
MORS → BRIDE, ÉTAU
Voir illus. **Harnais**
Voir illus. **Livre relié**
MORS D'ÂNE → MENUISERIE
MORSE → LANGAGE, TÉLÉGRAPHIE
Voir tab. **Mammifères (classification des)**
MORSE éléphant de mer, odobénidés, otarie, phoque, pinnipèdes
MORSURE → PIQÛRE
MORT → CADAVRE, CLASSIQUE, DEUIL, DISPARITION, FIN (1), INANIMÉ, INSTANT, IVOIRE, VALLÉE
Voir tab. **Bridge**
Voir tab. **Phobies**
MORT (1) affres, agonie, anéantissement, Camarde (la), décès, dépouille, disparition, euthanasie, extinction, Faucheuse (la), fin, fossoyeur, Fossoyeuse (la), glas, Hadès, incinérer, larve, lémure, linceul, morgue, nécr(o)-, nécrologe, nécromancie, Pluton, posthume, ruine, suaire, thanato-, thanatologie, thanatos, trépas, zombi
MORT (2) décédé, défunt, feu, nécrologie
MORT (METTRE À) → EXÉCUTER
MORT (PEINE DE) → CAPITAL (2)
MORTADELLE → SAUCISSON

MORTAILLE → HÉRITAGE

MORTAISE → AJUSTER, ENTAILLE

Voir illus. **Porte**

MORTAISEUSE → MACHINE

MORTALITÉ → DÉMOGRAPHIE

Voir tab. **Population**

MORTALITÉ endogène, exogène, infantile, létalité, maternelle, mortinatalité

MORTEAU → SAUCISSE

Voir tab. **Habitants (comment se nomment les)**

MORTEL → DANGEREUX, FATAL, FUNESTE, HUMAIN, MALADIE, NUISIBLE, SINISTRE (2)

MORTEL ennuyeux, fastidieux, fatal, funeste, mortifère, pénible, vénéneux, vireux

MORTES-EAUX → MARÉE

Voir illus. **Marées**

MORTIER → BOMBARDEMENT, BONNET, BROYER, CHAUX, COLLE, MAÇONNERIE, MAGISTRAT, OBUS, PÂTE, PILER, RÉCIPIENT, SABLE

Voir illus. **Coiffures**

MORTIER gâcher, granulat, pilon

MORTIFÈRE → MORTEL

MORTIFICATION → AUSTÉRITÉ, CORPS, GANGRÈNE, HUMILIATION, INSULTE, PARDON, PÉNITENCE

MORTIFIER → ABAISSER, BLESSER, CHOQUER, DÉCOMPOSER, FROISSER, HONTE, MACÉRER, MALTRAITER

MORTIFIER blesser, châtier, froisser, humilier, macérer, vexer

MORTIMER

Voir tab. **Bande dessinée (héros de)**

MORTINATALITÉ → MORTALITÉ

MORTUACIENS

Voir tab. **Habitants (comment se nomment les)**

MORTUAIRE → LUGUBRE

MORTUAIRE funèbre, funéraire, macabre

MORUE

Voir tab. **Poissons (classification simplifiée des)**

MORUE cabillaud, églefin, gadiformes, haddock, merluche, ogac, stockfish

MORULA → EMBRYON

MORUTIER → PÊCHE

Voir tab. **Bateaux**

MORVE → NASAL, NEZ

MOSAÏQUE → ASSEMBLAGE, COMBINAISON, PARQUET, VARIÉ

MOSAÏQUE abacule, mosaïste, pavement, tesselle

MOSAÏSTE → MOSAÏQUE

MOSQUÉE → ARABE, COMMUNAUTÉ, CULTE, ISLAM, TEMPLE

Voir tab. **Islam (vocabulaire de l')**

MOSQUÉE haram, iwan, mihrab, minaret, minbar, muezzin

MOSSAD → SERVICE

MOT → BILLET, BREF (1), CITATION, PAROLE, PHRASE, PROPOS

Voir tab. **Phobies**

MOT acception, acronyme, affixe, alphabétique, anagramme, analogue, antonyme, archaïsme,

articuler, boutade, calembour, contrepèterie, cruciverbiste, doublet, ellipse, épeler, épigramme, étymologie, euphémisme, expression, glossaire, hapax, homographe, homonyme, homophone, idéogrammatique, impropriété, infixe, lapsus, lexicologie, lexique, littéral, locution, logomachie, morphème, morphologie, mot-valise, néologisme, nomenclature, onomatopée, palindrome, paronyme, polysémique, préfixe, racine, radical, saillie, sémantique, signification, suffixe, syllabaire, synonyme, syntagme, terminologie, tournure, trait

MOT À MOT → LITTÉRAL

MOT DE PASSE → ACCÈS, CODE, RECONNAISSANCE

MOT D'ESPRIT → TRAIT

MOT D'ORDRE → DEVISE

MOTEL → HÔTEL

MOTET → CHANT, CHŒUR

MOTEUR → NERF, RESSORT, YACHT

MOTEUR admission, arbre à cames, bielle, bloc-cylindres, carburateur, carter, combustion, compression, culasse, Diesel, échappement, ligne (en), moto-, motoriste, piston, plat (à), rotor, stator, V (en), vilebrequin, Wankel

MOTEUR DE RECHERCHE → RENSEIGNEMENT

Voir tab. **Internet**

MOTEUR GRIPPÉ

Voir tab. **Garagiste (vocabulaire du)**

MOTEUR NOYÉ

Voir tab. **Garagiste (vocabulaire du)**

MOTIF → ARGUMENT, CAUSE, DESSIN, EXCUSE, INTENTION, MATIÈRE, MOBILE (1), OCCASION, ORIGINE, PRÉTEXTE, RAISON, REGISTRE, REPRÉSENTER, SUJET, THÈME

MOTIF attendu, bucrane, cause, considérant, intention, leitmotiv, mobile, motivation, nature (d'après), ornement, prétexte, raison

MOTILITÉ → MOBILITÉ

MOTION → PROPOSITION

MOTIVANT → EXCITANT (2)

MOTIVATION → CAUSE, MOBILE (1), MOTIF

MOTIVÉ → JUSTE, LÉGITIME

MOTIVER → EXPLIQUER, INCITER, JUSTIFIER, MOUVOIR, STIMULER

MOTO → ROUE, VÉHICULE

MOTO- → MOTEUR

MOTOBALL → MOTOCYCLETTE

Voir tab. **Sports**

MOTOCISTE → MOTOCYCLE

MOTOCROSS → MOTOCYCLETTE

Voir tab. **Sports**

MOTOCULTEUR → TRACTEUR

Voir tab. **Jardinage**

MOTOCYCLE cyclomoteur, motociste, motocyclette, motoneige, motoski, scooter, vélomoteur

MOTOCYCLETTE → MOTOCYCLE, VÉHICULE

MOTOCYCLETTE dragster, enduro, kick, motoball, motocross, quad, side-car, tan-sad, trail, trial

MOTOCYCLISME

Voir tab. **Sports**

MOTONEIGE → MOTOCYCLE, NEIGE, SKI

MOTORISTE → MOTEUR

MOTOSKI → MOTOCYCLE, NEIGE, SKI

MOTOTRACTEUR → TRACTEUR

MOTRICITÉ → MOBILITÉ

MOTS CROISÉS → COMBINAISON, JEU

MOTS FLÉCHÉS → JEU

MOTTEREAU → HIRONDELLE

MOTU PROPRIO → PAPAUTÉ

MOTUS ! → SILENCE

MOT-VALISE → ACCOUPLEMENT, MOT

MOU → IMMOBILE, INACTIF, INCAPABLE (2), INDOLENT, LENT, NONCHALANT, RÉAGIR, SOUPLE, TIÈDE

Voir tab. **Vin (vocabulaire du)**

MOU amorphe, apathique, avachi, chiffe, douillet, faible, flasque, flegmatique, indolent, lâche, lymphatique, malléable, meuble, moelleux, mollet, nonchalant, plastique, spongieux, veule

MOUCHARABIEH → BALCON, PAROI, TREILLIS

MOUCHARD → CAFARD, ESPION, INDICATEUR, RADAR, RAPPORTEUR

MOUCHARDER → DÉNONCER

MOUCHE → BARBE, BEAUTÉ, BOURDONNEMENT, BOXEUR, CIBLE, INSECTE, PÊCHE, POLIR, RECONNAISSANCE

Voir illus. **Insectes**

Voir tab. **Animaux (classification simplifiée des)**

Voir tab. **Boxe anglaise**

Voir tab. **Savate ou boxe française**

MOUCHE abeille, arthropodes, asticot, diptères, drosophile, éphémère, lucilie, muscidés, myi-, myiase, œstre, stomoxe, tsé-tsé

MOUCHE (FAIRE) → BUT, TOUCHER

MOUCHE (PÊCHE À LA)

Voir tab. **Pêche**

MOUCHER → ÉTEINDRE, FLAMME, MÈCHE, RACCOURCIR

MOUCHER gronder, mouchettes, rembarrer, réprimander

MOUCHERON → MÈCHE

MOUCHETÉ → PIQUÉ, TACHE

MOUCHETER → PARSEMER

MOUCHETTE → ANNEAU, CISEAU, MOUCHER

MOUCHETURE → PELAGE, TACHE

MOUCHOIR → FICHU

MOUCHOIR fichu, foulard, madras, pochette, pointe

MOUCLADE

Voir tab. **Plats régionaux**

MOUDJAHIDIN → MUSULMAN (1)

MOUDRE → BROYER, ÉCRASER, POUDRE, PULVÉRISER, RÉDUIRE

MOUDRE broyer, concasser, écraser, égruger, meule, moulin

MOUE → EXPRESSION, GRIMACE

MOUETTE

Voir tab. **Oiseaux (classification simplifiée des)**

MOUFLE → GANT, MAIN, PORCELAINE, POULIE

MOUFLE gant, mitaine

MOUFLON → MOUTON

MOUILLAGE → MANŒUVRE

MOUILLAGE ancrage, appareiller, corps-mort, coupage, embossage, forain

MOUILLE → CARGAISON

MOUILLÉ palatalisé

MOUILLE-BOUCHE → POIRE

MOUILLER → ADDITIONNER, ANCRE, ARROSER, COUPER, ÉTENDRE, FOND, MÉLANGER, MINE, SAUCE, TOUCHER

Voir tab. **Cuisine**

MOUILLER asperger, déglacer, éclabousser, fond (donner), humecter, humidifier, imbiber, imprégner

MOUILLETTE → PAIN, TARTINE

MOUILLEUR DE MINES

Voir tab. **Bateaux**

MOUILLURE → BAVURE, HUMIDITÉ

MOUJIK → PAYSAN (1)

MOULAGE → EMPREINTE, FROMAGE, POTERIE

MOULAGE affinage, caillage, démoulage, égouttage, empreinte, emprésurage, fonte, mannequin, pâtisserie, salage, surmoule

MOULANT → COLLANT, SERRÉ

MOULE → FORME, MATRICE, MOLLUSQUE, PÂTISSERIE

Voir tab. **Animaux (classification simplifiée des)**

Voir tab. **Élevages**

MOULE acon, anodonte, bouchot, brioche (à), byssus, cagerotte, cake (à), caserette, charlotte (à), faisselle, forme, gaufre (à), kouglof (à), lamellibranches, manqué (à), matrice, mulette, mytiliculture, mytilotoxine, pinnothère, savarin (à), soufflé (à), tarte (à)

MOULE PERLIÈRE → PERLE

MOULER → COULER, ÉPOUSER, FONDRE

MOULER couler, épouser, fondre, modeler, sculpter

MOULIN → MEUNIER, MOUDRE, PILER, POUDRE, USINE

MOULIN abée, aube, auget, bief, meule, oliverie, plansichter

MOULIN À PRIÈRES → PRIÈRE

MOULINAGE → SOIE

MOULINER → PATINER, RONGER, TORDRE

MOULINET

Voir tab. **Pêche**

MOULINOIS

Voir tab. **Habitants (comment se nomment les)**

MOULINS

Voir tab. **Habitants (comment se nomment les)**

MOULOUD → MUSULMAN (2)

Voir tab. **Fêtes religieuses**

MOULU → BROYER, FATIGUE

MOULURE → BANDEAU, CEINTURE, ÉBÉNISTERIE, ORNEMENT

MOULURE archivolte, bandeau,

boudin, cavet, cimaise, doucine, listel, nervure, oves (cordon d'), plate-bande, quart-de-rond, scotie, tore

MOUMOUTE → POSTICHE

MOUND → TERRE, TOMBE

MOURANT → ARTICLE, MOURIR

MOURANT agonisant, alangui, déclinant, évanescent, faiblissant, langoureux, languide, languissant, moribond

MOURIR → ÂME, CESSER, CIEL, DÉCÉDER, ÉTEINDRE, EXPIRER, LANGUIR, PÉRIR, RENDRE

MOURIR agonisant, décéder, disparaître, éteindre (s'), expirer, inanition, moribond, mourant, périr, succomber à, trépasser

MOURON → SOUCI

MOUSQUET → MOUSQUETAIRE

MOUSQUETAIRE → INFANTERIE

MOUSQUETAIRE crispin (à), Dumas (Alexandre), gentilhomme, manchette, mousquet, revers (à)

MOUSQUETON → BOUCLE, MONTAGNE

MOUSSAKA → TOMATE

Voir tab. **Spécialités étrangères**

MOUSSE → APPRENTI, BULLE, CRÈME, DESSERT, ÉCUME, JEUNE, MARIN (1), MATELOT, OREILLER, PÂTÉ, VERT (1)

Voir tab. **Végétaux (classification simplifiée des)**

MOUSSE (1) bryophytes, carragheen, col (faux), écume, hypne, muscinées, protonéma, rhizoïde, silène acoule, sphaignes, zostère

MOUSSE (2) émoussée

MOUSSELINE → PURÉE, TOILE

Voir tab. **Tissus**

MOUSSER blaireau, moussoir, rocher

MOUSSEUX → BULLE, CHAMPAGNE, DESSERT, PÉTILLANT

MOUSSEUX asti, blanquette, champagne, clairette, crémant, léger, vaporeux

MOUSSOIR → MOUSSER

MOUSSON → TROPICAL, VENT

MOUSTACHE → POIL

MOUSTACHE bacchante, vibrisse

MOUSTIQUAIRE → RIDEAU

MOUSTIQUE → INSECTE

Voir tab. **Savate ou boxe française**

MOUSTIQUE anophèle, cousin, culex, culicidés, diptères, maringouin, stégomyie

MOÛT → FERMENTATION, MALT

Voir tab. **Alcools et eaux-de-vie**

MOUTARDE

Voir tab. **Couleurs**

MOUTARDE cataplasme, cruciféracées, moutardier, pédiluve, Rigollot, sanve, sénevé, sinapisé, sinapisme, ypérite

MOUTARDIER → MOUTARDE

MOUTIER → MONASTÈRE

MOUTON → MASSE, PARCHEMIN, PIEU, POUSSIÈRE, SUIVRE, VIANDE

Voir tab. **Animaux (termes propres aux)**

Voir tab. **Élevages**

MOUTON argali, basane, bharal, bighorn, bovidés, haricot, hie, karakul, méchoui, mélophage, mérinos, mouflon, navarin, ovin, Panurge (de), pré-salé, suif, toison

MOUTON DE PANURGE → FOULE

MOUTON RETOURNÉ

Voir illus. **Manteaux**

MOUTONNÉ → NUAGE

MOUTURE → CÉRÉALE, FARINE

Voir tab. **Café**

MOUVANT → INSTABLE

MOUVANT changeant, flottant, fluctuant, fugitif, inconstant, instable, lise, mobile

MOUVEMENT → ANIMATION, BOUILLONNEMENT, CIRCULATION, DÉPLACEMENT, DEVENIR (1), ÉCOLE, ÉLAN (1), ENTRAÎNEMENT, ÉVOLUTION, FORMATION, IMPULSION, MOBILITÉ, PROGRESSION, RÉFLEXE, RÉVOLUTION, RYTHME, SOUFFLE, TENDANCE, VARIATION

Voir illus. **Symboles musicaux**

MOUVEMENT abduction, adagio, adduction, agitation, allegretto, allegro, andante, andantino, balancement, ballant, battement, brownien, cinématique, circulation, convergent, course, déplacement, divergent, dynamique, extension, flexion, glissement, hélicoïdal, larghetto, largo, migration, ondoiement, ondulation, oscillation, plissement, presto, progression, pronation, récession, recul, réflexe, régression, remous, remue-ménage, remuement, rétrogradation, rétrogression, rotation, roulis, sismique, soulèvement, supination, tangage, tempo, torsion, trafic, trajectoire, va-et-vient, vacillation

MOUVEMENT VIBRATOIRE → PHÉNOMÈNE

MOUVEMENTÉ → ANIMÉ, DÉCHIQUETÉ, ORAGEUX

MOUVEMENTÉ accidenté, agité, houleux, orageux, trépidant, tumultueux

MOUVOIR → BOUGER

MOUVOIR actionner, animer, avancer, bouger, déplacer (se), ébranler, enclencher, évoluer, motiver, porter, pousser, progresser, propulser, reculer, remuer, replier (se), stimuler, vivre

MOYEN → BOXEUR, FACULTÉ, FONDS, INTERMÉDIAIRE (2), MODALITÉ, ORDINAIRE, PASSABLE, POSSIBILITÉ, POUVOIR, RAISON, RECETTE, RELATIF, RESSORT, RESSOURCE, RÉSULTAT, SYSTÈME

Voir tab. **Boxe anglaise**

Voir tab. **Savate ou boxe française**

MOYEN (1) à l'aide de, aptitude, artifice, astuce, biais, canal, capacité, dérobade, détour, échappatoire, entremise, excuse, expédient, faculté, formule, grâce à, intermédiaire, manœuvre, méthode, palliatif, prétexte, procédé, recette, ressources, revenu, ruse, solution, stratagème, subterfuge, système, truchement, voie

MOYEN (2) courant, demi-fond, honnête, intermédiaire, lambda, médiocre, modéré, ordinaire, passable, raisonnable

MOYEN ÂGE

Voir tab. **Histoire (grandes périodes)**

MOYEN DUC → HIBOU

MOYENÂGEUX → MÉDIÉVAL

MOYENNE → NORMAL, RADIOÉLECTRIQUE, STATISTIQUE

MOYENNE géométrique, norme, variance

MOYEU → HÉLICE, POULIE, ROUE

MOYEU AVANT

Voir illus. **Bicyclette**

MOZARABE → CHRÉTIEN

MP3

Voir tab. **Internet**

Voir tab. **Multimédia (les mots du)**

MPEG

Voir tab. **Internet**

MST (MALADIE SEXUELLEMENT TRANSMISSIBLE) → SEXUEL

MTS (MÈTRE-TONNE-SECONDE) → UNITÉ

MÛ → CONDUIRE

MUCILAGE → PURGE, SOLUTION

MUCOVISCIDOSE → PANCRÉAS

MUCRON → POINTE

MUCUS → NASAL, SÉCRÉTER

MUDÉJAR → MUSULMAN (1)

MUE → ADOLESCENCE, CAGE, CARAPACE, POIL, VOIX, VOLAILLE

MUE changement, dépouille, épinette, exuvie, métamorphose, soprano, transformation

MUER → CHANGER, NEUF, SUBSTITUER, TRANSFORMER

MUESLI → AVOINE, CÉRÉALE

MUET → BAVARD, RÉPONSE, SYLLABE

MUET bouche bée, caduc, coi, dactylologie, latent, mimodrame, mutisme (s'enfermer dans le), mutité, pantois, pantomime, silencieux, surdimutité, taciturne

MUETTE → PAVILLON

MUEZZIN → APPEL, ISLAM, MOSQUÉE, PRIÈRE, RELIGIEUX (1)

Voir tab. **Islam (vocabulaire de l')**

MUFLE → GROSSIER, IMPOLI, MALOTRU, MUSEAU, NEZ

MUFLE butor, goujat, malappris, malotru, rustre, truffe

MUFTI → MUSULMAN (2), RELIGIEUX (1)

Voir tab. **Islam (vocabulaire de l')**

MUGIR → HURLER, RUGIR

Voir tab. **Animaux (termes propres aux)**

MUGIR beugler, gronder, meugler, rugir

MUGISSEMENT → BEUGLEMENT, BŒUF, MER, VACHE, VENT

MUGUET → BLANC (1), CHAMPIGNON, CLOCHETTE, MAI, MYCOSE

MUGUET blanchet, brin, candidose, fête du Travail, liliacées

MUHAMMAD

Voir tab. **Islam (vocabulaire de l')**

MUID → TONNEAU

MULARD → CANARD, HYBRIDE

MULASSIÈRE → JUMENT

MULÂTRE → MÉTIS (1)

MULE → CHAUSSON, HYBRIDE, PANTOUFLE

Voir illus. **Chaussures**

MULE-JENNY → LAINE

MULET → ÂNE, BÊTE (1), CHEVAL, HYBRIDE

MULETIER → CONDUCTEUR

MULETTE → MOULE, PERLE

MULON → TAS

MULSION → TRAITE

MULTICOLORE → BARIOLÉ

MULTICOQUE → COURSE DE BATEAUX

MULTIDISCIPLINAIRE → PLUSIEURS (2)

MULTILINGUE → DICTIONNAIRE, LANGUE

MULTIMÉDIA

Voir tab. **Multimédia (les mots du)**

MULTINATIONALE → INDUSTRIE

Voir tab. **Économie**

Voir tab. **Entreprise (vocabulaire de l')**

MULTIPARE → ACCOUCHER, FEMELLE (1)

MULTIPLE → DIVERS, NOMBREUX, PLUSIEURS (2), VARIÉ

MULTIPLE divers, ppcm, QCM, varié

MULTIPLICANDE → FACTEUR, MULTIPLICATION, NOMBRE

MULTIPLICATEUR → FACTEUR, MULTIPLICATION, NOMBRE

MULTIPLICATION → CALCUL, GÉNÉRATION, OPÉRATION

Voir tab. **Mathématiques (symboles)**

MULTIPLICATION accroissement, augmentation, bourgeonnement, bouturage, gemmation, marcottage, mitose, multiplicande, multiplicateur, produit, prolifération, pullulement, Pythagore (de), scissiparité, sporulation

MULTIPLICITÉ → DIVERSITÉ

MULTIPLIER → CROÎTRE, ENTASSER, FLEURIR, RÉPÉTER, VARIER

MULTIPLIER développer (se), réitérer, répéter

MULTIPOLAIRE → BORNE

MULTIRISQUE

Voir tab. **Assurance (vocabulaire de l')**

MULTITUDE → AFFLUENCE, ARMÉE, BEAUCOUP, FLOT, FOISON, NOMBRE

MULTITUDE cohorte, cohue, essaim, flot, foule, légion, masse, nuée, troupe

MUNICIPAL → COMMUNAL, ÉLECTION

MUNICIPAL communal, mont-de-piété, octroi

MUNICIPALITÉ → COMMUNE, MAIRE, VILLE

MUNICIPE → VILLE

MUNIFICENCE → PROFUSION

MUNIFICENT → GÉNÉREUX, LARGE

MUNIR → DOTER, ÉQUIPER, POURVOIR, PRENDRE

MUNIR armer de (s'), doter, emporter, équiper (s'), garnir, nantir, outiller (s'), pourvoir, prendre

MUNITION → ARMEMENT, BALLE, CARTOUCHE, PROVISION

MUNITION arsenal, balle, cartouche, feu (unité de), génie, logisticien, obus

MUNSTER
Voir illus. **Fromages**

MUNTJAC → CERF

MUQUEUSE → MEMBRANE

MUQUEUSE GINGIVALE
Voir illus. **Dent**

MUQUEUX → ULCÈRE

MUR → OBSTACLE, PAROI
Voir illus. **Charpente**
Voir illus. **Intérieur de maison**

MUR bahut, bajoyer, chaînage, chaperon, chevêtre, cloison, contre-fruit, contre-mur, courtine, crépi, décharge (en), embrasure, enveloppe (d'), essentage, extra-muros, fruit, garde-fou, gouttereau, harpe, intra-muros, lézarde, mur-pignon, parapet, parement, perré, pignon, ravalement, refend (de), renformir, rideau, rusticage, soutènement (de)

MÛR → FAIT, PARVENU (2), RAISONNABLE, RÉFLÉCHI, SAVOUREUX

MÛR posé, sage, avancé, blet, hâtif, immature, précoce, raisonnable, réfléchi, tardif

MUR D'ENCEINTE
Voir illus. **Château fort**

MUR DE SOUTÈNEMENT → APPUI

MURAILLE → CHÂTEAU, SABOT
Voir illus. **Cheval**

MURÉ → AVEUGLE

MURER → BOUCHER (1), CONDAMNER, ENFERMER, FERMER

MURER aveugler, boucher, cacher (se), claustrer (se), cloîtrer (se), condamner, enfermer (s')

MURET → PARAPET

MUREX → POURPRE (1)

MURIDÉS → SOURIS

MÛRIER → URTICAIRE

MÛRIR → MÉDITER, PERFECTIONNER (SE), PRÉPARER, RÉALISER (SE), RÉFLÉCHIR

MÛRIR assimiler, combiner, digérer, échafauder, élaborer, méditer, mûrisserie, préparer, réfléchir

MÛRISSAGE → MATURITÉ

MÛRISSEMENT → MATURATION

MÛRISSERIE → MÛRIR

MURMEL → MARMOTTE

MURMURE → BOURDONNEMENT, BRUISSEMENT, FRÉMISSEMENT, FRISSON, GÉMISSEMENT, VENT
Voir tab. **Bruits**

MURMURE bourdonnement, grognement, plainte, protestation, respiratoire

MURMURER → BAS (2), CHUCHOTER, PARLER, SOUFFLER

MURMURER bruire, chuchoter, frémir, grommeler, marmonner, marmotter, maugréer, susurrer

MUROL
Voir illus. **Fromages**

MUSAGÈTE → MUSE

MUSARAIGNE → SOURIS

MUSARDER → BADAUD, FLÂNER, TRAÎNER

MUSC → PARFUM

MUSCADE
Voir tab. **Herbes, épices et aromates**

MUSCADELLE → POIRE

MUSCADET → MELON

MUSCADIN → DANDY, INCROYABLE (1)

MUSCARI → JACINTHE

MUSCAT → RAISIN

MUSCICAPIDÉS → MERLE

MUSCIDÉS → MOUCHE

MUSCINÉES → MOUSSE (1)

MUSCLE → CORPS
Voir tab. **Chirurgicales (interventions)**

MUSCLE aponévrose, body-building, Bywaters (syndrome de), claquage, culturisme, fascia, kinesthésie, musculeux, my(o)-, myome, myopathie, myosite, oculaire, tendon

MUSCLE AMOUREUX → ŒIL

MUSCLE ARRECTEUR OU HORRIPILATEUR → POIL
Voir illus. **Peau**
Voir illus. **Poil**

MUSCLE OCULAIRE → AMOUREUX

MUSCLE OCULOMOTEUR
Voir illus. **Œil**

MUSCLÉ → BÂTI (1), PUISSANT, ROBUSTE

MUSCULEUX → MUSCLE

MUSE → ART, FEMME, INSPIRER

MUSE égérie, Hélicon, Hippocrène, inspirateur, musagète

MUSEAU → NEZ

MUSEAU groin, hure, mufle, muselière, truffe

MUSÉE → ART, CONSERVATEUR, PEINTURE

MUSÉE conservateur, glyptothèque, muséographie, muséologie, muséum, pinacothèque

MUSELER → BÂILLONNER, ENCHAÎNER, OPPRIMER, SILENCE, TAIRE

MUSELET → BOUTEILLE

MUSELIÈRE → MORDRE, MUSEAU

MUSÉOGRAPHIE → MUSÉE

MUSÉOLOGIE → MUSÉE

MUSER → BADAUD, CERF

MUSEROLLE
Voir illus. **Harnais**

MUSETTE → ACCORDÉON, BAL, BERGER, CORNEMUSE, DANSE, GIBECIÈRE, GIBECIÈRE, SAC
Voir tab. **Danses (types de)**

MUSÉUM → CONSERVATEUR, MUSÉE

MUSICAL → HARMONIEUX

MUSIC-HALL → CABARET, CAFÉ, SPECTACLE, VARIÉTÉ

MUSICIEN → INTERMITTENT (2), INTERPRÈTE
Voir tab. **Saints patrons**

MUSICIEN chambriste, compositeur, concertiste, contrapuntiste, diapason, exécutant, interprète, maestro, ménestrel, ménétrier, métronome, soliste, virtuose

MUSICOGRAPHE → MUSIQUE

MUSICOLOGIE → MUSIQUE

MUSICOTHÉRAPIE → MUSIQUE
Voir tab. **Médecines alternatives**

MUSIQUE → MATHÉMATIQUE
Voir tab. **Muses**

MUSIQUE conservatoire, dodécaphonisme, Euterpe, gamme, harmonie, mélo-, mélodie, mélomane, musicographe, musicologie, musicothérapie, opus, partition, portée, pupitre, solfège

MUSIQUE ÉLECTRONIQUE
Voir tab. **Musiques nouvelles**

MUSIQUE SÉRIELLE → SÉRIE

MUSOIR → JETÉE

MUSOPHOBIE
Voir tab. **Phobies**

MUSQUÉ → RECHERCHÉ

MUSSIF → ÉTAIN

MUSSIPONTAINS
Voir tab. **Habitants (comment se nomment les)**

MUSSITATION → PAROLE, VOIX

MUSTANG → CHEVAL, RODÉO

MUSTÉLIDÉS → HERMINE

MUSTH → REPRODUCTION

MUSULMAN → ISLAM
Voir tab. **Islam (vocabulaire de l')**

MUSULMAN (1) Allah, arkan, burqa, calife, chahada, chiite, circoncision, Coran, djellaba, djihad, fez, hadjdj, haïk, hégire, imam, islam, Ka'ba, mahométan, marabout, mollah, moudjahidin, mudéjar, piliers, ramadan, salat, sawm, sunnite, tchador, tchadri, zakat

MUSULMAN (2) Achoura, Aïd-el-Fitr, Aïd-el-Kébir, baïram, cadi, charia, chérif, halal, kharidjisme, madrasa, Mouloud, mufti, sultan, turbé, uléma, wahhabisme

MUTAGÈNE → MUTATION

MUTANT → MUTATION, SCIENCE-FICTION

MUTATION → ADAPTATION, AFFECTATION, CHANGEMENT, DÉTACHEMENT, PASSAGE, RÉVOLUTION, TRANSFORMATION, TRANSMISSION, USUFRUIT, VARIATION

MUTATION affectation, conversion, mutagène, mutant, promotion, transmutation

MUTATION (JEU DE) → ORGUE

MUTATIONNISME → ESPÈCE, ÉVOLUTION

MUTÉ → DÉPLACÉ

MUTER → AJOUTER, DÉPLACER, DEVENIR (2)

MUTILATION → ABLATION, ALTÉRATION, ATROCITÉ, SUPPRESSION

MUTILÉ → BLESSÉ, INFIRME, INVALIDE (1)

MUTILER → AMPUTER, BLESSER, CHÂTRER, COUPER, STÉRILISER

MUTILER abîmer, amputer, automutilation, blesser, castrer, censurer, châtrer, dégrader, détériorer, écharper, endommager, estropier, expurger, tronquer

MUTIN → AGITATEUR, GAMIN (2), IMPERTINENT, PRISONNIER, REBELLE (2), RÉVOLUTIONNAIRE (1)

MUTINER CONTRE (SE) → DÉSOBÉIR

MUTINERIE → ÉMEUTE, REBELLE (1), RÉSISTANCE, RÉVOLTE, SOULÈVEMENT

MUTISME → EXPRESSION, MUET, PARLER, SILENCE, STUPEUR

MUTISME barricader (se), claustrer (se), mutité, réfugier (se), retrancher (se)

MUTITÉ → MUET, MUTISME, VOIX

MUTUALISME → MUTUEL

MUTUALITÉ → MUTUEL, SOLIDARITÉ

MUTUEL → RÉCIPROQUE (2)

MUTUEL mutualisme, mutualité, partagé, réciproque

MUTUELLE → COMPAGNIE

MUTULE
Voir illus. **Colonnes**

MY(O)- → MUSCLE

MYCÉLIUM → CHAMPIGNON

MYCODERME → FLEUR

MYCOGRAPHIE → CHAMPIGNON

MYCOLOGIE → CHAMPIGNON
Voir tab. **Sciences : termes en -ologie et -ographie**

MYCORHIZE → RACINE

MYCOSE → CHAMPIGNON, INFECTION, PARASITE (2)

MYCOSE antifongique, antimycosique, blanchet, candidose, chancre, encre, favus, fongicide, muguet, teigne

MYDRIASE → DILATATION

MYÉL(O)- → MOELLE

MYÉLITE → MOELLE

MYÉLOGRAMME → MOELLE

MYÉLOGRAPHIE → MOELLE

MYÉLOMATOSE → MOELLE

MYGALE → ARAIGNÉE

MYI- → MOUCHE

MYIASE → MOUCHE

MYO-
Voir tab. **Chirurgicales (interventions)**

MYOGRAPHE → CONTRACTION

MYOLOGIE → ANATOMIE
Voir tab. **Sciences : termes en -ologie et -ographie**

MYOME → MUSCLE, TUMEUR

MYOMÈTRE
Voir illus. **Génitaux (appareils)**

MYOPATHIE → MUSCLE

MYOPIE → VUE

MYOPIE amétropie, concave, hypermétrope, presbyte

MYOPOTAME → CASTOR

MYOSITE → MUSCLE

MYOSOTIS → BLEU (1), OREILLE
Voir tab. **Végétaux (classification simplifiée des)**

MYRIA- → MILLE

MYRIADE → NOMBRE

MYRIAPODES
Voir tab. **Animaux (classification simplifiée des)**
MYRICA → CIRE
MYRIO- → MILLE
MYRMÉ(CO)- → FOURMI
MYRMÉCOLOGIE
Voir tab. **Sciences : termes en -ologie et -ographie**
MYRMÉCOPHILE → FOURMI
MYRMIDON → FOURMI, PETIT (2)
MYROBOLAN → PRUNIER
MYRRHE → GOMME, MAGE, PARFUM, RÉSINE
MYRTE → MAQUIS
Voir tab. **Ébénisterie (essences utilisées en)**
MYRTILLE → BAIE
Voir tab. **Végétaux (classification simplifiée des)**
MYSTAGOGIE → INITIATION, MYSTÈRE, RELIGION
MYSTAGOGUE → GREC
MYSTÈRE → CACHOTTERIE, DESSERT, DRAME, ÉNIGME, EXTRAORDINAIRE, FARCE, POT, PROBLÈME, THÉÂTRAL, VÉRITÉ
MYSTÈRE arcanes, hiérophante, Incarnation (l'), mansion, mystagogie, Rédemption (la), secret, Trinité (la)
MYSTÉRIEUX → HERMÉTIQUE, INCOMPRÉHENSIBLE, INCONNU (2), INDÉCHIFFRABLE, INSONDABLE, INVISIBLE, OBSCUR, SECRET (2), SUSPECT (1), TÉNÉBREUX
MYSTÉRIEUX énigmatique, ésotérique, étrange, hermétique, impénétrable, incompréhensible, inexplicable, insolite, insondable, kabbalistique, obscur, sibyllin
MYSTICÈTES → BALEINE, CÉTACÉ
MYSTICISME → RAISON
MYSTIFICATEUR → FARCE
MYSTIFICATION → BLAGUE, FARCE, PLAISANTERIE, SUBTERFUGE
MYSTIFIER → ABUSER, LEURRER, MENTIR, TROMPER
MYSTIFIER abuser, berner, blague, canular, duper, farce, fumisterie, galéjade, tromper
MYSTIQUE → ADORATION, CROYANT, DIEU, ILLUMINÉ, INSPIRÉ, RELIGIEUX (2), SPIRITUEL
MYSTIQUE (1) illuminé, inspiré
MYSTIQUE (2) anagogie, contemplation, Église, élancement, Jésus-Christ, quiétisme, ravissement, Rose-Croix, soufisme, transport, vision
MYTHE → LÉGENDE, RÉCIT
MYTHE allégorie, Camus (Albert), chimère, démythifier, fable, illusion, légende, utopie
MYTHIQUE → FABULEUX, FANTASTIQUE, LÉGENDAIRE
MYTHOLOGIE → DIEU
Voir tab. **Histoire (grandes périodes)**
MYTHOLOGIE Fable (la), Freyr, Odin, Olympe, panthéon, Thor, walhalla
MYTHOMANIE → ILLUSION, MENSONGE
Voir tab. **Manies**

MYTILICULTURE → MOULE
Voir tab. **Élevages**
MYTILOTOXINE → MOULE
MYXINE
Voir tab. **Animaux (classification simplifiée des)**
Voir tab. **Poissons (classification simplifiée des)**
MYXŒDÈME → GLANDE
MYXOMATOSE → LAPIN
MYXOPHOBIE
Voir tab. **Phobies**

N
Voir tab. **Éléments chimiques (symbole des)**
NA
Voir tab. **Éléments chimiques (symbole des)**
NABAB → COLONISATEUR, RICHE (2)
NABI → PROPHÈTE
NABOT → NAIN
NABUCHODONOSOR → CHAMPAGNE, LITRE
Voir tab. **Bouteilles**
NACARAT
Voir tab. **Couleurs**
NACELLE → BÉBÉ, PANIER
Voir illus. **Avion**
Voir tab. **Bateaux**
NACRE → MARQUETERIE
NACRÉ → CHAIR, MINÉRAL (1)
Voir tab. **Couleurs**
NACROCULTURE
Voir tab. **Élevages**
NADIR → POINT, ZÉNITH
NÆVUS → ENVIE, FRAISE, GRAIN, PEAU, TACHE
NAGASAKI → ATOMIQUE
NAGE au court-bouillon, brasse, brasse coulée, brasse papillon, crawl, dos crawlé, indienne, marinière, over arm stroke, suer, transpirer
NAGE (CHEF DE) → NAGEUR
NAGE (EN) → SUEUR
NAGEOIRE
Voir illus. **Poisson**
NAGEOIRE aileron, anale, caudale, dorsale, équilibre, hétérocerque, homocerque, locomotion, macropode, pectorale, pelvienne
NAGER → PATAUGER
NAGER baigner, barboter, flotter, ramer, surnager
NAGEUR brasseur, brigadier, crawleur, homme-grenouille, nage (chef de)
NAGE-WASA → JUDO
NAGUÈRE → PASSÉ (1)
NAHUM
Voir tab. **Bible**
NAÏADE → NYMPHE, RIVIÈRE
Voir tab. **Mythologiques (créatures)**
NAÏF → BÊTE (2), BLEU (1), INNOCENT (2), NIAIS, POIRE, SIMPLE, SOT
NAÏF benêt, candide, confiant, crédule, ingénu, innocent, niais, novice, pur
NAIN → BUISSON, ŒUF, PETIT (2)

NAIN avorton, bonsaï, cabri, chamérops, doum, farfadet, génépi, gnome, korrigan, lilliputien, lutin, nabot, nanifier, Pygmées
NAINE
Voir illus. **Étoiles (formation des)**
NAISSAIN → HUÎTRE, LARVE
NAISSANCE → COMMENCEMENT, DÉPART, EXTRACTION, FONDATION, RACINE, SANG
NAISSANCE accouchement, agnelage, anténatale, aube, aurore, congénital, constitution, contraception, création, éclosion, élaboration, enfantement, épanouissement, état civil, extraction, floraison, genèse, gésine, infus, inné, lignage, lignée, malthusianisme, mise bas, nativité, naturel, origine, orthogénie, parturition, planification, point du jour, prénatal, source, taux de natalité, utérin, vêlage
NAISSANCE (EXTRAIT DE) → IDENTITÉ
NAISSEUR → JUMENT
NAÎTRE → RÉSULTAT, SURGIR, SUSCITER, VENIR
NAÎTRE consanguin, engendrer, éveiller, éveiller à (s'), générer, ouvrir à (s'), prématuré, provenir, provoquer, résulter, susciter, utérin, venir au monde, voir le jour
NAÎTRE (FAIRE) → INSPIRER
NAÏVETÉ → BÊTISE, CONFIANCE, FRAÎCHEUR, IGNORANCE, INNOCENCE, NIAISERIE
NAÏVETÉ candeur, confiance, crédulité, fraîcheur, inexpérience, ingénuité, innocence, insouciance, jobarderie, niaiserie, pureté, simplicité
NAJA → SERPENT
NANDOU → AUTRUCHE, OISEAU
Voir tab. **Oiseaux (classification simplifiée des)**
NANIFIER → NAIN
NANISME → GLANDE
NANKIN → JAUNE
NANORÉSEAU → RÉSEAU
NANSOUK → CHEMISE, TOILE
Voir tab. **Tissus**
NANTI → AISÉ, PUISSANT, RICHE (2)
NANTIR → GRATIFIER, MUNIR, POURVOIR, PRENDRE
NANTISSEMENT → CONTRAT, GAGE, SÛRETÉ
Voir tab. **Droit (termes de)**
NANTUA
Voir tab. **Habitants (comment se nomment les)**
NANTUATIENS
Voir tab. **Habitants (comment se nomment les)**
NANTUCKET → BALEINE
NAOS → GREC, TEMPLE
Voir illus. **Colonnes**
NAP → CHIC
NAPALM → BOMBE
NAPÉES → NYMPHE
NAPHTALINE → FOURRURE
NAPHTE → BITUME, BRUT, CARBURE, COMBUSTIBLE, DÉGRAISSER, DISSOUDRE

NAPOLÉON → CERISE, OR, PIÈCE
NAPOLÉON Iᵉʳ
Voir tab. **Rois et chefs d'État de la France**
NAPOLÉON III
Voir tab. **Rois et chefs d'État de la France**
NAPPE → EAU, GISEMENT
NAPPE aquifère, bulgomme, étang, fagne, marais, mare, marécage, marée noire, phréatique, puits artésien, toile cirée
NAPPER → COUVRIR
NARCISSE → JONQUILLE
NARCISSIQUE → REGARDER (SE)
NARCISSISME → AMOUR, IMAGE, INDIVIDUALITÉ, MOI, PERSONNE
NARCOLEPSIE → DORMIR, SOMMEIL
NARCOSE → ANESTHÉSIE, HYPNOSE, INCONSCIENCE, NARCOTIQUE (1), SOMMEIL
NARCOTHÉRAPIE → SOMMEIL
NARCOTIQUE → CALMANT, DORMIR, DROGUE, OPIUM, SOMMEIL
NARCOTIQUE (1) anesthésique, assoupissant, calmant, hypnotique, narcose, sédatif, soporifique
NARCOTIQUE (2) datura, jusquiame, populéum
NARCOTRAFIC → TRAFIC
NARCOTRAFIQUANT → DROGUE
NARD → PARFUM
NARGUER → INSOLENCE, MOQUER (SE), PROVOQUER
NARGUILÉ → PIPE
NARINE
Voir illus. **Bouche, nez, gorge**
Voir illus. **Cheval**
Voir illus. **Poisson**
NARINE évents, moraille, naseaux, vibrisse
NARQUOIS → CAUSTIQUE, FRIPON (2), IRONIQUE, MALICIEUX, MOQUEUR, SARCASTIQUE
NARRATION → DESCRIPTION, RELATION
NARRATION composition française, compte rendu, conter, exposé, exposer, flash-back, narrer, parabase, raconter, rapport, rapporter, récit, rédaction, relater, relation, simultanéisme
NARRER → NARRATION, RACONTER
NARTHEX → PORCHE, PORTIQUE, VESTIBULE
Voir illus. **Église (plan d'une)**
NARVAL → CÉTACÉ, CORNE
NASAL choanes, cloison, cornet, coryza, crottes de nez, épistaxis, ethmoïde, fosses, jetage, morve, mucus, pituitaire, rhinite, rhume de cerveau, ronflement, septum, tilde, vomer
NASEAU → NARINE, NEZ
Voir illus. **Cheval**
NASI GORENG
Voir tab. **Spécialités étrangères**
NASILLARD
Voir tab. **Bruits**
NASILLEMENT → PRONONCIATION
NASILLER → NEZ
Voir tab. **Animaux (termes propres aux)**
NASSE → CASIER, ÉCREVISSE, FILET, PANIER, VANNERIE

NATALITÉ → DÉMOGRAPHIE
Voir tab. **Population**
NATALITÉ boom, dénatalité
NATATION
Voir tab. **Sports**
NATATION culbute, maître nageur, plongeon acrobatique, synchronisée, water-polo
NATIF → AUTOCHTONE, BRUT, INDIGÈNE (2), INNÉ, PAYS, VENIR
NATIF aborigène, allogène, autochtone, brut, étranger, immigré, indigène, naturalisé, originaire
NATION → DROIT (1), ÉTAT, PERSONNE, PEUPLE, PUISSANCE
NATION contrée, État, patriotisme, pays, peuple, région
NATIONAL → ARMÉE, CONCILE
NATIONAL biculturalisme, carbonaro, centrale, vexillologie
NATIONALISATION → ÉTAT, INDUSTRIEL (2)
NATIONALISÉ → INDUSTRIE
NATIONALISER dirigisme, entrepreneur direct, étatisme, interventionnisme
NATIONALISME autonomiste, chauvinisme, indépendantiste, protectionnisme, sécessionniste, séparatiste, xénophobie
NATIONALISTE → AUTONOMIE, XÉNOPHOBE
NATIONALITÉ → DROIT (1)
NATIONALITÉ apatride, cosmopolite, heimatlos, naturalisation, sans-patrie
NATIVITÉ → NAISSANCE, THÈME, VIERGE (1)
NATRON → CONSERVATION
NATTAGE → VANNERIE
NATTE → CHEVEU, COIFFURE, TAPIS, TRESSE
Voir illus. **Cheveux (coupes de)**
NATTÉ
Voir tab. **Tissus**
NATURALISATION → DROIT (1), IMMIGRÉ, NATIONALITÉ
NATURALISATION acclimatation, adaptation, empaillage, taxidermie
NATURALISÉ → NATIF, PAYS
NATURALISER → CITOYENNETÉ, EMPAILLER, ÉTRANGER (1)
NATURALISME → LITTÉRAIRE
NATURALISTE → DRAME
NATURALISTE biologiste, botaniste, empailleur, entomologiste, géologue, minéralogiste, taxidermiste, zoologiste
NATURE → ESPÈCE, ESSENCE, INSTINCT, PERSONNALITÉ, RÉALITÉ, SORTE, TEMPÉRAMENT, UNIVERS
NATURE biosphère, capable de, caractère, catégorie, complexion, constitution, en soi, environnement, espèce, essence, genre, idiosyncrasie, intrinsèquement, monde, naturel, ordre, propre à, sorte, susceptible de, tempérament, univers
NATURE (D'APRÈS) → MOTIF
NATURE MORTE

Voir tab. **Peinture et décoration**
NATUREL → AISANCE, AISÉ, BÂTARD, BRUT, FRAÎCHEUR, HUMEUR, ILLÉGITIME, INNÉ, LÉGITIME, NAISSANCE, NATURE, NORMAL, PATERNITÉ, PLASTIQUE (2), PRAIRIE, RAISONNABLE, SAIN, SIMPLE, SIMPLICITÉ, SPONTANÉ, TEMPÉRAMENT, VIF (1)
NATUREL adultérin, botanique, brut, congénital, dégagé, entomologie, franc, géologie, habituel, héréditaire, illégitime, inné, libre, minéralogie, normal, pur, régulier, sincère, spontané, zoologie
NATURELLEMENT → DÉFINITION, ENTENDU, FARD
NAUFRAGE → COULER, ÉPAVE, RUINE, SOMBRER
NAUFRAGE abîmer (s'), couler, détresse (en), disparaître, effondrement, engloutir (s'), perdition (en), périr, perte, ruine, sombrer
NAUMACHIE → CIRQUE, COMBAT, SPECTACLE
NAUPATHIE → MAL (1), MER, NAUSÉE
NAUPLIUS → CRUSTACÉ, LARVE
NAUSÉABOND → DÉGOÛTANT, ÉCŒURANT, INFÂME, MALSAIN, MAUVAIS, ODEUR, PUTRIDE
NAUSÉE → DÉGOÛT, MALAISE, VOMIR
NAUSÉE chlorpromazine, dégoût, écœurement, haut-le-cœur, hémicrânie, mal de mer, migraine, naupathie, vomir (envie de)
NAUTILE → MOLLUSQUE
NAUTIQUE aviron, barefoot, canoë, canotage, canyoning, planche à voile, ski nautique, surf, yachting à voile
NAUTONIER → CONDUCTEUR, PILOTE
NAVAJA → SABRE
NAVAL → BATAILLE, MARITIME
NAVAL flotte, marine
NAVARIN → MOUTON, SAUCE, VIANDE
NAVARQUE → COMMANDANT
NAVE
Voir tab. **Bateaux**
NAVET → LÉGUME
NAVETTE → BOBINE, DENTELLE, ENCENS, SÉNAT, SERVICE, VENUE
Voir tab. **Couture**
NAVETTE aller-retour, bac, bachot, canette, car-ferry, chaloupe, ferry-boat, traille, transbordeur, va-et-vient, youyou
NAVETTE (TAILLE EN)
Voir illus. **Pierres précieuses (taille des)**
NAVICERT → LAISSEZ-PASSER, NAVIGUER
NAVIGATEUR → MARIN (1)
Voir tab. **Internet**
NAVIGATION → ÉQUIPAGE
NAVIGATION aéronautique, astronomique, batellerie, bornage, cabotage, decca, estime (à l'), hauturière, large (au), long cours (au), loran, radioélectrique, terre (en vue de), timonerie, yachting

NAVIGUER → RENSEIGNEMENT, SITE, VOILE, WEB
NAVIGUER conserve (de), navicert, portage, sec de toile (à), sous-marin, submersible, surfer, voguer
NAVIPLANE → TRANSPORT, VÉHICULE
NAVIRE → BATEAU, BÂTIMENT
NAVIRE armateur, artimon, beaupré, brick, brigantin, brise-glace, cuirassé, deux-mâts, drakkar, dundee, galère, ketch, pavillon, schooner, sistership
NAVRANT → AFFLIGEANT, DÉPLORABLE, LAMENTABLE, PITOYABLE, REGRETTABLE, TRISTE
NAVRÉ → FÂCHÉ
NAVRER → AFFLIGER, CONTRARIER, DÉSESPÉRER, DÉSOLER, FÂCHER, MÉCONTENTER
NAZI → BRUN
NAZISME → FASCISME
NB → COMPLÉMENT
Voir tab. **Éléments chimiques (symbole des)**
ND
Voir tab. **Éléments chimiques (symbole des)**
NE
Voir tab. **Éléments chimiques (symbole des)**
NEANDERTAL
Voir illus. **Hominidés**
NÉANDERTALIEN → PRÉHISTORIQUE
NÉANT → RIEN (2), VIDE (1), ZÉRO (1)
NÉANT anéanti, annihilé, détruit
NEBKA → DÉSERT
NÉBULÉ
Voir illus. **Héraldique**
Voir tab. **Héraldique (vocabulaire de l')**
NÉBULEUSE → COMÈTE
Voir illus. **Étoiles (formation des)**
NÉBULEUX → BROUILLARD, BRUME, CLARTÉ, CONFUS, FLOU, MALENTENDU, NUAGE, TÉNÉBREUX, VAGUE (2)
NÉBULEUX abstrus, alambiqué, brumeux, chargé, chevelure, confus, couvert, embrumé, filandreux, flou, fumeux, incompréhensible, indécis, indistinct, inintelligible, nuageux, vague, voilé
NÉBULISATEUR → AÉROSOL
NÉBULISEUR → BOUTEILLE
NEC PLUS ULTRA → FIN (1), MEILLEUR (2), MIEUX (1), PARFAIT, PERFECTION
NÉCESSAIRE → ESSENTIEL, FORCÉ, IMPORTANT, IMPOSER (S'), INÉVITABLE, OBLIGÉ, TROUSSE, UTILE
NÉCESSAIRE absolu, apodictique, inconditionné, inéluctable, inévitable, irrécusable, irréfragable, irréfutable, obligé, premier
NÉCESSAIREMENT → FORCÉMENT
NÉCESSITÉ → DÉTRESSE, INDIGENCE, INSUFFISANCE, PAUVRETÉ, UTILITÉ
NÉCESSITÉ besoin, contrainte, dénuement, déterminisme,

exigence, gêne, indigence, misère, obligation, pauvreté
NÉCESSITER → DEMANDER, IMPLIQUER, RÉCLAMER, SUPPOSER
NÉCESSITEUX → MISÉRABLE (2)
NÉCR(O)- → MORT
NÉCROLOGE → MORT (1)
NÉCROLOGIE → JOURNAL, MORT (1), REGISTRE, RUBRIQUE
NÉCROMANCIE → CONSULTATION, ESPRIT, MORT (1), OCCULTE
NÉCROPHAGIE → CADAVRE
NÉCROPHILE
Voir tab. **Phobies**
NÉCROPHORE → PONDRE
NÉCROPOLE → CIMETIÈRE, ENTERRER, SOUTERRAIN (2)
NÉCROPSIE → AUTOPSIE, CADAVRE
NÉCROSE → DENT, GANGRÈNE, OSSEUX
NECTAR → BOISSON, FLEUR, MIEL, SUBSTANCE
Voir tab. **Fleur**
NECTON → MARIN (2)
NÉERLANDAIS → GERMANIQUE, HOLLANDAIS
NEF → ALLÉE, VAISSEAU
Voir illus. **Église (plan d'une)**
Voir tab. **Bateaux**
NÉFASTE → CONTRAIRE (2), DÉFAVORABLE, FATAL, FUNESTE, MALIN (2), MAUVAIS, NUISIBLE
NÉFASTE déplorable, désastreux, dommageable, fatal, funeste, mauvais, nuisible
NÉGATIF → ALGÈBRE, CLICHÉ, DÉFAVORABLE, DÉPRÉCIATIF, PHOTOGRAPHIE, PHRASE
Voir tab. **Photographie (vocabulaire de la)**
NÉGATIF apophatique, cathode, cliché, contretype, négativisme, négaton, nul
NÉGATION → ADVERBE
NÉGATION athéisme, dénégation, déni, forclusion, nihilisme, scotomisation
NÉGATIVE démentir, nier, refus
NÉGATIVISME → NÉGATIF
NÉGATON → NÉGATIF
NÉGLIGÉ → DÉSHABILLÉ, IGNORÉ, MALPROPRE
NÉGLIGÉ (1) déshabillé, peignoir, petite tenue, sortie de bain, tenue d'intérieur
NÉGLIGÉ (2) débraillé, relâché, peu soigné
NÉGLIGEABLE → DÉRISOIRE, INSIGNIFIANT, MÉDIOCRE, MENU (2), MINCE, PAUVRE, SECONDAIRE
NÉGLIGEABLE dérisoire, futile, infime, insignifiant, vain
NÉGLIGENCE → DÉFAUT, INATTENTION, LAISSER-ALLER, NONCHALANCE, OMISSION, ORGANISATION, OUBLI, PRÉCAUTION
NÉGLIGENCE bévue, carence, désinvolture, dysfonctionnement, erreur, faute, imprudence, indolence, laisser-aller, manquement, non-conformisme, omission, oubli
NÉGLIGENT → INGRAT, INSOUCIANT, OUBLIEUX
NÉGLIGER → ABSTRACTION, BAFOUER, DÉDAIGNER, DÉLAISSER, FAIRE, LAISSER, MÉCONNAÎTRE,

MÉPRISER, OUBLIER, OUBLIER, PARENTHÈSE, SACRIFIER

NÉGLIGER abandonner, bâcler, dédaigner, délaisser, désintéresser de (se), expédier, faire fi de, laisser aller (se), méconnaître, omettre, oublier, passer outre, relâcher (se)

NÉGOCE → AFFAIRE, BOUTIQUE, COMMERCE, ENTREPRISE

NÉGOCE commerce, import-export, trafic, traite

NÉGOCIANT → COMMERÇANT, COMMERCE, MARCHAND

NÉGOCIANT ÉLEVEUR → ÉLEVEUR

NÉGOCIATEUR → INTERMÉDIAIRE (2), MÉDIATEUR

NÉGOCIATION → BOURSE, CONVERSATION, ENTRETIEN, RÉCONCILIER, ULTIMATUM

NÉGOCIATION accommodement, accord, compromis, convention, entente (terrain d'), exploratoire, interlocuteur, porte-parole, pourparler, préalable, préliminaire, préparatoire, protocole d'accord, tractation

NÉGOCIER → ACCORD, DISCUTER, INTERVENIR, POIRE, TRAITER, VENDEUR

NÉGOCIER arbitre, conciliateur, médiateur, monnayer

NÈGRE → AUTEUR, RÉDIGER

NÈGRE bolet bronzé, marron, négrier

NÉGRIER → NÈGRE, TRAFIQUANT

NÉGRITUDE → NOIR (2)

NEGRO SPIRITUAL → JAZZ

NÈGUE-CHIEN → BARQUE

NÉGUS → SOUVERAIN (1)

NÉHÉMIE

Voir tab. **Bible**

NEIGE → PRÉCIPITATION

NEIGE après-ski, avalanche, congère, luge, monoski, motoneige, motoski, névé, nivéal, nivopluvial, poudreuse, raquettes, skis, snow-boots, surf, tôlée, traîneau

NEIGE CARBONIQUE → DIOXYDE

NEIGER → IMPERSONNEL

NEIGEUX

Voir tab. **Couleurs**

NEM → BEIGNET, IMPÉRIAL (2)

Voir tab. **Spécialités étrangères**

NÉMAT(O)- → FIL

NÉMATHELMINTHES

Voir tab. **Animaux (classification simplifiée des)**

NEMROD → CHASSEUR (1)

NÉNIES → CHANT, DEUIL

NÉNUPHAR → MARAIS

Voir tab. **Végétaux (classification simplifiée des)**

NÉOCORTEX → HÉMISPHÈRE

NÉODYME

Voir tab. **Éléments chimiques (symbole des)**

NÉOGÈNE

Voir tab. **Géologique (échelle des temps)**

NÉOLITHIQUE → ÂGE, PÉRIODE, PIERRE, PRÉHISTOIRE

Voir illus. **Hominidés**

NÉOLOGISME → MOT, NOUVEAU

NÉOMÉNIE → LUNE

NÉOMYCINE → POMMADE

NÉON → AMPOULE, ÉCLAIRAGE, GAZ, LAMPE

Voir tab. **Éléments chimiques (symbole des)**

NÉONATAL → NOURRISSON

NÉOPHYTE → BLEU (2), DÉBUTANT, PARTISAN (1)

NÉOPILINA → MOLLUSQUE

NÉOPLASME → TUMEUR

NÉOPRÈNE → CAOUTCHOUC

NÈPE → SCORPION

NÉPÈTE → HERBE

NÉPHÉLION → TACHE

NÉPHR(O)-

Voir tab. **Chirugicales (interventions)**

NÉPHRECTOMIE → REIN

NÉPHRÉTIQUE → COLIQUE, REIN

NÉPHRITE → INFLAMMATION, JADE, REIN

NÉPHROCÈLE → HERNIE

NÉPHROLOGIE

Voir tab. **Sciences : termes en -ologie et -ographie**

NÉPHROLOGUE → MÉDECIN

NÉPHROPATHIE → REIN

NÉPOTISME → FAVEUR, MALHONNÊTE, NEVEU, PAPE, PARENT

NEPTUNE → MER, OCÉAN, PLANÈTE, SOLAIRE

Voir illus. **Système solaire**

Voir tab. **Astrologie**

Voir tab. **Planètes du système solaire**

NEPTUNIUM

Voir tab. **Éléments chimiques (symbole des)**

NÉRÉE → MER

NÉRÉIDES → NYMPHE

Voir tab. **Mythologiques (créatures)**

NERF

Voir illus. **Dent**

Voir illus. **Livre relié**

Voir illus. **Peau**

Voir tab. **Chirugicales (interventions)**

Voir tab. **Douleur**

NERF afférent, anastomose, dévitaliser, efférent, innervation, moteur, neurochirurgie, neurotomie, névralgie, névrilème, névrite, névrotomie, plexus, ramification, sensitif, tronc

NERF OPTIQUE

Voir illus. **Œil**

NÉROLI → HUILE, PARFUM

NÉRONIEN → CRUEL

NERPRUN → ÉPINE

NERVEUX → BRUSQUE, ÉMOTIF, EXCITÉ, IMPATIENT (2), SOUDAIN, SPASME

Voir tab. **Vin (vocabulaire du)**

NERVEUX axone, dur, émotif, encéphale, filandreux, fougueux, incisif, moelle épinière, neurone, névraxe, sensible, système cérébro-spinal, système neurovégétatif, tendineux, vif

NERVI → GAGE, TUEUR

NERVOSITÉ → CRISPATION

NERVOSITÉ agacement, agitation, énervement, exaspération, excitation, fébrilité, impatience, irascibilité, irritation

NERVURE → BORDER, BRODERIE, FEUILLE, MOULURE

Voir tab. **Architecture**

Voir tab. **Couture**

NESTLÉ

Voir tab. **Chocolat**

NET → CLAIR, FORMEL, PRÉCIS, PROPRE (2), REVENU, SENSIBLE, SOIGNÉ, SUBITEMENT, TACHE, TENNIS, WEB

NET ambages (sans), catégorique, clair, clairvoyance, crûment, débarrasser, détours (sans), distinct, droit, exempté de, explicite, formel, franc, immaculé, impeccable, lucidité, marqué, perspicacité, précis, propre, régulier, sensible, soigné, vider, vif

NETSUKE → KIMONO

NETSURFER

Voir tab. **Internet**

NETTEMENT → CARRÉMENT, CLAIREMENT

NETTETÉ → PROPRETÉ, PURETÉ

NETTOIEMENT → NETTOYAGE

NETTOYAGE → BALAI

NETTOYAGE blanchissage, décapage, dégraissage, dérochage, détachage, lavage, nettoiement, nettoyage à la vapeur, nettoyage à sec, ramonage, ravalement, teinturier

NETTOYAGE À LA VAPEUR → NETTOYAGE

NETTOYAGE À SEC → NETTOYAGE

NETTOYÉ → PROPRE (2)

NETTOYER → BRICOLER, DÉCAPER, DRAGUER, ESSUYER, FAIRE, LAVER, RAFRAÎCHIR, RINCER

NETTOYER absterger, arçonnage, astiquer, battre, blanchir, bouchonner, briller (faire), briquer, brosser, cirer, cribler, curer, débarbouiller, débroussailler, décrotter, défricher, désherber, désinfecter, dessuintage, déterger, draguer, ébrouage, écouvillonner, étriller, fauberter, fourbir, frotter, housser, laver, monder, panser, ratisser, reluire (faire), sabrage, sarcler, vanner

NEUCHÂTELOIS → SUISSE

NEUF → INCONNU (1), RÉCENT

NEUF muer

NEUF (1) rénover, réparer, restaurer

NEUF (2) ennéade, ennéagone, inconnu, inexpérimenté, métamorphoser (se), moderne, neuvain, neuvaine, novateur, novénaire, novice, original, récent, révolutionnaire

NEUFCHÂTEL → NORMAND

Voir illus. **Fromages**

NEUHAUS

Voir tab. **Chocolat**

NEURASTHÉNIE → DÉPRESSION, MÉLANCOLIE, TRISTESSE

NEUROCHIRURGIE → CHIRURGIE, NERF, PSYCHIATRIE

NEUROLEPTIQUE → CALMANT

Voir tab. **Médicaments**

NEUROLOGUE → MÉDECIN

NEUROMÉDIATEUR → MÉDIATEUR

NEURONAL → CELLULE

NEURONE → NERVEUX

NEUROPSYCHIATRIE → PSYCHIATRIE

NEUROTOMIE → NERF

NEUTRALISATION aïkido, déminage, désamorçage

NEUTRALISER → ANNULER, BLOQUER, CALMER, COMPENSER, CORRIGER, EXCLURE, PARALYSER, TUER

NEUTRALISER amoindrir, anéantir, annihiler, annuler (s'), arrêter, arrêter temporairement, atténuer, contrecarrer, empêcher, enrayer, équilibrer (s'), estomper, immobiliser, suspendre, tuer

NEUTRALISTE → NEUTRALITÉ

NEUTRALITÉ → INDIFFÉRENCE, OBJECTIVITÉ

NEUTRALITÉ neutraliste, non-alignés, non-engagés, vote blanc

NEUTRE → ANONYME, IMPERSONNEL, IMPERSONNEL, OBJECTIF (2)

NEUTRE atone, discrète, eunuque gardien, impartial, impassible, inexpressive, monocorde, neutrino, neutron, neutrophile, objectif, passe-partout

NEUTRINO → NEUTRE

NEUTRON → ATOME, BOMBE, NEUTRE, NOYAU, PARTICULE

Voir illus. **Étoiles (formation des)**

Voir tab. **Chimie**

NEUTROPHILE → NEUTRE

NEUVAIN → NEUF (2)

NEUVAINE → NEUF (2), PIÉTÉ

Voir tab. **Prières et offices de l'Église catholique romaine**

NÉVÉ → MONTAGNE, NEIGE

Voir illus. **Glacier**

Voir tab. **Géographie et géologie (termes de)**

NEVERS → FAÏENCE

Voir tab. **Habitants (comment se nomment les)**

NEVERSOIS

Voir tab. **Habitants (comment se nomment les)**

NEVEU népotisme

NÉVR(O)-

Voir tab. **Chirugicales (interventions)**

NÉVRALGIE → NERF

Voir tab. **Douleur**

NÉVRALGIE ÉPILEPTIFORME → TIC

NÉVRALGIE FACIALE → TÊTE

NÉVRALGIQUE → SENSIBLE

NÉVRAXE → AXE, CERVEAU, MOELLE, NERVEUX

NÉVRILÈME → GAINE, NERF

NÉVRITE → NERF

NÉVROSE → AFFECTIF, CARACTÈRE, DÉSÉQUILIBRE, HYSTÉRIE, MENTAL, PERSONNALITÉ

Voir tab. **Psychanalyse**

Voir tab. **Psychiatrie**

NÉVROTOMIE → NERF

NEW BEDFORT → BALEINE

NEWASA → JUDO

NEWSGROUP → VIRTUEL

Voir tab. **Internet**

NEWTON → FORCE

NEZ → BOUQUET

Voir illus. **Escalier**

Voir tab. **Vin (vocabulaire du)**

NEZ aquilin, bourbonien, busqué,

camard, camus, catarrhe,
clairvoyance, coryza, crochu,
en pied de marmite, en
trompette, épistaxis, face à face,
flair, groin, intuition, morve,
mufle, museau, naseaux,
nasiller, olfaction, ozène,
prévoyance, priser, proue,
retroussé, rhinite, rhinologie,
rhinoplastie, rhume, sagacité,
trompe, vibrisse

NEZ (LONG) → SORCIÈRE
NEZ (TIRER LES VERS DU) →
INTERROGER
NI
Voir tab. **Éléments chimiques
(symbole des)**
NIACINE → VITAMINE
Voir tab. **Vitamines**
NIAIS → IDIOT, IMBÉCILE (2),
INNOCENT (2), NAÏF, RIDICULE, SOT,
SOT, STUPIDE
NIAIS béat, godiche, idiot, jobard,
jocrisse, mièvre, naïf, nigaud
NIAISERIE → BÊTISE, IDIOTIE,
IMMATURE, INEPTIE, NAÏVETÉ
NIAISERIE ânerie, baliverne, bêtise,
candeur, crédulité, fadaise,
futilité, idiotie, jobarderie,
naïveté, sottise, stupidité
NICHE → CAVITÉ, CHIEN,
CONCURRENCE, FARCE,
PLAISANTERIE, TOUR
Voir tab. **Animaux (termes
propres aux)**
NICHE aire, alcôve, biotope,
boulin, buste, caponnière,
enfeu, laraire, mihrab, statue,
vase
NICHÉE → NID, PETIT (1), PORTÉE
NICHER → NID, PERCHER
NICHER airer, blottir (se), cacher
(se), pelotonner (se), tinamou
NICHET → ŒUF
NICHOIR → PANIER
NICHROME → NICKEL
NICKEL
Voir tab. **Éléments chimiques
(symbole des)**
NICKEL argentan, constantan,
cupronickel, ferronickel,
galvanisation, galvanoplastie,
invar, maillechort, manganin,
métallisation, monel, nichrome,
nickelage, nickélifère, pacfung,
permalloy, platinite,
supermalloy
NICKELAGE → NICKEL
NICKÉLIFÈRE → NICKEL
NICO-FORESTIERS
Voir tab. **Habitants (comment se
nomment les)**
NICODÈME → SOT
NICOLAIER (DE) → TÉTANOS
NICOPHILE
Voir tab. **Collectionneurs**
NICOTINE → POISON
NICOTINISME → TABAC
NICTATION → PAUPIÈRE, TIC
NICTITANTE → NOCTURNE
NICTITATION → TIC
NID → ABRI, AIRE, PONDRE
Voir tab. **Animaux (termes
propres aux)**
NID aire, couvée, dépression,
excavation, fourmilière, guêpier,
nichée, nicher, nidifier, ornière,
refuge, repaire, termitière

NID D'ABEILLE
Voir illus. **Briques (appareillages
de)**
NID D'ANGE
Voir illus. **Manteaux**
NID-D'ABEILLES → BRODERIE,
TRICOT
Voir tab. **Tissus**
NID-DE-POULE → CAHOT, TROU
NIDATION
Voir illus. **Ovaire**
NIDIFIER → NID
NIELLE → BLÉ, CHARBON, ÉMAIL
NIELLER → ORNER
NIELLEUR → GRAVEUR
NIEPCE → PHOTOGRAPHIE
NIER → CONTESTER, CONTREDIRE,
DÉMENTIR, INSCRIRE (S'), NÉGATIVE,
PROTESTER, REFUSER (SE)
NIER abjurer, contester, contester,
contredire, démentir, dénier,
désavouer, détruire,
infirmer, mettre en doute,
récuser, rejeter, renier
NIFÉ → TERRE
NIGAUD → NIAIS, SOT
NIGELLE → BARBE
NIGER
Voir tab. **Fleuves**
NIGHT-CLUB → BOÎTE
NIHIL OBSTAT
Voir tab. **Catholique romain
(vocabulaire)**
NIHILISME → NÉGATION,
PESSIMISME
Voir tab. **Philosophie**
NIKKEI → BOURSE, COURS
Voir tab. **Bourse**
NIL
Voir tab. **Fleuves**
NILLE → BOBINE, MANIVELLE,
VITRAIL
NIMBE → COURONNE, MARTYR,
SAINT (1)
NIMBO-STRATUS
Voir illus. **Nuages**
NIMBUS → NUAGE
NINAS → CIGARE, TABAC
NIOBIUM
Voir tab. **Éléments chimiques
(symbole des)**
NIPPON → JAPONAIS
NIRVANA → DÉLIVRANCE
NIRVĀNA
Voir tab. **Bouddhisme**
NITESCENCE → BRILLANT (1),
CLARTÉ, LUEUR
NITESCENT → LUISANT
NITRATE → AZOTE
NITRATE caliche, engrais,
fertilisant, nitre, nitrification,
salpêtre
NITRE → NITRATE
NITRIFICATION → NITRATE
Voir tab. **Chimie**
NITRIQUE (ACIDE)
Voir tab. **Acides**
NITROGÈNE → AZOTE
NITRURATION → AZOTE
NIVAL → RÉGIME
NIVÉALE → NEIGE
NIVEAU → DEGRÉ, ÉCHELON,
ÉTAGE, FORCE, NIVELLEMENT,
PORTÉE, POSITION, RELIEF, STADE
NIVEAU affleurer, aplanir, araser,
clinomètre, degré, échelon,
égaliser, hauteur, inclinomètre,
niveler, plafond, plancher,

registre, seuil, standing,
train de vie, uniformiser, zéro
NIVEAU DE LA MER
Voir illus. **Terre**
NIVELÉ → PLAT (2)
NIVELER → APLANIR, ÉGALISER,
NIVEAU, UNIFORMISER
NIVELER aplanir, déblayer, écrêter,
égaliser, régaler
NIVELEUSE → VÉHICULE
NIVELLEMENT arpenteur géomètre,
cathétomètre, géomètre, mire,
niveau, tachéomètre,
triangulation
NIVERNAIS
Voir tab. **Habitants (comment se
nomment les)**
NIVOPLUVIAL → NEIGE
NIVÔSE → JANVIER
Voir tab. **Mois du calendrier
républicain**
NIXE → DÉESSE, GÉNIE
NIYAMA
Voir tab. **Yoga**
NIZERÉ → ROSE
NO
Voir tab. **Éléments chimiques
(symbole des)**
NO$_2$ → DIOXYDE
NÔ → DRAME, JAPONAIS, THÉÂTRAL
NO MAN'S LAND → SAUVAGE
NOBEL → CONCOURS
NOBEL DE LITTÉRATURE (PRIX)
Voir tab. **Prix littéraires**
NOBÉLIUM
Voir tab. **Éléments chimiques
(symbole des)**
NOBILIAIRE → BLASON
NOBLE → ALTIER, BAS (2), FIER,
ILLUSTRE, IMPÉRIAL (2), IMPOSANT,
MAJESTUEUX, SEIGNEUR, SOUTENIR,
SUBLIME
NOBLE (1) aristocrate, boyard,
daïmio, daimyo, hidalgo,
hobereau, junker, lord, menin,
patricien
NOBLE (2) altier, distingué, élégant,
élevé, généreux, grand,
imposant, magnanime,
majestueux, précieux, quartier
de noblesse, raffiné, soutenu,
sublime
NOBLESSE → ARISTOCRATIE,
BEAUTÉ, DIGNITÉ, DISTINCTION,
ÉTAT, GRANDEUR, HAUTEUR,
MAJESTÉ, ORDRE
NOBLESSE anoblir, armes,
armoirie, baron, blason,
chevalier, comte, couronne, de,
don, duc, gentry, marquis,
noblesse d'épée, prince, Van,
vicomte, von
NOCE → BOMBANCE, MARIAGE
NOCE divorcer, garçon d'honneur,
répudier
NOCES D'ACIER → ONZE
NOCEUR → FÊTE, LIBERTIN
NOCHER → BAC, PILOTE
NOCIF → DANGEREUX, MALFAISANT,
MALIN (2), MALSAIN, NUISIBLE,
TOXIQUE
NOCIVITÉ → NUISIBLE
NOCTAMBULE → MARCHER, NUIT,
VEILLER
NOCTUÉLIENS → PAPILLON
NOCTUELLE → NOCTURNE, NUIT,
PAPILLON
NOCTULE → CHAUVE-SOURIS

NOCTURNE → NUIT, PIANO
Voir tab. **Musicales (formes)**
NOCTURNE acidalie, antilope, aye-
aye, belette, blaireau, chat-
huant, chauve-souris,
chinchilla, chouette,
cossus, duc, effraie, harfang,
hérisson, hérissonne, hermine,
hibou, hulotte, liparis, loir,
nictitante, noctuelle, phalène,
rave, sabbat, strigiformes,
zeuzère
NOCUITÉ → NUISIBLE
NODOSITÉ → ARBRE, BOIS, NŒUD
NODULE → BOUTON
NODULEUSE → NŒUD
NOËL
Voir tab. **Fêtes religieuses**
NOËL avent, crèche, panettone,
réveillon
NOÊSIS → RAISON
NŒUD → BOIS, CAPITAL (2),
CENTRE, CONVERGER, DÉFAUT,
EMBRANCHEMENT, FOND,
ITINÉRAIRE, LOUPE, PÉRIPÉTIE,
VITESSE
NŒUD action, anneau, catogan,
chouchou, cocarde, collet,
cordelier, difficulté, dilemme,
excroissance, franciscain,
intrigue, jonction, lacet, lacs,
lasso, loupe, malandre,
matelotage, nodosité, noeux,
noduleuse, noueux,
problème, repli, rosette
NŒUD COULANT
Voir illus. **Nœuds**
NŒUD D'ÉCOUTE → FILET
NŒUD DE TISSERAND → FILET
NŒUD DE TRIANGULATION
Voir illus. **Ponts**
NŒUD GORDIEN → DIFFICULTÉ
NŒUD HONGROIS DE TRESSES
→ KÉPI
NŒUD PAPILLON → CHEMISE
Voir illus. **Modes et styles**
Voir illus. **Nœuds et cravates**
NŒUD SUR LE POUCE → FILET
NOIR → DEUIL, FROID (1), IVOIRE,
IVRE, MALHEUREUX, MERLE,
OBSCURITÉ, PERLE, POIVRE,
PROFOND, SOMBRE
Voir tab. **Chevaux (robes des)**
Voir tab. **Couleurs**
Voir tab. **Thé**
NOIR basané, charbon, clandestin,
corsé, crasseux, ébène (d'),
ergot, être pessimiste, fatal,
foncé, fort, fuligineux,
fumagine, funèbre, funeste,
hâlé, illégal, jais (de),
macabre, mélancolique,
moreau, négritude,
noirâtre, nuit, obscur,
obscurité, sale, serré,
sombre, suie, ténèbres,
ténébreux, trafic d'esclaves,
triste
NOIR DE FUMÉE → SUIE
NOIRÂTRE → NOIR (2)
Voir tab. **Couleurs**
NOIRAUD
Voir tab. **Couleurs**
NOIRCEUR → LAIDEUR,
MÉCHANCETÉ
NOIRCIR → BARBOUILLER, BRONZER,
RÉPUTATION
NOIRCIR assombrir, calomnier,

charbonner, dénigrer, diffamer, dramatiser, exagérer, maculer, salir, souiller, tacher

NOIRE
Voir illus. **Symboles musicaux**

NOISETIER → NOISETTE
Voir tab. **Végétaux (classification simplifiée des)**

NOISETTE → MENDIANT (1), POMME DE TERRE
Voir tab. **Café**
Voir tab. **Couleurs**
Voir tab. **Gâteaux régionaux et étrangers**

NOISETTE akène, aveline, coquerelle, coudrier, noisetier

NOIX
Voir illus. **Arcs et arbalète**
Voir illus. **Veau**

NOIX brou, cerneau, cerner, chabler, écale, écaler, gauler, locher, noix d'arec, noix de cajou, noix de coco, noix de kola, noix de muscade

NOIX D'AREC → NOIX, PALMIER
NOIX DE CAJOU → NOIX
NOIX DE COCO → NOIX
NOIX DE KOLA → NOIX
NOIX DE MUSCADE → NOIX
NOIX PÂTISSIÈRE
Voir illus. **Veau**

NOLENS VOLENS → VOULOIR
NOLI ME TANGERE → IMPATIENT (1)
NOLIS → PRIX
NOLISER → AVION, FRET, LOUER, VAISSEAU
NOM → CÉLÉBRITÉ, DÉSIGNATION, RAISON, VARIABLE (2)
NOM anonyme, anthroponymie, diminutif, émarger, endosser, éponyme, homonyme, incognito, indicible, innommable, nom commun, nom propre, nominal, onomastique, parapher, patronyme, prénom, pseudonyme, renommée, réputation, signer, sobriquet, substantif, surnom, titre, toponyme

NOM COMMUN → NOM
NOM PROPRE → NOM
NOMADE → CAMPER, CONDUCTEUR, DÉPLACEMENT, DOMICILE, HABITATION, VOYAGEUR
NOMADE Bédouins, chasse, cueillette, errance, forain, Gitans, migrateur, Samoyèdes, Touareg, Tsiganes, vagabondage
NOMADISME → INSTABILITÉ
NOMBRE → CHIFFRE, UNITÉ, VERBE
NOMBRE accumulation, algèbre, amas, arithmétique, arithmétique formelle, armada, atomique, beaucoup, cardinal, centillion, coefficient, collection, cortège, décimal, dividende, diviseur, effectif, entier, exposant, foule, fractionnaire, fréquence, homogène, incommensurable, irrationnel, kyrielle, majorité, masse, multiplicande, multiplicateur, multitude, myriade, nombre complexe, nombre d'or, nombre de Mach, nombres (théorie des),

numération, numérique, numéro, numérologie, numerus clausus, ordinal, parfait, parmi, pas mal de, planique, plupart, plusieurs, premier, ribambelle, très nombreux

NOMBRE COMPLEXE → NOMBRE
NOMBRE DE MACH → NOMBRE, VITESSE
NOMBRE D'OR → NOMBRE
NOMBRES (LES)
Voir tab. **Bible**
NOMBRES (THÉORIE DES) → NOMBRE
NOMBREUX → AMPLE, DIVERS, LÉGION, PLUSIEURS
NOMBREUX cadencé, compact, considérable, dense, divers, harmonieux, incommensurable, innombrable, multiple, pluridisciplinaire, polyvalent, rythmé
NOMBRIL → CICATRICE, CORDON
Voir tab. **Chirurgicales (interventions)**
NOMBRIL centre, œil
NOMBRILISTE → REGARDER (SE)
NOMENCLATURE → CLASSEMENT, DICTIONNAIRE, LISTE, MINÉRAL (2), MOT, RECUEIL, VOCABULAIRE
NOMENCLATURE taxinomie, terminologie
NOMENKLATURA → PRÉROGATIVE
NOMINAL → NOM, PHRASE, RÉEL
NOMINALISME
Voir tab. **Philosophie**
NOMINATAIRE → BÉNÉFICE
NOMINATION → AFFECTATION, DÉSIGNATION, INSTITUTION
NOMINATION affectation, cooptation, désignation, institution, mention, parachutage, promotion, récipiendaire, titularisation
NOMMER → APPELER (S'), CHOISIR, ÉLIRE, FIGURER, INDIQUER, PORTER
NOMMER appeler, choisir, commettre, désigner, élire, énumérer, prénommer, présenter (se)
NOMOGRAPHIE → LOI
Voir tab. **Sciences : termes en -ologie et -ographie**
NON FONDÉ → GRATUIT
NON HABITÉ → VIDE (2)
NON TROPPO
Voir tab. **Musique (vocabulaire de la)**
NONAGÉNAIRE → QUATRE-VINGT-DIX
NON-AGRESSION → PACIFIQUE (2)
NON-ALIGNÉ → NEUTRALITÉ
NONANTE → QUATRE-VINGT-DIX
NON-APPARTENANCE
Voir tab. **Mathématiques (symboles)**
NONCE → AMBASSADEUR, DÉLÉGUÉ, ENVOYÉ, PAPE
NONCHALAMMENT → MOLLEMENT
NONCHALANCE → INDOLENCE, PARESSEUX (1)
NONCHALANCE abandon, indolence, langueur, lenteur, mollesse, négligence, paresse, peu d'entrain, tiédeur

NONCHALANT → DÉMARCHE, FAINÉANT (2), INDOLENT, INSOUCIANT, LENT, MOU, SOUCI
NONCHALANT alangui, apathique, fainéant, indolent, langoureux, languissant, mou, paresseux
NON-CONFORMISME → INDÉPENDANCE, NÉGLIGENCE
NON-CONFORMISTE dissident, hérétique, hétérodoxe, indépendant, marginal, original, révolutionnaire, schismatique, singulier
NON-CONTENANCE
Voir tab. **Mathématiques (symboles)**
NON-CONTRADICTION → PRINCIPE
NON-CROYANT → ATHÉE, DIEU, RELIGION
NON-CROYANT agnostique, athée, libre-penseur, rationaliste, sceptique
NONE → APRÈS-MIDI, HEURE, MOINE
Voir tab. **Prières et offices de l'Église catholique romaine**
NON-ENGAGÉ → NEUTRALITÉ
NONES → CALENDRIER
NONIDI → JOUR
NON-INCLUSION
Voir tab. **Mathématiques (symboles)**
NON-LIEU → INSTRUCTION
NONNE → RELIGIEUX (1), SŒUR
NONNETTE → MÉSANGE
NONOBSTANT → DÉPIT
NON-PARTICIPATION → ABSTENTION
NON-SENS → DÉFI, FAUTE, INTERPRÉTATION, SENS, TRADUCTION
NON-TISSÉ
Voir tab. **Tissus**
NON-VIOLENCE → INERTIE, PACIFIQUE (2), VIOLENCE
NON-VIOLENCE Gandhi, résistance passive
NOOLOGIE → ESPRIT
NOPAL → CACTUS, FIGUE
NORD → BOUSSOLE, CARDINAL (2)
NORD aquilon, arctique, bise, boréal, borée, mistral, nordique, nordir, nordiste, noroît, septentrional, tramontane, vents étésiens
NORD (PÔLE)
Voir illus. **Saisons (mécanisme des)**
NORDÉ → VENT
NORDIQUE → NORD
NORDIR → NORD
NORDISTE → NORD
NORIA → HYDRAULIQUE
NORMAL → CONSACRÉ, HABITUEL, NATUREL, RAISONNABLE, RÈGLE, RÉGULIER, USAGE
NORMAL compréhensible, constant, correct, habituel, honnête, légitime, moyen, naturel, ordinaire, perpendiculaire, raisonnable, régulier
NORMALE SUP
Voir tab. **Écoles (grandes)**
NORMALEMENT → ORDINAIRE, PRINCIPE
NORMALIEN → ÉLÈVE
NORMALISATION → RATIONNEL

NORMALISATION AFNOR, standardisation, uniformisation
NORMALISÉ → STANDARD (2)
NORMALISER → UNIFORMISER
NORMAND bocage, bondon, brillat-savarin, calvados, camembert, cidre, colombages (à), échiquier, halbi, livarot, neufchâtel, poiré, pont-l'évêque
NORMANDE → BOVIN
NORMATIVE → RÈGLE
NORME → CANON, CRITÈRE, EXCEPTION, MODULE, MOYENNE, PRINCIPE, RÈGLE, REPÈRE, STANDARD (1)
NORME anticonformiste, canon, cote, étalon, format, gabarit, GSM, homologuer, idéaux, législation, libertaire, loi, marginal, modèle, règle, standard
NOROÎT → NORD, VENT
NORROIS → GERMANIQUE
NORVÈGE
Voir tab. **Saints patrons**
NORVÉGIEN → GERMANIQUE
NORVÉGIENNE
Voir tab. **Bateaux**
NOSOCOMIALE → MALADIE
NOSOGRAPHIE → DESCRIPTION, MALADIE
NOSOLOGIE → CLASSIFICATION
Voir tab. **Sciences : termes en -ologie et -ographie**
NOSOPHOBIE → MALADIE
Voir tab. **Phobies**
NOSTALGIE → CAFARD, MAL (1), REGRET, TRISTESSE
NOSTALGIE mal du pays, mélancolie
NOSTALGIQUE → TRISTE
NOTA BENE → COMMENTAIRE, COMPLÉMENT, NOTE
NOTABLE → BOURGEOIS (1), CONSIDÉRABLE, IMPORTANT, IMPORTANT, PERSONNALITÉ, SAILLANT, SENSIBLE, SIGNALÉ
NOTABLE (2) appréciable, considérable, important, piétinement, remarquable, sensible, stagnation
NOTAIRE → MINISTÉRIEL, OFFICIER
Voir tab. **Droit (termes de)**
Voir tab. **Politesse (formules de)**
NOTAIRE authentifier, clerc, étude, maître, minutier, notarié, panonceau, par-devant, saute-ruisseau, seing privé
NOTAMMENT → PARTICULIÈREMENT
NOTAMMENT entre autres, particulièrement, singulièrement, spécifiquement
NOTARIÉ → ACTE, AUTHENTIQUE, NOTAIRE
NOTATION → BULLETIN, REPRÉSENTATION
Voir illus. **Symboles musicaux**
NOTE → ARDOISE, CLASSEMENT, COMMUNICATION, ÉTAT, EXPLICATION, FACTURE, INSTRUCTION, INTERPRÉTATION, PAPIER, PARTITION, POTE, RÉFÉRENCE, RÉFÉRENDUM, RÉFLEXION, RENVOI, RESTAURANT, RÉSULTAT, STYLE, ZESTE
Voir tab. **Musique (vocabulaire de la)**

NOTE addition, annotation, apostille, appréciation, avis, commentaire, communication, communiqué, compte, considération, facture, glose, mémoire, mémorandum, nota bene, notice, notule, nuance, observation, pensée, post-scriptum, réflexion, scolie, soupçon, touche

NOTE (FAUSSE) → CANARD

NOTE DE COUVERTURE
Voir tab. **Assurance (vocabulaire de l')**

NOTER → COUCHER, ÉCRIRE, INSCRIRE, JETER, MARQUER, OBSERVER, PERCEVOIR, RELEVER, REMARQUER, SOULIGNER, STIPULER

NOTER consigner, constater, enregistrer, inscrire, relever, remarquer

NOTICE → EXPLICATION, MODE, NOTE, SOMMAIRE (1)

NOTIFICATION → ACCUSÉ (1), INFORMATION, SIGNIFICATION

NOTIFIER → ANNONCER, COMMUNIQUER, INFORMER, INFORMER, SAVOIR (2), SIGNIFIER

NOTION → ABSTRACTION, CONNAISSANCE, CONSCIENCE, ÉLÉMENT, IDÉE, PENSÉE, RAISONNEMENT, RÉSUMÉ (1), SAVOIR (1)

NOTION a priori, concept, connaissance, conscience, élément, idée, présupposé, représentation, rudiment

NOTION SUPERFICIELLE → TEINTURE

NOTO- → DOS

NOTOIRE → CÉLÈBRE, CONNU, ÉVIDENT, FAMEUX, FLAGRANT, LÉGENDAIRE, MANIFESTE (2), OFFICIEL, PUBLIC (2)

NOTOIRE célèbre, connu de tous, en union libre, en vue, évident, fameux, flagrant, légendaire, manifeste, maritalement, proverbial, public, reconnu, réputé

NOTOMÈLE → DOS

NOTONECTE → DOS

NOTORIÉTÉ → GLOIRE, RÉPUTATION

NOTORIÉTÉ célébrité, renom, renommée, réputation

NOTOS
Voir tab. **Vents**

NOTULE → NOTE, TEXTE

NOUAGE → TISSAGE

NOUAISON → FORMATION, FRUIT, VIGNE

NOUBA → BOMBANCE

NOUCHI
Voir tab. **Argot et langages populaires**

NOUE → PRAIRIE, RUISSEAU, TERRE, TUILE
Voir illus. **Maison**
Voir illus. **Toits**

NOUER → LACER, RATTACHER, SERRER

NOUER attacher, contracté, lacer, lier, macramé, serré, tisser

NOUEUX → NŒUD

NOUGAT → CONFISERIE, MIEL

NOUGATINE → CONFISERIE

NOUILLE → CHINOIS, PÂTE

NOURISSANT → RICHE (2)

NOURRAIN → POISSON, PORC

NOURRI → TIR

NOURRICE → BÉBÉ, BONNE, CAISSE

NOURRICE anglaise, assistante maternelle, bidon, double, jerrycan, sûreté (de)

NOURRICERIE → BÉTAIL

NOURRIR → ANIMER, CARESSER, ENRICHIR, ENTRETENIR, MANGER, RUMINER

NOURRIR abreuver (s'), alimenter, alimenter (s'), allaiter, éduquer, embecquer, engraisser, enrichir, entretenir, étoffer, former, gaver, gorger, repaître (se), sustenter (se)

NOURRISSANT → FORTIFIER

NOURRISSANT calorique, énergétique, nutritif, riche, substantiel

NOURRISSEUR → ÉLEVEUR

NOURRISSON → BÉBÉ

NOURRISSON agrippement, athrepsie, grasping-reflex, néonatal

NOURRITURE → ALIMENT, DENRÉE, ORDINAIRE, PÂTURE, PROVISION
Voir tab. **Manies**
Voir tab. **Phobies**

NOURRITURE amaigrissement, atrophie, comestible, dénutrition, faim, inanition, manne, pâtée, pâture, pitance

NOUURE → COMMENCEMENT, VIGNE

NOUVEAU → DERNIER, INCONNU (1), INÉDIT, MODERNE, ORIGINAL, RÉCENT

NOUVEAU inaccoutumé, inconnu, inédit, inhabituel, insolite, inusité, jeune, misonéiste, moderne, néologisme, novateur, original, parvenu, récent, verte

NOUVEAU MARCHÉ
Voir tab. **Bourse**

NOUVEAU RICHE → PARVENU (1)

NOUVEAU ROMAN → LITTÉRAIRE

NOUVEAU-NÉ → BÉBÉ

NOUVEAUTÉ → CURIOSITÉ, FRAÎCHEUR, ORIGINALITÉ
Voir tab. **Phobies**

NOUVEAUTÉ invention, trouvaille

NOUVELLE → ACTUALITÉ, CHOSE, COMMUNICATION, ÉCHO, FEUILLETON, INFORMATION, PROSE, RÉCIT, RENSEIGNEMENT

NOUVELLE actualité, bruit, conte, écho, historiette, information, journal télévisé, nouvelliste, récit, renseignement, rumeur, scoop, signe de vie

NOUVELLE LUNE
Voir illus. **Lune**
Voir illus. **Marées**

NOUVELLE-GUINÉE
Voir tab. **Îles du monde**

NOUVELLISTE → AUTEUR, ÉCRIVAIN, NOUVELLE

NOVATEUR → AUDACIEUX, AVANT-GARDE, HARDI, MARGINAL, MODERNE, NEUF (2), NOUVEAU, ORIGINAL, RÉVOLUTIONNAIRE (2), SINGULIER

NOVELETTE → PIANO

NOVEMBRE (PRIX)
Voir tab. **Prix littéraires**

NOVÉNAIRE → NEUF (2)

NOVER → RENOUVELER

NOVIAL → LANGUE

NOVICE → APPRENTI, BLEU (2), DÉBUTANT, ÉCOLIER, EXPÉRIENCE, JEUNE, MATELOT, MOINE, NAÏF, NEUF (2), RELIGIEUX (1)
Voir tab. **Clergé catholique (vocabulaire du)**

NOVICIAT → COUVENT

NOVILLADA → COURSE DE TAUREAUX

NOVILLERO → CORRIDA

NOVILLO → TAUREAU

NOXOLOGIE → NUISIBLE

NOYAU → ÂME, ATOME, CELLULE, CENTRE, COMÈTE, GALAXIE, PARTIE, PLI, PÔLE, SYLLABE, TUYAU
Voir illus. **Cartouches**
Voir illus. **Cellules**
Voir illus. **Galaxie**
Voir illus. **Soleil**
Voir illus. **Terre**
Voir illus. **Testicule**

NOYAU acide désoxyribonucléique, acide ribonucléique, centre, chromatine, dénoyauter, drupe, groupe, méiose, mitose, mononucléaire, neutron, nucléaire, nucléé, nucléoprotéine, nucléus, polynucléaire, proton

NOYAU DE VOÛTE → SUPPORT

NOYAUTAGE → INFILTRATION, PÉNÉTRATION

NOYAUTER → MAFIA

NOYÉ → DÉPASSÉ, VICTIME (2)

NOYÉ (ÊTRE) → PATAUGER

NOYER → DÉLAYER, DÉMORALISER, MARQUETERIE
Voir tab. **Ébénisterie (essences utilisées en)**

NOYER asphyxier, biaiser, couler, diluer, égarer (s'), englouti, étouffer, inondé, louvoyer, perdre (se), sombrer, submergé, tergiverser

NP
Voir tab. **Éléments chimiques (symbole des)**

NPI (NOUVEAUX PAYS INDUSTRIALISÉS) → CROISSANCE

NTSC → TÉLÉVISION

NU austère, chauve, décolleté, découvert, découvrir, dégarni, dépouillé, déshabillé, dévêtu, dévoiler, pelé, sobre, vide

NU (METTRE À) → DÉCHAUSSER

NUAGE → BROUILLARD, CIEL, GOUTTE, PEU (1), QUANTITÉ, SOUPÇON, SPIRALE

NUAGE brumeux, cirrus, couvert, cumulus, distrait, lune (dans la), moutonné, nébuleux, nimbus, nuageux, nuée, pommelé, rêveur, songeur, souci, stratus, trouble

NUAGEUX → CHARGÉ, NÉBULEUX, NUAGE, SOMBRE, TÉNÉBREUX

NUANCE → COLORATION, DEGRÉ, DIFFÉRENCE, NOTE, PARTITION, PORTÉE, TEINTE, TONALITÉ
Voir tab. **Couleurs**

NUANCE absolu, camaïeu, couleur,

entier, finesse, intransigeant, mesure, teinte, ton

NUANCIER → CATALOGUE, COULEUR, PALETTE, TEINTE

NUBILE → FILLE

NUBILITÉ → ADOLESCENCE, ÂGE

NUBUCK → DAIM

NUCLÉAIRE → ARMEMENT, ATOMIQUE, ÉNERGIE, NOYAU
Voir illus. **Cellules**

NUCLÉAIRE (FAMILLE)
Voir tab. **Population**

NUCLÉE → NOYAU

NUCLÉIQUE (ACIDE)
Voir tab. **Acides**

NUCLÉOCAPSIDE → VIRUS

NUCLÉOLE
Voir illus. **Cellules**

NUCLÉON → PARTICULE

NUCLÉOPROTÉINE → NOYAU

NUCLÉUS → NOYAU

NUE → CIEL

NUÉE → ARMÉE, MULTITUDE, NUAGE, QUANTITÉ

NUE-PROPRIÉTÉ → USUFRUIT

NUES (PORTER AUX) → ADMIRATION

NUIRE → BAVER, BRÈCHE, COMPROMETTRE, INTÉRÊT, MAL (1), PORTER, RUINER, TORT

NUIRE abîmer, compromettre, contrarier, déconsidérer, desservir, détériorer, discréditer, endommager, faire du tort à, gêner, léser, malfaisance, malveillance, médire de, préjudicier, spolier

NUISANCE → POLLUTION

NUISETTE → CHEMISE

NUISIBLE → CONTRAIRE (2), MALFAISANT, MALSAIN, NÉFASTE

NUISIBLE anémiant, dangereux, débilitant, délétère, destructeur, dommageable, funeste, insalubre, malsain, mortel, néfaste, nocif, nocivité, nocuité, noxologie, parasite, pernicieux, porte-virus, toxique, vénéneux, venimeux, vulnérant

NUIT → BLEU (1), NOIR, OBSCURITÉ
Voir tab. **Couleurs**
Voir tab. **Phobies**

NUIT blanche, foncé, mirabilis, noctambule, noctuelle, nocturne, nuitée, nyctalope, profond, solstice d'été, solstice d'hiver, sombre, veille

NUIT BLANCHE → VEILLE

NUIT DU DESTIN
Voir tab. **Fêtes religieuses**

NUIT DU DOUTE
Voir tab. **Fêtes religieuses**

NUITÉE → NUIT

NUITONS
Voir tab. **Habitants (comment se nomment les)**

NUITS
Voir tab. **Habitants (comment se nomment les)**

NUL → BULLETIN, CRÉTIN, DÉBILE, DÉPLORABLE, DESSOUS, INCAPABLE (1), INVALIDE (2), NÉGATIF, UN, VALEUR

NUL annuler, caduc, inexistant, infirmer, invalider

NULLE
Voir tab. **Échecs**

NULLEMENT → RIEN (3)
NULLIPARE → FEMELLE (1)
NULLITÉ → INCAPABLE (1)
NULLITÉ DU CONTRAT
Voir tab. **Assurance** (vocabulaire de l')
NUMÉRAIRE → COMPTANT, ESPÈCE
NUMÉRATEUR → FRACTION
NUMÉRATION → NOMBRE
NUMÉRIQUE → CHIFFRE, NOMBRE, PHOTOGRAPHIE
Voir tab. **Multimédia** (les Mots du)
Voir tab. **Photographie** (vocabulaire de la)
NUMÉRIQUE (1) digitaliser
NUMÉRIQUE (2) CD-ROM, DAT, DVD, DVD-ROM, Internet, modem
NUMÉRISATION → REPRODUCTION
NUMÉRO → CHIFFRE, INDIVIDU, NOMBRE
NUMÉRO attraction, cote, exemplaire, livraison, marque, matricule, prestation, spectacle, tome
NUMÉROLOGIE → NOMBRE
NUMÉROTER coter, folioter, paginer
NUMERUS CLAUSUS → NOMBRE, QUANTITÉ
NUMISMATE → MÉDAILLE
Voir tab. **Collectionneurs**
NUMISMATIQUE → MONNAIE
NUNATAK → GLACIER
NU-PIED → CHAUSSURE
Voir illus. **Chaussures**
NUPTIAL épithalame
NUPTIALITÉ → DÉMOGRAPHIE
Voir tab. **Population**
NUQUE → COU
Voir illus. **Cheval**
Voir illus. **Oiseau**
NURSE → BONNE, DOMESTIQUE (1), ENFANCE, GOUVERNANTE
NURSERY → BÉBÉ, CHAMBRE
NUTATION → BALANCEMENT, PÔLE, TERRE, TÊTE
NUTRITIF → NOURRISSANT, NUTRITION, RICHE (2)
NUTRITION → DIGESTION
NUTRITION alimentation, anabolisme, catabolisme, dénutrition, digestion, malnutrition, nutritif
NYCTALOPE → NUIT
NYCTALOPIE → VISION
NYCTOPHOBIE
Voir tab. **Phobies**
NYLON → FIBRE
NYMPHE → CHAMPÊTRE, DÉESSE, FEMME, LÈVRE, PAPILLON, SOIE
NYMPHE camènes, chrysalide, dryades, hamadryades, hyades, naïades, napées, néréides, nymphée, océanides, ondines, oréades
NYMPHÉE → FONTAINE, GROTTE, NYMPHE
NYMPHOMANE → FEMME, OBSÉDÉ
NYMPHOMANIE → OBSÉDÉ, SEXUALITÉ
Voir tab. **Manies**

O
Voir tab. **Éléments chimiques** (symbole des)
OARISTYS → AMOUREUX
OASIEN → OASIS
OASIS → DÉSERT, REFUGE (1)
Voir illus. **Désert**
OASIS havre, oasien, refuge
OB
Voir tab. **Fleuves**
OBBLIGATO
Voir tab. **Musique** (vocabulaire de la)
OBÉDIENCE → COMPAGNIE, CONFESSION, FRANC-MAÇON, OBÉISSANCE, RELIGIEUX (2), SOUMISSION
OBÉDIENCIER → RELIGIEUX (1)
OBÉIR → ÉCOUTER, EXÉCUTER, FILER, INCLINER (S'), PLIER (SE), RENDRE (SE), RÉPONDRE, SACRIFIER, SOUMETTRE, SUBIR, SUIVRE
OBÉIR céder à, écouter, exécuter (s'), inféoder à (s'), observer, obtempérer, respecter, respecter, sacrifier à, soumettre à (se), suivre
OBÉISSANCE → DISCIPLINE, OBSERVATION
OBÉISSANCE allégrance, assujettissement, dépendance, discipline, docilité, obédience, observance, servilité, soumission, subordination
OBÉISSANT → DOCILE, FACILE, GENTIL, MALLÉABLE, SAGE, SERVILE
OBÉISSANT discipliné, docile, sage
OBÉLISQUE → COLONNE
OBÉLIX
Voir tab. **Bande dessinée** (héros de)
OBÉRER → ACCABLER, CHARGER
OBÈSE → ÉNORME, GRAS, GROS
OBÈSE adipeux, énorme, gras, gros, obésité, ventripotent, volumineux
OBÉSITÉ → ADIPEUX, CORPS, EXCÈS, GRAISSE, GROSSEUR, INFILTRATION, OBÈSE
Voir tab. **Maladies de civilisation**
OBI → BANDE, CEINTURE, JAPONAIS, KIMONO
OBITUAIRE → REGISTRE
OBJECTALE (RELATION) → OBJET
OBJECTER → DÉSOBÉIR, DIFFICULTÉ, DIRE, OPPOSER, RAISONNER, RÉFUTER, REMETTRE, RÉPONDRE
OBJECTIF → BUT, CHOIX, CIBLE, FIN (1), IMPERSONNEL, INTENTION, LUNETTE, MICROSCOPE, NEUTRE, PRÉJUGÉ, PROGRAMME, PROPOS, SCIENTIFIQUE (2), SEREIN
Voir tab. **Photographie** (vocabulaire de la)
OBJECTIF (1) but, cible, grand angle, téléobjectif, visée, zoom
OBJECTIF (2) concret, équitable, impartial, neutre, objectiver, réel
OBJECTIF MACROPHOTOGRAPHIQUE → PHOTOGRAPHIE

OBJECTION → CONTRADICTION, CRITIQUE (1), INCONVÉNIENT, OPPOSITION, REPROCHE, RÉSISTANCE
OBJECTION chicaner, contestation, critique, épiloguer, ergoter, inconvénient, obstacle, opposition, prolepse, protestation, réfutation, remarque
OBJECTIVER → OBJECTIF (2)
OBJECTIVITÉ équité, impartialité, neutralité
OBJET → AFFAIRE, BUT, CHOSE, INANIMÉ, INTENTION, PROPOS, RÉALITÉ, SUBSTANCE, SUJET
OBJET Antoine de Padoue, article, babiole, bagatelle, bibelot, broutille, colifichet, instrument, matière, objectale (relation), outil, question, sujet, thème, transitif, ustensile
OBJET PERDU
Voir tab. **Saints patrons**
OBJETS POINTUS
Voir tab. **Phobies**
OBJURGATION → CONVAINCRE, DÉSAPPROBATION, REPROCHE, SERMON
OBLAT → MOINE, RELIGIEUX (1)
OBLATION → DON, OFFRE
OBLATS → LITURGIE, MESSE
OBLIGATION → AFFAIRE, CHARGE, CONTRAINTE, DEMEURE, DEVOIR, EMPRUNT, ENGAGEMENT, NÉCESSITÉ, PLACEMENT, RECONNAISSANCE, RELIGION, RESPONSABILITÉ, SERVITUDE, TÂCHE, TITRE
Voir tab. **Bourse**
Voir tab. **Collectionneurs**
OBLIGATION astreinte, contraint de, dette, devoir, engagement, exigence, impératif, obligé de, prescription, promesse, responsabilité, servitude, tenu de, titre, tribut
OBLIGATOIRE → FORCÉ, IMPÉRATIF, IMPOSER, INÉVITABLE
OBLIGATOIRE exigé, imposé
OBLIGATOIREMENT → FORCÉMENT
OBLIGÉ → INGRAT, NÉCESSAIRE, OBLIGATION
OBLIGÉ certain, indispensable, inévitable, nécessaire, reconnaissant, redevable
OBLIGEANCE → AFFABILITÉ, AMABILITÉ, BIENVEILLANCE, BONTÉ, COMPLAISANCE, GENTILLESSE
OBLIGEANCE amabilité, bonté, gentillesse
OBLIGEANT → AFFABLE, AIMABLE, BON (2), DÉVOUÉ, FLATTEUR, GENTIL, POLI (2), PRÉVENANT, SERVIABLE
OBLIGER → COMMANDER, CONTRAINDRE, EXIGER, FORCER, IMPOSER, INFLIGER, MAIN, ORDONNER, UTILE
OBLIGER aider, astreindre à, condamner à, contraindre à, engager, forcer à, imposer, service (rendre), stipuler
OBLIQUE → FRACTURE, INDIRECT, SYMÉTRIE
Voir illus. **Fractures**
OBLIQUE biais, biseau, chanfrein,

détourné, diagonale (en), écharpe (en), indirect
OBLIQUEMENT → BIAIS, ÉCHARPE, TRAVERS (2)
OBLIQUER → BRAQUER
OBLIQUITÉ → PENTE
OBLITÉRATION → BOUCHÉ, CACHET, TAMPON
OBLITÉRÉ → TAMPONNER
OBLITÉRER → OBSTRUER
OBLONG → AMANDE, LONG
OBNUBILATION → IDÉE
OBNUBILER → OBSÉDER
OBOLE → AUMÔNE, CHARITÉ, CONTRIBUTION, DON, MAILLE, MENDIANT (1), SECOURS
OBOMBRER → OMBRE
OBOVALE
Voir illus. **Feuille**
OBREPTICE → MENSONGE
OBREPTION → OBTENIR, OMISSION
OBSCÈNE → CYNIQUE, GRAS, IGNOBLE, IMMORAL, IMPUR, INDÉCENT, MALPROPRE, MALSAIN, MŒURS, SALACE, SEXUEL, TRIVIAL
OBSCÈNE cru, gras, graveleux, grossier, immoral, impudique, inconvenant, indécent, licencieux, pornographique, salace, satyre
OBSCÉNITÉ → DÉCENCE, GROSSIÈRETÉ, IMPURETÉ, INJURE, ORDURE, SALETÉ, VULGARITÉ
OBSCÉNITÉ cochonnerie, grivoiserie, grossièreté, impudicité, inconvenance, indécence, saleté
OBSCUR → ABSTRAIT, BORGNE, CLARTÉ, COMPLIQUÉ, COMPRÉHENSIBLE, DIFFICILE, ÉNIGMATIQUE, ÉQUIVOQUE (2), FLOU, FONCÉ, HUMBLE, IGNORÉ, INCOMPRÉHENSIBLE, INCONNU, INDÉCHIFFRABLE, INSIGNIFIANT, INSONDABLE, MALENTENDU, MYSTÉRIEUX, NOIR, OPAQUE, PROFOND, SOMBRE, SOUTERRAIN (2), TÉNÉBREUX, VAGUE (2)
OBSCUR abscons, abstrus, amphibologique, approximatif, confus, difficile, dissimulé, énigmatique, équivoque, ésotérique, flou, hermétique, imprécis, incertain, incompréhensible, inconnu, indistinct, inintelligible, kabbalistique, mystérieux, ombreux, secret, sibyllin, sombre, trouble, vague
OBSCUR (RENDRE) → EMBROUILLER
OBSCURANTISME → INSTRUCTION
OBSCURCIR → EMBROUILLER
OBSCURCIR alourdir, assombrir, compliquer, couvrir (se), embrouiller
OBSCURÉMENT → OMBRE
OBSCURITÉ → BROUILLARD, INCERTITUDE, NOIR
Voir tab. **Phobies**
OBSCURITÉ anonymat, kénophobie, noir, nuit, ombre, ténèbres
OBSÉCRATION → PRIÈRE
OBSÉDANT → RÉPIT
OBSÉDÉ → ASSIÉGER, FOU (1), MANIAQUE (1), POURSUIVRE, PROIE

OBSÉDÉ maniaque, nymphomane, nymphomanie, priapisme, satyriasis

OBSÉDER → HANTER, HARCELER, PRÉOCCUPER

OBSÉDER accabler, hanter, harceler, obnubiler, poursuivre, tourmenter, tracasser, travailler

OBSÈQUES → CONVOI, ENTERREMENT, FUNÈBRE, FUNÉRAIRE, RELIGIEUX (2), SERVICE

OBSÈQUES corbillard, crémation, croque-mort, enterrement, funérailles, funérarium, incinération, inhumation, pompes funèbres

OBSÉQUIEUX → ESCLAVE, FLATTEUR, HUMBLE, POLI (2), SERVILE

OBSÉQUIOSITÉ → COMPLAISANCE

OBSERVABLE → VISIBLE

OBSERVANCE → COUVENT, OBÉISSANCE, OBSERVATION, RÈGLE, RELIGIEUX (2)

OBSERVATEUR attentif, critique, spectateur, témoin

OBSERVATION → APPRÉCIATION, CONSTATATION, CONTRÔLE, HORIZON, NOTE, RECHERCHE, RECONNAISSANCE, RÉFLEXION, REPROCHE

OBSERVATION avertissement, blâme, commentaire, considération, constatation, critique, étude, examen, mirador, obéissance, observance, réflexion, remarque, remontrance, réprimande, reproche, respect, surveillance, télescope, vedette, vigie

OBSERVATOIRE → POSTE

OBSERVATOIRE mirador, poste d'observation

OBSERVER → ACCOMPLIR, CONSIDÉRER, CONSTATER, ENREGISTRER, ÉPIER, ÉTUDIER, EXAMINER, FIXER, OBÉIR, PLONGER, PROMENER, RÉFLÉCHIR, RELEVER, REMARQUER, REMPLIR, SCRUTER, SIGNALER, SOUMETTRE, SUIVRE, VIGILANCE

OBSERVER conformer à (se), constater, dévisager, épier, espionner, étudier, examiner, fixer, guigner, lorgner, noter, remarquer, respecter, scruter, signaler, suivre, surveiller

OBSESSION → ATTACHEMENT, BÊTE (1), FIXE (2), IDÉE, MANIE, PASSION, PSYCHOSE

Voir tab. **Psychiatrie**

OBSESSION hantise, idée fixe, manie, monomanie, psychose

OBSOLESCENCE → VIEILLESSE

OBSOLESCENT → PÉRIMÉ, SURANNÉ

OBSOLÈTE → ANCIEN (2), ANTIQUE, DÉMODÉ, DÉSUET, EMPLOYER, INUTILISÉ, PÉRIMÉ, SURANNÉ, USAGE, VIEUX

OBSTACLE → BARRIÈRE, COMPLICATION, CONTRETEMPS, COURSE HIPPIQUE, DIFFICULTÉ, EMBÛCHE, ÉQUITATION, HANDICAP, INCIDENT, INCONVÉNIENT, OBJECTION, OPPOSITION, RÉSISTANCE, SELLE

OBSTACLE achopper, barricade, barrière, barrière de spa, chausse-trapes, course de haies, difficulté, écueil, embûche, entrave, frein, gêne, haie barrée, heurter, mur, oxer, palanque, rivière, steeple-chase, talus

OBSTACLE (FAIRE) → BARRAGE

OBSTACLES (COURSE D')

Voir tab. **Sports**

OBSTACLES (SAUT D')

Voir tab. **Sports**

OBSTÉTRICIEN → ACCOUCHER, ACCOUCHEUR, MATERNITÉ, MÉDECIN

OBSTINATION → ENTÊTEMENT, FERMETÉ, OPINIÂTRETÉ, PATIENCE

OBSTINATION acharnement, constance, insistance, persévérance, ténacité

OBSTINÉ → CONSTANT, ENTIER, IDÉE, IRRÉDUCTIBLE, OPINIÂTRE, TENACE, TÊTU

OBSTINÉ acharné, buté, entêté, opiniâtre, persévérant, tenace, têtu, volontaire

OBSTINER (S') → ACCROCHER (S'), ACHARNER (S'), BUTER, CONTINUER, INSISTER, PERSÉVÉRER, PERSISTER

OBSTRUCTION → OCCLUSION, OPPOSITION, RUGBY

OBSTRUÉ → BOUCHÉ

OBSTRUER → BARRER, BLOQUER, BOUCHER (1), CONDAMNER, ENCOMBRER, FERMER

OBSTRUER barrer, bloquer, boucher, cacher, dissimuler, encombrer, engorger, gêner, oblitérer

OBTEMPÉRER → DÉSOBÉIR, EXÉCUTER, OBÉIR, RENDRE (SE), SOUMETTRE

OBTENIR → ATTIRER (S'), AVOIR (1), CUEILLIR, PROCURER (SE), RÉALISER, RECEVOIR, RETIRER

OBTENIR acquérir, concilier (se), conquérir, décrocher, emparer de (s'), extorquer, gagner, obreption, ravir, remporter, subreption, usurper

OBTENTION → BÉNÉFICE

OBTURATEUR

Voir tab. **Photographie (vocabulaire de la)**

OBTURATION → OCCLUSION

OBTURER → BOUCHER (1), COMBLER, FERMER

OBTUS → BÊTE (2), BORNÉ, BOUCHÉ, ÉPAIS, ÉTROIT, STUPIDE

OBTUSANGLE

Voir illus. **Géométrie (figures de)**

OBTUSION → ATTENTION

OBUS → ARTILLERIE, BOMBE, CANON, CARTOUCHE, EXPLOSIF, MUNITION, PROJECTILE

OBUS calibre, canon, mortier, obusier, ogive, perforant, plein, shrapnel

OBUSIER → BOMBARDEMENT, OBUS

OBVERS → CÔTÉ, MONNAIE

OBVIER À → ÉVITER, PARER

OC → DIALECTE

OCARINA

Voir tab. **Instruments de musique**

OCBC

Voir tab. **Police nationale (organisation de la)**

OCCASION → CIRCONSTANCE, FOIS, LOISIR, MAIN, MATIÈRE, MOMENT, OPPORTUNITÉ, POSSIBILITÉ, RENCONTRE, SUJET

OCCASION affaire, antiquaire, aubaine, bouquiniste, brocanteur, cause, chance, circonstance, conjoncture, éventuellement, ferrailleur, le cas échéant, moment, motif, opportunité, permettre, possibilité, prétexte, puces (les), raison, seconde main (de), sujet

OCCASIONNEL → ACCIDENTEL, CONDITIONNEL, ÉVENTUEL, EXCEPTIONNEL

OCCASIONNEL accidentel, exceptionnel, fortuit

OCCASIONNELLE

Voir tab. **Prostitution**

OCCASIONNER → CAUSER, CRÉER, DÉCHAÎNER, ENTRAÎNER, FAIRE, PROCURER, PRODUIRE, PROVOQUER

OCCASIONNER amener, causer, créer, engendrer, entraîner, lieu à (donner), produire, provoquer, susciter

OCCIDENT → HORIZON

OCCIDENT couchant, ouest, ponant

OCCIPITAL → CERVEAU

Voir illus. **Cerveau**

Voir illus. **Squelette**

OCCIPUT → TÊTE

OCCITAN → DIALECTE, PROVENÇAL, ROMAN (2)

OCCLURE → FERMER

OCCLUSION → BOUCHÉ, INTESTIN (1), VENTRE

OCCLUSION fermeture, obstruction, obturation

OCCLUSIVE

Voir tab. **Bruits**

OCCULTATION → ASTRE, DISPARITION, ÉCLIPSE

OCCULTE → CLANDESTIN, INCONNU (2), SECRET (1)

OCCULTE alchimie, astrologie, caché, cartomancie, chiromancie, inconnu, magie, nécromancie, radiesthésie, secret, sorcellerie, télépathie

OCCULTER → BOUCHER (1), CACHER, DISSIMULER

OCCULTISME → CROYANCE, MAGIE, PERCEPTION

OCCULTISME ésotérisme, hermétisme

OCCUPANT envahisseur, locataire, squatteur

OCCUPATION → AFFAIRE, COLONISATION, INVASION, LABEUR, TRAVAIL

OCCUPATION annexion, besogne, envahissement, grève sur le tas, hobby, loisir, passe-temps, squat, tâche, travail, violon d'Ingres

OCCUPER → ACCAPARER, ENVAHIR, HABITER, INTÉRESSER (S'), LOGER, MAIN, PENCHER (SE), PEUPLER, PRENDRE, REMPLIR, TENIR, VEILLER

OCCUPER absorber, accaparer, adonner à (s'), alimenter, amuser, atteler à (s'), conquis, consacrer à (se), détenir, distraire, emplir, employer (s'), entretenir, envahir, habiter, intéresser à (s'), mêler de (se),

meubler, préoccuper de (se), requérir, soucier de (se), squatter, suivre, surveiller, travailler à, tuer

OCCURRENCE → FOIS, RENCONTRE

OCÉAN → FLOT

OCÉAN abyssal, Atlantique, hydrographie, Indien, Neptune, océanide, océanique, océanographie, océanologie, Pacifique, pélagique, Poséidon

OCÉANAUTE → EXPLORATION

OCÉANIDE → NYMPHE, OCÉAN

OCÉANIQUE → OCÉAN, RÉGIME

OCÉANOGRAPHIE → OCÉAN, SOUS-MARIN (2)

OCÉANOLOGIE → OCÉAN

OCELLE → TACHE

OCHLOPHOBIE → FOULE

Voir tab. **Phobies**

OCLCTIC

Voir tab. **Police nationale (organisation de la)**

OCRB

Voir tab. **Police nationale (organisation de la)**

OCRE → ARGILE, BRUN, JAUNE

Voir tab. **Couleurs**

OCRFM

Voir tab. **Police nationale (organisation de la)**

OCRGDF

Voir tab. **Police nationale (organisation de la)**

OCRTAEMS

Voir tab. **Police nationale (organisation de la)**

OCRTEH

Voir tab. **Police nationale (organisation de la)**

OCRTIS

Voir tab. **Police nationale (organisation de la)**

OCTAÈDRE

Voir illus. **Géométrie (figures de)**

OCTAVE → HUIT, INTERVALLE

Voir tab. **Musique (vocabulaire de la)**

OCTAVIN → FLÛTE

OCTAVON → MÉTIS (1)

OCTET → HUIT

OCTOGÉNAIRE → QUATRE-VINGTS

OCTOGONE → HUIT

OCTROI → CONCESSION, ENTRÉE, MUNICIPAL

OCTROYER → ACCORDER, ATTRIBUER, CONCÉDER, DONNER, OFFRIR, RÉPARTIR, SUPPOSER

OCTUOR → GROUPE, HUIT, ORCHESTRE

OCULAIRE → ÉQUIPAGE, LUNETTE, MICROSCOPE, MUSCLE, TÉMOIN

OCULI → DIMANCHE

OCULISTE → ŒIL

OCULUS → FENÊTRE, ŒIL

Voir illus. **Fenêtre**

ODALISQUE → ESCLAVE, SULTAN

ODE → CONCERT, HYMNE, POÈME

Voir tab. **Poésie (vocabulaire de la)**

ODEUR → ÉMANATION, VIANDE

Voir tab. **Phobies**

ODEUR arôme, bouquet, empyreume, fétide, fragrance, fumet, malodorant, miasmatique, miasme, nauséabond, odiférant, odorat, olfaction, osmologie, parfum, puant, putride, relent, remugle, senteur

ODIEUX → ATROCE, BAS (2), DÉGOÛTANT, DÉSAGRÉABLE, DÉTESTABLE, EXÉCRABLE, IGNOBLE, INFÂME, INSUPPORTABLE, LAID, SALE

ODIEUX abject, abominable, antipathique, arrogant, déplaisant, détestable, exécrable, haïssable, ignoble, ignominieux, infâme, insupportable, mauvais

ODIFÉRANT → ODEUR

ODIN → MYTHOLOGIE

ODOBÉNIDÉS → MORSE

ODONTALGIE
Voir tab. **Douleur**

ODONTOCÈTES → BALEINE, CACHALOT, CÉTACÉ

ODONTOLOGIE
Voir tab. **Sciences : termes en -ologie et -ographie**

ODONTOLOGISTE → DENTISTE

ODONTOMÈTRE → TIMBRE-POSTE

ODONTOPHOBIE
Voir tab. **Phobies**

ODORAT → ODEUR, SENS

ODORAT anosmie, dysosmie, flair, parosmie, tache olfactive

ODORIFÉRANT → SENTEUR

ODYSSÉE → VOYAGE

ODYSSÉE (L') → RÉCIT

ŒCUMÉNIQUE → UNIVERSEL

ŒCUMÉNISME → RELIGION

ŒDÈME → ENFLURE, ÉPANCHEMENT, GONFLEMENT, INFILTRATION

OEDICNÈME
Voir tab. **Oiseaux (classification simplifiée des)**

ŒIL → BOUTON, FROMAGE, IMPRIMERIE, MARTEAU, NOMBRIL
Voir illus. **Cheval**
Voir illus. **Selle**
Voir tab. **Typographies**

ŒIL après (d'), blépharite, borgne, bourgeon, cataracte, centre, chassie, choroïde, clin d'œil, conjonctivite, cor, cornée, cyclope, daltonisme, dystrophie cornéenne, éborgner, emmétrope, énucléer, glaucome, iridocyclite, iritis, judas, kératite, lucarne, muscle amoureux, oculiste, oculus, œillade, ophtalmie, -ophtalmie, ophtalmologiste, ophtalmoplastie, ophtalmoscopie, orbite, patte-d'oie, pierre, pour, rétine, rétinite, rétinoblastome, sclérotique, selon, surveiller, uvée, uvéite

ŒIL COMPOSÉ
Voir illus. **Insectes**

ŒIL TORVE → TRAVERS (2)

ŒILLADE → APPEL, CLIGNEMENT, ŒIL, REGARD

ŒIL-DE-BŒUF → FENÊTRE, LUCARNE
Voir illus. **Fenêtre**
Voir illus. **Maison**

ŒIL-DE-CHAT → QUARTZ

ŒIL-DE-PERDRIX → ENDURCISSEMENT, PIED

ŒILLÈRE → BORNÉ, BRIDE, VASE

ŒILLET → MARAIS, TROU
Voir illus. **Chaussures**
Voir tab. **Végétaux (classification simplifiée des)**

ŒILLET boutonnière, caryophyllacées, grenadin, tagète

ŒILLETON → BOUTON, FILLE

ŒNOLISME → ALCOOLISME

ŒNOLOGIE → VIN
Voir tab. **Sciences : termes en -ologie et -ographie**

ŒNOSÉMIOPHILE → BOUTEILLE
Voir tab. **Collectionneurs**

OENOTHERA BIENNIS
Voir tab. **Plantes médicinales**

ŒSO-
Voir tab. **Chirurgicales (interventions)**

ŒSOPHAGE
Voir illus. **Bouche, nez, gorge**
Voir illus. **Digestif (appareil)**
Voir tab. **Chirurgicales (interventions)**

ŒSTRADIOL → HORMONE

ŒSTRE → MOUCHE

ŒSTROGÈNE → OVAIRE

ŒUF → BOULE, EMBRYON, MONTRE, REPRODUCTEUR, REPRODUCTION, SKI
Voir tab. **Forme de... (en)**

ŒUF albumen, caviar, chalaze, clair, coquetière, coquille, couvain, couvaison, hardé, incubation, lente, mirer, nain, nichet, œufrier, œuvé, ovale, ove, oviforme, ovipare, ovoïde, ovovivipare, raisin de mer, rogue, zygote

ŒUFRIER → ŒUF

ŒUVÉ → ŒUF

ŒUVRE → ÉCRIT (1), EMPLOYER, OUVRAGE, PRATIQUE (1), PRODUCTION, RÉPERTOIRE, RÉSULTAT, TRAVAIL

ŒUVRE accastillage, bienfaisance, carène, charité, chef de chantier, chef-d'œuvre, écrit, employer, livre, ouvrage, recourir à, tableau, toile, utiliser

ŒUVRER → MILITER

OFF-SHORE → MARIN (2)

OFFENSANT → DÉSAGRÉABLE

OFFENSE → AFFRONT, ATTAQUE, ATTENTAT, INJURE, INSULTE, OUTRAGE

OFFENSE affront, avanie, blasphème, camouflet, faute, insulte, outrage, péché

OFFENSÉ → HUMILIER, ULCÉRÉ

OFFENSER → BLESSER, CHOQUER, DÉLICATESSE, DÉPLAIRE, ÉCORCHER, FROISSER, HEURTER, HUMILIER, INDIGNER (S'), INSOLENCE, INSULTER, JALOUSIE, MANQUER, OMBRAGE, PIQUER, SCANDALISER (SE), SUSCEPTIBLE, VEXER

OFFENSER choquer, fâcher (se), froisser, heurter, scandaliser, vexer

OFFENSER (S') formaliser (se), froisser (se), indigner (s'), offusquer (s'), vexer (se)

OFFENSIF → AGRESSIF

OFFENSIF agressif, violent

OFFENSIVE → ATTAQUE, CAMPAGNE, DÉVALUATION, OPÉRATION

OFFERTOIRE → MESSE
Voir tab. **Prières et offices de l'Église catholique romaine**

OFFICE → CÉLÉBRATION, CÉRÉMONIE, CUISINE, FONCTION, LITURGIE, PIÈCE, RELIGIEUX (2), SERVICE

OFFICE agence de tourisme, charge, dépense, emploi, étude, fonction, jouer le rôle de, messe, service, servir de, syndicat d'initiative, tenir lieu de

OFFICE DE TOURISME → TOURISTE

OFFICES (BONS) → MÉDIATION

OFFICIAL → JUGE

OFFICIALISER → LÉGALISER

OFFICIEL → AUTHENTIQUE, PUBLIC (2), RÉGULIER, SOLENNEL

OFFICIEL administratif, authentique, autorisé, certain, consacré, gouvernemental, notoire, public

OFFICIER → CÉLÉBRER, KÉPI
Voir illus. **Grades militaires**

OFFICIER agent de change, avoué, camérier, célébrant, commissaire, huissier, maire, notaire

OFFICIEUX → PRIVÉ, SERVIABLE

OFFICINAL → PHARMACIE

OFFICINE → BOUTIQUE, LABORATOIRE, MAGASIN, PHARMACIE

OFFRANDE → AUMÔNE, CADEAU, DON

OFFRANDE aumône, cadeau, don, hécatombe, holocauste, présent, sacrifice

OFFRE → OUVERTURE

OFFRE enchère, oblation, OPA, OPE, ouverture, pollicitation, proposition

OFFRIR → APPORTER, AVOIR (1), DÉDIER, DONNER, PAYER, PRÉSENTER, PROCURER, SOUMETTRE, TENDRE (1), VERSER

OFFRIR accorder (s'), dédier, donner, exhiber (s'), fournir, montrer (se), octroyer (s'), présenter, présenter (se), procurer, régaler, sacrifier, vouer

OFFRIR SES VŒUX → SOUHAITER

OFFSET → IMPRESSION, IMPRIMERIE, PAPIER

OFFSHORE → COURSE DE BATEAUX, PÉTROLE

OFFSHORE (COURSE) → BATEAU

OFFUSQUER → CHOQUER, DÉPLAIRE, EFFAROUCHER, HEURTER, JALOUSIE, OFFENSER (S'), OMBRAGE, SCANDALISER (SE)

OFFUSQUER choquer, déplu, froisser, froisser (se), heurter, scandaliser, vexer (se)

OFLAG → CAMP, DÉPORTATION

OGAC → MORUE

OGIER → PIQUE, VALET
Voir tab. **Cartes à jouer**

OGIVE → FUSÉE, OBUS, TÊTE, VOÛTE
Voir illus. **Voûtes**

OGNETTE → BURIN

OGRE → CONTE, DÉVORER, ENFANCE, ENFANT, GÉANT

OHM → ÉLECTRICITÉ, RÉSISTANCE
Voir tab. **Électricité**

OÏDIUM → BLANC (2), VIGNE

OIE

Voir tab. **Animaux (termes propres aux)**
Voir tab. **Oiseaux (classification simplifiée des)**

OIE anatidés, ansériforme, bernache, cacarder, cagnarder, cendrée, cravant, criailler, eider, jargauder, jars, oison, rieuse, séquanienne, siffler

OIGNON → LÉGUME, MONTRE, PIED, RACINE, VINAIGRE
Voir tab. **Herbes, épices et aromates**

OIGNON botte, bulbe, chapelet, cor, durillon, liliacées, oignonade, oignonière, pelure

OIGNONADE → OIGNON

OIGNONIÈRE → OIGNON

OÏL → DIALECTE

OINDRE → FROTTER, GRAISSER

OINT → BÉNIR

OISEAU → INDIVIDU, MAÇON
Voir tab. **Animaux (classification simplifiée des)**
Voir tab. **Élevages**
Voir tab. **Phobies**
Voir tab. **Superstitions**

OISEAU alouette-calandre, autruche, aviculteur, avifaune, cagou, canard aptère, casoar, chanter, cire, cloaque, colibri, colombe, corbeau, cormoran des Galápagos, corneille, croupion, dégoiser, duvet, échassier, ému, étourneau, fiente, fredonner, frouer, gazouiller, geai, gésier, gringotter, guano, hirondelle, hululement, jabot, kiwi, mainate, manchot, ménure, nandou, oiseler, oiseleur, oisellerie, ornithologie, ornithophobie, ornithose, palmipède, pariade, penne, pépie, perroquet, pie, présage, psittacose, ramager, rapace, rectrice (plume), rémige, siffler, tectrice (plume), uropygienne, ventricule succenturié, volaille, volatile

OISEAU DE MAUVAIS AUGURE → FUNESTE

OISEAU-LYRE
Voir tab. **Oiseaux (classification simplifiée des)**

OISEAU-MOUCHE → COLIBRI

OISEAUX À BERCEAUX
Voir tab. **Oiseaux (classification simplifiée des)**

OISEAUX À LUNETTE
Voir tab. **Oiseaux (classification simplifiée des)**

OISELER → OISEAU

OISELEUR → OISEAU

OISELLERIE → OISEAU

OISEUX → INUTILE, STÉRILE, SUPERFLU (2), VAIN

OISIF → INACTIF

OISIF désœuvré, inactif, inoccupé

OISIVETÉ → BADAUD, BRAS, DISPONIBILITÉ, INACTION, PARESSE

OISON → OIE
Voir tab. **Animaux (termes propres aux)**

OKAPI → GIRAFE

OKOUMÉ → BOIS
Voir tab. **Ébénisterie (essences utilisées en)**

OLÉ(I)- → HUILE
OLÉ(O)- → HUILE
OLÉACÉES → FRÊNE, JASMIN
OLÉAGINEUX → HUILE
OLÉCRANE → COUDE
OLÉFINE → CARBURE
OLÉODUC → CONDUIT, PÉTROLE, TRANSPORT, TUYAU
OLÉOMÈTRE → HUILE
OLÉUM → ACIDE SULFURIQUE
OLFACTION → NEZ, ODEUR
OLIBAN → ENCENS, GOMME, RÉSINE
OLIBRIUS → BIZARRE
OLIFANT → CHEVALIER, CORNE
OLIGARCHIE → GOUVERNEMENT, POLITIQUE
OLIGISTE → FER
OLIGOCÈNE
 Voir tab. **Géologiques (échelle des temps)**
OLIGOPOLE → MARCHÉ
OLIGOTHÉRAPIE → MÉDECINE
 Voir tab. **Médecines alternatives**
OLIM → REGISTRE
OLIVACÉ → OLIVE
OLIVAIE → OLIVE, OLIVIER
OLIVAIRE → OLIVE
OLIVAISON → OLIVE
OLIVÂTRE → OLIVE, VERT
 Voir tab. **Couleurs**
OLIVE → BOUTON, VERT
 Voir tab. **Couleurs**
OLIVE hylésine, maillotin, malle, olivacé, olivaie, olivaire, olivaison, olivâtre, oliverie, oliveur, picholine
OLIVERAIE → OLIVIER
OLIVERIE → MOULIN, OLIVE
OLIVET
 Voir illus. **Fromages**
OLIVETTE → OLIVIER, PROVENÇAL, RAISIN, TOMATE
OLIVEUR → OLIVE
OLIVIER → PACIFISTE
OLIVIER olivaie, oliveraie, olivette, paix
OLIVINE → VERT
 Voir tab. **Pierres précieuses et semi-précieuses**
OLOGRAPHE → ÉCRIT (2), TESTAMENT
OLYMPE → DIEU, MYTHOLOGIE
OLYMPIADE → JEU
OLYMPIE
 Voir illus. **Monde (les Sept Merveilles du)**
OLYMPIEN → MAJESTUEUX, SPLENDIDE
OMBELLE
 Voir illus. **Fleur**
OMBELLIFÈRES → ANIS
OMBILIC → CORDON
 Voir tab. **Chirugicales (interventions)**
OMBILICALE (RÉGION) → VENTRE
OMBILIQUÉ
 Voir illus. **Champignon**
OMBRAGE → JALOUSIE, OMBRE
OMBRAGE feuillage, formaliser (se), froisser (se), offenser (s'), offusquer (s'), ombre
OMBRAGÉ → OMBRE
OMBRAGEUX → DIFFICILE, INQUIET, JALOUX, MÉFIANT, SOUPÇONNEUX, SUSCEPTIBLE, VEXER
OMBRE → BRUN, OBSCURITÉ, OMBRAGE, SEMBLANT, TRACE
 Voir illus. **Éclipses**

OMBRE clair-obscur, contour, défaut, demi-jour, image, inconvénient, moindre soupçon (pas le), obombrer, obscurément, ombrage, ombragé, ombrelle, ombrer, parasol, pénombre, problème, scialytique, sciographie, secrètement, Sienne (terre de), silhouette, store, tirer de l'oubli
OMBRE À PAUPIÈRES → FARD
OMBRE CHINOISE → SILHOUETTE
OMBRELLE → OMBRE, PARASOL
OMBRELLE parasol
OMBRER → ESTOMPER, OMBRE
OMBRETTE
 Voir tab. **Oiseaux (classification simplifiée des)**
OMBREUX → OBSCUR
OMBUDSMAN → CITOYEN, MÉDIATEUR, PROTECTEUR
OMÉGA → ALPHA
OMELETTE glace, meringue, tortilla
OMELETTE BRAYAUDE
 Voir tab. **Plats régionaux**
OMELETTE NORVÉGIENNE → DESSERT
OMENT(O)-
 Voir tab. **Chirurgicales (interventions)**
OMERTA → MAFIA
OMETTRE → ABSTRACTION, LAISSER, NÉGLIGER, OUBLIER, PASSER, SAUTER, SILENCE
OMISSION → IGNORANCE, INATTENTION, LACUNE, MANQUE, NÉGLIGENCE, OUBLI
OMISSION dissimulation, distraction, lacune, mégarde, négligence, obreption, oubli, prétérition, réticence
OMNIBUS → FIACRE, TRAIN, VÉHICULE
OMNIBUS train
OMNIPOTENCE → PUISSANCE
OMNIPOTENT → SOUVERAIN (2)
OMNIPRATICIEN → GÉNÉRALISTE, MÉDECIN
OMNIPRÉSENCE → PARTOUT, PRÉSENCE
OMNISCIENCE → SCIENCE
OMNISCIENT → SAVOIR (2), TOUT (3), UNIVERSEL
OMNIUM → COURSE CYCLISTE, HANDICAP, SOCIÉTÉ
OMNIVORE → ALIMENTATION, MANGER
OMOPLATE → DOS, ÉPAULE
 Voir illus. **Squelette**
OMOPLATE acromion, clavicule
OMPHAL(O)-
 Voir tab. **Chirugicales (interventions)**
ONAGATA → ACTEUR
ONAGRE → ÂNE, FRONDE
 Voir tab. **Plantes médicinales**
ONANISME → SEXUEL
ONCE → BRIN, ÉTINCELLE, GRAIN, PANTHÈRE, PARCELLE, TRACE
ONCLE avunculaire
ONCLE PICSOU
 Voir tab. **Bande dessinée (héros de)**

ONCOGENÈSE → CANCER
ONCOLOGIE → CANCER
 Voir tab. **Sciences : termes en -ologie et -ographie**
ONCTION → BAPTÊME, LITURGIE, RELIGIEUX (2), SACREMENT
ONCTUEUX → DOUX, MOELLEUX
ONCTUEUX crémeux, velouté
ONCTUOSITÉ → AMOUR, DOUCEUR
ONDE → FLOT, PHÉNOMÈNE, RIDE, SON
ONDE angström, BF, cercle, choc (de), cohéreur, décimétrique, électromagnétique, hectométrique, HF, kilométrique, mécanique, mégahertz, MF, ondoyer, péristaltisme, radar, ride, rond, sonar, train d'ondes
ONDÉ → MOIRÉ
ONDÉE → AVERSE, PLUIE
ONDEMÈTRE
 Voir tab. **Instruments de mesure**
ONDES MARTENOT
 Voir tab. **Instruments de musique**
ONDIN → GÉNIE
ONDINE → DÉESSE, NYMPHE
ON-DIT → COMMÉRAGE, COULOIR, INFORMATION, RUMEUR
ONDOIEMENT → BAPTÊME, MOUVEMENT, ONDULATION
ONDOYANT → SINUEUX
ONDOYANT capricieux, changeant, frémir, frissonner, inconstant, lunatique, sinueux
ONDOYER → FLOTTER, ONDE
ONDULANT → SERPENT, SINUEUX, SOUPLE
ONDULATION → BOUCLE, MOUVEMENT, PLI
ONDULATION ondoiement, pli, repli
ONDULATOIRE → MÉCANIQUE (1)
ONDULÉ → TÔLE
ONDULER → BOUCLER
ONDULEUR
 Voir tab. **Informatique**
ONE-MAN-SHOW → RÉCITAL, SPECTACLE
ONÉREUX → CHER, COÛT, DÉPENSE, LOURD
ONÉREUX cher, coûteux, dispendieux
ONE-STEP
 Voir tab. **Danses (types de)**
ONE-WOMAN-SHOW → RÉCITAL, SPECTACLE
ONGLE → DOIGT
ONGLE coupe-ongles, cuticule, dissolvant, envie, griffe, lime à ongles, lunule, manucure, onglier, onychophagie, onyxis, panaris, polissoir, serre, tourniole, vernis
ONGLÉE → DOIGT, ENGOURDISSEMENT, FROID
ONGLET → BIFTECK, ÉQUERRE, LAME, MENUISERIE, PLANCHE
ONGLETTE → BURIN
ONGLIER → ONGLE, TROUSSE
ONGLON → SABOT
ONGUENT → ADOUCISSANT, BAUME, COMPOSITION, CRÈME, MÉDICAMENT, POMMADE, SORCIÈRE
ONGUENT baume, crème, pommade
ONGULIGRADE → MARCHER

ONIRIQUE → RÊVE
ONIROCRITE → SONGE
ONIROLOGIE → EXPLICATION, RÊVE
 Voir tab. **Sciences : termes en -ologie et -ographie**
ONIROMANCIE → DIVINATION, INTERPRÉTATION, SONGE
ONLAY → DENTAIRE
ONNAZUMO → LUTTE
ONOMASIOLOGIE → DÉSIGNATION, SENS
ONOMASTIQUE → NOM
ONOMATOMANIE
 Voir tab. **Manies**
ONOMATOPÉE → BRUIT, INTERJECTION, MOT
ONOMATOPHOBIE
 Voir tab. **Phobies**
ONOPORDON → CHARDON
ONTOLOGIE → MÉTAPHYSIQUE (1)
 Voir tab. **Philosophie**
 Voir tab. **Sciences : termes en -ologie et -ographie**
ONTOLOGIQUE → EXISTENCE
ONU → DROIT (1)
 Voir tab. **Histoire (grandes périodes)**
ONYCHOPHAGIE → ONGLE, RONGER
ONYX
 Voir tab. **Pierres précieuses et semi-précieuses**
ONYXIS → ONGLE
ONZE football, football américain, hockey sur gazon, noces d'acier
OOLOGIE
 Voir tab. **Sciences : termes en -ologie et -ographie**
OOLOGISTE
 Voir tab. **Collectionneurs**
OOLONG → THÉ
 Voir tab. **Thé**
OOSPHÈRE → CONCEPTION, FÉCONDATION, GAMÈTE, REPRODUCTEUR, REPRODUCTION
OPA → ACQUISITION, OFFRE, RAID
OPALE → VERRE
 Voir tab. **Pierres précieuses et semi-précieuses**
OPALIN → BLANC (2)
 Voir tab. **Couleurs**
OPAQUE → TROUBLE (2)
OPAQUE abscons, abstrus, dense, épais, hermétique, impénétrable, incompréhensible, inintelligible, insaisissable, obscur, sombre, ténébreux
OP ART
 Voir tab. **Peinture et décoration**
OPCVM
 Voir tab. **Bourse**
OPE → ACQUISITION, OFFRE, RAID, TROU
OPEN → COMPÉTITION
OPÉRA → ART, DRAMATIQUE, RÉCIT, SPECTACLE
OPÉRA aria, bel canto, Covent Garden, diva, interlude, intermezzo, la Fenice, la Scala, librettiste, libretto, livret, Opéra de la Bastille, opéra-bouffe, opéra-comique, palais Garnier, prima donna, récitatif, tétralogie

OPÉRA DE LA BASTILLE → OPÉRA
OPÉRA-BOUFFE → COMÉDIE, OPÉRA, THÉÂTRE
OPÉRA-COMIQUE → OPÉRA, THÉÂTRE
OPÉRANT → EFFICACE
OPÉRATEUR
Voir tab. **Multimédia (les mots du)**
OPÉRATEUR cadreur, cameraman, courtier, donneur d'ordre, standardiste, symbole
OPERATING SYSTEM
Voir tab. **Informatique**
OPÉRATION → CHIRURGICAL, INTERVENTION, POSTE, RÈGLE, RÉSULTAT
OPÉRATION action, addition, attaque, campagne, combat, division, entreprise, intervention, invasion, manœuvre, multiplication, offensive, soustraction, spéculation, tâche, transaction, travail
OPÉRATION BOURSIÈRE → ARBITRAGE
OPERCULE
Voir illus. **Poisson**
OPÉRER → AGIR, EFFET, PROCÉDER
OPÉRER accomplir, accomplir (s'), dérouler, effectuer, exécuter, faire (se), pratiquer, produire (se)
OPÉRETTE → COMÉDIE, RÉCIT, THÉÂTRE
OPHIDIENS → VIPÈRE
OPHIDISME → SERPENT
OPHIOGRAPHIE → SERPENT
Voir tab. **Sciences : termes en -ologie et -ographie**
OPHIOLÂTRIE → SERPENT
OPHIOLOGIE → SERPENT
Voir tab. **Sciences : termes en -ologie et -ographie**
OPHIOPHOBIE
Voir tab. **Phobies**
OPHITE
Voir tab. **Roches et minerais**
OPHRYS → ORCHIDÉE
OPHTALMIE → ŒIL
OPHTALMOLOGIE
Voir tab. **Sciences : termes en -ologie et -ographie**
OPHTALMOLOGISTE → MÉDECIN, ŒIL
OPHTALMOPLASTIE → ŒIL
OPHTALMOSCOPIE → FOND, ŒIL
OPIACÉ → OPIUM
Voir tab. **Drogues**
OPIAT → MÉDICAMENT
OPINEL → COUTEAU
OPINIÂTRE → CONSTANT, CONTINU, IDÉE, OBSTINÉ, SOUTENU, TENACE, TÊTU
OPINIÂTRE buté, déterminé, entêté, obstiné, persévérant, persistant, résolu, tenace, têtu, volontaire
OPINIÂTRETÉ → ACHARNEMENT, ARDEUR, ENTÊTEMENT, FERMETÉ, PATIENCE, PERSÉVÉRANCE, RÉSOLUTION
OPINIÂTRETÉ acharnement, constance, détermination, entêtement, fermeté, obstination, pugnacité, ténacité, vaillance, véhémence

OPINION → ATTITUDE, AVIS, CONCEPTION, DOCTRINE, IDÉE, IMPRESSION, JUGEMENT, PENSÉE, POINT, POLITIQUE (2), POSITION, PRÉSOMPTION, REGARD, SENSIBILITÉ, SENTIMENT, THÉORIE, VERBE
OPINION apprécier, avis, conjecture, conviction, croyance, estimer, foi, jugement, manière de penser, mépriser, mésestimer, parti pris, point de vue, position, préjugé, présomption, prévention, sous-estimer, supposition
OPIOMANE → OPIUM
OPIOMANIE → OPIUM
OPISTHODOME → GREC
OPIUM → DROGUE, POISON
Voir tab. **Drogues**
OPIUM codéine, fumer, héroïne, ingérer, laudanum, morphine, narcotique, opiacé, opiomane, opiomanie, paraphrénie, pavot, thébaine, Triangle d'or
OPJ
Voir tab. **Police nationale (organisation de la)**
OPODELDOCH → SAVON
OPOPANAX → GOMME, PARFUM, RÉSINE
OPOSSUM
Voir tab. **Mammifères (classification des)**
OPOTHÉRAPIE → GLANDE, ORGANE
OPPIDUM → CITADELLE, FORTIFICATION
OPPORTUN → ADÉQUAT, APPROPRIÉ, BON (1), FAVORABLE, HEUREUX, PROPICE, PROPOS (À), UTILE
OPPORTUN approprié, bon, expédient, favorable, indiqué, judicieux, propice, recommandé, souhaitable
OPPORTUNÉMENT → POINT
OPPORTUNISME → RÉALISME
OPPORTUNISME attentisme
OPPORTUNITÉ → OCCASION, POSSIBILITÉ
OPPORTUNITÉ chance, occasion, pertinence, possibilité, propos (à)
OPPOSANT → ADVERSAIRE, COMBAT
Voir tab. **Copropriété**
OPPOSANT adversaire, concurrent, détracteur, ennemi, rival
OPPOSÉ → CONTRAIRE (2), CONTRE-PIED, DÉFAVORABLE, DISCORDANT, EXTRÊME, INCOMPATIBLE, INVERSE (2), REBELLE (2), RÉCALCITRANT
OPPOSÉ adverse, antagoniste, antinomique, antipode, antithétique, antonyme, avers, contradictoire, contraire, défavorable, divergent, endroit, envers, face, hostile, incompatible, inconciliable, inverse, pile, recto, rival, symétrique, verso
OPPOSER → AFFRONTER, BALANCE, BRAVE, CONTRER, DÉMENTIR, DIFFÉRER, DRESSER (SE), ÉLEVER, EMPÊCHER, INTERDIRE, JURER, PROTESTER, RÉFUTER, RÉVOLTER (SE)

OPPOSER affronter (s'), alléguer, braver, combattre, comparer, confronter, contraster, contrecarrer, contrer, désunir, diviser, dresser contre (se), élever contre (s'), faire face à, invoquer, objecter, parallèle (mettre en), rejeter, trancher, veto (mettre son)
OPPOSITION → ANTAGONISME, ASTRE, CONTRASTE, DÉSACCORD, DÉSOBÉISSANCE, FIN (1), INCOMPATIBILITÉ, MAJORITÉ, OBJECTION, RÉACTION, REBELLE (2), RELATION, RELIEF, RÉSISTANCE, RIVALITÉ, RUPTURE, SAISIE, TIRAILLEMENT
OPPOSITION antagonisme, asymétrie, barrage, conflit, contestation, contraste, désaccord, désapprobation, désobéissance, discordance, disparité, dispute, dissemblance, dissension, dissimilitude, dissonance, objection, obstacle, obstruction, rébellion, répugnance, résistance, révolte, veto (mettre son)
OPPRESSANT → LOURD, SUFFOQUER
OPPRESSÉ (ÊTRE) → SUFFOQUER
OPPRESSER → ANGOISSER, ÉTOUFFER, ÉTREINDRE, GÊNER, SURCHARGER
OPPRESSEUR → DICTATEUR, TYRAN, TYRANNIQUE
OPPRESSION → ESCLAVAGE, POUVOIR, VIOLENCE
OPPRESSION asphyxie, asservissement, assujettissement, coercition, contrainte, dictature, domination, joug, suffocation, tyrannie
OPPRIMER → AUTORITÉ, ÉCRASER, PERSÉCUTER, SOUMETTRE, TYRANNISER
OPPRIMER asservir, assujettir, écrasé, écraser, étouffer, exploiter, humilier, martyriser, museler, tyranniser
OPPROBRE → DÉCHÉANCE, DÉSHONNEUR, HONTE
OPTATIF → CONDITIONNEL
OPTER → ADOPTER, CHOISIR, DÉCIDER, PRÉFÉRER
OPTICIEN → LUNETTES, OPTIQUE
OPTIMAL → IDÉAL (2), MEILLEUR (2)
OPTIMALISER → PERFECTIONNER
OPTIMISATION → RENDEMENT
OPTIMISER → PERFECTIONNER, RENTABLE
OPTIMISTE → CÔTÉ, FUTUR (1), POSITIF
OPTIMISTE confiant, positif
OPTION → ALTERNATIVE
OPTIQUE → ENREGISTREMENT, FAÇON, MANDAT, MICROSCOPE, PERSPECTIVE, VISION, VUE
OPTIQUE jumelle, lentille, longue-vue, loupe, lunette, lunette astronomique, microscope, opticien, point de vue, vision
OPTOMÈTRE
Voir tab. **Instruments de mesure**
OPTOMÉTRIE → VISION
OPULENCE → ABONDANCE, FASTE (1), LUXE, SPLENDEUR

OPULENT → ABONDANT, BUSTE, GÉNÉREUX, GROS, PLANTUREUX, PUISSANT, RICHE (2), SOMPTUEUX
OPULENT bien en chair, fastueux, fort, fortuné, généreux, lourd, luxueux, plantureux, riche, rond
OPUS → MUSIQUE
OPUS INCERTUM → MAÇONNERIE
Voir illus. **Briques (appareillages de)**
OPUSCULE → BROCHURE, LIVRE
OPUSCULE brochure, livret
OR → BLASON, MAGE, MÉTAL
Voir illus. **Héraldique**
Voir tab. **Anniversaires de mariage**
Voir tab. **Couleurs**
Voir tab. **Éléments chimiques (symbole des)**
OR aloi, amatir, aurifère, avantageux, barre, batte, bonne, brocart, brunir, cantatille, carat, charitable, chryséléphantin, chrysocale, dégrossir, dépolir, fructueux, généreux, lingot, louis, napoléon, orpailleur, paillette, pépite, pétrole, philanthrope, placer, poinçon, poudre, vermeil
ORACLE → AMBIGU, PRÉDICTION, SACRÉ, SAVANT (1)
ORACLE prédiction, prophétie
ORAGE → ÉCLAIR, INTEMPÉRIE, PERTURBATION, TEMPÊTE
Voir tab. **Phobies**
ORAGE bourrasque, difficulté, éclair, grêle, ouragan, pluie, rafale, tempête, tonnerre, trouble, tumulte, vicissitude
ORAGEUX → MOUVEMENTÉ
ORAGEUX accablant, agité, explosif, houleux, lourd, mouvementé, tendu, tumultueux
ORAISON → ADIEU, ÉLOGE
Voir tab. **Prières et offices de l'Église catholique romaine**
ORAISON FUNÈBRE → DISCOURS, FUNÈBRE
ORAISON JACULATOIRE → PRIÈRE
ORAL → BOUCHE, VERBAL
ORAL conte, geste, verbal
ORANGE
Voir tab. **Habitants (comment se nomment les)**
ORANGE bigarade, curaçao, orangeade, orangeat, orangette, quartier, sangria, sanguine, zeste
ORANGE (THÉÂRE ET ARC DE TRIOMPHE)
Voir tab. **Monuments français du patrimoine mondial**
ORANGÉ → BRIQUE, PRIMITIF, SPECTRE
Voir tab. **Couleurs**
ORANGE PEKOE
Voir tab. **Thé**
ORANGEADE → ORANGE
ORANGEAT → DRAGÉE, ORANGE
ORANGEOIS
Voir tab. **Habitants (comment se nomment les)**
ORANGER orangeraie, orangerie
ORANGERAIE → ORANGER
ORANGERIE → JARDIN, ORANGER
ORANGETTE → ORANGE, ZESTE

ORANT → PRIÈRE, STATUE

ORATEUR → BAVARD

ORATEUR apologiste, déclamateur, éloquence, intervenant, phraseur, prêcheur, prédicateur, rhéteur, tribun

ORATOIRE → CHAPELLE

ORATORIO → CONCERT, DRAME, RÉCIT

Voir tab. **Musicales (formes)**

ORBE → COMÈTE

ORBICULAIRE → PAUPIÈRE

Voir illus. **Feuille**

ORBITAL → ORBITE

ORBITE → ASTRE, COMÈTE, ŒIL, SATELLITE, TRAJECTOIRE

ORBITE apogée, arcade, cavité, dérober, ellipse, exorbité, milieu, orbital, périgée, sillage, sphère

ORCANETTE → TEINTURE

ORCHESTIQUE → PANTOMIME

ORCHESTRAL → ORCHESTRE

ORCHESTRATION → ADAPTATION, ARRANGEMENT

ORCHESTRATION arrangement, harmonisation, instrumentation

ORCHESTRE → ENSEMBLE, FANFARE, FORMATION

Voir illus. **Théâtre**

ORCHESTRE baguette, chambre (orchestre de), concert, fanfare, harmonie, instrumentiste, octuor, orchestral, quatuor, quintette, septuor, sextuor, symphonie, symphonique, trio

ORCHESTRER → HARMONISER, ORGANISER, PRÉSIDER

ORCHESTRER arranger, harmoniser, organiser

ORCHID(O)-

Voir tab. **Chirurgicales (interventions)**

ORCHIDACÉES → ORCHIDÉE

ORCHIDECTOMIE → TESTICULE

ORCHIDÉE cattleya, épiphyte, labelle, ophrys, orchidacées, orchidophile, orchis, sabot-de-Vénus, vanillier

ORCHIDOPHILE → ORCHIDÉE

ORCHIS → ORCHIDÉE

ORCHITE → TESTICULE

ORDALIE → DUEL, ÉPREUVE, JUGEMENT, PREUVE

ORDINAIRE → BANAL, CHARME, CLASSIQUE, COMMUN, FRÉQUENT, GÉNÉRAL, GROSSIER, HABITUEL, MÉDIOCRE, MOYEN (2), NORMAL, PLUPART (LA), QUELCONQUE, QUOTIDIEN, SECOND (2), SIMPLE, STANDARD (2), TRIVIAL, USUEL

Voir tab. **Clergé catholique (vocabulaire du)**

ORDINAIRE admis, alimentation, banal, classique, commun, cuisine, établi, familier, général, grossier, habitude (d'), habituellement, médiocre, moyen, normalement, nourriture, ordinairement, quelconque, traditionnel, trivial, vulgaire

ORDINAIRE DE LA MESSE

Voir tab. **Prières et offices de l'Église catholique romaine**

ORDINAIREMENT → GÉNÉRALEMENT, ORDINAIRE

ORDINAL → ADJECTIF, NOMBRE

ORDINATEUR → BUREAU, CONSULTATION, INFORMATIQUE, INTELLIGENCE ARTIFICIELLE

ORDINATEUR cybernétique, logiciel, système d'exploitation, virtuel

ORDINATEUR DE BORD

Voir tab. **Automobile**

ORDINATION → PRÊTRE

ORDO

Voir tab. **Catholique Romain (vocabulaire)**

ORDONNANCE → DÉCRET, DISTRIBUTION, JUGEMENT, LOI, MÉDECIN, PRÉFET, RÈGLEMENT, SOIGNER

ORDONNANCE agencement, aide de camp, arrêt, composition, décision, décret, jugement, ordonnancier, prescription, règlement

ORDONNANCIER → ORDONNANCE

ORDONNATEUR → FUNÈBRE

ORDONNÉ → COHÉRENT, MÉTHODIQUE, SOIGNEUX, SUIVI, SYSTÉMATIQUE, TENIR

ORDONNÉE → REPÈRE

ORDONNER → ARRANGER, CLASSER, COMMANDER, DEMANDER, DICTER, EXIGER, PLACER, PRESCRIRE, PRIER, RANGER, SÉRIE, SIGNIFIER, TRIER

ORDONNER adjurer, agencer, classer, commander, consacrer, enjoindre, exiger, imposer, intimer, obliger, prier, ranger, rassembler, regrouper, sommer, supplier

ORDOVICIEN

Voir tab. **Géologiques (échelle des temps)**

ORDRE → BATAILLE, BOURSE, CATÉGORIE, CLASSEMENT, COMMANDEMENT, COMMUNAUTÉ, CONSIGNE, DISCIPLINE, EFFET, ESPÈCE, HIÉRARCHIE, IMPÉRATIF (1), INFÉRIORITÉ, INSTRUCTION, NATURE, RÈGLE, RELATION, RELIGIEUX (1), SACREMENT, SÉCURITÉ, SIGNAL, SORTE, STRUCTURE, STYLE, SÛRETÉ, TENUE, ZOOLOGIE

Voir tab. **Clergé catholique (vocabulaire du)**

Voir tab. **Sacrements**

ORDRE acolyte, admonestation, armée, association, blâme, calme, clergé, commande, commandement, communauté, composite, confrérie, consigne, contrordre, corinthien, corporation, degré, diaconat, diktat, directive, discipline, dorique, enchaînement, exorciste, filiation, gendarmerie, gradation, indication, injonction, instruction, ionique, lecteur, loi, noblesse, oukase, paix, police, portier, réprimande, sacerdoce, sécurité, semence, série, société, sous-diaconat, style, succession, syntaxe, tiers état, toscan, ultimatum

ORDRE DES ARTS ET DES LETTRES

Voir illus. **Décorations françaises**

ORDRE DU JOUR

Voir tab. **Copropriété**

ORDRE NATIONAL DU MÉRITE

Voir illus. **Décorations françaises**

ORDURE → BENNE, DÉCHET, GROSSIÈRETÉ, INJURE, RÉSIDU

ORDURE boueux, broyage, compostage, décharge, déchet, dépotoir, détritus, dévaloir, éboueur, excrément, grossièreté, incinération, obscénité, poubelle, recyclage, tri sélectif

ORDURIER → GROSSIER, MALPROPRE, SALACE

ORÉADE → GROTTE, MONTAGNE, NYMPHE

ORÉE → BOIS, BORD, FORÊT, FRONTIÈRE, LIMITE, LISIÈRE, SEUIL

OREILLARD → CHAUVE-SOURIS, OREILLE

OREILLE → PLI, VASE

Voir illus. **Cheval**

Voir illus. **Sièges**

Voir tab. **Douleur**

OREILLE anse, audiogramme, audition, auriculaire, cérumen, cochlée, conque, enclume, équilibre, essoriller, étrier, haliotide, hélix, limaçon, lobe, marteau, myosotis, oreillard, ormeau, otalgie, otite, otologie, otorrhée, otoscope, otospongiose, poignée, tympan

OREILLER → COUSSIN, PLUME

OREILLER mousse, plume, polochon, taie, traversin

OREILLON → ABRICOT

OREILLONS → ENFANCE, INFECTION

Voir tab. **Vaccins**

ORFÈVRE → BIJOU, FORGE

Voir tab. **Saints patrons**

ORFÈVRERIE → ART, MÉTAL

ORFRAIE → RAPACE

ORFROI → BRODERIE

ORGANDI

Voir tab. **Tissus**

ORGANE → BANQUE, CORPS, INFORMATION, JOURNAL, PARTI, PIÈCE, SERVICE, VOIX

ORGANE appareil, balance, bulletin, grand-livre, greffe, journal, mécanisme, opothérapie, organique, organogenèse, organothérapie, publication, voix

ORGANE GÉNITAL → VENTRE

ORGANEAU → ANNEAU

ORGANICISME → VIE

ORGANIGRAMME → HIÉRARCHIE, ORGANISATION, RELATION, STRUCTURE

ORGANIQUE → ORGANE, PARALYSIE, PHYSIQUE

Voir tab. **Chimie**

ORGANISATEUR → ANIMATEUR, CERVEAU, ORGANISER

ORGANISATION → AGENCEMENT, CONSTITUTION, DIRECTION, DISPOSITION, ÉCONOMIE, FORMATION, MÉTHODE, PARTI, PLAN, PRÉPARATION, RELATION, RÉSEAU, RÉUNION, STRUCTURE, TEXTURE

ORGANISATION agencement, arrangement, association, décision, direction, économie, emploi du temps, entreprise, formation, gabegie, groupe, incurie, infrastructure, laisser-aller, méthode, négligence, organigramme, parti, planning, préparation, structure, tableau

ORGANISATION DE LA POLICE

Voir tab. **Police nationale (organisation de la)**

ORGANISATION DES NATIONS UNIES

Voir tab. **Histoire (grandes périodes)**

ORGANISATION MONDIALE DU COMMERCE (OMC)

Voir tab. **Économie**

ORGANISÉ → MÉTHODIQUE, SYSTÉMATIQUE

ORGANISER → ARRANGER, ARTICULER (S'), CLASSER, CONCERTER, CONSTITUER, COORDONNER, MÉNAGER, ORCHESTRER, ORGUE, PIED, PLANIFIER, PRÉPARER, RÉGLER, UNIR

ORGANISER diriger, ménager, orchestrer, organisateur, préparer, prévoir, régler

ORGANISEUR → RENDEZ-VOUS

Voir tab. **Multimédia (les mots du)**

ORGANISME → CORPS

ORGANISME cellule, instance, micro-organisme

ORGANISMES EUROPÉENS → DROIT (1)

ORGANISTE → ORGUE

ORGANOGENÈSE → ORGANE

ORGANOLEPTIQUES → VIN

ORGANOTHÉRAPIE → ORGANE

ORGANSIN → SOIE

ORGANZA

Voir tab. **Tissus**

ORGASME → CULMINANT, JOUISSANCE, PLAISIR, SEXUEL

ORGASME acmé, anorgasmie, frigidité, jouissance

ORGE → BIÈRE, CÉRÉALE, MALT

ORGE bière, brai, escourgeon, maltage, marsèche, orge mondé, orge perlé, orgeat, paumelle, whisky

ORGE MONDÉ → ORGE

ORGE PERLÉ → ORGE

ORGEAT → AMANDE, ORGE

ORGELET → BOUTON, PAUPIÈRE

ORGIE → DÉBAUCHE, EXCÈS, QUANTITÉ, REPAS

ORGUE → CLAVIER, INSTRUMENT

Voir tab. **Instruments de musique**

ORGUE Barbarie (orgue de), bombarde, buffet, écho, facteur d'orgues, fugue, grand orgue, jeu d'anche, jeu de fond, jeu de mutation, jeu d'orgue, limonaire, marche, organiser, organiste, passacaille, pédale, positif, récit, registre, toccata

ORGUE ÉLECTRONIQUE

Voir tab. **Instruments de musique**

ORGUEIL → AMOUR-PROPRE, DÉDAIN, FIERTÉ, HONNEUR, INSOLENCE, PÉCHÉ, SUPERBE (1)

ORGUEIL amour-propre, arrogance, dédain, fierté, morgue, outrecuidance, paon, pou

ORGUEILLEUX → ALTIER, IDÉE, SUFFISANT, SUPERBE (2)

ORGUEILLEUX arrogant, dédaigneux, fat, fier, hautain, infatué, présomptueux, prétentieux, vaniteux

ORIBUS → BOUGIE, CHEMINÉE, RÉSINE

ORICHALQUE → BRONZE

ORIEL → BAIE, FENÊTRE, SAILLIE

Voir illus. **Fenêtre**

ORIENT → EST, HORIZON, PERLE

ORIENT est, franc-maçonnerie, levant, reflet

ORIENTAL

Voir illus. **Coiffures**

Voir tab. **Églises**

ORIENTAL orientaliser, orientalisme, orientaliste

ORIENTALISER → ORIENTAL

ORIENTALISME → ORIENTAL

ORIENTALISTE → ORIENTAL, PEINTRE

ORIENTATION → AXE, CAP, DESTINATION, DIRECTION, EXPOSITION, PROJET, SENS, SITUATION, TENDANCE, TOUR

ORIENTATION assistance, boussole, carte, compas, conseil, direction, exposition, ligne, orienteur, position, situation, table d'orientation, tendance, tropisme

ORIENTER → BOUSSOLE, BRAQUER, DESTINER, DIRIGER, GUIDER, INFLUENCE, POINTER, RETROUVER, TOURNER (SE)

ORIENTER aiguiller, choisir, diriger (se), exposer, guider, renseigner, repérer (se)

ORIENTEUR → ORIENTATION

ORIENT-EXPRESS → EST, TRAIN

ORIFICE → BOUCHE, BRÈCHE

ORIFICE bouche, jour, ouverture, pore, serrure, trou

ORIFLAMME → DRAPEAU, GUIDON

Voir illus. **Drapeaux**

ORIGAN

Voir tab. **Herbes, épices et aromates**

ORIGINAIRE → INDIGÈNE (2), NATIF (2), ORIGINEL, VENIR

ORIGINAL → AUDACIEUX, BANAL, CURIEUX (2), ÉCRIT (1), ÉDITION, ÉTONNANT, FANTAISIE, HARDI, INÉDIT, INSOLITE, MARGINAL, MINUTE, NEUF (2), NON-CONFORMISTE, NOUVEAU, PARTICULIER, PERSONNEL (2), PIQUANT (2), PITTORESQUE, PREMIER (2), PROTOTYPE, SEUL, SINGULIER, SPÉCIAL

ORIGINAL authentique, baroque, bizarre, créatif, curieux, étonnant, excentrique, extravagant, fantaisiste, fantasque, génial, inconnu, insolite, inspiré, inventif, minute, moderne, nouveau, novateur, personnel, rare, singulier, surprenant

ORIGINALITÉ → CARACTÈRE, EXCENTRICITÉ, IDENTITÉ, INDIVIDUALITÉ, INITIATIVE, SINGULARITÉ

ORIGINALITÉ bizarrerie, créativité, drôlerie, étrangeté, excentricité, extravagance, fantaisie, fraîcheur, hardiesse, innovation, invention, marginalité, nouveauté, particularité, singularité, spécificité

ORIGINE → CAUSE, DÉBUT, DÉPART, EXTRACTION, GÉNÉALOGIE, GERME, NAISSANCE, POINT, PRINCIPE, PROVENANCE, RACINE, RAISON, RESPONSABLE (2), SANG, SEMENCE, SOURCE

ORIGINE arbre généalogique, ascendance, berceau, cause, étymologie, extraction, lignée, motif, parenté, prétexte, provenance, racine, souche, source, traçabilité

ORIGINEL → BRUT, INITIAL, PÉCHÉ, PRIMAIRE, PRIMITIF

ORIGINEL congénital, initial, inné, originaire, premier, primitif

ORIGNAL → CERF, ÉLAN (2)

ORILLON → MAÇONNERIE

ORIPEAU → BRODERIE

ORIPEAUX → AFFREUX, CHIFFON, GUENILLE, HABIT, VÊTEMENT

ORLE → BORDURE, BOUCLIER, ÉCU

Voir illus. **Héraldique**

ORLÉANS-BOURBONS

Voir tab. **Rois et chefs d'État de la France**

ORLON → FIBRE, TEXTILE

ORME

Voir tab. **Ébénisterie (essences utilisées en)**

ORMEAU → MOLLUSQUE, OREILLE

ORNE → FRÊNE

ORNÉ → FLEURI, SCULPTER

ORNEMANISTE → DÉCOR, DESSIN, ORNEMENT, PLÂTRE, SCULPTURE

ORNEMENT → DÉCORATION, MOTIF, ROSACE

ORNEMENT accessoire, applique, arabesque, bandeau, colifichet, enluminure, fanfreluche, fioriture, fleuron, frise, miniature, moulure, ornemaniste, parure, vignette

ORNEMENTS SACERDOTAUX → VÊTEMENT

ORNER → BRICOLER, COLORER, DÉCORER, ÉGAYER, ENJOLIVER, ENRICHIR, GARNIR, ILLUSTRER, INSÉRER, PARER

ORNER agrémenter, brocher, broder, décorer, égayer, émailler, embellir, enjoliver, enrichir, galonner, guillocher, illuminer, illustrer, incruster, nieller, parer

ORNIÈRE → CAHOT, INÉGALITÉ, NID, TRACE, TRAMWAY, TROU

ORNITHISCHIENS → DINOSAURE

ORNITHODELPHE → MAMMIFÈRE

ORNITHOLOGIE → OISEAU, ZOOLOGIE

Voir tab. **Sciences : termes en -ologie et -ographie**

ORNITHOMANCIE → DIVINATION, INTERPRÉTATION

ORNITHOPHOBIE → OISEAU

Voir tab. **Phobies**

ORNITHORYNQUE

Voir tab. **Mammifères (classification des)**

ORNITHOSE → OISEAU

ORO- → MONTAGNE

OROGENÈSE → GÉOLOGIQUE, MONTAGNE

OROGRAPHIE → GÉOGRAPHIE, MONTAGNE

Voir tab. **Sciences : termes en -ologie et -ographie**

OROGRAPHIQUE → CARTE

OROMÈTRE

Voir tab. **Instruments de mesure**

OROPHARYNX → BOUCHE

OROPHILE → VÉGÉTATION

OROPHOBIE

Voir tab. **Phobies**

ORPAILLEUR → CHERCHEUR, OR, PAILLETTE

ORPHELIN

Voir tab. **Saints patrons**

ORPHÉON → FANFARE

ORPHIE → BÉCASSE

ORPIMENT → ARSENIC

ORQUE → CÉTACÉ

ORSEILLE → LICHEN, TEINTURE

ORTEIL → DOIGT, PIED

ORTEIL (GROS) → POUCE

ORTHÈSE

Voir tab. **Chirurgie (vocabulaire de la)**

ORTHO- → DROIT

ORTHOCENTRE → TRIANGLE

ORTHODONTISTE → DENTISTE

ORTHODOXE → CHRÉTIEN, CONFORME, TRADITIONALISTE

Voir tab. **Églises**

ORTHODOXE autocéphale, bulgare, conformiste, critiquable, dissident, douteux, grec, hérétique, illicite, roumaine, russe, schismatique, serbe, traditionaliste

ORTHOÉPIE → PRONONCIATION

ORTHOGÉNIE → NAISSANCE

ORTHOGONAL → DROIT (2), SYMÉTRIE

ORTHOGRAPHE → DICTÉE

ORTHOGRAPHE dysorthographie, épeler, homographe

ORTHOGRAPHIER → ÉCRIRE

ORTHOGRAPHIQUE → CORRECTION

ORTHOHYDROXYBENZOÏQUE (ACIDE)

Voir tab. **Acides**

ORTHOPÉDIQUE → SEMELLE

ORTHOPÉDISTE → MÉDECIN

ORTHOPHONIE → ARTICULATION, PRONONCIATION

ORTHOPTÈRE → DROIT (2), SAUTERELLE

ORTHOPTIE → VUE

ORTHOSIPHON STAMINEUS

Voir tab. **Plantes médicinales**

ORTIE → PIQUANT (1), URTICAIRE

Voir tab. **Plantes médicinales**

ORTIÉES (PLAQUES) → URTICAIRE

ORVET → LÉZARD

ORYCTÉROPE

Voir tab. **Mammifères (classification des)**

ORYZA → RIZ

OS → PATIN

Voir tab. **Chirugicales (interventions)**

Voir tab. **Éléments chimiques (symbole des)**

Voir tab. **Informatique**

OS apophyse, chiropraxie, court, diaphyse, diarthrose, épiphyse, esquille, long, moelle, osséine, ossement, ostéite, ostéogenèse, ostéologie, ostéomalacie, ostéomyélite, ostéopathie, ostéosarcome, ostéotomie, périoste, plat, squelette, suture, symphyse, synarthrose

OS DE SEICHE → BISCUIT

OS HYOÏDE

Voir tab. **Bouche, nez, gorge**

OS ILIAQUES → BASSIN

OSCAR → CINÉMA, RÉCOMPENSE, TROPHÉE

Voir tab. **Prix cinématographiques**

OSCILLATION → INCERTITUDE, MOUVEMENT, PENDULE, PÉRIODE, SECOUSSE, VARIATION

OSCILLATION balancement, fluctuation, oscillographe, roulis, sinusoïde, tangage, variation

OSCILLER → BALANCER, HÉSITER

OSCILLER balancer, ballotter, brimbaler, bringuebaler, chanceler, chavirer, flotter, hésiter, tanguer, tâtonner, tergiverser, vaciller

OSCILLOGRAPHE → OSCILLATION

OSCUR → INCERTAIN

OSÉ → ÉPICE, HARDI, IMPRUDENT, INCONVENANT, INDÉCENT, LIBRE, POLISSON, SALÉ

OSÉ audacieux, hardi, indécent, léger, leste, libertin, libre, licencieux, risqué, scabreux, téméraire

OSÉE

Voir tab. **Bible**

OSEILLE

Voir tab. **Végétaux (classification simplifiée des)**

OSER → AVENTURE, PERMETTRE, RISQUER, TÉMÉRAIRE, TENTER

OSER aventurer (s'), aviser de (s'), entreprendre, hasarder à (se), risquer, risquer à (se), tenter

OSERAIE → OSIER

OSIER → PANIER, VANNERIE

OSIER oseraie, osiériculture, osiériste, rameau, salicacées, vannerie

OSIÉRICULTURE → OSIER

OSIÉRISTE → OSIER

OSMIUM → PLATINE

Voir tab. **Éléments chimiques (symbole des)**

OSMOLOGIE → ODEUR

OSMOSE → DIFFUSION, INFLUENCE

Voir tab. **Chimie**

OSSATURE → CARCASSE, CHARPENTE, STRUCTURE

OSSATURE canevas, charpente, intrigue, plan, scénario, squelette, trame

OSSAU-IRATY

Voir illus. **Fromages**

OSSÉINE → OS

OSSELET → ÉTRIER

Voir illus. **Oreille**

OSSEMENT → CADAVRE, OS, SQUELETTE

OSSEUX arthrite septique, déminéralisation, densitométrie osseuse, exostose, maigre, nécrose, ossification, ostéite aiguë, ostéoblaste, ostéoblastome, ostéoclaste, ostéocyte, ostéogenèse, ostéomalacie, ostéome, ostéome ostéoïde, ostéomyélite aiguë, ostéopathie, ostéophyte, ostéoporose, ostéosarcome, spondylodiscite, squelettique, tomodensitométrie quantitative

OSSIFICATION → CALCAIRE, OSSEUX

OSSIFICATION bec-de-perroquet, enchondrale, ostéophyte, périostique

OSSO-BUCO → TOMATE
Voir tab. **Spécialités étrangères**

OSSUAIRE → CIMETIÈRE, SOUTERRAIN (1)

OSTÉICHTYENS
Voir tab. **Poissons (classification simplifiée des)**

OSTÉITE → OS

OSTÉITE AIGUË → OSSEUX

OSTENSIBLE → VISIBLE

OSTENSIBLE apparent, évident, flagrant, manifeste, patent, visible, voyant

OSTENSOIR → HOSTIE, LITURGIE

OSTENTATION → ÉTALAGE, LUXE, VANITÉ

OSTENTATION affectation, étalage, fatuité, gloriole, parade, suffisance, vanité

OSTENTATOIRE → SUFFISANT

OSTÉO-
Voir tab. **Chirugicales (interventions)**

OSTÉOBLASTE → OSSEUX

OSTÉOBLASTOME → OSSEUX

OSTÉOCLASTE → OSSEUX

OSTÉOCYTE → OSSEUX

OSTÉOGENÈSE → OS, OSSEUX

OSTÉOLOGIE → ANATOMIE, OS
Voir tab. **Sciences : termes en -ologie et -ographie**

OSTÉOMALACIE → OS, OSSEUX

OSTÉOME → OSSEUX

OSTÉOME OSTÉOÏDE → OSSEUX

OSTÉOMYÉLITE → MOELLE, OS
Voir tab. **Pédiatrie**

OSTÉOMYÉLITE AIGUË → OSSEUX

OSTÉOPATHE → DÉMETTRE, MANIPULATION

OSTÉOPATHIE → MÉDECINE, OS, OSSEUX, PARALLÈLE (2)
Voir tab. **Médecines alternatives**

OSTÉOPHYTE → OSSEUX, OSSIFICATION

OSTÉOPOROSE → OSSEUX

OSTÉOSARCOME → CANCER, OS, OSSEUX

OSTÉOSYNTHÈSE → FRACTURE

OSTÉOTOMIE → OS

OSTINATO
Voir tab. **Musique (vocabulaire de la)**

OSTIQUE → GERMANIQUE

OSTRACISER → CONDAMNER, QUARANTAINE

OSTRACISME → BANNIR, CONDAMNATION, EXCLUSION, ISOLEMENT

OSTRÉICULTURE → HUÎTRE
Voir tab. **Élevages**

OSTRÉIDÉS → HUÎTRE

OTAGE → BOUCLIER, CAPTIF, DÉTENU, PRISONNIER

OTAGE gage, garant, rançon, répondant

OTALGIE → OREILLE
Voir tab. **Douleur**

OTARIE → MORSE, PHOQUE
Voir tab. **Mammifères (classification des)**

OTEKI → JAPONAIS

ÔTER → ARRACHER, DÉPOSER, DÉPOUILLER, DISPARAÎTRE, DISSIPER, ENLEVER, LEVER, QUITTER, RETIRER, SORTIR, SOUSTRAIRE

ÔTER annihiler, arracher, barrer, confisquer, débarrasser (se), déduire, déplacer, effacer, enlever, prendre, quitter, radier, rayer, retirer, retrancher, soigner, soulager, soustraire, supprimer, tuer

ÔTER LA PAROLE → TAIRE

OTITE → OREILLE

OTOLOGIE → OREILLE
Voir tab. **Sciences : termes en -ologie et -ographie**

OTO-RHINO-LARYNGOLOGISTE (ORL) → MÉDECIN

OTORRHÉE → OREILLE

OTOSCOPE → OREILLE

OTOSPONGIOSE → OREILLE

OTTOMAN → DOSSIER, TURC
Voir tab. **Tissus**

OTTOMANE → FAUTEUIL, MEUBLE, REPOS
Voir illus. **Sièges**

OÙ → RELATIF

OUAILLES → CURÉ, PAROISSE

OUATE → COTON, DOUBLURE

OUATE bourre, coton

OUATE DE VERRE → VERRE

OUATÉ → FEUTRÉ, SILENCIEUX

OUATINER → GARNIR

OUBLI → ÉTOURDERIE, INATTENTION, INGRATITUDE, LACUNE, NÉGLIGENCE, OMISSION, PENSÉE, REFOULEMENT

OUBLI abnégation, absence, absolution, amnésie, amnésie antérograde, dédit, désintéressement, dévouement, dissimulation, distraction, étourderie, inattention, indifférence, ingratitude, lacune, Léthé, manquement, négligence, omission, pardon, refoulement, renoncement, rétractation, sacrifice, trou

OUBLIE → HOSTIE

OUBLIÉ → INCONNU, SEUL

OUBLIER → DISSIPER, ENTERRER, ÉPONGE, INDULGENT (2), MÉCONNAÎTRE, NÉGLIGER, PARDONNER, PASSER, SAUTER

OUBLIER abandonner, délaisser, déroger à, désapprendre, désintéresser de (se), enfreindre, excuser, manquer à, manquer de, négliger, omettre de, pardonner, régresser, transgresser

OUBLIETTE → CACHOT, SOUTERRAIN (2)

OUBLIEUX → INGRAT, INSOUCIANT

OUBLIEUX ingrat, insouciant, négligent

OUCHE → JARDIN, TERRAIN

OUD
Voir tab. **Instruments de musique**

OUDLER → TAROT
Voir tab. **Tarot**

OUED → RIVIÈRE
Voir illus. **Désert**

OUEST → CARDINAL (2), OCCIDENT

OUÏ-DIRE → RUMEUR

OUÏE → AUDITION, SENS, SON, VIOLON
Voir illus. **Poisson**
Voir illus. **Violon**

OUILLER → REMPLIR, TONNEAU

OUÏ-MANGA
Voir tab. **Oiseaux (classification simplifiée des)**

OUKASE → DÉCISION, ORDRE

OULONG
Voir tab. **Thé**

OUMIAK
Voir tab. **Bateaux**

OURAGAN → CYCLONE, INTEMPÉRIE, ORAGE, PERTURBATION, SINISTRE (1), TEMPÊTE, TOURBILLON, TURBULENCE, VENT
Voir tab. **Vent : échelle de Beaufort**

OURAGAN cyclone, tornade, typhon

OURDIR → BRASSER, COMBINER, COMPLOTER, INTRIGUE, MACHINATION, MÉDITER, MIJOTER, MONTER, PRÉPARER, TISSER

OURDISSAGE → TISSAGE

OURLER → BORDER

OURLET → BORD, FINITION
Voir tab. **Couture**

OURLET faufiler, repli

OURS → CINÉMA, COLLABORATEUR, JOUET, MISANTHROPE (2), RÉCOMPENSE, REVUE, TROPHÉE
Voir tab. **Animaux (termes propres aux)**
Voir tab. **Mammifères (classification des)**

OURS baribal, grizzli, grognement, grondement, kodiak, misanthrope, ours blanc, ours des cocotiers, ours lippu, ours malais, ourson, rustre, sauvage, solitaire, tanière, ursidés

OURS D'OR
Voir tab. **Prix cinématographiques**

OURSE
Voir tab. **Animaux (termes propres aux)**

OURSIN → CHÂTAIGNE, HÉRISSON
Voir tab. **Animaux (classification simplifiée des)**

OURSINADE → SOUPE

OURSON → OURS
Voir tab. **Animaux (termes propres aux)**

OUTARDE
Voir tab. **Oiseaux (classification simplifiée des)**

OUTIL → CLEF, INSTRUMENT, OBJET

OUTIL appareil, engin, instrument, matériel, outiller, ustensile

OUTILLAGE → MATÉRIEL (1)

OUTILLAGE équipement, instrument, matériel

OUTILLER → ÉQUIPER, MUNIR, OUTIL

OUTILLEUR → OUTIL

OUTLAW → HORS-LA-LOI

OUTRAGE → AFFRONT, ATTENTAT, BLASPHÈME, DÉLIT, DÉSHONNEUR, INJURE, INSULTE, MŒURS, OFFENSE, SACRILÈGE (1), TORT, VIOLENCE

OUTRAGE affront, atteinte, injure, insulte, offense

OUTRAGÉ → ULCÉRÉ

OUTRAGEANT → SCANDALEUX

OUTRAGER → ABAISSER, BAFOUER, BLESSER, CONTREVENIR, CRACHER, INSULTER, JURER

OUTRANCE démesure, exagération, excès

OUTRANCIER → EXCESSIF, EXTRÊME, SCANDALEUX

OUTRE → AILLEURS, BOUC, PLUS, SAC, SURCROÎT

OUTRE de plus, de surcroît, démesurément, excessivement, en dehors de, en plus, en plus de, indépendamment de, trop

OUTRÉ → EXCESSIF, INDIGNER

OUTRECUIDANCE → CONFIANCE, IMPERTINENCE, ORGUEIL, PRÉSOMPTION

OUTRECUIDANT → AMBITIEUX, DÉSINVOLTE, SUFFISANT

OUTREMER → BLEU (1)
Voir tab. **Couleurs**

OUTREPASSER → DÉPASSER, FRANCHIR, PASSER, SORTIR, TRANSGRESSER, VIOLER
Voir tab. **Chasse (vocabulaire de la)**

OUTREPASSER dépasser, excéder, franchir

OUTRER → EXAGÉRER, FORCER

OUTRIGGER → AVIRON
Voir illus. **Aviron**

OUTSIDER → FAVORI (2)

OUVERT → ACCESSIBLE, BORNÉ, COMMUNICATIF, COMMUNIQUER, ÉPANOUI, ÉVEILLÉ, HOSPITALIER, LARGE, PERMÉABLE, PRÉJUGÉ, SOCIABLE, SYLLABE

OUVERT bouche bée, chaleureusement, commencé, cordialement, curieux, déclaré, directement, épanoui, éveillé, franchement, manifeste, patent, public, simplement, stupéfait, vif

OUVERTE
Voir tab. **Échecs**

OUVERTEMENT → CLAIREMENT, DISSIMULATION, FRANC (2), FRANCHEMENT

OUVERTURE → AUTOPSIE, BOUCHE, BRÈCHE, COMMENCEMENT, CREUX (1), INAUGURATION, INTRODUCTION, ISSUE, OFFRE, ORIFICE, PERCÉE, PRÉLUDE, REGARD
Voir tab. **Échecs**
Voir tab. **Photographie (vocabulaire de la)**
Voir tab. **Tarot**

OUVERTURE avance, baie, chatière, début, écartement, embrasure, fenêtre, guichet, inauguration, jour, judas, meurtrière, offre, prélude, proposition, soupirail, tolérance, vernissage

OUVERTURE D'ESPRIT → TOLÉRANCE

OUVRABLE → FÉRIÉ

OUVRAGE → BESOGNE, ÉCRIT (1), LABEUR, LIVRE, MAÇONNERIE, ŒUVRE, PRODUCTION, PUBLICATION, RÉSULTAT, TRAVAIL

OUVRAGE broderie, couture, fortification, labeur, livre, œuvre, pont, tâche, tapisserie, travail, tunnel

OUVRAGÉ → TRAVAILLÉ

OUVRAGÉ décoré, fignolé, léché, soigné, travaillé

OUVRÉ → FÉRIÉ, TRAVAILLÉ

OUVRER → FAÇONNER

OUVREUR
Voir tab. **Bridge**

OUVREUSE → CINÉMA

OUVRIER → ARTISAN, BRAS, MAIN-D'ŒUVRE, PERSONNEL (1), POPULAIRE, TRAVAILLEUR (1)
Voir tab. **Saints patrons**

OUVRIER col-bleu, journalier, manœuvre, ouvriérisme, prolétariat

OUVRIÈRE → ABEILLE
Voir tab. **Animaux (termes propres aux)**

OUVRIÉRISME → OUVRIER

OUVRIR → CHAMPAGNE, COMMENCER, CONFIER, DÉBOUCHER, DÉPLOYER, ENTAMER, FLEURIR, FONDER, INCISER, NAÎTRE, STIMULER, TRACER, VERROU
Voir tab. **Bridge**
Voir tab. **Poker**

OUVRIR aiguiser, amorcer, avoir vue sur, confier, créer, creuser, crocheter, déboucher, déboutonner, décacheter, déclencher, dégrafer, déployer, dessiller, donner sur, écailler, écarquiller, éclore, enfoncer, entamer, entrebâiller, entreprendre, entrouvrir, épanouir (s'), établir, exciter, fonder, forer, frayer (se), implanter, inciser, percer

OUVRIR LE BAL → BAL

OUVROIR → ATELIER, BIENFAISANCE, CHARITÉ

OVAIRE → PISTIL, REPRODUCTEUR
Voir illus. **Fleur**
Voir illus. **Génitaux (appareils)**
Voir tab. **Endocrinologie**

OVAIRE folliculine, œstrogène, ovariectomie, ovarien, ovarite, ovule, progestérone

OVALE → CONTOUR, ŒUF
Voir illus. **Feuille**
Voir illus. **Géométrie (figures de)**

OVALE elliptique, ovalisé, rugby

OVALISÉ → OVALE

OVARIECTOMIE → OVAIRE

OVARIEN → OVAIRE

OVARIENNE → GROSSESSE

OVARITE → OVAIRE

OVATION → ACCLAMATION, APPLAUDISSEMENT, CRI, FÉLICITATION

OVATION acclamation, applaudissement, clameur, cri, vivat

OVATIONNER → TRIOMPHE

OVE → ŒUF
Voir tab. **Architecture**

OVER ARM STROKE → INDIEN (2), NAGE

OVERDOSE → DOSE

OVES (CORDON D') → MOULURE

OVIBOS → BŒUF

OVICULTURE
Voir tab. **Élevages**

OVIFORME → ŒUF

OVIN → BÉTAIL, MOUTON
Voir tab. **Animaux (termes propres aux)**

OVINÉS → BOUC

OVIPARE → ŒUF, REPRODUCTION

OVOCYTE → GAMÈTE, REPRODUCTION
Voir illus. **Ovaire**

OVOÏDE → ŒUF
Voir illus. **Champignon**
Voir illus. **Forme de... (en)**

OVOIR → CISEAU

OVOVIVIPARE → ŒUF, REPRODUCTION

OVULAIRE → OVULE

OVULATION → FEMME, OVULE

OVULE → CONCEPTION, FÉCONDATION, FEMELLE (2), GAMÈTE, MÉDICAMENT, OVAIRE, REPRODUCTEUR, REPRODUCTION
Voir illus. **Fleur**

OVULE gamète femelle, ovulaire, ovulation

OXER → OBSTACLE

OXFORD → TISSU
Voir tab. **Tissus**

OXFORD BAGS
Voir illus. **Modes et styles**

OXYDATION → PATINE
Voir tab. **Chimie**

OXYDE → OXYGÈNE, ZINC

OXYDE DE BARYUM → PARATONNERRE

OXYDE DE FER → ROUILLE

OXYDÉ → ROUILLE

OXYDER → ROUILLER

OXYGÈNE → EAU, GAZ
Voir tab. **Éléments chimiques (symbole des)**

OXYGÈNE air pur, eau, eau oxygénée, oxyde, oxygénothérapie, peroxyde

OXYGÉNOTHÉRAPIE → OXYGÈNE

OXYMEL → BOISSON

OXYMORE
Voir tab. **Rhétorique (figures de)**

OXYMORON
Voir tab. **Rhétorique (figures de)**

OXYPHYLLE → FRÊNE

OXYTON → ACCENT, SYLLABE, TONIQUE (2)

OXYURE → PARASITE (1), VER

OYAT → SABLE

OZÈNE → NEZ, RHINITE

OZONE → GAZ

OZONISER → STÉRILISER

P
Voir tab. **Éléments chimiques (symbole des)**

PA
Voir tab. **Éléments chimiques (symbole des)**

PACAGE → BÉTAIL, PAÎTRE, PARC, PRAIRIE

PACEMAKER → CŒUR, STIMULER

PACFUNG → NICKEL, ZINC

PACHA → CACHALOT, GOUVERNEUR, TURC

PACHA pachalik, sandjak

PACHALIK → PACHA

PACHYDERME → ÉLÉPHANT

PACIFICATEUR → CONCILIATEUR

PACIFIER → APAISER, PAIX, SOUMETTRE

PACIFIER apaiser, calmer, détendre, rasséréner

PACIFIQUE → OCÉAN, TRANQUILLE

PACIFIQUE calme, Carolines, débonnaire, irénisme, Mariannes, Marshall, non-agression, non-violence, paisible, placide, serein

PACIFISME → PAIX, POLITIQUE, VIOLENCE

PACIFISTE colombe, rameau d'olivier

PACIS → BÉTAIL

PACK → RUGBY

PACOTILLE → CAMELOTE, QUINCAILLERIE, VALEUR

PACOTILLE bimbeloterie, camelote, toc, verroterie

PACS (PACTE CIVIL DE SOLIDARITÉ) → FEMME, UNION

PACSON → PAQUET

PACTE → ALLIANCE, COMBAT, CONTRAT, CONVENTION, ENTENTE, SCOLAIRE, TRAITÉ

PACTE accord, alliance, convention, entente, marché, testament, traité

PACTISER → COMPOSER, TRAITER, TRANSIGER

PACTOLE → RICHESSE

PADDOCK → CHEVAL, JUMENT

PADDY → DÉCORTIQUÉ, RIZ

PADICHAH → EMPEREUR, SOUVERAIN (1), SULTAN, TURC

PAE (PROJET D'ACTION ÉDUCATIVE) → SCOLAIRE

PAELLA → RIZ

PAELLA À LA VALENCIENNE
Voir tab. **Spécialités étrangères**

PAF → IVRE, PAYSAGE

PAGAIE → AVIRON
Voir tab. **Bateaux**

PAGAILLE → BAZAR, CHAOS, CONFUSION, DÉRANGEMENT, DÉSORDRE, PERTURBATION

PAGANISME → PAÏEN (2)

PAGE → CAHIER, GARÇON, PASSAGE
Voir illus. **Livre relié**

PAGE cahier, composition, épreuve, folio, imposition, maquette, morasse, pagination, PAO, pige, recto, verso

PAGE BLANCHE
Voir tab. **Phobies**

PAGE DE GARDE → LIVRE

PAGINATION → PAGE

PAGINER → NUMÉROTER

PAGNE → JUPE

PAGODE → MANCHE, PORCELAINE, TEMPLE

PAIE → APPOINTEMENTS, RÉMUNÉRATION, SALAIRE

PAIEMENT → RÉCOMPENSE

PAIEMENT acompte, acquit, acquittement, annuité, argent, arrhes, à-valoir, cachet, carte de crédit, chèque, décharge, émoluments, facture, facturette, lettre de change, mandat, mensualité, quittance, récépissé, règlement, salaire, solde, TEP (titre électronique de paiement), TIP (titre interbancaire de paiement), traitement, virement

PAIEMENT À LA SÉANCE
Voir tab. **Multimédia (les mots du)**

PAIEMENTS INTERNATIONAUX
Voir tab. **Monnaie**

PAÏEN → GENTIL, IMPIE, INCRÉDULE, RELIGION

PAÏEN animiste, gentil, idolâtre, impie, incroyant, mécréant, missionnaire, paganisme, polythéiste, prosélyte

PAILLAGE → GEL

PAILLARD → POLISSON

PAILLARDISE → DÉBAUCHE

PAILLASSE → BALADIN, BOUFFON (1), COMÉDIEN, COUCHE, LIT, MATELAS

PAILLASSON → BROSSE, TAPIS

PAILLASSON essuie-pieds, gratte-pieds, tapis-brosse

PAILLE → CÉRÉALE, CHAMP, DÉFAUT, JAUNE, PAILLETTE, TIGE
Voir tab. **Couleurs**

PAILLE bauge, botte, bouchonner, bousillage, canotier, capeline, chalumeau, chaume, enchausser, éteule, fétu, fourrage, glui, meule, meulon, pailler, paillon, panama, pisé, torchis

PAILLE (HOMME DE) → INTERMÉDIAIRE (2)

PAILLE DE FER → FROTTER

PAILLÉ
Voir illus. **Sièges**

PAILLER → COUVRIR, FERME (1), GRANGE, GRENIER, HANGAR, PAILLE, RÉCOLTE, TAS

PAILLET → CLAIR, PAILLETTE

PAILLETÉE → DORÉ

PAILLETER → PARSEMER

PAILLETEUR → PAILLETTE

PAILLETTE → DÉFAUT, DIAMANT, OR, SAVON

PAILLETTE gendarme, orpailleur, paille, paillet, pailleteur, paillon

PAILLON → BOUTEILLE, CORBEILLE, PAILLE, PAILLETTE, PIERRE PRÉCIEUSE

PAILLOTE → BARAQUE, CABANE, CASE, HUTTE

PAIMBLOTINS
Voir tab. **Habitants (comment se nomment les)**

PAIMBŒUF
Voir tab. **Habitants (comment se nomment les)**

PAIN → SAVON
Voir tab. **Gâteaux régionaux et étrangers**
Voir tab. **Superstitions**

PAIN azyme, baguette, banneton, bâtard, biscotte, blutoir, boule, bretzel, bun, couronne, cramique, croûton, doroir, étouffoir, eucharistie, ficelle, fleurage, flûte, fouace, four, fournil, garbure, gindre, gressin, grigne, huche, levain, levure, maie, miche, mitron, mouillette, pain perdu, pan-bagnat, panade, panetière, paneton, panification, pâton, pétrin, rouable, sandwich, saucisson

PAIN D'ÉPICE → MIEL
Voir tab. **Gâteaux régionaux et étrangers**

PAIN DE SUCRE
Voir tab. **Salades**

PAIN PERDU → PAIN

PAIR → PAREIL (1), SEMBLABLE (1), TAUX

PAIR Chambre des lords,

P

collègue, égal, ensemble, étonnant, exceptionnel, extraordinaire, rare, sans égal, semblable

PAIR (HORS) → SUPÉRIEUR

PAIRE → DEUX, POKER, RÉUNION

Voir tab. **Poker**

PAIRLE

Voir illus. **Héraldique**

PAISIBLE → PACIFIQUE, PLACIDE, SEREIN, SILENCIEUX, TRANQUILLE

PAISIBLE calme, peinard, placide, serein, tranquille

PAISSEAU → PIEU

PAISSON → PORC

PAÎTRE alpage, berger, bouvier, chasser, chevrier, débarrasser de (se), pacage, pasteur, pâtis, pâtre, pâture, pré, vacher, viander

PAIX → CALME, COLOMBE, OLIVIER, ORDRE, REPOS, SÉCURITÉ, SILENCE

Voir tab. **Bruits**

PAIX armistice, béatitude, calme, cessez-le-feu, colombe, contemplation, pacifier, pacifisme, quiétude, rameau d'olivier, réconcilier (se), repos, sérénité, tranquillité, trêve

PAL → SUPPLICE, TÉLÉVISION

Voir illus. **Héraldique**

PALABRER → BAVARDER

PALABRES → CONVERSATION

PALACE → HÔTEL

PALADIN → CHEVALIER, HÉROS

PALAFITTE → LAC

PALAIS → GOÛT, RÉSIDENCE, ROYAL

Voir illus. **Bouche, nez, gorge**

PALAIS alcazar, Assemblée nationale, avocat, Bourse, château, évêché, magistrat, palatin, procuratie, sérail

PALAIS BOURBON → DÉPUTÉ

PALAIS BRONGNIART → BOURSE

PALAIS DE JUSTICE → TRIBUNAL, VILLE

PALAIS GARNIER → OPÉRA

PALAN → POULIE

PALANÇON → TORCHIS

PALANGRE → PÊCHE

PALANQUE → OBSTACLE

PALANQUIN → CHAISE, LITIÈRE

PALATALISÉ → MOUILLÉ

PALATIN → HONGROIS, PALAIS

PALE → HÉLICE, LINGE, VANNE

PÂLE → DÉLAVÉ, INSIGNIFIANT, LIVIDE, TENDRE (2), VERT (2)

PÂLE anémique, blafard, blême, chlorotique, cireux, clair, délavé, déteint, doux, fade, faible, hâve, insipide, léger, livide, pastel, tamisé, tendre, terne, voilé

PALÉ

Voir illus. **Héraldique**

PALÉE → PIEU

PALEFRENIER → CHEVAL, ÉCURIE, GARÇON, VALET

PALEFROI → CHEVAL

PALÉMON → CREVETTE

PALÉOBOTANIQUE → BOTANIQUE (1), FOSSILE (1)

PALÉOCÈNE

Voir tab. **Géologiques (échelle des temps)**

PALÉOGÈNE

Voir tab. **Géologiques (échelle des temps)**

PALÉOGÉOGRAPHIE → GÉOGRAPHIE

Voir tab. **Sciences : termes en -ologie et -ographie**

PALÉOGRAPHIE → ANCIEN (2), ARCHÉOLOGIE, ÉCRITURE, INSCRIPTION

PALÉOLITHIQUE → ÂGE, PÉRIODE, PIERRE, PRÉHISTOIRE

Voir illus. **Hominidés**

PALÉONTOLOGIE → GÉOLOGIE, ZOOLOGIE

Voir tab. **Sciences : termes en -ologie et -ographie**

PALÉONTOLOGUE → FOSSILE (1), FOUILLE, PRÉHISTOIRE

PALÉOZOÏQUE → ANCIEN (2), ÈRE, GÉOLOGIE, PRIMAIRE

Voir tab. **Géologiques (échelle des temps)**

PALÉOZOOLOGIE → FOSSILE (1), ZOOLOGIE

PALESTRE → GYMNASE

PALET → JETON, MARELLE

PALETOT → VESTE

Voir illus. **Modes et styles**

PALETTE → CHOIX, MAQUILLAGE, PEINTRE, PORC, REGISTRE, TEINTE

Voir illus. **Porc**

PALETTE aube, battoir, férule, gamme, jantille, nuancier, tapette

PÂLEUR → FRAYEUR

PALIER → CAP, CARRÉ (1), DEGRÉ, ÉCHELON, PHASE, STADE, TERRASSE, TRANSITION

PALIÈRE → MARCHE

PALILALIE → LANGAGE

PALIMPSESTE → MANUSCRIT, PARCHEMIN, TEXTE

PALINDROME → MOT, RÉTROGRADE

PALINGÉNÉSIE → ÂME, FUTUR (2), RÉINCARNATION, RETOUR

PALINODIE → CHANGEMENT, POÈME, REVIREMENT

Voir tab. **Poésie (vocabulaire de la)**

PÂLIR → EFFACER

PÂLIR blêmir, décomposer, déteindre, estomper (s'), passer, ternir (se)

PALIS → PIEU

PALISSADE → BARRIÈRE, CHÂTEAU, CLÔTURE, VERDURE

PALISSADE barrière, clôture, lice

PALISSANDRE → ROSE

Voir tab. **Ébénisterie (essences utilisées en)**

PALISSOIS

Voir tab. **Habitants (comment se nomment les)**

PALIURE → ÉPINE

PALLADIUM → GARANTIE, SAUVEGARDE

Voir tab. **Éléments chimiques (symbole des)**

PALLAS → PIQUE

Voir tab. **Cartes à jouer**

PALLIATIF → MOYEN (1), SOULAGER

PALLIER → COMBLER, MANQUE, PARER, POURVOIR, RACHETER, RÉSOUDRE

PALLIER combler, parer à, remédier à

PALLIUM → ARCHEVÊQUE, MANTEAU, PAPE

Voir illus. **Manteaux**

PALM → RENDEZ-VOUS

PALMAIRE → MAIN

Voir illus. **Muscles**

PALMARÈS → LISTE, RÉCOMPENSE

PALME → CINÉMA, MARTYR, PATTE, PAUME, PLONGEUR, RÉCOMPENSE, TROPHÉE, VICTOIRE

Voir illus. **Forme de... (en)**

PALME D'OR

Voir tab. **Prix cinématographiques**

PALMÉE

Voir illus. **Feuille**

PALMERAIE → PALMIER

PALMES ACADÉMIQUES → RUBAN

Voir illus. **Décorations françaises**

PALMETTE (EN) → TAILLE

PALMIER

Voir illus. **Cheveux (coupes de)**

Voir illus. **Végétaux (classification simplifiée des)**

PALMIER aréquier, chamérops, cocotier, dattier, doum, éléis, kentia, latanier, monocotylédones, noix d'arec, palmeraie, palmiste, palmite, phœnix, piassava, raphia, rhapis, rotang, sagou, sagoutier, stipe

PALMIFORME

Voir tab. **Forme de... (en)**

PALMIPÈDE → OISEAU, PINGOUIN

PALMISTE → PALMIER

PALMITE → PALMIER

PALOIS

Voir tab. **Habitants (comment se nomment les)**

PALOMBE → COLOMBE, GIBIER, PIGEON

PALONNIER → CHARRUE, GOUVERNAIL

PALOT → BÊCHE, PELLE

PALOURDE → MOLLUSQUE

PALPABLE → CONCRET (2), MATÉRIEL (2), PERCEPTIBLE, RÉEL

PALPABLE certain, clair, concret, évident, manifeste, matériel, réel, tangible

PALPATION → EXAMEN

PALPÉBRAL → PAUPIÈRE

PALPER → TÂTER, TOUCHER

PALPER ausculter, peloter, tâter, tripoter

PALPITANT → BON (1), INTÉRESSANT (2), PASSIONNANT

PALPITANT captivant, exaltant, excitant, fascinant, passionnant, prenant

PALPITATION → BATTEMENT, CŒUR

PALPITER → FRÉMIR

PALTOQUET → INSOLENT

PALUDÉEN → MARAIS, PALUDISME

PALUDIER → MARAIS

PALUDISME → INFECTION, MALARIA, MARAIS

PALUDISME anophèle, fièvre des marais, fièvre palustre, impaludé, malana, malarialogie, paludéen, paludologie, paludologue, palustre, plasmodium, quinine, sporozoaire

PALUDOLOGIE → PALUDISME

PALUDOLOGUE → PALUDISME

PALUS → MARAIS, VIGNOBLE

PALUSTRE (FIÈVRE) → MARAIS, PALUDISME

PALYNOLOGIE → POLLEN

Voir tab. **Sciences : termes en -ologie et -ographie**

PÂMER (SE) → ABSORBER, ADMIRER, DÉFAILLIR, ÉVANOUIR (S'), PERDRE

PÂMER (SE) émerveiller (s'), extasier (s')

PAMIERS

Voir tab. **Habitants (comment se nomment se)**

PÂMOISON → MALAISE, SYNCOPE

PAMPA → PLAINE, STEPPE, VÉGÉTATION

PAMPERO → HIVER, VENT

PAMPHILE

Voir tab. **Bateaux**

PAMPHLET → ATTAQUE, BROCHURE, CRITIQUE (1), ÉCRIT (1), SATIRE, TRACT

PAMPHLET diatribe, factum, libelle, mazarinade, pasquinade, satire

PAMPHLÉTAIRE → JOURNALISTE

PAMPLEMOUSSE pamplemoussier

PAMPLEMOUSSIER → PAMPLEMOUSSE

PAMPRE → GRAPPE, RAISIN, TONNELLE, VIGNE

PAN → BERGER, CHÈVRE, CÔTÉ, JAMBE, PENTE

Voir tab. **Bruits**

PAN bannière, basque, cloison, côté, coupon, épisode, face, lé, moment, morceau, partie, phase

PANACÉE → ALCHIMISTE, CONSOLATION, FORMULE, GUÉRIR, MÉDICAMENT, REMÈDE, SOULAGER

PANACÉE remède, solution

PANACHE → HOUPPE, LAMPE, RELIEF, SPLENDEUR

PANACHE aigrette, allure, autruche, cygne, élégance, empanacher, gloire, houppe, huppe, lophophore, paon, plumet, prestige, queue

PANACHÉ → VARIÉ

PANACHÉ bariolé, bigarré

PANACHER mélanger, varier

PANADE → PAIN, SOUPE

PANAMA → PAILLE

Voir illus. **Coiffures**

PANARIS → ABCÈS, DOIGT, INFILTRATION, INFLAMMATION, MAL (1), ONGLE

PANATELA → CIGARE

PANAX → GINSENG

PANAX GINSENG

Voir tab. **Plantes médicinales**

PAN-BAGNAT → PAIN

PANCARTE → INSCRIPTION, PANNEAU

PANCARTE banderole, calicot, écriteau, panneau

PANCHEN-LAMA

Voir tab. **Bouddhisme**

PANCRACE → BOXE, LUTTE

PANCRÉAS → VENTRE

Voir illus. **Digestif (appareil)**

Voir tab. **Endocrinologie**

PANCRÉAS fague, glucagon, insuline, mucoviscidose, pancréatite, suc pancréatique

PANCRÉATITE → PANCRÉAS

PANCTIFICATEUR → ESPRIT

PANDA
Voir tab. **Mammifères** (classification des)
PANDECTES → RECUEIL
PANDÉMIE → CONTAGION, ÉPIDÉMIE, MALADIE
PANDÉMONIUM → CAPITALE, ENFER
PANDORE → LUTH
PANDOUR → BRUTAL, HONGROIS
PANÉE → VIANDE
PANÉGYRIQUE → APOLOGIE, BIEN, COMPLIMENT, DISCOURS, ÉLOGE, EMPHATIQUE, LOUANGE, VANTER
PANEL → ÉCHANTILLON, SONDAGE, STATISTIQUE
PANER
Voir tab. **Cuisine**
PANERÉE → PANIER
PANETIÈRE → BERGER, COFFRE, GIBECIÈRE, PAIN
PANETON → PAIN, PANIER
PANETTONE → NOËL
Voir tab. **Gâteaux régionaux et étrangers**
PANGOLIN → FOURMI
Voir tab. **Mammifères** (classification des)
PANICAUT → CHARDON
PANICULE → ÉPI
Voir illus. **Fleur**
PANIER → BASKET-BALL, CASIER, CORBEILLE, JUPE, MARQUER, VANNERIE
PANIER anse, banne, banneton, bourriche, cabas, casier, ciste, cloyère, éventaire, gabion, hotte, jonc, maniveau, manne, mannequin, nacelle, nasse, nichoir, osier, panerée, paneton, panière, pondoir, rotin, spart(e), torche, van, vertugadin
PANIER À PROVISIONS → VANNERIE
PANIER DE BOIS → VENDANGE
PANIER D'OSIER → VENDANGE
PANIER PERCÉ → DÉPENSIER
PANIÈRE → PANIER
PANIFICATION → PAIN
PANIFIER → BOULANGER (2)
PANIQUE → AFFOLEMENT, DÉSORDRE, FRAYEUR, INQUIÉTUDE, PEUR, TERREUR
PANIQUE affolement, angoisse, débâcle, débandade, déroute, désordre, effrayer, effroi, épouvante, peur, terreur, trouble
PANIQUÉ → TERRORISER
PANIQUER → ANGOISSER, PERDRE, SANG-FROID
PANNE → COCHON, GRAISSE, IMMOBILE, INTERRUPTION, LARD, MARTEAU, RÔLE, SOIE, TUILE, VELOURS
Voir illus. **Charpente**
Voir illus. **Maison**
Voir tab. **Tissus**
PANNE bogue, bug, chantignole, ferme, interruption, virus
PANNEAU → ENSEIGNE, INDICATEUR, PANCARTE
Voir illus. **Porte**
PANNEAU écriteau, pancarte, tableau
PANNEAU ALVÉOLÉ → RUCHE
PANNEAU RADIANT → CHAUFFAGE

PANNEAU SAILLANT
Voir illus. **Intérieur de maison**
PANNERESSES
Voir illus. **Briques (appareillages de)**
PANNETON → CLÉ
PANNICULE → PEAU
PANONCEAU → ÉCU, ENSEIGNE, INSCRIPTION, NOTAIRE
PANOPLIE → ARME, COLLECTION, DÉGUISEMENT, UNIFORME (1)
PANORAMA → HORIZON, PAYSAGE, SITE, SPECTACLE, TABLEAU, VUE
PANORAMIQUE
Voir tab. **Cinéma**
PANORPE → SCORPION
PANOUFLE → SABOT
PANSE → BOUTEILLE, ESTOMAC, GALBE, LETTRE, VASE
PANSEMENT → PLAIE
PANSEMENT charpie, eugénate, poupée, sparadrap, topique
PANSER → NETTOYER, SOIGNER
PANSEUR → INFIRMIER
PANSU → BOUFFI, GROS, VENTRE
PANTACOURT → CULOTTE, PANTALON
Voir illus. **Modes et styles**
PANTAGRUÉLIQUE → GIGANTESQUE
PANTALON → CULOTTE, PANTOMIME
Voir illus. **Modes et styles**
PANTALON bermuda, braies, caleçon, corsaire, falzar, fendard, froc, futal, jean, jodhpur, pantacourt, salopette, sarouel, short
PANTALONNADE → FARCE
PANTAMINI
Voir illus. **Modes et styles**
PANTELANT → HALETANT, SOUFFLE
PANTELER → RESPIRER
PANTHÉISME → DIEU, RELIGION, TOUT (2)
PANTHÉON → DIEU, GLOIRE, MONUMENT, MYTHOLOGIE, TEMPLE
PANTHÈRE → FAUVE (1)
PANTHÈRE félidés, léopard, once
PANTIÈRE → FILET
PANTIN → BOUFFON (1), GIROUETTE, GUIGNOL, MARIONNETTE, POLICHINELLE
PANTIN bouffon, charlot, girouette, guignol, marionnette, polichinelle, poupée
PANTOGRAPHE → IMAGE, LOCOMOTIVE
PANTOIS → DÉCONCERTÉ, INTERDIT (2), MUET, STUPÉFAIT
PANTOMIME → GESTE, MIME, MUET
PANTOMIME Arlequin, Colombine, commedia dell'arte, histrion, lazzi, mimique, orchestique, Pantalon, Pierrot, saltation
PANTOPHOBIE
Voir tab. **Phobies**
PANTOTHÉNIQUE (ACIDE)
Voir tab. **Vitamines**
PANTOUFLARD → PANTOUFLE
PANTOUFLE → CHAUSSON
Voir illus. **Chaussures**
PANTOUFLE babouche, casanier, charentaise, chausson, chaussonnier, dédit, mule, pantouflard, pantouflier, savate
PANTOUFLIER → PANTOUFLE

PANTOUM → POÈME
PANURE → CHAPELURE, FRITURE, MIETTE
PANURGE → MOUTON
PANZER → CHAR
PAO → COMPOSITION, PAGE, PUBLICATION
PAON → ORGUEIL, PANACHE
Voir tab. **Oiseaux (classification simplifiée des)**
PAPA → PÈRE
PAPAL → PAPAUTÉ
PAPALIN → PAPAUTÉ
PAPAMOBILE → PAPE
PAPANAS
Voir tab. **Spécialités étrangères**
PAPARAZZI → CÉLÉBRITÉ, PRESSE
PAPAS → PATRIARCHE, PRÊTRE
PAPAUTÉ accords du Latran (1929), bref, bulle, caves du Vatican, décrétale, encyclique, Index, motu proprio, papal, papalin, pontifical, protonotaire, rescrit, rote, syllabus, zouave pontifical
PAPE → CATHOLICISME, CONDUCTEUR, ÉGLISE, RELIGIEUX (1)
Voir illus. **Coiffures**
Voir tab. **Clergé catholique (vocabulaire du)**
Voir tab. **Politesse (formules de)**
PAPE ablégat, anneau du pêcheur, camérier, caudataire, clefs de saint Pierre, conclave, évêque de Rome, indult, légat, népotisme, nonce, pallium, papamobile, pasteur suprême, Sa Sainteté, souverain pontife, successeur de saint Pierre, tiare, uniate, urbi et orbi, Vatican, vicaire de Jésus-Christ
PAPEGAI → ARC, CIBLE, PERROQUET, TIR
PAPELARD → BIGOT, DÉVOT
PAPELARDISE → HYPOCRISIE
PAPERASSE → PAPIER
PAPERASSIER → BUREAU
PAPEROLES → CORRECTION
PAPHOSE
Voir illus. **Sièges**
PAPIER → ARTICLE, FICHE, PEINTURE, PÉTARD, PHOTOGRAPHIE, RÉCIT
Voir tab. **Anniversaires de mariage**
Voir tab. **Dessin (vocabulaire du)**
PAPIER alfa, apprêté, article, barbes, bible, billet, bois, bouffant, bristol, calandre, chiffon, chine, chronique, colle, document, éditorial, feuillet, filigrane, hélio, Hollande (de), interkraft, japon, kaolin, kraft, note, offset, paperasse, papyrus, parchemin, pige, pontuseau, satiné, sulfate, tablette, talc, vélin, vergé, vergeure
PAPIER ABRASIF → FROTTER
PAPIER DE VERRE → PONCER, TOILE ÉMERI
PAPIER PEINT → DÉCORATION
PAPIER TIMBRÉ
Voir tab. **Collectionneurs**
PAPIER VERGÉ
Voir tab. **Dessin (vocabulaire du)**
PAPIER-MONNAIE → BILLET
PAPILIONACÉES → HARICOT, LENTILLE, TRÈFLE

PAPILLE → GOÛT, LANGUE
Voir illus. **Langue**
PAPILLOMAVIRUS → VERRUE
PAPILLOME → PEAU, TUMEUR
PAPILLON → CONTRAVENTION, INSECTE, SOUPAPE, TRACT
Voir illus. **Insectes**
Voir tab. **Collectionneurs**
PAPILLON bombyx, buddleia, chenille, chrysalide, cochylis, cossus, eudémis, lépidoptères, liparis, noctuéliens, noctuelle, nymphe, phalène, pyrale, thysanie, vanesse
PAPILLONNER → APPROFONDIR, ÉPARPILLER
PAPILLOTE → BONBON
PAPILLOTTE diablotin
PAPOTAGE → BAVARDAGE
PAPOTER → BAVARDER
PAPOUILLE → CARESSE
PAPRIKA → PIMENT
Voir tab. **Herbes, épices et aromates**
PAPULE → BOUTON, PEAU, URTICAIRE, VARICELLE, VERRUE
PAPYRUS → MANUSCRIT, PAPIER
PAQUEBOT → BATEAU, TRANSPORT
Voir tab. **Bateaux**
PAQUEBOT croisière, France (Norway), Titanic, transatlantique
PÂQUERETTE → MARGUERITE
PÂQUERETTE bellis, composées, marguerite
PÂQUES → DIMANCHE, MOBILE (2)
Voir tab. **Fêtes religieuses**
PÂQUES (CIERGE DE) → BÉNIT
PAQUET → COLIS
Voir tab. **Internet**
PAQUET balle, ballot, baluchon, barda, bloc, cartouche, colis, liasse, pacson, paquetage, pile, poche, rame, sac, sachet, tas
PAQUET DE CIGARETTE
Voir tab. **Collectionneurs**
PAQUETAGE → BAGAGE, MILITAIRE (1), PAQUET
PÂQUIS → PARC, PÂTURAGE
PAR → GOLF
PAR CONTRE → COMPENSATION, CONTREPARTIE
PARA- → DÉFENSE
PARABASE → NARRATION
PARABELLUM → PISTOLET
PARABIOSE → GREFFE
PARABOLE → ANTENNE, COMÈTE, COMPARAISON, COURBE (1), IMAGE, PROJECTILE, RÉCIT, TRAJECTOIRE
PARABOLE allégorie, apologue, conte, fable, hélicoïde, légende
PARABOLIQUE
Voir illus. **Arcs**
Voir illus. **Maison**
PARACELSE → ALCHIMISTE
PARACENTÈSE → PONCTION
PARACÉTAMOL
Voir tab. **Médicaments**
PARACHEVER → COMPLÉTER, FINIR, FINITION, TERMINER
PARACHRONISME → CHRONOLOGIE
PARACHUTAGE → NOMINATION
PARACHUTE avion, capsule de fusée, chuteur, coupole, dorsal,

élévateur, harnais, parachuter, parapente, paraski, suspente, torche (mise en), ventral, voilure

PARACHUTER → LÂCHER, PARACHUTE, PROPULSER

PARACHUTISME → ALTITUDE
Voir tab. **Sports**

PARACHUTISTE → BÉRET, INFANTERIE
Voir tab. **Saints patrons**

PARACLET → ESPRIT

PARADE → BONIMENT, DÉFENSE, DÉMONSTRATION, ESCRIME, ÉTALAGE, EXHIBITION, OSTENTATION, PRÉLUDE, REVUE

PARADE afficher, arborer, carrousel, défilé, étaler, exhiber, montre de (faire), revue

PARADER → AFFICHER, EXHIBER, ROUE, ROULER

PARADIASTOLE → ASSIMILATION

PARADIGME → EXEMPLE, MODÈLE (1)

PARADIER
Voir tab. **Oiseaux (classification simplifiée des)**

PARADIS → BALCON, CIEL, DÉLICE, GALERIE, RELIGION, ROYAUME
Voir tab. **Théâtre**
Voir tab. **Catholique romain (vocabulaire)**

PARADIS Adam et Ève, céleste, ciel, éden, eldorado, galerie, paradisiaque, pigeonnier, poulailler, purgatoire, saint Pierre, Walhalla

PARADISIAQUE → MERVEILLEUX, PARADIS

PARADOR → HÔTEL

PARADOS → PARAPET

PARADOXE → CONTRADICTION, RAISONNEMENT

PARADOXORNI
Voir tab. **Oiseaux (classification simplifiée des)**

PARAFFINE → BOUGIE, GRAISSE

PARAFFINE alcane, cérésine

PARAGE → APPROCHE, COIN, RACE, VOISINAGE

PARAGRAPHE → DIVISION, POINT

PARAGRAPHE §, alinéa, entrefilet, intertitre, lettrine, strophe, verset

PARAÎTRE → IMPRESSION, RÉPANDRE (SE)

PARAÎTRE assister, avoir l'air, dessiner (se), éditer, émerger, figurer, percer, poindre, profiler (se), publier, sembler, surgir, survenir

PARALIPOMÈNES → CHRONIQUE

PARALLÈLE → COMPARAISON

PARALLÈLE acupuncture, analogue, cercle, comparable, comparer, confronter, homéopathie, ostéopathie, rapprocher, similaire, sophrologie, tropique

PARALLÈLE (METTRE EN) → OPPOSER

PARALLÈLE À
Voir tab. **Mathématiques (symboles)**

PARALLÉLÉPIPÈDE
Voir illus. **Géométrie (figures de)**

PARALLÉLOGRAMME → QUADRILATÈRE
Voir illus. **Géométrie (figures de)**

PARALOGISME → FAUX (2), RAISONNEMENT

PARALYSÉ → IMMOBILE, INTERDIT, PÉTRIFIÉ

PARALYSÉ ankylosé, glacé, intimidé, tétanisé

PARALYSER → BLOQUER, BRAS, CLOUER, GELER, GLACER, IMMOBILISER, INTIMIDER, SUPPRIMER

PARALYSER asphyxier, engourdir, inhiber, neutraliser, scléroser

PARALYSIE → CRAINTE, ENGOURDISSEMENT, INERTIE, INSENSIBILITÉ, RAGE

PARALYSIE apoplexie, fonctionnel, handicapé, hémiplégie, organique, paralytique, paraplégie, parésie, poliomyélite, prostration, tétraplégie

PARALYTIQUE → PARALYSIE

PARAMÉCIES
Voir tab. **Animaux (classification simplifiée des)**

PARAMÈTRE → CARACTÈRE, COMPARAISON, FACTEUR, STATISTIQUE

PARAMÈTRE caractéristique, critère, donnée, élément, facteur

PARAMNÉSIE → MÉMOIRE

PARANÁ
Voir tab. **Fleuves**

PARANGON → COMPARAISON, EXEMPLE, IDÉAL (1), MODÈLE (1)

PARANOÏA → CARACTÈRE, CRAINTE, DÉLIRE, DÉSAGRÉGATION, PERSÉCUTION, PSYCHOSE, RAISONNEMENT

PARANORMAL → SURNATUREL

PARAPENTE → ALTITUDE, PARACHUTE
Voir tab. **Sports**

PARAPET → BALUSTRADE, BARRIÈRE, MUR, TALUS
Voir illus. **Château fort**
Voir illus. **Ponts**

PARAPET banquette, bastingage, créneau, embrasure, meurtrière, muret, parados, rail de sécurité, talus

PARAPHE → SIGNATURE

PARAPHER → APPROUVER, DÉPOSER, NOM

PARAPHERNAL → BIEN

PARAPHRASE → FANTAISIE, INTERPRÉTATION, PHRASE

PARAPHRASE analyse, commentaire, explication, interprétation

PARAPHRÉNIE → OPIUM

PARAPLÉGIE → JAMBE, PARALYSIE

PARAPLÉGIQUE → INFIRME

PARAPLUIE
Voir tab. **Superstitions**

PARAPSYCHIQUE → SURNATUREL

PARAPSYCHOLOGIE → TRANSMISSION

PARASCÈVE → JUIF (2)

PARASÉLÈNE → CERCLE

PARASISMIQUE
Voir tab. **Tremblements de terre**

PARASITE → INACTIF, INTRODUIRE, INUTILE, INVITER (S'), MANGEUR, NUISIBLE, PERTURBATION, POU, RÉCEPTION, REPAS, VÉGÉTAL (1)

PARASITE ascaride, brouillage, cuscute, demodex, doryphore, écornifleur, filaire, gui, helminthiase, mycose, oxyure, parasitologie, parasitose, péronospora, perturbation, phylloxéra, pique-assiette, sacculine, sarcopte, ténia, tique, trypanosome

PARASITICIDE → SAVON

PARASITOLOGIE → PARASITE (1)

PARASITOSE → PARASITE (1)

PARASKI → PARACHUTE

PARASOL → OMBRE, OMBRELLE, PLAGE

PARASOL ombrelle

PARATHYROÏDE (GLANDE)
Voir tab. **Endocrinologie**

PARATONNERRE → FOUDRE

PARATONNERRE câble, cage de Faraday, oxyde de baryum, pointe en cuivre, strontium, thorium, tige

PARÂTRE → ENFANT, PÈRE

PARAY-LE-MONIAL
Voir tab. **Habitants (comment se nomment les)**

PARC → AUTOMOBILE (2), ENCLOS, JARDIN, PUBLIC, RÉSERVE

PARC aire de repos, bassin, claire, corral, enclos, garage, jardin, jardin d'acclimatation, kraal, ménagerie, pacage, pâquis, parc aquatique, parc aux Cerfs, parc d'attractions, parc de loisirs, parc nautique, parking, parquet, pâtis, réserve, square, vasière, zoo

PARC AQUATIQUE → PARC

PARC AUX CERFS → PARC

PARC D'ATTRACTIONS → PARC

PARC DE LOISIRS → PARC

PARC DE STATIONNEMENT → PARKING

PARC NATIONAL → SITE

PARC NAUTIQUE → PARC

PARCELLAIRE → SOMMAIRE (2)

PARCELLE → BOUT, BRIBE, BRIN, CADASTRE, ÉCAILLE, ÉTINCELLE, FRACTION, MIETTE, MORCEAU, PART, PORTION, POUCE, QUANTITÉ, TERRE, TRACE

PARCELLE atome, brin, carré, lopin, lotissement, miette, once, pièce

PARCELLER → DIVISER

PARCELLISATION → PARTAGE

PARCELLISÉ → ÉMIETTER

PARCELLISER → DIVISER, PART

PARCHASSER
Voir tab. **Chasse (vocabulaire de la)**

PARCHE
Voir tab. **Café**

PARCHEMIN → CHÈVRE, CUIR, DIPLÔME, MANUSCRIT, PAPIER, RELIURE, TITRE

PARCHEMIN agneau, calame, chèvre, mouton, palimpseste, raturer, Torah, vélin

PARCHEMINÉ → STRIER

PARCIMONIE → MESQUINERIE

PARCIMONIEUSEMENT → PEU (2)

PARCIMONIEUX → AVARE (2), ÉCONOME (2), MESQUIN

PARCMÈTRE → HORAIRE, STATIONNEMENT

PARCOURIR → BALAYER, BATTRE, EXAMINER, FEUILLETER, FRANCHIR, LIRE, REGARDER, SUIVRE, TRAVERSER, VISITER

PARCOURIR arpenter, balayer, battre, couvrir, feuilleter, franchir, passer en revue, recenser, remémorer (se), sillonner, survoler, traverser, visiter

PARCOURS → CARRIÈRE, CIRCUIT, COURSE, DÉMARCHE, DISTANCE, ITINÉRAIRE (1), TRAJET

PARDESSUS → MANTEAU
Voir illus. **Manteaux**

PAR-DESSUS LE MARCHÉ → SURCROÎT

PAR-DEVANT → NOTAIRE

PARDON → AMNISTIE, GRÂCE, MISÉRICORDE, OUBLI

PARDON absolution, absoute, aman, comment ?, déprécation, excuser (s'), implorer, jubilé, mortification, pénitence, propitiation, rémission, repentir (se), Yom Kippour

PARDONNER → ÉPONGE, INDULGENT (2), OUBLIER, PASSER, RACHETER, RÉCONCILIER (SE), REMETTRE, TOLÉRER

PARDONNER absoudre, clément, excuser, généreux, impardonnable, indulgent, irrémissible, magnanime, miséricordieux, oublier, remettre les péchés

PARE-BRISE → VERRE, VITRE

PARE-CHOC → CHOC

PARE-DOUCHE → DOUCHE

PARÈDRE → DÉESSE

PARE-ÉTINCELLE → ÉCRAN

PAREEUX
Voir tab. **Oiseaux (classification simplifiée des)**

PARE-FEU → ÉCRAN, INCENDIE
Voir tab. **Internet**

PAREFEUILLE → CARRELAGE

PARÉGORIQUE (ÉLIXIR)
Voir tab. **Médicaments**

PAREIL → COMPARAISON, IDENTIQUE, IDENTIQUE, RÉCIPROQUE (1), SUPÉRIEUR, UNIFORME (2)

PAREIL (1) congénère, égal, incomparable, pair, unique

PAREIL (2) analogue, identique, semblable à, tel

PAREMENT → MAÇONNERIE, MUR, REVERS

PAREMENTURE
Voir tab. **Couture**

PARÉMIOLOGIE → PROVERBE

PARENT aïeul, ancêtre, atavisme, beaux-parents, bisaïeul, collatéral, consanguin, daron, géniteur, génotype, germain, grands-parents, marraine, monoparentale, népotisme, parrain, procréateur, trisaïeul, utérin, vieux

PARENTÉ → ANALOGIE, FILIATION, ORIGINE, RAPPORT, RESSEMBLANCE, SIMILITUDE

PARENTÉ analogie, collatéral, concordance, degré, direct, filiation, généalogie, ligne, rapport, relation, similitude

PARENTÈLE → PROCHE

PARENTÉRAL → MÉDICAMENT

PARENTHÈSE → ÉCART, PONCTUATION

PARENTHÈSE break, digression, éluder, exclure, incidemment, insérer, interruption, négliger, passant (en), pause

PARÉO → JUPE, VÊTEMENT

PARER → APPRÊTER (S'), COUVRIR, DÉCORER, EMBELLIR, ENJOLIVER, ÉVITER, FACE, HABILLER, ORNER, PALLIER, VÊTIR
Voir tab. **Cuisine**

PARER apprêter, bichonner (se), décorer, détourner, doubler, esquiver, éviter, obvier à, orner, pallier, pomponner (se), prémunir contre (se), prévenir, remédier à, vêtir

PARÉSIE → PARALYSIE

PARE-SOLEIL
Voir tab. **Photographie (vocabulaire de la)**

PARESSE → BRAS, INACTION, INDOLENCE, INERTIE, NONCHALANCE, PÉCHÉ

PARESSE apathie, atonie, fainéantise, farniente, flemme, incurie, inertie, lenteur, mollesse, oisiveté, oisiveté

PARESSER → FLÂNER, PRENDRE, TRAÎNER

PARESSEUSEMENT → MOLLEMENT

PARESSEUX → FAINÉANT (1), INACTIF, INDOLENT, NONCHALANT, SINGE
Voir tab. **Mammifères (classification des)**

PARESSEUX aï, bradype, couleuvre, indolence, langueur, lézard, loir, mollesse, nonchalance, unau

PARFAIRE → ACHEVER, BÂCLER, CISELER, COMPLÉTER, ÉPURER, FINIR, PERFECTIONNER, SOIGNER, TERMINER

PARFAIT → ACCOMPLI, ANGÉLIQUE, BAVURE, BEAU, DÉFAUT, EXCELLENT, FRANC (2), GLACE, IDÉAL (2), IMPECCABLE, INATTAQUABLE, INCOMPARABLE, INFAILLIBLE, INFINI (2), IRRÉPROCHABLE, LITRE, MAGISTRAL, NOMBRE, PLEIN, PUR, REPROCHE, RÊVE, TOTAL

PARFAIT absolu, admirable, céleste, excellent, exceptionnel, exemplaire, fameux, fieffé, idéal, idyllique, impeccable, incomparable, indicible, ineffable, inexprimable, irréprochable, magistral, nec plus ultra, plein, prodigieux, rigoureux, sacré, total

PARFAITEMENT → ABSOLUMENT

PARFAITEMENT absolument, bien sûr, certainement, divinement, excellemment, rigoureusement

PARFUM → CONCENTRÉ, ÉMANATION, ODEUR

PARFUM ambre, arôme, benjoin, bouquet, capiteux, castoréum, chypre, cinnamome, civette, coumarine, effluve, émanation, enfleurer, essence, éventé,

exhalaison, fleuri, fragrance, fumet, huile essentielle, ilang-ilang, musc, myrrhe, nard, néroli, opopanax, suave, subtil, vétiver

PARFUMER → REMPLIR, RÉPANDRE

PARFUMEUR
Voir tab. **Saints patrons**

PARHÉLIE → SOLEIL

PARI → PRÉVISION

PARI chiche, enjeu, gageure, mise

PARIA → BANNI, CASTE, MARGINAL

PARIADE → OISEAU

PARIAN → MARBRE, PORCELAINE

PARIDÉS → MÉSANGE

PARIER → JOUER, PRÉDIRE

PARIER affirmer, être sûr, jouer, miser, soutenir

PARIÉTAIRE → ÉPINARD, URTICAIRE

PARIÉTAL → CERVEAU, PAROI, ROC
Voir illus. **Cerveau**
Voir illus. **Squelette**

PARIEUR → JOUEUR

PARIS → DENTELLE, VILLE

PARIS-BREST → CHOU

PARISETTE → RAISIN

PARISIEN → BAGUETTE

PARITAIRE → SYNDICAT

PARITÉ → CONFORMITÉ, ÉGALITÉ, RESSEMBLANCE, SEXE, SIMILITUDE, TAUX

PARITÉ égalité, répartition égale, ressemblance, similitude

PARJURE → FAUX (2), FOI, INFIDÉLITÉ, SERMENT, TRAÎTRE (1)

PARJURER → JURER

PARKA → MANTEAU, VESTE, VÊTEMENT
Voir illus. **Manteaux**
Voir illus. **Modes et styles**

PARKER → VIS

PARKÉRISATION → ROUILLE

PARKING → GARAGE, PARC

PARKING box, garage, horodateur, parc de stationnement

PARKINSON (MALADIE DE) → TREMBLEMENT

PARLANT → ÉLOQUENT, EXPRESSIF, SIGNIFICATION

PARLANT bavard, causant, démonstratif, éloquent, expressif, loquace, probant, significatif

PARLEMENT → DÉPUTÉ, REPRÉSENTATION

PARLEMENT Assemblée nationale, Chambre des députés, européen, interpellation, législatif, proposition, séance, Sénat, session

PARLEMENTAIRE → ASSEMBLÉE, DÉMOCRATIE, DÉPUTÉ, ENVOYÉ, MONARCHIE

PARLEMENTER → DÉBATTRE, DISCUTER, TRAITER

PARLER → BAVARDER, BEC, EXPRIMER, JASER, PLAIDER, PRATIQUER, SIGNALER
Voir tab. **Phobies**

PARLER ambages (sans), articuler, babiller, bafouiller, bagout, baragouiner, bavarder, bégayer, bredouiller, chuchoter, circonlocution, communiquer, converser, deviser, dialoguer, dire, discourir, discuter, disserter, éloquence, exhorter,

exprimer, franchement, haranguer, intercéder, loquacité, monologuer, murmurer, mutisme, périphrase, pérorer, plaider, prêcher, prononcer, propos de (à), soliloquer, sujet de (au), susurrer, tailler une bavette, volubilité

PARLER À TORT ET À TRAVERS → INDISCRET

PARLEUR → BAVARD

PARLOIR → CONVERSATION, PRISON, VISITE

PARLOTE → BAVARDAGE, CONVERSATION

PARME → JAMBON, VIOLET
Voir tab. **Couleurs**

PARMÉLIE → LICHEN

PARMENTURE → REVERS
Voir tab. **Couture**

PARMESAN
Voir tab. **Fromages**

PARMI → NOMBRE

PARNASSE → LITTÉRAIRE, POÈTE

PARODIE → CARICATURE, COMÉDIE, CONTREFAÇON, COPIE, IMITATION, MOQUEUR, REPRÉSENTATION, SATIRIQUE

PARODIE burlesque, caricature, imitation, pastiche, simulacre

PARODIENS
Voir tab. **Habitants (comment se nomment ils)**

PARODIER → IMITER, MIMER

PARODONTOSE → DENT

PARODOS → CHANT

PAROI → FACE, ROC
Voir illus. **Cheval**

PAROI à-pic, bajoyer, claustra, cloison, éponte, falaise, galandage, moucharabieh, mur, pariétal

PAROISSE
Voir tab. **Clergé catholique (vocabulaire du)**

PAROISSE clocher (de), congrégation, conseil presbytéral, eucologe, missel, ouailles, paroissien, paroissial

PAROISSIEN → LITURGIE, PAROISSE

PAROLE → DÉDIRE (SE), JURER, PENSÉE, PROMESSE, PROPHÈTE, PROPOS, REPRÉSENTATION
Voir tab. **Manies**

PAROLE anarthrie, aphasie, apophtegme, babil, baliverne, billevesée, calembredaine, dysarthrie, éloquence, fadaise, formule, gazouillis, glossolalie, logopathie, logorrhée, mantra, maxime, mot, mussitation, psittacisme, tachyphémie, verve, volubilité

PAROLIER → AUTEUR

PAROMOLOGIE → CONCESSION

PARONOMASE → RÉPÉTITION

PARONYME → MOT

PARONYMIE → RESSEMBLANCE

PAROSMIE → ODORAT

PAROTIDE
Voir illus. **Cheval**
Voir illus. **Digestif (appareil)**
Voir tab. **Endocrinologie**

PAROUSIE → MESSIE

PAROXYSME → CRISE, DEGRÉ,

EXTRÊME, HAUT (2), INTENSITÉ, MAXIMUM, PÉRIODE, POINT

PAROXYTON → ACCENT, SYLLABE

PARPAILLOT → PROTESTANT

PARPAING → AGGLOMÉRÉ, MAÇONNERIE

PARQUER → GARER, RANGER

PARQUES → DÉESSE, DESTIN, FATALITÉ, FIL, SŒUR

PARQUES (FUSEAU DES) → FUSEAU

PARQUET → ÉBÉNISTERIE, MAGISTRAT, MINISTÈRE, PARC, PLANCHER, REVÊTEMENT, TRIBUNAL
Voir illus. **Intérieur de maison**

PARQUET anglaise (à l'), barreau, bâtons rompus (à), châtaignier, chêne, cire, collé, corbeille, encaustique, épicéa, flottant, frise, frisette, hêtre, lambourde, lambris, mosaïque (en), parqueterie, pin, point de Hongrie (au), procureur général, salle d'audience, sapin, solive, substitut, Versailles, vitrificateur

PARQUETERIE → PARQUET

PARQUEUR → HUÎTRE

PARRAIN → BAPTÊME, INITIATION, PARENT, PÈRE

PARRAIN cautionner, compérage, filleul, garantir, parrainage, parrainer, soutien

PARRAINAGE → BIENFAITEUR, DON, PARRAIN

PARRAINER → ENCOURAGER, INTRODUIRE, PARRAIN, PATRONNER

PARRICIDE → MEURTRIER, PÈRE

PARSEC (PC) → LONGUEUR

PARSEMER → COUVRIR, RECOUVRIR, RÉPANDRE

PARSEMER brillanter, consteller, couvrir, cribler, émailler, étoiler, joncher, moucheter, pailleter, saupoudrer

PARSIS → PERSE (1)

PARSISME
Voir tab. **Religions et courants religieux**

PART → BOUT, PORTION, TITRE

PART action, annoncer, attribution, communiquer, contingent, contribuer, contribution, écot, excepté, hormis, informer, lotissement, marginal, morceau, parcelle, parcelliser, partager, participation, participer, particulier, partie (en), portion, privilégié, quote-part, quotité, ration, sauf

PART (À) → ÉCART

PART (PRENDRE) → MILITER

PART BÉNÉFICIAIRE → VALEUR

PART EN PART → TRAVERS (2)

PARTAGE → DISTRIBUTION

PARTAGE confins, démembrement, dichotomie, distribution, frontière, limite, morcellement, parcellisation, répartition

PARTAGÉ → DIVERS, MUTUEL, RÉCIPROQUE (2)

PARTAGER → DÉCOUPER, DISTRIBUER, ENTRER, ÉPOUSER, MORCELER, PART, POIRE, RÉPARTIR

PARTAGER adhérer à, adopter, compatir à, dispatcher, distribuer, embrasser, fragmenter, répartir, scinder, sectionner, solidariser (se), subdiviser

PARTANCE (EN) → DÉPART

PARTENAIRE → BRAS, COMPAGNON, COMPÉTITION, COMPLICE, DANSEUR, ÉQUIPIER, JOUEUR

PARTENAIRE acolyte, adjoint, affidé, allié, ami, associé, cavalier, coéquipier, collaborateur, collègue, compagnon, complice, confrère, conjoint, joueur

PARTENARIAT → ACCORD, FINANCIER (2)

PARTERRE → CARRÉ (1), FLEUR, JARDIN, MASSIF (1), SPECTATEUR
Voir illus. **Théâtre**

PARTHÉNOGENÈSE → FÉCONDATION, REPRODUCTION

PARTHES → PERSE (2)

PARTI → CAMP, CLAN, COMMUNAUTÉ, CÔTÉ, FÉDÉRATION, FORMATION, IVRE, ORGANISATION, UNION
Voir illus. **Héraldique**

PARTI adhérent, apparatchik, assises, association, bureau politique, cartel, cellule, coalition, comité, comité central, congrès, contestataire, dissident, doctrine, épuration, faction, fédération, formation, front, idéologie, leader, meeting, membre, militant, organe, organisation, propagande, purge, rassemblement, schisme, scission, section, sympathisant, union

PARTI (TIRER) → UTILISER

PARTI PRIS → OPINION, PRÉJUGÉ

PARTIAL → CHOIX, INJUSTE, PARTISAN

PARTIALITÉ → INJUSTICE

PARTICIPANT → SÉLECTION

PARTICIPANT actionnaire, audioconférence, bénévole, candidat, compétiteur, concurrent, sociétaire, téléconférence, visioconférence

PARTICIPATION → CONCOURS, CONTRIBUTION, COTISATION, DÉPENSE, FÉDÉRAL, PART, SALAIRE

PARTICIPATION apport, collaboration, commandite, concours, contribution, intéressement, mise de fonds, présence, stock-option

PARTICIPATION AUX ACQUÊTS → MARIAGE

PARTICIPE adjectif verbal, gérondif

PARTICIPE PASSÉ → IMPERSONNEL, VARIABLE (1)

PARTICIPE PRÉSENT → IMPERSONNEL

PARTICIPER → COLLABORER, CONCOURIR À, JOINDRE, PART, TRAVAILLER

PARTICIPER associer, encourager, immiscer (s'), ingérer (s'), intervenir, joindre à (se), mêler à (se), prendre la parole, tremper dans

PARTICIPIALE → PROPOSITION

PARTICULARISER → CARACTÉRISER

PARTICULARISME → INDÉPENDANCE, PARTICULIER

PARTICULARITÉ → ATTRIBUT, CARACTÉRISTIQUE, DIFFÉRENCE, MODALITÉ, ORIGINALITÉ, QUALITÉ, SIGNE, SINGULARITÉ, TRAIT

PARTICULARITÉ aberration, anomalie, caractéristique, exception, irrégularité, propriété, qualité, régionalisme, spécificité

PARTICULE → ATOME, PARTIE

PARTICULE affixe, antiparticule, baryon, désinence, élémentaire, hadron, lepton, neutron, nucléon, préfixe, proton, quantum d'énergie, quark, suffixe, virtuel

PARTICULIER → ESPÈCE, EXCEPTION, EXCLUSIF, INDIVIDUEL, INTIME (2), PART, PERSONNE, PERSONNEL (2), PRÉCIS, PRIVÉ, PROPRE (2), SEUL, SPÉCIAL

PARTICULIER bizarre, défini, déterminé, étrange, idiome, idiosyncrasie, individuel, intime, original, particularisme, personnel, précis, privé, propre, remarquable, singulier, spécial

PARTICULIÈREMENT → NOTAMMENT, PLUS, PROFONDÉMENT

PARTICULIÈREMENT admirablement, exceptionnellement, notamment, principalement, remarquablement, singulièrement, spécialement, surtout

PARTIE → BRIBE, DÉTAIL, DOMAINE, ÉLÉMENT, FRACTION, MORCEAU, PAN, PART, PIÈCE, RÉGION, RENCONTRE, SECTEUR

PARTIE appartenir à, atome, avant-propos, centre, chapitre, citation, cœur, conclusion, côté, extrémité, index, introduction, milieu, molécule, noyau, particule, passage, plupart (la), préambule, queue, région, relever de, scène, secteur, table des matières

PARTIE DE POKER → BLUFFER

PARTIEL → CONTRÔLE, RELATIF, SOMMAIRE (2), UNIVERSITÉ

PARTIEL acompte, arrhes, à-valoir, fragmentaire, incomplet, mensualité, mi-temps, quatre cinquièmes, trois cinquièmes, trois quarts, versement

PARTIELLE → INCOMPLET, INTERROGATION

PARTIELLEMENT → DEMI

PARTIES COMMUNES
Voir tab. **Copropriété**

PARTIES PRIVATIVES
Voir tab. **Copropriété**

PARTIR → BOUGER, DISPOSER, FILER, LARGE, VALISE

PARTIR abandonner, abîmer (s'), absenter (s'), absorber (s'), chasser, déguerpir, désincruster (se), détaler, disparaître, éclater (s'), éclipser (s'), éconduire, effacer (s'), émaner, émigrer, enfuir (s'), évacuer (s'), évader (s'), exiler (s'), expatrier (s'), expulser, fuser,

jaillir, plonger (se), provenir, quitter, retirer (se), sauver (se)

PARTIR (À) → DATER

PARTIR EN CATIMINI → DÉMÉNAGER

PARTISAN → ADEPTE, ADHÉRENT (1), ADHÉRER, AMI, CERTITUDE, CHAMPION, DÉFENSEUR, DISCIPLE, FIDÈLE (1), MILITANT, SECTE, SOUTIEN, ZÉLATEUR

PARTISAN adepte, apôtre, défenseur, franc-tireur, guérillero, maquisard, militant, néophyte, partial, , progressiste, propagandiste, prosélyte, recrue, résistant, sectaire, subjectif, tenant, zélateur

PARTITION → MUSIQUE, REPRÉSENTATION
Voir illus. **Héraldique**
Voir tab. **Héraldique (vocabulaire de l')**

PARTITION clef, déchiffrer, indication, lutrin, note, nuance, portée, pupitre, rythme, silence, tourne

PARTOUT côtés (de tous), lieux (en tous), omniprésence, toit (sur tous les), ubiquité, urbi et orbi

PARTOUZE → DÉBAUCHE

PARTURIENTE → FEMME

PARTURITION → ACCOUCHEMENT, BAS (2), COUCHE, MISE, NAISSANCE, VACHE

PARULIE → INFLAMMATION

PARURE → BIJOU, ENSEMBLE, MISE, ORNEMENT, TOILETTE

PARURE boule, décoration, guirlande

PARUTION → PUBLICATION, SORTIE

PARVENIR → ACCÉDER, ARRIVER, ATTEINDRE

PARVENIR aboutir, accéder à, acheminer, adulte, appliquer (s'), atteindre, efforcer (s'), essayer, évertuer (s'), mature, mûr, pénétrer, porter, rentrer, réussir, transmettre, vaincre

PARVENU → NOUVEAU, RICHE (1)

PARVENU nouveau riche, Rastignac

PARVIS → CATHÉDRALE, PLACE
Voir illus. **Église (plan d'une)**

PAS → EMPREINTE, JAMAIS, MONTAGNE, SCIE

PAS (1) achopper, allure, antichambre, attendre, cadence, démarche, empreinte, enjambée, étape, foulée, géant (pas de), graduellement, imprudence, loup (pas de), près (tout), progressivement, rapidement, reculer, seuil, tortue (pas de), tournant, trace, trébucher

PAS (2) aucun, aucunement, personne, point (ne)

PAS DE BASQUE → DANSE
Voir tab. **Danse classique**

PAS DE BOURRÉE → DANSE
Voir tab. **Danse classique**

PAS DE DEUX
Voir tab. **Danse classique**

PAS DE LA PORTE → SEUIL

PAS DE VIS → VIS

PAS MAL DE → NOMBRE

PASCAL → ATMOSPHÉRIQUE, LANGAGE

PASEO → CORRIDA

PASIONARIA → MILITANT

PASO DOBLE
Voir tab. **Danses (types de)**

PASQUIN → BOUFFON (1)

PASQUINADE → PAMPHLET

PASS BOOK → LAISSEZ-PASSER

PASSABLE → MOYEN (2), POTABLE

PASSABLE convenable, honnête, médiocre, mettable, moyen, piètre, supportable

PASSACAILLE → ORGUE

PASSADE → AMOUR, AMOURETTE, CAPRICE, FANTAISIE, FLIRT, IDYLLE, MANÈGE, PASSION, RELATION

PASSAGE → ANIMATION, BRAS, BRÈCHE, BRIBE, CIRCULATION, CITATION, COULOIR, DÉFILÉ, ÉVOLUTION, EXTRAIT, FRAGMENT, INITIATION, PARTIE, PÉNINSULE, PISTE, TRANSITION

PASSAGE artère, boyau, changement, chapitre, circulation, extrait, fragment, franchissement, galerie, gradation, morceau, mutation, page, péage, percée, provisoire, rue, ruelle, sente, traboule, trafic, transformation, transition, traversée, trouée, tunnel, venelle

PASSAGE À NIVEAU → BARRIÈRE, CHEMIN DE FER

PASSAGE DE LANGUE
Voir illus. **Harnais**

PASSAGE EN REVUE → HORIZON

PASSAGER → CLIENT, COURT, ÉPHÉMÈRE, PASSANT (2), PÉRISSABLE, PROVISOIRE, TEMPORAIRE

PASSAGER (1) usager, voyageur

PASSAGER (2) animé, éphémère, fréquenté, fugace, fugitif, momentané, passant, précaire, temporaire, transitoire

PASSANT → BADAUD, PASSAGER (2)
Voir tab. **Héraldique (vocabulaire de l')**

PASSANT animé, fréquenté, passager

PASSANT (EN) → PARENTHÈSE

PASSATION → TRANSMISSION

PASSAVANT → DOUANE, LAISSEZ-PASSER, PONT

PASSE → CANAL, PROSTITUÉE
Voir illus. **Littoral**
Voir illus. **Belote**
Voir tab. **Tarot**

PASSÉ → DÉCOLORÉ, PRÉCÉDENT, TERNE

PASSÉ (1) antan (d'), antécédents, antiquité, archaïque, auparavant, autrefois, chronologie, civilisation, date, démodé, désuet, diachronique, flash-back, futur antérieur, hérédité, hier, histoire, imparfait, jadis, mémoire, naguère, passé antérieur, passé composé, passé simple, plus-que-parfait, préhistoire, rétroactif, rétrospective, souvenir, tradition, vieillot

PASSÉ (2) accompli, révolu

PASSÉ ANTÉRIEUR → PASSÉ (1)

PASSÉ COMPOSÉ → PASSÉ (1)

PASSÉ NON ACCOMPLI → IMPARFAIT, PASSÉ (1)

PASSÉ SIMPLE → PASSÉ (1)

PASSE-DEBOUT → LAISSEZ-PASSER

PASSE-DROIT → ACCÈS, FAVEUR, INJUSTE, IRRÉGULARITÉ, PRIVILÈGE

PASSÉE → BÉCASSE, MARAIS, TRACE

PASSÉISTE → CONSERVATEUR, RÉACTION, RÉTROGRADE

PASSEMENT → BORDURE, GALON

PASSEMENTER → DÉCORER

PASSEMENTERIE → AMEUBLEMENT, GARNITURE, MERCERIE, MEUBLE

PASSEMENTERIE ameublement, brandebourg, câblé, cannetille, crépine, lacet, passepoil, vêtement

PASSE-MONTAGNE → BONNET, CAGOULE

PASSE-PARTOUT → BROSSE, BÛCHE, CADRE, CAMBRIOLEUR, CLEF, ENCADREMENT, NEUTRE, SCIE, SERRURE

PASSE-PASSE → PRESTIDIGITATION, TOUR

PASSE-PIED → DANSE

PASSEPOIL → BORDURE, DOUBLURE, PASSEMENTERIE
Voir tab. **Couture**

PASSEPORT → IDENTITÉ, PERMISSION, PRÉFECTURE

PASSEPORT mairie, préfecture

PASSER → DÉTEINDRE, FILER, METTRE, PÂLIR, PERMETTRE, PROJETER, RAISON, REMETTRE, TOLÉRER, TRAVERSER
Voir tab. **Bridge**
Voir tab. **Poker**
Voir tab. **Tarot**

PASSER abstenir (s'), accorder (s'), assouvir, avancer, céder à, confier, consacrer, devenir, diffuser, dispenser de (se), dresser, éluder, employer, enfreindre, enjamber, escalader, étancher, éviter, excéder, exécuter, franchir, fusiller, glisser sur, ignorer, incidemment, léguer, libeller, omettre, oublier, outrepasser, pardonner, permettre (se), prêter, priver de (se), progresser, promu (être), recourir à, remettre, renoncer à, retransmis (être), satisfait, saut chez (faire un), sauter, séjourner, subir, transgresser, transmettre, traverser, tuer, violer, visite à (rendre)

PASSER (SE) → ARRIVER, DÉROULER, LIEU, RENONCER

PASSER À L'ACTION → BOUGER

PASSER AU CRIBLE → FILTRER

PASSER AU MARBRE
Voir tab. **Garagiste (vocabulaire du)**

PASSER EN REVUE → BALAYER, INVENTAIRE, PARCOURIR

PASSER OUTRE → NÉGLIGER

PASSER POUR → FIGURE

PASSERAGE → RAGE

PASSEREAU → ÉTOURNEAU, HIRONDELLE, MERLE, MÉSANGE, MOINEAU

PASSERELLE → PONT
Voir illus. **Château fort**
Voir tab. **Internet**

PASSERELLE baignoire, garde-fou, traversine

PASSÉRIFORMES → GEAI, GRIVE, PIE (1)
Voir tab. **Oiseaux (classification simplifiée des)**

PASSE-TEMPS → DISTRACTION, DIVERTISSEMENT, HOBBY, INTÉRÊT, JEU, LOISIR, OCCUPATION, RÉCRÉATION, VIOLON

PASSE-TEMPS dada, détente, hobby, loisir, violon d'Ingres

PASSE-THÉ → PASSOIRE

PASSETTE → PASSOIRE, SAUCE

PASSEUR → BAC, BATEAU

PASSIBLE (ÊTRE) → MÉRITER

PASSIF → BALANCE, BILAN, COMPTABILITÉ, INERTE, MOBILISATION, VOCABULAIRE

PASSIF amorphe, antécédents, arriéré, casier, charge, débit, déponent, dette, docile, indifférent, inerte, lâche, résigné, soumis, veule

PASSIFLORA INCARNATA
Voir tab. **Plantes médicinales**

PASSIFLORE → CALMANT
Voir tab. **Plantes médicinales**

PASSING-SHOT → TENNIS

PASSION → AMOUR, ANIMATION, APPÉTIT, ARDEUR, BÉGUIN, BOUILLONNEMENT, COUP, DÉLIRE, DÉSIR, ENTHOUSIASME, FIÈVRE, FLAMME, FRÉNÉSIE, INTÉRÊT, MAROTTE, RAGE, RELATION, VÉHÉMENCE, ZÈLE

PASSION abandon, admiration, adoration, adorer, agitation, ardeur, avarice, avidité, catharsis, consomption, convoitise, coup de foudre, cupidité, délire, désir, dévotion, éréthisme, exaltation, excitation, ferveur, feu, fièvre, folie, foucade, frénésie, grenadille, idolâtrer, idylle, insomnie, jalousie, lyrique, maracuja, obsession, passade, passionnaire, pathétique, suspicion, tension, tocade, trahison, vénération

PASSIONNAIRE → PASSION

PASSIONNANT → ABSORBAND, INTÉRESSANT (2), PALPITANT

PASSIONNANT captivant, exaltant, fascinant, palpitant, poignant, prenant

PASSIONNÉ → ABSOLU, ARDENT, BRÛLANT, CURIEUX (2), ENRAGER, ÉPERDU, EXTRÊME, FANATIQUE (1), FANATIQUE, RAISONNABLE, ROMANTIQUE, ZÉLÉ

PASSIONNÉ ardent, conquis, emballé, épris, fanatique, féru, fervent, fougueux, grisé, mordu, toqué

PASSIONNÉMENT → FOLIE

PASSIONNER → AIMER, CAPTIVER, ENFLAMMER, INTÉRESSER, RAVIR, STIMULER

PASSIONNER captiver, conquérir, enflammer, enivrer, enthousiasmer, exalter, fasciner, galvaniser, subjuguer

PASSIONNER (SE) brûler (se), consumer (se), emballer (s'), embraser pour (s'), engouer (s'), enticher de (s'), éprendre de (s'), raffoler de

PASSIVITÉ → BRAS, INACTION, INDOLENCE, INERTIE

PASSOIRE → FILTRE, FILTRER, TAMIS

PASSOIRE blutoir, chinois, couloire, crible, écumoire, filtre, passe-thé, passette, tamis

PASTEL → BLEU (1), CLAIR, COLORER, CRAYON, DESSIN, PÂLE, TEINTURE, TENDRE (2)
Voir tab. **Couleurs**
Voir tab. **Dessin (vocabulaire du)**
Voir tab. **Peinture et décoration**

PASTENAGUE
Voir tab. **Poissons (classification simplifiée des)**

PASTÈQUE → MELON

PASTEUR → BERGER, CONDUCTEUR, CULTE, DIGNITÉ, MINISTRE, PAÎTRE, PROTESTANT, RELIGIEUX (1)

PASTEUR Jésus-Christ, ministre, pastorat, prédicant, presbyterium, révérend, temple

PASTEUR SUPRÊME → PAPE

PASTEURISATION → FERMENTATION, MICROBE, STÉRILISATION

PASTEURISER → STÉRILISER

PASTICHE → CONTREFAÇON, COPIE, FAUX (2), IMITATION, PARODIE, STYLE

PASTICHER → PEINDRE

PASTICHEUR → CONTREFAÇON, COPIER, IMITATEUR

PASTIÈRE → VENDANGE

PASTILLA
Voir tab. **Spécialités étrangères**

PASTILLAGE → CONFISERIE, PASTILLE

PASTILLE → CACHET, CHOCOLAT, MÉDICAMENT

PASTILLE cachet, capsule, chip, comprimé, dragée, gélule, granule, pastillage, patch, pilule, puce, sucrette, timbre

PASTIS
Voir tab. **Gâteaux régionaux et étrangers**

PASTORAL → CAMPAGNE, CHAMP, CHAMPÊTRE

PASTORAL agreste, bucolique, champêtre, églogue, idylle, pastourelle, ranz, villanelle

PASTORALE → BERGER, IDYLLE, POÈME
Voir tab. **Peinture et décoration**

PASTORALISME → MONTAGNE

PASTORAT → PASTEUR

PASTOUREAU → BERGER

PASTOURELLE → IDYLLE, PASTORAL, TROUBADOUR

PAT
Voir tab. **Échecs**

PATACHE
Voir tab. **Bateaux**

PATACHON → CHAISE, TURBULENT

PATAGONIE → FEU

PATAQUÈS → ABUS, FAUTE, LIAISON

PATARAS
Voir illus. **Voilier : Dufour 38 Classic**

PATATE → ENSEMBLE, FRANC (1)

PATAUD → MALADROIT

PATAUDE → DÉMARCHE

PATAUGAS → CHAUSSURE
Voir illus. **Chaussures**

PATAUGER → MARCHER

PATAUGER barboter, couler, égarer (s'), embrouiller (s'), empêtrer

(s'), nager, noyé (être), patouiller, perdre (se)

PATCH → PASTILLE, TIMBRE
Voir tab. **Informatique**

PATCHWORK → ASSEMBLAGE, MORCEAU, TISSU, VARIÉ

PÂTE → CRÈME

PÂTE barbotine, brisée, cheveu d'ange, colle, coquillette, feuilletée, gâchis, macaroni, malaxer, modeler, mortier, nouille, pâton, penne, pétrir, pizza (à), ravioli, sablée, spaghetti, tagliatelle, vermicelle

PÂTÉ → ENCRE

PÂTÉ bavure, bloc, château, croustade, éclaboussure, ensemble, friand, godiveau, groupe, îlot, mousse, rissole, tache, terrine, tourte

PÂTÉ CREUSOIS
Voir tab. **Plats régionaux**

PÂTÉ DE TÊTE
Voir illus. **Charcuterie**

PÂTÉE → NOURRITURE, PÂTURE, REPAS

PATELIN → DOUCEUR, FOURBE, HYPOCRITE

PATELLE → MOLLUSQUE

PATÈNE → COMMUNION, HOSTIE, LITURGIE, VASE

PATENT → ÉVIDENT, FLAGRANT, MANIFESTE (2), OSTENSIBLE, OUVERT, RÉEL

PATENTE → CONTRIBUTION, IMPÔT

PATER → PÈRE
Voir tab. **Prières et offices de l'Église catholique romaine**

PATÈRE → ACCROCHER, PENDRE

PATERFAMILIAS → FAMILLE, PATRIARCHE, TYRANNIQUE

PATERNALISME → PÈRE

PATERNE → BON (1), PATERNITÉ

PATERNEL → PÈRE

PATERNITÉ civil, désaveu, légitime, naturel, paterne

PÂTEUX → ÉPAIS

PATHÉTIQUE → DÉCHIRANT, DRAMATIQUE, ÉMOUVANT, PASSION, PITIÉ, TRAGIQUE

PATHÉTIQUE bouleversant, captivant, dramatique, émouvant, emphase, poignant

PATHOGÈNE → MALADIE, MICROBE

PATHOLOGIE → MALADIE, MÉDECINE
Voir tab. **Sciences : termes en -ologie et -ographie**

PATHOPHOBIE → MALADIE

PATHOS → LITTÉRATURE, STYLE

PATIBULAIRE → FUNESTE, INQUIÉTER, POTENCE, SINISTRE

PATIENCE → CALME, PERSÉVÉRANCE, RÉUSSITE

PATIENCE casse-tête, confiance, foi, indulgence, longanimité, obstination, opiniâtreté, persévérance, puzzle, réussite, temps, ténacité, tolérance

PATIENT → CLIENT, INDULGENT (2)

PATIENT (1) client, malade

PATIENT (2) débonnaire, doux, indulgent, tolérant

PATIENTER → ATTENDRE

PATIN → SKI

PATIN char à voile, hockey, os, roller, skate, wind skating

PATINAGE → HIVER

PATINAGE axel, boucle, dehors, flip-flap, huit, imposé, libre, lutz, renversement arrière, salchow, short-program

PATINAGE ARTISTIQUE
Voir tab. **Sports**

PATINE → BRONZE, FINITION, POLI (1), VERNIS

PATINE oxydation, poli, vernis, vert-de-gris, vitrificateur

PATINER → GLISSER, LUSTRER, PIÉTINER, VIEILLIR
Voir tab. **Garagiste (vocabulaire du)**

PATINER chasser, déraper, glisser, mouliner, riper

PATINOIRE → PISTE

PATIO → COUR, MAISON

PÂTIR → BAVER, SOUFFRIR

PÂTIR endurer, souffrir de, subir

PÂTIS → ENCLOS, FRICHE, PAÎTRE, PARC, TERRE

PÂTISSERIE → LEVURE, MOULAGE

PÂTISSERIE baklava, corne de gazelle, fouet, kadaï, kadaïf, loukoum, marbre, moule, pâtissoire, patronnet, planche, rouleau, tourtière

PÂTISSIER
Voir tab. **Saints patrons**

PÂTISSOIRE → PÂTISSERIE

PATOIS → COMMUNAUTÉ, DIALECTE
Voir tab. **Argot et langages populaires**

PÂTON → PAIN, PÂTE

PATOUILLER → PATAUGER, TRIPOTER

PATRAQUE → SOUFFRANT

PÂTRE → BERGER, PAÎTRE, TROUPEAU

PATRIARCAT → PÈRE

PATRIARCHE → CHEF, FAMILLE, PÈRE, VIEILLARD
Voir tab. **Clergé catholique (vocabulaire du)**

PATRIARCHE arrière-grand-père, chef, grand-père, paterfamilias, père, Voltaire

PATRICIAT → ARISTOCRATIE

PATRICIEN → NOBLE (1)

PATRIE → TERRITOIRE

PATRIE apatride, compatriote, devise, drapeau, émigrer, exiler (s'), expatrier (s'), heimatlos, hymne, patriotisme, rapatrier, sans-patrie

PATRILINÉAIRE → PÈRE

PATRILOCALE → PÈRE

PATRIMOINE → AVOIR (2), BIEN, CAPITAL, DOMAINE, DROIT (1), FAMILLE, FORTUNE, HÉRITAGE, IMMEUBLE (2), MONUMENT, PÈRE, RICHESSE, SUCCESSION

PATRIMOINE bien immeuble, bien meuble, capital, créance, fortune, génotype, héritage, propriété, richesse, trésor

PATRIOTE cocardier, jingo, zélote

PATRIOTISME → AMOUR, NATION, PATRIE, ZÈLE

PATRISTIQUE → PÈRE, THÉOLOGIE

PATROLOGIE → PÈRE

PATRON → BAPTÊME, CHEF, FORME, INDUSTRIEL (1), MANDARIN (1), MODÈLE (1), PROTECTEUR (2)

PATRON agriculteur, artisan, boss, capitaine, chef, commandant, dirlo, entrepreneur, forme, gabarit, mandarin, modèle, patronat, PDG, protecteur

PATRONAGE → AIDE, BIENFAISANCE, BIENFAITEUR, TUTELLE

PATRONAGE appui, auspices, égide, protection, recommandation, soutien

PATRONAT → PATRON

PATRONNER → RECOMMANDER, SOUTENIR

PATRONNER appuyer, parrainer, protéger, soutenir

PATRONNET → PÂTISSERIE

PATRONYME → FAMILLE, NOM, PÈRE, PROPRE (2)

PATROUILLE → DÉTACHEMENT

PATROUILLE ailier, garde, guet, reconnaissance, ronde, surveillance

PATROUILLEUR → CONVOI

PATTE → BROSSE, CARACTÈRE, CRÉATEUR, CROCHET
Voir illus. **Insectes**

PATTE apode, griffe, palme, pince, serre

PATTE DE LAPIN → BARBE, FAVORI (1)

PATTE-D'OIE → BIFURCATION, CARREFOUR, CROISEMENT, ÉTOILE, FOURCHE, ŒIL, RIDE, ROUTE

PATTEMOUILLE
Voir tab. **Couture**

PATTERN → MATRICE, MODÈLE (1)

PATTINSONAGE → PLOMB

PÂTURAGE → ENCLOS, HERBE, PRAIRIE
Voir tab. **Animaux (termes propres aux)**

PÂTURAGE alpage, embouche, estive

PÂTURE → BÉTAIL, NOURRITURE, PAÎTRE

PÂTURE nourriture, pâtée, pitance, soupe

PÂTURIN → PELOUSE

PÂTURON
Voir illus. **Cheval**

PAU
Voir tab. **Habitants (comment se nomment les)**

PAUL-MORAND (PRIX)
Voir tab. **Prix littéraires**

PAULLINIA CUPANA
Voir tab. **Plantes médicinales**

PAULOPOLITAINS
Voir tab. **Habitants (comment se nomment les)**

PAUME → DESSOUS, MAIN, PELOTE

PAUME dermatoglyphes, empaumure, gantelet, palme, paumelle

PAUMÉ → PERDU

PAUMELLE → CHARNIÈRE, FICHE, ORGE, PAUME
Voir illus. **Fenêtre**
Voir illus. **Porte**

PAUMER → PERDRE

PAUMOYER → TIRER

PAUMURE → DAIM

PAUPÉRISATION → APPAUVRISSEMENT, PAUVRETÉ

PAUPÉRISME → MISÈRE, PAUVRETÉ

PAUPIÈRE
Voir illus. **Cheval**
Voir tab. **Chirurgicales (interventions)**

PAUPIÈRE blépharite, blépharoplastie, chalazion, chassie, compère-loriot, crayon, ectropion, entropion, éraillement, eye-liner, fard, khôl, nictation, orbiculaire, orgelet, palpébral, releveur

PAUPIETTE → ALOUETTE

PAUSE → ARRÊT, ATTENTE, BATTEMENT, COUPURE, ENTRACTE, HALTE, INTERRUPTION, INTERVALLE, PARENTHÈSE, RÉCRÉATION, RÉPIT, SILENCE, STATION
Voir illus. **Symboles musicaux**

PAUSE arrêt, break, entracte, halte, interclasse, interruption, mi-temps, récréation, silence, suspension

PAUVRE → ARIDE, CHÉTIF, HUMBLE, INSUFFISANT, PLAINDRE, RESSOURCE, SIMPLE, STÉRILE

PAUVRE aride, bidonville, dénué de, déplorable, dépourvu de, faible, infertile, minime, misérable, négligeable, pays en voie de développement, piètre, pitoyable, PMA (pays moins avancés), populeux, quart monde, stérile, tiers monde

PAUVRETÉ → FAIBLESSE, INDIGENCE, INSUFFISANCE, MÉDIOCRITÉ, NÉCESSITÉ, RELIGIEUX (2), SÉCHERESSE

PAUVRETÉ alimentation, alphabétisation, banalité, dénuement, détresse, gêne, hygiène, indigence, médiocrité, misère, nécessité, paupérisation, paupérisme, platitude, privation, quart monde, Restos du cœur, scolarisation, Secours catholique, Secours populaire, soins médicaux, sous-prolétariat

PAVAGE → EMPIERREMENT

PAVAGE couchis, pavement, revêtement, roche pavimenteuse, rudération

PAVANER (SE) → ROUE, VANITEUX

PAVÉ → BIFTECK, BLOC, ENCADREMENT, TRANCHE

PAVÉ bois, bourde, carrelage, dallage, emploi (sans), maladresse, pierre, rue (à la)

PAVÉ NUMÉRIQUE → CLAVIER

PAVEMENT → CARREAU, DALLE, MOSAÏQUE, PAVAGE

PAVER → RECOUVRIR, RÉPANDRE

PAVILLON → COMMUNION, DRAPEAU, KIOSQUE, MAISON, MÂT, NAVIRE, SIGNAL, TROMPETTE, TUYAU
Voir illus. **Drapeaux**
Voir illus. **Pierres précieuses (taille des)**

PAVILLON belvédère, bungalow, chalet, cornet, custode, folie, gloriette, kiosque, meulière, muette, rendez-vous, rotonde, tonnelle, villa

PAVILLON DE LA TROMPE
Voir illus. **Génitaux (appareils)**

PAVILLON DE VERDURE → TONNELLE

PAVOIS → BOUCLIER, DRAPEAU, GLOIRE

PAVOISER → IMPORTANCE, RÉJOUIR (SE)

PAVOT → OPIUM
Voir tab. **Drogues**
Voir tab. **Végétaux (classification simplifiée des)**

PAY-PER-VIEW
Voir tab. **Multimédia (les mots du)**

PAYANT → FRUCTUEUX, RENTABLE

PAYER → AMORTIR, DÉPENSER, FARCIR, HONORER, RÈGLEMENT, RÉGLER, SOLDER, VERSER

PAYER acheter, acquitter, appointer, corrompre, dédommager, défrayer, éteindre, financer, indemniser, liquider un passif, offrir, régler, rembourser, rémunérer, rétribuer, solder, soudoyer, stipendier, verser

PAYEUR → ACHETEUR

PAYS → NATION, PEUPLE, PROVINCE, PUISSANCE, RÉGION

PAYS aborigène, allogène, ambassade, autochtone, capitale, confédération, consulat, empire, immigré, indigène, ingérence, intervention, métropole, natif, naturalisé, puissance, république, résident, royaume, voyager

PAYS EN VOIE DE DÉVELOPPEMENT → PAUVRE

PAYSAGE → CADRE, PEINTURE, SITE, TABLEAU

PAYSAGE architecte, belvédère, décor, diorama, jardinier, PAF, panorama, paysagiste, point de vue, scène, site, urbaniste, vue

PAYSAGISTE → AMÉNAGER, DÉCOR, DESSIN, JARDIN, PAYSAGE

PAYSAN → AGRICULTEUR, ÉTAT, FERMIER

PAYSAN (1) bouseux, croquant, cul-terreux, fellah, jacques, koulak, moujik, pedzouille, péquenaud, rural, terrien

PAYSAN (2) folklorique

PAYSANNERIE → BOURGEOIS (2)

PB → PLOMB
Voir tab. **Éléments chimiques (symbole des)**

PC (POSTE DE COMMANDEMENT) → COMMANDEMENT

PCV → TÉLÉPHONE

PD
Voir tab. **Éléments chimiques (symbole des)**

PDF
Voir tab. **Internet**

PDG → CHEF, INDUSTRIEL (1), PATRON, PRÉSIDENT

PÉAGE → DROIT (1), PASSAGE

PÉAGE abonné

PÉAN → CHANT, HYMNE

PEANUTS
Voir tab. **Bande dessinée (héros de)**

PEAU → ÉCORCE, ENVELOPPE, YOURTE

PEAU acné, albinisme, ampoule, cloque, cosmétique, cutané, dermatite, dermatologie, dermatose, derme, dermotrope, desquamation, eczéma, envie, éphélide, épiderme, furonculose, grain de beauté, herpès, hypoderme, maquillage, mélanome, nævus, pannicule, papilloma, papule, peste, phlyctène, rougeole, rubéole, urticaire, varicelle

PEAU D'ÂNE → DIPLÔME
PEAU-D'ANGE
Voir tab. **Tissus**
PEAU-DE-PÊCHE
Voir tab. **Tissus**
PEAUFINER → BÂCLER, LÉCHER, POLIR, SOIGNER
PEAUSSERIE → TANNAGE
PÉCARI → PORC, SANGLIER
PECCABLE → FAUTE, PÉCHÉ
PECCADILLE → FAUTE, INSIGNIFIANT, PÉCHÉ
PECHBLENDE → RADIUM, URANIUM
PÊCHE → FORME, PRIMAIRE
PÊCHE ableret, amorce, araignée, asticot, bachot, barque, bourriche, canne à lancer, chalut, chalutier, chènevis, dégorgeoir, drague, épuisette, esche, fluvial, foène, gaule, gueulin, halieutique, harenguier, hauturière, lacustre, ligne, littoral, maritime, morutier, mouche, palangre, rogue, sardinier, senne, stronk, strouille, thonier, trinquart, turlutte, ver, waders
PÉCHÉ → FAUTE, IMPUR, MAL (1), OFFENSE
PÉCHÉ absolution, avarice, blasphème, colère, contrition, débauche, envie, faiblesse, faillir, gourmandise, hérésie, luxure, mea culpa, orgueil, originel, paresse, peccable, peccadille, pécher, pénitencerie, réconciliation, stupre, succomber, vice
PÉCHÉ ORIGINEL → CHUTE
PÉCHÉ VÉNIEL
Voir tab. **Catholique romain (vocabulaire)**
PÉCHER → FAILLIR, PÉCHÉ
PÊCHER → ROSACÉE
PÊCHER AU VIF → APPÂT
PÉCHÉS CAPITAUX
Voir tab. **Catholique romain (vocabulaire)**
PÊCHETTE → FILET
PÊCHEUR → FAUTE
PÊCHEUR
Voir illus. **Coiffures**
PÊCHEUR (NŒUD DE)
Voir illus. **Nœuds**
PÉCORE → SOT
PECORINO
Voir tab. **Fromages**
PECTINÉ
Voir tab. **Forme de... (en)**
PECTORAL → ÉVÊQUE, NAGEOIRE, POISSON, POITRINE, SIROP
Voir illus. **Muscles**
PECTORALE (NAGEOIRE)
Voir illus. **Poisson**
PÉCULAT → DÉLIT, MALHONNÊTE
PÉCULE → BAS (1), ÉCONOMIE
PÉCUNIAIRE → ARGENT
PÉDAGOGIE → ÉDUCATION, ENSEIGNEMENT, INSTRUCTION
PÉDAGOGUE → ÉDUCATEUR, MAÎTRE (1)
PÉDALE → HOMOSEXUEL, LEVIER, ORGUE, PIANO
Voir illus. **Bicyclette**
Voir illus. **Piano**
Voir tab. **Bateaux**

PÉDALE accélérateur, bicyclette, cyclomoteur, embrayage, frein, Pédalo, Solex, sourdine, tandem, vélocipède, vélomoteur
PÉDALIER
Voir illus. **Bicyclette**
PÉDALO → BATEAUX
Voir tab. **Bateaux**
PÉDANT → CONQUÉRANT (2), CONVENTIONNEL, POMPEUX, PRÉTENTIEUX, SAVANT (2), SOLENNEL, SUFFISANT
PÉDANT affecté, bas-bleu, cuistre, fat, pontifiant, suffisant, vaniteux
PÉDANTISME → POMPE
PÉDÉ → HOMOSEXUEL (1)
PÉDÉRASTIE → HOMOSEXUEL (2), SEXE
PÉDESTRE → PIED
PÉDIATRE → BÉBÉ, ENFANCE, MÉDECIN
PÉDIATRIE → BÉBÉ, INFANTILE
PÉDICELLE → RAMIFICATION
PÉDICULAIRE DES MARAIS → POU
PÉDICULE → QUEUE
PÉDICULIDÉS → POU
PÉDICULOSE → POU
PÉDICURE → MÉDECINE
PÉDICURIE → PIED
PEDIGREE → CHIEN, GÉNÉALOGIE
PÉDILUVE → BAIN, MOUTARDE
PÉDIPALPE → SCORPION
PÉDOLOGIE → GÉOLOGIE, SOL
Voir tab. **Sciences : termes en -ologie et -ographie**
PÉDONCULE → FLEUR, FRUIT, QUEUE
Voir illus. **Fleur**
PÉDONCULE CAUDAL
Voir illus. **Poisson**
PÉDOPSYCHIATRE → BÉBÉ
PÉDOPSYCHIATRIE → INFANTILE, PSYCHIATRIE
PEDZOUILLE → PAYSAN (1)
PÉGASE → AILÉ, CHEVAL, IMAGINAIRE (2)
Voir tab. **Animaux fabuleux**
Voir tab. **Mythologiques (créatures)**
PEGMATITE → PÉTRIFIÉ
PÈGRE → MILIEU
PEIGNE → MOLLUSQUE, TRICOTER
Voir tab. **Forme de... (en)**
PEIGNE corne, drège, ébonite, écaille, ivoire, ratisser
PEIGNÉ
Voir tab. **Tissus**
PEIGNER → DÉMÊLER
PEIGNOIR → NÉGLIGÉ, ROBE
PEIGNOIR sortie de bain
PEILLE → CHIFFON
PEINARD → PAISIBLE
PEINDRE → BRICOLER, COLORER, EXPRIMER, REPRÉSENTER
PEINDRE barbouiller, brosser, camper, conter, décrire, dépeindre, figurer, pasticher, peinturlurer, pignocher, portraiturer, ravaler, représenter, reproduire, traduire
PEINE → AFFECTIF, AMENDE, CHAGRIN, CHÂTIMENT, CONDAMNATION, DIFFICULTÉ, EFFORT, INQUIÉTUDE, MAL (1), MEURTRISSURE, PEU (2), PLAIE, PUNITION, REMORDS, SANCTION, SOUFFRANCE, SUPPLICE, TRISTESSE, VAGUEMENT
PEINE affliction, blâme, capitale,

chagrin, commuer, décapitation, désolation, détention, détresse, difficulté, douleur, électrocution, embarras, fusillade, laborieusement, mal, malheur, misère, pendaison, réclusion, relégation, tourment, tout juste)
PEINÉ → AFFECTÉ, TRISTE, ULCÉRÉ
PEINER → AFFLIGER, BAVER, DÉSOLER, ESSOUFFLER (S'), FÂCHER, FENDRE, TRAVAILLER
PEINER affecter, affliger, besogner, chagriner, contrarier, éprouver, épuiser (s'), évertuer (s'), fatiguer (se), froisser
PEINT → ÉMAIL
PEINTRE → BÂTIMENT
PEINTRE amassette, atelier, barbouilleur, brosse, chevalet, enlumineur, godet, gribouilleur, Lazare, Luc, luministe, miniaturiste, orientaliste, palette, pinceau, pincelier, rapin, spatule
PEINTURE → ART, DÉCORATION, GRAPHIQUE, IMAGE, PLASTIQUE
Voir tab. **Minéraux et utilisations**
PEINTURE acrylique, aquarelle, bombage, brillant, carton, châssis, coton, craquelure, détrempe, écaillement, embu, encollage, encrassement, enduit, essence de pétrole, essence de térébenthine, fresque, galerie, glacis, gouache, huile, huile d'œillette, huile de lin, huile de noix, jute, lavis, lin, marine, marouflage, mat, médium, musée, papier, paysage, pictural, pinacothèque, portrait, rentoilage, repiquage, ride, satiné, sgraffite, siccatif, tag, tempera, toile, vernis, vernissage, white-spirit
PEINTURLURER → BARBOUILLER, PEINDRE
PÉJORATIF → DÉPRÉCIATIF, MÉPRIS
PÉJORATIF défavorable, dépréciatif
PÉKINÉ → TISSU
PÉKINOIS → MANDARIN (2)
PEKOE
Voir tab. **Thé**
PEKOE ORANGE → THÉ
PEKOE POWCHONG → THÉ
PEKOE SOUCHONG → THÉ
PELADE → CHAUVE, CHUTE, TEIGNE
PELAGE → FOURRURE, POIL, ROBE
PELAGE fourrure, laine, moucheture, poil, robe, toison, zébrure
PÉLAGIANISME → HÉRÉSIE
PÉLAGIQUE → MER, OCÉAN, POLLUTION
PELAIN → TANNAGE
PÉLAMIDE → THON
PELANAGE → TANNAGE
PÉLARDON
Voir illus. **Fromages**
PÉLARGONIUM → GÉRANIUM
PELÉ → NU
PÉLÉCANIFORMES
Voir tab. **Oiseaux (classification simplifiée des)**
PÉLÉEN → VOLCAN
PÊLE-MÊLE → MÉLANGE
PÊLE-MÊLE bazar, capharnaüm,

chantier, désordre (en), fouillis, sens dessus dessous, souk, vrac (en)
PELER → DÉCORTIQUER, ÉPLUCHER, LÉGUME
PELER écaler, écorcer, éplucher
PÈLERIN → FAUCON, PROCESSION
PÈLERIN bâton, bourdon, coquille, culte, dévotion, gourde, Jacques le Majeur, sauterelle
PÈLERINAGE → VÉNÉRER, VOYAGE
Voir tab. **Histoire (grandes périodes)**
PÈLERINAGE La Mecque, Saint-Jacques-de-Compostelle
PÈLERINAGE À LA MECQUE
Voir tab. **Islam (vocabulaire de l')**
PÈLERINE → CAPE, MANTEAU
Voir illus. **Manteaux**
PÉLIADE → SERPENT, VIPÈRE
PÉLICAN
Voir tab. **Oiseaux (classification simplifiée des)**
PELISSE → FOURRURE, MANTEAU
Voir illus. **Manteaux**
PELLAGRE → VITAMINE
PELLE → BÊCHE, CHEMINÉE, FOUR
Voir tab. **Jardinage**
PELLE balayette, bêche, drague, écope, enfourneuse, excavatrice, houlette, louchet, palot, pelleteuse
PELLE ASYMÉTRIQUE
Voir illus. **Aviron**
PELLET → COMPRIMÉ (1), PILULE
PELLETERIE → FOURRURE
PELLETEUSE → PELLE
PELLICULE → COUCHE, FILM, FILM, PHOTOGRAPHIE
Voir tab. **Photographie (vocabulaire de la)**
PELLICULE bande, cellophane, cuticule, écalure, film, pruine, vernis
PELLUCIDE → TRANSPARENT
PELOTARI → PELOTE
PELOTE → BOULE, ÉPINGLE, FICELLE, LAINE
PELOTE chistera, gant, manoque, paume, pelotari, peloton, rebot
PELOTE BASQUE → BALLE, FRONTON
Voir tab. **Sports**
PELOTER → CARESSER, PALPER
PELOTON → ARMÉE, CAVALERIE, GROUPE, PELOTE
PELOTON D'EXÉCUTION → FUSILLER
PELOTONNER (SE) → BLOTTIR (SE), BOULE, NICHER, SERRER
PELOTONNER (SE) blottir (se), lover (se), recroqueviller (se)
PELOUSE → HERBE, VERDURE
PELOUSE agrostis, boulingrin, fétuque, gazon, pâturin, ray-grass, vertugadin
PELTA → BOUCLIER
PELTASTE → GREC
PELTE → BOUCLIER
PELTÉE
Voir illus. **Feuille**
PELUCHE → VELOURS
PELUCHÉ
Voir tab. **Couture**
PELURE → DÉCHET, ÉCORCE, OIGNON, ROBE

PELURE D'OIGNON
Voir tab. **Couleurs**

PELVIEN → BASSIN

PELVIENNE → MEMBRE, NAGEOIRE, POISSON
Voir illus. **Poisson**

PEMMICAN → VIANDE

PÉNAL → DROIT (1), MAJORITÉ

PÉNALISATION → AMENDE

PÉNALISTE → CRIMINEL (2)

PÉNALITÉ → PUNITION, SANCTION

PENALTY → AMENDE, FOOTBALL, SANCTION
Voir illus. **Football**

PÉNATES → APPARTEMENT, DOMESTIQUE (2), FOYER, MAISON

PENAUD → CHOSE, CONFUS, HONTEUX

PENAUD confus, déconcerté, déconfit, embarrassé, gêné, quinaud

PENCHANT → AFFECTION, APTITUDE, ATTRAIT, BÉGUIN, DISPOSITION, FAIBLE (1), GOÛT, IMPULSION, INCLINATION, INSTINCT, INTÉRÊT, PRÉDILECTION, PRÉDISPOSITION, SENTIMENT, SYMPATHIQUE, TENDANCE

PENCHANT affection, affinité, attachement, attirance, attrait, béguin, défaut, désir, faiblesse, goût, impulsion, inclination, préférence, sympathie, travers

PENCHER → INCLINER, INTÉRESSER (S'), PLIER, RENVERSER

PENCHER (SE) analyser, baisser (se), compulser, courber (se), étudier, examiner, incliner (s'), intéresser à (s'), occuper de (s')

PENDABLE → MAUVAIS

PENDAISON → EXÉCUTION, PEINE, POTENCE

PENDAISON gibet, hart, potence

PENDANT → BOUCLE, COURS, FLOTTANT, LONG, PENDENTIF

PENDANT (1) contrepartie, correspondant, double, réplique, symétrique (être)

PENDANT (2) cours de (au), durant, lorsque, quand, tandis que

PENDANT (3) attente (en), ballant, cours (en), instance (en)

PENDANT D'OREILLE
Voir illus. **Bijoux**

PENDARD → FRIPON (1)

PENDELOQUE → BOUCLE, PENDENTIF

PENDENTIF châtelaine, girandole, pendant, pendeloque, sautoir

PENDERIE → PLACARD

PENDERIE armoire, cintre, garde-robe, placard, tringle, vestiaire

PENDILLON → HORLOGE

PENDOIR → CROCHET, PENDRE

PENDRE cintre, croc, crochet, descendre, esse, étendre, hart, patère, pendoir, reposer, retomber, séchoir, tomber, traîner, tringle, valet

PENDULE → ALTERNATIF, HEURE, HORLOGE

PENDULE carillon, cartel, coucou, horloge comtoise, oscillation, radiesthésie

PÊNE → SERRURE
Voir illus. **Serrure**

PÊNE DORMANT → SERRURE

PÉNÉLOPE → ATTENTE

PÉNÉTRANT → AIGU, CLAIR, DÉLICAT, FROID (1), INTENSE, INTUITION, PERÇANT, PERSPICACE, PIQUANT (2), PROFOND, REGARD, SUBTIL, VIF (2)

PÉNÉTRANT aigu, clairvoyant, incisif, intense, lucide, mordant, perçant, perspicace, profond, sagace, subtil, vif

PÉNÉTRATION → FINESSE, INTELLIGENCE, INVASION, PERSPICACITÉ, SUBTILITÉ, VIVACITÉ

PÉNÉTRATION acuité, compréhension, entrisme, envahissement, finesse, imbibition, imprégnation, infiltration, introduction, intromission, invasion, noyautage, perspicacité, sagacité

PÉNÉTRÉ → BAIGNER, IMPRÉGNER, SÛR

PÉNÉTRER → COMPRENDRE, ENFONCER, ENTRER, INSINUER (S'), PARVENIR, PERCER, PERCEVOIR, RÉPANDRE (SE), SAISIR, SCRUTER, SEUIL, SONDER, TRAVERSER

PÉNÉTRER appréhender, atteindre, avancer (s'), deviner, émouvoir, enfoncer (s'), engager (s'), entrer, imprégner, infiltrer (s'), insinuer (s'), introduire (s'), pressentir, saisir, toucher, transpercer, traverser

PÉNIBLE → AMER, ARDU, COÛTER, CRITIQUE (2), CRUEL, DÉPLAISANT, DIFFICILE, IMPOSSIBLE (2), INGRAT, INSUPPORTABLE, LABORIEUX, MORTEL, PESANT, RUDE

PÉNIBLE affligeant, amer, âpre, ardu, astreignant, contrariant, cruel, difficile, douloureux, éreintant, harassant, morne, pesant, poignant, rude, usant

PÉNIBLEMENT → MAL (2)

PÉNICHE → BATEAU, CANAL
Voir illus. **Bateaux**

PÉNICILLINE → ANTIBIOTIQUE

PÉNIL → MONT

PÉNINSULE → ÎLE
Voir illus. **Littoral**

PÉNINSULE isthme, langue, passage

PÉNIS → PHALLUS, SEXE
Voir illus. **Génitaux (appareils)**

PÉNITENCE → ACTE, AUSTÉRITÉ, CHÂTIMENT, CONFESSION, FAUTE, JEÛNE, LITURGIE, PARDON, PUNITION, REGRET, REMORDS, SACREMENT
Voir tab. **Sacrements**

PÉNITENCE abstinence, austérité, avent, carême, cilice, contrition, expiation, flagellation, haire, jeûne, macération, mortification, privation, ramadan, repentir, résipiscence, satisfaction

PÉNITENCERIE → PÉCHÉ, TRIBUNAL

PÉNITENCIER → CONDAMNATION, PRISON

PÉNITENT → PROCESSION

PÉNITENTIAIRE → PRISON

PENNAGE → PLUME

PENNATIFIDE
Voir illus. **Feuille**

PENNE → AILE, OISEAU, PÂTE, PLUME

PENNÉE
Voir illus. **Feuille**

PENNIFORME → PLUME

PENNON → DRAPEAU

PENNY → LIVRE STERLING

PÉNOLOGIE
Voir tab. **Sciences : termes en -ologie et -ographie**

PÉNOMBRE → LUMIÈRE, OMBRE
Voir illus. **Éclipses**

PÉNOMBRE clair-obscur, crépuscule, demi-jour

PENON → GIROUETTE

PENSABLE → PLAUSIBLE

PENSANT → INTELLIGENT, RAISONNABLE

PENSE-BÊTE → MÉMOIRE, SOUVENIR (SE)

PENSÉE → CONSCIENCE, IDÉE, IMAGINATION, INTELLIGENCE, ITINÉRAIRE (1), NOTE, PHILOSOPHIE, RAISON, RÉFLEXION

PENSÉE adage, aphorisme, concept, contenu, délire, dessein, dicton, doctrine, esprit, essence, idée, image, imagination, intelligence, intention, intuition, langage, langue, libre-pensée, maxime, méditation, métaphysique, notion, opinion, oubli, parole, philosophie, point de vue, position, proverbe, raison, raisonnement, réflexion, réminiscence, rêverie, sens, sensation, souvenir, spéculation, télépathie, théorie

PENSÉE SAUVAGE
Voir tab. **Plantes médicinales**

PENSER → CHERCHER, CONCEVOIR, CONSIDÉRER, CROIRE, DÉLIBÉRER, ESPÉRER, IMAGINER, PRÉSUMER, PRÉVOIR, RAISONNER, SONGER, SUPPOSER, VENIR

PENSER cogiter, compter, concevoir, conjecturer, considérer, croire, entendement, envisager, espérer, estimer, évoquer, intellect, intelligence, intention de (avoir l'), intéresser à (s'), préoccupé (être), présumer, projeter, raisonner, réflexion, remémorer (se), ressasser, revoir, ruminer, songer à, soucier de (se), souvenir de (se), supposer

PENSIF → ABSORBÉ

PENSION → ALLOCATION, ÉCOLE, RENTE

PENSION allocation, bourse, dotation, institution, internat, pensionnat, retraite, revenu

PENSION ALIMENTAIRE → ALLOCATION

PENSION DE FAMILLE → HÔTEL

PENSIONNAIRE → COMÉDIE, INTERNE (1)

PENSIONNAT → INSTITUTION, PENSION

PENSIONNÉ → RETRAITE

PENSUM → PUNITION, TÂCHE

PENTADÉCAGONE → QUINZE

PENTAGONE → CINQ, POLYGONE
Voir illus. **Géométrie (figures de)**

PENTAMÈTRE → CINQ

PENTANE → THERMOMÈTRE

PENTARCHIE → GOUVERNEMENT

PENTATEUQUE (LE)
Voir tab. **Bible**

PENTATHLON → ATHLÉTISME, SPORTIF (2)

PENTATONIQUE
Voir tab. **Musique (vocabulaire de la)**

PENTE → CÔTE, DESCENTE, INCLINAISON, VERSANT
Voir illus. **Toits**
Voir tab. **Phobies**

PENTE adret, calade, déclive (en), déclivité, dévers, glacis, inclinaison, incliné, obliquité, pan, pentu, rampe, ubac, versant

PENTECÔTE → DIMANCHE, ESPRIT, MOBILE (2)
Voir tab. **Fêtes religieuses**

PENTHIOBARBITAL → ANESTHÉSIE

PENTU → PENTE

PENTURE → CHARNIÈRE, FICHE

PÉNULTIÈME → DERNIER, SYLLABE

PÉNURIE → ABSENCE, DÉPRESSION, ÉPUISEMENT, FAUTE, MANQUE, MISÈRE, PRIVATION

PÉON → AGRICULTEUR, TRAVAILLEUR (1)

PEP → MORDANT (1)

PÉPIE → LANGUE, OISEAU

PÉPIER → CHANTER

PÉPIN difficulté, ennui, épépiner, monder, pomoculture, problème

PÉPIN LE BREF
Voir tab. **Rois et chefs d'État de la France**

PÉPINIÈRE → PLANT, RÉSERVOIR
Voir tab. **Jardinage**

PÉPINIÉRISTE → ARBRE, JARDINIER

PÉPITE → OR

PÉPLUM → FILM, GREC

PÉPON → CONCOMBRE

PÉPONIDE → CONCOMBRE

PEPPERMINT → MENTHE, POIVRE

PEPPERONI → SAUCISSON

PÉQUENAUD → PAYSAN (1)

PERCALE
Voir tab. **Couture**

PERCALINE → DOUBLURE, TOILE

PERÇANT → AIGRE, AIGU, BRUIT, CRIARD, FULGURANT, INTENSE, PÉNÉTRANT, REGARD
Voir tab. **Bruits**

PERÇANT alène, burin, clairvoyant, déchirant, foret, incisif, lucide, mordant, pénétrant, perspicace, piquant, poinçon, strident, subtil, taraudant, térébrant, vif

PERCE → DÉCHIRER, PERCEUSE

PERCÉE → BRÈCHE, PASSAGE, RÉUSSITE, TROUÉE

PERCÉE développement, fenêtre, ouverture, porte, réussite, succès

PERCE-NEIGE → CLOCHETTE

PERCEPTEUR → IMPÔT, RECETTE
Voir tab. **Saints patrons**

PERCEPTIBLE → APPRÉCIABLE, CONCRET, VISIBLE

PERCEPTIBLE appréciable, audible, concret, discernable, insensible, liminal, microscopique,

887

palpable, percevable, recouvrable, saisissable, tangible, ténu, visible

PERCEPTION → APPRÉHENSION, CONNAISSANCE, CONSCIENCE, INTELLIGENCE, LEVÉE, RECETTE, RÉGIE, REPRÉSENTATION, VILLE

PERCEPTION agnosie, collecte, encaissement, hallucination, image, impression, intuition, levée, occultisme, recette, recouvrement, sensation, sensibilité

PERCEPTION (DE) → VERBE

PERCER → CŒUR, CREUSER, CREVER, DÉCELER, DÉCHIFFRER, DÉCOUVRIR, FENDRE, OUVRIR, PARAÎTRE, PERFORER, POINTER, SORTIR, TROUER

PERCER apparaître, composter, crever, cribler, déceler, découvrir, ébruiter (s'), empaler, filtrer, larder, ménager, monter, pénétrer, poinçonner, pointer, pratiquer, réussir, sortir, transpercer, transpirer, traverser

PERCEUSE chignole, drille, foreuse, mèche, perce, perforateur, sonde, taraud, taraudeuse, tarière, trépan, vilebrequin, vrille

PERCEVABLE → PERCEPTIBLE

PERCEVOIR → APERCEVOIR, CONNAÎTRE, DÉCOUVRIR, DISCERNER, ENREGISTRER, ENTENDRE, FAIRE, RECEVOIR, RECOUVRER, RECUEILLIR, SAISIR, SENTIR, SUBIR, TOUCHER

PERCEVOIR capter, déceler, discerner, distinguer, encaisser, entendre, éprouver, noter, pénétrer, prélever, recouvrer, recueillir, remarquer, saisir, sentir

PERCHE → DAIM, MICROPHONE, SOUTIEN

PERCHE balise, bouille, croc, écoperche, étamperche, gaffe, gaule, girafe, rouable, tangon

PERCHE (SAUT À LA)
Voir tab. **Sports**

PERCHER → GRIMPER, POSER (SE)

PERCHER crécher, demeurer, habiter, jucher (se), loger, monter, nicher, poser (se)

PERCHIS
Voir tab. **Géographie et géologie (termes de)**

PERCHOIR → PRÉSIDENT

PERCIFORMES → BAR, LOUP, MAQUEREAU

PERCLUS → IMMOBILE

PERCNOPTÈRE → VAUTOUR

PERCOLATEUR → CAFÉ, FILTRE

PERCOPTÉRIS → FOSSILE (1)

PERCUSSION → AUSCULTATION, BATTERIE, MASSAGE, RYTHME, SECOUSSE
Voir illus. **Orchestre**

PERCUSSION balafon, balai, batterie, carillon, cloche, cymbale, djembé, glockenspiel, glockenspiel, gong, maillet, mailloche, marimba, métallophone, tambour, timbale, triangle, vibraphone, xylophone

PERCUSSIONNISTE → BATTERIE

PERCUTANT → AFFIRMATION, BON (1), CATÉGORIQUE, FRAPPANT

PERCUTER → HEURTER, TAMPONNER (SE)

PERCUTEUR
Voir illus. **Fusils**
Voir illus. **Percussions**
Voir tab. **Instruments de musique**

PERDANT → BAISSE, MARÉE, REFLUX

PERDANT battu, loser, vaincu

PERDANTE
Voir tab. **Belote**

PERDITION → DÉTRESSE, NAUFRAGE

PERDRE → BATTU, CÉDER, DÉMOLIR, ÉGARER, GALVAUDER, INCLINER, NOYER, PATAUGER, PLONGER (SE), RENONCER, SOMBRER

PERDRE affaiblir (s'), affoler (s'), aliéné (être), asservi (être), calomnier, condamné (être), débouté (être), déconcerté (être), déconsidérer, décourager (se), défaillir, démolir, démonter (se), dépendant (être), désabusé (être), désenchanté (être), désespérer, désorienté (être), diffamer, discréditer, échouer, égarer, égarer, étioler (s'), évanouir (s'), fourvoyer (se), licencié (être), limogé (être), pâmer (se), paniquer, paumer, remercié (être), troubler (se), vaincu (être)

PERDRE CONTENANCE → TROUBLER SE

PERDRE SES FORCES → VIEILLIR

PERDREAU → PERDRIX, POLICIER (1)

PERDRIX → GIBIER

PERDRIX appariement, bartavelle, bourdon, cacaber, chanterelle, criailler, gallinacés, lagopède, maille, perdreau, perdrix rouge, phasianidés, pouillard, tirasse, tonnelle

PERDU → ABÎME, CONDAMNÉ, DAMNÉ, DÉROUTE, DÉSEMPARÉ, DÉSESPÉRÉ, INCURABLE, INTROUVABLE, PROFIL

PERDU abîmé, adiré, condamné, déboussolé, dérouté, désorienté, écarté, éloigné, gâché, hagard, incurable, isolé, largué, paumé, reculé, retiré

PERDURER → EXISTER, SUBSISTER, SURVIVRE

PÈRE → DOCTEUR, INVENTEUR, PATRIARCHE, RELIGIEUX (1)

PÈRE autorité, beau-père, dab, daron, docteur, héritage, interdit, loi, papa, parâtre, parrain, parricide, Pater, paternalisme, paternel, patriarcat, patriarche, patrilinéaire, patrilocale, patrimoine, patristique, patrologie, patronyme, putatif, reconnaissance, théologien, vieux

PÈRE CONSCRIT → SÉNATEUR

PÈRE FOUETTARD → ENFANT

PÉRÉGRINATIONS → VOYAGE

PÉRÉION → CRUSTACÉ

PÉREMPTION → DATE, PERTE

PÉREMPTOIRE → AFFIRMATION,

CATÉGORIQUE, DOGMATIQUE, MAGISTRAL, RÉPLIQUE, TRANCHANT

PÉREMPTOIRE autoritaire, catégorique, tranchant

PÉRENNISER → CONTINUER, DURABLE

PÉRENNITÉ → DURÉE, PERPÉTUITÉ

PÉRÉQUATION → IMPÔT

PÈRES DE L'ÉGLISE → THÉOLOGIE

PERESTROÏKA → COMMUNISME

PERFECTIBLE → PERFECTIONNER

PERFECTION → IDÉAL (1), RÉUSSITE

PERFECTION achèvement, beauté, entéléchie, excellence, finesse, grâce, idéal, maestria, nec plus ultra, perfectionniste, pureté, raffinement, sophistication, sublimité, summum

PERFECTIONNÉ → SOPHISTIQUÉ

PERFECTIONNEMENT → CHANGEMENT, PROGRÈS

PERFECTIONNEMENT amélioration, progrès, soutien

PERFECTIONNER → CISELER, COMPLÉTER, CULTIVER, ÉPURER, POLIR, PROGRESSER

PERFECTIONNER accroître, améliorer (s'), augmenter, compléter, épurer, évoluer, maximiser, mûrir, optimaliser, optimiser, parfaire, perfectible, progresser, rectifier, retoucher

PERFECTIONNISTE → EXIGEANT, PERFECTION

PERFIDE → EMPOISONNER, FAUX (2), FOURBE, MÉCHANT, PERVERS, SOURNOIS, TRAÎTRE (2), VENIMEUX

PERFIDE captieux, déloyal, empoisonné, fallacieux, fielleux, fourbe, infidèle, insidieux, machiavélique, menteur, pervers, sournois, spécieux, traître

PERFIDIE → DURETÉ, FOI, HYPOCRISIE, INFIDÉLITÉ, MALICE, MALVEILLANCE, PERVERSITÉ, TRAHISON

PERFORANT → OBUS, PIQUANT (2)

PERFORATEUR → PERCEUSE

PERFORATION → PÉTROLE, TROU

PERFORATRICE → BUREAU, PERFORER, TUNNEL

PERFORER → TROUER

PERFORER composter, percer, perforatrice, poinçonner, transpercer, trouer, trouilloteuse

PERFORMANCE → ACTION, ARME, EXPLOIT, PROUESSE, RECORD, RÉSULTAT, RÉUSSITE, SUCCÈS

PERFORMANCE exploit, homologation, prouesse, record, succès, validation

PERFUSION → TRANSFUSION

PERGOLA → JARDIN, SALON, TONNELLE

PÉRI → GÉNIE

PÉRIANTHE → BALLE, ENVELOPPE, FLEUR

PÉRIASTRE → PLANÈTE

PÉRICARDE → ENVELOPPE, MEMBRANE

PÉRICARDITE → CŒUR

PÉRICARPE → CHAIR, FRUIT

PÉRICHONDRE → MEMBRANE

PÉRICLASE → MAGNÉSIUM

PÉRICLITER → DÉCLINER, DÉPÉRIR, RUINE, SOMBRER

PÉRIDOT → VERT (2)

Voir tab. **Pierres précieuses et semi-précieuses**

PÉRIDURALE → ANESTHÉSIE, CHIRURGICAL

PÉRIGÉE → ORBITE, SATELLITE
Voir illus. **Lune**

PÉRIGOURDINS
Voir tab. **Habitants (comment se nomment les)**

PÉRIGUEUX
Voir tab. **Habitants (comment se nomment les)**

PÉRIHÉLIE → COMÈTE, PLANÈTE

PÉRIL → AFFAIRE, ALERTE, DANGER, DÉTRESSE, EXPOSER, RISQUE

PÉRIL alarme, compromettre, danger, exposer, menace, risque, risquer de

PÉRILLEUX → DANGEREUX

PÉRILLEUX acrobatie, brûlant, cascade, dangereux, délicat, hasardeux, redoutable, risqué, scabreux

PÉRIMÉ → ANTIQUE, DÉMODÉ, RETARD, SURANNÉ

PÉRIMÉ anachronique, archaïque, dépassé, désuet, obsolescent, obsolète, suranné

PÉRIMER (SE) → PRESCRIRE (SE)

PÉRIMÈTRE → TOUR

PÉRINÉE → BASSIN

PÉRIODE → CAP, DURÉE, ÉPOQUE, ÈRE, ÉTAPE, INTERVALLE, PHASE, RÉPERTOIRE, RÉPÉTITION, RETOUR, RYTHME, SAISON, STADE, TEMPS, TIRADE

PÉRIODE apodose, apogée, climax, durée, époque, ère, glaciaire, interglaciaire, intervalle, néolithique, oscillation mineure, paléolithique, paroxysme, périodisation, protase, révolution, rotation, summum, zénith

PÉRIODE SIDÉRALE → PLANÈTE

PÉRIODE SYNODIQUE → PLANÈTE

PÉRIODIQUE → ALTERNATIF, INTERVALLE, JOURNAL, PUBLICATION, RÉGULIER, REVENIR, REVUE

PÉRIODIQUE étésien, hebdomadaire, journal, magazine, mensuel, quotidien, régulier, revue, systématique, trimestriel

PÉRIODISATION → PÉRIODE

PÉRIOPLE
Voir illus. **Cheval**

PÉRIOSTE → ENVELOPPE, MEMBRANE, OS

PÉRIOSTIQUE → OSSIFICATION

PÉRIPATÉTICIENNE → FEMME, PROSTITUÉE
Voir tab. **Prostitution**

PÉRIPÉTIE → ACCIDENT, ACTION, ÉPISODE, ÉVÉNEMENT, INCIDENT (1), RÉCIT, SUBIT

PÉRIPÉTIE accident, aventure, changement, épisode, extravagant, imprévu, incident, intrigue, mésaventure, nœud, rebondissement, rocambolesque

PÉRIPHÉRIE → AGGLOMÉRATION, BANLIEUE, CONTOUR, EXTÉRIEUR, TOUR, ZONE

PÉRIPHÉRIE afférent, banlieue,

ceinture, centrifuge, centripète, contour, couronne, efférent, faubourg, pourtour

PÉRIPHÉRIQUE → BOULEVARD, CEINTURE, CIRCULAIRE, EXCENTRIQUE

PÉRIPHRASE → PARLER, PHRASE

PÉRIPHRASE allusion, ambages, circonlocution, détour, euphémisme, métalepse

PÉRIPLE → CIRCUIT, EXPLORATION, TOUR, VOYAGE

PÉRIPLE circuit, expédition, voyage

PÉRIPTÈRE → COLONNE

PÉRIR → MOURIR, NAUFRAGE

PÉRIR anéantir (s'), assassiner, décimer, disparaître, écrouler (s'), éteindre, expirer, exterminer, immoler, mourir, succomber, tomber en ruine, trépasser, tuer

PÉRIR CORPS ET BIENS → SOMBRER

PÉRISCOPE → SOUS-MARIN (1)

PÉRISSABLE → VARIABLE (2)

PÉRISSABLE altérable, corruptible, éphémère, passager, précaire

PÉRISSODACTYLES → DOIGT
Voir tab. **Mammifères (classification des)**

PÉRISSOIRE → AVIRON, BARQUE, EMBARCATION
Voir tab. **Bateaux**

PÉRISSOLOGIE → PLÉONASME, RÉPÉTITION

PÉRISTALTIQUES → DIGESTION

PÉRISTALTISME → ONDE

PÉRISTYLE → COLONNE, GALERIE

PÉRITOINE → ABDOMEN, INTESTIN (1), MEMBRANE

PÉRITONÉALE → GROSSESSE

PÉRITONITE → INTESTIN (1)

PERL → LANGAGE

PERLE → DRAGÉE, GOUTTE, ROSÉE
Voir illus. **Bijoux**
Voir tab. **Anniversaires de mariage**

PERLE baroque, chocker, chute, crème, gris, irisation, lustre, moule perlière, mulette, noir, orient, poire (en), ronde, rosé, vert clair, vert foncé

PERLÉ → SOIGNÉ

PERLÈCHE → LÈVRE

PERLER → SOIGNER

PERLER dépouiller, détacher, goutter, porter, suinter

PERLOT → HUÎTRE

PERMALLOY → NICKEL

PERMANENCE → CONTINUITÉ, DEMEURE, SERVICE, STABILITÉ

PERMANENCE accueil, bureau, constamment, constance, demeure (à), immuabilité, invariabilité, local, persistance, réception, stabilité, toujours

PERMANENT → CONSTANT, CONTINU, DURABLE, FIXE (2), INALTÉRABLE, PERPÉTUEL, PRAIRIE, STABLE

PERMANENT constant, continu, durable, perpétuel

PERMANENTE → BOUCLER, FRISER
Voir illus. **Cheveux (coupes de)**

PERMÉABILITÉ → ÉCHANGE

PERMÉABLE influençable par, ouvert, poreux, sensible

PERMETTRE → CONSENTEMENT, CONSENTIR, LAISSER, OCCASION, PASSER, SOUFFRIR, TÉMÉRAIRE, TOLÉRER

PERMETTRE accepter, admettre, aider à, aviser de (s'), concourir à, contribuer à, oser, passer, risquer à (se), souffrir, supporter, tolérer

PERMIEN
Voir tab. **Géologiques (échelle des temps)**

PERMIS → LÉGAL, LICENCE

PERMIS autorisé, légal, légitime, licite

PERMIS DE CONDUIRE → IDENTITÉ, PRÉFECTURE

PERMIS DE TRAVAIL → IMMIGRÉ

PERMISSION → AUTORISATION, CONGÉ, CONSENTEMENT, DISPENSE, DROIT (1), LIBERTÉ, LOISIR

PERMISSION accord, acquiescement, autorisation, consentement, décharge, dispense, exemption, laissez-passer, licence, loisir, passeport, sauf-conduit

PERMUTATION → CHANGEMENT, TRANSPOSITION

PERMUTER → CHANGER, DÉPLACER, INTERVERTIR, SUBSTITUER

PERNICIEUX → DIABOLIQUE, MALFAISANT, MALIN (2), MALSAIN, NUISIBLE, PERVERS

PÉRONÉ → JAMBE, TIBIA
Voir illus. **Squelette**

PÉRONNELLE → BAVARD, SOT

PÉRONOSPORA → PARASITE (2)

PÉRORAISON → CONCLUSION, FIN (1)

PÉRORER → PARLER

PER OS → BOUCHE

PEROXYDE → OXYGÈNE

PERPENDICULAIRE → DROIT (2), NORMAL

PERPENDICULAIRE apothème, hauteur, médiatrice

PERPENDICULAIRE À
Voir tab. **Mathématiques (symboles)**

PERPÉTRER → ACCOMPLIR, COMMETTRE, CONSOMMER, MEURTRE

PERPETUA
Voir tab. **Typographies**

PERPÉTUEL → CONTINU, ÉTERNEL, INALTÉRABLE, INFINI (2), INSTANT, PERMANENT, RENOUVELER (SE)

PERPÉTUEL constant, continuel, éternel, immuable, impérissable, incessant, permanent, sempiternel

PERPÉTUER → CONSERVER, , CONTINUER, DURER, POURSUIVRE, SURVIVRE, TRANSMETTRE

PERPÉTUER enseigner, entretenir, immortaliser, maintenir, poursuivre, reproduire, transmettre

PERPÉTUITÉ → DURÉE

PERPÉTUITÉ éternité, pérennité, persistance

PERPLEXE → HÉSITANT, INCRÉDULE, INDÉCIS, INQUIET, SCEPTIQUE (2)

PERPLEXE dubitatif, sceptique, troublant

PERPLEXITÉ → DOUTE, EMBARRAS, HÉSITATION, INCERTITUDE, INCROYANCE, INDÉCISION, TROUBLE (1)

PERPLEXITÉ doute, embarras, hésitation, incertitude, indécision

PERQUISITION → DESCENTE, INQUISITION, INVESTIGATION, POLICE, RECHERCHE, VISITE

PERQUISITIONNER → FOUILLER

PERRÉ → MUR

PERRIÈRE → LANCER, PROJECTILE

PERROQUET → MÂT, OISEAU, VOILE
Voir tab. **Oiseaux (classification simplifiée des)**

PERROQUET ara, cacatoès, jacquot, lori, macareux, papegai, perruche, psittacidés, psittacisme, rosalbin, scare

PERRUCHE → PERROQUET
Voir tab. **Oiseaux (classification simplifiée des)**

PERRUQUE → ARTIFICIEL, CHEVEU, FAUX (2), POSTICHE
Voir tab. **Pêche**

PERS → BLEU (1)
Voir tab. **Couleurs**

PERSAN → CHAT

PERSAN caravansérail, chat, cheval, Montesquieu, Perse

PERSE → AMEUBLEMENT, PERSAN

PERSE (1) Avesta, chah, Guèbres, Iranien, Mani, manichéisme, mazdéisme, mithraïsme, Parsis, Zoroastre (Zarathoustra)

PERSE (2) Achéménides, arabe, Aryens, cunéiforme, farsi, indo-iranien, iranien, Mèdes, Parthes, Sassanides, satrape, Séleucides

PERSÉCUTER → ACHARNER (S'), HANTER, POURSUIVRE, TYRANNISER

PERSÉCUTER acharner (s'), brimer, brutaliser, harceler, martyriser, molester, opprimer, poursuivre, presser, tarauder, torturer, tourmenter

PERSÉCUTEUR → CRUEL

PERSÉCUTION → MARTYRE

PERSÉCUTION chantage, chasse aux sorcières, dragonnade, épuration, harcèlement, humiliation, Inquisition, maccarthysme, paranoïa, pogrom, supplice, torture

PERSÉVÉRANCE → DÉCOURAGER, FERMETÉ, OBSTINATION, PATIENCE, VOLONTÉ, ZÈLE

PERSÉVÉRANCE constance, courage, fermeté, opiniâtreté, patience, ténacité, volonté

PERSÉVÉRANT → AMBITIEUX, CONSTANT, IDÉE, OBSTINÉ, OPINIÂTRE, SOUTENU, TENACE

PERSÉVÉRATION → PERSISTANCE

PERSÉVÉRER → ACCROCHER (S'), ACHARNER (S'), CONTINUER, INSISTER, PERSISTER, POURSUIVRE

PERSÉVÉRER acharner (s'), continuer, enfermer, entêter (s'), insister, obstiner (s'), persister, résister

PERSIENNE → FENÊTRE, JALOUSIE, MENUISERIE, VOLET
Voir illus. **Maison**

PERSIFLAGE → HUMOUR, IRONIE, MOQUERIE, TRAIT

PERSIFLER → BAFOUER, ESPRIT, MOQUER (SE), RIDICULISER

PERSIFLEUR → IRONIQUE, MOQUEUR, SARCASTIQUE

PERSIL
Voir tab. **Herbes, épices et aromates**

PERSILLEUSE
Voir tab. **Prostitution**

PERSISTANCE → CONTINUITÉ, PERMANENCE, PERPÉTUITÉ

PERSISTANCE impénitence, persévération, rémanence

PERSISTANT → CONTINU, DURABLE, OPINIÂTRE, SOUTENU, TENACE

PERSISTANTE → VIVACE

PERSISTER → ACCROCHER (S'), ACHARNER (S'), CONTINUER, DEMEURER, DURER, EXISTER, INSISTER, PERSÉVÉRER, POURSUIVRE, SUBSISTER, SURVIVRE, TRAÎNER

PERSISTER continuer, durer, obstiner (s'), persévérer, poursuivre, rester, subsister

PERSONA NON GRATA → PERSONNE

PERSONNAGE → HÉROS, PERSONNE, RÔLE

PERSONNAGE acteur, célébrité, comédien, comparse, figurant, héros, personnalité, protagoniste, rôle

PERSONNALISME → PERSONNE

PERSONNALITÉ → CÉLÉBRITÉ, IDENTITÉ, INDIVIDUALITÉ, PERSONNAGE, PRÉSENCE, PSYCHOLOGIE, RÉPUTATION, TEMPÉRAMENT

PERSONNALITÉ autonomie, caractère, différenciation, dignitaire, ego, identification, individuation, intériorité, moi, nature, névrose, notable, psychose, soi, sommité, tempérament, unicité

PERSONNE → DROIT (1), PAS (2), VERBE

PERSONNE autrui, citoyen lambda, gens, hypostase, individu, individuel, intime, marron, narcissisme, nation, particulier, persona non grata, personnage, personnalisme, personnel, population, privé, quelqu'un, quidam, sommité

PERSONNEL → ÉGOÏSTE, EXCLUSIF, INDIVIDUEL, INTIME (2), MAIN-D'ŒUVRE, ORIGINAL, PARTICULIER, PERSONNE, PRIVÉ, RESSOURCE, SPÉCIAL

PERSONNEL (1) cadre, dirigeant, domesticité, employé, fonctionnaire, ouvrier, travailleur

PERSONNEL (2) égocentrisme, égoïsme, individualisme, intime, original, particulier, privé, propre, singulier, subjectif

PERSONNEL DE MAISON → DOMESTIQUE (1)

PERSONNEL DE MANŒUVRE → ÉQUIPAGE

PERSONNEL DE SERVICE → ÉQUIPAGE

PERSONNIFICATION → EXPRESSION, SYMBOLE, TYPE

PERSONNIFIER → RÉALISER, REPRÉSENTER, RESPIRER

PERSONNIFIER attribut, évoquer, exprimer, incarner, prosopopée, symboliser

PERSPECTIVE → ASPECT, FUITE, HORIZON, IDÉE, INTENTION, PROFONDEUR, RACCOURCI

PERSPECTIVE angle, aspect, considération, débouché, dimension, disposition, domaine, éclairage, éloignement, éventualité, horizon, jour, lumière, marché, optique, point de vue, probabilité, profondeur de champ, vision, volume

PERSPICACE → AIGU, BORNÉ, CLAIR, CLAIRVOYANT, INTELLIGENT, LUCIDE, PÉNÉTRANT, PERÇANT, PROFOND, SUBTIL

PERSPICACE clairvoyant, lucide, pénétrant, sagace

PERSPICACITÉ → CRITIQUE (2), FINESSE, INTELLIGENCE, INTUITION, JUGEMENT, NET, PÉNÉTRATION, SUBTILITÉ

PERSPICACITÉ acuité, finesse, lucidité, pénétration, sagacité, subtilité

PERSUADÉ → SÛR

PERSUADER → CONVAINCRE, DÉCIDER, DÉTERMINER, INCLINER

PERSUADER convaincre, décider, dissuader, éloquence, exhorter, inculquer, inspirer, rhétorique, suggérer

PERSUASION → CONVICTION, INFLUENCE

PERSULFURE → SOUFRE

PERTE → BÉNÉFICE, DÉPENSE, DEUIL, DISPARITION, DOMMAGE, NAUFRAGE, PRIVATION, RUINE, SAIGNEMENT, SINISTRE (1)

PERTE amnésie, amputation, anorexie, anosmie, aphasie, aphonie, approprié, asthénie, cécité, décélération, déchéance, défaite, dégât, déperdition, deuil, dommage, échec, forclusion, hémorragie, péremption, préjudice, privation, régime, séparation, surdité

PERTES ET PROFITS → COMPTABILITÉ

PERTES INDIRECTES
Voir tab. **Assurance (vocabulaire de l')**

PERTINENCE → BIEN-FONDÉ, OPPORTUNITÉ

PERTINENT → ADÉQUAT, APPROPRIÉ, BON (1), CORRECT, JUDICIEUX, JUSTE

PERTINENT congru, convaincant, fin, judicieux, juste, sensé

PERTUIS → BRÈCHE, CANAL, FLEUVE

PERTUISANE → LANCE

PERTUISANIER → SOLDAT

PERTURBATEUR → TROUBLE (1)

PERTURBATION → BOULEVERSEMENT, IRRÉGULARITÉ, PARASITE (1), TROUBLE (1)

PERTURBATION agitation, brouillage, chambardement, confusion, crise, cyclone, déséquilibre, désordre, désorganisation, dysfonctionnement, friture, grève, orage, ouragan, pagaille, parasites, pluie, secousse, tempête, tornade, trouble, typhon, vent

PERTURBÉ → IMPRESSIONNER

PERTURBER → BROUILLER, CHOQUER, DÉRANGER, DÉRÉGLER, INQUIÉTER, REMUER, TROUBLER

PERTURBER bouleverser, déranger, déstabiliser, gêner, troubler

PERVENCHE → BLEU (1), STATIONNEMENT
Voir tab. **Couleurs**

PERVERS → CORROMPU, DIABOLIQUE, IMMORAL, IMPUR, LASCIF, MAL (1), MAUVAIS, PERFIDE, VICIEUX

PERVERS corrompu, cruel, dépravé, perfide, pernicieux, vicieux

PERVERSITÉ → VIOLENCE

PERVERSITÉ cruauté, fourberie, malignité, méchanceté, perfidie

PERVERTI → DÉPRAVÉ

PERVERTIR → ADULTÉRER, DÉTOURNER, FAUSSER, FORCER, TOMBER

PERVERTIR avilir, corrompre, déformer, dénaturer, dépraver, travestir

PERVIBRER → VIBRER

PESANT → ÉPAIS, GÊNANT, LABORIEUX, LOURD, MASSIF (2), PÉNIBLE

PESANT accablant, alléger, alourdir, appesantir, cuisant, dense, douloureux, encombrant, ennuyeux, épais, important, importun, indigeste, lourd, massif, pénible, soulager, stupide

PESANTE → DÉMARCHE

PESANTEUR → ATTRACTION, CHUTE, GRAVITÉ, LOURDEUR, POIDS

PÈSE-ACIDE → DENSITÉ

PÈSE-BÉBÉ → BALANCE

PÈSE-LAIT → DENSITÉ

PÈSE-LETTRE → BALANCE

PÈSE-PERSONNE → BALANCE, RÉGIME

PESER → APPUYER, AVOIR (1), ENREGISTRER, EXAMINER, INFLUENCE, JUGER, RÉFLÉCHIR

PESER accable, apprécier, appuyer, balance, bascule, considérer, estimer, évaluer, gêne, importun, incomber à, jauger, peson, pondérable, presser, retomber sur, soupeser, tarer, trébuchet

PESETA → ESPAGNOL

PESETTE → BALANCE

PESON → BALANCE, PESER

PESSAH → JUIF (2)
Voir tab. **Fêtes religieuses**

PESSIMISME → VAINCU

PESSIMISME désenchantement, morosité, nihilisme, sinistrose

PESSIMISTE → FUTUR (1), MAUSSADE, SOMBRE, SOUCI

PESSIMISTE alarmiste, anxieux, défaitiste, désespéré, hypocondriaque, illusion (sans), inquiet, mélancolique, morose, sceptique, sombre

PESTE → CHIPIE, GALE, INFECTION, PEAU

PESTE aviaire, bubonique, pestiféré, pestilentiel, pétéchie, puce, pulmonaire, quarantaine, rat noir

PESTER → BOUGONNER, COLÈRE, DÉPIT, FULMINER, JURER

PESTICIDE → POLLUTION, VÉGÉTAL (2)
Voir tab. **Jardinage**

PESTIFÉRÉ → PESTE

PESTILENCE → INFECTION, POLLUTION

PESTILENTIEL → EXÉCRABLE, INFECT, MALSAIN, PESTE, PUTRIDE

PET → INCONGRU

PÉTAIN (PHILIPPE)
Voir tab. **Rois et chefs d'État de la France**

PÉTALE
Voir illus. **Fleur**

PÉTALE apétale, calice, corolle, dialypétale, gamopétale, sépale

PÉTALISME → BANNIR

PÉTANQUE → BOULE, PROVENÇAL

PÉTARADE → DÉTONATION
Voir tab. **Bruits**

PÉTARD → DROGUE, EXPLOSIF, FEU D'ARTIFICE, HASCHISCH, REVOLVER

PÉTARD colère (en), diablotin, joint, mèche, papier, poudre

PET-DE-NONNE → BEIGNET, CHOU, FRITURE

PÉTÉCHIE → PESTE

PÉTER → CREVER

PÉTILLANT → BRILLANT (1), BULLE, PIQUANT (2), SPIRITUEL, VIF (2)

PÉTILLANT crémant, déluré, espiègle, gazeux, intelligent, malicieux, mousseux, vif

PÉTILLE → ILLUMINER

PÉTILLEMENT → BRUIT
Voir tab. **Bruits**

PÉTILLER → BRILLER, CHATOYER, CRÉPITER

PÉTILLER briller, craquer, crépiter, luire, rayonner

PÉTIOLE → FEUILLE, QUEUE

PETIT → BÉBÉ, ÉTROIT, PORTÉE
Voir tab. **Tarot**

PETIT (1) couvée, nichée, portée

PETIT (2) dérisoire, diminutif, gnome, graduellement, homuncule, imperceptible, infime, infinitésimale, lilliputien, microscopique, minuscule, moindre, myrmidon, nain, progressivement, pygmée, sobriquet, surnom, ténu

PETIT AIGLE
Voir tab. **Papier (formats de)**

PETIT BLEU → DÉPÊCHE, TÉLÉGRAMME

PETIT COIN → CABINET

PETIT DÉJEUNER → REPAS

PETIT DERNIER → CADET

PETIT DUC → HIBOU

PETIT ÉCRAN → TÉLÉVISION

PETIT ÉPIPLOON → FOIE

PETIT FEU → FAÏENCE

PETIT JOUR (AU) → TÔT

PETIT LARGUE
Voir illus. **Allures de voile**

PETIT MAÎTRE → DANDY

PETIT QUARTIER
Voir illus. **Selle**

PETIT-BOIS
Voir illus. **Fenêtre**

PETIT-BOURGEOIS → BOURGEOIS (2)

PETITE → TAROT

PETITE BRISE
Voir tab. **Vent : échelle de Beaufort**

PETITE LUCARNE → TÉLÉVISION

PETITE MAIN → COUTURIER

PETITE TENUE → NÉGLIGÉ

PETITESSE → FAIBLESSE, MESQUINERIE

PETITESSE bassesse, étroitesse, exiguïté, ladrerie, médiocrité, mesquinerie, modicité

PETIT-FILS → FILS

PETIT-GRIS → ÉCUREUIL

PÉTITION → DEMANDE, RÉCLAMATION, REVENDICATION

PÉTITION pétitionnaire, requête

PÉTITIONNAIRE → PÉTITION

PETIT-LAIT → BEURRE

PETIT-SUISSE
Voir tab. **Fromages**

PÉTOCHE → PEUR

PÉTREL
Voir tab. **Oiseaux (classification simplifiée des)**

PÉTRI → REMPLIR

PÉTRIFICATION → PIERRE

PÉTRIFIÉ → IMMOBILE, SAISIR, SIDÉRÉ, STUPÉFAIT, SURPRISE

PÉTRIFIÉ ébahi, Herculanum, interdit, médusé, migmatite, paralysé, pegmatite, Pompéi, ponce, saisi, stalactite, stalagmite, stupéfait

PÉTRIFIER → CLOUER, GLACER, IMMOBILISER, INTIMIDER

PÉTRIFIER figer (se), Gorgone, immobiliser (s'), Méduse, statufier (se)

PÉTRIN → BOULANGER (1), COFFRE, PAIN

PÉTRIR → MODELER, PÂTE, REMUER, TRAVAILLER

PÉTRISSAGE → MASSAGE

PÉTRISSEUR → BOULANGER (1)

PÉTROCHIMIE → PÉTROLE

PÉTROCORIENS
Voir tab. **Habitants (comment se nomment les)**

PÉTROGALE → KANGOUROU

PÉTROGLYPHE → PIERRE

PÉTROGRAPHIE → GÉOLOGIE, PIERRE, ROCHE
Voir tab. **Sciences : termes en -ologie et -ographie**

PÉTROLE → OR
Voir tab. **Couleurs**

PÉTROLE acidification, baril, brai, brut, brut mollah (princier), carotte, conversion, craquage, cristallisation, derrick, désasphaltage, dessalage, désulfuration, distillation atmosphérique, drainage, épuration, extraction, feeder, fracturation, gisement, isomérisation, offshore, oléoduc, perforation, pétrochimie, pétroléochimie, piège, pipeline, plate-forme, prospection, raffinage, reformage, roche mère, roche-réservoir, rotary, sea-line, séparation, torpillage, trader, turboforage

PÉTROLÉOCHIMIE → PÉTROLE
PÉTROLEUSE → BRÛLER, FEU, INCENDIE
PÉTROLIER → BATEAU, CARGO, TRANSPORT
Voir tab. **Bateaux**
Voir tab. **Fiscalité**
PÉTROLOGIE → PIERRE, ROCHE
Voir tab. **Sciences : termes en -ologie et -ographie**
PÉTULANCE → BOUILLONNEMENT, VIVACITÉ
PÉTULANCE brio, enthousiasme, entrain, exubérance, flamme, fougue, impétuosité, turbulence, vigueur, vitalité, vivacité
PÉTULANT → IMPÉTUEUX
PÉTUNER → FUMER
PEU → BRIN, JUSTESSE, SOUPÇON, VAGUEMENT
PEU approximativement, après quoi, bientôt, bouchée, brièvement, chichement, dérisoire, doigt, doucement, ensuite, environ, faiblement, frugalement, goutte, incessamment, insensiblement, insignifiant, larme, lentement, médiocrement, miette, mince, minime, modérément, nuage, parcimonieusement, peine (à), quasiment, rarement, succinctement, vaguement
PEU (SOUS) → TÔT
PEU À PEU → LENTEMENT
PEU D'ENTRAIN → NONCHALANCE
PEU OU PROU → PLUS
PEUH → DÉDAIN
PEULVEN → MENHIR, PIERRE
PEUPLADE → TRIBU
PEUPLADE Touareg, tribu
PEUPLE → DROIT (1), MASSE, NATION, PUBLIC (1), RACE
PEUPLE anthropologie, civilisation, coutume, croyance, culture, démagogie, démocratie, démocratiser, démographie, ethnographie, ethnologie, folklore, nation, pays, populaire, populariser, populisme, vox populi, vulgariser
PEUPLER → HANTER, PLANTER, REMPLIR
PEUPLER habiter, hanter, occuper
PEUPLERAIE → PEUPLIER
PEUPLIER → BOIS
PEUPLIER analgésique, grisard, leucome, liard, peupleraie, populéum, salicacées, tremble, ypréau
PEUR → AFFOLEMENT, INQUIÉTUDE, JETON, PANIQUE, SENSATION, TERREUR, XÉNOPHOBIE
Voir tab. **Phobies**
PEUR affolement, alarme, angoisse, anxiété, appréhension, aversion, chocottes, crainte, effroi, épouvante, frayeur, frousse, hantise, inquiétude, jetons, panique, pétoche, phobie, répulsion, terreur, trac, trouille
PEUR (FAIRE) → TERRORISER
PEUREUX → LÂCHE, POLTRON, TIMIDE, VENTRE

PEUREUX couard, impavide, lâche, pleutre, poltron, pusillanime, timide, timoré
PEUT-ÊTRE → DÉPENDRE, DOUTE
PÉZENAS
Voir tab. **Habitants (comment se nomment les)**
PHACOCHÈRE → PORC, SANGLIER
PHAÉTON → VOITURE
Voir illus. **Oiseaux (classification simplifiée des)**
PHAG(O)- → MANGER
PHAGÉDÉNISME → ULCÉRER
PHAGOCYTE → CELLULE
PHAGOCYTOSE → IMMUNITAIRE
PHALANGE → COMBATTANT, DOIGT, FASCISME, MAIN
Voir illus. **Squelette**
PHALANGETTE → DOIGT
Voir illus. **Ongle**
PHALANGINE → DOIGT
PHALANGISTE → SOLDAT
PHALANSTÈRE → COMMUNAUTÉ, GROUPE
PHALAROPE
Voir tab. **Oiseaux (classification simplifiée des)**
PHALÈNE → NOCTURNE, PAPILLON
PHALLISME → PHALLUS
PHALLOCENTRISME → PHALLUS
PHALLOCRATE → FEMME
PHALLOCRATIE → HOMME, PHALLUS, SEXE
PHALLOÏDE → PHALLUS
Voir tab. **Forme de... (en)**
PHALLUS → SEXE
Voir tab. **Forme de... (en)**
PHALLUS condom, godemiché, ithyphallique, pénis, phallisme, phallocentrisme, phallocratie, phalloïde, préservatif, priapisme, satyriasis, sexe, verge
PHANÈRE → ÉPIDERME
PHANÉROGAMES → FLEUR, PLANTE
Voir tab. **Végétaux (classification simplifiée des)**
PHAQUEMINE → FIGUE
PHARAON → PYRAMIDE
Voir tab. **Histoire (grandes périodes)**
PHARE → ÉCLAIRAGE, FEU, GLOIRE, PILOTE, SAVOIR (1), SIGNAL
PHARE balise, bouée-phare, catadioptre, code, feu de route, feu fixe, feu tournant, projecteur, veilleuse
PHARE D'ALEXANDRIE
Voir illus. **Monde (les Sept Merveilles du)**
PHARISAÏSME → HYPOCRISIE, VERTU
PHARISIEN → BIGOT
PHARMACEUTIQUE → PHARMACIE
PHARMACIE → AROMATE, UNIVERSITÉ
PHARMACIE assistant, biomédical, codex, drogue, formule, galénique, herboristerie, hospitalier, industriel, laborantin, laboratoire, magistral, médicament, officinal, officine, pharmaceutique, pharmacien, pharmacopée, préparateur, préparation, remède
PHARMACIEN → PHARMACIE
Voir tab. **Saints patrons**

PHARMACODÉPENDANCE → DÉPENDANCE, DROGUE, MÉDICAMENT
PHARMACOLOGIE → MÉDECINE
Voir tab. **Sciences : termes en -ologie et -ographie**
PHARMACOPÉE → MÉDICAMENT, PHARMACIE, RECUEIL
Voir tab. **Livres**
PHARYNGITE → GORGE
PHARYNX
Voir illus. **Bouche, nez, gorge**
Voir illus. **Digestif (appareil)**
PHASE → APPARENCE, CAP, DURÉE, ÉPISODE, ÉTAPE, ÉTAT, PAN, QUARTIER, STADE
PHASE apparence, aspect, changement, degré, échelon, épisode, étape, lunaison, palier, période, stade, succession
PHASEOLUS → HARICOT
PHASIANIDÉS → FAISAN, PERDRIX
PHELLOGÈNES → LIÈGE
PHÉNAKISTISCOPE → CINÉMA
PHÉNIX → CENDRE, GÉNIE, IMAGINAIRE (2), SUPÉRIEUR
Voir tab. **Animaux fabuleux**
Voir tab. **Mythologiques (créatures)**
PHÉNOBARBITAL
Voir tab. **Médicaments**
PHÉNOL → BENZÈNE
PHÉNOMÉNAL → EXTRAORDINAIRE, FABULEUX, FORMIDABLE
PHÉNOMÉNAL colossal, considérable, énorme, inimaginable, monstrueux, monumental
PHÉNOMÈNE → ACCIDENT, CONCRET, FAIT, INDIVIDU
PHÉNOMÈNE apparence, catalyseur, entendement, épiphénomène, événement, fait, fréquence, infrason, intuition, manifestation, merveille, miracle, mouvement vibratoire, onde, prodige, propagation, sensibilité, ultrason
PHÉNOMÉNOLOGIE
Voir tab. **Philosophie**
PHÉNOPLASTE → PLASTIQUE (1)
PHÉNYLCÉTONURIE
Voir tab. **Pédiatrie**
PHILANTHROPE → AIMABLE, BIENFAITEUR, CHARITABLE, CHARITÉ, CŒUR, DÉSINTÉRESSÉ, GÉNÉREUX, OR
PHILANTHROPIE → AMOUR, BIENFAISANCE, CHARITÉ, COMPRÉHENSION, HUMANITÉ
PHILANTHROPIQUE → UTILE
PHILATÉLISTE → TIMBRE-POSTE
Voir tab. **Collectionneurs**
PHILÉMON (ÉPÎTRES À)
Voir tab. **Bible**
PHILÉPITTE
Voir tab. **Oiseaux (classification simplifiée des)**
PHILHARMONIE → FANFARE
PHILIBEG → JUPE
PHILIPPE
Voir tab. **Jésus (disciples de)**
PHILIPPE Iᵉʳ
Voir tab. **Rois et chefs d'État de la France**

PHILIPPE II AUGUSTE
Voir tab. **Rois et chefs d'État de la France**
PHILIPPE III LE HARDI
Voir tab. **Rois et chefs d'État de la France**
PHILIPPE IV LE BEL
Voir tab. **Rois et chefs d'État de la France**
PHILIPPE V LE LONG
Voir tab. **Rois et chefs d'État de la France**
PHILIPPE VI DE VALOIS
Voir tab. **Rois et chefs d'État de la France**
PHILIPPIDÈS → COUREUR
PHILIPPIENS (ÉPÎTRES AUX)
Voir tab. **Bible**
PHILIPPIQUE → DISCOURS, SATIRE
PHILISTIN → BARBARE
PHILISTINISME → VULGARITÉ
PHILOCALIE → TEXTE
PHILOLOGIE → LANGUE, TEXTE
Voir tab. **Sciences : termes en -ologie et -ographie**
PHILOSOPHE → SAVANT (1)
PHILOSOPHER → RAISONNER
PHILOSOPHIE → ABSTRAIT, PENSÉE, PENSÉE
Voir tab. **Histoire (grandes périodes)**
PHILOSOPHIE calme, conception, détachement, doctrine, épistémè, esthétique, éthique, idée, idéologie, logique, métaphysique, pensée, principe, résignation, système, théorie, yang, yin
PHILTRE → AMOUR, BOISSON, CHARME, ÉLIXIR, MAGIQUE, SORCIÈRE
PHILUMÉNISTE → BOÎTE
Voir tab. **Collectionneurs**
PHIMOSIS → PRÉPUCE
PHLÉB(O)-
Voir tab. **Chirugicales (interventions)**
PHLÉBECTOMIE → VASCULAIRE
PHLÉBITE → INFLAMMATION, VASCULAIRE, VEINE
PHLÉBOLOGUE → MÉDECIN
PHLÉBORRAGIE → HÉMORRAGIE
PHLÉBOTOMIE → SAIGNÉE
PHLÉGÉTON → ENFER
PHLEGMON → ABCÈS, INFILTRATION
PHLOÈME → PLANTE, TISSU
PHLOGISTIQUE → FEU
PHLOGOSE → INFLAMMATION
PHLYCTÈNE → AMPOULE, BOUTON, BRÛLURE, BULLE, CLOQUE, PEAU
PHOBIE → AFFECTIF, CRAINTE, EXCESSIF, FRAYEUR, HORREUR, MANIE, PEUR
PHOBIE espionite, haine, horreur
PHOBIQUE
Voir tab. **Psychiatrie**
PHOBOPHOBIE
Voir tab. **Phobies**
PHOCOMÉLIE → MONSTRUOSITÉ
PHŒNICOPTÉRIFORMES
Voir tab. **Oiseaux (classification simplifiée des)**
PHŒNIX → PALMIER
Voir tab. **Animaux fabuleux**
PHOLIDOTE
Voir tab. **Mammifères (classification des)**

PHONATION → VOIX

PHONÈME → REPRÉSENTATION

PHONÉOPHOBIE → TUER

PHONÉTIQUE → LANGAGE, LINGUISTIQUE, REPRÉSENTATION, SON

PHONÉTIQUE NORMATIVE → PRONONCIATION

PHONIATRIE → VOIX

PHONIQUE → VOIX

PHONOCAPTEUR → LECTURE

PHONOLITHE
Voir tab. **Roches et minerais**

PHONOLOGIE → LANGAGE, LINGUISTIQUE, SON

PHONOMÈTRE → SON

PHONOTHÈQUE → COLLECTION

PHOQUE → LION, MORSE, VEAU
Voir tab. **Mammifères (classification des)**

PHOQUE éléphant de mer, léopard de mer, mammifères, moine, otarie, phoque à capuchon, phoque à rubans, pinnipèdes

PHORMION → CRIN

PHORMIUM → LIN

PHOSPHÈNE → MIGRAINE

PHOSPHORE → BOMBE, POISON
Voir tab. **Éléments chimiques (symbole des)**

PHOSPHORESCENT → LUMINEUX

PHOSPHORESCENT brasillant, fluorescent, lampyre, luciole, luisant, luminescent, scintillant, ver luisant

PHOSPHURE → ZINC

PHOT (PH) → LUMIÈRE

PHOTO → INSTANTANÉ (1)

PHOTOCOMPOSITION → COMPOSITION

PHOTOCOPIE → COPIE, DOUBLE (1), IMPRESSION, REPRODUCTION

PHOTOCOPIEUSE → BUREAU

PHOTOÉLECTRIQUE → ÉLECTRONIQUE, PILE

PHOTOÉLECTRONIQUE → ÉLECTRONIQUE

PHOTOGÉNIE → LUMIÈRE

PHOTOGRAMME → IMAGE

PHOTOGRAPHIE → CLICHÉ, PRISE, REPRODUCTION

PHOTOGRAPHIE anaglyphe, ASA, bobine, calotype, contretype, Daguerre, daguerréotype, diapositive, DIN, film, fish-eye, focale fixe (à), focale variable (à), grain, grand-angle, holographie, ISO, négatif, Niepce, numérique, objectif anastigmat, objectif macrophotographique, papier, pellicule, plaque, posemètre, positif, stéréoscopie, téléobjectif, zoom

PHOTOGRAPHIE NUMÉRIQUE
Voir tab. **Photographie (vocabulaire de la)**

PHOTOGRAPHIER → REPRÉSENTER

PHOTOGRAVURE → IMPRESSION, ZINC

PHOTOMÈTRE
Voir tab. **Instruments de mesure**

PHOTON → LUMIÈRE

PHOTOPHOBE → SOLEIL

PHOTOPHOBIE → LUMIÈRE
Voir tab. **Phobies**

PHOTOPHORE → LAMPE

PHOTOPOLYMÈRE → CLICHÉ

PHOTO-SATELLITE → SATELLITE

PHOTOSPHÈRE
Voir illus. **Soleil**

PHOTOSTYLE → CRAYON

PHOTOSYNTHÈSE → ASSIMILATION, RÉACTION, RESPIRATION, SYNTHÈSE

PHOTOTHÈQUE → COLLECTION

PHOTOTROPISME → TOURNESOL

PHOTOTYPIE → IMPRESSION, IMPRIMERIE

PHRAGMITE → ROSEAU

PHRASE banalité, bavard, citation, cliché, complément, déclaratif, exclamatif, formule, impératif, interrogatif, lexie, lieu commun, mot, mot, négatif, nominal, paraphrase, périphrase, phraséologie, phraseur, phrastique, proposition, proverbe, stéréotype, sujet, syntaxe, tirade, verbal, verbe

PHRASE (DE) → MODALITÉ

PHRASÉOLOGIE → PHRASE

PHRASEUR → BAVARD, ORATEUR, PHRASE

PHRASTIQUE → PHRASE

PHRATRIE → CLAN, GROUPE, TRIBU

PHRÉATIQUE → NAPPE

PHRÉN(O)-
Voir tab. **Chirugicales (interventions)**

PHRÉNOLOGIE → BOSSE, CRÂNE (1)
Voir tab. **Sciences : termes en -ologie et -ographie**

PHRYGANE → FOURREAU

PHRYGIEN → BONNET

PHTANITE
Voir tab. **Roches et minerais**

PHTIRIASE → POU

PHTIRIUS → POU

PHTISIOLOGUE → TUBERCULOSE

PHTISIOPHOBIE
Voir tab. **Phobies**

PHYCOLOGIE → ALGUE

PHYLACTÈRE → AMULETTE, BULLE, JUIF (1), MAGIE, PORTE-BONHEUR, PRÉSERVER, TALISMAN

PHYLARQUE → PRÉSIDENT, TRIBU

PHYLL(O)- → FEUILLE

PHYLLADE → ARDOISE
Voir tab. **Roches et minerais**

PHYLLOQUINONE
Voir tab. **Vitamines**

PHYLLOTAXIE → FEUILLE

PHYLLOXÉRA → PARASITE (1), VIGNE

PHYLOGENÈSE → ÉVOLUTION, GÉNÉALOGIE

PHYLOGÉNIE → GÉNÉALOGIE

PHYLUM → EMBRANCHEMENT

PHYSALIS → CAGE

PHYSÉTÉRIDÉS → CACHALOT

PHYSICALISME → SCIENCE

PHYSIOCRATE → LIBÉRAL (2)

PHYSIOGNOMONIE → MORPHOLOGIE, TRAIT

PHYSIOLOGIE → CORPS, MÉDECINE, ZOOLOGIE
Voir tab. **Sciences : termes en -ologie et -ographie**

PHYSIOLOGIQUE → PHYSIQUE

PHYSIONOMIE → ASPECT, FACE, FIGURE, MINE, TRAIT, VISAGE

PHYSIONOMIE air, allure, apparence, aspect, caractère, expression, grimace, mimique, mine, morphopsychologie, profil psychologique, trait

PHYSIOPHOBIE
Voir tab. **Phobies**

PHYSIQUE → ATOME, DISCIPLINE, EXACT

PHYSIQUE charnel, gymnastique, organique, physiologique, sexuel, somatique, sport

PHYSOSTOMES → SARDINE

PHYTOGÉOGRAPHIE → BOTANIQUE (2), GÉOGRAPHIE

PHYTOGRAPHIE → BOTANIQUE (1)

PHYTOHORMONE → HORMONE

PHYTOLOGIE
Voir tab. **Sciences : termes en -ologie et -ographie**

PHYTOPATHOLOGIE → BOTANIQUE (1), PLANTE

PHYTOPHAGE → VÉGÉTAL (1)

PHYTOPHARMACIE → PLANTE

PHYTOTHÉRAPIE → MÉDECINE, PLANTE, TRAITEMENT
Voir tab. **Médecines alternatives**

PHYTOTRON → BOTANIQUE (1), VÉGÉTAL (1)

PI (3,14) → CIRCONFÉRENCE

PIACULAIRE → SACRIFICE

PIAF → MOINEAU

PIAFFER → PIÉTINER, TRÉPIGNER

PIAILLEMENT → BÉBÉ, BRUIT
Voir tab. **Bruits**

PIANISSIMO → DOUCEMENT

PIANISTE → ACCOMPAGNATEUR

PIANO → CLAVIER, CORDE, DOUCEMENT, INSTRUMENT
Voir illus. **Symboles musicaux**
Voir tab. **Instruments de musique**
Voir tab. **Musique (vocabulaire de la)**

PIANO cadre, caisse, cheville, clavecin, clavicorde, clavier, concerto, corde, crapaud, demi-queue, droit, épinette, étouffoir, étude, facteur, fugue, invention, lyre, marteau, mécanique, nocturne, novelette, pédale, pianoforte, pianola, prélude, quart de queue, queue (à), sommier, sonate, table d'harmonie, touche, valse, virginal

PIANO À BRETELLES → ACCORDÉON

PIANO DU PAUVRE → ACCORDÉON

PIANOFORTE → PIANO

PIANOLA → PIANO

PIASSAVA → PALMIER, TEXTILE

PIAT → PIE (1)

PIAULE → CHAMBRE

PIAULEMENT → POULET

PIBALE → ANGUILLE

PIBLE → MÂT

PIBLOKTO → HYSTÉRIE

PIBROCK → CORNEMUSE

PIC → MONTAGNE, PIOCHE, POINT, POINTE, SOMMET, VERTICAL (1)
Voir tab. **Oiseaux (classification simplifiée des)**

PICA → APPÉTIT

PICA PICA → PIE (1)

PICCOLO → FLÛTE
Voir tab. **Instruments de musique**

PICHET → QUART, VASE

PICHOLINE → OLIVE

PICIFORMES
Voir tab. **Oiseaux (classification simplifiée des)**

PICKER → COTON

PICKLES → VINAIGRE

PICKPOCKET → VOLEUR

PICK-UP → PLATEAU
Voir illus. **Voitures (types de)**

PICODON
Voir illus. **Fromages**

PICORER → BEC, MANGER

PICOT → BRODERIE, MARTEAU

PICOTEMENT → DÉMANGEAISON, FOURMI, PINCEMENT

PICOTER → CHATOUILLER, PIQUER

PICOTEUX → BARQUE
Voir tab. **Bateaux**

PICOTIN → AVOINE, MESURE

PICTOGRAMME → DESSIN, REPRÉSENTATION, SIGNE, SYMBOLE

PICTOGRAPHIE → ÉCRITURE

PICTURAL → PEINTURE

PIDGIN → LANGUE

PIE → OISEAU
Voir tab. **Chevaux (robes des)**
Voir tab. **Superstitions**

PIE (1) bavarde, bonheur conjugal, corvidés, danse lacédémonienne, huîtrier, jacasser, jaser, joie, passériformes, piat, Pica pica, pie bleue, voleuse

PIE (2) bicolore, pieux

PIE BLEUE → PIE (1)

PIÈCE → COUPE, DOCUMENT, ÉCRIT (1), MATÉRIAU, PARCELLE, PUZZLE, RECONSTITUER, REPAS, RÉPERTOIRE
Voir tab. **Échecs**
Voir tab. **Héraldique (vocabulaire de l')**

PIÈCE acte, bassin, cellier, comédie, coupon, débarras, diplôme, document, drame, écu, élément, étang, jaunet, kit (en), lac, lé, louis, morceau, napoléon, office, organe, partie, pied-fort, plan d'eau, resserre, souillarde, titre, tragédie

PIÈCE MAÎTRESSE → CAPITAL (2)

PIÈCE MONTÉE → CHOU

PIÈCES VIDES
Voir tab. **Phobies**

PIED → BAS (1), LONGUEUR, MAILLE, PORC, RYTHME, TRACE, VASE
Voir illus. **Livre relié**
Voir illus. **Sièges**
Voir tab. **Poésie (vocabulaire de la)**
Voir tab. **Superstitions**

PIED apode, assise, astragale, base, bipède, calcanéum, cep, constituer, cor, cou-de-pied, digitigrade, durillon, échafauder, goutte, licencier, limoger, œil-de-perdrix, oignon, organiser, orteil, pédestre, pédicurie, pied-bot, plante, plantigrade, podagre, podologie, racine, renvoyer, souche, talon

PIED À COULISSE → ÉQUERRE

PIED BOT → PIED

PIED DE CHANDELIER
Voir illus. **Voilier : Dufour 38 Classic**

PIED DE MARMITE → NEZ

PIED DE MÂT
Voir illus. **Planche À Voile**
PIED DROIT
Voir illus. **Arcs**
PIED GAUCHE → ÉTRIER
PIED LEVÉ → IMPROVISÉ
PIED PHOTO
Voir tab. **Photographie** (vocabulaire de la)
PIED-À-TERRE → APPARTEMENT, MAISON
PIED-DE-BICHE → LEVIER
Voir tab. **Couture**
PIED-DE-CHÈVRE → BICHE
PIÉDESTAL → BASE, SOCLE, STATUE, SUPPORT
Voir illus. **Colonnes**
PIÉDESTAL acrotère, admirer, aduler, base, corniche, dé, exalter, piédouche, socle
PIED-FORT → PIÈCE
PIÉDOUCHE → BASE, PIÉDESTAL, SOCLE, STATUE, SUPPORT
PIÉDROIT → MANTEAU
PIEDS ET PAQUETS
Voir tab. **Plats régionaux**
PIEDS NICKELÉS (LES)
Voir tab. **Bande dessinée** (héros de)
PIÈGE → APPEAU, DANGER, ÉCUEIL, EMBÛCHE, LACET, MIROIR, PÉTROLE, RUSE
PIÈGE appeau, appelant, braconnier, chanterelle, chausse-trape, collet, courcaillet, embuscade, filet, fosse, gluau, guet-apens, lacet, lacs, pipeau, pipée, ratière, reginglette, souricière, tapette, tendelle, tenderie, tirasse, traquenard, traquet, trébuchet
PIÉGER → CAPTURER, COINCER, SURPRENDRE
PIE-GRIÈCHE
Voir tab. **Oiseaux (classification simplifiée des)**
PIE-MÈRE → MEMBRANE, MÉNINGE
PIERCING
Voir illus. **Modes et styles**
PIERRE → AFFÛTER, BRONZE, CALCUL, INSENSIBLE, MATÉRIAU, ŒIL, PAVÉ, PONT, PRÉHISTOIRE, ROC, SOLITAIRE (2), URINE
Voir tab. **Collectionneurs**
Voir tab. **Jésus (disciples de)**
PIERRE aérolithe, appareillage, ardoise, bétyle, biveau, bolide, boucharde, boulder, caillou, cliquart, couteau, cromlech, dalle, délit, déliter, dolmen, dur, froid, galet, glace (de), gravats, gravier, intifada, jectisse, laie, lambourde, lapider, lapidification, lauze, lithique, lithoclase, lithogène, lithoïde, mégalithe, menhir, météore, meulière, minéralogie, monolithe, néolithique, paléolithique, pétrification, pétroglyphe, pétrographie, pétrologie, peulven, porphyre, roc, rocher, smille, stèle
PIERRE DE LUNE
Voir tab. **Pierres précieuses et semi-précieuses**

PIERRE DE TAILLE → MAÇONNERIE
PIERRE D'ITALIE
Voir tab. **Dessin (vocabulaire du)**
PIERRE NOIRE
Voir tab. **Dessin (vocabulaire du)**
PIERRE PHILOSOPHALE → ALCHIMISTE
PIERRE PONCE → PONCER
PIERRE PRÉCIEUSE crapaud, gemme, gendarme, givrure, glace, lapidaire, loupe, paillon
PIERRE SÈCHE → MAÇONNERIE
PIERRE TOMBALE → DALLE, TOMBE
PIERROT → MOINEAU, PANTOMIME
PIETÀ → STATUE, VIERGE (1)
Voir tab. **Peinture et décoration**
PIÉTÉ → AMOUR, DÉVOTION, FOI
PIÉTÉ amour, attachement, bigoterie, bondieuserie, culte des ancêtres, dévotion, exercice, ferveur, neuvaine, pratique, procure, respect, tartuferie
PIÉTÉ FILIALE → AFFECTION
PIÉTEMENT
Voir illus. **Sièges**
PIÉTIN → BLÉ
PIÉTINEMENT → NOTABLE (2), RETARD, STAGNATION
PIÉTINER → BAFOUER, FOULER, MARCHER, TRÉPIGNER
PIÉTINER écraser, marcher sur, patiner, piaffer, stagner, trépigner
PIÉTISTE → PROTESTANT (2)
PIÉTON
Voir tab. **Saints patrons**
PIÈTRE → DÉRISOIRE, INSUFFISANT, LAMENTABLE, MAIGRE, MALHEUREUX, MÉDIOCRE, MESQUIN, MINIME (2), MISÉRABLE (2), PASSABLE, PAUVRE, PITEUX, TRISTE
PIÈTRE dérisoire, mauvais, médiocre, minable, piteux, triste
PIEU → POTEAU
PIEU bélier, clayonnage, échalas, mouton, paisseau, palée, palis, pilot, pilotis, piquet, sonnette
PIEUVRE → CORDE, MOLLUSQUE
Voir tab. **Animaux (classification simplifiée des)**
PIEUX → PIE (2), RELIGIEUX (2)
PIEUX bigot, charitable, croyant, dévot, édifiant, exemplaire, fervent, religieux, zélé
PIÉZOÉLECTRIQUE → MICROPHONE
PIÉZOMÈTRE → LIQUIDE
Voir tab. **Instruments de mesure**
PIF LE CHIEN
Voir tab. **Bande dessinée** (héros de)
PIGE → BALAI, BERGE, PAGE, PAPIER, RÉMUNÉRATION, SALAIRE, TÂCHE
PIGEON → DUPER, PLÂTRE
Voir tab. **Animaux (classification simplifiée des)**
Voir tab. **Oiseaux (classification simplifiée des)**
Voir tab. **Superstitions**
PIGEON ball-trap, biset, colombier, colombin, colombophilie, columbidés, columbiformes, fuie, goura, palombe, pigeonne, pigeonnau, pigeonneau, ramier
PIGEONNE → PIGEON
PIGEONNEAU → DOIGT, PIGEON

PIGEONNIER → PARADIS, PIGEON
PIGER → IMPRIMER
PIGISTE → INDÉPENDANT, JOURNALISTE, RÉDACTEUR
PIGLATIN
Voir tab. **Argot et langages populaires**
PIGMENT → COLORANT, POIL
PIGMENT animal, bilirubine, chlorophylle, chromogène, hémoglobine, mélanine, minéral, urobiline, végétal, xanthophylle
PIGMENTATION → COLORATION, TEINT
PIGNE → PIN
PIGNOCHER → MANGER, PEINDRE
PIGNOLAT → DRAGÉE
PIGNON → COURONNEMENT, ENGRENAGE, MAISON, MUR
Voir illus. **Bicyclette**
Voir illus. **Maison**
Voir illus. **Toits**
Voir tab. **Garagiste** (vocabulaire du)
Voir tab. **Gâteaux régionaux et étrangers**
PIGNORATIF → CONTRAT
PILAF → RIZ
PILASTRE → COLONNE, GRILLE, PILIER, RAMPE
Voir illus. **Escalier**
PILCHARD → SARDINE
PILE → ÉCHAFAUDAGE, ENVERS, FACE, GÉNÉRATEUR (1), OPPOSÉ, PAQUET, PILIER, PONT, PYRAMIDE, RESSORT, TAS
Voir illus. **Arcs**
Voir illus. **Ponts**
Voir tab. **Électricité**
PILE accumulateur, amas, amoncellement, anode, cathode, combustible (à), électrode, empiler, entassement, entasser, générateur, monceau, photoélectrique, pôle, réacteur, tas, thermoélectrique
PILE ATOMIQUE → CENTRALE NUCLÉAIRE
PILER → BOUILLIE, BRISER, BROYER, ÉCRASER, POUDRE, PULVÉRISER, RÉDUIRE, TRITURER
PILER bourroir, broyer, concasser, écraser, égrugeoir, mortier, moulin, pilon, pulvériser, réduire
PILET → CANARD
PILIER → BAR, BISTROT, COLONNE, MUSULMAN (1), POTEAU
Voir illus. **Rugby**
PILIER colonne, contrefort, familier, habitué, pilastre, pile, pylône
PILIER DE BAR → FRÉQUENTER, HABITUÉ
PILIER DE COMPTOIR → IVROGNE
PILIFÈRE → POIL
PILI-PILI → PIMENT
PILLAGE → BUTIN, CRIME, FOIRE, RAVAGE, SAC
PILLAGE butin, concussion, déprédation, détournement, dévastation, exaction, incursion, malversation, mise à sac, rapine, razzia, saccage, vandalisme, vol
PILLARD → MALFAITEUR
PILLER → CAMBRIOLER, MAIN, METTRE, SACCAGER, VOLER

PILLER cambrioler, dévaliser, dévaster, écumer, pirater, ravager, saccager, voler
PILLOW-LAVA
Voir illus. **Volcan**
PILON → BROYER, CUISSE, JAMBE, MORTIER, PILER, POUDRE, POULET
PILON broyeur, dame, demoiselle, hie, molette
PILONNAGE → ARTILLERIE, BOMBARDEMENT
PILONNER → TASSER
PILORI → POTEAU, SUPPLICE, TORTURE
PILO-SÉBACÉ (FOLLICULE)
Voir illus. **Peau**
PILOSISME → POIL
PILOSITÉ → POIL
PILOT → CHIFFON, PIEU
PILOTAGE → MANŒUVRE
PILOTE → ACCOMPAGNATEUR, CONDUCTEUR, DELTAPLANE, MODÈLE (2), RESPONSABLE (1)
Voir illus. **Piano**
Voir tab. **Informatique**
PILOTE aéronaute, aérostier, automatique, avant-gardiste, aviateur, barreur, cabine, cockpit, commandant de bord, exemplaire, habitacle, lamaneur, nautonier, nocher, phare, rémora, téléguidé, timonier
PILOTER → CONDUIRE, DIRIGER, GUIDER
PILOTIS → COLONNE, PIEU
PILOU
Voir tab. **Tissus**
PILULAIRE → VÉTÉRINAIRE
PILULE → COMPRIMÉ (1), CONTRACEPTIF, PASTILLE
PILULE cachet, dragée, gélule, globule, granule, implant, kératinisation, micropilule, minipilule, pellet, pilulier, plaquette
PILULIER → PILULE
PILUM → JAVELOT
PIMBÊCHE → CHIPIE, SOT
PIMENT → PIQUANT (1), SAVEUR, SEL
Voir tab. **Herbes, épices et aromates**
PIMENT chile, curry, harissa, paprika, pili-pili, piperade, poivron, rouille, solanacées
PIMENTÉ → ÉPICE, PIQUANT (2)
PIMENTER → RELEVER
PIMPANT → JOLI
PIN → CONIFÈRE, PARQUET, RÉSINE, SAPIN
PIN abiétacées, cône, conifères, galipot, gemmage, gemme, laricio d'Autriche, pigne, pin d'Alep, pin parasol, pin sylvestre, pinastre, pinède, pineraie, pitchpin, pomme de pin, strobile, térébenthine, thyrse
PIN D'ALEP → PIN
PIN PARASOL → PIN
PIN SYLVESTRE → PIN
Voir tab. **Plantes médicinales**
PINACÉES → SAPIN
PINACLE → COURONNEMENT, SOMMET, ZÉNITH
Voir tab. **Architecture**
PINACLE (PORTER AU) → ADMIRATION, GLOIRE

PINACOTHÈQUE → ART, CABINET, COLLECTION, CONSERVATEUR, MUSÉE, PEINTURE

PINAILLER → BÊTE (1), COUPER

PINAILLEUR → CHICANER, DÉTAIL, SCRUPULEUX

PINARDIER → BATEAU

PINASSE → BARQUE, EMBARCATION

Voir tab. **Bateaux**

PINASTRE → PIN

PINÇANT → PIQUANT (2)

PINCE → CRAVATE, DENT, ÉPINGLE, PATTE, PLI, SABOT

Voir illus. **Cheval**

PINCE bec-de-corbeau, brucelles, cisailles, clamp, coupe-ongle, davier, forceps, morailles, pincette, pique-feu, tenailles, tisonnier

PINCE À AVOYER → SCIE

PINCEAU → FAISCEAU, PEINTRE

PINCEAU blaireau, brosse à badigeon, brosse à laquer, brosse à rechampir, ente, hampe, mangouste, martre, pincelier, porc, pouce, putois, queue-de-morue, spalter, veau, virole

PINCÉE → DOSE, GRAIN, POINTE, SOUPÇON

PINCELIER → DÉLAYER, PEINTRE, PINCEAU

PINCEMENT → MASSAGE, TAILLE

PINCEMENT douleur, picotement, pinçon, serrement

PINCE-MONSEIGNEUR → CAMBRIOLEUR

PINCE-NEZ → LUNETTES

PINCER → COINCER, FLEUR, SERRER

PINCER attraper, contusionner, écraser, meurtrir, pizzicato, presser, serrer, surprendre

PINCE-SANS-RIRE → MOQUEUR, SÉRIEUX (1)

PINCETTE → PINCE

PINÇON → PINCEMENT

PINDJAPAP

Voir tab. **Bateaux**

PINÉALE (GLANDE)

Voir illus. **Cerveau**

Voir tab. **Endocrinologie**

PINÈDE → FORÊT, PIN

PINÈNE → TÉRÉBENTHINE

PINERAIE → PIN

PINGOUIN

Voir tab. **Oiseaux (classification simplifiée des)**

PINGOUIN alcidés, guillemot, macareux, manchot Adélie, manchot empereur, mergule, palmipèdes

PING-PONG

Voir tab. **Sports**

PINGRE → AVARE (2), COMPTER

PINK

Voir tab. **Bateaux**

PINNIPÈDE → MORSE, PHOQUE

PINNOTHÈRE → CRABE, MOULE

PINON

Voir tab. **Oiseaux (classification simplifiée des)**

PINQUE

Voir tab. **Bateaux**

PIN'S → BADGE, BROCHE, INSIGNE (1)

PINTADE

Voir tab. **Élevages**

Voir tab. **Oiseaux (classification simplifiée des)**

PINTADINE → HUÎTRE

PIN-UP → BEAU

PINUS SYLVESTRIS

Voir tab. **Plantes médicinales**

PINYIN → CHINOIS

PIOCHE → DÉFONCER

PIOCHE bigot, houe, hoyau, pic, piolet, rivelaine, sape

PIOCHER → CREUSER

PIOCHER creuser, défoncer, herser, puiser, retourner

PIOLET → BÂTON, CANNE, MONTAGNE, PIOCHE

PION → ÉTUDE, JETON

Voir tab. **Échecs**

PION damier, échiquier, surveillant

PIONCER → DORMIR

PIONNIER → COLON, INFANTERIE, SOLDAT

PIONNIER avant-gardiste, bâtisseur, colon, créateur, défricheur, initiateur, innovateur, promoteur, protagoniste, squatter

PIOUPIOU → INFANTERIE

PIPE → BRUYÈRE, CIBLE

PIPE bois, bouffarde, brûle-gueule, calumet, chibouque, culot, écume, fourneau, houka, narguilé, pipée, pipier, porcelaine, shilom, terre, tuyau

PIPEAU → APPEAU, APPELER, BAMBOU, BERGER, CHASSE, FLÛTE, PIÈGE, POÉSIE, ROSEAU, SIFFLET

PIPÉE → CHASSE, PIÈGE, PIPE

PIPELETTE → BAVARD, CONCIERGE, INDISCRET

PIPELINE → CONDUIT, PÉTROLE, TRANSPORT, TUYAU

PIPER → TRICHER

PIPÉRACÉES → POIVRIER

PIPERADE → PIMENT, TOMATE

PIPERIE → APPEAU

PIPÉRINE → POIVRE

PIPETTE → GOUTTE, TUBE

PIPEUR → JOUEUR

PIPI DE CHAT → CAFÉ

PIPIER → PIPE

PIPISTRELLE → CHAUVE-SOURIS

PIPO → CANDIDAT

PIQUANT → ACERBE, ACÉRÉ, ÉPINE, FORT (2), FROID (1), INTÉRESSANT (2), MALICIEUX, MORDANT (2), PERÇANT, POINTU, SAVEUR, SAVOUREUX, SEL, SPIRITUEL, VENIMEUX, VIF (2)

PIQUANT (1) aiguillon, ardillon, attrait, bogue, cactus, dard, épine, houx, ortie, piment

PIQUANT (2) acerbe, acéré, aciculaire, acide, aigu, aiguille, assaisonné, caustique, cuisant, curieux, épicé, excitant, fragon, gazeux, mordant, original, pénétrant, perforant, pétillant, pimenté, pinçant, pique, pittoresque, pointe, pointu, poivré, relevé, satirique, térébrant, vif

PIQUE → BLESSURE, COULEUR, PIQUANT (2), POINTE, RÉPLIQUE

Voir tab. **Cartes à jouer**

PIQUE allusion, David, invective, méchanceté, Ogier, Pallas, pointe, viole de gambe

PIQUÉ → AVION

Voir tab. **Danse classique**

Voir tab. **Tissus**

PIQUÉ aigre, moucheté, piqueté, staccato, tacheté, tourné

PIQUE-ASSIETTE → INTRODUIRE, INVITER (S'), MANGEUR, PARASITE (1), RÉCEPTION, REPAS

PIQUE-FEU → PINCE

PIQUENCHÂGNE

Voir tab. **Gâteaux régionaux et étrangers**

PIQUE-NIQUE → DÉJEUNER, REPAS

PIQUER → ÉGRATIGNER, ÉVEILLER, FAUCHER, FERRER, FLATTER, FONDRE, FORT (2), INJECTER, IRRITER, PLONGER, PROFESSION, RONGER, RONGER, SUSCITER, VANTER, VEXER

PIQUER accrocher, blesser, brûler, coudre, éperonner, épingler, euthanasier, éveiller, exciter, fixer, froisser, irriter, irriter, offenser, picoter, prétendre à, punaiser, vanter (se), vexer

PIQUER AU VIF → FROISSER

PIQUER UN FARD → ROUGIR

PIQUET → PIEU, PUNITION

PIQUETÉ → PIQUÉ, TACHE

PIQUETER → TRACER

PIQUIER → INFANTERIE

PIQÛRE → FIXE (1)

PIQÛRE injection, intramusculaire, intraveineuse, morsure, ponction, prise de sang, rousseur, seringue, surpiqûre, transfusion, vaccination, vermoulure

PIQÛRE-NERVURE

Voir tab. **Couture**

PIRANHA

Voir tab. **Poissons (classification simplifiée des)**

PIRATAGE → REPRODUCTION

PIRATE → BANDIT, CLANDESTIN, MALFAITEUR, MARIN (1)

Voir tab. **Internet**

PIRATE bandeau, boucanier, clandestin, corsaire, écumeur, escroc, flibuste, flibustier, forban, illicite, interdit, piraterie, requin, tête de mort

PIRATER → PILLER

PIRATERIE → PIRATE

PIRE aggraver, dégrader, détériorer, pis

PIRIFORME → POIRE

Voir tab. **Forme de... (en)**

PIROGUE → AVIRON, BARQUE, BATEAU

Voir tab. **Bateaux**

PIROJKI

Voir tab. **Spécialités étrangères**

PIROUETTE → CABRIOLE, REVIREMENT, TOUR

PIROUETTE acrobatie, culbute, dérobade, échappatoire, galipette, saut périlleux

PIROUETTER → TOURNER

PIS → MAMELLE, PIRE

PIS-ALLER → ATTENTE, FORTUNE

PISCÉNOIS

Voir tab. **Habitants (comment se nomment les)**

PISCICULTURE → POISSON

Voir tab. **Élevages**

PISCIFORME → POISSON

Voir tab. **Forme de... (en)**

PISCINE SOLAIRE → SOLAIRE

PISCIVORE → POISSON

PISÉ → ARGILE, MAÇONNERIE, PAILLE, TORCHIS

PISIFORME → POIGNET

PISSALADIÈRE → PROVENÇAL

PISSAT → URINE

PISSENLIT

Voir tab. **Plantes médicinales**

Voir tab. **Salades**

Voir tab. **Végétaux (classification simplifiée des)**

PISSENLIT akène, composacées, dent-de-lion, fausse chicorée

PISSER

Voir tab. **Belote**

PISTACHE → VERT (1)

Voir tab. **Couleurs**

PISTE → CHEMIN, CIRQUE, COURSE, PLAGE, TRACE

PISTE aérodrome, aire d'atterrissage, anneau, arène, autodrome, bande, bowling, circuit, couloir, draille, erres, foulée, glissoire, goulet, hippodrome, passage, patinoire, sentier, trace, tracé, voie

PISTER → CHERCHER, ÉPIER, FILER, SUIVRE, SURVEILLER

PISTIL → FEMELLE (2), FLEUR, REPRODUCTEUR

Voir illus. **Fleur**

PISTIL agame, carpelle, gynécée, ovaire, stigmate, style

PISTOLERO → TUEUR

PISTOLET → BASSIN, FEU, REVOLVER, VASE

PISTOLET browning, chargeur, colt, kalachnikov, parabellum, revolver

PISTOLET-MITRAILLEUR → FEU

PISTON → ALTERNATIF, MOTEUR

Voir illus. **Moteur**

PISTONNER → PROTÉGER, RECOMMANDER

PISTOU → PROVENÇAL, SOUPE

PITANCE → NOURRITURE, PÂTURE, REPAS

PITCH

Voir tab. **Informatique**

PITCHPIN → PIN

PITE → TEXTILE

PITEUX → CONFUS, LAMENTABLE, MALHEUREUX, PIÈTRE, PITOYABLE, TRISTE

PITEUX confus, contrit, honteux, lamentable, mauvais, piètre, pitoyable, triste

PITHÉCANTHROPE → SINGE

PITHIATIQUE → HYSTÉRIE

PITHIVIERS → GÂTEAU

PITIÉ → CHARITÉ, COMPASSION, GRÂCE, HUMANITÉ, MERCI, MISÉRICORDE

PITIÉ apitoyer (s'), charité, clémence, commisération, compassion, compatir, émouvoir (s'), impitoyable, implacable, miséricorde, pathétique, plaindre

PITIÉ (AVOIR) → INDULGENT (2)

PITON → CLOU, CROCHET, MONTAGNE, VIS

PITOYABLE → AFFLIGEANT, FAIBLE, LAMENTABLE, MALHEUREUX, MINABLE, PAUVRE, PITEUX, TRISTE

PITOYABLE affligeant, consternant, déplorable, douloureux, humain, lamentable, médiocre, minable, misérable, navrant, piteux

PITRE → AMUSANT, BOUFFON (1), CLOWN, COMÉDIEN, COMIQUE, DIVERTIR, ZOUAVE

PITRERIE → FARCE, SINGE

PITTORESQUE → BANAL, BEAUTÉ, EXPRESSIF, PIQUANT (2)

PITTORESQUE amusant, captivant, cocasse, coloré, enchanteur, évocateur, folklorique, imagé, original, savoureux, surréaliste, truculent, typique

PITUITAIRE → NASAL

PITUITAIRE (GLANDE)
Voir illus. **Cerveau**
Voir tab. **Endocrinologie**

PITUITE → VOMISSEMENT

PIVOINE
Voir tab. **Végétaux (classification simplifiée des)**

PIVOT → AXE, BASE, CENTRE, RACINE
Voir illus. **Moulins à vent et à eau**

PIVOT axe, base, centre, fondement

PIVOTANT → MOBILE (2), RACINE

PIVOTER → ROTATION, TOURNER

PIXEL → IMAGE, POINT
Voir tab. **Informatique**
Voir tab. **Photographie (vocabulaire de la)**

PIZZA → ITALIEN (2), PÂTE, TOMATE
Voir tab. **Spécialités étrangères**

PIZZERIA → RESTAURANT

PIZZICATO → PINCER, VIOLON
Voir tab. **Musique (vocabulaire de la)**

PLACAGE → APPLICATION, DÉCOR, ÉBÉNISTERIE, MARQUETERIE, REVÊTEMENT

PLACARD → AFFICHE, AVIS, CORRECTION, ÉPREUVE, INFORMATION, INSCRIPTION, MENUISERIE, PENDERIE, PUBLICITAIRE, REPRODUCTION, TRACT
Voir illus. **Intérieur de maison**

PLACARD débarras, garde-robe, penderie, rangement, réduit

PLACARDER → COLLER

PLACE → CLASSEMENT, ENDROIT, FONCTION, LIEU, POSITION, POSTE, RANG, SITUATION

PLACE agencement, agora, baignoire, billet, citadelle, disposition, emplacement, emploi, endroit, entrée, espace, esplanade, fauteuil, fort, forteresse, fortin, forum, job, lieu, loge, métier, parvis, position, poste, rang, situation, situation, strapontin, substituer à (se), supplanter, travail, volume

PLACE (CHANGER DE) → DÉMÉNAGER

PLACE FINANCIÈRE
Voir tab. **Bourse**

PLACEBO → MÉDICAMENT

PLACEMENT → BANQUE, MISE, RÉSERVE

PLACEMENT épargne, immobilisation, internement, investissement, obligation, recyclage, sicav

PLACENTA → ANNEXE, EMBRYON, FŒTUS

PLACENTAIRE → MAMMIFÈRE, SOUFFLE

PLACER → CAPITAL (1), CHARGER, DÉPOSER, DISPOSER, ENGAGER, GISEMENT, INSÉRER, INSTALLER, INVESTIR, LOGER, OR, POSER, SITUER

PLACER abouter, adosser, ajuster, appliquer, appuyer, classer, coucher, dresser, étendre, faire asseoir, installer, investir, ordonner, poster, ranger

PLACET
Voir illus. **Sièges**

PLACETTE → FORÊT

PLACIDE → CALME (2), PACIFIQUE, PAISIBLE, SEREIN, TRANQUILLE

PLACIDE amène, calme, doux, paisible, serein, tranquille

PLACIDITÉ → FLEGME

PLACIER → COMMERCE, VOYAGEUR

PLACODONTE → REPTILE (1)

PLAFOND → LIMITE, NIVEAU, SUPÉRIEUR
Voir illus. **Intérieur de maison**

PLAFOND baldaquin, basting, caisson, ciel, dais, frisette, lambris, limite, lustre, madrier, maximum, plafonnier, poutre, sapine, soffite, solive, suspension, travée

PLAFONNER → MAXIMUM

PLAFONNIER → PLAFOND

PLAGE → CÔTE, RADIO, RIVAGE, SABLE
Voir illus. **Littoral**

PLAGE berge, crème à bronzer, grève, interlude, intermède, intervalle, Lido, lunettes de soleil, maillot de bain, parasol, piste, rivage, rive, transat

PLAGIAIRE → COPIER, IMITATEUR, VOLEUR

PLAGIAT → CALQUE, CONTREFAÇON, COPIE, EMPRUNT, FAUX (2), IMITATION, LITTÉRAL, PRÉJUDICE, RÉPLIQUE, REPRODUCTION

PLAGIER → CALQUER, IMITER

PLAID → COUVERTURE, DISCUSSION

PLAIDER → CONVAINCRE, DÉFENDRE, DIFFICULTÉ, INTERVENIR, MILITER, PARLER, PROCÈS

PLAIDER accuser, avocat, barre, défendre, défense, intenter une procédure, introduire une instance, parler pour, plaideur, plaidoirie, plaidoyer, pro domo, soutenir

PLAIDEUR → DÉFENSEUR, PLAIDER

PLAIDOIRIE → AVOCAT, DÉFENSE, PLAIDER

PLAIDOYER → APOLOGIE, AVOCAT, DÉFENSE, PLAIDER

PLAIE → BLESSURE, LÉSION, MEURTRISSURE

PLAIE balafre, blessure, brûlure, chagrin, cicatrice, coupure, déchirure, écorchure, entaille, lèvre, pansement, peine, stigmate, suture

PLAIGNANT → CLIENT

PLAIN-CHANT → LITURGIE, MOINE

PLAINDRE → PITIÉ, RÉCLAMER

PLAINDRE dolent, émouvoir (s'), misérable, pauvre

PLAINDRE (SE) apitoyer sur (s'), attendrir sur (s'), geindre, gémir, grogner, larmoyer, maugréer, protester, râler, réclamer

PLAINE → PLAT (2)

PLAINE bassin, champagne, huerta, pampa, steppe, toundra, veld

PLAINTE → CRI, DÉCLARATION, GÉMISSEMENT, GRIEF, LAMENTATION, MURMURE, PLEUR, RÉCLAMATION, REGRET, SOUPIR

PLAINTE accuser, doléance, gémissement, grief, hélas, incriminer, jérémiade, lamentation, larmoiement, protestation, réclamation, récrimination, requête, revendication

PLAIRE → AGRÉER, AIMER, CONVENIR, DIRE, PROSPÉRER, RAVIR, RÉJOUIR (SE), SATISFAIRE

PLAIRE amadouer, attirer, captiver, charmer, courtiser, enchanter, enthousiasmer, exalter, fasciner, flagorner, flatter, ravir, réjouir, séduire, transporter

PLAIRE (SE) croître, délecter à (se), développer (se), prendre plaisir à, prospérer, régaler (se)

PLAISANCE → YACHT

PLAISANT → AGRÉABLE, CHARMANT, COCASSE, DIVERTIR, GRACIEUX, RISIBLE

PLAISANT adorable, agréable, aimable, amusant, attrayant, charmant, délicat, divertissant, gracieux, joli, joyeux, récréatif, réjouissant, séduisant, spirituel, sympathique

PLAISANTER → BADINER, BOÎTE, TAQUINER

PLAISANTER amuser (s'), badiner, batifoler, blaguer, bouffonner, charrier, chiner, moquer de (se), rigoler, rire, taquiner

PLAISANTERIE → BÊTISE, FACÉTIE, FARCE, IRONIE, SAILLIE, TOUR, TRAIT

PLAISANTERIE blague, boutade, calembour, canular, facétie, farce, gaillardise, galéjade, gauloiserie, gausserie, goguenardise, grivoiserie, lazzi, mystification, niche, quolibet, raillerie

PLAISANTIN → BOUFFON (1), COMIQUE, FARCE

PLAISIR → AFFECTIF, ATTRAIT, BIEN-ÊTRE, CONTENTEMENT, DÉLICE, INTÉRÊT, JOIE, JOUISSANCE, RÉCRÉATION, RÉGAL, SATISFACTION
Voir tab. **Manies**

PLAISIR acmé, agrément, bonheur, charmer, contentement, délassement, délectation, délice, distraction, divertissement, enchanter, épicurisme, érotisme, eudémonisme, euphorie, félicité, flash, hédonisme, joie, jouissance, libido, orgasme, ravir, ravissement, régal, réjouissance, sensualité, volupté

PLAISIR (PRENDRE) → AIMER

PLAISIR (PRINCIPE DE)
Voir tab. **Psychanalyse**

PLAN → ABRÉGER, ARCHITECTE, BATAILLE, BATTERIE, BROUILLON (1), CADRE, CALCUL, CANEVAS, CARTE, DESSIN, DIMENSION, DISPOSITIF, DIVISION, ÉBAUCHE, ÉCONOMIE, IDÉE, MACHINE, OSSATURE, PLAT (2), PROGRAMME, PROJET, REPRÉSENTATION, SCÉNARIO, SCHÉMA, SQUELETTE, TACTIQUE
Voir tab. **Cinéma**

PLAN cadre, canevas, combinaison, coupe, croquis, dessein, dessin, martingale, méplat, organisation, planning, programme, projet, reléguer, scénario, schéma, squelette, stratégie, synopsis, tactique, trame

PLAN (ÊTRE AU PREMIER) → VEDETTE

PLAN AMÉRICAIN → BUSTE

PLAN COMPTABLE → COMPTABLE (2)

PLAN D'EAU → PIÈCE

PLAN DE CHASSE
Voir tab. **Chasse (vocabulaire de la)**

PLAN DE CUISSON → PLAQUE

PLAN PARCELLAIRE → CADASTRE

PLAN SOCIAL → BALAI

PLANAIRE
Voir tab. **Animaux (classification simplifiée des)**

PLANCHE → DESSIN, PÂTISSERIE, PLATEAU, SCÈNE, TRONC

PLANCHE ais, alaise, bardeau, chanlatte, dosse, douelle, douve, douvelle, jable, languette, onglet, sapine, scène, tréteaux, volige

PLANCHE (À DESSIN)
Voir illus. **Dessin (vocabulaire du)**

PLANCHE À VOILE → NAUTIQUE
Voir tab. **Sports**

PLANCHE À VOILE char à voile, course racing, dérive, flotteur, funboard, mât, planchiste, polyéthylène, polyuréthanne, régate, saut, slalom, speed-sail, véliplanchiste, voile, wishbone

PLANCHE DE SALUT → BOUÉE, RESSOURCE

PLANCHER → DALLE, ÉCHAFAUDAGE, NIVEAU

PLANCHER estrade, minimal, parquet, podium

PLANCHISTE → PLANCHE À VOILE

PLANÇON → BOUTURE, BRANCHE, PLANT, TRONC

PLANCTON → BALEINE, MARIN (2), MER

PLANCTONIQUE → VÉGÉTATION

PLANE → LISSE

PLANÉ → VOL

PLANER → POLIR

PLANÉTAIRE → MONDIAL

PLANÈTE → ASTRE, ASTROLOGIE, CORPS, ZODIAQUE
Voir illus. **Système solaire**
Voir tab. **Astrologie**

PLANÈTE albédo, aphélie, apoastre, astéroïde, cosmogonie, inclinaison, inférieure, Jupiter, Mars, Mercure, Neptune, périastre, périhélie, période sidérale, période synodique, planétoïde, planétologie, planétologue, Pluton, protoplanète, satellite, Saturne, supérieure, syzygie, Uranus, Vénus

PLANÉTOÏDE → ASTRE, PLANÈTE

PLANÉTOLOGIE → PLANÈTE

PLANÉTOLOGUE → PLANÈTE

PLANEUR → VÉHICULE
Voir tab. **Sports**

PLANÈZE → PLATEAU

PLANIFICATION → NAISSANCE, RATIONNEL, USINE

PLANIFIÉ → SYSTÉMATIQUE

PLANIFIER dispatcher, organiser, prévoir, programmer, projeter, répartir

PLANIMÈTRE
Voir tab. **Instruments de mesure**

PLANIQUE → NOMBRE

PLANISPHÈRE → CARTE, GLOBE, SPHÈRE

PLANNING → CALENDRIER, EMPLOI, ORGANISATION, PLAN, PROGRAMME

PLANNING FAMILIAL → CONTRÔLE

PLANQUER → CACHER

PLANSICHTER → MOULIN, TAMIS

PLANT bouture, cépage, complant, démarier, éclaircir, marcotte, pépinière, plançon, plantard, plantule, provin, rejet, scion, semis, serre

PLANTAIN
Voir tab. **Salades**

PLANTAIRE → VERRUE

PLANTARD → BOUTURE, BRANCHE, PLANT

PLANTATION → COLON
Voir tab. **Jardinage**

PLANTE → INDIVIDU, PIED

PLANTE anémochore, angiosperme, arbre, arbuste, aromathérapie, autochore, bois, botanique, chlorophylle, cryophile, cryptogame, cutine, cyme, dionée, drosera, entomophile, éphémérophyte, flore, gemmothérapie, géophyte, grappe, grassette, gymnosperme, héliophile, hélophyte, herbier, herboriste, hydrophyte, liber, lignine, phanérogame, phloème, phytopathologie, phytopharmacie, phytothérapie, psammophyte, ptéridophyte, sarracénie, sève, simple, suc, thallophyte, utriculaire, végétation, xylème

PLANTE (EAUX-DE-VIE DE)
Voir tab. **Alcools et eaux-de-vie**

PLANTE ADVENTICE → VÉGÉTAL (1)

PLANTER → CAMPER (SE), ENFONCER, FICHER, FIXER

PLANTER boiser, bouturer, complanter, dresser, élever, enfoncer, ensemencer, ficher, fixer, hisser, marcotter, peupler, plantoir, repiquer, semer, taravelle

PLANTER LÀ → QUITTER

PLANTEUR → AGRICULTEUR, COLON

PLANTIGRADE → MARCHER, PIED

PLANTIN
Voir tab. **Typographies**

PLANTOIR → PLANTER
Voir tab. **Jardinage**

PLANTULE → EMBRYON, GERME, PLANT, POUSSE

PLANTUREUX → ABONDANT, ABONDANT, BUSTE, COPIEUX, FERTILE, GÉNÉREUX, GRAS, OPULENT, RICHE (2)

PLANTUREUX abondant, avantageux, copieux, corpulent, dodu, forte, généreux, gros, opulent, rebondi, riche

PLAQUE → DALLE, ÉGOUT, FICHE, FRACTURE, INSCRIPTION, JETON, PHOTOGRAPHIE

PLAQUE lauze, plan de cuisson, plaquette, rougeur, subduction, table de cuisson, tablette, tache, tectonique

PLAQUÉ → ACCORD

PLAQUER → APLATIR, JETER, QUITTER, RECOUVRIR, RENVERSER, RUGBY

PLAQUER abandonner, aplatir, appliquer, appuyer, coller, laisser tomber, larguer, quitter, vaincre

PLAQUETTE → BROCHURE, JETON, LIVRE, PILULE, PLAQUE, SANG
Voir illus. **Flocons**

PLAQUETTE DE CROSSE
Voir illus. **Pistolet**

PLASMA → LIQUIDE, SANG
Voir illus. **Cellules**

PLASMODESME
Voir illus. **Cellules**

PLASMODIUM → PALUDISME

PLAST- → MODELER

PLASTICAGE → ATTENTAT

PLASTICITÉ → ÉLASTICITÉ

PLASTIE
Voir tab. **Chirurgie (vocabulaire de la)**

PLASTIQUE → DESIGN, ESTHÉTIQUE (1), ESTHÉTIQUE (2), FORME, IMPERMÉABLE (2), MALLÉABLE, MOU, RÉSINE

PLASTIQUE (1) artificiel, bakélite, blister, élastomère, explosif, naturel, phénoplaste, Plexiglas, polyéthylène, polystyrène, polyuréthanne, PVC, Rhodoïd, synthétique, Teflon, thermodurcissable, thermoplastique

PLASTIQUE (2) architecture, esthétique, modelage, peinture, sculpture

PLASTIQUE (3) beauté

PLASTRON → CRAVATE, CUIRASSE, MERLE, TORTUE
Voir illus. **Armures**

PLAT → BANAL, COURSE HIPPIQUE, ÉGAL, FACILE, HISTOIRE, INSIGNIFIANT, OS, PLATEAU, PRÉPARATION, RELIURE, REPAS, TALON, TERNE, TRICOT, TUILE, VAISSELLE
Voir illus. **Livre relié**
Voir tab. **Vin (vocabulaire du)**

PLAT (1)
Voir tab. **Plats régionaux**

PLAT (2) aplanir, aplatir, banal, camard, camus, comprimer, écaché, écraser, fade, insipide, médiocre, mince, nivelé, plaine, plan, plateau, prosaïque, quelconque, régulier, uni

PLAT (À) → DÉGONFLÉ, MOTEUR, SOUDURE, ZÉRO

PLAT (EN) → COURSE

PLAT (NŒUD)
Voir illus. **Nœuds**

PLAT À GÂTEAUX → VAISSELLE

PLAT DE CÔTES
Voir illus. **Porc**

PLAT DE CÔTES COUVERT
Voir illus. **Bœuf**

PLAT DE DOS
Voir illus. **Sièges**

PLAT DE TRANCHE GRASSE
Voir illus. **Bœuf**

PLATANISTIDÉS → DAUPHIN

PLATE → RIME
Voir tab. **Bateaux**

PLATE D'ARMURE
Voir illus. **Armures**

PLATEAU → BALANCE, BASSIN, FILM, PLAT (2), SCÈNE
Voir illus. **Bicyclette**
Voir illus. **Désert**

PLATEAU bassin, bassinet, causse, corbeille, damier, échiquier, éventaire, go-ban, hamada, haut-fond, mesa, pick-up, planches, planèze, plat, platine, puna, scène, tréteaux

PLATEAU DU CLAVIER
Voir illus. **Piano**

PLATE-BANDE → BANDEAU, FLEUR, MANTEAU, MOULURE
Voir illus. **Intérieur de maison**
Voir tab. **Architecture**

PLATE-FORME → AIRE, BASE, FLOTTANT, PÉTROLE, PROGRAMME, QUAI, TERRASSE
Voir tab. **Informatique**

PLATE-FORME balcon, banquette, barbette, base, belvédère, épaule, estrade, hourd, mezzanine, podium, programme, replat, ring, terrasse, tribune

PLATE-FORME CONTINENTALE
Voir illus. **Terre**

PLATHELMINTHES
Voir tab. **Animaux (classification simplifiée des)**

PLATINE → HORLOGERIE, MICROSCOPE, PLATEAU, PLI
Voir tab. **Anniversaires de mariage**
Voir tab. **Éléments chimiques (symbole des)**

PLATINE bijouterie, joaillerie, lecteur laser, osmium, platinifère, rhodium, ruthénium, soudure, tourne-disque

PLATINÉ → BLOND
Voir tab. **Couleurs**

PLATINIFÈRE → platine

PLATINITE → NICKEL

PLATITUDE → BANALITÉ, MÉDIOCRITÉ, PAUVRETÉ

PLATITUDE banalité, cliché, fadaise, insipidité, lieu commun, stéréotype, truisme

PLATONIQUE → SPIRITUEL

PLATONIQUE abstrait, chaste, éthéré, pur, théorique

PLÂTRAGE → FERTILE, TERRE

PLÂTRAS → DÉMOLITION, PLÂTRE, TAS

PLÂTRE → CALCIUM, DURCIR, FRACTURE, MAÇONNERIE, MATÉRIAU, RÉDUCTION
Voir tab. **Minéraux et utilisations**

PLÂTRE auge, entrevous, gâche, gâchis, gobetis, gypse, hourder, lambrisser, ornemaniste, pigeon, plâtras, ruiler, staff, stuc

PLÂTRÉ → ÉCHARPE

PLÂTRER → IMMOBILISER

PLÂTRIER → BÂTIMENT

PLATYCNÉMIE → TIBIA

PLAUSIBLE → BON (1), PROBABLE, VRAISEMBLABLE

PLAUSIBLE acceptable, admissible, concevable, crédible, pensable, possible, probable, recevable, vraisemblable

PLAZA → CORRIDA

PLÈBE → FOULE

PLÉBÉIEN → POPULAIRE

PLÉBISCITE → CONSULTATION, RÉFÉRENDUM

PLÉBISCITER → ÉLIRE

PLECTRE → GUITARE

PLECTRE bouzouki, cithare, guitare, mandoline, médiator

PLÉIADE → GROUPE, POÈTE

PLEIN → COMBLE (2), INTENSE, IVRE, OBUS, PARFAIT, RAS (1), ROND (2), SATURÉ, SURCHARGER, TOTAL, VELOURS
Voir tab. **Vin (vocabulaire du)**

PLEIN absolu, ample, bondé, chaud, comble, compact, complet, déborder, dense, entier, haute, imbu, infatué, massif, parfait, plénipotentiaire, rassasié (être), regorger, repu, saturé, suave, total

PLEIN (ÊTRE) → GROUILLER

PLEIN AIR → ÉTOILE

PLEIN CINTRE
Voir illus. **Arcs**
Voir illus. **Voûtes**

PLEIN RÉGIME → VITESSE

PLEINE LUNE
Voir illus. **Lune**

PLEINS GAZ → VITE

PLÉISTOCÈNE
Voir tab. **Géologiques (échelle des temps)**

PLÉNIÈRE → GÉNÉRAL

PLÉNIPOTENTIAIRE → AMBASSADEUR, DÉLÉGUÉ, DIPLOMATE, ENVOYÉ, PLEIN, POUVOIR

PLÉNITUDE → ADULTE, COMPLET, INTÉGRITÉ

PLÉNITUDE abondance, ampleur, bonheur, contentement, épanouissement, force de l'âge, intégralité, maturité, profondeur, totalité

PLÉNUM → ASSEMBLÉE

PLÉON → CRUSTACÉ

PLÉONASME → ABUS, RÉPÉTITION
Voir tab. **Rhétorique (figures de)**

PLÉONASME comme par exemple, descendre en bas, dune de sable, jour d'aujourd'hui (au), monter en haut, périssologie, prévenir à l'avance, redondance, répétition, tautologie, voire même

PLÉONASTIQUE → RÉCURRENT

PLESSIS-ROBINSON (LE)
Voir tab. **Habitants (comment se nomment les)**

PLÉTHORE → ABONDANCE, CONGESTION, EXCÈS, PROFUSION, SANG, VAISSEAU

PLEUR → CHAGRIN, LARME, SÈVE

PLEUR jérémiade, lamentation, larme, plainte, pleurer, répandre des larmes, sanglot, sangloter, vagissement

PLEURAGE → DÉFORMATION

PLEURANT → TOMBEAU

PLEURER → DÉPLORER, PLEUR, REGRETTER

PLEURER affliger (s'), brailler, déplorer, fondre en larmes, hurler, lamenter (se), larmoyer, pleurnicher, sangloter

PLEURÉSIE → ÉPANCHEMENT

PLEUREUR → PUITS, SAULE

PLEURNICHER → PLEURER

PLEURODYNIE → POINT

PLEUTRE → LÂCHE, PEUREUX, POLTRON, VEINE, VENTRE

PLEUVOCHER → PLEUVOIR

PLEUVOIR → IMPERSONNEL

PLEUVOIR abondamment, abonder, bruiner, pleuvocher, pleuvoter, pulluler

PLEUVOTER → PLEUVOIR

PLÈVRE → ENVELOPPE, MEMBRANE, POITRINE, POUMON

Voir illus. **Respiratoire (système)**

PLEXIGLAS → PLASTIQUE (1), VERRE

PLEXUS → NERF, RÉSEAU, VEINE

PLEXUS SOLAIRE → ABDOMEN

PLI → CORRESPONDANCE, LETTRE, LEVÉE, MESSAGE, MISSIVE, ONDULATION, RIDE

Voir tab. **Belote**

Voir tab. **Bridge**

Voir tab. **Couture**

Voir tab. **Tarot**

PLI accordéon (en), anticlinal, axe, bouillon, bourrelet, charnière, commissure, corne, courrier, creux, drapé, éminence, faire des difficultés (ne pas), fanon, froissure, fronce, godage, godron, habitude, lettre, levée, message, missive, noyau, ondulation, oreille, pince, platine, plissement, pliure, poser des problèmes (ne pas), ride, saignée, sinuosité, smocks, soleil, synclinal, troussis, tuyau

PLIABLE → SOUPLE

PLIANT → SIÈGE

Voir illus. **Sièges**

PLIÉ → SOUPLE

Voir tab. **Danse classique**

PLIER → FAIBLIR, CÉDER, CONFORMER, ÉCHINE, FAIBLIR, FLÉCHIR, HABITUER, INCLINER, SOUMETTRE, TORDRE

PLIER affaisser (s'), arquer, astreindre (s'), casser, céder, cintrer, conformer (se), contraindre (se), corner, courber, discipliner (se), fausser, fermer, fléchir, incliner (s'), obéir à, pencher (se), plisser, ployer, rabattre, résigner (se), rompre, rouler, soumettre (se)

PLIER BAGAGE → CAMP

PLINTHE → COLONNE, STATUE

Voir illus. **Colonnes**

Voir illus. **Intérieur de maison**

PLIOCÈNE

Voir tab. **Géologiques (échelle des temps)**

PLIOIR

Voir tab. **Pêche**

PLISSEMENT → ACCIDENT, MOUVEMENT, PLI, RIDE

PLISSER → FRONCER, PLIER

PLISSER cligner, froncer, godronner, rider (se), ruflette

PLIURE → PLI

PLOC → GOUDRON

PLOCÉIDÉS → MOINEAU

PLOIE → FAIBLIR

PLOMB → BALLE, CARTOUCHE, MÉTAL, SCEAU

Voir illus. **Cartouches**

Voir tab. **Collectionneurs**

Voir tab. **Éléments chimiques (symbole des)**

PLOMB affinage, agglomération, aplomb, cendrée, céruléen, céruse, cérusite, chevrotine, cuproplomb, dragée, éponge, épuration, fusion réductrice, galène, graphite, grenaille, grillage, linotype, litharge, massicot, menuise, métallurgie, minium, pattinsonage, Pb, plombagine, plombé, plombifère, potin, saturnisme, saumon, verticalité

PLOMB 214 → RADIUM

PLOMBAGE → DENTAIRE

PLOMBAGINE → CRAYON, MINE, PLOMB

Voir tab. **Minéraux et utilisations**

PLOMBÉ → BLÊME, LIVIDE, PLOMB

Voir tab. **Couleurs**

PLOMBÉE → FILET

Voir tab. **Pêche**

PLOMBER → BOULE, FERRER, VÉRIFIER

PLOMBER lester, sceller

PLOMBERIE → ROBINET

PLOMBIER → BÂTIMENT, FUITE

PLOMBIÈRE → DESSERT, GLACE

PLOMBIFÈRE → PLOMB

PLOMBOPHILE

Voir tab. **Collectionneurs**

PLOMBURE → VITRAIL

PLOMMÉE → MASSE

PLONGE → PARTIR, PLONGEUR

PLONGÉ → ABSORBÉ, CONCENTRÉ

PLONGÉE

Voir tab. **Cinéma**

Voir tab. **Sports**

PLONGEOIR → PLONGER

PLONGEON

Voir tab. **Oiseaux (classification simplifiée des)**

Voir tab. **Sports**

PLONGEON arrière, avant, carpé, coup de pied à la lune, droit, équilibre (en), groupé, renversé, retourné, saut, saut de l'ange, tire-bouchon

PLONGEON ACROBATIQUE → NATATION

PLONGER → BAIGNER, DESCENDRE, ENFONCER, INTRODUIRE, JETER, LANCER, SOMBRER, TREMPER

PLONGER abattre (s'), baigner, bathyscaphe, bathysphère, enfoncer, enfouir, examiner, fondre, fourrer, immerger, introduire, jeter, mettre, observer, piquer, plongeoir, précipiter, sauter, scruter, tremper, tremplin

PLONGER (SE) → LIVRER

PLONGER (SE) abîmer (s'), absorber (s'), abstraire (s'), perdre (se)

PLONGEUR → LAVEUR, RESTAURANT, VAISSELLE

PLONGEUR bouteille d'oxygène, combinaison, homme-grenouille, lunettes, mélangeur, palme, plonge, puiseur, scaphandrier, torche, trempeur, tuba, vaisselle

PLOQUER → LAINE

PLOUF

Voir tab. **Bruits**

PLOUTOCRATIE → GOUVERNEMENT, RICHE (2)

PLOYER → COURBER, FLÉCHIR, FLÉCHIR, PLIER

PLOYER élasticité, flexibilité, souplesse

PLS (POSITION LATÉRALE DE SÉCURITÉ) → MALAISE

PLUG & PLAY

Voir tab. **Informatique**

PLUIE → AVERSE, INTEMPÉRIE, ORAGE, PERTURBATION, PRÉCIPITATION

PLUIE averse, brouillasse, bruine, cataracte, chéneau, condensation, crachin, déclenchement, déluge, drache, embruns, giboulée, gouttière, grain, grêle, grésil, impluvium, ondée, pluie d'abat, pluvial, pluviométrie, poudrin, précipitation, rincée, saturation, trombe d'eau

PLUIE D'ABAT → PLUIE

PLUMAGE → PLUME

PLUM CAKE

Voir tab. **Gâteaux régionaux et étrangers**

PLUME → BOXEUR, ÉCRITURE, OREILLER, STYLE

Voir illus. **Oiseau**

Voir tab. **Boxe anglaise**

Voir tab. **Savate ou boxe française**

PLUME aigrette, barbe, barbule, couette, croupion, duvet, écrire, édredon, houssoir, huppe, léger, oreiller, pennage, penne, penniforme, plumage, plumeau, plumule, pseudonyme, ptérylie, rectrice, rémige, tectrice

PLUMEAU → BALAI, PLUME

PLUMEAU épousseter, houssoir

PLUMER dépouiller, escroquer, voler

PLUMET → PANACHE

PLUMETIS → BRODERIE

Voir tab. **Couture**

Voir tab. **Tissus**

PLUMIER → TROUSSE

PLUMITIF → BUREAU, ÉCRIVAIN, JOURNALISTE

PLUM PUDDING

Voir tab. **Gâteaux régionaux et étrangers**

PLUMULE → PLUME

PLUPART (LA) → NOMBRE, PARTIE

PLUPART (LA) généralement, habitude (d'), majorité (la), ordinaire (d'), plus grand nombre (le), souvent

PLURAL → VOTE

PLURALISTE → PLUSIEURS

PLURALITÉ → DIVERSITÉ

PLURIDISCIPLINAIRE → DISCIPLINE, NOMBREUX, PLUSIEURS

PLURIEL duel

PLURILINGUE → LANGUE

PLURINOMINAL → SCRUTIN

PLURIVOQUE → PLUSIEURS

PLUS → OUTRE

PLUS arrêter, autre part (d'), beaucoup, bon nombre, cesser de, davantage, demeurant (au), exactement, interrompre, juste, majeure, moindre, outre (en), particulièrement, peu ou prou, principalement, surcroît (de), trop

PLUS (EN) → MALHEUR, OUTRE, OUTRE, SURCROÎT

PLUS GRAND NOMBRE (LE) → PLUPART (LA)

PLUS OU MOINS → VAGUEMENT

Voir tab. **Mathématiques (symboles)**

PLUSIEURS → BEAUCOUP, DIVERS, INDÉFINI, INDÉFINI, NOMBRE, UN

PLUSIEURS différent, divers, interdisciplinaire, maint, multidisciplinaire, multiple, nombreux (de), pluraliste, pluridisciplinaire, plurivoque, polyandre, polygame, polysémique, polyvalent

PLUS-QUE-PARFAIT → PASSÉ (1)

PLUS-VALUE → PROFIT, RECETTE, VALEUR

PLUTON → MORT (1), PLANÈTE, SOLAIRE

Voir illus. **Système solaire**

Voir tab. **Astrologie**

Voir tab. **Planètes du système solaire**

PLUTONIQUE → ROCHE

PLUTONIUM → CENTRALE NUCLÉAIRE, URANIUM

Voir tab. **Éléments chimiques (symbole des)**

PLUTÔT → LIEU, PRÉFÉRENCE

PLUVIAL → PLUIE

PLUVIER → GIBIER

PLUVIEUX → HUMIDE

PLUVIOMÈTRE → MÉTÉOROLOGIE

Voir tab. **Instruments de mesure**

PLUVIOMÉTRIE → PLUIE

PLUVIÔSE → JANVIER

Voir tab. **Mois du calendrier républicain**

PM

Voir tab. **Éléments chimiques (symbole des)**

PMA (PAYS MOINS AVANCÉS) → PAUVRE

PME

Voir tab. **Entreprise (vocabulaire de l')**

Voir tab. **Monnaie**

PMI → BÉBÉ

PNEU → ROUE

Voir illus. **Bicyclette**

PNEU bande de roulement, barrette, boyau, Buna, caoutchouc, chaînes, chambre à air, chape, clous, coton, crampon, épaulement, flanc, rayonne, rechapé

PNEUMATIQUE → AIR, COMPRIMÉ (2), MESSAGE

PNEUMOCONIOSE → POUMON

PNEUMOCOQUE

Voir tab. **Vaccins**

PNEUMOGRAPHIE → POUMON

PNEUMOLOGUE → MÉDECIN

PNEUMONECTOMIE → POUMON

PNEUMONIE → CONGESTION, POITRINE, POUMON

PNEUMOTHORAX → TUBERCULOSE

PO

Voir tab. **Éléments chimiques (symbole des)**

POCHADE → ESQUISSE

POCHE → ACIER, BILLARD, CUILLER, PAQUET

POCHE abcès, amnios, bourse, cavité, gilet, gousset, jabot, pochette, pochon, pochothèque, sac, sachet, saillie

POCHER → MEURTRIR

POCHETTE → MOUCHOIR, POCHE, SAC, TROUSSE

POCHOIR → IMAGE

POCHON → POCHE, POT

POCHOTHÈQUE → POCHE

POCHOUSE → SOUPE

POCHOUSE VERDUNOISE

Voir tab. **Plats régionaux**

PODAGRE → GOUTTE, PIED

PODARGE

Voir tab. **Oiseaux (classification simplifiée des)**

PODESTAT → ITALIEN (2)

PODIUM → PLANCHER, PLATE-FORME, SCÈNE, SURÉLEVÉ

PODOLOGIE → PIED

PODOMÈTRE → DISTANCE

PODZOL → SOL

Voir tab. **Géographie et géologie (termes de)**

PODZOLISÉ → DÉLAVÉ

PŒCILE → PORTIQUE

PŒCILOTHERME → FROID (2)

POÊLE → CASSEROLE, CHAUFFAGE, FEU

POÊLE cendrier, crêpière, creuset, fourneau, foyer, grille, insert, magasin, poêlée, salamandre, sauteuse, tuyau

POÊLE À BLINIS → USTENSILE

POÊLÉE → POÊLE

POÊLON → CASSEROLE, USTENSILE

POÈME → ROMAN (1)

POÈME acrostiche, anthologie, ballade, blason, cadence, calligramme, cantilène, canzone, dithyrambe, églogue, élégie, épithalame, fatrasie, florilège, haïku, hymne, idylle, lai, lied, ode, palinodie, pantoum, pastorale, priapée, prose (en), psaume, rhapsodie, rime, rotruenge, sirventès, stances, stichomythie, strophe, tenson, vers libres, villanelle, virelai

POÈME ÉPIQUE → RHAPSODIE

POÉSIE

Voir tab. **Muses**

POÉSIE allégorie, Calliope, divan, Érato, flûte de Pan, luth, lyre, mélique, métaphore, métrique, pipeau, Polymnie, prosodie, symbole, versification

POÈTE → ÉCRIVAIN

POÈTE aède, barde, félibre, griot, jongleur, laurier, luth, lyre, ménestrel, minnesänger, Parnasse, Pléiade, poétereau, poétesse, rhapsode, rimailleur, scalde, troubadour, trouvère

POÉTEREAU → POÈTE

POÉTESSE → POÈTE

POÉTIQUE → ROMANTIQUE

POGNE

Voir tab. **Gâteaux régionaux et étrangers**

POGROM → ATTAQUE, JUIF (2), PERSÉCUTION

POIDS → CORPS, FARDEAU, IMPORTANCE, INFLUENCE, POUSSÉE, PRESSION, REMORDS

POIDS autorité, baresthésie, barymétrie, discale, faix, fardeau, force, freinte, haltérophilie, impondérable, influence, kilogramme, lourdeur, pesanteur, pondérable, pondéreux, portée, poussée, prépondérant, pression, quintal, tare, tonne, traction, valeur

POIDS (LANCER DU)

Voir tab. **Sports**

POIDS-LOURD → CAMION, VÉHICULE

POIGNANT → DÉCHIRANT, DRAMATIQUE, ÉMOUVANT, PASSIONNANT, PATHÉTIQUE (2), PÉNIBLE, TRAGIQUE

POIGNARD → BLANC (1), COUTEAU

POIGNE → FERMETÉ, MAIN

POIGNÉE → BOUTON, OREILLE

Voir illus. **Arcs et arbalète**

Voir illus. **Fusils**

Voir illus. **Intérieur de maison**

Voir illus. **Violon**

Voir tab. **Tarot**

POIGNÉE béquille, bouton, clenche, dragonne, espagnolette, manche, maneton, manette, queue

POIGNÉE DE MAIN → CONTACT

POIGNET → ATTACHE, BRAS

Voir tab. **Couture**

POIGNET bracelet, carpe, gourmette, manchette, pisiforme

POÏKILOTHERME → FROID (2), TEMPÉRATURE

POIL → BROSSE, DÉFAUT, FOURRURE, PELAGE, SELLE

Voir illus. **Peau**

Voir tab. **Phobies**

POIL ægagropile, alopécie, arrecteur, atrichie, barbe, bézoard, bulbe, cortex, crin, cuticule, dépilatoire, épiler, foin, follicule, fourrure, gaine, glabre, hirsutisme, horripilateur, hypertrichose, imberbe, kératine, mentagre, moelle, moustache, mue, pelage, pigment, pilifère, pilosisme, pilosité, racine, robe, soie, taroupe, tige, toison, tomenteux, velu, vibrisse, villeux

POILANT → DRÔLE (2), HILARANT

POILU → GUERRE, SOLDAT

POINCARÉ (RAYMOND)

Voir tab. **Rois et chefs d'État de la France**

POINÇON → AIGUILLE, BIJOU, BRODERIE, CACHET, CHIFFRE, CISEAU, CONTRÔLE, FERME (1), GARANTIE, GRAVER, MARQUE, OR, PERÇANT, SCEAU

Voir illus. **Charpente**

Voir illus. **Maison**

POINÇON alène, ciseau, coin, composter, emboutissoir, épissoir, estampille, étampe, greffe, insculper, label, mandrin, pointeau, style, stylet, timbrage, traçoir

POINÇONNER → FRAPPER, PERCER, PERFORER, TROUER

POINDRE → LEVER, PARAÎTRE, POINTER, SORTIR, SURGIR

POINSETTIA → ÉTOILE

POINT → ARTICLE, NAISSANCE, PAS (2), PONCTUATION, QUESTION, SEUIL, SUJET

Voir illus. **Héraldique**

Voir tab. **Héraldique (vocabulaire de l')**

POINT acupuncture, analyse, apogée, article, controverse, coordonnée, crête, degré, emplacement, endroit, étang, examen, exhaustivement, faîte, fontaine, intensité, latitude, lieu, longitude, mare, marque, méridien, méthodiquement, minutieusement, nadir, opinion, opportunément, origine, paragraphe, paroxysme, pic, pixel, pleurodynie, ponctuation, position, problème, propos (à), puits, question, radiant, score, sentiment, sommet, source, sujet, summum, suture (de), zénith

POINT (À) → VIANDE

POINT (FAIRE LE) → RÉCAPITULER

POINT (SUR LE) → APPRÊTER (S'), PRÈS

POINT AVEUGLE

Voir illus. **Œil**

POINT BLANC → BOUTON

POINT CULMINANT → SOMMET

POINT DAMIER → TRICOT

POINT DE DÉPART → PRÉTEXTE, SOURCE

POINT DE GRILLE → TRICOT

POINT DE HONGRIE → PARQUET, TRICOT

POINT DE MIRE → BUT, CIBLE

POINT D'ENCOCHAGE

Voir illus. **Arcs et arbalète**

POINT DE PENALTY

Voir illus. **Football**

POINT DE VUE → ASPECT, ATTITUDE, AVIS, ÉCLAIRAGE, JUGEMENT, OPINION, OPTIQUE, PAYSAGE, PENSÉE, PERSPECTIVE, SENTIMENT, SITE

POINT D'EXCLAMATION → PONCTUATION

POINT D'INTERROGATION → INTERROGATION, PONCTUATION

POINT D'IRLANDE → DENTELLE

POINT D'ORGUE → PROLONGATION

Voir tab. **Musique (vocabulaire de la)**

POINT DU JOUR → LEVER DU JOUR, MATIN, TÔT

POINT FAIBLE → DÉFAUT

POINT GAMMA → ZODIAQUE

POINT LANCÉ

Voir tab. **Couture**

POINT LEVÉ

Voir tab. **Couture**

POINT MOUSSE → TRICOT

POINT NOIR → BOUTON, PORE

POINT VÉLIQUE → VOILURE

POINT VERNAL → ZODIAQUE

POINTAGE → CONTRÔLE, VÉRIFICATION

POINTAGE appel, badge, comptage, contrôle, enregistrement, vérification

POINTE → AFFLUENCE, AVANT-GARDE, BOUT, BRIN, BURIN, CAP, CISEAU, CLOU, COUCHE, ÉPINE, FER, FICHU, FOULARD, GRAIN, IRONIE, MODERNE, MOUCHOIR, PIQUANT (2), PIQUE, SOMMET, SOUPÇON, TOUCHE, TRACE, ZESTE

Voir illus. **Arcs et arbalète**

Voir illus. **Héraldique**

Voir illus. **Violon**

Voir tab. **Dessin (vocabulaire du)**

Voir tab. **Forme de... (en)**

Voir tab. **Phobies**

POINTE aiguille, allusion blessante, apex, ardillon, avant-garde (d'), binet, bout, burin, cime, ciseau, cuspide, dard, dose, épine, estoc, extrémité, faîte, flèche, grain, mucron, pic, pincée, pique, rappointis, sommet, soupçon

POINTE AVANT

Voir illus. **Aviron**

POINTE D'AIGUILLE → SUBTILITÉ

POINTE D'ATTACHE

Voir illus. **Piano**

POINTE DE FILET

Voir illus. **Porc**

POINTE DE HAMPE

Voir illus. **Drapeaux**

POINTE EN CUIVRE → PARATONNERRE

POINTE SÈCHE → BURIN

POINTEAU → POINÇON, VIS

POINTER → BOULE, CONTRÔLER, PERCER

POINTER braquer, cocher, composteur, contrôler, diriger, élancer (s'), élever (s'), émarger, émerger, enregistrer, jaillir, marquer, monter, orienter, percer, poindre, pointeuse, surgir, vérifier, viser

POINTEUSE → POINTER

POINTILLE → POINTILLEUX

POINTILLÉ (EN) → DISCONTINU

POINTILLÉ (EN) discrètement, implicitement

POINTILLEUX → EXIGEANT, MANIAQUE (2), MÉTICULEUX, MINUTIEUX, SCRUPULEUX

POINTILLEUX argutie, chicane, consciencieux, ergoteur, formaliste, maniaque, méticuleux, minutieux, pointille, scrupuleux, tatillon, vétilleux

POINTILLISME → TOUCHE

Voir tab. **Peinture et décoration**

POINTS DE CHUTE

Voir tab. **Tarot**

POINTS DE PASSE

Voir tab. **Tarot**

POINTS DE SUSPENSION → PONCTUATION

POINTU → ACÉRÉ, PIQUANT (2), SUBTIL

POINTU acéré, aigu, criard,

piquant, précis, spécialisé, technique

POINTURE → CALIBRE, CARRURE, DIMENSION, TAILLE

POINT-VIRGULE → PONCTUATION

POIRE → BOUTON, EAU-DE-VIE, SONNETTE

Voir tab. **Alcools et eaux-de-vie**

Voir tab. **Forme de... (en)**

Voir tab. **Gâteaux régionaux et étrangers**

POIRE bergamote, beurré, blet, bon-chrétien, comice, conférence, crassane, doyenné, dupe, guyot, halbi, liard, mouille-bouche, muscadelle, naïf, négocier, partager, piriforme, poiré, poiret, rousselet, transiger, williams

POIRE (EN) → PERLE

POIRE D'ANGOISSE → TORTURE

POIRÉ → CIDRE, NORMAND, POIRE

Voir tab. **Alcools et eaux-de-vie**

POIREAU

Voir tab. **Végétaux (classification simplifiée des)**

POIREAU attendre, bulbe, flamiche, liliacées, porracé

POIRÉE → BLETTE

POIRET → POIRE

POIS CHICHE → LÉGUME

POISCAILLE

Voir tab. **Prostitution**

POISON → SORCIÈRE, VENIN

POISON acide sulfurique, alcaloïde, alexitère, antidote, arsenic, atropine, caféine, cicutine, codéine, colchicine, contrepoison, curare, cyanure, empoisonnement, intoxication, mancenillier, mithridatisation, morphine, nicotine, opium, phosphore, soude, strychnine, toxémie, toxicologie, toxine, toxique, upas, venin

POISSE → MALCHANCE

POISSEUX → COLLANT, GLUANT, GRAS, SALE

POISSON

Voir tab. **Animaux (classification simplifiée des)**

Voir tab. **Élevages**

Voir tab. **Forme de... (en)**

POISSON alevin, anal, barbillon, branchie, brouaille, caudal, dorsal, frai, fraîchin, frayère, fretin, friture, ichtyoïde, ichtyolithe, ichtyologie, ichtyophage, ichtyosisme, laitance, laite, menuise, nourrain, pectoral, pelvien, pisciculture, pisciforme, piscivore

POISSON DE SAINT CHRISTOPHE → DORÉE

POISSON-CHAT

Voir tab. **Poissons (classification simplifiée des)**

POISSON-CRAPAUD

Voir tab. **Poissons (classification simplifiée des)**

POISSONNIER → MARÉE

Voir tab. **Saints patrons**

POISSONNIÈRE → USTENSILE

POISSONS

Voir tab. **Astrologie**

Voir tab. **Zodiaque**

POISSON-SCIE

Voir tab. **Poissons (classification simplifiée des)**

POISSON-SPATULE

Voir tab. **Poissons (classification simplifiée des)**

POITRAIL → POITRINE

POITRAIL ars, bourbelier, bricole, poitrinière

POITRINE → BUSTE, GORGE, GORGE

Voir illus. **Mouton**

Voir illus. **Oiseau**

Voir illus. **Porc**

Voir illus. **Veau**

POITRINE angine, angor, bourbelier, bronche, buste, cœur, décolleté, diaphragme, fluxion, gorge, pectoral, plèvre, pneumonie, poitrail, poumon, sein, thorax, torse, tuberculose

POITRINIÈRE → COURROIE, POITRAIL

POIVRADE → POIVRE

POIVRE

Voir tab. **Herbes, épices et aromates**

POIVRE blanc, Cayenne (de), gris, grisonnant, Guinée (de), long, mignonnette, noir, peppermint, pipérine, poivrade, rose, sauvage, vert

POIVRE D'ÂNE

Voir illus. **Fromages**

POIVRE ET SEL → GRIS

POIVRÉ → ÉPICE, MENTHE, PIQUANT (2), SALÉ

POIVRIER

Voir tab. **Vols (types de)**

POIVRIER bétel, cubèbe, kawa, pipéracées

POIVRIÈRE → GUÉRITE, TOUR

POIVRON → PIMENT

POIVROT → IVROGNE

POIX → COLLE, GOUDRON

POKER → CARTE, JEU

POKER bluff, brelan, carré, cave, double paire, flush, full, paire, quinte, quinte flush

POKER D'AS → DÉ

POLACRE → VOILIER

POLAIRE → PÔLE

Voir illus. **Cartes géographiques**

POLAR → POLICIER (2)

POLARI

Voir tab. **Argot et langages populaires**

POLARIMÈTRE

Voir tab. **Instruments de mesure**

POLAROÏD

Voir tab. **Photographie (vocabulaire de la)**

POLATOUCHE → ÉCUREUIL

POLDER → MARAIS, MER, TERRE

Voir tab. **Géographie et géologie (termes de)**

PÔLE → BORNE, FOYER, PILE

Voir illus. **Saisons (mécanisme des)**

Voir tab. **Électricité**

PÔLE antarctique, arctique, austral, boréal, centre, circumpolaire, cœur, électrode, extrémité, méridien, méridional, noyau, nutation, polaire, précession, septentrional

POLÉMIQUE → BAGARRE, CHICANE, COMBAT, CONTROVERSE, DÉBAT, DISCUSSION, QUERELLE, QUESTION

POLÉMIQUER → DÉBATTRE, DISCUTER

POLÉMISTE → JOURNALISTE

POLÉMOLOGIE → GUERRE, MILITAIRE (2)

Voir tab. **Sciences : termes en -ologie et -ographie**

POLENTA → BOUILLIE, ITALIEN (2), MAÏS

Voir tab. **Spécialités étrangères**

POLI → CORRECT, COURTOIS, ÉLEVÉ, GENTIL, LISSE, LISSE, PATINE, RAFFINÉ, SOCIABLE, SOIGNÉ, TIÈDE

POLI (1) brillant, brunissage, lustre, patine, polissure

POLI (2) affable, aimable, amène, courtois, éconduire, galant, maniéré, obligeant, obséquieux, prévenant, respectueux, révérencieux

POLICE → ASSURANCE, DROIT (1), ORDRE

Voir tab. **Assurance (vocabulaire de l')**

POLICE administrative, agent, anthropométrie, antigang, BAC (brigade anti-criminelle), balance, bertillonnage, brigadier, commissaire, commissariat, CRS (Compagnie républicaine de sécurité), dénonciateur, détective, DST (Direction de la surveillance du territoire), enquêteur, gardien de la paix, gendarmerie, îlotier, indicateur, inspecteur, Interpol, IGS (Inspection générale de la police nationale), judiciaire, ministère de l'Intérieur, perquisition, préventif, répressif, RG (Renseignements généraux)

POLICER → CORRIGER

POLICHINELLE → BOSSE, BOUFFON (1), COMIQUE, MARIONNETTE, PANTIN

POLICHINELLE guignol, gus, pantin

POLICIER → CRIME

POLICIER (1) bobby, carabinier, flic, keuf, perdreau, poulet, sbire, vache

POLICIER (2) abusif, arbitraire, autoritaire, polar, répressif, thriller, tyrannique

POLIOMYÉLITE → MOELLE, PARALYSIE

Voir tab. **Vaccins**

POLIORCÉTIQUE → SIÈGE

POLIR → ABRASIF, CISELER, CORRIGER, DÉCAPER, ÉCLAIRCIR, ÉPURER, FINIR, FROTTER, LIMER, TRAVAILLER, USER

POLIR abrasif, astiquer, bort, brunir, châtier, corriger, doucir, dresser, ébarber, égaliser, égrisée, égriser, émeri, engrener, équarrir, fignoler, fourbir, frotter, gréser, kieselguhr, lécher, lime, lissoir, lustrer, lustroir, meule, mouche, peaufiner, perfectionner, planer, polissoir, ponce, poncer, raboter, sablon, tripoli, varloper

POLISSAGE → MARBRE, PONÇAGE, TOILE ÉMERI

POLISSOIR → ONGLE, POLIR

POLISSOIRE → BROSSE

POLISSON → COQUIN, DIABLE, FRIPON (2), GALOPIN, GAMIN (1), MALICE

POLISSON (1) canaille, chenapan, coquin, fripon

POLISSON (2) gaulois, grivois, leste, libidineux, licencieux, osé, paillard, rabelaisien

POLISSURE → POLI (1)

POLISTE → GUÊPE

POLITESSE → AMABILITÉ, BIENSÉANCE, CIVILITÉ, CONVENANCE, DÉCENCE, DEVOIR, ÉDUCATION, GALANTERIE, MANIÈRE, RELATION, RESPECT, TACT, URBANITÉ

POLITESSE amabilité, bienséance, bonnes manières, cérémonial, civilité, convenance, courbette, décorum, égard, empressement, étiquette, protocole, respect, ronds de jambe, salamalecs, savoir-vivre, tact, usages

POLITICARD → POLITICIEN

POLITICIEN homme d'État, loup, politicard, politique

POLITIQUE → CIVILISATION, INSTITUTION, POLITICIEN, PUBLIC (2), SOUPLE, TACTIQUE

POLITIQUE affaire, agricole, anarchisme, autodétermination, cohabitation, commercial, communisme, conviction, couleur, culturel, dictature, diplomatie, direction, économique, financier, industriel, libéralisme, monarchie, oligarchie, opinion, pacifisme, politologie, république, social, socialisme, stratégie, tactique

POLITIQUE-FICTION → SCIENCE-FICTION

POLITOLOGIE → POLITIQUE (2)

POLJÉ

Voir tab. **Géographie et géologie (termes de)**

POLKA → DANSE

Voir tab. **Danses (types de)**

POLLAKIURIE → URINE

POLLEN → FÉCONDATION, FLEUR, POUSSIÈRE

POLLEN abeille, anémophilie, brosse, entomophilie, étamine, palynologie, pollénographie, pollinie, pollinique, pollinisation, rhume des foins

POLLÉNOGRAPHIE → POLLEN

POLLICITATION → OFFRE

POLLINIE → POLLEN

POLLINIQUE → POLLEN

POLLINISATION → POLLEN

POLLINOSE → RHUME

POLLUÉ → IMPUR

POLLUER → CONTAMINER, EMPOISONNER

POLLUTION → ENVIRONNEMENT, IMPURETÉ, RAVAGE

POLLUTION aérosol, agression, antipollution, bruit, dégazage, désertification, destruction, écologie, fumée d'usine, herbicide, hydrocarbure, insecticide, marée noire, méphitisme, miasme, molysmologie, nuisance, pélagique, pesticide, pestilence, recyclage, tri des déchets, viciation

POLO → BALLE
Voir illus. **Modes et styles**
Voir tab. **Sports**

POLOCHON → OREILLER

POLOGNE
Voir tab. **Saints patrons**

POLONIUM
Voir tab. **Éléments chimiques (symbole des)**

POLONIUM 218 → RADIUM

POLTRON → LÂCHE, PEUREUX, VEINE, VENTRE

POLTRON couard, lâche, peureux, pleutre, pusillanime

POL VUH → RÉCIT

POLYANDRE → FEMME, HOMME, MARI, PLUSIEURS (2)

POLYARTHRITE → ARTICULATION

POLYCHROME → COULEUR

POLYCOPIE → CLICHÉ, COPIE, REPRODUCTION

POLYÈDRE → POLYGONE, PYRAMIDE
Voir illus. **Géométrie (figures de)**

POLYESTER → FIBRE, TEXTILE

POLYÉTHYLÈNE → PLANCHE À VOILE, PLASTIQUE (1)

POLYGAME → BISEXUÉ, HOMME, PLUSIEURS (2)

POLYGLOTTE → LANGUE

POLYGONE
Voir illus. **Géométrie (figures de)**

POLYGONE concave, convexe, hexagone, pentagone, polyèdre, quadrilatère, régulier, triangle

POLYGRAPHE → ÉCRIVAIN

POLYMÉRISATION
Voir tab. **Chimie**

POLYMNIE → POÉSIE
Voir tab. **Muses**

POLYNICE → FRÈRE

POLYNUCLÉAIRE → NOYAU

POLYPHASÉ
Voir tab. **Électricité**

POLYPHÈME → GÉANT

POLYPHONIE → CHANT, CHŒUR

POLYPHONIQUE A CAPPELLA → MESSE

POLYPIER → CORAIL

POLYSARCIE → GROSSEUR

POLYSÉMIE → DOUBLE (2)

POLYSÉMIQUE → MOT, PLUSIEURS (2), SENS

POLYSTYRÈNE → PLASTIQUE (1), RÉSINE

POLYSULFURE → SOUFRE

POLYTECHNICIEN → ÉLÈVE

POLYTHÉISME → DIEU
Voir tab. **Religions et courants religieux**

POLYTHÉISTE → PAÏEN (2), RELIGION

POLYTRAUMATISÉ → BLESSURE

POLYURÉTHANNE → PLANCHE À VOILE, PLASTIQUE (1)

POLYURIE → URINE

POLYVALENT → NOMBREUX, PLUSIEURS (2)

POMELO → AGRUME, HYBRIDE

POMI- → FRUIT

POMMADE → CRÈME, MÉDICAMENT, ONGUENT

POMMADE baume, brillantine, complimenter, crème, embrocation, flagorner, flatter, gel, gomina, lanoline, liniment,

néomycine, onguent, populéum, topique, uve

POMME → BOULE, DOUCHE, FRUIT, MÂT, QUILLE, VERT (1)
Voir tab. **Couleurs**
Voir tab. **Gâteaux régionaux et étrangers**

POMME anone, api (d'), boskoop, calvados, calville, capendu, cidre, corossol, golden, granny, jus, momordique, pommeau, pomoculture, rambour, reine des reinettes, reinette clochard, reinette du Canada, stramonium

POMME D'ADAM → COU
Voir illus. **Bouche, nez, gorge**

POMME DE PIN → PIN

POMME DE TERRE → LÉGUME, PORC

POMME DE TERRE amidon, Andes, belle de Fontenay, binage, bintje, boulangère, brettor, buttage, chips, daresa, dauphine, doryphore, fane, fer, frite, frite, gratin dauphinois, hachis parmentier, iode, kaptah, mildiou, noisette (pommes), potassium, purée, ratte, rosa, roseval, sautées (pommes), solanacées, stella, tartiflette, tubercule, vandel, vitamine C

POMMÉ → CHOU

POMMEAU → BOULE, CANNE, DOUCHE, MONTURE, POMME, SELLE
Voir illus. **Selle**

POMMELÉ → NUAGE, TACHE

POMMETTE → JOUE

POMMIER → ROSACÉE
Voir tab. **Végétaux (classification simplifiée des)**

POMO- → FRUIT

POMOCULTURE → PÉPIN, POMME

POMOLOGIE → FRUIT
Voir tab. **Sciences : termes en -ologie et -ographie**

POMONE → FRUIT, JARDIN, LÉGUME

POMPAGE → ASPIRATION

POMPE → CÉRÉMONIE, ENFLURE, FASTE (1), INCENDIE, LUXE, POSTE, SERRURE, SPLENDEUR, VANITÉ
Voir tab. **Gâteaux régionaux et étrangers**

POMPE apparat, éclat, emphase, faste, gloire, grandiloquence, luxe, magnificence, majesté, pédantisme, splendeur

POMPE (EN GRANDE) → SOLENNEL

POMPÉI → PÉTRIFIÉ

POMPER → ATTIRER

POMPER aspirer, consommer, extraire, ponctionner, prélever, puiser, tirer

POMPES FUNÈBRES → OBSÈQUES

POMPETTE → IVRE

POMPEUX → AFFECTÉ, BOURSOUFLÉ, COMPLIMENT, GUINDÉ, MAJESTUEUX, SENTENCIEUX, SOMPTUEUX

POMPEUX déclamatoire, emphatique, grandiloquent, pédant

POMPIDOU (GEORGES)
Voir tab. **Rois et chefs d'État de la France**

POMPIER
Voir tab. **Saints patrons**

POMPIER Barbe, Laurent, sapeur-pompier, Sauver ou périr

POMPON → HOUPPE
Voir tab. **Superstitions**

POMPON aigrette, boules-de-neige, bouquet, chrysanthème, dahlia, rose

POMPONNER (SE) → COQUETTERIE, PARER

PONANT → OCCIDENT

PONÇAGE → TOILE ÉMERI

PONÇAGE brunissage, décapage, polissage, rabotage

PONCE → ABRASIF, PÉTRIFIÉ, POLIR

PONCEAU → PONT
Voir tab. **Couleurs**

PONCER → ABRASIF, DÉCAPER, FROTTER, POLIR, RELIEF

PONCER lime, papier de verre, pierre ponce, ponceuse, toile émeri

PONCEUSE → DÉCAPER, PONCER

PONCHO → MANTEAU
Voir illus. **Manteaux**
Voir illus. **Modes et styles**

PONCIF → BANALITÉ, CLICHÉ, COMMUN, FAIT, FORMULE, LIEU

PONCIRE → CITRON

PONCTION → CHIRURGIE, PIQÛRE, PRÉLÈVEMENT
Voir tab. **Chirurgie (vocabulaire de la)**

PONCTION aiguille, amniocentèse, biopsie, bistouri, paracentèse, prélèvement, rachicentèse, trocart

PONCTIONNER → POMPER

PONCTUALITÉ → HORAIRE

PONCTUALITÉ assiduité, exactitude, régularité

PONCTUATION → POINT

PONCTUATION *, ?, cadence parfaite, cadence plagale, cadence rompue, crochet, demi-cadence, deux-points, guillemet, parenthèse, point, point d'exclamation, point d'interrogation, points de suspension, point-virgule, tiret, virgule

PONCTUEL → EXACT, HEURE, TEMPORAIRE

PONCTUER → MARQUER

PONCTUER marquer, préciser, scander, souligner

PONDÉRABLE → PESER, POIDS

PONDÉRATION → ÉQUILIBRE, MESURE, RETENUE

PONDÉRATION balance, calme, correspondance, équilibre, mesure, modération, réflexion, répartition, symétrie

PONDÉRÉ → BAVARD, CALME (2), MODÉRÉ, RÉFLÉCHI, SAGE, SÉRIEUX (2), SOBRE

PONDÉREUX → LOURD, POIDS

PONDOIR → PANIER

PONDRE anadrome, nécrophore, nid

PONETTE
Voir tab. **Prostitution**

PONEY → CHEVAL

PONGÉ → SOIE
Voir tab. **Tissus**

PONGITIVE → DOULEUR

PONIFLE
Voir tab. **Prostitution**

PONOTS
Voir tab. **Habitants (comment se nomment les)**

PONT → OUVRAGE, TRANSITION

PONT acier, appontement, aqueduc, arc (en), bau, béton armé, béton précontraint, bois, cantilever, culée, dunette, flottant, gaillard, mobile, passavant, passerelle, pierre, pile, ponceau, pont muletier, ponton, poutres (à), radier, rouf, spardeck, suspendu, tablier, tillac, viaduc, wharf

PONT AÉRIEN → TRANSPORT

PONT AVANT
Voir illus. **Voilier : Dufour 38 Classic**

PONT MULETIER → PONT

PONT VOLANT → BAC

PONTAGE → VASCULAIRE
Voir tab. **Chirurgie (vocabulaire de la)**

PONT-À-MOUSSON
Voir tab. **Habitants (comment se nomment les)**

PONTARLIER
Voir tab. **Habitants (comment se nomment les)**

PONTAULT-COMBAULT
Voir tab. **Habitants (comment se nomment les)**

PONT-BASCULE → BASCULE

PONTE → IMPORTANT, MANDARIN (1)

PONTELLOIS-COMBALUSIENS
Voir tab. **Habitants (comment se nomment les)**

PONTÉPISCOPIENS
Voir tab. **Habitants (comment se nomment les)**

PONTET
Voir illus. **Fusils**
Voir illus. **Pistolet**
Voir illus. **Revolver**

PONTIFE → DIGNITÉ, MANDARIN (1)

PONTIFIANT → MAJESTUEUX, PÉDANT, SAVANT (2), SOLENNEL

PONTIFICAL → PAPAUTÉ

PONTISSALIENS
Voir tab. **Habitants (comment se nomment les)**

PONT-L'ÉVÊQUE → NORMAND
Voir tab. **Habitants (comment se nomment les)**

PONT-LEVIS
Voir illus. **Château fort**

PONTON → PONT

PONTS (LES)
Voir tab. **Écoles (grandes)**

PONT-SAINT-ESPRIT
Voir tab. **Habitants (comment se nomment les)**

PONTUSEAU → PAPIER

POOL → ÉQUIPE, RESSOURCE, SOCIÉTÉ

POP-CORN → MAÏS

POPE → CULTE, PRÊTRE, RELIGIEUX (1)

POPELINE → CHEMISE

POPPERS
Voir tab. **Drogues**

POPULACE → FOULE

POPULAIRE → PEUPLE

POPULAIRE adage, apprécié, argotique, commun, connu, considéré, démocratique, démocratiser, estimé, familier, folklore, laborieux, ouvrier, plébéien, populariser, prolétarien, propager, prager, réaliste, reconnu, renommé, vulgaire, vulgariser

POPULARISER → PEUPLE, POPULAIRE, RÉPANDRE

POPULARITÉ → CÉLÉBRITÉ, IMAGE, RÉPUTATION, SUCCÈS

POPULARITÉ crédit, décote, faveur

POPULATION → DÉMOGRAPHIE, PERSONNE, PUBLIC (1), RÉUNION
Voir tab. **Population**

POPULATION démographie, émigration, immigration, migration, populationniste, recensement, travailleur

POPULATIONNISTE → POPULATION

POPULÉUM → CALMANT, NARCOTIQUE (2), PEUPLIER, POMMADE

POPULEUX → PAUVRE

POPULISME → PEUPLE

POQUER → BOULE

POQUET → SEMER, TROU

PORC → COCHON, PINCEAU, VIANDE
Voir tab. **Animaux (termes propres aux)**

PORC babiroussa, châtaigne, cochon, cochonnet, côtelette, échine, faine, farine d'orge, filet mignon, gland, goret, grognement, groin, hure, jambon, ladrerie, longe, nourrain, paisson, palette, pécari, phacochère, pied, pomme de terre, porcelet, porcins, potamochère, rouelle, rouget, sanglier, soie, son, suidés, travers, trichinose, truie, verrat

PORCELAINE → CÉRAMIQUE, MOLLUSQUE, PIPE
Voir tab. **Anniversaires de mariage**
Voir tab. **Minéraux et utilisations**

PORCELAINE biscuit, céladon, Chine, dur, feldspath, Hollande, kaolin, Limoges, lithophanie, magot, moufle, pagode, parian, porcelainier, quartz, Rouen, Saxe, Sèvres, tendre, truité

PORCELAINIER → PORCELAINE

PORCELET → COCHON, PORC
Voir tab. **Animaux (termes propres aux)**

PORCHAISON → SANGLIER
Voir tab. **Chasse (vocabulaire de la)**

PORCHE → CATHÉDRALE

PORCHE avant-corps, entrée, hall, narthex, vestibule

PORCHERIE → COCHON, FERME (1)

PORCIN → BÉTAIL, HIPPOPOTAME, PORC
Voir tab. **Animaux (termes propres aux)**

PORE → ORIFICE, TROU
Voir illus. **Cellules**
Voir illus. **Peau**

PORE comédon, microporeux, point noir, suer, transpirer, transsuder

POREUX → PERMÉABLE

PORION → CONTREMAÎTRE, ÉQUIPE, MINEUR (1)

PORKÖLT
Voir tab. **Spécialités étrangères**

PORNOGRAPHIQUE → OBSCÈNE, SEXUEL

PORNOPHOBIE
Voir tab. **Phobies**

PORPHYRE → PIERRE, POURPRE (2), ROUGE

PORRACÉ → POIREAU

PORRIDGE → AVOINE, BOUILLIE

PORT → BRANCHE, COL, DÉMARCHE, MAINTIEN, PRIX, TRANSPORT

PORT allure, attitude, bassin, boucau, brise-lames, débarcadère, débardeur, déchargeur, délesteur, digue, docker, embarcadère, goulet, havre, jetée, maintien, môle, port autonome, port franc, présentation, prestance, rade, tenue

PORT AUTONOME → PORT

PORT DE GUERRE → PRÉFECTURE

PORT FRANC → PORT

PORTABLE → MOBILE (2)
Voir tab. **Multimédia (les mots du)**

PORTABLE batterie, cordon d'alimentation, double appel, GSM, housse, kit piéton, kit voiture, messagerie, mobile, renvoi d'appel, texto, WAP

PORTAGE → AVIRON, NAVIGUER, TRANSPORT

PORTAIL → CATHÉDRALE, PORTE
Voir tab. **Internet**

PORTANT
Voir illus. **Aviron**

PORTATIF → MANIABLE

PORTE → ISSUE, PERCÉE, SORTIE, VALLÉE
Voir illus. **Château fort**
Voir illus. **Intérieur de maison**

PORTE bâcle, chasser, congédier, démarche, grille, guichet, judas, linteau, portail, porte charretière, porte cochère, portillon, poterne, remercier, renvoyer, seuil, vantail

PORTE CHARRETIÈRE → PORTE

PORTE COCHÈRE → PORTE

PORTE PLEINE → BUFFET

PORTÉ → SUJET

PORTÉ (ÊTRE) → TENDANCE

PORTE-À-PORTE → DÉMARCHEUR

PORTE-AVIONS
Voir tab. **Bateaux**

PORTE-BAGAGES
Voir illus. **Bicyclette**

PORTE-BONHEUR → AMULETTE, CHANCE, FÉTICHE, PRÉSERVER, TALISMAN

PORTE-BONHEUR amulette, fer à cheval, fétiche, grigri, mascotte, phylactère, talisman, trèfle à quatre feuilles

PORTE-BOUQUET → VASE

PORTE-BOUTEILLES → CASIER

PORTE-CLEFS
Voir tab. **Collectionneurs**

PORTE-CONTENEURS → TRANSPORT
Voir tab. **Bateaux**

PORTE-DOCUMENTS → SAC, SERVIETTE

PORTE-ÉCUELLE
Voir tab. **Poissons (classification simplifiée des)**

PORTÉE → DISTANCE, EFFET, ÉTENDUE, FEMELLE (1), IMPORTANCE, MUSIQUE, PARTITION, PETIT (1), POIDS, RESSORT, SIGNIFICATION, VALEUR
Voir illus. **Arcs**
Voir illus. **Symboles musicaux**

PORTÉE altération, barre de mesure, clef, couvée, hauteur, nichée, niveau, note, nuance, petit, progéniture, rythme, tempo

PORTE-ÉTRIVIÈRE
Voir illus. **Selle**

PORTE-FENÊTRE → TERRASSE
Voir illus. **Intérieur de maison**
Voir illus. **Maison**

PORTEFEUILLE → MINISTRE, TABLE

PORTE-GREFFE → SUJET

PORTE-JARRETELLES → BAS (1)

PORTEMANTEAU → CINTRE

PORTEMINE → CRAYON

PORTE-MONNAIE → SAC

PORTE-MONNAIE ÉLECTRONIQUE
Voir tab. **Monnaie**

PORTE-MORS
Voir illus. **Harnais**

PORTE-OUTIL → BROCHE

PORTE-PAROLE → DÉLÉGUÉ, INTERPRÈTE, NÉGOCIATION

PORTER → AVOIR (1), BIÈRE, DIRIGER, FAIRE, INCITER, INSCRIRE, INVITER, MOUVOIR, PARVENIR, PERLER, PRÊTER, PRODUIRE, REGARD

PORTER accorder, adapter, apporter, arborer, attacher, charrier, coltiner, concerner, convoyer, coucher, donner, élire, emporter, enclin à, exalter, exhiber, inscrire, louer, nommer, nuire, prêter, produire, soutenir, sujet à, supporter, transbahuter, transférer, transporter, vanter

PORTER ASSISTANCE → SECOURIR

PORTER ATTEINTE → COMPROMETTRE, TORT

PORTER AU PINACLE → LOUER

PORTER AU ROUGE → CHAUFFER

PORTER AUX NUES → LOUER

PORTER PRÉJUDICE → TORT

PORTER UN TOAST → CHOQUER, TRINQUER

PORTE-RÊNE
Voir illus. **Harnais**

PORTEUR → BAGAGE, COLIS, MESSAGER, VECTEUR

PORTE-VENT → TUYAU

PORTE-VIRUS → NUISIBLE

PORTE-VOIX → AMPLIFIER

PORTIER → CONCIERGE, ORDRE, SUISSE

PORTIER cerbère, clerc, concierge, gardien, huissier, saint Pierre, suisse

PORTIÈRE → RIDEAU, TENTURE

PORTILLON → PORTE

PORTION → BOUT, BRIBE, ÉLÉMENT, FRACTION, MORCEAU, PART

PORTION arc, lopin, lot, morceau, parcelle, part, ration, section, segment, tranche, tronçon

PORTIQUE
Voir illus. **Colonnes**

PORTIQUE agrès, balançoire, corde,

échelle, galerie, narthex, pœcile, prostyle, torii

PORTLAND → CIMENT

PORTRAIT → IMAGE, PEINTURE

PORTRAIT autoportrait, caricature, description, effigie, figure, image, médaillon, portraitiste, portraitureur, signalement, silhouette, tableau

PORTRAIT (BROSSER LE) → DÉCRIRE

PORTRAIT CRACHÉ → IDENTIQUE

PORTRAIT-ROBOT → DESCRIPTION

PORTRAITISTE → PORTRAIT

PORTRAITURER → PEINDRE, PORTRAIT, REPRÉSENTER

PORT-SALUT
Voir illus. **Fromages**

PORTUGAIS → ROMAN (2)

PORTUGAIS fado, lusophone, manuélin

PORTUGAL
Voir tab. **Saints patrons**

PORTULAN → CARTE, LIVRE, MARIN (2), RECUEIL

PORTUNE → CRABE

POSADA → AUBERGE

POSE → APPLICATION, ATTITUDE, INSTALLATION, MAINTIEN, POSITION, RECHERCHE

POSE attitude, position, posture

POSÉ → GRAVE, IMAGE, MÛR, RÉFLÉCHI, SÉRIEUX (2), TRANQUILLE

POSÉIDON → MER, OCÉAN

POSEMÈTRE → PHOTOGRAPHIE
Voir tab. **Instruments de mesure**
Voir tab. **Photographie (vocabulaire de la)**

POSER → ÉVOQUER, INSTALLER, METTRE, REGARD

POSER arranger, disposer, énoncer, établir, fixer, formuler, jeter, mannequin, mettre, placer

POSER (SE) → CAMPER (SE), ÉRIGER, PERCHER (SE), RANGER (SE)

POSER (SE) atterrir, ériger (s'), jucher (se), percher (se)

POSER DES PROBLÈMES → PLI

POSER DES QESTIONS → INTERROGER

POSEUR → SUFFISANT

POSITIF → ALGÈBRE, EFFECTIF, OPTIMISTE, ORGUE, PHOTOGRAPHIE, RÉEL, UTILITAIRE (2)

POSITIF acquiescer, affirmer, approuver, concret, constructif, créateur, écrit, effectif, entreprenant, favorable, optimiste, positron, prescrit, rationnel, réaliste, réel, visible

POSITION → ATTITUDE, ÉTAT, INCLINAISON, LIEU, OPINION, ORIENTATION, PENSÉE, PLACE, POINT, POSE, POSTURE, RANG, SITUATION, SORT, STATION, STATUT, TRANCHÉE

POSITION assiette, assise, attitude, circonstance, condition, conjoncture, décubitus, emplacement, idée, jugement, localisation, niveau, opinion, place, pose, positionnement, posture, présentation, principe, rang, situation

POSITIONNEMENT → POSITION

POSITIONNER (SE) → SITUER

POSITIVER → CÔTÉ

POSITIVISME → SCIENCE

POSITRON → POSITIF

POSOLOGIE → DOSE, MÉDICAMENT

POSSÉDÉ agité, ensorcelé, envoûté, fou, furieux

POSSÉDER → AVOIR (1), CONNAÎTRE, DISPOSER, HABITER, JOUIR

POSSÉDER avoir, connaître, contenir, contrôler (se), détenir, disposer de, dominer (se), duper, jouir de, maîtriser, maîtriser (se), receler, renfermer, tromper

POSSESSIF → ADJECTIF

POSSESSIF abusif, adjectif, exclusif, jaloux, possessivité, pronom, vampirisme

POSSESSION → FUREUR, JOUISSANCE, PROPRIÉTÉ, RELIGIEUX (2)

Voir tab. **Démonologie**

POSSESSIVITÉ → DÉSIR, POSSESSIF

POSSIBILITÉ → CAPACITÉ, CHANCE, FACULTÉ, HYPOTHÈSE, OCCASION, OPPORTUNITÉ, POTENTIEL (1), POUVOIR, PROBABILITÉ, RENCONTRE

POSSIBILITÉ capacité, cas, compétence, éventualité, faculté, force, hypothèse, limite, loisir, moyen, occasion, opportunité, potentialité, solution, virtualité

POSSIBLE → ÉVENTUEL, PLAUSIBLE, PROBABLE, RÉEL

POSSIBLE concevable, contingent, envisageable, éventuel, faisable, probable, réalisable, recevable, vraisemblable

POSTDATER → DATE

POSTE → ANTENNE, BUDGET, BUREAU, CHARGE, FONCTION, PLACE, RÉCEPTEUR, RELAIS, SITUATION, USINE

POSTE appareil, charge, commissariat, console, distributeur, écran, emploi, fonction, mirador, observatoire, opération, place, pompe, récepteur, situation, station-service, téléviseur, terminal, vigie

POSTE DE PILOTAGE

Voir illus. **Avion**

POSTE D'OBSERVATION → OBSERVATOIRE

POSTE FRONTALIER → BARRIÈRE

POSTER → ÉTABLIR, PLACER

POSTÉRIEUR → FUTUR (2)

POSTÉRIEUR (1) arrière-train, fesse

POSTÉRIEUR (2) arrière, futur, suivant, ultérieur

POSTÉRIEUREMENT → TARD

POSTÉRITÉ → AVENIR, DESCENDANCE, FAMILLE, RACE, SUITE

POSTES

Voir tab. **Architecture**

POSTHITE → PRÉPUCE

POSTHUME → MARIAGE, MORT (1)

POSTICHE → ARTIFICIEL, FAUX (2)

POSTICHE artificiel, extension, factice, faux, moumoute, perruque

POSTILLON → CONDUCTEUR, SALIVE

POSTILLONNER → BAVER

POST-IT → REPÈRE

POSTPOSER → TARD

POST-SCRIPTUM → ADDITION, NOTE

POSTSYNCHRONISER → DOUBLER

POSTULANT → CANDIDAT

Voir tab. **Clergé catholique (vocabulaire du)**

POSTULAT → BASE, COMMENCEMENT, DÉFINITION, DÉMONSTRATION, HYPOTHÈSE, LOGIQUE (1), PRINCIPE, PROPOSITION, RAISONNEMENT, RÈGLE, THÉORIE, VÉRITÉ

POSTULER → CANDIDAT, DEMANDER, REPRÉSENTER, SOLLICITER

POSTURE → ATTITUDE, POSE, POSITION, SITUATION, TENUE

POSTURE allure, assiette, assise, attitude, comportement, maintien, position, situation

POT → BILLE, CHANCE, COLLE, CONSOMMATION

Voir tab. **Papier (formats de)**

Voir tab. **Poker**

POT biaiser, bidon, carafe, cruche, louche, louvoyer, mystère, pochon, récipient, secret, silencieux, tergiverser, tube, tuyau, vase de nuit

POT DE CHAMBRE → MARIAGE, SEAU, VASE

POT DE YAOURT

Voir tab. **Collectionneurs**

POTABLE → BOIRE

POTABLE acceptable, buvable, consommable, passable

POTABLE (NON) → IMPUR

POTAGE → BOUILLON

POTAGE aveugle, bisque, bouillon, brouet, Crécy (à la), gaspacho, julienne, minestrone, velouté

POTAGER → JARDIN, LÉGUME

POTAMO- → FLEUVE

POTAMOCHÈRE → PORC

POTAMOLOGIE → FLEUVE

Voir tab. **Sciences : termes en -ologie et -ographie**

POTAMOPHOBIE

Voir tab. **Phobies**

POTASSE → ALCALI, ALGUE, BASE

POTASSIUM → POMME DE TERRE

Voir tab. **Éléments chimiques (symbole des)**

POT-AU-FEU → BOUILLON, VIANDE

POT-DE-VIN → CADEAU, COMMISSION, DON, ENVELOPPE, GAIN, GRATIFICATION

POTE → CAMARADE

POTEAU → INDICATEUR, POTENCE

Voir illus. **Escalier**

POTEAU balise, barrière, clôture, mât, pieu, pilier, pilori

POTÉE D'ÉMERI → AIGUISER

POTÉE D'ÉTAIN → ÉTAIN

POTELÉ → BOUFFI, CHAIR, ROND (2)

POTELET

Voir illus. **Colombage**

POTENCE → ACCROCHER, PENDAISON, SUPPLICE

POTENCE corde, équerre, estrapade, gibet, girafe, patibulaire, pendaison, poteau, tau

POTENCÉE → CROIX

POTENTAT → DICTATEUR, IMPORTANT, MANDARIN (1), MONARQUE, SOUVERAIN (1), TYRAN

POTENTIALITÉ → FACILITÉ, POSSIBILITÉ, PUISSANCE

POTENTIEL → RÉEL, VIRTUEL

POTENTIEL (1) capacité, conditionnel, force, possibilité, potentiomètre, puissance, ressources, tension, volt

POTENTIEL (2) hypothétique, virtuel

POTENTIOMÈTRE → BALANCE, POTENTIEL (1)

Voir tab. **Instruments de mesure**

POTERIE → ARGILE, VASE

POTERIE biscuiter, céramique, faïence, grès, mat, modelage, moulage, tour, tournage, vernissé

POTERNE → FORTIFICATION, PORTE

POTESTAS → DIGNITÉ

POTIN → BAVARDAGE, COMMÉRAGE, INDISCRÉTION, MÉDISANCE, PLOMB, RUMEUR

POTINER → JASER

POTION → BOISSON, SORCIÈRE

POTION julep, looch, médicament, purge, remède

POTLATCH → CADEAU, DON

POTOMANIE → BOIRE

Voir tab. **Psychiatrie**

POTOROU → KANGOUROU

POT-POURRI → MÉLANGE

POTRON-JAQUET (DÈS) → MATIN

POTRON-MINET (DÈS) → JOUR, MATIN, TÔT

POU → ORGUEIL, VERMINE

POU épouiller, lente, morpion, parasite, pédiculaire des marais, pédiculidés, pédiculose, phtiriase, phtirius, psoque, rickettsiose, staphisaigre, toto, trichodecte, typhus

POUAH → DÉGOÛT

POUBELLE → ORDURE

POUCE → DOIGT, LONGUEUR, MAIN, PINCEAU

Voir illus. **Main**

POUCE bimane, empan, miette, morceau, orteil (gros), parcelle, poucier

POUCETTES → CADENAS

POUCIER → DOIGT, POUCE

POUDINGUE → CAILLOU

Voir tab. **Roches et minerais**

POUDRE → CARTOUCHE, CHOCOLAT, FARD, MAQUILLAGE, OR, PÉTARD, SAVON

Voir illus. **Cartouches**

POUDRE broyer, égrisé, fard, héroïne, houppette, houppe, léviger, moudre, moulin, piler, pilon, poudre de pyrèthre, poudreuse, poudrier, pulvériser, pulvérulente, triturer

POUDRE À CANON → THÉ

POUDRE DE PYRÈTHRE → POUDRE

POUDRE DE RIZ → RIZ

POUDREUSE → NEIGE, POUDRE, TOILETTE

POUDRIER → POUDRE

POUDRIÈRE → MAGASIN

POUDRIN → BROUILLARD, MER, PLUIE

POUF → COUSSIN, MARBRE

Voir illus. **Sièges**

POUFFER → ÉCLATER, RIRE

POUILLARD → FAISAN, PERDRIX

POUILLÉ → LISTE, REGISTRE

POUILLEUX → VALET

POUILLEUX déguenillé, misérable, miteux, repoussant, sale, valet de pique

POULAILLER → FERME (1), GALERIE, PARADIS

Voir illus. **Théâtre**

POULAIN → CHEVAL, DAUPHIN

Voir tab. **Animaux (termes propres aux)**

Voir tab. **Chocolat**

POULAIN chouchou, crack, favori, foal, pouliche, préféré, yearling

POULAINE → CHAUSSURE

Voir illus. **Chaussures**

POULARDE → POULE, POULET

POULARDE AU VIN JAUNE

Voir tab. **Plats régionaux**

POULBOT → GAMIN (1)

POULE → COMPÉTITION, JEU, MISE

POULE caquètement, cocotte, gallinacés, gallinule, gélinotte commune, gloussement, houdan, leghorn, poularde, poulet, poulette, poussin, wyandotte

POULE AU POT → VIANDE

POULE D'EAU

Voir tab. **Oiseaux (classification simplifiée des)**

POULE DE MER → DORÉE

POULET → BILLET, CORRESPONDANCE, LETTRE, POLICIER (1), POULE

POULET abattis, aile, billet doux, blanc, chapon, coquelet, croupion, cuisse, épinette, fermier, lettre, message, missive, piaulement, pilon, poularde

POULET À LA MARENGO → TOMATE

POULET BASQUAISE → TOMATE

Voir tab. **Plats régionaux**

POULETTE → POULE

POULICHE → JUMENT, POULAIN

Voir tab. **Animaux (termes propres aux)**

Voir tab. **Prostitution**

POULIE → MACHINE, ROUE

Voir illus. **Moteur**

POULIE bras, chape, chèvre, estrope, galoche, guinder, jante, marionnette, moufle, moyeu, palan, poulie fixe, poulie folle, pouliethérapie, réa

POULIE DE RENVOI

Voir illus. **Voilier : Dufour 38 Classic**

POULIETHÉRAPIE → POULIE

POULIGNY-SAINT-PIERRE

Voir tab. **Fromages**

POULINIÈRE → JUMENT

POULIOT → CHARRETTE

POULPE → MOLLUSQUE

POULPE COLOSSAL → MONSTRE

POULS dicrote, filant, filiforme, mesure, pulsation, sphygmographe

POUMON → CAGE, POITRINE, RESPIRATION

POUMON alvéole, emphysème, époumoner (s'), hématose, lobe, lobule, médiastin, plèvre, pneumoconiose, pneumographie, pneumonectomie, pneumonie, scissure, tuberculose

POUPART → CRABE
POUPE
Voir illus. **Aviron**
POUPÉE → CIGARE, JOUET,
PANSEMENT, PANTIN, TRIPE
Voir illus. **Arcs et arbalète**
Voir tab. **Phobies**
POUPÉE baigneur, matriochkas,
poupon
POUPON → BÉBÉ, POUPÉE
POUPONNIÈRE → BÉBÉ
POUR → ŒIL
POUR JAMAIS → JAMAIS
POUR RIEN → VAIN
POUR RIEN AU MONDE → JAMAIS
POUR TOUJOURS → JAMAIS
POURBOIRE → APPOINTEMENTS,
DON, GRATIFICATION,
RÉCOMPENSE, RÉMUNÉRATION
POURCEAU → COCHON
Voir tab. **Animaux (termes
propres aux)**
POURCENTAGE → ADDITION, CENT,
INTÉRÊT, PROPORTION, TAUX
POURCHASSER → COURIR,
POURSUIVRE, RECHERCHER,
TRAQUER
POURCHASSER poursuivre, traquer
POURIM
Voir tab. **Fêtes religieuses**
POURLÉCHER (SE) → LÉCHER
POURPARLER → CONVERSATION,
ENTRETIEN, NÉGOCIATION
POURPIER
Voir tab. **Salades**
POURPRE → BLASON, CARDINAL
(1), TEINTURE
Voir illus. **Héraldique**
Voir tab. **Couleurs**
POURPRÉ → POURPRE (2)
POURPRE (1) dignité cardinalice,
dignité consulaire, murex
POURPRE (2) amarante, cramoisi,
grenat, porphyre, pourpré,
purpurin, rouge foncé
POURRI → ABÎMÉ, CORROMPU,
GÂTÉ, INFECT, PUTRIDE
POURRI avarié, capricieux,
corrompu, décomposé,
faisandé, fétide, gâté,
malandre, putréfié,
putride
POURRIR → DÉCOMPOSER
POURRIR abîmer (s'), avarier (s'),
corrompre (se), croupir,
décomposer, dégénérer,
dégrader (se), détériorer (se),
faisander, gâter (se), moisir,
putréfiable, putréfier,
putrescible
POURRISSEMENT → ALTÉRATION
POURRITURE → GANGRÈNE,
MOISISSURE, ROT
POURRITURE décomposition,
putréfaction, pourriture, rot
POURRITURE GRISE → VIGNE
POURSUITE → CONTINUITÉ,
COURSE CYCLISTE, IMPÔT,
PROCÈS, PROLONGATION,
RECHERCHE
POURSUITE action, chat,
continuation, meute, procès,
trousses (aux)
POURSUIVRE → ACCUSER,
CONTINUER, COURIR, FILER,
HABITER, HANTER, JUSTICE,
OBSÉDER, PERPÉTUER,
PERSÉCUTER, PERSISTER,

POURCHASSER, POUSSER,
PROLONGER, RATTRAPER,
RECHERCHER, SOLLICITER, SUIVRE,
TRAQUER
POURSUIVRE aspirer à, cerner,
continuer, ester, forcer, hanté,
harceler, importuner, maintenir,
obsédé, perpétuer, persécuter,
persévérer dans, persister,
pourchasser, presser, prolonger,
rechercher, rongé, serrer,
talonner, tourmenté, traquer,
viser
POURTOUR → CIRCONFÉRENCE,
PÉRIPHÉRIE, TOUR
POURVOIR → DOTER, FOURNIR,
GARNIR, GRATIFIER, MUNIR,
SATISFAIRE
POURVOIR alimenter,
approvisionner, assurer,
équiper, fournir, munir, nantir,
pallier, procurer, remédier,
subvenir à, suppléer à
POURVOYEUR → FOURNISSEUR
POUSSE → BOURGEON, BRANCHE,
TAROT
POUSSE brout, drageon, germe,
plantule, rejet, scion, surgeon,
tourne
POUSSE-CAFÉ → ALCOOL
POUSSÉE → ACCÈS, APPARITION,
CRISE, CROISSANCE, ÉRUPTION,
POIDS, PRESSION
POUSSÉE accès, arc-boutant, butée,
charge, culée, digue, éruption,
montée, poids, pression
POUSSE-POUSSE → TAXI
POUSSER → CROÎTRE,
ENCOURAGER, ENTRAÎNER,
FAVORISER, GRANDIR, IMPULSION,
INCITER, INVITER, JETER, LÂCHER,
MOUVOIR, PRÉCIPITER, PROSPÉRER,
VENIR
POUSSER approfondir, bousculer,
conduit, contraint de, croître,
cultiver, décaler, déplacer,
développer (se), écarter,
encourager, entraîné, exhaler,
exhorter, grandir, hurler, inciter,
poursuivre, prolonger, stimuler
POUSSETTE → ENFANT, VOITURE
POUSSETTE-CANNE → VOITURE
POUSSEUR
Voir tab. **Bateaux**
POUSSEUX → CREVETTE
POUSSIER → AGGLOMÉRÉ,
HOUILLE, POUSSIÈRE
POUSSIÈRE → ÉCAILLE
Voir tab. **Phobies**
POUSSIÈRE anthracose, asbestose,
balayer, chaton, épousseter,
essuyer, mouton, pollen,
poussier, retombées, sciure,
sidérose
POUSSIÉREUX → SALE
POUSSIF → SOUFFLE
POUSSIN → BÉBÉ, CATÉGORIE,
POULE, SPORTIF (1)
POUSSOIR → BOUTON, SOUPAPE
POUTRAGE → POUTRE
POUTRAISON → POUTRE
POUTRE → GYMNASE, PLAFOND,
PONT, SUPPORT, TRONC
Voir illus. **Intérieur de maison**
POUTRE agrès, arbalétrier, entrait,
faîte, linteau, longeron,
poutrage, poutraison, poutrelle,
travée

POUTRELLE → POUTRE
POUTURE → BÉTAIL, FOURRAGE
POUVOIR → AUTORITÉ, CAPACITÉ,
COMPÉTENCE, DROIT (1), EMPIRE,
ENVOÛTEMENT, INFLUENCE,
PUISSANCE, RÉGIME,
SUPÉRIORITÉ, VERTU
Voir tab. **Manies**
POUVOIR absolutisme, ascendant,
attributions, autorité, blanc-
seing, capacité, carte blanche,
charge, commandement,
domination, droit, emprise,
entière liberté, exécutif,
faculté, fondé de pouvoir,
gouvernement, hégémonie,
influence, judiciaire, législatif,
liberté, mandat, mandataire,
mission, moyen, oppression,
plénipotentiaire, possibilité,
propriété, puissance,
qualité, régime, souveraineté,
suprématie, tyrannie, vertu
POUVOIR ABSOLU → TYRANNIE
POUVOIR ARBITRAIRE →
TYRANNIE
POUVOIR D'ACHAT → VALEUR
POUVOIR EXÉCUTIF →
DÉMOCRATIE
POUVOIR LÉGISLATIF →
DÉMOCRATIE
POUVOIR OPPRESSIF → TYRANNIE
POUZZOLANE
Voir tab. **Roches et minerais**
PPCM → MULTIPLE
PPP
Voir tab. **Photographie
(vocabulaire de la)**
Voir tab. **Police nationale
(organisation de la)**
PR
Voir tab. **Éléments chimiques
(symbole des)**
PRAGMATIQUE → APPLIQUÉ,
CONCRET (2), PRATIQUE (2),
UTILITAIRE (2)
PRAGMATISME → RÉALISME
PRAIRE → MOLLUSQUE
PRAIRIAL
Voir tab. **Mois du calendrier
républicain**
PRAIRIE → HERBE
PRAIRIE artificiel, embouche, foin,
herbage, naturel, noue, pacage,
pâturage, permanent, pré,
temporaire
PRALINAGE → CONFISERIE,
VÉGÉTAL (1)
PRALINE → BONBON,
CONFISERIE
Voir tab. **Chocolat**
PRALINÉ
Voir tab. **Chocolat**
PRANAYAMA
Voir tab. **Yoga**
PRAO → VOILIER
Voir tab. **Bateaux**
PRASÉODYME
Voir tab. **Éléments chimiques
(symbole des)**
PRATICABLE → FACILE
PRATICIEN → MÉDECIN
PRATIQUANT → CROYANT,
RELIGIEUX (2), RELIGION
PRATIQUE → BOUTIQUE,
CONCRET (2), CONNAISSANCE,
COUTUME, EMPLOYER,
EXERCICE, EXPÉRIENCE,

FACILE, HABITUDE, MANIABLE,
MÉTIER, MODE, PIÉTÉ, RAISON, RITE,
TRADITION, UTILE, UTILITAIRE (2)
PRATIQUE (1) action, agissement,
application, comportement,
conduite, coutume, empirique,
entraînement, exécution (à),
exercice, expérience,
expérimental, façon, habitude,
méthode, œuvre (en), procédé,
réalisation, rituel, tradition
PRATIQUE (2) commode,
fonctionnel, maniable,
pragmatique, réaliste, utile
PRATIQUER → ADONNER (S'),
FAIRE, INTÉRESSER (S'), OPÉRER,
PERCER, TRACER
PRATIQUER adopter, appliquer,
connaître, employer, exercer,
maîtriser, parler, suivre
PRATIQUER L'APARTHEID →
ISOLER
PRATYAHARA
Voir tab. **Yoga**
PRAXINOSCOPE → CINÉMA
PRÉ → HERBE, PAÎTRE, PRAIRIE
Voir tab. **Animaux (termes
propres aux)**
PRÉ bocage, carvi, colchique,
gratiole
PRÉ (AU) → VERT (1)
PRÉ D'EMBOUCHE → BÉTAIL
PRÉALABLE → NÉGOCIATION,
PRÉLIMINAIRE
PRÉALABLE (1) abord (d'),
auparavant, avant, condition,
premier lieu (en),
premièrement
PRÉALABLE (2) préavis,
préliminaire, préparatoire
PRÉAMBULE → COMMENCEMENT,
ENTRÉE, INTRODUCTION, PARTIE,
PRÉFACE, PRÉLIMINAIRE
PRÉAU → ABRI, COUR, MONASTÈRE
PRÉAVIS → AVERTISSEMENT, DÉLAI,
PRÉALABLE (2)
PRÉBENDE → REVENU
PRÉCAIRE → ÉPHÉMÈRE, FIL,
FRAGILE, INSTABLE, PASSAGER (2),
PÉRISSABLE, PROVISOIRE, SANTÉ,
TEMPORAIRE
PRÉCAMBRIEN → GÉOLOGIE
Voir tab. **Géologiques (échelle
des temps)**
PRÉCARITÉ → INCERTITUDE,
INSTABILITÉ
PRÉCAUTION → PRUDENCE
PRÉCAUTION adresse, attention,
circonlocution, circonspection,
délicatesse, diplomatie,
disposition, euphémisme,
garantir (se), imprudence,
inconscience, ménagement,
mesure, négligence, prémunir
contre (se), prévention,
prophylaxie, prudence, soin, tact
PRÉCAUTIONNEUSEMENT →
DÉLICATEMENT
PRÉCAUTIONNEUX → MÉFIANT,
SOURNOIS
PRÉCÉDENT → DERNIER, PREMIER (2)
PRÉCÉDENT (1) analogie,
exceptionnel, exemple, inouï,
jurisprudence, référence,
unique
PRÉCÉDENT (2) antérieur, dernier,
ex-femme, passé, veille
PRÉCÉDENT (SANS) → BANAL

PRÉCÉDER → DEVANCER

PRÉCÉDER aïeuls, aïeux, ancêtres, annoncer, anticiper, dépasser, devancer, distancer, précurseur, prédécesseur, préparer, prévenir

PRÉCELLE → DENTISTE

PRÉCELLENCE → EXCELLENCE, PRÉPONDÉRANCE

PRÉCEPTE → CODE, COMMANDEMENT, CONDUITE, ENSEIGNEMENT, FORMULE, INSTRUCTION, RÉFLEXION, RÈGLE, SENTENCE

PRÉCEPTEUR → ÉDUCATEUR, INSTITUTEUR, LEÇON, MAÎTRE (1), PROFESSEUR

PRÉCESSION → PÔLE, RÉTROGRADE, ROTATION

PRÊCHE → DISCOURS

PRÊCHE discours, homélie, prédication, sermon

PRÊCHER → CONVAINCRE, CONVERTIR, DÉBITER, ENSEIGNER, PARLER, RÉPÉTER

PRÊCHER annoncer, apôtre, catéchiser, enseigner, évangéliser, exhorter à, louer, préconiser, prédicateur, prôner, recommander

PRÊCHEUR → ORATEUR

PRÉCIEUSE → MANIÈRE

PRÉCIEUX → APPRÉCIABLE, AVANTAGEUX, CHER, INTROUVABLE, NOBLE (2), RECHERCHÉ, SOPHISTIQUÉ, UTILE

PRÉCIEUX affecté, alambiqué, ampoulé, appréciable, apprêté, avantageux, capital, cher, délicat, fin, important, inestimable, irremplaçable, luxueux, maniéré, prix (de), profitable, raffiné, rare, recherché, salutaire, utile

PRÉCIOSITÉ → AFFECTATION, LITTÉRAIRE, RECHERCHE

PRÉCIPICE → PROFOND, VIDE (1)

PRÉCIPICE abîme, anéantissement, catastrophe, corniche, crevasse, déconfiture, désastre, faillite, gouffre, ruine

PRÉCIPITAMMENT → ACCOURIR, VITE

PRÉCIPITATION → AGITATION, PLUIE

Voir tab. **Chimie**

PRÉCIPITATION accélération, affolement, agglutinement, agitation, arrosé, bousculade, brouillard, brusquerie, défenestration, empressement, excès, floculation, frénésie, grêle, grésil, hâte, impatience, impétuosité, neige, pluie, vitesse, vivacité, volubilité

PRÉCIPITÉ → BRUSQUE, EXPLOSIF, HÂTIF, MÉLANGE

PRÉCIPITER → ACCÉLÉRER, AVANCER, BONDIR, COURIR, DÉPÊCHER (SE), DÉPOSER, FONDRE, GALOPER, HÂTER, JETER, LANCER, PLONGER, PRESSER

PRÉCIPITER accélérer, accourir, activer, assaillir, avancer, brusquer, courir, engouffrer (s'), foncer sur, fondre sur, hâter, jeter (se), pousser, ruer sur (se)

PRÉCIPUT → AVANTAGE

Voir tab. **Droit (termes de)**

PRÉCIS → ABRÉGÉ, CONCIS, CONSCIENCIEUX, FORMEL, LIVRE, MATHÉMATIQUE, MÉTICULEUX, NET, PARTICULIER, POINTU, RÉSUMÉ (1), RIGOUREUX, SERRÉ, SOMME

PRÉCIS arrêté, assuré, catégorique, circonscrit, circonstancié, clair, concis, défini, délimité, détaillé, distinct, exact, explicite, exprès, ferme, formel, juste, méticuleux, net, particulier, rigoureux, scrupuleux, sûr

PRÉCISÉMENT → CLAIREMENT

PRÉCISER → DÉFINIR, DESSINER (SE), INDIQUER, PONCTUER, SOULIGNER, STIPULER

PRÉCISION → DÉTAIL, INDICATION, JUSTESSE, RENSEIGNEMENT, SÛRETÉ

PRÉCOCE → MÛR, TÔT

PRÉCOCE anticipé, avancé, doué, gérontisme, hâtif, hâtiveau, prématuré, primeurs, prodige, surdoué

PRÉCOCITÉ → MATURITÉ

PRÉCOGNITION → AVENIR

PRÉCONISER → CONSEILLER (2), PRÊCHER, PRESCRIRE, RECOMMANDER, VANTER

PRÉCONTRAINT → BÉTON

PRÉCURSEUR → AVANT-GARDE, MESSAGER, PRÉCÉDER

PRÉCURSEUR annonciateur, avant-coureur

PRÉDATEUR → PROIE

PRÉDÉCESSEUR → ANCÊTRE, PRÉCÉDER

PRÉDELLE → AUTEL, TABLEAU

PRÉDESTINATION → CONDITION, FATALITÉ, FUTUR (1)

PRÉDESTINER → DESTINER

PRÉDICANT → MINISTRE, PASTEUR

PRÉDICAT → ATTRIBUT, PROCÈS

PRÉDICATEUR → MAIN, ORATEUR, PRÊCHER

Voir tab. **Saints patrons**

PRÉDICATION → APÔTRE, DISCOURS, DIVINATION, PRÊCHE

PRÉDICTION → ORACLE

PRÉDICTION annonce, augure, divination, horoscope, oracle, présage, prévision, pronostic, prophétie, vaticination

PRÉDILECTION → AFFECTION, FAIBLE (1), GOÛT, PRÉFÉRENCE

PRÉDILECTION faible, favori, goût, inclination, penchant, préféré, préférence

PRÉDIRE → LIRE, PRÉVOIR

PRÉDIRE annoncer, augurer, conjecturer, parier, présager, prévoir, promettre, pronostiquer, prophétiser, vaticiner

PRÉDISPOSITION → APTITUDE, TALENT

PRÉDISPOSITION aptitude, diathèse, don, penchant, propension, talent, tendance, vocation

PRÉDOMINANCE → PRÉPONDÉRANCE, RÈGNE

PRÉÉMINENCE → PRÉPONDÉRANCE

PRÉEMPTION

Voir tab. **Droit (termes de)**

PRÉEXCELLENCE → EXCELLENCE

PRÉEXISTER → EXISTER

PRÉFABRIQUÉ → INDUSTRIEL (2), MAISON

PRÉFACE → COMMENCEMENT, INTRODUCTION, PRÉLIMINAIRE, SOMMAIRE (1)

Voir illus. **Livre relié**

PRÉFACE avant-propos, avertissement, préambule, préfacier, prolégomènes, prologue

PRÉFACIER → PRÉFACE

PRÉFECTURE → DÉPARTEMENT, PASSEPORT, PRÉFET, VILLE

PRÉFECTURE carte d'identité, carte grise, certificat de non-gage, chef-lieu, département, passeport, permis de conduire, port de guerre, préfet

PRÉFÉRABLE → MIEUX (2)

PRÉFÉRÉ → BIEN-AIMÉ, CHER, FAVORI (1), POULAIN, PRÉDILECTION

PRÉFÉRENCE → CHOIX, DISTINCTION, GOÛT, INCLINATION, PENCHANT, PRÉDILECTION

PRÉFÉRENCE attachement, choix, droit de préemption, faveur, plutôt, prédilection, privilège

PRÉFÉRER → ADOPTER, CHOISIR

PRÉFÉRER avantager, choisir de, chouchou, crack, favori, favoriser, opter pour, privilégier

PRÉFET → DÉPARTEMENT, PRÉFECTURE

PRÉFET éparque, ordonnance, préfecture

PRÉFIXE → ADDITION, INITIAL, MOT, PARTICULE, RACINE, RADICAL (1)

PRÉFIXE (TÉLÉPHONIQUE) → INDICATIF

PRÉFIXION → DÉLAI

PRÉFOURRIÈRE → ENLÈVEMENT

PRÉHENSILE → SAISIR

PRÉHENSION → MAIN, MEMBRE

PRÉHISTOIRE → PASSÉ

PRÉHISTOIRE anthropologue, bronze, épipaléolithique, fer, géologue, mésolithique, néolithique, paléolithique, paléontologue, pierre, préhistorien, protohistoire

PRÉHISTORIEN → PRÉHISTOIRE

PRÉHISTORIQUE abri-sous-roche, australopithèque, caverne, Cro-Magnon (homme de), grotte, lointain, néandertalien, reculé

PRÉJUDICE → DOMMAGE, MAL (1), PERTE, SINISTRE (1), TORT

PRÉJUDICE collusion, conspiration, contrefaçon, détriment, dommage, plagiat, tort

PRÉJUDICE (PORTER) → INTÉRÊT

PRÉJUDICIABLE → CONTRAIRE (2), FUNESTE, MALHEUREUX

PRÉJUDICIER → NUIRE

PRÉJUGÉ → FAIT, HÂTIF, IDÉE, INSTRUCTION, OPINION

PRÉJUGÉ a priori, impartial, large d'esprit, objectif, ouvert, parti pris, prévention

PRÉLAT → ÉVÊQUE, RELIGIEUX (1)

Voir tab. **Clergé catholique (vocabulaire du)**

PRÊLE

Voir tab. **Plantes médicinales**

Voir tab. **Végétaux (classification simplifiée des)**

PRÉLÈVEMENT → BANQUE, IMPOSITION, PONCTION

Voir tab. **Chasse (vocabulaire de la)**

PRÉLÈVEMENT biopsie, charges, frottis, liposuccion, ponction, prélibation d'hérédité, prise de sang, retenue, saisie

PRÉLÈVEMENT OBLIGATOIRE

Voir tab. **Économie**

Voir tab. **Fiscalité**

PRÉLEVER → CONFISQUER, PERCEVOIR, POMPER, RETENIR, RETIRER, ROGNER, SOUSTRAIRE

PRÉLIBATION D'HÉRÉDITÉ → PRÉLÈVEMENT

PRÉLIMINAIRE → COMMENCEMENT, NÉGOCIATION, PRÉALABLE (2), PRÉLUDE

PRÉLIMINAIRE introduction, préalable, préambule, préface, préparatoire, prologue

PRÉLUDE → COMMENCEMENT, DÉBUT, INTRODUCTION, OUVERTURE, PIANO

Voir tab. **Musicales (formes)**

PRÉLUDE annonce, commencement, début, ouverture, parade, préliminaire

PRÉMATURÉ → BÉBÉ, HÂTIF, IMMATURE, NAÎTRE, PRÉCOCE, TÔT

PRÉMÉDITATION → CALCUL, INTENTION, MALVEILLANCE, MEURTRE

PRÉMÉDITÉ → RÉFLÉCHI

PRÉMÉDITER → CALCULER, CONCERTER, PRÉPARER, PROJETER, RÉFLÉCHIR

PRÉMÉDITER calculer, combiner, manigancer, mijoter, prévoir, projeter, tramer

PRÉMICES → BALBUTIEMENT, COMMENCEMENT, DÉBUT

PRÉMICES (FÊTE DES)

Voir tab. **Fêtes religieuses**

PREMIER → COMMENCEMENT, DÉBUT, INITIAL, NÉCESSAIRE, NOMBRE, ORIGINEL, PRIMAIRE, PRIMITIF, PRINCE, PROPRE (2), UN

PREMIER aîné, antérieur, axiome, brouillon, brut, cacique, capital, chef du gouvernement, commencement, début, ébauche, esquisse, essentiel, fondamental, indispensable, initiale, initier, major, meilleur, original, précédent, premièrement, prépondérant, prime, primo, primordial, primus inter paris, princeps, séducteur, supérieur, vainqueur

PREMIER CLERC → PRINCIPAL (1)

PREMIER CYCLE → UNIVERSITÉ

PREMIER DEGRÉ → PRIMAIRE

PREMIER LIEU (EN) → PRÉALABLE (2), PRIORITÉ

PREMIER MAÎTRE

Voir illus. **Grades Militaires**

PREMIER MARCHÉ

Voir tab. **Bourse**

PREMIER RÔLE → PRINCIPAL (2)

PREMIÈRE → INAUGURATION

PREMIÈRE CLASSE

Voir illus. **Grades de la gendarmerie**

PREMIÈRE GUERRE MONDIALE

Voir tab. **Histoire (grandes périodes)**

PREMIÈREMENT → CHOSE, PRÉALABLE (1), PREMIER (1)
PREMIER-NÉ → AÎNÉ
PREMIERS → URGENT
PRÉ-MINI-COQ
Voir tab. **Savate ou boxe française**
PRÉ-MINI-LÉGER
Voir tab. **Savate ou boxe française**
PRÉ-MINI-MOUCHE
Voir tab. **Savate ou boxe française**
PRÉ-MINI-PLUME
Voir tab. **Savate ou boxe française**
PRÉMISSE → ANNONCE, BASE, COMMENCEMENT, CONDITION, DÉPART, LOGIQUE (1), PRINCIPE, RAISONNEMENT
PRÉMISSE antécédent, axiome, majeure, mineure, principe, prodrome, proposition
PRÉMOLAIRE
Voir illus. **Bouche, nez, gorge**
Voir illus. **Dent**
PRÉMONITION → AVENIR, INTUITION, PRESSENTIMENT
PRÉMUNIR → VACCINATION
PRÉMUNIR (SE) → ABRITER (S'), ARMER (S'), ASSURER (S'), GARANTIR, PARER, PRÉCAUTION, PRÉVENIR
PRENANT → ABSORBANT, INTÉRESSANT (2), PALPITANT, PASSIONNANT
PRÉNATALE → NAISSANCE
PRENDRE → ACCAPARER, COINCER, CONQUÉRIR, INTERPRÉTER, MUNIR, ÔTER, RECEVOIR, SUIVRE, UTILISER
Voir tab. **Belote**
Voir tab. **Tarot**
PRENDRE absorber, accaparer, accuser, agir, agripper, approprier, attaquer, attraper, avaler, conduire, considérer, contracter, dérober, embrasser, emparer de (s'), employer, empoigner, emporter, emprunter, engager, enlever, envisager, épaissir, équiper de (s'), étreindre, flâner, happer, incriminer, ingérer, intercepter, intervenir, louer, monopolise, munir de (se), nantir de (se), occuper, paresser, procéder, ravir, recourir à, réserver, saisir, soustraire, usurper, utiliser, voler
PRENDRE (S'EN) → DÉCHAÎNER
PRENDRE DE L'ÂGE → VIEILLIR
PRENDRE EN FILATURE → FILER, SUIVRE
PRENDRE GARDE → VEILLER
PRENDRE LA PAROLE → BEC, PARTICIPER
PRENDRE LA POUDRE D'ESCAMPETTE → FUIR
PRENDRE LE VOILE → PRONONCER
PRENDRE PART → COLLABORER, INTERVENIR, JOINDRE
PRENDRE PARTI → CHOISIR, SITUER
PRENDRE PLAISIR → PLAIRE (SE)
PRENDRE POSITION → SITUER
PRENDRE SA MIRE → VISER
PRENDRE SOIN → VEILLER

PRENDRE SUR LE FAIT → SURPRENDRE
PRENDRE SUR SOI → DOMINER (SE)
PRENDRE UNE DÉCISION → TRANCHER
PRENEUR → ACHETEUR, BAIL
Voir tab. **Belote**
Voir tab. **Tarot**
PRÉNOM → NOM
PRÉNOMMER → BAPTISER, NOMMER
PRÉNOMMER (SE) → APPELER (S')
PRÉNUPTIAL → MARIAGE
PRÉOCCUPANT → ENNUYEUX, GRAVE
PRÉOCCUPÉ → ABSORBÉ, SOIGNEUX
PRÉOCCUPÉ (ÊTRE) → PENSER
PRÉOCCUPER → CHIFFONNER, INTÉRESSER
PRÉOCCUPER absorber, ennuyer, inquiéter de (s'), obséder, soucier de (se), tourmenter, tracasser, travailler
PRÉOCCUPER (SE) → INQUIÉTER (S'), OCCUPER, SONGER, SOUCIER
PRÉOPERCULE
Voir illus. **Poisson**
PRÉPARATEUR → LABORATOIRE, PHARMACIE
PRÉPARATION → BUT, COMPOSITION, CONFECTION, ENTRAÎNEMENT, INTRODUCTION, MÉLANGE, ORGANISATION, PHARMACIE, SAUT
PRÉPARATION apprentissage, apprêt, composition, conception, échauffement, élaboration, entraînement, fabrication, formation, gestation, instruction, mets, organisation, plat, recette, séminaire, vocalise
PRÉPARATOIRE → NÉGOCIATION, PRÉALABLE (2), PRÉLIMINAIRE
PRÉPARATOIRE corniche, cours élémentaire, débourrage, étude, hypokhâgne, khâgne, mathématiques spéciales, mathématiques supérieures, projet, prospection
PRÉPARER → ACCOMMODER, AMENER, APPRÊTER, APPRÊTER (S'), COMPOSER, CONCERTER, DISPOSER, ÉLABORER, ÉTUDIER, FABRIQUER, FAIRE, MÉDITER, MIJOTER, MITONNER, MÛRIR, ORGANISER, PRÉCÉDER, PROJETER
PRÉPARER agencer, aménager, amener, annoncer, anticiper, arranger, concevoir, concocter, cuisiner, décorer, disposer (se), dresser, élaborer, fomenter, machiner, ménager, mettre, mûrir, organiser, ourdir, préméditer, présager, tramer
PRÉPARER (SE) s'apprêter
PRÉPONDÉRANCE → MAÎTRISE
PRÉPONDÉRANCE domination, hégémonie, précellence, prédominance, prééminence, primauté, supériorité
PRÉPONDÉRANT → DÉCISIF, POIDS, PREMIER (2)
PRÉPOSÉ → EMPLOYÉ, FACTEUR
PRÉPOSITION locution prépositive
PRÉPUCE → GLAND

PRÉPUCE circoncision, phimosis, posthite
PRÉRETRAITE → ANTICIPÉ, RETRAITE
PRÉROGATIVE → AVANTAGE, BÉNÉFICE, DISTINCTION, DROIT (1), FACILITÉ, FACULTÉ, FAVEUR, HONNEUR, PRIVILÈGE, PROPRE (1)
PRÉROGATIVE apanage, attribut, avantage, faculté, faveur, honneur, immunité, nomenklatura, préséance, privilège
PRÈS
Voir illus. **Allures de voile**
PRÈS abord (à l'), attentivement, deux pas (à), environ, imminent, point de (sur le), presque, proche, proximité de (à), quasiment, ras (à), voisin de
PRÈS (AU) → ALLURE
PRÈS (TOUT) → PAS (1)
PRÈS DU CORPS → SERRÉ
PRÉSAGE → ANNONCE, AVENIR, DIVINATION, OISEAU, PRÉDICTION, PRÉVISION, SIGNE, SYMPTÔME
PRÉSAGE annonce, augure, conjecture, haruspice, hypothèse, présomption, prévision, signe, supputation
PRÉSAGER → ENTREVOIR, PRÉDIRE, PRÉPARER, SOUPÇONNER
PRÉ-SALÉ → MOUTON
PRESBYTE → MYOPIE
PRESBYTÈRE → CURÉ, HABITATION
PRESBYTÉRIEN
Voir tab. **Églises**
PRESBYTERIUM → PASTEUR
PRESBYTIE → VUE
PRESCIENCE → AVENIR
PRESCRIPTION → ACTE, COMMANDEMENT, IMPÉRATIF (1), INDICATION, INSTRUCTION, MÉDECIN, OBLIGATION, ORDONNANCE, RÈGLE
Voir tab. **Assurance (vocabulaire de l')**
PRESCRIRE → DEMANDER, DICTER, VANTER, VOULOIR
PRESCRIRE arrêter, cesser, commander, conseiller, édicter, enjoindre, exiger, fixer, imposer, légiférer, libérer de, ordonner, périmer (se), préconiser, prôner, réclamer
PRESCRIT → POSITIF
PRÉSÉANCE → PRÉROGATIVE
PRÉSÉLECTION → SPORTIF (2)
PRÉSENCE → EXISTENCE, PARTICIPATION
PRÉSENCE apparition, à-propos, assiduité, consubstantiation, existence, omniprésence, personnalité, prestance, promptitude, tempérament, transsubstantiation, ubiquité, vivacité
PRÉSENCE D'ESPRIT → RÉFLEXE
PRÉSENT → CADEAU, COURS, DON, IMMÉDIAT (2), OFFRANDE
PRÉSENTATEUR animateur, annonceur, démonstrateur, journaliste, speaker
PRÉSENTATION → EXHIBITION, EXPOSITION, INTRODUCTION, PORT, POSITION
PRÉSENTATION AU TEMPLE → VIERGE (1)

PRÉSENTEMENT → MAINTENANT
PRÉSENTER → ARRIVER, AVOIR (1), ÉRIGER, FOURNIR, INTRODUIRE, INTRODUIRE, MONTRER, NOMMER, OFFRIR, PRODUIRE, PROPOSER, SOUMETTRE, TABLEAU, TENDRE (1), VENIR
PRÉSENTER arriver, comparaître, comporter, développer, dévoiler, divulguer, exposer, exprimer, faire connaître, formuler, introduire, montrer, offrir, produire (se), proposer, révéler, survenir
PRÉSENTER SES VŒUX → SOUHAITER
PRÉSERVATIF → CONTRACEPTIF, PHALLUS, SEXUEL
PRÉSERVATION → DÉFENSE, PROTECTION, SAUVEGARDE
PRÉSERVÉ → SAUF (1)
PRÉSERVER → ABRITER (S'), ASSURER, CONSERVER, GARANTIR, GARDER, GARER, PROTÉGER (SE), SAUVER, SOUSTRAIRE, VACCINATION
PRÉSERVER amulette, défendre, garder, grigri, maintenir, phylactère, porte-bonheur, protéger, sauvegarder, sauver
PRÉSIDENT → RÉPUBLIQUE, UNIVERSITÉ
PRÉSIDENT chef d'État, Élysée, magistrat, Maison-Blanche, PDG, perchoir, phylarque, recteur
PRÉSIDENT DE L'ASSEMBLÉE NATIONALE
Voir tab. **Politesse (formules de)**
PRÉSIDENT DE LA RÉPUBLIQUE
Voir tab. **Politesse (formules de)**
Voir tab. **Rois et chefs d'État de la France**
PRÉSIDENT DU CONSEIL → MINISTRE
PRÉSIDENT DU CONSEIL SYNDICAL
Voir tab. **Copropriété**
PRÉSIDENTIABLE → CANDIDAT
PRÉSIDENTIEL → ÉLECTION
PRÉSIDER → SIÉGER
PRÉSIDER animer, diriger, mener, orchestrer, régler, veiller à
PRÉSOMPTEUX → BLANC-BEC
PRÉSOMPTION → CHARGE, CONFIANCE, OPINION, PRÉSAGE, PRÉTENTION, PROBABILITÉ, SUPPOSITION
PRÉSOMPTION charge, conjecture, fatuité, hypothèse, indice, opinion, outrecuidance, prétention, soupçon, supposition, vanité
PRÉSOMPTUEUX → AMBITIEUX, CONTENT, FIER, GLORIEUX, IDÉE, ORGUEILLEUX, PRÉTENTIEUX, SUFFISANT, SUFFISANT
PRESQUE → DEMI 3, PRÈS
PRESQU'ÎLE → ÎLE
Voir illus. **Littoral**
PRESSANT → IMPÉRATIF (2), IMPÉRIEUX, URGENT
PRESSANT appuyé, insistant, pressé, urgent
PRESS-BOOK → ALBUM
PRESSE → FOULE
PRESSE mécanique, média, paparazzi, réputation, rotative

PRESSÉ → IMPATIENT (2), PRESSANT, RAPIDE, URGENT

PRESSENTIMENT → CONSCIENCE, IDÉE, INSTINCT, INTUITION, SENSATION

PRESSENTIMENT appréhension, intuition, prémonition, sensation

PRESSENTIR → ATTENDRE (S'), CONNAÎTRE, DEVINER, ENTREVOIR, IMAGINER, INTERROGER, PÉNÉTRER, PRÉVOIR, SENTIR, SOUPÇONNER

PRESSENTIR alarmer, alerter, deviner, entrevoir, flair, flairer, inquiéter, insoupçonné, instinct, intuition, prévoir, redouté, soupçonner, subodorer

PRESSER → APPUYER, ASSAILLIR, BOUSCULER, ÉCRASER, EXTRAIRE, HARCELER, HÂTER, INCITER, INSISTER, PERSÉCUTER, PESER, PINCER, POURSUIVRE, TASSER

PRESSER accélérer, activer, agglutiner (s'), appuyer sur, assaillir, bousculer (se), centrifuger, cliquer, comprimer, enfoncer, entasser (s'), fouler, harceler, hâter, laminer, précipiter, pressurer, rassembler (se)

PRESSER (SE) → ACTIVER (S'), BLOTTIR (SE), COURIR, DÉPÊCHER (SE), VITE

PRESSER DE QUESTIONS → INTERROGER

PRESSEUR → BICHE

PRESSION → CONTRAINTE, ESCRIME, FLUIDE (1), INFLUENCE, MASSAGE, MERCERIE, POIDS, POUSSÉE, RÉSISTANCE, SERVITUDE, TENSION

Voir illus. **Manteaux**

PRESSION chantage, contrainte, force, influence, lobby, poids, poussée, pressuriser, tension, violence

PRESSION ARTÉRIELLE → TENSION ARTÉRIELLE

PRESSOIR → CIDRE, FOULER, VENDANGE

PRESSOPHILE

Voir tab. **Collectionneurs**

PRESSURAGE → CIDRE

PRESSURER → EXPLOITER, PRESSER

PRESSURISER → PRESSION

PRESTANCE → ALLURE, CHIC, CLASSE, MAINTIEN, PORT, PRÉSENCE

PRESTATAIRE DE SERVICES → FOURNISSEUR

PRESTATION → IMPÔT, NUMÉRO, TAXE

PRESTATION aide, allocation, indemnité, représentation, sous-traitance, spectacle, subvention

PRESTATION COMPENSATOIRE → ALLOCATION

PRESTE → ADROIT, AGILE, VIF (2)

PRESTESSE → PROMPTITUDE

PRESTIDIGITATEUR → ADRESSE, DOIGT, FORAIN, ILLUSION, MAGICIEN, MANIPULATION

PRESTIDIGITATION → TOUR

PRESTIDIGITATION escamotage, illusionnisme, magie, passe-passe, tour, truc

PRESTIGE → IMAGE, IMPORTANCE, INFLUENCE, PANACHE

PRESTIGIEUX → GAMME, HÉROÏQUE, IMPOSANT

PRESTIGIEUX célèbre, connu, illustre, magnifique, prodigieux, remarquable, réputé

PRESTISSIMO → MOUVEMENT

Voir tab. **Musique (vocabulaire de la)**

PRESTO → MOUVEMENT, VITE

Voir tab. **Musique (vocabulaire de la)**

PRÉSUMER → PENSER, SOUPÇONNER, SUPPOSER

PRÉSUMER censé être, conjecturer, imaginer, penser, supposer

PRÉSUPPOSE → IMPLIQUER

PRÉSUPPOSÉ → NOTION

PRÉSUPPOSITION → SUPPOSITION

PRÉSURE → CAILLER, FROMAGE, YAOURT

PRÊT → AVANCE, BANQUE, CRÉDIT, SALAIRE

PRÊT avance, capital, commodat, crédit, emprunt, intérêt, mont-de-piété, prêt d'honneur, principal, usurier

PRÊT D'HONNEUR → PRÊT

PRÊT-À-MONTER → ASSEMBLAGE

PRÊT-À-PORTER → CONFECTION, INDUSTRIE, MODE

PRÉTENDANT → ACCOMPAGNATEUR, ADMIRATEUR

PRÉTENDRE → AFFIRMER, CANDIDAT, FLATTER, INSINUER, MAINTENIR, PIQUER (SE), RÉCLAMER, SOUTENIR, VANTER, VOULOIR

PRÉTENDRE affirmer, alléguer, aspirer à, demander, désirer, exiger de, réclamer, revendiquer, souhaiter, soutenir, vouloir

PRÉTENDU → FIANCÉ, SUPPOSÉ

PRÊTE-NOM → HOMME, INTERMÉDIAIRE (2)

PRÉTENTIEUX → AMBITIEUX, BLANC-BEC, CONQUÉRANT (2), FIER, GUINDÉ, IDÉE, ORGUEILLEUX, SUFFISANT, SUFFISANT

PRÉTENTIEUX affecté, alambiqué, ampoulé, arrogant, crâneur, enflé, fat, grandiloquent, hautain, imbu de lui-même, maniéré, pédant, présomptueux, ronflant, suffisant, vaniteux

PRÉTENTION → AMBITION, ASPIRATION, EXIGENCE, PRÉSOMPTION, RÉMUNÉRATION, REVENDICATION, VANITÉ

PRÉTENTION arrogance, condition, desiderata, dessein, exigence, fatuité, honnête, humble, intention, présomption, revendication, simple, vanité

PRÉTENTION (AVEC) → SUFFISANT

PRÉTENTION (SANS) → SIMPLE

PRÊTER → CONFIER, DONNER, ÉTIRER, FILER, PASSER, PORTER, RECONNAÎTRE, SUPPOSER, TENDRE (1)

PRÊTER accorder, attribuer, avancer, confier, donner, dresser, écouter, imputer, jurer, porter, propice à (être), sujet à (être), tendre

PRÊTER SERMENT → AFFIRMER

PRÉTÉRITION → OMISSION

Voir tab. **Rhétorique (figures de)**

PRÉTEXTE → ALIBI, CAUSE, EXCUSE,

MATIÈRE, MOTIF, MOYEN (1), OCCASION, ORIGINE, RAISON, REFUGE (1)

PRÉTEXTE allégation, aucun cas (en), excuse, motif, point de départ, raison

PRETIUM DOLORIS → COMPENSATION

PRÉTOIRE → TRIBUNAL

PRÉTORIEN → GARDE

PRÊTRE → CATHOLICISME, CLERGÉ, CULTE, LAMA, MINISTRE

Voir tab. **Clergé catholique (vocabulaire du)**

Voir tab. **Poissons (classification simplifiée des)**

Voir tab. **Politesse (formules de)**

Voir tab. **Saints patrons**

PRÊTRE abbé, archiprêtre, aumônier, célibat, chanoine, chapelain, coadjuteur, curé, doyen, ecclésiastique, ministre du culte, ordination, papas, pope, prêtre-ouvrier, régulier, séculier, séminaire, vicaire

PRÊTRE-OUVRIER → PRÊTRE

PRÊTRISE → MAJEUR (2), RELIGIEUX (1)

PRÉTURE → DIGNITÉ, MAGISTRATURE

PREUVE → ACCUSÉ (1), ARGUMENT, CHARGE, CONFIRMATION, CONVICTION, DÉMONSTRATION, GAGE, GARANT, JUSTIFICATION, MARQUE, RAISON, RAISONNEMENT, RÉFUTER, SIGNE, TÉMOIGNAGE, VÉRIFIER

PREUVE attestation, certificat, démontrer, justificatif, manifester, marque, montrer, ordalie, signe, témoignage

PREUX → BRAVE, CHEVALIER, HÉROS, VAILLANT, VALEUREUX

PRÉVALOIR → EMPORTER, FLATTER, GLORIFIER, RÉCLAMER (SE), RECOMMANDER (SE), VANTER

PRÉVARICATION → CORRUPTION, FONCTIONNAIRE, TRAFIC

PRÉVARIQUER → TRAHIR

PRÉVENANCE → AMABILITÉ, ATTENTION, DÉLICATESSE, EMPRESSEMENT, ZÈLE

PRÉVENANT → AIMABLE, CHARMANT, DÉLICAT, DÉVOUÉ, EXQUIS, FLATTEUR, GALANT, GENTIL, POLI (2), SERVIABLE, SOIN

PRÉVENANT aimable, attentionné, complaisant, obligeant, serviable

PRÉVENIR → AVERTIR, DEVANCER, EMPÊCHER, ÉVITER, INFORMER, INSTRUIRE, PARER, PRÉCÉDER, SAVOIR (2)

PRÉVENIR alarmer, alerter, avertir, aviser, informer, mettre en garde, prémunir contre (se)

PRÉVENIR À L'AVANCE → PLÉONASME

PRÉVENTIF → POLICE

PRÉVENTION → CONTAGION, OPINION, PRÉCAUTION, PRÉJUGÉ, PROTECTION

PRÉVENTION dispensaire, prophylaxie, sécurité

PRÉVENTORIUM → SANTÉ

PRÉVENU → ACCUSÉ (1), AVERTI, DÉTENU

Voir tab. **Droit (termes de)**

PRÉVISION → CALCUL, DIAGNOSTIC, PRÉDICTION, PRÉSAGE, SUPPOSITION

PRÉVISION augure, conjecture, futurologie, hypothèse, météorologie, pari, présage, pronostic, prophétie, prospective, supposition

PRÉVISIONS → BULLETIN

PRÉVOIR → ANTICIPER, ATTENDRE (S'), CONNAÎTRE, ENTREVOIR, ENVISAGER, ESCOMPTER, ORGANISER, PLANIFIER, PRÉDIRE, PRÉMÉDITER, PRESSENTIR, PROJETER, RÉGLER, SOUPÇONNER

PRÉVOIR anticiper, attendre à (s'), concevoir, envisager, imaginer, penser à, prédire, pressentir, prophétiser

PRÉVÔT → SÉCURITÉ

PRÉVÔT D'ARMES → ESCRIME, MONITEUR

PRÉVÔTÉ → GENDARMERIE

PRÉVOYANCE → NEZ

PRÉVOYANT → PRUDENT, RÉFLÉCHI

PRÉVOYANT circonspect, prudent, sage, vigilant

PRIAPÉE → POÈME

PRIAPISME → OBSÉDÉ, PHALLUS

PRIE-DIEU → AGENOUILLER (S')

Voir illus. **Sièges**

PRIER → INSISTER, ORDONNER, RECOMMANDER, RECUEILLIR (SE), SUPPLIER

PRIER adorer, conjurer, convier à, enjoindre, implorer, inviter à, invoquer, ordonner, solliciter, supplier

PRIÈRE → DEMANDE, IMPÉRATIF (1), INCANTATION, INVITATION, REQUÊTE

Voir tab. **Islam (vocabulaire de l')**

PRIÈRE adjuration, amen, Angélus, bénédicité, bréviaire, chapelet, confiteor, déprécation, doxologie, eucologe, kaddish, litanie, liturgique, mea culpa, mental, missel, moulin à prières, muezzin, obsécration, oraison jaculatoire, orant, prime, psaume, rosaire, supplication, supplique, vocal

PRIÈRE UNIVERSELLE → MESSE

PRIEUR → RELIGIEUX (1)

Voir tab. **Clergé catholique (vocabulaire du)**

PRIEURE → COUVENT

PRIEURÉ → ABBAYE, BÉNÉFICE, MOINE, MONASTÈRE, RELIGIEUX (1)

Voir tab. **Clergé catholique (vocabulaire du)**

PRIMA DONNA → CHANTEUSE, OPÉRA

PRIMAIRE → DÉLINQUANT, SIMPLE

Voir tab. **Couleurs**

Voir tab. **Géologiques (échelle des temps)**

PRIMAIRE agriculture, bleu, caricatural, constitutif, cyan, école élémentaire, fondamental, grossier, jaune, magenta, originel, paléozoïque, pêche, premier, premier degré, rouge, simpliste, sommaire

PRIMAT

Voir tab. **Clergé catholique (vocabulaire du)**

PRIMATES → SINGE
Voir tab. **Mammifères (classification des)**

PRIMAUTÉ → PRÉPONDÉRANCE, PRIORITÉ, RÈGNE

PRIME → ADDITION, CAPITAL (1), DÉDOMMAGEMENT, GAIN, GRATIFICATION, HEURE, INDEMNITÉ, MOINE, PREMIER (2), PRIÈRE, RÉCOMPENSE, RÉMUNÉRATION, SALAIRE, SUPPLÉMENT
Voir tab. **Assurance (vocabulaire de l')**
Voir tab. **Prières et offices de l'Église catholique romaine**

PRIME bonus, cadeau, cotisation, forfait, gratification, indemnité, malus, récompense

PRIME ABORD (DE) → VUE

PRIMEDI → JOUR

PRIMESAUTIER → SPONTANÉ

PRIMEUR → EXCLUSIVITÉ, HÂTIF, LÉGUME, PRÉCOCE, TÔT
Voir tab. **Vin (vocabulaire du)**

PRIMEVÈRE → PRINTEMPS

PRIMIPARE → ACCOUCHER, FEMELLE

PRIMITIF → BRUT, IMMÉDIAT (2), INITIAL, ORIGINEL, SAUVAGE
Voir tab. **Églises**

PRIMITIF archaïque, axiome, bleu, élémentaire, indigo, initial, jaune, orangé, originel, premier, principe, rouge, rudimentaire, simple, sommaire, vert, violet

PRIMITIVE → RADICAL (2), VÉRITÉ

PRIMO → PREMIER (1)

PRIMOGÉNITURE → DESCENDANT

PRIMORDIAL → CAPITAL (2), CARDINAL (2), ESSENTIEL, FONDAMENTAL, PREMIER (2), PRINCIPAL (2)

PRIMUS INTER PARIS → PREMIER (1)

PRINCE → MONARQUE, NOBLESSE, ROI

PRINCE accommodant, arbitrairement, cardinal, chérif, conciliant, consort, dauphin, démon, émir, évêque, généreux, infant, magnanime, magnifiquement, maharaja, meilleur, monarque, premier, principat, principauté, souverain, splendidement, superbement

PRINCE CHARMANT → BIEN-AIMÉ

PRINCE CONSORT → REINE

PRINCE DES TÉNÈBRES (LE) → DIABLE

PRINCE HÉRITIER → FILS

PRINCE VAILLANT
Voir tab. **Bande dessinée (héros de)**

PRINCE-DE-GALLES
Voir tab. **Tissus**

PRINCEPS → ÉDITION, PREMIER (2)

PRINCIER → SOMPTUEUX, SPLENDIDE

PRINCIPAL → DETTE, IMPORTANT, INSPECTEUR, PRÊT, SCOLAIRE, SUBSTANCE

PRINCIPAL (1) capital, directeur, premier clerc

PRINCIPAL (2) capital, central, essentiel, fondamental, héros,

majeur, premier rôle, primordial, protagoniste, résistance (de), subordonnée

PRINCIPALE → PROPOSITION

PRINCIPALEMENT → PARTICULIÈREMENT, PLUS

PRINCIPAT → PRINCE

PRINCIPAUTÉ → PRINCE

PRINCIPE → BASE, CAUSE, CERTITUDE, DÉFINITION, ÉLÉMENT, MORAL, PHILOSOPHIE, POSITION, PRÉMISSE, PRIMITIF, RACINE, RAISON, RAISONNEMENT, SENTENCE, SOUBASSEMENT, SOURCE, SUBSTANCE, THÉORIE, VÉRITÉ

PRINCIPE agent, axiome, base, cause première, élément, ferment, fondement, germe, hypothèse, identité (d'), logiquement, loi, non-contradiction (de), normalement, norme, origine, postulat, prémisse, règle, rudiments, source, théoriquement, tiers-exclu (du)

PRINCIPE D'EXCLUSION → ALTERNATIVE

PRINTANIER → PRINTEMPS

PRINTEMPS → BALAI, BERGE
Voir illus. **Saisons (mécanisme des)**

PRINTEMPS hirondelle, jeunesse, primevère, printanier, vernal

PRINTEMPS DE LA VIE → JEUNESSE

PRIORITÉ abord (d'), coupe-file, premier lieu (en), primauté, trématage

PRISE → ABSORPTION, BUTIN, DOSE, PROIE, RELIGIEUX (2)

PRISE absorption, altercation, ascendant, capture, dispute, emprise, enlèvement, fois, influence, ingestion, injection, kidnapping, photographie, querelle, rapt

PRISE DE BEC → ALTERCATION

PRISE DE SANG → PIQÛRE, PRÉLÈVEMENT

PRISE DE VOILE → COUVENT

PRISE DE VUES
Voir tab. **Cinéma**

PRISE D'OTAGES → TERRORISME

PRISE EN PASSANT
Voir tab. **Échecs**

PRISE JACK
Voir illus. **Guitare**

PRISÉ → RECHERCHÉ

PRISÉE → ÉVALUATION

PRISER → ADMIRER, APPRÉCIER, GOÛTER, NEZ, TABAC

PRISMATIQUE
Voir tab. **Forme de... (en)**

PRISME → ARC-EN-CIEL, MICROSCOPE, RAYON
Voir illus. **Géométrie (figures de)**
Voir tab. **Forme de... (en)**

PRISON → CACHOT, CHAMBRE, CONDAMNATION, VERROU

PRISON Bastille, cabane, cachot, carcéral, Conciergerie, détention, ergastule, geôlier, in pace, latomies, maison centrale, maison d'arrêt, maton, mitard, parloir, pénitencier, pénitentiaire, QHS, réclusion, surveillant, taule, violon

PRISONNIER → CAPTIF, CONDAMNÉ, DÉTENU
Voir tab. **Saints patrons**

PRISONNIER captif, détenu, esclave, livrer (se), mutin, otage, rendre (se)

PRISONNIER DE DROIT COMMUN → DÉTENU

PRISONNIER POLITIQUE → DÉTENU

PRIVADOIS
Voir tab. **Habitants (comment se nomment les)**

PRIVAS
Voir tab. **Habitants (comment se nomment les)**

PRIVATION → INDIGENCE, INTERDICTION, PAUVRETÉ, PÉNITENCE, PERTE

PRIVATION absence, abstinence, carême, chasteté, continence, défaut, frustration, jeûne, manque, pénurie, perte, ramadan, renoncement, retrait, suppression, Yom Kippour

PRIVATISATION → INDUSTRIEL (2)

PRIVATISER → PRIVÉ

PRIVAUTÉ → FAMILIARITÉ, LIBERTÉ

PRIVÉ → DÉCHU, DÉNUÉ, DÉPOURVU DE, DROIT (1), INDIVIDUEL, INTIME (2), INTIMITÉ, MIXTE, PARTICULIER, PERSONNE, PERSONNEL (2), SANS

PRIVÉ aparté (en), confessionnel, familial, intime, libre, officieux, particulier, personnel, privatiser, seul à seul

PRIVER → DÉPOSSÉDER, DÉPOUILLER, DESSAISIR, FRUSTRER, PASSER, REFUSER (SE), RENONCER, RETIRER, SACRIFICE, VEINE

PRIVER appauvrir, démunir, déposséder, dépouiller, déshériter, enlever, frustrer, punir, sevrer, spolier

PRIVILÈGE → ACQUIS, AVANTAGE, BÉNÉFICE, DISTINCTION, DROIT (1), FACILITÉ, FACULTÉ, FAVEUR, IMMUNITÉ, PRÉFÉRENCE, PRÉROGATIVE, PROPRE, SÛRETÉ

PRIVILÈGE avantage, bénéfice, faveur, immunité, indult, passe-droit, prérogative, subreption

PRIVILÉGIÉ → EXCEPTION, FACILE, FAVORISER, PART

PRIVILÉGIER → BALANCE, PRÉFÉRER

PRIX → DISTINCTION, ÉCHANGE, PRÉCIEUX, RÉCOMPENSE, TARIF, VALEUR

PRIX brader, cote, cours, coût, dépense, discount, distinction, étiquette, factage, facture, flambée, frais, fret, inflation, marchander, mercuriale, montant, nolis, port, prix de Rome, rabais, récompense, réduction, remise, solde, solder, tarif, valeur

PRIX (À AUCUN) → JAMAIS

PRIX (HORS DE) → INABORDABLE

PRIX COÛTANT → BÉNÉFICE

PRIX DE ROME → PRIX

PRIX FORT → ACHETER

PROBABILISME
Voir tab. **Philosophie**

PROBABILITÉ → CHANCE, COMBINAISON, PERSPECTIVE, STATISTIQUE

PROBABILITÉ chance, conjecture, éventualité, possibilité, présomption, statistique, vraisemblance

PROBABLE → PLAUSIBLE, POSSIBLE, VRAISEMBLABLE

PROBABLE admissible, plausible, possible, vraisemblable

PROBABLEMENT → DOUTE

PROBANT → DÉCISIF, DÉMONSTRATIF, PARLANT, PROUVER

PROBATION → ÉPREUVE, ESSAI

PROBE → CONSCIENCIEUX, DEVOIR, DROIT (2), FIDÈLE (2), HONNÊTE, JUSTE, LOYAL, PROPRE (2), SCRUPULEUX

PROBITÉ → CONSCIENCE, FOI, INTÉGRITÉ, RECTITUDE

PROBLÉMATIQUE → PROBLÈME

PROBLÈME → CONTRETEMPS, HISTOIRE, INCONVÉNIENT, NŒUD, OMBRE, PÉPIN, POINT, QUESTION

PROBLÈME affaire, casse-tête, difficile, dilemme, embarrassant, énigme, mystère, problématique, quadrature du cercle, question, sujet, thème

PROBOSCIDIENS → ÉLÉPHANT
Voir tab. **Mammifères (classification des)**

PROCAÏNE → ANESTHÉSIE

PROCÉDÉ → BILLARD, CONDUITE, FORMULE, MANIÈRE, MÉTHODE, MOYEN (1), PRATIQUE (1), QUEUE, RECETTE, RÈGLE, RÉSULTAT, SYSTÈME, TACTIQUE

PROCÉDER → CÉLÉBRER, DÉPENDRE, ÉMANER, PRENDRE, PROVENIR, VENIR

PROCÉDER accomplir, agir, effectuer, exécuter, faire, opérer, réaliser

PROCÉDÉS DILATOIRES (USER DE) → TERGIVERSER

PROCÉDURE → FORMALITÉ, INSTRUCTION, INTELLIGENCE ARTIFICIELLE, MÉTHODE, PROCÈS, PROCESSUS

PROCÉDURE audit, consigne, filière, méthode, règle

PROCÉDURIER → PROCÈS

PROCELLARIIFORMES
Voir tab. **Oiseaux (classification simplifiée des)**

PROCÈS → CAS, DÉBAT, POURSUITE

PROCÈS accuser, attaquer, blâmer, charger, chicaneur, condamner, critiquer, ester, incriminer, mettre en cause, plaider, poursuite, prédicat, procédure, procédurier, processus, prolongement

PROCESSEUR
Voir tab. **Informatique**

PROCESSION → DÉFILÉ, FILE, SÉRIE, SUCCESSION, SUITE

PROCESSION chant, cortège, défilé, dévot, file, pèlerin, pénitent, processional, retraite aux flambeaux

PROCESSIONNAL → PROCESSION

PROCESSUS → ÉVOLUTION, MARCHE, PROCÈS, SCÉNARIO, SCHÉMA

PROCESSUS développement, évolution, procédure, technique

PROCESSUS PRIMAIRES → INCONSCIENT (2)

PROCÈS-VERBAL → AMENDE,

COMPTE, INFRACTION, RAPPORT, RÉCIT, STATIONNEMENT

PROCÈS-VERBAL D'ASSEMBLÉE GÉNÉRALE
Voir tab. **Copropriété**

PROCHAIN → FUTUR (2)

PROCHAIN suivant, ultérieur

PROCHAINEMENT → BIENTÔT, COURT

PROCHE → ADJACENT, ANALOGUE, APPROCHANT, COUDE, FAMILIER (1), INTIME (1), PRÈS, RÉCENT, RESSEMBLANCE, SATELLITE, UNI, VOISIN

PROCHE adjacent, ami, analogue, approchant, attenant, comparable, contigu, entourage, famille, graduellement, imminent, limitrophe, parentèle, progressivement, similaire, voisin

PROCLAMATION → AFFICHE, ANNONCE, APPEL, DÉCLARATION, DISCOURS, MANIFESTE (1)

PROCLAMER → AFFIRMER, ANNONCER, CONFESSER, DÉCLARER, DÉNONCER, PUBLIER

PROCLAMER affirmer, annoncer, carillonner, clamer, communiquer, crier, décider, déclarer, décréter, divulguer, professer, publier, révéler

PROCLITIQUE → TONIQUE (2)

PROCONSUL → GOUVERNEUR, PROVINCE

PROCOPE
Voir tab. **Café**

PROCRASTINATION → FUTUR (1)

PROCRÉATEUR → PARENT

PROCRÉATION → MATERNITÉ

PROCRÉER → CONCEVOIR, ENGENDRER, FAIRE, PRODUIRE

PROCT(O)-
Voir tab. **Chirugicales (interventions)**

PROCTALGIE → ANUS

PROCTOLOGIE → ANUS

PROCURATEUR → GOUVERNEUR

PROCURATIE → PALAIS

PROCURATION → MANDAT, MARIAGE

PROCURE → PIÉTÉ

PROCURER → ACQUÉRIR, DONNER, ÉDITION, FOURNIR, OFFRIR, POURVOIR

PROCURER acheter, acquérir, apporter, approvisionner, attribuer, causer, donner, fournir, obtenir, occasionner, offrir, trouver

PROCUREUR → RELIGIEUX (1)
Voir tab. **Droit (termes de)**

PROCUREUR DE LA RÉPUBLIQUE → MAGISTRAT

PROCUREUR GÉNÉRAL → MAGISTRAT, PARQUET

PRODIGALITÉ → DÉBAUCHE, DÉPENSE

PRODIGE → EXTRAORDINAIRE, GÉNIE, MIRACLE, PHÉNOMÈNE, PRÉCOCE

PRODIGIEUSEMENT → BEAUCOUP

PRODIGIEUX → EXCEPTIONNEL, EXTRAORDINAIRE, FABULEUX, IMMENSE, IMPRESSIONNANT, INCROYABLE (2), INOUÏ, MAGIQUE, MAJESTUEUX, MERVEILLEUX,

MONUMENTAL, PARFAIT, PRESTIGIEUX, SENSATIONNEL, SINGULIER, SPLENDIDE, SURNATUREL

PRODIGUE → DÉPENSIER, GÉNÉREUX, LARGE

PRODIGUE (ÊTRE) → COMPTER

PRODIGUER → ABONDANCE, RÉPANDRE, VERSER

PRODIGUER accorder, cajoler, câliner, choyer, dépenser, déployer, dilapider, dispenser, dissiper, donner, dorloter, gaspiller

PRO DOMO → PLAIDER

PRODROME → DIAGNOSTIC, PRÉMISSE, SIGNE, SYMPTÔME

PRODUCTEUR betteravier, céréalier, éleveur, fabricant, grossiste, vigneron

PRODUCTIF → ACTIF, FÉCOND, FERTILE, FRUCTIFIER, GÉNÉREUX

PRODUCTION → FABRICATION, USINE
Voir tab. **Économie**

PRODUCTION construction, création, dégagement, émission, fabrication, film, formation, livre, œuvre, ouvrage, récession, rendement, spectacle, surproduction

PRODUCTIVISME → PRODUCTIVITÉ

PRODUCTIVITÉ → EFFICACITÉ

PRODUCTIVITÉ efficacité, productivisme, rendement, surplus

PRODUIRE → COMPOSER, CONSTRUIRE, CRÉER, DÉBITER, ÉLABORER, ENGENDRER, FABRIQUER, FAIRE, OCCASIONNER, PORTER, PROVOQUER, RENDRE, REPRÉSENTER, RÉSULTAT, SÉCRÉTER

PRODUIRE causer, créer, déclencher, donner, engendrer, entraîner, exhiber, fabriquer, financer, fournir, générer, montrer, occasionner, porter, présenter, procréer, provoquer, susciter

PRODUIRE (SE) → ARRIVER, DÉROULER, EXHIBER, INTERVENIR, LIEU, OPÉRER, PRÉSENTER (SE), SURVENIR

PRODUIRE (SE) arriver, chanter, jouer, survenir

PRODUIT → ARTICLE, BUTIN, EFFET, FRUIT, MARCHANDISE, MULTIPLICATION, RECETTE, REVENU
Voir tab. **Bourse**

PRODUIT article, denrée, ersatz, gain, marchandise, rapport, revenu, succédané

PROÉMINENCE → BOSSE, RELIEF

PROÉMINENT → SAILLANT

PROFANATEUR → CIMETIÈRE, IMPIE

PROFANATION → RELIGION, RESPECT, SACRÉ, SACRILÈGE (1), VIOLATION

PROFANE → ÉTRANGER (2), MONDAIN (2), RELIGION

PROFANER avilir, blasphémer, dégrader, souiller, violer

PROFÉRER → CRACHER, DIRE, PRONONCER

PROFÈS → MOINE, VŒU
Voir tab. **Clergé catholique (vocabulaire du)**

PROFESSER → PROCLAMER, SAVOIR (1)

PROFESSEUR → DISCIPLINE, ÉCOLE, ÉCOLE, MAÎTRE

PROFESSEUR agrégation, CAPES, CAPET, écuyer, enseignant, enseignant, instituteur, instructeur, maître, maître de manège, maître nageur, moniteur, précepteur, professorat, répétiteur

PROFESSEUR AGRÉGÉ → SCOLAIRE

PROFESSEUR CERTIFIÉ → SCOLAIRE

PROFESSEUR DE FACULTÉ
Voir tab. **Politesse (formules de)**

PROFESSEUR DES ÉCOLES → INSTITUTEUR, SCOLAIRE

PROFESSEUR DES UNIVERSITÉS → UNIVERSITÉ

PROFESSION → CARRIÈRE, FONCTION, ISSUE, MÉTIER, MOINE, QUALITÉ, TRAVAIL

PROFESSION activité, carrière, charge, déclaration, emploi, fonction, free-lance, indépendant, job, manifeste, piquer de (se), professionnaliser, travail

PROFESSION DE FOI → DÉCLARATION, MANIFESTE (1), MESSE, RELIGIEUX (2)
Voir tab. **Islam (vocabulaire de l')**

PROFESSIONNALISER → PROFESSION

PROFESSIONNEL → TECHNICIEN

PROFESSIONNEL expert, reconversion, recyclage, spécialiste, stage, technique

PROFESSORAL → SAVANT (2)

PROFESSORAT → PROFESSEUR

PROFIL → CONTOUR, COUPE, FLEUVE, SILHOUETTE

PROFIL aptitude, aspect, compétence, contour, côté (de), coupe, fuyant, galbe, modérer, perdu, profilage, profilé, silhouette, tempérer

PROFIL PSYCHOLOGIQUE → PHYSIONOMIE

PROFILAGE → PROFIL

PROFILÉ → PROFIL

PROFILER (SE) → DÉCOUPER, DESSINER (SE), PARAÎTRE

PROFIT → BÉNÉFICE, CAPITALISME, EMPLOYER, EXPLOITER, GAIN, INTÉRÊT, RECETTE, RÉCOLTE, RÉMUNÉRATION

PROFIT avantage, bénéfice, enrichissement, exploiter, gain, plus-value, tirer parti, utiliser

PROFIT (TIRER) → UTILISER

PROFITABLE → AVANTAGEUX, BIENFAISANT, BON (1), FAVORABLE, FÉCOND, FRUCTUEUX, INTÉRESSANT (2), PRÉCIEUX, SUCCÈS, UTILE

PROFITER → JOUIR

PROFITER abuser de, apprécier, bénéficier, exploiter, jouir, savourer

PROFITEROLE → CHOU

PROFOND → ACCUSÉ (2), EXTRÊME, FONCÉ, IMMENSE, INFINI, INTENSE, INTIME (2), LOURD, NUIT, PÉNÉTRANT, RICHE (2), TIMBRE

PROFOND abîme, absolu, abyssal, ardent, atavisme, bas, caverneux, complet, crevasse,

épais, extrême, fervent, fort, fosse, gouffre, grave, immense, intense, lourd, noir, obscur, pénétrant, perspicace, précipice, réfléchi, sépulcral, total, vif

PROFONDÉMENT → BEAUCOUP, VIVEMENT

PROFONDÉMENT beaucoup, durablement, extrêmement, foncièrement, fond (à), intensément, loin, particulièrement, sincèrement, très, viscéralement

PROFONDEUR → DIMENSION, ENFONCEMENT, FOND, HAUTEUR, PLÉNITUDE, RELIEF

PROFONDEUR abysse, bathymétrie, bathyscaphe, bathysphère, mésoscaphe, perspective, sonder, trompe-l'œil

PROFONDEUR DE CHAMP → PERSPECTIVE
Voir tab. **Photographie (vocabulaire de la)**

PROFUSION → ABONDAMMENT, ABONDANCE, DÉBAUCHE, ÉTALAGE, EXCÈS, EXUBÉRANCE, FOISON, QUANTITÉ, SURCHARGE

PROFUSION débauche, excès, flot, foison (à), foisonnement, logorrhée, munificence, pléthore, pullulement, richesse, satiété (à), surabondance

PROGÉNITURE → DESCENDANCE, ENFANT, PORTÉE

PROGESTÉRONE → GROSSESSE, HORMONE, OVAIRE
Voir illus. **Ovaire**

PROGNATHE → MÂCHOIRE, MENTON

PROGRAMMATEUR → INFORMATIQUE

PROGRAMME → CONTENU, EMPLOI, INFORMATIQUE, LIVRET, PLAN, PLATE-FORME, PROJET, PROPAGANDE, RADIO

PROGRAMME analyste, brochure, dessein, emploi du temps, exposé, imprimé, intention, livret, logiciel, objectif, plan, planning, plate-forme, programmeur, projet, prologiciel, timing, virus

PROGRAMMER → PLANIFIER

PROGRAMMEUR → PROGRAMME

PROGRÈS → AMÉLIORATION, CIVILISATION, CONQUÊTE, DÉVELOPPEMENT, ESSOR, MIEUX (1), PERFECTIONNEMENT

PROGRÈS acquis, aggravation, amélioration, avancement, avant-garde, développement, essor, eugénisme, évolution, futuriste, moderne, perfectionnement, progression, propagation, réactionnaire

PROGRÈS TECHNIQUE
Voir tab. **Histoire (grandes périodes)**

PROGRESSER → AVANCER, CROÎTRE, DÉVELOPPER (SE), ÉVOLUER, GAGNER, INNOVER, MOUVOIR, PASSER, PERFECTIONNER (SE), PROPAGER (SE), PROSPÉRER, RÉSULTAT

PROGRESSER aggraver (s'), améliorer (s'), amplifier (s'), développer (se), empirer, enrayer, perfectionner (se)

PROGRESSIF → INSENSIBLE

PROGRESSION → AVANCE, CHANGEMENT, CHEMINEMENT, CROISSANCE, MONTÉE, MOUVEMENT, PROGRÈS, SUCCESSION, SUITE

PROGRESSION accroissement, ascension, augmentation, avancée, consécution (de), développement, essor, extension, gradation, marche, mouvement, promotion, suite

PROGRESSISME → SOCIALISME

PROGRESSISTE → PARTISAN (1)

PROGRESSIVEMENT → DEGRÉ, ÉTAPE, LENTEMENT, PAS (1), PETIT (2), PROCHE

PROHIBÉ → CLANDESTIN, ILLÉGAL, INTERDIT (2)

PROHIBER → DÉFENDRE, EMPÊCHER, INTERDIRE, REFUSER

PROHIBER condamner, défendre, empêcher, exclure, illicite, interdire, proscrire

PROHIBITIF → INSENSÉ

PROHIBITION → INTERDICTION

PROIE → BUTIN, VICTIME (1)

PROIE butin, capture, hanté, harcelé, obsédé, prédateur, prise, rapace, tourmenté, victime

PROJECTEUR → FEU, ILLUMINATION, PHARE, PROJECTION

PROJECTIF → TEST

PROJECTILE → BALLE, CARTOUCHE

PROJECTILE baliste, balistique, balle, bombe, boulette, calibre, catapulte, fusée, grenade, impact, missile, obus, parabole, perrière, tomate

PROJECTION → CONJECTURE, IDENTITÉ, JET, JUDO, RELIEF, TEST
Voir illus. **Cartes géographiques**

PROJECTION déplacement, diascope, émission, giclée, identification, jet, projecteur, projectionniste, représentation, transfert

PROJECTIONNISTE → CINÉMA, PROJECTION

PROJECTURE → SAILLIE

PROJET → ARCHITECTE, CALCUL, CONCEPTION, ÉBAUCHE, ESQUISSE, IDÉE, INTENTION, PLAN, PRÉPARATOIRE, PROGRAMME, RÊVE

PROJET brouillon, but, canevas, croquis, dessein, devis, ébauche, esquisse, étude, intention, maquette, orientation, plan, programme, schéma, synopsis, visée, vocation

PROJETÉ → RÉFLÉCHI

PROJETER → COMÈTE, CONCEVOIR, ÉJECTER, ENVISAGER, INTENTION, LANCER, MÉDITER, PENSER, PLANIFIER, PRÉMÉDITER, RÉFLÉCHIR, SONGER

PROJETER combiner, comploter, éjecter, envisager, imaginer, lancer, manigancer, passer, préméditer, préparer, prévoir, propulser, visionner

PROLAPSUS → DESCENTE

PROLÉGOMÈNES → COMMENCEMENT, CONDITION, INTRODUCTION, PRÉFACE

PROLEPSE → OBJECTION, RÉFUTER

PROLÉTARIAT → BOURGEOIS (2), OUVRIER, TRAVAILLEUR (1)

PROLÉTARIEN → POPULAIRE

PROLIFÉRATION → MULTIPLICATION

PROLIFÉRER → FLEURIR

PROLIFIQUE → FÉCOND

PROLIXE → BAVARD, LONG

PROLIXITÉ → ABONDANCE, EXUBÉRANCE

PROLOG → LANGAGE

PROLOGICIEL → PROGRAMME

PROLOGUE → ARGUMENT, COMMENCEMENT, INTRODUCTION, PRÉFACE, PRÉLIMINAIRE

PROLONGATION → FOOTBALL, SUPPLÉMENTAIRE

PROLONGATION délai, point d'orgue, poursuite, prolongement, sursis

PROLONGE → VÉHICULE

PROLONGEMENT → APPENDICE, PROCÈS, PROLONGATION

PROLONGER → ALLONGER, CONTINUER, DURER, ENJAMBER, POURSUIVRE, POUSSER, SOUTENIR, TRAÎNER

PROLONGER accroître, agrandir, atermoyer, augmenter, continuer, entretenir, étendre, poursuivre, proroger, tergiverser

PROMENADE → COURS, EXCURSION, SORTIE

PROMENADE croisière, excursion, lèche-vitrines, marche, randonnée, shopping

PROMENER → REGARD

PROMENER observer, scruter, sortir

PROMENER (SE) → FLÂNER

PROMENER (SE) baguenauder, balader (se), cheminer, déambuler, flâner, marcher

PROMENEUR → BADAUD

PROMESSE → ENGAGEMENT, GAGE, OBLIGATION, SERMENT, SIGNE, VŒU

PROMESSE accord, compromis, contrat, convention, engagement, fiançailles, parole, serment

PROMÉTHÉE → SUPPLICE

PROMÉTHÉUM
Voir tab. **Éléments chimiques (symbole des)**

PROMETTRE → DESTINER, ESPÉRER, JURER, PRÉDIRE

PROMIS → ÉPOUX, FIANCÉ

PROMIS destiné, voué

PROMONTOIRE → CAP

PROMOTEUR → CRÉATEUR (1), INSPIRATEUR, MAISON, PIONNIER

PROMOTION → AFFECTATION, GRADE, MUTATION, NOMINATION, PROGRESSION, RABAIS, RÉCLAME (1), SOLDE
Voir tab. **Échecs**

PROMOTION année, ascension, avancement, condisciple, développement, marketing, rabais (au), solde (en)

PROMOUVOIR → CIRCULATION, ÉLEVER

PROMPT → IMMÉDIAT (2), RAPIDE, SOUDAIN, VIF (2)

PROMPTEMENT → LENDEMAIN, VITE

PROMPTEUR → TÉLÉVISION

PROMPTITUDE → ESPRIT, PRÉSENCE

PROMPTITUDE célérité, diligence, emportement, fougue, hâte, prestesse, rapidité, vivacité

PROMU (ÊTRE) → PASSER

PROMULGATION → PUBLICATION

PROMULGUER → ANNONCER, LOI

PRONAOS → GREC, TEMPLE

PRONATION → MOUVEMENT, ROTATION

PRÔNE → DISCOURS

PRÔNER → CÉLÉBRER, LOUER, PRÊCHER, PRESCRIRE, RECOMMANDER, VANTER

PRONOM → POSSESSIF, VARIABLE (2)

PRONOM RELATIF → RELATIF

PRONOMINAL → RÉFLÉCHI, VERBE

PRONONCÉ accentué, accusé, marqué, souligné

PRONONCER → ARTICULER, ENTENDRE, FULMINER, INFLIGER, PARLER, RÉCITER, RENDRE

PRONONCER articuler, débiter, dire, émettre, énoncer, exprimer, formuler, infliger, juger, prendre le voile, proférer, réciter, statuer

PRONONCER (SE) → CHOISIR, DÉCLARER, JUGER, TRANCHER

PRONONCER (SE) choisir, décider, déterminer (se), trancher

PRONONCIATION → ACCENT, ARTICULATION, DICTION

PRONONCIATION accent, bégaiement, blésité, débit, déclamation, deltacisme, dystomie, élocution, grasseyement, homonyme, homophone, iotacisme, lambdacisme, lecture, logopédie, nasillement, orthoépie, orthophonie, phonétique normative, rhotacisme, zézaiement

PRONOSTIC → MALADIE, PRÉDICTION, PRÉVISION

PRONOSTIQUER → PRÉDIRE

PRONUNCIAMIENTO → ATTENTAT, COUP D'ÉTAT, ÉTAT, MANIFESTE (1), MILITAIRE (2), RÉVOLTE

PROPAGANDA FIDE
Voir tab. **Catholique romain (vocabulaire)**

PROPAGANDE → CONDITIONNEMENT, PARTI

PROPAGANDE agit-prop, campagne, discours, endoctrinement, endoctriner, entraîner, influencer, intoxiquer, médias, programme, prosélytisme, publicité, slogan, tract

PROPAGANDISTE → PARTISAN (1)

PROPAGATION → CONTAGION, DIFFUSION, EXPANSION, EXPORTATION, EXTENSION, INVASION, PHÉNOMÈNE, PROGRÈS, TRANSMISSION

PROPAGER → BANALISER, CONNAÎTRE, DIFFUSER, ÉCHO, POPULAIRE, RÉPANDRE, SEMER, TRANSMETTRE

PROPAGER colporter, contaminer, diffuser, disséminer, divulguer, donner, enseigner, répandre, transmettre, véhiculer, vulgariser

PROPAGER (SE) → COURIR, ÉTENDRE, GAGNER, IRRADIER, RAYONNER, SOUFFLER

PROPAGER (SE) étendre (s'), gagner, progresser

PROPANE → CARBURANT

PROPANIER → BATEAU

PROPAROXYTON → ACCENT, SYLLABE, TONIQUE (2)

PROPENSION → APTITUDE, INCLINATION, PRÉDISPOSITION, TENDANCE

PROPERGOL → FUSÉE

PROPHÈTE → AVENIR, DIEU, MAGE, SORCIER
Voir tab. **Bible**
Voir tab. **Islam (vocabulaire de l')**

PROPHÈTE Abraham, augure, Daniel, David, devin, Ézéchiel, imposteur, Isaïe, Jérémie, Mahomet, Moïse, nabis, parole, pythie, pythonisse, songe, vision, visionnaire

PROPHÉTIE → DIVINATION, ORACLE, PRÉDICTION, PRÉVISION

PROPHÉTISER → DEVINER, PRÉDIRE, PRÉVOIR

PROPHYLACTIQUE → HYGIÈNE

PROPHYLAXIE → CONTAGION, MALADIE, MÉDECINE, PRÉCAUTION, PRÉVENTION, PROTECTION

PROPICE → ADÉQUAT, BIENHEUREUX (1), BON (1), FASTE (2), FAVORABLE, MEILLEUR (2), OPPORTUN, UTILE

PROPICE adapté, bon, convenable, favorable, opportun

PROPICE (ÊTRE) → PRÊTER

PROPITIATION → PARDON

PROPITIATOIRE → RITE, SACRIFICE

PROPOLIS → RÉSINE

PROPORTION → ANALOGIE, ÉQUILIBRE, RAISON, TAUX

PROPORTION ampleur, démesuré, dimension, égalité, équilibre, étendue, eurythmie, harmonie, pourcentage, proportionnellement à, prorata de (au), rapport, selon

PROPORTIONNÉ → RÉGULIER

PROPORTIONNEL → RELATIF, SCRUTIN

PROPORTIONNELLEMENT → PROPORTION

PROPORTIONNER → RÉPARTIR

PROPOS → AFFIRMATION, CONVERSATION, INFORMATION, INTENTION, SUJET

PROPOS but, dessein, discours, intention, mot, objectif, objet, parole, sens, sujet, thème

PROPOS (À) → OPPORTUNITÉ, PARLER, POINT

PROPOS (À) à ce sujet, au fait, convenable, opportun

PROPOSER → INVITER, PRÉSENTER, SOUMETTRE, SUGGÉRER

PROPOSER avancer, étaler, exhiber, exposer, montrer, présenter, soumettre, suggérer

PROPOSITION → AVANCE, OFFRE, OUVERTURE, PARLEMENT, PHRASE, PRÉMISSE, RAISONNEMENT

PROPOSITION axiome, conseil, coordonnée, demande, idée,

indépendante, initiative de (à l'), interrogative, motion, participiale, postulat, principale, relative, subordonnée, suggestion, théorème

PROPOSITION INFINITIVE → INFINITIF

PROPRE → EXCLUSIF, INDIVIDUEL, LITTÉRAL, NATURE, NET, PARTICULIER, PERSONNEL (2), PUR, SOI, SOIGNÉ, SPÉCIAL, TACHE, TENIR

PROPRE apanage, apte à, caractéristique, clair, entretenu, fait pour, honnête, immaculé, intègre, intrinsèque, limpide, littéral, monopole, net, nettoyé, particulier, patronyme, premier, prérogative, privilège, probe, pur, réel, spécifique, typique

PROPRE À → CARACTÉRISTIQUE

PROPREMENT soigneusement, spécifiquement, stricto sensu, typiquement

PROPREMENT DIT → STRICT

PROPRETÉ → HYGIÈNE

PROPRETÉ désinfection, hygiène, netteté, ravalement, salubrité, soin, stérilisation, toiletteur

PROPRIÉTAIRE acquéreur, bailleur, copropriété, logeur, maître

PROPRIÉTÉ → ATTRIBUT, DOMAINE, EXPLOITATION, FACULTÉ, JOUISSANCE, PARTICULARITÉ, PATRIMOINE, POUVOIR, QUALITÉ, RÉSIDENCE, TERRE, VERTU

PROPRIÉTÉ adéquation, attribut, brevet, constante, convenance, détention, domaine, jouissance, possession, qualité, usage

PROPRIÉTÉ INDUSTRIELLE → BREVET

PROPULSER → ÉJECTER, MOUVOIR, PROJETER

PROPULSER bombarder, catapulter, envoyer, lancer, parachuter

PROPYLÉE → CITADELLE, ENTRÉE, GREC, TEMPLE, VESTIBULE
Voir illus. **Colonnes**

PRORATA (AU) → PROPORTION

PROROGATION → DATE, DÉLAI

PROROGER → ALLONGER, DURER, PROLONGER, RENOUVELER, TARD

PROSAÏQUE → CHARME, MATÉRIEL (2), PLAT (2), VULGAIRE

PROSATEUR → AUTEUR, ÉCRIVAIN

PROSCRIPTION → CONDAMNATION

PROSCRIRE → CHASSER, CONDAMNER, DÉFENDRE, EXILER, INTERDIRE, PROHIBER

PROSCRIT → BANNI, INTERDIT (2)

PROSE → CHANT, POÈME, ROMAN (1)

PROSE écrit, essai, nouvelle, roman, style

PROSECTEUR → ANATOMIE

PROSÉLYTE → ADEPTE, ADHÉRER, CERTITUDE, CONVERTI, INITIÉ, PAÏEN (1), PARTISAN (1), RELIGION

PROSÉLYTISME → APÔTRE, PROPAGANDE, SECTE, ZÈLE

PROSODIE → INTONATION, POÉSIE, VERS

PROSOPOPÉE → ÉVOQUER, PERSONNIFIER
Voir tab. **Rhétorique (figures de)**

PROSPECTER → EXAMINER, EXPLORER, RECONNAÎTRE, SONDER, VISITER

PROSPECTEUR → DÉCOUVERTE

PROSPECTION → ÉTUDE, PÉTROLE, PRÉPARATOIRE, RECHERCHE

PROSPECTION AÉRIENNE → FOUILLE

PROSPECTIVE → INTUITION, PRÉVISION

PROSPECTUS → IMPRIMER, PUBLICITAIRE

PROSPÈRE → BEAU, BRILLANT (1), RICHE (2)

PROSPÉRER → AGRANDIR, DÉVELOPPER (SE), PLAIRE (SE), VENIR

PROSPÉRER croître, développer (se), étendre (s'), plaire (se), pousser, progresser, réussir

PROSPÉRITÉ → ABONDANCE, AISANCE, BONHEUR, FORTUNE, GRANDEUR, RÉUSSITE

PROSTATE
Voir illus. **Génitaux (appareils)**
Voir tab. **Endocrinologie**

PROSTATE prostatectomie, prostatique, prostatisme, prostatite

PROSTATECTOMIE → PROSTATE

PROSTATIQUE → PROSTATE

PROSTATISME → PROSTATE

PROSTATITE → PROSTATE

PROSTERNATION → SERVILE

PROSTERNER (SE) → AGENOUILLER (S'), INCLINER (S')

PROSTITUÉE → FEMME
Voir tab. **Prostitution**

PROSTITUÉE amazone, bordel, call-girl, catin, courtisane, entremetteur, fille, hétaïre, lupanar, maison close, maquereau, passe, péripatéticienne, proxénète, putain, pute, racolage, souteneur, tapineuse

PROSTITUTION avilissement, dégradation

PROSTRATION → DÉSESPOIR, FATIGUE, LÉTHARGIE, PARALYSIE, STUPEUR

PROSTRÉ → EFFONDRER

PROSTYLE → COLONNE, PORTIQUE, VESTIBULE

PROTAGONISTE → ACTEUR, FILM, HÉROS, PERSONNAGE, PIONNIER, PRINCIPAL (2)

PROTASE → PÉRIODE

PROTE → CONTREMAÎTRE, ÉQUIPE, IMPRIMERIE, TYPOGRAPHIES

PROTECTEUR → BIENFAITEUR, FAVORABLE, PATRON
Voir tab. **Prostitution**

PROTECTEUR apôtre, bienfaiteur, condescendant, dédaigneux, défenseur, gardien, hautain, mécène, ombudsman, patron, supérieur, tutélaire, tuteur

PROTECTION → AIDE, ARMURE, DÉFENSE, ENDUIT, FAVEUR, GARNITURE, ISOLEMENT, PATRONAGE, SAUVEGARDE, SECOURS, SÉCURITÉ, SÛRETÉ, TUTELLE

PROTECTION aide, appui, assistance, couverture, défense,

écologie, faveur, garantie, garde du corps, gorille, préservation, prévention, prophylaxie, protectionnisme, protège-slip, sauvegarde, secours, sécurité, serviette, soutien, sûreté, tampon

PROTECTION JURIDIQUE
Voir tab. **Assurance (vocabulaire de l')**

PROTECTIONNISME → COMMERCIAL, CONCURRENCE, ÉCHANGE, IMPORTATION, ISOLEMENT, NATIONALISME, PROTECTION

PROTECTORAT → COLONIE

PROTÉE → GIROUETTE

PROTÉGÉ → IMMUNISÉ, INATTAQUABLE, SÉCURITÉ

PROTÈGE-DENTS → SPORTIF (1)

PROTÉGER → ASSURER, BÉNIR, CONSERVER, DANGER, DÉFENDRE, ENCADRER, FAVORISER, GARANTIR, GARDER, PATRONNER, PRÉSERVER, SUPPORTER, VEILLER

PROTÉGER appuyer, encourager, favoriser, hydrofuger, pistonner, soutenir

PROTÉGER (SE) → ABRITER (S'), ARMER (S'), GARER

PROTÉGER (SE) abriter (s'), préserver de (se)

PROTÈGE-SLIP → PROTECTION

PROTÈGE-TIBIA → SPORTIF (1)

PROTÉINE → YAOURT

PROTÉINE albumine, enzyme, gélatine, globuline, holoprotéine, kératine, protéinémie, protéinurie, syndrome de Kwashiorkor

PROTÉINÉMIE → PROTÉINE

PROTÉINURIE → PROTÉINE

PROTÈLE → HYÈNE

PROTÉOZOÏQUE
Voir tab. **Géologiques (échelle des temps)**

PROTESTANT → CHRÉTIEN

PROTESTANT anabaptiste, baptiste, calviniste réformé, consistoire, édit de Nantes, huguenot, luthérien, méthodique, parpaillot, pasteur, piétiste, puritain, quaker, réformé, synode

PROTESTATION → DÉMONSTRATION, DÉSAPPROBATION, MURMURE, OBJECTION, PLAINTE, RÉACTION, RÉCLAMATION, SERMENT

PROTESTER → BOUGONNER, CONTESTER, DÉSOBÉIR, DIRE, ÉLEVER, FOIN, INDIGNER (S'), PLAINDRE, RÉAGIR, RÉCLAMER, REFUSER, RÉPONDRE, RÉVOLTER

PROTESTER clabauder, clamer, contester, crier, élever contre (s'), insurger contre (s'), nier, opposer à (s'), rebeller (se), récrier (se), refuser, résister, rouscailler, rouspéter

PROTÊT
Voir tab. **Droit (termes de)**

PROTHÈSE → ABLATION, ARTIFICIEL, MEMBRE
Voir tab. **Chirurgie (vocabulaire de la)**

PROTHÈSE FIXE OU MOBILE → DENTAIRE

PROTOACTINIUM
Voir tab. **Éléments chimiques (symbole des)**

PROTOCOLE → ACCORD, BIENSÉANCE, CAHIER, CÉRÉMONIE, CONTRAT, CONVENTION, DESCRIPTION, FORMALITÉ, POLITESSE, REGISTRE, RÈGLE, RESPECT, SAVOIR-VIVRE, TRAITÉ
Voir tab. **Internet**

PROTOCOLE D'ACCORD → NÉGOCIATION

PROTOÉTOILE → ÉTOILE
Voir illus. **Étoiles (formation des)**

PROTOHISTOIRE → HISTOIRE, PRÉHISTOIRE

PROTON → ATOME, HYDROGÈNE, NOYAU, PARTICULE
Voir tab. **Chimie**

PROTONÉMA → MOUSSE (1)

PROTONOTAIRE → PAPAUTÉ

PROTOPHYTE → MICROBE

PROTOPLANÈTE → PLANÈTE

PROTOPLASME → CELLULE

PROTOTHÉRIEN → MAMMIFÈRE

PROTOTYPE → ESSAI, EXEMPLAIRE (1), MODÈLE (1)

PROTOTYPE archétype, essai, étalon, maquette, modèle, original

PROTOXYDE D'AZOTE → ANESTHÉSIE, GAZ
Voir tab. **Drogues**

PROTOZOAIRE → ANIMAL, MICROBE
Voir tab. **Animaux (classification simplifiée des)**

PROTUBÉRANCE → BOSSE, RELIEF, SAILLIE

PROTUBÉRANCE SOLAIRE
Voir illus. **Soleil**

PROUE → NEZ
Voir illus. **Aviron**

PROUESSE → ACTION, EXPLOIT, FAIT, PERFORMANCE, RECORD, RÉUSSITE, SUCCÈS, VAILLANCE

PROUESSE exploit, haut fait, performance, record, réussite

PROUVER → CONFIRMER, DÉCELER, DÉMONTRER, ÉTABLIR, ÉVIDENCE, JUSTIFIER, MONTRER, RÉVÉLER, TÉMOIGNER, VÉRIFIER

PROUVER démontrer, dénoter, disculper, établir, indiquer, justifier, montrer, probant, révéler, signifier, témoigner de

PROVENANCE → ORIGINE

PROVENANCE made in, origine, source

PROVENÇAL aïoli, farandole, langue d'oc, occitan, olivette, pétanque, pissaladière, pistou, tapenade

PROVENDE → FOURRAGE

PROVENIR → DÉPENDRE, ÉMANER, NAÎTRE, PARTIR, SORTIR, TENIR, VENIR

PROVENIR découler, dériver, émaner, procéder, résulter, venir

PROVERBE → CITATION, PENSÉE, PHRASE, RÉFLEXION, SENTENCE

PROVERBE adage, aphorisme, apophtegme, dicton, fable, maxime, parémiologie, sentence

PROVERBES (LES)
Voir tab. **Bible**

PROVERBIAL → CONNU, LÉGENDAIRE, NOTOIRE

PROVIDENCE → DESTIN
PROVIDENCE chance, destin, fortune, hasard, salut, sauveur, secours, volonté divine
PROVIGNAGE → VÉGÉTAL (1)
PROVIN → PLANT
PROVINCE → DIVISION, ÉTAT, RÉGION, ROYAUME
PROVINCE État, folklore, land, pays, proconsul, région, satrape, territoire, terroir
PROVINCIAL → ÉTAT, RELIGIEUX (1)
PROVISEUR → SCOLAIRE
PROVISEUR DE LYCÉE
  Voir tab. **Politesse (formules de)**
PROVISION → ACOMPTE, APPROVISIONNEMENT, AVANCE, CHÈQUE, COMMANDE, DENRÉE, DÉPÔT, RAVITAILLEMENT, VALOIR
PROVISION acompte, aide, aliment, allocation, arrhes, avance, cabas, commission, course, filet, munitions, nourriture, ravitaillement, réserve, solde, stock, victuailles, vivres
PROVISION DE BOUCHE → ALIMENT
PROVISION TECHNIQUE
  Voir tab. **Assurance (vocabulaire de l')**
PROVISIONNER → SOMME
PROVISOIRE → COURT, FORTUNE, PASSAGE, TEMPORAIRE
PROVISOIRE intérimaire, momentané, passager, précaire, temporaire, transitoire
PROVITAMINE
  Voir tab. **Vitamines**
PROVOCANT → AGRESSIF, DÉSINVOLTE, EXCITANT (2)
PROVOCATEUR → AGITATEUR
PROVOCATION → DÉFI
PROVOQUER → ALLUMER, ATTIRER (S'), BRAVE, CAUSER, CRÉER, DÉCHAÎNER, DÉCLENCHER, ENGENDRER, ENTRAÎNER, ENTREPRENDRE, ÉVEILLER, EXCITER, FAIRE, IGNORER, INITIATIVE, INSPIRER, METTRE, NAÎTRE, OCCASIONNER, PRODUIRE, PRUNELLE, RÉVEILLER, SOULEVER, SUSCITER
PROVOQUER agacer, agresser, amener, attaquer, braver, causer, déchaîner, déclencher, défier, engendrer, entraîner, exciter, harceler, narguer, occasionner, produire, soulever, susciter
PROXÉMAQ
  Voir tab. **Prostitution**
PROXÉNÈTE → PROSTITUÉE
  Voir tab. **Prostitution**
PROXIMITÉ → APPROCHE, DISTANCE, PRÈS, RESSEMBLANCE
PROXO
  Voir tab. **Prostitution**
PROXY
  Voir tab. **Internet**
PRUDE → CHASTETÉ, PURITAIN
PRUDEMMENT → LENTEMENT
PRUDENCE → CARDINAL (2), MODÉRATION, PRÉCAUTION, RÉSERVE, VERTU
PRUDENCE attention, avertissement, circonspection, modération, précaution, pusillanime, réflexion,

sagesse, timoré, vertu, vigilance
PRUDENT → ADROIT, ATTENTIF, BON (1), MÉFIANT, PRÉVOYANT, RAISONNABLE, RÉFLÉCHI, TIMIDE
PRUDENT averti, avisé, circonspect, discret, judicieux, prévoyant, vigilant
PRUDERIE → PUDEUR
PRUD'HOMMES (CONSEIL DES) → ARBITRAGE
PRUDHOMMESQUE → SENTENCIEUX
PRUINE → PELLICULE, PRUNE
PRUNE → CONTRAVENTION, EAU-DE-VIE, VIOLET
  Voir tab. **Couleurs**
  Voir tab. **Gâteaux régionaux et étrangers**
PRUNE drupe, icaque, jaune-vert, mirabelle, pruine, pruneau, prunelée, prunelle, quetsche, reine-claude, rouge, violet
PRUNEAU → PRUNE
  Voir tab. **Gâteaux régionaux et étrangers**
PRUNELÉE → PRUNE
PRUNELLE → PRUNE
PRUNELLE provoquer, pupille
PRUNELLIER → ARBUSTES, ÉPINE, PRUNIER
PRUNIER myrobalan, prunellier, prunus
PRUNUS → PRUNIER
PRURIGO → ACARIEN, DÉMANGEAISON, GRATTER, INFLAMMATION
PRURIT → DÉMANGEAISON, DÉSIR
PRUSSIQUE (ACIDE)
  Voir tab. **Acides**
PRYTANÉE → ÉCOLE, MILITAIRE (1)
P.-S. (POST-SCRIPTUM) → COMPLÉMENT
PSALLETTE → CHANT, CHŒUR
PSALLIOTE → COUCHE
PSALMODIER → CHANTER, DÉCLAMER, RÉCITER
PSALTÉRION
  Voir tab. **Instruments de musique**
PSAMMOPHYTE → PLANTE
PSAUME → CHANT, HYMNE, MESSE, POÈME, PRIÈRE
PSAUMES (LES)
  Voir tab. **Bible**
PSAUTIER → LIVRE
PSCHENT → COURONNE
PSELLION → BRACELET
PSEUDO- → FAUX (2)
PSEUDOGLEY → SOL
PSEUDONYME → DÉSIGNATION, EMPRUNT, FAUX (2), NOM, PLUME
PSILOCYBINE → DROGUE
PSITTACIFORMES
  Voir tab. **Oiseaux (classification simplifiée des)**
PSITTACISME → LANGAGE, PAROLE, PERROQUET
PSITTACOSE → OISEAU
PSOQUE → POU
PSYCHANALYSE → RÊVE
  Voir tab. **Psychanalyse**
PSYCHANALYSTE → CONSEILLER
PSYCHÉ → ÂME, GLACE, MEUBLE, MIROIR
PSYCHIATRE → CONSEILLER, MÉDECIN, MENTAL

PSYCHIATRIE
  Voir tab. **Psychiatrie**
PSYCHIATRIE aliénisme, antipsychiatrie, camisole chimique, électrochoc, électronarcose, ethnopsychiatrie, lobotomie, maladie mentale, neurochirurgie, neuropsychiatrie, pédopsychiatrie, psychiatrie institutionnelle, psychiatrie organiciste, sismothérapie, tranquillisant
PSYCHIATRIE INSTITUTIONNELLE → PSYCHIATRIE
PSYCHIATRIE ORGANICISTE → PSYCHIATRIE
PSYCHIQUE → INTELLECTUEL, MENTAL
PSYCHISME → INTÉRIEUR (1), INTIME, MENTAL, PSYCHOLOGIE
PSYCHOKINÉSIE → TRANSMISSION
  Voir tab. **Sciences occultes**
PSYCHOLINGUISTIQUE → APPLIQUÉ, PSYCHOLOGIE
PSYCHOLOGIE
  Voir tab. **Psychiatrie**
PSYCHOLOGIE béhaviorisme, caractère, caractériologie, finesse, gestalt-thérapie, intuition, personnalité, psychisme, psycholinguistique, psychologue, psychométrie, psychotechnique, psychothérapeute
PSYCHOLOGUE → CONSEILLER, PSYCHOLOGIE
PSYCHOMÉTRIE → PSYCHOLOGIE
PSYCHOMÉTRIQUE → TEST
PSYCHOPATHE
  Voir tab. **Psychiatrie**
PSYCHOPATHOPHOBIE
  Voir tab. **Phobies**
PSYCHOPOMPE → CONDUCTEUR
PSYCHORIGIDE → INFLEXIBLE
PSYCHOSE → CARACTÈRE, FOLIE, INTERMITTENT, MENTAL, OBSESSION, PERSONNALITÉ
  Voir tab. **Psychanalyse**
  Voir tab. **Psychiatrie**
PSYCHOSE aliénation, angoisse, autisme, cyclothymie, démence, folie, mélancolie, obsession, paranoïa, schizophrénie
PSYCHOSE MANIACO-DÉPRESSIVE
  Voir tab. **Psychiatrie**
PSYCHOSOMATIQUE → MALADIE
PSYCHOSTASIE → JUGEMENT
PSYCHOTECHNIQUE → PSYCHOLOGIE
PSYCHOTHÉRAPEUTE → CONSEILLER, PSYCHOLOGIE
PSYCHOTONIQUE → STIMULANT
PSYCHOTROPE → DROGUE
PSYCHROMÈTRE → HUMIDITÉ, THERMOMÈTRE
  Voir tab. **Instruments de mesure**
PSYLLE → SERPENT
PSYLLION → PUCE
PT
  Voir tab. **Éléments chimiques (symbole des)**
PTÉRIDOPHYTES → PLANTE
  Voir tab. **Végétaux (classification simplifiée des)**
PTÉROSAURIEN → REPTILE (1)
PTÉRYLIE → PLUME

PTOLÉMÉE → CONSTELLATION
PTÔSE → CORSET, DESCENTE
PTYALINE → SALIVE
PTYALISME → SALIVE
PU
  Voir tab. **Éléments chimiques (symbole des)**
PUANT → ODEUR
PUANTEUR → BOUC, INFECTION
PUB → BAR, BOISSON
PUBÈRE → FILLE
PUBERTÉ → ADOLESCENCE, FEMME, FORMATION, MENSTRUATION
PUBESCENT → DUVET
PUBIS → VENTRE
  Voir illus. **Squelette**
PUBLIC → ASSEMBLÉE, ASSISTANCE, COLLECTIF, COMMUN, CONSOMMATEUR, DESTINATAIRE, DROIT (1), ÉTAT, GALERIE, MIXTE, NOTOIRE, OFFICIEL, OUVERT, SALLE, SOCIAL, SOLENNEL, SPECTATEUR, TESTAMENT
PUBLIC (1) assemblée, assistance, auditoire, cible, marché, peuple, population, salle, spectateur
PUBLIC (2) Administration, aire de jeux, collectif, commun, communication, divulguer, État, fonctionnaire, général, gouvernement, laïque, manifeste, notoire, officiel, parc, politique, publier, républicain, révéler, square
PUBLICAIN → FERMIER
PUBLICATION → ANNONCE, BULLETIN, COMMUNICATION, ÉCRIT (1), ÉDITION, ORGANE, SORTIE
PUBLICATION bibliographie, bimensuel, brochure, bulletin, écrit, édition, hebdomadaire, mensuel, ouvrage, PAO, parution, périodique, promulgation, quotidien, revue
PUBLICITAIRE → PUBLICITÉ
  Voir tab. **Saints patrons**
PUBLICITAIRE affiche, annonce, annonceur, banderole, clip, encart, jingle, placard, prospectus, publireportage, slogan, sonal, spot
PUBLICITÉ → CONCURRENCE, IMPRIMER, PROPAGANDE, RÉCLAME
PUBLICITÉ annonceur, battage, campagne, homme-sandwich, lancer, média, publicitaire, publiphobe, publivore, réclame
PUBLIER → AFFICHER, COMMUNIQUER, DÉCLARER, DIFFUSER, IMPRIMER, INFORMER, PARAÎTRE, PROCLAMER, PUBLIC (2), SAVOIR (2), TRANSMETTRE
PUBLIER annoncer, communiquer, compte d'auteur (à), éditer, exposer, faire paraître, imprimer, proclamer, sortir
PUBLIPHOBE → PUBLICITÉ
PUBLIPHONE → CABINE
PUBLIPOSTAGE
  Voir tab. **Informatique**
PUBLIREPORTAGE → PUBLICITAIRE, REPORTAGE
PUBLIVORE → PUBLICITÉ
PUCE → INSECTE, PASTILLE, PESTE, VERMINE

Voir tab. **Bande dessinée (héros de)**

Voir tab. **Couleurs**

PUCE chip, chique, daphnie, gammare, intrigué, psyllion, pulicidés, rouge-brun, talitre

PUCELLE → FILLE

PUCERON → INSECTE

PUCES → MARCHÉ, OCCASION

PUCHERO

Voir tab. **Spécialités étrangères**

PUCHEUX → CUILLER

PUCK → HOCKEY

PUDDING → DESSERT

Voir tab. **Gâteaux régionaux et étrangers**

PUDEUR → DÉCENCE, HONTE, RÉSERVE, SCRUPULE, TENUE

PUDEUR chasteté, décence, délicatesse, dévergondé, discrétion, grossier, impudique, indécent, indélicat, libidineux, pruderie, pudibonderie, réserve, retenue, tabou, tact, vulgaire

PUDIBONDERIE → PUDEUR

PUDIQUE → CHASTETÉ, DÉCENT, DISCRET

PUER → SENTIR

PUÉRICULTRICE → ENFANCE

PUÉRICULTURE → BÉBÉ

PUÉRIL → INFANTILE

PUÉRILITÉ → ENFANT, IMMATURE, INFANTILE

PUERPÉRALE → FIÈVRE, FIÈVRE

PUGILAT → BAGARRE, BOXE, COMBAT, ÉCHANGE, LUTTE

PUGILISTE → BOXEUR

PUGNACE → BAGARRE

PUGNACITÉ → OPINIÂTRETÉ

PUÎNÉ → CADET, FILS, FRÈRE, JEUNE, SŒUR

PUISARD → ÉGOUT, PUITS

PUISATIER → PUITS

PUISER → PIOCHER, POMPER, TIRER

PUISEUR → PLONGEUR

PUISQUE → INSTANT

PUISSANCE → AUTORITÉ, EFFICACITÉ, ÉNERGIE, FORCE, GRANDEUR, INFLUENCE, INTENSITÉ, PAYS, POTENTIEL (1), POUVOIR, VIGUEUR

PUISSANCE autorité, capacité, cheval-vapeur, domination, efficacité, État, exposant, nation, omnipotence, pays, potentialité, pouvoir, virtualité, watt

PUISSANT → ÉCLATANT, ÉNERGIQUE, IMPORTANT, SUPRÊME, VIOLENT

PUISSANT drastique, efficace, énergique, fort, haut placé, influent, musclé, nanti, opulent, résistant, riche, robuste, vigoureux

PUITS → GISEMENT, MINE, POINT

Voir tab. **Cuisine**

PUITS artésien, érudit, excavation, forer, pleureur, puisard, puisatier, trou

PUITS ARTÉSIENS → NAPPE

PULICIDÉS → PUCE

PULITZER (PRIX)

Voir tab. **Prix littéraires**

PULL → TRICOT

Voir illus. **Modes et styles**

PULLMAN → WAGON

PULL-OVER → LAINE, TRICOT

PULLULEMENT → MULTIPLICATION, PROFUSION, QUANTITÉ

PULLULER → GROUILLER, PLEUVOIR

PULMONAIRE → PESTE, SOUFFLE

Voir illus. **Cœur**

PULPE → BOUILLIE, CHAIR, DENT

Voir illus. **Ongle**

PULPITE → DENT

PULQUE → TEQUILA

PULSAR → ÉTOILE

Voir illus. **Étoiles (formation des)**

PULSATION → BATTEMENT, CŒUR, POULS

PULSATIVE → DOULEUR

PULSION → IMPULSION, INCONSCIENT (2), INSTINCT, TENDANCE

Voir tab. **Psychanalyse**

PULTACÉ → BOUILLIE

PULVÉRISATEUR → BOUTEILLE, PULVÉRISER

PULVÉRISATION → DÉSAGRÉGATION

PULVÉRISER → ARROSER, BATTRE, BRISER, ÉCRASER, PILER, POUDRE, RECORD, RÉDUIRE, TRITURER, VAPORISER

PULVÉRISER aérosol, anéantir, battre, bombe, brésiller, broyer, dépasser, détruire, écraser, égruger, exterminer, moudre, piler, pulvérisateur, vaporiser

PULVÉRULENT → POUDRE

PUMA → HÉLICOPTÈRE, LION

PUMA cougouar, eyra, félidés

PUNA → PLATEAU

PUNAISE → FIXATION, INSECTE, VERMINE

PUNAISE DE SACRISTIE → BÉNITIER, FERVENT (2)

PUNAISER → PIQUER

PUNAISIE → RHINITE

PUNCH → MARIONNETTE, MORDANT (1), RESSORT

PUNIR → COIN, CONDAMNER, CORRIGER, PRIVER

PUNIR blâmer, châtier, condamner, consigner, corriger, réprimer, sanctionner, sévir, verbaliser

PUNITION → AMENDE, CONSIGNE, LEÇON, REPRÉSAILLES, RÉPRESSION, SANCTION, SUPPLICE, VENGEANCE

PUNITION amende, carton, châtiment, contravention, gage, leçon, ligne, peine, pénalité, pénitence, pensum, piquet, retenue, sanction

PUNK → CRÊTE

Voir illus. **Cheveux (coupes de)**

PUNTARELLE → BRACELET, CORAIL

PUPAZZO → MARIONNETTE

PUPILLE → PRUNELLE, TUTEUR

Voir illus. **Œil**

PUPITRE → BUREAU, MUSIQUE, PARTITION, TABLE

PUPITRE bureau, console, diriger, lutrin, table de commande

PUR → BLANC (1), BRUT, CHASTETÉ, CLAIR, DÉFAUT, INNOCENT (2), INTACT, LIMPIDE, NAÏF, NATUREL, PLATONIQUE, PROPRE (2), RAFFINÉ, SEREIN, SIMPLE, SUBLIME

PUR absolu, authentique, bleu, candide, chaste, clair, correct, cristallin, dépouillé, fondamental, inaltéré, innocent,

intact, intègre, limpide, parfait, propre, serein, simple, théorique, total, transparent, vierge

PURE PERTE (EN) → VAIN

PUREAU → ARDOISE, TUILE

PURÉE → POMME DE TERRE

PURÉE aligot, aurore, brandade, brouillard, compote, coulis, mousseline, soubise

PURETÉ → COLOMBE, FRAÎCHEUR, INNOCENCE, LIS, NAÏVETÉ, PERFECTION

PURETÉ authenticité, candeur, clarté, colombe, élégance, intégrité, lis, netteté, séraphique, virginité

PURGATIF → LAXATIF, PURGE, RICIN

Voir tab. **Médicaments**

PURGATOIRE → ACCÈS, PARADIS

Voir tab. **Catholique romain (vocabulaire)**

PURGE → PARTI, POTION

PURGE élimination, épuration, laxatif, mucilage, purgatif, purgeur, vidange

PURGER → DÉBARRASSER, IMPURETÉ, SUBIR

PURGER accomplir, hors gel (mettre), subir, vider

PURGEUR → PURGE, ROBINET

PURIFICATEUR → FILTRE

PURIFICATION → DÉSINFECTION

PURIFICATION ablution, aspersion, assainissement, baptême, chloration, désinfection, épuration, javellisation, lustration, verdunisation

PURIFIER → ASSAINIR, DÉBARRASSER, ÉPURER, FILTRER, RAFFINER

PURIN → FUMIER

PURISME → GRAMMAIRE, LANGAGE

PURITAIN → AUSTÉRITÉ, PROTESTANT (2), RESPECT

PURITAIN austère, intransigeant, prude, rigide, rigoriste, sectaire, sévère

PURITANISME → MŒURS, STRICT

PURON → LAIT

PURPURA → BLEU (2), HÉMORRAGIE, INFILTRATION

PURPURIN → POURPRE (2)

Voir tab. **Couleurs**

PURPURINE → TEINTURE

PUR-SANG → CHEVAL, RACE

PURULENT → PUS

PUS abcès, bourbillon, ichor, purulent, pyogène, pyorrhée, pyurie, sanie, suppuration

PUSILLANIME → FAIBLE (2), INQUIET, MÉFIANT, PEUREUX, POLTRON, PRUDENCE, TIMIDE

PUSILLANIMITÉ → LÂCHETÉ

PUSTULE → AMPOULE, BOUTON

PUTAIN → PROSTITUÉE

Voir tab. **Prostitution**

PUTATIF → PÈRE, SUPPOSÉ

PUTE → PROSTITUÉE

Voir tab. **Prostitution**

PUTEAUX

Voir tab. **Habitants (comment se nomment les)**

PUTÉOLIENS

Voir tab. **Habitants (comment se nomment les)**

PUTOIS → PINCEAU

PUTRÉFACTION → ALTÉRATION,

DÉCOMPOSITION, DESTRUCTION, POURRITURE

PUTRÉFIABLE → POURRIR, PUTRIDE

PUTRÉFIÉ → CADAVRE, POURRI, PUTRIDE

PUTRÉFIER → DÉCOMPOSER, GÂTÉ, POURRIR

PUTRESCENCE → DÉCOMPOSITION

PUTRESCENT → CADAVRE

PUTRESCIBLE → POURRIR, PUTRIDE

PUTRIDE → DÉGOÛTANT, INFECT, MALSAIN, MAUVAIS, ODEUR, POURRI, POURRITURE

PUTRIDE délétère, faisandé, fétide, miasme, nauséabond, pestilentiel, pourri, putréfiable, putréfié, putrescible

PUTSCH → ATTENTAT, COMPLOT, COUP D'ÉTAT, ÉTAT, MILITAIRE (2), RÉVOLTE, SOULÈVEMENT

PUTT → GOLF

PUTTO → ANGE, BÉBÉ

Voir tab. **Peinture et décoration**

PUY → DENTELLE, MONTAGNE

PUY (LE)

Voir tab. **Habitants (comment se nomment les)**

PUZZLE → ASSEMBLER, COMBINAISON, PATIENCE

PUZZLE pièce, tangram

P.-V. → CONTRAVENTION

PVC → PLASTIQUE (2)

PYCNOMÈTRE → DENSITÉ

Voir tab. **Instruments de mesure**

PYEL(O)-

Voir tab. **Chirurgicales (interventions)**

PYÉLONÉPHRITE → REIN

PYGARGUE → AIGLE

PYGMÉE → NAIN, PETIT (2)

PYLÔNE → ÉCHAFAUDAGE, PILIER, SUPPORT

PYLORE → ESTOMAC

PYOGÈNE → PUS

PYORRHÉE → DENT, PUS

PYR(O)- → FEU

PYRALE → PAPILLON, VIGNE

PYRAMIDE → BILLE, ÉCHAFAUDAGE, TAILLE, TOMBEAU

Voir illus. **Géométrie (figures de)**

PYRAMIDE entassement, mastaba, pharaon, pile, polyèdre, pyramidion, tombeau, ziggourat

PYRAMIDES DE GIZEH

Voir illus. **Monde (les Sept Merveilles du)**

PYRAMIDION → PYRAMIDE

PYRÉE → AUTEL

PYRÉNÉES

Voir tab. **Tissus**

PYRÉNÉITE → GRENAT

Voir tab. **Pierres précieuses et semi-précieuses**

PYREX → FEU, VERRE

PYRHÉLIOMÈTRE

Voir tab. **Instruments de mesure**

PYRIDOXINE

Voir tab. **Vitamines**

PYRITE → FER

Voir tab. **Minéraux et utilisations**

PYROGRAVURE → DÉCOR, GRAVURE

PYROLYSE → FOUR

PYROMANE → BRÛLER, FEU, INCENDIE

PYROMANIE

Voir tab. **Manies**

PYROMÉRIDE
Voir tab. **Roches et minerais**
PYROMÈTRE → TEMPÉRATURE
Voir tab. **Instruments de mesure**
PYROPHOBIE
Voir tab. **Phobies**
PYROPHORE → BRÛLER, INFLAMMABLE
PYROSIS → ESTOMAC, RENVOI
PYROTECHNICIEN → ARTIFICE
PYROTECHNIE → ARTIFICE, EXPLOSIF, FEU D'ARTIFICE
PYROTHÉCOPHILE
Voir tab. **Collectionneurs**
PYRRHIQUE → DANSE
PYRRHOCORIS → GENDARME
PYRRHONISME → SCEPTIQUE (1)
PYTHAGORE (DE) → MULTIPLICATION, TRIANGLE
PYTHIE → AVENIR, PROPHÈTE, SORCIÈRE
PYTHON → SERPENT
PYTHONISSE → DIVINATION, PROPHÈTE, SORCIÈRE
PYURIE → PUS
PYXIDE → COFFRE, TORTUE, VASE

QCM → MULTIPLE, QUESTIONNAIRE
QG → QUARTIER
QHS (QUARTIER DE HAUTE SÉCURITÉ) → CONDAMNATION, PRISON
QI GONG
Voir tab. **Médecines alternatives**
QUAD → MOTOCYCLETTE
QUADRAGÉNAIRE → QUARANTE
QUADRAGÉSIME → DIMANCHE
QUADRANGULAIRE → QUADRILATÈRE
QUADRANT → CIRCONFÉRENCE
QUADRATURE → LUNE, MARÉE
QUADRATURE DU CERCLE → PROBLÈME
QUADRICEPS
Voir illus. **Muscles**
QUADRICHROMIE → IMPRESSION
QUADRIENNAL → QUATRE
QUADRIGE → CHAR
QUADRILATÈRE → POLYGONE, QUATRE
Voir illus. **Géométrie (figures de)**
QUADRILATÈRE carré, losange, parallélogramme, quadrangulaire, rectangle, trapèze
QUADRILLAGE → CARRÉ (1)
QUADRILLAGE carreaux, écossais, grille, lignes, résille, vichy
QUADRILLE → DANSE
QUADRILLÉ → CARREAU
QUADRIPARTITE → QUATRE
QUADRIRÈME → BATEAU
Voir tab. **Bateaux**
QUADRIVIUM → MATHÉMATIQUES
QUADRUMANE → MAIN, QUATRE
QUADRUPÈDE → QUATRE
QUADRUPLE CARRÉ
Voir tab. **Papier (formats de)**
QUADRUPLE COQUILLE
Voir tab. **Papier (formats de)**
QUADRUPLE COURONNE
Voir tab. **Papier (formats de)**

QUADRUPLE RAISIN
Voir tab. **Papier (formats de)**
QUADRUPLEX → QUATRE
QUAI → JETÉE
QUAI appontement, bollard, cale, débarcadère, dock, embarcadère, plate-forme, tripode, wharf
QUAI DES ORFÈVRES (PRIX DU)
Voir tab. **Prix littéraires**
QUAKER → PROTESTANT (2)
QUALIFICATIF → ADJECTIF
QUALIFICATION → COMPÉTENCE, CONNAISSANCE, TITRE
QUALIFICATION appellation, aptitude, capacité, compétence, dénomination, désignation, diplôme, sélection, titre
QUALIFIÉ → CAPABLE, COMPÉTENT
QUALIFIÉ apte, autorisé, capable, compétent
QUALIFIER → CARACTÉRISER, DÉSIGNER, TRAITER
QUALIFIER taxer, traiter
QUALITÉ → ATTRIBUT, CARACTÈRE, COMPÉTENCE, DROIT (1), ESPÈCE, ÉTOFFE, MÉRITE, PARTICULARITÉ, POUVOIR, PROPRIÉTÉ
Voir tab. **Échecs**
QUALITÉ aptitude, attribut, capacité, compétence, condition, disposition, don, envergure, essence, fonction, mérite, particularité, profession, propriété, spécificité, titre, valeur, vertu
QUAND → FOIS, PENDANT (2)
QUANT-À-SOI → RÉSERVE
QUANTIÈME → DATE, JOUR, MOIS
QUANTIFICATEUR EXISTENTIEL
Voir tab. **Mathématiques (symboles)**
QUANTIFICATEUR UNIVERSEL
Voir tab. **Mathématiques (symboles)**
QUANTIQUE → MÉCANIQUE (1)
QUANTITÉ → ADVERBE, DOSE, KILOMÈTRE, RÉGIME, SOMME
QUANTITÉ abondance, accumulation, arsenal, avalanche, bribe, contingent, débauche, doigt, dose, essaim, flopée, flot, foisonnement, foule, goutte, grain, kyrielle, larme, luxe, monceau, nuage, nuée, numerus clausus, orgie, parcelle, profusion, pullulement, quantum, ribambelle, soupçon
QUANTUM → QUANTITÉ
QUANTUM D'ÉNERGIE → PARTICULE
QUARANTAINE → CONTAGIEUX, ÉCART, EXCLUSION, GIROFLÉE, ISOLEMENT, PESTE, QUARANTE
QUARANTAINE boycotter, index (mettre à l'), isolement, isoler, ostraciser, repousser
QUARANTE académicien, carême, immortel, quadragénaire, quarantaine, quarantenaire
QUARANTENAIRE → QUARANTE
QUARK → PARTICULE
QUART → GOBELET, SERVICE, VIOLON

QUART cavet, congé, demi-livre, garde, immédiatement, moitié, moment, pichet, surveillance, veille
QUART DE QUEUE → PIANO
QUART DE SOUPIR → SILENCE
Voir illus. **Symboles musicaux**
QUART MONDE → PAUVRE, PAUVRETÉ
QUARTANIER → QUATRE
QUART-DE-ROND → MOULURE
QUARTE → INTERVALLE
QUARTÉ → COURSE HIPPIQUE
QUARTERON → MÉTIS (1)
QUARTIDI → JOUR
QUARTIER → BIVOUAC, BOUCHER (2), CHAUSSURE, CROISSANT, MILITAIRE (1), ORANGE, SELLE, TRANCHE, ZONE
Voir illus. **Chaussures**
Voir illus. **Cheval**
Voir illus. **Lune**
Voir illus. **Selle**
QUARTIER arrondissement, babouche, banlieue, cantonnement, casernement, cité, claquette, croissant, faubourg, ghetto, îlot, mellah, phase, QG, sandale, siège, tong, ZUP
QUARTIER DE NOBLESSE → NOBLE (2)
QUARTIER GÉNÉRAL → BASE
QUARTIER-MAÎTRE
Voir illus. **Grades militaires**
QUARTZ → CRISTAL, MINÉRAL (1), PORCELAINE
Voir tab. **Minéraux et utilisations**
QUARTZ améthyste, aventurine, citrine, diamant, girasol, gneiss, hyalin, jaspe, micaschiste, œil-de-chat
QUASAR → GALAXIE, TROU
QUASI → TRANCHE
Voir illus. **Veau**
QUASI-DÉLIT → DÉLIT
QUASIMENT → PEU (2), PRÈS
QUASIMODO → CLOCHER
QUASI-USUFRUIT → USUFRUIT
QUATERNAIRE
Voir tab. **Géologique (échelle des temps)**
QUATRAIN → QUATRE, STROPHE
Voir tab. **Poésie (vocabulaire de la)**
QUATRE quadriennal, quadrilatère, quadripartite, quadrumanes, quadrupèdes, quadruplex, quartanier, quatrain, tétradactyle, tétralogie, tétraplégie
QUATRE BARRÉ
Voir illus. **Aviron**
QUATRE CINQUIÈMES → PARTIEL
QUATRE-CENT-VINGT-ET-UN → DÉ
QUATRE-ÉPICES
Voir tab. **Herbes, épices et aromates**
QUATRE-QUATRE (4 X 4) → VÉHICULE
Voir illus. **Voitures (types de)**
QUATRE-SAISONS → MARCHAND
QUATRE-TEMPS → JEÛNE
QUATRE-VINGT-DIX nonagénaire, nonante
QUATRE-VINGTS huitante, octogénaire

QUATRIÈME
Voir tab. **Belote**
QUATRILLION → MILLION
QUATUOR → CONCERT, GROUPE, ORCHESTRE
QUE → RELATIF
QUEL → RELATIF
QUELCONQUE → BANAL, COMMUN, INDÉFINI, INÉGAL, INSIGNIFIANT, MÉDIOCRE, ORDINAIRE, PLAT (2), SECOND (2), TRIANGLE, VAGUE (2), VALEUR
QUELCONQUE banal, commun, insignifiant, insipide, médiocre, ordinaire
QUELQUE → INDÉFINI, UN
QUELQU'UN → INDÉFINI, PERSONNE
QUÉMANDER → MENDIER, RÉCLAMER, SOLLICITER
QUENELLE → VIANDE
QUENOTTE → DENT
QUENOUILLE → FIL, FILER, LIT, TAILLE
QUERCITRIN → TEINTURE
QUERCITRON → CHÊNE
QUERELLE → AFFAIRE, ALTERCATION, BAGARRE, COMBAT, CONFLIT, DISPUTE, ÉCHANGE, ESCARMOUCHE, ESCLANDRE, INCIDENT (1), PRISE, SCÈNE, SÉPARATION, TIRAILLEMENT
QUERELLE accrochage, algarade, altercation, controverse, débat, démêlé, différend, dispute, esclandre, polémique
QUERELLER (SE) → AFFRONTER
QUERELLEUR → AGRESSIF, BAGARRE, BELLIQUEUX
QUÉRULENCE → REVENDICATION
QUESTION → AFFAIRE, DEMANDE, INTERPELLATION, OBJET, POINT, PROBLÈME, SUJET, TORTURE
QUESTION colle, consigne, consulter, controverse, demander, devinette, enquêter, interroger, point, polémique, problème, questionner, sonder, sujet
QUESTIONNAIRE carte-réponse, coupon-réponse, enquête, formulaire, QCM, sondage
QUESTIONNER → DEMANDER, INTERPELLER, QUESTION, REMETTRE, SONDER
QUESTIONNER consulter, enquérir de (s'), informer (s'), interviewer, renseigner (se), sonder
QUESTURE → DIGNITÉ, MAGISTRATURE
QUÊTE → AUMÔNE, RECHERCHE, SOIF
QUÊTE collecte, recherche
QUÊTER → MENDIER, RECHERCHER, RECUEILLIR, SOLLICITER
Voir tab. **Chasse (vocabulaire de la)**
QUETSCHE → EAU-DE-VIE, PRUNE
Voir tab. **Alcools et eaux-de-vie**
QUEUE → APPENDICE, BILLARD, CASSEROLE, COMÈTE, PANACHE, PARTIE, PIANO, POIGNÉE, RANG
Voir illus. **Bœuf**

Q

QUEUE anoures, balai, bout, caudal, -cerque, cordier, couette, courtaud, file, fin, fouet, macroures, manche, -oure, pédicule, pédoncule, pétiole, procédé, urodèles, uropode

QUEUE D'ARONDE → MENUISERIE

QUEUE DE CHEVAL → CHEVEU, COIFFURE

Voir illus. **Cheveux (coupes de)**

QUEUE DE DÉTENTE

Voir illus. **Fusils**

QUEUE LEU LEU (À LA) → FILE, INDIEN (2)

QUEUE-DE-MORUE → PINCEAU, UNIFORME (1), VÊTEMENT

Voir illus. **Manteaux**

QUEUE-DE-PIE → HABIT, UNIFORME (1), VÊTEMENT

Voir illus. **Manteaux**

QUEUE-DE-RAT → LIME

Voir tab. **Pêche**

QUEUE-DE-VACHE

Voir tab. **Couleurs**

QUEUTER → BILLARD

QUEUX → AIGUISER

QUI → RELATIF

QUICHE LORRAINE → TARTE

QUICHENOTTE

Voir illus. **Coiffures**

QUICK → TENNIS

QUICKSTEP

Voir tab. **Danses (types de)**

QUICONQUE → IMPORTER, INDÉFINI, TOUT (2)

QUIDAM → INDIVIDU, PERSONNE

QUIDDITÉ → ESSENCE

QUIDDOUSHIM → MARIAGE

QUIET → SILENCIEUX

QUIÉTISME → MYSTIQUE (2)

QUIÉTUDE → BÉATITUDE, BIEN-ÊTRE, DÉTACHEMENT, DOUCEUR, PAIX, REPOS, SÉCURITÉ, SILENCE, TRANQUILLITÉ

Voir tab. **Bruits**

QUIGNON → BOUT, MORCEAU

QUILLARD → COURSE DE BATEAUX

QUILLE → BOULE

Voir illus. **Voilier : Dufour 38 Classic**

QUILLE bowling, carlingue, pomme, quillier, siam

QUILLIER → QUILLE

QUINAUD → CONFUS, PENAUD

QUINCAILLERIE → BAZAR, BOUTIQUE, USTENSILE

QUINCAILLERIE accastillage, bimbeloterie, pacotille, taillanderie

QUINE → LOTO

QUININE → AMER, MALARIA, PALUDISME

Voir tab. **Médicaments**

QUINQUAGÉSIME → DIMANCHE

QUINQUENNAL → CINQ

QUINQUÉRÈME

Voir tab. **Bateaux**

QUINQUET → LAMPE

QUINQUINA → TONIQUE (2)

Voir tab. **Alcools et eaux-de-vie**

QUINQUINA D'EUROPE → FRÊNE

QUINTAINE → CIBLE

QUINTAL → CENT, KILOGRAMME, POIDS

QUINTE → ACCÈS, CINQ, CRISE, INTERVALLE, POKER, SUITE, TOUX

Voir tab. **Belote**

Voir tab. **Poker**

QUINTÉ → COURSE HIPPIQUE

QUINTE FLUSH → POKER, SUITE

Voir tab. **Poker**

QUINTEFEUILLE → ROSACE

QUINTESSENCE → CONCENTRÉ, ÉLIXIR, ESSENCE, MEILLEUR (1), SUBSTANCE

QUINTESSENCIÉ → RAFFINÉ, SINUEUX, SUBTIL

QUINTETTE → CINQ, CONCERT, GROUPE, ORCHESTRE

QUINTIDI → JOUR

QUINTILLION → MILLION

QUINTUPLE → CINQ

QUINZAINE → QUINZE, SEMAINE

QUINZE pentadécagone, quinzaine, quinziste

QUINZISTE → QUINZE, RUGBY

QUIPROQUO → ERREUR, MALENTENDU

QUIPROQUO embrouillamini, imbroglio

QUIPU → CORDE

QUITTANCE → ACQUIT, BON (2), FACTURE, PAIEMENT

QUITTER → ABANDONNER, COMPAGNIE, DÉLAISSER, DÉMETTRE, DÉPOUILLER, ÉVACUER, FAUSSER, LÂCHER, LAISSER, ÔTER, PARTIR, PLAQUER, RENONCER, ROMPRE

QUITTER abandonner, abdiquer, absenter (s'), débarrasser de (se), défaire de (se), démettre de (se), démissionner, dépouiller de (se), déserter, divorcer, émigrer, enlever, expatrier (s'), lâcher, ôter, planter là, plaquer, répudier, résigner, retirer, rompre avec, séparer de (se)

QUITUS

Voir tab. **Copropriété**

QUI-VIVE (SUR LE) → MÉFIANT

QUOI → RELATIF

QUOLIBET → MOQUERIE, PLAISANTERIE

QUORUM

Voir tab. **Copropriété**

QUOTE-PART → CONTRIBUTION, COTISATION, DÉPENSE, PART

Voir tab. **Copropriété**

QUOTE-PART cote, écot, quotité, tantième

QUOTIDIEN → JOUR, JOURNAL, PÉRIODIQUE (2), PUBLICATION, USUEL

QUOTIDIEN banal, commun, courant, habituel, journalier, ordinaire, routinier

QUOTIENT → DIVISION

QUOTIENT division, rapport, ratio

QUOTIENT FAMILIAL → IMPÔT

QUOTIENT INTELLECTUEL (QI) → MENTAL

QUOTITÉ → PART, QUOTE-PART

QWERTY → CLAVIER

QWERZ → CLAVIER

RA

Voir tab. **Éléments chimiques (symbole des)**

RAB → COMPLÉMENT

RABÂCHER → RÉPÉTER, RESSORTIR

RABÂCHER radoter, redire, répéter, ressasser

RABAIS → ABATTEMENT, BAISSE, DIMINUTION, PRIX, SOLDE

RABAIS abattement, bonification, discount, escompte, promotion, remise, ristourne, solde

RABAIS (AU) → ACHETER, PROMOTION, VENTE

RABAISSER → ABAISSER, DÉNIGRER, DÉPRÉCIER

RABAISSER amoindrir, avilir, dégrader, déprécier, diminuer, humilier, réduire

RABAT → CRAVATE

Voir illus. **Toits**

RABAT DE JAQUETTE

Voir illus. **Livre relié**

RABAT-JOIE → RENFROGNÉ, TROUBLE-FÊTE

RABATTRE → BUISSON, DÉGROSSIR, PLIER, RETENIR

RABATTRE aplatir, coucher, décompter, déduire, défalquer, forcer, ramener, réflecteur, replier, river, traquer

RABATTRE (SE) contenter de (se), ranger (se), satisfaire de (se)

RABATTU

Voir tab. **Couture**

RABBIN → CULTE, DIGNITÉ, DOCTEUR, JUIF (2), RELIGIEUX (1), SYNAGOGUE, THÉOLOGIE

Voir tab. **Politesse (formules de)**

RABBIN araméen, commentateur, consistoire, culte, enseignant, enseignement, hébreu, Kabbale, kasher, kohen, lévite, loi mosaïque, ministre officiant, représentant, sage, schuhl, synagogue, Talmud, yeshiva

RABELAISIEN → GAULOIS, POLISSON

RABIBOCHER → RÉPARER, RÉUNIR

RABIBOCHER (SE) → RACCOMMODER (SE), RÉCONCILIER (SE), REMETTRE (SE)

RÂBLE → DOS

RÂBLÉ → SOLIDE

RABOT bouvet, colombe, copeau, dégauchisseuse, doucine, ébéniste, gorget, guillaume, menuisier, rabatter, rabotin, tarabiscot, varlope

RABOTAGE → PONÇAGE

RABOTER → DRESSER, MENUISERIE, POLIR

RABOTEUR → RABOT

RABOTEUX → INÉGAL, RUDE

RABOTEUX inégal, rêche, rugueux

RABOTIN → RABOT

RABOUGRI → DESSÉCHÉ, MAIGRE

RABOUGRIR (SE) → ÉTIOLER

RABOUILLÈRE → GÎTE, LAPIN

Voir tab. **Animaux (termes propres aux)**

RABOUTER → BOUT, RACCORDER

RABROUER → BRUSQUE

RABROUER éconduire, envoyer au diable, gronder, rejeter, rembarrer, renvoyer

RACAILLE → VERMINE

RACCASTILLER → RÉPARER

RACCOMMODER → BRICOLER, COUDRE, RÉPARER, RÉUNIR

RACCOMMODER accorder, concilier, rafistoler, rapetasser, rapiécer, ravauder, recoudre, remmailler, renforcer, réparer, repriser, stopper

RACCOMMODER (SE) → RÉCONCILIER (SE)

RACCOMMODER (SE) rabibocher (se), réconcilier (se)

RACCORD

Voir tab. **Cinéma**

RACCORDEMENT → JONCTION

RACCORDER → AJUSTER, BRANCHER, RÉUNIR

RACCORDER assembler, joindre, rabouter, raccrocher, rattacher, relier, ruiler, souder, unir

RACCOURCI → CHEMIN, MINIATURE, RÉSUMÉ (1)

RACCOURCI couper, ellipse, perspective

RACCOURCIR → ABRÉGER, BREF (1), DIMINUER, RÉTRÉCIR

RACCOURCIR abréger, diminuer, ébouter, écimer, écourter, élaguer, émonder, moucher, racornir (se), ratatiner (se), réduire, réduire (se), résumer, tailler

RACCROCHER → RACCORDER, RATTRAPER (SE)

RACE → ESPÈCE, GENRE, SANG, ZOOLOGIE

RACE aïeul, ancêtre, ascendance, bâtard, brachycéphale, branche, brassage, croisé, croisement, descendance, dolichocéphale, dysgénique, engeance, espèce, ethnie, eugénisme, extraction, génération, genre, herd-book, hybridation, lignage, lignée, maison, mâtiné, mésocéphale, métissage, parage, peuple, postérité, pur-sang, racisme, sang, ségrégation, sorte, souche, sous-espèce, sous-race, stud-book, variété

RACÉ → ALTIER

Voir tab. **Vin (vocabulaire du)**

RACÈME

Voir illus. **Fleur**

RACER → YACHT

RACHAT → ABSORPTION

RACHEL

Voir tab. **Cartes à jouer**

RACHETER → COMPENSER, SAUVER

RACHETER affranchir (s'), compenser, corriger, effacer, expier, libérer (se), pallier, pardonner, rédimer (se), réhabiliter, relever, réparer, sauver

RACHETER (SE) → RATTRAPER (SE)

RACHETER (SE) rattraper (se)

RACHIALGIE → COLONNE VERTÉBRALE

RACHICENTÈSE → PONCTION

RACHIDIEN (CANAL) → MOELLE

RACHIS → COLONNE VERTÉBRALE, ÉCHINE, ÉPI, ÉPINE, VERTÈBRE

RACHITIQUE → CHÉTIF, CONSTITUTION, DÉBILE, MAIGRE

RACHITISME → CALCIUM, VITAMINE

RACINE → ATTACHE, BASE, BOUTURE, FAMILLE, MOT, ORIGINE, PIED, POIL, RADICAL (1)

Voir illus. **Dent**
Voir illus. **Ongle**
Voir illus. **Poil**
Voir tab. **Mathématiques (symboles)**
RACINE barré, base, boulure, bulbe, bulbille, chevelu, coiffe, collet, commencement, crampon, culasse, déchausser, déraciner, enraciner (s'), essence, étymologie, fasciculé, fibrille, flexionnel, formant, implanter (s'), indice, infixe, monème, mycorhize, naissance, oignon, origine, pivot, pivotant, préfixe, principe, racine adventive, racine primaire, raciner, radical, radicelle, radiculaire, radicule, souche, source, suçoir, suffixe, thallophytes, traçant, tubercule
RACINE ADVENTIVE → RACINE
RACINE DE BENOÎTE → TONIQUE (2)
RACINE PIVOTANTE
Voir illus. **Arbre**
RACINE PRIMAIRE → RACINE
RACINE TRAÇANTE
Voir illus. **Arbre**
RACINER → RACINE, TEINDRE
RACISME → COLONISATION, DISCRIMINATION, ÉTRANGER (1), IMMIGRÉ, RACE, XÉNOPHOBIE
RACISME antisémitisme, apartheid, discrimination, ségrégation raciale
RACISTE → XÉNOPHOBE
RACLER → GRATTER
RACLER LA GORGE (SE) → TOUSSER
RACLOIR → BROSSE
RACOLAGE → PROSTITUÉE
RACOLER → ABORDER, ATTIRER, RECRUTER
RACONTAR → BAVARDAGE, COMMÉRAGE, INDISCRÉTION, JASER, MÉDISANCE
RACONTER → DÉCRIRE, NARRATION, RÉPÉTER
RACONTER baver sur, broder, cancaner, conter, débiter, décrire, dépeindre, détailler, exposer, fabuler, forger, historier, imaginer, inventer, médire de, narrer, rapporter, réciter, relater, retracer
RACONTER DES HISTOIRES → LEURRER
RACORNI → DESSÉCHÉ, SEC
RACORNIR (SE) → RACCOURCIR (SE)
RADAR → DISTANCE, ÉCHO, ONDE
Voir illus. **Avion**
Voir illus. **Porte-avions**
RADAR AWACS, balise, détecteur, furtif, mouchard
RADASSE
Voir tab. **Prostitution**
RADE → ABRI, BAIE, PORT
RADEAU → BATEAU
Voir tab. **Bateaux**
RADIAIRE → RAYON
RADIAL → MAIN, RAYON
RADIANT → POINT
RADIATEUR → CHAUFFAGE
RADIATEUR bain d'huile (à), calandre, convecteur, soufflant

RADIATION → EXCLUSION, RADIOACTIVITÉ
RADIATION athermane, diathermane, émanation, émission, irradiation, radiesthésie, rayon, rayon gamma, rayon X, sievert, ultraviolet, UVA
RADICAL → BASE, CATÉGORIQUE, ÉLÉMENT, FONDAMENTAL, INFAILLIBLE, MOT, RACINE, TOTAL
RADICAL (1) augment, désinence, étymon, infixe, préfixe, racine, radicalisme, suffixe, thème
RADICAL (2) absolu, complet, draconien, drastique, essentiel, extrémiste, foncier, fondamental, primitive, révolutionnaire, total
RADICALEMENT → TOUT (3)
RADICALISME → RADICAL (1)
RADICANT
Voir illus. **Champignon**
RADICELLE → RACINE, RAMIFICATION
Voir illus. **Arbre**
RADICULAIRE → RACINE
RADICULE → GRAINE, RACINE
RADIÉ → CONTRÔLE, RAYON
RADIER → ÔTER, PONT, RAYER, SUPPRIMER
RADIESTHÉSIE → BAGUETTE, OCCULTE, PENDULE, RADIATION
RADIESTHÉSISTE → SOURCE
RADIEUX → BIENHEUREUX (1), CONTENT (2), ÉCLATANT, ÉPANOUI, ÉTINCELANT, HEUREUX, JOIE, JOYEUX, LUMIÈRE, RAYONNER, RESPLENDISSANT, SOMPTUEUX, SPLENDIDE
RADIEUX beau, éclatant, ensoleillé, épanoui, heureux, joyeux, ravi, rayonnant, resplendissant, splendide
RADIN → COMPTER
Voir tab. **Vols (types de)**
RADIO → ANTENNE, INFORMATION
RADIO auditeur, autoradio, baladeur, émetteur-récepteur, plage, programme, radiographie, radioscopie, scanner, transistor, tuner
RADIOACTIF → CONTAMINÉ
RADIOACTIF becquerel, bêta, curie, effluent, radioélément, radio-isotope
RADIOACTIVITÉ → ATOMIQUE, URANIUM
Voir tab. **Chimie**
RADIOACTIVITÉ décontamination, fluorescence, radiation, rayonnement
RADIOCARBONE → CARBONE
RADIOCOMMUNICATION radiodiffusion, radionavigant, radiophonie, radiotélégraphiste, téléphone sans fil
RADIODIAGNOSTIC → DIAGNOSTIC
RADIODIFFUSEUR
Voir tab. **Saints patrons**
RADIODIFFUSION → DIFFUSION, RADIOCOMMUNICATION
RADIOÉLECTRIQUE → NAVIGATION
RADIOÉLECTRIQUE capter, courte, électromagnétique, galène, hertz, hertzienne, kilohertz,

longue, mégahertz, mètre, moyenne, signal
RADIOÉLÉMENT → RADIOACTIF
RADIOGRAMME → TÉLÉGRAMME
RADIOGRAPHIE → CLICHÉ, RADIO
Voir tab. **Examens médicaux complémentaires**
RADIOGRAPHIE échographie, IRM (imagerie par résonance magnétique), radiologie, scanner, scintigraphie
RADIOGUIDAGE
Voir tab. **Automobile**
RADIOGUIDÉ → GUIDER
RADIO-ISOTOPE → RADIOACTIF
RADIOLOGIE → RADIOGRAPHIE
Voir tab. **Sciences : termes en -ologie et -ographie**
RADIOLOGUE → MÉDECIN
Voir tab. **Saints patrons**
RADIOMÈTRE
Voir tab. **Instruments de mesure**
RADIONAVIGANT → RADIOCOMMUNICATION
RADIOPHONIE → RADIOCOMMUNICATION
RADIOPLOMB → RADIUM
RADIOSCOPIE → RADIO
RADIOSONDE → SONDE
RADIOTÉLÉGRAPHISTE → RADIOCOMMUNICATION
RADIOTHÉRAPIE → CANCER
RADIS → LÉGUME
RADIS NOIR
Voir tab. **Plantes médicinales**
RADIUM → URANIUM
Voir tab. **Éléments chimiques (symbole des)**
RADIUM baryum, bismuth 210, curiethérapie, pechblende, plomb 214, polonium 218, radioplomb, radon
RADIUS → BRAS
Voir illus. **Squelette**
RADON → ÉMANATION, GAZ, RADIUM
Voir tab. **Éléments chimiques (symbole des)**
RADOTER → RABÂCHER, RÉPÉTER (SE)
RADOUBER → FILET, RÉPARER
RADULA → ESCARGOT
RAFALE → FEU, MITRAILLEUSE, ORAGE, VENT
Voir illus. **Porte-avions**
RAFALE bourrasque, décharge, salve, tir, tornade, tourbillon
RAFFERMIR → FERME (2)
RAFFERMISSANT → TONIQUE (2)
RAFFINAGE → CHOCOLAT, DISTILLATION, PÉTROLE
RAFFINAGE blanchissage, décoloration, distillation, fractionnement, hydrocraquage, recuite, réduction, reformage
RAFFINÉ → CHIC, COURTOIS, DANDY, DÉLICAT, ÉLABORER, EXQUIS, EXTRAORDINAIRE, NOBLE (2), PRÉCIEUX, RECHERCHÉ, SAVOUREUX, SOIGNÉ, SPIRITUEL, SUBTIL
RAFFINÉ affecté, alambiqué, aristocratique, délicat, distingué, essence, évolué, exquis, hydrocarbure, poli, pure, quintessence, recherché, sophistiqué, spirituel, subtil
RAFFINEMENT → ARISTOCRATIE, BALOURDISE, DÉLICATESSE,

DISTINCTION, ÉLÉGANCE, GALANTERIE, GOÛT, PERFECTION, RECHERCHE, SUBTILITÉ
RAFFINER → ACIER, ÉPURER, SOIGNER, TRAITER
RAFFINER affiner, améliorer, candir, ciseler, édulcorer, épurer, fignoler, purifier, sublimer
RAFFINERIE → INDUSTRIE, USINE
RAFFOLER → GOÛTER
RAFFOLER DE → BABINE, PASSIONNER (SE)
RAFFUT → TAPAGE
RAFIOT → BATEAU
RAFISTOLER → COUDRE, RACCOMMODER, RÉPARER
RAFLE → DÉ, DESCENTE, FILET, MAÏS
RAFLER → ACCUMULER, CUEILLIR
RAFRAÎCHIR → SOIF
RAFRAÎCHIR aider à se souvenir, boire, climatiseur, coiffer, désaltérer (se), frapper, nettoyer, rajeunir, ranimer, rappeler, raviver, réfrigérer, refroidir, rénover, restaurer, retaper, revivifier, tailler, ventilateur
RAFRAÎCHISSEMENT → BOISSON, CONSOMMATION
Voir tab. **Multimédia (les mots du)**
RAFRAÎCHISSEMENT boisson, chute
RAFT
Voir tab. **Bateaux**
RAFTING
Voir tab. **Sports**
RAGAILLARDIR → FORCE, FOUET, FORTIFIER
RAGE → COLÈRE, FÉROCITÉ, FUREUR, FURIE, INDIGNATION
Voir tab. **Vaccins**
RAGE abcès, antirabique, bave, bisquer (faire), colère (en), écumer, enrager, enrager (faire), fièvre, fulminer, fureur, furie (en), hallucination, hydrophobie, infection, maronner, maugréer, paralysie, passerage, passion, rogne (en), rouspéter, sévir, spasme
RAGER → COLÈRE, DÉPIT, ENRAGER
RAGEUR → COLÈRE
RAGLAN → MANCHE
Voir illus. **Manteaux**
RAGOT → BAVARDAGE, CALOMNIE, CHRONIQUE, COMMÉRAGE, INDISCRÉTION, MÉDISANCE, RUMEUR
RAGOUGNASSE → CUISINE, RAGOÛT
RAGOÛT → DAUBE, FRICASSÉE, SAUCE
RAGOÛT blanquette, bourguignon, cassoulet, civet, goulasch, ragougnasse, tagine
RAGOÛTANT → APPÉTISSANT
RAGOÛTANT (PEU) → DÉGOÛTANT
RAGRÉER → RÉPARER
RAGTIME → JAZZ
RAGUE → USER
RAHAN
Voir tab. **Bande dessinée (héros de)**
RAHBA → LUTTE
RAI → FAISCEAU, RAYON, ROUE
RAID → ATTAQUE, DESCENTE, EXPÉDITION

Voir tab. **Police nationale (organisation de la)**

RAID attaque, bombardement, commando, coup de main, course, descente, incursion, OPA, OPE, rallye

RAIDE → DÉFORMER, DÉMARCHE, ENGOURDI, RAPIDE, RIGIDE, RUDE, SÉRIEUX (2)

RAIDILLON → CHEMIN, CÔTE, MONTÉE

RAIDIR → RELEVER, TENDRE (1)

RAIDIR (SE) → CONTRACTER (SE)

RAIE → SILLON, TRANCHÉE

Voir tab. **Poissons (classification simplifiée des)**

RAIL → TRAIN

Voir illus. **Aviron**

RAIL chenille, crocodile, dérailler, glissière, grand huit, locomotive, montagnes russes, train, tramway, voie, wagon

RAIL D'ÉCOUTE DE GRAND-VOILE

Voir illus. **Voilier : Dufour 38 Classic**

RAIL DE FARGUE

Voir illus. **Voilier : Dufour 38 Classic**

RAIL DE SÉCURITÉ → PARAPET

RAILLER → BAFOUER, BOÎTE, ESPRIT, GORGE, IRONISER, MOQUER (SE), RIDICULISER, RIRE, SATIRE

RAILLERIE → FLÈCHE, IRONIE, MALICE, PLAISANTERIE, TRAIT

RAILLEUR → IRONIQUE, MOQUEUR, SARCASTIQUE

RAILS

Voir illus. **Planche à voile**

RAINETTE → BATRACIEN, BURIN

RAINURE → ENTAILLE

Voir illus. **Arcs et arbalète**

RAIPONCE

Voir tab. **Salades**

RAIRE → BICHE, CERF

Voir tab. **Animaux (termes propres aux)**

RAISIN → BAIE, FORMAT, MENDIANT (1)

Voir tab. **Gâteaux régionaux et étrangers**

Voir tab. **Papier (formats de)**

RAISIN chasselas, Corinthe (de), grume, Malaga (de), mitigé, muscat, olivette, pampre, parisette, Smyrne (de), uval, vendange

RAISIN DE MER → ŒUF

RAISINÉ → CONFITURE

RAISON → ARGUMENT, CAUSE, CERVEAU (2), ESPRIT, EXCUSE, EXPLICATION, INTELLIGENCE, JUGEMENT, JUSTIFICATION, LOGIQUE (1), MOTIF, OCCASION, PENSÉE, PRÉTEXTE, SATISFACTION, SENS, SUJET, VERTU

RAISON a fortiori, absurde, admettre, allégation, approuver, argument, associationnisme, bien entendu, bien fondé, bon sens, but, cause, cause première, compréhension, compte (de), connaissance, conscience, consentir, considération, convaincre, délirer, dépasser, déraison, déraisonnable, désignation, dianoia, discernement, divaguer, droit, égarement,

empirique, empirisme, entendement, esprit, excuse, expérimental, explication, fidéisme, fin, fonction, fou, franchir, insane, insensé, intelligence, irraisonné, jugement, juste, juste (de), justesse, justification, légitime, lieu, logique, loi, lucidité, Lumières, maturité, mobile, motif, moyen, mysticisme, noêsis, nom, origine, passer, pensée, pratique, prétexte, preuve, principe, proportion, raisonnement, rapport, rationalisme, rationnel, rectitude, réfutation, réparation, résigner à (se), sagesse, sens, sensé, sensualisme, signification (sans), soumettre, source, soutenir, surréalisme, tête, vaincre

RAISON DE (AVOIR) → SURMONTER

RAISON DE VIVRE → BUT

RAISONNABLE → BON (1), INTELLIGENT, JUDICIEUX, JUSTE, LÉGITIME, MODÉRÉ, MOYEN (2), MÛR, NORMAL, RÉFLÉCHI, SAGE, SÉRIEUX (2), SUFFISANT

RAISONNABLE acceptable, correct, exagéré, excentrique, excessif, extravagant, honnête, intelligent, irréfléchi, judicieux, léger, logique, mesuré, modéré, mûr, naturel, normal, passionné, pensant, prudent, responsable, sage

RAISONNÉ → COHÉRENT, SUIVI

RAISONNEMENT → DÉMONSTRATION, DIALECTIQUE, LOGIQUE, PENSÉE, RAISON

RAISONNEMENT a posteriori, a priori, adage, analyse, antinomie, apagogie, apodictique, apophtegme, aporie, argumentatif, argutie, attaquer, axiome, captieux, chicane, composition, concept, conclusion, construction, critiquer, déduction, délire, démonstration, dialectique, dilemme, élaboration, énoncé, évidence, fallacieux, idée, illogisme, inductif, inférence, lemme, logique, maxime, notion, paradoxe, paralogisme, paranoïa, postulat, prémisse, preuve, principe, proposition, raisonnement ab absurdo, réfutation, réfuter, sentence, sophisme, sorite, spécieux, syllogisme, théorème

RAISONNEMENT AB ABSURDO → RAISONNEMENT

RAISONNER → PENSER

RAISONNER admonester, argumenter, calculer, chapitrer, contrôler (se), controverser, déduire, discuter, disputer, disserter, dominer (se), ergoter, induire, moraliser, objecter, penser, philosopher, ratiociner, répliquer, reprendre (se), réprimander, semoncer, sophistiquer, subtiliser

RAJEUNIR → RAFRAÎCHIR, RENOUVELER

RAJUSTER → RÉCONCILIER (SE), RECTIFIER

RAKI → LIQUEUR, TURC

RÂLE → BRUIT, GÉMISSEMENT, SOUPIR

Voir tab. **Bruits**

RÂLEMENT → TIGRE

RALENTI → LENTEMENT, TRUCAGE

RALENTIR → FREINER, MODÉRER, RETENIR, SUPPRIMER

RALENTIR bande sonore, décélérer, diminuer, freiner, gendarme couché, modérer, ralentisseur, réduire, rétrograder

RALENTISSEMENT → CREUX (1), FLUIDE (2), RETARD, STAGNATION

RALENTISSEUR → GENDARME, MODÉRATEUR, RALENTIR

RÂLER → PLAINDRE (SE), RÉCLAMER

Voir tab. **Animaux (termes propres aux)**

RALINGUE → VOILE

RALINGUER → BATTRE

RALLIEMENT → SONNERIE

RALLIER → ADHÉRER, ASSEMBLER, CONVERTIR, CROIRE, GAGNER, MÊLER

RALLIFORMES → GRUE

RALLONGE → COMPLÉMENT

RALLUMER → RÉVEILLER

RALLYE → RAID

Voir tab. **Sports**

RALLYE-RAID

Voir tab. **Sports**

RAMADAN → ABSTENIR (S'), ABSTINENCE, ISLAM, JEÛNE, MUSULMAN (1), PÉNITENCE, PRIVATION

Voir tab. **Fêtes religieuses**

Voir tab. **Islam (vocabulaire de l')**

RAMAGE → CHANT, FEUILLAGE

RAMAGER → OISEAU

RAMASSAGE → RÉCOLTE

RAMASSÉ → CONCIS, SERRÉ

RAMASSE-MIETTES → BROSSE

RAMASSER → BLOTTIR (SE), CUEILLIR, MOISSONNER, RATISSER, RELEVER, RELEVER (SE)

RAMASSEUSE-PRESSE → BOTTE

RAMASSIS → MÉLANGE, RÉUNION

RAMBARDE → BALUSTRADE, RAMPE

RAMBERGE

Voir tab. **Bateaux**

RAMBERVILLERS

Voir tab. **Habitants (comment se nomment les)**

RAMBOLITAINS

Voir tab. **Habitants (comment se nomment les)**

RAMBOUILLET

Voir tab. **Habitants (comment se nomment les)**

RAMBOUR → POMME

RAMBUVETAIS

Voir tab. **Habitants (comment se nomment les)**

RAMDAM → BRUIT

Voir tab. **Bruits**

RAME → AVIRON, MÉTRO, PAQUET, SOUTIEN, TRAIN, TUTEUR

Voir tab. **Bateaux**

RAMÉ → VOL

RAMEAU → ARBRE, BOUTURE, BRANCHE, OSIER

Voir illus. **Arbre**

RAMEAU D'OLIVIER → PACIFISTE, PAIX

RAMEAUX → DIMANCHE

Voir tab. **Fêtes religieuses**

RAMEAUX (BUIS DES) → BÉNIT

RAMÉE → ARBRE, BRANCHE, FEUILLAGE

RAMENER → RABATTRE, RECULER, REMETTRE, RENDRE

RAMEQUIN → BOL, FROMAGE, VAISSELLE

RAMER → NAGER

RAMI → CARTE

RAMIE → TEXTILE, URTICAIRE

RAMIER → COLOMBE, PIGEON

RAMIFICATION → BIFURCATION, NERF

RAMIFICATION andouiller, branche, cor, dendrite, dichotomie, pédicelle, radicelle, spécialité, subdivision

RAMILLE → ARBRE, BRANCHE

Voir illus. **Arbre**

RAMOLLIR → AMOLLIR (S')

RAMONAGE → NETTOYAGE

RAMONER → SUIE

RAMPANT → FRONTON, SERVILE

Voir illus. **Toits**

Voir tab. **Héraldique (vocabulaire de l')**

RAMPE → BALUSTRADE, CHEMIN, INCLINAISON, MAIN, MONTÉE, PENTE, SCÈNE

Voir illus. **Théâtre**

RAMPE garde-fou, main courante, pilastre, rambarde

RAMPE DE LANCEMENT → FUSÉE

RAMPER → HUMBLE, HUMILIER (S'), TRAÎNER

RAMURE → ARBRE, BOIS, BRANCHE, CERF, CORNE

Voir illus. **Arbre**

RANCH → COW-BOY, FERME (1)

RANCI → AIGRE

RANCŒUR → AFFECTIF, AMERTUME, DÉGOÛT, DÉPIT, DÉSILLUSION, GRIEF, RANCUNE, VENGEANCE

RANÇON → OTAGE

RANCUNE → ANIMOSITÉ, GRIEF, VENGEANCE

RANCUNE animosité, rancœur, ressentiment, vouloir à (en)

RANDONNÉE → CIRCUIT, EXCURSION, MARCHE, PROMENADE, SELLE

RANDONNÉE (GRANDE) (GR) → MARCHE

RANG → CASTE, CATÉGORIE, CLASSEMENT, CONDITION, DEGRÉ, PLACE, POSITION, SITUATION, STATUT

Voir illus. **Briques (appareillage de)**

RANG affilée (d'), colonne, file, grade, ligne, place, position, queue, rangée, suite (à la), titre

RANG D'OIGNONS → FILE

RANGÉ → TENIR

RANGÉE → RANG

Voir tab. **Échecs**

RANGEMENT → CLASSEMENT, PLACARD

RANGER → CLASSER, FAIRE, GARER, ORDONNER, PLACER, RABATTRE (SE), RELÉGUER, RENDRE (SE), RÉPARTIR, ROUTIER, SÉRIE, SITUER, TRIER

RANGER arranger, caser (se), classer, garer, marier (se), ordonner, parquer, poser (se), rassembler, stationner, trier

RANGERS
Voir illus. **Chaussures**
Voir illus. **Modes et styles**
RANIMER → RAFRAÎCHIR, RÉCHAUFFER, RECOMMENCER, RELANCER, RELEVER, RENOUVELER, RÉVEILLER, SOUFFLER
RANINE → LANGUE
RAN-TAN-PLAN
Voir tab. **Bande dessinée (héros de)**
RANULE → LANGUE
RANZ → PASTORAL
RAOUL DE BOURGOGNE
Voir tab. **Rois et chefs d'État de la France**
RAOUT → RÉUNION
RAPACE → AIGLE, OISEAU, PROIE
RAPACE aigle, balbuzard, buse, chat-huant, chouette, duc, effraie, épervier, falconiformes, faucon, gypaète, hibou, milan, orfraie, vautour
RAPATRIEMENT → CHANGEMENT
RAPATRIER → PATRIE
RÂPE → LIME, MAÏS, USTENSILE
RÂPÉ → LIMER, USER
RÂPER → GRATTER
RAPETASSER → COUDRE, RACCOMMODER, RÉPARER
RAPETISSER (SE) → TASSER
RAPETOUT (LES)
Voir tab. **Bande dessinée (héros de)**
RÂPEUX → ÂCRE, RUDE
RAPHANUS SATIVUS
Voir tab. **Plantes médicinales**
RAPHIA → FIBRE, PALMIER, VANNERIE, VÉGÉTAL (2)
RAPIDE → BREF (1), FULGURANT, FURTIF, HAUT (2), IMMÉDIAT (2), INSTANTANÉ (2), SOMMAIRE (2), SOUDAIN, SUBIT, VIF (2)
RAPIDE abrupt, diligent, expéditif, jargonaphasie, pressé, prompt, raide, soutenu, TGV, vif
RAPIDEMENT → INSTANT, LENDEMAIN, PAS (1), TÔT, TROMBE, URGENCE, VENTRE, VITE
RAPIDITÉ → PROMPTITUDE, RYTHME
Voir tab. **Photographie (vocabulaire de la)**
RAPIÉCER → COUDRE, RACCOMMODER, RÉPARER
RAPIÈRE → ÉPÉE
Voir illus. **Épées**
RAPIN → APPRENTI, PEINTRE
RAPINE → PILLAGE
RAPPEL → RÉCLAME (2), TAMBOUR, VACCINATION
RAPPEL avertissement, bis, évocation, mémoire, remémoration, souvenir
RAPPELER → ALLUSION, CITER, DÉTERRER, RAFRAÎCHIR, RÉCAPITULER, RECOMMANDER (SE), RECONNAÎTRE, RECONSTITUER, RELANCER, REMETTRE, REPRÉSENTER
RAPPOINTIS → POINTE
RAPPORT → ANALOGIE, ASPECT, BÉNÉFICE, BULLETIN, COMMUNICATION, COMPTE, CONNEXION, CONTACT, DÉPENDANCE, DESCRIPTION, ÉCHELLE, ÉTAT, EXPOSÉ, FIL, IDÉE, INTÉRÊT, LIAISON, NARRATION, PARENTÉ, PRODUIT, PROPORTION, QUOTIENT, RAISON, RÉCIT,

RELATION, REPRÉSENTATION, RESSEMBLANCE, SIMILITUDE, TAUX, TERME
RAPPORT accouplement, analogie, bénéfice, compte rendu, contact, copulation, exposé, fornication, gain, lien, parenté, procès-verbal, rapprochement, récit, relation, rendement, ressemblance, résumé, revenu, similitude, témoignage
RAPPORT (PAR) → RESPECT
RAPPORTER → APPARTENIR, CITER, DÉNONCER, FRUCTIFIER, NARRATION, RACONTER, RELATION, REMETTRE, REMETTRE (SE), RENDRE, RÉPÉTER
RAPPORTEUR → GÉOMÉTRIE
RAPPORTEUR cafteur, délateur, dénonciateur, indicateur, mouchard
RAPPROCHEMENT → ASSOCIATION, BRASSAGE, COMPARAISON, RAPPORT, RESSEMBLANCE, RÉUNION
RAPPROCHER → JOINDRE, PARALLÈLE (1), RELATION, RESSEMBLANCE, UNIR
RAPT → ENLÈVEMENT, PRISE
RAPTUS → ACTE
RAQUETTE → BADMINTON, BATTOIR, CACTUS, NEIGE
RARA
Voir tab. **Oiseaux (classification simplifiée des)**
RARE → CHER, ÉTONNANT, EXCEPTIONNEL, EXTRAORDINAIRE, INCOMPARABLE, INSOLITE, INTROUVABLE, ORIGINAL, PAIR, PRÉCIEUX, RECHERCHÉ, SINGULIER
RARE disparaître, exceptionnel, extraordinaire, inaccoutumé, inhabituel, insolite, raréfier (se), remarquable
RARÉFACTION → ÉPUISEMENT
RARÉFIER (SE) → RARE
RAREMENT → PEU (2)
RARETÉ → ABSENCE, CURIOSITÉ
RAS (1) court, green, lasting, plein, rasé, rempli
RAS (2) effleurer, frôler, longer
RAS (À) → PRÈS
RAS AL-HAM
Voir tab. **Fêtes religieuses**
RAS DE COU
Voir illus. **Bijoux**
RASCASSE → SCORPION
Voir tab. **Poissons (classification simplifiée des)**
RASÉ → RAS (1)
RASER → ABATTRE, APPROCHER, BALAYER, DÉMOLIR, DÉTRUIRE, EFFLEURER, FRISER, FRÔLER, SERRER, TONDRE
RASETTE → CHARRUE, TUYAU
RAS-LE-BOL → CLAQUE
RASOIR
Voir illus. **Cheveux (coupes de)**
RASSASIÉ → SATURÉ, VENTRE
RASSASIÉ (ÊTRE) → PLEIN
RASSASIEMENT → FAIM
RASSASIER (SE) → MANGER, SATISFAIRE
RASSEMBLEMENT → CONCENTRATION, CONGRÈS, MANIFESTATION, MOBILISATION, PARTI, RÉUNION, SONNERIE, UNION
RASSEMBLER → AMASSER,

CONCENTRER, CRISTALLISER, DRAINER, ENTOURER, MASSER, MOBILISER, ORDONNER, PRESSER (SE), RANGER, RECONSTITUER, RECUEILLIR, RÉUNIR, UNIR
RASSÉRÉNÉ → TRANQUILLE
RASSÉRÉNER → CALMER, CONSOLER, PACIFIER
RASSIS → DESSÉCHÉ, DUR
RASSURANT → APAISANT, CONFIANCE
RASSURANT (PEU) → SINISTRE
RASSURER → CALMER
RASTAFARISME
Voir tab. **Religions et courants religieux**
RAT
Voir tab. **Animaux (termes propres aux)**
Voir tab. **Mammifères (classification des)**
Voir tab. **Superstitions**
RAT (PETIT) → BALLET, DANSEUR
RAT À TROMPE
Voir tab. **Mammifères (classification des)**
RAT D'HÔTEL → CAMBRIOLER, VOLEUR
Voir tab. **Vols (types de)**
RAT NOIR → PESTE
RATAFIA → LIQUEUR
Voir tab. **Alcools et eaux-de-vie**
RATAGE → VESTE
RATATINER (SE) → FLÉTRIR, RACCOURCIR (SE), TASSER
RATATOUILLE → TOMATE
Voir tab. **Plats régionaux**
RATE → VENTRE
Voir tab. **Animaux (termes propres aux)**
Voir tab. **Chirugicales (interventions)**
RATÉ → ÉCHOUER
RÂTEAU
Voir tab. **Jardinage**
RÂTELER → RATISSER
RÂTELIER → BÉTAIL, ÉTABLE, FOIN, FOURRAGE, MANGEOIRE, TRINGLE
RATER → GÂCHER
RATICIDE → RONGEUR
RATIÈRE → PIÈGE
RATIFICATION → AGRÉER
RATIFICATION approbation, confirmation, entérinement, homologation, validation
RATIFIER → ADOPTER, APPROUVER, CONFIRMER, ENTÉRINER, VALIDER, VOTER
RATINE
Voir tab. **Tissus**
RATINER → FRISER
RATIO → QUOTIENT, TAUX
RATIOCINER → BÊTE (1), COUPER, RAISONNER
RATION → MESURE, PART, PORTION
RATIONAL → HÉBREU
RATIONALISATION → INDUSTRIE, INTELLIGENCE
RATIONALISER → RATIONNEL, UNIFORMISER
RATIONALISME → RAISON
Voir tab. **Philosophie**
RATIONALISTE → NON-CROYANT
RATIONALITÉ → JUSTESSE
RATIONNEL → COHÉRENT, FRACTION, LOGIQUE (2), MÉTHODIQUE, POSITIF, RAISON, SCIENTIFIQUE (2)

RATIONNEL algébrique, arithmétique, automatisation, cartésien, cohérent, conséquent, déductif, exact, fonctionnel, géométrique, logique, méthodique, normalisation, planification, rationaliser, rigoureux, standardisation
RATIONNEMENT → RÉGIME
RATIONNER → RÉPARTIR
RATISSER → CHERCHER, NETTOYER, PEIGNE, RUGBY
RATISSER fouiller, ramasser, râteler
RATITES → AUTRUCHE
Voir tab. **Oiseaux (classification simplifiée des)**
RATON → FROMAGE
Voir tab. **Animaux (termes propres aux)**
RATP → RÉGIE
RATTACHEMENT → ANNEXION, RÉUNION
RATTACHER → APPARTENIR, BRANCHER, INCORPORER, RACCORDER
RATTACHER adapter, affilier, annexer, attacher, attribuer, brancher, dépendre de, enchaîner (s'), incorporer, nouer, relier
RATTE → POMME DE TERRE
Voir tab. **Animaux (termes propres aux)**
RATTRAPAGE → SOUTIEN
RATTRAPER → COMBLER, RACHETER (SE), REDRESSER, RELEVER, RESSAISIR, RETENIR (SE)
RATTRAPER agripper (s'), arrêter, attraper, combler, compenser, corriger, poursuivre, raccrocher (se), racheter (se), récupérer, réduire, rejoindre, réparer, repêchage, reprendre, reprendre (se), ressaisir (se), retenir, retenir (se), retourner (se), retrouver, réussir, saisir
RATURE → CORRECTION, TRAIT
RATURER → BARRER, PARCHEMIN, RAYER
RAUCHEUR → MINEUR (1)
RAUQUE
Voir tab. **Bruits**
RAUQUEMENT → TIGRE
RAUQUER
Voir tab. **Animaux (termes propres aux)**
RAVAGE → DÉGÂT, DOMMAGE, SAC
RAVAGE attirer, bouleversement, cataclysme, dégât, désolation, destruction, dévastation, pillage, pollution, ride, ruine, sac, séduire, sinistre, tournebouler, vieillesse
RAVAGER → METTRE, PILLER, RUINER, SACCAGER
RAVAGEUR → MEURTRIER (2)
RAVALEMENT → CHANGEMENT, MUR, NETTOYAGE, PROPRETÉ, TAILLE
RAVALER → ABAISSER, BRANCHE, DÉPRÉCIER, PEINDRE, RETENIR
RAVAUDER → COUDRE, RACCOMMODER, RÉPARER
RAVE → NOCTURNE
Voir tab. **Musiques nouvelles**
RAVENELLE → GIROFLÉE
RAVI → BIENHEUREUX (1), CAPTIVER,

CHARMÉ, CONTENT (2),
ENTHOUSIASTE, HEUREUX, RADIEUX,
RAYONNER, SATISFAIT

RAVI comblé, content, heureux,
satisfait

RAVIER → HORS-D'ŒUVRE,
VAISSELLE

RAVIÈRE → TERRAIN

RAVIGOTER → RÉCONFORTER,
RELEVER

RAVIN → BAS (2), CREUX (1), DÉFILÉ,
VALLÉE

RAVINE → RUISSEAU, TORRENT

RAVINÉ → RIDE

RAVINEMENT → ÉROSION

RAVINER → CREUSER

RAVIOLI → PÂTES

Voir illus. **Pâtes**

RAVIR → ACCUMULER, CAPTURER,
ÉMERVEILLER, EMPLIR, EMPORTER,
ENCHANTER, OBTENIR, PLAIRE,
PLAISIR, PRENDRE, RÉJOUIR (SE),
SOUSTRAIRE

RAVIR approprier (s'), attirer, beau,
captiver, charmer, confisquer,
emballer, emmener,
emparer de (s'), enchanter,
enlever, ensorceler,
enthousiasmer, exaltant, griser,
kidnapper, magnifique,
passionner, plaire à, ravissant,
séduire, souffler, superbe,
transporter, usurper

RAVISER (SE) → DÉDIRE (SE),
DÉSAVOUER, VESTE

RAVISSANT → ADORABLE,
CHARMANT, JOLI, MIGNON (2),
RAVIR, SPLENDIDE

RAVISSEMENT → ADMIRATION,
BONHEUR, DÉLICE, ENLÈVEMENT,
EXTASE, JOIE, MYSTIQUE (2), PLAISIR

RAVITAILLEMENT →
APPROVISIONNEMENT, PROVISION

RAVITAILLEMENT annone,
base, camp, intendance,
logistique, provision,
victuailles, vivres

RAVITAILLER → FOURNIR, MANGER,
SERVIR

RAVITAILLEUR → FOURNISSEUR

RAVIVER → DÉCAPER, DÉTERRER,
RAFRAÎCHIR, RECOMMENCER,
RELANCER, RELEVER, RENOUVELER,
RÉVEILLER

RAYÉ → ZÈBRE

RAYER → BARRER, ÔTER, STRIER,
SUPPRIMER

RAYER barrer, biffer, éliminer,
enlever, érafler, radier, raturer,
retirer, supprimer

RAY-GRASS → FOURRAGE, PELOUSE

RAYON → CERCLE,
CIRCONFÉRENCE, CIRE, FAISCEAU,
GÂTEAU, RADIATION, SECTEUR,
SEMER, SILLON

Voir illus. **Bicyclette**
Voir illus. **Poisson**
Voir tab. **Animaux (termes
propres aux)**

RAYON affaire, alvéole, branche, briller,
biréfringence, branche, briller,
catadioptre, cataphote, champ,
compétence (de ma), console,
cordes (dans mes), degré,
diamètre, domaine, éclairer,
émergent, envergure, étagère,
étalage, étendue, étinceller,
éventaire, faisceau, gâteau,

immergent, irradier, jet,
juridiction, luire, miroir,
prisme, radiaire, radial, radié,
rai, rayonnage, rayonnement,
réfracté, réfraction, réfringence,
ressort (de mon), stand,
stellaire, tablette, trait

RAYON GAMMA → RADIATION

RAYON MÉDULLAIRE

Voir illus. **Tronc**

RAYON X → RADIATION, TROU

RAYONNAGE → BIBLIOTHÈQUE,
RAYON

RAYONNANT → ÉPANOUI,
HEUREUX, ILLUMINÉ, JOIE, JOVIAL,
JOYEUX, LUMIÈRE, RADIEUX,
RESPLENDISSANT

RAYONNE → PNEU, TEXTILE

RAYONNE DE VERRE → VERRE

RAYONNEMENT → INFLUENCE,
RADIOACTIVITÉ, RAYON, RÉFLEXION

RAYONNER → BRILLER, IRRADIER,
PÉTILLER

RAYONNER briller, centre,
développer (se), éclater,
étendre (s'), propager (se),
radieux, ravi, répandre (se)

RAYURE → MARQUE

RAZ

Voir tab. **Géographie et géologie
(termes de)**

RAZ DE MARÉE → MARIN (2),
TREMBLEMENT DE TERRE

Voir tab. **Tremblements de terre**

RAZZIA → BUTIN, PILLAGE

RB

Voir tab. **Éléments chimiques
(symbole des)**

RDS

Voir tab. **Automobile**
Voir tab. **Multimédia
(les mots du)**

RE

Voir tab. **Éléments chimiques
(symbole des)**

RÊ → SOLEIL

RÉ (ÎLE DE)

Voir tab. **Habitants (comment se
nomment les)**

RE- → RECOMMENCER, RETOUR

RÉA → POULIE

RÉACTEUR → ATOMIQUE, PILE,
RÉACTION

RÉACTIF → RÉACTION

RÉACTION → COMMENTAIRE,
DÉFENSE, ÉCHO, RÉFLEXE, RÉPONSE,
RÉSISTANCE

RÉACTION action, allergie,
anaphylaxie, avion, catalyse,
catalyseur, conséquence,
conservateur, contre-révolution,
contrecoup, cuti-réaction,
désintégration, dialyse,
effet, électrolyse, explosion,
fission, fusée, fusion, grève,
idiosyncrasie, manifestation,
opposition, passéiste,
photosynthèse, protestation,
réacteur, réactif, réactionnaire,
réflexe, réponse, résistance,
restauration, rétrograde,
stimulus, sursaut, turbine

RÉACTIONNAIRE →
CONSERVATEUR, MODERNE,
PROGRÈS, RÉACTION,
RÉTROGRADE

RÉAGIR → BOUGER, BRONCHER,
RELEVER, RENDRE, RÉPONDRE,

RESSAISIR (SE), RIPOSTER, SECOUER,
SUCCOMBER

RÉAGIR amorphe, apathique,
comporter (se), conduire (se),
indifférent, inerte, mou,
protester, répliquer, répondre,
reprendre (se), ressaisir (se),
riposter

RÉALE → GALÈRE

Voir tab. **Bateaux**

RÉALGAR → ARSENIC, MINÉRAL (1)

RÉALISABLE → FACILE, POSSIBLE

RÉALISATION → APPLICATION,
FAÇON, INTERPRÉTATION,
PRATIQUE (1)

RÉALISÉ → ACCOMPLI

RÉALISER → COMPTE, CONCLURE,
CONCRET (2), CONSCIENCE, CRÉER,
ÉPROUVER, EXÉCUTER, FAIRE,
MATÉRIALISER, MENER, PROCÉDER,
RÉEL, RENDRE (SE)

RÉALISER accomplir, brader,
combler, comprendre,
concrétiser, convertir, effectuer,
épanouir (s'), exaucer, exécuter,
exprimer (s'), incarner, liquider,
mener à bien, mûrir, obtenir,
personnifier, rendre compte
de (se), représenter, saisir,
tourner, traduire (se),
transformer, vendre, voir

RÉALISME → RESSEMBLANCE

RÉALISME crudité, cynisme,
fidélité, idéalisme,
opportunisme, pragmatisme,
Realpolitik, ressemblance,
utilitarisme, verdeur,
vérisme, vérité, vraisemblance

RÉALISTE → POPULAIRE, POSITIF,
PRATIQUE (2)

RÉALITÉ → CHOSE, FAIT, INDICATIF

RÉALITÉ abstraction, allégorie,
apparence, authenticité,
chimère, chose, conte, être,
évidence, exister, fait, fiction,
historicité, hyperréalisme,
matérialisme, matérialité,
monde, nature, objet, réel,
spiritualisme, substance,
univers, véracité, vérité

RÉALITÉ (PRINCIPE DE)

Voir tab. **Psychanalyse**

RÉALITÉ AUGMENTÉE

Voir tab. **Multimédia
(les mots du)**

RÉALITÉ VIRTUELLE

Voir tab. **Multimédia
(les mots du)**

REALPOLITIK → RÉALISME

RÉANIMATION → RETOUR

RÉAPPARITION → RETOUR

RÉASSORTIR → RECONSTITUER

RÉASSURANCE

Voir tab. **Assurance
(vocabulaire de l')**

RÉBARBATIF → ARIDE, BRUSQUE,
ENNUYEUX, INGRAT, SÉVÈRE

RÉBARBATIVE → REVÊCHE

REBÂTIR → RELEVER

REBATTEMENT

Voir illus. **Héraldique**
Voir tab. **Héraldique
(vocabulaire de l')**

REBATTRE → MATELAS, RÉPÉTER

REBATTU → BANAL, BATEAU, USÉ

REBAUDIR

Voir tab. **Chasse
(vocabulaire de la)**

REBEC → VIOLON

REBELLE → ADVERSAIRE,
RÉCALCITRANT, RÉSISTANT (1),
RÉVOLUTIONNAIRE (1)

REBELLE (1) émeute, insurrection,
mutinerie, rébellion,
soulèvement, trouble

REBELLE (2) contestataire,
déserteur, désobéissant,
dissident, factieux, fermé,
imperméable, indiscipliné,
indocile, insoumis,
insubordination, insurgé,
mutin, opposé, opposition,
récalcitrant, réfractaire, refus,
résistance, révolté, séditieux,
sourd, tignasse

REBELLER (SE) → BRONCHER,
CONTESTER, DÉSOBÉIR, PROTESTER,
REFUSER

RÉBELLION → AGITATION,
CONTESTATION, DÉLIT,
DÉSOBÉISSANCE, ÉMEUTE,
FRONDE, INDÉPENDANCE,
OPPOSITION, REBELLE (1),
RÉSISTANCE, RÉVOLTE,
SOULÈVEMENT

REBELOTE

Voir tab. **Belote**

REBIFFER (SE) → BRONCHER,
REFUSER

REBOISEMENT → VÉGÉTATION

REBONDI → BOUFFI, CHAIR,
GÉNÉREUX, PLANTUREUX, ROND (2)

REBONDIR contrecoup, coup
de théâtre, développement,
imprévu, recommencer, rejaillir,
repartir, reprendre, ricocher,
sauter

REBONDISSEMENT → PÉRIPÉTIE,
RÉCIT

REBORD → BORD

REBOT → PELOTE

REBOURS (À) → SENS

REBOUTEUX → DÉMETTRE,
GUÉRISSEUR, MÉDECIN

REBROUSSE-POIL (À) → SENS

REBROUSSER CHEMIN → REVENIR

RÉBUS → COMPLEXE, ÉNIGME, JEU

REBUT → ÉCUME, RESTE

REBUT (METTRE AU) → JETER

REBUTANT → ENNUYEUX

REBUTÉ → EFFRAYER

REBUTER → CHOQUER,
DÉCOURAGER, DÉPLAIRE,
REFUSER (SE)

RÉCALCITRANT → REBELLE (2),
REVÊCHE, TÊTU

RÉCALCITRANT indocile, insoumis,
opposé, rebelle, réfractaire

RECALER → REFUSER

RÉCAPITULATION → LISTE,
RÉPÉTITION, RÉSUMÉ (1)

RÉCAPITULER → REVUE

RÉCAPITULER faire le point,
rappeler (se), remémorer (se),
reprendre, résumer,
souvenir de (se)

RECAVER

Voir tab. **Poker**

RECEL → DÉLIT, DÉTENTION

RECELER → CACHER, COMPRENDRE,
CONTENIR, GARDER, POSSÉDER

RÉCEMMENT → DATE

RECENSEMENT → CITOYEN,
COMPTER, INVENTAIRE, POPULATION

RECENSEMENT appel, comptage,
compte, conscription,

dénombrement, détail, énumération, évaluation, inventaire, relevé, statistique

RECENSER → APPEL, COMPTER, ÉNUMÉRER, PARCOURIR, REVUE

RECENSION → COMPARAISON, EXAMEN

RÉCENT → ACTUALITÉ, DERNIER, FRAIS (2), MODERNE, NEUF (2), NOUVEAU

RÉCENT actualité, chaud, dysmnésie, frais, jeune, moderne, neuf, nouveau, proche

RECEPAGE → TAILLE

RÉCÉPISSÉ → ACCUSÉ (1), BULLETIN, FACTURE, PAIEMENT, RÉCEPTION, WARRANT

RÉCEPTACLE
Voir illus. **Fleur**

RÉCEPTEUR → CIRCUIT, DESTINATAIRE, POSTE, RÉCEPTION, TÉLÉPHONE, TÉLÉVISION

RÉCEPTEUR allocutaire, destinataire, écouteur, interlocuteur, poste, téléviseur, transistor, tuner

RÉCEPTIF → SENSIBLE

RÉCEPTION → ACCUEIL, CÉRÉMONIE, COMPAGNON, FÊTE, PERMANENCE, SAUT, SOIRÉE, VISITE

RÉCEPTION acceptation, accueil, admission, amphitryon, approbation, avis, buffet, cérémonie, collecteur, contrôle, diffa, fête, gala, hôte, intronisation, parasite, pique-assiette, récépissé, récepteur, soirée, tympan

RÉCEPTIONNER → RECEVOIR

RÉCEPTIONNISTE → HÔTE

RÉCESSIF → GÈNE

RÉCESSION → BAISSE, CRISE, CROISSANCE, DÉPRESSION, MOUVEMENT, PRODUCTION
Voir tab. **Économie**

RECETTE → BUDGET, CUISINE, FINANCES, MOYEN (1), PERCEPTION, PRÉPARATION, RÉCOLTE, REMÈDE, RENTRÉE

RECETTE balance, boni, budget, contribution, formule, gain, impôt, méthode, moyen, percepteur, perception, plus-value, procédé, produit, profit, receveur, rentrée, revenu, truc

RECEVABILITÉ → BIEN-FONDÉ

RECEVABLE → ACCEPTABLE, BON (1), PLAUSIBLE, POSSIBLE, VALABLE

RECEVEUR → DOUANE, DOUCHE, EMPLOYÉ, IMPÔT, RECETTE

RECEVOIR → AVOIR (1), BIENVENUE, ENCAISSER, INVITER, LOGER, RECOUVRER, RETIRER, SUBIR, TOUCHER

RECEVOIR abriter, accepter, accueillir, admettre, admis, agréer, attraper, capter, contenir, convier, décrocher, embourser, empocher, encaisser, endurer, éprouver, essuyer, frappé (être), héberger, hériter, inviter, obtenir, percevoir, prendre,

réceptionner, récolter, reconnaître, recueillir, souffrir, subir, supporter, tenir, tirer, toucher

RECHAPÉ → PNEU

RECHAPER → RÉPARER

RÉCHAPPER DE → ÉCHAPPER, REVENIR, SORTIR

RECHARGE → CARTOUCHE

RÉCHAUD → RÉCHAUFFER

RÉCHAUFFÉ connu, désuet

RÉCHAUFFER bouillotte, chauffe-plat, chaufferette, consoler, dégeler, détendre, ranimer, réchaud, réconforter

RÊCHE → DUR, INÉGAL, RABOTEUX, REVÊCHE, RUDE

RECHEMISER
Voir tab. **Garagiste**
(vocabulaire du)

RECHERCHE → DÉLICATESSE, ENQUÊTE, GOÛT, INVESTIGATION, QUÊTE, RECONNAISSANCE

RECHERCHE affectation, afféterie, art, CNRS (Centre national de la recherche scientifique), cultisme, disquisition, dissection, enquête, essai, étude, euphuisme, examen, excavation, expérience, fouille, gongorisme, investigation, lucre, mièvrerie, mignardise, observation, perquisition, pose, poursuite, préciosité, prospection, quête, raffinement, soin, spéculation, tâtonnement, torture

RECHERCHÉ → ÉLABORER, PRÉCIEUX, RAFFINÉ, SOIGNÉ, SOPHISTIQUÉ

RECHERCHÉ affecté, brillant, couru, délicat, demandé, étudié, exquis, mignard, mode (à la), musqué, précieux, prisé, raffiné, rare, snob, soigné, sophistiqué, subtil, travaillé, vogue (en)

RECHERCHER → POURSUIVRE, SOUHAITER

RECHERCHER analyser, chercher, désirer, déterminer, explorer, fouiller, fouiner, fureter, pourchasser, poursuivre, quêter, solliciter, traquer

RECHIGNÉ → MAUSSADE, MOROSE, RENFROGNÉ

RECHIGNER → BOUDER, HÉSITER

RECHUTE → RÉPÉTITION, RETOUR

RÉCIDIVE → DÉLIT, RÉPÉTITION

RÉCIDIVER → RECOMMENCER

RÉCIDIVISTE → DÉLINQUANT, FAUTE

RÉCIF → BANC, BARRIÈRE, ÉCUEIL, ÎLE, ROCHER

RÉCIF CORALLIEN
Voir illus. **Littoral**

RÉCIPIENDAIRE → ACADÉMIE, DIPLÔME, NOMINATION

RÉCIPIENT → BATTERIE, POT

RÉCIPIENT abreuvoir, auge, bouchon, capsule, capuchon, conteneur, cornue, coupelle, couvercle, creuset, Cubitainer, cuve, éprouvette, mortier, réservoir, tonneau, tube à essai

RÉCIPROQUE → INVERSE (2), MUTUEL

RÉCIPROQUE (1) pareille

RÉCIPROQUE (2) bilatéral, coemption, concerté, convers, corrélation, correspondance, dual, interaction, interdépendance, inverse, loi du talion, mutuel, partagé, réfléchi, représailles, solidarité, synallagmatique, vendetta, vengeance

RÉCIPROQUEMENT → RETOUR

RÉCIT → AVENTURE, BIOGRAPHIE, CHRONIQUE, COMPTE, CONTE, DESCRIPTION, EXPOSÉ, NARRATION, NOUVELLE, ORGUE, RAPPORT, RELATION, REPRÉSENTATION

RÉCIT action, allégorie, anecdote, annales, anthologie, apologue, article, autobiographie, Avesta, Bible, biographie, canevas, cantate, chapitre, chronique, communication, compte rendu, conclusion, conférence, confession, construction, conte, Coran, coup de théâtre, cours, cycle, déclamation, dénouement, description, détail, Énéide (l'), enseignement, épisode, épopée, Évangiles, exposé, fable, fabliau, fablier, factum, feuilleton, fiction, flash, flash-back, futuriste, geste, historiette, Iliade (l'), intrigue, journal, laïus, leçon, légende, Mahabharata, mélopée, mémoire, Mémoires, minute, mise en abyme, mythe, nouvelle, Odyssée (l'), opéra, opérette, oratorio, papier, parabole, péripétie, Pol Vuh, procès-verbal, rapport, rebondissement, récitatif, reconstitution, reportage, roman, saga, scénario, scène, science-fiction, somme, tableau, témoignage, tétralogie, trame, trilogie

RÉCITAL → CONCERT, TOUR

RÉCITAL aubade, audition, concert, one-man-show, one-woman-show, sérénade, spectacle, tournée

RÉCITANT → DÉCLAMER

RÉCITATIF → CHANT, OPÉRA, RÉCIT
Voir tab. **Musique**
(vocabulaire de la)

RÉCITER → PRONONCER, RACONTER

RÉCITER ânonner, bafouiller, balbutier, bredouiller, débiter, déclamer, dire, énoncer, lire, prononcer, psalmodier, scander

RÉCLAMATION → DEMANDE, PLAINTE, REQUÊTE, REVENDICATION

RÉCLAMATION clameur, cri, demande, doléance, pétition, plainte, protestation, requête, revendication

RÉCLAME → BONIMENT, FAUCON, PUBLICITÉ

RÉCLAME (1) annonce, atout, battage, campagne, éloge, promotion, publicité, reprise, signal, solde, spot publicitaire

RÉCLAME (2) cri, rappel

RÉCLAMER → DEMANDER, EXIGER, PLAINDRE, PRESCRIRE, PRÉTENDRE, RECOMMANDER (SE), SOLLICITER, VOULOIR
Voir tab. **Chasse**
(vocabulaire de la)

RÉCLAMER appeler, commander, demander, exiger, gémir, implorer, intercéder, nécessiter, plaindre (se), prétendre à, prévaloir de (se), protester, quémander, râler, récrier (se), récriminer, répéter, requérir, revendiquer, rouspéter, supposer

RECLUS → SEUL

RÉCLUSION → ARRESTATION, CAPTIVITÉ, DÉTENTION, EXIL, PEINE, PRISON

RECOINS → INTIME (2)

RÉCOLEMENT → DÉPOSITION, VÉRIFICATION

RÉCOLER → TÉMOIN, VÉRIFIER

RECOLLER → UNIR

RÉCOLTE → BIEN, BUTIN, MOISSON
Voir tab. **Café**

RÉCOLTE arrachage, butin, champart, collecte, cueillette, dîme, fenaison, fenil, gain, glandée, grange, grenier, moisson, pailler, profit, ramassage, recette, saunage, silo, vendange

RÉCOLTER → AMASSER, CUEILLIR, MOISSONNER, RECEVOIR, RÉUNIR

RECOMMANDATION → AVERTISSEMENT, FAVEUR, INTRODUCTION, PATRONAGE

RECOMMANDÉ → BON (1), OPPORTUN

RECOMMANDER → ADRESSER, CONSEILLER (2), ÉPAULER, INDIQUER, INVITER, PATRONNER, PRÊCHER, VANTER

RECOMMANDER appuyer, assurer, conseiller, demander, épauler, exhorter, garantir, introduire, pistonner, préconiser, prier, prôner, soutenir

RECOMMANDER (SE) prévaloir (se), rappeler (se), réclamer (se)

RECOMMENCEMENT → RETOUR

RECOMMENCER → REBONDIR, REMETTRE (SE), RENOUVELER, RÉPÉTER

RECOMMENCER admonester, bisser, changer, ranimer (se), raviver (se), re-, récidiver, redoubler, refaire, réitérer, renaître, renouveler, repartir, répéter, reprendre, retenter

RÉCOMPENSE → BÉNIR, COMPENSATION, PRIME, PRIX, RETOUR

RÉCOMPENSE accessit, bon point, césar, citation, compensation, coupe, couronne, décerner, décoration, dédommagement, distinction, don, effort, gratification, image, lauréat, médaille, mention, mérite, molière, oscar, ours, paiement, palmarès, palme, palmes, pourboire, prime, prix, rétribution, satisfecit, vainqueur, victoire

RÉCOMPOSÉE (FAMILLE)
Voir tab. **Population**

RÉCONCILIATION → CONCILIATION, PÉCHÉ

RÉCONCILIÉ → INQUISITION

RÉCONCILIER → INTERVENIR, PAIX, RACCOMMODER (SE), REMETTRE (SE), RÉUNIR

RÉCONCILIER entremise, entrevue, médiation, négociation, pardonner (se), rabibocher (se), raccommoder (se), rajuster (se), reconvertir, renouer

RECONDUIRE → RENOUVELER

RÉCONFORT → APPUI, CONSOLATION, SECOURS, SOUTIEN

RÉCONFORT aide, allégeance, appui, consolation, secours, soulagement, soutien

RÉCONFORTANT → APAISANT, CALMANT, EXCITANT (1), FORTIFIER, TONIQUE (2)

RÉCONFORTER → AIDER, CHAGRIN, CONSOLER, RÉCHAUFFER, RELEVER, REMETTRE, SOULAGER, SOUTENIR

RÉCONFORTER aider, consoler, ravigoter, relever, remonter, revigorer, soutenir, stimuler

RECONNAISSANCE → ACQUIT, CHANDELLE, EXAMEN, EXPLORATION, GRATITUDE, INSPECTION, PATROUILLE, PÈRE, ROUTINE

RECONNAISSANCE acceptation, acquit, code, découverte, dévotion, éclaireur, empreinte, ex-voto, exploration, filiation, grâce, gratitude, indice, inspection, investigation, légitimation, marque, mot de passe, mouche, obligation, observation, recherche, reçu, remerciement, signal, signalement, soumission

RECONNAISSANCE VOCALE
Voir tab. **Multimédia**
(les mots du)

RECONNAISSANT → INGRAT, OBLIGÉ

RECONNAISSANT (ÊTRE) → BÉNIR

RECONNAÎTRE → ADMETTRE, AVOUER, CONCÉDER, CONFESSER, CONVENIR, DISCERNER, DISTINGUER, INSPECTER, RECEVOIR, REMETTRE, RETROUVER

RECONNAÎTRE accorder, admettre, arraisonner, assumer, attribuer, avouer, concéder, confesser, constater, convenir de, croire, deviner, différencier, discerner, distinguer, donner, entendre, identifier, juger, prêter, prospecter, rappeler (se), remarquer, remettre (se), sentir, sonder, souvenir de (se), trouver

RECONNU → ÉTABLIR, NOTOIRE, POPULAIRE

RECONSIDÉRER → REMETTRE

RECONSTITUANT → FORTIFIANT (1), FORTIFIANT (2), STIMULANT, TONIQUE (2)

RECONSTITUER analyser, décrire, déduction, pièce, rappeler, rassembler, réassortir, recoupement, régénérer, remontant, simuler, stimulant, tonique

RECONSTITUER (SE) → RECOUVRER

RECONSTITUTION → RÉCIT

RECONSTRUIRE → RELEVER

RECONVERSION → CONVERSION, PROFESSIONNEL (2)

RECONVERTIR → RÉCONCILIER

RECORD → PERFORMANCE, PROUESSE

RECORD as, battre, champion, dépasser, exploit, extrême, maximal, performance, prouesse, pulvériser, recordman, recordwoman

RECORDMAN → CHAMPION, RECORD

RECORDWOMAN → RECORD

RECORS → HUISSIER

RECOUDRE → RACCOMMODER, RÉPARER

RECOUPE → ÉCLAT, FARINE

RECOUPEMENT → RECONSTITUER

RECOUPER → CONVERGER

RECOURIR → APPEL, EMPLOYER, MANIER, ŒUVRE, PASSER, PRENDRE, SERVIR, UTILISER

RECOURS → REFUGE (1), RESSOURCE
Voir tab. **Assurance** (vocabulaire de l')

RECOURS DE PLEIN CONTENTIEUX
Voir tab. **Droit** (termes de)

RECOUVRABLE → PERCEPTIBLE

RECOUVREMENT → IMPÔT, PERCEPTION, RENTRÉE

RECOUVRER → PERCEVOIR, RETROUVER, SANTÉ

RECOUVRER encaisser, percevoir, recevoir, reconstituer (se), récupérer, regagner, reprendre, ressaisir (se), rétablir (se), retrouver, toucher

RECOUVRER LA SANTÉ → GUÉRIR

RECOUVRIR → COUVRIR, MASQUER, REGARD

RECOUVRIR appliquer à (s'), asphalter, bitumer, cacher, couvrir, dissimuler, doubler, embrasser, enduire, enrober, ensevelir, enterrer, envelopper, goudronner, habiller, inhumer, joncher, masquer, parsemer, paver, plaquer, regrouper, revêtir, tapisser, voiler

RECOUVRIR (SE) chevaucher (se), imbriquer (s'), superposer (se)

RECRACHER → RESSORTIR

RÉCRÉANCE → BÉNÉFICE

RÉCRÉATIF → PLAISANT

RÉCRÉATION → DISTRACTION, DIVERTISSEMENT, INTERRUPTION, JEU, PAUSE

RÉCRÉATION amusement, cour, délassement, détente, distraction, jeu, loisir, passe-temps, pause, plaisir, relâche, repos

RÉCRÉER → ÉGAYER, JOUER

RÉCRÉPIR → RÉPARER

RÉCRIER (SE) → PROTESTER, RÉCLAMER

RÉCRIMINATION → GRIEF, PLAINTE, REPROCHE

RÉCRIMINER → RÉCLAMER, RÉPONDRE

RÉCRIMINER CONTRE → MAUDIRE

RÉCRIRE → TRANSFORMER

RECROQUEVILLER (SE) → BLOTTIR (SE), PELOTONNER (SE), TASSER

RECRU → FATIGUE

RECRÛ → BOURGEON

RECRUDESCENCE → ACCROISSEMENT, AGGRAVATION, AGGRAVER, INTENSITÉ

RECRUE → PARTISAN (1), RECRUTÉ, SOLDAT

RECRUTÉ → INCORPORER

RECRUTÉ bleu, conscrit, recrue

RECRUTEMENT → APPEL

RECRUTER → EMBAUCHER, EMBRIGADER, ENGAGER, MOBILISER, RÉQUISITIONNER

RECRUTER appel, attirer, chasseur de têtes, conscription, convaincre, convertir, débaucher, embaucher, embrigader, engagement, engager, enrégimenter, enrôlement, enrôler, incorporer, mobiliser, racoler, ressources humaines, service, service du personnel

RECT(O)-
Voir tab. **Chirurgicales** (interventions)

RECTANGLE → QUADRILATÈRE, TRIANGLE
Voir illus. **Géométrie (figures de)**

RECTEUR → PRÉSIDENT
Voir tab. **Clergé catholique** (vocabulaire du)

RECTEUR D'UNIVERSITÉ
Voir tab. **Politesse (formules de)**

RECTIFICATEUR → DISTILLATION

RECTIFICATION → CHANGEMENT, CORRECTION, MODIFICATION

RECTIFIER → AMÉLIORER, CHANGER, CORRIGER, ÉPURER, PERFECTIONNER, REDRESSER

RECTIFIER amender, changer, châtier, corriger, déflegmer, distiller, effacer, épurer, modifier, rajuster, redresser, refondre, réformer, réparer, rétablir, retoucher, réviser, revoir, traiter, transformer, tuer

RECTILIGNE → DROIT (2)

RECTITUDE → JUSTESSE, RAISON

RECTITUDE conformité, droiture, exactitude, fermeté, franchise, honnêteté, justesse, logique, probité, rigueur, solidité

RECTO → CÔTÉ, ENDROIT, ENVERS, FEUILLE, OPPOSÉ, PAGE

RECTRICE → OISEAU, PLUME

RECTUM → INTESTIN (1)
Voir illus. **Digestif (appareil)**
Voir illus. **Génitaux (appareils)**
Voir tab. **Chirurgicales** (interventions)

REÇU → ACQUIT, BON (2), BULLETIN, ÉTAT, INTÉGRER, RECONNAISSANCE

RECUEIL → BULLETIN, RÉUNION

RECUEIL abrégé, Aggada, album, almanach, ana, analectes, annales, annuaire, anthologie, archives, armorial, atlas, bestiaire, bêtisier, bibliographie, bullaire, bulletin, canon, cartulaire, catalogue, chansonnier, chartrier, chrestomathie, chronique, code, codex, colliger, compiler, corpus, cours, coutumier, dictionnaire, digeste, fablier, florilège, formulaire, glossaire, guide, hadith, herbier, index, Kabbale, lexique, manuel, mélanges, mémoire, miscellanées, nomenclature, pandectes, pharmacopée, portulan, registre, répertoire, sottisier, spicilège, sunna, sutra, Talmud, thésaurus, Torah, variétés, vocabulaire, ysopet

RECUEIL DE NOTES → COMMENTAIRE

RECUEILLIR → AMASSER, ENREGISTRER, EXTRAIRE, MÉDITER, PERCEVOIR, RECEVOIR, RÉUNIR

RECUEILLIR abriter, amasser, capter, collecter, enregistrer, gagner, glaner, gouttière, héberger, hériter, impluvium, lever, percevoir, quêter, rassembler, retirer, réunir, soigner, thésauriser

RECUEILLIR (SE) absorber (s'), concentrer (se), méditer, prier, réfléchir, replier (se)

RECUIT → ACIER, MONNAIE

RECUITE → RAFFINAGE

RECUL → MOUVEMENT, REFLUX

RECUL décrochage, détachement, distanciation, repli, retraite

RECULADE → FUITE

RECULÉ → ANCIEN (2), LOINTAIN (2), PERDU, PRÉHISTORIQUE

RECULER → BATTRE, CAPITULER, ÉLOIGNER, MOUVOIR, PAS (1), RETRAITE, VAINCRE

RECULER abandonner, accroître, agrandir, ajourner, caler, céder, culer, décrocher, déplacer, dérober (s'), différer, diminuer, étendre, fléchir, hésiter, ramener, reculons (à), refluer, refouler, régresser, renoncer, replier (se), repousser, retarder, rétrograder, rompre

RECULONS (À) → RECULER

RÉCUPÉRATION → DÉCHET

RÉCUPÉRER → RATTRAPER, RECOUVRER, REMETTRE (SE), RETROUVER
Voir tab. **Pêche**

RÉCURER → LAVER

RÉCURRENT → REVENIR

RÉCURRENT itératif, pléonastique, récursif, redondant, réduplicatif, répétitif

RÉCURSIF → RÉCURRENT

RÉCUSABLE → TÉMOIGNAGE

RÉCUSER → CONTESTER, DÉPORTER, FUIR, NIER, REFUSER, RÉFUTER

RÉCUSER abstenir (s'), contester, déporter (se), irrécusable, irréfragable, irréfutable, refuser, réfuter, rejeter

RECYCLAGE → CONVERSION, DÉCHET, ORDURE, PLACEMENT, POLLUTION, PROFESSIONNEL (2)

RÉDACTEUR → JOURNALISTE

RÉDACTEUR agencier, chroniqueur, critique, échotier, éditorialiste, feuilletoniste, journaliste, pigiste, rewriter

RÉDACTION → EXÉCUTION, FORME, NARRATION

REDAN → SAILLANT, SAILLIE

REDDITION → ABANDON, CAPITULATION, CHUTE, COMBAT, VÉRIFICATION

REDÉMARRER → RELANCER

RÉDEMPTEUR → SACRIFICE

RÉDEMPTION → CATHOLICISME, MYSTÈRE

REDEVABLE → IMPÔT, OBLIGÉ

REDEVANCE → ABONNEMENT, CHARGE, CONTRIBUTION, DROIT (1), IMPÔT, RENTE
Voir tab. **Fiscalité**

REDEVANCE banalité, capitation, cens, contribution, dîme, droit, fouage, impôt, taille, taxe

RÉDHIBITOIRE → APPEL

RÉDIGER → DRESSER, ÉCRIRE

RÉDIGER concevoir, dresser, établir, formuler, gribouiller, griffonner, libeller, minuter, nègre, saisir, tenir

RÉDIMER (SE) → RACHETER

REDINGOTE → MANTEAU
Voir illus. **Manteaux**

REDIRE → RABÂCHER, RÉPÉTER, RESSORTIR

REDITE → RÉPÉTITION

REDONDANCE → PLÉONASME, RÉPÉTITION

REDONDANT → RÉCURRENT, SUPERFLU (2)

REDONNER → RENDRE

REDOUBLÉ → RIME

REDOUBLEMENT → AGGRAVATION, AUGMENTATION, RÉPÉTITION, RETARD

REDOUBLER → RECOMMENCER

REDOUTABLE → DANGEREUX, PÉRILLEUX, RUDE, SAUVAGE

REDOUTE → BAL, BASTION, FÊTE, FORTIFICATION

REDOUTÉ → PRESSENTIR

REDOUTER → CRAINDRE, SOUPÇONNER, TREMBLER

REDOUTER alamer (s'), appréhender, craindre

REDRESSEMENT → RÈGLEMENT

REDRESSER → LEVER, RECTIFIER, RELEVER, RELEVER (SE), REMETTRE, RÉPARER

REDRESSER braquer, corriger, corset, défausser, dégauchir, érection, rattraper, rectifier, relever, replanter

RÉDUCTEUR → SIMPLE

RÉDUCTIBLE → COMPRIMÉ (2)

RÉDUCTION → BAISSE, DÉCOMPTE, DÉDUCTION, DIMINUTION, MINIATURE, PRIX, RAFFINAGE, RESTRICTION, SOLDE
Voir tab. **Chimie**
Voir tab. **Chirurgie**
(vocabulaire de la)

RÉDUCTION allégement, analyse, attelle, conversion, déduction, dégrèvement, désoxydation, désoxygénation, élimination, plâtre, RTT

RÉDUIRE → AMORTIR, APLANIR, ATTÉNUER, BREF (1), CONDENSER, CONDUIRE, DIMINUER, ÉCONOMISER, FORCER, MATER, MODÉRER, MOINS, PILER, RABAISSER, RACCOURCIR, RACCOURCIR (SE), RALENTIR, RATTRAPER, RÉSUMÉ (1), RÉTRÉCIR, ROGNER, SAUCE, SOUMETTRE
Voir tab. **Cuisine**

RÉDUIRE abréger, baisser, broyer, concasser, condenser, décélérer, diminuer, freiner, limiter, modérer, moudre, piler, pulvériser, résumer, rétrograder

RÉDUIRE À NÉANT → DÉTRUIRE

RÉDUIRE AU SILENCE → TAIRE

RÉDUIT → BOUGE, CABINET, CREUX (2), ÉBRÉCHER, ÉTROIT, PLACARD

RÉDUIT (ÊTRE) → VENIR

RÉDUPLICATIF → RÉCURRENT

RÉÉCRIRE → CHANGER, REVOIR (2)

RÉÉCRITURE → CORRECTION

RÉÉDITION → ÉDITION, RÉPLIQUE, TIRAGE

RÉEL → CONCRET, EFFECTIF, EXACT, MATÉRIEL, OBJECTIF (2), PALPABLE, POSITIF, PROPRE (2), RÉALITÉ, SÉRIEUX (2), VRAI

RÉEL actuel, algébrique, authentique, certain, concrétiser, démontré, donné, effectif, exact, existant, historique, idéal, immédiatement, indubitable, nominal, palpable, patent, positif, possible, potentiel, réaliser, sincère, tangible, transcendant, véritable, virtuel, visible

RÉELLEMENT → VÉRITABLEMENT

RÉER → BICHE
Voir tab. **Animaux (termes propres aux)**

RÉÉVALUATION
Voir tab. **Monnaie**

RÉEXPÉDITION → RENVOI, RETOUR

RÉFACTION → DIMINUTION

REFAIRE → RECOMMENCER, RENOUVELER, RÉPARER

RÉFECTION → ABÎMER, MODIFICATION, RÉNOVATION

RÉFECTOIRE → REPAS

REFEND → MUR

REFENDRE → SCIER

RÉFÉRÉ → DÉCISION

RÉFÉRENCE → AUTORITÉ, ÉTALON (2), MENTION, PRÉCÉDENT, RENVOI, REPÈRE, SOURCE

RÉFÉRENCE cote, dictionnaire, encyclopédie, étalon, index, note, relatif, renvoi, source

RÉFÉRENDAIRE → VÉRIFIER

RÉFÉRENDUM → CONSULTATION, VOTE

RÉFÉRENDUM appel, consultation, note, plébiscite, scrutin, suffrage, votation

RÉFÉRER (SE) → FEUILLETER, SE FIER

REFILER → FILER

RÉFLÉCHI → MÛR, PROFOND, RÉCIPROQUE (2), SAGE, SÉRIEUX (2)

RÉFLÉCHI avisé, calculé, calme, concentré, délibéré, habile, mûr, pondéré, posé, prémédité, prévoyant, projeté, pronominal, prudent, raisonnable, réflexif, sage

RÉFLÉCHIR → CHERCHER, CONCENTRER, CONCEVOIR, CREUSER, DÉLIBÉRER, DEMANDER, MÉDITER, MÛRIR, RECUEILLIR (SE), REFLÉTER, RÉPÉTER, SONGER, SPÉCULER

RÉFLÉCHIR analyser, arrêter sur (s'), briller, calculer, chercher, cogiter, considérer, consulter (se), délibérer, étudier, examiner, gamberger, luire, mijoter, miroiter, mûrir, observer, peser, préméditer, projeter, refléter, refléter (se), regarder, renvoyer, répercuter, réverbérer (se)

RÉFLECTEUR → MIROIR, RABATTRE

REFLET → IMAGE, MIROIR, ORIENT, RÉFLEXION, REPRODUCTION

REFLÉTER → RÉFLÉCHIR, RÉFLÉCHIR (SE), REPRÉSENTER

REFLÉTER exprimer, indiquer, réfléchir, renvoyer, reproduire, réverbérer, traduire

REFLEX
Voir tab. **Photographie** *(vocabulaire de la)*

RÉFLEXE → HABITUDE, INSTINCT, INVOLONTAIRE, MÉCANIQUE (2), MOUVEMENT, RÉACTION, RÉPONSE

RÉFLEXE aréflexie, associatif, automatisme, conditionné, coup d'œil, instinctivement, involontairement, machinalement, mouvement, présence d'esprit, réaction, sang-froid

RÉFLEXIF → RÉFLÉCHI

RÉFLEXION → ARC-EN-CIEL, CONCENTRATION, DÉLIBÉRATION, ÉCHO, GRIS, INTELLIGENCE, NOTE, OBSERVATION, PENSÉE, PENSER, PONDÉRATION, PRUDENCE, RÉPERCUSSION

RÉFLEXION adage, annotation, aphorisme, application, approfondissement, attention, aveuglément, concentration, considération, critique, délibération, diffusion, discernement, écho, étude, hasard (au), idée, inconséquence, intelligence, maxime, méditation, note, observation, pensée, précepte, proverbe, rayonnement, reflet, remarque, réverbération, sciemment, sentence

RÉFLEXOLOGIE
Voir tab. **Sciences : termes en -ologie et -ographie**

RÉFLEXOTHÉRAPIE
Voir tab. **Médecines alternatives**

REFLUER → RECULER, REFOULER

REFLUX → BAISSE, MARÉE

REFLUX baisse, balancement, fluctuation, jusant, marée, mascaret, perdant, recul, repli, retrait, va-et-vient, valvule

REFONDRE → CHANGER, RECTIFIER

REFONDU → VERSION

REFONTE → CORRECTION, ÉDITION, MODIFICATION, RÉFORME, RÉVISION

REFORMAGE → PÉTROLE, RAFFINAGE

RÉFORMATION → RÉFORME

RÉFORME → AMÉLIORATION, EXEMPTION
Voir tab. **Histoire (grandes périodes)**

RÉFORME ajournement, amélioration, amendement, annulation, calvinisme, changement, Contre-Réforme, exemption, Ligue, luthéranisme, modification, refonte, Réformation, réformiste, remaniement, révision, révolutionnaire

RÉFORMÉ → CONTRÔLE, PROTESTANT (2)

RÉFORMÉE → HÉTÉRODOXE

RÉFORMER → BOULEVERSER, CHANGER, MODERNISER, RECTIFIER, TRANSFORMER

RÉFORMISTE → RÉFORME

REFOULEMENT → INCONSCIENT (2), OUBLI, SEXUALITÉ
Voir tab. **Psychanalyse**
Voir tab. **Psychiatrie**

REFOULEMENT abréaction, autocensure, catharsis, défense, inhibition, oubli, rejet

REFOULER → CHASSER, COMMANDER, COMPRIMER, CONTRAINDRE, DISSIPER, ÉCARTER, EFFACER, ÉTOUFFER, GARDER, MAÎTRISER, RECULER, REFUSER, REJETER, RETENIR, TAIRE

REFOULER bannir, battre, bouter, chasser, contenir, contraindre, dissimuler, étouffer, exclure, expulser, maîtriser, mater, refluer, réfréner, rejeter, rentrer, repousser, réprimer, retenir

REFOULOIR
Voir illus. **Canon**

RÉFRACTAIRE → ARGILE, BRÛLER, INSENSIBLE, REBELLE (2), RÉCALCITRANT, SERMENT

RÉFRACTÉ → RAYON

RÉFRACTION → ARC-EN-CIEL, DÉVIATION, RAYON

REFRAIN → CHANSON, LEITMOTIV, LITANIE, RÉPÉTITION, REVENIR
Voir tab. **Poésie** *(vocabulaire de la)*

RÉFRÉNER → BORNER, CALMER, CONTENIR, CONTRAINDRE, ÉTOUFFER, FREINER, MATER, REFOULER, TEMPÉRER

RÉFRIGÉRANT → GLACIAL

RÉFRIGÉRER → FROID (1), GELER, RAFRAÎCHIR, TEMPÉRATURE

RÉFRINGENCE → RAYON

REFROIDIR → RAFRAÎCHIR, TEMPÉRATURE

REFUGE → ABRI, CACHETTE, DANGER, GÎTE, MONTAGNE, NID, OASIS, REPAIRE, RESSOURCE, RETRAITE, RUE, SAUVEGARDE, TANIÈRE

REFUGE (1) abri, antre, asile, cachette, chalet, débusquer, échappatoire, gîte, halte, havre, hospice, hospitalité, oasis, prétexte, recours, repaire, ressource, retraite, sauveur, secours, soutien, tanière

REFUGE (2) sûr

RÉFUGIÉ → DÉPLACÉ, ÉTRANGER (1), EXPATRIÉ, IMMIGRÉ

RÉFUGIER (SE) → BLOTTIR (SE), CACHER (SE), MUTISME, RETIRER (SE)

RÉFUGIER (SE) blottir (se), cacher (se), dissimuler (se), émigrer, enfuir (s'), exiler (s'), expatrier (s'), jeter (se), retirer (se), sauver (se)

REFUITE
Voir tab. **Chasse** *(vocabulaire de la)*

REFUS → DÉSOBÉISSANCE, FIN (1), NÉGATIVE, REBELLE (2), RÉSISTANCE, XÉNOPHOBIE

REFUS anarchisme, dénégation, déni, rejet, veto

REFUSER → ABSTENIR (S'), DÉCLINER, DÉDAIGNER, DÉSAVOUER, FERMER, INTERDIRE (S'), PROTESTER, RÉCUSER, REJETER, RÉPONDRE

REFUSER abandonner, abstenir (s'), ajourner, boycotter, censurer, coller, comprimer, consigner, contester, contredire, décliner, dédaigner, dédire (se), défendre, démettre (se), dénier, dérober (se), disconvenir de, écarter, éconduire, éliminer, éloigner, empêcher, étouffer, évincer, exclure, interdire, licencier, nier, priver de (se), prohiber, protester, rebeller (se), rebiffer (se), rebuter, recaler, récuser, refouler, regimber, rejeter, remercier, renoncer, renvoyer, repousser, rétracter (se), révolter (se), révoquer, suspendre

RÉFUTABLE → FAIBLE (2)

RÉFUTATION → CONTRADICTION, OBJECTION, RAISON, RAISONNEMENT, RÉFUTER, REPROCHE

RÉFUTER → CONTESTER, CONTREDIRE, DÉFENDRE, INSCRIRE, RAISONNEMENT, RÉCUSER, REGARDER, RÉPONDRE

RÉFUTER argument, combattre, contester, contradiction, contredire, contrer, démentir, démystifier, désavouer, détruire, incontestable, indéniable, infirmer, objecter à, opposer à (s'), preuve, prolepse, récuser, réfutation, rejeter

REG → DÉSERT
Voir tab. **Géographie et géologie (termes de)**

REGAGNER → RECOUVRER, REVENIR

REGAIN → HERBE, RETOUR, SOUFFLE

RÉGAL → PLAISIR

RÉGAL bonheur, délectation, délice, joie, plaisir

RÉGALADE (À LA) → BOIRE

RÉGALER → BABINE, DÉGUSTER, DÉLICE, MANGER, NIVELER, OFFRIR, PLAIRE (SE), RÉJOUIR

RÉGALIEN → ROYAL

RÉGALIS → TRACE

REGARD → ÉGOUT, FACE, VUE

REGARD appuyé, attirer, cacher, comparer, conscience, coup d'œil, déployer, dissimuler, étaler, exposer, face (en), inquisiteur, insistant, interprétation, introspection, jugement, lancer, œillade, opinion, ouverture, pénétrant, perçant, porter, poser, promener, recouvrir, solliciter, soupirail, strabisme, vis-à-vis (en)

REGARD D'AUTRUI
Voir tab. **Phobies**

REGARDANT → ÉCONOME (2)
Voir tab. **Héraldique (vocabulaire de l')**

REGARDER → CONCERNER, CONSIDÉRER, RÉFLÉCHIR, TENIR

REGARDER affronter, aviser, bayer aux corneilles, béer, bornoyer, braver, cligner, compter, concerner, considérer, consulter, contempler, découvrir,

dévisager, dévorer, économiser, envisager, estimer, examiner, fixer, fouiller, fureter, guigner, inspecter, intéresser, juger, lorgner, loucher, mirer (se), narcissique, nombriliste, parcourir, réfuter, reluquer, remarquer, scruter, tenir, toiser, toucher, trouver, viser, visionner

RÉGATE → BATEAU, CRAVATE, PLANCHE À VOILE, VOILIER
Voir illus. **Nœuds et cravates**

RÉGENCE → GOUVERNEMENT, INTERVALLE

RÉGÉNÉRER → RECONSTITUER, RENOUVELER

RÉGENT → SOUVERAIN (1)

RÉGENTER → AUTORITÉ, COMMANDER, DOMINER

RÉGICIDE → MEURTRIER, MONARQUE, ROI

RÉGIE → IMPÔT, MONOPOLE

RÉGIE gestion, lumière, perception, RATP, régisseur, Renault, son, trésorerie

REGIMBEMENT → RÉSISTANCE

REGIMBER → BRONCHER, CONTESTER, REFUSER, RÉVOLTER (SE)

RÉGIME → ABSTINENCE, BANANE, CONSTITUTION, FLEUVE, GOUVERNEMENT, GRAPPE, PERTE, POUVOIR, RÈGLE, SYSTÈME

RÉGIME absolutiste, administration, alimentation, allégé, allure, autocratique, balance, communauté, complément, constitution, contrat, cure, débit, dictatorial, diète, diététique, étiage, fluvial, fréquence, glaciaire, gouvernement, grappe, institution, monarchie, nival, océanique, pèse-personne, policier, pouvoir, quantité, rationnement, rythme, structure, système, totalitaire, tropical, végétalien, végétarien, vitesse

RÉGIMENT → BATAILLON, CAVALERIE, FORMATION, TROUPE, UNITÉ

RÉGIMENTAL
Voir illus. **Nœuds et cravates**

RÉGINABORGIENS
Voir tab. **Habitants (comment se nomment les)**

RÉGINÉENS
Voir tab. **Habitants (comment se nomment les)**

REGINGLETTE → PIÈGE

RÉGION → COIN, COLLECTIVITÉ, DÉPARTEMENT, DIVISION, ÉTAT, NATION, PARTIE, PROVINCE, TERRITOIRE, UNITÉ

RÉGION circonscription, coin, collectivité territoriale, contrée, Île-de-France, partie, pays, province, secteur, territoire, zone

RÉGIONAL → ÉLECTION

RÉGIONALISATION → DIVISION

RÉGIONALISME → PARTICULARITÉ

RÉGIR → BAL, DIRIGER

RÉGISSEUR → ADMINISTRATEUR, AGENT, DOMESTIQUE (1), GÉRANT, INTENDANCE, INTERMITTENT (2), RÉGIE, THÉÂTRE

REGISTRE → CAHIER, COMPTABILITÉ, ÉTENDUE, IMAGINAIRE (1), LIVRE, MATRICE, MATRICULE, NIVEAU, ORGUE, RECUEIL, RÔLE, SON, VOIX

REGISTRE agenda, annales, brouillard, cadastre, cahier, calepin, carnet, censier, consigner, contrepartie, contrôle, échéancier, écrou, enregistrer, étendue, éventail, fastes, gamme, herd-book, journal, matrice, minutier, motif, nécrologie, obituaire, olim, palette, pouillé, protocole, rôle, sommier, stud-book, tessiture, valve

REGISTRES → FASTES

RÉGLÉ → ENTENDU, EXPÉDIER, UNIFORME (2)

RÈGLE → CANON, CODE, CONVENANCE, COUVENT, CRITÈRE, DÉFINITION, DISCIPLINE, ENSEIGNEMENT, INSTRUCTION, INTELLIGENCE ARTIFICIELLE, LIGNE, NORME, PRINCIPE, PROCÉDURE, STANDARD (1), STATUT, TRADITION, VALIDE

RÈGLE arbitraire, autonome, axiome, bienséance, canon, catéchisme, cérémonial, code, commandement, conformisme, consigne, constitution, contrainte, convenances, convention, correction, coutume, Credo, critère, décorum, défaut, discipline, dogme, droit, écart, étiquette, exception, exemple, faute, fondement, formalisme, formalité, formule, gouverne, grammaire, habitude, institut, irrégularité, ligne, logique, loi, menstrues, méthode, modèle, normal, normative, norme, observance, opération, ordre, postulat, précepte, prescription, procédé, protocole, régime, règlement, réglementaire, réglo, régularité, régulier, rhétorique, rite, séculier, statut, sutra, théorème, théorie, us, usage

RÈGLE LOURDE → ENCADREMENT

RÈGLEMENT → CONCLUSION, CONSIGNE, CONTRAINTE, DÉCRET, DISCIPLINE, LÉGALITÉ, LÉGISLATION, ORDONNANCE, PAIEMENT, RÈGLE, STATUT
Voir tab. **Copropriété**

RÈGLEMENT accommodement, arrangement, arrêté, cash, comptant, conciliation, consigne, décret, guerre, ordonnance, payer, redressement, régler, statuts

RÉGLEMENTAIRE → CONSACRÉ, LÉGAL, RÈGLE, VALABLE, VALIDE

RÉGLEMENTATION → FIXATION

RÉGLEMENTATION DU TRAVAIL → DROIT (1)

RÉGLER → ACQUITTER, AJUSTER, FINIR, INTERVENIR, JUGER, ORGANISER, PAYER, PRÉSIDER, RÈGLEMENT, RÉSOUDRE, SOLDER, TRANCHER

RÉGLER acquitter, ajuster, arranger, conclure, déterminer, établir, expédier, fixer, liquider, mettre au point, organiser, payer, prévoir, résoudre

RÈGLES → CYCLE, SAIGNEMENT

RÉGLO → RÈGLE

RÈGNE → DURÉE, ROYAUME

RÈGNE animal, avènement, domination, minéral, prédominance, primauté, souveraineté, suprématie, végétal

RÉGNER SUR → DOMINER, GOUVERNER

REGORGER → PLEIN

RÉGRESSER → INVERSE (2), OUBLIER, RECULER

RÉGRESSION → BAISSE, MOUVEMENT, RETOUR

REGRET → EXCUSE, REMORDS, REPENTIR

REGRET attrition, blues, chagrin, componction, contrecœur, contrition, déception, désespoir, doléance, lamentation, nostalgie, pénitence, plainte, remords, repentance, repentir, résipiscence, soupir, spleen, tristesse, user (s')

REGRETTABLE → DÉPLORABLE, DOMMAGE, FÂCHEUX (2), IDIOT, MALHEUREUX, SOMBRE

REGRETTABLE bête, déplorable, désespérant, désolant, fâcheux, navrant, stupide

REGRETTER → AFFLIGER

REGRETTER déplorer, désapprouver, pleurer, repentir de (se)

REGROS → CHÊNE

REGROUPEMENT → CONCENTRATION, IMPOSITION, UNION

REGROUPER → JOINDRE, MASSER, ORDONNER, RECOUVRIR, RÉUNIR, UNIFIER

REGULA
Voir illus. **Colonnes**

RÉGULARITÉ → FIDÉLITÉ, HARMONIE, LÉGALITÉ, LOYAUTÉ, PONCTUALITÉ, RÈGLE

RÉGULATEUR → MODÉRATEUR
Voir illus. **Charrue**

RÉGULATEUR DE VITESSE
Voir tab. **Automobile**

RÉGULIER → ALTERNATIF, BEAU, BÉNÉFICE, CLERGÉ, CONSTANT, ÉGAL, HABITUEL, INTENSIF, LOYAL, MOINE, MONOTONE, NATUREL, NET, NORMAL, PÉRIODIQUE (2), PLAT (2), POLYGONE, PRÊTRE, RÈGLE, RELIGIEUX (2), SUIVI, UNIFORME (2), VERBE

RÉGULIER appliqué, assidu, cadencé, constant, continu, correct, égal, équilibré, fixe, fréquent, habituel, harmonieux, homogène, loyal, mesuré, normal, officiel, périodique, proportionné, scrupuleux, séculier, sincère, soutenu, symétrique, uniforme

RÉGULIÈREMENT → CADENCE, FIXE (2)

RÉGURGITATION → RENVOI

RÉGURGITER → REJETER, VOMIR

RÉHABILITATION → ABÎMER, RÉNOVATION, RENVOI

RÉHABILITÉ → ACCUSÉ (1)

RÉHABILITER → CONSERVER, RACHETER, SUSPECT (2)

REHAUSSÉ → SURÉLEVÉ

REHAUSSER → AMÉLIORER, BORDER, EMBELLIR, RELEVER, VALEUR

RÉHOBOAM → CHAMPAGNE, LITRE

RÉIMPRESSION → ÉDITION, IMPRESSION, TIRAGE

REIN → VENTRE
Voir illus. **Cheval**
Voir tab. **Chirugicales (interventions)**

REIN cambrer (se), coliques néphrétiques, érythropoïétine, lumbago, néphrectomie, néphrétique, néphrite, néphropathie, pyélonéphrite, rénal, réniforme, rognon

RÉINCARNATION → ÂME, FUTUR (2)

RÉINCARNATION bodhisattva, bouddhisme, brahmanisme, hindouisme, métempsycose, palingénésie

REINE → ABEILLE, DAME
Voir illus. **Sièges**
Voir tab. **Animaux (termes propres aux)**
Voir tab. **Cartes à jouer**

REINE bicyclette, dame, miss, prince consort, vol-au-vent

REINE DES REINETTES → POMME

REINE-CLAUDE → PRUNE

REINE-DES-PRÉS
Voir tab. **Plantes médicinales**

REINETTE → COUTEAU

REINETTE CLOCHARD → POMME

REINETTE DU CANADA → POMME

REIS → TURC

RÉITÉRER → MULTIPLIER, RECOMMENCER, RENOUVELER, RÉPÉTER

REÎTRE → MERCENAIRE (1), SOLDAT

REJAILLIR → REBONDIR

REJAILLISSEMENT → CONSÉQUENCE

REJET → BOURGEON, BRANCHE, CHOIX, PLANT, POUSSE, REFOULEMENT, REFUS, XÉNOPHOBIE
Voir tab. **Poésie (vocabulaire de la)**

REJET cépée, ciclosporine, scion

REJETÉ → HONNI

REJETER → BALAYER, BANNIR, DÉCLINER, DÉDAIGNER, ÉCARTER, ÉJECTER, ÉLIMINER, ÉVACUER, EXCLURE, FAIRE, IMPUTER, NIER, OPPOSER, RABROUER, RÉCUSER, REFOULER, REFUSER, RÉFUTER, RELANCER, RENDRE, RENONCER, RENVERSER

REJETER blackbouler, cracher, débouter, décliner, dédaigner, éjecter, éliminer, expectorer, expulser, refouler, refuser, régurgiter, repousser, vomir

REJETON → BOURGEON, BRANCHE

REJOINDRE → CONVERGER, JOINDRE, RATTRAPER, RETROUVER

RÉJOUI → ÉPANOUI, GAI (1), HEUREUX, JOVIAL, JOYEUX

RÉJOUIR → ÉGAYER, FÉLICITER, JOIE, MAIN, PLAIRE, RIRE, VICTOIRE

RÉJOUIR amuser (s'), applaudir, bicher, délecter (se), dérider, divertir, égayer, enchanter, exulter, féliciter (se), jubiler, pavoiser, plaire, ravir, régaler, rire, triompher, trouble-fête

RÉJOUISSANCE → FÊTE, JOIE, PLAISIR

RÉJOUISSANCE allégresse, carnaval, divertissement, festivités, fête, foire, kermesse, liesse

RÉJOUISSANT → AMUSANT, DIVERTIR, PLAISANT

RELÂCHE → FERMETURE, INTERRUPTION, RÉCRÉATION, REPOS, THÉÂTRE

RELÂCHE (FAIRE) → INTERROMPRE

RELÂCHÉ → NÉGLIGÉ (2), SOUPLE

RELÂCHEMENT → LAISSER-ALLER

RELÂCHER → DÉLIVRER, ÉLARGIR, FAIBLIR, LIBÉRER, NÉGLIGER, TOUCHER
Voir tab. **Pêche**

RELAIS → ATHLÉTISME, TRAVAIL
Voir tab. **Chasse (vocabulaire de la)**

RELAIS auberge, étape, hôtel, intermédiaire, poste, relayer, remplacer, répéteur, restaurant, satellite

RELAIS DE POSTE → AUBERGE

RELANCE
Voir tab. **Économie**

RELANCER
Voir tab. **Poker**

RELANCER ranimer, rappeler, raviver, redémarrer, rejeter, renvoyer

RELAPS → HÉRÉSIE, INQUISITION, RELIGION

RELATER → CITER, EXPOSER, NARRATION, RACONTER, RENDRE

RELATIF → MAJORITÉ, RÉFÉRENCE

RELATIF antécédent, appositif, armure, comparé, concernant, corrélatif, correspondant, dont, lequel, limité, mesuré, mineure, modéré, moyen, où, partiel, pronom relatif, proportionnel, que, quel, qui, quoi, relativité, restrictif, Z

RELATION → ACCOINTANCES, ANALOGIE, ATTACHE, BRAS, COMPTE, CONNAISSANCE, CONTACT, DÉPENDANCE, FRÉQUENTATION, IDENTITÉ, NARRATION, PARENTÉ, RAPPORT, TERME

RELATION accointances, affection, analogie, antithèse, appartenance, attache, autonome, bienséance, causalité, civilités, coexistence, coït, commerce, communication, comparer, concordance, conformité, connaissance, connexion, contact, contraste, convenances, corrélation, correspondance, dépendance, différence, diplomatie, dissonance, égalité, flirt, fornication, fréquentation, harmonie, histoire, identité, indépendant, interdépendance, intrigue, liaison, lien, manières, marivaudage, métaphore, métonymie, narration, opposition, ordre, organigramme, organisation, passade, passion, politesse, rapport, rapporter, rapprocher, récit, similitude, société, solidarité, structuralisme, structure, système, témoignage, tendresse, toquade, union, version

RELATION (METTRE EN) → BRANCHER

RELATIVE → ARBITRAIRE, PROPOSITION

RELATIVISME
Voir tab. **Philosophie**

RELATIVITÉ → RELATIF

RELAX → CALME (2)
Voir illus. **Sièges**

RELAXATION → CALME (1)

RELAXE → RENVOI
Voir tab. **Droit (termes de)**

RELAXER → ACQUITTER, ÉLARGIR, LIBÉRER

RELAYER → ALTERNER, RELAIS, RELEVER, SENTINELLE, SUCCÉDER

RELÉGATION → CONDAMNATION, DÉPORTATION, PEINE

RELÉGUER → DÉPORTER, EXILER, PLAN

RELÉGUER confiner, mettre au placard, ranger, remiser

RELENT → ÉMANATION, ODEUR

RELEVÉ → COMPTE, ÉPICE, FORT (2), INVENTAIRE, PIQUANT (2), RECENSEMENT, RÉSUMÉ (1), RÔLE
Voir tab. **Danse classique**

RELÈVEMENT → HAUSSE

RELEVER → APPARTENIR, CONCERNER, DÉPENDRE, ÉLEVER, EMBROUILLER, LEVER, LICENCIER, MONTER, NOTER, PARTIE, RACHETER, RÉCONFORTER, REDRESSER, REMARQUER, REMETTRE, REMETTRE (SE), RESSORT, SENTINELLE, SORTIR, SOULIGNER, VALEUR

RELEVER agrémenter, améliorer, appartenir à, assaisonner, augmenter, concerner, conforter, consigner, consoler, constater, copier, dégager, délier, délivrer, dépendre de, destituer, élever, ennoblir, épicer, exalter, grandir, guérir, hausser, inscrire, limoger, majorer, noter, observer, pimenter, raidir, ramasser, ramasser (se), ranimer, rattraper, ravigoter, raviver, réagir à, rebâtir, réconforter, reconstruire, redresser, redresser (se), rehausser, relayer, remarquer, remettre (se), remonter, remplacer, renaître, reprendre, ressortir de, ressusciter, rétablir, retrousser, revaloriser, revigorer, révoquer, soulever, souligner, suspendre, tenir de, toucher à, trouver

RELEVEUR → PAUPIÈRE

RELIEF → BOSSE, SPLENDEUR, TRIDIMENSIONNEL

RELIEF accentuer, altimétrie, anaglyphe, anticlinal, aplanir, arasement, atlas, bas-relief, bosse, bosselé, bribe, brillanté, broché, carte, configuration, contraste, côte, coupe, courbe, débris, échelle, éclat, enlevure, épaisseur, érosion, estampé, excroissance, faire ressortir, frise, gaufré, géographie, géomorphologie, géophysique, haut-relief, hypsométrie, impôt, lustre, miette, modelé, niveau, opposition, panache, poncer, proéminence, profondeur, projection, protubérance, repoussé, reste, saillie, souligner, stéréoscope, synclinal, topographie, valeur

RELIEF (METTRE EN) → BORDER

RELIEFS → REPAS, RESTE

RELIER → ASSEMBLER, ENCHAÎNER, JOINDRE, RACCORDER, RATTACHER, RÉUNIR, UNIR

RELIGIEUSE → SŒUR
Voir tab. **Clergé catholique (vocabulaire du)**

RELIGIEUX → CIVILISATION, CLERGÉ, INSTITUTION, PIEUX
Voir tab. **Clergé catholique (vocabulaire du)**

RELIGIEUX (1) abbaye, abbé, abbesse, anachorète, archevêque, archimandrite, barbette, bonze, brahmane, bure, cagoule, capitulaire, cardinal, cathédrale, cénobite, chanoine, chape, chapitre, clerc, congrégation, consistoire, convers, cordelière, cornette, couvent, définiteur, derviche, diaconat, discrétoire, dom, ecclésiastique, économe, église, ermite, évêque, frère, fronteau, général, guimpe, hassid, hebdomadier, imam, intendant, laï, lama, lévite, marabout, mère, ministère, ministre, moine, mollah, monastère, muezzin, mufti, nonne, novice, obédiencier, oblat, ordre, pape, pasteur, père, pope, prélat, prêtrise, prieur, prieuré, procureur, provincial, rabbin, révérend, sacerdoce, sandale, santon, scapulaire, semainier, séminariste, servant, sœur, supérieur, synode, vestale, voile

RELIGIEUX (2) baptême, chasteté, claustral, confirmation, constitution, croyance, culte, dévotion, doctrine, dogme, fanatisme, foi, iconoclaste, iconolâtre, illumination, institut, liturgie, mariage, medersa, messe, monastique, mystique, obédience, obsèques, observance, office, onction, pauvreté, pieux, possession, pratiquant, prise, profession de foi, régulier, rite, rituel, sacre, sacré, saint, séculier, séminaire, service, spirituel, superstition, théocratie, vénérer, vêture, yeshiva

RELIGION → CONFESSION, FOI
Voir tab. **Fêtes religieuses**

RELIGION abjure, adoration,

agnostique, animisme, apostat, athée, blasphème, catéchiser, catéchumène, communion, confession, converti, convertir à (se), coreligionnaire, credo, croyance, croyant, culte, déisme, devoir, dieu, divinité, embrasser, ésotérisme, éternité, évangéliser, excommunié, fanatisme, fidèle, foi, gentil, gnose, gnosticisme, goy, hérésiarque, hérésie, hérétique, hétérodoxie, idolâtrie, impie, infidèle, Inquisition, intolérance, païen, laïque, libertin, mécréant, mission, monothéiste, mystagogie, non-croyant, obligation, œcuménisme, païen, panthéisme, paradis, polythéiste, pratiquant, profanation, profane, prosélyte, relaps, renégat, salut, schisme, sectarisme, secte, sorcellerie, syncrétisme, théisme, théogonie, vénération

RELIGION (GUERRES DE)
Voir tab. **Histoire (grandes périodes)**

RELIQUAIRE → BOÎTE, RELIQUE, SAINT (1)

RELIQUAT → RESTE, SOLDE, SOUSTRACTION

RELIQUE → ANCIEN (2), CADAVRE, MARTYR, SAINT (1)

RELIQUE châsse, reliquaire, saint suaire, trésor

RELIRE → CORRIGER

RELIURE → CAHIER, COUVERTURE

RELIURE baguette, basane, brisé, chagrin, colle, couverture, dos, fanfare (à la), janséniste, parchemin, plat, spirale, vélin

RÉLUCTANCE → MAGNÉTIQUE

RELUIRE (FAIRE) → BRILLER, NETTOYER

RELUQUER → LORGNER, LOUCHER, REGARDER

REMÂCHER → RUMINER

REMAILLEUSE → BAS (1)

REMAKE → VERSION

RÉMANENCE → MAGNÉTIQUE, PERSISTANCE

REMANIEMENT → CORRECTION, MODIFICATION, RÉFORME, VERSION

REMANIER → AMÉLIORER, ARRANGER, CHANGER, REVOIR (2), TRANSFORMER

REMARQUABLE → ACCOMPLI, ADMIRABLE, BON (1), BRILLANT (1), CONSIDÉRABLE, ÉBLOUISSANT, ÉTONNANT, EXCEPTIONNEL, EXEMPLAIRE (2), EXTRAORDINAIRE, GLORIEUX, IMPORTANT, INCOMPARABLE, INSIGNE (2), MAGISTRAL, MAGNIFIQUE, MARQUANT, MÉRITE, MERVEILLEUX, NOTABLE (2), PARTICULIER, PRESTIGIEUX, RARE, SAILLANT, SENSATIONNEL, SIGNALÉ, SPÉCIAL, SUPERBE (2)

REMARQUABLEMENT → PARTICULIÈREMENT

REMARQUE → CRITIQUE (1), DISTINGUER, EXPLICATION, OBJECTION, OBSERVATION, RÉFLEXION, REPROCHE, TEXTE

REMARQUER → APERCEVOIR, NOTER, OBSERVER, PERCEVOIR, RECONNAÎTRE, REGARDER, RELEVER, SIGNALER

REMARQUER faire attention à, aviser, constater, distinguer, noter, observer, relever, repérer, signaler, souligner, voir

REMBARRER → BRUSQUE, MOUCHER, RABROUER, REMETTRE, RÉPONDRE

REMBLAYER → BOUCHER (1), HAUSSER

REMBOÎTER → REMETTRE

REMBOURG → REMPLIR, TONNEAU

REMBOURRÉ
Voir illus. **Sièges**

REMBOURRER → GARNIR

REMBOURSEMENT → COMPENSATION

REMBOURSER → AMORTIR, COMPENSER, DÉDOMMAGEMENT, DETTE, PAYER, RENDRE

REMBRUNI → TRISTE

REMBRUNIR (SE) → SOMBRE

REMBUCHER
Voir tab. **Chasse (vocabulaire de la)**

REMÈDE → CONSOLATION, ÉLIXIR, PANACÉE, PHARMACIE, POTION, RESSOURCE, SOULAGER

REMÈDE antidote, contrepoison, homéopathique, incurable, inguérissable, panacée, recette, truc

REMÉDIER → COMBLER, COMPENSER, PALLIER, PARER, POURVOIR, RÉPARER

REMEMBREMENT → DROIT (1)

REMÉMORATION → RAPPEL

REMÉMORER → ÉVOQUER, PARCOURIR, PENSER, RÉCAPITULER, REPRÉSENTER (SE)

REMERCIÉ (ÊTRE) → PERDRE

REMERCIEMENT → CHANDELLE, MERCI, RECONNAISSANCE

REMERCIER → BÉNIR, CHÔMAGE, LICENCIER, PORTE, REFUSER, SÉPARER

RÉMÉRÉ → ACHETER, VENDEUR

REMETTRE → CONFIER, DÉLIVRER, DÉPLACER, DÉPOSER, DIFFÉRER, FIER À (SE), LAISSER, PASSER, RECONNAÎTRE, RELEVER (SE), RENDRE, RENONCER, REVENIR, SAUVER, SUSPENDRE, TARD, ULTÉRIEUR

REMETTRE absoudre, ajourner, appeler à (en), arranger, atermoyer, commuer, confier, confier à (se), conseiller, contester, déférer à, délivrer, déposer, différer, diriger, éclaircir, fier à (se), gracier, guérir, guider, laisser, livrer, objecter, pardonner, passer, questionner, rabibocher (se), ramener, rappeler (se), rapporter, rapporter à (s'en), recommencer à, réconcilier (se), réconforter, reconsidérer, récupérer, redresser, relever, relever de (se), rembarrer, remboîter, remonter, renflouer, renvoyer, réparer, replacer, reporter, reposer sur (se), reprendre, réprimander, restituer,

rétablir (se), retaper, retarder, revigorer, réviser, souvenir de (se), surseoir à, suspendre

REMETTRE (S'EN) → CROIRE

REMETTRE AUX SOINS DE → ADRESSER

REMETTRE LES PÉCHÉS → PARDONNER

REMIAGE → CIDRE

RÉMIGE → AILE, COQ, OISEAU, PLUME
Voir illus. **Oiseau**

RÉMINISCENCE → PENSÉE, SOUVENIR

REMIREMONT
Voir tab. **Habitants (comment se nomment les)**

REMIREMONTAINS
Voir tab. **Habitants (comment se nomment les)**

REMISE → ABRI, BAISSE, BARAQUE, CABINET, COMMISSION, DIMINUTION, FERME (1), HANGAR, LIVRAISON, PRIX, RABAIS, RENVOI, RETARD, SOLDE, TAILLIS

REMISER → RELÉGUER

RÉMISSION → APAISEMENT, CALME (1), CONFESSION, GRÂCE, INTERVALLE, MALADIE, PARDON

RÉMITTENCE → CALME (1), MALADIE

RÉMITTENT → INTERMITTENT (2)

REMIX → CHANSON

RÉMIZ → MÉSANGE

REMMAILLER → RACCOMMODER

REMODELAGE → LIFTING

REMONTANT → CORDIAL (1), EXCITANT (1), FLEURIR, FORTIFIANT (2), RECONSTITUER, STIMULANT, TONIQUE (2)

REMONTANT cordial, fortifiant, stimulant, tonique

REMONTÉE MÉCANIQUE → TÉLÉSKI

REMONTE-PENTE → SKI, TÉLÉSKI

REMONTER → DÉBORDER, FORCE, RÉCONFORTER, RELEVER, REMETTRE, RESSORT, SOUTENIR

REMONTOIR → CLEF

REMONTRANCE → AVERTISSEMENT, BLÂME, BRETELLE, MISE, OBSERVATION, RÉPRIMANDE, REPROCHE, SERMON

RÉMORA → PILOTE

REMORDS → REGRET, REPENTIR, REPROCHE

REMORDS attrition, chagrin, componction, contrition, peine, pénitence, poids, regret, repentance, repentir, résipiscence

REMORQUAGE → TRACTION

RÉMORQUÉ → HALÉ

REMORQUE (À LA) → TRAÎNE

REMORQUER → TIRER

REMORQUEUR
Voir tab. **Bateaux**

RÉMOULADE → MAYONNAISE

REMOULAGE → FARINE

RÉMOULEUR → AFFÛTER, AIGUISER, TRANCHANT

REMOUS → AGITATION, MOUVEMENT, TOURBILLON

REMPAILLER → GARNIR

REMPAILLEUR → CHAISE

REMPART → ARMURE, BASTION, CHÂTEAU, ENCEINTE, SAUVEGARDE
Voir illus. **Château fort**

REMPIÉTER → RÉPARER

REMPLAÇANT → SUPPLÉANT

REMPLACER → ALTERNER, DOUBLER, RELAIS, RELEVER, REPRÉSENTER, SUBSTITUER, SUCCÉDER

REMPLAGE → RÉSEAU

REMPLI → ACCOMPLI, FARCI, IMPRÉGNER, RAS (1), SATURÉ

REMPLIR → CHARGER, COMBLER, EXERCER, SATISFAIRE, TENIR

REMPLIR abreuver, acquitter (s'), animer, assurer, baigner, bonder, bouffi, combler, couronner, couvert, cribler, éclairer, employer, empreint, enflammer, enfler, envahir, envahir, exercer, farcir, fonctionner, garnir, gonfler, habiter, imbu, inonder, jouer, meubler, observer, occuper, ouiller, parfumer, pétri, peupler, rembouger, répondre à, réussir, satisfaire, semer, tenir, truffer

REMPORTER → CUEILLIR, GAGNER, OBTENIR

REMPOTAGE
Voir tab. **Jardinage**

REMUANT → TURBULENT, VIVANT

REMUE-MÉNAGE → MOUVEMENT

REMUEMENT → MOUVEMENT

REMUER → BALLOTTER, BROUILLER, ÉBRANLER, ÉMOUVOIR, FATIGUER, MOUVOIR

REMUER affecter, agiter, agiter (s'), ballant, bouger, ébranler, émouvoir, gigoter, hocher, malaxer, perturber, pétrir, secouer, toucher, touiller, tourner, troubler

REMUEUSE → BERCER

REMUGLE → ÉMANATION, ODEUR

RÉMUNÉRATEUR → ARGENT, BÉNÉFICE, FRUCTUEUX, RENTABLE, SALAIRE

RÉMUNÉRATION → APPOINTEMENTS, GAIN, REVENU, SALAIRE

RÉMUNÉRATION cachet, commission, gages, gain, honoraires, intérêt, paie, pige, pourboire, prétentions, prime, profit, rétribution, revenu, salaire, solde, traitement

RÉMUNÉRER → DONNER, PAYER

RENAISSANCE → RETOUR, RÉVEIL
Voir tab. **Histoire (grandes périodes)**

RENAÎTRE → RECOMMENCER, RELEVER (SE), RENOUVELER (SE)

RÉNAL → REIN

RENARD → MARTEAU, SYNDICAT
Voir tab. **Animaux (termes propres aux)**

RENARDE
Voir tab. **Animaux (termes propres aux)**

RENARDEAU
Voir tab. **Animaux (termes propres aux)**

RENARDIÈRE
Voir tab. **Animaux (termes propres aux)**

RENAUDOT → CONCOURS, LITTÉRATURE

RENAULT → RÉGIE

RENCHÉRI → FIER

RENCHÉRISSEMENT → HAUSSE

RENCONTRE → BASKET-BALL, CARREFOUR, COMPÉTITION,

CONJONCTION, CONTACT, ENTREVUE, ÉPREUVE, JONCTION, MATCH, RÉUNION, VISITE
Voir tab. **Héraldique (vocabulaire de l')**

RENCONTRE aventure, bataille, carrefour, championnat, choc, circonstance, coïncidence, collision, colloque, combat, compétition, concours, conférence, confluence, confrontation, conjonction, conjoncture, contact, croisement, débat, duel, échauffourée, engagement, entrevue, épreuve, escarmouche, événement, éventualité, face-à-face, forum, hasard, heurt, hiatus, interférence, jonction, match, occasion, occurrence, partie, possibilité, rendez-vous, retrouvailles, réunion, rond-point, séminaire, situation, symposium, télescopage, tête-à-tête

RENCONTRE DE CERF
Voir illus. **Héraldique**

RENCONTRER → CROISER (SE), ÉPROUVER, REVOIR (SE) (2), TOUCHER

RENDEMENT → EFFICACITÉ, PRODUCTION, PRODUCTIVITÉ, RAPPORT

RENDEMENT engrais, optimisation, rentabilité, stakhanovisme, taylorisme

RENDEZ-MOI
Voir tab. **Vols (types de)**

RENDEZ-VOUS → ENTREVUE, MAISON, PAVILLON, RENCONTRE

RENDEZ-VOUS agenda, assistant personnel, calepin, consultation, organiseur, palm, visite

RENDRE → DÉPOSER, LIVRER, PRISONNIER, RÉPONDRE, REPRÉSENTER, RÉSISTANCE, SOUMETTRE, VAINCRE, VOMIR

RENDRE acquitter (s'), aider, battre (se), compenser, décéder, dédommager, dégorger, déposer, donner, émettre, exhaler, expirer, exposer, exprimer, mourir, produire, prononcer, ramener, rapporter, réagir, redonner, rejeter, relater, rembourser, remettre, renvoyer, répandre, répondre, représenter, reproduire, restituer, retourner, traduire, venger (se), vomir

RENDRE (SE) → CÉDER

RENDRE (SE) accéder à, accepter, acquiescer, aller, approuver, capituler, céder à, comprendre, condescendre à, dénoncer (se), devenir, donner à (se), livrer à (se), montrer (se), obéir, obtempérer, ranger à (se), réaliser, soumettre (se), succomber à, tomber, voyager

RENDRE COMPTE → RÉALISER

RENDRE DES COMPTES → JUSTIFIER

RENDRE HOMMAGE À → SALUER

RENDRE HOSTILE → BRAQUER

RENDRE SERVICE → UTILE

RÊNE → COURROIE, GUIDE

RENÉ-CLAIR (PRIX)
Voir tab. **Prix cinématographiques**

RENÉGAT → RELIGION, TRAÎTRE (1)

RENFERMÉ → CONFINÉ, SECRET (2), SILENCIEUX, SOBRE

RENFERMER → COMPRENDRE, CONTENIR, FERMER, POSSÉDER

RENFLOUER → REMETTRE

RENFONCEMENT → COIN

RENFORCÉ → MAJORITÉ

RENFORCEMENT → ACCENTUATION, AGGRAVATION

RENFORCER → AFFERMIR, ARMER, ASSEOIR, BÉTONNER, CONSOLIDER, FORTIFIER, GROSSIR, RACCOMMODER, SOLIDE

RENFORMIR → MUR

RENFORT → AUXILIAIRE (2), GARNITURE, SECOURS

RENFORT aide, arc-boutant, assistance, béquille, consolidation, doublage, étai, étançon, étrier, fer, secours, soldat, soutien, troupe

RENFROGNÉ → MAUSSADE, MOROSE, TÉNÉBREUX

RENFROGNÉ acariâtre, assombri, boudeur, bourru, chagrin, froncé, grincheux, maussade, morose, rabat-joie, rechigné, revêche

RENFROGNER (SE) → BOUDER, FERMER, SOMBRE

RENGAINE → CHANSON, LEITMOTIV, LITANIE, RÉPÉTITION

RENGORGER (SE) → ROUE, VANITEUX

RENIEMENT → CONVERSION

RENIER → ABANDONNER, DÉSAVOUER, NIER, RENONCER

RENIER abandonner, abjurer, apostasier, désavouer, renoncer à, répudier

RENIFLARD → SOUPAPE

RENIFLER → RESPIRER, SENTIR

RÉNIFORME → REIN
Voir illus. **Feuille**

RENITENCE → RÉSISTANCE

RENNE → CERF

RENOM → CÉLÉBRITÉ, NOTORIÉTÉ, RÉPUTATION

RENOMMÉ → CÉLÈBRE, FAMEUX, POPULAIRE

RENOMMÉE → CÉLÉBRITÉ, GLOIRE, IMAGE, NOM, NOTORIÉTÉ, RÉPUTATION, SUCCÈS, VEDETTE

RENOMMÉE (LA) → CENT

RENONCE
Voir tab. **Belote**

RENONCEMENT → CAPITULATION, CONCESSION, DÉTACHEMENT, DÉVOUEMENT, OUBLI, PRIVATION, SACRIFICE

RENONCER → BAISSER, BRAS, CAPITULER, DÉSARMER, DÉSISTER (SE), DESSAISIR (SE), DÉTACHER (SE), ENTERRER, PASSER, RECULER, REFUSER, RENIER, SACRIFIER

RENONCER abandonner, abdiquer, abjurer, abstenir (s'), ajourner, annuler, apostasier, arrêter, changer, décourager, défaire de (se), délaisser, délier de (se), démettre de (se), démissionner, démordre (en), départir de (se), dépouiller (se),

désaccoutumer (se), déshériter, désintoxiquer (se), dessaisir de (se), détourner de (se), dissoudre, dissuader, écarter de (s'), laisser, passer de (se), perdre, priver de (se), quitter, rejeter, remettre, renier, renvoyer, reporter, répudier, résigner, résilier, sacrifier, séparer de (se), trahir

RENONCIATION → CESSION, DÉMISSION

RENONCULACÉES → ANÉMONE

RENONCULE → BOUTON

RENOUER → RÉCONCILIER (SE)

RENOUVEAU → RÉVEIL

RENOUVELER → RECOMMENCER, RÉPÉTER

RENOUVELER aérer, changer, éternel, nover, perpétuel, proroger, rajeunir, ranimer, raviver, recommencer, reconduire, refaire, régénérer, réitérer, renaître, rénover, répéter, répéter (se), repousser, reproduire (se), réveiller, rhabiller, turn-over

RENOUVELLEMENT → BALLET

RÉNOVATION → ABÎMER, AMÉLIORATION, TRANSFORMATION

RÉNOVATION réfection, réhabilitation, restauration

RÉNOVER → BRICOLER, CHANGER, MODERNISER, NEUF (1), RAFRAÎCHIR, RENOUVELER, RÉPARER

RENSEIGNÉ → AVERTI, FAIT

RENSEIGNEMENT → DONNÉE, ÉLÉMENT, INDICATION, INFORMATION, NOUVELLE

RENSEIGNEMENT agent, almanach, annuaire, avertir, avis, Bottin, calepin, communication, compulser, consulter, corpus, détective, document, documentation, donnée, dossier, éclaircissement, édifier, enquêter, enquêteur, espion, espionner, fichier, fixer, indication, indice, information, informer, instruire, investiguer, lumière, message, moteur de recherche, naviguer, nouvelles, précision, renseigner, répertoire, secret, surfer, taupe, Toile, tuyau, www (World Wide Web)

RENSEIGNER → COURANT (1), ÉCLAIRER, INFORMER, INITIATIVE, INSTRUIRE, INTERROGER, ORIENTER, QUESTIONNER, RENSEIGNEMENT, SAVOIR (2)

RENTABILISER → AMORTIR

RENTABILITÉ → RENDEMENT

RENTABLE → BÉNÉFICE, FRUCTUEUX, GAIN, INTÉRESSANT (2), SALAIRE, SUCCÈS

RENTABLE avantageux, fructueux, lucratif, optimiser, payant, rémunérateur

RENTE → CAPITAL (1), IMPÔT, INTÉRÊT, REVENU

RENTE arrérages, crédirentier, pension, redevance, rentier, viager

RENTIER → BOURGEOIS (1), RENTE

RENTOILAGE → PEINTURE

RENTOILER → TABLEAU

RENTRÉ → SOURD
Voir tab. **Couture**

RENTRÉE → INAUGURATION, RECETTE, RETOUR

RENTRÉE collecte, come-back, crédit, exportation, recette, recouvrement, retour, revenu

RENTRER → ESCAMOTER, PARVENIR, REFOULER, REVENIR

RENTRER DANS LES ATTRIBUTIONS DE → CONCERNER

RENVERSANT → INCROYABLE (2), INVRAISEMBLABLE

RENVERSÉ → INVERSE (2), PLONGEON

RENVERSEMENT → AÉRIEN, AVION, BOULEVERSEMENT, BRUSQUE, COUP D'ÉTAT, REVIREMENT

RENVERSEMENT ARRIÈRE → PATINAGE

RENVERSER → BASCULER, BOUSCULER, CHAVIRER, CONFONDRE, DÉMOLIR, DÉMONTER, DÉTRUIRE, FAUCHER, INTERVERTIR, JETER, VAINCRE

RENVERSER abasourdir, abattre, basculer, bouleverser, bousculer, briser, broyer, culbuter, déboulonner, déconcerter, défaire, démolir, démonter, désarçonner, destituer, détrôner, détruire, ébranler, écraser, écrouler, enfoncer, étendre, foudroyer, incliner, intervertir, inverser, jeter, jeter bas, pencher, plaquer, rejeter, répandre, saper, surmonter, surprendre, terrasser, transposer, troubler, vaincre

RENVIDER → TRAME

RENVOI → INSTRUCTION, MISE, RÉFÉRENCE, RÉPERCUSSION, RETOUR, ROT

RENVOI ajournement, annulation, apostille, appel, astérisque, congédiement, destitution, éructation, examen, exclusion, exil, expulsion, infirmation, invalidation, licenciement, lien hypertexte, marque, note, pyrosis, réexpédition, référence, régurgitation, réhabilitation, relaxe, remise, report, rescision, retour, révocation, rot, signet, sursis

RENVOI D'APPEL → PORTABLE

RENVOYÉ → EXCLURE, VIRER

RENVOYER → CONGÉ, DÉGRAISSER, DESTITUER, EXPULSER, LICENCIER, PIED, PORTE, RABROUER, RÉFLÉCHIR, REFLÉTER, REFUSER, RELANCER, REMETTRE, RENDRE, RENONCER, SÉPARER

RÉORIENTATION → CONVERSION

REPAIRE → ABRI, BANDIT, GÎTE, NID, REFUGE (1), TANIÈRE
Voir tab. **Chasse (vocabulaire de la)**

REPAIRE antre, cachette, gîte, refuge, nive, retraite, tanière

REPAÎTRE (SE) → GRISER, NOURRIR

RÉPANDRE → BANALISER, BAVER, COULER, COURIR, COUVRIR, DÉGAGER, DÉVERSER, DIFFUSER, DISPERSER, DISSÉMINER, ÉCHO, ÉCLATER, ÉTENDRE, GÉNÉRALISER, PROPAGER, RAYONNER, RENDRE,

925

RENVERSER, SEMER, SENTIR, SOUFFLER, TRANSMETTRE, VERSER

RÉPANDRE colporter, dégager, diffuser, dispenser, disperser, disséminer, distiller, distribuer, divulguer, ébruiter, embaumer, émettre, empester, empuantir, ensemencer, épancher, épandre, éparpiller, étendre, éventer, exhaler, fleurer, généraliser, jeter, joncher, lancer, parfumer, parsemer, paver, populariser, prodiguer, propager, répartir, semer, universaliser, vulgariser

RÉPANDRE (SE) circuler, couler, courir, déborder, échapper (s'), éclater, émaner, emplir, envahir, épancher (s'), extravaser (s'), gagner, manifester (se), paraître, pénétrer, ruisseler, suinter

RÉPANDRE DES LARMES → PLEUR

RÉPANDU → GÉNÉRAL

RÉPARATION → AMÉLIORATION, CICATRISATION, COMPENSATION, DÉDOMMAGEMENT, RAISON, SATISFACTION, TRANSFORMATION, VENGEANCE

RÉPARATION (SURFACE DE) → BUT

RÉPARER → BRICOLER, COMPENSER, CORRIGER, ÉTAT, NEUF (1), RACCOMMODER, RACHETER, RATTRAPER, RECTIFIER, REMETTRE, SOIN

RÉPARER améliorer, arranger, caréner, compenser, consolider, corriger, dédommager, dépanner, effacer, expier, indemniser, laver, moderniser, rabibocher, raccastiller, raccommoder, radouber, rafistoler, ragréer, rapetasser, rapiécer, ravauder, rechaper, recoudre, recrépir, redresser, refaire, remédier à, rempiéter, rénover, replâtrer, repriser, ressemeler, restaurer, rétablir (se), retaper, stopper, suturer, venger

REPARTIE → RÉPLIQUE, RETOUR

REPARTIR → REBONDIR, RECOMMENCER, RÉPONDRE, REVENIR

RÉPARTIR → CLASSER, DISPOSER, DISTRIBUER, DIVISER (SE), ÉCHELONNER, ÉTALER, PARTAGER, PLANIFIER, RÉPANDRE, RIPOSTER

RÉPARTIR allotir, assigner, attribuer, classer, dispatcher, disposer, distribuer, échelonner, étaler, impartir, lotir, octroyer, partager, proportionner, ranger, rationner, ventiler

RÉPARTITEUR DE FREINAGE
Voir tab. **Automobile**

RÉPARTITION → DISPOSITION, DISTRIBUTION, PARTAGE, PONDÉRATION
Voir tab. **Économie**

RÉPARTITION ÉGALE → PARITÉ

REPAS afternoon tea, agape, apéritif, banquet, banqueter, barbecue, bénédicité, bombance, breakfast, brunch, buffet, café, cantine, casse-croûte, Cène, collation, convive, croquette, croustille, déjeuner, diète, digestif, dîner, dînette, écornifleur, en-cas, entrée, festin, festoyer, gala, gamelle, garçon, gastronome, gourmet, goûter, grillade, gueuleton, hors-d'œuvre, hôte, jeûner, liqueur, mangeaille, méchoui, médianoche, menu, mess, mets, mise en bouche, orgie, parasite, pâtée, petit déjeuner, pièce, pique-assiette, pique-nique, pitance, plat, réfectoire, reliefs, restaurant, reste, ripaille, rogatons, sandwich, serveur, sommelier, soupe, souper, thé

REPASSER → RÉPÉTER

REPASSEUR → AFFÛTER, AIGUISER, TRANCHANT

REPAVAGE → FINITION

REPÊCHAGE → RATTRAPER

REPENTANCE → REGRET, REMORDS, REPENTIR

REPENTIR → CONFESSION, FAUTE, PARDON, PÉNITENCE, REGRET, REGRETTER, REMORDS

REPENTIR contrition, regret, remords, repentance

RÉPERCUSSION → CONSÉQUENCE, CONTRECOUP, ÉCHO, EFFET, RETOUR, SON, SUITE

RÉPERCUSSION conséquence, contrecoup, écho, incidence, réflexion, renvoi, retombées, réverbération

RÉPERCUTER → DÉTEINDRE, RÉFLÉCHIR

REPÈRE → MARQUE, SIGNE

REPÈRE abscisse, balise, borne, coche, cote, cran, encoche, entaille, étalon, jalon, marque, norme, ordonnée, Post-it, référence, témoin, valeur

REPÈRE DE TOUCHE
Voir illus. **Guitare**

REPÉRER → APERCEVOIR, GUIDER, LOCALISER, ORIENTER, REMARQUER, RETROUVER, VOIR

RÉPERTOIRE → CATALOGUE, ÉNUMÉRATION, LISTE, RECUEIL, RENSEIGNEMENT

RÉPERTOIRE carnet, catalogue, catégorie, classeur, composition, dossier, fichier, index, œuvre, période, pièce, sous-répertoire, style

RÉPERTORIER → CLASSER, ENREGISTRER, FICHER

RÉPÉTER → DIRE, ÉCHO, ÉTUDIER, IMITER, INSISTER, MULTIPLIER, RABÂCHER, RÉCLAMER, RECOMMENCER, RENOUVELER, RENOUVELER (SE), RESSORTIR

RÉPÉTER apprendre, colporter, emprunter, imiter, multiplier, prêcher, rabâcher, raconter, radoter, rapporter, rabattre, recommencer, redire, réfléchir, réitérer, renouveler, repasser, reproduire, ressasser, réverbérer, seriner

RÉPÉTEUR → RELAIS

RÉPÉTITEUR → PROFESSEUR

RÉPÉTITIF → RÉCURRENT

RÉPÉTITION → ÉCHO, ENTRAÎNEMENT, PLÉONASME, RETOUR, RYTHME
Voir tab. **Manies**

RÉPÉTITION accumulation, allitération, anaphore, antanaclase, assonance, avant-première, bégaiement, chorus, copie, cycle, doublon, duplication, écho, ensemble, filage, fréquence, fréquentatif, générale, homéotéleute, idem, imitation, itératif, leitmotiv, paronomase, période, périssologie, pléonasme, récapitulation, rechute, récidive, redite, redondance, redoublement, refrain, rengaine, réplique, reprise, reproduction, retour, réverbération, ritournelle, scie, superfluité, susdit, tautologie

REPIQUAGE → PEINTURE
Voir tab. **Jardinage**

REPIQUER → PLANTER

RÉPIT → ACCALMIE, ARRÊT, DÉLAI, ENTRACTE, FEU, HALTE, INTERRUPTION, INTERVALLE, REPOS

RÉPIT accalmie, détente, harcelant, obsédant, pause, repos, trêve

REPLACER → REMETTRE, SITUER

REPLANTER → REDRESSER

REPLAT → PLATE-FORME

REPLÂTRER → RÉPARER

REPLET → CHAIR, GRAS, ROND (2)

REPLI → COMBAT, ISOLEMENT, NŒUD, ONDULATION, OURLET, RECUL, REFLUX

REPLIABLE → MOBILE (2)

REPLIÉ SUR LUI-MÊME → INTÉRIEUR (1)

REPLIÉ SUR SOI → CIRCUIT

REPLIEMENT → INVERSION

REPLIER → ESCAMOTER, RABATTRE

REPLIER (SE) → BATTRE, BLOTTIR (SE), ISOLER (S'), MOUVOIR, RECUEILLIR (SE), RECULER, RETIRER (SE), RETRAITE

RÉPLIQUE → COMÉDIEN, COPIE, DOUBLE (1), PENDANT (1), RÉPÉTITION, RÉPONSE, REPRODUCTION, RETOUR, TIRADE

RÉPLIQUE cassant, clone, double, impérieux, jumeau, péremptoire, pique, plagiat, réédition, repartie, réponse, reproduction, sosie, tranchant

RÉPLIQUER → RAISONNER, RÉAGIR, RÉPONDRE, RIPOSTER

REPLIS → INTIME (2)

RÉPONDANT → BOUCLIER, CAUTION, OTAGE, RESPONSABLE (2)

RÉPONDEUR → RÉPONDRE, TÉLÉPHONE

RÉPONDEUR-ENREGISTREUR → TÉLÉPHONE

RÉPONDRE → DÉFENDRE, GARANT, GARANTIR, RÉAGIR, REMPLIR, RENDRE, RESPONSABLE (2), RIPOSTER, SATISFAIRE

RÉPONDRE accepter, accorder (s'), assurer, concorder avec, contrecarrer, contredire, correspondre à, défendre (se), fonctionner, garantir, obéir, objecter, protester, réagir, récriminer, refuser, réfuter, rembarrer, rendre, repartir, répliquer, répondeur, rétorquer, riposter, satisfaire à, soutenir

RÉPONS → CHŒUR

RÉPONSE → ACTE, ÉCHO, IMMUNITAIRE, RÉACTION, RÉPLIQUE, RÉSULTAT, VERDICT

RÉPONSE coi, explication, incollable, interdit, muet, réaction, réflexe, réplique, solution

REPORT → DATE, RENVOI, SURSIS

REPORTAGE → CORRESPONDANCE, INFORMATION, RÉCIT

REPORTAGE documentaire, live, publireportage, reporter

REPORTER → DÉPLACER, JOURNALISTE, REMETTRE, RENONCER, REPORTAGE, TARD

REPOS → LOISIR, PAIX, RÉCRÉATION, RÉPIT, SOMMEIL

REPOS accalmie, arrêt, calme, canapé, césure, chaise longue, cimetière, congé, délassement, détente, divan, dormance, entracte, férié, friche (en), hamac, hibernation, immobile, inactif, inerte, intersemestre, jachère (en), lit, loisir, méridienne, ottomane, paix, quiétude, relâche, répit, réveiller, sieste, sinécure, sofa, tranquillité, vacances

REPOSANT → SEREIN, TRANQUILLE

REPOSE-BRAS → APPUI

REPOSÉE → TANIÈRE
Voir tab. **Chasse** (vocabulaire de la)

REPOSER → DÉPENDRE, PENDRE, REMETTRE (SE), FIER (SE), VERT (1)

REPOSOIR → AUTEL

REPOUSSANT → AFFREUX, ANTIPATHIQUE, DÉGOÛTANT, HIDEUX, IGNOBLE, LAID, POUILLEUX, SALE

REPOUSSÉ → RELIEF

REPOUSSER → BALAYER, CHOQUER, DÉDAIGNER, DIFFÉRER, ÉCARTER, ÉLOIGNER, EXCLURE, QUARANTAINE, RECULER, REFOULER, REFUSER, REJETER, RENOUVELER (SE), TARD, ULTÉRIEUR

RÉPRÉHENSIBLE → COUPABLE

REPRENDRE → CORRIGER, DÉFAUT, MODIFIER, RAISONNER (SE), RATTRAPER, RATTRAPER (SE), RÉAGIR, REBONDIR, RÉCAPITULER, RECOMMENCER, RECOUVRER, RELEVER, REMETTRE, RESSAISIR, RETROUVER

REPRÉSAILLES → ATTAQUE, EXPÉDITION, RÉCIPROQUE (2), REVANCHE, VENGEANCE

REPRÉSAILLES châtiment, punition, revanche, riposte, vengeance

REPRÉSENTANT → AGENT, CHARGÉ, COMMERÇANT, DÉLÉGUÉ, DÉMARCHEUR, MARCHAND, RABBIN, SUPPLÉANT, VENDEUR, VOYAGEUR

REPRÉSENTANT agent, ambassadeur, commercial, consul, correspondant, courtier, délégué, démarcheur, député, diplomate, mandataire, technico-commercial, tuteur, VRP

REPRÉSENTATIF → INTELLECTUEL, TYPIQUE

REPRÉSENTATION → AMBASSADE, CONCEPTION, DÉMARCHEUR, DESSIN, EXHIBITION, IMAGE, INCONSCIENT (2), MIROIR, NOTION, PRESTATION, PROJECTION, SIGNE, SPECTACLE, VISION

REPRÉSENTATION ambassade, assemblée, caricature, chambre, comédie, consulat, coupe, délégation, description, diagramme, discours, duplication, écriture, effigie, emblème, évocation, figuration, icône, iconoclaste, iconolâtre, iconologie, idéogramme, illustration, imagination, imitation, langage, langue, lettre, logo, mandat, matinée, mission, notation, parlement, parodie, parole, partition, perception, phonème, phonétique, pictogramme, plan, rapport, récit, reproduction, schéma, scrutin, signe, spectacle, symbole, tableau, visualisation

REPRÉSENTER → DÉSIGNER, DESSINER, DONNER, ENREGISTRER, ÉVOQUER, EXPRIMER, FIGURER, IMAGINER, JOUER, MATÉRIALISER, PEINDRE, RÉALISER, RENDRE, RESPIRER, TRACER

REPRÉSENTER caricaturer, compter, concevoir, constituer, contrefaire, correspondre à, décrire, dépeindre, désigner, dessiner, donner, évoquer, exposer, exprimer, figurer, figurer (se), gesturer, imaginer (s'), imiter, incarner, interpréter, jouer, mentionner, mimer, modèle, monter, motif, peindre, personnifier, photographier, portraiturer, postuler, produire, rappeler, refléter, remémorer (se), remplacer, rendre, résumer, retracer, simuler, singer, souvenir du (se), sujet, symboliser, tracer

RÉPRESSIF → POLICE, POLICIER (2)

RÉPRESSION → ÉTOUFFEMENT, SANCTION

RÉPRESSION brigade des stupéfiants, châtiment, loi martiale, Mondaine, punition, sanction

RÉPRIMANDE → AVERTISSEMENT, BLAME, OBSERVATION, ORDRE, REPROCHE

RÉPRIMANDE admonestation, admonition, avertissement, blâme, engueulade, gronderie, mercuriale, remontrance, semonce

RÉPRIMANDER → ATTRAPER, BRETELLE, CONDAMNER, CORRIGER, GRONDER, LEÇON, MOUCHER, RAISONNER, REMETTRE, SERMON

RÉPRIMÉ → SOURD

RÉPRIMER → CALMER, COMMANDER, CONTENIR, CONTRAINDRE, DOMINER, ÉTOUFFER, FREINER, MAÎTRISER, MATER, MODÉRER, PUNIR, REFOULER, RETENIR, SUPPRIMER, SURMONTER, TEMPÉRER

REPRIS DE JUSTICE → CONDAMNÉ

REPRISE → ÉQUITATION, FRÉMISSEMENT, RÉCLAME (1), RÉPÉTITION, RETOUR, SOUFFLE

Voir tab. **Musique (vocabulaire de la)**

REPRISER → COUDRE, RACCOMMODER, RÉPARER

RÉPROBATION → BLÂME, DÉSAPPROBATION, FOUDRE, MALÉDICTION

RÉPROBATION anathème, animadversion, condamnation, désapprobation, huée

REPROCHE → CRITIQUE (1), DÉSAPPROBATION, FOUDRE, OBSERVATION

REPROCHE admonestation, attraper, critique, critiquer, écoper, essuyer, foudres, gourmander, gronder, impeccable, incendier, irréprochable, morigéner, objection, objurgation, observation, parfait, récrimination, réfutation, remarque, remontrance, remords, réprimande, réquisitoire, subir, tancer

REPROCHER → IMPUTER

REPRODUCTEUR → INSTINCT, SEXUEL

REPRODUCTEUR anthérozoïde, étalon, gamète, œuf, oosphère, ovaire, ovule, pistil, spermatozoïde, testicule, zygote

REPRODUCTION → CALQUE, COPIE, DOUBLE (1), GÉNÉRATEUR (2), HARAS, IMITATION, RÉPÉTITION, RÉPLIQUE, REPRÉSENTATION

REPRODUCTION accouplement, ampliation, anthérozoïde, appareillement, auteur (d'), bipartition, bouture, chaleurs, clonage, coït, coller, contrefaçon, copie, copier, copyright, croisement, duplicata, duplication, édition, enfantement, engendrement, enregistrement, ensemencement, épreuve, fac-similé, falsification, fécondation, fissiparité, gamète, génération, génital, germen, glisser, gravure, héliochromie, hérédité, hybridation, image, imitation, impression, lithographie, monte, musth, numérisation, œuf, oosphère, ovipare, ovocyte, ovovivipare, ovule, parthénogenèse, photocopie, photographie, piratage, placard, plagiat, polycopie, reflet, réplique, rut, saillie, scissiparité, sélection, semence, spermatozoïde, sperme, sporulation, vivipare

REPRODUIRE → CALQUER, DESSINER, FALSIFIER, IMITER, PEINDRE, PERPÉTUER, REFLÉTER, RENDRE, RENOUVELER (SE), RÉPÉTER

REPROGRAPHIE → IMPRESSION

RÉPROUVÉ → DAMNÉ

RÉPROUVER → CONDAMNER, CRITIQUER, DÉSAVOUER, JUGER, MAUDIRE

REPS → AMEUBLEMENT, SOIE

Voir tab. **Tissus**

REPTATION → SERPENT

REPTILE

Voir tab. **Animaux (classification simplifiée des)**

REPTILE cotylosauriens, dinosauriens, placodontes, ptérosauriens, sauroptérygiens

REPTILES → SERPENT

REPU → MANGER, PLEIN, VENTRE

RÉPUBLICAIN → CALENDRIER, CIVIL, PUBLIC (2)

RÉPUBLICAIN citoyen, démocrate, sans-culotte

REPUBLICATION → TIRAGE

RÉPUBLIQUE → ÉTAT, PAYS, POLITIQUE (2)

RÉPUBLIQUE autocratie, bananier, chef d'État, chose publique, cité, communauté, Constitution, dictature, empire, monarchie, président, tyrannie

RÉPUDIATION → MARI

RÉPUDIER → NOCE, QUITTER, RENIER, RENONCER

RÉPUGNANCE → ANTIPATHIE, DÉGOÛT, IMPRESSION, OPPOSITION

RÉPUGNANT → ANTIPATHIQUE, ÉCŒURANT, HIDEUX, HORRIBLE, IGNOBLE, INFÂME, INFECT, LAID, MAUVAIS, SALE

RÉPUGNER → DÉGOÛT, DÉPLAIRE, VENTRE

RÉPULSION → ABOMINABLE, ANTIPATHIE, DÉGOÛT, HAINE, HORREUR, PEUR

RÉPUTATION → CÉLÉBRITÉ, HONNEUR, IMAGE, MARQUE, NOM, NOTORIÉTÉ, PRESSE

RÉPUTATION affaire, autorité, calomnier, célébrité, considération, déshonorer, diffamer, discrédit, estime, flétrir, gloire, honneur, image de marque, importance, infamie, noircir, notoriété, personnalité, popularité, renom, renommée, ruine, scandale, VIP, vilipender, vogue

RÉPUTÉ → CÉLÈBRE, FAMEUX, NOTOIRE, PRESTIGIEUX

REQUÉRIR → DEMANDER, EXIGER, OCCUPER, RÉCLAMER, SOLLICITER

REQUÊTE → DEMANDE, DÉMARCHE, PÉTITION, PLAINTE, RÉCLAMATION

REQUÊTE demande, extraction, instance, prière, réclamation, revendication, sollicitation

REQUIEM → CHANT, CONCERT, DÉFUNT, DEUIL, FUNÈBRE, MESSE

Voir tab. **Catholique romain (vocabulaire)**

Voir tab. **Musicales (formes)**

REQUIN → BANDIT, PIRATE (1), SEIGNEUR

Voir tab. **Animaux (classification simplifiée des)**

REQUIN À COLLERETTE

Voir tab. **Poissons (classification simplifiée des)**

REQUIN-DORMEUR

Voir tab. **Poissons (classification simplifiée des)**

REQUIN-PÈLERIN

Voir tab. **Poissons (classification simplifiée des)**

REQUIN-SCIE

Voir tab. **Poissons (classification simplifiée des)**

REQUIN-TIGRE

Voir tab. **Poissons (classification simplifiée des)**

REQUIN-ZÈBRE

Voir tab. **Poissons (classification simplifiée des)**

REQUIS → COMPÉTENT

RÉQUISITION → SAISIE

RÉQUISITIONNER embaucher, mobiliser, recruter

RÉQUISITOIRE → ACCUSATION, AVOCAT, DISCOURS, GRIEF, REPROCHE

Voir tab. **Droit (termes de)**

RESCAPÉ → CATASTROPHE, SAUF (1), SAUVER, SURVIVANT (1), SURVIVRE

RESCINDER → CASSER

RESCISION → CONTRAT, RENVOI, VENTE

RESCOUSSE → DÉFENSE

RESCRIT → BREF (2), BULLE, DÉCRET, LETTRE, PAPAUTÉ

RÉSEAU → CONNEXION, CONSULTATION, DENTELLE, LABYRINTHE, SPHÈRE, TEXTURE, VOIE

Voir tab. **Multimédia (les mots du)**

RÉSEAU abonné, barbelés, confusion, conjonctif, connectique, correspondant, dédale, dendritique, diffraction, enchevêtrement, entrelacs, ferroviaire, filet, fortification, Internet, labyrinthe, lacis, mafia, maille, méli-mélo, nanoréseau, organisation, plexus, remplage, résille, réticulé, rets, serveur, toile, tranchée

RÉSECTION

Voir tab. **Chirurgie (vocabulaire de la)**

RÉSÉQUER → COUPER

RÉSERVATION acompte, arrhes, stand-by, surbooking, surréservation

RÉSERVE → APPROVISIONNEMENT, BOUTIQUE, CLAUSE, DÉCENCE, DÉPÔT, DIGNITÉ, DISPONIBILITÉ, ÉCONOMIE, HÉSITATION, MAGASIN, MARGE, MESURE, MODÉRATION, PARC, PROVISION, PUDEUR, RÉSERVOIR, RÉSISTANCE, RESPECT, RESSOURCE, RESTRICTION, RETENUE, RÉTICENCE, STOCK, TENUE, TERRITOIRE, TRÉSOR

Voir tab. **Dessin (vocabulaire du)**

Voir tab. **Monnaie**

RÉSERVE accumuler, amasser, approvisionnement, blanc, cacher, camp, cave, circonspection, complet, condition, critique, décence, dignité, discrétion, doute, économie, engranger, entier, entrepôt, épargne, épargner, exception, garder, grenier, hésitation, magasin, modération, parc, placement, prudence, pudeur, quant-à-soi, réserviste, réservoir, restriction, retenue, sanctuaire, silo, stock, territoire, total, vivier, vivres

RÉSERVE (SANS) → ENTIER

RÉSERVE (SOUS) → BÉNÉFICE, SAUF (2)

RÉSERVE NATURELLE → SITE

RÉSERVÉ → BAVARD, DÉCENT, DISCRET, EFFACER, FROID (2), GRAVE, MODESTE, SECRET (2), SILENCIEUX, SOBRE, TIMIDE

RÉSERVÉ (ÊTRE) → VIGILANCE

RÉSERVER → DESTINER, GARDER, PRENDRE, RETENIR

RÉSERVER SON OPINION → VIGILANCE

RÉSERVISTE → MILITAIRE (1), MOBILISATION, RÉSERVE

RÉSERVOIR → CAISSE, CARTOUCHE, LAC, RÉCIPIENT, RÉSERVE, RETENUE

RÉSERVOIR bassin, bonde, citerne, cuve, déversoir, pépinière, réserve, wagon-citerne

RÉSIDENCE → DOMICILE, HABITATION, IMMEUBLE (1), MAISON

RÉSIDENCE château, demeure, domicile, hospice, immeuble, maison de retraite, palais, propriété

RÉSIDENT → COLONIE, DIPLOMATE, ÉTRANGER (1), IMMIGRÉ, PAYS

RÉSIDENTIEL → BOURGEOIS (2), STATIONNEMENT

RÉSIDER → DEMEURER, DESCENDRE, HABITER, LOGER

RÉSIDU → CHUTE, DÉCHET, DÉPÔT, ISSUE

RÉSIDU brai, cadmie, cendre, coke, déchet, détritus, fritons, grattons, marc, ordure, rillons, scorie, suie

RÉSIGNATION → ACCEPTATION, CAPITULATION, PHILOSOPHIE, SACRIFICE

RÉSIGNÉ → INDIFFÉRENT, PASSIF (2)

RÉSIGNER (SE) → ACCEPTER, CÉDER, COURBER, DOS, INCLINER (S'), PLIER (SE), QUITTER, RAISON, RENONCER, SOUMETTRE

RÉSILIATION → BAIL, RÉSOLUTION, RUPTURE

Voir tab. **Assurance** (vocabulaire de l')

RÉSILIENCE → DÉCOURAGER

RÉSILIER → ANNULER, CONTRAT, DÉNONCER, MARCHÉ, RENONCER, RÉVOQUER, ROMPRE

RÉSILLE → CHEVEU, FILET, QUADRILLAGE, RÉSEAU, VITRAIL

RÉSINE → CONIFÈRE, DENTAIRE, ENCENS, VÉGÉTAL (1)

RÉSINE aliboufier, ambre, aminoplaste, arcanson, assa-fœtida, bakélite, baume, benjoin, calamite, colophane, courbaril, encens, enduit, galipot, gemmage, gemme, gomme, ladanum, laque, latex, liquidambar, myrrhe, oliban, opopanax, oribus, pin, plastique, polystyrène, propolis, résineux, styrax, succin, térébenthine, vernis

RÉSINE MÉTHACRYLIQUE → VERRE

RÉSINEUX → RÉSINE

RÉSIPISCENCE → FAUTE, PÉNITENCE, REGRET, REMORDS

RÉSISTANCE → CIRCUIT, DÉFENSE, DURETÉ, ÉLECTRONIQUE, ENDURANCE, ENDURCISSEMENT, FATIGUE, FERMETÉ, FORCE, INERTIE, OPPOSITION, PRINCIPAL (2), RÉACTION, REBELLE (2), RESSORT, RESSOURCE, SANTÉ, SOLIDITÉ, SOUFFLE, VAILLANCE

Voir tab. **Électricité**

RÉSISTANCE accroc, blocage, capituler, céder, défense, désertion, désobéissance, difficulté, doute, dureté, effort, endurance, fatigue, fermeté, force, frein, frottement, hésitation, inertie, insoumission, insurrection, libération, longévité, lutte, mollesse, mutinerie, objection, obstacle, ohm, opposition, pression, réaction, rébellion, refus, regimbement, rendre (se), rénitence, réserve, résistivité, réticence, rhéostat, sédition, sit-in, solidité, soumettre (se), ténacité, viscosité

RÉSISTANCE PASSIVE → INERTIE, NON-VIOLENCE

RÉSISTANT → BÂTI (1), DUR, FERME (2), MAQUIS, PARTISAN (1), PUISSANT, ROBUSTE, SOLIDE, VIGOUREUX

RÉSISTANT (1) franc-tireur, maquisard, rebelle

RÉSISTANT (2) infatigable, robuste, vigoureux

RÉSISTER → BRONCHER, DÉSOBÉIR, DIFFICULTÉ, DURER, FACE, PERSÉVÉRER, PROTESTER, RÉVOLTER (SE), SUCCOMBER, SUPPORTER, SURVIVRE

RÉSISTIVITÉ → RÉSISTANCE

Voir tab. **Électricité**

RÉSOLU → AMBITIEUX, CONVAINCU, COURAGEUX, CRIN, DÉCIDÉ, HARDI, INTRÉPIDE, OPINIÂTRE, VOLONTAIRE

RÉSOLUMENT → DÉCISION, FERME (2), FRANCHEMENT

RÉSOLUTIF

Voir tab. **Médicaments**

RÉSOLUTION → CHOIX, DÉLIBÉRATION, DÉTERMINATION, DISPOSITION, FORCE, INTENTION, SOLUTION, VOLONTÉ

Voir tab. **Copropriété**

Voir tab. **Photographie** (vocabulaire de la)

RÉSOLUTION analyse, annulation, cadence, céder, décision, démonstration, dépolarisation, détermination, mollir, opiniâtreté, résiliation, révocation, simulation, solution, ténacité, volonté

RÉSOLUTOIRE

Voir tab. **Droit (termes de)**

RÉSONANCE → ÉCHO, SON, SONORITÉ

RÉSONNER → SONNER

Voir tab. **Bruits**

RÉSONNER argentin, bourdonner, cristallin, limpide, marteler, retentir, sonner, sonore, tambouriner, timbré, tinter

RÉSORBER → ÉPONGER

RÉSORPTION → DÉGÉNÉRESCENCE, DISPARITION

RÉSOUDRE → CONCLURE,

DÉBROUILLER, DÉCIDER, DÉCOUVRIR, DÉMÊLER, DÉTERMINER (SE), FINIR, RÉGLER, SOLUTION, SUPPRIMER, TRANCHER, TROUVER

RÉSOUDRE analyser, décider à (se), démêler, déterminer à (se), énigmatique, expédient, inextricable, insoluble, pallier, régler

RESPECT → DEVOIR, HOMMAGE, HONNEUR, OBSERVATION, PIÉTÉ, POLITESSE, RÉVÉRENCE, SALUER

RESPECT adoration, amour-propre, attirer (s'), auguste, chaleur, civilité, commander, considération, contenir, courtoisie, crainte, culte, déférence, devoir, digne, dignité, dulie, égard, estime, galanterie, honneur, honorable, impertinence, insolence, irrévérence, menacer, politesse, profanation, protocole, puritain, rapport à (par), réserve, révérence, sévère, soumettre, strict, sympathie, vénération

RESPECTABLE → DIGNE, HONORABLE, MAJESTUEUX, SACRÉ

RESPECTER → CAS, ÉPARGNER, HONORER, OBÉIR, OBSERVER, SOUMETTRE, SUIVRE, TENIR, VÉNÉRER

RESPECTUEUSE

Voir tab. **Prostitution**

RESPECTUEUX → POLI (2)

RESPIRATION → INSPIRATION, SOUFFLE

RESPIRATION apnée, aspiration, bouche-à-bouche, branchie, expiration, haleine, inspiration, insufflation, photosynthèse, poumon, souffle

RESPIRATOIRE → MURMURE

RESPIRER → SANTÉ, SENTIR, SUER

RESPIRER absorber, ahaner, anhéler, asphyxier, étouffer, étrangler, exhaler, exprimer, haleter, humer, inhaler, panteler, personnifier, renifler, représenter, ronfler, sentir, siffler, souffler, suffoquer, vivre

RESPLENDIR → BRILLER, IRRADIER

RESPLENDISSANT → BIENHEUREUX (1), ÉCLATANT, ÉTINCELANT, FRAIS (2), ILLUMINÉ, RADIEUX, SANTÉ, SPLENDIDE, SUPERBE (2)

RESPLENDISSANT beau, brillant, éblouissant, éclatant, lumineux, magnifique, radieux, rayonnant, splendide, superbe

RESPONSABILITÉ → CHARGE, DEVOIR, FAUTE, OBLIGATION, SOIN

RESPONSABILITÉ charge, direction, encadrement, maîtrise, mission, obligation, SARL

RESPONSABILITÉ CIVILE

Voir tab. **Assurance** (vocabulaire de l')

RESPONSABLE → ARTISAN, AUTEUR, CAUSE, DIGNE, FAUTIF, RAISONNABLE

RESPONSABLE (1) auteur, caution, chef, chef de projet, coupable, directeur, dirigeant, leader, pilote, tuteur

RESPONSABLE (2) accuser,

assumer, cause, imputer, origine, répondant, répondre de, solidaire de, suspecter

RESSAC → VAGUE (1)

RESSAISIR rattraper, reprendre

RESSAISIR (SE) → BÊTE (1), RATTRAPER (SE), RÉAGIR, RECOUVRER

RESSAISIR (SE) contrôler (se), maîtriser (se), réagir

RESSASSER → PENSER, RABÂCHER, RÉPÉTER, RUMINER

RESSAUT → SAILLIE

RESSEMBLANCE → ANALOGIE, CONCORDANCE, PARITÉ, RAPPORT, RÉALISME, SIMILITUDE, VÉRITÉ

RESSEMBLANCE à-peu-près, accord, affinité, analogie, communauté, comparer, concordance, conformité, consonance, correspondance, descriptive, égalité, équivalence, fidélité, harmonie, homographie, homonymie, homophonie, identité, jumeau, ménechme, parenté, parité, paronymie, proche, proximité, rapport, rapprochement, rapprocher, réalisme, rime, similitude, sosie, symétrie, synonymie, vérité, voisin

RESSEMBLER → FAMILLE, IMITER, TENIR

RESSEMELER → RÉPARER, SEMELLE

RESSENTIMENT → AFFECTIF, AMERTUME, ANIMOSITÉ, CHAGRIN, DÉCEPTION, DÉPIT, DÉSILLUSION, GRIEF, HAINE, HOSTILITÉ, RANCUNE, VENGEANCE

RESSENTIR → AVOIR (1), ÉPROUVER, SENTIR, SUBIR

RESSENTIR connaître, éprouver, souffrir

RESSERRE → ABRI, BARAQUE, BOUTIQUE, DÉPÔT, HANGAR, MAGASIN, PIÈCE

RESSERRER → DIMINUER, ÉTRANGLER, RÉTRÉCIR, RÉTRÉCIR (SE)

RESSORT → COMPÉTENCE, ÉNERGIE, MORDANT (1), RAYON, RESSOURCE, SECTEUR, STORE

Voir illus. **Moteur**
Voir illus. **Pistolet**
Voir illus. **Revolver**

RESSORT activité, allant, amorphe, amortisseur, appel, attributions, bander, compétence, dépendre de, domaine, dynamisme, énergie, extrémité, faible, force, inerte, machination, moteur, moyen, pile, portée, punch, relever de, remonter, résistance, ressortir à, ressource, rythme, suspense, suspension, tonus, vivacité, volonté

RESSORT (ÊTRE DU) → CONCERNER, DÉPENDRE

RESSORTIR → DÉCOUPER, DÉGAGER, DÉTACHER (SE), DÉTERRER, RELEVER, RELIEF, RESSORT, RÉSULTAT, SOULIGNER, TRANCHER, VALEUR

RESSORTIR accentuer, apparaître, avancer, contraster, dégager (se), détacher (se), exposer, rabâcher, recracher, redire, répéter, résulter, souligner, trancher

RESSORTISSANT → CITOYEN, IMMIGRÉ

RESSOURCE → CAPACITÉ, EXISTENCE, FACULTÉ, FONDS, MOYEN (1), POTENTIEL (1), REFUGE (1), RESSORT, RICHESSE

RESSOURCE argent, bourse, budget, capacité, contibution, débrouillard, démuni, économie, énergie, espérance, expédient, faculté, faune, flore, fonds, fortune, futé, habile, impôt, matière première, moyen, pauvre, personnel, planche de salut, pool, recours, refuge, remède, réserve, résistance, ressort, richesse, secours, trésorerie

RESSOURCES DE COUTURE
Voir tab. Couture

RESSOURCES HUMAINES → MAIN-D'ŒUVRE, RECRUTER

RESSUE → HUMIDITÉ

RESSUER → TRANSPIRER

RESSUI
Voir tab. Chasse (vocabulaire de la)

RESSUSCITER → RELEVER (SE), SAUVER

RESTANT → SOUSTRACTION

RESTAURANT → RELAIS, REPAS

RESTAURANT addition, auberge, bouchon, boui-boui, brasserie, buffet, cafétéria, cantine, carte, cuisinier, étoile, fast-food, gargote, mâchon, maître d'hôtel, maître queux, menu, note, pizzeria, plongeur, restoroute, self-service, serveur, snack-bar, sommelier, taverne, trattoria

RESTAURATION → ABÎMER, AMÉLIORATION, CHANGEMENT, MODIFICATION, MONUMENT, RÉACTION, RÉNOVATION, ROI

RESTAURER → ALIMENTER, BRICOLER, CONSERVER, CONSOMMER, CORRIGER, ÉTAT, MANGER, NEUF (1), RAFRAÎCHIR, RÉPARER

RESTE → DÉCHET, DIVISION, EXCÉDENT, RELIEF, REPAS, SURPLUS, VESTIGE

RESTE complément, déblai, débris, déchet, différence, rebut, reliefs, reliquat, ruine, solde, suite, survivance, trace, vestige

RESTE (DU) → AILLEURS

RESTER → ATTENDRE, DEMEURER, PERSISTER

RESTER BRANCHÉ → COURANT (1)

RESTER SOURD → FERMER

RESTITUER → REMETTRE, RENDRE, VOMIR

RESTOROUTE → RESTAURANT

RESTOS DU CŒUR → PAUVRETÉ

RESTREINDRE → ALLÉGER, BORNER, BREF (1), CONFINER (SE), DIMINUER, LIMITER, RÉTRÉCIR

RESTREINT → ÉTROIT, MODESTE

RESTRICTIF → RELATIF, RESTRICTION

RESTRICTION → ENTIER, EXCEPTION, RÉSERVE, RÉTICENCE

RESTRICTION absolu, baisse, concessif, condition, diminution, entier, intégral, limitation, malthusianisme, réduction, réserve, restrictif

RESTRUCTURATION → BALAI

RÉSULTAT → BUTIN, CLASSEMENT, CONSÉCRATION, EFFET, ISSUE, SOLUTION, SUCCÈS, SUITE

RÉSULTAT aboutir à, aboutissement, admission, arriver à, bilan, conclusion, conséquence, contrecoup, dépendre de, échec, effet, ensuivre (s'), entraîner, fin, infructueux, instrument, inutile, issue, moyen, naître de, note, œuvre, opération, ouvrage, performance, procédé, produire, progresser, réponse, ressortir de, réussir, réussite, score, scrutin, solution, stérile, succès, suite, toucher au but, travail, vain, venir de

RÉSULTER → DÉGAGER, DÉPENDRE, NAÎTRE, PROVENIR, RESSORTIR, SORTIR, TENIR

RÉSUMÉ → ABRÉGÉ, APERÇU, CONCIS, CONDENSÉ, CONTRACTION, RAPPORT, SYNTHÈSE

RÉSUMÉ (1) abrégé, analyse, aperçu, bilan, compendium, condensé, digest, diminuer, écourter, éléments, épitomé, extrait, flash, mémento, notion, précis, raccourci, récapitulation, réduire, relevé, rudiments, scénario, sommaire, synopsis, synthèse, table des matières

RÉSUMÉ (2) concis, court, lapidaire, simplifié, succinct

RÉSUMÉ (EN) → BREF (1), SUBSTANCE

RÉSUMER → BREF (1), CONDENSER, RACCOURCIR, RÉCAPITULER, RÉDUIRE, REPRÉSENTER, SIMPLIFIER, TENIR

RÉSURGENCE → SORTIE, SOURCE, SURGIR
Voir tab. Géographie et géologie (termes de)

RÉSURRECTION → ÂME, CATHOLICISME, RETOUR, RÉVEIL

RETABLE → AUTEL, TABLEAU

RÉTABLIR → COMPENSER, GUÉRIR, RECOUVRER, RECTIFIER, RELEVER, REMETTRE (SE), RÉPARER, SAUVER

RÉTAIS
Voir tab. Habitants (comment se nomment les)

RETAPER → RAFRAÎCHIR, REMETTRE, RÉPARER

RETARD → BIENTÔT, TRAÎNE

RETARD ajournement, archaïque, arriéré (en), arriéré, atermoiement, attardé, bourre (à la), décalage (en), démodé, désuet, hésitation, immature, lenteur, manœuvre, périmé, piétinement, ralentissement, redoublement, remise, retardement, ringard, sous-développé, temporisation, traîne (à la), urgent

RETARDATEUR
Voir tab. Photographie (vocabulaire de la)

RETARDEMENT → RETARD

RETARDER → DIFFÉRER, ÉLOIGNER, RECULER, REMETTRE, TARD, TEMPORISER

RETENIR → ABSTENIR (S'), ACCAPARER, CHOISIR, COMPRIMER, ÉTOUFFER, INVITER, MAINTENIR, MODÉRER, RATTRAPER, RATTRAPER (SE), REFOULER, SOLLICITER, TENIR

RETENIR abstenir (s'), accrocher, admettre, amarrer, apprendre, approuver, arrêter, attacher, attirer, barrage, clouer, coincer, confirmer, confisquer, consigner, contraindre, convier, cramponner (se), déduire, défalquer, écluse, empêcher de (s'), emprisonner, enchaîner, enregistrer, étouffer, fixer, garder, immobiliser, incoercible, inviter, irrépressible, irrésistible, louer, maintenir, maîtriser, mémoriser, modérer, prélever, rabattre, ralentir, rattraper, rattraper (se), ravaler, refouler, réprimer, réserver, retenue, saisir, séquestrer, soustraire, souvenir de (se), tenir

RETENTER → RECOMMENCER

RETENTIR → RÉSONNER

RETENTISSANT → BRUYANT, ÉCLATANT, FORT (2), SONORE
Voir tab. Bruits

RETENTISSEMENT → ÉCLAT, RETOUR, SUCCÈS

RETENU → BAVARD, DÉCENT, DISCRET, ENCHAÎNER, IMPOSANT

RETENUE → BOUCHON, CONSIGNE, DÉCENCE, DIGNITÉ, MESURE, MODÉRATION, PRÉLÈVEMENT, PUDEUR, PUNITION, RÉSERVE, RETENIR, RÉTICENCE

RETENUE barrage, colle, consigne, débridé, décence, discrétion, effréné, étang, lac, libre, mare, mesure, modération, modestie, pondération, réserve, réservoir

RÉTIAIRE → GLADIATEUR

RÉTICENCE → DOUTER, HÉSITATION, OMISSION, RÉSISTANCE, SOUS-ENTENDU (1)

RÉTICENCE artifice, détour, hésitation, ménagement, réserve, restriction, retenue

RÉTICULATION → RIDE

RÉTICULE → CHEVEU, FILET, SAC

RÉTICULÉ → RÉSEAU
Voir illus. Champignon

RÉTICULUM ENDOPLASMIQUE
Voir illus. Cellules

RÉTIF → REVÊCHE, TÊTU

RÉTINE → MEMBRANE, ŒIL
Voir illus. Œil

RÉTINITE → ŒIL

RÉTINOBLASTOME → CANCER, ŒIL

RÉTINOL
Voir tab. Vitamines

RETIRAGE → TIRAGE

RETIRÉ → INVISIBLE, LOIN, LOINTAIN (2), PERDU, SOLITAIRE (1)

RETIRER → BAGAGE, BAISSER, BILLE, BRAS, CÉDER, DÉGAGER, DÉMETTRE, DÉPOUILLER, DÉSISTER (SE), DESSAISIR, ENLEVER, ENTERRER, ÉVACUER, EXILER, EXTRAIRE, ISOLER (S'), ÔTER, PARTIR, QUITTER, RAYER, RECUEILLIR, RÉFUGIER (SE), RETRAITE, SEUL, SORTIR, TABLIER

RETIRER abandonner, annuler, arracher, banque, déduire, défalquer, déshabiller (se), désister de (se), distributeur, guichet, isoler (s'), obtenir, ôter, prélever, priver de, recevoir, réfugier (se), soustraire, tirer

RETOMBÉ
Voir tab. Danse classique

RETOMBÉE → CONSÉQUENCE, POUSSIÈRE, RÉPERCUSSION, VOÛTE

RETOMBÉE DE PLAFOND
Voir illus. Intérieur de maison

RETOMBER → CESSER, PENDRE, PESER

RETOMBER SUR → RETROUVER, REVENIR

RÉTORQUER → DÉMENTIR, RÉPONDRE, RIPOSTER

RETORS → FIL, FIN (2), HYPOCRITE, SINUEUX, SOURNOIS

RETOUCHE → MODIFICATION

RETOUCHER → AMÉLIORER, ARRANGER, CORRIGER, DÉFAUT, PERFECTIONNER, RECTIFIER, REVOIR (2)

RETOUR → CHAMPIONNAT, CONTREPARTIE, ÉCHANGE, IRRÉVERSIBLE, RENTRÉE, RENVOI, RÉPÉTITION, RÉVEIL
Voir tab. Chasse (vocabulaire de la)

RETOUR accalmie, aller, allitération, alternance, angle droit, apaisement, changement, come-back, compensation, conséquence, contre-courant, contrecoup, cycle, définitive, échange, flash-back, fluctuation, invendu, irréversible, palingénésie, période, re-, réanimation, réapparition, rechute, réciproquement, recommencement, récompense (en), réexpédition, regain, régression, renaissance, rentrée, renvoi, repartie, répercussion, répétition, réplique, reprise, résurrection, retentissement, revanche (en), réveil, revenir, réversion, revirement, rythme, variation, verdeur, vicissitudes, vieillesse

RETOURNE
Voir tab. Belote

RETOURNÉ → PLONGEON

RETOURNEMENT → AVION, REVIREMENT, VERSION

RETOURNER → CHAVIRER, FATIGUER, LABOURER, PIOCHER, RATTRAPER (SE), RENDRE, REVENIR

RETRACER → DÉCRIRE, EXPOSER, RACONTER, REPRÉSENTER

RÉTRACTATION → OUBLI, REVIREMENT

RÉTRACTER (SE) → DÉDIRE (SE), DÉSAVOUER, REFUSER, REVENIR, VESTE

RÉTRACTEUR
Voir tab. Instruments médicaux

RÉTRACTION → CONTRACTION

RETRAIT → BANQUE, PRIVATION, REFLUX

RETRAITE → CACHETTE, EXIL, GÎTE, PENSION, RECUL, REFUGE (1),

REPAIRE, SOLITUDE, TANIÈRE

RETRAITE abandonner, asile, défilé, havre, pensionné, préretraite, reculer, refuge, replier (se), retirer (se), retraité

RETRAITE (BATTRE EN) → DANGER

RETRAITE AUX FLAMBEAUX → PROCESSION

RETRAITÉ → INACTIF, RETRAITE, VIEILLARD

RETRANCHEMENT → DÉCOMPTE, FORTIFICATION

RETRANCHER → ABRITER (S'), AMPUTER, DISTRAIRE, MUTISME, ÔTER, SOUSTRAIRE

RETRANSMETTRE → DIFFUSER

RETRANSMIS (ÊTRE) → PASSER

RETRANSMISSION → DIFFUSION, ÉMISSION

RÉTRÉCIR → BOUGER, DIMINUER, ÉTRANGLER

RÉTRÉCIR diminuer, limiter, raccourcir, réduire, resserrer (se), restreindre

RÉTRÉCIS
Voir illus. **Intérieur de maison**

RÉTRÉCISSEMENT → CHANGEMENT

RÉTRIBUER → DONNER, PAYER

RÉTRIBUTION → APPOINTEMENTS, CACHET, GAGE, GAIN, RÉCOMPENSE, RÉMUNÉRATION, SALAIRE

RÉTRO → DÉPASSÉ

RÉTROACTIF → PASSÉ (1)

RÉTROCÉDER → CÉDER, VENDRE

RÉTROCESSION → CESSION, CONCESSION

RÉTROGRADATION → MOUVEMENT

RÉTROGRADE → ANTIQUE, CONSERVATEUR, MODERNE, RÉACTION, SURANNÉ

RÉTROGRADE arriéré, démodé, inverse, palindrome, passéiste, précession, réactionnaire, vieillot

RÉTROGRADER → FREIN, INVERSE (2), RALENTIR, RECULER, RÉDUIRE

RÉTROGRESSION → MOUVEMENT

RETROUSSÉ → NEZ

RETROUSSER → MANCHE, RELEVER

RETROUSSIS → REVERS

RETROUVAILLES → RENCONTRE

RETROUVER → RATTRAPER, RECOUVRER, REVOIR (SE)

RETROUVER diriger (se), orienter (s'), reconnaître, recouvrer, récupérer, rejoindre, repérer (se), reprendre, retomber sur

RÉTROVISEUR → DERRIÈRE (3), MIROIR

RETS → RÉSEAU

RETSINA → GREC

REUILLOIS
Voir tab. **Habitants (comment se nomment les)**

RÉUNION → ACCOUPLEMENT, CERCLE, CONCENTRATION, CONGRÈS, COURSE HIPPIQUE, JONCTION, MOBILISATION, RENCONTRE, UNION
Voir tab. **Mathématiques (symboles)**

RÉUNION accord, accumulation, adhésion, adjonction, agglomération, agrégation,

alliance, amalgame, amas, annexion, anthologie, assemblage, assemblée, assises, assistance, auditoire, bal, bloc, carrefour, célébration, cénacle, cercle, chapitre, clan, clique, club, coalition, collection, colloque, colonie, combinaison, comices, comité, commission, communauté, compagnonnage, composition, concaténation, concentration, concile, conclave, conférence, confrérie, confusion, congrès, conjonction, conseil, consistoire, convergence, corporation, coterie, couple, enchaînement, ensemble, entassement, entente, fatras, fédération, foire, forum, fusion, groupe, groupement, incorporation, jamboree, jonction, liaison, mariage, masse, meeting, mélange, organisation, paire, population, ramassis, raout, rapprochement, rassemblement, rattachement, recueil, rencontre, salon, séance, séminaire, soirée, symposium, syncrétisme, synode, synthèse, tas, tribu, union, veillée

RÉUNIR → ASSEMBLER, ASSEMBLER (S'), ENTOURER, GROUPER, INCORPORER, INVITER, MASSER, RECUEILLIR, SÉANCE, UNIFIER, UNIR

RÉUNIR accaparer, assembler, attacher, collecter, collectionner, convier, cumuler, inviter, joindre, marier, monopoliser, rabibocher, raccommoder, raccorder, rassembler, récolter, réconcilier, recueillir, regrouper, relier

RÉUSSI → HEUREUX

RÉUSSIR → ARRIVER, BOUT, BRILLER, BUT, CARTON, PARVENIR, PERCER, PROSPÉRER, RATTRAPER, REMPLIR, RÉSULTAT

RÉUSSITE → CARTE, FORTUNE, PATIENCE, PERCÉE, PROUESSE, RÉSULTAT, SUCCÈS, TRIOMPHE, VICTOIRE

RÉUSSITE accomplissement, admission, ambitieux, best-seller, carriériste, exploit, patience, percée, perfection, performance, prospérité, prouesse, succès, triomphe

REVALORISATION → HAUSSE
Voir tab. **Assurance (vocabulaire de l')**

REVALORISER → RELEVER

REVANCHE → BELLE, COMPENSATION, CONTREPARTIE, MANCHE, REPRÉSAILLES, RETOUR, VENGEANCE

REVANCHE compensation (en), contraire (au), contre (par), contrepartie (en), deuxième partie, représailles, vengeance

RÊVASSER → BAYER, RÊVER

RÊVE → ASPIRATION, CHIMÈRE, ESPOIR, ILLUSION, SONGE, SOUHAIT, UTOPIQUE

RÊVE aspiration, cauchemar, chimère, désir, éden, eldorado, fantasme, idéal, mirage, onirique, onirologie, parfait, projet, psychanalyse, rêverie, songe, souhait, utopie

RÊVE (MAUVAIS) → CAUCHEMAR

RÊVÉ → IDÉAL (2)

REVÊCHE → ACARIÂTRE, AIGRI, GRINCHEUX, HARGNEUX, MAUSSADE, MOROSE, RENFROGNÉ

REVÊCHE acariâtre, âpre, bourru, hargneux, rébarbative, récalcitrant, rêche, rétif, rude, rugueux

RÉVEIL → ÉVEIL, RETOUR, SONNERIE, TAMBOUR
Voir tab. **Bridge**

RÉVEIL chute, renaissance, renouveau, résurrection, retour, sommeil

RÉVEILLER → RENOUVELER, REPOS, SECOUER

RÉVEILLER dégourdir, dérouiller, éveiller, provoquer, rallumer, ranimer, raviver, stimuler, susciter

RÉVEILLON → NOËL

RÉVÉLATEUR → CARACTÉRISTIQUE, SIGNIFICATION
Voir tab. **Photographie (vocabulaire de la)**

RÉVÉLATION → APPARITION, AUTOPSIE, CONFIDENCE, CONVERSION, DÉCLARATION, DÉCOUVERTE, DIEU, ILLUMINATION, INDISCRÉTION, VISION

RÉVÉLATION apparition, aveu, communication, confidence, déclaration, découverte, dévoilement, divulgation, fidéisme, illumination, inspiration, manifestation, vision

RÉVÉLÉ → CONNU

RÉVÉLER → ACCUSER, ANNONCER, APPARAÎTRE, BRUIT, COMMUNIQUER, CONFIER, DÉCELER, DÉCOUVRIR, DÉMONTRER, DÉNOTER, DÉVOILER, DIVULGUER, INDIQUER, LIVRER, MANIFESTER, MONTRER, PRÉSENTER, PROCLAMER, PROUVER, PUBLIC (2), SENTIR, SIGNALER, TÉMOIGNER, TRAHIR, TRANSMETTRE

RÉVÉLER attester, déceler, découvrir, dénoncer, dévoiler, exposer, indiquer, montrer, prouver, témoigner, trahir

REVENANT → APPARITION, ESPRIT, FANTÔME, SPECTRE

REVENDEUR → TRAFIQUANT

REVENDICATION → DEMANDE, EXIGENCE, MANIFESTATION, PLAINTE, PRÉTENTION, RÉCLAMATION, REQUÊTE

REVENDICATION demande, desiderata, exigence, grève, manifestation, pétition, prétentions, quérulence, réclamation

REVENDIQUER → EXIGER, PRÉTENDRE, RÉCLAMER, SOI

REVENDRE → VENDRE

REVENIR → APPARTENIR, CONSISTER À, COÛTER, DÉDIRE (SE), DÉSAVOUER, DORER, RETOUR

REVENIR annuler, appartenir, blondir, coûter, cyclique, dédire (se), dorer, échoir, guérir de, incomber, leitmotiv, périodique, rebrousser chemin, réchapper de, récurrent, refrain, regagner, remettre de (se), rentrer, repartir, retomber sur, retourner, retourner à, rétracter (se), rissoler, roussir, sortir de (se)

REVENIR SUR SES PAS → INVERSE (2)

REVENU → BÉNÉFICE, GAIN, IMPÔT, INTÉRÊT, MOYEN (1), PENSION, PRODUIT, RAPPORT, RECETTE, RÉMUNÉRATION, RENTRÉE, SALAIRE

REVENU appointements, deniers, dotation, émoluments, gain, intérêt, mense, net, prébende, produit, rémunération, rente, salaire, tiers provisionnel, traitement, usufruit

REVENU CASUEL → CURÉ

REVENU DE TOUT → BLASÉ

REVENUE → TAILLIS

RÊVER → COMÈTE, MÉDITER

RÊVER aspirer à, désirer, divaguer, imaginer, rêvasser, songer, souhaiter

RÉVERBÉRATION → ÉCHO, LUMIÈRE, RÉFLEXION, RÉPERCUSSION, RÉPÉTITION, SON

RÉVERBÉRATION SONORE → BRUIT

RÉVERBÈRE → BEC, GAZ

RÉVERBÉRER → RÉFLÉCHIR (SE), REFLÉTER, RÉPÉTER

REVERCHON → CERISE

REVERDIR → VERT (2)

REVERDISSAGE → TANNAGE

REVERDISSEMENT → FEUILLE

RÉVÉRENCE → INCLINATION, RESPECT, SALUER

RÉVÉRENCE considération, courbette, déférence, respect, salamalecs, salut, vénération

RÉVÉRENCIEUX → POLI (2), SENTENCIEUX

RÉVÉREND → PASTEUR, RELIGIEUX (1)

RÉVÉRER → ADMIRER, ADORER, CONSIDÉRER, VÉNÉRER

RÊVERIE → IDÉE, ILLUSION, IMAGINATION, PENSÉE, RÊVE

REVERS → ACCIDENT, CÔTÉ, DERRIÈRE (1), DOS, ÉCHEC, ENVERS, FACE, MALHEUR, MONNAIE, MOUSQUETAIRE, TENNIS
Voir tab. **Monnaie**

REVERS défaite, dos, échec, envers, infortune, insuccès, parement, parmenture, retroussis, verso, vicissitudes

REVERS DE COYAU
Voir illus. **Toits**

RÉVERSION → RETOUR

REVÊTEMENT → CHAPE, DALLE, ENDUIT, PAVAGE

REVÊTEMENT asphalte, bitume, carrelage, chape, chemise, crépi, enveloppe, goudron, lambris, lasure, linoléum, macadam, moquette, parquet, placage, soutènement, vernis

REVÊTIR → ENDOSSER, METTRE, RECOUVRIR

RÊVEUR → ABSENT, DISTRAIT, NUAGE, ROMANESQUE

REVIGORANT → FORTIFIANT (1), TONIQUE (2)

REVIGORE → FOUET

REVIGORER → FORCE, FORTIFIER, RÉCONFORTER, RELEVER, REMETTRE

REVIREMENT → CABRIOLE, CAPRICE, CHANGEMENT, RETOUR

REVIREMENT changement, désaveu, lunatique, palinodie, pirouette, renversement, retournement, rétractation, versatile, volte-face

RÉVISÉE → VERSION

RÉVISER → BRICOLER, CHANGER, CORRIGER, MODIFIER, RECTIFIER, REMETTRE, REVOIR (2)

RÉVISION → RÉFORME

RÉVISION amendement, bachotage, contrôle, examen, mise à jour, modification, refonte, toilettage, vérification

RÉVISIONNISTE → COMMUNISME

REVIVIFIER → RAFRAÎCHIR

REVIVISCENCE → VIE

RÉVOCATION → DÉMISSION, RENVOI, RÉSOLUTION, SURSIS

REVOIR → PENSER, RECTIFIER

REVOIR (1) empreinte, trace

REVOIR (2) corriger, réécrire, remanier, rencontrer, retoucher, retrouver, réviser, bye-bye, salut, tchao

RÉVOLTANT → DÉGOÛTANT, ÉCŒURANT, HORRIBLE, SCANDALEUX

RÉVOLTANTE → INACCEPTABLE

RÉVOLTE → CONTESTATION, DÉSOBÉISSANCE, ÉMEUTE, FRONDE, INDIGNATION, OPPOSITION, SOULÈVEMENT, VIOLENCE

RÉVOLTE colère, contestation, coup d'État, dissidence, émeute, indignation, insoumission, insubordination, insurrection, jacquerie, mécontentement, mutinerie, pronunciamiento, putsch, rébellion, sédition, soulèvement, zélote

RÉVOLTÉ → HÉRISSÉ, REBELLE (2)

RÉVOLTER → BOUGER, BRONCHER, CONTESTER, DÉSOBÉIR, DRESSER (SE), INDIGNER, REFUSER

RÉVOLTER choquer, contester, dégoûter, écœurer, indigner, insurger (s'), opposer (s'), protester, regimber, résister, scandaliser

RÉVOLU → ACHÈVEMENT, ANTIQUE, COMPLET, PASSÉ (2)

RÉVOLUTION → ASTRE, BOULEVERSEMENT, BRUSQUE, CHANGEMENT, CONVERSION, COUP D'ÉTAT, CYCLE, PÉRIODE, ROTATION, SATELLITE, SOULÈVEMENT, TOUR

RÉVOLUTION alternance, bouleversement, changement, cycle, mouvement, mutation, rotation, succession

RÉVOLUTION FRANÇAISE → DÉMOCRATIE

RÉVOLUTIONNAIRE → AUDACIEUX, AVANT-GARDE, NEUF (2), NON-CONFORMISTE, RADICAL (2), RÉFORME, SOCIALISME

RÉVOLUTIONNAIRE (1) agitateur, extrémiste, factieux, insurgé, mutin, rebelle

RÉVOLUTIONNAIRE (2) avant-gardiste, futuriste, inédit, novateur, subversif, tribunal d'exception

RÉVOLUTIONNER → TRANSFORMER

REVOLVER → FEU, PISTOLET

Voir illus. **Cartouches**

REVOLVER barillet, calibre, colt, flingue, pétard, pistolet, rif, rigolo, soufflant

RÉVOQUER → ABOLIR, ABROGER, CONTRAT, DÉMETTRE, DESTITUER, LICENCIER, REFUSER, RELEVER, SUPPRIMER

RÉVOQUER annuler, casser, démettre, destituer, inamovible, irrévocable, limoger, résilier, rompre

REVUE → BULLETIN, CONTRÔLE, GAZETTE, INFORMATION, INSPECTION, JOURNAL, PARADE, PÉRIODIQUE (1), PUBLICATION, SPECTACLE

REVUE annales, bulletin, cahier, compte rendu, défilé, examen, fanzine, inspection, inventorier, magazine, ours, parade, périodique, récapituler, recenser, revuiste, spectacle, veille

REVUE (PASSER EN) → INSPECTER

REVUISTE → REVUE

RÉVULSIF → IODE

REWRITER → RÉDACTEUR

REWRITING → CORRECTION

RG (RENSEIGNEMENTS GÉNÉRAUX) → POLICE

RH

Voir tab. **Éléments chimiques (symbole des)**

RHABDOÏDE → BAGUETTE

RHABDOMANCIE → BAGUETTE, DIVINATION

RHABDOMANCIEN → SOURCE

RHABILLER → RENOUVELER

RHAGADE → GERÇURE

RHAPIS → PALMIER

RHAPSODE → CHANTEUR, POÈTE

RHAPSODIE → POÈME

Voir tab. **Musicales (formes)**

RHAPSODIE poème épique

RHÉNIUM

Voir tab. **Éléments chimiques (symbole des)**

RHÉOLOGIE → ÉCOULEMENT

RHÉOMÈTRE → ÉCOULEMENT

RHÉOSTAT → RÉSISTANCE

Voir tab. **Électricité**

RHÉTAIS

Voir tab. **Habitants (comment se nomment les)**

RHÉTEUR → BAVARD, ORATEUR

RHÉTORICIEN → BAVARD

RHÉTORIQUE → ART, CONVAINCRE, ÉLOQUENCE, INTERROGATION, PERSUADER, RÈGLE, STYLE

RHÉTORIQUE discours, disposition, élocution, éloquence, homilétique, invention, sophiste

RHÉTORIQUE (FIGURE DE) → APOSTROPHE

RHÉTO-ROMAN → ROMAN (2)

RHINITE → NASAL, NEZ, RHUME

RHINITE coryza, linguatulose, ozène, punaisie, rhino-pharyngite, rhume de cerveau

RHINOCÉROS

Voir tab. **Animaux (termes propres aux)**

Voir tab. **Mammifères (classification des)**

RHINOLOGIE → NEZ

Voir tab. **Sciences : termes en -ologie et -ographie**

RHINOLOPHE → CHAUVE-SOURIS

RHINO-PHARYNGITE → RHINITE

RHINOPLASTIE → ESTHÉTIQUE (2), NEZ

RHINOPOME → CHAUVE-SOURIS

RHINOVIRUS → RHUME

RHIZOÏDE → MOUSSE (1)

RHIZOME → FRAISIER, ROSEAU, TIGE

RHIZOSTOME → GELÉE

RHODANIEN → DIALECTE

RHODES

Voir illus. **Monde (les Sept Merveilles du)**

RHODIUM → PLATINE

Voir tab. **Éléments chimiques (symbole des)**

RHODODENDRON → ARBUSTES

RHODODENDRON éricacées, rosage

RHODOÏD → PLASTIQUE (2)

RHOEGINÉENS

Voir tab. **Habitants (comment se nomment les)**

RHOMBIQUE → LOSANGE

RHOMBOÈDRE → LOSANGE

RHOMBOÏDAL → LOSANGE

Voir tab. **Forme de... (en)**

RHOTACISME → PRONONCIATION

RHUM

Voir tab. **Alcools et eaux-de-vie**

RHUMATISANT → RHUMATISME

RHUMATISME → ARTICULATION

RHUMATISME arthrite, arthrose, maladie de Bouillaud, rhumatisant, rhumatoïde, rhumatologie

RHUMATISME ARTICULAIRE → IMMUNITAIRE

RHUMATOÏDE → RHUMATISME

RHUMATOLOGIE → RHUMATISME

RHUMATOLOGUE → MANIPULATION, MÉDECIN

RHUMB → AIRE

RHUME → INFLAMMATION, NEZ

RHUME allergie, catarrhe, coryza, enchifrené (être), pollinose, rhinite, rhinovirus

RHUME DE CERVEAU → NASAL, RHINITE

RHUME DE LA HANCHE

Voir tab. **Pédiatrie**

RHUME DES FOINS → POLLEN

RHYNCHÉE

Voir tab. **Oiseaux (classification simplifiée des)**

RHYOLITHE → LAVE

RHYTHM AND BLUES → JAZZ

RHYTON → CORNE

RIA → GOLFE, MER

Voir tab. **Géographie et géologie (termes de)**

RIANT → GAI (1), JOYEUX

RIBAMBELLE → NOMBRE, QUANTITÉ, SUITE

RIBAUDEQUIN → CHARIOT

RIBES NIGRUM

Voir tab. **Plantes médicinales**

RIBLON → DÉCHET

RIBOFLAVINE → COLORANT

Voir tab. **Vitamines**

RIBONUCLÉIQUE (ARN)

Voir tab. **Acides**

RIBOSOME

Voir illus. **Cellules**

RIBOTE → BOMBANCE, FESTIN

RIC HOCHET

Voir tab. **Bande dessinée (héros de)**

RICANER → RIRE

RICANEUR → SARCASTIQUE

RICHE → AISÉ, BRILLANT (1), COPIEUX, DENSE, GÉNÉREUX, NOURRISSANT, OPULENT, PLANTUREUX, PUISSANT

RICHE (1) parvenu

RICHE (2) abondant, aisé, copieux, cossu, coûteux, crésus, énergétique, fécond, fertile, florissant, fortuné, friqué, généreux, intéressant, luxueux, nabab, nanti, nourrissant, nutritif, opulent, plantureux, ploutocratie, profond, prospère, richissime, somptueux

RICHELIEU → CHAUSSURE

Voir illus. **Chaussures**

RICHEMENT → ABONDAMMENT

RICHESSE → AISANCE, AVOIR (2), BIEN, CAPITAL (1), DENSITÉ, FASTE (1), FORTUNE, GRANDEUR, PATRIMOINE, PROFUSION, RESSOURCE, SUCCÈS

RICHESSE apparat, argent, bien, diversité, éclat, faste, fortune, luxe, magnificence, pactole, patrimoine, ressource, somptuosité, splendeur

RICHISSIME → RICHE (2)

RICIN adipique, capsule, euphorbiacées, purgatif, riciné

RICINÉ → RICIN

RICKETTSIOSE → POU

RICKSHAW → TAXI

RICOCHER → REBONDIR

RICOCHET → CAILLOU, CONSÉQUENCE, CONTRECOUP

RICORÉ → CAFÉ

RICOTTA

Voir illus. **Fromages**

RICTUS → CONTRACTION, GRIMACE

RIDE → ONDE, PEINTURE, PLI, RAVAGE

RIDE cordage, déridage, flétri, lifting, lissage, onde, patte-d'oie, pli, plissement, raviné, réticulation, ridule, sillon, vaguelette, vieillissement

RIDEAU → BRUME, DOUCHE, ÉCRAN, FENÊTRE, MUR, TABLIER

Voir illus. **Intérieur de maison**

Voir tab. **Cinéma**

RIDEAU baldaquin, cantonnière, courtine, embrase, manteau d'arlequin, moustiquaire, portière, ruflette, store, tablier, tenture, trappe, voilage

RIDEAU DE SCÈNE

Voir illus. **Théâtre**

RIDÉE → ALOUETTE, FILET

RIDELLE → CHARRETTE

RIDER → FLÉTRIR, FRONCER, PLISSER (SE), VIEILLIR

RIDICULE → BÊTE (2), BOUFFON (2), BURLESQUE, DÉNUÉ, GROTESQUE, MINABLE, RISIBLE

RIDICULE absurde, cloche, déraisonnable, dérisoire, grotesque, insensé, insignifiant, minime, niais, risible, saugrenu, sot, stupide

RIDICULISER → BAFOUER, BOÎTE, FACE, MOQUER (SE)

RIDICULISER bafouer, berner, brocarder, caricaturer, charger, moquer de (se), persifler, railler

RIDING-COAT → IMPERMÉABLE

RIDOIR DE PATARAS
Voir illus. **Voilier : Dufour 38 Classic**

RIDULE → RIDE

RIEN → BABIOLE, FUTILE, SUBTILITÉ

RIEN (1) babiole, bagatelle, vétille

RIEN (2) anéantir, annihiler, méprisable, néant, vain, vil

RIEN (3) aucunement, nullement

RIEN (À) → ZÉRO (1)

RIEU
Voir tab. **Géographie et géologie (termes de)**

RIEUR → JOVIAL

RIEUSE → OIE

RIF → REVOLVER

RIFLARD → CISEAU, LAINE, LIME, MENUISIER

RIFLER → DÉGROSSIR, DRESSER

RIFLOIR → LIME

RIFT → FOSSÉ

RIGIDE → AUSTÈRE, DÉFORMER, DUR, GRAVE, INFLEXIBLE, PURITAIN, RIGOUREUX, SÉVÈRE, STRICT

RIGIDE amidonner, assouplir, austère, dur, durcir, inflexible, intraitable, intransigeant, raide, rigidifier, rigoureux, sévère, strict

RIGIDIFIER → RIGIDE

RIGIDITÉ → CONSISTANCE, DURETÉ

RIGODON → DANSE

RIGOLE → CREUX (1), DRAINER, FOSSÉ, IRRIGATION, SILLON, TUYAU

RIGOLER → PLAISANTER

RIGOLLOT → MOUTARDE

RIGOLO → REVOLVER

RIGORISME → MŒURS, STRICT

RIGORISTE → ABSOLU, INTRANSIGEANT, PURITAIN

RIGOTTE
Voir illus. **Fromages**

RIGOUREUSE → AUSTÈRE, FIDÈLE (2), VIE

RIGOUREUSEMENT → ABSOLUMENT, FORMELLEMENT, LETTRE, PARFAITEMENT

RIGOUREUX → CARRÉ (2), DEVOIR, ÉNERGIQUE, EXACT, EXIGEANT, FROID (1), INÉBRANLABLE, INFLEXIBLE, LOGIQUE, MATHÉMATIQUE, MÉTHODIQUE, MINUTIEUX, PARFAIT, PRÉCIS, RATIONNEL, RIGIDE, RUDE, SCRUPULEUX, SERRÉ, SÉVÈRE, SOIGNEUX

RIGOUREUX âpre, austère, clair, draconien, dur, exact, froid, glacial, implacable, inclément, incontestable, indubitable, irréfutable, logique, méticuleux, précis, rigide, sévère, strict

RIGUEUR → JUSTESSE, RECTITUDE, SÉRIEUX (1), SOIN
Voir tab. **Économie**

RILLONS → RÉSIDU

RIMAILLEUR → POÈTE

RIMAYE
Voir illus. **Glacier**

RIME → POÈME, RESSEMBLANCE, RYTHME, TERMINAISON
Voir tab. **Poésie (vocabulaire de la)**

RIME assonance, croisé, embrasé, féminin, masculin, mêlé, plate, redoublé

RIMMEL → MAQUILLAGE

RINCEAU → GUIRLANDE
Voir illus. **Sièges**
Voir tab. **Architecture**

RINCÉE → PLUIE

RINCER doucher, gargariser (se), goupillon, laver, nettoyer, rinçure, tremper

RINÇURE → RINCER, TONNEAU

RING → BOXE, PLATE-FORME

RINGARD → BARRE, DÉMODÉ, DÉPASSÉ, RETARD, SURANNÉ

RIOKAN → HÔTEL

RIPAGÉRIENS
Voir tab. **Habitants (comment se nomment les)**

RIPAILLE → DÉBAUCHE, REPAS

RIPAILLER → BOMBANCE

RIPE → TAILLEUR

RIPER → GLISSER, GRATTER, PATINER

RIPOSTE → ATTAQUE, DÉFENSE, REPRÉSAILLES

RIPOSTER → RÉAGIR, RÉPONDRE

RIPOSTER contre-attaquer, défendre (se), réagir, répartir, répliquer, répondre, rétorquer

RIPOU → HONNÊTE

RIPPAL
Voir tab. **Bouddhisme**

RIPUAIRES → FRANCS

RIRE → FICHER, HYÈNE, MOQUER (SE), PLAISANTER, RÉJOUIR (SE)

RIRE amusant, amuser (s'), cocasse, comique, contrecœur (à), dérider, divertir (se), drôle, esclaffer (s'), gausser de (se), glousser, hilarant, moquer de (se), pouffer, railler, réjouir (se), ricaner, zygomatique

RIS → VOILURE

RISIBLE → COCASSE, COMIQUE, GROTESQUE, RIDICULE

RISIBLE cocasse, comique, désopilant, drôle, grotesque, hilarant, plaisant, ridicule

RISOTTO → ITALIEN (2), RIZ

RISOTTO À LA MILANAISE
Voir tab. **Spécialités étrangères**

RISQUE → DANGER, INCONVÉNIENT, PÉRIL
Voir tab. **Assurance (vocabulaire de l')**

RISQUE aléa, assurance, danger, hasard, inconvénient, péril

RISQUÉ → OSÉ, PÉRILLEUX, TÉMÉRAIRE

RISQUE-TOUT → AUDACIEUX, IMPRUDENT, TÉMÉRAIRE

RISQUER → AVENTURE, COMPROMETTRE, DANGER, EXPOSER, JOUER, OSER, PÉRIL, PERMETTRE, TENTER

RISQUER aventurer (s'), hasarder (se), jouer, oser, tenter

RISQUES (PRENDRE DES) → BERGERIE

RISQUES (SANS) → VELOURS

RISSOLE → PÂTÉ

RISSOLER → CUIRE, DORER, HUILE, REVENIR

RISTOURNE → ASSURANCE, BAISSE, DIMINUTION, RABAIS

RISTRETTO
Voir tab. **Café**

RITALS → ITALIEN (1)

RITARDANDO
Voir tab. **Musique (vocabulaire de la)**

RITE → COUTUME, HABITUDE, INITIATION, RÈGLE, RELIGIEUX (2), SACRÉ

RITE ablution, cérémonie, coutume, culte, liturgie, pratique, propitiatoire, rituel, us

RITE DE CONCLUSION → MESSE

RITE D'OUVERTURE → MESSE

RITOURNELLE → RÉPÉTITION, RONDE

RITUEL → HABITUEL, INÉVITABLE, PRATIQUE (1), RELIGIEUX (2), RITE

RITUEL aube, cape, combinaison, couleur, déshabillé, djellaba, douillette, écorce, enveloppe, épitoge, fourreau, froc, magistrat, peignoir, pelage, pelure, saut-de-lit, soutane, toge

RIVAGE → BERGE, BORD, CÔTE, PLAGE, RIVIÈRE, SABLE

RIVAGE aborder, berge, bord, côte, grève, littoral, plage, rive

RIVAL → ADVERSAIRE, COMBAT, COMPÉTITION, CONCOURS, ENNEMI, OPPOSANT, OPPOSÉ

RIVAL (1) adversaire, concurrent, inégalé

RIVAL (2) adverse, antagonique, antagoniste, ennemi

RIVALISER → AFFRONTER, LUTTER, SOUTENIR

RIVALITÉ → ANTAGONISME, COMPÉTITION, CONCURRENCE, ÉMULATION, FOIRE, JALOUSIE

RIVALITÉ combat, concurrence, conflit, débat, divergence, jalousie, joute, lutte, opposition, tournoi

RIVE → BERGE, BORD, FLEUVE, PLAGE, RIVAGE, RIVIÈRE

RIVE-DE-GIER
Voir tab. **Habitants (comment se nomment les)**

RIVELAINE → MINEUR (1), PIOCHE

RIVER → IMMOBILISER, RABATTRE

RIVERAIN → HABITANT, RUE

RIVEUR → MÉTALLURGIE

RIVIÈRE → COLLIER, COU, COURS, ÉQUITATION, OBSTACLE
Voir tab. **Phobies**

RIVIÈRE amnicole, berge, bétoire, courbe, débâcle, étiage, fleuve, fluviatile, gué, méandre, naïade, oued, rivage, rive, ruisseau, sinuosité

RIVIÈRE SOUTERRAINE
Voir illus. **Grotte sous-marine**

RIVULAIRE → RUISSEAU

RIXE → BAGARRE, COMBAT, CONFLIT, ÉCHANGE, FOIRE, INCIDENT, LUTTE

RIZ → CÉRÉALE, MALT
Voir tab. **Gâteaux régionaux et étrangers**

RIZ basmati, créole, minestrone, oryza, paddy, paella, pilaf, poudre de riz, risotto, rizerie, riziculture, rizière, saké, thaï, zizanie

RIZ CANTONAIS
Voir tab. **Spécialités étrangères**

RIZERIE → RIZ, USINE

RIZICULTURE → RIZ

RIZIÈRE → RIZ

RIZON → DÉCORTIQUÉ

RN
Voir tab. **Éléments chimiques (symbole des)**

RNIS
Voir tab. **Internet**

ROADSTER → VOITURE

ROB → FRUIT

ROBE → AVOCAT, CIGARE, ENVELOPPE, PELAGE, POIL, TABAC
Voir illus. **Modes et styles**
Voir tab. **Superstitions**
Voir tab. **Vin (vocabulaire du)**

ROBE aube, cape, combinaison, couleur, déshabillé, djellaba, douillette, écorce, enveloppe, épitoge, fourreau, froc, magistrat, peignoir, pelage, pelure, saut-de-lit, soutane, toge

ROBE D'INTÉRIEUR → DÉSHABILLÉ

ROBE DU SOIR → VÊTEMENT

ROBE LONGUE → VÊTEMENT

ROBE-CHAMPIGNON
Voir illus. **Désert**

ROBERT Iᵉʳ
Voir tab. **Rois et chefs d'État de la France**

ROBERT LE PIEUX
Voir tab. **Rois et chefs d'État de la France**

ROBERVAL → BALANCE

ROBINE → CANAL

ROBINET → CANALISATION

ROBINET by-pass, cannelle, chantepleure, col-de-cygne, mélangeur, mitigeur, plomberie, purgeur, robinetier, robinetterie, valvule

ROBINETIER → ROBINET

ROBINETTERIE → ROBINET

ROBINSONNAIS
Voir tab. **Habitants (comment se nomment les)**

ROBORATIF → FORTIFIANT (2)

ROBOT appareil, automate, batteur, cybernétique, domotique, éminceur, humanoïde, machine, mixeur, robotique, robotiser, télécommandé, téléguidé

ROBOTIQUE → MACHINE, ROBOT

ROBOTISER → INDUSTRIALISER, ROBOT

ROBUSTA → CAFÉ
Voir tab. **Café**

ROBUSTE → CARRÉ (2), DUR, INÉBRANLABLE, PUISSANT, RÉSISTANT (2), SAIN, SOLIDE, SÛR, VALIDE, VIGOUREUX

ROBUSTE costaud, énergique, fort, gaillard, infatigable, musclé, résistant, rustique, solide, vigoureux, vivace

ROBUSTESSE → FORCE, SOLIDITÉ, VIGUEUR

ROC → PIERRE

ROC pariétal, paroi, pierre, rocher, rupestre, spéos, syringe, troglodytique

ROCADE → BOULEVARD, VOIE

ROCAILLE → JARDIN, ROCOCO
Voir tab. **Architecture**

ROCAILLEUX → RUDE

ROCAMADOUR
Voir illus. **Fromages**

ROCAMBOLESQUE → BIZARRE, INCROYABLE, INVRAISEMBLABLE, PÉRIPÉTIE, ROMANESQUE

ROCELLE → LICHEN

ROCHASSIER → ROCHER

ROCHE → MERLE

ROCHE endogène, lithologie, métamorphique, pétrographie, pétrologie, plutonique, roche mère, roche-magasin, roche-réservoir, rupicole, sédimentaire, sédimentologie, volcanique

ROCHE MÈRE → PÉTROLE, ROCHE

ROCHE PAVIMENTEUSE → PAVAGE

ROCHED → LUTTE

ROCHE-MAGASIN → ROCHE

ROCHER → CHOCOLAT, CONFISERIE, MOUSSER, PIERRE, ROC
Voir illus. **Cheval**

ROCHER bouchée, brisant, décrocher, dévisser, écueil, escalade, étoc, grimpe, récif, rochassier, rupestre, saxatile, saxicole, varappe, varappeur

ROCHE-RÉSERVOIR → MAGASIN, PÉTROLE, ROCHE

ROCHET → BOBINE, FUSEAU, HORLOGERIE, TUNIQUE

ROCK → DANSE
Voir tab. **Animaux fabuleux**

ROCK'N ROLL
Voir tab. **Danses (types de)**

ROCKING-CHAIR → BALANCER, BASCULE, FAUTEUIL
Voir illus. **Sièges**

ROCKWELL
Voir tab. **Typographies**

ROCOCO → SURANNÉ, TARABISCOTÉ

ROCOCO démodé, rocaille, suranné, vieillot, vieux

ROCOU → COLORANT, TEINTURE

ROCOUER → TEINDRE

RODÉO Argentine, mustang

RODER → USER

RÔDEUR → VAGABOND (1)

RODEZ
Voir tab. **Habitants (comment se nomment les)**

RODOMONTADE → FANFARON, MENACE

ROGATIONS
Voir tab. **Fêtes religieuses**

ROGATON → DÉCHET

ROGATONS → REPAS

ROGNAGE → TAILLE

ROGNE → COLÈRE, GALE, SABOT

ROGNE (EN) → RAGE

ROGNER → AVARE (1), CASSER, CONTOUR

ROGNER échantillonner, éjointer, élaguer, émonder, gréser, massicoter, prélever, réduire, tailler

ROGNON → REIN

ROGNONNER → BOUGONNER

ROGNURE → DÉCHET

ROGOMME → IVROGNE

ROGUE → APPÂT, GROGNON, HARENG, ŒUF, PÊCHE, SUFFISANT

ROHART → HIPPOPOTAME, IVOIRE

ROI → BLEU (1), MONARCHIE, MONARQUE
Voir tab. **Cartes à jouer**
Voir tab. **Couleurs**
Voir tab. **Politesse (formules de)**

ROI avènement, camelot, dauphin, Épiphanie, intronisation, majesté, monarque, prince, régicide, restauration, royaliste, sire, souverain

ROIGNOL
Voir tab. **Oiseaux (classification simplifiée des)**

ROIS (LES)
Voir tab. **Bible**

ROITELET
Voir tab. **Oiseaux (classification simplifiée des)**

RÔLE → CAHIER, CHARGE, EMPLOI, FONCTION, INFLUENCE, INSCRIRE, LISTE, MÉTIER, MISSION, PERSONNAGE, REGISTRE, VOCATION

RÔLE casting, comparse, distribution, figurant, fonction, héros, liste, métier, mission, panne, personnage, registre, relevé, tâche, utilité, vocation

ROLLER → PATIN, ROULETTE
Voir illus. **Chaussures**

ROLLIER → GEAI
Voir tab. **Oiseaux (classification simplifiée des)**

ROLLMOPS → HARENG

ROLLOT
Voir illus. **Fromages**

ROMAIN
Voir tab. **Églises**
Voir tab. **Typographies**

ROMAINE → BALANCE, LAITUE, TUILE
Voir tab. **Salades**

ROMAINS (ÉPÎTRES AUX)
Voir tab. **Bible**

ROMAN → ARCHITECTURE, FEUILLETON, LATIN, PROSE, RÉCIT

ROMAN (1) poème, prose, roman courtois

ROMAN (2) catalan, espagnol, français, italien, latin populaire, occitan, portugais, rhéto-roman, sarde

ROMAN COURTOIS → ROMAN (1)

ROMANCE → CHANSON

ROMANCHE → SUISSE

ROMANCIER → AUTEUR, ÉCRIVAIN

ROMAND → SUISSE

ROMANESQUE → FLEUR, SENTIMENTAL

ROMANESQUE épique, extraordinaire, fabuleux, fantastique, fleur bleue, idéaliste, rêveur, rocambolesque, sentimental

ROMANICHEL → BOHÉMIEN, TSIGANE

ROMANTIQUE → DRAME

ROMANTIQUE enthousiaste, exalté, généreux, idéaliste, mélancolique, passionné, poétique

ROMARIMONTAINS
Voir tab. **Habitants (comment se nomment les)**

ROMARIN
Voir tab. **Herbes, épices et aromates**
Voir tab. **Plantes médicinales**

ROME → CONCOURS, VILLE

ROMPRE → ACCOUTUMER, BRISER, BROUILLER, CASSER, DÉFAIRE, DÉNONCER, ÉCLATER, ENGAGEMENT, FÂCHER, HABITUER, LÂCHER, PLIER, QUITTER, RECULER, RÉVOQUER

ROMPRE annuler, briser, casser, céder, craquer, dédire (se), défoncer, démolir, dénoncer, disperser (se), divorcer, égailler (s'), éparpiller (s'), lâcher, quitter, résilier, séparer de (se)

ROMPRE LE SILENCE → BEC

ROMPT → DÉCHIRER

ROMPU À → EXPÉRIMENTÉ

ROMSTECK → BIFTECK
Voir tab. **Bœuf**

RONCE ARTIFICIELLE → BARBELÉ

RONCERAIE → BUISSON

RONCHONNER → BOUGONNER, GROMMELER

RONCINÉE
Voir illus. **Feuille**

ROND → BOUFFI, CERCLE, COL, ÉPAULE, IVRE, ONDE, OPULENT, TRICOT, TUILE
Voir tab. **Vin (vocabulaire du)**

ROND (1) argent

ROND (2) arrondi, bombé, circulaire, cylindrique, direct, dodu, entier, franc, grassouillet, honnête, joufflu, large, loyal, mafflu, plein, potelé, rebondi, replet, rondelet, sphérique

ROND CENTRAL
Voir illus. **Football**

ROND DE JAMBE
Voir tab. **Danse classique**

ROND DE SOUS-NOIX
Voir illus. **Veau**

ROND DE TRANCHE GRASSE
Voir illus. **Bœuf**

RONDACHE → BOUCLIER

RONDE → DANSE, GRAS, PATROUILLE, PERLE
Voir illus. **Symboles musicaux**

RONDE alentour, carmagnole, danse, inspection, ritournelle, tournée, visite

RONDEAU
Voir tab. **Poésie (vocabulaire de la)**

ROND-DE-CUIR → BUREAU, EMPLOYÉ

RONDELET → CHAIR, CONSÉQUENT, JOLI, ROND (2)

RONDELETTE → GROS

RONDELLE → HOCKEY, TRANCHE

RONDELLE chips, ciseau, joint, tranche

RONDEMENT → FRANCHEMENT, VIVEMENT

RONDIN → BOIS, BÛCHE, CHAUFFAGE, TRONC

RONDISTE
Voir illus. **Pierres précieuses (taille des)**

ROND-POINT → CARREFOUR, CROISEMENT, ÉTOILE, RENCONTRE, ROUTE

RONDS DE JAMBE → POLITESSE

RONFLANT → PRÉTENTIEUX

RONFLEMENT → BOURDONNEMENT, BRUIT, GRONDEMENT, NASAL
Voir tab. **Bruits**

RONFLEMENT ébrouement, ronron, ronronnement, stertoreux, vrombissement

RONFLER → RESPIRER

RONGER → ACIDE (1), ATTAQUER, CONSUMER, DÉVORER, DISSOUDRE, ENTAMER, GRIGNOTER, HANTER, HARCELER, MANGER, MINER, MORDRE, POURSUIVRE, ROUILLE, SOUCI, TOURMENTER

RONGER attaquer, consumer, corroder, entamer, éroder, grignoter, miner, mouliné, onychophagie, piquer, tenailler, tourmenter, vermoulu

RONGER LES SANGS (SE) → INQUIÉTER (S')

RONGEUR → MARMOTTE, SOURIS
Voir tab. **Mammifères (classification des)**

RONGEUR cabiai, castor, écureuil, loir, marmotte, raticide, rongicide, souris

RONGICIDE → RONGEUR

RÔNIN → JAPONAIS

RONRON → RONFLEMENT, ROUTINE
Voir tab. **Bruits**

RONRONNEMENT → BOURDONNEMENT, BRUIT, RONFLEMENT
Voir tab. **Bruits**

RONRONNER
Voir tab. **Animaux (termes propres aux)**

ROOF
Voir illus. **Voilier : Dufour 38 Classic**

ROQUE
Voir tab. **Échecs**

ROQUEFORT → BLEU (2)
Voir illus. **Fromages**

ROQUELAURE
Voir tab. **Manteaux**

ROQUET → CHIEN

ROQUETIN → BOBINE

ROQUETTE → ARTILLERIE, FUSÉE
Voir tab. **Salades**

ROR → VACCINATION

RORQUAL → BALEINE, CÉTACÉ

RORSCHACH (DE) → TEST

ROSA → POMME DE TERRE

ROSACE → CATHÉDRALE, VITRAIL
Voir illus. **Fenêtre**

ROSACE ornement, quintefeuille, rose, vitrail

ROSACÉE → FRAISIER

ROSACÉE aubépine, cerisier, couperose, pêcher, pommier

ROSAGE → RHODODENDRON

ROSAIRE → CHAPELET, PRIÈRE

ROSALBIN → PERROQUET

ROSÂTRE → ROSE

ROSBIF → RÔTI (1)

ROSE → CATHÉDRALE, DENTELLE, POIVRE, POMPON, ROSACE, VITRAIL
Voir tab. **Couleurs**
Voir tab. **Végétaux (classification simplifiée des)**

ROSE églantine, ellébore noir, nizeré, palissandre, rosâtre, rossolis, tagète

ROSE (TAILLE EN) → DIAMANT
Voir illus. **Pierres précieuses (taille des)**
ROSE DES VENTS → BOUSSOLE
ROSÉ → PERLE
ROSEAU → MARAIS, VANNERIE
Voir tab. **Végétaux (classification simplifiée des)**
ROSEAU acore, calame, canier, cannaie, chalumeau, massette, mirliton, phragmite, pipeau, rhizome, roselière, syrinx, typha
ROSE-CROIX → MYSTIQUE (2), SOCIÉTÉ
ROSÉE → MATIN
ROSÉE aiguail, condensation, irroration, perle, vapeur d'eau
ROSELET → HERMINE
ROSELIÈRE → ROSEAU
ROSÉOLE
Voir tab. **Pédiatrie**
ROSETTE → BOUCLE, LÉGION, NŒUD, RUBAN, SAUCISSON
Voir illus. **Charcuterie**
ROSETTE (PIERRE DE) → HIÉROGLYPHE
ROSEVAL → POMME DE TERRE
ROSH HA-SHANA → JUIF (2)
Voir tab. **Fêtes religieuses**
ROSIÈRE → FILLE
ROSMARINUS OFFICINALIS
Voir tab. **Plantes médicinales**
ROSSE → CHEVAL
ROSSER → BATTRE, MALTRAITER
ROSSER battre, corriger, frapper
ROSSIGNOL → CAMBRIOLEUR, CAMELOTE, CLEF, LIVRE, SERRURE
ROSSOLIS → ROSE
RÖSTI → GALETTE
Voir tab. **Spécialités étrangères**
ROSTRE → BEC, ÉPERON
Voir illus. **Insectes**
ROSTRES → TRIBUNE
ROT → BRUIT, INCONGRU, POURRITURE, RENVOI
Voir tab. **Bruits**
ROT éructation, pourriture, renvoi
ROTACTEUR → BOUTON
ROTANG → PALMIER, VANNERIE
ROTARY → PÉTROLE
ROTATIF → TOURNANT (2)
ROTATION → ASTRE, BALLET, CONVERSION, CYCLE, DÉPLACEMENT, MOUVEMENT, PÉRIODE, RÉVOLUTION, ROULEMENT
ROTATION alternance, assolement, circumduction, giration, pivoter, précession, pronation, révolution, roulement, supination, tourner, transformation, turn-over, variation
ROTATION DES CULTURES → JACHÈRE
ROTATIVE → IMPRIMER, PRESSE
ROTATOIRE → CIRCULAIRE, TOURNANT (2)
ROTE → PAPAUTÉ
Voir tab. **Catholique romain (vocabulaire)**
RÔTI (1) barde, gigot, rosbif, rôtisseur, rôtissoire, tournebroche
RÔTI (2) grillé, kebab, toasté
RÔTIE → TARTINE
ROTIN → PANIER, VANNERIE
RÔTIR → CHAUFFER, CUIRE, GRILLER

RÔTIR brûler, cuire, dessécher, dorer, griller
RÔTISSEUR → RÔTI (1)
Voir tab. **Saints patrons**
RÔTISSOIRE → BROCHE, RÔTI (1)
ROTONDE → CIRCULAIRE, HANGAR, PAVILLON
Voir illus. **Manteaux**
ROTONDITÉ → CORPS
ROTOR → HÉLICOPTÈRE, MOTEUR, TURBINE
Voir tab. **Électricité**
ROTRUENGE → POÈME
ROTULE → GENOU, JAMBE
Voir illus. **Squelette**
ROTURIER → ÉTAT, FÉODAL
ROUABLE → PAIN, PERCHE
ROUAN
Voir tab. **Chevaux (robes des)**
ROUANNE → BURIN, TONNEAU
ROUCHI
Voir tab. **Argot et langages populaires**
ROUCOULER → CHANTER
ROUE → ENGRENAGE, SUPPLICE, TORTURE, TURBINE
ROUE ABS, bicyclette, cyclomoteur, fusée, hydraulique, jante, moto, moyeu, parader, pavaner (se), pneu, poulie, rai, rengorger (se), scooter, Solex, vélo, vélomoteur
ROUÉ → FUTÉ, HABILE, MALIN (2)
ROUELLE → CITRON, PORC, TRANCHE
ROUEN → FAÏENCE, PORCELAINE
ROUER DE COUPS → BATTRE
ROUERIE → RUSE
ROUET → FIL, FILER
ROUETTE → BRANCHE, FAGOT
ROUF → PONT
ROUFLAQUETTE → CHEVEU, FAVORI (1)
ROUGE → CHOU, FARD, PRIMAIRE, PRIMITIF, PRUNE, ROUX, SPECTRE
Voir tab. **Couleurs**
ROUGE carassin doré, congestionné, cornaline, cramoisi, cyprin doré, enluminé, grenat, incandescent, porphyre, rougeaud, rougeoyer, rougir, roux, rubescent, rubicond, rubis, sanguin, soviétique
ROUGE (ENCRE) → ENCRE
ROUGE FONCÉ → POURPRE (2)
ROUGEÂTRE → BRIQUE
Voir tab. **Couleurs**
ROUGEAUD → ROUGE
Voir tab. **Couleurs**
ROUGE-BRUN → PUCE (2)
ROUGE-GORGE
Voir tab. **Oiseaux (classification simplifiée des)**
Voir tab. **Superstitions**
ROUGEOLE → BOUTON, ENFANCE, INFECTION, PEAU
Voir tab. **Vaccins**
ROUGEOYER → ROUGE
ROUGET → ACARIEN, PORC
ROUGETTE
Voir tab. **Salades**
ROUGEUR → BRÛLURE, INFLAMMATION, PLAQUE, TACHE
ROUGH → GOLF
ROUGI → DÉGAGER

ROUGIR → ROUGE, TEINDRE
Voir tab. **Phobies**
ROUGIR effronté, empourprer (s'), enflammer (s'), ensanglanter, éreutophobie, érubescence, impudent, insolent, piquer un fard
ROUGISSURE → ROUILLE
ROUILLE → BRIQUE, CHAMPIGNON, CHARBON, FER, PIMENT
Voir tab. **Couleurs**
ROUILLE altération, anthracnose, attaquer, bondérisation, charbon, corroder, mildiou, minium, oxyde de fer, oxydé, parkérisation, ronger, rougissure, rouillé, rubigineux
ROUILLÉ → ROUILLE
ROUILLER amoindrir (s'), ankyloser (s'), attaquer, corroder, engourdir (s'), oxyder
ROUIR → LIN
ROULADE → MASSAGE
ROULAGE → CAMION, MINEUR (1), TRANSPORT
Voir tab. **Thé**
ROULE → DÉBITER, ROULEAU, TAILLEUR
ROULÉ → COL
ROULEAU → BRISER, LAME, MACHINE, MANUSCRIT, PÂTISSERIE, VAGUE (1)
Voir tab. **Jardinage**
ROULEAU bigoudi, bobine, carotte, cylindre, déferlante, lame, roule, vague
ROULEAU COMPRESSEUR → CYLINDRE
ROULEAU VENTRAL → SAUT
ROULEAUTÉ
Voir tab. **Couture**
ROULEAUX DE LA MER MORTE
Voir tab. **Bible**
ROULÉ-BOULÉ → ROULER
ROULEMENT → BATTEMENT, ROTATION, TONNERRE, TRAVAIL
ROULEMENT alternance, ban, battement, batterie, circulation, rotation, turn-over
ROULER → DÉVALER, DUPER, PLIER
ROULER aplanir, bouler, bourlinguer, cabriole, conduire, couler, culbute, dégringoler, ébouler (s'), émotter, enrouler, envelopper, galipette, parader, roulé-boulé, tomber, voyager
ROULER UN ANIMAL
Voir tab. **Chasse (vocabulaire de la)**
ROULETTE → FRAISE, JEU, SIFFLET
ROULETTE fraise, galet, molette, roller, skate-board, speed-sail
ROULIER → CONDUCTEUR
ROULIS → BALANCEMENT, BATEAU, MOUVEMENT, OSCILLATION
ROULOIR → CIERGE
ROULOTTE → CARAVANE, VÉHICULE
ROULOTTE (À LA)
Voir tab. **Vols (types de)**
ROULURE → LOUPE
ROUMAINE → ORTHODOXE
ROUMI → CHRÉTIEN
ROUND → BOXE
ROUSCAILLER → PROTESTER
ROUSPÉTER → PROTESTER, RAGE, RÉCLAMER
ROUSSÂTRE → FAUVE (2)
ROUSSELET → POIRE

ROUSSETTE → BEIGNET, CHAUVE-SOURIS
Voir tab. **Poissons (classification simplifiée des)**
ROUSSEUR → PIQÛRE
ROUSSIN → CHEVAL
ROUSSIR → BRÛLER, REVENIR
ROUTARD → CHEMIN
ROUTE → CAP, DIRECTION, ÉTAPE, ITINÉRAIRE (1), VOIE
ROUTE autoroute, carrefour, diriger (se), écarter (s'), échangeur, égarer (s'), embranchement, fourvoyer (se), intersection, itinéraire, patte-d'oie, rond-point
ROUTEUR
Voir tab. **Internet**
ROUTIER → BANDIT
ROUTIER camionneur, chauffeur, conducteur, ranger, tractionnaire, vétéran
ROUTINE → HABITUDE
ROUTINE banal, conformisme, courant, habitude, misonéisme, reconnaissance, ronron, systématique, traditionalisme, train-train
ROUTINIER → QUOTIDIEN
ROUVIEUX → GALE
ROUVRE → CHÊNE
ROUX → ROUGE
Voir tab. **Couleurs**
Voir tab. **Cuisine**
ROUX alezan, auburn, baillet, fauve, rouge
ROYAL → ALTIER
ROYAL altier, château, fastueux, grandiose, magnifique, majestueux, palais, régalien, suprême, tournois
ROYALE → BARBE, MARINE
ROYALISTE → ROI
ROYAN → SARDINE
ROYAUME → MONARCHIE, PAYS
ROYAUME domaine, fief, monarchie, paradis, province, règne
RTEM → DÉSERT
RTT → RÉDUCTION
RU → RUISSEAU
Voir tab. **Éléments chimiques (symbole des)**
RUBAN → ATTACHE, BANDE, FAVEUR, INSIGNE (1), MACHINE, MERCERIE, PHOQUE
Voir tab. **Cuisine**
RUBAN bolduc, bouffette, brassard, catogan, chou, coque, enrubanner, extra-fort, faveur, ganse, jalon, Légion d'honneur, liseré, Palmes académiques, rosette, rubanerie, rubanier, scotch, sparganier, talonnette
RUBANERIE → RUBAN
RUBANIER → RUBAN
RUBATO
Voir tab. **Musique (vocabulaire de la)**
RUBÉOLE → ENFANCE, INFECTION, MALFORMATION, PEAU
Voir tab. **Vaccins**
RUBESCENT → ROUGE
Voir tab. **Couleurs**
RUBICOND → COULEUR, ROUGE
Voir tab. **Couleurs**

RUBIDIUM
Voir tab. **Éléments chimiques** (symbole des)
RUBIGINEUX → ROUILLE
Voir tab. **Couleurs**
RUBIS → ROUGE
Voir tab. **Anniversaires de mariage**
Voir tab. **Couleurs**
Voir tab. **Pierres précieuses et semi-précieuses**
RUBRICATEUR → RUBRIQUE
RUBRIQUE → FEUILLETON, SUJET
RUBRIQUE annonce, catégorie, chronique, courrier, échos, éditorial, faits divers, nécrologie, rubricateur, section, titre
RUCHE
Voir tab. **Animaux (termes propres aux)**
RUCHE cadre, chapiteau, croisée, essaimer, gallérie, hausse, panneau alvéolé, tablier, trou de vol
RUDE → ARDU, BARBARE, BRUSQUE, BRUT, BRUTAL, CHAUD, GROSSIER, INÉGAL, PÉNIBLE, REVÊCHE
RUDE abrupt, âpre, bourru, brutal, cruel, difficile, éreintant, farouche, fruste, incisif, inclément, mordant, pénible, raboteux, raide, râpeux, rêche, redoutable, rigoureux, rocailleux, rugueux, rustique, sauvage
RUDEMENT → SÈCHEMENT, VIVEMENT
RUDENTÉ
Voir illus. **Sièges**
RUDÉRATION → CAILLOU, EMPIERREMENT, PAVAGE
RUDESSE → AMABILITÉ, BRUTALITÉ
RUDIMENT → ABC, CONNAISSANCE, ÉLÉMENT, NOTION, PRINCIPE, RÉSUMÉ (1), SAVOIR (1)
RUDIMENTAIRE → BRUT, ÉLÉMENTAIRE, GROSSIER, IMPARFAIT (2), PRIMITIF, SAUVAGE, SOMMAIRE (2)
RUDOYER → BOUSCULER, MALMENER, MALTRAITER, TRAITER
RUDOYER brusquer, brutaliser, malmener, maltraiter, molester
RUE → PASSAGE
RUE artère, asphalte, avenue, boulevard, chaussée, cul-de-sac, impasse, macadam, mail, refuge, riverain, service de voirie, traboule, trottoir, venelle
RUE (À LA) → PAVÉ
RUÉE → INVASION
RUEILLOIS
Voir tab. **Habitants (comment se nomment les)**
RUEIL-MALMAISON
Voir tab. **Habitants (comment se nomment les)**
RUELLE → LIT, PASSAGE
RUER (SE) → FONDRE, PRÉCIPITER (SE)
RUES ET CROISEMENTS
Voir tab. **Phobies**
RUFLETTE → MERCERIE, PLISSER, RIDEAU
RUGBY → BALLON, OVALE
Voir tab. **Sports**

RUGBY botteur, coup de pied de pénalité, coup franc, drop-goal, en-avant, en-but, faute vénielle, incorrection, ligne de ballon mort, marquer un essai, maul, mêlée, obstruction, pack, plaquer, quinziste, ratisser, rugbyman, talonner, tenu, transformer, treiziste
RUGBYMAN → RUGBY
RUGINE
Voir tab. **Instruments médicaux**
RUGIR → HURLER, MUGIR
Voir tab. **Animaux (termes propres aux)**
RUGIR crier, gronder, gueuler, hurler, mugir
RUGISSANT → BRUYANT
Voir tab. **Bruits**
RUGISSEMENT → LION, VENT
RUGOSITÉ → INÉGALITÉ
RUGUEUX → DUR, INÉGAL, RABOTEUX, REVÊCHE, RUDE
RUILER → PLÂTRE, RACCORDER
RUINE → APPAUVRISSEMENT, BANQUEROUTE, DÉBÂCLE, DÉLABREMENT, DÉSASTRE, DESTRUCTION, DISSOLUTION, ÉCHEC, ÉCROULEMENT, FAILLITE, FIN (1), MORT (1), NAUFRAGE, PRÉCIPICE, RAVAGE, RÉPUTATION, RESTE, VESTIGE
Voir tab. **Forme de... (en)**
RUINE banqueroute, chanceler, chute, craquer, débâcle, décadence, décombres, délabrement, déliquescence, dépérir, désagrégation, désolation, destruction, dévastation, effondrement, épave, faillite, fin, loque, naufrage, péricliter, perte, vestige
RUINÉ → ABÎME
RUINER → ANÉANTIR, BATTRE, BRISER, DÉMOLIR, DÉTÉRIORER, ÉPUISER, GÂTER, SACCAGER
RUINER altérer, anéantir, annihiler, battre en brèche, briser, décaver, dépouiller, dévaster, miner, nuire à, ravager, saccager, saper
RUINEUX → CHER, INABORDABLE
RUINIFORME
Voir tab. **Forme de... (en)**
RUISSEAU → COURS, RIVIÈRE
RUISSEAU lapiaz, noue, ravine, rivulaire, ru, ruisselet, torrent
RUISSELANT → TREMPÉ
RUISSELER → COULER, RÉPANDRE (SE)
RUISSELET → RUISSEAU
RUISSELLEMENT → JET
RUMBA → DANSE
Voir tab. **Danses (types de)**
RUMEN → BŒUF
RUMEUR → BOURDONNEMENT, COMMÉRAGE, COULOIR, FAUX (2), INFORMATION, NOUVELLE
Voir tab. **Bruits**
RUMEUR bourdonnement, brouhaha, bruit, on-dit, ouï-dire, potin, ragot
RUMINER → PENSER
RUMINER entretenir, nourrir, remâcher, ressasser
RUNE → INSCRIPTION
RUOLZ → ARGENT

RUPESTRE → ROC, ROCHER
RUPICOLE → COQ, ROCHE
RUPOPHOBIE
Voir tab. **Phobies**
RUPTURE → ADIEU, CASSURE, CONTINUITÉ, DIVORCE, ENTORSE, SÉPARATION
RUPTURE anacoluthe, annulation, cassure, cessation, clash, conflit, dénonciation, désunion, divorce, écart, fracture, opposition, résiliation, séparation, suspension
RURAL → AGRICOLE, CAMPAGNE, CHAMP, CHAMPÊTRE, PAYSAN (1)
RURAL agreste, campagnard, déruralisation, exode, ruraliste, rustique
RURALISTE → RURAL
RUSE → ARTIFICE, FOURBERIE, MALICE, MÉANDRE, MOYEN (1), SUBTERFUGE
RUSE artifice, astuce, combine, feinte, ficelle, machiavélisme, malice, piège, rouerie, stratagème, subterfuge, supercherie
RUSÉ → ASTUCIEUX, FIN (2), FUTÉ, GUÊPE, SOURNOIS
RUSER → DIVERSION, SUBTERFUGE
RUSH → ÉPREUVE
Voir tab. **Cinéma**
RUSSE → ORTHODOXE
RUSSIE
Voir tab. **Saints patrons**
RUSTICAGE → MUR, TAILLE
RUSTICITÉ → BALOURDISE
RUSTIQUE → BRUT, CAMPAGNE, CHAMP, CHAMPÊTRE, MARTEAU, ROBUSTE, RUDE, RURAL, SAUVAGE, TAILLEUR
RUSTIQUER → TAILLER
RUSTRE → BARBARE, GROSSIER, IMPOLI, INSOLENT, MALOTRU, MUFLE, OURS, SAUVAGE
RUT → CHALEUR, REPRODUCTION
RUTABAGA → LÉGUME
RUTH
Voir tab. **Bible**
RUTHÉNIUM → PLATINE
Voir tab. **Éléments chimiques** (symbole des)
RUTHÉNOIS
Voir tab. **Habitants (comment se nomment les)**
RUTILANT → ARDENT, BRILLANT (1), ÉCLATANT, FLAMBOYANT, LUISANT, SPLENDIDE
RUTILE
Voir tab. **Minéraux et utilisations**
RUTILER → BRILLER, CHATOYER
RUZ
Voir tab. **Géographie et géologie** (termes de)
RYE → WHISKY
Voir tab. **Alcools et eaux-de-vie**
RYTHME → CADENCE, MESURE, PARTITION, PORTÉE, RÉGIME, RESSORT, RETOUR, SON
RYTHME accent, allure, beat, cadence, césure, débit, disposition, distribution, équilibre, eurythmie, harmonie, mesure, métronome, mouvement, percussion (à), période, pied, rapidité, répétition, rime, rythmer,

scander, scansion, son, swing, syllabe, syncope, tempo, vitesse
RYTHMÉ → NOMBREUX
RYTHMER → RYTHME
RYTHMIQUE → CHAUSSON
Voir illus. **Chaussures**
RYU → JAPONAIS

S
Voir tab. **Éléments chimiques** (symbole des)
Voir tab. **Forme de... (en)**
S (EN) → SINUEUX
SA SAINTETÉ → PAPE
SABAYON → CRÈME
SABBAT → CONGÉ, DIABLE, JOUR, JUIF (1), NOCTURNE, SEIGNEUR, SORCIÈRE
SABBATIQUE → ANNÉE
SABÉISME → ASTRE
SABELLIANISME → HÉRÉSIE, TRINITÉ
SABIR → APPOINT, LANGUE
Voir tab. **Argot et langages populaires**
SABLAIS
Voir tab. **Habitants (comment se nomment les)**
SABLE → BEIGE, BLANC (1), BLASON
Voir illus. **Héraldique**
SABLE alluvion, ammophile, arénacé, arène, arénicole, atterrissement, banc de sable, barkhane, dune, engraver (s'), ensabler (s'), falun, gîte, gourbet, grève, javeau, limon, lœss, mortier, oyat, plage, rivage, sableux, sablière, sablon, sablonneux, sablonnière, souille, syrtes, tombolo
SABLÉ → BISCUIT
SABLÉE → PÂTE
SABLER → BLANCHIR, BOIRE, CHAMPAGNE, DÉCAPER
SABLES-D'OLONNE (LES)
Voir tab. **Habitants (comment se nomment les)**
SABLEUSE → DÉCAPER
SABLEUX → SABLE
SABLIER → CHINOIS
SABLIÈRE → SABLE
Voir illus. **Charpente**
Voir illus. **Colombage**
SABLON → POLIR, SABLE
SABLONNEUX → SABLE
SABLONNIÈRE → SABLE
SABORDER → TORPILLER
SABOT → BAIN, CHAUSSURE, TOUPIE
Voir illus. **Chaussures**
Voir illus. **Cheval**
SABOT bleime, crapaud, dessoler, encastelure, fourbure, fourchette, galoche, lacune latérale, lacune médiane, muraille, onglon, panoufle, pince, rogne, socque, sole, solipède, talon
SABOT DE DENVER → STATIONNEMENT
SABOTAGE → MALVEILLANCE
SABOT-DE-VÉNUS → ORCHIDÉE
SABOTER → BÂCLER, GÂCHER

SABRAGE → NETTOYER
SABRE → BLANC (1), ESCRIME
Voir illus. **Épées**
SABRE alfange, bancal, bélière, cimeterre, dragonne, latte, navaja, sabretache, yatagan
SABRE D'ABORDAGE
Voir illus. **Épées**
SABRER → AMPUTER
SABRETACHE → SABRE
SAC → BAGAGE, PAQUET, POCHE, RAVAGE, SERVIETTE
SAC aumônière, baguette, besace, bissac, blague, bourse, cabas, carnassière, carnier, cartable, cartouchière, dévastation, escarcelle, filet, gibecière, havresac, musette, outre, pillage, pochette, porte-documents, porte-monnaie, ravage, réticule, saccage, sacoche, serviette
SAC À MAIN → ACCESSOIRE
SACCADE → BRUSQUE, INTERMITTENT (2), SAUT, SECOUSSE
SACCADÉ → IRRÉGULIER
SACCAGE → PILLAGE, SAC
SACCAGER → BRISER, METTRE, PILLER, RUINER
SACCAGER abîmer, bouleverser, chambarder, désoler, détériorer, détruire, dévaster, mettre à sac, piller, ravager, ruiner, vandaliser
SACCHARIMÈTRE
Voir tab. **Instruments de mesure**
SACCHARINE → SUCRE
SACCHAROÏDE → SUCRE
SACCHAROPHOBIE
Voir tab. **Phobies**
SACCULE → VESTIBULE
SACCULINE → PARASITE (1)
SACERDOCE → MINISTÈRE, ORDRE, RELIGIEUX (1)
SACHEM → CHEF, INDIEN (2)
SACHERTORTE → CHOCOLAT
Voir tab. **Gâteaux régionaux et étrangers**
SACHET → CONDITIONNEMENT, PAQUET, POCHE
SACOCHE → SAC, SERVIETTE
SACRE → BÉNIR, CÉRÉMONIE, COURONNEMENT, RELIGIEUX (2)
SACRÉ → DAMNÉ, PARFAIT, RELIGIEUX (2), SAINT (2), VÉRTÈBRE
SACRÉ auguste, blasphème, cérémonial, culte, désacraliser, extraordinaire, fameux, hiératique, incroyable, intangible, intouchable, inviolable, liturgie, oracle, profanation, respectable, rite, sacrilège, sacro-saint, saint des saints, sanctuaire, tabou, vénérable
SACRÉ COLLÈGE → CARDINAL (1)
SACREMENT → IMPOSITION, LITURGIE
Voir tab. **Catholique romain (vocabulaire)**
SACREMENT baptême, confirmation, eucharistie, extrême-onction, mariage, onction, ordre, pénitence
SACREMENT DES MALADES → BÉNÉDICTION
SACRER → JURER
SACRIFICATEUR → SACRIFICE, VICTIME (1)

SACRIFICE → CADEAU, DÉVOUEMENT, DON, EFFORT, HÉCATOMBE, HOLOCAUSTE, OFFRANDE, OUBLI
Voir tab. **Échecs**
SACRIFICE abnégation, apotropaïque, autel, canéphore, criobole, dévouement, expiatoire, hécatombe, holocauste, immolateur, immolation, laraire, libation, piaculaire, priver (se), propitiatoire, rédempteur, renoncement, résignation, sacrificateur, saigner (se), taurobole, victimaire
SACRIFICES (FÊTE DES)
Voir tab. **Fêtes religieuses**
SACRIFIÉ → SOLDÉ
SACRIFIER → DONNER (SE), OBÉIR, OFFRIR, RENONCER, SOUMETTRE, SUIVRE, TUER, VEINE, VENDRE, VICTIME (1), VIVRE, VOUER
SACRIFIER abandonner, conformer à (se), délaisser, négliger, obéir à, renoncer à, suivre
SACRILÈGE → BLASPHÈME, IMPIE, JURON, SACRÉ
SACRILÈGE (1) hérésie, irrévérence, outrage, profanation, violation
SACRILÈGE (2) blasphème, iconoclasme, impiété
SACRIPANT → COUPABLE, FRIPON (1)
SACRISTAIN → SUISSE
SACRO-SAINT → SACRÉ
SACRUM → BASSIN, DOS, VÉRTÈBRE
Voir illus. **Squelette**
SADI-CARNOT
Voir tab. **Rois et chefs d'État de la France**
SADIQUE → CRUEL, SOUFFRIR
SADISME → BARBARIE, CRUAUTÉ, FÉROCITÉ, SEXUALITÉ, VIOLENCE
SADJADA → ISLAM
SADOMASOCHISME → MASOCHISME
SAFRAN → GOUVERNAIL, TEINTURE
Voir illus. **Voilier : Dufour 38 Classic**
Voir tab. **Couleurs**
Voir tab. **Gâteaux régionaux et étrangers**
Voir tab. **Herbes, épices et aromates**
SAFRANÉ → JAUNE
SAFRE → BLEU (1)
SAGA → CONTE, RÉCIT
SAGACE → AIGU, CLAIR, CLAIRVOYANT, CONSEIL, INTELLIGENT, JUDICIEUX, MALIN (2), PÉNÉTRANT, PERSPICACE, SUBTIL
SAGACITÉ → ADRESSE, FINESSE, INTUITION, JUGEMENT, NEZ, PÉNÉTRATION, PERSPICACITÉ, SUBTILITÉ, VIVACITÉ
SAGAIE → JAVELOT
SAGE → BON (1), DOCILE, FACILE, GENTIL, JUDICIEUX, MÛR, OBÉISSANT, PRÉVOYANT, RABBIN, RAISONNABLE, RÉFLÉCHI, SAVANT (1), SÉRIEUX (2)
SAGE avisé, bienséant, chaste, continent, convenable, décent, discipliné, docile, éclairé, gentil, judicieux, juste, mentor, mesuré, obéissant, pondéré,

raisonnable, réfléchi, sensé, tranquille, vertueux
SAGE-FEMME → ACCOUCHER, ACCOUCHEUR, HOSPITALIER, MÉDECINE
SAGE-FEMME matrone
SAGESSE → CHOUETTE, MATURITÉ, MODÉRATION, PRUDENCE, RAISON, SENS, VERTU, VIEILLIR
Voir tab. **Bible**
SAGESSE Athéna, bon sens, circonspection, détachement, discernement, expérience, jugement, maturité, Minerve, modération, sérénité, tempérance
SAGETTE → FLÈCHE
SAGIENS
Voir tab. **Habitants (comment se nomment les)**
SAGITTAIRE → ARC, FLÈCHE
Voir tab. **Astrologie**
Voir tab. **Zodiaque**
SAGITTAL → SYMÉTRIE
Voir tab. **Forme de... (en)**
SAGITTÉE
Voir illus. **Feuille**
SAGOU → PALMIER
SAGOUTIER → PALMIER
SAGRE
Voir tab. **Poissons (classification simplifiée des)**
SAGUM → MANTEAU
Voir illus. **Manteaux**
SAHARIEN → TORRIDE
SAHARIENNE → VESTE
Voir illus. **Manteaux**
Voir illus. **Modes et styles**
SAHEL → DÉSERT
SAIE → COCHON
Voir illus. **Manteaux**
SAIGNANT → VIANDE
SAIGNÉE → BRAS, CONGESTION, FOSSÉ, PLI
SAIGNÉE artériotomie, lancette, phlébotomie, sangsue, scarificateur, ventouse
SAIGNEMENT → NEZ
SAIGNEMENT coaguler, épistaxis, flux menstruel, hémophtalmie, hémorragie, hémostatique, ménorrhée, menstruation, pertes, règles
SAIGNER → INCISER, SACRIFICE
SAILLANT console, corbeau, échine, frappant, globuleux, marquant, notable, proéminent, redan, remarquable
SAILLIE → ACCOUPLEMENT, ÉPERON, INÉGALITÉ, MOT, POCHE, RELIEF, REPRODUCTION, SEXUEL, TRAIT
SAILLIE accouplement, apophyse, appareillage, appareillement, auvent, balcon, balèvre, bon mot, bossage, boutade, bow-window, chapiteau, corniche, crête, encorbellement, entablement, épine, exophtalmie, forjet, jarret, lutte, monte, oriel, plaisanterie, projecture, protubérance, redan, ressaut, service, surplomb, trait d'esprit, tubercule, tubérosité
SAILLIR → AVANCER, DÉPASSER, SORTIR
SAIN → ÉQUILIBRÉ, VALIDE
SAIN biologique, consommable, diététique, équilibré, gaillard,

hygiénique, indemne, ingambe, naturel, robuste, salubre, salutaire, sans dommage, stimulant, tonique, vigoureux, vivifiant
SAIN ET SAUF → COMPTE, SAUVER
SAINDOUX → COCHON, GRAISSE
SAINFOIN → FOURRAGE
SAINT → ANGÉLIQUE, RELIGIEUX (2), SUPRÊME
SAINT (1) apôtre, arche d'alliance, auréole, avocat du diable, canonisation, châsse, commémoraison, confesseur, culte de dulie, évangéliste, hagiographie, légende, litanie, marabout, martyr, martyrologe, ménées, ménologe, nimbe, reliquaire, relique, Toussaint
SAINT (2) auguste, consacré, élu, glorieux, juif, sacré, sanctifié, vénérable
SAINT DES SAINTS → SACRÉ
SAINT JACQUES (ÉPÎTRES DE)
Voir tab. **Bible**
SAINT JEAN (APOCALYPSE DE)
Voir tab. **Bible**
SAINT JEAN (ÉPÎTRES DE)
Voir tab. **Bible**
SAINT JEAN (ÉVANGILE SELON)
Voir tab. **Bible**
SAINT JUDE (ÉPÎTRES DE)
Voir tab. **Bible**
SAINT LUC (ÉVANGILE SELON)
Voir tab. **Bible**
SAINT MARC (ÉVANGILE SELON)
Voir tab. **Bible**
SAINT MATTHIEU (ÉVANGILE SELON)
Voir tab. **Bible**
SAINT PAUL (ÉPÎTRES DE)
Voir tab. **Bible**
SAINT PIERRE → PARADIS, PORTIER
SAINT PIERRE (ÉPÎTRES DE)
Voir tab. **Bible**
SAINT SUAIRE → RELIQUE
SAINT THOMAS D'AQUIN
Voir tab. **Philosophie**
SAINT-AMANDINOIS
Voir tab. **Habitants (comment se nomment les)**
SAINT-AMAND-LES-EAUX
Voir tab. **Habitants (comment se nomment les)**
SAINT-ANDRÉ → CROIX
Voir illus. **Croix**
SAINT-ANTOINE → CROIX
Voir illus. **Croix**
SAINT-BRIEUC
Voir tab. **Habitants (comment se nomment les)**
SAINT-CLAUDE → TABAC
SAINT-CLOUD
Voir tab. **Habitants (comment se nomment les)**
SAINT-CYR → MILITAIRE (2)
Voir tab. **Écoles (grandes)**
SAINT-CYRIEN → ÉLÈVE
SAINT-DENIS
Voir tab. **Habitants (comment se nomment les)**
SAINT-DIÉ
Voir tab. **Habitants (comment se nomment les)**
SAINT-DIZIER
Voir tab. **Habitants (comment se nomment les)**

SAINTE CROIX → CROIX
SAINTE-AMPOULE → CHEVALERIE
SAINTE-MAURE
Voir illus. **Fromages**
SAINTES ÉCRITURES → BIBLE
SAINT-ESPRIT → CHEVALERIE
SAINTETÉ → ÉGLISE
SAINT-FLOUR
Voir tab. **Habitants (comment se nomment les)**
SAINT-HONORÉ → CHOU
SAINT-JACQUES-DE-COMPOSTELLE → PÈLERINAGE
SAINT-JEAN-D'ANGÉLY
Voir tab. **Habitants (comment se nomment les)**
SAINT-JUNIAUDS
Voir tab. **Habitants (comment se nomment les)**
SAINT-JUNIEN
Voir tab. **Habitants (comment se nomment les)**
SAINT-LÔ
Voir tab. **Habitants (comment se nomment les)**
SAINT-LOIS
Voir tab. **Habitants (comment se nomment les)**
SAINT-MARCELLIN
Voir illus. **Fromages**
SAINT-MICHEL → CHEVALERIE
SAINT-MIHIEL
Voir tab. **Habitants (comment se nomment les)**
SAINT-MIHIELOIS
Voir tab. **Habitants (comment se nomment les)**
SAINT-NECTAIRE
Voir illus. **Fromages**
SAINT-NICOLAS-EN-FORÊT
Voir tab. **Habitants (comment se nomment les)**
SAINT-OFFICE → INQUISITION, TRIBUNAL
SAINT-OMER
Voir tab. **Habitants (comment se nomment les)**
SAINT-OUEN
Voir tab. **Habitants (comment se nomment les)**
SAINT-PAUL-TROIS-CHÂTEAUX
Voir tab. **Habitants (comment se nomment les)**
SAINT-PAULIN
Voir illus. **Fromages**
SAINT-PHILIPPE
Voir illus. **Croix**
SAINT-PIERRE → DORÉE
Voir illus. **Croix**
Voir tab. **Poissons (classification simplifiée des)**
SAINT-PIERRE-DES-CORPS
Voir tab. **Habitants (comment se nomment les)**
SAINT-POL-DE-LÉON
Voir tab. **Habitants (comment se nomment les)**
SAINT-POL-SUR-TERNOISE
Voir tab. **Habitants (comment se nomment les)**
SAINT-POLITAINS
Voir tab. **Habitants (comment se nomment les)**
SAINT-POLOIS
Voir tab. **Habitants (comment se nomment les)**
SAINT-SAVIN-SUR-GARTEMPE (ÉGLISE DE)

Voir tab. **Monuments français du patrimoine mondial**
SAINT-SIÈGE → ÉGLISE
SAINT-SIMONISME → SOCIALISTE
SAINT-YRIEIX-LA-PERCHE
Voir tab. **Habitants (comment se nomment les)**
SAISI → FRAPPER, PÉTRIFIÉ, SURPRENDRE
SAISIE → ENTRÉE, IMPÔT, PRÉLÈVEMENT
SAISIE adjudication, confiscation, enchère, expropriation, opposition, réquisition, saisie-arrêt, saisie-brandon, saisine, séquestre
SAISIE-ARRÊT → BLOQUER, SAISIE
SAISIE-BRANDON → SAISIE
SAISINE → HÉRITAGE, SAISIE
SAISIR → APERCEVOIR, APPRÉCIER, ATTRAPER, CAPTURER, CONFISQUER, CONSCIENCE, CUIRE, DÉCHIFFRER, DISCERNER, EMBRASSER, EMPARER (S'), ENTENDRE, ÉVOQUER, INTERCEPTER, PÉNÉTRER, PERCEVOIR, PRENDRE, RATTRAPER, RÉALISER, RÉDIGER, RETENIR, TAPER
SAISIR agripper, ahuri, appréhender, arracher, attraper, captivé, comprendre, concevoir, discerner, ébahi, embrasser, emparer de (s'), empoigner, ému, étreindre, exécuter, frappé, happer, impressionné, intercepter, pénétrer, percevoir, pétrifié, préhensile, transi
SAISISSABLE → PERCEPTIBLE
SAISISSANT → DRAMATIQUE, ÉTONNANT, FRAPPANT, IMPRESSIONNANT
SAISISSEMENT → ÉMOTION, IMPRESSION, STUPEUR, SUBIT, TREMBLEMENT
SAISON → ÉPOQUE, SPECTACLE, TEMPS
Voir tab. **Jardinage**
SAISON circonstance (de), époque, équinoxe, moment, période, solstice
SAISONNIER → TEMPORAIRE
SAKÉ → BIÈRE, EAU-DE-VIE, JAPONAIS, RIZ
SALAAM (DE) → TIC
SALACE → CRU (2), OBSCÈNE, SEXUEL
SALACE graveleux, grivois, indécent, licencieux, obscène, ordurier
SALADE → CONVAINCRE, LÉGUME, TOMATE
SALADE macédoine, mesclun
SALADIER → COUPE, VAISSELLE
SALAGE → CHARCUTERIE, FROMAGE, MOULAGE
SALAIRE → APPOINTEMENTS, CACHET, FIXE (1), GAIN, IMPÔT, PAIEMENT, RÉMUNÉRATION, REVENU
SALAIRE appointements, bonus, cachet, commission, courtage, émoluments, étrennes, fixe, gages, gratification, guelte, honoraires, indemnité, intéressement, jeton de présence, lucratif, paie, participation, pige, prêt, prime, rémunérateur, rémunération, rentable, rétribution, revenu, solde, traitement, vacation

SALAISON → CONSERVATION, DENRÉE, SALER
SALAMALECS → CÉRÉMONIE, POLITESSE, RÉVÉRENCE
SALAMANDRE → BATRACIEN, POÊLE (1)
SALAMI → SAUCISSON
SALANGANE → HIRONDELLE
Voir tab. **Oiseaux (classification simplifiée des)**
SALARIÉ → TRAVAILLEUR (1)
SALAT → MUSULMAN (1)
SALCHOW → PATINAGE, SAUT
SALE → DAMNÉ, DOUTEUX, IGNOBLE, IMPUR, INFÂME, MALPROPRE, NOIR (2), POUILLEUX (1), USÉ, VILAIN
SALE abject, antipathique, barbouillé, bas, bauge, boueux, bouge, collant, crasseux, crotté, croupi, déplorable, détestable, encrassé, exécrable, fâcheux, fangeux, fétide, galetas, graisseux, gras, haïssable, ignoble, immonde, infâme, mâchuré, maculé, odieux, poisseux, poussiéreux, repoussant, répugnant, sordide, souille, souillé, taché, taudis, terreux, turne, vilain
SALÉ → AMER, SAVEUR, SUCRÉ
SALÉ corsé, cru, épicé, gaillard, grivois, grossier, licencieux, osé, poivré, saumure
SALER salaison, saumurage, saur
SALERS
Voir illus. **Fromages**
SALETÉ → GROSSIÈRETÉ, IMPURETÉ, OBSCÉNITÉ
Voir tab. **Phobies**
SALETÉ cloaque, cochonnerie, décharge, dépotoir, grossièreté, infamie, obscénité, saloperie, vermine
SALICACÉES → OSIER, PEUPLIER, SAULE
SALICINE → SAULE
SALICOQUE → CREVETTE
SALICOSIDE → SAULE
SALICULTURE → SEL
SALICYLIQUE (ACIDE)
Voir tab. **Acides**
SALIENS → FRANCS
SALIÈRE
Voir illus. **Cheval**
SALIFICATION → SEL
SALIGNON → SEL
SALIN → SEL
SALINAGE → SEL
SALINE → MARAIS, SEL
SALINISATION → SEL
SALINITÉ → SEL
SALIQUE (LOI) → HÉRITAGE
SALIR → BAVER, DÉSHONORER, ÉCLABOUSSER, FLÉTRIR, GRAISSER, NOIRCIR, TACHER
SALIR avilir (s'), calomnier, compromettre (se), déshonorer, diffamer, flétrir
SALIVAIRE
Voir illus. **Digestif (appareil)**
SALIVE → BAVE, SÉCRÉTER
SALIVE asialie, bave, crachat, déglutir, écume, hypersialie, mastigadour, postillon, ptyaline, ptyalisme, sialagogue, sialorrhée
SALIVER → BAVER

SALAISON → CONSERVATION, PUBLIC (1), SPECTATEUR
SALLE assistance, auditoire, cénacle, public, salle d'armes
SALLE D'ARMES → SALLE
SALLE D'ATTENTE → ATTENTE
SALLE D'AUDIENCE → PARQUET
SALLE DE BAINS
Voir illus. **Voilier : Dufour 38 Classic**
SALLE DES PAS PERDUS → TRAIN
SALMANAZAR → CHAMPAGNE, DOUZE, LITRE
Voir tab. **Bouteilles**
SALMIGONDIS → ACCUMULATION, CONFUSION, MÉLANGE
SALMONELLOSE → EMPOISONNEMENT
SALMONICULTURE
Voir tab. **Élevages**
SALOIR → COFFRE, SEL
SALOL → ANTISEPTIQUE
SALON → ART, CONCERT, CONVERSATION, EXPOSITION, FOIRE, INSTITUT, MANIFESTATION, RÉUNION
SALON bibliothèque, boudoir, fumoir, gloriette, kiosque, living, pergola, séjour, tonnelle
SALONNARD → SNOB
SALONNIER → MONDAIN (2)
SALOON → BAR, COW-BOY
SALOPERIE → SALETÉ
SALOPETTE → COMBINAISON, PANTALON, VÊTEMENT
Voir illus. **Modes et styles**
SALORGE → SEL
SALPE → LUMIÈRE
SALPÊTRE → MOISISSURE, NITRATE
SALPYNG(O)-
Voir tab. **Chirurgicales (interventions)**
SALSA
Voir tab. **Danses (types de)**
SALSE → VOLCAN
SALSÉENS
Voir tab. **Habitants (comment se nomment les)**
SALSES-LE-CHÂTEAU
Voir tab. **Habitants (comment se nomment les)**
SALSIFIS → LÉGUME
SALTATION → DANSE, PANTOMIME
SALTIGRADE → SAUT
SALTIMBANQUE → BALADIN, COMÉDIEN, FORAIN
SALTO → SAUT
SALUBRE → SAIN
SALUBRITÉ → DÉSINFECTION, HYGIÈNE, PROPRETÉ
SALUER → BIENVENUE, COURBER
SALUER courbette, génuflexion, présenter ses civilités, présenter ses devoirs, présenter ses hommages, présenter ses respects, rendre hommage à, révérence, salutation, salve, souhaiter le bonjour, tirer son chapeau à
SALURE → SEL
SALUT → CIVILITÉ, IMMORTEL (2), INCLINATION, PROVIDENCE, RELIGION, RÉVÉRENCE, REVOIR (3)
SALUT bénédiction, faveur, grâce
SALUTAIRE → AVANTAGEUX, BIENFAISANT, BON (1), FAVORABLE, PRÉCIEUX, SAIN, UTILE
SALUTATION → SALUER

937

SALVE → COUP, FEU, RAFALE, SALUER, TIR

SALVE REGINA → VIERGE (1)

Voir tab. **Prières et offices de l'Église catholique romaine**

SALVIA LAVANDULIFOLIA

Voir tab. **Plantes médicinales**

SALVINIA → MARAIS

SAMADHI

Voir tab. **Yoga**

SAMARE → FRÊNE, FRUIT

SAMARIUM

Voir tab. **Éléments chimiques (symbole des)**

SAMBA → DANSE

Voir tab. **Danses (types de)**

SAMBOUK

Voir tab. **Bateaux**

SAMBUQUE → GREC, HARPE

SAMIZDAT → CENSURE

SAMMIELLOIS

Voir tab. **Habitants (comment se nomment les)**

SAMOURAÏ → JAPONAIS

SAMOUSSA → BEIGNET

SAMOVAR → BOUILLIR, THÉ

SAMOYÈDE → TRAÎNEAU

SAMOYÈDES → NOMADE

SAMPAC → JASMIN

SAMPAN → EMBARCATION, VOILIER

Voir tab. **Bateaux**

SAMPLEUR

Voir tab. **Instruments de musique**

SAMSARA

Voir tab. **Bouddhisme**

SAMSON → FORT (2)

SAMUEL I ET II

Voir tab. **Bible**

SANATORIUM → HÔPITAL, SANTÉ, TUBERCULOSE

SANCIR → COULER

SANCTIFIÉ → SAINT (2)

SANCTION → AVERTISSEMENT, BLÂME, CARTON, CHÂTIMENT, CONSÉCRATION, PUNITION, RÉPRESSION

SANCTION amende, approbation, avertissement, blocus, carton jaune, carton rouge, châtiment, condamnation, confirmation, correction, embargo, entérinement, homologation, peine, pénalité, penalty, punition, répression, sévir, suspense, validation

SANCTIONNER → ADOPTER, APPROUVER, CONCLURE, CONDAMNER, DÉCIDER, PUNIR, VALIDER

SANCTUAIRE → RÉSERVE, SACRÉ, TEMPLE

SANCTUS → HYMNE

Voir tab. **Prières et offices de l'Église catholique romaine**

SANDALE → CHAUSSURE, QUARTIER, RELIGIEUX (1)

Voir illus. **Chaussures**

Voir illus. **Modes et styles**

SANDALE spartiates

SANDALETTE

Voir illus. **Chaussures**

SANDJAK → PACHA

SANDOW → CÂBLE, CORDE, LIEN

SANDWICH → PAIN, REPAS, VERRE

SANFLORAINS

Voir tab. **Habitants (comment se nomment les)**

SANG → BANQUE, RACE, SIDA

Voir tab. **Phobies**

SANG anémie, anoxémie, artère, capillaire, chlorose, congestion, congestionné (être), épistaxis, exsangue, extraction, fluxion, globule blanc, globule rouge, hématie, hématurie, hémoglobine, hémogramme, hémophile, hémorragie, hydrémie, hyperbilirubinémie, hypercholestérolémie, hyperémie, hypoglycémie, hypoxémie, ictère, injecté, ischémie, jaunisse, leucémie, leucocyte, leucocytose, lignage, lymphocytose, naissance, origine, plaquette, plasma, pléthore, race, saignement, septicémie, sérum, souche, thrombocyte, toxémie, vaisseau, vasculaire, veine

SANG (MAUVAIS) → SOUCI

SANG D'ENCRE (SE FAIRE UN) → INQUIÉTER (S')

SANG-FROID → CALME, CONTRÔLE, FERMETÉ, FROIDEUR, IMPASSIBILITÉ, MAÎTRISE, RÉFLEXE

SANG-FROID affoler (s'), aplomb, calme, consciemment, contenir (se), contrôler (se), délibérément, détachement (avec), dominer (se), énerver (s'), flegme, froidement, impassibilité, indifférence, maîtriser (se), paniquer, self-control

SANG-MÊLÉ → CROISEMENT

SANGHA

Voir tab. **Bouddhisme**

SANGLANT → MEURTRIER (2)

SANGLE → ATTACHE, BANDE, CÂBLE, COURROIE, LIEN, SELLE

Voir illus. **Selle**

SANGLER → MALLE

SANGLIER → BROSSE, COCHON, GIBIER, PORC

Voir illus. **Héraldique**

Voir tab. **Animaux (termes propres aux)**

Voir tab. **Mammifères (classification des)**

SANGLIER babiroussa, compagnie, décousure, dentée, fouaille, harde, laie, marcassin, pécari, phacochère, porchaison, suites

SANGLON

Voir illus. **Selle**

SANGLOT → CHAGRIN, CRISE, LAMENTATION, LARME, PLEUR, SOUPIR

SANGLOTER → GÉMIR, PLEUR, PLEURER

SANGRIA → ORANGE

SANGSUE → SAIGNÉE, SUCER

Voir tab. **Animaux (classification simplifiée des)**

Voir tab. **Élevages**

SANGUIN → ROUGE, VAISSEAU

SANGUINAIRE → AGRESSIF, BARBARE, BÊTE (1), FÉROCE

SANGUINE → CRAYON, DESSIN, FUSAIN, ORANGE

Voir tab. **Couleurs**

Voir tab. **Dessin (vocabulaire du)**

SANHÉDRIN → ASSEMBLÉE, JUIF (1), TRIBUNAL

SANIE → PUS

SANISETTE → CABINE, WATER-CLOSET

SANITAIRE → HYGIÈNE, SANTÉ

SANITAIRES → WATER-CLOSET

SANS → DÉNUÉ

SANS autrement, dépourvu de, privé de, sinon

SANS APPEL → FERME (2)

SANS DÉLAI → URGENCE

SANS DOMICILE FIXE (SDF) → LOGEMENT

SANS DOMMAGE → SAIN

SANS EFFICACITÉ → VAIN

SANS ÉGAL → PAIR

SANS MALICE → CLAIR

SANS MERCI → IMPITOYABLE

SANS QUEUE NI TÊTE → INCOHÉRENT

SANS RÉSULTAT → VAIN

SANS RETOUR → JAMAIS

SANS SUCCÈS → VAIN

SANS TÊTE → VIS

SANS VIE → INÉGALITÉ

SANS-ABRI → LOGEMENT

SANS-CŒUR cruel, insensible, méchant

SANS-CULOTTE → RÉPUBLICAIN

SANS-FIL → TÉLÉGRAMME

SANS-GÊNE → CURIOSITÉ, DÉSINVOLTE, IMPOLITESSE, INCONVENANT, INDISCRET

SANS-GÊNE cavalier, désinvolte, envahissant, familier, impoli, importun, inconvenant, indiscret

SANSONNET → ÉTOURNEAU

SANS-PATRIE → NATIONALITÉ, PATRIE

SANS-SOUCI → INSOUCIANT

SANTALINE → TEINTURE

SANTÉ aérium, affaiblissement, brillant, chancelant, complexion, constitution, déficient, délicat, dépérissement, dispensaire, éclatant, endurance, étiolement, florissant, Hygie, précaire, préventorium, recouvrer, résistance, respirer, resplendissant, sanatorium, sanitaire, tempérament

SANTÉ (À LA) → TOAST

SANTIAG → BOTTE

Voir illus. **Chaussures**

SANTON → RELIGIEUX (1)

SANVE → MOUTARDE

SAOULER → ALCOOL, GRISER

SAPAIE → SAPIN

SAPE → PIOCHE, TRANCHÉE

SAPÈQUE → CHINOIS

SAPER → DÉMOLIR, ÉBRANLER, ENTAMER, ÉTEINDRE, MINER, RENVERSER, RUINER, TORPILLER

SAPEUR → INFANTERIE, SOLDAT

SAPEUR-POMPIER → INCENDIE, POMPIER

SAPHIR → BLEU (1)

Voir tab. **Pierres précieuses et semi-précieuses**

SAPHISME → AMOUR, HOMOSEXUEL (2), SEXE

SAPIDE → SAVEUR, SAVOUREUX

SAPIDITÉ → GOÛT, SAVEUR

SAPIN → CALÈCHE, CONIFÈRE, PARQUET

Voir tab. **Végétaux (classification simplifiée des)**

SAPIN épicéa, épinette, mélèze, pin, pinacées, sapaie, sapine, sapinette, sapinière

SAPINE → PLAFOND, PLANCHE, SAPIN

SAPINETTE → SAPIN

SAPINIÈRE → FORÊT, SAPIN

SAPONACÉ → SAVON

SAPONAIRE → SAVON

SAPONIFICATION → SAVON

SAPONINE → SAVON

SAPROPHYTE → MICROBE

SARABANDE → DANSE

SARBACANE → FLÈCHE, TUBE

SARCASME → FLÈCHE, HUMOUR, IRONIE, MOQUERIE, TRAIT

SARCASTIQUE → ACERBE, ACIDE (2), CAUSTIQUE, DIABOLIQUE, IRONIQUE, MÉCHANT, MORDANT (2), SATIRIQUE

SARCASTIQUE acerbe, acrimonieux, amer, brocarder, caustique, goguenard, gouailleur, incisif, ironique, moqueur, mordant, narquois, persifleur, railleur, ricaneur, sardonique

SARCELLE → GIBIER

Voir tab. **Oiseaux (classification simplifiée des)**

SARCLER → ARRACHER, HERBE, NETTOYER

SARCLOIR → CHARRUE

Voir tab. **Jardinage**

SARCOME → CANCER, TUMEUR

SARCOPHAGE → CADAVRE, CERCUEIL

SARCOPTE → ACARIEN, GALE, PARASITE (1)

SARDE → ROMAN (2)

SARDINE

Voir tab. **Poissons (classification simplifiée des)**

SARDINE allache, bolinche, clupéidés, physostomes, pilchard, royan, sardinelle

SARDINELLE → SARDINE

SARDINIER → PÊCHE

Voir tab. **Bateaux**

SARDOINE

Voir tab. **Pierres précieuses et semi-précieuses**

SARDONIQUE → CYNIQUE, DÉMONIAQUE, MÉCHANT, MOQUEUR, SARCASTIQUE

SARI → INDIEN (1), VÊTEMENT

SARIGUE

Voir tab. **Mammifères (classification des)**

SARISSE → LANCE

SARL → RESPONSABILITÉ

Voir tab. **Entreprise (vocabulaire de l')**

SARMENT → BRANCHE, VIGNE

SARONG → JUPE

SAROS → ÉCLIPSE

SAROUEL → PANTALON

SARRACÉNIE → PLANTE

SARRASIN → ARABE, BLÉ, TUILE

Voir tab. **Islam (vocabulaire de l')**

SARRAU → BLOUSE, VÊTEMENT

SARRIETTE

Voir tab. **Herbes, épices et aromates**

SARTRE

Voir tab. **Philosophie**

SAS → CABINE, DÉCOMPRESSION,

ÉCLUSE, SOUS-MARIN (1), TAMIS
SASHIMI → JAPONAIS
SASSAGE → FARINE
SASSANIDES → PERSE (2)
SASSER → FARINE
SATAN → ANGE, DIABLE, ENFER, ESPRIT, MAL (1)
Voir tab. **Démonologie**
SATANÉ → DAMNÉ
SATANIQUE → DÉMONIAQUE, DIABOLIQUE, MÉCHANT
SATELLITE → ASTRE, ASTRONAUTIQUE, DÉPENDANCE, FUSÉE, PLANÈTE, RELAIS
SATELLITE apogée, dépendant, géodésique, géostationnaire, géosynchrone, héliosynchrone, orbite, périgée, photo satellite, proche, révolution, satellite-relais, Spot, Spoutnik I, Stentor, voisin
SATELLITE-RELAIS → SATELLITE
SATI → VEUVE
SATIÉTÉ → FAIM, PROFUSION, SOIF
SATIN → SOIE
Voir tab. **Tissus**
SATIN doux, satiné, velouté
SATIN DE CHINE → TOILE
SATINÉ → BRILLANT (2), CHAIR, DOUCEUR, DOUX, GLACÉ, PAPIER, PEINTURE, SATIN, VELOURS
SATINER → LUSTRER
SATINETTE → TOILE
Voir tab. **Tissus**
SATIRE → ATTAQUE, CARICATURE, COMÉDIE, CRITIQUE (1), ÉCRIT (1), IRONIE, MOQUEUR, PAMPHLET
SATIRE catilinaire, diatribe, factum, libelle, moquer de (se), pamphlet, philippique, railler, tourner en dérision
SATIRIQUE → CAUSTIQUE, PIQUANT (2)
SATIRIQUE acerbe, acéré, caricature, caustique, charge, emporte-pièce (à l'), épigramme, épode, incisif, ironique, mordant, parodie, sarcastique, vitriol (au)
SATISFACTION → AFFECTIF, BÉATITUDE, CONTENTEMENT, FIERTÉ, JOUISSANCE, PÉNITENCE
SATISFACTION aise, bien-être, bonheur, compensation, complaisance, consolation, contentement, euphorie, extase, fatuité, fierté, gain de cause, joie, jouissance, plaisir, raison, réparation, satisfecit, suffisance, triomphe
SATISFAIRE → ACCÉDER, ACCOMMODER (S'), CALMER, CONVENIR, RABATTRE (SE), REMPLIR, RÉPONDRE, SOUSCRIRE, TENIR
SATISFAIRE accommoder (s'), accomplir, acquitter (s'), apaiser, arranger (s'), assouvir, calmer, combler, contenter, convenir, étancher, exaucer, exécuter, faire face à, plaire, pourvoir à, rassasier (se), remplir, répondre à, suffire à, tenir
SATISFAISANT → HONNÊTE, HONORABLE, SUFFISANT
SATISFAIT → CONTENT (2), FIER, PASSER, RAVI
SATISFAIT assouvi, comblé,

content, déçu, fâché, frustré, heureux, insatisfait, mécontent, ravi
SATISFECIT → RÉCOMPENSE, SATISFACTION
SATRAPE → GOUVERNEUR, PERSE (2), PROVINCE
SATURATEUR → HUMIDITÉ
SATURATION → PLUIE
SATURÉ → PLEIN, SURCHARGER
SATURÉ bourré, dégoûté, écœuré, encombré, fatigué, plein, rassasié, rempli
SATURER → CONDENSER, EMPLIR
SATURNALE → DÉBAUCHE
SATURNALES → ESCLAVE
SATURNE → PLANÈTE, SOLAIRE
Voir illus. **Système solaire**
Voir illus. **Astrologie**
Voir tab. **Planètes du système solaire**
SATURNE (MONT DE)
Voir illus. **Main**
SATURNISME → COLIQUE, INTOXICATION, PLOMB
SATYRE → BOUC, CHAMPÊTRE, CHÈVRE, HOMME, JAMBE, OBSCÈNE
Voir tab. **Mythologiques (créatures)**
SATYRIASIS → OBSÉDÉ, PHALLUS, SEXUALITÉ
SAUCE → CRAYON, DESSIN, JUS
Voir tab. **Dessin (vocabulaire du)**
SAUCE allonger, blanquette, bourguignon, cassoulet, chinois, civet, clarifier, étamine, fond, fricassée, fumet, gibelotte, lier, mouiller, navarin, passette, ragoût, réduire
SAUCÉE → AVERSE
SAUCIÈRE → VAISSELLE
SAUCISSE
Voir illus. **Charcuterie**
SAUCISSE chipolata, crépinette, farce, gendarme, hachis, merguez, saucisse de Francfort, saucisse de Montbéliard, saucisse de Morteau, saucisse de Strasbourg, saucisse de Toulouse
SAUCISSON → PAIN
Voir illus. **Charcuterie**
SAUCISSON cervelas, chorizo, coppa, dessiccation, figatelle, jésus, lonzo, mortadelle, pepperoni, rosette, salami
SAUCISSONNER → DÉCOUPER
SAUF → ÉPARGNER, INTACT, PART
SAUF (1) danger (hors de), inaltéré, indemne, intact, préservé, rescapé, sauvé, survivant, tiré d'affaire
SAUF (2) excepté, hormis, réserve de (sous)
SAUF-CONDUIT → ACCÈS, LAISSEZ-PASSER, PERMISSION
SAUGE
Voir tab. **Herbes, épices et aromates**
Voir tab. **Plantes médicinales**
SAUGRENU → BIZARRE, IMPOSSIBLE (2), IMPRÉVU (2), INCOHÉRENT, IRRATIONNEL, RIDICULE, SPÉCIAL
SAULAIE → SAULE
SAULE → BOIS
SAULE feuillard, salicacées, salicine, salicoside, saulaie, saule blanc,

saule cendré, saule Daphné, saule des vanniers, saule Marsault, saule pleureur, saule-amandier, saulée, sauleraie, saulsaie, saussaie, têtard
SAULÉE → SAULE
SAULERAIE → SAULE
SAULIEU
Voir tab. **Habitants (comment se nomment les)**
SAULSAIE → SAULE
SAUMÂTRE → AMER, DÉSAGRÉABLE
SAUMON → FONTE, MÉTAL, PLOMB
Voir tab. **Élevages**
Voir tab. **Poissons (classification simplifiée des)**
SAUMUR → ÉQUITATION
SAUMURAGE → SALER
SAUMURE → SALÉ
SAUNA → BAIN, SUER, VAPEUR
SAUNAGE → RÉCOLTE, SEL
SAUNAISON → SEL
SAUNIÈRE → COFFRE, SEL
SAUPOUDRER → PARSEMER
SAUR → HARENG, SALER
SAURÉ → JAUNE
SAURER → FUMER
SAURIENS → LÉZARD
SAURIN → HARENG
SAURISCHIENS → DINOSAURE
SAURISSERIE → USINE
SAUROPHIDIENS → SERPENT
SAUROPTÉRYGIENS → REPTILE
SAUSSAIE → SAULE
SAUSSURE (FERDINAND DE) → LINGUISTIQUE
SAUT → ATHLÉTISME, CAHOT, DESCENTE, FLEUVE, PLANCHE À VOILE, PLONGEON, SKI
Voir tab. **Sports**
SAUT à-coup, axel, boucle, cahot, cascade, cataracte, chute, détente, entrechat, flip, fosbury flop, gargouillade, haut-le-corps, lutz, préparation, réception, rouleau ventral, saccade, salchow, saltigrade, salto, saut de chat, secousse, soubresaut, sursaut, suspension, tressaillement, tressautement, voltige
SAUT (FAIRE UN) → PASSER
SAUT BATTU → DANSE
Voir tab. **Danse classique**
SAUT DE CHAT → SAUT
Voir tab. **Danse classique**
SAUT DE JAMBE
Voir tab. **Danse classique**
SAUT DE L'ANGE → PLONGEON
SAUT PÉRILLEUX → PIROUETTE
SAUT-DE-LIT → DÉSHABILLÉ, ROBE
SAUT-DE-LOUP → FOSSÉ
SAUTE → INÉGALITÉ, VARIATION
SAUTER → ASSAILLIR, ÉCLATER, ENJAMBER, FRANCHIR, JETER, PASSER, PLONGER, REBONDIR
SAUTER agresser, assaillir, attaquer, bondir sur, cabrioler, caracoler, éclater, enjamber, exploser, folâtrer, franchir, gambader, omettre, oublier, sautiller, voler en éclats
SAUTERELLE → ANGLE, ÉQUERRE, INSECTE, PÈLERIN
Voir illus. **Insectes**
SAUTERELLE criquet, grillon, orthoptères, squille

SAUTE-RUISSEAU → COLIS, NOTAIRE
SAUTEUSE → CASSEROLE, POÊLE
SAUTILLER → SAUTER
SAUTOIR → CHAÎNE, COLLIER, COU, HONORABLE, PENDENTIF
Voir illus. **Bijoux**
Voir illus. **Héraldique**
SAUVAGE → BESTIAL, BRUT, DUR, FAROUCHE, FAROUCHE, FÉROCE, INCULTE, MISANTHROPE (2), OURS, POIVRE, RUDE, SEUL
SAUVAGE abandonné, agreste, animal, apprivoisé, barbare, béotien, bestial, brutal, civilisé, craintif, dégrossi (mal), désert, domestique, élevé (mal), farouche, fauve, féroce, fruste, grossier, ignorant, inapprivoisable, inapprivoisé, incivilisé, inculte, indomptable, inhabité, insociable, intact, misanthrope, no man's land, primitif, redoutable, rudimentaire, rustique, rustre, sociable, solitaire
SAUVAGEON → GREFFE
SAUVAGERIE → BARBARIE, BRUTALITÉ, FÉROCITÉ
SAUVAGERIE barbarie, bestialité, brutalité, cruauté, férocité
SAUVAGINE → FOURRURE
Voir tab. **Chasse (vocabulaire de la)**
SAUVÉ → SAUF (1)
SAUVEGARDE → DÉFENSE, GARANTIE, PROTECTION, TUTELLE
SAUVEGARDE abri, auspices, barrière, bouclier, égide, garantie, palladium, préservation, protection, refuge, rempart
SAUVEGARDE DE JUSTICE → MAJEUR (1)
Voir tab. **Droit (termes de)**
SAUVEGARDER → CONSERVER, ENREGISTRER, PRÉSERVER, SAUVER
SAUVE-QUI-PEUT → FUITE
SAUVER → DÉLIVRER, PRÉSERVER, RACHETER
SAUVER arracher à, danger (hors de), délivrer, fuir, guérir, indemne, libérer, préserver, racheter, remettre, rescapé, ressusciter, rétablir, sain et sauf, sauvegarder, soustraire à
SAUVER (SE) → ALLER, BAGAGE, COURIR, DÉBORDER, DÉCAMPER, DÉGUERPIR, DISPARAÎTRE, ÉCHAPPER, ÉVADER (S'), PARTIR, RÉFUGIER (SE)
SAUVER (SE) déserter, échapper (s'), évader (s')
SAUVER OU PÉRIR → POMPIER
SAUVETTE (À LA) → MARCHAND
SAUVEUR → BIENFAITEUR, CHRIST, PROVIDENCE, REFUGE (1)
SAVANE → STEPPE, VÉGÉTATION
SAVANT → CHERCHEUR, CLERC, CULTURE, ÉRUDIT (2), SAVOIR (1), SAVOIR (2)
SAVANT (1) aréopage, chercheur, clerc, colloque, conférence, congrès, découvreur, éminence, érudit, expert, humaniste, inventeur, oracle, philosophe, sage, sommité, spécialiste, symposium
SAVANT (2) ardu, compétent,

939

compliqué, difficile, docte, doctoral, émérite, expert, habile, inabordable, inaccessible, industrieux, ingénieux, maître, pédant, pontifiant, professoral, scientifique, versé, virtuose

SAVARIN → MOULE

SAVATE → BOXE, CHAUSSON, PANTOUFLE

Voir illus. **Chaussures**

Voir tab. **Sports**

SAVETIER → CHAUSSURE

SAVEUR → GOÛT, VIANDE

SAVEUR acide, amer, déguster, délectable, délecter de (se), délicieux, divin, exquis, fade, flaveur, goût, goûteux, insipide, piment, piquant, salé, sapide, sapidité, sel, succulent, sucré

SAVOIR → ACQUIS, BAGAGE, CONNAISSANCE, CONNAÎTRE, CULTURE, IMAGINER, INFORMER, INSTRUCTION

SAVOIR (1) acquis, apprentissage, aptitude, bagage, capacité, compétence, connaissance, culture, éducation, élément, enseigner, érudit, érudition, expérience, flambeau, formation, habileté, inculquer, initiation, instruction, lumière, notion, phare, professer, rudiments, savant, savoir-faire, science, vulgariser

SAVOIR (2) annoncer, appris, assimiler, avertir, aviser, communiquer, demander, dénoncer, divulguer, docte, ébruiter, enquérir de (s'), érudit, faire part de, informer, informer de, informer de (s'), mettre au courant, notifier, omniscient, prévenir, publier, renseigner (se), savant, signifier

SAVOIR-FAIRE → ADRESSE, INTELLIGENCE, MANIÈRE, MÉTIER, SAVOIR (1)

SAVOIR-FAIRE adresse, aptitude, brio, délicatesse, dextérité, diplomatie, discrétion, doigté, entregent, finesse, habileté, maestria, tact, talent, tour de main, virtuosité

SAVOIR-VIVRE → BIENSÉANCE, CIVILITÉ, CONVENTION, DÉCENCE, ÉDUCATION, GOÛT, MANIÈRE, POLITESSE, TACT

SAVOIR-VIVRE bienséances, cérémonial, convenances, décorum, étiquette, protocole, usages

SAVON → DÉGRAISSER

SAVON alcalin, amygdalin, antiseptique, barbe (à), barre, brique, copeau, cosmétique, dermatologique, fongicide, gel, glycérine, glycérol, lanoline, liquide, Marseille (de), médicinal, opodeldoch, paillette, pain, parasiticide, poudre, saponacé, saponaire, saponification, saponine, savon de potasse, savon mou, savon noir, savonnette, sucre, surgras

SAVON DE POTASSE → SAVON

SAVON MOU → SAVON

SAVON NOIR → SAVON

SAVONNERIE → TAPIS, USINE

SAVONNETTE → MONTRE, SAVON

SAVONNIER → SAVON

SAVOURER → APPRÉCIER, BABINE, DÉGUSTER, DÉLICE, GOÛTER, JOUIR, MANGER, PROFITER

SAVOUREUX → ADMIRABLE, BON (1), DÉLICIEUX, EXQUIS, PITTORESQUE, SUAVE

SAVOUREUX amusant, appétissant, croustillant, délectable, délicieux, divin, excellent, exquis, fondant, gorgé de soleil, juteux, mûr, piquant, raffiné, sapide, succulent

SAWM → MUSULMAN (1)

SAXATILE → ROCHER

SAXE → PORCELAINE

SAXICOLE → ROCHER

SAXIFRAGE → DÉSESPOIR

SAXONS → BARBARE

SAXOPHONE → INSTRUMENT

Voir tab. **Instruments de musique**

SAYNÈTE → COMÉDIE, SCÈNE

SB

Voir tab. **Éléments chimiques (symbole des)**

SBF 250

Voir tab. **Bourse**

SBIRE → POLICIER, TUEUR

SBRINZ

Voir illus. **Fromages**

SC

Voir tab. **Éléments chimiques (symbole des)**

SCA

Voir tab. **Police nationale (organisation de la)**

SCABIEUX → GALE

SCABREUX → DANGEREUX, DÉLICAT, INDÉCENT, OSÉ, PÉRILLEUX

SCAFERLATI → TABAC

SCALA (LA) → OPÉRA

SCALARIFORME

Voir tab. **Forme de... (en)**

SCALDE → CHANTEUR, POÈTE

SCALÈNE → INÉGAL, TRIANGLE

Voir illus. **Géométrie (figures de)**

SCALP → INDIEN (2)

SCALPEL → ANATOMIE

Voir tab. **Instruments médicaux**

SCAMPI → BEIGNET, CREVETTE

SCAMPI FRITTI

Voir tab. **Spécialités étrangères**

SCANDALE → AFFAIRE, ÉCLAT, ESCLANDRE, HONTE, INDIGNATION, INFAMIE, RÉPUTATION

SCANDALEUX → AHURISSANT, HONTEUX, IMMORAL, INACCEPTABLE

SCANDALEUX choquant, déplacé, déplorable, éhonté, honteux, incongru, inconvenant, incorrect, indigne, malséant, outrageant, outrancier, révoltant

SCANDALISER → CHOQUER, INDIGNER, OFFENSER, OFFUSQUER, RÉVOLTER, SOULEVER

SCANDALISER (SE) formaliser de (se), froisser de (se), indigner de (s'), offenser de (s'), offusquer de (s'), vexer de (se)

SCANDENTIA

Voir tab. **Mammifères (classification des)**

SCANDER → DÉCLAMER, MARQUER, PONCTUER, RÉCITER, RYTHME

SCANDIUM

Voir tab. **Éléments chimiques (symbole des)**

SCANNER → BUREAU, INFORMATIQUE, RADIO, RADIOGRAPHIE

Voir tab. **Examens médicaux complémentaires**

Voir tab. **Informatique**

SCANOGRAPHIE → EXPLORATION

Voir tab. **Examens médicaux complémentaires**

SCANSION → MÈTRE, RYTHME

SCAPHANDRIER → PLONGEUR

SCAPHOÏDE

Voir tab. **Forme de... (en)**

SCAPHOPODES → MOLLUSQUE

SCAPIN → FOURBERIE

SCAPULAIRE → MEMBRE, MOINE, RELIGIEUX (1), VÊTEMENT

SCARABÉE → GRAVER, INSECTE, TALISMAN

SCARE → PERROQUET

SCARIFICATEUR → SAIGNÉE

Voir tab. **Instruments médicaux**

SCARIFICATION → BALAFRE, BRÛLER, CICATRICE, CONGESTION, ENTAILLE, MARQUE

SCARIFIER → INCISER, LABOURER

SCARLATINE → ENFANCE, INFECTION

SCAROLE

Voir tab. **Salades**

SCARRON → BURLESQUE

SCAT → JAZZ

SCATOLOGIQUE → EXCRÉMENT

SCCRS

Voir tab. **Police nationale (organisation de la)**

SCEAU → ANNEAU, BULLE, CACHET, COMMUNE, CONTRÔLE, DEVISE, MARQUE, SIGNATURE, TRACE

Voir tab. **Collectionneurs**

SCEAU bulle, chancelier, coin, empreinte, estamper, estampille, griffe, label, marque, matrice, plomb, poinçon, scellés, sigillé, sigillographie

SCEAUX

Voir tab. **Habitants (comment se nomment les)**

SCÉENS

Voir tab. **Habitants (comment se nomment les)**

SCÉLÉRAT → COQUIN (1), INFIDÉLITÉ, MALFAITEUR

SCÉLÉRATESSE → INFAMIE, INFIDÉLITÉ

SCELLEMENT

Voir illus. **Porte**

SCELLER → CIMENTER, COLLER, CONSOLIDER, FERMER, PLOMBER

SCELLÉS → FAILLITE, SCEAU

SCÉNARIO → CANEVAS, DESCRIPTION, FILM, INTRIGUE, OSSATURE, PLAN, RÉCIT, RÉSUMÉ (1)

Voir tab. **Cinéma**

SCÉNARIO action, argument, canevas, découpage, intrigue, livret, mécanisme, plan, processus, script, story-board, synopsis, trame

SCÈNE → DESCRIPTION, ESCLANDRE, PARTIE, PAYSAGE, PLANCHE, PLATEAU, RÉCIT, SPECTACLE, SURÉLEVÉ, TABLEAU

Voir illus. **Théâtre**

Voir tab. **Cinéma**

SCÈNE action, algarade, altercation, arrière-plan, avant-scène, deus ex machina, discussion, dispute, ductile, esclandre, estrade, intrigue, lointain, planches, plateau, podium, querelle, rampe, saynète, scénographie, scénologie, séquence, sketch, spectacle, tableau, toile de fond, tribune, versatile, vision

SCÉNIQUE → DRAMATIQUE, THÉÂTRAL

SCÉNOGRAPHIE → MISE, SCÈNE, THÉÂTRE

SCÉNOLOGIE → SCÈNE, THÉÂTRE

SCEPTICISME → DOUTE, INDIFFÉRENCE, SOUPÇON

Voir tab. **Philosophie**

SCEPTIQUE → ATHÉE, BLASÉ, DOUTE, INCRÉDULE, IRRÉLIGIEUX, MÉFIANT, NON-CROYANT, PERPLEXE, PESSIMISTE

SCEPTIQUE (1) pyrrhonisme

SCEPTIQUE (2) athée, dubitatif, incrédule, incroyant, irréligieux, perplexe

SCEPTRE → BÂTON, COMMANDEMENT, IMPÉRIAL (2), INSIGNE (1), SOUVERAIN (1)

SCHAPPE → SOIE

SCHÉHÉRAZADE → CONTE

SCHÉMA → BROUILLON (1), CANEVAS, DESSIN, ESQUISSE, FIGURE, PLAN, PROJET, REPRÉSENTATION

SCHÉMA canevas, courbe, dessin, diagramme, ébauche, esquisse, figure, graphe, graphique, plan, processus, structure, tracé

SCHÉMATIQUE → SIMPLE, SIMPLIFIÉ

SCHÉMATISÉ → SIMPLIFIÉ

SCHENKELE

Voir tab. **Gâteaux régionaux et étrangers**

SCHERZO

Voir tab. **Musicales (formes)**

SCHIBBOLETH → ÉPREUVE

SCHISMATIQUE → HÉTÉRODOXE, IMPIE, NON-CONFORMISTE, ORTHODOXE

SCHISME → HÉRÉSIE, PARTI, RELIGION, SÉPARATION

SCHISTE → ARDOISE

Voir tab. **Roches et minerais**

SCHIZOPHRÉNIE → DÉLIRE, DÉSAGRÉGATION, PSYCHOSE

SCHLASS → IVRE

SCHLICH → MINERAI

SCHLITTE → TRAÎNEAU

SCHNORCHEL → SOUS-MARIN (1)

SCHOFAR → CORNE, JUIF (2)

SCHOÏNOPENXATOPHILE

Voir tab. **Collectionneurs**

SCHOONER → NAVIRE, VOILIER

SCHTROUMPFS (LES)

Voir tab. **Bande dessinée (héros de)**

SCHUHL → RABBIN

SCHUSS → DESCENTE

SCIALYTIQUE → ÉCLAIRAGE, OMBRE

Voir tab. **Instruments médicaux**

SCIAPHILE → SOLEIL

SCIATHÉRIQUE → CADRAN

SCIATIQUE → HANCHE

SCIE → BOUCHER (2), CHANSON, RÉPÉTITION

SCIE avoyer, boîte à onglets, pas, passe-partout, pince à avoyer, scie de long, serratifolié, serratiforme, tiers-point, tourne-à-gauche, trait de scie

SCIE DE LONG → SCIE

SCIE MUSICALE
Voir illus. **Percussions**
Voir tab. **Instruments de musique**

SCIEMENT → RÉFLEXION

SCIENCE → CONNAISSANCE, INSTRUCTION, SAVOIR (1), SUBTILITÉ

SCIENCE adresse, art, botanique, compétence, connaissance, culture, discernement, épistémologie, érudition, expérience, géologie, habileté, instruction, logique, minéralogie, omniscience, physicalisme, positivisme, scientisme, talent, technique, zoologie

SCIENCE FULGURANTE → FOUDRE

SCIENCE-FICTION → IMAGINAIRE (2), RÉCIT

SCIENCE-FICTION androïde, cyborg, extraterrestre, humanoïde, mutant, politique-fiction

SCIENCES → UNIVERSITÉ

SCIENCES NATURELLES → CHOSE

SCIENCES SOCIALES → UNIVERSITÉ

SCIENTIFIQUE → CHERCHEUR, CIVILISATION, SAVANT (2)

SCIENTIFIQUE empirique, méthodologie, objectif, rationnel

SCIENTISME → SCIENCE

SCIER araser, chantourner, débiter, refendre

SCILLE → JACINTHE

SCINDER → COUPER, DÉCOMPOSER, DIVISER (SE), PARTAGER

SCINTIGRAPHIE → RADIOGRAPHIE
Voir tab. **Examens médicaux complémentaires**

SCINTILLANT → BRILLANT (1), ÉTINCELANT, PHOSPHORESCENT

SCINTILLEMENT → LUEUR

SCINTILLER → BRILLER, CHATOYER, LUIRE, MIROITER

SCIOGRAPHIE → HEURE, OMBRE

SCION → ARBRE, BRANCHE, GREFFE, PLANT, POUSSE, REJET
Voir tab. **Pêche**

SCIOTTE → TAILLEUR

SCISSILE → FENDRE

SCISSION → DIVISION, HÉRÉSIE, PARTI, SÉPARATION

SCISSIPARITÉ → BOURGEON, MICROBE, MULTIPLICATION, REPRODUCTION

SCISSURE → POUMON

SCISSURE INTERHÉMISPHÉRIQUE → CERVEAU

SCIURE → DÉBRIS, POUSSIÈRE

SCIURIDÉS → ÉCUREUIL, MARMOTTE

SCLÉROMÈTRE
Voir tab. **Instruments de mesure**

SCLÉROSE → TISSU

SCLÉROSE EN PLAQUES → IMMUNITAIRE

SCLÉROSER → DURCIR, IMMOBILISER, PARALYSER

SCLÉROTIQUE → BLANC (2), MEMBRANE, ŒIL
Voir illus. **Œil**

SCOLAIRE assistante maternelle, chargé de cours, collège, conseiller pédagogique d'éducation, directeur, documentaliste, école élémentaire, école maternelle, école primaire, lycée, lycée agricole, lycée professionnel, maître auxiliaire, PAE (projet d'action éducative), Pacte, principal, professeur agrégé, professeur certifié, professeur des écoles, proviseur, surveillant

SCOLARISATION → COLONISATION, PAUVRETÉ

SCOLARITÉ → ÉTUDE

SCOLASTIQUE → THÉOLOGIE
Voir tab. **Philosophie**

SCOLIASTE → COMMENTAIRE

SCOLIE → COMMENTAIRE, EXPLICATION, NOTE

SCOLIOSE → COLONNE VERTÉBRALE, DÉFORMATION, DÉVIATION
Voir tab. **Pédiatrie**

SCOLOPACIDÉS → BÉCASSE

SCOMBRIDÉS → MAQUEREAU, THON

SCOOP → ACTUALITÉ, EXCLUSIVITÉ, INFORMATION, NOUVELLE

SCOOTER → MOTOCYCLE, ROUE, VÉHICULE

SCORBUT → CONSERVE, VITAMINE

SCORE → CLASSEMENT, POINT, RÉSULTAT

SCORIE → CHUTE, DÉCHET, ÉCUME, HOUILLE, LAVE, MÉTAL, RÉSIDU, VOLCAN

SCORPÈNE → SCORPION

SCORPIOÏDE → SCORPION

SCORPION → FOUET
Voir tab. **Animaux (classification simplifiée des)**
Voir tab. **Astrologie**
Voir tab. **Zodiaque**

SCORPION aiguillon, androctonus, arachnides, bothriuridés, buthidés, centurus, chactidés, chærilidés, chélifère, diable de mer, diplocentidés, nèpe, panorpe, pédipalpe, rascasse, scorpène, scorpioïde, scorpionidés, véjovidés

SCORPIONIDÉS → SCORPION

SCOTCH → COLLANT, FIXATION, RUBAN, WHISKY

SCOTIE → COLONNE, MOULURE
Voir illus. **Colonnes**
Voir tab. **Architecture**

SCOTOME → ÉBLOUISSEMENT, MIGRAINE

SCOTOMISATION → NÉGATION

SCOTOPHOBIE
Voir tab. **Phobies**

SCOTTISH → DANSE

SCOUBIDOU → TRESSE

SCOUT
Voir tab. **Saints patrons**

SCRABBLE → COMBINAISON, JEU

SCRAMASAXE → FRANCS

SCRAP → CAOUTCHOUC

SCRAPER → VÉHICULE

SCRIBAN → BUREAU, SECRÉTAIRE

SCRIBE → COPIER, DOCTEUR, MANUSCRIT

SCRIBOUILLARD → BUREAU

SCRIPOPHILE
Voir tab. **Collectionneurs**

SCRIPT → CANEVAS, DIALOGUE, SCÉNARIO

SCRIPTEUR → BULLE

SCRIPTURALE → MONNAIE
Voir tab. **Monnaie**

SCROFULE → ABCÈS

SCROTUM → BOURSE, TESTICULE
Voir illus. **Génitaux (appareils)**

SCRUB → BROUSSE

SCRUPULE → CAS, HONTE

SCRUPULE conscience, considération, délicatesse, égard, honte, machiavélique, pudeur, vergogne

SCRUPULEUX → CONSCIENCIEUX, DEVOIR, FIDÈLE (2), HONNÊTE, MÉTICULEUX, MINUTIEUX, POINTILLEUX, PRÉCIS, RÉGULIER

SCRUPULEUX attentif, consciencieux, formaliste, honnête, intègre, maniaque, méticuleux, minutieux, pinailleur, pointilleux, probe, rigoureux, tatillon, vétilleux

SCRUTATEUR → INTENSE, VOTE

SCRUTER → CHERCHER, EXAMINER, FIXER, INSPECTER, OBSERVER, PLONGER, PROMENER, REGARDER, SONDER

SCRUTER examiner, explorer, fouiller du regard, inspecter, observer, pénétrer, sonder

SCRUTIN → ÉLECTION, RÉFÉRENDUM, REPRÉSENTATION, RÉSULTAT, VOTE

SCRUTIN dépouiller, majoritaire, mode de scrutin, plurinominal, proportionnel, scrutin de ballottage, uninominal

SCTIP
Voir tab. **Police nationale (organisation de la)**

SCUBAC → LIQUEUR

SCULPTER → CISELER, MODELER, MOULER

SCULPTER buriner, camée, ciseler, dégrossir, ébaucher, enjolivé, épanneler, façonner, fouiller, glyptique, intaille, modeler, orner, tailler, toreutique

SCULPTEUR → SCULPTURE

SCULPTEUR céroplaste, coroplaste

SCULPTURAL → BEAU, SPLENDIDE

SCULPTURE → ART, PLASTIQUE (2)

SCULPTURE animalier, bustier, chryséléphantine, ciseleur, entailleur d'images, figuriste, glyptothèque, griffonnement, imagier, modeleur, ornemaniste, sculpteur, statuaire, toreuticien

SCUTUM → BOUCLIER

SDF → CLOCHARD, DOMICILE, VAGABOND (1)

SE
Voir tab. **Éléments chimiques (symbole des)**

SEA-LINE → PÉTROLE, TRANSPORT

SÉANCE → CONGRÈS, CONSULTATION, PARLEMENT, RÉUNION, SPECTACLE

SÉANCE consulter (se), débattre, délibérer, discuter, immédiatement, réunir (se), siéger, sur-le-champ, tenir conseil

SÉANCE TENANTE → DÉLAI, SUITE

SÉANT → DÉCENT
Voir tab. **Héraldique (vocabulaire de l')**

SEAU
Voir illus. **Canon**

SEAU abondamment, champagne (à), chaudron, cordes (des), glace (à), hallebardes (des), pot de chambre, seau à vifs, torrents (à), vase de nuit, verse (à)

SEAU À VIFS → SEAU

SÉBACÉE (GLANDE)
Voir illus. **Peau**
Voir illus. **Poil**
Voir tab. **Endocrinologie**

SÉBILE → MENDIANT (1)

SEBKHA → LAC

SÉBUM → GRAS, SÉCRÉTER

SEC → ARIDE, BREF (1), BRUT, CASSANT, CHARME, CRU (2), HUMIDITÉ, IMPÉRATIF (2), INSENSIBLE, SÉVÈRE, STÉRILE, TRANCHANT
Voir tab. **Tarot**

SEC anhydre, aride, assec, autoritaire, brusque, cassant, crevassé, décharné, désert, déshydraté, desséché, dur, étique, fané, flétri, froid, gercé, glacial, indifférent, infertile, insensible, lyophilisé, maigre, racorni, squelettique, stérile, tari, tranchant

SEC DE TOILE (À) → NAVIGUER

SÉCA- → COUPER

SECAM → TÉLÉVISION

SÉCANTE → CIRCONFÉRENCE

SÉCATEUR → CISAILLE, VENDANGE
Voir tab. **Jardinage**

SÉCESSION → INDÉPENDANCE, SÉPARATION, SOULÈVEMENT

SÉCESSIONNISTE → AUTONOMIE, NATIONALISME

SÉCHAGE
Voir tab. **Chocolat**

SÈCHE → VALLÉE

SÈCHEMENT âprement, brutalement, durement, froidement, méchamment, rudement, sévèrement

SÉCHER → ATTENDRE, ÉPONGER, FLÉTRIR

SÉCHER assainir, assécher, dépérir, déshydratation, dessiccation, drainer, essuyer, étancher, étuve, languir, lyophilisation, sécherie, sécheur, séchoir

SÉCHERESSE → DURETÉ

SÉCHERESSE aréisme, aridité, austérité, dureté, froideur, improductivité, insensibilité, pauvreté, siccité

SÉCHERIE → SÉCHER

SÉCHEUR → SÉCHER

SÉCHOIR → PENDRE, SÉCHER

SÉCLUSION → DÉFENSE

SECOND → AUXILIAIRE (1), BRAS, CADET, COLLABORATEUR, COMPLICE

SECOND (1) adjoint, assesseur, assistant, auxiliaire, bras droit, collaborateur

SECOND (2) ennuyeux, insipide, médiocre, ordinaire, quelconque

SECOND MAÎTRE
Voir illus. **Grades militaires**

SECOND MARCHÉ
Voir tab. **Bourse**

SECONDAIRE → ANNEXE, CONTINGENT, INCIDENT (2), INDUSTRIEL (2), INFÉRIEUR, MARGINAL, MOINDRE, SUPERFICIEL
Voir tab. **Couleurs**
Voir tab. **Géologique (échelle des temps)**

SECONDAIRE accessoire, conséquence, insignifiant, mésozoïque, mineur, moindre importance (de), négligeable, séquelle, subalterne, suite

SECONDE → INSTANT, INTERVALLE

SECONDE GUERRE MONDIALE
Voir tab. **Histoire (grandes périodes)**

SECONDE MAIN (DE) → OCCASION

SECONDER → ASSISTER, SOUTENIR, UTILE

SECONDER aider, appuyer, appuyer, encourager, épauler, favoriser, servir, soutenir

SECOUER → BALLOTTER, BOULEVERSER, BOUSCULER, CHAVIRER, ÉBRANLER, MALMENER, REMUER

SECOUER activer (s'), affranchir (s'), balancer, ballotter, bouleverser, cahoter, choquer, commotionner, ébrouer (s'), émouvoir, hocher, libérer de (se), réagir, réveiller (se), toucher, traumatiser

SECOURABLE → BON (1), CHARITABLE, HUMAIN, SECOURS, SERVIABLE

SECOURIR → DÉFENDRE, DÉLIVRER, SOULAGER, SOUTENIR

SECOURIR défendre, porter assistance à, venir à la rescousse de

SECOURS → ASSISTANCE, CHARITÉ, DÉFENSE, PROTECTION, PROVIDENCE, RÉCONFORT, REFUGE (1), RENFORT, RESSOURCE, SOUTIEN, SUBSISTER, SUPPORT, UTILITÉ

SECOURS aide, aide financière, appui, assistance, aumône, bienfaisant, charitable, don, obole, protection, réconfort, renfort, secourable, soutien, subside, subvention

SECOURS CATHOLIQUE → PAUVRETÉ

SECOURS POPULAIRE → PAUVRETÉ

SECOUSSE → BRUSQUE, CAHOT, PERTURBATION, SAUT, TREMBLEMENT

SECOUSSE à-coup, cahot, choc, collision, frémissement, oscillation, percussion, saccade, sismique, soubresaut, télescopage, tellurique, tremblement, trépidation, vibration

SECOUSSE TELLURIQUE
Voir tab. **Tremblements de terre**

SECRET → CACHOTTERIE,

CLANDESTIN, DESSOUS, ÉNIGME, FUYANT, INCONNU (2), INTIME (2), INVISIBLE, MYSTÈRE, OBSCUR, OCCULTE, POT, RENSEIGNEMENT, SILENCE, SOURNOIS, SOUTERRAIN (2), VÉRITÉ

SECRET (1) anonymat, arcanes, cachette (en), cachot, catimini (en), clef, coulisse, dérobée (à la), dessous, fin mot, furtivement, incognito, subrepticement, tapinois (en), tréfonds

SECRET (2) barbouze, caché, cachottier, clandestin, collusion, complot, conciliabule, confidentiel, conjuration, connivence, conspiration, conventicule, cryptogramme, dérobé, discret, dissimulé, ésotérique, espion, hermétique, jardin secret, messe basse, mystérieux, occulte, renfermé, réservé, souterrain, taupe, ténébreux

SECRET (EN) → CACHETTE

SECRÉTAIRE → BUREAU, EMPLOYÉ
Voir tab. **Saints patrons**

SECRÉTAIRE bonheur-du-jour, dactylographe, scriban, sténographe

SECRÉTAIRE GÉNÉRAL → SYNDICAT

SECRÉTAIRE PERPÉTUEL → ACADÉMIE

SECRÉTARIAT → BUREAU

SECRÈTEMENT → CAPE, CONFIDENCE, MAIN, MANTEAU, OMBRE

SÉCRÉTER bile, diastase, distiller, endocrine, exocrine, fabriquer, hormone, mucus, produire, salive, sébum, sérosité, suc, sueur

SECTAIRE → ABSOLU, INTRANSIGEANT, PARTISAN (2), PURITAIN, TOLÉRANCE

SECTARISME → INTOLÉRANCE, RELIGION

SECTATEUR → ADEPTE, ADHÉRER, CERTITUDE, SECTE

SECTE → BANDE, COMMUNAUTÉ, RELIGION

SECTE adepte, amish, disciple, doctrine, endoctrinement, gourou, idéologie, mormon, partisan, prosélytisme, sectateur, séide, suppôt

SECTEUR → ACTIVITÉ, COIN, COMPÉTENCE, DOMAINE, LIEU, PARTIE, RÉGION, SERVICE, SPÉCIALITÉ, ZONE

SECTEUR branche, compétence, domaine, fief, juridiction, partie, rayon, ressort, sectoriser, spécialité, territoire, zone

SECTEUR D'ACTIVITÉ
Voir tab. **Population**

SECTION → ARMÉE, ARTICLE, COUPE, PARTI, PORTION, RUBRIQUE, SERVICE, TROUPE, UNITÉ

SECTION cellule

SECTIONNER → COUPER, DIVISER, PARTAGER

SECTORISER → SECTEUR

SÉCULAIRE → ANCIEN, ANTIQUE, CENT, SIÈCLE

SÉCULARISER → CLERGÉ

SÉCULIER → ABBÉ, BÉNÉFICE, MONDAIN (2), PRÊTRE, RÈGLE, RÉGULIER, RELIGIEUX (2)

SÉCURITÉ → ORDRE, PRÉVENTION, PROTECTION, STABILITÉ, SÛRETÉ, TRANQUILLITÉ, VERRE

SÉCURITÉ abri (à l'), calme, confiance (en), garde du corps, gorille, ordre, paix, prévôt, protection, protégé, quiétude, sûreté (en), tranquillité

SÉDATIF → CALMANT, CALMER, HASCHISCH, NARCOTIQUE (1)
Voir tab. **Médicaments**

SÉDÉLOCIENS
Voir tab. **Habitants (comment se nomment les)**

SÉDENTAIRE → FIXE (2)

SÉDENTARISATION → FIXATION

SÉDIMENT → DÉPÔT

SÉDIMENTAIRE → ROCHE

SÉDIMENTATION → ACCUMULATION

SÉDIMENTOLOGIE → GÉOLOGIE, ROCHE

SÉDITIEUX → REBELLE (2)

SÉDITION → ACCORD, AGITATION, COMPLOT, DÉSOBÉISSANCE, ÉMEUTE, FRONDE, RÉSISTANCE, RÉVOLTE, SOULÈVEMENT

SÉDUCTEUR → CŒUR, GALANT, JUPON, PREMIER (1), SÉDUISANT

SÉDUCTEUR Casanova, don Juan, libertin, Lovelace, Valmont

SÉDUCTION → ATTRACTION, COQUETTERIE, GALANTERIE, INFLUENCE, MAGIE

SÉDUCTION charme

SÉDUIRE → ALLÉCHER, APPÂTER, ATTRAPER, BRILLER, CAPTIVER, CHARME, CONQUÉRIR, COURTISER, DRAGUER, ÉBLOUIR, EMBALLER, ENJÔLER, ENSORCELER, ENLEVER, PLAIRE, RAVAGE, RAVIR, SUBJUGUER, TENTER

SÉDUIRE abuser, allécher, appâter, attirer, charmer, conquérir, éblouir, ensorceler, enthousiasmer, envoûter, leurrer, subjuguer, tenter, tromper

SÉDUISANT → AGRÉABLE, APPÉTISSANT, ATTIRANT, BEAU, CHARMANT, ÉBLOUISSANT, ENVELOPPANT, EXCITANT (2), FASCINANT, INTÉRESSANT, IRRÉSISTIBLE, PLAISANT, SPLENDIDE

SÉDUISANT allécheant, attirant, attrayant, captivant, charmant, charmeur, enchanteur, enivrant, ensorcelant, envoûtant, fascinant, intéressant, séducteur, tentant

SEERSUCKER
Voir tab. **Tissus**

SÉES
Voir tab. **Habitants (comment se nomment les)**

SEF
Voir tab. **Police nationale (organisation de la)**

SÉFARADE → JUIF (1)

SÉGALA → TERRE

SEGMENT → CÔTÉ, MORCEAU, PORTION
Voir illus. **Moteur**

SEGMENTER → DÉCOUPER, DIVISER

SÉGRAIRIE → BOIS

SÉGRÉGATION → COLONISATION, DISCRIMINATION, ISOLEMENT, RACE, SÉPARATION, XÉNOPHOBIE

SÉGRÉGATION RACIALE → RACISME

SEGUE
Voir tab. **Musique (vocabulaire de la)**

SEICHE → ENCRE, LAC, MOLLUSQUE, VAGUE (1)

SÉIDE → ADEPTE, ADHÉRER, CERTITUDE, FANATIQUE (1), MAIN, SECTE

SEIGLE → CÉRÉALE

SEIGLE champart, ergot, méteil

SEIGNEUR → CHRIST

SEIGNEUR banneret, châtelain, dimanche, fief, gentilhomme, grand, litre, magnat, maître, noble, requin, sabbat, sire, souverain, suzerain, tenure, vassal, vassal lige

SEILLE → BAC

SEIN → BRAS, BUSTE, GORGE, POITRINE
Voir tab. **Chirugicales (interventions)**

SEIN allaiter, aréole, entrailles, galactophore, giron, mamelon, mamilloplastie, mammectomie, mammographie, mammoplastie, mastectomie, mastodynie, téterelle, tétin, téton, tire-lait, ventre

SEINE OU SENNE → FILET, TRAÎNEAU, PÊCHE, TRAÎNE

SEING → SIGNATURE

SEING PRIVÉ → NOTAIRE

SÉISME
Voir tab. **Tremblements de terre**

SÉISME → CATASTROPHE, TREMBLEMENT DE TERRE

SEIZAINE → CORDE

SÉJOUR → SALON

SÉJOURNER → DEMEURER, HABITER, LOGER, PASSER

SÉJOURNER croupir, stagner, villégiature

SEL → BILE, SAVEUR
Voir tab. **Herbes, épices et aromates**
Voir tab. **Superstitions**

SEL déchloruré, esprit, faux saunier, gabelle, halite, hyposodé, marais salant, piment, piquant, saliculture, salification, salignon, salin, salinage, saline, salinisation, salinité, saloir, salorge, salure, saunage, saunaison, saunière, sel gemme

SEL DE CÉLERI → TOMATE

SEL GEMME → SEL
Voir tab. **Minéraux et utilisations**

SÉLECTEUR DE MICRO
Voir illus. **Guitare**

SÉLECTEUR DE TIR
Voir illus. **Fusils**

SÉLECTIF → CHOISIR

SÉLECTION → ACCOUPLEMENT, BEST OF, CHOIX, CRITÈRE, HARAS, QUALIFICATION, REPRODUCTION

SÉLECTION analectes, anthologie, assortiment, candidat, chrestomathie, collection, compétiteur, compilation, concouriste, concurrent, critérium, darwinisme, digest, échantillonnage, éliminatoire, eugénique, eugénisme, éventail, florilège, lamarckisme, malthusianisme, morceaux choisis, participant, série

SÉLECTIONNÉ → INTERNATIONAL

SÉLECTIONNER → BARRAGE, CHOISIR, EXTRAIRE, TRIER

SÉLECTIONNEUR → SPORTIF (2)

SÉLÉNÉ → LUNE

SÉLÉNITE → LUNE

SÉLÉNIUM
Voir tab. **Éléments chimiques (symbole des)**

SÉLÉNOGRAPHIE → LUNE
Voir tab. **Sciences : termes en -ologie et -ographie**

SÉLÉNOLOGIE
Voir tab. **Sciences : termes en -ologie et -ographie**

SÉLEUCIDES → PERSE (2)

SELF-CONTROL → CONTRÔLE, MAÎTRISE, SANG-FROID, SOI

SELF-SERVICE → RESTAURANT

SELLE → CHEVREUIL, EXCRÉMENT
Voir illus. **Bicyclette**

SELLE arçon, coprologie, cru (à), dressage (de), étriers, excrément, fécalogramme, fèces, fontes, matière fécale, obstacle (d'), poil (à), pommeau, quartier, randonnée (de), sangle, troussequin

SELLE ANGLAISE
Voir illus. **Mouton**

SELLERIE → CUIR, HARNAIS

SELLES-SUR-CHER
Voir illus. **Fromages**

SELLETTE → ACCUSÉ (1), DEVINER, TABOURET
Voir illus. **Sièges**

SELON → ŒIL, PROPORTION, SUIVANT (2)

SELON après (d'), conformément à, fonction de (en), suivant

SELON SON BON PLAISIR → VOLONTÉ

SEMAILLES → SEMENCE

SEMAINE → BAGUE, SEPT, TEMPS

SEMAINE hebdomadaire, huitaine, quinzaine, semainier

SEMAINIER → BRACELET, CLASSEMENT, COMMODE, COMPARTIMENT, MEUBLE, RELIGIEUX (1), SEMAINE

SEMAISON → SEMENCE

SÉMANTIQUE → LANGAGE, LINGUISTIQUE, MOT, SENS

SÉMAPHORE → SIGNAL, TÉLÉGRAPHIE

SÉMASIOLOGIE → LANGAGE, SENS

SEMBLABLE → ANALOGUE, APPROCHANT, COMMUN, ÉGAL, ÉQUIVALENT (2), IDENTIQUE, PAIR, PAREIL (2)

SEMBLABLE (1) congénère, pair

SEMBLABLE (2) analogue, assimiler, comparable, égal, équivalent, homogène, homologue, identifier, identique, similaire, symétrique

SEMBLABLEMENT → COMPARAISON

SEMBLANT → FANTÔME

SEMBLANT affecter, fantôme, feindre, illusion, ombre, simulacre, simuler

SEMBLER → IMPRESSION, PARAÎTRE

SEMÉ
Voir tab. **Héraldique (vocabulaire de l')**

SEMELLE → BAS (1), DESSOUS, SKI, SOUBASSEMENT
Voir illus. **Chaussures**
Voir illus. **Modes et styles**

SEMELLE orthopédique, ressemeler

SEMELLE DE CHARGEUR
Voir illus. **Pistolet**

SEMENCE → CLOU, FÉCONDATION, GERME, GRAINE, REPRODUCTION

SEMENCE cause, germe, origine, semailles, semaison, semencier, sémentines, source, sperme

SEMENCIER → SEMENCE

SÉMENTINES → SEMENCE

SEMER → DEVANCER, DISPERSER, DISSÉMINER, ÉPARPILLER, LÂCHER, METTRE, PLANTER, REMPLIR, RÉPANDRE

SEMER disperser, disséminer, distancer, enrayure, éparpiller, poquet, propager, rayon, répandre, semis, semoir, sillon

SEMESTRIEL → MOIS

SEMEUR DE DÉSORDRE → TROUBLE (1)

SEMEUR DE DISCORDE → TROUBLE (1)

SEMEUR DE ZIZANIE → TROUBLE (1)

SEMI- → DEMI, MOITIÉ

SEMI-CONDUCTEUR
Voir tab. **Minéraux et utilisations**

SEMI-CONSONNE → LETTRE

SEMI-FERMENTÉ
Voir tab. **Thé**

SEMI-FINI → INDUSTRIEL (2)

SÉMINAIRE → ASSEMBLÉE, CARREFOUR, COLLOQUE, CONGRÈS, DÉBAT, PRÉPARATION, PRÊTRE, RELIGIEUX (2), RENCONTRE, RÉUNION, UNIVERSITÉ

SÉMINARISTE → CURÉ, RELIGIEUX (1)

SÉMIOLOGIE → SIGNE, SYMPTÔME
Voir tab. **Sciences : termes en -ologie et -ographie**

SÉMIRAMIS → BABYLONIEN
Voir illus. **Monde (les Sept Merveilles du)**

SEMI-REMORQUE → CAMION, VÉHICULE

SEMIS → PLANT, SEMER
Voir tab. **Jardinage**

SEMOIR → SEMER

SEMONCE → AVERTISSEMENT, BLÂME, DÉSAPPROBATION, INVITATION, MENACE, MISE, ORDRE, RÉPRIMANDE, SERMON

SEMONCER → BRETELLE, RAISONNER

SEMOULE → FARINE

SEMPERVIRENT → FEUILLAGE, FORÊT, VÉGÉTAL (1)

SEMPITERNEL → CONTINU, ÉTERNEL, INÉVITABLE, PERPÉTUEL

SÉNAT → PARLEMENT

SÉNAT boulè, curie, gerousia, navette, sénatus-consulte

SÉNATEUR → CONSEILLER (1)
Voir tab. **Politesse (formules de)**

SÉNATEUR album sénatorial, grand électeur, laticlave, père conscrit, sénatorerie

SÉNATORERIE → SÉNATEUR

SÉNATORIAL → ÉLECTION

SÉNATUS-CONSULTE → SÉNAT

SENAU (DE) → MÂT

SÉNEÇON
Voir tab. **Salades**

SÉNESCENCE → VIEILLESSE

SENESTRE
Voir illus. **Héraldique**

SÉNESTROGYRE → GAUCHE

SÉNEVÉ → MOUTARDE

SÉNILISME → VIEILLESSE

SÉNILITÉ → ENFANCE, VIEILLESSE

SENIOR → CATÉGORIE, SPORTIF (1)

SENISSE → HOUILLE

SENNE OU SEINE → FILET, PÊCHE, TRAÎNE, TRAÎNEAU

SÉNONAIS
Voir tab. **Habitants (comment se nomment les)**

SENS → BUT, CINQ, CONTENU, DÉFINITION, DIRECTION, ENFER, INTELLIGENCE, PENSÉE, PROPOS, RAISON, SIGNIFICATION, VALEUR
Voir tab. **Habitants (comment se nomment les)**

SENS aberration, absurdité, acception, ambigu, amphibologique, avis, contre-courant (à), contresens (à), couleur, direction, discernement, équivoque, gnosie, goût, ineptie, jugement, lexicologie, littéral, non-sens, odorat, onomasiologie, orientation, ouïe, polysémique, raison, rebours (à), rebrousse-poil (à), sagesse, sémantique, sémasiologie, sens commun, sensoriel, sentiment, signification, tendance, toucher, vue

SENS COMMUN → LOGIQUE (1), SENS

SENS DESSUS DESSOUS → PÊLE-MÊLE

SENSATION → CONNAISSANCE, CONSCIENCE, ÉTAT, IMPRESSION, PENSÉE, PERCEPTION, PRESSENTIMENT, SENTIMENT

SENSATION cénesthésie, émotion, grand frisson, impression, intuition, kinesthésie, peur, pressentiment, sensorimétrie, sentiment, vertige

SENSATIONNEL → EXCELLENT, FANTASTIQUE, FORMIDABLE, IMPECCABLE

SENSATIONNEL admirable, étonnant, étourdissant, fantastique, formidable, impressionnant, incroyable, inouï, invraisemblable, merveilleux, prodigieux, remarquable, stupéfiant

SENSÉ → COHÉRENT, JUDICIEUX, JUSTE, LOGIQUE (2), LUCIDE, PERTINENT, RAISON, SAGE

SENSIBILISATION → INTOLÉRANCE

SENSIBILITÉ → DÉLICATESSE, HUMANITÉ, PERCEPTION, PHÉNOMÈNE
Voir tab. **Photographie (vocabulaire de la)**

SENSIBILITÉ acuité, allergie, bonté, compassion, courant, délicatesse, excitabilité, fibre, finesse, humanité, opinion, sensiblerie, sentimentalisme, sentimentalité, sympathie, tendance

SENSIBLE → APPRÉCIABLE, BLESSÉ, BRÛLANT, DEGRÉ, DÉLICAT, ÉMOTIF, IMPORTANT, IMPRESSIONNABLE, INTUITION, NERVEUX, NET, NOTABLE (2), PERMÉABLE, SENTIMENTAL, SUSCEPTIBLE, VULNÉRABLE

SENSIBLE accessible, appréciable, compatissant, délicat, douloureux, doux, émotif, fragile, important, net, névralgique, notable, réceptif, sensitif, susceptible, vulnérable

SENSIBLERIE → SENSIBILITÉ

SENSITIF → NERF, SENSIBLE

SENSORIEL → SENS

SENSORIMÉTRIE → SENSATION

SENSUALISME → RAISON

SENSUALITÉ → CARESSE, CHAIR, JOUISSANCE, PLAISIR

SENSUEL → ARDENT, CHAUD, ÉROTIQUE, LASCIF, LIBERTIN, SUAVE, TIMBRE, TORRIDE

SENSUEL épicurien, érotique, jouisseur, lascif, sybarite, voluptueux

SENTE → CHEMIN, PASSAGE

SENTENCE → ARRÊT, CITATION, CONDAMNATION, DÉCISION, DÉLIBÉRATION, DEVISE, FORMULE, JUGEMENT, PROVERBE, RAISONNEMENT, RÉFLEXION, VERDICT

SENTENCE adage, aphorisme, apophtegme, arrêt, axiome, décision, devise, dicton, gnomique, jugement, maxime, précepte, principe, proverbe, verdict

SENTENCIEUX → DOGMATIQUE, GRAVE, IMPOSANT, MAJESTUEUX, SOLENNEL

SENTENCIEUX cérémonieux, doctoral, dogmatique, emphatique, maniéré, pompeux, prudhommesque, révérencieux, solennel

SENTEUR → ÉMANATION, ODEUR

SENTEUR aromatique, bouquet, effluve, fumet, odoriférant

SENTIER → PISTE

SENTIMENT → AVIS, CŒUR, CONNAISSANCE, CONSCIENCE, ÉTAT, IMPRESSION, INSTINCT, JUGEMENT, POINT, SENS, SENSATION

SENTIMENT avis, conscience, débordement, démonstratif, effusion, émoi, émotion, épanchement, expansif, impression, inclination, jugement, opinion, penchant, point de vue, sensation, trouble

SENTIMENT (DE) → VERBE

SENTIMENTAL → BLEU (1), FLEUR, INTIME (2), ROMANESQUE

SENTIMENTAL affectif, amoureux, fleur bleue, romanesque, sensible, tendre

SENTIMENTALISME → SENSIBILITÉ

SENTIMENTALITÉ → SENSIBILITÉ

SENTINE → CLOAQUE

SENTINELLE → FACTIONNAIRE, GARDE, VEDETTE

SENTINELLE échauguette, garde, gardien, guérite, guète, guette, guetteur, relayer, relever, surveillant, vedette, veilleur, vigie, vigile

SENTIR → APERCEVOIR, DISCERNER, ÉPROUVER, PERCEVOIR, RECONNAÎTRE, RESPIRER

SENTIR affleurer, apparaître, apprécier, deviner, discerner, embaumer, empester, empuantir, éprouver, estimer, exhaler (s'), flairer, fleurer, goûter, humer, manifester (se), percevoir, pressentir, puer, renifler, répandre (se), respirer, ressentir, révéler (se), soupçonner, transparaître

SEOIR → CONVENIR

SÉPALE → CALICE, PÉTALE

Voir illus. **Fleur**

SÉPARATION → DÉCOMPOSITION, DÉSAGRÉGATION, DISCRIMINATION, DISTINCTION, DIVORCE, FRONTIÈRE, PERTE, PÉTROLE, RUPTURE

SÉPARATION apartheid, autonomiste, borne, clivage, cloisonnement, conflit, délimitation, démarcation, désaccord, désagrégation, discrimination, dislocation, dissension, dissentiment, dissidence, distance, divergence, divorce, éloignement, exil, frontière, indépendantiste, querelle, rupture, schisme, scission, sécession, ségrégation, séparatiste

SÉPARATION DE BIENS → MARIAGE

SÉPARATION DE CORPS → DIVORCE

SÉPARATION DE FAIT → DIVORCE

SÉPARATISME → INDÉPENDANCE

SÉPARATISTE → AUTONOMIE, NATIONALISME, SÉPARATION

SÉPARE → DISTINGUER

SÉPARÉ → INDÉPENDANT

SÉPARER → BROUILLER, DÉSUNIR (SE), DÉTACHER (SE), DIFFÉRENCIER, DISTRAIRE, DIVISER, ÉCARTER, ÉLOIGNER, EXTRAIRE, ISOLER, QUITTER, RENONCER, ROMPRE

SÉPARER brouiller, congédier, débaucher, débrouiller, dégager, démêler, dépareiller, déparier, désaccoupler, désapparier, desceller, désunir, différencier, disjoindre, dissocier, distinguer, isoler, licencier, remercier, renvoyer

SÉPIA → BRUN, ENCRE, LAVIS

Voir tab. **Couleurs**

Voir tab. **Dessin (vocabulaire du)**

SÉPIOLITE → ÉCUME

SEPPUKU → JAPONAIS, SUICIDE

SEPT semaine

SEPTAIN → STROPHE

SEPTANTE → SOIXANTE-DIX

SEPTEMBRISADES → MASSACRE

SEPTENTRIONAL → HÉMISPHÈRE, PÔLE

SEPTENTRIONALE → NORD (1)

SEPTICÉMIE → INFECTION, SANG

SEPTIDI → JOUR

SEPTIÈME → INTERVALLE

SEPTIÈME CIEL → JOIE

SEPTUM → NASAL

Voir illus. **Bouche, nez et gorge**

SEPTUOR → GROUPE, ORCHESTRE

SÉPULCRAL → FUNÈBRE, GRAVE, PROFOND, SINISTRE (2), SOURD

SÉPULCRE → CAVEAU, TOMBEAU

SÉPULTURE → CAVEAU, CIMETIÈRE, TOMBE, TOMBEAU

SÉQUANIENNE → OIE

SÉQUELLE → BLESSURE, CONSÉQUENCE, CONTRECOUP, MALADIE, SECONDAIRE, SUITE, TRACE

SÉQUENCE → DIVISION, SCÈNE, SUITE

Voir tab. **Belote**

Voir tab. **Cinéma**

SÉQUESTRATION → ARRESTATION, CAPTIVITÉ, DÉLIT, ISOLEMENT

SÉQUESTRE → COMMERCIAL, CONFISQUER, GARDIEN, SAISIE

SÉQUESTRÉ → BOUCLIER, CAPTIF

SÉQUESTRER → EMPRISONNER, ENFERMER, GARDER, RETENIR

SÉQUOIA → CONIFÈRE

SÉRAC → GLACIER

Voir tab. **Géographie et géologie (termes de)**

SÉRAIL → FEMME, PALAIS, SULTAN, TURC

SÉRAPHIN → ANGE

SÉRAPHIQUE → ANGÉLIQUE, PURETÉ

SERBE → ORTHODOXE

SERCIAL → MADÈRE

SERDAB → TOMBE

SEREIN → CALME (2), CLAIR, PACIFIQUE, PAISIBLE, PLACIDE, PUR, SÛR, TRANQUILLE

SEREIN calme, clair, confiant, dégagé, dépassionné, détendu, flegmatique, heureux, impartial, impassible, imperturbable, objectif, paisible, placide, pur, reposant, tranquille

SÉRÉNADE → CONCERT, RÉCITAL, SOIR

SÉRÉNITÉ → BIEN-ÊTRE, CALME, DÉTACHEMENT, DOUCEUR, ÉGALITÉ, ÉQUILIBRE, FLEGME, PAIX, SAGESSE, SILENCE, TRANQUILLITÉ

SÉREUSE → MEMBRANE

SERF → ESCLAVE, FÉODAL

SERGE

Voir tab. **Tissus**

SERGÉ → TOILE

SERGENT → INFANTERIE

Voir illus. **Grades militaires**

SERGENT-CHEF → INFANTERIE

Voir illus. **Grades militaires**

SERIAL → SÉRIE

SÉRIALISME → SÉRIE

SÉRICICULTEUR → VER

SÉRICICULTURE → SOIE

Voir tab. **Élevages**

SÉRIE → CATÉGORIE, COMPOSITION, CYCLE, ÉCHELLE, FEUILLETON, LISTE, ORDRE, SÉLECTION, SUCCESSION, SUITE

SÉRIE brochette, caravane, cascade (en), catalogue, chaîne (en), chapelet, classer, classifier, convoi, cortège, cycle, dodécaphonisme, feuilleton, file, groupe, hiérarchiser, jeu, kyrielle, litanie, musique sérielle, ordonner, procession, ranger, serial, sérialisme, sérier, soap opera, succession, suite, train, tranche

SÉRIE RS-232

Voir tab. **Photographie (vocabulaire de la)**

SÉRIER → CLASSER, SÉRIE

SÉRIEUX → APPLICATION, APPLIQUÉ, ATTENTIF, CONVENABLE, DIGNE, GRAVE, GRAVITÉ, IMPORTANT, IMPOSANT, LITRE, SOIGNEUX, SÛR, TRAGIQUE, VALABLE

SÉRIEUX (1) attention, conviction, pince-sans-rire, rigueur, vigilance

SÉRIEUX (2) affecté, alarmant, appliqué, austère, bon, compassé, confiance (de), consciencieux, dangereux, digne, diligent, durable, empesé, fiable, fondé, froid, grave, inquiétant, pondéré, posé, raide, raisonnable, réel, réfléchi, sage, sévère, sincère, soigneux, solennel, solide, sûr, tangible, valable

SÉRIGRAPHIE → ÉCRAN, IMAGE, IMPRESSION

SERIN

Voir tab. **Oiseaux (classification simplifiée des)**

SERINER → RÉPÉTER

SERINETTE

Voir tab. **Instruments de musique**

SERINGUE → PIQÛRE

SERMENT → ENGAGEMENT, PROMESSE, VŒU

SERMENT assermenté, caution juratoire, décisoire, délier de (se), Hippocrate (d'), insermenté, jurement, parjure, promesse, protestation, réfractaire, supplétoire, vœu

SERMENT (PRÊTER) → JURER

SERMENT D'ALLÉGEANCE → FÉODAL

SERMON → DISCOURS, PRÊCHE

SERMON admonestation, admonester, chapitrer, exhortation, harangue, mercuriale, objurgation, remontrance, réprimander, semonce, sermonner

SERMONNER → ATTRAPER, BRETELLE, LEÇON, MORALISER, SERMON

SÉRODIAGNOSTIC → DIAGNOSTIC

SÉROPOSITIVITÉ → SIDA

SÉROSITÉ → AMPOULE, CLOQUE, SÉCRÉTER

SÉROTINE → CHAUVE-SOURIS

SÉROVACCINATION → VACCINATION

SERPE → FAUX (1)

SERPENT

Voir tab. **Animaux (classification simplifiée des)**

Voir tab. **Forme de... (en)**

Voir tab. **Phobies**

SERPENT amphisbène, anaconda, aspic, boa, caducée, cobra indien, constricteur, couleuvre, crotale, guivre, hydre de Lerne, naja, ondulant, ophidisme, ophiographie, ophiolâtrie, ophiologie, péliade, psylle, python, reptation, reptiles, saurophidiens, serpent à sonnette, serpentin, sifflement, sinueux, squamates, vipère d'Ursini, vouivre

SERPENT (LE) → DIABLE

SERPENT À SONNETTE → SERPENT

SERPENT DE MER → TROMPETTE

Voir tab. **Animaux fabuleux**

SERPENTAIRE

Voir tab. **Oiseaux (classification simplifiée des)**

SERPENTEAU → FUSÉE

SERPENTIN → CARNAVAL, SERPENT, SINUEUX, SOUPLE, TUBE

SERPENTINE → VERT (2)

Voir tab. **Minéraux et utilisations**

SERPETTE → VENDANGE

SERPOLET → THYM

Voir tab. **Herbes, épices et aromates**

SERRANIDÉS → BAR

SERRATIFOLIÉ → SCIE

SERRATIFORME → SCIE

SERRE → ABRI, GRIFFE, ONGLE, PATTE, PLANT, VERRE

SERRÉ → COLLANT, ÉPAIS, ÉPINGLE, ÉTROIT, JUSTE, MÉTHODIQUE, NOIR (2), VERRE

Voir tab. **Café**

SERRÉ acharné, collant, compact, concis, dense, dépouillé, laconique, moulant, précis, près du corps, ramassé, rigoureux, sobre, succinct

SERRE-BOUCHON → BOUTEILLE

SERRE-TÊTE → BANDEAU

SERRE-TÊTE À L'INDIENNE

Voir illus. **Modes et styles**

SERREMENT → PINCEMENT

SERREMENT DE MAIN → CONTACT

SERRER → APPROCHER (S'), COINCER, COMPRIMER, ÉTRANGLER, ÉTREINDRE, LACER, PINCER, POURSUIVRE, TASSER

SERRER ajuster, assembler, bloquer, blottir (se), brider, caler, carguer, coincer, comprimer, contracter, crisper, embrasser, enlacer, enserrer, entasser, étreindre, frôler, joindre, lacer, masser, mordache, nouer, pelotonner (se), pincer, raser, souder, tasser, visser

SERRER (SE) → ENTASSER

SERRER DE PRÈS → SUIVRE

SERRER LE MOTEUR

Voir tab. **Garagiste (vocabulaire du)**

SERRURE → FERMETURE, ORIFICE

SERRURE barillet, bec-de-cane, bénarde, béquille, bouton, clenche, coffre, crocheter, cylindre (à), encloisonne, entailler (à), gâche, goupille, larder (à), passe-partout, pêne, pêne dormant, rossignol, sûreté à gorges (de), sûreté à pompe (de), têtière, tubulaire

SERRURIER → BÂTIMENT

Voir tab. **Saints patrons**

SERRURIER ferrière, ferronnier

SERTIR → BAGUE, EMBOÎTER, INSÉRER, MONTER

SERTISSURE → BAGUE

Voir illus. **Bijoux**

SÉRUM → IMMUNITAIRE, LIQUIDE, SANG

SERVANT → RELIGIEUX (1)

SERVANTE → DAME, FEMME

SERVANTE camérière, camériste, chambrière, gouvernante, servante-maîtresse, soubrette, suivante

SERVANTE-MAÎTRESSE → SERVANTE

SERVEUR → CONNEXION, CONSULTATION, EMPLOYÉ, GARÇON, INFORMATIQUE, REPAS, RÉSEAU, RESTAURANT
Voir tab. **Informatique**
Voir tab. **Internet**

SERVIABILITÉ → COMPLAISANCE

SERVIABLE → BRAVE, DÉVOUÉ, GENTIL, PRÉVENANT

SERVIABLE ardélion, attentionné, dévoué, empressé, obligeant, officieux, prévenant, secourable, zélé

SERVICE → CÉLÉBRATION, DÉPARTEMENT, GARDE, OFFICE, RECRUTER, RELIGIEUX (2), SAILLIE, SOUTIEN

SERVICE activité, aide, assistance, astreinte, branche, bureau, CIA (États-Unis), cérémonie, DGSE, département, enterrement, faveur, fonction, funérailles, garde, grâce, Intelligence Service (Grande-Bretagne), KGB (Russie), messe, Mossad (Israël), navette, obsèques, office, organe, permanence, quart, secteur, section

SERVICE (RENDRE) → OBLIGER

SERVICE COLLECTIF
Voir tab. **Économie**

SERVICE DE VOIRIE → RUE

SERVICE DU PERSONNEL → RECRUTER

SERVICES → INTERVENTION

SERVIETTE → BAGAGE, PROTECTION, SAC

SERVIETTE cartable, drap, essuie-mains, porte-documents, sac, sacoche, serviette-éponge, sortie

SERVIETTE-ÉPONGE → SERVIETTE

SERVILE → ESCLAVE, HUMBLE

SERVILE abject, assujetti, bas, courbette, génuflexion, obéissant, obséquieux, prosternation, rampant, soumis, vil

SERVILITÉ → COMPLAISANCE, OBÉISSANCE

SERVIR → DISPOSER, EMPLOYER, FAVORISER, MANIER, OFFICE, SECONDER, USER, UTILISER, VERSER

SERVIR approvisionner (s'), appuyer, avantager, employer, exploiter, faire fonction de, faire usage de, favoriser, fournir (se), ravitailler (se), recourir à, tenir lieu de, user de, utiliser

SERVITEUR → DOMESTIQUE (1), FIDÈLE (1), GENS

SERVITUDE → CONTRAINTE, DÉPENDANCE, ESCLAVAGE, INFÉRIORITÉ, OBLIGATION

SERVITUDE asservissement, coercition, contrainte, esclavage, joug, obligation, pression, servitude d'échelage, servitude de halage, servitude de marchepied, servitude non aedificandi, servitude non altius tollendi, soumission, sujétion, tyrannie

SERVITUDE D'ÉCHELAGE → SERVITUDE

SERVITUDE DE HALAGE → SERVITUDE

SERVITUDE DE MARCHEPIED → SERVITUDE

SERVITUDE NON AEDIFICANDI → SERVITUDE

SERVITUDE NON ALTIUS TOLLENDI → SERVITUDE

SERVOFREIN → FREIN

SÉSAME → FORMULE, MAGIQUE

SESSILE → FLEUR

SESSION → CONCILE, CONGRÈS, PARLEMENT

SET → MANCHE, TENNIS

SEUIL → NIVEAU, PAS (1), PORTE
Voir illus. **Intérieur de maison**

SEUIL adolescence, aube, aurore, avènement, commencement, début, départ, enfance, entrer, limite, matin, orée du jour, pas de la porte, pénétrer, point

SEUL → SIMPLE, SOLITAIRE (2)

SEUL abandonné, anachorète, ascète, délaissé, ermite, esseulé, exclusif, insociable, isoler (s'), mis à l'écart, mis à part, monologuer, original, oublié, particulier, reclus, retirer (se), sauvage, singulier, soliloquer, solitaire, spécial, tête à tête (en), unique

SEUL À SEUL → PRIVÉ

SÈVE → PLANTE, VÉGÉTAL (1)

SÈVE baguage, brut, dynamisme, élaboré, énergie, force, pleur, vigueur, vitalité

SÉVÈRE → CHAUD, DUR, EXIGEANT, IMPITOYABLE, IMPOSANT, INFLEXIBLE, INTRAITABLE, PURITAIN, RESPECT, RIGIDE, RIGOUREUX, SÉRIEUX (2), STRICT

SÉVÈRE aigu, âpre, austère, autoritaire, cinglant, dépouillé, draconien, dure (à la), exigeant, ferme, froid, impitoyable, implacable, inexorable, inflexible, intraitable, intransigeant, rébarbatif, rigide, rigoureux, sec, simple, sobre, sourcilleux, spartiate (à la), strict

SÉVÈREMENT → LOURDEMENT, SÈCHEMENT

SÉVÉRITÉ → DURETÉ

SÉVICES → ATROCITÉ, BARBARIE, BRUTALITÉ, FAIT, TORTURE, TRAITEMENT, VIOLENCE

SÉVIR → CORRIGER, PUNIR, RAGE, SANCTION

SEVRAGE → BIBERON

SEVRER → LAIT, PRIVER

SÈVRES → PORCELAINE

SEX-APPEAL → SEXUEL

SEX-RATIO → SEXE

SEXAGÉNAIRE → SOIXANTE

SEXAGÉSIMAL → SOIXANTE

SEXDIGITAIRE → SIX

SEXDIGITISME → MALFORMATION

SEXE → PHALLUS, VENTRE
Voir tab. **Manies**

SEXE androgyne, bisexué, castrat, castré, châtré, dioïque, drag queen, émasculé, eunuque, gouine, hermaphrodite, homosexualité, inversion, lesbianisme, lesbienne, machisme, membre, misandrie, misogynie, mixte, monoïque, parité, pédérastie, pénis, phallocratie, phallus, saphisme, sex-ratio, sexisme, transsexuel, travelo, travesti, tribade, unisexe, unisexué, uranisme, verge

SEXISME → DISCRIMINATION, SEXE

SEXOLOGIE → SEXUALITÉ

SEXOTHÉRAPIE → SEXUALITÉ

SEXTANT → ANGLE, BOUSSOLE, MARINE
Voir tab. **Instruments de mesure**

SEXTE → HEURE, MOINE
Voir tab. **Prières et offices de l'Église catholique romaine**

SEXTIDI → JOUR

SEXTUOR → GROUPE, ORCHESTRE, SIX

SEXTUPLER → SIX

SEXUALITÉ → INSTINCT
Voir tab. **Phobies**

SEXUALITÉ érotologie, exhibitionnisme, fétichisme, frigidité, impuissance, inhibition, masochisme, nymphomanie, refoulement, sadisme, satyriasis, sexologie, sexothérapie, voyeurisme, zoophilie

SEXUEL → ÉROTIQUE, PHYSIQUE

SEXUEL abstinent, accouplement, anaphrodisie, aphrodisiaque, aphrodisie, ascétique, castration, chaste, clitoridectomie, coït, concupiscent, continent, copulation, défloration, diaphragme, émasculation, érogène, excision, fornication, génital, grivois, lascif, libidineux, libido, licencieux, lubrique, lutte, MST (maladie sexuellement transmissible), maladie vénérienne, masturbation, monte, obscène, onanisme, orgasme, pornographique, préservatif, reproducteur, saillie, salace, sex-appeal, spermicide, vénéréologie

SFIO (SECTION FRANÇAISE DE L'INTERNATIONALE OUVRIÈRE) → SOCIALISTE

SFORZANDO
Voir tab. **Musique (vocabulaire de la)**

SFUMATO → FLOU, VAPOREUX

SGAP
Voir tab. **Police nationale (organisation de la)**

SGBD → GESTION

SGRAFFITE → PEINTURE
Voir tab. **Peinture et décoration**

SHABBAT
Voir tab. **Fêtes religieuses**

SHABOUOT
Voir tab. **Fêtes religieuses**

SHAKER → MÉLANGER

SHAKO → KÉPI, VISIÈRE
Voir illus. **Coiffures**

SHAKTI
Voir tab. **Hindouisme**

SHAMISEN → JAPONAIS

SHANTUNG → SOIE
Voir tab. **Tissus**

SHAREWARE
Voir tab. **Informatique**
Voir tab. **Internet**

SHERPA → GUIDE, TOURISTE

SHERRY → XÉRÈS

SHETLAND
Voir tab. **Tissus**

SHIATSU
Voir tab. **Médecines alternatives**

SHIKOKU → JAPONAIS

SHILLING → LIVRE STERLING

SHILOM → HASCHISCH, PIPE

SHIMMY
Voir tab. **Danses (types de)**

SHINKANSEN (JAPON) → TRAIN

SHINTOÏSME → JAPONAIS
Voir tab. **Religions et courants religieux**

SHIPCHANDLER → BATEAU

SHIRTING → CHEMISE
Voir tab. **Tissus**

SHIT
Voir tab. **Drogues**

SHIVA
Voir tab. **Hindouisme**

SHIVAÏSME
Voir tab. **Hindouisme**

SHOAH → HOLOCAUSTE, MASSACRE

SHOGUN → DICTATEUR, JAPONAIS

SHOOT → DROGUE, FIXE (1), TIR

SHOOTER → FOOTBALL, INJECTER

SHOPPING → PROMENADE

SHOPPING lèche-vitrines, magasinage

SHORT → CULOTTE, PANTALON, VÊTEMENT
Voir illus. **Modes et styles**

SHORT-PROGRAM → PATINAGE

SHORTBREAD
Voir tab. **Gâteaux régionaux et étrangers**

SHOW → CONCERT, SPECTACLE

SHOW-BUSINESS → SPECTACLE

SHRAPNEL → OBUS

SHRAPNELL → ARTILLERIE, BALLE

SHUDRA
Voir tab. **Hindouisme**

SI
Voir tab. **Éléments chimiques (symbole des)**

SI (SYSTÈME INTERNATIONAL D'UNITÉS) → UNITÉ

SIAL → TERRESTRE

SIALAGOGUE → SALIVE
Voir tab. **Médicaments**

SIALORRHÉE → SALIVE

SIAM → QUILLE

SIAMOIS → CHAT, DEUX, FRÈRE, JUMEAU

SIBILANT → SIFFLER
Voir tab. **Bruits**

SIBYLLE → AVENIR

SIBYLLIN → ÉNIGMATIQUE, HERMÉTIQUE, INCOMPRÉHENSIBLE, MYSTÉRIEUX, OBSCUR, TÉNÉBREUX

SICAIRE → GAGE, MEURTRIER, TUEUR

SICAV → FONDS, PLACEMENT, VALEUR

SICCATIF → PEINTURE

SICCITÉ → SÉCHERESSE

SICINNIS → DANSE

SIDA → IMMUNITAIRE
Voir tab. **Maladies de civilisation**
SIDA AIDS, AZT, DDI, HIV, sang, séropositivité, sperme
SIDDHARTA GAUTAMA
Voir tab. **Bouddhisme**
SIDE-CAR → MOTOCYCLETTE
SIDÉR(O)- → FER
SIDÉRANT → AHURISSANT
SIDÉRÉ → ABASOURDI, ÉBAHI, ÉTONNÉ, IMMOBILE, IMPRESSIONNER, STUPÉFAIT, SUFFOQUER, SURPRENDRE
SIDÉRÉ abasourdi, ahuri, anéanti, décontenancé, ébahi, ébaubi, effaré, foudroyé, hébété, interdit, interloqué, médusé, pétrifié, stupéfié
SIDÉRER → CLOUER, SURPRENDRE
SIDÉRITE → MÉTÉORITE
SIDÉRODROMOPHOBIE → TRAIN
Voir tab. **Phobies**
SIDÉROLITHE → MÉTÉORITE
SIDÉROPHILE
Voir tab. **Collectionneurs**
SIDÉROSE → FER, POUSSIÈRE
SIDÉROXYLON → FER
SIDÉRURGIE → ACIER, FER, INDUSTRIE, MÉTALLURGIE
SIÈCLE → CENT
SIÈCLE centenaire, époque, millénaire, séculaire, temps
SIÈGE → BLOCUS, DÉPUTÉ, DIRECTION, DOMICILE, LIEU, MAGISTRAT, QUARTIER
Voir illus. **Selle**
SIÈGE assiéger, base, blocus, centre, cerner, circonvallation, confident, contrevallation, encercler, fièvre obsidionale, foyer, imprenable, inexpugnable, investir, pliant, poliorcétique, sortie, strapontin
SIÈGE CURULE
Voir illus. **Sièges**
SIÉGER → SÉANCE
SIÉGER présider, trôner
SIEMENS
Voir tab. **Électricité**
SIENNE (TERRE DE) → OMBRE
SIERRA → MONTAGNE
SIESTE → APRÈS-MIDI, DORMIR, REPOS
SIEVERT → RADIATION
SIFFLANTE
Voir tab. **Bruits**
SIFFLEMENT → DÉSAPPROBATION, MERLE, SERPENT, VENT
Voir tab. **Bruits**
SIFFLER → BAFOUER, CHANTER, HUER, OIE, OISEAU, RESPIRER
Voir tab. **Animaux (termes propres aux)**
SIFFLER conspuer, huer, sibilant, siffloter
SIFFLET → SIGNAL
SIFFLET air comprimé (à), appeau, bec (à), biseau (à), pipeau, roulette (à), vapeur (à)
SIFFLOTER → SIFFLER
SIGILLAIRE → ARBRE
SIGILLÉ → SCEAU
SIGILLOGRAPHIE → ARCHÉOLOGIE, SCEAU
SIGILLOPHILISTE
Voir tab. **Collectionneurs**
SIGISBÉE → ACCOMPAGNATEUR, CHEVALIER

SIGLE → ABRÉVIATION, INITIAL, LETTRE
SIGMATISME → DÉFAUT
SIGMOÏD(O)-
Voir tab. **Chirugicales (interventions)**
SIGMOÏDE
Voir illus. **Digestif (appareil)**
Voir tab. **Chirugicales (interventions)**
Voir tab. **Forme de... (en)**
SIGNAL → DÉCLENCHER, RADIOÉLECTRIQUE, RÉCLAME (1), RECONNAISSANCE, SIGNE, VOYANT (1)
SIGNAL amer, appel, avertisseur, balisage, balise, bip, bouée, boute-selle, cloche, code, corne, corne de brume, disque, drapeau, fanal, feu, flamme, flotteur, fusée, gong, Klaxon, ordre, pavillon, phare, SOS, sémaphore, sifflet, signaleur, signalisation, signe, sirène, sonnerie, sounder, tocsin, trompe, vigie
SIGNALÉ important, insigne, notable, remarquable
SIGNALEMENT → DESCRIPTION, PORTRAIT, RECONNAISSANCE
SIGNALEMENT anthropométrique, signalétique, signe distinctif, signe particulier
SIGNALER → CITER, DÉCELER, DÉCLARER, DÉSIGNER, FIGURER, INDIQUER, MANIFESTER, OBSERVER, REMARQUER, SOULIGNER
SIGNALER citer, dénoncer, dénoter, distinguer (se), évoquer, faire mention de, faire observer, faire remarquer, faire remarquer (se), illustrer (s'), marquer, mentionner, montrer, parler de, révéler, souligner, trahir
SIGNALÉTIQUE → SIGNALEMENT
SIGNALEUR → SIGNAL
SIGNALISATION → SIGNAL
SIGNALISER → MATÉRIALISER
SIGNATAIRE → SIGNATURE
SIGNATURE blanc-seing, contrefaçon, contreseing, croix, émargement, griffe, initiale, monogramme, paraphe, sceau, seing, signataire, souscription, soussigné
SIGNE → ANNONCE, CODE, DÉMONSTRATION, IMAGE, INSIGNE (1), MANIFESTATION, MARQUE, PRÉSAGE, PREUVE, REPRÉSENTATION, SIGNAL, SYMBOLIQUE, SYMPTÔME, ZODIAQUE
Voir tab. **Astrologie**
SIGNE alerte, allégorie, attribut, augure, avertissement, caractère, caractéristique, décoration, emblème, esperluette (&), expression, figure, galon, geste, hiéroglyphe, idéogramme, image, indication, indice, insigne, logo(type), logogramme, manifestation, marque, particularité, pictogramme, présage, preuve, prodrome, promesse, repère, représentation, sémiologie,

signal, signifiant, signifié, symbole, symptôme, syndrome, trace, trait
SIGNE DE VIE → NOUVELLE
SIGNE DISTINCTIF → SIGNALEMENT
SIGNE PARTICULIER → SIGNALEMENT
SIGNE ZODIACAL → ASTROLOGIE
SIGNER → BÉNIT, CONCLURE, ENDOSSER, NOM, SOUSCRIRE
Voir tab. **Phobies**
SIGNER contresigner, endosser
Voir illus. **Livre relié**
Voir tab. **Internet**
SIGNIFIANT → SIGNE
SIGNIFICATIF → DÉMONSTRATIF, ÉLOQUENT, EXPRESSIF, PARLANT, SIGNIFICATION
SIGNIFICATION → DÉFINITION, MOT, RAISON, SENS, VALEUR
SIGNIFICATION acception, contenu, éloquent, expressif, force, idée, notification, parlant, portée, révélateur, sens, significatif, valeur
SIGNIFIÉ → SIGNE
SIGNIFIER → CONDITION, DÉCLARER, DÉFINIR, DEMEURE, IMPLIQUER, PROUVER, SAVOIR (2), SUGGÉRER, SYNONYME
SIGNIFIER désigner, enjoindre à, impliquer, intimer, mettre en demeure, notifier, ordonner à, sommer, vouloir dire
SIKHISME
Voir tab. **Religions et courants religieux**
SIL → ARGILE
SILENCE → CALME, DIRE, INTERVALLE, PARTITION, PAUSE
Voir illus. **Symboles musicaux**
Voir tab. **Bruits**
SILENCE aphone, arrêt, bâillonner, blanc, bruit (sans), calme, chut, corrompre, demi-pause, demi-soupir, discrètement, discrétion, dissimuler, interruption, motus, museler, mutisme, omettre, paix, pause, quart de soupir, quiétude, secret, sérénité, silencieusement, soupir, sourdine (en), sous-entendu, taire, tranquillité
SILENCIEUSEMENT → SILENCE
SILENCIEUX → BAVARD, FEUTRÉ, MUET, POT
SILENCIEUX endormi, feutré, implicite, ouaté, paisible, quiet, renfermé, réservé, tacite, taciturne, tranquille
SILENCIEUX (RESTER) → TAIRE (SE)
SILÈNE ACOULE → MOUSSE (1)
SILENTBLOC → VIBRATION
Voir tab. **Garagiste (vocabulaire du)**
SILÉSIENNE → LAINE
SILEX → CAILLOU, FEU
Voir illus. **Fusils**
SILHOUETTE → CONTOUR, OMBRE, PORTRAIT, PROFIL
SILHOUETTE allure, aspect, contour, figure, galbe, image, ligne, ombre chinoise, profil, tracé

SILICEUX → MAQUIS
SILICIUM
Voir tab. **Éléments chimiques (symbole des)**
SILICONE → IMPERMÉABLE (2)
SILICOSE → MINEUR (1)
SILIQUE → FRUIT
SILL
Voir illus. **Volcan**
SILLAGE → ORBITE, TRACE, VEINE
SILLET
Voir illus. **Guitare**
Voir illus. **Violon**
SILLON → RIDE, SEMER, TRANCHÉE
SILLON araire, billon, cordeau, raie, rayon, rigole, sulcature, sulciforme
SILLON PALPÉBRAL
Voir illus. **Œil**
SILLONNER → PARCOURIR, TRAVERSER
SILO → ABRI, FERME (1), GRAIN, MAGASIN, RÉCOLTE, RÉSERVE
SILURIEN
Voir tab. **Géologique (échelle des temps)**
SILYBE → CHARDON
SILYBUM MARIANUM
Voir tab. **Plantes médicinales**
SIMA → TERRESTRE
SIMAGRÉE → CÉRÉMONIE, FAÇON, GESTE, GRIMACE, MANIÈRE, MINAUDERIE
SIMAGRÉES affectation, caprice, cérémonie, chichi, comédie, embarras, façon, hypocrisie, manières, minauder, minauderie, singerie
SIMARRE → VÊTEMENT
SIMBLEAU → CORDE
SIMIENS → SINGE
SIMIESQUE → AFFREUX, SINGE
Voir tab. **Animaux (termes propres aux)**
SIMIL(I)- → FAUX (2)
SIMILAIRE → ANALOGUE, COMMUN, CONFORME, ÉQUIVALENT (2), IDENTIQUE, PARALLÈLE (2), PROCHE (2), SEMBLABLE (2), UNIFORME (2)
SIMILI → IMITATION
SIMILICUIR → CUIR
SIMILIGRAVURE → IMPRESSION
SIMILITUDE → ANALOGIE, ASSOCIATION, COMMUN, COMPARAISON, CONCORDANCE, CONFORMITÉ, ÉGALITÉ, IDÉE, IDENTITÉ, PARENTÉ, PARITÉ, RAPPORT, RELATION, RESSEMBLANCE
SIMILITUDE analogie, communauté, concordance, conformité, corrélation, correspondance, harmonie, homothétie, identité, lien, parenté, parité, rapport, ressemblance, symétrie
SIMILOR → ZINC
SIMON
Voir tab. **Jésus (disciples de)**
SIMONIE → TRAFIC
SIMOUN → DÉSERT, SIROCCO, VENT
Voir tab. **Vents**
SIMPLE → ACCESSIBLE, AISÉ, COMPRÉHENSIBLE, DÉBILE, ÉLÉMENTAIRE, FACILE, HUMBLE, IMMÉDIAT (2), MODESTE, PLANTE, PRÉTENTION, PRIMITIF, PUR, SÉVÈRE, SOBRE, SURSIS

SIMPLE accessible, aisé, banal, bonne franquette (à la), candide, cérémonie (sans), clair, commode, compréhensible, concis, courant, crédule, dépouillé, facile, façon (sans), familier, fortune du pot (à la), humble, indécomposable, indivisible, ingénu, innocent, irréductible, limpide, lumineux, modeste, naïf, naturel, ordinaire, pauvre, prétention (sans), primaire, pur, réducteur, schématique, seul, simplet, simpliste, sobre, sommaire, vulgaire

SIMPLE D'ESPRIT → INNOCENT (1)
SIMPLEMENT → OUVERT
SIMPLES → BRUT, HERBE
SIMPLET → SIMPLE, SOT
SIMPLICITÉ → FACILITÉ, NAÏVETÉ
SIMPLICITÉ austérité, dépouillement, franchise, humilité, modestie, naturel, sincérité, sobriété, spontanéité
SIMPLIFIÉ → RÉSUMÉ (2)
SIMPLIFIÉ caricaturé, épuré, schématique, schématisé, simpliste, stylisé
SIMPLIFIER → FACILITER
SIMPLIFIER abréger, alléger, améliorer, faciliter, résumer
SIMPLISTE → DÉBILE, FACILE, PRIMAIRE, SIMPLE, SIMPLIFIÉ
SIMULACRE → APPARENCE, FANTÔME, IMITATION, PARODIE, SEMBLANT
SIMULATEUR → COMÉDIEN, JETON, MACHINE
SIMULATION → RÉSOLUTION
SIMULÉ → FAUX (2), HYPOCRITE, MARIAGE
SIMULER → COMÉDIE, COMPOSER, EXAGÉRER, IMITER, RECONSTITUER, REPRÉSENTER, SEMBLANT
SIMULTANÉ → TEMPS, VACCINATION
SIMULTANÉ coïncident, concomitant, contemporain, synchrone, synchronisé
SIMULTANÉISME → NARRATION
SIMULTANÉITÉ → COÏNCIDENCE, CONJONCTION, CORRESPONDANCE
SIMULTANÉMENT → FOIS, FRONT
SINAGOT
Voir tab. **Bateaux**
SINANTHROPE → SINGE
SINAPISÉ → BAIN, MOUTARDE
SINAPISME → MOUTARDE
SINCÈRE → CLAIR, COMPLIMENT, CORDIAL (2), EXACT, FIDÈLE (2), FRANC (2), JUSTE, LOYAL, NATUREL, RÉEL, RÉGULIER, SÉRIEUX (2), SOLIDE, SPONTANÉ
SINCÈRE authentique, bonne foi, cœur ouvert (à), droit, exact, fidèle, franc, franchement, honnête, juste, loyal, loyalement, vérace, véridique, véritable, vrai
SINCÈREMENT → CLAIREMENT, FRANCHEMENT, PROFONDÉMENT
SINCÉRITÉ → FIDÉLITÉ, FOI, FRAÎCHEUR, FRANCHISE, SIMPLICITÉ, SOLIDITÉ, VÉRACITÉ, VÉRITÉ
SINCIPUT → TÊTE
SINE DIE → DATE

SINE QUA NON → ESSENTIEL
SINÉCURE → EMPLOI, REPOS, TRAVAIL
SINGALETTE → TOILE
SINGE → MAIN, ZOUAVE
Voir tab. **Animaux (termes propres aux)**
Voir tab. **Mammifères (classification des)**
SINGE aï, anthropopithèque, bradype, clownerie, corned-beef, grimace, mimique, paresseux, pithécanthrope, pitrerie, primates, simiens, simiesque, sinanthrope, singerie, unau
SINGER → COPIER, IMITER, MIMER, REPRÉSENTER
SINGERIE → IMITATION, SIMAGRÉES, SINGE
SINGESSE
Voir tab. **Animaux (termes propres aux)**
SINGLE → HÔTEL
SINGLETON
Voir tab. **Bridge**
Voir tab. **Tarot**
SINGULARISER → CARACTÉRISER
SINGULARITÉ → ANOMALIE, CARACTÈRE, EXCENTRICITÉ, IDENTITÉ, INDIVIDUALITÉ, ORIGINALITÉ
SINGULARITÉ bizarrerie, excentricité, extravagance, individualité, originalité, particularité, spécificité, unicité
SINGULIER → ADMIRABLE, ANORMAL, BANAL, BIZARRE, CURIEUX (2), ÉTONNANT, ÉTRANGE, EXCEPTION, INCOMPARABLE, INDIVIDUEL, INSOLITE, MARGINAL, NON-CONFORMISTE, ORIGINAL, PARTICULIER, PERSONNEL (2), SEUL, SPÉCIAL, UNIQUE
SINGULIER abracadabrant, ahurissant, anormal, biscornu, bizarre, courant (peu), curieux, délirant, duel, étonnant, étrange, exceptionnel, extraordinaire, fantasque, fantastique, farfelu, féerique, incroyable, inédit, inexplicable, inimaginable, inouï, insolite, inusité, merveilleux, novateur, original, prodigieux, rare, surprenant
SINGULIÈREMENT → NOTAMMENT, PARTICULIÈREMENT
SINISTRE → BORGNE, CATASTROPHE, ENTERREMENT, FATAL, FUNESTE, INQUIÉTER, LUGUBRE, MACABRE, RAVAGE, SOMBRE
Voir tab. **Assurance (vocabulaire de l')**
SINISTRE abattu, lugubre, malfaisant, malheureux, maussade, mauvais, méchant, menaçant, patibulaire, sépulcral (peu), sombre, taciturne, triste
SINISTRÉ → CATASTROPHE, VICTIME (2)

SINISTRE (1) cataclysme, catastrophe, cyclone, dégât, dommage, incendie, inondation, ouragan, perte, préjudice, tornade, tremblement de terre
SINISTRE (2) angoissant, caverneux, effrayant, ennuyeux, funèbre, funeste, inquiétant, lamentable, lugubre, macabre, misérable, morbide, morose, mortel, sépulcral, sombre, terrifiant
SINISTROSE → PESSIMISME
SINOGRAMME → CHINOIS
SINOLOGIE → CHINOIS
Voir tab. **Sciences : termes en -ologie et -ographie**
SINON → SANS
SINOPIA
Voir tab. **Dessin (vocabulaire du)**
SINOPLE → BLASON, VERT (2)
Voir illus. **Héraldique**
SINUEUX → ONDOYANT, SERPENT
SINUEUX affecté, alambiqué, amphigourique, compliqué, contourné, courbe, détourné, lacet, lacet (en), méandre, méandreux, ondoyant, ondulant, quintessencié, retors, S (en), serpentin, sophistiqué, tarabiscoté, tordu, tortueux, zigzag (en)
SINUOSITÉ → BOUCLE, CONTOUR, COUDE, DÉTOUR, MÉANDRE, PLI, RIVIÈRE, ZIGZAG
SINUSOÏDE → OSCILLATION
SIONISME → JUIF (2)
SIPHON → BAROMÈTRE, TUBE
SIRACIDE (LE)
Voir tab. **Bible**
SIRE → INDIVIDU, ROI, SEIGNEUR, SOUVERAIN (1)
SIRÈNE → BRUME, FEMME, IMAGINAIRE (2), LÉGENDE, SIGNAL
Voir tab. **Animaux fabuleux**
Voir tab. **Bruits**
SIRÉNIENS
Voir tab. **Mammifères (classification des)**
SIROCCO → DÉSERT, VENT
Voir tab. **Vents**
SIROCCO chamsin, chergui, khamsin, simoun
SIROP → MÉDICAMENT
SIROP antitussif, diacode, épais, expectorant, liquoreux, looch, mélasse, pectoral, sirupeux, sirupeux
SIROTER → BOIRE, DÉGUSTER
SIRUPEUX → COLLANT, DOUX, SIROP, SUAVE, SUCRÉ
SIRVENTÈS → POÈME
SISAL → TEXTILE, VANNERIE, VÉGÉTAL (2)
SISMAL → TREMBLEMENT DE TERRE
SISMICITÉ
Voir tab. **Tremblements de terre**
SISMIQUE → MOUVEMENT, SECOUSSE, TREMBLEMENT DE TERRE
SISMOGÉNIQUE → TREMBLEMENT DE TERRE
SISMOGRAPHE → INSTRUMENT, MÉTÉOROLOGIE
Voir tab. **Instruments de mesure**
Voir tab. **Tremblements de terre**

SISMOLOGIE → TREMBLEMENT DE TERRE
Voir tab. **Sciences : termes en -ologie et -ographie**
Voir tab. **Tremblements de terre**
SISMOMÈTRE
Voir tab. **Tremblements de terre**
SISMOTHÉRAPIE → PSYCHIATRIE
Voir tab. **Psychiatrie**
SISSONNE → DANSE
Voir tab. **Danse classique**
SISTERSHIP → NAVIRE
SISTRE
Voir illus. **Percussions**
Voir tab. **Instruments de musique**
SITAR
Voir tab. **Instruments de musique**
SITCOM → FEUILLETON
SITE → ANGLE, CONNEXION, LIEU, PAYSAGE
SITE administrateur, archéologique, cadre, classement à l'Inventaire, décor, endroit, étendue, expropriation, forum, FTP (file transfer protocol), homepage, inscription à l'Inventaire, lieu, maître-toile, naviguer, panorama, parc national, paysage, point de vue, réserve naturelle, surfer, webmaster
SITE WEB
Voir tab. **Internet**
SIT-IN → MANIFESTATION, RÉSISTANCE, VIOLENCE
SITIOMANIE
Voir tab. **Manies**
SITIOPHOBIE
Voir tab. **Phobies**
SITUATION → CAP, CARRIÈRE, CAS, CHOSE (1), CIRCONSTANCE, CONDITION, CONJONCTION, CONJONCTURE, EMPLOI, ÉTAT, FAIT, FONCTION, INCIDENT (1), MÉTIER, ORIENTATION, PLACE, POSITION, POSTE, POSTURE, RENCONTRE, SORT, STATUT
SITUATION circonstance, condition, conjoncture, contexte, échelon, emplacement, emploi, état, exposition, fonction, localisation, métier, orientation, place, position, poste, posture, rang
SITUATION (EN) → VIF (1)
SITUATION DES ÉTRANGERS → DROIT (1)
SITUATIONNISME → SOCIÉTÉ
SITUER → LOCALISER
SITUER cerner, classer, définir, déterminer (se), localiser, placer, positionner (se), prendre parti, prendre position, ranger, replacer
SIVOM → COMMUNE
SIVU → COMMUNE
SIX hexagone, sexdigitaire, sextuor, sextupler, sixain, sizain
SIXIÈME MALADIE
Voir tab. **Pédiatrie**
SIXAIN → SIX
SIXTE → INTERVALLE
SIXTIES → SOIXANTE
SIZAIN → SIX, STROPHE
SKAÏ → CUIR
Voir tab. **Tissus**

SKATE → PATIN
SKATE-BOARD → ROULETTE
SKETCH → SCÈNE
SKI → ALTITUDE, HIVER, NEIGE
Voir illus. **Chaussures**
Voir tab. **Sports**
SKI barefoot, butée, fart, figure, funiculaire, monoski, motoneige, motoski, œuf, patin, remonte-pente, saut, semelle, ski compact, ski de compétition, ski de free style, ski performant, slalom, snowboard, talonnière, télécabine, téléphérique, télésiège, téléski, tire-fesses
SKI (SAUT À)
Voir tab. **Sports**
SKI COMPACT → SKI
SKI DE COMPÉTITION → SKI
SKI DE FREE STYLE → SKI
SKI NAUTIQUE → NAUTIQUE
Voir tab. **Sports**
SKI PERFORMANT → SKI
SKIEUR
Voir tab. **Saints patrons**
SKIFF
Voir tab. **Bateaux**
SKIP → MINE
SKIPPER → BARRE, CAPITAINE, YACHT
SLAB → CAOUTCHOUC
SLALOM → DESCENTE, PLANCHE À VOILE, SKI
SLANG → DIALECTE
Voir tab. **Argot et langages populaires**
SLEEPING → WAGON
SLICE → TENNIS
SLIP → CALEÇON
Voir illus. **Modes et styles**
SLOGAN → AFFICHE, CRI, DEVISE, FORMULE, MANIFESTATION, PROPAGANDE, PUBLICITAIRE
SLOOP → VOILIER
Voir tab. **Bateaux**
SLOW → DANSE
SLOW-FOX
Voir tab. **Danses (types de)**
SLUM → TAUDIS
SM
Voir tab. **Éléments chimiques (symbole des)**
SMACK → VOILIER
SMALT → BLEU (1)
SMARAGDIN → ÉMERAUDE
Voir tab. **Couleurs**
SMARAGDITE → ÉMERAUDE, VERT (2)
SMASH → TENNIS
SMI
Voir tab. **Monnaie**
SMIC → BASE
SMILEY
Voir tab. **Internet**
SMILLE → MARTEAU, PIERRE
SMITHSONITE → ZINC
SMOCKS → BRODER, DÉCORATION, PLI
SMOG → BROUILLARD, FUMÉE
SMOG PHOTOCHIMIQUE → DIOXYDE
SMOKING → COSTUME, HABIT, VESTE, VÊTEMENT
Voir illus. **Manteaux**
Voir illus. **Modes et styles**
SMS

Voir tab. **Multimédia (les mots du)**
SMURF → DANSE
SMYRNE → RAISIN
SN
Voir tab. **Éléments chimiques (symbole des)**
SNACK-BAR → RESTAURANT
SNCF → CHEMIN DE FER
SNOB → RECHERCHÉ
SNOB affecté, bêcheur, dédaigner, distant, emprunté, faux mondain, mépriser, salonnard, snober, snobinard, supérieur
SNOBER → SNOB
SNOBINARD → SNOB
SNOOPY
Voir tab. **Bande dessinée (héros de)**
SNOW-BOOT → CHAUSSURE, NEIGE
Voir illus. **Chaussures**
SNOWBOARD → SKI
Voir tab. **Sports**
SOAP OPERA → FEUILLETON, SÉRIE
SOBRE → AUSTÈRE, BAVARD, CLASSIQUE, CONCIS, DENSE, DISCRET, NU, SERRÉ, SÉVÈRE, SIMPLE, STRICT
SOBRE abstinent, austère, avare de, classique, concis, continent, dépouillé, discret, frugal, léger, loquace (peu), maigre, mesuré, modéré, pondéré, renfermé, réservé, simple, tempéré
SOBRIÉTÉ → MODÉRATION, SIMPLICITÉ
SOBRIQUET → DÉSIGNATION, DIMINUTIF, NOM, PETIT (2)
SOC → BÊCHE, CHARRUE, FENDRE
Voir illus. **Charrue**
SOCIABILITÉ → SOCIÉTÉ
SOCIABLE → ACCESSIBLE, FACILE, SAUVAGE, SYMPATHIQUE
SOCIABLE adapter (s'), aimable, civiliser (se), courtois, engageant, gracieux, liant, ouvert, poli, socialiser (se)
SOCIAL → CIVILISATION, COLLECTIF, INSTITUTION, POLITIQUE (1)
SOCIAL contact, mondain, public, socialité, sociétal, sociocentrisme, sociologie
SOCIALISANT → SOCIALISME
SOCIALISATION → COMMUNISME
SOCIALISER (SE) → SOCIABLE
SOCIALISME → CAPITALISME, POLITIQUE (2)
Voir tab. **Histoire (grandes périodes)**
SOCIALISME capitalisme, égalitarisme, libéralisme, libertaire, progressisme, révolutionnaire, socialisant, travaillisme
SOCIALISME UTOPIQUE → SOCIÉTÉ
SOCIALISTE collectivisme, coopératisme, étatisme, fouriérisme, SFIO (Section française de l'Internationale ouvrière), saint-simonisme
SOCIALITÉ → SOCIAL
SOCIÉTAIRE → ACADÉMICIEN, ADHÉRENT (1), COMÉDIE, PARTICIPANT
SOCIÉTAL → SOCIAL
SOCIÉTÉ → AMICALE, CIVILISATION,

COLLECTIVITÉ, COMMUNAUTÉ, COMPAGNIE, DROIT (1), ENTREPRISE, ÉTAT, ORDRE, RELATION, TRIBU
Voir tab. **Animaux (termes propres aux)**
SOCIÉTÉ affaire, alliance, anarchisme, aristocratie, association, carbonaro, cartel, cercle, club, coalition, collectivité, communauté, compagnie, compagnonnage, confrérie, conglomérat, consortium, contrat social, coopération, corporation, corps social, entreprise, établissement, ethnologie, firme, franc-maçonnerie, gentry, guilde, hautes sphères, holding, jet-set, jet-society, ligue, mafia, maison, milieu, monde, omnium, pool, Rose-Croix, situationnisme, sociabilité, sociométrie, socius, syndicat, trust, univers
SOCIÉTÉ À RESPONSABILITÉ LIMITÉE
Voir tab. **Entreprise (vocabulaire de l')**
SOCIÉTÉ ANONYME
Voir tab. **Entreprise (vocabulaire de l')**
SOCIÉTÉ DES GENS DE LETTRES (GRAND PRIX DE LITTÉRATURE DE LA)
Voir tab. **Prix littéraires**
SOCINIANISME → HÉRÉSIE, TRINITÉ
SOCIOCENTRISME → SOCIAL
SOCIOLINGUISTIQUE → APPLIQUÉ
SOCIOLOGIE → SOCIAL
SOCIOLOGIE ANIMALE → ZOOLOGIE
SOCIOMÉTRIE → SOCIÉTÉ
SOCIUS → SOCIÉTÉ
SOCLE → BASE, PIÉDESTAL, STATUE, SUPPORT
SOCLE acrotère, piédestal, piédouche, stylobate, support
SOCQUE → CHAUSSURE, SABOT
Voir illus. **Chaussures**
SOCQUETTE
Voir tab. **Modes et styles**
SOCRATIQUE → IRONIE
SODIUM
Voir tab. **Éléments chimiques (symbole des)**
SODOMIE → ANUS
SŒUR → RELIGIEUX (1)
Voir tab. **Clergé catholique (vocabulaire du)**
SŒUR béguine, carmélite, consanguin, fratricide, fratrie, moniale, nonne, Parques (les), puîné, religieuse, sororal, utérin
SOFA → FAUTEUIL, MEUBLE, REPOS
SOFFITE → PLAFOND
Voir illus. **Colonnes**
Voir tab. **Architecture**
SOFTBALL
Voir tab. **Sports**
SOFTWARE
Voir tab. **Informatique**
SOI → PERSONNALITÉ
SOI assumer, endosser, propre, revendiquer, self-control

SOI (EN) → NATURE
SOI-DISANT → SUPPOSÉ
SOIE → CHEMISE, COCHON, FIBRE, MAÏS, MANCHE, POIL, PORC, TEXTILE
Voir tab. **Anniversaires de mariage**
SOIE batik, battage, bombyx du mûrier, bourrette, brocart, canut, chrysalide, coconnage, croisure, décreusage, dévidage, doupion, faille, filature, japonette, kapok, lampas, madras, marceline, moulinage, nymphe, organsin, panne, pongé, reps, satin, schappe, sériciculture, shantung, soie grège, soie naturelle, soie sauvage, soyeux, taffetas, tussah, twill
SOIE DE PORC → BROSSE
SOIE DE VERRE → VERRE
SOIE GRÈGE → SOIE
SOIE NATURELLE → SOIE
SOIE SAUVAGE → SOIE
SOIERIE → TISSU
SOIF → CURIOSITÉ, DÉSIR, FAIM
SOIF altérer, apaiser, appétit, assoiffer, assouvir, calmer, désaltérer, désir, dipsomanie, envie, étancher, faim, quête, rafraîchir, satiété (à), tentation, volonté
SOIFFARD → IVROGNE
SOIGNANT → SOIN
SOIGNÉ → CHIC, LÉCHER, MINUTIEUX, NET, OUVRAGÉ, RECHERCHÉ
SOIGNÉ avenant, consciencieux, coquet, élégant, étudié, fignolé, fini, léché, lisible, minutieux, net, perlé, poli, propre, raffiné, recherché, sophistiqué, stylé
SOIGNÉ (PEU) → NÉGLIGÉ (2)
SOIGNER → BÂCLER, CALMER, CISELER, CONSERVER, ÔTER, RECUEILLIR, TRAITER, VEILLER
SOIGNER ciseler, consulter, cultiver, curatif, entretenir, médication, médicinal, ordonnance, panser, parfaire, peaufiner, perler, raffiner, traitement, traiter, travailler
SOIGNEUR → SOIN
SOIGNEUSEMENT → DÉLICATEMENT, PROPREMENT
SOIGNEUX → CONSCIENCIEUX, MÉTICULEUX, SÉRIEUX (2)
SOIGNEUX appliqué, approfondi, attentif, consciencieux, délicat, méticuleux, minutieux, ordonné, préoccupé, rigoureux, sérieux, soucieux
SOI-MÊME
Voir tab. **Manies**
SOIN → CONSCIENCE, EXACTITUDE, PAUVRETÉ, PRÉCAUTION, PROPRETÉ, RECHERCHE, TRAITEMENT
SOIN application, attention, attentionné, bichonner, cajoler, charge, choyer, couver, devoir, diligent, dispensaire, dorloter, empressé, entretenir, masseur, ménager, méticulosité, minutie, mission, prévenant, réparer, responsabilité, rigueur, soignant, soigneur, songer à, veiller à, vigilance

SOIR → BRUNE, DÉBUT, DÉCLIN, JOUR

SOIR aubade, bal, boum, complies, crépusculaire, sérénade, soirée, surprise-partie, veillée, vespéral

SOIRÉE → DÉBUT, RÉCEPTION, RÉUNION, SOIR

SOIRÉE bal, dîner, fête, réception

SOISSONS → HARICOT

SOIXANTAINE → SOIXANTE

SOIXANTE sexagénaire, sexagésimal, sixties, soixantaine (une)

SOIXANTE-DIX septante

SOL → IMMEUBLE (2)

Voir illus. **Symboles musicaux**

SOL asphalte, bitume, gitologie, glèbe, goudron, humus, pédologie, podzol, pseudogley, solifluxion, surface, tchernoziom, terrain

SOLAIRE → ÉNERGIE

SOLAIRE chauffage, chauffe-eau, électricité photovoltaïque, gnomon, Jupiter, Mars, Mercure, Neptune, piscine solaire, Pluton, Saturne, Terre, Uranus, Vénus

SOLANACÉES → PIMENT, POMME DE TERRE, TOMATE

SOLARISATION → TRUCAGE

SOLARIUM → TERRASSE

SOLDAT → COMBATTANT, RENFORT

SOLDAT arbalétrier, archer, arquebusier, bachi-bouzouk, biffin, bleu, bleusaille, briscard, carabinier, cipaye, combattant, conquérant, conscrit, dragon, éclaireur, evzone, fantassin, fédéré, franc-tireur, frondeur, grognard, guerrier, hoplite, horse-guard, hussard, infanterie, janissaire, mercenaire, moblot, pertuisanier, phalangiste, pionnier, poilu, recrue, reître, sapeur, soldatesque, solde, soudard, spahi, tirailleur, tommy, troupier, vélite, vétéran

SOLDATESQUE → SOLDAT

SOLDE → APPOINTEMENTS, BILAN, PAIEMENT, PRIX, PROMOTION, PROVISION, RABAIS, RÉCLAME (1), RÉMUNÉRATION, RESTE, SALAIRE, SOLDAT

SOLDE balance, démarque, liquidation, promotion, rabais, réduction, reliquat, remise, stipendiaire

SOLDE MIGRATOIRE

Voir tab. **Population**

SOLDÉ bradé, démarqué, sacrifié

SOLDER → CHER, CLORE, PAYER, PRIX, VENDRE

SOLDER aboutir à, acquitter (s'), annuler, clôturer, conclure par (se), fermer, liquider, payer, régler, terminer par (se)

SOLE → FOUR, SABOT

Voir illus. **Ongle**

SOLÉAIRE → MOLLET

Voir illus. **Muscles**

SOLÉCISME → ABUS, BARBARE, FAUTE, GRAMMAIRE, IRRÉGULIER

SOLEIL → ASTRE, CIEL, PLI,

TOURNESOL, ZODIAQUE

Voir illus. **Éclipses**

Voir illus. **Saisons (mécanisme des)**

Voir tab. **Astrologie**

Voir tab. **Papier (formats de)**

SOLEIL Aton, écliptique, équinoxe, facule, faux soleil, hélianthe, héliofuge, héliographe, héliophobe, héliophotomètre, hélioscope, héliostat, héliothérapie, héliotrope, héliotropique, Horus, parhélie, photophobe, Rê, sciaphile, tournesol

SOLENNEL → GRAVE, GUINDÉ, IMPÉRIAL (2), IMPOSANT, MAGISTRAL, MAJESTUEUX, SENTENCIEUX, SÉRIEUX (2)

SOLENNEL affecté, ampoulé, auguste, compassé, doctoral, empesé, emphatique, grave, guindé, imposant, magistral, majestueux, officiel, pédant, pompe (en grande), pontifiant, public, sentencieux

SOLÉNOGLYPHES → VIPÈRE

SOLÉNOÏDE → BOBINE

Voir tab. **Électricité**

Voir tab. **Garagiste (vocabulaire du)**

SOLERET À LA POULAINE

Voir illus. **Armures**

SOLEX → PÉDALE, ROUE

SOLFATARE → DÉPÔT, VOLCAN

SOLFÈGE → MUSIQUE

SOLFIER → CHANTER

SOLIDAIRE → RESPONSABLE (2), UNI

SOLIDARISER (SE) → BLOC, PARTAGER

SOLIDARITÉ → ÉQUIPE, FRATERNITÉ, RÉCIPROQUE (2), RELATION, SOUTIEN, UNION

SOLIDARITÉ entraide, fraternité, mutualité, sororité

SOLIDE → DÉFORMER, DUR, DURABLE, ÉPAIS, ÉPREUVE, FERME (2), INÉBRANLABLE, ROBUSTE, SÉRIEUX (2), STABLE, SÛR, VIGOUREUX

SOLIDE ancré, assis, assuré, coaguler (se), consistant, consolider, durable, durcir, enraciné, ferme, fiable, fidèle, figer (se), fort, fortifier, immuable, incassable, indéfectible, indestructible, inébranlable, inusable, massif, râblé, renforcer, résistant, robuste, sincère, solidifier (se), stable, substantiel, vigoureux

SOLIDIFICATION → CONCRET (2), CORPS

SOLIDIFIER → DURCIR, SOLIDE

SOLIDITÉ → CONSISTANCE, DURETÉ, RECTITUDE, RÉSISTANCE, STABILITÉ

SOLIDITÉ assiette, assise, consistance, épaisseur, fermeté, fidélité, résistance, robustesse, sincérité, stabilité

SOLIFLORE → VASE

SOLIFLUXION → SOL

SOLILOQUER → PARLER, SEUL

SOLIN

Voir illus. **Maison**

Voir illus. **Toits**

SOLIPÈDES → ÂNE, SABOT

SOLIPSISME → INDIVIDUALITÉ

SOLISTE → MUSICIEN

SOLITAIRE → BAGUE, BRILLANT (2), DIAMANT, MISANTHROPE (2), OURS, SAUVAGE, SEUL

Voir illus. **Bijoux**

SOLITAIRE (1) abandonné, écarté, éloigné, isolé, retiré

SOLITAIRE (2) anachorète, ascète, bijou, brillant, diamant, équipage (sans), ermite, joyau, moine, pierre, seul, solo (en)

SOLITUDE → ISOLEMENT

SOLITUDE déréliction, désert, retraite, thébaïde

SOLIVE → PARQUET, PLAFOND, SUPPORT

Voir illus. **Colombage**

Voir illus. **Intérieur de maison**

SOLLICITATION → DEMANDE, INVITATION, REQUÊTE, TENTATION

SOLLICITER → CANDIDAT, PRIER, RECHERCHER, REGARD

SOLLICITER assaillir, attirer, briguer, convier, demander, engager, éveiller, exhorter, harceler, implorer, importuner, inciter, inviter, mendier, postuler pour, poursuivre, quémander, quêter, réclamer, requérir, retenir, tenter

SOLLICITUDE → ATTENTION, COMPASSION, INTÉRÊT, TENDRESSE, ZÈLE

SOLO (EN) → SOLITAIRE (2)

SOLSTICE → SAISON

SOLSTICE D'ÉTÉ → NUIT

SOLSTICE D'HIVER → NUIT

SOLUBLE → DISSOUDRE, FONDRE

SOLUTÉ → DISSOLUTION, LIQUIDE, MÉDICAMENT, SOLUTION

SOLUTION → CLEF, DISSOLUTION, ÉNIGME, ISSUE, LIQUIDE, MOYEN (1), PANACÉE, POSSIBILITÉ, RÉPONSE, RÉSOLUTION, RÉSULTAT

SOLUTION aboutissement, achèvement, clef, conclusion, dénouement, explication, fin, impossible, insoluble, issue, mucilage, résolution, résoudre, résultat, soluté, solutionner

SOLUTION (SANS) → IMPASSE

SOLUTIONNER → SOLUTION

SOLVANT → BENZINE, ÉTHER

SOMATIQUE → CORPS, PHYSIQUE

SOMATOTROPE → CORPS

SOMBRE → CLARTÉ, ENTERREMENT, FONCÉ, FUNESTE, MAUSSADE, MÉLANCOLIE, MORNE, MOROSE, NOIR (2), NUIT, OBSCUR, OPAQUE, PESSIMISTE, SINISTRE (2), SOURD, TÉNÉBREUX, TRISTE

SOMBRE assombrir (s'), bas, brumeux, chagrin, couvert, dantesque, déplorable, fâcheux, foncé, funèbre, funeste, gris, inquiétant, lamentable, macabre, maussade, mélancolique, menaçant, morne, morose, noir, nuageux, obscur, pessimiste, regrettable, rembrunir (se), renfrogner (se), sinistre, taciturne, ténébreux, tragique, triste

SOMBRE (ÊTRE) → NOIR (2)

SOMBRER → ABÎMER (S'),

ANÉANTIR, CHAVIRER, COULER, DISPARAÎTRE, ÉCROULER (S'), ENFONCER, ENGLOUTIR, GLISSER, NAUFRAGE, NOYER

SOMBRER abîmer (s'), absorber (s'), affaisser (s'), chavirer, couler, courir à sa fin, courir à sa perte, décliner, disparaître, écrouler (s'), enfoncer (s'), engloutir (s'), faiblir, glisser, naufrage (faire), perdre (se), péricliter, périr corps et biens, plonger (se), tomber

SOMBRERO → BORD, CHAPEAU

SOMMAIRE → ABRÉGER, ARGUMENT, CATALOGUE, CHAPITRE, CONCIS, CONTENU, DESCRIPTION, ÉLÉMENTAIRE, GROSSIER, PRIMAIRE, PRIMITIF, RÉSUMÉ (1), SIMPLE, SUPERFICIEL

SOMMAIRE (1) avertissement, incipit, introduction, notice, préface

SOMMAIRE (2) aperçu, bref, concis, condensé, court, cursif, élémentaire, expéditif, fragmentaire, laconique, parcellaire, partiel, rapide, rudimentaire, succinct, superficiel

SOMMAIRE (PAGE DE)

Voir illus. **Livre relié**

SOMMAIREMENT → SUBSTANCE

SOMMATION → COMMANDEMENT, CONDITION, DEMANDE, DEMEURE, IMPÔT, INVITATION, MISE, ULTIMATUM

SOMMATION assignation, avertissement, citation, injonction, interpellation, intimation, mise en demeure

SOMME → CHIFFRE, COMPTE, DORMIR, RÉCIT

SOMME approvisionner, chiffre, compendium, créditer, débiter, masse, montant, précis, provisionner, quantité, synthèse, total, volume

SOMME DISPONIBLE → BUDGET

SOMMEIL → RÉVEIL

Voir illus. **Phases du sommeil**

Voir tab. **Phobies**

SOMMEIL anesthésie, assoupissement, catalepsie, demi-sommeil, dormition, engourdissement, hibernation, hypnagogique, hypnose, insomnie, léthargie, Morphée, narcolepsie, narcose, narcothérapie, narcotique, repos, somnambulisme, somnifère, somnolence, sopor, soporifique, torpeur, trypanosomiase, tsé-tsé

SOMMEILLER → DORMIR, INERTIE

SOMMELIER → CAVE, MAÎTRE (1), REPAS, RESTAURANT

SOMMER → ADDITIONNER, COMMANDER, EXIGER, INTERPELLER, ORDONNER, SIGNIFIER

SOMMET → CONFÉRENCE, CRÊTE, CULMINANT, DEGRÉ, EXTRÉMITÉ, MAXIMUM, POINT, POINTE, SUPÉRIEUR, ZÉNITH

Voir illus. **Géométrie (figures de)**

SOMMET aiguille, apogée, ballon, calotte glaciaire, cime, croupe, dent, dôme, faîte, flèche, girouette, mamelon, pic, pinacle, point culminant, pointe, sommital, summum, table d'orientation, zénith

SOMMIER → CHEVAL, COMPTABILITÉ, MATELAS, PIANO, REGISTRE, VOÛTE
Voir illus. **Arcs**
Voir tab. **Architecture**

SOMMITAL → SOMMET

SOMMITÉ → CÉLÉBRITÉ, EXTRÉMITÉ, PERSONNALITÉ, PERSONNE, SAVANT (1)

SOMNAMBULE → MARCHER

SOMNAMBULISME → HYPNOSE, SOMMEIL

SOMNIFÈRE → DORMIR, DROGUE, SOMMEIL
Voir tab. **Médicaments**

SOMNO → TABLE

SOMNOLENCE → SOMMEIL, TORPEUR

SOMNOLENT → ENDORMI

SOMNOLER → DORMIR

SOMPTUAIRE → COÛT, LUXE

SOMPTUEUX → BEAU, MAGNIFIQUE, RICHE (2), SPLENDIDE, SUPERBE (2)

SOMPTUEUX éclatant, épanoui, fastueux, luxueux, magnifique, opulent, pompeux, princier, radieux, splendide, superbe

SOMPTUOSITÉ → BRILLANT (2), FASTE (1), LUXE, RICHESSE, SPLENDEUR

SON → CÉRÉALE, FARINE, ISSUE, PORC, RÉGIE, RYTHME

SON acoustique, ambitus, audiomètre, audition, barrière sonique, décibel, diapason, écho, éphélide, euphonie, eurythmie, fréquence, harmonie, infrason, insonore, onde, ouïe, phonétique, phonologie, phonomètre, registre, répercussion, résonance, réverbération, rythme, sonomètre, sonorité, sonothèque, sourdine, supersonique, tache de rousseur, tessiture, timbre, tonalité, ultrason, vibration

SONAL → INDICATIF, PUBLICITAIRE

SONAR → MARINE, ONDE, SOUS-MARIN (1)

SONATE → COMPOSITION, PIANO
Voir tab. **Musicales (formes)**

SONDAGE → CONSULTATION, ENQUÊTE, INTERROGATION, QUESTIONNAIRE, SONDE, STATISTIQUE

SONDAGE échantillon, micro-trottoir, panel, statistique

SONDE → ASTRONAUTIQUE, PERCEUSE, TUBE
Voir tab. **Chirurgie (vocabulaire de la)**
Voir tab. **Instruments médicaux**

SONDE bathymétrie, bougie, canule, cathéter, drain, endoscope, fibroscope, génétique, moléculaire, radiosonde, sondage, trépan

SONDER → CHERCHER, EXPLORER, INSPECTER, INTERROGER, MESURER,

PROFONDEUR, QUESTION, QUESTIONNER, RECONNAÎTRE, SCRUTER, TÂTER

SONDER analyser, approfondir, confesser, étudier, explorer, forer, interroger, pénétrer, prospecter, questionner, scruter

SONGE → CHIMÈRE, ILLUSION, PROPHÈTE, RÊVE

SONGE chimère, illusion, onirocrite, oniromancie, rêve, songe-creux, utopie, vision

SONGE-CREUX → SONGE

SONGER → DISPOSER, ENVISAGER, MÉDITER, PENSER, RÊVER, SOIN, SPÉCULER, VEILLER

SONGER cogiter sur, consacrer à (se), considérer, envisager, envisager de, imaginer, intéresser à (s'), méditer sur, penser à, préoccuper de (se), projeter de, réfléchir à, spéculer sur

SONGEUR → NUAGE

SONNAILLE → BÉTAIL, CLOCHETTE

SONNER → RÉSONNER

SONNER carillonner, glas, grailler, hallali, résonner, tinter, tintinnabuler, tocsin

SONNERIE → SIGNAL

SONNERIE appel au drapeau, charge, couvre-feu, honneur, ralliement, rassemblement, réveil

SONNET
Voir tab. **Poésie (vocabulaire de la)**

SONNETTE → CLOCHETTE, PIEU

SONNETTE bouton, carillon, cloche, cordon, poire, timbre

SONNEUR → CORNEMUSE

SONNEZ → DÉ

SONOMÈTRE → SON

SONORE → BRUYANT, DOCUMENT, FORT (2), JOVIAL, RÉSONNER
Voir tab. **Bruits**

SONORE bruyant, éclatant, retentissant, sourd, tonitruant, tonnant, voisé

SONORISATEUR → INTERMITTENT (2)

SONORITÉ → SON

SONORITÉ acoustique, ampleur, hauteur, intensité, résonance, timbre

SONOTHÈQUE → COLLECTION, SON

SONOTONE → AUDITION

SOPHISME → ARGUMENT, CONVAINCRE, FAUX (1), LOGIQUE (2), RAISONNEMENT

SOPHISTE → RHÉTORIQUE

SOPHISTICATION → PERFECTION

SOPHISTIQUÉ → ÉLABORER, RAFFINÉ, RECHERCHÉ, SINUEUX, SOIGNÉ, SUBTIL

SOPHISTIQUÉ affecté, alambiqué, amphigourique, ampoulé, artificiel, complexe, contourné, emphatique, étudié, évolué, maniéré, perfectionné, précieux, recherché, travaillé

SOPHISTIQUER → CONVAINCRE, RAISONNER

SOPHOCLE → TRAGÉDIE

SOPHONIE
Voir tab. **Bible**

SOPHROLOGIE → MÉDECINE, PARALLÈLE (2)
Voir tab. **Médecines alternatives**

SOPOR → SOMMEIL

SOPORIFIQUE → DORMIR, ENNUYEUX, NARCOTIQUE (1), SOMMEIL

SOPRANO → CHANTEUR, HAUT (2), MUE, VOIX

SORBET → DESSERT, GLACE

SORCELLERIE → ANIMISME, INCANTATION, OCCULTE, RELIGION
Voir tab. **Démonologie**

SORCELLERIE alchimiste, démone, diablerie, diablesse, grimoire, homoncule, homuncule, incube, magie noire, succube, vaudou, vénéfice

SORCIER → MAGICIEN, MALIN (2)

SORCIER chaman, charme, devin, maléfice, messe noire, prophète, sort, sortilège, vaticinateur

SORCIÈRE → CONTE, ENFANCE

SORCIÈRE balai, chapeau pointu, chat noir, chaudron, couteau, furie, harpie, Inquisition, maccarthysme, manteau, mégère, nez (long), onguent, philtre, poison, potion, pythie, pythonisse, sabbat, Walburge, Walpurgis

SORDIDE → DÉGOÛTANT, IGNOBLE, INFÂME, INFECT, MESQUIN, SALE

SORGHO → CÉRÉALE, FOURRAGE, VANNERIE

SORITE → RAISONNEMENT

SORNETTE → BALIVERNE, BLAGUE, CONTE, HISTOIRE, SOTTISE

SORORAL → SŒUR

SORORITÉ → SOLIDARITÉ

SORT → CHANCE, CONDITION, DESTIN, ENCHANTEMENT, ENSORCELER, ÉTOILE, FATALITÉ, FÉE, FORTUNE, HASARD, JAILLIR, SORCIER

SORT adversité, Alea jacta est, apanage, avenir, charme, condition, destin, destinée, disgrâce, enchantement, état, fatalité, fatum, infortune, lot, maléfice, malheur, position, situation, sortilège, vie

SORTE → CLASSE, ESPÈCE, GENRE, NATURE, RACE

SORTE acabit, genre, nature, ordre, type

SORTIE → ATTAQUE, ISSUE, SERVIETTE, SORTIR

SORTIE algarade, attaque, balade, débouché, échappatoire, échappée, émergence, escapade, faux-fuyant, issue, lancement, parution, porte, promenade, publication, résurgence, virée

SORTIE DE BAIN → NÉGLIGÉ, PEIGNOIR

SORTIES → DÉPENSE

SORTILÈGE → CHARME, ENCHANTEMENT, ILLUSION, MAGIQUE, SORCIER, SORT

SORTIR → DÉBITER, PERCER, PROMENER, PUBLIER, REVENIR, VENIR

SORTIR absenter (s'), débucher, débusquer, découler, dégager, dégager (se), dépasser, dépêtrer de (se), écarter de (s'), échapper (s'), éclipser (s'), éclore, éloigner de (s'), émaner,

émerger, enlever, esquiver (s'), évacuer, exhaler, exhumer, expulser, extraire, filer à l'anglaise, guérir de, jaillir, ôter, outrepasser, percer, poindre, provenir, réchapper de, relever de, résulter, retirer (se), saillir, sourdre, tirer de (se), transgresser, venir à bout de

SORTIR DE SES GONDS → IRRITER

SOS → APPEL, DÉTRESSE, SIGNAL

SOSIE → DOUBLE (1), IDENTIQUE, JUMEAU, RÉPLIQUE, RESSEMBLANCE

SOSTENUTO
Voir tab. **Musique (vocabulaire de la)**

SOT → ÂNE, BÊTE (2), IDIOT, IMBÉCILE (2), RIDICULE

SOT béjaune, benêt, blanc-bec, dadais, godiche, jobard, jocrisse, naïf, niais, nicodème, nigaud, pécore, péronnelle, pimbêche, simplet

SOTTIE → FARCE, THÉÂTRAL

SOTTISE → ABSURDITÉ, BABIOLE, BALIVERNE, BALOURDISE, BÊTISE, CONTE, IDIOTIE, INEPTIE, NIAISERIE

SOTTISE baliverne, balourdise, bêtise, bévue, billevesée, bourde, calembredaine, fadaise, faribole, gaffe, idiotie, imbécillité, maladresse, sornette, stupidité

SOTTISIER → RECUEIL

SOU → FRANC (1)

SOUBASSEMENT → BASE, FONDATION
Voir illus. **Maison**

SOUBASSEMENT assise, base, embasement, fondation, fondement, principe, semelle, stéréobate, structure

SOUBISE → PURÉE

SOUBRESAUT → BRUSQUE, CAHOT, CONVULSION, FRISSON, INTERMITTENT (2), SAUT, SECOUSSE, SURSAUTER, TREMBLEMENT
Voir tab. **Danse classique**

SOUBRETTE → BONNE, DOMESTIQUE (1), SERVANTE

SOUBREVESTE → VESTE
Voir illus. **Manteaux**

SOUCHE → BÛCHE, CARNET, CIERGE, CONDITION, DESCENDANT, FAMILLE, ORIGINE, PIED, RACE, RACINE, SANG, TRONC, VIGNE
Voir illus. **Maison**

SOUCHET → CANARD

SOUCHONG → THÉ
Voir tab. **Thé**

SOUCI → ENNUI, INCIDENT, INQUIÉTER (S'), INQUIÉTUDE, MISÈRE, NUAGE, TOURMENTER (SE)

SOUCI abîmer, alarmiste, bile, calendula, cheveu, consumer, contrariété, défaitiste, désagrément, détériorer, difficulté, embarras, embêtement, ennui, fataliste, frivole, imprévoyant, insouciant, insoucieux, mauvais sang, miner, mouron, nonchalant, pessimiste, ronger, tourmenté, user

SOUCI (SE FAIRE DU) → FAIRE

SOUCIER → INQUIÉTER (S'), OCCUPER, PENSER, PRÉOCCUPER (SE)

SOUCIER inquiéter (s'), préoccuper (se), tourmenter (se)

SOUCIEUX → ABSORBÉ, BILE, INQUIET, SOIGNEUX, TOURMENTÉ

SOUCIS → TRACAS

SOUDAGE → SOUDURE

SOUDAIN → BEAU, BRUSQUE, FULGURANT, IMPRÉVU (2), INSTANT, INSTANTANÉ (2), SUBIT, SURPRISE

SOUDAIN brûle-pourpoint (à), brusque, brusquement, brutal, but en blanc (de), crier gare (sans), fortuit, foudroyant, immédiat, imprévu, impromptu, improviste (à l'), inattendu, inopiné, inopinément, instantané, nerveux, prompt, rapide, subit, subitement, surprenant

SOUDARD → SOLDAT

SOUDE → ALCALI, ALGUE, BASE, CENDRE, POISON

SOUDÉ → INSÉPARABLE

SOUDER → COLLER, JOINDRE, RACCORDER, SERRER

SOUDIÈRE → USINE

SOUDOYER → ACHETER, ARGENT, CORROMPRE, PAYER

SOUDURE → PLATINE

SOUDURE assemblage, autogène, brasure, chalumeau, électrique à l'arc, électrique par résistance, étincelage (par), fer à souder, joint, jonction, lampe à souder, laser, liaison, lien, plat (à), soudage, transition, ultrasons (par)

SOUE → COCHON, ÉTABLE

SOUFFLANT → RADIATEUR, REVOLVER

SOUFFLE → BRIN, BRUIT, ESPRIT, INSPIRATION, RESPIRATION, SOUPIR, VENT

Voir tab. **Bruits**

SOUFFLE ahanant, artériel, aspiration, bouffée, cardiaque, courant, élan, endurance, essoufflé, expiration, haleine, haletant, mouvement, pantelant, placentaire, poussif, pulmonaire, regain, reprise, résistance, respiration, veineux

SOUFFLÉ → DESSERT, MOULE, SUFFOQUER

SOUFFLER → CHUCHOTER, EXPIRER, GLISSER, INSINUER, RAVIR, RESPIRER, SOUPIRER

Voir tab. **Animaux (termes propres aux)**

SOUFFLER activer, attiser, chuchoter, dicter, glisser, inspirer, insuffler, murmurer, propager (se), ranimer, répandre (se), suggérer

SOUFFLER MOT → TAIRE

SOUFFLET → CHEMINÉE, CLAQUE, FORGE, GIFLE

Voir tab. **Photographie (vocabulaire de la)**

SOUFFLEUR → DAUPHIN

Voir illus. **Théâtre**

SOUFFLEUX → CÉTACÉ

SOUFFRANCE → DOULEUR, MAL (1), MALHEUR

SOUFFRANCE affliction, amertume, attente (en), calvaire, chagrin, crève-cœur, déchirement, désappointement, désolation, douleur, enfer, mal, martyre, masochisme, peine, supplice, suspens (en), torture, tourment, tristesse

SOUFFRANT → CHOSE, MALADE

SOUFFRANT chétif, défait, délicat, dolent, fatigué, fébrile, incommodé, indisposé, malade, maladif, patraque, souffreteux

SOUFFRE-DOULEUR → MARTYR, VICTIME (1)

SOUFFRETEUX → CONSTITUTION, FAIBLE (2), FRAGILE, MALADIF, MALINGRE, SOUFFRANT

SOUFFRIR → ADMETTRE, BAVER, CROIX, DÉGUSTER, ENDURER, PÂTIR, PERMETTRE, RECEVOIR, RESSENTIR, SUBIR, SUPPORTER, VOIR

SOUFFRIR accepter, admettre, affligé (être), atteint (être), consentir, craindre, masochiste, pâtir, permettre, sadique, tolérer

SOUFI

Voir tab. **Islam (vocabulaire de l')**

SOUFISME → ISLAM, MYSTIQUE (2)

Voir tab. **Religions et courants religieux**

SOUFRAGE

Voir tab. **Jardinage**

SOUFRE

Voir tab. **Couleurs**

Voir tab. **Éléments chimiques (symbole des)**

Voir tab. **Vin (vocabulaire du)**

SOUFRE acide sulfurique, hydrogène sulfuré, persulfure, polysulfure, soufré, soufrière, sulfate, sulfite, sulfure, sulfureux, sulfurifère, vulcain, vulcanisation

SOUFRÉ → SOUFRE

SOUFREUSE

Voir tab. **Jardinage**

SOUFRIÈRE → SOUFRE

SOUHAIT → ATTENTE, DEMANDE, ENVIE, ESPOIR, IMPÉRATIF (1), RÊVE, VŒU, VOLONTÉ

SOUHAIT aspiration, attente, désir, espoir, rêve, vœu

SOUHAITABLE → OPPORTUN

SOUHAITER → DÉSIRER, ESPÉRER, PRÉTENDRE, RÊVER

SOUHAITER ambitionner, appeler de ses vœux, aspirer à, briguer, convoiter, demander, espérer, offrir ses vœux, présenter ses vœux, rechercher, viser

SOUHAITER LE BONJOUR → SALUER

SOUILLARD → TROU

SOUILLARDE → CUISINE, PIÈCE

SOUILLE → SABLE, SALE, TANIÈRE

Voir tab. **Animaux (termes propres aux)**

SOUILLÉ → IMPUR, SALE, USÉ

SOUILLER → BARBOUILLER, BAVER, DÉSHONORER, FLÉTRIR, GRAISSER, NOIRCIR, PROFANER, TACHER

SOUILLON → MALPROPRE

SOUILLURE → IMPURETÉ, TACHE

SOUK → ARABE, BAZAR, DÉSORDRE, MARCHÉ, PÊLE-MÊLE

SOUKKOT

Voir tab. **Fêtes religieuses**

SOÛL → CONTENT (1), IVRE

SOULAGEMENT → CICATRISATION, CONSOLATION, DÉLIVRANCE, DIMINUTION, RÉCONFORT

SOULAGER → ADOUCIR, ALLÉGER, CALMER, CONSOLER, DÉLIVRER, DISPENSER, ENDORMIR, GUÉRIR, LIBÉRER, ÔTER, PESANT

SOULAGER abréger, adoucir, aider, amoindrir, apaiser, atténuer, calmer, consoler, débarrasser, décharger, délester, délivrer, diminuer, expédient, libérer, palliatif, panacée, réconforter, remède, secourir

SOULANE → MONTAGNE, VALLÉE

SOÛLER → ABREUVER

SOÛLERIE → BOISSON

SOULÈVEMENT → AGITATION, CONTESTATION, ÉMEUTE, MOUVEMENT, REBELLE (1), RÉVOLTE

SOULÈVEMENT agitation, coup d'État, désordre, émeute, guerre civile, insurrection, manifestation, mutinerie, putsch, rébellion, révolte, révolution, sécession, sédition, trouble, turbulence

SOULEVER → ABORDER, BOUGER, DÉCHAÎNER, EXALTER, HISSER, PROVOQUER, RELEVER, SUSCITER

SOULEVER causer, choquer, déchaîner, engendrer, entraîner, hausser (se), hisser (se), indigner, lever (se), provoquer, scandaliser, susciter, transporter

SOULIER

Voir illus. **Chaussures**

SOULIGNÉ → ACCUSÉ (2), PRONONCÉ

SOULIGNER → ACCENT, ACCUSER, BORDER, INSISTER, MARQUER, PONCTUER, RELEVER, RELIEF, REMARQUER, RESSORTIR, SIGNALER, VALEUR

SOULIGNER accentuer, faire ressortir, insister sur, intensifier, mettre en évidence, noter, préciser, relever, signaler

SOÛLOGRAPHE → IVROGNE

SOÛLOGRAPHIE → BOISSON

SOULTE → ÉCHANGE, SUPPLÉMENT

Voir tab. **Droit (termes de)**

SOUMETTRE → CAPITULER, CÉDER, CONQUÉRIR, CONSENTIR, DOCILE, DOMINER, ÉCHINE, ENCHAÎNER, EXPOSER, FILER, INCLINER (S'), MATER, OBÉIR, PLIER (SE), PROPOSER, RAISON, RENDRE (SE), RÉSISTANCE, RESPECT, SUBIR, SUGGÉRER, VENTRE

SOUMETTRE abaisser (s'), abandonner, aliéner (s'), amadouer, apprivoiser, asservir, assouplir, assujettir, assujettir (s'), astreindre (s'), capituler, céder, conformer à (se), conquérir, contraindre, contraindre à (se), corvéable, discipliner, dominer, dompter, enchaîner, fléchir, forcer (se), incliner (s'), livrer (se), maîtriser, obéir, observer, obtempérer, offrir, opprimer, pacifier, plier (se), présenter,

proposer, réduire, rendre (se), résigner (se), respecter, sacrifier à, subordonner, suivre

SOUMETTRE (SE) → COURBER

SOUMIS → HUMBLE, PASSIF (2), SERVILE

SOUMISSION → ACCEPTATION, CONTRAINTE, DÉPENDANCE, INFÉRIORITÉ, OBÉISSANCE, RECONNAISSANCE, SERVITUDE

SOUMISSION absolutisme, despotisme, dictature, ilote, inféodation, obédience, tyrannie, vassalité

SOUNDER → SIGNAL

SOUPAPE → BOUCHON

Voir illus. **Moteur**

SOUPAPE came, clapet, culbuteur, dérivatif, exutoire, papillon, poussoir, reniflard, soupape d'admission, soupape d'échappement, tige de poussoir

SOUPAPE D'ADMISSION → SOUPAPE

SOUPAPE D'ÉCHAPPEMENT → SOUPAPE

SOUPAPE GRILLÉE

Voir tab. **Garagiste (vocabulaire du)**

SOUPÇON → ALLUSION, DOUTE, LARME, NOTE, POINTE, PRÉSOMPTION, QUANTITÉ, TOUCHE, TRACE, ZESTE

SOUPÇON certitude, crainte, doigt, doute, goutte, larme, méfiance, nuage, peu, pincée, pointe, scepticisme, suspicion

SOUPÇONNER → CONNAÎTRE, DEVINER, DOUTER (SE), ENTREVOIR, INTUITION, PRESSENTIR, SENTIR, SUSPECT (1)

SOUPÇONNER appréhender, augurer, conjecturer, craindre, deviner, douter de (se), entrevoir, incriminer, présager de, pressentir, présumer, prévoir, redouter, subodorer, suspecter

SOUPÇONNEUX → JALOUX, MÉFIANT, SOURNOIS

SOUPÇONNEUX circonspect, craintif, défiant, jaloux, méfiant, ombrageux, suspicieux

SOUPE → CUILLER, PÂTURE, REPAS

SOUPE bortsch, bouillabaisse, bourride, chaudrée, cotriade, garbure, gaspacho, gratiné, minestrone, oursinade, panade, pochouse, soupe à l'ail, soupe au pistou, velouté

SOUPE AU PISTOU

Voir tab. **Plats régionaux**

SOUPER → REPAS

SOUPESER → PESER

SOUPIÈRE → VAISSELLE

SOUPIR → REGRET, SILENCE

Voir illus. **Symboles musicaux**

SOUPIR gémissement, plainte, râle, sanglot, souffle

SOUPIRAIL → OUVERTURE, REGARD

Voir illus. **Maison**

SOUPIRANT → ACCOMPAGNATEUR, ADMIRATEUR

SOUPIRER souffler

SOUPLE → ACCOMMODANT, DOCILE, FLEXIBLE, MALLÉABLE,

MANIABLE, MOELLEUX

Voir tab. **Vin (vocabulaire du)**

SOUPLE accommodant, adoucir, agile, ailé, alerte, arrangeant, assouplir, atténuer, complaisant, conciliant, corriger, décontracté, dégagé, détendu, diplomate, docile, ductile, élastique, extensible, facile, félin, fléchi, flexibiliser, flexible, froissable, léger, leste, malléable, maniable, modulable, mou, ondulant, pliable, plié, politique, relâché, serpentin, subtil

SOUPLESSE → ADAPTER, ÉLASTICITÉ, PLOYER

SOUQUENILLE → BLOUSE

SOURATE → CHAPITRE

Voir tab. **Islam (vocabulaire de l')**

SOURCE → CAUSE, DÉPART, FERMENT, GÉNÉRATEUR (2), GERME, NAISSANCE, ORIGINE, POINT, PRINCIPE, PROVENANCE, RACINE, RAISON, RÉFÉRENCE, SEMENCE, TRÉSOR

SOURCE base, cause, commencement, fondement, fontaine, foyer, générateur, germe, geyser, origine, point de départ, principe, radiesthésiste, référence, résurgence, rhabdomancien, sourcier, tari

SOURCIER → BAGUETTE, SOURCE

SOURCIL arcade, glabelle

SOURCILLER → BRONCHER

SOURCILLEUX → SÉVÈRE

SOURD → DÉGAGER, INSENSIBLE, MAT, REBELLE (2), SONORE, VAGUE (2)

SOURD amorti, assourdi, cassé, caverneux, clandestin, contenu, cotonneux, doux, enroué, étouffé, guttural, impitoyable, implacable, indifférent, indistinct, inexorable, inflexible, insensible, maîtrisé, mat, rentré, réprimé, sépulcral, sombre, souterrain, surdimutité, surdité, surmonté, ténébreux, voilé

SOURDINE → PÉDALE, SILENCE, SON

SOURDINS

Voir tab. **Habitants (comment se nomment les)**

SOURD-MUET

Voir tab. **Saints patrons**

SOURDRE → COULER, FILTRER, JAILLIR, SORTIR, SURGIR

SOURIANT → JOVIAL, JOYEUX

SOURICEAU → SOURIS

SOURICIÈRE → PIÈGE

SOURIS → INFORMATIQUE, RONGEUR

Voir tab. **Chevaux (robes des)**

Voir tab. **Couleurs**

Voir tab. **Informatique**

Voir tab. **Phobies**

SOURIS commensal, muridés, musaraigne, rongeurs, souriceau, souris blanche

SOURIS D'HÔTEL → CAMBRIOLER

SOURNOIS → FAUX (2), FOURBE, HYPOCRITE, MALIN (2), PERFIDE

SOURNOIS artificieux, caché, cauteleux, chafouin,

---

circonspect, clandestin, déloyal, dissimulé, doucereux, fourbe, hypocrite, insidieux, insinuant, malin, méfiant, mensonger, mielleux, perfide, précautionneux, retors, rusé, secret, soupçonneux, souterrain, subreptice, sucré, sycophante, trompeur

SOURNOISERIE → DISSIMULATION

SOUS PEU → BIENTÔT

SOUS X → INCONNU (2)

SOUS-ALIMENTATION → FAIM, INSUFFISANCE

SOUS-BARBE → CÂBLE

SOUS-BOCK

Voir tab. **Collectionneurs**

SOUS-CAPE → CIGARE

SOUS-COUPER

Voir tab. **Belote**

SOUSCRIPTEUR

Voir tab. **Assurance (vocabulaire de l')**

SOUSCRIPTION → ABONNEMENT, APPEL, BOURSE, EMPRUNT, SIGNATURE

SOUSCRIRE → ACCEPTER, ACQUIESCER, ACQUITTER, ADHÉRER, APPROUVER, CONSENTIR, CONTRACTER, CONVERTIR

SOUSCRIRE accéder à, acquiescer à, adhérer à, approuver, consentir à, cotiser, satisfaire, signer

SOUS-DÉVELOPPÉ → RETARD

SOUS-DIACONAT → ORDRE

SOUS-DIRECTEUR → INFÉRIEUR

SOUS-DOMINANTE → DEGRÉ

SOUS-EMBRANCHEMENT → EMBRANCHEMENT

SOUS-ENTENDRE → ENTENDRE, INSINUER, SUGGÉRER

SOUS-ENTENDU → ALLUSION, INDIRECT, SILENCE

SOUS-ENTENDU (1) allusion, arrière-pensée, insinuation, réticence

SOUS-ENTENDU (2) implicite, latent, suggéré, tacite

SOUS-ÉPINEUX → ÉPAULE

SOUS-ESPÈCE → RACE

SOUS-ESTIMER → MÉCONNAÎTRE, OPINION

SOUS-EXPOSÉ

Voir tab. **Photographie (vocabulaire de la)**

SOUS-FIFRE → INFÉRIEUR

SOUS-GORGE → BRIDE

Voir illus. **Harnais**

SOUS-INFORMATION → INFORMATION

SOUS-LIEUTENANT → CHEF

Voir illus. **Grades de la gendarmerie**

Voir illus. **Grades militaires**

SOUSLIK → MARMOTTE

SOUS-MAIN (EN) → MANTEAU

SOUS-MARIN → AGENT, BATAILLE, NAVIGUER, VOLCAN

Voir tab. **Bateaux**

SOUS-MARIN (1) asdic, bathyscaphe, bathysphère, périscope, sas, schnorchel, sonar, sous-marinier

SOUS-MARIN (2) bathymétrique, océanographie, torpille

SOUS-MARINIER → SOUS-MARIN (1)

SOUS-MAXILLAIRE

Voir illus. **Digestif (appareil)**

SOUS-NOIX

Voir illus. **Veau**

SOUS-OFFICIER → KÉPI

Voir illus. **Grades militaires**

SOUS-ORDRE → INFÉRIEUR

SOUS-PAYER → EXPLOITER

SOUS-PRODUCTION → INSUFFISANCE

SOUS-PROGRAMME → MODULE

SOUS-PROLÉTARIAT → PAUVRETÉ

SOUS-PULL

Voir illus. **Modes et styles**

SOUS-QUALIFICATION → INSUFFISANCE

SOUS-RACE → RACE

SOUS-RÉPERTOIRE → RÉPERTOIRE

SOUS-SCAPULAIRE → ÉPAULE

SOUS-SOL → CAVE, INFÉRIEUR

Voir tab. **Phobies**

SOUSSIGNÉ → SIGNATURE

SOUS-TITRAGE → ADAPTATION, TRADUCTION

SOUS-TITRÉ → FILM, VERSION

SOUS-TONIQUE → DEGRÉ

SOUSTRACTIF → SOUSTRAIRE

SOUSTRACTION → CALCUL, DÉCOMPTE, FONCTIONNAIRE, OPÉRATION

Voir tab. **Mathématiques (symboles)**

SOUSTRACTION décompte, déduction, détournement, différence, escamotage, reliquat, restant, subtilisation, vol

SOUSTRAIRE → ACQUÉRIR, ARRACHER, CONFISQUER, DÉROBER, DÉROBER (SE), DÉTOURNER, DISSIMULER, DISTRAIRE, ÉCHAPPER, EMPARER (S'), EMPORTER, ESCROQUER, ÉVADER (S'), FUIR, LIBÉRER, MANQUER, ÔTER, PRENDRE, RETENIR, RETIRER, SAUVER, VOLER

SOUSTRAIRE arracher à (s'), cacher, celer, contourner, déduire, dégager, dérober, dispenser, dissimuler, écarter de (s'), échapper à, éluder, escamoter, esquiver, exempter, fuir, ôter, prélever, préserver, ravir, retrancher, soustractif, subtiliser, voler

SOUS-TRAITANCE → PRESTATION

SOUS-TRAITER → CONFIER

SOUS-VENTRIÈRE → COURROIE

SOUS-VÊTEMENT → DESSOUS

SOUTACHE → GALON, UNIFORME (1)

SOUTANE → ROBE, VÊTEMENT

SOUTENANCE DE MÉMOIRE → UNIVERSITÉ

SOUTÈNEMENT → MUR, REVÊTEMENT, SOUTIEN

SOUTENEUR → PROSTITUÉE

Voir tab. **Prostitution**

SOUTENIR → ACCOMPAGNER, AFFIRMER, AIDER, APPUYER, BÉNIR, ÉCRIRE, ENCOURAGER, ÉPAULER, ÉPOUSER, FAVORISER, FORTIFIER, INCITER, JUSTICE, MAINTENIR, PARIER, PATRONNER, PLAIDER, PORTER, PRÉTENDRE, PROTÉGER, RAISON, RECOMMANDER, RÉCONFORTER, RÉPONDRE, SECONDER, SUPPORTER

SOUTENIR affirmer, aider, animer, appuyer, assister, assurer,

---

attester, certifier, défendre, élevé, encourager, endurer, entretenir, épauler, épouser, étançonner, étayer, favoriser, maintenir, noble, patronner, prétendre, prolonger, réconforter, remonter, rivaliser, seconder, secourir, stimuler, supporter

SOUTENU → CONTINU, CORRECT, ÉCRIT (2), ÉGAL, INTENSIF, NOBLE (2), RAPIDE, RÉGULIER, SUIVI, VIF (2)

SOUTENU académique, assidu, châtié, choisi, constant, continu, élevé, intense, noble, opiniâtre, persévérant, persistant, recherché, tenace

SOUTERRAIN → SECRET (2), SOURD, SOURNOIS

SOUTERRAIN (1) catacombes, caveau, crypte, excavation, galerie, hypogée, ossuaire, tunnel

SOUTERRAIN (2) boyau, caché, clandestin, crypte, cul-de-basse-fosse, eau d'infiltration, galerie, illicite, nécropole, obscur, oubliette, secret, ténébreux, tunnel

SOUTIEN → AIDE, APPUI, ASSISTANCE, BÉQUILLE, CAUTION, FAVEUR, PARRAIN, PATRONAGE, PERFECTIONNEMENT, PROTECTION, RÉCONFORT, REFUGE (1), RENFORT, SECOURS, SUPPORT

SOUTIEN accore, aide, appui, appuyer, assistance, champion, collaboration, concours, contrefort, coopération, défenseur, échalas, espalier, étançon, partisan, perche, rame, rattrapage, réconfort, secours, service, solidarité, soutènement, supporter, tin, treillage, tuteur

SOUTIEN-GORGE → BUSTE, DESSOUS

SOUTIER → MARIN (1)

SOUTIRER → ARRACHER, ESCROQUER

SOUVENANCE → SOUVENIR

SOUVENIR → BIBELOT, CADEAU, IMAGE, INSTANTANÉ (1), PASSÉ (1), PENSÉE, RAFRAÎCHIR, RAPPEL

SOUVENIR commémoration, mémoire, réminiscences, souvenance, souvenir-écran

SOUVENIR (SE) → PENSER, RÉCAPITULER, RECONNAÎTRE, REMETTRE, REPRÉSENTER (SE), RETENIR

SOUVENIR (SE) agenda, aide-mémoire, amnésique, calepin, mémento, mnémotechnique, pense-bête

SOUVENIR-ÉCRAN → SOUVENIR

SOUVENT → PLUPART (LA)

SOUVERAIN → EMPEREUR, INFAILLIBLE, LIBRE, LIVRE STERLING, MONARCHIE, MONARQUE, PRINCE, ROI, SEIGNEUR, SUPÉRIEUR, SUPRÊME

SOUVERAIN (1) altesse, autocrate, bey, chah, chambellan, couronne, courtisan, despote, dictateur, favorite, khan, majesté, négus, padichah, potentat, régent, sceptre, sire, sultan, trône, tyran

SOUVERAIN (2) absolu, infaillible, omnipotent, suprême, sûr, tout-puissant

SOUVERAIN PONTIFE → PAPE

SOUVERAINEMENT → DIVINEMENT

SOUVERAINETÉ → AUTONOMIE, AUTORITÉ, INDÉPENDANCE, LIBERTÉ, POUVOIR, RÈGNE

SOVIET → DÉLÉGUÉ

SOVIÉTIQUE → ROUGE

SOVKHOZE → FERME (1)

SOYER → CHAMPAGNE

SOYEUX → AMOUREUX, BRILLANT (1), DÉLICAT, DOUX, SOIE

SPACIEUX → GRAND

SPADASSIN → ÉPÉE, GAGE, TUEUR

SPAGHETTI → ITALIEN (2), PÂTE
Voir illus. **Pâtes**

SPAHI → CAVALERIE, SOLDAT

SPALTER → PINCEAU

SPAM
Voir tab. **Internet**

SPARADRAP → COLLANT, COLLE, PANSEMENT

SPARDECK → PONT

SPARGANIER → RUBAN

SPARNACIENS
Voir tab. **Habitants (comment se nomment les)**

SPARRING-PARTNER → BOXEUR

SPART(E) → PANIER

SPARTERIE → VÉGÉTAL (2)

SPARTIATE → AUSTÉRITÉ, CHAUSSURE, SANDALE, SÉVÈRE
Voir illus. **Chaussures**

SPASME → CONTRACTION, CONVULSION, CRISPATION, RAGE, SURSAUTER, TREMBLEMENT

SPASME angiospasme, antispasmodique, convulsif, épilepsie, nerveux, spasmes en flexion, spasmodique, spasmolytique, spasmophilie, syndrome de West, tétanie, tic de Salaam

SPASMODIQUE → FRISSON, SPASME

SPASMOLYTIQUE → SPASME

SPASMOPHILIE → MAGNÉSIUM, SPASME

SPATH → CRISTAL

SPATHE → MAÏS

SPATIONAUTE → FUSÉE, VAISSEAU

SPATULE → CUILLER, DENTISTE, PEINTRE
Voir tab. **Instruments médicaux**
Voir tab. **Oiseaux (classification simplifiée des)**

SPATULÉE
Voir illus. **Feuille**

SPEAKER → PRÉSENTATEUR

SPÉCIAL → EXCEPTION, INDIVIDUEL, IRREMPLAÇABLE, PARTICULIER, SEUL

SPÉCIAL adapté, adéquat, bizarre, caractéristique, curieux, distinct, étrange, exceptionnel, extraordinaire, extravagant, fantaisiste, farfelu, individuel, inhabituel, insolite, original, particulier, personnel, propre, remarquable, saugrenu, singulier, spécifique, sui generis

SPÉCIALEMENT → PARTICULIÈREMENT

SPÉCIALISATION → DOCTEUR, INDUSTRIE
Voir tab. **Entreprise (vocabulaire de l')**

SPÉCIALISÉ → ÉDUCATEUR, POINTU

SPÉCIALISTE → CONSEILLER (1), PROFESSIONNEL (1), SAVANT (1), TECHNICIEN, VALABLE

SPÉCIALITÉ → CHAMP, COMPÉTENCE, DISCIPLINE, DOMAINE, FORT (1), RAMIFICATION, SECTEUR

SPÉCIALITÉ branche, caractéristique, département, division, domaine, habitude, jargon, manie, secteur, terminologie

SPÉCIEUX → APPARENCE, MALHONNÊTE, PERFIDE, RAISONNEMENT, TROMPEUR

SPÉCIFICATION → DÉTERMINATION

SPÉCIFICITÉ → CARACTÉRISTIQUE, DIFFÉRENCE, ORIGINALITÉ, PARTICULARITÉ, QUALITÉ, SINGULARITÉ

SPÉCIFIER → DÉFINIR, DÉTERMINER, STIPULER

SPÉCIFIQUE → CARACTÉRISTIQUE, DOUANE, ESPÈCE, PROPRE (2), SPÉCIAL, TYPIQUE, VOLUME

SPÉCIFIQUEMENT → NOTAMMENT, PROPREMENT

SPÉCIMEN → ÉCHANTILLON, EXEMPLAIRE (1), INDIVIDU, MODÈLE (1)

SPECTACLE → CONCERT, EXHIBITION, NUMÉRO, PRESTATION, PRODUCTION, RÉCITAL, REPRÉSENTATION, REVUE, SCÈNE, TABLEAU

SPECTACLE afficher (s'), amphithéâtre, arène, carnaval, carrousel, cavalcade, chansonnier, cinéma, cirque, colonne Morris, concert, défilé, divertissement, effeuillage, exhiber (s'), exposer (s'), gala, guignol, mascarade, matinée, montrer (se), music-hall, naumachie, one-man-show, one-woman-show, opéra, panorama, représentation, revue, saison, scène, séance, show, show-business, strip-tease, tableau, théâtre, vision, vue

SPECTACULAIRE → ÉCLATANT, THÉÂTRAL

SPECTATEUR → CLIENT, DESTINATAIRE, OBSERVATEUR, PUBLIC (1), TÉMOIN

SPECTATEUR assemblée, assistance, auditoire, galerie, parterre, public, salle, voyeur

SPECTATEUR (ÊTRE) → ASSISTER

SPECTRE → APPARITION, ARC-EN-CIEL, DÉCOMPOSITION, FANTÔME

SPECTRE apparition, bleu, champ d'action, danger, degré d'efficacité, esprit, fantôme, indigo, jaune, menace, orangé, revenant, rouge, spectrographe, spectromètre, spectrométrie, spectrophotomètre, spectroscope, vert, violet

SPECTROGRAPHE → SPECTRE

SPECTROMÈTRE → SPECTRE
Voir tab. **Instruments de mesure**

SPECTROMÉTRIE → SPECTRE

SPECTROPHOTOMÈTRE → SPECTRE

SPECTROSCOPE → SPECTRE

SPÉCULATEUR → AFFAIRE, HOMME D'AFFAIRES

SPÉCULATION → ARBITRAGE, CALCUL, CHANGE, OPÉRATION, PENSÉE, RECHERCHE, TRAFIC

SPÉCULER → ACHETER, BOURSE, CAPITAL (1), JOUER, MÉDITER, SONGER, TRIPOTER, VENDRE

SPÉCULER agioter, appuyer (s'), boursicoter, compter sur, faire fond sur, méditer sur, réfléchir à, songer à, tabler sur

SPÉCULOOS → BELGE
Voir tab. **Gâteaux régionaux et étrangers**

SPÉCULUM
Voir tab. **Instruments médicaux**

SPEED-SAIL → PLANCHE À VOILE, ROULETTE

SPEEDWAY
Voir tab. **Sports**

SPÉLAIONOPHOBIE
Voir tab. **Phobies**

SPÉLÉOLOGIE → EXPLORATION, GOUFFRE, GROTTE
Voir tab. **Sciences : termes en -ologie et -ographie**

SPÉLÉOLOGUE
Voir tab. **Saints patrons**

SPENCER → VESTE
Voir illus. **Manteaux**

SPÉOS → ROC, TEMPLE

SPERMACETI → BALEINE, BLANC (2), CACHALOT

SPERMATHÈQUE → SPERME

SPERMATOGENÈSE → SPERME

SPERMATOZOÏDE → CONCEPTION, FÉCONDATION, GAMÈTE, MÂLE, REPRODUCTEUR, REPRODUCTION, SPERME
Voir illus. **Testicule**

SPERME → BANQUE, REPRODUCTION, SEMENCE, SIDA

SPERME gamète mâle, laitance, laite, liquide séminal, spermathèque, spermatogenèse, spermatozoïde, spermicide, spermie, spermoculture, spermocytogramme, spermogramme

SPERMICIDE → CONTRACEPTIF, SEXUEL, SPERME

SPERMIE → SPERME

SPERMOCULTURE → SPERME

SPERMOCYTOGRAMME → SPERME

SPERMOGRAMME → SPERME

SPHACÈLE → GANGRÈNE

SPHAIGNES → MOUSSE (1)

SPHALÉRITE → ZINC

SPHÉNISCIFORMES
Voir tab. **Oiseaux (classification simplifiée des)**

SPHÉNOÏDE
Voir illus. **Squelette**

SPHÈRE → CERCLE, CONDITION, ÉTENDUE, ORBITE, UNIVERS
Voir illus. **Géométrie (figures de)**

SPHÈRE cercle, champ, domaine, environnement, globe, mappemonde, milieu, monde, planisphère, réseau, sphérique, sphéroïdal, zone

SPHÉRIQUE → ROND (2), SPHÈRE

SPHÉROÏDAL → SPHÈRE

SPHÉROMÈTRE
Voir tab. **Instruments de mesure**

SPHEX → GUÊPE

SPHINCTER → ANUS

SPHINX → DÉVORER, FEMME, MONSTRE
Voir tab. **Animaux fabuleux**
Voir tab. **Mythologiques (créatures)**

SPHP
Voir tab. **Police nationale (organisation de la)**

SPHYGMOGRAPHE → POULS

SPHYGMOMANOMÈTRE → ENREGISTREUR, TENSION ARTÉRIELLE

SPHYGMOTENSIOMÈTRE → TENSION ARTÉRIELLE

SPICA → BANDAGE

SPICCATO
Voir tab. **Musique (vocabulaire de la)**

SPICIFORME → ÉPI

SPICILÈGE → RECUEIL

SPIDERMAN L'ARAIGNÉE
Voir tab. **Bande dessinée (héros de)**

SPINAL → COLONNE VERTÉBRALE

SPINALIENS
Voir tab. **Habitants (comment se nomment les)**

SPINA-VENTOSA → TUBERCULOSE

SPINELLE
Voir tab. **Pierres précieuses et semi-précieuses**

SPIRALE → BOUCLE, CAHIER, ENGRENAGE, GALAXIE, RELIURE
Voir illus. **Galaxie**
Voir illus. **Sièges**

SPIRALE cardioïde, colimaçon (en), hélicoïdal, lemniscate, nuage, spirale d'Archimède, spirale de Fermat, spirale de Galilée, spirale de Poinsot, spirale hyperbolique, spirale logarithmique, spire, vis (à), volute, vrille

SPIRALE D'ARCHIMÈDE → SPIRALE

SPIRALE DE FERMAT → SPIRALE

SPIRALE DE GALILÉE → SPIRALE

SPIRALE DE POINSOT → SPIRALE

SPIRALE HYPERBOLIQUE → SPIRALE

SPIRALE LOGARITHMIQUE → SPIRALE

SPIRANTE
Voir tab. **Bruits**

SPIRE → SPIRALE

SPIRÉE → BARBE

SPIRILLE → MICROBE

SPIRIPONTAINS
Voir tab. **Habitants (comment se nomment les)**

SPIRITISME → CONSULTATION, CROYANCE, ESPRIT
Voir tab. **Sciences occultes**

SPIRITUALISER → SPIRITUEL

SPIRITUALISME → ÂME, RÉALITÉ

SPIRITUALITÉ → BALOURDISE

SPIRITUEL → BRILLANT (1), IMMATÉRIEL, INSPIRATEUR, INTELLECTUEL, INTÉRESSANT (2), MALICIEUX, PLAISANT, RAFFINÉ, RELIGIEUX (2)

SPIRITUEL abstrait, allégorique, amusant, brillant, chaste, culturel, drôle, figuré, humoristique, idéaliser, immatériel, incorporel, intellectuel, intemporel, malicieux, moral, mystique, pétillant, piquant, platonique, raffiné, spiritualiser, sublimer, subtil, symbolique, vif

SPIRITUEUX → ALCOOL, LIQUEUR
Voir tab. **Alcools et eaux-de-vie**
SPIROCHÈTE → MICROBE
SPIROÏDE → FRACTURE
SPIROU
Voir tab. **Bande dessinée**
(héros de)
SPLANCHNOLOGIE → ANATOMIE
SPLEEN → ABATTEMENT, CAFARD, CRISE, ENNUI, IDÉE, MÉLANCOLIE, REGRET, TRISTESSE
SPLEN(O)-
Voir tab. **Chirugicales** (interventions)
SPLENDEUR → BRILLANT (2), ÉCLAT, FASTE (1), LUMIÈRE, LUXE, POMPE, RICHESSE
SPLENDEUR apparat, attrait, éclat, faste, feu, gloire, grandeur, lumière, lustre, luxe, magnificence, opulence, panache, pompe, relief, somptuosité, succès
SPLENDIDE → BEAU, MAGNIFIQUE, MERVEILLEUX, RADIEUX, RESPLENDISSANT, SOMPTUEUX, SUPERBE (2)
SPLENDIDE admirable, brillant, éblouissant, éclatant, enchanteur, étincelant, exceptionnel, extraordinaire, fabuleux, féerique, magnifique, majestueux, merveilleux, mirifique, monumental, olympien, princier, prodigieux, radieux, ravissant, resplendissant, rutilant, sculptural, séduisant, somptueux, sublime, superbe
SPLENDIDEMENT → PRINCE
SPLÉNECTOMIE → VENTRE
SPOILER
Voir illus. **Avion**
SPOLIER → ACQUÉRIR, DÉPOUILLER, FRUSTRER, NUIRE, PRIVER, VIOLENCE, VOLER
SPONDÉE → MÈTRE
Voir tab. **Poésie** (vocabulaire de la)
SPONDYL(O)-
Voir tab. **Chirugicales** (interventions)
SPONDYLARTHRITE → ARTICULATION
SPONDYLE → VERTÈBRE
SPONDYLODISCITE → OSSEUX
SPONGIAIRES
Voir tab. **Animaux (classification simplifiée des)**
SPONGICULTURE → ÉPONGE
Voir tab. **Élevages**
SPONGIEUX → MOU
SPONGIEUX spongiforme
SPONGIFORME → SPONGIEUX
SPONSORING → FINANCIER (2)
SPONSORISATION → BIENFAITEUR, DON
SPONSORISER → ENCOURAGER
SPONTANÉ → AUTOMATIQUE, DÉSINTÉRESSÉ, IMPROVISÉ, IMPULSIF, INCONSCIENT (2), INSTINCT, INSTINCTIF, INVOLONTAIRE, IRRÉFLÉCHI, NATUREL
SPONTANÉ automatique, cordial, direct, franc, impulsif, inconscient, instinctif, involontaire, irréfléchi, loyal, naturel, primesautier, sincère

SPONTANÉITÉ → FRAÎCHEUR, FRANCHISE, SIMPLICITÉ
SPONTANÉMENT → INITIATIVE
SPORADIQUE → DISCONTINU, INTERMITTENT (2), IRRÉGULIER, MALADIE
SPORANGE → CAPSULE
SPOROZOAIRE → PALUDISME
SPORT → ÉDUCATION, EXERCICE, PHYSIQUE
SPORT fédération, gymnase, stade
SPORTIF (1) antidopage, benjamin, cadet, casaque, casque, coquille, cuirasse, dossard, gant, genouillère, junior, masque, minime, poussin, protège-dents, protège-tibia, senior, toque, vétéran
SPORTIF (2) amphithéâtre, biathlon, challenge, cirque, Colisée, critérium, décathlon, éliminatoire, fair-play, pentathlon, présélection, sélectionneur, triathlon
SPORTULE → DON
SPORULATION → MULTIPLICATION, REPRODUCTION
SPOT → ÉCLAIRAGE, FEU, ILLUMINATION, MESSAGE, PUBLICITAIRE, SATELLITE
SPOT PUBLICITAIRE → RÉCLAME
SPOUTNIK I → FUSÉE, SATELLITE
SPRAY → AÉROSOL, BOMBE, BOUTEILLE, BROUILLARD
SPRINT → ATHLÉTISME, VITESSE
Voir tab. **Sports**
SPRINTER → COUREUR
SPRUE → DIARRHÉE
SPUMESCENT → ÉCUME
SPUMEUX → ÉCUME
SPUMOSITÉ → BAVE
SQUALE BOUCLÉ
Voir tab. **Poissons (classification simplifiée des)**
SQUALIMORPHES
Voir tab. **Poissons (classification simplifiée des)**
SQUAMATES → SERPENT
SQUAMEUX → ÉCAILLE
Voir illus. **Champignon**
SQUAMIFÈRE → ÉCAILLE
SQUAMULE → ÉCAILLE
SQUARE → JARDIN, PARC, PUBLIC (2)
SQUASH → BALLE
Voir tab. **Sports**
SQUAT → INSTALLATION, LOGEMENT, OCCUPATION
SQUATINOMORPHES
Voir tab. **Poissons (classification simplifiée des)**
SQUATTER → OCCUPER, PIONNIER, VACANT
SQUATTEUR → OCCUPANT
SQUAW → INDIEN (2)
SQUELETTE → CADAVRE, CARCASSE, CHARPENTE, CORPS, OS, OSSATURE, PLAN, STRUCTURE
SQUELETTE canevas, décharné, desséché, efflanqué, émacié, étique, hâve, ossement, plan, squelettique, structure, vertébré
SQUELETTIQUE → DESSÉCHÉ, MAIGRE, OSSEUX, SEC, SQUELETTE
Voir illus. **Cellules**
SQUILLE → SAUTERELLE

SQUIRRHE → CANCER
SR
Voir tab. **Éléments chimiques (symbole des)**
SRIPOPHILE
Voir tab. **Collectionneurs**
SRPJ
Voir tab. **Police nationale (organisation de la)**
SSII
Voir tab. **Multimédia (les mots du)**
SSMI
Voir tab. **Police nationale (organisation de la)**
STABAT MATER → VIERGE (1)
STABILISANT → CONSERVATEUR
STABILISATEUR
Voir illus. **Arcs et arbalète**
Voir illus. **Avion**
STABILISER → AFFERMIR, ASSAINIR, CONSOLIDER, ÉQUILIBRE
STABILITÉ → ASSIETTE, FERMETÉ, PERMANENCE, SOLIDITÉ
Voir tab. **Automobile**
STABILITÉ aplomb, assiette, assise, constance, durabilité, équilibre, fermeté, fixité, inamovibilité, permanence, sécurité, solidité, tenue
STABLE → DURABLE, ÉQUILIBRÉ, FERME (2), FIXE (2), IDENTIQUE, INALTÉRABLE, SOLIDE, STATIONNAIRE
STABLE affermi, assis, assuré, capricieux, constant, durable, équilibré, ferme, fixe, immuable, inaltérable, inconstant, lunatique, permanent, solide, stationnaire, versatile
STABULATION → ÉTABLE
STACCATO → PIQUÉ
Voir tab. **Musique** (vocabulaire de la)
STADE → COURSE, DURÉE, ITINÉRAIRE (2), PHASE, SPORT
STADE degré, dénouement, échelon, étape, fin, gradin, issue, niveau, palier, période, phase, terme, tribune, vélodrome
STADE DU MIROIR
Voir tab. **Psychanalyse**
STAFF → PLÂTRE
STAGE → PROFESSIONNEL (2)
STAGFLATION → CRISE
STAGIAIRE → APPRENTI
STAGNANT → DORMANT, DORMIR, IMMOBILE, LANGUISSANT, STATIONNAIRE
STAGNATION → ARRÊT, CHANGEMENT, INERTIE, NOTABLE (2)
STAGNATION ankylose, arrêt, crise, immobilisme, immobilité, improductivité, inaction, inertie, marasme, piétinement, ralentissement, stase
STAGNER → CROUPIR, ÉVOLUER, PIÉTINER, SÉJOURNER
STAHL → ANIMISME
STAKHANOVISME → RENDEMENT
STALACTITE → CALCAIRE, GROTTE, PÉTRIFIÉ
Voir illus. **Grotte sous-marine**
STALAG → CAMP, DÉPORTATION
STALAGMITE → CALCAIRE, GROTTE, PÉTRIFIÉ
Voir illus. **Grotte sous-marine**

STALINIEN → TOTALITAIRE
STALINISME → COMMUNISME
STALLE → CHAISE, COURSE HIPPIQUE, ÉCURIE, LOGE
Voir illus. **Sièges**
Voir tab. **Animaux (termes propres aux)**
STANCE → STROPHE
STANCES → POÈME
Voir tab. **Poésie** (vocabulaire de la)
STAND → BARAQUE, BOUTIQUE, RAYON
STANDARD → NORME, TÉLÉPHONE, UNIFORME (2)
Voir tab. **Cinéma**
STANDARD (1) classique, norme, règle
STANDARD (2) contraint, courant, figé, habituel, normalisé, ordinaire, stéréotypé, type
STANDARDISATION → INDUSTRIE, NORMALISATION, RATIONNEL
STANDARDISER → UNIFORMISER
STANDARDISTE → BUREAU, OPÉRATEUR
STAND-BY → RÉSERVATION
STANDING → CONFORT, NIVEAU, STATUT
STANISLAS (PLACE)
Voir tab. **Monuments français du patrimoine mondial**
STANNIFÈRE → ÉTAIN
STAPHISAIGRE → POU
STAR → CÉLÉBRITÉ, ÉTOILE, IDOLE, VEDETTE
STARTER → COURSE
STARTING-BLOCK → COURSE, MARQUE
STARTING-GATE → COURSE HIPPIQUE
STASE → ARRÊT, STAGNATION
STASOPHOBIE
Voir tab. **Phobies**
STATHOUDER → GOUVERNEUR, HOLLANDAIS
STATION → CHAÎNE, CROIX, HALTE, MILIEU
STATION arrêt, balnéaire, halte, lieu de séjour, pause, position, ville d'eaux, villégiature
STATION SPATIALE → ASTRONAUTIQUE
STATIONNAIRE → MAINTENIR, STABLE
STATIONNAIRE constant, étale, fixe, identique, immobile, inchangé, invariable, stable, stagnant, statique
STATIONNEMENT aubergine, bivouac, camp, cantonnement, caserne, contractuel, contravention, enlèvement, horodateur, parcmètre, pervenche, procès-verbal, résidentiel, sabot de Denver, unilatéral, zone bleue
STATIONNER → GARER, RANGER
STATION-SERVICE → POSTE
STATIQUE → ÉQUILIBRE, MÉCANIQUE (1), STATIONNAIRE
STATIQUE DES FLUIDES → FLUIDE (1)
STATISTIQUE → CALCUL, ÉTAT, PROBABILITÉ, RECENSEMENT, SONDAGE
STATISTIQUE donnée, écart type,

échantillon, erreur type, estimation, évaluation, facteur, histogramme, indice, médiane, mode, moyenne, panel, paramètre, probabilité, sondage, stochastique, variance

STATOR → MOTEUR
Voir tab. **Électricité**

STATUAIRE → SCULPTURE

STATUE → IDOLE, NICHE

STATUE acrotère, atlante, canon, cariatide, colosse, écorché, gisant, kouros, Mater dolorosa, Méduse, orant, piédestal, piédouche, pietà, plinthe, socle, statue-bloc, statue-cube, télamon, terme, terrasse

STATUE DE ZEUS À OLYMPIE
Voir illus. **Monde (les Sept Merveilles du)**

STATUE-BLOC → STATUE

STATUE-CUBE → STATUE

STATUER → DÉCIDER, JUGER, PRONONCER, TRANCHER

STATUETTE → SUJET

STATUFIER (SE) → PÉTRIFIER (SE)

STATURE → CARRURE, HAUTEUR, TAILLE, VALEUR

STATUT → RÈGLE, RÈGLEMENT

STATUT assimilé, code, convention, position, rang, règle, règlement, situation, standing, statutaire

STATUTAIRE → STATUT

STAYER → COUREUR, FOND

STAYMAN
Voir tab. **Bridge**

STEAK → BIFTECK, TRANCHE

STEAK TARTARE → BIFTECK

STEAMER → BATEAU
Voir tab. **Bateaux**

STÉAR(O)- → GRAISSE

STÉARINE → BOUGIE, GRAISSE

STÉAT(O)- → GRAISSE

STÉATITE → CRAIE, MAGNÉSIUM

STÉATOPYGE → FESSE

STÉATOSE → FOIE

STEEPLE
Voir tab. **Sports**

STEEPLE-CHASE → COURSE HIPPIQUE, OBSTACLE
Voir tab. **Sports**

STÉGOMYIE → MOUSTIQUE

STÉGOSAURE → DINOSAURE

STÈLE → COLONNE, INSCRIPTION, PIERRE

STELLA → POMME DE TERRE

STELLAIRE → ÉTOILE, RAYON

STELLIONAT → FRAUDE

STEM → VIRAGE

STÉNODACTYLO → EMPLOYÉ

STÉNOGRAMME → STÉNOGRAPHIE

STÉNOGRAPHE → SECRÉTAIRE

STÉNOGRAPHIE → ABRÉGER

STÉNOGRAPHIE dactylographie, logographie, sténogramme, sténotyper

STÉNOGRAPHIER → DICTÉE

STÉNOSE → MALFORMATION

STÉNOTYPER → STÉNOGRAPHIE

STÉNOTYPIE → ABRÉGER

STENTOR → SATELLITE, TONNERRE, VOIX

STEPPE → DÉSERT, PLAINE, VÉGÉTATION

STEPPE campo, pampa, savane, veld

STERCORAL → EXCRÉMENT

STÈRE → BOIS, CUBE, MÈTRE

STÉRÉOBATE → SOUBASSEMENT

STÉRÉOMÉTRIE → GÉOMÉTRIE

STÉRÉOSCOPE → RELIEF

STÉRÉOSCOPIE → PHOTOGRAPHIE

STÉRÉOSCOPIQUE → TRIDIMENSIONNEL

STÉRÉOTOMIE → TAILLE

STÉRÉOTYPE → CLICHÉ, COMMUN, FORMULE, IMAGE, PHRASE, PLATITUDE

STÉRÉOTYPÉ → CONVENTIONNEL, STANDARD (2), USÉ

STÉRÉOTYPER → COULER

STÉRÉOTYPIE → IMPRIMERIE

STÉRER → MESURER

STÉRILE → ARIDE, ILLUSOIRE, INCULTE, INGRAT, INUTILE, MAIGRE, PAUVRE, RÉSULTAT, SEC, VAIN

STÉRILE aride, aseptisé, bréhaigne, dénué de, dépourvu de, désertique, désinfecté, inculte, incultivable, inefficace, infructueux, ingrat, inutile, oiseux, pauvre, sec, vain

STÉRILET → CONTRACEPTIF

STÉRILISATEUR → STÉRILISATION

STÉRILISATION → DÉSINFECTION, PROPRETÉ

STÉRILISATION antisepsie, appertisation, asepsie, autoclave, bactérie, étuve, javellisation, microbe, pasteurisation, stérilisateur, toxine, tyndallisation, upérisation, verdunisation

STÉRILISER → ASSAINIR, BOUILLIR, CASTRER

STÉRILISER appertiser, aseptiser, castrer, châtrer, couper, désinfecter, émasculer, étuver, hongrer, javelliser, mutiler, ozoniser, pasteuriser, upériser, verduniser

STERLET → ESTURGEON

STERNE → HIRONDELLE

STERNO-CLÉIDO-MASTOÏDIEN
Voir illus. **Muscles**

STERNUM
Voir illus. **Squelette**

STERNUTATION → BRUIT, ÉTERNUER
Voir tab. **Bruits**

STERNUTATOIRE → ÉTERNUER
Voir tab. **Médicaments**

STERTOREUX → RONFLEMENT

STÉTHOSCOPE → AUSCULTATION, MÉDECIN

STETSON → CHAPEAU

STEWARD → GARÇON

STICHOMYTHIE → DÉBAT, POÈME

STICK → BAGUETTE, BÂTON, CANNE, COLLE, CONDITIONNEMENT, ÉQUIPE, HOCKEY

STIGMATE → CICATRICE, CRUCIFIXION, EMPREINTE, MARQUE, PISTIL, PLAIE, TRACE
Voir illus. **Fleur**

STIGMATISER → BLÂME, IMPRIMER, JUGER

STILLATOIRE → GOUTTE

STILLIGOUTTE → GOUTTE

STILTON → BLEU (2)
Voir illus. **Fromages**

STIMULANT → DROGUE, EXCITANT (1), FORTIFIANT (1), GINSENG, RECONSTITUER, REMONTANT, SAIN, TONIQUE (1), TONIQUE (2)

STIMULANT amine, anabolisant, analeptique, aphrodisiaque, dopant, doper (se), excitant, fortifiant, psychotonique, reconstituant, remontant, tonique

STIMULER → AIGUISER, ANIMER, ENCOURAGER, ÉVEILLER, EXCITER, FOUET, INCITER, INVITER, MOUVOIR, POUSSER, RÉCONFORTER, RÉVEILLER, SOUTENIR

STIMULER aiguillonner, aiguiser, allumer, animer, égayer, encourager, enflammer, enhardir, éperonner, éveiller, exalter, exciter, fouetter, galvaniser, motiver, ouvrir, pacemaker, passionner, survolter

STIMULUS → ACTE, RÉACTION

STIPE → PALMIER, TIGE

STIPENDIAIRE → SOLDE

STIPENDIER → ACHETER, ARGENT, CORROMPRE, PAYER

STIPULATION → CLAUSE, CONDITION, CONTRAT

STIPULER → DÉCIDER, DICTER, ÉNONCER, FIXER, OBLIGER

STIPULER défini, énoncé, explicite, exprimé, faire mention de, formulé, mentionner, noté, préciser, spécifier

STOA → GREC

STOCHASTIQUE → CALCUL, HASARD, STATISTIQUE

STOCK → APPROVISIONNEMENT, CONTINGENT, PROVISION, RÉSERVE

STOCK achalandage, approvisionnement, arrière-boutique, assortiment, corner, dépôt, déstocker, écouler, emmagasiner, entreposer, entrepôt, excédent, fonds, liquider, réserve, stocker, surplus, surproduction

STOCKER → DÉPOSER, ENTASSER, MARCHANDISE, STOCK

STOCKFISH → MORUE

STOCK-OPTION → PARTICIPATION

STOÏCIEN → AUSTÉRITÉ

STOÏCISME → COURAGE, IMPASSIBILITÉ

STOÏQUE → COURAGEUX, FERME (2), FORT (2), HÉROÏQUE, INÉBRANLABLE

STOLLEN
Voir tab. **Gâteaux régionaux et étrangers**

STOLON → FILET, FRAISIER, TIGE

STOMACHIQUE → DIGESTION
Voir tab. **Médicaments**

STOMATITE → BOUCHE

STOMATO- → BOUCHE

STOMATOLOGIE → DENT, DENTAIRE
Voir tab. **Sciences : termes en -ologie et -ographie**

STOMATOLOGISTE → BOUCHE

STOMATOLOGUE → CHIRURGIEN, DENTISTE, MÉDECIN

STOMATOSCOPE → BOUCHE

STOMOXE → MOUCHE

STOPPER → ARRÊTER, RACCOMMODER, RÉPARER

STOPPEUR
Voir illus. **Football**

STORE → FENÊTRE, JALOUSIE, OMBRE, RIDEAU
Voir illus. **Maison**

STORE auvent, baguette de lestage, banne, bouillonné, cordon de manœuvre, étrier plat, étrier rond, italienne (à l'), ressort, support, vénitien

STORY-BOARD → SCÉNARIO

STOT → MINE

STOUT → BIÈRE

STRABISME → LOUCHER, REGARD

STRADIVARIUS → VIOLON

STRAMONIUM → POMME

STRANGULATION → JUDO

STRANGULER → COU, ÉTRANGLER

STRAPONTIN → APPOINT, MÉTRO, PLACE, SIÈGE
Voir illus. **Sièges**

STRASBOURG → SAUCISSE
Voir illus. **Charcuterie**

STRASS → CRISTAL

STRASSE → DÉCHET

STRATAGÈME → COMBINAISON, MOYEN (1), RUSE, SUBTERFUGE

STRATE → BANC, COUCHE, FORÊT
Voir tab. **Géographie et géologie (termes de)**

STRATÈGE → CONDUCTEUR, DIGNITÉ, MANŒUVRE

STRATÉGIE → BATAILLE, CALCUL, PLAN, POLITIQUE (1), TACTIQUE

STRATÉGIQUE → IMPORTANT

STRATIFICATION → ACCUMULATION

STRATIGRAPHIE → ARCHÉOLOGIE, DÉPÔT, EXPLORATION, GÉOLOGIE

STRATO-CUMULUS
Voir illus. **Nuages**

STRATOSPHÈRE → ATMOSPHÈRE, COUCHE
Voir illus. **Atmosphère**

STRATUS → NUAGE
Voir illus. **Nuages**

STREAMING
Voir tab. **Multimédia (les mots du)**

STRESSANT → FATIGANT

STRESSÉ → TENDU, TOURMENTÉ

STRESSER → ANGOISSER

STRETCH → ÉTIRER, TISSU

STRETTE → FUGUE

STRICT → CARRÉ (2), EXIGEANT, RESPECT, RIGIDE, RIGOUREUX, SÉVÈRE

STRICT absolu, astreignant, austère, draconien, exigeant, inflexible, littéral, littéralement, proprement dit, puritanisme, rigide, rigorisme, sévère, sobre, stricto sensu, total

STRICTEMENT → FORMELLEMENT, LETTRE

STRICTLY HARD BEAN
Voir tab. **Café**

STRICTO SENSU → ÉTROIT, PROPREMENT, STRICT

STRIDENT → AIGU, BRUIT, PERÇANT
Voir tab. **Bruits**

STRIDULATION → AIGU, BRUIT
Voir tab. **Bruits**

STRIE → LIGNE

STRIÉ
Voir illus. **Champignon**

STRIER bretteler, flétri, parcheminé, rayé, vermiculé

STRIGE → FANTÔME, VAMPIRE

STRIGIDÉS → CHOUETTE, HIBOU

STRIGIFORMES → CHOUETTE, HIBOU, NOCTURNE

Voir tab. **Oiseaux (classification simplifiée des)**
STRIGILE → FROTTER
STRIPPER
Voir tab. **Instruments médicaux**
STRIPPING → VASCULAIRE
Voir tab. **Chirurgie (vocabulaire de la)**
STRIP-TEASE → ÉROTIQUE, SPECTACLE
STRIP-TEASEUSE → DÉSHABILLER
STRIQUER → DENTELLE
STROBILE → CONIFÈRE, PIN
STROBOSCOPE → CINÉMA
STROMBOLI → VOLCAN
STROMBOLIEN → VOLCAN
STRONGYLE → VER
STRONK → PÊCHE
STRONTIUM → PARATONNERRE
Voir tab. **Éléments chimiques (symbole des)**
STROPHE → DIVISION, PARAGRAPHE, POÈME
Voir tab. **Poésie (vocabulaire de la)**
STROPHE antistrophe, couplet, épode, quatrain, septain, sizain, stance, tercet
STROUILLE → PÊCHE
STRUCTURALISME → RELATION
STRUCTURE → AGENCEMENT, APPAREIL, ARCHITECTURE, CADRE, CONSTITUTION, DISPOSITION, ÉCONOMIE, FORME, ORGANISATION, RÉGIME, RELATION, SCHÉMA, SOUBASSEMENT, SQUELETTE, TEXTURE, UNITÉ
STRUCTURE agencement, armature, charpente, composition, construction, contexture, décousu, disposition, forme, hiérarchie, incohérent, ordre, organigramme, organisation, ossature, squelette
STRUCTURÉ → CONSÉQUENT
STRUCTURER (SE) → ARTICULER (S')
STRUDEL
Voir tab. **Gâteaux régionaux et étrangers**
STRYCHNINE → POISON
STUC → MARBRE, PLÂTRE
STUD-BOOK → CHEVAL, RACE, REGISTRE
STUDIEUX → APPLIQUÉ, ATTENTIF, TRAVAILLEUR (2)
STUDIO → APPARTEMENT, ATELIER, FILM, INTÉRIEUR (1)
STUPA
Voir tab. **Bouddhisme**
STUPÉFACTION → ÉTONNEMENT, STUPEUR, SURPRISE
STUPÉFAIT → ÉBAHI, ÉPATÉ, ÉTONNÉ, IMMOBILE, INTERDIT (2), OUVERT, PÉTRIFIÉ, SURPRENDRE
STUPÉFAIT abasourdi, ahuri, coi, confondu, ébahi, ébaubi, éberlué, effaré, étonné, interdit, interloqué, médusé, pantois, pétrifié, sidéré, stupéfié, suffoqué, surpris
STUPÉFAIT DE (ÊTRE) → BAVER
STUPÉFIANT → AHURISSANT, DÉLIT, DROGUE, ÉTONNANT, FORMIDABLE, INCROYABLE (2), SENSATIONNEL
STUPÉFIÉ → ABASOURDI, SIDÉRÉ, STUPÉFAIT, SUFFOQUER

STUPÉFIER → BLUFFER, BRAS, CONFONDRE, SURPRENDRE
STUPÉFIER ébahir, émerveiller, fasciner
STUPEUR → CHOC, ÉTONNEMENT, SUBIT, SURPRISE
STUPEUR abattement, accablement, anéantissement, ébahissement, effarement, engourdissement, étonnement, hébétude, mutisme, prostration, saisissement, stupéfaction, surprise
STUPIDE → ABRUTI, BÊTE (2), BOUCHÉ, BRUT, IDIOT, IMBÉCILE (2), INCONSIDÉRÉ, INSENSÉ, PESANT, REGRETTABLE, RIDICULE
STUPIDE abêtir, abrutir, absurde, borné, décousu, déraisonnable, étroit, extravagant, illogique, incohérent, inepte, insensé, limité, niais, obtus
STUPIDITÉ → ABSURDITÉ, BALOURDISE, BÊTISE, IDIOTIE, INEPTIE, NIAISERIE, SOTTISE
STUPRE → LUXURE, PÉCHÉ
STURNIDÉS → ÉTOURNEAU
STYLE → AIGUILLE, CADRAN, CARACTÈRE, CRÉATEUR, ÉCOLE, ÉCRITURE, EMPREINTE, FACTURE, FORME, GENRE, GRIFFE, MANIÈRE, MODE, ORDRE, PISTIL, POINÇON, PROSE, RÉPERTOIRE, TECHNIQUE (1), VERBE
Voir illus. **Fleur**
STYLE art, cacographie, charabia, couleur, discours, écriture, esthétique, expression, facture, galimatias, idiome, langue, métrique, note, ordre, pastiche, pathos, plume, rhétorique, stylistique, stylométrie, ton, touche, tour, tournure
STYLÉ → SOIGNÉ
STYLET → AIGUILLE, BLANC (1), POINÇON
Voir tab. **Instruments médicaux**
STYLISÉ → SIMPLIFIÉ
STYLISME → DESIGN
STYLISTE → COUTURIER, DESIGN, MODE
STYLISTIQUE → STYLE
STYLOBATE → BASE, COLONNE, SOCLE, TEMPLE
Voir illus. **Colonnes**
Voir tab. **Architecture**
STYLOMÉTRIE → STYLE
STYLOMINE → CRAYON
STYRAX → BAUME, RÉSINE
STYX → ENFER, FLEUVE
SUAIRE → FANTÔME, LINGE, MORT (1)
SUAVE → PARFUM, PLEIN
SUAVE agréable, caressant, chantant, délectable, délicat, délicieux, doucereux, doux, exquis, harmonieux, melliflu, mélodieux, savoureux, sensuel, sirupeux, tendre, sucré
SUAVITÉ → DÉLICATESSE, DOUCEUR
SUB- → INFÉRIEUR
SUBALTERNE → INFÉRIEUR, MOINDRE, SECONDAIRE
SUBCONSCIENT → CONSCIENCE
SUBDIVISER → PARTAGER
SUBDIVISION → RAMIFICATION
SUBDUCTION → PLAQUE
SUBER → LIÈGE

SUBIR → ACCEPTER, ENDURER, ÉPROUVER, ESSUYER, PASSER, PÂTIR, PURGER, RECEVOIR, REPROCHE, SUPPORTER
SUBIR accepter, connaître, encourir, endurer, éprouver, essuyer, incliner devant (s'), obéir à, percevoir, purger, recevoir, ressentir, souffrir, soumettre à, supporter, traverser, vivre
SUBIT → BRUSQUE, IMMÉDIAT (2), IMPRÉVU, INSTANTANÉ (2), SOUDAIN, SURPRISE
SUBIT brusque, brutal, foudroyant, fulgurant, imprévu, inattendu, incident, inopiné, instantané, péripétie, rapide, saisissement, soudain, stupeur
SUBITEMENT → ABRUPTEMENT, IMPROVISTE, SOUDAIN
SUBITEMENT brusquement, brutalement, improviste (à l'), net, sursaut (en), tout d'un coup
SUBJECTIF → CHOIX, INDIVIDUEL, PARTISAN (2), PERSONNEL (2)
SUBJECTILE → SUPPORT
SUBJECTIVITÉ → IDENTITÉ
SUBJONCTIF → IMPARFAIT (2)
SUBJUGUÉ → ENSORCELER
SUBJUGUER → CONQUÉRIR, ENCHAÎNER, ENCHANTER, ENJÔLER, FASCINER, IMPOSER, PASSIONNER, SÉDUIRE
SUBJUGUER captiver, charmer, conquérir, dominer, ensorceler, envoûter, fasciner, séduire
SUBLIMATION
Voir tab. **Psychanalyse**
SUBLIME → ADMIRABLE, BAS (2), BON (1), ÉBLOUISSANT, EXTRAORDINAIRE, GRANDIOSE, NOBLE (2), SPLENDIDE, SUPERBE (2), SUPÉRIEUR
SUBLIME beau, divin, élevé, éthéré, exalté, extraordinaire, fabuleux, noble, pur, transcendant
SUBLIMER → IDÉAL (2), RAFFINER, SPIRITUEL, VAPORISER
SUBLIMINAL → CONSCIENCE, INCONSCIENT (1)
SUBLIMITÉ → PERFECTION
SUBLINGUAL
Voir illus. **Digestif (appareil)**
SUBMERGÉ → ASSAILLIR, DÉPASSÉ, ENVAHIR, NOYER
SUBMERGER → ACCABLER, BOUSCULER
SUBMERSIBLE → NAVIGUER
SUBMERSION → INONDATION
SUBODORER → CONNAÎTRE, DEVINER, DOUTER (SE), INTUITION, PRESSENTIR, SOUPÇONNER
SUBORDINATION → CONJONCTION, DÉPENDANCE, HIÉRARCHIE, INFÉRIORITÉ, OBÉISSANCE
SUBORDONNÉ → INFÉRIEUR, VALISE
SUBORDONNÉE → PRINCIPAL (2), PROPOSITION
SUBORDONNER → SOUMETTRE
SUBORNER → CORROMPRE
SUBORNEUR → CŒUR
SUBRÉCARGUE → CARGAISON, TRANSPORT

SUBREPTICE → CLANDESTIN, FURTIF, SOURNOIS
SUBREPTICEMENT → SECRET (1)
SUBREPTION → OBTENIR, PRIVILÈGE
SUBROGATION
Voir tab. **Assurance (vocabulaire de l')**
SUBROGÉ TUTEUR → TUTEUR
SUBROGER → SUBSTITUER
SUBSÉQUENT → SUIVRE
SUBSIDE → AIDE, ALLOCATION, APPUI, COMPLÉMENT, DON, SECOURS, SUBSISTER
SUBSIDIAIRE → SUPPLÉMENTAIRE
SUBSISTER → DEMEURER, DURER, EXISTER, MAINTENIR, PERSISTER, SURVIVRE, TRAÎNER
SUBSISTER aide, allocation, demeurer, don, maintenir (se), perdurer, persister, secours, subside, subvention, surnager, survivre, végéter, vivoter, vivre
SUBSONIQUE → AVION
SUBSTANCE → ABSOLU, CONCENTRÉ, CONCRET (1), CONTENU, ESSENCE, MATIÈRE, RÉALITÉ
SUBSTANCE contenu, corps, essence, essentiel, fond, gros (en), grossièrement, grosso modo, matière, nectar, objet, principal, principe, quintessence, résumé (en), sommairement, substantiellement, substantifique moelle, substrat, suc, sujet
SUBSTANDARD
Voir tab. **Cinéma**
SUBSTANTIEL → CONSÉQUENT, FORTIFIER, IMPORTANT, JOLI, NOURRISSANT, SOLIDE
SUBSTANTIELLEMENT → SUBSTANCE
SUBSTANTIF → COMMUN, NOM
SUBSTANTIF substantiver
SUBSTANTIFIQUE MOELLE → SUBSTANCE
SUBSTANTIVÉ → ADJECTIF
SUBSTANTIVER → SUBSTANTIF
SUBSTITUER → PLACE
SUBSTITUER changer en (se), commuer, commuter, intervertir, métamorphoser en (se), muer en (se), permuter, remplacer, subroger, transformer en (se), transposer
SUBSTITUT → MAGISTRAT, PARQUET, SUPPLÉANT
SUBSTITUT GÉNÉRAL → MAGISTRAT
SUBSTITUTION ersatz, succédané, transfert
SUBSTRAT → SUBSTANCE
SUBTERFUGE → ARTIFICE, MOYEN (1), RUSE
SUBTERFUGE artifice, canular, dérobade, détour, échappatoire, faux-fuyant, finasser, mystification, ruse, ruser, stratagème, supercherie, tour
SUBTIL → AIGU, DÉLICAT, EXTRAORDINAIRE, HABILE, INTELLIGENT, LÉGER, MALIN (2), PARFUM, PÉNÉTRANT, PERÇANT, RAFFINÉ, RECHERCHÉ, SOUPLE, SPIRITUEL

SUBTIL adroit, affiné, aiguisé, alambiqué, argutie, astucieux, chicane, compliqué, contourné, délicat, délié, fin, finesse, habile, infime, ingénieux, mince, pénétrant, perspicace, pointu, quintessencié, raffiné, sagace, sophistiqué, subtilité, ténu

SUBTILEMENT → DÉLICATEMENT

SUBTILISATION → SOUSTRACTION

SUBTILISER → DÉROBER, ESCAMOTER, RAISONNER, SOUSTRAIRE, VOLER

SUBTILITÉ → BALOURDISE, DIFFÉRENCE, FINESSE, PERSPICACITÉ, SUBTIL

SUBTILITÉ acuité, adresse, arcane, argutie, bagatelle, byzantinisme, chicane, chinoiserie, délicatesse, détail, finesse, génie, habileté, pénétration, perspicacité, pointe d'aiguille, raffinement, rien, sagacité, science, vétille

SUBULÉ → AIGU

Voir illus. **Feuille**

SUBURBAIN → BANLIEUE

SUBVENIR À → FOURNIR, POURVOIR

SUBVENTION → AIDE, ALLOCATION, APPUI, COMPLÉMENT, CRÉDIT, DON, PRESTATION, SECOURS, SUBSISTER

SUBVENTIONNER → DÉBLOQUER

SUBVERSIF → RÉVOLUTIONNAIRE (2)

SUC → JUS, LIQUIDE, PLANTE, SÉCRÉTER, SUBSTANCE, VÉGÉTAL (1)

Voir tab. **Géographie et géologie (termes de)**

SUC PANCRÉATIQUE → PANCRÉAS

SUCCÉDANÉ → PRODUIT, SUBSTITUTION

SUCCÉDER → ALTERNER, ENCHAÎNER, SUIVRE

SUCCÉDER alterner, consécutif, dérouler (se), enchaîner (s'), relayer, relayer (se), remplacer, successif, suivre (se), supplanter, suppléer

SUCCÈS → CONCOURS, ÉVÉNEMENT, FORTUNE, GAIN, PERCÉE, PERFORMANCE, RÉSULTAT, RÉUSSITE, SPLENDEUR, TRIOMPHE, VICTOIRE, VOGUE

SUCCÈS auréolé, avantage, bénéfice, best-seller, célébrité, exploit, faveur, fécond, fortune, fructueux, gain, gloire, gros tirage, honneurs, inutilement, performance, popularité, profitable, prouesse, renommée, rentable, résultat (sans), retentissement, réussite, richesse, tour de force, triomphe, tube, utile, vain (en), vainement, victoire, vogue

SUCCESSEUR → DAUPHIN, HÉRITIER

SUCCESSEUR DE SAINT PIERRE → PAPE

SUCCESSIBLE → HÉRÉDITAIRE, SUCCESSION

SUCCESSIF → ALTERNATIF, SUCCÉDER, SUIVRE

SUCCESSION → DÉFILÉ, DÉROULEMENT, DYNASTIE, ÉCHELLE, FILIATION, HÉRITAGE, ORDRE, PHASE, RÉVOLUTION, SÉRIE, SUITE, USUFRUIT

SUCCESSION ab intestat, bien, chaîne, chapelet, cortège, défilé, déshérence (en), enchaînement, filiation, héritage, héritier réservataire, hoirie, kyrielle, légataire universel, legs, litanie, patrimoine, procession, progression, série, successible, suite

SUCCESSIVEMENT → TOUR

SUCCIN → RÉSINE

SUCCINCT → BAVARD, BREF (1), CONCIS, RÉSUMÉ (2), SERRÉ, SOMMAIRE (2)

SUCCINCTEMENT → PEU (1)

SUCCOMBER → BATTU, CÉDER, MOURIR, PÉCHÉ, PÉRIR, RENDRE (SE), VAINCRE

SUCCOMBER abandonner (s'), céder à, laisser séduire par (se), laisser tenter par (se), lutter, réagir, résister

SUCCUBE → DÉMON, DIABLE, SORCELLERIE, SURNATUREL

SUCCULENCE → DÉLICATESSE, VIANDE

SUCCULENT → ADMIRABLE, BON (1), EXCELLENT, FAMEUX, MAIN, SAVEUR, SAVOUREUX

SUCCURSALE → AGENCE, ANNEXE, COMPTOIR, MAGASIN, MAISON

SUCCURSALE agence, annexe, antenne, bureau, comptoir, dépôt, filiale

SUCCUSSION → AUSCULTATION

SUCER → DÉGUSTER

SUCER absorber, aspirer, avaler, boire, extraire, fondre (faire), fondre (laisser), sangsue, vampire

SUCHARD

Voir tab. **Chocolat**

SUÇOIR → BOUCHE, RACINE

SUCRAGE → SUCRE

SUCRE → SAVON

Voir tab. **Collectionneurs**

Voir tab. **Phobies**

SUCRE aspartame, bagasse, bâtard, bonbon, canard, caramel, cassonade, chaptalisation, confiserie, dextrose, diabète, édulcorant, friandise, fructose, galactose, glucose, glycémie, gourmandise, lactose, lévulose, maltose, mélasse, saccharine, saccharoïde, sucrage, sucre candi, sucrerie, sucrette, vergeoise, vesou

SUCRE CANDI → SUCRE

SUCRÉ → SAVEUR, SOURNOIS, SUAVE

SUCRÉ acide, acidulé, âcre, aigre, amer, âpre, douceâtre, doucereux, doux, hypocrite, liquoreux, melliflu, mielleux, mièvre, salé, sirupeux

SUCRERIE → BONBON, CABANE, FRIANDISE, GOURMANDISE, SUCRE, USINE

SUCRETTE → PASTILLE, SUCRE

SUCRIN → MELON

SUCRINE

Voir tab. **Salades**

SUD → CARDINAL (2), MIDI

SUD (1) méridional, Midi

SUD (2) Antarctique, austral

SUD (PÔLE)

Voir illus. **Saisons (mécanisme des)**

SUDATION → MALAISE, MOITEUR, SUEUR, TRANSPIRATION

SUDATORIUM → BAIN

SUDORIFÈRE → SUER

SUDORIFIQUE → SUER

SUDORIPARE → SUER

Voir illus. **Peau**

SUÉDÉ

Voir tab. **Tissus**

SUÈDE

Voir tab. **Saints patrons**

SUÉDINE → DAIM

Voir tab. **Tissus**

SUÉDOIS → GERMANIQUE

SUER → NAGE, PORE, TRANSPIRER

SUER bain de vapeur, diaphorétique, exhaler, hammam, respirer, sauna, sudorifique, suinter

SUET → VENT

SUEUR → ÉCUME, SÉCRÉTER, TRANSPIRATION

SUEUR bromidrose, hidrorrhée, nage (en), sudation, sudorifère, sudoripare, transpiration

SUEUR FROIDE → FRAYEUR

SUÈVES → BARBARE

SUFFIRE → SATISFAIRE

SUFFISANCE → DÉDAIN, FIERTÉ, INSOLENCE, OSTENTATION, SATISFACTION, SUPERBE (1), VANITÉ

SUFFISANT → ALTIER, CONQUÉRANT (2), CONTENT (2), FIER, GLORIEUX, IDÉE, IMPORTANT, PÉDANT, PRÉTENTIEUX, SUPÉRIEUR

SUFFISANT acceptable, arrogance (avec), arrogant, convenable, correct, dédaigneux, fat, fier, fierté (avec), honnête, honorable, infatué, maniéré, méprisant, morgue (avec), orgueilleux, ostentatoire, outrecuidant, pédant, poseur, présomptueux, prétentieux, prétention (avec), raisonnable, rogue, satisfaisant, vaniteux

SUFFIXE → ADDITION, FIN (1), MOT, PARTICULE, RACINE, RADICAL (1), TERMINAISON

SUFFOCANT → LOURD, TOXIQUE

SUFFOCATION → ASTHME, ÉTOUFFEMENT, OPPRESSION

SUFFOQUÉ → STUPÉFAIT

SUFFOQUER → ESSOUFFLER (S'), RESPIRER

SUFFOQUER effaré, estomaqué, étouffant, étouffé par (être), étrangler de (s'), haleter de, oppressant, oppressé par (être), sidéré, soufflé, stupéfié

SUFFRAGE → AGRÉER, ÉLECTION, RÉFÉRENDUM, VOTE

SUGGÉRÉ → INSPIRÉ, SOUS-ENTENDU (2)

SUGGÉRER → ALLUSION, CONSEILLER (2), EFFLEURER, ÉVOQUER, INSINUER, INSPIRER, PERSUADER, PROPOSER, SOUFFLER

SUGGÉRER évocateur, évoquer, induire, insinuer, inspirer, proposer, signifier, soumettre, sous-entendre, suggestif

SUGGESTIF → SUGGÉRER

SUGGESTION → CONSEIL, PROPOSITION

SUI GENERIS → SPÉCIAL

SUICIDE → DÉSESPOIR

Voir tab. **Phobies**

SUICIDE hara-kiri, kamikaze, seppuku, suicidologie

SUICIDER (SE) → TUER

SUICIDOLOGIE → SUICIDE

SUIDÉS → COCHON, PORC

SUIE → NOIR (1), RÉSIDU

SUIE bistre, cadmie, fuligineux, fumagine, hérisson, noir de fumée, ramoner

SUIF → GRAISSE, MOUTON

SUINT → LAINE

SUINTANT → HUMIDE

SUINTER → COULER, FILTRER, PERLER, RÉPANDRE (SE), SUER, TRANSPIRER

SUISSE → CONCIERGE, ÉCUREUIL, EMPLOYÉ, PORTIER

Voir tab. **Saints patrons**

SUISSE alémanique, allemand, bâlois, bedeau, bernois, chasseur, concierge, français, genevois, helvétique, italien, neuchâtelois, portier, romanche, romand, sacristain, tamia, valaisan, veilleur, zurichois

SUITE → APPARTEMENT, CONSÉQUENCE, CONTRECOUP, CYCLE, DÉROULEMENT, ÉCHELLE, EFFET, ESCORTE, FILIATION, HÔTEL, INTERRUPTION, LENDEMAIN, PROGRESSION, RESTE, RÉSULTAT, SANGLIER, SECONDAIRE, SÉRIE, SUCCESSION, TESTICULE

Voir tab. **Musicales (formes)**

SUITE aboutissement, affilée (d'), appareil, cascade, chapelet, cohésion (sans), conséquence, contrecoup, cortège, cour, délai (sans), descendance, effet, enfilade, équipage, escorte, file, flot, heure (sur l'), illogique, immédiatement, incessamment, incohérent, incompréhensible, instant (à l'), irrationnel, kyrielle, lignée, litanie, maintenant, postérité, procession, quinte, quinte flush, répercussion, résultat, ribambelle, séance tenante, séquelle, séquence, série, succession, sur-le-champ, tard (plus), train, ultérieurement

SUITE (À LA) → RANG

SUITÉE → JUMENT

SUIVANT → POSTÉRIEUR, PROCHAIN, SELON, ULTÉRIEUR

SUIVANT (1) lendemain

SUIVANT (2) après (d'), conformément à, mesure où (dans la), selon

SUIVANTE → ACCOMPAGNATEUR, DAME, SERVANTE

SUIVEUR → IMITATEUR, SUIVRE

SUIVI → CHARGE

SUIVI cohérent, constant, continu, ininterrompu, logique, ordonné, raisonné, régulier, soutenu

SUIVRE → ACCOMPLIR, ALIGNER,

957

ALTERNER, ASSISTER, DÉCRIRE, EMBOÎTER, ENCHAÎNER, ÉPOUSER, FILER, INTÉRESSER (S'), OBÉIR, OBSERVER, OCCUPER, PRATIQUER, SACRIFIER, SOUMETTRE, SUCCÉDER

SUIVRE abandonner (s'), accompagner, adhérer à, adopter, appliquer, conformer à (se), consécutif, côtoyer, écouler (s'), écouter, emboîter le pas, embrasser, emprunter, escorter, espionner, filer, imiter, longer, mouton, obéir à, observer, parcourir, pister, poursuivre, prendre, prendre en filature, respecter, sacrifier à, serrer de près, subséquent, succéder (se), successif, suiveur, talonner, traquer

SUIVRE L'EXEMPLE DE → IMITER

SUJET → CHAMP, ÉLÉMENT, ÉTOFFE, FOND, HABITANT, IDÉE, MATIÈRE, OBJET, OCCASION, PHRASE, POINT, PROBLÈME, PROPOS, QUESTION, REPRÉSENTER, SUBSTANCE, THÈME

SUJET cause, champ, chapitre, cobaye, disposé, enclin, étoffe, exposé, figurine, fond, fugue, matière, motif, objet, occasion, point, porté, porte-greffe, propos, question, raison, rubrique, statuette, thème, topique

SUJET (À CE) → PROPOS (À)

SUJET (AU) → PARLER

SUJET (ÊTRE) → PRÊTER

SUJET À → PORTER

SUJET À CAUTION → SUSPECT (1)

SUJÉTION → CARCAN, CONTRAINTE, DÉPENDANCE, ESCLAVAGE, INFÉRIORITÉ, SERVITUDE, TUTELLE, VIOLENCE

SULCATURE → SILLON

SULCIFORME → SILLON

SULFATAGE
Voir tab. **Jardinage**

SULFATE → PAPIER, SOUFRE, ZINC

SULFATEUSE
Voir tab. **Jardinage**

SULFITATION → VIN

SULFITE → SOUFRE

SULFURE → SOUFRE

SULFURIFÈRE → SOUFRE

SULFURIQUE (ACIDE)
Voir tab. **Acides**

SULKY → VOITURE

SULTAN → DIGNITÉ, EMPEREUR, MÉSANGE, MUSULMAN (2), SOUVERAIN (1), TURC

SULTAN harem, makhzen, odalisque, padichah, sérail

SULTANE → GALÈRE
Voir illus. **Sièges**

SUMAC → LAQUE

SUMATRA
Voir tab. **Îles du monde**

SUMÉRIEN → BABYLONIEN

SUMMUM → CULMINANT, DEGRÉ, EXTRÊME, FIN (1), INTENSITÉ, MAXIMUM, PERFECTION, PÉRIODE, POINT, SOMMET, ZÉNITH

SUMO → JAPONAIS, LUTTE
Voir tab. **Sports**

SUMOTORI → LUTTE

SUNNA → RECUEIL
Voir tab. **Islam (vocabulaire de l')**

SUNNISME
Voir tab. **Islam (vocabulaire de l')**

SUNNITE → ISLAM, MUSULMAN (1)

SUPDECO
Voir tab. **Écoles (grandes)**

SUPER FRELON → HÉLICOPTÈRE

SUPERBE → BEAU, FIER, FIERTÉ, IMPOSANT, MAGNIFIQUE, MERVEILLEUX, RAVIR, RESPLENDISSANT, SOMPTUEUX, SPLENDIDE

SUPERBE (1) arrogance, fatuité, fierté, morgue, orgueil, suffisance

SUPERBE (2) admirable, altier, éblouissant, éclatant, extraordinaire, fastueux, hautain, imposant, magnifique, merveilleux, orgueilleux, remarquable, resplendissant, somptueux, splendide, sublime, supérieur, vaniteux

SUPERBEMENT → PRINCE

SUPERCARBURANT → CARBURANT

SUPERCHERIE → FOURBERIE, FRAUDE, RUSE, SUBTERFUGE

SUPER-COQ
Voir tab. **Boxe anglaise**

SUPERFÉTATOIRE → AJOUTER, INUTILE, SUPERFLU (2)

SUPERFICIE → AIRE, ESPACE, SURFACE

SUPERFICIEL → APPARENT, EXTERNE, FAÇADE, FRIVOLE, GÉNÉRAL, INSIGNIFIANT, INSOUCIANT, INTÉRÊT, LÉGER, MONDAIN (2), SOMMAIRE (2)

SUPERFICIEL accessoire, apparence, aspect, frivole, futile, insignifiant, léger, secondaire, sommaire, superflu, vernis

SUPERFLU → AJOUTER, INUTILE, SUPERFICIEL, VAIN

SUPERFLU (1) luxe

SUPERFLU (2) bagatelle, élaguer, inefficace, inutile, oiseux, redondant, superfétatoire, superfluité, vain

SUPERFLUITÉ → LUXE, RÉPÉTITION, SUPERFLU (2)

SUPÉRIEUR → DISTANT, EXCEPTIONNEL, HAUTAIN, IMPÉRIAL (2), INCOMPARABLE, MEILLEUR (2), PLANÈTE, PREMIER (2), PROTECTEUR (2), RELIGIEUX (1), SNOB, SUPERBE (2), SUPRÊME

SUPÉRIEUR acmé, arrogant, brillant, condescendant, dédaigneux, dépasser (se), distingué, éméritе, éminent, faîte, hautain, magistral, méprisant, pair (hors), pareil (sans), phénix, plafond, sommet, souverain, sublime, suffisant, superman, suprême, surhomme, surpasser (se), transcender (se)

SUPÉRIEUR (LAC)
Voir tab. **Lacs et mers**

SUPÉRIEUR À
Voir tab. **Mathématiques (symboles)**

SUPÉRIEUR OU ÉGAL À
Voir tab. **Mathématiques (symboles)**

SUPÉRIEURE → COUVENT

SUPÉRIEURE DE COUVENT
Voir tab. **Politesse (formules de)**

SUPÉRIORITÉ → AVANTAGE, DESSUS, PRÉPONDÉRANCE

SUPÉRIORITÉ ascendant, autorité, avantage, dessus, hégémonie, influence, leadership, pouvoir, superlatif, suprématie

SUPERLATIF → ADJECTIF, DEGRÉ, SUPÉRIORITÉ

SUPER-LÉGER
Voir tab. **Boxe anglaise**
Voir tab. **Savate ou boxe française**

SUPER-LOURD → BOXEUR
Voir tab. **Boxe anglaise**

SUPERMALLOY → NICKEL

SUPERMAN → SUPÉRIEUR
Voir tab. **Bande dessinée (héros de)**

SUPERMARCHÉ → VENTE

SUPERMASSIF → TROU

SUPER-MI-MOYEN
Voir tab. **Boxe anglaise**
Voir tab. **Savate ou boxe française**

SUPER-MOYEN
Voir tab. **Boxe anglaise**

SUPERNOVA
Voir illus. **Étoiles (formation des)**

SUPER-PLUME
Voir tab. **Boxe anglaise**
Voir tab. **Savate ou boxe française**

SUPERPOSER → JOINDRE, METTRE, RECOUVRIR (SE)

SUPERSONIQUE → AVION, SON

SUPERSTITIEUX → MALHEUR

SUPERSTITION → CROYANCE, RELIGIEUX (2)

SUPERTANKER → TRANSPORT
Voir tab. **Bateaux**

SUPERVISER → BAL, CONDUIRE

SUPER-WELTER → BOXEUR
Voir tab. **Boxe anglaise**

SUPINATEUR
Voir illus. **Muscles**

SUPINATION → MOUVEMENT, ROTATION

SUPPLANTER → DÉPOSSÉDER, PLACE, SUCCÉDER, VAINCRE

SUPPLÉANT → ADJOINT

SUPPLÉANT adjoint, assesseur, remplaçant, représentant, substitut

SUPPLÉER → COMPLÉTER, MANQUE, POURVOIR, SUCCÉDER

SUPPLÉMENT → ADDITION, COMPLÉMENT

SUPPLÉMENT accessoire, addenda, adventice, appendice, augmentation, bonification, complément, excédent, prime, soulte, supplémenter, supplétif, surcharge, surcroît, surplus

SUPPLÉMENTAIRE → APPOINT

SUPPLÉMENTAIRE appoint (d'), auxiliaire, boni, délai, prolongation, subsidiaire

SUPPLÉMENTER → SUPPLÉMENT

SUPPLÉTIF → SUPPLÉMENT

SUPPLICATOIRE → SERMENT

SUPPLICATION → INCANTATION, PRIÈRE

SUPPLICE → ATROCITÉ, BARBARIE, CHÂTIMENT, DAMNÉ, ENFER, MAL (1), MARTYRE, PERSÉCUTION, SOUFFRANCE, TORTURE, TOURMENT

SUPPLICE affres, autodafé, brodequin, bûcher, calvaire, carcan, chagriner, châtiment, chevalet, condamnation, corde, croix, crucifiement, décollation, écartèlement, échafaud, écorchement, énervation, enfer, essorillement, estrapade, exécution, fourches patibulaires, garrot, gémonies, gibet, lapidation, martyre, pal, peine, pilori, potence, Prométhée, punition, roue, Tantale, tenaille, tenaillement, torture, tourment, tourmenter

SUPPLICIER → INFLIGER

SUPPLIER → CONJURER, DEMANDER, ORDONNER, PRIER

SUPPLIER adjurer, conjurer, exhorter, implorer, invoquer, prier

SUPPLIQUE → DEMANDE, PRIÈRE

SUPPORT → BASE, BÉQUILLE, SOCLE, STORE
Voir illus. **Héraldique**
Voir tab. **Héraldique (vocabulaire de l')**

SUPPORT aide, appui, balustre, béquille, chevalet, chevrette, colonne, corbeau, étai, étançon, noyau de voûte, piédestal, piédouche, poutre, pylône, secours, socle, solive, soutien, subjectile, trépied, trompe

SUPPORTABLE → PASSABLE

SUPPORTER → ADMETTRE, DIGÉRER, ENDURER, FARCIR, MAINTENIR, PERMETTRE, PORTER, RECEVOIR, SOUTENIR, SOUTIEN, SUBIR, TOLÉRER, VIVRE, VOIR

SUPPORTER abominable, accepter, accommoder (s'), affreux, agaçant, appuyer, assumer, atroce, digérer, encaisser, encourager, endurer, énervant, épauler, épouvantable, exaspérant, favoriser, horripilant, insoutenable, insupportable, intolérable, irritant, protéger, résister au, souffrir, soutenir, subir, tenir, tolérer

SUPPOSÉ → FICTIF

SUPPOSÉ apocryphe, censé, prétendu, putatif, soi-disant

SUPPOSER → CHERCHER, CROIRE, DOUTER (SE), IMAGINER, IMPLIQUER, IMPRESSION, INVENTER, PENSER, PRÉSUMER, RÉCLAMER

SUPPOSER accorder, annoncer, attribuer, conjecturer, croire, demander, dénoter, envisager, exiger, figurer (se), imaginer, impliquer, indiquer, induire, nécessiter, octroyer, penser, présumer, prêter

SUPPOSITION → CONJECTURE, HYPOTHÈSE, OPINION, PRÉSOMPTION, PRÉVISION

SUPPOSITION appréciation, conjecture, estimation, hypothèse, présomption, présupposition, prévision, supputation

SUPPOSITOIRE → MÉDICAMENT

SUPPÔT → AGENT, FIDÈLE (1), SECTE

SUPPRESSION → DISPARITION, EXTINCTION, PRIVATION

SUPPRESSION abolition, abrogation, amputation, annulation, censure, cessation d'activité, débauchage, disparition, extinction, licenciement, liquidation, mutilation

SUPPRIMER → ABOLIR, APLANIR, BALAYER, BANNIR, DÉTRUIRE, DISPARAÎTRE, DISSIPER, ÉCARTER, EFFACER, ÉLIMINER, ENLEVER, EXTERMINER, LEVER, ÔTER, RAYER, TUER

SUPPRIMER abattre, anéantir, annihiler, arrêter, assassiner, balayer, barrer, biffer, briser, censurer, combattre, décimer, démettre, démissionner, destituer, détruire, diminuer, écarter, effacer, élaguer, éliminer, empêcher, estomper, évincer, éviter, expurger, exterminer, inhiber, limoger, lutter contre, massacrer, paralyser, radier, ralentir, rayer, réprimer, résoudre, révoquer, tuer

SUPPURATION → PUS

SUPPUTATION → CALCUL, CONJECTURE, DIAGNOSTIC, PRÉSAGE, SUPPOSITION

SUPPUTER → CALCULER, ESTIMER, ÉVALUER, IMAGINER

SUPRÉMATIE → DOMINANT, HÉGÉMONIE, IMPÉRIALISME, MAÎTRISE, POUVOIR, RÈGNE, SUPÉRIORITÉ

SUPRÊME → DERNIER, EXTRÊME, HAUT (2), INQUISITION, ROYAL, SOUVERAIN (2), SUPÉRIEUR

SUPRÊME dernier, désespéré, divin, final, grand, puissant, saint, souverain, supérieur, ultime

SUPRÊMEMENT → DIVINEMENT

SÛR → CLAIR, DOUTER, INCONTESTABLE, INFAILLIBLE, INVARIABLE, LOYAL, PRÉCIS, REFUGE (2), SÉRIEUX (2), SOUVERAIN (2)

SÛR assuré, avéré, certain, confiance (de), confiant, confirmé, convaincu, efficace, éprouvé, établi, fiable, fidèle, garanti, incontestable, indéfectible, inéluctable, inévitable, infaillible, pénétré, persuadé, robuste, serein, sérieux, solide

SUR LE POINT DE → VEILLE

SURABONDANCE → DÉBAUCHE, EXCÈS, PROFUSION, SURCHARGE

SURAH
Voir tab. **Tissus**

SURAIGU → VIOLENT
Voir tab. **Bruits**

SURAL → MOLLET

SURANNÉ → ANCIEN (2), ANTIQUE, BOURGEOIS (2), DÉLUGE, DÉMODÉ, DÉSUET, EMPLOYER, PÉRIMÉ, ROCOCO, USÉ, VIEUX

SURANNÉ antédiluvien, antique,

archaïsme, arriéré, caduc, démodé, dépassé, désuet, kitsch, obsolescent, obsolète, périmé, rétrograde, ringard, rococo, vieillot

SURARMEMENT → EXCESSIF

SURATE → DIVISION

SURBAISSÉ
Voir illus. **Arcs**

SURBLINDER
Voir tab. **Poker**

SURBOOKING → RÉSERVATION

SURCHARGE → EXCÉDENT, SUPPLÉMENT, SURCROÎT, SURPLUS, TROP-PLEIN

SURCHARGE débauche, excédent, handicap, profusion, surabondance, surcroît, surplus

SURCHARGÉ → FARCI, TARABISCOTÉ

SURCHARGER → ACCABLER, ALOURDIR, ÉCRASER

SURCHARGER accabler, accroître, alourdir, augmenter, chargé, écraser, encombré, grever, oppresser, plein, saturé

SURCLASSER → DÉPASSER, DOMINER, SURPASSER

SURCROÎT → EXCÉDENT, MALHEUR, OUTRE, PLUS, SUPPLÉMENT, SURCHARGE, SURPLUS

SURCROÎT augmentation, comble (pour), outre (en), par-dessus le marché, plus (en), surcharge, surplus

SURDIMENSIONNÉ → DÉMESURÉ

SURDIMUTITÉ → MUET, SOURD

SURDITÉ → AUDITION, ENTENDRE, PERTE, SOURD

SURDOSE → DOSE

SURDOUÉ → GÉNIE, INTELLIGENCE, INTELLIGENT, PRÉCOCE

SURÉLEVÉ estrade, exhaussé, haussé, hissé, monté, podium, rehaussé, scène, surhaussé, tribune

SURÉLEVER → ÉLEVER, EXHAUSSER

SÛREMENT → DOUTE

SURENCHÈRE → ESCALADE

SURENCHÉRIR → ENCHÈRE
Voir tab. **Bridge**

SÛRETÉ → FERMETÉ, GARANT, NOURRICE, PROTECTION, SÉCURITÉ

SÛRETÉ abri (à l'), assurance, caution, chirographaire, couvert (à), gage, garantie, habileté, hypothèque, lieu sûr (en), nantissement, ordre, précision, privilège, protection, sécurité, tranquillité, warrant

SUREXCITATION → DÉLIRE

SUREXPOSÉ
Voir tab. **Photographie** (vocabulaire de la)

SURF → HIVER, NAUTIQUE, NEIGE
Voir tab. **Sports**

SURFACE → AIRE, ÉTENDUE, SOL, VERNIS

SURFACE affleurer, aire, émerger, insubmersible, superficie

SURFACE DE RÉPARATION → FOOTBALL
Voir illus. **Football**

SURFER → NAVIGUER, RENSEIGNEMENT, SITE, WEB

SURFILER → COUDRE, FIL
Voir tab. **Couture**

SURGE → LAINE

SURGELER → FROID (1)

SURGÉNÉRATEUR → CENTRALE NUCLÉAIRE

SURGEON → BOURGEON, POUSSE

SURGIR → APPARAÎTRE, JAILLIR, PARAÎTRE, POINTER

SURGIR émerger, jaillir, naître, poindre, résurgence, sourdre

SURGRAS → SAVON

SURHAUSSÉ → SURÉLEVÉ

SURHAUSSER → EXHAUSSER

SURHOMME → HÉROS, SUPÉRIEUR

SURHUMAIN → IMPOSSIBLE (2), SURNATUREL

SURI → AIGRE, CORROMPU

SURIMI → CRABE

SURIMPRESSION → IMPRIMERIE, TRUCAGE

SURINTENDANT → TRÉSORIER

SURIR → TOURNER

SURJETER → COUDRE

SUR-LE-CHAMP → COMPTANT, DÉLAI, MAINTENANT, SÉANCE, SUITE

SURLIGNEUR → FEUTRE

SURLINE CLASSIQUE
Voir illus. **Nœuds**

SURMENAGE → EXCÈS, FATIGUE, TRAVAIL

SURMENER → ABRUTIR, BOUSCULER

SURMENER crever (se), épuiser (s'), éreinter, éreinter (s'), excéder de fatigue, exténuer, fatiguer (se), forcer, user (s')

SURMOI → INCONSCIENT (2), MOI
Voir tab. **Psychanalyse**

SURMONTÉ → SOURD

SURMONTER → BOUT, DOMINER, FRANCHIR, MAÎTRISER, RENVERSER, TRIOMPHER, VAINCRE

SURMONTER avoir raison de, coiffer, dominer, dompter, franchir, maîtriser, réprimer, surplomber, vaincre, venir à bout de

SURMOULE → MOULAGE

SURNAGER → FLOTTER, NAGER, SUBSISTER

SURNATUREL → CONTE, FANTASTIQUE, MAGIQUE, MIRACULEUX

SURNATUREL apparition, démon, dragon, elfe, esprit, extraordinaire, fabuleux, fée, féerique, génie, gobelin, immatériel, incube, irréel, lutin, magique, merveilleux, miracle, paranormal, parapsychique, prodigieux, succube, surhumain, sylphe, troll, vampire

SURNOM → DÉSIGNATION, DIMINUTIF, NOM, PETIT (2)

SURNOMMER → BAPTISER

SURNUMÉRAIRE → FONCTIONNAIRE

SUROÎT → MARIN (1), VENT
Voir illus. **Coiffures**

SURPASSER → DEVANCER, DOMINER, DOUBLER, EXCELLENT, SUPÉRIEUR

SURPASSER battre, briller, dépasser, devancer, distancer, dominer, éclipser, emporter sur (l'), exalter (s'), meilleur de soi (donner le), surclasser, triompher

SURPIQÛRE → PIQÛRE

SURPLOMB → SAILLIE

SURPLOMBER → DOMINER, SURMONTER

SURPLUS → DÉBORDER, EXCÉDENT, EXCÈS, PRODUCTIVITÉ, STOCK, SUPPLÉMENT, SURCHARGE, SURCROÎT, TROP-PLEIN

SURPLUS boni, excédent, excès, reste, surcharge, surcroît

SURPRENANT → ADMIRABLE, BIZARRE, BRUSQUE, ÉTONNANT, ÉTRANGE, INATTENDU, INCROYABLE (2), INOPINÉ, INOUÏ, ORIGINAL, SINGULIER, SOUDAIN

SURPRENDRE → INTERCEPTER, PINCER, RENVERSER, VOIR

SURPRENDRE abasourdir, arrêter, confondre, déconcerter, décontenancer, dérouter, désorienter, ébaubi, éberlué, étourdi, interloqué, piéger, prendre sur le fait, saisi, sidéré, sidérer, stupéfait, stupéfier

SURPRIS → ÉPATÉ, STUPÉFAIT

SURPRISE → CADEAU, ÉTONNEMENT, INATTENDU, STUPEUR

SURPRISE ahurissement, bouche bée, brusque, ébahissement, imprévu, impromptu, inattendu, inopiné, médusé, pétrifié, soudain, stupéfaction, stupeur, subit

SURPRISE-PARTIE → SOIR

SURPRODUCTION → PRODUCTION, STOCK

SURRÉALISME → LITTÉRAIRE, RAISON

SURRÉALISTE → PITTORESQUE

SURRÉNALE (GLANDE)
Voir tab. **Endocrinologie**

SURRÉSERVATION → RÉSERVATION

SURSAUT → FRÉMISSEMENT, RÉACTION, SAUT, SUBITEMENT, TREMBLEMENT

SURSAUTER → TRESSAILLIR

SURSAUTER haut-le-corps, soubresaut, spasme, tressaillir, tressauter

SURSEOIR → ATTENDRE, REMETTRE, SUSPENDRE, TARD

SURSIS → DÉLAI, PROLONGATION, RENVOI

SURSIS mise à l'épreuve (avec), report, révocation, simple, sursitaire

SURSITAIRE → SURSIS

SURTAXE → TAXE

SURTOUT → CAPE, MILIEU, PARTICULIÈREMENT
Voir illus. **Manteaux**

SURVEILLANCE → ARBITRAGE, CONTRÔLE, FACTIONNAIRE, OBSERVATION, PATROUILLE, QUART

SURVEILLANCE conduite, direction, faction, guet, télésurveillance, vigilance

SURVEILLANT → ÉTUDE, GARDIEN, INFIRMIER, PION, PRISON, SCOLAIRE, SENTINELLE

SURVEILLER → CONTRÔLER, DOS, ÉPIER, ESPIONNER, GUETTER, INSPECTER, INSPECTEUR, OBSERVER, OCCUPER, ŒIL, VIGILANT

SURVEILLER argus, cerbère, contrôler, épier, espionner, filer, garde-chiourme, gardien, guetter, inspecter, pister, vérifier, vigile

SURVENIR → APPARAÎTRE, ARRIVER, DÉCLARER, INTERVENIR, PARAÎTRE, PRÉSENTER (SE), PRODUIRE (SE)

SURVENIR apparaître, arriver, avoir lieu, débarquer, déclencher (se), manifester (se), présenter (se), produire (se)

SURVESTE
Voir illus. **Manteaux**
Voir illus. **Modes et styles**

SURVÊTEMENT → VÊTEMENT

SURVIVANCE → RESTE

SURVIVANT → CATASTROPHE, SAUF (1), SURVIVRE

SURVIVANT miraculé, rescapé

SURVIVRE → SUBSISTER, TRAÎNER

SURVIVRE perdurer, perpétuer (se), persister, rescapé, résister, subsister, survivant

SURVOLER → BALAYER, EFFLEURER, EXAMINER, FEUILLETER, LIRE, PARCOURIR

SURVOLTER → STIMULER

SUSCEPTIBLE → BLESSÉ, CAPABLE, ÉPIDERME, NATURE, SENSIBLE, VEXER

SUSCEPTIBLE chatouilleux, désobliger, excitable, froisser, irritable, offenser, ombrageux, sensible, vexer

SUSCITER → ALLUMER, ATTIRER (S'), CAUSER, CRÉER, DÉCLENCHER, DONNER, ENGENDRER, ÉVEILLER, ÉVOQUER, EXCITER, METTRE, NAÎTRE, OCCASIONNER, PRODUIRE, PROVOQUER, RÉVEILLER, SOULEVER

SUSCITER attiser, causer, déclencher, éveiller, exciter, faire naître, fomenter, piquer, provoquer, soulever

SUSCRIPTION → ADRESSE

SUSDIT → RÉPÉTITION

SUS-DOMINANTE → DEGRÉ

SUS-ÉPINEUX → ÉPAULE

SUSHI → CRU, JAPONAIS

SUSPECT → ANORMAL, CAUTION, DOUTEUX, ÉQUIVOQUE (2), LOUCHE

SUSPECT (1) ambigu, bizarre, déconcertant, douteux, équivoque, étrange, incriminer, interlope, louche, mettre en cause, mystérieux, soupçonner, sujet à caution, suspecter, troublant

SUSPECT (2) blanchir, disculper, innocenter, réhabiliter

SUSPECTER → RESPONSABLE (2), SOUPÇONNER, SUSPECT (1)

SUSPENDRE → ACCROCHER, BLOQUER, CESSER, CLOUER, DÉFENDRE, DESTITUER, FIXER, GELER, INTERDIRE, INTERROMPRE, LEVER, NEUTRALISER, REFUSER, RELEVER, REMETTRE

SUSPENDRE accrocher, ajourner, couper court à, différer, fixer, interrompre, remettre, surseoir à

SUSPENDRE LES ARMES → INTERROMPRE

SUSPENDU (PONT) → PONT
Voir illus. **Ponts**

SUSPENS (EN) → SOUFFRANCE

SUSPENSE → CENSURE, HALEINE, RESSORT, SANCTION

SUSPENSION → ARRÊT,

INTERDICTION, INTERRUPTION, LUSTRE, PAUSE, PLAFOND, RESSORT, RUPTURE, SAUT
Voir tab. **Chimie**

SUSPENSION D'ARMES → TRÊVE

SUSPENSOIR → BANDAGE

SUSPENTE → PARACHUTE

SUSPICIEUX → MÉFIANT, SOUPÇONNEUX

SUSPICION → DOUTE, PASSION, SOUPÇON, TRAVERS (2)

SUSTENTATION → MEMBRE

SUSTENTER (SE) → ALIMENTER, CONSOMMER, MANGER, NOURRIR

SUS-TONIQUE → DEGRÉ

SUSURREMENT → BRUISSEMENT
Voir tab. **Bruits**

SUSURRER → BAS (2), CHUCHOTER, DIRE, MURMURER, PARLER

SUTRA → RECUEIL, RÈGLE
Voir tab. **Bouddhisme**

SUTURE → OS, PLAIE, POINT
Voir tab. **Chirurgie (vocabulaire de la)**

SUTURER → COUDRE, FERMER, RÉPARER

SUZERAIN → FÉODAL, SEIGNEUR

SVASTIKA → CROIX
Voir illus. **Croix**

SVELTE → MENU (2), MINCE

SWEATER → TRICOT, VESTE
Voir illus. **Modes et styles**

SWEATING-SYSTEM → TRAVAILLEUR (1)

SWEEPSTAKE → LOTERIE

SWING → BOXE, DANSE, GOLF, JAZZ, RYTHME

SYBARITE → BON VIVANT, LIBERTIN, SENSUEL

SYCOPHANTE → CAFARD, DÉNONCER, FIGUE, SOURNOIS

SYLLABAIRE → MOT

SYLLABE → RYTHME

SYLLABE antépénultième, aphérèse, apocope, féminin, fermé, monosyllabe, muet, noyau, ouvert, oxyton, paroxyton, pénultième, proparoxyton, syllabique, syncope

SYLLABIQUE → ÉCRITURE, SYLLABE
Voir tab. **Poésie (vocabulaire de la)**

SYLLABUS → PAPAUTÉ

SYLLEPSE → LICENCE
Voir tab. **Rhétorique (figures de)**

SYLLOGISME → ARGUMENT, DÉDUCTION, LOGIQUE (2), MAJEUR (1), RAISONNEMENT

SYLPHE → ESPRIT, GÉNIE, SURNATUREL

SYLPHIDE → FEMME

SYLVAIN → FORÊT

SYLVE → FORÊT

SYLVICOLE → FORÊT

SYLVICULTEUR → ARBRE

SYLVICULTURE → ARBRE, FORÊT

SYLVIE → ANÉMONE

SYLVIIDÉS → HIRONDELLE

SYLVO- → FORÊT

SYMBIOSE → COMMUNION, UNION

SYMBOLE → ABRÉVIATION, CHIMIE, CORRESPONDANCE, IDÉE, IMAGE, INSIGNE (1), OPÉRATEUR, POÉSIE, REPRÉSENTATION, SIGNE

SYMBOLE allégorie, attribut, credo, incarnation, logo, personnification, pictogramme

SYMBOLIQUE → SPIRITUEL

SYMBOLIQUE figure, icône, image, signe

SYMBOLISER → DÉSIGNER, FIGURER, MATÉRIALISER, PERSONNIFIER, REPRÉSENTER

SYMÉTRIE → ACCORD, ÉQUILIBRE, PONDÉRATION, RESSEMBLANCE, SIMILITUDE

SYMÉTRIE axial, bilatéral, central, médian, oblique, orthogonal, sagittal

SYMÉTRIQUE → OPPOSÉ, PENDANT (1), RÉGULIER, SEMBLABLE (2)

SYMPATHIE → AMITIÉ, ATTACHEMENT, COMPRÉHENSION, INCLINATION, PENCHANT, RESPECT, SENSIBILITÉ

SYMPATHIQUE → AIMABLE, CHALEUREUX, CHIC, CORDIAL (2), ENCRE, INVISIBLE, PLAISANT

SYMPATHIQUE agréable, aimable, amical, amitié, avenant, bienveillance, chaleureux, cordial, détendu, engageant, estime, inclination, penchant, sociable

SYMPATHISANT → PARTI

SYMPATHISER → LIER

SYMPHONIE → COMPOSITION, CONCERT, ORCHESTRE
Voir tab. **Musicales (formes)**

SYMPHONIE symphonie concertante, symphoniste

SYMPHONIE CONCERTANTE → SYMPHONIE

SYMPHONIQUE → ORCHESTRE

SYMPHONISTE → SYMPHONIE

SYMPHYSE → OS

SYMPOSIUM → ASSEMBLÉE, CARREFOUR, COLLOQUE, CONGRÈS, RENCONTRE, RÉUNION, SAVANT (1)

SYMPTOMATIQUE → TYPIQUE

SYMPTOMATOLOGIE → SYMPTÔME

SYMPTÔME → DIAGNOSTIC, MALADIE, SIGNE
Voir tab. **Psychanalyse**

SYMPTÔME diagnostiquer, indice, manifestation, présage, prodrome, sémiologie, signe, symptomatologie, syndrome

SYNAGOGUE → COMMUNAUTÉ, CULTE, JUIF (2), RABBIN, TEMPLE

SYNAGOGUE arche sainte, consistoire, hazzan, menora, rabbin

SYNALLAGMATIQUE → CONTRAT, FÉODAL, RÉCIPROQUE (2)

SYNARTHROSE → ARTICULATION, OS

SYNCHRONE → SIMULTANÉ, TEMPS

SYNCHRONIE → CONTEMPORAIN, CORRESPONDANCE

SYNCHRONISÉ → NATATION, SIMULTANÉ

SYNCHRONISER → COORDONNER

SYNCHRONISME → COÏNCIDENCE, DATE

SYNCLINAL → GÉOLOGIQUE, PLI, RELIEF

SYNCOPE → ARRÊT, DÉFAILLANCE, ÉTOURDISSEMENT, ÉVANOUIR (S'), INCONSCIENCE, MALAISE, RYTHME, SYLLABE, VERTIGE
Voir tab. **Musique (vocabulaire de la)**

SYNCOPE contretemps, lipothymie, pâmoison

SYNCOPÉ → IMPAIR (2)

SYNCRÉTISME → FUSION, MÉLANGE, RELIGION, RÉUNION

SYNDESM(O)-
Voir tab. **Chirugicales (interventions)**

SYNDIC → BIEN, FAILLITE, GÉRANT, IMMEUBLE (1), MANDATAIRE
Voir tab. **Copropriété**

SYNDICALISME
Voir tab. **Histoire (grandes périodes)**

SYNDICALISTE → SYNDICAT

SYNDICAT → FÉDÉRATION, SOCIÉTÉ

SYNDICAT comité d'entreprise, comité d'établissement, coordination, jaune, paritaire, renard, secrétaire général, syndicaliste, syndiqué, trade-union

SYNDICAT D'INITIATIVE → OFFICE, TOURISTE

SYNDICAT DE COPROPRIÉTAIRES
Voir tab. **Copropriété**

SYNDIQUÉ → SYNDICAT

SYNDROME → DIAGNOSTIC, MALADIE, SIGNE, SYMPTÔME

SYNDROME DE KWASHIORKOR → PROTÉINE

SYNDROME DE WEST → SPASME

SYNECDOQUE
Voir tab. **Rhétorique (figures de)**

SYNÉRÈSE → CONTRACTION, VOYELLE
Voir tab. **Chimie**
Voir tab. **Poésie (vocabulaire de la)**

SYNGNATHE → TROMPETTE

SYNODAL → CONCILE

SYNODE → ASSEMBLÉE, CONCILE, CONGRÈS, ÉVÊQUE, PROTESTANT (2), RELIGIEUX (1), RÉUNION, THÉOLOGIE
Voir tab. **Catholique romain (vocabulaire)**

SYNODIQUE → ANNÉE

SYNONYME → ÉQUIVALENT (1), MOT

SYNONYME correspondre à, évoquer, signifier

SYNONYMIE → RESSEMBLANCE

SYNOPSIS → ABRÉGER, CANEVAS, CONDENSÉ, FILM, PLAN, PROJET, RÉSUMÉ (1), SCÉNARIO
Voir tab. **Cinéma**

SYNOPTIQUE → GÉNÉRAL

SYNOVIE → ARTICULATION

SYNOVITE AIGUË TRANSITOIRE DE LA HANCHE
Voir tab. **Pédiatrie**

SYNTAGME → MOT

SYNTAXE → AGENCEMENT, CONSTRUCTION, FORMATION, LINGUISTIQUE, ORDRE, PHRASE

SYNTHÈSE → CHIMIE, COMBINAISON, COMPTE, DÉMARCHE, RÉSUMÉ (1), RÉUNION, SOMME

SYNTHÈSE abrégé, analyse, bilan, chimiosynthèse, photosynthèse, résumé

SYNTHÉTIQUE → ARTIFICIEL, FOURRURE, PLASTIQUE (2)

SYNTHÉTIQUE artificiel, factice

SYNTHÉTISER → ABRÉGER, CONDENSER

SYNTHÉTISEUR → CLAVIER
Voir tab. **Instruments de musique**
SYRINGE → ROC
SYRINGOMYÉLIE → MOELLE
SYRINX → FLÛTE, ROSEAU
SYRTES → SABLE
SYSTÉMATIQUE → CONFORME, MÉTHODIQUE, PÉRIODIQUE (2), ROUTINE, ZOOLOGIE
SYSTÉMATIQUE doctrinaire, dogmatique, inconditionnel, logique, méthodique, ordonné, organisé, planifié
SYSTÈME → APPAREIL, DOCTRINE, ENSEMBLE, GÉOLOGIE, MÉTHODE, MOYEN (1), PHILOSOPHIE, RÉGIME, RELATION, THÉORIE
SYSTÈME appareil, doctrine, idéologie, méthode, moyen, procédé, régime, théorie, thèse
SYSTÈME CÉRÉBRO-SPINAL → NERVEUX
SYSTÈME D → DÉBROUILLARD
SYSTÈME D'EXPLOITATION → ORDINATEUR
Voir tab. **Informatique**
SYSTÈME DE NAVIGATION
Voir tab. **Automobile**
SYSTÈME HORMONAL
Voir tab. **Endocrinologie**
SYSTÈME MÉTRIQUE → UNITÉ
SYSTÈME MONÉTAIRE INTERNATIONAL
Voir tab. **Monnaie**
SYSTÈME NEUROVÉGÉTATIF → NERVEUX
SYSTOLE → ALTERNATIF, CŒUR, CONTRACTION
SYZYGIE → CONJONCTION, LUNE, MARÉE, PLANÈTE

TA
Voir tab. **Éléments chimiques (symbole des)**
TABAC → BRUN, MARRON (2)
Voir tab. **Couleurs**
Voir tab. **Drogues**
TABAC arnica, blague, buraliste, cape, caporal, capsage, carotte, chique, gris, havane, kif, lobélie, manoque, maryland, nicotinisme, ninas, priser, robe, Saint-Claude, scaferlati, tabacomanie, tabaculteur, tabagisme, tabatière, virginie
TABACOMANIE → TABAC
TABACULTEUR → TABAC
TABAGISME → TABAC
TABARD → MANTEAU
Voir illus. **Manteaux**
TABASSER → BATTRE
TABATIÈRE → FENÊTRE, LUCARNE, TABAC, TOIT
Voir illus. **Maison**
TABERNACLE → AUTEL, HÉBREU, LITURGIE, TENTE
TABERNACLES (FÊTE DES)
Voir tab. **Fêtes Religieuses**
TABLA
Voir illus. **Percussions**

TABLATURE → GUITARE
Voir tab. **Musique (vocabulaire de la)**
TABLE → BANC, BUREAU, CATALOGUE, MARTEAU, VANNERIE
TABLE autel, billot, console, crédence, desserte, dolmen, établi, étal, gigogne, guéridon, index, maie, portefeuille, pupitre, somno, table à roulis, tabulaire, Tronchin (à la), violon
TABLE (TAILLE EN)
Voir illus. **Pierres précieuses (taille des)**
TABLE À CARTES
Voir illus. **Voilier : Dufour 38 Classic**
TABLE À ROULIS → TABLE
TABLE D'ÉCOUTE → ESPIONNER
TABLE D'HARMONIE → PIANO
Voir illus. **Violon**
TABLE D'HÔTES → AUBERGE
TABLE D'ONDES
Voir tab. **Informatique**
TABLE D'ORIENTATION → ORIENTATION, SOMMET
TABLE DE COMMANDE → PUPITRE
TABLE DE CUISSON → PLAQUE
TABLE DES MATIÈRES → CHAPITRE, CONTENU, PARTIE, RÉSUMÉ (1)
TABLE GRAPHIQUE
Voir tab. **Informatique**
TABLE RONDE → COLLOQUE, DÉBAT
TABLEAU → COMÉDIE, ŒUVRE, ORGANISATION, PANNEAU, PORTRAIT, RÉCIT, REPRÉSENTATION, SCÈNE, SPECTACLE
TABLEAU abaque, décor, décrire, diptyque, embu, exposer, maroufler, miniature, panorama, paysage, prédelle, présenter, rentoiler, retable, scène, spectacle, tableau synoptique, tableautin, triptyque, vue
TABLEAU DE CHASSE → CHASSE
TABLEAU SYNOPTIQUE → TABLEAU
TABLEAUTIN → TABLEAU
TABLER SUR → ESCOMPTER, ESPÉRER, FIER (SE), SPÉCULER
TABLETIER → MARQUETERIE
TABLETTE → CHOCOLAT, DALLE, PAPIER, PLAQUE, RAYON
Voir illus. **Cheminée**
Voir illus. **Intérieur de maison**
TABLETTERIE → ÉBÈNE, MENUISERIE
Voir tab. **Minéraux et utilisations**
TABLEUR → BUREAU
TABLIER → BALANCE, ÉCOLIER, PONT, RIDEAU, RUCHE, VÊTEMENT
Voir illus. **Intérieur de maison**
Voir illus. **Ponts**
TABLIER bavette, bleu, blouse, démettre (se), démissionner, retirer (se), rideau, trappe
TABLIER DE SAPEUR → TRIPES
TABLOÏD → JOURNAL
TABOU → BRÛLANT, INTERDICTION, PUDEUR, SACRÉ
TABOU interdit
TABOULÉ
Voir tab. **Spécialités étrangères**
TABOURET → BUREAU
Voir illus. **Sièges**
TABOURET escabeau, sellette

TABULAIRE → ICEBERG, TABLE
TABULATEUR → MACHINE
TACHE → DÉFAUT, ENVIE, PÂTÉ, PLAQUE, BAVURE
TACHE aiglure, albugo, angiome mature, angiome plan, balzane, blanc, déshonneur, envie, éphélide, érythème, faute, flétrissure, grain de beauté, grivelé, immaculé, lentigo, leucome, macule, maille, marque, marqueté, moucheté, moucheture, nævus, néphélion, net, ocelle, piqueté, pommelé, propre, rougeur, souillure, tache de son, tacheté, taie, tavelé, tiqueté, tisonné, truité
TACHE DE ROUSSEUR → SON
TACHE DE SON → TACHE
TACHE DE VIN → FRAISE
TACHE JAUNE
Voir illus. **Œil**
TACHE OLFACTIVE → ODORAT
TACHE SOLAIRE
Voir illus. **Soleil**
TACHÉ → SALE
TÂCHE → AFFAIRE, BESOGNE, ENTREPRISE, FONCTION, LABEUR, LABEUR, OCCUPATION, OPÉRATION, OUVRAGE, RÔLE, TRAVAIL
TÂCHE article (à l'), corvée, devoir, mission, obligation, pensum, pige (à la), travail
TACHÉOMÈTRE → NIVELLEMENT
Voir tab. **Instruments de mesure**
TACHER → BARBOUILLER, NOIRCIR
TACHER éclabousser, mâchurer, maculer, salir, souiller
TÂCHER → EFFORCER (S'), TENTER
TÂCHER chercher à, efforcer (s'), escrimer (s'), évertuer (s'), faire en sorte que, faire l'impossible pour, ingénier (s'), tenter de, veiller à ce que
TÂCHERON → MARQUE, TRAVAILLEUR (1)
TACHETÉ → PIQUÉ, TACHE
TACHYCARDIE → BATTEMENT, CŒUR
TACHYMÈTRE → ENREGISTREUR, INDICATEUR, VITESSE
Voir tab. **Instruments de mesure**
TACHYPHÉMIE → PAROLE
TACITE → ALLUSION, SILENCIEUX, SOUS-ENTENDU (1)
TACITURNE → BAVARD, MUET, SILENCIEUX, SINISTRE, SOMBRE, TRISTE
TACLER → FOOTBALL
TACT → ADRESSE, DÉCENCE, DÉLICATESSE, DIPLOMATE, DIPLOMATIE, GOÛT, MALADROIT, POLITESSE, PRÉCAUTION, PUDEUR, SAVOIR-FAIRE
TACT bienséance, civilité, convenances, délicatesse, diplomatie, doigté, éducation, égard, entregent, finesse, habileté, indélicat, maladroit, politesse, savoir-vivre
TACTIQUE → MARCHE, PLAN, POLITIQUE (1)
TACTIQUE conduite, ligne de conduite, manœuvre, marche, plan, politique, procédé, stratégie

TADORNE → CANARD
Voir tab. **Oiseaux (classification simplifiée des)**
TAEKWONDO
Voir tab. **Sports**
TAEL → CHINOIS
TAFFETAS → SOIE
Voir tab. **Tissus**
TAG → DESSIN, INSCRIPTION, PEINTURE
TAGAL → BANANIER, VÉGÉTAL (2)
TAGARA
Voir tab. **Oiseaux (classification simplifiée des)**
TAGÈTE → ŒILLET, ROSE
TAGINE → RAGOÛT
TAGLIATELLE → PÂTE
Voir illus. **Pâtes**
TAGUER → BARBOUILLER
TAI-CHI-CHUAN → CHINOIS
Voir tab. **Médecines alternatives**
Voir tab. **Sports**
TAÏAUT → CHASSE, CRI
TAÏAUT !
Voir tab. **Chasse (vocabulaire de la)**
TAIE → HOUSSE, OREILLER, TACHE
TAÏGA → CONIFÈRE, FORÊT
TAIKO → JAPONAIS
TAILLADE → BALAFRE, DOUBLURE, ENTAILLE
TAILLADER → BLESSER, COUPER, DÉCHIQUETER, LABOURER
TAILLADIN → CITRON
TAILLANDERIE → QUINCAILLERIE
TAILLE → AMPLEUR, CALIBRE, CORPS, ÉPÉE, ÉTENDUE, FIL, FORMAT, HAUTEUR, IMPÔT, REDEVANCE, TAXE
Voir tab. **Chirurgie (vocabulaire de la)**
TAILLE bulteau (en), candélabre (en), chanfreinage, cordon (en), diamètre, ébourgeonnement, écimage, élagage, émondage, étêtage, format, fuseau (en), girandole (en), palmette (en), pincement, pointure, pyramide (en), quenouille (en), ravalement, recepage, rognage, rusticage, stature, stéréotomie, toupie (en)
TAILLÉ
Voir illus. **Héraldique**
TAILLÉ À COUPS DE SERPE → VISAGE
TAILLÉ À LA SERPE → VISAGE
TAILLE-HAIE → CISAILLE
Voir tab. **Jardinage**
TAILLER → BRANCHE, CONDUIRE, DIAMANT, RACCOURCIR, RAFRAÎCHIR, ROGNER, SCULPTER, TONDRE
TAILLER appointer, biseauter, bretteler, brillanter, chanfreiner, chantourner, débillarder, délarder, ébourgeonner, échancrer, écimer, élaguer, émonder, équarrir, étêter, étronçonner, facetter, rustiquer, topiaire
TAILLER EN PIÈCES → BATTRE
TAILLER UNE BAVETTE → PARLER
TAILLET → MARTEAU
TAILLEUR → CONFECTION, COUTURIER
Voir illus. **Modes et styles**
TAILLEUR apiéceur, biveau, carreau, centimètre, ciseau, ciseaux,

confectionneur, coupeur, culottier, laie, lapidaire, marquoir, marteau, massette, ripe, roule, rustique, sciotte

TAILLIS → BOIS, FORÊT

TAILLIS baliveau, brout, gaulis, lais, remise, revenue

TAILLOIR → ABAQUE, DÉCOUPER
Voir tab. **Colonnes**
Voir tab. **Architecture**

TAIN → ÉTAIN, GLACE, MERCURE

TAIN-L'HERMITAGE
Voir tab. **Habitants (comment se nomment les)**

TAINOIS
Voir tab. **Habitants (comment se nomment les)**

TAIRE → CACHER, DISSIMULER, SILENCE

TAIRE bâillonner, celer, dissimuler, empêcher de parler, étouffer, imposer le silence à, museler, ôter la parole à, réduire au silence, refouler

TAIRE (SE) ne pas desserrer les dents, ne pas souffler mot, rester silencieux, tenir coi (se)

TALC → MAGNÉSIUM, PAPIER
Voir tab. **Minéraux et utilisations**

TALENT → GÉNIE, PRÉDISPOSITION, SAVOIR-FAIRE, SCIENCE

TALENT adresse, aptitude, brio, capacité, disposition naturelle, don, inclination, maestria, prédisposition, virtuosité

TALENTUEUX → EXCELLENT, FORT (2)

TALER → MEURTRIR

TALION (LOI DU) → ÉGALITÉ

TALISMAN → AMULETTE, BONHEUR, DÉFENSE, FÉTICHE, MAGIQUE, PORTE-BONHEUR

TALISMAN abraxas, amulette, charme, fétiche, grigri, phylactère, porte-bonheur, scarabée

TALITRE → PUCE (1)

TALK-SHOW → CONVERSATION

TALLEYRAND → BOITEUX

TALLITH → JUIF (1)

TALMUD → JUIF (2), RABBIN, RECUEIL

TALMUDISTE → THÉOLOGIE

TALOCHE → CLAQUE

TALON → CARNET, CHARRUE, JAMBON, PIED, SABOT
Voir illus. **Charrue**
Voir illus. **Chaussures**
Voir illus. **Cheval**

TALON aiguille, bobine, bottier, calcanéum, haut, Louis XV, plat

TALON D'ACHILLE → VULNÉRABLE

TALONNER → HARCELER, MARCHER, POURSUIVRE, RUGBY, SUIVRE, TOUCHER

TALONNETTE → BAS (1), RUBAN

TALONNEUR
Voir illus. **Rugby**

TALONNIÈRE → CALER, ÉTRIER, SKI

TALPIDÉS → TAUPE

TALUS → OBSTACLE, PARAPET
Voir illus. **Château fort**

TALUS ados, banquette irlandaise, berme, boulingrin, bull-finch, contrescarpe, glacis, lotier, parapet, tanaisie

TALWEG → VALLÉE
Voir tab. **Géographie et géologie (termes de)**

TAM-TAM → TAMBOUR
Voir tab. **Instruments de musique**

TAMANDUA → FOURMI

TAMANOIR → FOURMI

TAMBOUR → BATTERIE, CAISSE, COUPOLE, DENTELLE, FREIN, HORLOGE, INSTRUMENT, PERCUSSION
Voir illus. **Colonnes**
Voir illus. **Percussions**
Voir tab. **Instruments de musique**

TAMBOUR ban, bongo, breloque, caisse claire, caisse (grosse), caisse roulante, charge, conga, darbouka, diane, général, mailloche, membranophone, rappel, réveil, tam-tam, tambour militaire, tambourin provençal, timbale, tom-tom, tumba

TAMBOUR BATTANT → VIVEMENT

TAMBOUR DE BASQUE
Voir illus. **Percussions**

TAMBOURIN
Voir illus. **Percussions**
Voir tab. **Instruments de musique**

TAMBOURIN PROVENÇAL → TAMBOUR

TAMBOURINER → BRUIT, FRAPPER, RÉSONNER
Voir tab. **Bruits**

TAMIA → ÉCUREUIL, SUISSE

TAMIS → FARINE, PASSOIRE, TENNIS

TAMIS blutoir, chinois, crible, passoire, plansichter, sas

TAMISÉ → DOUX, FILTRER, PÂLE

TAMISER → FARINE
Voir tab. **Cuisine**

TAMPICO → BROSSE, CRIN, TEXTILE

TAMPON → BÂILLONNER, BOUCHON, CHOC, PROTECTION

TAMPON cachet, dateur, estampille, flamme, label, oblitération, tapette, timbre

TAMPONNEMENT → COUP, HEURT

TAMPONNER → COGNER (SE)

TAMPONNER éponger, essuyer, étancher, heurter, oblitéré, percuter, télescoper

TAMPONNOIR → MONTAGNE

TAN → CHÊNE

TANAGRA → BEAU

TANAISIE → COQ, TALUS

TANCER → GRONDER, REPROCHE

TANCHE → DORÉE

TANDEM → BICYCLETTE, PÉDALE, VÉHICULE

TANDIS QUE → PENDANT (2)

TANGAGE → BALANCEMENT, BATEAU, MOUVEMENT, OSCILLATION

TANGANYIKA (LAC)
Voir tab. **Lacs et mers**

TANGARA-HIRONDELLE
Voir tab. **Oiseaux (classification simplifiée des)**

TANGENCE → CONTACT

TANGENTE → CIRCONFÉRENCE

TANGERINE → AGRUME, HYBRIDE

TANGIBLE → CONCRET (2), EFFECTIF, MANIFESTE (2), MATÉRIEL (2), PALPABLE, PERCEPTIBLE, RÉEL, SÉRIEUX (2), VISIBLE

TANGO → DANSE
Voir tab. **Couleurs**
Voir tab. **Danses (types de)**

TANGON → PERCHE

TANGRAM → CHINOIS, COMBINAISON, PUZZLE

TANGUER → OSCILLER

TANGUY
Voir tab. **Bande dessinée (héros de)**

TANIÈRE → ABRI, GÎTE, OURS, REFUGE (1), REPAIRE
Voir tab. **Animaux (termes propres aux)**

TANIÈRE antre, bauge, gîte, refuge, repaire, reposée, retraite, souille, terrier

TANISAGE → VIN

TANK → BLINDÉ, CHAR, VÉHICULE

TANKA → JAPONAIS

TANKER → BATEAU, CARGO, TRANSPORT

TANNAGE → CUIR

TANNAGE basserie, chamoisage, cœursage, corroyage, déchaulage, drayer, foulage, mégisserie, peausserie, pelain, pelanage, reverdissage

TANNE → KYSTE

TANNÉ → BASANÉ, HÂLÉ, MAT

TANREC → HÉRISSON

TAN-SAD → MOTOCYCLETTE

TANTALE → SUPPLICE, TENTATION
Voir tab. **Éléments chimiques (symbole des)**

TANTE → HOMOSEXUEL

TANTE amitat, avunculaire

TANTE (MA) → MONT

TANTIÈME → QUOTE-PART
Voir tab. **Copropriété**

TANTÔT → BIENTÔT

TANTOUSE → HOMOSEXUEL (1)

TANTRISME → HINDOU

TAOÏSME → CHINOIS
Voir tab. **Religions et courants religieux**

TAON → INSECTE

TAPACULO
Voir tab. **Oiseaux (classification simplifiée des)**

TAPAGE → BRUIT, ESCLANDRE, TUMULTE
Voir tab. **Bruits**

TAPAGE brouhaha, bruit, cacophonie, chahut, chambard, charivari, hourvari, raffut, tintamarre, tohu-bohu, tumulte, vacarme

TAPAGEUR → AGRESSIF, CRIARD, VOYANT (2)

TAPAS → HORS-D'ŒUVRE

TAPE → BOUCHON, CLAQUE

TAPE-À-L'ŒIL → CRIARD, VANITÉ, VOYANT (2)

TAPECUL → BALANCER, BASCULE

TAPENADE → PROVENÇAL

TAPER → FARCIR

TAPER battre, dactylographier, frapper, gifler, maltraiter, saisir, tapuscrit, toper

TAPETTE → HOMOSEXUEL, PALETTE, PIÈGE, TAMPON

TAPHÉPHOBIE
Voir tab. **Phobies**

TAPHOPHILIE → TOMBE

TAPINEUR
Voir tab. **Prostitution**

TAPINEUSE → PROSTITUÉE

TAPINOIS (EN) → CACHETTE, SECRET (1)

TAPIOCA → FARINE

TAPIR (SE) → BLOTTIR (SE), CACHER (SE)

TAPIS
Voir tab. **Poker**

TAPIS carpette, chemin, descente de lit, fleurage, kilim, linoléum, natte, paillasson, savonnerie, tatami, thibaude, zerbia

TAPIS-BROSSE → PAILLASSON

TAPISSER → COLLER, RECOUVRIR

TAPISSERIE → ART, DÉCOR, OUVRAGE

TAPISSERIE Aubusson, Beauvais, carton, Gobelins, lisse (de basse), lisse (de haute), mille-fleurs, tenture, verdure

TAPISSIER → CHAISE, DÉCOR, FAUTEUIL, MEUBLE
Voir tab. **Saints patrons**

TAPON → BOUCHON

TAPUSCRIT → MANUSCRIT, TAPER, TEXTE

TAQUET
Voir illus. **Voilier : Dufour 38 Classic**

TAQUIN → GAMIN (2), MALICIEUX

TAQUINER → BOÎTE, ENRAGER, PLAISANTER

TAQUINER agacer, asticoter, blaguer, chiner, harceler, lutiner, plaisanter, tarabuster, tourmenter

TAQUINERIE → MISÈRE

TÂRA → LIT

TARABISCOT → RABOT

TARABISCOTÉ → SINUEUX

TARABISCOTÉ affecté, alambiqué, amphigourique, ampoulé, baroque, chargé, contourné, maniéré, rococo, surchargé

TARABUSTER → ENNUYER, HARCELER, TAQUINER

TARASQUE → DRAGON, LÉGENDE
Voir tab. **Animaux fabuleux**

TARAUD → PERCEUSE, VIS

TARAUDANT → AIGU, PERÇANT

TARAUDÉ → TOURMENTER

TARAUDER → PERSÉCUTER

TARAUDEUSE → PERCEUSE

TARAVELLE → PLANTER

TARAXACUM OFFICINALE
Voir tab. **Plantes médicinales**

TARBOUCH(E) → TURC

TARD ajourner, après, différer, ensuite, postérieurement, postposer, proroger, remettre, reporter, repousser, retarder, surseoir, ultérieurement

TARD (PLUS) → SUITE

TARDIF → MÛR

TARDIVETÉ → MATURITÉ

TARE → INFIRMITÉ, POIDS, VICE

TARENTULE → ARAIGNÉE

TARER → PESER

TARGE → BOUCLIER

TARGETTE → VERROU

TARGUER (SE) → FLATTER, FORT (2), GLORIFIER, VANTER

TARGUM → TRADUCTION

TARI → SEC, SOURCE

TARIDE
Voir tab. **Bateaux**

TARIÈRE → PERCEUSE

TARIF → COÛT, PRIX

TARIF barème, montant, prix, taux

TARIR → CESSER, FINIR, METTRE

TARISSEMENT → ÉPUISEMENT

TARLATANE → COTON, TOILE

TARMAC → BITUME

TAROT → CARTE
  Voir tab. **Sciences occultes**
TAROT arcane, bout, chien, garde, garde contre, garde sans, oudler, petite, pousse
TAROUPE → POIL, TOUFFE
TARPAN → CHEVAL
TARPON
  Voir tab. **Poissons (classification simplifiée des)**
TARSE
  Voir illus. **Oiseau**
  Voir illus. **Squelette**
TARTAN → AMIANTE
TARTANE
  Voir tab. **Bateaux**
TARTARE → CRU, DAMNÉ
  Voir illus. **Fromages**
TARTARIN → FANFARON
TARTAS
  Voir tab. **Habitants (comment se nomment les)**
TARTE → CLAQUE, DESSERT, MOULE
TARTE barquette, clafoutis, flamiche, quiche lorraine, tartelette, tourte
TARTELETTE → TARTE
TARTIFLETTE → POMME DE TERRE
TARTINE mouillette, rôtie, toast
TARTRAZINE → COLORANT
TARTRE → CALCAIRE, DÉPÔT
TARTRIQUE (ACIDE)
  Voir tab. **Acides**
TARTUFE → BIGOT, CACHER, DÉVOT
TARTUFERIE → DÉVOTION, HYPOCRISIE, PIÉTÉ
TARUSATES
  Voir tab. **Habitants (comment se nomment les)**
TARZAN
  Voir tab. **Bande dessinée (héros de)**
TAS → COLLECTION, PAQUET, PILE, RÉUNION
TAS accumulation, amas, amoncellement, camelle, décombres, entassement, gerbier, gravats, javelle, liasse, meule, meulon, monceau, mulon, pailler, pile, plâtras, terril
TASSE → VAISSELLE
TASSE coupole, déjeuner, mazagran, taste-vin, tâte-vin, tête-à-tête, trembleuse
TASSÉ → DENSE
TASSEAU → APPUI
  Voir illus. **Violon**
TASSER → SERRER
TASSER bourrer, comprimer, damer, entasser, pilonner, presser, rapetisser (se), ratatiner (se), recroqueviller (se), serrer, voûter (se)
TASSETTE
  Voir illus. **Armures**
TASTE-VIN → TASSE, VIN
TATAMI → ART MARTIAL, JAPONAIS, KARATÉ, TAPIS
TÂTER → GOÛTER, PALPER, TOUCHER, TRIPOTER
TÂTER analyser, étudier, faire l'expérience de, goûter à, hésiter, manier, palper, sonder, tâtonner, tergiverser, toucher
TÂTER LE POULS → INTERROGER
TÂTE-VIN → TASSE

TATILLON → DÉTAIL, MANIAQUE (2), MINUTIEUX, POINTILLEUX, SCRUPULEUX
TÂTONNEMENT → BÉGAIEMENT, INCERTITUDE, RECHERCHE
TÂTONNER → HÉSITER, OSCILLER, TÂTER
TATOU
  Voir tab. **Mammifères (classification des)**
TATOUAGE → INSCRIPTION
TATOUAGE flétrir
TATOUER → MARQUER
TAU → POTENCE
TAUD → TENTE
TAUDIS → BOUGE, HABITATION, MAISON, SALE
TAUDIS bidonville, bouge, cambuse, favela, galetas, masure, slum
TAULE → PRISON
TAUPE → AGENT, ESPION, RENSEIGNEMENT, SECRET (2), TUNNEL
  Voir tab. **Animaux (termes propres aux)**
  Voir tab. **Mammifères (classification des)**
TAUPE courtilière, fouisseur, lamie, talpidés, taupinière
TAUPIN → ÉLÈVE, ÉTUDIANT
TAUPINIÈRE → TAUPE
  Voir tab. **Animaux (termes propres aux)**
TAURE → VACHE
  Voir tab. **Animaux (termes propres aux)**
TAUREAU → BARQUE, BŒUF
  Voir tab. **Animaux (termes propres aux)**
  Voir tab. **Astrologie**
  Voir tab. **Zodiaque**
TAUREAU aficionado, bouler, ganaderia, Minotaure, novillo, taurillon, taurobole
TAURILLON → TAUREAU
  Voir tab. **Animaux (termes propres aux)**
TAURIN
  Voir tab. **Animaux (termes propres aux)**
TAUROBOLE → SACRIFICE, TAUREAU
TAUROMACHIE → ARÈNE, COMBAT, CORRIDA
TAUTOLOGIE → LOGIQUE (1), PLÉONASME, RÉPÉTITION, VÉRITÉ
TAUTOPHOBIE
  Voir tab. **Phobies**
TAUX → COURS, TARIF
TAUX cote, cours, pair, parité, pourcentage, proportion, rapport, ratio
TAUX D'ACTIVITÉ
  Voir tab. **Population**
TAUX DE NATALITÉ → NAISSANCE
TAUZIN → CHÊNE
TAVAÏOLLE → LINGE
TAVELÉ → FRUIT, TACHE
TAVERNE → AUBERGE, RESTAURANT
TAVERNIER
  Voir tab. **Saints patrons**
TAXE → CHARGE, CONTRIBUTION, DROIT (1), IMPOSITION, IMPÔT, REDEVANCE
  Voir tab. **Fiscalité**
TAXE annate, capitation, centime additionnel, gabelle, prestation, surtaxe, taille

TAXE PROFESSIONNELLE → BOUTIQUE
TAXER → CHARGER, IMPOSER, QUALIFIER, TRAITER
TAXER accuser, imposer
TAXI cyclopousse, pousse-pousse, rickshaw, taxi-bâche, taximètre, vélopousse
TAXI-BÂCHE → TAXI
TAXIDERMIE → CADAVRE, EMPAILLER, NATURALISATION
TAXIDERMISTE → NATURALISTE
TAXIMÈTRE → TAXI
TAXINOMIE → BOTANIQUE (1), CLASSEMENT, CLASSIFICATION, NOMENCLATURE, ZOOLOGIE
TAXODIUM → CONIFÈRE
TAYLORISME → MACHINE, RENDEMENT
TB
  Voir tab. **Éléments chimiques (symbole des)**
TC
  Voir tab. **Éléments chimiques (symbole des)**
TCHADOR → FICHU, ISLAM, MUSULMAN (1), VOILE
TCHADRI → MUSULMAN (1)
TCHAO → REVOIR (3)
TCHATCHER → BAVARDER
TCHERNOZEM → FERTILE
TCHERNOZIOM → SOL, TERRE
TCHICANEUR → JALOUX
TE
  Voir tab. **Éléments chimiques (symbole des)**
TÉ → ANGLE, ÉQUERRE, GÉOMÉTRIE
TE DEUM → CHANT, HYMNE
  Voir tab. **Prières et offices de l'Église catholique romaine**
TEA-TIME
  Voir tab. **Thé**
TECHNÉTIUM
  Voir tab. **Éléments chimiques (symbole des)**
TECHNICIEN → INDUSTRIE, INTERMITTENT (2)
TECHNICIEN eurocrate, expert, ingénieur, professionnel, spécialiste, technocrate
TECHNICITÉ → TECHNIQUE (2)
TECHNICO-COMMERCIAL → REPRÉSENTANT
TECHNIQUE → FACTURE, MANIÈRE, MÉTHODE, POINTU, PROCESSUS, PROFESSIONNEL (2), SCIENCE
TECHNIQUE (1) facture, manière, style, technologie
TECHNIQUE (2) technicité
TECHNO
  Voir tab. **Musiques nouvelles**
TECHNOCRATE → TECHNICIEN
TECHNOLOGIE → TECHNIQUE (1)
TECHNOPOLE → CENTRE
TECKEL → BASSET
TECTONIQUE → GÉOLOGIE, PLAQUE
  Voir tab. **Plaques tectoniques**
  Voir tab. **Géographie et géologie (termes de)**
  Voir tab. **Tremblements de terre**
TECTRICE → PLUME
TECTRICE (PLUME) → OISEAU
TEE → GOLF
TEE-SHIRT
  Voir illus. **Modes et styles**
TEFILLIN → JUIF (1)
TEFLON → PLASTIQUE (2)

TÉGESTOLOGUE → BIÈRE
  Voir tab. **Collectionneurs**
TÉGESTOPHILE → BIÈRE
TÈGUEMENT → TOUX
TEGULA → TUILE
TÉGUMENT → CARAPACE, ENVELOPPE, GRAINE
TEIGNE → CHAUVE, CHUTE, GALE, MYCOSE
TEIGNE alucite, favus, gallérie, gerce, kérion, mite, pelade, tinéidés, trichophyton
TEIGNEUX → HARGNEUX
  Voir tab. **Saints patrons**
TEILLE → ÉCORCE
TEINDRE → COLORER
TEINDRE biser, brésiller, cocheniller, colorant, garancer, raciner, rocouer, rougir, teintant, tinctorial, vermillonner
TEINT carnation, coloration, complexion, pigmentation
TEINTANT → TEINDRE
TEINTE → COULEUR, NUANCE, TONALITÉ
TEINTE aplat, camaïeu, coloris, couleur, fondu, nuance, nuancier, palette, ton, tonalité
TEINTER → COLORER
TEINTURE → BALAYAGE, IODE
TEINTURE alcoolé, alizarine, bleu de Prusse, brou de noix, cachou, campêche, carmin, chromate de plomb, connaissance succincte, curcumine, fustine, gaude, grand teint, guède, henné, indigo, isatis, kamala, mordant, notion superficielle, orcanette, orseille, pastel, pourpre, purpurine, quercitrin, rocou, safran, santaline, tournesol, vague connaissance, vernis
TEINTURE COMPOSÉE → ÉLIXIR
TEINTURIER → COLORER, NETTOYAGE
TEL → PAREIL (2)
TÉLAMON → COLONNE, STATUE
TÉLAMON atlante
TÉLÉ → TÉLÉVISION
TÉLÉ- → LOIN
TÉLÉASTE → TÉLÉVISION
TÉLÉBANDE → TÉLÉGRAPHIE
TÉLÉBENNE → BENNE, CABINE, TÉLÉSKI
TÉLÉCABINE → BENNE, CABINE, SKI, TÉLÉSKI
TÉLÉCHARGEMENT → TRANSFERT
TÉLÉCHARGER
  Voir tab. **Internet**
TÉLÉCOMMANDE → COMMANDE
TÉLÉCOMMANDÉ → ROBOT
TÉLÉCOMMUNICATION → ASTRONAUTIQUE
TÉLÉCOMMUNICATION téléinformatique, télématique, UIT
TÉLÉCONFÉRENCE → DISCUSSION, PARTICIPANT
TÉLÉCOPIE → COMMUNICATION, MESSAGE
TÉLÉCRAN → TÉLÉVISION
TÉLÉDISTRIBUTION → TÉLÉVISION
TÉLÉGÉNIQUE → TÉLÉVISION
TÉLÉGESTION → TRAITEMENT
TÉLÉGRAMME → DÉPÊCHE, MESSAGE

TÉLÉGRAMME câblogramme, dépêche, petit bleu, radiogramme, sans-fil, téléphonage

TÉLÉGRAPHIE héliographe, manipulateur, morse, sémaphore, télébande

TÉLÉGRAPHIER câbler

TÉLÉGUIDÉ → GUIDER, PILOTE, ROBOT

TÉLÉIMPRIMEUR téléscripteur, télétype, télex

TÉLÉINFORMATIQUE → TÉLÉCOMMUNICATION

TÉLÉKINÉSIE → TRANSMISSION

TÉLÉMATIQUE → DOCUMENT, TÉLÉCOMMUNICATION

TÉLÉOBJECTIF → OBJECTIF (1), PHOTOGRAPHIE
Voir tab. **Photographie (vocabulaire de la)**

TÉLÉOSTÉENS
Voir tab. **Poissons (classification simplifiée des)**

TÉLÉPATHIE → COMMUNICATION, OCCULTE, PENSÉE, TRANSMISSION

TÉLÉPHÉRAGE → BENNE, TRANSPORT

TÉLÉPHÉRIQUE → CORDE, SKI, TÉLÉSKI

TÉLÉPHONAGE → TÉLÉGRAMME

TÉLÉPHONE → INSTRUMENT
Voir tab. **Phobies**

TÉLÉPHONE annuaire, Bottin, cadran, combiné, composer, écouteur, kerdomètre, liste rouge, mettre en attente, microphone, PCV, récepteur, répondeur, répondeur-enregistreur, standard, téléphonomètre, tonalité, visiophone

TÉLÉPHONIE → COMMUNICATION

TÉLÉPHONIE SANS FIL → RADIOCOMMUNICATION

TÉLÉPHONOMÈTRE → TÉLÉPHONE

TÉLÉPHONOPHOBIE
Voir tab. **Phobies**

TÉLÉPROMPTEUR → TÉLÉVISION

TÉLÉPSYCHIE → TRANSMISSION

TÉLESCOPAGE → RENCONTRE, SECOUSSE

TÉLESCOPE → ÉTOILE, INSTRUMENT, LUNETTE, OBSERVATION

TÉLESCOPÉ → COGNER

TÉLESCOPER → HEURTER, TAMPONNER (SE)

TÉLÉSCRIPTEUR → TÉLÉIMPRIMEUR

TÉLÉSIÈGE → CORDE, SKI, TÉLÉSKI

TÉLÉSKI → SKI

TÉLÉSKI remonte-pente, remontée mécanique, télébenne, télécabine, téléphérique, télésiège

TÉLÉSOUFFLEUR → TÉLÉVISION

TÉLÉSPECTATEUR → TÉLÉVISION

TÉLESTHÉSIE → TRANSMISSION

TÉLÉSURVEILLANCE → SURVEILLANCE

TÉLÉTRAITEMENT → TRAITEMENT

TÉLÉTRANSMISSION → COMMUNICATION

TÉLÉTRAVAIL → DOMICILE
Voir tab. **Multimédia (les mots du)**

TÉLÉTYPE → TÉLÉIMPRIMEUR

TÉLÉVISEUR → ÉCRAN, POSTE, RÉCEPTEUR, TÉLÉVISION

TÉLÉVISION → ANTENNE, ÉCRAN, IMAGE, INFORMATION
Voir tab. **Saints patrons**

TÉLÉVISION audimat, audimètre, câblodistribution, définition, différé (en), direct (en), Eurovision, magnétoscope, médiascope, mondovision, NTSC, Pal, petit écran, petite lucarne, prompteur, récepteur, Secam, télé, téléaste, télécran, télédistribution, télégénique, téléprompteur, télésouffleur, téléspectateur, téléviseur, tube cathodique, TV, zapper

TÉLEX → COMMUNICATION, TÉLÉIMPRIMEUR

TELL → COLLINE

TELLIÈRE → FORMAT
Voir tab. **Papier (formats de)**

TELLURE
Voir tab. **Éléments chimiques (symbole des)**

TELLURIQUE → SECOUSSE, TERRESTRE
Voir illus. **Système solaire**

TELLURISME → INFLUENCE

TELLUS → TERRE

TÉMÉRAIRE → AVENTURIER, BRAVE, COURAGEUX, DANGER, HARDI, IMPRUDENT, INCONSCIENT, OSÉ

TÉMÉRAIRE audacieux, aventureux, aviser de (s'), essayer de, fou, hardi, hasardeux, imprudent, inconsidéré, insensé, intrépide, oser, permettre de (se), risqué, risque-tout, tenter de

TÉMÉRITÉ → AUDACE, CONFIANCE, HARDIESSE, IMPRUDENCE

TÉMOIGNAGE → CHARGE, DÉMONSTRATION, DÉPOSITION, GAGE, INFORMATION, MANIFESTATION, MARQUE, PREUVE, RAPPORT, RÉCIT, RELATION

TÉMOIGNAGE aveu, contestable, déposition, foi de (sur la), gage, incontestable, irrécusable, irréfragable, irréfutable, marque, preuve, récusable, testimonial

TÉMOIGNER → ACCUSER, CONFESSER, CONNAÎTRE, DÉPOSER, EXPRIMER, INDIQUER, MONTRER, PROUVER, RÉVÉLER

TÉMOIGNER affirmer, attester, certifier, comparaître, déclarer, démontrer, déposer, exprimer, manifester, montrer, prouver, révéler

TÉMOIN → ARPENTAGE, COMPARAISON, MARIAGE, OBSERVATEUR, REPÈRE
Voir tab. **Droit (termes de)**

TÉMOIN assistance, auditeur, auriculaire, charge (à), décharge (à), déposant, moralité (de), oculaire, récoler, spectateur

TÉMOIN (ÊTRE) → ASSISTER

TÉMOIN ASSISTÉ
Voir tab. **Droit (termes de)**

TEMPE → TÊTE
Voir illus. **Cheval**

TEMPE méplat, temporal

TEMPELBLOCK
Voir illus. **Percussions**
Voir tab. **Instruments de musique**

TEMPERA → COLLE, PEINTURE

TEMPÉRAMENT → HUMEUR, IDENTITÉ, INDIVIDUALITÉ, NATURE, PERSONNALITÉ, PRÉSENCE, SANTÉ, VENDRE

TEMPÉRAMENT caractère, complexion, constitution, idiosyncrasie, nature, naturel, personnalité

TEMPÉRANCE → CARDINAL (2), MODÉRATION, SAGESSE, VERTU

TEMPÉRATURE → CORPS, FIÈVRE
Voir tab. **Café**

TEMPÉRATURE antipyrétique, antithermique, cryométrie, degré Celsius, degré Fahrenheit, degré Kelvin, fébrifuge, homéotherme, hypothermie, isotherme, poïkilotherme, pyromètre, réfrigérer, refroidir, thermoscope, thermostat

TEMPÉRÉ → CLIMAT, DOUX, SOBRE, TIÈDE

TEMPÉRER → ADOUCIR, AMORTIR, ATTÉNUER, CALMER, CORRIGER, COUPER, MODÉRER

TEMPÉRER adoucir, amoindrir, apaiser, atténuer, attiédir, calmer, contenir, freiner, modérer, refréner, réprimer

TEMPÊTE → CYCLONE, EXPLOSION, GRAIN, INONDATION, INTEMPÉRIE, ORAGE, PERTURBATION, TURBULENCE
Voir tab. **Phobies**
Voir tab. **Vent : échelle de Beaufort**

TEMPÊTE bonace, bourrasque, cheimophobie, coup de chien, cyclone, grain, orage, ouragan, tornade, tourmente, typhon

TEMPÊTER → ÉCLATER, EMPORTER, FULMINER, JURER

TEMPLE → COMMUNAUTÉ, CULTE, PASTEUR

TEMPLE adyton, cella, fanum, favissa, mosquée, naos, pagode, panthéon, pronaos, propylée, sanctuaire, spéos, stylobate, synagogue, teocalli, tholos, torii, ziggourat

TEMPLE D'ARTÉMIS
Voir illus. **Monde (les Sept Merveilles du)**

TEMPO → MOUVEMENT, PORTÉE, RYTHME
Voir tab. **Échecs**
Voir tab. **Musique (vocabulaire de la)**

TEMPORAIRE → COURT, ÉPHÉMÈRE, FORTUNE, INSTABLE, INTERMITTENT (2), PASSAGER (2), PRAIRIE, PROVISOIRE

TEMPORAIRE intérimaire, momentané, passager, ponctuel, précaire, provisoire, saisonnier, transitoire

TEMPORAL → CERVEAU, TEMPE
Voir illus. **Cerveau**
Voir illus. **Squelette**

TEMPORALITÉ → BÉNÉFICE

TEMPOREL → TERRESTRE

TEMPORISATION → COMPROMIS, RETARD

TEMPORISER → ATTENDRE

TEMPORISER atermoyer, différer, dilatoire, retarder

TEMPS → DIMENSION, LOISIR, PATIENCE, SIÈCLE, UNITÉ, VERBE
Voir tab. **Échecs**

TEMPS actuel, âge, ancien, année, antique, archaïque, atemporel, chronologie, chronométrie, clepsydre, contemporain, démodé, désuet, durée, époque, ère, éternel, éternité (de toute), instant, intempéries, intemporel, isochrone, laps de temps, météorologie, moderne, mois, moment, période, saison, semaine, simultané, synchrone, temps immémorial (de), toujours (depuis), vieillot, vieux

TEMPS (EN UN RIEN DE) → LENDEMAIN

TEMPS À AUTRE (DE) → INTERVALLE

TEMPS DE POSE
Voir tab. **Photographie (vocabulaire de la)**

TEMPS EN TEMPS (DE) → INTERVALLE

TEMPS GÉOLOGIQUES
Voir tab. **Géologiques (échelle des temps)**

TEMPS IMMÉMORIAL (DE) → TEMPS

TEMPS LEVÉ
Voir tab. **Danse Classique**

TEMPS MODERNES
Voir tab. **Histoire (grandes périodes)**

TEMPURA → BEIGNET, JAPONAIS
Voir tab. **Spécialités étrangères**

TENACE → AMBITIEUX, CONSTANT, ENRACINER, IDÉE, OBSTINÉ, OPINIÂTRE, SOUTENU, TÊTU, VIVACE

TENACE accrocheur, acharné, chronique, durable, entêté, indéracinable, inextirpable, invétéré, obstiné, opiniâtre, persévérant, persistant, vivace

TÉNACITÉ → ACHARNEMENT, DÉTERMINATION, ENTÊTEMENT, FERMETÉ, FORCE, MÉTAL, OBSTINATION, OPINIÂTRETÉ, PATIENCE, PERSÉVÉRANCE, RÉSISTANCE, RÉSOLUTION

TENAILLE → ÉTAU, FORGE, PINCE, SUPPLICE

TENAILLÉ → TOURMENTER

TENAILLEMENT → SUPPLICE

TENAILLER → ÉTREINDRE, RONGER

TENANCIER → BAR, CAFÉ

TENANT → ADEPTE, BLASON, CHEVALIER, DISCIPLE, PARTISAN (1), TOURNOI

TEND VERS
Voir tab. **Mathématiques (symboles)**

TENDANCE → APTITUDE, FACILITÉ, IMPULSION, INCLINATION, INSTINCT, MODE, ORIENTATION, PRÉDISPOSITION, SENS, SENSIBILITÉ

TENDANCE courant, cours, direction, disposition, école, enclin à (être), évolution, inclination, mouvement, orientation, penchant, porté à (être), propension, pulsion, tournure

TENDE DE TRANCHE
Voir illus. **Bœuf**

TENDELLE → PIÈGE

TENDER → WAGON

TENDERIE → CHASSE, PIÈGE

TENDEUR → CÂBLE, CORDE, COURROIE, LIEN

TENDINEUSE → NERVEUX

TENDINITE → TENDON

TENDON → MUSCLE
Voir tab. **Chirugicales (interventions)**

TENDON Achille, tendinite, ténontoplastie, ténoplastie, ténosite, tirant

TENDON D'ACHILLE
Voir illus. **Muscles**

TENDRE → AFFECTUEUX, BLEU (1), CÂLIN, CHERCHER, CONTRACTER (SE), DOUX, FLEUR, INCLINER, PÂLE, PORCELAINE, PRÊTER, SENTIMENTAL

TENDRE (1) allonger, aspirer à, bander, border, concourir à, confluer, contracter, converger, déferler, déployer, dresser, étarquer, étirer, offrir, présenter, prêter, raidir, viser à

TENDRE (2) acidulé, affectueux, aimant, clair, délicat, doux, friable, pâle, pastel

TENDRESSE → AMITIÉ, ATTACHEMENT, COLOMBE, DOUCEUR, INCLINATION, RELATION

TENDRESSE affection, attachement, dilection, douceur, sollicitude

TENDRETÉ → VIANDE

TENDRON
Voir illus. **Bœuf**
Voir illus. **Veau**

TENDU → ORAGEUX

TENDU angoissé, crispé, inquiet, stressé, tiré

TÉNÈBRES → NOIR, OBSCURITÉ
Voir tab. **Phobies**

TÉNÉBREUX → MÉLANCOLIE, NOIR (2), OPAQUE, SECRET (2), SOMBRE, SOURD, SOUTERRAIN (1)

TÉNÉBREUX abscons, abstrus, assombri, bas, complexe, couvert, hermétique, impénétrable, incompréhensible, maussade, mélancolique, morose, mystérieux, nébuleux, nuageux, obscur, renfrogné, sibyllin, sombre, voilé

TÉNÉBRION → FARINE

TÈNEMENT → TERRE

TÉNESME → COLIQUE, TENSION, VESSIE

TENEUR → CONTENU, FOND, LETTRE, TEXTE

TÉNIA → PARASITE (1), VER
Voir tab. **Animaux (classification simplifiée des)**

TENIR → IMPORTANCE, RECEVOIR, RÉDIGER, REGARDER, RELEVER, REMPLIR, RETENIR, SATISFAIRE, SUPPORTER
Voir tab. **Poker**

TENIR accrocher (s'), agripper (s'), appuyer (s'), arrangé (bien), borner à (se), considérer comme, contenir, contenter de (se), cramponner (se), enlacer, état (en bon), étreindre, exercer, gérer, jauger, limiter à (se), occuper, ordonné, propre,

provenir de, rangé, regarder comme, remplir, respecter, ressembler à, résulter de, résumer (se), retenir (se), s'acquitter de, satisfaire à

TENIR COI (SE) → TAIRE, TRANQUILLE

TENIR CONSEIL → SÉANCE

TENIR EN LISIÈRES → TUTELLE

TENIR LA BARRE → GOUVERNER

TENIR LIEU DE → OFFICE, SERVIR

TENNESSEE
Voir tab. **Alcools et eaux-de-vie**

TENNIS → BALLE, CHAUSSURE
Voir illus. **Chaussures**
Voir illus. **Sports**

TENNIS ace, amorti, coup droit, court, let, lift, lob, net, passing-shot, quick, revers, set, slice, smash, tamis, tennis-elbow, tie-break

TENNIS DE TABLE → BALLE
Voir illus. **Sports**

TENNIS-ELBOW → TENNIS

TENNO → EMPEREUR

TÉNO-
Voir tab. **Chirugicales (interventions)**
Voir illus. **Porte**

TENON → AJUSTER

TENON ET MORTAISE → MENUISERIE

TENONNEUSE → MACHINE

TÉNONTOPLASTIE → TENDON

TÉNOPLASTIE → TENDON

TÉNOR → CHANTEUR, HAUT (2), VOIX

TÉNOSITE → TENDON

TENSIOMÈTRE → TENSION ARTÉRIELLE
Voir tab. **Instruments de mesure**

TENSIOMÉTRIE → TENSION

TENSION → CRISE, FRICTION, FROTTEMENT, PASSION, POTENTIEL (1), PRESSION

TENSION baroscope, conflit, contention, dissension, éréthisme, manomètre, mésentente, mésintelligence, pression, ténesme, tensiométrie

TENSION ARTÉRIELLE hypotenseur, pression artérielle, sphygmomanomètre, sphygmotensiomètre, tensiomètre, tonométrie

TENSON → POÈME

TENTACULAIRE → GIGANTESQUE

TENTANT → EXCITANT (2), SÉDUISANT

TENTATION → DÉSIR, DIABLE, INVITATION, SOIF

TENTATION appel, attrait, blandice, fascination, sollicitation, Tantale (de)

TENTATIVE → DÉMARCHE, ENTREPRISE, ESSAI, TEST

TENTATIVE attentat, avances, démarche, essai, initiative

TENTE → CAMPER, WIGWAM

TENTE canadienne, chapiteau, douar, marquise, marsouin, tabernacle, taud, tipi, vélarium, wigwam, yourte

TENTER → ALLÉCHER, APPÂTER, CHERCHER, DIRE, EFFORCER (S'), ENTREPRENDRE, OSER, RISQUER,

SÉDUIRE, SOLLICITER, TÂCHER, TÉMÉRAIRE

TENTER affrioler, allécher, appâter, attirer, braver, chercher à, défier, efforcer de (s'), escrimer à (s'), essayer de, évertuer à (s'), oser, risquer, séduire, tâcher de

TENTURE → DÉCOR, DÉCORATION, RIDEAU, TAPISSERIE

TENTURE andrinople, portière

TENU → RUGBY

TENU DE → AVOIR (1), OBLIGATION

TÉNU → FIN (2), FRÊLE, LÉGER, MENU (2), MINCE, PERCEPTIBLE, PETIT (2), SUBTIL

TENUE → ATTITUDE, CONSISTANCE, GENRE, MISE, PORT, STABILITÉ, TOILETTE

TENUE correction, costume, décence, dignité, discipline, habit, maintien, mise, ordre, posture, pudeur, réserve

TENUE (PETITE) → NÉGLIGÉ (1)

TENUE D'INTÉRIEUR → NÉGLIGÉ

TÉNUIROSTRE → BEC

TENURE → SEIGNEUR

TEOCALLI → TEMPLE

TEP → ÉQUIVALENT

TEP (TITRE ÉLECTRONIQUE DE PAIEMENT) → PAIEMENT

TEPIDARIUM → BAIN

TEQUILA agave, mescal, pulque

TÉRAT(O)- → MONSTRE

TÉRATOGÈNE → MONSTRE

TÉRATOLOGIE → MONSTRE
Voir tab. **Sciences : termes en -ologie et -ographie**

TÉRATOLOGIE VÉGÉTALE → BOTANIQUE (1)

TERBIUM
Voir tab. **Éléments chimiques (symbole du)**

TERCET → STROPHE, TROIS (2)

TÉRÉBENTHÈNE → TÉRÉBENTHINE

TÉRÉBENTHINE → PIN, RÉSINE

TÉRÉBENTHINE arcanson, carre, colophane, galipot, mélèze, pinène, térébenthène, térébinth

TÉRÉBINTHE → TÉRÉBENTHINE

TÉRÉBRANT → AIGU, PERÇANT, PIQUANT (2)

TERGAL → FIBRE, TEXTILE

TERGIVERSATION → HÉSITATION, INCERTITUDE, INDÉCISION

TERGIVERSER → AMBIGU, BALANCER, DÉCIDER, DÉLIBÉRER, FOIS, HÉSITER, NOYER, OSCILLER, POT, PROLONGER, TÂTER

TERGIVERSER atermoyer, détours (user de), faux-fuyants (user de), louvoyer, procédés dilatoires (user de)

TERME → ACHÈVEMENT, ARRIVÉE, BAIL, BORNE, BOUT, BUT, CIBLE, DATE, DÉLAI, FIN (1), LIMITE, STADE, STATUE, VENDRE

TERME aboutissement, accomplir, accomplissement, achèvement, achever, conclusion, dénouement, échéance, entente, expiration, expression, formule, hypocoristique, issue, libellé, rapport, relation

TERMES (MAUVAIS) → FÂCHÉ, FROID (1)

TERMINAISON → CONJUGAISON, FIN (1)

TERMINAISON consonance, désinence, finale, rime, suffixe

TERMINAL → AÉROPORT, EXTRÊME, POSTE

TERMINATEUR → LUNE

TERMINÉ → ACCOMPLI

TERMINER → BOUT, CLORE, CONCLURE, FINIR, SOLDER

TERMINER aboutir, achever, clore, conclure, consommer, couronner, déboucher, expédier, liquider, mener, mettre fin à, mettre un terme à, parachever, parfaire

TERMINOLOGIE → LANGAGE, LEXIQUE, MOT, NOMENCLATURE, SPÉCIALITÉ, VOCABULAIRE

TERMINOLOGIQUE → BANQUE

TERMINOLOGUE → DICTIONNAIRE

TERMINUS → BUT

TERMITE → BOIS, INSECTE

TERMITIÈRE → NID

TERNAIRE → TROIS (2)

TERNE → DÉ, DÉLAVÉ, ÉTEINT, GRIS, INSIGNIFIANT, MAT, MÉDIOCRE, MORNE, MOROSE, PÂLE, TROIS (1), TROUBLE (2)

TERNE anodin, blafard, défraîchi, délavé, effacé, embu, éteint, fade, falot, fané, gris, incolore, inexpressif, insignifiant, insipide, monotone, morne, passé, plat, triste, vitreux

TERNÉE
Voir illus. **Feuille**

TERNIR → ÉTEINDRE, FLÉTRIR, GÂTER, PÂLIR

TERPSICHORE
Voir tab. **Muses**

TERRAGE → CONTRIBUTION

TERRAIN → AIRE, SOL

TERRAIN brande, calade, essart, garrigue, lande, maquis, ouche, ravière, verger

TERRAIN VAGUE → FRICHE

TERRAMARE → ENGRAIS

TERRASSE → PLATE-FORME, STATUE
Voir illus. **Héraldique**
Voir illus. **Maison**

TERRASSE barbacane, belvédère, esplanade, étage, gradin, palier, plate-forme, porte-fenêtre, solarium

TERRASSÉ → ABATTU

TERRASSER → CREUSER, RENVERSER

TERRE → CAPITAL (1), DOMAINE, ÉLÉMENT, HUMANITÉ, PIPE, SOLAIRE
Voir illus. **Éclipses**
Voir illus. **Lune**
Voir illus. **Système solaire**
Voir tab. **Phobies**
Voir tab. **Planètes du système solaire**

TERRE agraire, alcarazas, alluvion, amendement, ameublissement, arable, arpent, barysphère, bucchero, cairn, chaulage, compost, compostage, Déméter, domaine, dry farming, écoumène, exploitation, fertilisation, franc, Gaïa, galgal, Gê, géochimie, géodésie, géodynamique, géographie, géologie, géomorphologie, géophage, géophysique, géothermie, glaise, globe, herbue, humus, isthme, jachère, jectisse, limon, lopin, marnage, marne, monde, mound, nifé, noue, nutation, parcelle, pâtis, plâtrage, polder, propriété, ségala, tchernoziom, Tellus, tènement, terreau, tertre, tumulus, wagage

TERRE (EN VUE DE) → NAVIGATION

TERRE À FOULON → ARGILE

TERRE À TERRE → MATÉRIEL (2), VULGAIRE

TERRE CUITE → CÉRAMIQUE

TERRE DE BAFFIN
Voir tab. **Îles du monde**

TERRE DE BRUYÈRE
Voir tab. **Jardinage**

TERRE DE SIENNE → BRUN

TERRE D'OMBRE → BRUN

TERRE VÉGÉTALE → BRUYÈRE

TERREAU → BRUYÈRE, TERRE, VÉGÉTAL (2)
Voir tab. **Jardinage**

TERREAUTAGE → FERTILE

TERRE-NEUVAS
Voir tab. **Bateaux**

TERRER (SE) → BLOTTIR (SE), ISOLER (S')

TERRESTRE → BATAILLE

TERRESTRE lithosphère, matériel, sial, sima, tellurique, temporel

TERREUR → CAUCHEMAR, CRAINTE, FRAYEUR, HORREUR, INQUIÉTUDE, PANIQUE, PEUR

TERREUR affolement, angoisse, effroi, épouvante, frayeur, panique, peur, terroriser

TERREUX → BRUN, COULEUR, SALE
Voir tab. **Couleurs**

TERRIBLE → DRAMATIQUE, FÉROCE, INHUMAIN, TRAGIQUE, VIOLENT

TERRIBLE affreux, aigu, apocalyptique, dantesque, dissipé, effrayant, effroyable, épouvantable, foudroyant, fulgurant, horrible, horrifiant, impénitent, incorrigible, indiscipliné, insoutenable, insupportable, intenable, intolérable, invétéré, turbulent, violent

TERRIEN → PAYSAN (1)

TERRIER → ABRI, GÎTE, TANIÈRE
Voir tab. **Animaux (termes propres aux)**

TERRIFIANT → ABOMINABLE, AFFOLANT, CATASTROPHIQUE, ÉPOUVANTABLE, FÉROCE, FORMIDABLE, INHUMAIN, SINISTRE (2)

TERRIFIER → TERRORISER

TERRIL → MINE, TAS

TERRINE → PÂTÉ

TERRITOIRE → DOMAINE, PROVINCE, RÉGION, RÉSERVE, SECTEUR

TERRITOIRE arrondissement, balkanisation, canton, circonscription, communauté de communes, communauté urbaine, commune, département, district urbain, irrédentisme, patrie, région, réserve, territorialisme

TERRITOIRE SOUS TUTELLE → DROIT (1)

TERRITORIALISME → TERRITOIRE

TERROIR → CRU (1), PROVINCE

TERRORISÉ → EFFRAYER, INTIMIDER

TERRORISER → CRAINTE, ÉPOUVANTER, GLACER, TERREUR, TYRANNISER

TERRORISER affolé, angoissé, apeuré, effrayer, épouvanter, horrifier, intimidé, paniqué, peur (faire), terrifier

TERRORISME → CRIME, VIOLENCE

TERRORISME attentat, détournement d'avion, prise d'otages

TERTIAIRE
Voir tab. **Géologiques (échelle des temps)**

TERTRE → COLLINE, TERRE, TOMBE

TERZETTO → TROIS (2)

TESLA (T) → MAGNÉTIQUE

TESSELLE → MOSAÏQUE

TESSÈRE → JETON

TESSITURE → REGISTRE, SON, VOIX

TESSON → BOUTEILLE, DÉBRIS

TEST → AUDITION, BANC, CARAPACE, COQUILLE, ÉPREUVE, ESSAI, EXPÉRIENCE, INTERROGATION

TEST docimasie, docimologie, épreuve, essai, expérience, expérimentation, projectif, projection (de), psychométrique, Rorschach (de), tentative, vérification

TESTAMENT → AFFRANCHISSEMENT, DERNIER, HÉRITAGE, PACTE

TESTAMENT authentique, codicille, exécuteur testamentaire, inscrire comme légataire, intestat, olographe, public, testateur, tester

TESTAMENT (ANCIEN) → BIBLE

TESTAMENT (NOUVEAU) → BIBLE

TESTATEUR → TESTAMENT

TESTER → TESTAMENT, VÉRIFIER

TESTICULE → BOURSE, MÂLE, REPRODUCTEUR
Voir illus. **Génitaux (appareils)**
Voir tab. **Chirugicales (interventions)**
Voir tab. **Endocrinologie**

TESTICULE albuginée, animelles, anorchidie, bourses, daintiers, déférent, épididyme, orchidectomie, orchite, scrotum, suites, vasectomie

TESTIMONIAL → TÉMOIGNAGE

TESTOSTÉRONE → HORMONE, MÂLE

TESTUDINIDÉS → TORTUE

TÉTANIE → CRISPATION, MAGNÉSIUM, SPASME

TÉTANIE (CRISE DE) → MALAISE

TÉTANISÉ → INTERDIT, PARALYSÉ

TÉTANISER (SE) → CONTRACTER (SE)

TÉTANOS → CONTRACTION
Voir tab. **Vaccins**

TÉTANOS antitétanique, Nicolaier (de), trismus

TÊTARD → BATRACIEN, LARVE, SAULE
Voir tab. **Animaux (termes propres aux)**

TÊTE → AVANT-GARDE, CARTE, CHEVET, COMÈTE, DÉBUT, INITIAL, INTELLIGENT, MAILLE, RAISON, VIS
Voir illus. **Guitare**
Voir illus. **Insectes**
Voir illus. **Livre Relié**

Voir illus. **Violon**
Voir tab. **Douleur**
Voir tab. **Forme de... (en)**

TÊTE acéphale, acrocéphale, brachycéphale, bulbe, céphalgique, céphalée, conformateur, décapiter, décoller, dolichocéphale, fontanelle, guillotiner, hémicrânie, hure, memento mori, migraine, névralgie faciale, nutation, occiput, ogive, sinciput, tempe, tonsure, vertex

TÊTE (LIGNE DE)
Voir illus. **Main**

TÊTE (NE PLUS AVOIR SA) → LUCIDE

TÊTE À TÊTE → SEUL

TÊTE CYLINDRIQUE → VIS

TÊTE D'ALLUMEUR FENDUE
Voir tab. **Garagiste (vocabulaire du)**

TÊTE D'IVOIRE → TIMBRE-POSTE

TÊTE DE MORT → PIRATE (1)

TÊTE DE TURC → VICTIME (1)

TÊTE DU FÉMUR
Voir illus. **Squelette**

TÊTE-À-TÊTE → CONVERSATION, DIALOGUE, ENTRETIEN, FAUTEUIL, MEUBLE, RENCONTRE, TASSE

TÊTE-BÊCHE → TIMBRE-POSTE

TÊTE-D'ALOUETTE
Voir illus. **Nœuds**

TÊTE-DE-LOUP → BALAI, BROSSE

TÊTE-DE-MAURE → HOLLANDAIS

TÊTE-DE-MOINE
Voir tab. **Fromages**

TÊTE-DE-MOINEAU → HOUILLE

TÊTE-DE-NÈGRE
Voir tab. **Couleurs**

TÉTÉE → TÉTER

TÉTER allaiter, donner le sein, tétée, téterelle

TÉTERELLE → SEIN, TÉTER

TÊTES (BAL DE) → BAL

TÊTIÈRE → BRIDE, SERRURE
Voir illus. **Planche à voile**
Voir illus. **Serrure**

TÉTIN → BOUT, SEIN

TÉTINE → MAMELLE

TÉTON → SEIN

TÉTRACYCLINE
Voir tab. **Médicaments**

TÉTRADACTYLE → QUATRE

TÉTRAÈDRE
Voir illus. **Géométrie (figures de)**

TÉTRAGONE → ÉPINARD

TÉTRAGRAMME → LETTRE

TÉTRAGRAMME (YHVH) → DIEU

TÉTRALOGIE → OPÉRA, QUATRE, RÉCIT

TÉTRAMÈTRE → MÈTRE

TÉTRAPLÉGIE → BRAS, PARALYSIE, QUATRE

TÉTRAPODES
Voir tab. **Animaux (classification simplifiée des)**

TÉTRARQUE → GOUVERNEUR

TÉTRAS → BRUYÈRE, COQ

TÉTRODON → HÉRISSON

TÉTROXYDE D'AZOTE → FARINE

TETTE → MAMELLE

TÊTU → IDÉE, MARTEAU, OBSTINÉ, OPINIÂTRE

TÊTU buté, entêté, intraitable, obstiné, opiniâtre, récalcitrant, rétif, tenace

TEUTON → ALLEMAND

TEXAS
Voir tab. **Bridge**

TEXTE acte, annotation, énoncé, exégèse, herméneutique, interpoler, manuscrit, notule, palimpseste, philocalie, philologie, remarque, tapuscrit, teneur, variante

TEXTILE → ÉTOFFE

TEXTILE acrylique, angora, cachemire, chanvre, coton, Dacron, filature, Gore-Tex, jute, laine, lin, Lycra, microfibre, Orlon, piassava, pite, polyester, ramie, rayonne, sisal, soie, tampico, Tergal, tissage

TEXTO → MESSAGE, PORTABLE

TEXTUEL → EXACT

TEXTURE → AGENCEMENT, CONSISTANCE, CONSTITUTION

TEXTURE agencement, composition, constitution, organisation, réseau, structure, tissu

TGV → RAPIDE, TRAIN, VÉHICULE

TH
Voir tab. **Éléments chimiques (symbole des)**

THADDÉE
Voir tab. **Jésus (disciples de)**

THAÏ → RIZ

THALAMIQUE → MAIN

THALAMUS
Voir illus. **Cerveau**

THALASSO- → MER

THALASSOPHOBIE
Voir tab. **Phobies**

THALASSOTHÉRAPIE → BAIN, MÉDECINE, MER
Voir tab. **Médecines alternatives**

THALER → ARGENT

THALÈS (DE) → TRIANGLE

THALIE → COMÉDIE, GRÂCE
Voir tab. **Muses**

THALLIUM
Voir tab. **Éléments chimiques (symbole des)**

THALLOPHYTES → LICHEN, PLANTE, RACINE, VÉGÉTAL (1)
Voir tab. **Végétaux (classification simplifiée des)**

THANATO- → MORT

THANATOLOGIE → MORT (1)

THANATOPHOBIE
Voir tab. **Phobies**

THANATOPRAXIE → CADAVRE

THANATOS → MORT (1)

THAUMATURGE → MAGICIEN, MIRACLE

THÉ → BOISSON, REPAS

THÉ Assam, congou, Darjeeling, grande perle, hyson-hayswen, hyson-junior, hyson-schoutong, hyson-skin, impérial, maté, Oolong, pekoe orange, pekoe powchong, pekoe souchong, poudre à canon, samovar, souchong, thé vert, théier, théine, théobromine, théophylline, tonkay

THÉ VERT
Voir tab. **Thé**

THÉ VIERGE
Voir tab. **Plantes médicinales**

THÉÂTRAL → DRAMATIQUE

THÉÂTRAL boulevard, bunraku, diablerie, farce, fastueux, grandiose, kabuki, kyogen, majestueux, miracle, mystère, nô, scénique, sottie, spectaculaire, vaudeville, zarzuela

THÉÂTRE → ART, COMÉDIE, LIEU, SPECTACLE

THÉÂTRE atellanes, claque, comédie, deus ex machina, dramaturge, fiasco, four, mélodrame, opéra-bouffe, opéra-comique, opérette, régisseur, relâche, scénographie, scénologie, tragédie, tragi-comédie, vaudeville, wayang

THÉBAÏDE → LIEU, SOLITUDE

THÉBAINE → OPIUM

THÉIER → THÉ
Voir tab. **Thé**

THÉINE → THÉ
Voir tab. **Thé**

THÉISME → DIEU, RELIGION

THÉMATIQUE → THÈME

THÈME → CATÉGORIE, FOND, HOROSCOPE, IDÉE, OBJET, PROBLÈME, PROPOS, RADICAL (1), SUJET, TRADUCTION
Voir tab. **Astrologie**

THÈME leitmotiv, motif, nativité, sujet, thématique

THÉNAR → MAIN

THÉO- → DIEU

THÉOBROMINE → CACAO, THÉ
Voir tab. **Chocolat**

THÉOCRATIE → DIEU, GOUVERNEMENT, RELIGIEUX (2)

THÉODICÉE → DIEU, THÉOLOGIE

THÉODOLITE → ANGLE, LUNETTE
Voir tab. **Instruments de mesure**

THÉODORE POUSSIN
Voir tab. **Bande dessinée (héros de)**

THÉOGONIE → DÉESSE, DIEU, GÉNÉALOGIE, RELIGION

THÉOLOGIE → DIEU

THÉOLOGIE apologétique, apophatique, augustinisme, ayatollah, casuistique, christologie, concile, consistoire, consulteur, docteur de la Loi, ecclésiologie, kabbaliste, patristique, Pères de l'Église, rabbin, scolastique, synode, talmudiste, théodicée, théologien, thomisme, uléma

THÉOLOGIEN → DOCTEUR, PÈRE, THÉOLOGIE

THÉOMACHIE → COMBAT

THÉOPHANIE → DIEU

THÉOPHRASTE-RENAUDOT (PRIX)
Voir tab. **Prix littéraires**

THÉOPHYLLINE → THÉ

THÉORBE → LUTH

THÉORÈME → DÉFINITION, DÉMONSTRATION, INTELLIGENCE ARTIFICIELLE, MATHÉMATIQUE, PROPOSITION, RAISONNEMENT, RÈGLE

THÉORIE → DOCTRINE, IDÉE, PENSÉE, PHILOSOPHIE, RÈGLE, SYSTÈME

THÉORIE axiome, conception, doctrine, hypothèse, opinion, postulat, principe, système, thèse

THÉORIQUE → FICTIF, PLATONIQUE, PUR

THÉORIQUEMENT → PRINCIPE

THÉORISATION → INTELLIGENCE

THÉRAPEUTE → MÉDECIN

THÉRAPEUTIQUE → GUÉRIR, MALADIE, TRAITEMENT

THÉRAPIE → TRAITEMENT

THÉRIAQUE → MÉDICAMENT

THERMES → BAIN

THERMIDOR → HOMARD
Voir tab. **Mois du calendrier républicain**

THERMIQUE → BOUCLIER, CHALEUR, ÉNERGIE

THERMOCAUTÈRE → BRÛLER

THERMOCOLLANTE (PIÈCE) → MERCERIE

THERMODURCISSABLE → PLASTIQUE (1)

THERMODYNAMIQUE → CHALEUR

THERMOÉLECTRIQUE → ÉLECTRONIQUE, PILE

THERMOÉLECTRONIQUE → ÉLECTRONIQUE

THERMOGÈNE → CHALEUR

THERMOGRAPHE → THERMOMÈTRE

THERMOMÈTRE → INSTRUMENT
Voir tab. **Instruments de mesure**

THERMOMÈTRE alcool, bolomètre, mercure, pentane, psychromètre, thermographe, toluène

THERMOPLASTIQUE → PLASTIQUE (1)

THERMORÉSISTANT → DÉFORMER

THERMOS → BOUTEILLE, VASE

THERMOSCOPE → TEMPÉRATURE

THERMOSIPHON → CHAUFFAGE

THERMOSPHÈRE
Voir illus. **Atmosphère**

THERMOSTAT → CHAUFFAGE, TEMPÉRATURE
Voir illus. **Moteur**

THÉSAURISATION → ACCROISSEMENT, ACCUMULATION

THÉSAURISER → AMASSER, CAPITAL (1), CÔTÉ, ÉPARGNER, RECUEILLIR

THESAURUS → DICTIONNAIRE, RECUEIL

THÈSE → DÉMARCHE, DOCTRINE, SYSTÈME, THÉORIE

THESPIS → TRAGÉDIE

THESSALONICIENS (ÉPÎTRES AUX)
Voir tab. **Bible**

THÉURGIE → MAGIE

THIAMINE
Voir tab. **Vitamines**

THIASE → DANSE

THIBAUDE → TAPIS

THIERS (ADOLPHE)
Voir tab. **Rois et chefs d'État de la France**

THINOCORE
Voir tab. **Oiseaux (classification simplifiée des)**

THOLOS → GREC, TEMPLE

THOMAS
Voir tab. **Jésus (disciples de)**

THOMISME → THÉOLOGIE

THON albacore, bonite, combrière, germon, pélamide, scombridés, thonaire, thonier, thonine

THONAIRE → THON

THONIER → BATEAU, PÊCHE, THON
Voir tab. **Bateaux**

THONINE → THON

THOR → MYTHOLOGIE, TONNERRE

THORAC(O)-
Voir tab. **Chirugicales (interventions)**

THORACIQUE → MEMBRE

THORAX → POITRINE, TRONC

Voir illus. **Insectes**
Voir tab. **Chirugicales (interventions)**

THORGAL
Voir tab. **Bande dessinée (héros de)**

THORIUM → CENTRALE NUCLÉAIRE, PARATONNERRE
Voir tab. **Éléments chimiques (symbole des)**

THORON → ÉMANATION

THRÈNE → CHANT

THRIDACE → CALMANT, LAITUE

THRILLER → FILM, POLICIER (2)

THROMB(O)-
Voir tab. **Chirugicales (interventions)**

THROMBOCYTE → SANG

THROMBOSE → BOUCHÉ, CAILLOT, VASCULAIRE

THULIUM
Voir tab. **Éléments chimiques (symbole des)**

THURIFÉRAIRE → ADMIRATEUR, ENCENS, FÉLICITER

THUYA → HAIE
Voir tab. **Végétaux (classification simplifiée des)**

THYM
Voir tab. **Herbes, épices et aromates**
Voir tab. **Plantes médicinales**

THYM carvacrol, farigoule, labiacées, labiées, lamiacées, serpolet, thym commun, thymol

THYM COMMUN → THYM

THYMIQUE → HUMEUR

THYMOL → THYM

THYMUS → COU
Voir tab. **Endocrinologie**

THYMUS VULGARIS
Voir tab. **Plantes médicinales**

THYROÏDE → COU, LARYNX

THYROÏDE (GLANDE)
Voir tab. **Endocrinologie**

THYROXINE → HORMONE

THYRSE → BAGUETTE, PIN

THYSANIE → PAPILLON

TI
Voir tab. **Éléments chimiques (symbole des)**

TIARE → COIFFURE, COURONNE, PAPE
Voir illus. **Coiffures**

TIBIA → JAMBE
Voir illus. **Squelette**

TIBIA péroné, platycnémie

TIC → GESTE, GRIMACE, HABITUDE, INTERMITTENT, MANIE

TIC bruxisme, Gilles de la Tourette (syndrome de), manie, manie dépilatoire, marotte, névralgie épileptiforme, nictation, nictitation, Salaam (de), trichoclastie, trichomanie, trichotillomanie

TIC DE SALAAM → SPASME

TICKET → BILLET

TICKET billet, chèque-restaurant, contremarque, coupon, horodateur, ticket-restaurant, titre de transport, titre-restaurant

TICKET-RESTAURANT → TICKET

TIC-TAC
Voir tab. **Bruits**

TIE-BREAK → TENNIS

TIÈDE limité, mitigé, modéré, mou, poli, tempéré, timide

TIÉDEUR → CLÉMENCE, DOUCEUR, NONCHALANCE

TIERCE → HEURE, INTERVALLE, MOINE
Voir tab. **Belote**
Voir tab. **Prières et offices de l'Église catholique romaine**

TIERCÉ → COURSE HIPPIQUE
Voir illus. **Héraldique**

TIERCELET → FAUCON

TIERCER → LABOURER

TIERCERON
Voir tab. **Architecture**

TIERS ÉTAT → BOURGEOIS (1), ORDRE

TIERS MONDE → PAUVRE

TIERS PROVISIONNEL → ACOMPTE, IMPÔT, REVENU

TIERS-EXCLU → PRINCIPE

TIERS-POINT → LIME, SCIE

TIGE → BAS (1), BOUTURE, CHAUSSURE, PARATONNERRE, POIL, TRINGLE
Voir illus. **Peau**
Voir illus. **Poil**
Voir illus. **Serrure**

TIGE acaule, bielle, broche, cépée, chaume, escape, éteule, fétu, fût, hampe, hâtelet, longicaule, paille, rhizome, stipe, stolon, trocart, trochée, tubercule, tuyau

TIGE DE POUSSOIR → SOUPAPE
Voir illus. **Moteur**

TIGLON → TIGRE

TIGNASSE → CHEVEU, REBELLE (2)

TIGNOLE → EMBARCATION

TIGRE → FAUVE (1)
Voir tab. **Animaux (termes propres aux)**

TIGRE félidés, feulement, râlement, rauquement, tiglon, tigron

TIGRESSE
Voir tab. **Animaux (termes propres aux)**

TIGRON → HYBRIDE, LION, TIGRE

TILBURY → CABRIOLET, VOITURE

TILDE → NASAL

TILIA SYLVESTRIS
Voir tab. **Plantes médicinales**

TILLAC → PONT

TILLANDSIE → CRIN

TILLE → HACHE

TILLEUL → VERT (1)
Voir tab. **Couleurs**
Voir tab. **Plantes médicinales**

TILLOLLE → BARQUE

TIMBALE → BATTERIE, GOBELET, PERCUSSION, TAMBOUR
Voir illus. **Orchestre**
Voir illus. **Percussions**
Voir tab. **Instruments de musique**

TIMBRAGE → POINÇON

TIMBRE → CACHET, COLORATION, IMPÔT, PASTILLE, SON, SONNETTE, SONORITÉ, TAMPON
Voir illus. **Armures**
Voir tab. **Collectionneurs**
Voir tab. **Héraldique (vocabulaire de l')**

TIMBRE blanc, chaud, cuivré, monocorde, patch, profond, sensuel, timbre fiscal, timbré, timbre-amende

TIMBRE FISCAL → TIMBRE

TIMBRÉ → RÉSONNER, TIMBRE

TIMBRE-AMENDE → TIMBRE

TIMBRE-POSTE affranchissement, black penny, burelage, démonétisé, dentelure, mancoliste, odontomètre, philatéliste, tête d'ivoire, tête-bêche

TIMES
Voir tab. **Typographies**

TIMIDE → EFFACER, FAROUCHE, PEUREUX, TIÈDE

TIMIDE ébauché, effarouché, embarrassé, emprunté, esquissé, farouche, frileux, gauche, gêné, hésitant, incertain, inhibé, peureux, prudent, pusillanime, réservé, timoré

TIMIDEMENT → MOLLEMENT

TIMING → CALENDRIER, EMPLOI, PROGRAMME

TIMON → BARRE, CHARRETTE, CHARRUE, DIRECTION, FLÈCHE, GOUVERNAIL

TIMONERIE → NAVIGATION

TIMONIER → BARRE, MARIN (1), PILOTE

TIMORÉ → INDÉCIS, INQUIET, MÉFIANT, PEUREUX, PRUDENCE, TIMIDE

TIMOTHÉE (ÉPÎTRES À)
Voir tab. **Bible**

TIN → APPUI, BÉQUILLE, SOUTIEN

TINAMOU → NICHER
Voir tab. **Oiseaux (classification simplifiée des)**

TINCTORIAL → TEINDRE

TINÉIDÉS → TEIGNE

TINETTE → TONNEAU, WATER-CLOSET

TINTAMARRE → BRUIT, DISCORDANT, TAPAGE, TUMULTE
Voir tab. **Bruits**

TINTEMENT → BRUIT
Voir tab. **Bruits**

TINTER → RÉSONNER, SONNER

TINTIN
Voir tab. **Bande dessinée (héros de)**

TINTINNABULER → CLOCHETTE, SONNER

TIP
Voir tab. **Thé**

TIP (TITRE INTERBANCAIRE DE PAIEMENT) → PAIEMENT

TIPI → HABITATION, INDIEN, TENTE, WIGWAM

TIPP
Voir tab. **Fiscalité**

TIQUE → ACARIEN, PARASITE (1)

TIQUETÉ → TACHE

TIR → RAFALE
Voir tab. **Sports**

TIR ball-trap, batterie, croisé, mire, nourri, papegai, salve, shoot, tir au but, tir au pigeon, tir de barrage, visée

TIR À L'ARC kyudo

TIR AU BUT → TIR

TIR AU PIGEON → TIR

TIR DE BARRAGE → TIR

TIRADE → COMÉDIEN, DÉVELOPPEMENT, PHRASE

TIRADE laisse, monologue, morceau de bravoure, période, réplique

TIRAGE → CLICHÉ, DÉVELOPPEMENT, ÉDITION
Voir tab. **Photographie (vocabulaire de la)**

TIRAGE cliché, développer, diapositive, réédition, réimpression, republication, retirage

TIRAILLÉ → BALLOTTER

TIRAILLEMENT → FRICTION, FROTTEMENT

TIRAILLEMENT conflit, crampe, désaccord, discorde, opposition, querelle, tiraillerie

TIRAILLERIE → TIRAILLEMENT

TIRAILLEUR → INFANTERIE, SOLDAT

TIRAMISU
Voir tab. **Gâteaux régionaux et étrangers**

TIRANT → TENDON
Voir illus. **Ponts**

TIRASSE → CHASSE, FILET, PERDRIX, PIÈGE

TIRE (À LA)
Voir tab. **Vols (types de)**

TIRÉ → HÂLÉ, TENDU, TRAITE

TIRÉ D'AFFAIRE → SAUF (1)

TIRE-BOUCHON → PLONGEON

TIRE-FESSES → SKI

TIRE-FOND → VIS

TIRE-LAIT → SEIN

TIRE-LARIGOT → BEAUCOUP

TIRE-LIGNE → ENCADREMENT

TIRELIRE cagnotte, cochon, esquipot, grenouille, tronc

TIRER → BOULE, BRÈCHE, ENVOYER, FEU, IMPRIMER, POMPER, RECEVOIR, RETIRER, SORTIR, TRACER

TIRER conclure, décharger, déduire, dégainer, emprunter à, exprimer, extraire, haler, inférer, paumoyer, puiser, remorquer, touer, tracter, traîner

TIRER DE L'OUBLI → OMBRE

TIRER PARTI → PROFIT

TIRER SON CHAPEAU À → SALUER

TIRER VANITÉ DE → VANTER

TIRET → PONCTUATION

TIREUR → TRAITE

TIRE-VEILLE
Voir illus. **Planche à voile**

TIROIR → BUFFET, COMPARTIMENT

TISANE → BOISSON, CHAMPAGNE

TISANE décoction, infusion

TISIPHONÉ → FURIE

TISONNÉ → TACHE

TISONNER → FEU

TISONNIER → BARRE, CHEMINÉE, PINCE

TISSAGE → ARMURE, TEXTILE, USINE

TISSAGE bobinage, canetage, canuse, canut, carpettier, chinage, encollage, filé, lame, nouage, ourdissage

TISSER → NOUER

TISSER basse-lissier, brocher, haute-lissier, lissier, ourdir, tisserand, tisseur, tramer

TISSERAND → TISSER

TISSERAND (NŒUD DE)
Voir illus. **Nœuds**

TISSEUR → TISSER

TISSU → ARMURE, ENVELOPPE, ÉTOFFE, MÉLANGE, TEXTURE
Voir illus. **Peau**

TISSU alèse, apprêt, armure, cachemire, chaîne, cotonnade,

cytologie, épithélium, histogenèse, histologie, histolyse, induration, lainage, liber, Lycra, matelassé, mérinos, mille-raies, mohair, oxford, patchwork, pékiné, phloème, sclérose, soierie, Stretch, tissulaire, tissutier, toile, trame, velours

TISSU CONJONCTIF
Voir illus. **Sein**

TISSULAIRE → TISSU

TISSUTIER → TISSU

TITAN → GÉANT

TITANE
Voir tab. **Éléments chimiques (symbole des)**

TITANESQUE → COLOSSAL, DÉMESURÉ, ÉNORME, GIGANTESQUE, IMMENSE

TITANIC → PAQUEBOT

TITE (ÉPÎTRES À)
Voir tab. **Bible**

TITI → GAMIN (1)

TITILLATION → DÉMANGEAISON

TITILLER → CHATOUILLER

TITISME → COMMUNISME

TITRE → BON (2), CHARGE, DEGRÉ, DÉSIGNATION, ÉCRIT (1), GRADE, INSCRIPTION, NOM, OBLIGATION, PIÈCE, QUALIFICATION, QUALITÉ, RANG, RUBRIQUE
Voir tab. **Collectionneurs**

TITRE action, adiré, brevet, collation, créance, dignité, frontispice, intitulé, manchette, obligation, parchemin, part, qualification, titré, titulaire, titulature, valeur

TITRE (PAGE DE)
Voir illus. **Livre relié**

TITRÉ → TITRE

TITRE DE TRANSPORT → TICKET

TITRE-RESTAURANT → TICKET

TITRISATION → MOBILISATION

TITUBANT → FRAGILE, VACILLANT

TITUBATION → DÉMARCHE

TITUBÉ → VACILLER

TITUBER → CHANCELER, ÉQUILIBRE, ZIGZAG

TITULAIRE → AUXILIAIRE (1), TITRE

TITULARISATION → NOMINATION

TITULATURE → TITRE

TL
Voir tab. **Éléments chimiques (symbole des)**

TLD
Voir tab. **Internet**

TM
Voir tab. **Éléments chimiques (symbole des)**

TMÈSE
Voir tab. **Rhétorique (figures de)**

TOAST → TARTINE

TOAST boire à la santé de, trinquer

TOAST (PORTER UN) → BOIRE

TOASTÉ → RÔTI (2)

TOBIT
Voir tab. **Bible**

TOBOGGAN → CARREFOUR, TRAÎNEAU

TOC → CAMELOTE, PACOTILLE

TOCADE → AMOURETTE, IDYLLE, MAROTTE, PASSION

TOCCATA → ORGUE
Voir tab. **Musicales (formes)**

TOCOPHÉROL
Voir tab. **Vitamines**

TOCSIN → ALARME, CLOCHE, SIGNAL, SONNER

TOC-TOC
Voir tab. **Bruits**

TODIER
Voir tab. **Oiseaux (classification simplifiée des)**

TOGE → AVOCAT, MAGISTRAT, ROBE

TOGE angusticlave, épitoge, laticlave, prétexte, toge virile, trabée

TOGE VIRILE → TOGE

TOHU-BOHU → BRUIT, DÉSORDRE, TAPAGE, TUMULTE
Voir tab. **Bruits**

TOILE → ÉCRAN, ŒUVRE, PEINTURE, RENSEIGNEMENT, RÉSEAU, TISSU
Voir tab. **Animaux (termes propres aux)**
Voir tab. **Internet**

TOILE batiste, cambrai, cambrésine, clairière, clairure, coutil, indienne, linon, lustrine, moleskine, mousseline, nansouk, percaline, satin de Chine, satinette, sergé, singalette, tarlatane, treillis, zéphyr

TOILE (LA) → WEB

TOILE CIRÉE → NAPPE

TOILE D'ARAIGNÉE arachnéen, aranéeux, arantèle, filière, lycose

TOILE DE FOND → SCÈNE

TOILE ÉMERI → FROTTER, PONCER

TOILE ÉMERI abrasion, papier de verre, polissage, ponçage

TOILE TAILLEUR → MERCERIE
Voir tab. **Tissus**

TOILETTAGE → RÉVISION

TOILETTE → EMBALLAGE, MISE

TOILETTE ablution, coiffeuse, dame d'atour, mise, parure, poudreuse, tenue, toiletteur

TOILETTER → TOILETTE

TOILETTES → AISANCE, CABINET, WATER-CLOSET

TOILETTEUR → PROPRETÉ

TOISE → LONGUEUR, MESURER, VERTICAL (2)

TOISER → CONSIDÉRER, DÉDAIN, EXAMINER, FAÏENCE, JAUGER, REGARDER

TOISON → CHEVEU, FOURRURE, MOUTON, PELAGE, POIL

TOISON D'OR → CHEVALERIE, TRÉSOR

TOIT → COUVERTURE, LOGEMENT

TOIT antéfixe, appentis, ardoise, auvent, balancelle, battellement, berline, bulbe, cabriolet, campanile, chanlatte, chaume, chéneau, comble, coupole, couverture, couvreur, décapotable, dôme, faîte, faîtière, girouette, glui, gouttière, hypèthre, lauze, lucarne, mail-coach, mansarde, marquise, tabatière, toiture, tôle ondulée, tuile, Velux, verrière, volige

TOIT (SUR TOUS LES) → PARTOUT

TOITURE → COUVERTURE, TOIT

TOKAY → HONGROIS

TOLBUTAMIDE → DIABÈTE

TÔLE aluminisé, fer-blanc, galvanisé, ondulé

TÔLE ONDULÉE → TOIT

TÔLÉE → NEIGE

TOLÉRANCE → IMMUNITÉ, INDULGENCE, OUVERTURE, PATIENCE

TOLÉRANCE bordel, compréhension, étroit d'esprit, intolérant, intransigeant, largeur d'esprit, lupanar, maison close, maison de passe, ouverture d'esprit, sectaire

TOLÉRANT → ACCOMMODANT, COMPRÉHENSIF, FACILE, IDÉE, INDULGENT (2), LARGE, PATIENT

TOLÉRER → ADMETTRE, INDULGENT (2), PERMETTRE, SOUFFRIR, SUPPORTER

TOLÉRER accepter, admettre, autoriser, excuser, fermer les yeux sur, pardonner, passer sur, permettre, supporter

TOLET
Voir illus. **Aviron**

TÔLIER → CARROSSERIE

TOLLÉ → BOUCLIER, CRI, EXCLAMATION, INDIGNATION

TOLUÈNE → THERMOMÈTRE

TOM ALTO
Voir illus. **Percussions**
Voir tab. **Instruments de musique**

TOM BASSE
Voir illus. **Percussions**
Voir tab. **Instruments de musique**

TOM MÉDIUM
Voir illus. **Percussions**
Voir tab. **Instruments de musique**

TOMAHAWK → HACHE, INDIEN (2)

TOMATE → BAIE, PROJECTILE

TOMATE bloody mary, fondue de tomate, gaspacho, guacamole, ketchup, lasagne, marmande, moussaka, olivette, osso-buco, piperade, pizza, poulet à la marengo, poulet basquaise, ratatouille, salade de tomates, sel de céleri, solanacées, tomate-cerise, tomates à la provençale, tomates farcies

TOMATE-CERISE → TOMATE

TOMATES À LA PROVENÇALE → TOMATE

TOMATES FARCIES → TOMATE

TOMBAC → ZINC

TOMBE → CAVEAU, CIMETIÈRE, ENTERRER, FOSSE, TOMBEAU

TOMBE cairn, coubba, dalle funéraire, dalle tumulaire, épitaphe, galgal, marabout, mound, pierre tombale, sépulture, serdab, taphophilie, tertre, tumulus

TOMBEAU → CAVEAU, ENTERRER, PYRAMIDE

TOMBEAU caveau, cénotaphe, hypogée, martyrium, mastaba, mausolée, pleurant(e), pyramide, sépulcre, sépulture, tombe, turbeh, vampire

TOMBEAU OUVERT (À) → VITE, VITESSE

TOMBÉE DE LA NUIT → BRUNE, CRÉPUSCULE, JOUR

TOMBER → BASCULER, DÉCHOIR, ÉCHAPPER, FAILLIR, PENDRE, RENDRE (SE), ROULER, SOMBRER, VERSER

TOMBER abattre (s'), affaisser (s'), aller (se laisser), apaiser (s'), avilir (s'), basculer, calmer (se), choir, culbuter, déchoir, décliner, décroître, dégénérer, dégrader (se), diminuer, ébouler (s'), écrouler (s'), effondrer (s'), énamourer de (s'), enticher de (s'), éprendre de (s'), faiblir, pervertir (se)

TOMBER (FAIRE) → JETER

TOMBER DANS LES POMMES → DÉFAILLIR

TOMBER EN RUINE → PÉRIR

TOMBER SUR → FONDRE

TOMBEREAU → CHARRETTE, VÉHICULE

TOMBEUR → CŒUR, JUPON

TOMBOLA → LOTERIE

TOMBOLO → CORDON, SABLE
Voir illus. **Littoral**
Voir tab. **Géographie et géologie (termes de)**

TOME → LIVRE, NUMÉRO

TOMENTEUX → COTON, DUVET, POIL

TOMER → DIVISER

TOMETTE → CARRELAGE

TOMME DE SAVOIE
Voir illus. **Fromages**

TOMMY → SOLDAT

TOMODENSITOMÉTRIE QUANTITATIVE → OSSEUX

TOMOGRAPHIE → EXPLORATION

TOM-TOM → TAMBOUR

TON → COLORATION, COULEUR, INTERVALLE, NUANCE, STYLE, TEINTE, TONALITÉ
Voir tab. **Musique (vocabulaire de la)**

TON chromatique, expression, hauteur, inflexion, intonation, modulation, tonétique

TONALITÉ → SON, TEINTE, TÉLÉPHONE
Voir tab. **Musique (vocabulaire de la)**

TONALITÉ armure, gamme, modulation, nuance, teinte, ton, transposer

TONDEUSE
Voir tab. **Jardinage**

TONDO
Voir tab. **Peinture et décoration**

TONDRE raser, tailler

TONÉTIQUE → TON

TONG → CHAUSSURE, QUARTIER
Voir illus. **Chaussures**

TONICARDIAQUE → TONIQUE (1)

TONIFIANT → FORTIFIANT (1), TONIQUE (2)

TONIQUE → CONVULSION, DEGRÉ, EXCITANT (1), FORTIFIANT (1), GINGEMBRE, RECONSTITUER, REMONTANT, SAIN, STIMULANT

TONIQUE (1) cardiotonique, cordial, fortifiant, remontant, stimulant, tonicardiaque

TONIQUE (2) absinthe, analeptique, angustura, astringent, chaleureux, cola, cordial, dynamisant, enthousiaste, fortifiant,

gentiane, oxyton, proclitique, proparoxyton, quinquina, racine de benoîte, raffermissant, réconfortant, reconstituant, remontant, revigorant, stimulant, tonifiant, vigoureux, vivifiant

TONITROPHOBIE
Voir tab. **Phobies**

TONITRUANT → BRUYANT, SONORE, TONNERRE

TONITRUER → BRUIT, CRIER, HURLER
Voir tab. **Bruits**

TONKAY → THÉ

TONNAGE → CONTENANCE, CONTENU, JAUGE

TONNAGE jauge

TONNANT → BRUYANT, SONORE, TONNERRE

TONNE → KILOGRAMME, KILOMÈTRE, MILLE, POIDS, TONNEAU

TONNE kilotonne

TONNEAU → AVION, RÉCIPIENT, VIN

TONNEAU baril, barrique, bonde, bordelaise, boucaut, caque, chantepleure, douelle, douve, douvelle, entonner, feuillette, foudre, fût, futaille, mécher, muid, ouiller, rembouger, rinçure, rouanne, tinette, tonne, tonnelet, tonnelier, velte

TONNELET → TONNEAU

TONNELIER → TONNEAU

TONNELLE → ABRI, FEUILLAGE, JARDIN, PAVILLON, PERDRIX, SALON

TONNELLE berceau, charmille, gloriette, pampre, pavillon de verdure, pergola, treille

TONNER → BRUIT, FULMINER, GRONDER
Voir tab. **Bruits**

TONNERRE → DÉTONATION, ÉCLAIR, FOUDRE, ORAGE
Voir tab. **Phobies**

TONNERRE bombe, brontéion, bronthémophobie, fulguration, grondement, roulement, stentor (de), Thor, tonitruant, tonnant

TONOMÉTRIE → TENSION ARTÉRIELLE

TONSURE → CHEVEU, MOINE, TÊTE

TONTONS MACOUTES → MILICE

TONUS → RESSORT

TOP ROCK
Voir tab. **Danses (types de)**

TOPAZE → JAUNE
Voir tab. **Pierres précieuses et semi-précieuses**

TOPER → TAPER

TOPIAIRE → TAILLER

TOPINAMBOUR → LÉGUME

TOPIQUE → PANSEMENT, POMMADE, SUJET

TOPO → DESCRIPTION

TOPOAGNOSIE → LIEU

TOPOGRAPHIE → GÉOGRAPHIE, LIEU, RELIEF
Voir tab. **Sciences : termes en -ologie et -ographie**

TOPOGRAPHIQUE → CARTE

TOPOLOGIE → GÉOMÉTRIE
Voir tab. **Sciences : termes en -ologie et -ographie**

TOPOMÉTRIE → CARTE

TOPONYME → LIEU, NOM

TOPOPHOBIE
Voir tab. **Phobies**

TOQUADE → CAPRICE, DADA, DÉSIR, FANTAISIE, RELATION

TOQUE → AVOCAT, BONNET, CUISINIER, FOURRURE, JOCKEY, SPORTIF (1)
Voir illus. **Coiffures**

TOQUÉ → PASSIONNÉ

TOQUER → FRAPPER

TORAH → BIBLE, HÉBREU, PARCHEMIN, RECUEIL
Voir tab. **Bible**

TORCHE → BOUGIE, FLAMBEAU, JONGLER, PANIER, PLONGEUR

TORCHE brandon, flambeau, torchère

TORCHE (MISE EN) → PARACHUTE

TORCHER → TORCHIS

TORCHÈRE → BOUGIE, CIERGE, FLAMBEAU, TORCHE

TORCHIS → ARGILE, MAÇONNERIE, PAILLE
Voir illus. **Colombage**

TORCHIS bauge, bousillage, bousiller, palançon, pisé, torcher

TORCHON
Voir tab. **Dessin (vocabulaire du)**

TORCHON essuie-mains, essuie-verre(s)

TORCOL
Voir tab. **Oiseaux (classification simplifiée des)**

TORDANT → DRÔLE (2), HILARANT

TORDRE → DÉMETTRE, ENROULER, FAUSSER

TORDRE arquer, bistourner, boudiner, cambrer, cintrer, cordeler, couder, courber, enrouler (s'), fausser, gauchir, mouliner, plier, torsader, tortiller, vriller

TORDU → JAMBE, SINUEUX

TORDU arqué, déjeté, gauche, tors, tortis

TORE → COLONNE, MOULURE
Voir illus. **Colonnes**
Voir tab. **Architecture**
Voir tab. **Forme de... (en)**

TOREUTICIEN → SCULPTURE

TOREUTIQUE → CISEAU, IVOIRE, SCULPTER

TORI → JUDO

TORII → PORTIQUE, TEMPLE

TORIQUE
Voir tab. **Forme de... (en)**

TORNADE → CYCLONE, OURAGAN, PERTURBATION, RAFALE, SINISTRE (1), TEMPÊTE, TOURBILLON, TROMBE, TURBULENCE, VENT

TORPEUR → ABATTEMENT, ENGOURDISSEMENT, INACTION, INDOLENCE, INERTIE, LÉTHARGIE, SOMMEIL

TORPEUR abattement, assoupissement, atonie, engourdissement, inaction, inertie, langueur, somnolence, torpide

TORPIDE → TORPEUR, ULCÈRE

TORPILLAGE → PÉTROLE

TORPILLE → BOMBE, EXPLOSIF, SOUS-MARIN (2)
Voir tab. **Poissons (classification simplifiée des)**

TORPILLER avorter (faire), couler, échouer (faire), saborder, saper

TORPILLEUR
Voir tab. **Bateaux**

TORQUE → CELTIQUE, COLLIER, FIL

TORRÉFACTION → CHOCOLAT

Voir tab. **Café**

Voir tab. **Chocolat**

TORRÉFIER → BRÛLER, CAFÉ, GRILLER, MALT

TORRENT → FLOT, INONDATION, RUISSEAU

TORRENT avalaison, avalasse, bordée, cataracte, flot, gave, ravine, trombe

TORRENT (À) → ABONDAMMENT, SEAU

TORRENTIEL → DÉLUGE

TORRIDE → ARDENT, BRÛLANT, CHAUD, EXCESSIF

TORRIDE ardent, caniculaire, équatorial, saharien, sensuel, tropical

TORS → TORDU

TORSADE CORDÉE → TRICOT

TORSADER → ENROULER, TORDRE

TORSE → BUSTE, JAMBE, POITRINE, TRONC

TORSION → MOUVEMENT, YOGA

TORT → DOMMAGE, MAL (1), NUIRE, PRÉJUDICE

TORT atteinte, commettre une erreur, desservir, discernement (sans), dommage, erreur, erreur (par), être dans l'erreur, faussement, faute, illégitimement, inconsidérément, indûment, injustement, légère (à la), léser, lésion, nuire à, outrage, porter atteinte à, porter préjudice à, préjudice, tromper (se)

TORT (FAIRE DU) → INTÉRÊT

TORT ET À TRAVERS (À) → DISCERNEMENT

TORTICOLIS → COLONNE VERTÉBRALE, COU

TORTILLA → BEIGNET, GALETTE, OMELETTE

Voir tab. **Spécialités étrangères**

TORTILLARD → TRAIN

TORTILLER → TORDRE

TORTILLON

Voir tab. **Dessin (vocabulaire du)**

TORTIONNAIRE → BARBARIE, BOURREAU, TORTURE

TORTIS → TORDU

TORTUE → LÉGION

Voir tab. **Animaux (classification simplifiée des)**

TORTUE caouane, caret, chéloniens, cinosternon, cistude, dossière, éléphantin, plastron, pyxide, testudinidés, tortue boueuse, tortue cuir, tortue franche, tortue rayonnée, tortue verte, tortue-luth, trionyx

TORTUE (PAS DE) → PAS (1)

TORTUE BOUEUSE → TORTUE

TORTUE CUIR → TORTUE

TORTUE FRANCHE → TORTUE

TORTUE RAYONNÉE → TORTUE

TORTUE VERTE → TORTUE

TORTUE-LUTH → TORTUE

TORTUEUX → SINUEUX

TORTURE → ATROCITÉ, BARBARIE, INQUISITION, MARTYRE, PERSÉCUTION, RECHERCHE, SOUFFRANCE, SUPPLICE, TOURMENT, VIOLENCE

TORTURE bourreau, brodequins, calvaire, cangue, carcan, estrapade, exécuteur, exécuteur des hautes œuvres, garrot, gégène, géhenne, knout, martyre, pilori, poire d'angoisse, question, roue, sévices, supplice, tortionnaire, tourment

TORTURÉ → TOURMENTER

TORTURER → INFLIGER, PERSÉCUTER

TORULA → BEURRE

TOSCAN → ORDRE

Voir illus. **Colonnes**

TÔT aube (à l'), aurores (aux), chant du coq (au), hâtif, immanquablement, incessamment, inévitablement, jour ou l'autre (un), lever du jour (au), matin (de bon), petit jour (au), peu (sous), point du jour (au), potron-minet (dès), précoce, prématuré, primeur, rapidement, vite (au plus)

TOTAL → ADMIRABLE, AVEUGLE (2), CHIFFRE, COMPTE, ENTIER, GÉNÉRAL, ILLIMITÉ, INTÉGRAL (2), INTENSE, INTERROGATION, PARFAIT, PLEIN, PROFOND, PUR, RADICAL (2), RÉSERVE, SOMME, STRICT, TOUT (1)

TOTAL absolu, complet, entier, général, global, intégral, parfait, plein, radical, tout, TTC

TOTALEMENT → ABSOLUMENT, CARRÉMENT, FOND, TOUT (3)

TOTALISER → ADDITIONNER

TOTALITAIRE → ABSOLU, AUTORITAIRE, RÉGIME, TYRANNIQUE

TOTALITAIRE despotique, dictatorial, fasciste, hitlérien, libéral, stalinien, tyrannique

TOTALITARISME → ABSOLUTISME, DICTATURE, GOUVERNEMENT

TOTALITÉ → BLOC, INTÉGRITÉ, PLÉNITUDE, TOUT (1), UNANIMITÉ

TOTEM → TRIBU

TOTO → POU

TOTOCALCIO → LOTO

TOTON → JOUET, TOUPIE

TOUAGE → TRACTION

TOUAREG → CONDUCTEUR, DÉPLACEMENT, DÉSERT, NOMADE, PEUPLADE

TOUCAN

Voir tab. **Oiseaux (classification simplifiée des)**

TOUCHANT → ÉMOUVANT, VISER

TOUCHE → EMPREINTE, FOOTBALL, NOTE, PIANO, STYLE, ZESTE

Voir illus. **Guitare**

Voir illus. **Piano**

Voir illus. **Violon**

TOUCHE assesseur, divisionnisme, impressionniste, pointe, pointillisme, soupçon

TOUCHÉ → AFFECTÉ, ÉBRANLER, ÉPROUVER, IMPRESSIONNER

TOUCHER → ATTEINDRE, ATTENDRIR, AVOIR (1), DÉSARMER, EFFLEURER, ÉMOUVOIR, ENCAISSER, FAIRE, FLÉCHIR, INTÉRESSER, JOINDRE, MEMBRE, PÉNÉTRER, RECEVOIR, RECOUVRER, REGARDER, RELEVER, REMUER, SECOUER, SENS, TÂTER, TRIPOTER

TOUCHER aborder, accoster, atteindre, attenant à (être), attendrir, ausculter, avoisiner, bouleverser, confiner à, contacter, contigu à (être), désarmer, effleurer, émarger, émouvoir, encaisser, escale à (faire), examiner, faire mouche, friser, frôler, joindre, jouxter, mouiller dans, palper, percevoir, recevoir, relâcher dans, rencontrer, talonner, tâter

TOUCHER (FAIRE SE) → JOINDRE

TOUCHER AU BUT → RÉSULTAT

TOUE → BAC

Voir tab. **Bateaux**

TOUER → TIRER

TOUFFE crinière, épi, fanon, taroupe, toupet

TOUFFEUR → CHALEUR, ÉTOUFFANT, MOITEUR

TOUFFU → ABONDANT, DENSE, ÉPAIS

TOUILLER → AGITER, REMUER

TOUJOURS → PERMANENCE, TEMPS

TOULOUPE

Voir illus. **Manteaux**

TOULOUSE → SAUCISSE, VILLE

TOUNDRA → DÉSERT, PLAINE, VÉGÉTATION

TOUPAYE

Voir tab. **Mammifères (classification des)**

TOUPET → APLOMB, AUDACE, CHEVEU, CULOT, HARDIESSE, HOUPPE, TOUFFE

Voir illus. **Cheval**

TOUPIE → TAILLE

TOUPIE sabot, toton, troche, turbinelle

TOUR → ARTIFICE, CIRCONFÉRENCE, CIRCUIT, CLOCHER, FACÉTIE, FAGOT, FARCE, IMMEUBLE (1), POTERIE, PRESTIDIGITATION, STYLE, SUBTERFUGE, TOURNURE

TOUR alternativement, beffroi, blague, campanile, circumnavigation, clocher, contour, conversion, direction, donjon, échauguette, escamotage (d'), évolution, farce, hélépole, lanterne, magie (de), minaret, niche, orientation, passe-passe (de), périmètre, périphérie, périple, pirouette, plaisanterie, poivrière, pourtour, prestidigitation (de), récital, révolution, successivement, tourelle, tournure, turriculé, turriforme, volte

TOUR D'ANGLE

Voir tab. **Château Fort**

TOUR DE FORCE → SUCCÈS

TOUR DE FRANCE → COURSE CYCLISTE

TOUR DE MAIN → EXÉCUTION, SAVOIR-FAIRE

TOUR D'ITALIE → COURSE CYCLISTE

TOUR MORT AVEC DEMI-CLEFS

Voir illus. **Nœuds**

TOURACO

Voir tab. **Oiseaux (classification simplifiée des)**

TOURAILLAGE → MALT

TOURBE → BOUE, BRUYÈRE, CHARBON, VÉGÉTAL (2)

Voir tab. **Roches et minerais**

TOURBIÈRE → MARAIS

TOURBILLON → RAFALE, TURBULENCE, VENT

TOURBILLON cyclone, gouffre, hurricane, maelström, ouragan, remous, tornade, trombe, typhon, vortex

TOURBILLONNER → TOURNER

TOURCOING

Voir tab. **Habitants (comment se nomment les)**

TOUR-DU-PIN (LA)

Voir tab. **Habitants (comment se nomment les)**

TOURELLE → BLINDÉ, TOUR

TOURET DE NEZ → MASQUE

TOURIE → BOUTEILLE, EMBALLAGE

TOURILLON → CHEVILLE

Voir illus. **Canon**

TOURISME → VACANCES

TOURISTE → ÉTRANGER (1)

Voir tab. **Saints patrons**

TOURISTE accompagnateur, aoûtien, caravanier, cicérone, cyclotouriste, estivant, hivernant, juillettiste, office de tourisme, sherpa, syndicat d'initiative, vacancier, villégiature

TOURMALINE

Voir tab. **Pierres précieuses et semi-précieuses**

TOURMENT → AGITATION, ANGOISSE, CAUCHEMAR, CHAGRIN, ENFER, INQUIÉTUDE, PEINE, SOUFFRANCE, SUPPLICE, TORTURE

TOURMENT affres, supplice, torture

TOURMENTE → TEMPÊTE

TOURMENTÉ → ANXIEUX, ASSAILLIR, ASSIÉGER, INQUIET, POURSUIVRE, PROIE, SOUCI

TOURMENTÉ accidenté, agité, angoissé, anxieux, inquiet, irrégulier, montagneux, soucieux, stressé, tumultueux, vallonné

TOURMENTER → ACHARNER (S'), AFFLIGER, ANGOISSER, BILE, DÉVORER, EMBÊTER, FAIRE, HARCELER, INQUIÉTER, IRRITER, OBSÉDER, PERSÉCUTER, PRÉOCCUPER, RONGER, SOUCIER, SUPPLICE, TAQUINER

TOURMENTER alarmer (s'), angoisser (s'), assailli, bourrelé, ennuyer, faire du souci (se), harceler, importuner, inquiéter (s'), rongé, taraudé, tenaillé, torturé, tracasser, tracasser (se)

TOURMENTIN → VOILE

TOURNAGE → POTERIE

TOURNANT → LACET, PAS (1)

TOURNANT (1) changement, inflexion, lacet (en), moment capital, moment décisif, virage, zigzag (en)

TOURNANT (2) circulaire, giratoire, rotatif, rotatoire

TOURNE → PARTITION, POUSSE, VIN

TOURNÉ → CORROMPU, PIQUÉ

Voir illus. **Sièges**

TOURNE-À-GAUCHE → SCIE

TOURNEBOULER → BOULEVERSER, RAVAGE

TOURNEBROCHE → BROCHE, FOUR, RÔTI (1)

TOURNE-DISQUE → PLATINE

TOURNEDOS → BIFTECK, FILET, TRANCHE

TOURNÉE → EXCURSION, RÉCITAL, RONDE, VOYAGE

TOURNE-FIL → AIGUISER

TOURNEMAIN → INSTANT

TOURNER → BRAQUER, DIRIGER, RÉALISER, REMUER, ROTATION

TOURNER aigrir, braquer, chaintre, graviter, pirouetter, pivoter, surir, tourbillonner, tournoyer, virer, virevolter

TOURNER (SE) orienter vers (s')

TOURNER BRIDE → VESTE

TOURNER CASAQUE → VESTE

TOURNER EN DÉRISION → IRONISER, SATIRE

TOURNER MAL → DÉGÉNÉRER

TOURNER SUR TROIS PATTES
Voir tab. **Garagiste** (vocabulaire du)

TOURNESOL → BLEU (1), SOLEIL, TEINTURE

TOURNESOL composacées, composées, hélianthe, héliotropisme, phototropisme, soleil

TOURNICOTER → AGITER

TOURNIOLE → DOIGT, ONGLE

TOURNIQUET → HÉMORRAGIE
Voir tab. **Instruments médicaux**
Voir tab. **Jardinage**

TOURNIS → VERTIGE

TOURNISSE
Voir illus. **Colombage**

TOURNOI → BASKET-BALL, CHAMPIONNAT, CHEVALIER, COMBAT, COMPÉTITION, COURTOIS, LANCE, MATCH, MÉDIÉVAL, RIVALITÉ

TOURNOI carrousel, cartel, champion, joute, lice, tenant

TOURNOIEMENT → VERTIGE

TOURNOIS → ROYAL

TOURNOYER → TOURNER

TOURNURE → DÉCHET, EXPRESSION, FORME, FORMULE, LOCUTION, MOT, STYLE, TENDANCE, TOUR

TOURNURE construction, cours, direction, évolution, formulation, idiotisme, tour

TOURON → CONFISERIE

TOURQUENNOIS
Voir tab. **Habitants (comment se nomment les)**

TOURTE → PÂTÉ, TARTE

TOURTE DE BLÉA
Voir tab. **Gâteaux régionaux et étrangers**

TOURTE LORRAINE
Voir tab. **Plats régionaux**

TOURTEAU → CRABE, ENGRAIS, GÂTEAU

TOURTEAU FROMAGÉ
Voir tab. **Gâteaux régionaux et étrangers**

TOURTEREAUX → AMOUREUX

TOURTERELLE → COLOMBE
Voir tab. **Couleurs**
Voir tab. **Oiseaux (classification simplifiée des)**

TOURTIÈRE → PÂTISSERIE, VAISSELLE

TOURTIÈRE LANDAISE
Voir tab. **Gâteaux régionaux et étrangers**

TOUS → INDÉFINI

TOUSELLE → BLÉ

TOUSSAINT → SAINT (1)
Voir tab. **Fêtes religieuses**

TOUSSER éclaircir la voix (s'), racler la gorge (se)

TOUSSOTEMENT → BRUIT, TOUX
Voir tab. **Bruits**

TOUT → ENSEMBLE, IMPORTER, INDÉFINI, TOTAL
Voir tab. **Phobies**

TOUT (1) ensemble, entièreté, globalité, intégralité, total, totalité

TOUT (2) panthéisme, quiconque

TOUT (3) complètement, fondamentalement, omniscient, radicalement, totalement

TOUT D'UN COUP → SUBITEMENT

TOUT DE SUITE → INSTANT

TOUT JUSTE → PEINE

TOUT-À-L'ÉGOUT → VIDANGE

TOUTE ALLURE → VITE

TOUTE HÂTE → VITESSE

TOUTE VAPEUR → VITE

TOUT-PETIT → BÉBÉ

TOUT-PUISSANT → SOUVERAIN (2)

TOUT-TERRAIN
Voir illus. **Voitures (types de)**

TOUT-VENANT → HOUILLE

TOUX → BRUIT
Voir tab. **Bruits**

TOUX antitussif, expectoration, quinte, tèguement, toussotement, tussigène, tussipare

TOXÉMIE → POISON, SANG

TOXICOLOGIE → EMPOISONNEMENT, POISON
Voir tab. **Sciences : termes en -ologie et -ographie**

TOXICOMANE → DROGUE

TOXICOMANIE → ACCOUTUMANCE, INTOXICATION

TOXICOPHILIE → TOXIQUE

TOXICOPHOBIE
Voir tab. **Phobies**

TOXICOPHORE → TOXIQUE

TOXICOSE → INTOXICATION

TOXI-INFECTION → INTOXICATION

TOXINE → MICROBE, POISON, STÉRILISATION, TOXIQUE

TOXIQUE → DANGEREUX, NUISIBLE, POISON

TOXIQUE asphyxiant, bactériocine, délétère, endotoxine, exotoxine, nocif, suffocant, toxicophilie, toxicophore, toxine, vénéneux, vireux

TOXOPLASMOSE → MALFORMATION

TPE
Voir tab. **Entreprise** (vocabulaire de l')

TRABÉE → CHEVALIER, TOGE

TRABOULE → PASSAGE, RUE

TRABUCO → CIGARE

TRAC → PEUR

TRAÇABILITÉ → HISTORIQUE (1), ORIGINE

TRAÇANT → RACINE

TRACAS → AGITATION, ENNUI, INQUIÉTUDE, MISÈRE

TRACAS contrariété, dérangement, désagrément, difficulté, embarras, ennui, inquiétude, soucis

TRACASSER → ANGOISSER, BILE, CHIFFONNER, FAIRE, INQUIÉTER, INQUIÉTER (S'), OBSÉDER, PRÉOCCUPER, TOURMENTER, TOURMENTER (SE)

TRACASSERIE → CHICANE

TRACE → CICATRICE, EMPREINTE, MARQUE, PAS (1), PISTE, RESTE, REVOIR (1), SIGNE, VESTIGE

TRACE abattures, cicatrice, connaissances, empreinte, erres, foulées, lueur, marches, marque, ombre, once, ornière, parcelle, passées, pieds, pistes, pointe, régalis, sceau, séquelle, sillage, soupçon, stigmate, vestige, voies

TRACÉ → GRAPHIQUE, PISTE, SCHÉMA, SILHOUETTE

TRACER → DÉCRIRE, FORMER, INDIQUER, REPRÉSENTER

TRACER baliser, bornoyer, circonscrire, délinéer, dessiner, ébaucher, écrire, esquisser, frayer, griffonner, jalonner, mener, ouvrir, piqueter, pratiquer, représenter, tirer

TRACEUR → INDICATEUR

TRACHÉE → BRONCHE
Voir illus. **Respiratoire (système)**

TRACHÉE ARTÈRE
Voir illus. **Bouche, nez et gorge**

TRACHÉLO-
Voir tab. **Chirurgicales** (interventions)

TRACHÉOBRONCHITE → BRONCHE

TRACHÉOTOMIE → GORGE

TRACHYANDÉSITE
Voir tab. **Roches et minerais**

TRACHYTE → LAVE
Voir tab. **Roches et minerais**

TRAÇOIR → POINÇON

TRACT → BROCHURE, IMPRIMER, PROPAGANDE

TRACT affichette, brochure, libelle, pamphlet, papillon, placard

TRACTATION → COMPROMIS, CONVERSATION, ENTRETIEN, NÉGOCIATION

TRACTER → TIRER

TRACTEUR locotracteur, microtracteur, motoculteur, mototracteur, tracteur-navette, tractopelle, tractoriste

TRACTEUR-NAVETTE → TRACTEUR

TRACTIF → TRACTION

TRACTION → POIDS

TRACTION halage, remorquage, touage, tractif, tractoire

TRACTIONNAIRE → ROUTIER

TRACTOIRE → TRACTION

TRACTOPELLE → TRACTEUR

TRACTORISTE → TRACTEUR

TRADER → BOURSE, INTERMÉDIAIRE (1), PÉTROLE
Voir tab. **Bourse**

TRADE-UNION → SYNDICAT

TRADITION → COUTUME, CULTURE, HABITUDE, MŒURS, PASSÉ (1), PRATIQUE, USAGE

TRADITION coutume, folklore, habitude, kabbale, mode, pratique, règle, us, usage

TRADITIONALISME → ROUTINE

TRADITIONALISTE → CONSERVATEUR, ORTHODOXE

TRADITIONALISTE conformiste, conservateur, conventionnel, fondamentaliste, intégriste, orthodoxe

TRADITIONNEL → CLASSIQUE, CONVENTIONNEL, HABITUEL, ORDINAIRE

TRADITIONNEL classique, folklorique

TRADUCTEUR → INTERPRÈTE
Voir tab. **Saints patrons**

TRADUCTEUR interprète

TRADUCTION calque, contresens, faux sens, juxtalinéaire, littéral, métonomasie, non-sens, soustitrage, targum, thème, version, Vulgate

TRADUIRE → CITER, EXPRIMER, INTERPRÉTATION, INTERPRÉTER, JUSTICE, MANIFESTER, PEINDRE, RÉALISER (SE), REFLÉTER, RENDRE, TRAHIR

TRADUIRE assigner, citer, déférer, exprimer (s'), gloser, interpréter, manifester (se), trahir (se), transcoder

TRAFIC → CIRCULATION, COMMERCE, CONTREBANDE, MANIPULATION, MOUVEMENT, NÉGOCE, PASSAGE

TRAFIC agiotage, circulation, commerce parallèle, concussion, contrebande, détournement, malversation, maquignonnage, marché clandestin, marché noir, narcotrafic, prévarication, simonie, spéculation, traite

TRAFIC D'ESCLAVES → TRAITE

TRAFIQUANT dealer, maquignon, mercanti, négrier, revendeur

TRAFIQUER → TRIPOTER

TRAFIQUER adultérer, contrefaire, dénaturer, falsifier, frelater, maquiller

TRAGÉDIE → CATASTROPHE, DRAMATIQUE, ÉVÉNEMENT, PIÈCE, THÉÂTRE
Voir tab. **Muses**

TRAGÉDIE catharsis, drame, Eschyle, Euripide, Melpomène, Sophocle, Thespis, tragi-comédie, tragique

TRAGI-COMÉDIE → THÉÂTRE, TRAGÉDIE

TRAGIQUE → CATASTROPHIQUE, DRAMATIQUE, ÉMOUVANT, FUNESTE, GRAVE, SOMBRE, TRAGÉDIE

TRAGIQUE alarmant, angoissant, catastrophique, cothurne, critique, déchirant, dramatique, effroyable, émouvant, grave, horrible, inquiétant, pathétique, poignant, sérieux, terrible

TRAGUS
Voir illus. **Oreille**

TRAHIR → ACCUSER, BALANCER, BOUT, DÉCEVOIR, DÉFIGURER, DÉMENTIR, DÉNONCER, ENNEMI, FRUSTRER, GARDER, INDIQUER, LIVRER, MANIFESTER, MANQUER, RENONCER, RÉVÉLER, SIGNALER, TRADUIRE, TRANSFORMER, VIOLER

TRAHIR abandonner, déceler, déformer, dénaturer, dénoncer, dénoter, déserter, desservir, dévoiler, divulguer, ébruiter, faire défection, livrer, manifester, montrer, prévariquer, révéler, traduire, travestir, vendre, violer

TRAHISON → ADULTÈRE, CRIME, DÉCEPTION, DÉFORMATION, FOI, INCONSTANCE, INFIDÉLITÉ, PASSION

TRAHISON adultère, déloyauté, félonie, forfaiture, haute trahison, infidélité, méchanceté, perfidie, traîtrise

TRAIL → MOTOCYCLETTE

TRAILLE → BAC, NAVETTE

Voir tab. **Bateaux**

TRAIN → OMNIBUS, RAIL, SÉRIE, SUITE, VÉHICULE, VITESSE

TRAIN aérotrain, aiguillage, Aurora (Russie), AVE (Espagne), balai, chemin de fer, crocodile, ferroviaire, ferry-boat, IC (Grande-Bretagne), ICE (Allemagne), Maglev, micheline, monorail, omnibus, Orient-Express (l'), rail, rame, salle des pas perdus, Shinkansen (Japon), sidérodromophobie, TGV (France), tortillard, transbordeur, Transrapid (Allemagne), turbotrain, X 2000 (Suède)

TRAIN D'ATTERRISSAGE → ATTERRISSAGE

TRAIN D'ONDES → ONDE

TRAIN DE VIE → NIVEAU

TRAÎNAILLER → TRAÎNER

TRAÎNANT → LENT

TRAÎNARD → LENT

TRAÎNASSER → TRAÎNER

TRAÎNE → FILET, TRAÎNEAU

TRAÎNE arrière (en), remorque (à la), retard (en), seine ou senne

TRAÎNE (À LA) → RETARD

TRAÎNE SAUVAGE → TRAÎNEAU

TRAÎNEAU → NEIGE

TRAÎNEAU bobsleigh, briska, husky, luge, samoyède, schlitte, seine ou senne, toboggan, traîne, traîne sauvage, troïka

TRAÎNER → ERRER, LANGUIR, PENDRE, TIRER

TRAÎNER attarder (s'), baguenauder, balayer, demeurer, errer, éterniser (s'), fainéanter, faire la grasse matinée, finir (ne pas en), flâner, lambiner, languir, musarder, paresser, persister, prolonger (se), ramper, subsister, survivre, traînailler, traînasser, vagabonder, vautrer (se)

TRAÎNER DANS LA BOUE → INJURE

TRAINING

Voir illus. **Modes et styles**

TRAIN-TRAIN → ROUTINE

TRAIRE → LAIT

TRAIRE trayeuse

TRAIT → BARRE, BLESSURE, CARACTÉRISTIQUE, ÉCLAIR, FLÈCHE, MOT, PHYSIONOMIE, RAYON, SIGNE

Voir tab. **Échecs**

TRAIT attribut, biffure, bon mot, boutade, caractéristique, épigramme, faciès, glyphe, ironie, métopomancie, métoposcopie, moquerie, morphopsychologie, mot d'esprit, particularité, persiflage, physiognomonie, physionomie, plaisanterie, raillerie, rature, saillie, sarcasme

TRAIT D'ESPRIT → SAILLIE

TRAIT DE GÉNIE → ILLUMINATION

TRAIT DE SCIE → SCIE

TRAITABLE → MANIABLE

TRAITE → ARGENT, CHANGE, EFFET, ESCLAVE, FERMIER, NÉGOCE, TRAFIC

TRAITE acceptation, effet de commerce, lettre de change-relevé, mulsion, tiré, tireur, trayeuse

TRAITE (D'UNE SEULE) → INTERRUPTION

TRAITÉ → ACCORD, ALLIANCE, CAPITULATION, COMBAT, CONTRAT, CONVENTION, ENTENTE, ÉTUDE, PACTE

TRAITÉ accord, alliance, capitulation, charte, concordat, convention, cours, engagement, entente, étude, manuel, monographie, pacte, protocole, union

TRAITEMENT → APPOINTEMENTS, FONCTIONNAIRE, PAIEMENT, RÉMUNÉRATION, REVENU, SALAIRE, SOIGNER

TRAITEMENT acupuncture, coup, cure, dotation, émoluments, honoraires, médication, phytothérapie, sévices, soin, télégestion, télétraitement, thérapeutique, thérapie, violence

TRAITEMENT DE TEXTE → BUREAU

TRAITER → ABORDER, BRASSER, COMPOSER, CONDITIONNER, QUALIFIER, RECTIFIER, SOIGNER, USER

TRAITER analyser, battre, brasser, brusquer, brutaliser, composer, conditionner, développer, discuter, épurer, étudier, examiner, expliquer, exposer, malmener, maltraiter, molester, négocier, pactiser, parlementer, qualifier, raffiner, rudoyer, soigner, taxer

TRAITEUR → BUFFET

TRAÎTRE → FRÈRE, GUERRE, INFIDÉLITÉ, PERFIDE

TRAÎTRE (1) délateur, dissident, félon, Iago, judas, parjure, renégat, transfuge

TRAÎTRE (2) empoisonné, fourbe, hypocrite, malhonnête, perfide, trompeur

TRAÎTRISE → FOI, INFIDÉLITÉ, TRAHISON

TRAJECTOIRE → CHEMIN, MOUVEMENT

TRAJECTOIRE balistique extérieur, orbite, parabole

TRAJET → CIRCUIT, COURSE, DISTANCE, ESPACE, ÉTAPE, ITINÉRAIRE (1)

TRAJET chemin, cheminement, circuit, itinéraire, parcours, traversée

TRAMAIL → CRUSTACÉ, FILET

TRAME → BALAYAGE, CANEVAS, INTRIGUE, OSSATURE, PLAN, RÉCIT, SCÉNARIO, TISSU

TRAME basin, bobiner, canetage, chambray, chiné, corde, dentelle, duite, enrouler, envider, futaine, renvider

TRAME CHAUFFANTE → CHAUFFAGE

TRAMER → BRASSER, CALCULER, COMBINER, COMPLOTER, INTRIGUE, MACHINATION, MÉDITER, MIJOTER, MONTER, PRÉMÉDITER, PRÉPARER, TISSER

TRAMINOT → TRAMWAY

TRAMONTANE → NORD (1), VENT

TRAMP → CARGO, TRANSPORT

TRAMWAY → RAIL, VÉHICULE

TRAMWAY baladeuse, Broca, ornière (à), traminot, trolley, trolleybus, wattman

TRANCE

Voir tab. **Musiques nouvelles**

TRANCHAGE → ÉBÉNISTERIE, MARBRE

TRANCHANT → ACÉRÉ, AFFIRMATION, CASSANT, CATÉGORIQUE, CISEAU, DOGMATIQUE, FIL, IMPÉRIEUX, LAME, PÉREMPTOIRE, RÉPLIQUE, SEC

TRANCHANT acéré, affilé, affûté, aiguisé, autoritaire, cassant, dictatorial, impératif, impérieux, incisif, péremptoire, rémouleur, repasseur, sec

TRANCHE → BORD, BOUT, LIVRE, LOTERIE, PORTION, RONDELLE, SÉRIE

Voir illus. **Livre relié**

TRANCHE barde, bifteck, chant, chateaubriand, côte, darne, émincé, escalope, pavé, quartier, quasi, rondelle, rouelle, steak, tournedos

TRANCHÉ

Voir illus. **Héraldique**

TRANCHÉE → ABRI, ACCOUCHEMENT, FOSSÉ, RÉSEAU

TRANCHÉE cagna, circonvallation, dosse, enrayure, étai, étrésillon, feuillées, fouille, position, raie, sape, sillon

TRANCHEFILE

Voir illus. **Livre relié**

TRANCHE-LARD → CHARCUTERIE

TRANCHE-MONTAGNE → FANFARON

TRANCHER → CHOISIR, CONTRASTE, COUPER, DÉBITER, DÉCOUPER, DÉTACHER (SE), DIVISER, JUGER, JURER, OPPOSER, PRONONCER (SE), RESSORTIR

TRANCHER arbitrer, conclure, contraster, décapiter, décider, détonner, guillotiner, juger, prendre une décision, prononcer (se), régler, résoudre, ressortir, statuer

TRANCHOIR → DÉCOUPER

TRANQUILLE → CALME, CLAIR, LENT, LISSE, PAISIBLE, PLACIDE, SAGE, SEREIN, SILENCIEUX, VIN

Voir tab. **Vin (vocabulaire du)**

TRANQUILLE béat, calme, confiant, détendu, pacifique, paisible, placide, posé, reposant, serein, tenir coi (se)

TRANQUILLEMENT → MOLLEMENT

TRANQUILLISANT → CALMANT, PSYCHIATRIE

Voir tab. **Médicaments**

TRANQUILLISER → DÉLIVRER

TRANQUILLITÉ → ANCRE, CALME, PAIX, REPOS, SÉCURITÉ, SILENCE, SÛRETÉ

Voir tab. **Bruits**

TRANQUILLITÉ apaisement, ataraxie, confiance, quiétude, sécurité, sérénité

TRANSACTION → ACCORD, AFFAIRE, BOURSE, CIRCULATION, COMMERCE, COMPROMIS, CONCILIATION, MARCHÉ, OPÉRATION

TRANSALPIN → ITALIEN (2)

TRANSAT → CHAISE, PLAGE

Voir illus. **Sièges**

TRANSATLANTIQUE → BATEAU, FAUTEUIL, PAQUEBOT

Voir illus. **Sièges**

Voir illus. **Bateaux**

TRANSBAHUTER → PORTER

TRANSBORDER → TRANSPORTER

TRANSBORDEUR → NAVETTE, TRAIN, TRANSPORT

Voir illus. **Bateaux**

TRANSCENDANT → RÉEL, SUBLIME

TRANSCENDER (SE) → SUPÉRIEUR

TRANSCODER → TRADUIRE

TRANSCONTENEUR → TRANSPORT

TRANSCRIPTION → ADAPTATION

Voir illus. **Musique (vocabulaire de la)**

TRANSCRIRE → COPIER, DICTÉE, ENREGISTRER

TRANSE → HYPNOSE, INQUIÉTUDE

TRANSEPT

Voir illus. **Église (plan d'une)**

TRANS-EUROPE-EXPRESS → EST

TRANSFÉRER → CÉDER, CHANGER, IMPORTER, PORTER

TRANSFERT → BANQUE, CESSION, CONVOI, DÉPLACEMENT, IMPORTATION, PROJECTION, SUBSTITUTION, TRANSMISSION, TRANSPORT, VENTE

Voir tab. **Psychanalyse**

TRANSFERT aliénation, cession, délocalisation, déplacement, téléchargement, translation, transmission, transplantation, virement

TRANSFIGURER → TRANSFORMER

TRANSFIGURER métamorphoser

TRANSFORMATION → ALTÉRATION, CHANGEMENT, DÉFORMATION, MUE, PASSAGE, ROTATION, VARIATION

Voir illus. **Rugby**

TRANSFORMATION altération, amélioration, aménagement, avatar, embellissement, métamorphisme, métamorphose, modification, mutation, rénovation, réparation, transsubstantiation, zoanthropie

TRANSFORMATRICE → BOUGIE

TRANSFORMÉ → DIFFÉRENT

TRANSFORMER → CHANGER, DÉFIGURER, ÉLABORER, ÉRIGER, ÉVOLUER, FAUSSER, MODERNISER, MODIFIER, RÉALISER, RECTIFIER, RUGBY, SUBSTITUER

TRANSFORMER adapter, améliorer, amender, bouleverser, chambouler, changer profondément, convertir, déformer, dénaturer, métamorphoser, modifier, muer, récrire, réformer, remanier, révolutionner, trahir, transfigurer, transmuer, transmuter, travestir

TRANSFORMISME → ESPÈCE

TRANSFUGE → GUERRE, TRAÎTRE (1)

TRANSFUSION → PIQÛRE

TRANSFUSION goutte-à-goutte, perfusion

TRANSGRESSER → CADRE, CONTREVENIR, DÉPASSER, DÉSOBÉIR, ENTORSE, FRANCHIR, LOI,

MANQUER, MÉPRISER, OUBLIER, PASSER, SORTIR

TRANSGRESSER contrevenir à, déroger à, enfreindre, outrepasser, violer

TRANSGRESSION ↔ CONTRAIRE (2), INFRACTION, VIOLATION

TRANSHUMANCE → BÉTAIL, DÉPLACEMENT, MIGRATION, TROUPEAU

TRANSI → ENGOURDI, FROID (1), GELÉ, IMMOBILE, LANGOUREUX, SAISIR

TRANSIGER → COMPOSER, CONCESSION, POIRE

TRANSIGER composer, faire des concessions, pactiser

TRANSISTOR → CIRCUIT, ÉLECTRONIQUE, RADIO, RÉCEPTEUR

TRANSIT → DÉPLACEMENT, DOUANE
Voir tab. **Astrologie**

TRANSITAIRE → INTERMÉDIAIRE (2)

TRANSITIF → OBJET

TRANSITION → ADOLESCENCE, LIAISON, PASSAGE, SOUDURE

TRANSITION fondu au noir, fondu enchaîné, interlude, intermède, liaison, palier, passage, pont, volet

TRANSITOIRE → COURT, INTERMÉDIAIRE (2), INTERMITTENT (2), INTERVALLE, PASSAGER (2), PROVISOIRE, TEMPORAIRE

TRANSLATION → CESSION, DÉPLACEMENT, TRANSFERT, TRANSPORT

TRANSLITTÉRATION → ALPHABET

TRANSLUCIDE → CLAIR, ÉMAIL, LUMIÈRE, TRANSPARENT

TRANSMETTRE → ADRESSER, APPRENDRE, COMMUNIQUER, CONDUIRE, DÉLÉGUER, DÉLIVRER, DIFFUSER, ENSEIGNER, ENVOYER, EXPÉDIER, FOURNIR, IMPRIMER, LÉGUER, PARVENIR, PASSER, PERPÉTUER, PROPAGER

TRANSMETTRE céder, communiquer, contaminer, déléguer, divulguer, infuser, initier à, inoculer, léguer, livrer, perpétuer (se), propager, publier, répandre, révéler, véhiculer, vendre

TRANSMIGRATION → ÂME, CHANGEMENT, MIGRATION

TRANSMISSIBLE → CONTAGIEUX, HÉRÉDITAIRE

TRANSMISSION → CESSION, CONTAGION, DIFFUSION, ÉMISSION, ENGRENAGE, ENTRAÎNEMENT, TRANSFERT

TRANSMISSION cession, communication, conductibilité, contagion, contamination, dévolution, hérédité, infection, irradiation, métapsychique, mutation, parapsychologie, passation, propagation, psychokinésie, télékinésie, télépathie, télépsychie, télesthésie, transfert

TRANSMODULATION → MODULATION

TRANSMUER → CHANGER, MODIFIER, TRANSFORMER

TRANSMUTATION → CHANGEMENT, CONVERSION, MATIÈRE, MÉTAL, MUTATION

TRANSMUTER → CHANGER, TRANSFORMER

TRANSPARAÎTRE → APPARAÎTRE, SENTIR

TRANSPARENT → CLAIR, PUR

TRANSPARENT clair, compréhensible, cristallin, diaphane, évident, hyaloïde, intelligible, limpide, lourd, lumineux, pellucide, translucide

TRANSPERCER → PÉNÉTRER, PERCER, PERFORER, TRAVERSER

TRANSPIRATION → ÉVAPORATION, MOITEUR, SUEUR
Voir tab. **Phobies**

TRANSPIRATION diaphorèse, diapnophobie, sudation, sueur

TRANSPIRER → NAGE, PERCER, PORE

TRANSPIRER ébruiter (s'), exsuder, filtrer, ressuer, suer, suinter, transsuder

TRANSPLANTATION → TRANSFERT
Voir tab. **Chirurgie (vocabulaire de la)**

TRANSPLANTER → TRANSPORTER

TRANSPORT → CESSION, ENTHOUSIASME, EXTASE, FRET, FUREUR, IVRESSE, MYSTIQUE (2)

TRANSPORT aéroglisseur, aéromobile, aéroporté, aérotransporté, bac, batellerie, cadre, camionnage, car-ferry, cargo, coltinage, conteneur, convoyeur, débardage, débosquage, débusquage, facilitation, factage, ferroutage, ferry-boat, fret, héliportage, héliporté, hovercraft, locomotion, messagerie, méthanier, Naviplane, oléoduc, paquebot, pétrolier, pipeline, pont aérien, port, portage, porte-conteneurs, roulage, sea-line, subrécargue, supertanker, tanker, téléphérage, tramp, transbordeur, transconteneur, transfert, translation, vraquier

TRANSPORTATION → DÉPORTATION

TRANSPORTÉ → HEUREUX, IVRE

TRANSPORTER → CHANGER, DÉMÉNAGER, DÉPORTER, ÉLECTRISER, ENCHANTER, EXALTER, PLAIRE, PORTER, RAVIR, SOULEVER

TRANSPORTER camionner, colporter, débarder, transborder, transplanter

TRANSPOSER → CHANGER, RENVERSER, SUBSTITUER, TONALITÉ

TRANSPOSITION anagramme, interversion, mastic, métathèse, permutation

TRANSRAPID (ALLEMAGNE) → TRAIN

TRANSSEXUEL → SEXE

TRANSSIBÉRIEN → EST

TRANSSUBSTANTIATION → COMMUNION, PRÉSENCE, TRANSFORMATION
Voir tab. **Catholique romain (vocabulaire)**

TRANSSUDER → PORE, TRANSPIRER

TRANSVASER → VERSER, VIDER

TRANSVERSAL → FRACTURE
Voir illus. **Fractures**

TRANSVERSALEMENT → TRAVERS (2)

TRANSVIDER → VIDER

TRAPÈZE → GYMNASTIQUE, QUADRILATÈRE
Voir illus. **Géométrie (figures de)**
Voir illus. **Muscles**

TRAPÉZISTE → ACROBATE, CIRQUE, FORAIN

TRAPPE → CHASSE, MOINE, RIDEAU, TABLIER

TRAPPEUR → CHASSEUR (1), FOURRURE

TRAPU → GROS, MASSIF (2)

TRAQUE → CHASSE

TRAQUENARD → ATTAQUE, EMBÛCHE, PIÈGE

TRAQUER → CHERCHER, FORCER, POURCHASSER, POURSUIVRE, RABATTRE, RECHERCHER, SUIVRE

TRAQUER hourvari, pourchasser, poursuivre, traqueur

TRAQUET → CHASSE, PIÈGE

TRAQUEUR → TRAQUER

TRATTORIA → RESTAURANT

TRAUMA → BLESSURE

TRAUMATISÉ → ÉBRANLER, IMPRESSIONNER

TRAUMATISER → BOULEVERSER, CHOQUER, SECOUER

TRAUMATISME → BLESSURE, CHOC, ÉTAT

TRAUMATOLOGIE → MÉDECINE

TRAVAIL → AFFAIRE, BESOGNE, CARRIÈRE, EMPLOI, ENTREPRISE, FACTURE, LABEUR, OCCUPATION, OPÉRATION, OUVRAGE, RÉSULTAT, TÂCHE
Voir tab. **Chasse (vocabulaire de la)**
Voir tab. **Manies**

TRAVAIL activité, bénédictin (de), besogne, conseil des prud'hommes, corvée, ergocratie, ergométrie, ergonomie, ergothérapie, exécution, façon, facture, fonction, labeur, métier, occupation, œuvre (à l'), ouvrage (à l'), profession, relais, roulement, sinécure, surmenage, tâche

TRAVAIL DE RECHERCHE → UNIVERSITÉ

TRAVAILLÉ → OUVRAGÉ, RECHERCHÉ, SOPHISTIQUÉ

TRAVAILLÉ façonné, ouvragé, ouvré

TRAVAILLER → BRICOLER, COLLABORER, FAÇONNER, MODELER, OBSÉDER, OCCUPER, PRÉOCCUPER, SOIGNER

TRAVAILLER aiguiser, besogner, ciseler, collaborer, coopérer, déformer (se), échiner (s'), éreinter (s'), fermenter, fouiller, gauchir, gondoler (se), gonfler (se), lever, participer, peiner, pétrir, polir, trimer, trois-huit (faire les)

TRAVAILLEUR → APPLIQUÉ, BASE, BRAS, MAIN-D'ŒUVRE, PERSONNEL, POPULATION

TRAVAILLEUR (1) employé, free-lance, journalier, manœuvre, ouvrier, péon, prolétariat, salarié, sweating-system, tâcheron

TRAVAILLEUR (2) acharné, actif, appliqué, assidu, courageux, laborieux, studieux

TRAVAILLISME → SOCIALISME

TRAVAUX (FAIRE DE MENUS) → BRICOLER

TRAVAUX DIRIGÉS → UNIVERSITÉ

TRAVÉE → PLAFOND, POUTRE
Voir illus. **Église (plan d'une)**
Voir illus. **Ponts**

TRAVELLER CHÈQUE → CHÈQUE

TRAVELLING → FILM
Voir tab. **Cinéma**

TRAVELO → HOMOSEXUEL (1), SEXE

TRAVERS → DÉFAUT, PENCHANT, PORC
Voir illus. **Porc**

TRAVERS (1) défaut, imperfection

TRAVERS (2) animosité (avec), antipathie (avec), biais (de), bout à l'autre (d'un), chiens de faïence (en), côté à l'autre (d'un), guingois (de), hostilité (avec), malveillance (avec), obliquement, œil torve (d'un), part en part (de), suspicion (avec), transversalement

TRAVERS-BANC → MINE

TRAVERSE → BARRE
Voir illus. **Fenêtre**
Voir illus. **Intérieur de maison**
Voir illus. **Porte**
Voir illus. **Sièges**
Voir tab. **Échecs**

TRAVERSÉE → PASSAGE, TRAJET, VOYAGE

TRAVERSER → ARROSER, CROISER, FENDRE, PARCOURIR, PASSER, PÉNÉTRER, PERCER, SUBIR

TRAVERSER couper, croiser, filtrer, franchir, parcourir, passer, pénétrer, sillonner, transpercer

TRAVERSES → FORTUNE

TRAVERSIER → BAC

TRAVERSIN → COUSSIN, OREILLER

TRAVERSINE → PASSERELLE

TRAVERTIN → CALCAIRE

TRAVESTI → BAL, HOMOSEXUEL (1), SEXE

TRAVESTIR → ADULTÉRER, CHANGER, DÉGUISER, FALSIFIER, FAUSSER, FORCER, HABILLER (S'), INTERPRÉTER, MAQUILLER, MASQUER, PERVERTIR, TRAHIR, TRANSFORMER

TRAVESTISSEMENT → CARNAVAL, DÉGUISEMENT

TRAYEUSE → TRAIRE, TRAITE

TRAYON → MAMELLE

TRÉBUCHER → BUTER, ÉQUILIBRE, PAS (1)

TRÉBUCHET → BALANCE, LANCER, MONNAIE, PESER, PIÈGE

TRÉCORROIS
Voir tab. **Habitants (comment se nomment les)**

TRÉFILAGE → ÉTIRAGE

TRÉFILER → ACIER, ÉTENDRE, ÉTIRER

TRÉFILERIE → FIL, MÉTAL, USINE

TRÉFLÉ → TRÈFLE

TRÈFLE → COULEUR, ÉTOILE, FOURRAGE
Voir tab. **Cartes à jouer**
Voir tab. **Superstitions**

TRÈFLE Alexandre, anthyllis vulnéraire, Argine, farouch, Lancelot, lotier corniculé, ményanthe, papilionacées, tréflé, trèfle anglais, tréflière, trifolié, trilobé

TRÈFLE À QUATRE FEUILLES → PORTE-BONHEUR

TRÈFLE ANGLAIS → TRÈFLE

TRÉFLIÈRE → TRÈFLE

TRÉFONDS → INTIME (2), SECRET (1)

TRÉGORROIS
Voir tab. **Habitants (comment se nomment les)**

TRÉGUIER
Voir tab. **Habitants (comment se nomment les)**

TREILLAGE → SOUTIEN

TREILLE → TONNELLE, VIGNE

TREILLIS → CLÔTURE, HABIT, MILITAIRE (1), TOILE, VÊTEMENT
Voir illus. **Modes et styles**

TREILLIS cagerotte, caget, caillebotis, claie, clayette, clayon, clisse, éclisse, graticule, jalousie, moucharabieh, volette

TREIZE treize à la douzaine, treize-douze, treiziste, triskaidekaphobie

TREIZE À LA DOUZAINE → TREIZE

TREIZE À TABLE
Voir tab. **Phobies**

TREIZE-DOUZE → TREIZE

TREIZISTE → RUGBY, TREIZE

TREKKING → COURSE, EXCURSION

TRÉMATAGE → PRIORITÉ

TRÉMATER → DÉPASSER

TREMBLE → BOIS, PEUPLIER

TREMBLEMENT → FRISSON, SECOUSSE, TREMBLEMENT

TREMBLEMENT chevrotement, convulsion, delirium tremens, ébranlement, frémissement, frisson, haut-le-corps, Parkinson (de), saisissement, secousse, soubresaut, spasme, sursaut, tremblement, trémolo, trémulation, trépidation, tressaillement, vibration, vibrato

TREMBLEMENT DE TERRE → SINISTRE (1)
Voir tab. **Tremblements de terre**

TREMBLEMENT DE TERRE échelle de Mercalli modifiée, échelle de Richter, échelle EMS, épicentre, hypocentre, macroséisme, microséisme, raz de marée, séisme, sismal, sismique, sismogénique, sismologie, tsunami

TREMBLER → CLAQUER, CRAINDRE, FRISSONNER, TRESSAILLIR

TREMBLER appréhender, claquer des dents, craindre, flageoler, frémir, frissonner, grelotter, redouter, tressaillir, vaciller, vibrer

TREMBLEUSE → TASSE

TREMBLOTE → VACILLER

TRÉMIE → FOUR, MANGEOIRE, VOLAILLE

TRÉMOLO → TREMBLEMENT
Voir tab. **Musique (vocabulaire de la)**

TRÉMOUSSER (SE) → AGITER

TREMPE → VALEUR

TREMPÉ → IMPRÉGNER, VERRE

TREMPÉ baigné, détrempé, imbibé, imprégné, inondé, ruisselant

TREMPER → ACIER, ARROSER, BAIGNER, DURCIR, ENDURCIR, FORTIFIER, PLONGER, RINCER

TREMPER immerger, macérer, mariner, plonger

TREMPER DANS → PARTICIPER

TREMPEUR → PLONGEUR

TREMPLIN → PLONGER

TRÉMULATION → TREMBLEMENT

TRÉMULER → AGITER

TRENCH-COAT → IMPERMÉABLE (1), MANTEAU, VÊTEMENT
Voir illus. **Manteaux**

TRENTAIN → TRENTE

TRENTE trentain, trentenaire, tricennal

TRENTENAIRE → TRENTE

TRÉPAN → BURIN, PERCEUSE, SONDE
Voir tab. **Instruments médicaux**

TRÉPANATION → CERVEAU
Voir tab. **Chirurgie (vocabulaire de la)**

TRÉPANER → TROUER

TRÉPAS → DISPARITION, MORT (1)

TRÉPASSER → DÉCÉDER, MOURIR, PÉRIR

TRÉPIDANT → MOUVEMENTÉ

TRÉPIDATION → AGITATION, SECOUSSE, TREMBLEMENT

TRÉPIED → SUPPORT
Voir tab. **Photographie (vocabulaire de la)**

TRÉPIGNER → COLÈRE, COMÉDIE, PIÉTINER

TRÉPIGNER frapper du pied, piaffer, piétiner

TRÉPOINTE → CHAUSSURE
Voir illus. **Chaussures**

TRÈS → FRANCHEMENT, PROFONDÉMENT

TRÈS LÉGÈRE BRISE
Voir tab. **Vent : échelle de Beaufort**

TRÈS NOMBREUX → NOMBRE

TRÉSOR → BUTIN, DICTIONNAIRE, FINANCIER (2), PATRIMOINE, RELIQUE

TRÉSOR cassette, chambrier, fisc, inventeur, magot, mine, réserve, source, Toison d'or

TRÉSOR PUBLIC → IMPÔT
Voir tab. **Fiscalité**

TRÉSORERIE → DISPONIBILITÉ, IMPÔT, RÉGIE, RESSOURCE

TRÉSORIER → BIBLIOTHÈQUE

TRÉSORIER économe, grand argentier, intendant, surintendant

TRESSAGE → VANNERIE

TRESSAILLEMENT → CONVULSION, FRISSON, SAUT, TREMBLEMENT

TRESSAILLIR → BONDIR, FRISSONNER, SURSAUTER, TREMBLER

TRESSAILLIR bondir, frémir, frissonner, sursauter, trembler, tressauter, vibrer

TRESSAUTEMENT → SAUT

TRESSAUTER → BONDIR, SURSAUTER, TRESSAILLIR

TRESSE → CHEVEU, COIFFURE, COURONNE, KÉPI, MERCERIE
Voir illus. **Cheveux (coupes de)**

TRESSE bourdalou, cadenette, dreadlock, garcette, macaron, natte, scoubidou

TRÉTEAUX → COMÉDIE, PLANCHE, PLATEAU

TREUIL → MACHINE

TREUILLES → HARENG

TRÊVE → ACCALMIE, ARME, COMBAT, FEU, GUERRE, PAIX, RÉPIT

TRÊVE armistice, cessation des hostilités, cessez-le-feu, suspension d'armes

TRÊVE (FAIRE UNE) → INTERROMPRE

TRÉVISE
Voir tab. **Salades**

TRI DES DÉCHETS → POLLUTION

TRI SÉLECTIF → ORDURE

TRIADE → MAFIA, TROIS (2)
Voir tab. **Économie**

TRIAGE
Voir tab. **Thé**

TRIAIRE → LÉGION

TRIAL → MOTOCYCLETTE
Voir tab. **Sports**

TRIANGLE → BILLE, PERCUSSION, POLYGONE
Voir illus. **Géométrie (figures de)**
Voir illus. **Percussions**
Voir tab. **Instruments de musique**

TRIANGLE acutangle, équiangle, équilatéral, hypoténuse, isocèle, orthocentre, Pythagore (de), quelconque, rectangle, scalène, Thalès (de)

TRIANGLE D'OR → OPIUM

TRIANGLE ÉQUILATÉRAL → TRINITÉ

TRIANGULATION → ARPENTAGE, NIVELLEMENT

TRIAS
Voir tab. **Géologiques (échelle des temps)**

TRIATHLON → ATHLÉTISME, SPORTIF (2), TROIS (2)

TRIBADE → HOMOSEXUEL (2), SEXE

TRIBART → BÂTON

TRIBOLOGIE → FROTTEMENT
Voir tab. **Sciences : termes en -ologie et -ographie**

TRIBORD → BORD, CÔTÉ, DROIT (2)

TRIBORD AMURES
Voir illus. **Allures de voile**

TRIBRAQUE → MÈTRE

TRIBU → BANDE, CHAPELLE, CLAN, COMMUNAUTÉ, DIVISION, PEUPLADE, RÉUNION

TRIBU clan, curie, ethnie, groupe, peuplade, phratrie, phylarque, société, totem

TRIBULATION → ÉPREUVE, FORTUNE, MALHEUR

TRIBUN → DÉFENSEUR, ORATEUR

TRIBUNAL Aréopage, barre, correctionnel, cour, cour d'appel, cour d'assises, Cour de cassation, cour martiale, greffe, instance, juridiction, litispendance, palais de justice, parquet, pénitencerie, prétoire, Saint-Office, sanhédrin

TRIBUNAL D'EXCEPTION → RÉVOLUTIONNAIRE (2)

TRIBUNAL DE NUREMBERG → CRIMINEL (1)

TRIBUNAT → MAGISTRATURE

TRIBUNAUX → DROIT (1)

TRIBUNE → PLATE-FORME, SCÈNE, STADE, SURÉLEVÉ

TRIBUNE ambon, chaire, Rostres

TRIBUT → CONTRIBUTION, IMPÔT, OBLIGATION

TRICASTINOIS

Voir tab. **Habitants (comment se nomment les)**

TRICASTINS
Voir tab. **Habitants (comment se nomment les)**

TRICENNAL → TRENTE

TRICEPS → BRAS
Voir illus. **Muscles**

TRICÉRATOPS → DINOSAURE

TRICHER filouter, maquiller, piper, truquer

TRICHERIE → DISSIMULATION

TRICHEUR → JOUEUR

TRICHINE → VER
Voir tab. **Animaux (classification simplifiée des)**

TRICHINOSE → EMPOISONNEMENT, INFECTION, PORC

TRICHLORURE D'AZOTE → FARINE

TRICHOCLASTIE → TIC

TRICHODECTE → POU

TRICHOLOGIE
Voir tab. **Sciences : termes en -ologie et -ographie**

TRICHOMANIE → TIC

TRICHOPHOBIE
Voir tab. **Phobies**

TRICHOPHYTON → TEIGNE

TRICHOTILLOMANIE → TIC

TRICLINIUM → LIT

TRICORNE → CHAPEAU
Voir illus. **Coiffures**

TRICOT
Voir tab. **Couture**

TRICOT bonneterie, chandail, côtes anglaises, gilet, grain de blé, jacquard, jersey, lainage, maillot, nid-d'abeilles, plat, point damier, point de grille, point de Hongrie, point mousse, pull, pull-over, rond, sweater, tricot sa cordée, twin-set

TRICOT DE PEAU → MAILLOT

TRICOTER chariot, ensemble pêcheur, fonture, glissière, guide-fil, peigne, tricoteuse

TRICOTEUSE → TRICOTER

TRICOTINE
Voir tab. **Tissus**

TRICTRAC → DÉ

TRICYCLE → VÉHICULE

TRIDACNE → BÉNITIER

TRIDENT → BÊCHE, FOURCHE

TRIDI → JOUR

TRIDIMENSIONNEL holographie, relief (en), stéréoscopique

TRIÈDRE → TROIS (2)

TRIENNAT → TROIS (2)

TRIER → CLASSER, DÉBROUILLER, RANGER

TRIER calibrer, classer, cribler, débrancher, émonder, filtrer, ordonner, ranger, sélectionner

TRIÈRE → GALÈRE
Voir tab. **Bateaux**

TRIEUR → CASE, CLASSEMENT, COMPARTIMENT

TRIFOLIÉ → TRÈFLE
Voir illus. **Feuille**

TRIFORIUM → GALERIE

TRIFOUILLER → TRIPOTER

TRIGLYPHE
Voir illus. **Colonnes**
Voir tab. **Architecture**

TRIGONOMÉTRIE → ANGLE

TRIGRAMME → TROIS (2)

TRILLER → CHANTER
TRILLION → MILLION
TRILOBÉ → TRÈFLE
Voir illus. **Arcs**
TRILOBITE → CRUSTACÉ, FOSSILE (2)
TRILOGIE → RÉCIT, TROIS (2)
TRIMARAN → VOILIER
Voir illus. **Coques de bateaux**
Voir tab. **Bateaux**
TRIMER → TRAVAILLER
TRIMESTRIEL → MOIS, PÉRIODIQUE
TRIMÈTRE → MÈTRE
TRIMMER
Voir tab. **Pêche**
TRINGLE → BARRE, PENDERIE, PENDRE
TRINGLE barre, râtelier, tige
TRINITARIOS
Voir tab. **Chocolat**
TRINITÉ → CATHOLICISME, MYSTÈRE, TROIS (2)
Voir tab. **Fêtes religieuses**
TRINITÉ gloire, hypostase, sabellianisme, socinianisme, triangle équilatéral, unitarianisme
TRINQUART → HARENG, PÊCHE
TRINQUER → BOIRE, CHOQUER, HEURTER, TOAST
TRINQUER lever son verre, porter un toast
TRINQUETTE → VOILE
TRIO → CONCERT, GROUPE, ORCHESTRE, TROIS (2)
TRIOMPHANT → ÉCLATANT
TRIOMPHATEUR → VAINQUEUR
TRIOMPHE → RÉUSSITE, SATISFACTION, SUCCÈS, VICTOIRE
TRIOMPHE acclamer, apothéose, consécration, ovationner, réussite, succès, victoire
TRIOMPHER → BOUT, EMPORTER, EXCELLENT, GAGNER, RÉJOUIR (SE), SURPASSER, VAINCRE
TRIOMPHER avantage sur (avoir l'), battre, dessus sur (avoir le), dominer, dompter, emporter sur (l'), surmonter, vaincre, venir à bout de
TRIONYX → TORTUE
TRIP → DÉLIRE
TRIP HOP
Voir tab. **Musiques nouvelles**
TRIPATOUILLER → TRIPOTER
TRIPE → ABATS, BOYAU, CIGARE, INTESTIN (1)
TRIPE poupée
TRIPERIE → BOYAU
TRIPES boyau, crépine, fraise, tablier de sapeur, tripous
TRIPIER → ABATS, BOUCHER (2)
TRIPLE CRÈME
Voir illus. **Fromages**
TRIPLE CROCHE
Voir illus. **Symboles musicaux**
TRIPLE-SAUT
Voir tab. **Sports**
TRIPLEUR
Voir tab. **Photographie (vocabulaire de la)**
TRIPLURE → MERCERIE
Voir tab. **Tissus**
TRIPODE → QUAI
TRIPOLI → POLIR
TRIPORTEUR → VÉHICULE
TRIPOTAGE → BOURSE, INTRIGUE, MANIPULATION
TRIPOTER → CARESSER, PALPER

TRIPOTER fricoter, magouiller, patouiller, spéculer, tâter, toucher, trafiquer, trifouiller, tripatouiller, triturer
TRIPOUS → BOYAU, TRIPES
Voir tab. **Plats régionaux**
TRIPTYQUE → CARNET, DOUANE, TABLEAU, TROIS (2)
TRIQUE → BÂTON, GOURDIN, MATRAQUE
TRIQUEBALLE → CHARIOT, CHARRETTE
TRIQUET → BATTOIR
TRIRÈGNE → COURONNE
TRIRÈME → BATEAU, GALÈRE
Voir tab. **Bateaux**
TRISAÏEUL → PARENT
TRISKAIDEKAPHOBIE → TREIZE
Voir tab. **Phobies**
TRISMUS → CONTRACTION, TÉTANOS
TRISOMIE → CHROMOSOME
TRISOMIE 21 → MONGOLISME
TRISSER → HIRONDELLE
Voir tab. **Animaux (termes propres aux)**
TRISTAN ET ISEULT → AMANT
TRISTE → ABATTU, DIFFICILE, LUGUBRE, MALHEUREUX, MAUSSADE, MORNE, PIÈTRE, PITEUX, SINISTRE, SOMBRE, TERNE, VILAIN
TRISTE abattu, affligé, affligeant, attristant, chagrin, chagriné, consternant, couvert, découragé, déplorable, déprimé, désolant, éteint, funeste, gris, grisâtre, lamentable, malheureux, maussade, misérable, morne, morose, navrant, nostalgique, peiné, piètre, piteux, pitoyable, rembruni, sombre, taciturne
TRISTE (ÊTRE) → NOIR (2)
TRISTESSE → AFFECTIF, CAFARD, CHAGRIN, DÉCEPTION, DOULEUR, MISÈRE, REGRET, SOUFFRANCE, VAGUE (1)
TRISTESSE dépression, élégie, mélancolie, neurasthénie, nostalgie, peine, spleen, vague à l'âme
TRITICALE → BLÉ, HYBRIDE
TRITICITE → BLÉ
TRITICUM SATIVUM
Voir tab. **Plantes médicinales**
TRITON → BATRACIEN
TRITURER → BOUILLIE, BRISER, BROYER, ÉCRASER, POUDRE, TRIPOTER
TRITURER broyer, concasser, écraser, égruger, mâcher, mastiquer, piler, pulvériser
TRIUMVIRAT → TROIS (2)
TRIVELIN → BOUFFON (1)
TRIVIAL → BANAL, CHARME, COMMUN, CYNIQUE, GROSSIER, ORDINAIRE, VULGAIRE
TRIVIAL banal, bas, choquant, commun, courant, facile, obscène, ordinaire, vulgaire
TROC → COMMERCE, ÉCHANGE, MONNAIE
TROCART → PONCTION, TIGE
Voir tab. **Chirurgie (vocabulaire de la)**
Voir tab. **Instruments médicaux**

TROCHE → TOUPIE
TROCHÉE → BOURGEON, MÈTRE, TIGE
Voir tab. **Poésie (vocabulaire de la)**
TROCHET → GRAPPE
TROCHILE → COLIBRI
TROCHILIDÉS → COLIBRI
TROCHURE → CORNE
TROGLODYTE → GROTTE, HABITANT
Voir tab. **Oiseaux (classification simplifiée des)**
TROGLODYTIQUE → ROC
TROGONIFORMES
Voir tab. **Oiseaux (classification simplifiée des)**
TROÏKA → TRAÎNEAU, TROIS (2)
TROIS (1) terne
TROIS (2) tercet, ternaire, terzetto, triade, triathlon, trièdre, triennat, trigramme, trilogie, Trinité, trinité, trio, triptyque, triumvirat, troïka
TROIS CINQUIÈMES → PARTIEL
TROIS-HUIT (FAIRE LES) → TRAVAILLER
TROIS(-)QUARTS → MANTEAU, PARTIEL, VIOLON
Voir illus. **Manteaux**
Voir illus. **Rugby**
TROISIÈME CYCLE → UNIVERSITÉ
TROLL → FÉE, GÉNIE, IMAGINAIRE (2), SURNATUREL
Voir tab. **Mythologiques (créatures)**
TROLLEY → TRAMWAY
TROLLEYBUS → TRAMWAY
TROMBE → AVERSE, CYCLONE, DÉLUGE, TORRENT, TOURBILLON, TURBULENCE
TROMBE boulet de canon (comme un), brusquement, cataracte, incursion, irruption, rapidement, tornade (comme une)
TROMBE D'EAU → PLUIE
TROMBIDION → ACARIEN
TROMBINE
Voir tab. **Internet**
TROMBLON → CHAPEAU
TROMBONE → ATTACHE, BUREAU
Voir illus. **Orchestre**
Voir tab. **Instruments de musique**
TROMPE → BOUCHE, BRUME, CORNE, NEZ, SIGNAL, SUPPORT
Voir tab. **Architecture**
TROMPE D'EUSTACHE
Voir illus. **Bouche, nez et gorge**
Voir illus. **Oreille**
TROMPE DE FALLOPE
Voir illus. **Génitaux (appareils)**
Voir tab. **Chirurgicales (interventions)**
TROMPÉ → ÉCHAUDER
TROMPE-L'ŒIL → APPARENCE, ARTIFICE, ILLUSION, PROFONDEUR
Voir tab. **Peinture et décoration**
TROMPER → ATTRAPER, AVOIR (1), BAILLER, BERCER, BLUFFER, COMPTE, DÉCEVOIR, DIVERSION, DORER, DUPER, ÉBLOUIR, ÉGARER, EMBOBINER, ENJÔLER, ESCROQUER, FRUSTRER, ILLUSION, INTIMIDER, JOUER, LEURRER, MANQUER, MARCHER, MENTIR, MYSTIFIER, POSSÉDER, SÉDUIRE, TORT, VÉRITÉ

TROMPER abuser, accroire, berner, confondre, déjouer, duper, endormir, escroquer, flouer, fourvoyer (se), frauder, induire en erreur, leurrer, méjuger, méprendre (se), mystifier
TROMPERIE → ABUS, ADULTÈRE, DÉCEPTION, DISSIMULATION, FOURBERIE, FRAUDE, ILLUSION, INFIDÉLITÉ
TROMPETTE → INSTRUMENT, NEZ
Voir illus. **Orchestre**
Voir tab. **Instruments de musique**
TROMPETTE agami, aiguille de mer, buccin, bugle, clairon, cornet, craterelle, cuivre, embouchure, pavillon, serpent de mer, syngnathe
TROMPEUR → APPARENT, FAÇADE, FAUX (2), JETON, MENTEUR, SOURNOIS, TRAÎTRE (2)
TROMPEUR artificieux, captieux, fallacieux, insidieux, mensonger, spécieux
TRONC → BOÎTE, NERF, TIRELIRE
Voir illus. **Arbre**
Voir illus. **Colonnes**
TRONC bassin, bastaing, buste, dendrochronologie, dosse, duramen, étronçonner, fût, grume, madrier, planche, plançon, poutre, rondin, souche, thorax, torse
TRONC DE CÔNE
Voir illus. **Géométrie (figures de)**
TRONCHE → BÛCHE
TRONCHIN (À LA) → TABLE
TRONÇON → BOIS, MORCEAU, PORTION
TRONÇON billot, diaphyse
TRONÇONNER → COUPER, DIVISER
TRONÇONNEUSE → BÛCHE, DÉCOUPER
Voir tab. **Jardinage**
TRÔNE → FAUTEUIL, SOUVERAIN (1)
Voir illus. **Sièges**
TRÔNER → SIÉGER
TRONQUER → ADULTÉRER, AMPUTER, BOUT, BREF (1), COUPER, MUTILER
TROP → OUTRE, PLUS
TROPHÉE → ARME, BUTIN, CHASSE, VICTOIRE
TROPHÉE butin, césar, coupe, dépouilles, massacre, médaille, oscar, ours, palme
TROPHOLOGIE → ALIMENTATION
TROPICAL → BRÛLANT, CHAUD, CLIMAT, RÉGIME, TORRIDE
TROPICAL équatorial, mousson, vierge
TROPIQUE → CERCLE, PARALLÈLE (2)
Voir tab. **Saisons (mécanisme des)**
TROPISME → ORIENTATION
TROPOSPHÈRE → COUCHE
Voir illus. **Atmosphère**
TROP-PLEIN → DÉBORDER
TROP-PLEIN excédent, excès, surcharge, surplus
TROQUER → ACQUÉRIR, DÉFAIRE
TROQUET → BAR, BISTROT
TROT (COURSE DE)
Voir tab. **Sports**
TROTSKISME → COMMUNISME
TROTTER → MARCHER

TROTTEUR → CHEVAL
Voir illus. **Chaussures**
TROTTIN → COUTURIER
Voir tab. **Prostitution**
TROTTINER → MARCHER
TROTTOIR → RUE
TROTTOIR banquette, bateau, caniveau
TROU → BRÈCHE, CAVITÉ, COIN, CREUX (1), DÉPENSE, LACUNE, ORIFICE, OUBLI, PUITS
TROU accroc, bonde, boulin, boutis, brèche, cavité, Chandrasekhar (de), chas, chatière, creux, dalot, déchirure, entonnoir, étampure, excavation, flache, flaque, fondrière, jouette, jour, lacune, nid-de-poule, œillet, ope, ornière, perforation, poquet, pore, quasar, rayon X, souillard, supermassif, trouée
TROU DE VOL → RUCHE
TROU NOIR → EXPLOSION
Voir illus. **Étoiles (formation des)**
TROUBADOUR → CHANTEUR, COURTOIS, POÈTE
TROUBADOUR chansonnier, ménestrel, minnesänger, pastourelle, trouvère
TROUBLANT → AFFOLANT, ENIVRANT, PERPLEXE, SUSPECT (1)
TROUBLE → CHAOS, CONFUSION, DÉCHIRER, DÉRANGEMENT, DÉSORDRE, EMBARRAS, ÉMEUTE, FLOU, INDÉCIS, IVRESSE, LOUCHE, MALAISE, NUAGE, OBSCUR, ORAGE, PANIQUE, PERTURBATION, REBELLE (1), SENTIMENT, SOULÈVEMENT, VERTIGE
TROUBLE (1) achromatopsie, agitateur, agitation, anarthrie, anorexie, apraxie, bouleversement, boulimie, confusion, daltonisme, dérangement, dérèglement, désarroi, désordre, détresse, doute, dysarthrie, dyschromatopsie, dysgraphie, dyskinésie, dyslexie, dysorexie, dysphonie, dystomie, effervescence, embarras, émoi, émotion, perplexité, perturbateur, perturbation, semeur de désordre, semeur de discorde, semeur de zizanie, trublion
TROUBLE (2) boueux, bourbeux, brouillé, confus, fangeux, inavouable, indistinct, louche, malsain, opaque, terne, turpide, vague, vaseux
TROUBLE (RENDRE) → BROUILLER
TROUBLE NEUROLOGIQUE → MAGNÉSIUM
TROUBLE VISUEL
Voir tab. **Pédiatrie**
TROUBLÉ → ABASOURDI, CHAVIRER, DÉCONCERTÉ, DÉTRAQUÉ, ÉPERDU, INQUIET, INTERDIT (2)
TROUBLÉ affolé, déconcerté, décontenancé, désemparé, désorienté, égaré, ému, éperdu, impressionné, intimidé
TROUBLEAU → FILET
TROUBLE-FÊTE → RÉJOUIR (SE)

TROUBLE-FÊTE empêcheur de tourner en rond, éteignoir, importun, rabat-joie
TROUBLER → BOULEVERSER, BROUILLER, COMPROMETTRE, CONTENANCE, DÉRANGER, DÉRÉGLER, EMBROUILLER, ÉMOUVOIR, FAIRE, GÊNER, IMPRESSIONNER, INQUIÉTER, INTERROMPRE, INTIMIDER, PERDRE, PERTURBER, REMUER, RENVERSER
TROUBLER affoler, affoler (s'), alarmer, bouiller, bouleverser, corrompre, démonter (se), déranger, effarer, empoisonner, gâter, gêner, inquiéter, perdre contenance, perturber
TROUÉE → BRÈCHE, PASSAGE, TROU
TROUÉE brèche, clairière, déchirure, échappée, éclaircie, percée
TROUER → ACCROC, PERFORER, USER
TROUER composter, déchirer, percer, perforer, poinçonner, trépaner
TROUILLE → PEUR
TROUILLE (LA) → JETON
TROUILLOTEUSE → PERFORER
TROUPE → BANDE, BATAILLON, CARAVANE, COMPAGNIE, ENSEMBLE, MULTITUDE, RENFORT
Voir tab. **Animaux (termes propres aux)**
TROUPE bataillon, compagnie, corps d'armée, détachement, division, djich, goum, groupe, harde, harpail, légion, meute, régiment, section, unité
TROUPEAU → BANDE
Voir tab. **Animaux (termes propres aux)**
TROUPEAU berger, bouvier, cheptel, chevrier, comportement moutonnier, esprit grégaire, estivage, manade, pâtre, transhumance
TROUPIALE
Voir tab. **Oiseaux (classification simplifiée des)**
TROUPIER → SOLDAT
TROUSSE → BAGAGE, ÉCOLIER, VALISE
TROUSSE étui, nécessaire, onglier, plumier, pochette, vanity-case
TROUSSEAU → LINGE, MARIAGE
TROUSSEQUIN → SELLE
Voir illus. **Selle**
TROUSSER → BRIDE, FICELLE, VOLAILLE
TROUSSES (AUX) → POURSUITE
TROUSSIS → PLI
TROUVAILLE → CRÉATION, DÉCOUVERTE, IDÉE, INÉDIT, INVENTION, NOUVEAUTÉ
TROUVER → CONSIDÉRER, DÉCOUVRIR, DIAGNOSTIC, IMAGINER, PROCURER (SE), RECONNAÎTRE, REGARDER, RELEVER
TROUVER considérer, créer, déceler, découvrir, détecter, élucider, estimer, eurêka, imaginer, inventer, juger, résoudre
TROUVÈRE → CHANTEUR, COURTOIS, POÈTE, TROUBADOUR
TRUAND → BANDIT, MALFAITEUR

TRUBLE → BALANCE, FILET
Voir tab. **Pêche**
TRUBLION → AGITATEUR, TROUBLE (1)
TRUC → CHOSE (1), DÉBROUILLARD, PRESTIDIGITATION, RECETTE, REMÈDE
TRUCA → TRUCAGE
TRUCAGE → ALTÉRATION
TRUCAGE accéléré, bruitage, effets spéciaux, fondu, incrustation, ralenti, solarisation, surimpression, truca, truqueur, truquiste
TRUCHEMENT → BIAIS, ENTREMISE, INTERMÉDIAIRE (1), MOYEN (1)
TRUCK → CHARIOT, WAGON
TRUCULENT → BANAL, BOUFFON (2), PITTORESQUE
TRUELLE → CUILLER, MAÇON
TRUFFE → CACAO, CHOCOLAT, MUFLE, MUSEAU
TRUFFÉ → FARCI
TRUFFER → REMPLIR
TRUIE → COCHON, PORC
Voir tab. **Animaux (termes propres aux)**
TRUISME → ÉVIDENT, PLATITUDE, VÉRITÉ
TRUITE
Voir tab. **Animaux (classification simplifiée des)**
Voir tab. **Élevages**
TRUITÉ → PORCELAINE, TACHE
TRUMEAU → GLACE, MIROIR
Voir illus. **Intérieur de maison**
TRUQUÉ → FAUX (2)
TRUQUER → FAUSSER, TRICHER
TRUQUEUR → ILLUSION, TRUCAGE
TRUQUISTE → TRUCAGE
TRUSQUIN → MENUISIER
TRUST → CAPITALISME, CONGLOMÉRAT, EMPIRE, ENTREPRISE, FUSION, GROUPE, GROUPEMENT, INDUSTRIE, MONOPOLE, SOCIÉTÉ
TRUSTER → ACCAPARER, ACHETER
TRUTTICULTURE
Voir tab. **Élevages**
TRYPANOSOME → PARASITE (1)
TRYPANOSOMIASE → SOMMEIL
TSAR → EMPEREUR
TSÉ-TSÉ → MOUCHE, SOMMEIL
TSIGANE → BOHÉMIEN, DÉPLACEMENT, NOMADE
TSIGANE bohémien, gadjo, Gitan, romanichel
TSUNAMI → MARIN (2), TREMBLEMENT DE TERRE
Voir tab. **Tremblements de terre**
TSUZUMI → JAPONAIS
TTC → TOTAL
TTORO
Voir tab. **Plats régionaux**
TUB → BAIN
TUBA → PLONGEUR
Voir illus. **Orchestre**
Voir tab. **Instruments de musique**
TUBAIRE → GROSSESSE
TUBE → AMPOULE, CHANSON, COLLE, CONDITIONNEMENT, CONDUIT, CYLINDRE, POT, SUCCÈS
TUBE ajutage, canule, cathéter, cuissard, drain, éprouvette, fêle, pipette, sarbacane, serpentin, siphon, sonde, tube à essai
TUBE À ESSAI → RÉCIPIENT, TUBE
TUBE CATHODIQUE → TÉLÉVISION

TUBE SÉMINIFÈRE
Voir illus. **Testicule**
TUBERCULE → POMME DE TERRE, RACINE, SAILLIE, TIGE
TUBERCULOSE → INFECTION, POITRINE, POUMON
Voir tab. **Phobies**
Voir tab. **Vaccins**
TUBERCULOSE bacillose, BCG, coxalgie, cuti-réaction, granulie, hémoptysie, Koch (de), lupus, phtisiologue, pneumothorax, sanatorium, spina-ventosa, tuberculose militaire, tuberculostatique
TUBERCULOSE MILITAIRE → TUBERCULOSE
TUBERCULOSTATIQUE → TUBERCULOSE
TUBÉROSITÉ → SAILLIE
TUBULAIRE → SERRURE
TUBULIDENTÉS
Voir tab. **Mammifères (classification des)**
TUBULURE D'ADMISSION
Voir illus. **Moteur**
TUC
Voir tab. **Géographie et géologie (termes de)**
TUDOR
Voir illus. **Arcs**
TUER → BUTER, CLAQUER, CREVER, DESCENDRE, DISPARAÎTRE, EXPÉDIER, EXTERMINER, NEUTRALISER, OCCUPER, ÔTER, PASSER, PÉRIR, RECTIFIER, SUPPRIMER
TUER abattre, anéantir, assassiner, brûler la cervelle (se), décimer, détruire (se), donner la mort (se), exterminer, immoler, lapider, massacrer, mettre fin à ses jours, phonéophobie, sacrifier, suicider (se), supprimer (se)
TUERIE → BOUCHERIE, HÉCATOMBE, MASSACRE
TUEUR assassin, criminel, égorgeur, meurtrier, nervi, pistolero, sbire, sicaire, spadassin, tueur à gages
TUEUR À GAGES → MAIN, MEURTRIER, TUEUR
TUF → CALCAIRE
Voir tab. **Géographie et géologie (termes de)**
TUFFEAU
Voir tab. **Géographie et géologie (termes de)**
TUILE → ARDOISE, TOIT
Voir illus. **Maison**
TUILE canal, coffine, creux, embronchement, flamand, gambardière, imbrice, mécanique, noue, panne, plat, pureau, romaine, rond, sarrasin, tegula, tuileau, tuilerie, vernissé
TUILE CANAL
Voir tab. **Toits**
TUILEAU → TUILE
TUILERIE → TUILE
TULLE
Voir tab. **Habitants (comment se nomment les)**
Voir tab. **Tissus**
TULLISTES
Voir tab. **Habitants (comment se nomment les)**